Tratado de
MICROBIOLOGIA

METABOLISMO BACTERIANO Y AGENTES FISICOS

Por el Dr. M. J. WOLIN,

Profesor de Microbiología,
Universidad de Illinois, Urbana

GENETICA MICROBIANA

Por el Dr. L. S. BARON y el Dr. E. M. JOHNSON,

Departamento de Inmunología Bacteriana,
División de Enfermedades Contagiosas,
Instituto de Investigaciones Walter Reed del Ejército

INMUNIDAD: Antígenos, anticuerpos y la reacción antígeno-anticuerpo; las reacciones serológicas; el estado inmune

Por el Dr. NATALIE E. CREMER,

Investigador de la División de Enfermedades Virales y Rickettsiasis,
Departamento de Sanidad del Estado de California

BRUCELLA; PASTEURELLA Y ACTINOBACILLUS; LAS BACTERIAS HEMOFILAS Y SIMILARES

Por el Dr. BOB A. FREEMAN,

Jefe del Departamento de Microbiología,
Unidades Médicas de la Universidad de Tennessee, Memphis

MICOLOGIA MEDICA

Por el Dr. JOHN W. RIPPON,

Profesor de Medicina,
Universidad de Chicago

LAS ESPIROQUETAS

Por el Dr. OSCAR FELSENFELD,

Jefe de la División de Enfermedades Contagiosas,
Centro de Investigación de Primates Delta Regional,
Tulane University, Covington, Louisiana

PARASITOLOGIA MEDICA

Por el Dr. ROBERT M. LEWERT,

Profesor de Microbiología,
Universidad de Chicago

DR. WILLIAM BURROWS

Profesor de Microbiología, The University of Chicago

TRATADO de MICROBIOLOGIA

VIGESIMA EDICION

Traducido al español por
DR. ROBERTO ESPINOSA ZARZA

NUEVA
EDITORIAL
INTERAMERICANA S. A. de C. V.

México–Argentina–España–Brasil–Colombia–Chile–Ecuador–Perú–Uruguay–Venezuela

Primera edición en español, 1965
Traducción de la decimoctava edición en inglés.
Segunda edición en español, 1969
Traducción de la decimonovena edición en inglés.

Tercera edición en español, 1974
Traducción y adaptación de la vigésima edición en inglés de la obra
Textbook of Microbiology by William Burrows

ISBN 968-25-0195-4(Reimpresión)
ISBN 0-7216-2195-3(Edición original)

PREFACIO

El aumento continuo de conocimientos en microbiología, con la evolución de conceptos nuevos y perfeccionados, requiere revisar frecuentemente un libro como este. La inclusión de material nuevo, y su impacto sobre conceptos básicos establecidos de vieja fecha, ha obligado a efectuar una revisión extensa. Así, la demostración de una enterotoxina —que rige el paso de agua y de iones a través de los tejidos hacia la luz del intestino— formada por el vibrión colérico, coliformes enteropatógenos, algunas cepas de Shigella y de *Clostridium perfringens*, ha logrado una nueva comprensión de la patogenia de las enfermedades diarreicas infecciosas agudas, y es ejemplo típico del impacto que ejercen conocimientos nuevos. En forma similar, la asociación del antígeno Australia con la hepatitis, la correspondencia entre procesos aparentemente tan diferentes como el sarcoma de Burkitt y la mononucleosis infecciosa a través del virus EB, la aparición de viruela del mono en relación con la humana, los peligros de pandemia por biotipos de vibrión colérico, y la producción del estado de portador, los estudios sobre rubéola y desarrollo de vacunas, el fenómeno de los virus satélites, y la réplica de los fagos de RNA, son ejemplos de información incorporada en esta revisión.

La revisión actual es extraordinariamente extensa; incluye, además de la adición de nuevos conocimientos, una reorganización completa y una nueva presentación de capítulos integrados sobre metabolismo microbiano y substancias antibacterianas, el capítulo sobre variación microbiana como mecanismos genéticos de las bacterias, y tres capítulos sobre inmunología. Otros capítulos, como los de micología, Brucella, Pasteurella, Hemophilus y espiroquetas, han sido ampliamente revisados, y en toda la obra se han incluido secciones nuevas. Hemos suprimido el capítulo sobre métodos de laboratorio, que perdió interés, para lograr espacio adicional que permitiera, presentar el material nuevo sin aumentar mucho el volumen de la obra.

El autor debe particular gratitud a sus colaboradores que han contribuido en gran parte a esta edición. El Dr. M. J. Wolin ha escrito de nuevo el capítulo sobre metabolismo bacteriano y el de efectos de agentes físicos y químicos sobre microorganismos, para permitir una estrecha integración del primero con la actividad antimicrobiana de los desinfectantes y los quimioterápicos en el seguido. La innovación resulta manifiesta, por ejemplo, en la consideración de la síntesis de peptidoglicano, proceso único de las bacterias, evitando así la repetición bioquímica. Los Dres. E. M. Johnson y L. S. Baron han escrito de nuevo el capítulo sobre variación microbiana como un aporte muy claro y amplio sobre mecanismos genéticos que intervienen en las bacterias, incluyendo los pertenecientes a la relación de huésped-parásito, para la cual el Dr. Baron y colaboradores tanto han contribuido. El tema de la inmunología se trata en tres capítulos, como en ediciones anteriores; cada uno ha sido escrito de nuevo por el Dr. Natalie E. Cremer para incluir mucho material reciente. El Dr. B. A. Freeman ha sido tan gentil de aceptar la responsabilidad plena de los capítulos sobre Brucella, Pasteurella y Hemophilus y los ha revisado ampliamente. El capítulo sobre espiroquetas ha sido escrito de nuevo por el Dr. O. Felsenfeld, lo cual le ha permitido aprovechar su amplia experiencia con estas formas, especialmente Borrelia. El Dr. R. M. Lewert y el Dr. J. W. Rippon han contribuido en los capítulos de parasitología médica y micología médica, respectivamente; ambos han sido puestos al día, incluyendo material nuevo.

Las referencias al final de cada capítulo siguen destinadas a cubrir el fin original: proporcionar al estudiante un contacto con la literatura, insistiendo en la inclusión de revistas y monografías, y, en menor grado, documentar observaciones más recientes. Como en el pasado, a Margaret Burrows le ha correspondido la enorme tarea de trabajo biográfico, que el autor agradece profundamente; también debe gratitud a Mary Robinson que ha escrito a máquina gran parte de esta revisión. Finalmente, agradecemos la ayuda incansable, la cooperación y el aliento recibidos de W. B. Saunders Company durante los 36 años de su relación con este libro.

WILLIAM BURROWS

INDICE

Capítulo 37

GRUPO DE LOS MIXOVIRUS (INFLUENZA, PAROTIDITIS, SARAMPION, RUBEOLA, RABIA) Y VIRUS SIMILARES

Capítulo 38

PICORNAVIRUS; VIRUS DE HEPATITIS; ADENOVIRUS

Capítulo 39

ARBOVIRUS; VIRUS DE LA CORIOMENINGITIS LINFOCITARIA

Tratado de
MICROBIOLOGIA

CAPITULO 1

DESARROLLO HISTORICO DE LA MICROBIOLOGIA

El término microbiología suele utilizarse en un sentido más limitado de lo que sugiere su etimología. No se refiere al amplio campo de los organismos vivos pequeños o minúsculos; ha pasado más bien a referirse a los microorganismos que directamente o en forma muy estrecha se relacionan con la actividad y el bienestar del hombre.

Los microorganismos resisten a una limitación taxonómica precisa por cuanto abarcan parte del reino mineral y parte del reino animal, desde los hongos de manifiestas afinidades vegetales hasta los animales unicelulares y multicelulares pequeños. En este esquema, las bacterias verdaderas o Eubacteriales ocupan una posición intermedia entre los dos reinos, y en realidad constituyen un eslabón entre ellos. Los virus, que se distinguen por su relación parásita obligada con las células de sus huéspedes, quizá deban considerarse como una rama de las bacterias, y tienen interés único por cuanto parecen ocupar una bien marcada posición límite entre los seres vivos y los no vivos.

Las consecuencias de las diversas actividades de muchos microorganismos ya eran familiares para el hombre prehistórico. La descomposición de la materia orgánica, especialmente el echarse a perder los alimentos, las fermentaciones acética, láctica y alcohólica, la degradación de las proteínas con producción de olores nuevos y sabores mejores en algunos alimentos, y la aparición de enfermedades infecciosas, son ejemplos de fenómenos familiares que hoy sabemos tienen causa microbiana.

La existencia de estos agentes etiológicos puede deducirse de tales consecuencias de sus actividades, y su índole viva de la capacidad que tienen para reproducir los efectos observados indefinidamente en serie; por ejemplo, la transferencia de una pequeña porción de mezcla que fermenta a un substrato fresco sin fermentar. Probablemente tales deducciones ya se hicieron hace tiempo, pues muchas afirmaciones se encuentran en escritos viejos y más modernos que pueden interpretarse como confirmando esta idea. Así, Lucrecio habla en su *De Rerum Natura*, de "las semillas de la enfermedad"; Fracastoro de Verona, en 1546, sugería un *contagium vivum* como causa de enfermedad, y Plenciz consideraba la especi-ficidad de la enfermedad basándose en una etiología microbiana en 1762.

Sin embargo, la apreciación de los conceptos abstractos que ahora son lugar común en los conceptos modernos de la ciencia constituye un desarrollo relativamente reciente; e incluso ahora, estos conceptos muchas veces son aceptados por simple fe y confianza más que por comprensión intelectual. Así, un carácter esencial de los comienzos de la microbiología científica fue la demostración de estos agentes de manera que resultaban más o menos directamente evidentes para los sentidos. Esto se logró al disponer de sistemas ópticos de precisión suficiente para poderlos ver.

MICROSCOPIA

El nombre de Antonio van Leeuwenhoek está unido inseparablemente con el desarrollo inicial del microscopio. Van Leeuwenhoek vivió a fines del siglo XVII y comienzos del XVIII (1632-1723) en Delft.

Tenía un buen cargo político, por lo que podía destinar la mayor parte de su tiempo a su afición de pulir lentes. No solo producía las mejores lentes disponibles en su tiempo, sino que las utilizaba para examinar gran diversidad de materiales que le interesaban. Fue el primero en observar bacterias intentando ver con los ojos el origen del sabor de la pimienta. Es indudable que lo que en realidad observó eran microorganismos, pues hizo dibujos fáciles de reconocer publicados en su informe [11] sobre las observaciones presentado a la Royal Society.

En la parte más importante del informe decía así:

Desde hace tiempo he intentado saber la causa del sabor picante que tiene sobre la lengua la pimienta, y sobre todo porque está visto que colocando durante todo un año la pimienta en vinagre, sigue conservando su sabor picante; puse aproximadamente un tercio de onza de pimienta en el agua, y la coloqué en mi despacho esperando que al ablandarse pudiera observar mejor lo que me proponía. Después de dejar tres semanas esta pimienta en el agua, a la cual había añadido un poco de agua de nieve,

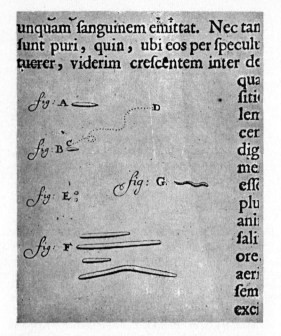

FIG. 1-1. Primera representación gráfica de bacterias. (Reproducido de *Arcana Naturae delecta ab Antonio van Leeuwenhoek.* Delphis Batavorum apud Henricum Crooneveld. 1695.)

por cuanto la otra en gran parte se había desvanecido, miré el 24 de abril de 1676 y vi con gran admiración que contenía un número increíble de pequeños animales de diversos tipos... El cuarto grupo de criaturas, que se movía a través de los otros tres grupos, era increíblemente pequeño, y tan pequeño para mi ojo que juzgué que si poníamos cientos de ellos uno al lado de otro, no igualarían a la longitud de un grano de arena grueso; en consecuencia, diez centenares de miles no podrían igualar las dimensiones de un grano de tal arena.

Unos pocos de los centenares de microscopios que construyó todavía existen, y es evidente que la máxima amplificación que logró fue de aproximadamente 300 diámetros. Esto no basta para permitir la observación de objetos tan pequeños como bacterias, estudiadas con luz transmitida. Aunque van Leeuwenhoek nunca quiso revelar su método de iluminación, parece probable que utilizara luz reflejada como se usa en el moderno microscopio de campo obscuro.

La demostración directa de organismos vivientes en tan pequeñas dimensiones fue un logro notable, pero la relación de tales formas con fenómenos naturales, como la fermentación o las enfermedades infecciosas, o bien se le escapó a Leeuwenhoek, o no le prestó importancia. Su posible relación con fenómenos mayores era bastante manifiesta para algunos, posiblemente muchos, hombres de ciencia de su tiempo.

Por ejemplo, en un comentario sobre un informe de enfermedad infecciosa del ganado publicado cinco años más tarde, su contemporáneo Slare escribía así:[12]

Desearía que el Sr. Leeuwenhoek hubiera presenciado algunas de las disecciones de estos animales infectados, porque estoy convencido que habría descubierto algún insecto extraño o algo similar en ellos.

Pero el estudio sistemático se retrasó muchos años; fue casi un siglo más tarde, en 1786, cuando el zoólogo danés O. F. Müller estudió las bacterias y logró descubrir varios detalles de su estructura. Dejó dibujos tan precisos, que las bacterias que él observó pueden identificarse en la actualidad como correspondientes a una u otra de sus divisiones. Algo más tarde, en 1838, Ehrenberg publicó su obra *Infusionstierchen,* en la cual establecía el estudio de estos microorganismos sobre una base sistemática y podía determinar en cierto número de grupos, al reconocer netamente diferencias morfológicas fundamentales, como las que distinguen las espiroquetas de algunos otros protozoos, con los cuales algunos autores los habían agrupado. Algunos de los nombres que utilizó, como "bacterium" y "spirillum" se utilizan todavía en la nomenclatura bacteriológica, aunque hayan cambiado algo de significación. Durante las dos o tres décadas siguientes se reunieron muchos conocimientos por hombres como Dujardin, Perty, Nägeli, Cohn y otros.

Tiene interés el hecho de que Cohn fuera el profesor de Koch.

La perfección del moderno microscopio compuesto, con sus objetivos acromáticos, luego apocromáticos y de fluorita, facilitaron netamente el estudio de la morfología de microorganismos, y por lo menos de algunas de las grandes estructuras internas de la célula bacteriana, así como pudieron observarse algunos de los virus más voluminosos. Esto permitió establecer una diferenciación precisa de los microorganismos con base morfológica y brindó los criterios fundamentales para caracterizar las formas mayores, los hongos, protozoos y metazoos. La introducción del microscopio de fase en los años 1940 facilitó más todavía algunos de los aspectos de la microscopia, especialmente las observaciones de microorganismos en estado vivo, poniendo de relieve pequeñas diferencias de índices de refracción de elementos intracelulares.

De todas maneras, el microscopio óptico tiene un valor limitado por la resolución que puede obtenerse mediante luz visible, hasta un límite de amplificación de 1 000 a 2 000 diámetros, y observación de objetos tan pequeños como 0.2 μ. Era evidente que tales límites de resolución resultaran inadecuados para estudiar muchas de las estructuras intracelulares de bacterias, y, además, que había organismos vivos todavía mucho más allá de los límites de la resolución óptica.

El microscopio de campo obscuro, aunque facilitó la observación de microorganismos pequeños, como espiroquetas, y estructuras como flagelados, solo muestra los pequeños objetos como puntos de luz sobre fondo obscuro, sin aumentar la resolución. El empleo de la luz ultravioleta en un microscopio compuesto prácticamente corriente, equipado con lentes de cuarzo, logró pequeños aumentos del poder de resolución durante los años 1920 y siguientes, pero persistía la limitación fundamental de las dimensiones del objeto en relación con la longitud de onda de la luz.

Al cabo de una o dos décadas se creó el microscopio electrónico en forma utilizable prácticamente. Constituyó un importante adelanto en la microscopia en que un objeto o una estructura que producen una "sombra" en el haz de electrones puede resolverse, y se obtienen amplificaciones de trabajo de 30 000 diámetros con excelente resolución. Así resultó posible fotografiar microorganismos más allá de los límites de la resolución óptica y demostrar directamente características morfológicas a nivel de las macromoléculas que representan la unidad completa de algunos de estos agentes.

GENERACION ESPONTANEA

Durante años se admitió, en general, que los organismos vivos podían nacer de novo y completamente formados de la materia orgánica en descomposición. El desarrollo de culebras en pelos de caballos puestos en agua estancada y la aparición de ratones en el forraje en descomposición son hechos familiares que en realidad persisten en algunas zonas del mundo hasta la actualidad. Lo erróneo de tales ideas ya fue sospechado por algunos y durante el siglo XVII diversos individuos llevaron a cabo experiencias destinadas a comprobar si los organismos vivos tenían su origen solamente en otros organismos vivos (biogénesis) o aparecían espontáneamente en la materia orgánica en descomposición (abiogénesis).

El médico poeta Redi llevó a cabo experimentos a mitad del siglo XVII que demostraron, contrariamente a la creencia popular, que las larvas de mosca no se formaban espontáneamente en la carne en descomposición, sino que eran larvas desarrolladas a partir de huevos depositados en la carne. Spallanzani, monje italiano, demostró después que las infusiones de carne en putrefacción no se echaban a perder cuando se calentaban adecuadamente y no contenían gérmenes vivos, ni conservándolas largo tiempo. Needham, sacerdote irlandés, disputó con Spallanzani fundándose en experiencias similares en las cuales las infusiones se estropearon y aparecieron en ellas gérmenes vivos a pesar del calentamiento previo. Una segunda serie de experimentos cuidadosos efectuados por Spallanzani confirmaron sus anteriores observaciones, e indicaron los errores de las experiencias de Needham. Era evidente que la fuente de los microorganismos estaba en el aire; esto fue demostrado de manera convincente por muchos otros autores, como Schulze, Schwann, Schröder y von Dusch, y Tyndall.

Todo el problema parecía definitivamente resuelto en favor de la biogénesis cuando se planteó de nuevo, a mitad del siglo XIX, por los trabajos del eminente químico francés Pouchet. Este autor cometió los mismos errores técnicos de algunos de sus predecesores, de manera que sus resultados parecían confirmar la hipótesis de la generación espontánea de la vida. Fue entonces cuando entró en la controversia Pasteur, mediante sus estudios sobre fermentación, demostrando sin duda alguna el origen de los microorganismos, en el aire, al comprobar el número variable de microorganismos que contenía, procedentes de distintas fuentes, mediante ingeniosas experiencias, en las cuales el material calentado tenía libre acceso al aire a través de vías tortuosas que permitían que el polvo cargado de bacterias sedimentara antes que el aire alcanzara los materiales de prueba putrescibles.

Desde entonces ya no se ha puesto en duda la validez de la biogénesis. Aunque tal biogénesis en la actualidad parece evidente, comprobarlo fue un hecho de importancia fundamental para la biología. Si no se hubiera hecho así, no se habría podido establecer la etiología microbiana específica de la fermentación, la descomposición de los alimentos, las enfermedades y fenómenos infecciosos. Al mismo tiempo, los conceptos actuales sobre evolución, y las comprobaciones bioquímicas en particular, parecen señalar inevitablemente el origen de la vida en elementos no vivos.[13]

FERMENTACION Y FISIOLOGIA BIOQUIMICA

A mitad del siglo XIX la índole general de la materia orgánica iba aclarándose, pero no la descomposición espontánea de estas substancias, pues no se conocía la parte desempeñada por los microorganismos en los procesos de putrefacción y fermentación. Esto resulta algo paradójico por cuanto en algunos de los estudios anteriores sobre generación espontánea la descomposición de las infusiones de carne se tomaba como demostración de la presencia de seres vivos, y como tales organismos no se descubrían en ausencia de descomposición, era lógico suponer una relación causal.

La índole vegetal de la levadura ya había sido observada por Caignard-Latour y por Schwann, pero los químicos de aquel tiempo, Liebig, Berzelius y Wöhler, consideraban la presencia de células de levadura en una mezcla en fermentación como simple hecho incidental que acompañaba a la descomposición, esta se consideraba con base inanimada.

Pasteur (1822-1895), que inicialmente se formó como químico, había hecho sus primeros trabajos sobre estereoisomería. La formación de alcohol amílico ópticamente activo en el curso de la fermentación láctica le hizo estudiar el proceso de la fermentación. Habiendo establecido primero la validez de la biogénesis, no fue difícil demostrar que las fermentaciones resultaban de la actividad fisiológica de microorganismos vivos en crecimiento. Hoy sabemos, claro está, que si bien el germen vivo es un complemento indispensable de la fermentación, la catálisis del proceso es función de las enzimas formadas por la célula viva y puede tener lugar en preparaciones desprovistas de células.

La especificidad de las fermentaciones, o sea que diversos tipos de fermentaciones caracterizadas por diferencias en los productos terminales resultantes provienen de la actividad de microorganismos diferentes, hizo desarrollar estos trabajos y fue el comienzo de la etapa en que se establecieron los principios importantes de la etiología microbiana específica. Pasteur aplicó estos conocimientos a sus trabajos sobre "enfermedades" de la cerveza y del vino, y demostró que no eran más que fermentaciones secundarias llevadas a cabo por microorganismos extraños que proporcionaban productos finales indeseables. Controló el proceso fermentativo calentando cuidadosamente para destruir microorganismos indeseables, e inoculando después la mezcla fermentescible con microorganismos que llevaban a cabo la fermentación deseada. Este método de calentamiento cuidadoso, actualmente aplicado en todo el mundo para destruir microorganismos patógenos que puede haber en la leche, en honor suyo ha recibido el nombre de "pasterización".

El estudio de los mecanismos de la fermentación fue intensamente estimulado por el valor comercial de los productos terminales, como alcohol etílico, ácidos láctico y acético, glicerina, butanol y acetona, por una parte, por otra las manifestaciones similares del metabolismo de los carbohidratos en microorganismos y en animales superiores, incluyendo el hombre. La primera consideración tuvo por consecuencia el establecimiento de una nueva industria destinada a la producción en gran escala de solventes orgánicos, y, más tarde, otros productos microbianos, especialmente vitaminas y antibióticos.

La química de los microorganismos, peculiar por su simplicidad morfológica y su complejidad fisiológica, fue desarrollándose paralelamente a los conocimientos químicos de fisiología de los mamíferos, acabando por fundirse en lo que constituye la bioquímica de nuestros días. Como ya dijimos, la base inicial común fue el metabolismo de los carbohidratos y los procesos respiratorios, que presentan similitudes extraordinariamente estrechas en organismos tan disímiles. Así, el fenómeno de la respiración anaerobia, observado primeramente por Pasteur en mezclas fermentadas, y recibido por entonces con incredulidad, hoy sabemos que es frecuentísimo en fisiología bioquímica. Un estudio más detallado ha demostrado que la catálisis de los procesos de respiración también es substancialmente la misma, y, por ejemplo, la caracterización de las enzimas porfirina ferruginosa y flavoproteína se facilitó netamente cuando nos las proporcionaron los microorganismos. Diversas vitaminas necesarias para los animales, especialmente las del grupo B, también las necesitan los microorganismos; y, al parecer, actúan de igual manera, o sea como grupos prostéticos o precursores de sistemas enzimáticos esenciales. Análogamente, varios microorganismos requieren aminoácidos

preformados de manera muy similar a como ocurre en los mamíferos.

En otros aspectos, la potencialidad fisiológica de los microorganismos es mucho mayor que la de cualquier organismo vivo. Se tiene la impresión de que estas formas constituían un fondo de prueba para diversos mecanismos fisiológicos, y solamente algunos han tenido valor de supervivencia bastante para persistir en amplia escala a lo largo del proceso de la evolución. Al paso que el metabolismo de los mamíferos queda simulado por algunos microorganismos, otros son fotosintéticos y se parecen a las plantas verdes por la reducción fotoquímica del bióxido de carbono, o difieren en cuanto las reacciones fotoquímicas van acopladas con el metabolismo de compuestos azufrados inorgánicos. Otros, en fin, son quimioautotróficos, en el sentido de que obtienen la energía para la reducción del bióxido de carbono de la oxidación de substratos inorgánicos como el hidrógeno, o compuestos inorgánicos como nitrógeno, azufre, hierro y manganeso; y las bacterias fijadoras de nitrógeno asimilan el nitrógeno atmosférico solas o en simbiosis con plantas leguminosas. Evidentemente, la distribución ecológica de los microorganismos es función de sus propiedades fisiológicas.[1]

Su estudio por Winogradsky, Beijerinck, Hellriegel y Wilfarth, y otros autores, que empezó al doblar el siglo, representa un logro notable, no solo por el aislamiento de tipos fisiológicos de microorganismos de los cuales no se tenían precedentes, sino también por aclarar los mecanismos de transformaciones cíclicas de los elementos en la naturaleza y la base microbiana de la fertilidad de los suelos. Así, las bacterias nitrificantes autotróficas, caracterizadas en forma única por la oxidación de amoniaco a nitritos, y de nitritos a nitratos, permiten el ciclo completo de transformación de los compuestos nitrogenados. El nitrógeno que se pierde del tipo fijado es substituido con creces por la fijación microbiana, y resulta clara la índole del rejuvenecimiento del suelo empobrecido por el cultivo de leguminosas.

ENFERMEDADES INFECCIOSAS

En ocasiones, conceptos nuevos que aparecen prematuramente no son debidamente apreciados en su tiempo, o lo son demasiado tarde y no corresponden a la época; pero a veces conceptos nuevos coinciden con un segmento extraordinariamente receptivo del torrente general de pensamiento y parecen desencadenar una verdadera explosión. El aclaramiento de las causas y la posible prevención, control y curación de enfermedades infecciosas mortales y solapadas, con la cual estaban familiarizadas casi todas las personas, fue una de estas últimas, e impresionó la imaginación popular a medida que fue apareciendo.

La transición, desde la etiología microbiana específica de las fermentaciones a los fenómenos relacionados con las enfermedades infecciosas, se logró más rápidamente de lo que pudiera parecer. Las analogías entre la mezcla fermentativa y el individuo susceptible, entre la fermentación activa y la enfermedad clínica, y, finalmente, la supresión de la fermentación activa y la recuperación con inmunidad para las enfermedades infecciosas, eran fenómenos manifiestos. Además, la difusión del contagio ya se apreciaba, y algo de la índole de un agente infeccioso ya estaba en el aire, según datos epidemiológicos como los obtenidos por Snow en sus estudios sobre cólera y los de Semmelweiss y Holmes sobre la septicemia puerperal en los hospitales.

Las consecuencias de los estudios de Pasteur sobre la fermentación y las enfermedades infecciosas, se apreciaron casi inmediatamente, en particular por el cirujano británico Lister. Este autor aplicó los principios básicos a su propio trabajo, controlando la infección en las salas de operaciones mediante el uso del fenol, y así, en 1867, inició la era de la cirugía antiséptica, que disminuyó notablemente las infecciones intercurrentes y la mortalidad. Estas prácticas en plazo de dos décadas fueron substituidas por las de cirugía aséptica, sobre todo por Bergmann en Berlín, al percatarse cada vez más de la importancia de las personas infectadas como fuente básica de la sepsis.

Quedaba para el médico alemán Koch (1843-1910) desarrollar los métodos experimentales necesarios para demostrar una relación causal entre bacterias y enfermedades infecciosas. Desde las primeras aplicaciones del microscopio al estudio de los microorganismos resultaba claro que había tipos morfológicamente diferentes y que esto ocurría en la naturaleza sobre todo en forma de poblaciones mixtas. Era evidente también, según los primeros estudios sobre la piemia, que los criterios morfológicos por sí solos no bastaban para distinguir y caracterizar las bacterias, ya que formas morfológicamente idénticas diferían netamente en sus propiedades patológicas.

Resultaba esencial separar tales microorganismos unos de otros.

Inicialmente, esto había sido logrado hasta cierto punto, por ejemplo en los primeros trabajos de Pasteur, por dilución en medios de cultivo líquidos, y se admitía que los tubos que mostraban crecimiento con altas diluciones de un inóculo con el cual el crecimiento era irregular, al irse resembrando contenía solo un tipo de bacterias, descendientes de una sola célula original presente en el inóculo. Probablemente una de las mayores contribuciones a la técnica bacteriológica fue el método de aislamiento en cultivo puro creado por Koch. Consistía en diluir el inóculo y cultivarlo en un medio nutritivo solidificado como gel por adición de gelatina, más tarde con agar, que servía para separar las células viables una de otra; la consecuencia es que su descendencia se desarrollaba en forma de masas aisladas de células dependientes de un solo ancestro, un *clono* en terminología zoológica. Así resultaba posible, con mucho, la microbiología moderna, que se basa en gran parte en esta técnica simple.

Aunque el hongo que produce el favus ya fue descrito por Schoenlein en 1839, y el germen de tipo de levadura de las aftas por Langenbeck el mismo año, la etiología microbiana específica de la enfermedad infecciosa solo fue establecida de manera clara en estudios sobre el carbunco, enfermedad epidémica y de gran mortalidad que ataca al ganado y otros animales domésticos. Los microorganismos que hoy conocemos como *Bacillus anthracis* habían sido observados por Davaine y Rayer en 1850, y por Pollender en 1849 en la sangre y órganos de animales muertos de carbunco. La enfermedad fue transmitida por Brauell en 1867 inoculando animales normales con sangre infectada. Sin embargo, se admite en general que la bacteriología médica moderna comenzó con los estudios de Koch sobre esta enfermedad en 1877, pues con ellos desarrolló la demostración concluyente de la relación causal entre el bacilo del carbunco y la enfermedad, llenando las que más tarde se denominaron condiciones de Koch, o sea: aislamiento del microorganismo en cultivo puro; reproducción de la enfermedad en animales de experimentación por inoculación con cultivo puro; y demostración del microorganismo en la enfermedad experimental. Así, se habían delineado las condiciones necesarias para establecer la etiología de la enfermedad infecciosa; poco después, el disponer de la técnica de los cultivos sólidos para aislamiento rápido de las bacterias en cultivo puro, constituyó el último bloque de la construcción técnica.

Estos avances, acompañados del desarrollo de métodos de coloración por Koch, Ehrlich, Weigert y otros, constituyeron un estímulo enorme para el estudio de las enfermedades infecciosas; el resultado fue la acumulación de una cantidad inmensa de nuevos conocimientos durante las dos décadas siguientes. Koch aisló el bacilo de la tuberculosis en 1882 y el vibrión del cólera en 1883; Klebs describió el bacilo de la difteria en 1883, que fue aislado por Löffler al año siguiente; Fränkel descubrió el neumococo en 1886, y el meningococo fue aislado en 1887 por Weichselbaum. Kitasato cultivó el bacilo del tétanos en 1889, y en 1894, junto con Yersin, descubrieron independientemente el bacilo de la peste. El descubrimiento de la toxina diftérica en 1888 por Roux y Yersin, y el de la toxina tetánica por Kitasato, en 1889, permitió tener idea de los medios gracias a los cuales las bacterias producen las enfermedades.

La caracterización de las bacterias patógenas por sus datos morfológicos, fisiológicos y patológicos, y el estudio de su persistencia en condiciones adversas, así como su conducta en huéspedes infectados, resultaban corolarios manifiestos y esenciales. Aparte de este tipo de información, fueron comprendiéndose los elementos básicos de la difusión de los procesos infecciosos de un hombre a otro, y de los reservorios animales de la infección al hombre, directamente como en el caso de la tuberculosis, o indirectamente en la peste bubónica, creándose en forma firme las bases de la epidemiología. Así, mientras Snow deducía la presencia del agente causal del cólera asiático en las heces de los enfermos y su transmisión a otros gracias a la contaminación del agua de bebida en la famosa epidemia de Broad Street Pump, de Londres, en 1854, la índole de las enfermedades intestinales de origen hídrico se hizo mucho más clara, al aislarse y estudiarse patógenos intestinales como vibrión colérico y los bacilos de la tifoidea y disentería.

El control eficaz constituía una consecuencia inevitable de los conocimientos crecientes sobre enfermedades infecciosas y su modo de propagarse. La aplicación de las medidas de control indicadas, la adición de cloro a las aguas de consumo, la pasterización de la leche, etc., acompañadas de la amplia utilización de métodos de inmunización artificial, han proporcionado éxitos sorprendentes. Se ha logrado eficazmente la desaparición de muchas de las grandes enfermedades que mataban a los hombres, como viruela, fiebre tifoidea, cólera asiático, difteria y peste, y una enorme reducción de otras como la tuberculosis y la escarlatina en muchas partes del mundo. Todo esto proviene en gran parte de los datos sobre etiología microbiana específica de la enfermedad infecciosa.

VIRUS

En fase temprana del estudio de la etiología de las enfermedades infecciosas se comprobó que había agentes causales de enfermedad, al parecer seres vivos, con los cuales podían transmitirse indefinidamente las enfermedades en serie, pero que no podían observarse con el microscopio de luz ni cultivarse si no era en células vivas de huéspedes; en otras palabras, no eran cultivables en los medios inertes que permitían el desarrollo de bacterias. Iwanowski, en 1892, y Beijerinck, en 1899, fueron los primeros en observar estos agentes, que causaban la enfermedad del mosaico de la planta del tabaco, descrita por Beijerinck como *contagium vivum fluidum* ya que se hallaba en los filtrados desprovistos de bacterias del jugo infectante. Un agente similar causaba la glosopeda del ganado, descrito en 1897 por Löffler y Frosch; el agente causal de la fiebre amarilla fue descubierto por la Comisión del Ejército Norteamericano bajo la dirección de Reed en 1900. Agentes similares que producen una lisis transmisible de las bacterias fueron descubiertos por Twort en 1916 y d'Herelle en 1917, originando tres grupos de agentes que actualmente reciben el nombre de virus de las plantas, de los animales y bacterianos, respectivamente.

El término virus fue reduciéndose, desde su significación inicial de cualquier agente vivo, incluyendo las bacterias, frecuente antes de 1930, por la limitación de virus filtrable, porque algunos de estos agentes podían atravesar filtros que detienen bacterias, hasta el significado actual del término después de 1940. Las dimensiones extraordinariamente pequeñas de los virus se dedujeron tanto de la imposibilidad de observarlas como de la capacidad de algunos de ellos de pasar a través de los filtros más finos.

Durante las cuatro o cinco décadas siguientes se acumularon informaciones, primero sobre la capacidad de los virus de atravesar algunas, pero no todas, las membranas de colodión de poros graduados, las velocidades de sedimentación en centrífugas de alta velocidad, y, finalmente, la observación directa con microscopio electrónico, que demostró que estos agentes tenían un diámetro de 200 nm, o sea justo en el límite de resolución del microscopio de luz, hasta partículas infecciosas tan pequeñas como son 10 nm. Además, los análisis químicos demostraron que las formas más voluminosas contenían proteína, polisacárido y lípido en proporciones biológicamente usuales, y por lo tanto se parecían a las bacterias, mientras que las formas menores parecían estar formadas estrictamente por nucleoproteínas. Algunas de estas últimas se obtuvieron en forma cristalina; el primero fue el virus del mosaico del tabaco, que se logró preparar como paracristales o aciculares en 1935. Más tarde otros virus vegetales fueron preparados en forma de cristales verdaderos, por ejemplo el virus de la enfermedad de las hojas del tomate en forma de cristales dodecaédricos rómbicos uniformes, y en 1955 una cepa de virus de poliomielitis, uno de los virus animales menores, fue preparada como prismas tetragonales bipiramidales. Partiendo de datos como estos, era evidente qne los virus no constituyen un grupo homogéneo de agentes infecciosos.

Se describieron microorganismos relacionados, que quizá debieran considerarse elementos intermediarios entre bacterias y virus, causa de cierto número de enfermedades febriles. El agente causal de la fiebre manchada se descubrió por Ricketts en 1909, y más tarde da Rocha Lima, von Prowazek, y otros, mostraron que microorganismos similares producían fiebres del grupo tifus, tsutsugamushi y procesos similares; más tarde se comprobó que la fiebre Q tenía una etiología similar. Estos microorganismos, conocidos ahora por rickettsias, se comprobó que eran tan voluminosos como bacterias pequeñas, y por lo tanto podían verse con el microscopio de luz, pero, al igual que los virus, solo proliferan en presencia de células huéspedes adecuadas.

A consecuencia de esta dependencia total de virus y rickettsias de las células huéspedes, se crearon diversos métodos para su propagación en cultivos de tejidos desde principios de este siglo. En tales cultivos de tejido se comprobó que las células huéspedes estaban afectadas peligrosamente (propiedad citopatógena de los virus), y se ha podido demostrar en esta forma la presencia de virus en materiales obtenidos de personas aparentemente normales, especialmente de vías aéreas superiores y aparato digestivo. La propagación de los virus en el huevo embrionado de pollo fue descrita a comienzos de 1930 como proliferación en la membrana corioalantoidea, cavidad alantoidea, saco vitelino, o en los tejidos del propio embrión, según el agente y las vías de inoculación. Al aparecer los antibióticos, en los años de 1940, resultó muy posible evitar la contaminación de los cultivos de células y tejidos animales; el resultado fue el desarrollo de métodos fácilmente aplicables de cultivo de tejido para propagación de virus. El estímulo para la virología fue similar al que había logrado la bacteriología con el método de Koch para aislar las bacterias en cultivo puro.

Esta dependencia de la célula huésped, que caracteriza a los virus y rickettsias elevó el concepto de parasitismo a un alto grado de intimidad. Con una o dos excepciones menores, se ha comprobado que estos agentes no tienen metabolismo independiente, y por lo tanto, son parásitos de los mecanismos metabólicos de la célula huésped; algunos de ellos, en particular los virus bacterianos, parecen estar formados por poco más que el material de genes que, una vez introducido en la célula huésped, domina sus mecanismos directivos normales obligándolos a sintetizar nueva substancia de virus. En términos más exactos, el virus parasita las reacciones productoras de alta energía y las funciones sintéticas de los ribosomas de la célula huésped. Así, resultó posible comprobar que los ácidos nucleicos separados de la partícula del virus por extracción de fenol u otros métodos, permitían la síntesis del virus completo al introducirlos en la célula huésped. Tales preparaciones reciben el nombre de ácido nucleico infeccioso. Es evidente el significado fundamental de tales observaciones, y cada vez resulta más difícil —si es posible— distinguir entre lo vivo y lo no vivo.

INMUNIDAD

Desde hace tiempo se sabe que el individuo que se ha recuperado de enfermedades infecciosas muchas veces es específicamente refractario a crisis repetidas de las mismas, y que este estado refractario o de inmunidad adquirida puede persistir años. La práctica de exponer deliberadamente al agente infeccioso para producir la enfermedad, y por lo tanto lograr inmunidad, ha persistido hasta nuestros días en el caso de unas cuantas enfermedades como las paperas y el sarampión, que son de poca gravedad y menos complicadas en niños que en adultos. Culminó en la práctica de la vacuna contra la viruela, o sea la inoculación deliberada de una persona susceptible mediante material pustuloso obtenido de un individuo con viruela (variola). La enfermedad así producida era mucho menos mortal que la viruela adquirida naturalmente, y brindaba un método de protección más o menos permanente contra ella. La vacuna contra la viruela se había practicado en el Cercano Oriente mucho tiempo antes de ser intro-

ducida en Europa Occidental, en 1718, por Lady Mary Wortley Montague, esposa del embajador británico en Constantinopla.

La inoculación artificial de un agente infeccioso de virulencia reducida para el hombre, con el fin de producir una infección ligera y lograr la consiguiente protección contra la enfermedad de aparición natural se inició con los trabajos del inglés Jenner. Observando la rareza con la cual sufrían viruela las lecheras que habían estado infectadas con viruela de vaca (vacuna) inició deliberadamente la inoculación del hombre con vacuna, seguida de inoculación con viruela unas semanas más tarde. En 1796 pudo informar que tal infección primaria confería un alto grado de protección contra la viruela. Este método de vacunación, o profilaxia jenneriana, fue ampliamente utilizado desde entonces y sigue en pleno uso.

Al descubrirse los microorganismos patógenos resultó posible estudiar la inmunidad para enfermedades infecciosas de manera sistemática. Pasteur, trabajando primero con el cólera de las gallinas y más tarde con el carbunco y la erisipela del cerdo, demostró que el principio básico descubierto por Jenner podía generalizarse para incluir otras enfermedades, además de la viruela. Su aplicación más notable fue el desarrollo de la profilaxia para la rabia, utilizando virus de rabia que había disminuido su virulencia para el hombre por pasos sucesivos en el conejo. Poco después, los investigadores norteamericanos Salmon y Theobald Smith comprobaron que la inoculación de gérmenes muertos también podía estimular el desarrollo de inmunidad. En 1890, von Behring y Kitasato crearon las bases de la inmunidad antitóxica al descubrir las antitoxinas para tétanos y difteria. Esto completó el camino para una profilaxia eficaz de enfermedades infecciosas mediante inmunidad adquirida, producida en respuesta a la inoculación artificial de microorganismos modificados, muertos, o productos de los mismos.

Era evidente que el animal inmune se caracterizaba, primero, por la presencia de anticuerpos que reaccionan específicamente con microorganismos y sus productos, en los líquidos corporales y localizados en la fracción globulínica de la proteína sérica; en segundo lugar, por una respuesta acelerada de las células fagocitarias a la presencia de microorganismos. El primer fenómeno, la inmunidad humoral, fue estudiado intensamente por diversos investigadores, como Bordet, Ehrlich y otros, y al respecto cabe admitir dos enfoques fundamentales. Uno se refiere a la relación entre anticuerpo humoral e inmunidad eficaz. En algunos casos, por ejemplo, en la inmunidad antitóxica, esto parecía claro, pero en otros, como en la inmunidad antibacteriana y antivirósica, el estado inmune es algo más complejo y plantea muchos problemas que todavía esperan resolución.

El otro se refiere a la índole de la especificidad antigénica, aclarada principalmente por los trabajos de Landsteiner en los años de 1920 a 1929 sobre la naturaleza del anticuerpo, y en términos fisioquímicos de reacción de antígeno-anticuerpo. La serología, o sea el estudio in vitro de antígenos y anticuerpos, originó el desarrollo de reacciones serológicas diagnósticas como las de Widal y Wassermann, y permitió caracterizar los microorganismos fundándose en sus antígenos constituyentes gracias a los métodos de análisis antigénico. Con el desarrollo de métodos fisicoquímicos y su aplicación a las globulinas séricas con actividad de anticuerpo, el aclaramiento de la estructura del anticuerpo, o sea de las moléculas de inmunoglobulina, ha permitido distinguir diferentes clases de anticuerpos y de actividades inmunológicas.

El estudio de la inmunidad asociado con la actividad de células fagocíticas, o inmunidad celular, correspondió inicialmente sobre todo a Metchnikoff, al terminar la década de 1880 y más tarde. Partiendo de estudios con *Daphnia*, amplió el fenómeno de la captación y destrucción de microorganismos invasores por los leucocitos polimorfonucleares (micrófagos) y los macrófagos estableciendo un sistema inmunológico. Sobre estas bases Aschoff describió y definió los fagocitos tisulares libres y fijos como células del sistema reticuloendotelial. Se aclararon más tarde las potencialidades de las células de origen linfoide por Maximov llegando a la concepción general de la reacción inflamatoria y de la respuesta celular a la infección como proceso de movilización de células fagocíticas y destrucción de microorganismos, seguida de reparación tisular por macrófagos que se transforman en fibroblastos.

Aunque la inmunidad celular y la inmunidad humoral se desarrollaron algo separadamente, pronto se comprobaba que eran facetas diferentes de un mismo mecanismo de defensa del huésped, evidentemente relacionado por la presencia de anticuerpo opsónico circulante, y por la íntima relación de las células del sistema linfoide-macrófago con la formación de anticuerpos.

QUIMIOTERAPIA

Una de las principales contribuciones de Paul Ehrlich a la microbiología a principios de siglo fue la quimioterapia de las enfermedades infecciosas. Tenía la idea de buscar el "proyectil mágico", un compuesto químico que no fuera tóxico para el huésped, y que buscara y matara a los microorganismos invasores. Se conocían substancias que tenían actividad antimicrobiana selectiva, pero habían nacido del folklore, y más tarde, simplemente, de ensayos por tanteo, sin la prueba del tiempo. La quinina utilizada para tratar el paludismo, que representaba el principio activo de la corteza del árbol Cinchona, es un ejemplo notable del primer caso; la explotación de la pequeña actividad antipalúdica del azul de metileno, causa de la síntesis de la Atebrina, es un ejemplo del último. Ehrlich enriqueció este concepto por la síntesis y ensayo de centenares de compuestos de arsénico y acabó obteniendo el salvarsán, quimioterápico eficaz para tratar la enfermedad del sueño africana y la sífilis. La actividad antimicrobiana del antimonio fue estudiada también por otros autores, logrando compuestos que resultan bastante eficaces para tratar infecciones con algunos parásitos animales, pero durante años todos los esfuerzos para preparar substancias antimicrobianas eficaces en el tratamiento de enfermedades infecciosas fracasaron.

Retrospectivamente resulta claro que el error estribaba en aceptar como principio indudable la hipótesis de trabajo que requería que para ser prometedora una substancia habría de tener actividad bactericida. Solamente desde 1930 en adelante se comprobó que un efecto bacteriostático inhibidor de la reproducción de los microorganismos invasores basta para inclinar la balanza en favor del huésped, de manera que la destrucción de las bacterias es llevada a cabo por los mecanismos de defensa de este último.

Probablemente el primer enfoque racional de los aspectos biológicos del problema de la quimioterapia de enfermedades infecciosas fue el de Avery, a fines de la década de 1920. Reunió dos tipos de informaciones juntos. Uno fue la capacidad de los microorganismos, en general, para descomponer cualquier tipo de substrato orgánico; el otro, la estrecha asociación entre la presencia de substancia polisacárida capsular del neumococo y la capacidad de esta bacteria para causar la enfermedad. Pareció posible aislar un microorganismo que descompusiera específicamente el polisacárido neumocócico y separar la enzima, catalizando la descomposición para utilizarla como agente terapéutico. Esto se logró, pero si bien el preparado enzimático desprovisto de célula tenía actividad terapéutica, era tan tóxico para el huésped que no carecía de valor práctico.

Una variación de tema similar partió del estudio de los antagonismos microbianos, o sea el efecto adverso de un tipo de microorganismos sobre otro cuando crecen juntos en un cultivo mixto. Se comprobó que en algunos casos este efecto dependía de la formación de una substancia específicamente tóxica por un tipo de microorganismos. El primero de ellos, la piocianina, ya se conocía desde mediados del siglo pasado, antes de los trabajos de Pasteur, Koch y otros, y había sido extraído con solventes orgánicos del "pus azul" que caracterizaba las infecciones con los microorganismos que lo producen.

La gran mayoría de dichas substancias, incluyendo la piocianina, se comprobó que eran muy tóxicas para los animales superiores, pero algunas tenían toxicidad mucho mayor para el microorganismo que para el huésped, de manera que podían lograrse y conservarse en los tejidos del huésped infectando concentraciones eficaces. De estas substancias, los antibióticos, el primero descubierto fue la penicilina, que se obtuvo en 1929, pero su posible actividad quimioterápica no fue valorada hasta 1940; antes su principal aplicación era la de facilitar el aislamiento de microorganismos como el bacilo de la influenza, que son relativamente resistentes a ella. De los demás antibióticos ampliamente conocidos, la estreptomicina fue descubierta en 1943, el cloramfenicol en 1947, y las tetraciclinas en 1948, 1950 y 1954.

El descubrimiento de la actividad quimioterápica de los sulfamídicos en los años de 1930 también resultó accidental. Se han preparado más de 1 000 derivados del compuesto original, sulfamilamida, de los cuales quizá media docena están en uso todavía. Como estas substancias fueron anteriores al descubrimiento de los quimioterápicos, constituyeron los primeros medicamentos antibacterianos eficaces; en ningún campo el efecto de la introducción de estas substancias fue más espectacular que en el tratamiento de la fiebre puerperal. Sin embargo, la importancia fundamental de los sulfamídicos no resultó manifiesta hasta 1940.

Durante la década precedente se había reunido amplia información sobre las necesidades nutritivas de las bacterias, y el estudio de la actividad antibacteriana de los sulfamídicos había demostrado que su efecto era fundamentalmente bacteriostático, en lugar de·bactericida. Estas informaciones, aparentemente diversas, se reunieron en 1940 por la labor de Woods, quien observó que la actividad antibacteriana de los sulfamídicos era anulada específicamente por el ácido paraaminobenzoico, factor esencial de crecimiento para algunas bacterias, y utilizadas por casi todas o todas en la síntesis de ácido fólico. La similitud estructural entre el ácido paraaminobenzoico y la parte activa de la molécula del medicamento, el ácido paraaminobencenosulfónico, sugería que la actividad antibacteriana de esta última resultaba de una interferencia específica con la síntesis del metabolismo esencial. Esto resultó cierto y proporcionó la primera teoría lógica de la quimioterapia de enfermedades infecciosas, estableciendo el principio general del empleo de análogos estructurales y funcionales de los metabolitos esenciales para explotar pequeñas diferencias cualitativas o cuantitativas entre las reacciones metabólicas esenciales del huésped y los parásitos. Su significado general queda ilustrado por la quimioterapia de las enfermedades neoplásicas mediante análogos del ácido nucleico.

GENETICA MICROBIANA

La variabilidad de los microorganismos resultó manifiesta desde el principio de los estudios de sistematización, al observar la alteración de algunas de sus propiedades producida inadvertidamente al conservarlos en medios de cultivo artificiales o por cambios provocados deliberadamente mediante manipulaciones de laboratorio. Se comprobó que las alteraciones de las propiedades utilizadas para distinguir y caracterizar los microorganismos se lograban con bastante facilidad, no a consecuencia de una plasti-

cidad extraordinaria, sino más bien por su breve tiempo de generación y la producción de poblaciones de números astronómicos de individuos. Dada la relativa simplicidad de estructura de los microorganismos, especialmente bacterias y virus, el bacteriólogo carecía de una anatomía comparada que permitiera la fundación de botánica y zoología. Debía basarse en características aparentemente efímeras, como fermentación, necesidades nutritivas y carácter antigénico, todas las cuales variaban, y no había manera de saber si cualquiera de ellas, con posible excepción de la última, era fenómeno biológicamente trivial o fundamental.

Los estudios efectuados en los años 1920 con levaduras pudieron demostrar que, en esas formas vivas por lo menos, la capacidad para fermentar diversos hidratos de carbono tenían origen genético, en el sentido de que se observaba una separación mendeliana de caracteres de este tipo en el intercambio del material nuclear en el curso de la formación de esporas. Este trabajo no fue debidamente apreciado por los bacteriólogos, y la demostración de que se producía conjugación entre células bacterianas fisiológicamente diferentes no se apreció hasta después de 1940.

Aunque es indudable la importancia de establecer la existencia de un control genético de los caracteres utilizados para distinguir e identificar las bacterias, la microbiología contribuyó en forma extraordinaria, y ensanchó considerablemente la base de las ideas sobre la herencia por la aparición de fenómenos que hasta entonces no se habían descubierto en otras formas de vida.

En 1928 se comprobó que tipos inmunológicos de neumococos vivos podían modificarse haciéndolos crecer en presencia de neumococos muertos de otro tipo.[9] Los perfeccionamientos lograron demostrar que el principio activo en los neumococos muertos era un ácido desoxirribonucleico muy polimerizado que podía separarse de las células y purificarse en el tubo de ensayo antes de añadirlo al medio de cultivo vivo. Más tarde se comprobó que este fenómeno también ocurría con otros tipos de bacterias, y posiblemente guarde relación con los mecanismos de replicación de algunos de los virus bacterianos cuya "invasión" de la célula huésped se comprobó consistía en una "inoculación" de esta célula con ácido desoxirribonucleico del virus en el sentido de que en ambos fenómenos un material nuclear extraño se vuelve funcional para dirigir una modificación del metabolismo de la célula huésped; esta sintetiza entonces una nueva substancia y persiste como parte integral del aparato genético del receptor.

Otro tipo de modificación de los mecanismos hereditarios fue descrito a principios de la década de 1950, cuando se comprobó que el virus bacteriano transmitido de una célula bacteriana a otra aporta caracteres fisiológicos que aparecen como elementos estables y hereditarios en la nueva célula huésped. Finalmente, desde hace tiempo se sabe que la alteración en la conducta fisiológica de las bacterias puede provocarse específicamente por modificaciones del medio, incluso en ausencia de modificación celular, y este fenómeno de adaptación enzimática está condicionado por el substrato específico de cada enzima.

A partir de este aparente desorden de la variación microbiana, por vía de análisis de base molecular, se han deducido una serie ordenada de principios de aplicación general. Esto ha iniciado una nueva era en la biología, la de la biología molecular; y la moderna genética es, en gran parte, una genética microbiana.[5]

RECONSIDERACION

El microbiólogo a veces ha podido considerarse como algo traidor, por la necesidad de dedicarse a quehaceres muy diferentes sin completar ninguno, y a mostrar cierta falta de respeto para hechos clásicos y establecidos. Pasteur no se impresionó por las opiniones de Liebig y Berzelius; tampoco se preocupó Koch de que ningún médico que se respetara quisiera trabajar con una enfermedad de animales domésticos. El microbiólogo ha tomado lo que necesitó de la zoología, botánica, química, fisiología, patología, medicina, etc., para crear una nueva disciplina y resulta evidente, incluso con una rápida ojeada de los desarrollos más importantes logrados desde principios del siglo, que los resultados han sido muy notables.

Es literalmente cierto que la mayor parte de enfermedades infecciosas importantes han sido dominadas o están siéndolo, hasta el punto de eliminarlas todas, excepto la tuberculosis, entre las diez principales causas de muerte en Estados Unidos y en otros países; esta probablemente haya sido la contribución aislada más importante al aumento de la duración media de la vida del hombre. Se han creado nuevas industrias, en particular las de fermentaciones con sus ramificaciones, para la producción de antibióticos y vitaminas de origen microbiano, y de medicamentos biológicos y quimioterápicos de la industria farmacéutica. Menos evidente, pero más importante todavía, ha sido un gran grupo de contribuciones, únicas en el campo de la biología, que van desde la creación de la nueva ciencia de la inmunología, pasando por gran parte de la fisiología bioquímica, hasta un concepto muy ampliado de los mecanismos de la herencia que constituye la base de la genética y la biología molecular modernas.

Aparte de tales aplicaciones teóricas y prácticas, tan ricas en éxitos, la microbiología debe su importante posición en la ciencia biológica a su significado general. Es indudable que ha producido un cambio en las concepciones que el hombre tiene del mundo que lo rodea, tanto que pueden calificarse de revolucionarias. Hasta mitad del siglo XIX el carácter de la mayor parte de procesos naturales era prácticamente desconocido; se aceptaba, en general, la generación espontánea, por lo menos de las formas más simples de vida; las enfermedades infecciosas no se distinguían entre sí, y se admitían las hipótesis más fantásticas acerca de su presencia.

Aunque la gran masa de fenómenos materiales ya habían sido ordenados y sistematizados, este era un campo en el cual la imaginación sin base científica dominaba, rodeada de misterio y extravagancia. La penetración de este reino de obscuridades por los descubrimientos de los microbiólogos proporcionó a la especie humana, por primera vez en la historia, una teoría racional de la enfermedad, acabó con los mitos de la generación espontánea, estableció el proceso de la descomposición y reunió fenómenos en sus verdaderas relaciones con el gran ciclo de la materia viva y la materia inerte.

Los nuevos conceptos del mundo microscópico que la microbiología ha aportado a la ciencia biológica, deben considerarse un hito notable; hasta aquí han cambiado la actitud del hombre hacia el universo, y pueden considerarse como uno de los triunfos más importantes de las ciencias naturales.

BIBLIOGRAFIA

1. Alexander, M. 1971. Biochemical ecology of microorganisms. Ann. Rev. Microbiol. *25:*361-392.
2. Brock, T. D. (Ed.). 1961. Milestones in Microbiology. Prentice-Hall, Englewood Cliffs, N. J.
3. Bryson, V. (Ed.). 1959. Microbiology: Yesterday and Today. Institute of Microbiology, Rutgers University, New Brunswick, N. J.
4. Bulloch, W. 1960. The History of Bacteriology-Heath Clark Lectures, 1936. Reprinted, Oxford University Press, London.
5. Cairns, J., G. S. Stent, and J. D. Watson (Eds.). 1967. Phage and the Origins of Molecular Biology. Cold Spring Harbor Laboratory of Quantitative Biology, Cold Spring Harbor, N. Y.
6. Clark, P. F. 1960. Pioneer Microbiologists of America. University of Wisconsin Press, Madison.
7. Dobell, C. 1932. Antony van Leeuwenhoek and His "Little Animals." Harcourt Brace and Co., New York.
8. Grainger, T. H. 1958. A Guide to the History of Bacteriology. Chronica Botanica, Int. Biol. Agr. Ser. No. 18. Ronald Press, New York.
9. Hayes, W. 1966. The discovery of pneumococcal type transformation. J. Hyg. *64:*177-184.
10. Lechovalier, H., and M. Solotorovsky. 1965. Three Centuries of Microbiology. McGraw-Hill, New York.
11. Leeuwenhoek, A. van. 1677. Observations, communicated to the publisher by Mr. Antony van Leeuwenhoek, in a Dutch letter of the 9th of Octob. 1676 here English'd: Concerning little animals observed by him in rain — wellsea — and snow water, as also in water wherein pepper had lain infused. Phil. Trans. Roy. Soc. *11-12:*821.
12. Slare, F. 1682. An abstract of a letter from Dr. Wincler, chief physitian of the Prince Palatine, Dat. Dec. 22, 1682 to Dr. Fred Slare, Fellow of the Royal Society, containing an account of a Murren in Switzerland and the method of its cure. A further confirmation of the above mentioned contagion, of its nature and manner of spreading by way of Postscript from the ingenious Fred Slare, M. D. and R. R. S., Dat. March 27, 1683. Phil. Trans. Roy. Soc. *13:*93.
13. Symposium. 1957. Modern ideas on spontaneous generation. Ann. N. Y. Acad. Sci. *69:*255-376.

CAPITULO 2

ESTRUCTURA FISICA Y QUIMICA
DE LOS MICROORGANISMOS

Uno de los aspectos más notables de la morfología de los microorganismos es su volumen extraordinariamente pequeño. Las dimensiones de estos elementos son tales que se miden en unidades de micra ($\mu = 10^{-3}$ milímetros), y de nanómetro (nm $= 10^{-6}$ milímetros). El término nanómetro equivale a milésima de micra (mμ), y tiene tendencia a substituirlo en la literatura reciente. Las bacterias verdaderas, capaces de existencia metabólica independiente por cuanto son cultivables en medios nutritivos sin células vivas, tienen dimensiones que varían desde la correspondiente a bacilos grandes,* como *Bacillus anthracis,* con dimensiones de 1.0 a 1.3 $\times$ 3 a 10 μ, hasta formas muy pequeñas como *Pasteurella tularensis* que mide 0.2 $\times$ 0.2 a 0.7 μ y microorganismos del grupo pleuroneumonía en la cual se demuestran elementos variables tan pequeños como de 175 nm.

Las rickettsias y virus, caracterizados por su incapacidad de proliferar en ausencia de células huéspedes vivas, forman una serie continua de elementos cada vez menores, que van hasta los límites de la resolución óptica y más allá; suele admitirse que estos son de 200 nm pero en la práctica alrededor de 250 nm. Las rickettsias se parecen a bacterias pequeñas con dimensiones de 0.2 $\times$ 0.5 a 1.5 μ; los virus de la viruela, cuyos elementos miden 200 a 350 nm también corresponden aproximadamente a bacterias pequeñas. Desde este máximo, los virus van disminuyendo hasta dimensiones casi macromoleculares, como 25 nm para el virus de la poliomielitis y 22 nm para el virus de la glosopeda; la molécula de la albúmina de huevo, por ejemplo, mide 2.5 $\times$ 10 μ.

La amplitud de dimensiones según las células bacterianas de una misma especie difiere también según las especies; es máxima en las formas bacilares y menor en los tipos esféricos. Excluyendo las formas filamentosas e hinchadas que pueden producirse en condiciones adecuadas y que suelen considerarse como anormales, la diferencia máxima de dimensiones entre los individuos maduros es del orden del cuádruplo al quíntuplo.

La estructura y los procesos fisiológicos de un organismo vivo guardan estrecha relación con su volumen y, de hecho, son función del mismo.[109] Al paso que substancialmente intervienen los mismos mecanismos en los mamíferos terrestres desde el elefante (400 Kg) hasta la musaraña pigmea (4 g), no puede existir un mamífero menor que los roedores pequeños porque no podría asimilar y metabolizar una cantidad de alimento con rapidez suficiente para asegurar la energía que necesitaría. Análogamente, la intensidad de difusión de oxígeno en las tráqueas de los insectos limita el volumen de los organismos que utilizan este mecanismo entre un máximo representado por algunas formas tropicales de 5 a 8 cm de longitud y un mínimo de los pequeños ácaros de 0.2 mm de largo.

El linfocito, una de las células más pequeñas de los mamíferos, con diámetro de 10 μ y volumen de 524 μ^3 es varias veces mayor que *B. anthracis* con un volumen máximo de 22 μ^3, y el volumen mínimo de 0.004 μ^3 de *Past. tularensis.* Esta última parece representar las dimensiones mínimas que permiten el grado de organización necesario para un metabolismo independiente; los agentes menores, los virus, están obligados a ser parásitos intracelulares.

Las dimensiones de los parásitos obligados se superponen a las de microorganismos metabólicamente independientes, por cuanto las formas mayores, como *Coxiella burnetii* con volumen de 0.02 μ^3, y los virus mayores, como el de la vacuna con volumen de 0.008 μ^3, son mayores que *Past. tularensis* y otras bacterias extraordinariamente pequeñas. Pero las formas menores, que van en serie continua desde el volumen aparente mínimo de 0.00005 μ^3 del virus de la glosopeda, en el mejor de los casos solo puede contener relativamente pocas moléculas de proteína.

Aunque los procesos metabólicos a nivel molecular no necesitan diferir significativamente en las unidades fisiológicas mayores y en las menores, cabe pensar que la relativa ausencia de estructura celular pueda resultar en características únicas para las formas muy pequeñas. Esto ha resultado cierto, en parte porque estas formas mínimas no parecen hallarse estrechamente limitadas a los mecanismos hereditarios, procesos de proliferación, etc., exclusivos

---

* Excluyendo el caso frecuentemente citado, pero excepcional, de *Basillus bütschlii,* descubierto en el intestino de la cucaracha y que se indica es tan largo como 0.6 $\times$ 80 μ.

de los organismos unicelulares y multicelulares de organización complicada, y en parte a consecuencia de las circunstancias especiales de su medio macromolecular. La peculiaridad de los microorganismos resulta pues, más aparente que real, por cuanto sus propiedades extraordinarias y su rara conducta representan una extensión de los fenómenos biológicos básicos más bien que algo en contraste con ellos.

MICROSCOPIA [4, 21]

Para estudiar la morfología de estos elementos es absolutamente necesario empezar por considerar las limitaciones técnicas y las ventajas de los diversos métodos disponibles para demostrar la forma y estructura de los microorganismos. En general, estos métodos son de dos tipos; los que utilizan luz, visible o ultravioleta, y los que emplean un haz enfocado de electrones.

El microscopio compuesto. En el microscopio ordinario los objetos se observan con luz transmitida, o sea que el objeto queda interpuesto entre la fuente de luz y el ojo o la placa fotográfica. Para poder ser observado y delineado (resolución), el objeto ha de ser suficientemente voluminoso para hacer sombra; la dimensión crítica es aproximadamente la mitad de la que corresponde a la longitud de onda de la luz utilizada. La abertura numéricamente mayor que resulta práctica en el objetivo es 1.4; esto permite la resolución de objetos hasta dimensión crítica. El límite de resolución, claro está, es función de la longitud de onda de la luz utilizada. Así, pues, en los límites de 5 000 Å (500 nm) o sea de luz azul a 5 500 Å (550 nm) o luz amarilla, el objeto menor que puede resolverse es una esfera con diámetro de 250 a 275 nm. Teóricamente un objeto tan pequeño como 200 nm puede resolverse utilizando luz azul de 400 nm de longitud de onda, pero el límite práctico es menor que este.

El poder de resolución puede aumentarse netamente utilizando luz ultravioleta; admitiendo una longitud de onda de 250 nm, puede resolverse una esfera de 125 nm de diámetro. Claro está, se necesita para ello lentes de cuarzo.

El microscopio de campo obscuro. En el microscopio de campo obscuro se utiliza luz reflejada en lugar de transmitida, aprovechando el efecto de Tyndall, familiar por el efecto frecuentemente observado en el polvo y un rayo de luz en una habitación obscura. El microscopio compuesto usual puede utilizarse añadiéndole un condensador de campo obscuro, que ilumina el objeto desde un lado, substituyendo el condensador inferior ordinario. Se necesitan cantidades relativamente grandes de luz, y se pone aceite entre la parte más alta del condensador y la laminilla para reducir la pérdida a nivel de estas interfaces.

El objeto se ve netamente iluminado en un fondo obscuro. Hay la ilusión de una resolución aumentada, en la que los objetos extraordinariamente pequeños aparecen en forma de puntos claros de luz en contraste con las minúsculas sombras que produce la luz transmitida; de hecho, sin embargo, la resolución no aumenta más allá de los límites críticos antes señalados. Por lo tanto, el microscopio de campo obscuro no ha contribuido netamente a la citología bacteriana, fuera de lo que se refiere a ciertos aspectos de la actividad de los flagelos. Sin embargo, ha sido útil para demostrar microorganismos muy delgados, especialmente espiroquetas, por ejemplo en exudados de chancros sifilíticos, o leptospiras en la sangre de pacientes con leptospirosis.

El microscopio de fase. [7, 89] La luz que atraviesa un objeto de espesor o índice de refracción diferente del que tiene el líquido que lo rodea es dispersada; el resultado es que queda fuera de fase y disminuida de amplitud, o sea que la distancia de la cresta al valle de la honda luminosa está reducida. Las diferencias de amplitud resultan visibles y permiten observar el objeto como una sombra relativamente leve contra el fondo; así pueden observarse bacterias en estado vivo y sin teñir, generalmente en preparaciones húmedas.

Aunque de ordinario las diferencias de fase no suelen poderse ver, cabe observarlas tratando independientemente la luz dispersada por el objeto, y la que proviene del líquido vecino, de manera que actúan entre sí, bien sea interfiriendo una con otra para obscurecer la imagen o reforzándose una con otra para aclararla. Esto se logra con el microscopio ordinario limitando la luz incidente a un haz anular mediante un diafragma anular a nivel del plano focal inferior del condensador, e insertando un anillo correspondiente o una placa de difracción en el plano focal posterior de la lente del objetivo. El microscopio así modificado es un microscopio de fase, que puede ser de fase clara o de fase obscura.

El microscopio de contraste de fase ha sido particularmente útil para estudiar estructuras de la célula viva, no modificadas por los artefactos inherentes a los procesos de fijación y tinción. Aumentando el contraste, se proporciona una resolución muy mejorada, permitiendo, por ejemplo, demostrar la presencia de bacterias en cortes de tejidos sin teñir, que no se resuelven con los microscopios de luz clara o de campo obscuro a consecuencia de la difracción y la reflexión relativamente grandes de los elementos tisulares. Sin embargo, el miroscopio de fase tiene las mismas limitaciones, en cuanto a poder último de resolución, que las demás formas del microscopio utilizando luz visible o ultravioleta.

Microscopio electrónico. [56] El microscopio electrónico opera según principio diferente del que corresponde a los microscopios ópticos; utiliza un haz de electrones en lugar de un haz de luz. El haz de electrones se enfoca mediante "lentes" magnéticas, y el objeto interpuesto intercepta el haz produciendo una sombra que se registra en una placa fotográfica proporcionando una micrografía electrónica. El poder de resolución teórico del haz de electrones es unas 100 000 veces mayor que el de la luz visible, pero en la práctica este límite no se alcanza a consecuencia de defectos correspondientes a las aberraciones cromáticas y de esfericidad en los sistemas ópticos. Sin embargo, es posible una resolución notable a 10 000 a 50 000 diámetros y, dada la pequeña abertura utilizada, la profundidad de foco es considerablemente mayor que la obtenida con el objetivo de 1.4 milímetros.

La técnica de cubrir de sombra con metales pesados en forma de vapor al alto vacío y depositados en ángulo sobre la preparación fue creada por Williams y Wyckoff en 1946. La placa metálica es opaca a los electrones; la micrografía electrónica resultante tiene un aspecto brillante iluminado en tres dimensiones. Más tarde se creó la técnica de la tinción negativa con fosfotungstato, análoga a las técnicas de tinción negativa con el microscopio de luz. Ha resultado particularmente útil para aclarar la estructura de partículas de virus, pues muestra estructuras finas que no pueden verse en cortes delgados de partículas incluidas en ácido ósmico-metilacrilato. Un desarrollo técnico más reciente ha sido el del microscopio electrónico de centelleo [44] que da un efecto en tres dimensiones muy similar al de la técnica del sombreado, pero con mucho mayor poder de resolución.

La aplicación del microscopio electrónico a los gérmenes ha permitido observar detalles de estructura situados en los límites de la resolución óptica y determinar directamente la forma y dimensiones de pequeños virus antes estudiados solamente por métodos indirectos como la sedimentación y la filtración.

Los resultados obtenidos del microscopio electrónico deben interpretarse con cierta precaución, porque las muestras solo pueden examinarse como material muerto seco, dado el enorme vacío necesario, y claro está que sufren las considerables deformaciones inherentes a la desecación.

Morfología de las bacterias [12, 107, 108]

La morfología de las bacterias puede considerarse en dos aspectos principales: el de las células aisladas y grupos de células observadas con gran aumento, y el de colonias bacterianas que se desarrollan sobre medios sólidos, formados por números muy elevados de células y que resultan visibles a simple vista. En el primer caso, las diferencias de forma y algunos detalles estructurales, así como las dimensiones, son características por lo menos de los principales grupos de bacterias y proporcionan la base fundamental para su estudio sistemático. Análogamente, las masas de células representadas en la colonia bacteriana también tienen características como forma, volumen, consistencia, textura y color que poseen valor diferencial, aunque no la significación fundamental de la morfología celular.

CELULA BACTERIANA

Forma. La diferencia más manifiesta entre las bacterias depende de su forma; hay tres tipos morfológicos generales netamente distintos. Son la forma esférica o de coco, la forma alargada o de bacilo, y las formas espirales, de las cuales son subgrupos los vibriones, espirilos y espiroquetas.

Cocos. Las bacterias esféricas son, con mucho, las más homogéneas de las bacterias en cuanto a dimensiones; en general, tienen diámetro de 0.8 a 1.0 μ, aunque se han descrito variedades menores de 0.4 a 0.8 μ. Entre las bacterias agrupadas como cocos hay algunas pequeñas desviaciones de la forma esférica. El neumococo, por ejemplo, tiene forma lanceolada, ligeramente alargada, con un extremo más puntiagudo que el otro; el gonococo y el meningo-coco tienden a la forma de grano de café. Otras formas ligeramente alargadas se denominan cocobacilos y la línea de demarcación no resulta muy precisa.

Los subtipos morfológicos de los cocos se distinguen según la disposición de las células unas con otras. Esto es una consecuencia de dos factores, uno el plano o planos en los cuales tiene lugar la división celular, el otro la tendencia de las células fijas a quedar unidas superficialmente o muy cerca una de otra después de completada la división.[45]

Los cocos que se separan completamente después de la división celular, sea cual sea el plano de división, se observan aislados y dispersos al azar en el campo microscópico, y se denominan micrococos. Cuando hay una ligera tendencia de las células hijas a quedar unidas, y la división celular ocurre solo en un plano, los cocos tienden a presentarse a pares, diplococos, pero las células apareadas están mezcladas con células aisladas. Algunos tipos de diplococos son ligeramente alargados y se disponen a pares con los ejes largos paralelos. En el caso antes señalado, del gonococo y meningococo en forma de grano de café, las células apareadas tienen adyacentes los lados convexos. Cuando la tendencia a quedar unidos es más intensa, el resultado es una cadena de células, estreptococos, consistentes en cuatro a 10 ó 12 células que muchas veces tienen aspectos de diplococos unidos en serie.

Cuando hay tendencia neta de las células hijas a seguir vecinas, acompañada de división celular en dos o más planos, los cocos aparecen en grupos irregulares, estafilococos, que muchas veces son de gran volumen. Observados en preparaciones teñidas corrientes, los estafilococos consisten en láminas de

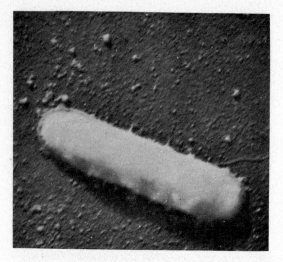

Fig. 2-1. Micrografía electrónica de preparados con sombra a base de oro de *Bacillus subtilis*. Se observan la cubierta en los extremos del bacilo y un flagelo único. (Lilly Research Laboratories.)

células, o sea de espesor de una sola célula, pero por examen en muestra húmeda se comprueba que están formados por acúmulos irregulares a modo de racimos. Lo primero resultaría de división celular producida solo en dos planos, lo último de división en tres planos, pero es probable que las capas de células sean en su mayor parte un artefacto producido al preparar el frotis. Cuando la tendencia a quedar unidos es menos intensa, los cocos se observan en tétradas o grupos de cuatro células, y en paquetes cúbicos de ocho células. No hay nombre determinado para estos agregados menores, pero son característicos de algunos géneros como Sarcina.

La separación de estos subtipos de cocos según los datos morfológicos no es muy neta. Así, los diplococos se observan mezclados con células aisladas, las cadenas de estreptococos interrumpidas con células apareadas o aisladas, y en frotis teñidos de estafilococos se ven también células apareadas o aisladas, así como alguna cadena ocasional de cuatro cocos. Es evidente que estos acúmulos pueden desintegrarse en mayor o menor grado al preparar la suspensión bacteriana para examen, y que la aparición de agrupaciones típicas no es absoluta, sino consecuencia solamente de la tendencia a quedar vecinas. En la práctica, sin embargo, los grupos morfológicamente característicos suelen observarse sin dificultad, sobre todo entre los estafilococos.

Bacilos. Los cocos se unen con las bacterias de forma alargada a través de eslabones como los cocos lanceolados y los cocobacilos antes señalados. A su vez, la forma alargada o bacilar es término colectivo, que incluye diversos subtipos morfológicos.

La morfología de bacterias individuales alargadas difiere considerablemente según los géneros, e incluso según las especies. Hay variación no solo de

dimensiones sino también diferencias en la forma de las células individuales, a veces muy netas. Algunas son largas y delgadas, otras cortas y gruesas, los lados pueden ser más o menos paralelos entre sí, y la célula puede ser más gruesa en el centro y afilarse hacia los extremos para proporcionar la forma denominada bacilo fusiforme. Análogamente, los extremos de las células pueden ser cuadrados y cortados en forma aguda, o incluso tener aspecto de una ligera concavidad, mientras que los extremos de otras células son redondeados. Estas variables pueden producirse en combinaciones diversas, creando una gran heterogeneidad en la forma bacilar. Sin embargo, una forma determinada es relativamente constante dentro de cada especie en condiciones estándar de crecimiento aunque puede variar la proporción entre longitud y anchura, debido en gran parte al alargamiento de las células aisladas antes de la división celular.

Como los cocos, algunas de las formas bacilares adoptan agrupaciones características, pero estas son consecuencia de movimientos después de la división, pues el plano raramente o nunca deja de ser perpendicular al eje mayor. En algunos tipos de bacilos hay tendencia de las células a persistir unidas, o muy cerca unas de otras, después de la división celular. Es neta en algunas formas, en particular los gérmenes aerobios productores de esporas del género Bacillus, y pueden favorecerse en condiciones adecuadas de crecimiento. Cuando esto ocurre, el resultado es la formación de cadenas de células, el tipo morfológico estreptobacilo.

Los movimientos de los bacilos después de la división son de dos tipos generales. El uno, conocido como deslizamiento consiste en movimientos de desplazamiento de una célula contra otra con los ejes largos paralelos proporcionando células de aspecto de empalizada. Esto parece ser una consecuencia de limitaciones de espacio que dificultan la extensión continuada del crecimiento en un eje longitudinal. En otro tipo de movimiento, el de rotura, después de la división las células hijas se doblan netamente una sobre otra en ángulo agudo para tomar aspecto de V. Cuando este tipo de movimiento se asocia con la tendencia a seguir unidos cabo a cabo, el resultado son cadenas de células que parecen una barandilla de estacas rota.[46] Este movimiento parece depender de una rotura localizada de la capa más externa de la pared celular durante el crecimiento de esta.[61]

Aunque hasta cierto punto característico, los agrupamientos de las bacterias alargadas solo tienen ligera significación diferencial en contraste con lo que pasa con los cocos, en los cuales permiten establecer subtipos morfológicos del estado genérico.

Formas espirales. El tercer tipo morfológico principal de bacterias está compuesto por formas espirales que pueden considerarse formas bacilares que se han torcido como hélices. Una vez más, hay formas morfológicamente intermedias, aunque no necesariamente de modo filogenético, como en el caso de los bacilos incurvados. Varían desde los bacilos coliformes que a veces se ven incurvados, hasta las formas cuya curvatura es suficientemente constante para tener significación diferencial en la definición del género Vibrio. Todavía no sabemos si los vibriones son verdaderas formas de transición que reúnen los bacilos delgados con los microorganismos espirales, pero su agrupamiento ocasional en forma terminoterminal, en el cual la dirección de curvatura de cada una de las células individuales alterna superficialmente a la forma espiral.

Las bacterias espirales, que si se dispusieran rectas constituirían bacilos delgados y largos, son de dos tipos generales; uno en el cual la espiral es rígida, el género Spirillum y el otro en el cual es flexible. Entre estos últimos se ha establecido otra diferenciación según lo cerrado de la espira. Las formas con espiral muy cerrada incluyen diversos géneros que se distinguen por criterios morfológicos más finos. Incluyen diferenciación de una vaina externa, un filamento central alrededor del cual está enrollado el protoplasma, etc.; tales detalles estructurales se ilustran en la micrografía electrónica que acompaña.

Uno de estos microorganismos es el género Treponema, que incluye formas patógenas, en particular el agente causal de la sífilis y enfermedades similares, junto con una amplia variedad de formas no patógenas, pero parasitarias como las que constituyen parte de la flora normal de la boca. Otra forma que se distingue por los ángulos agudos a modo de ganchos en los extremos de la célula, constituye el género Leptospira, agente causal de la ictericia infecciosa.

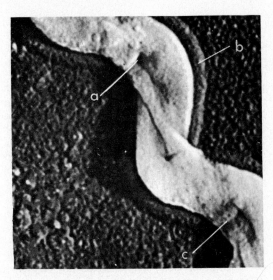

FIG. 2-3. Micrografías electrónicas de *Bacterium coli* con sombra de oro en cultivos viejos. Hay una célula intacta; el resto demuestra la granulación de células muertas y en desintegración. (Lilly Research Laboratories.)

Las formas en espirales mucho menos apretadas, que de hecho tiene el aspecto de formas bacilares extraordinariamente largas, delgadas y ondulantes, constituyen el tercer subtipo morfológico. Incluye formas parasitarias y patógenas; estas últimas producen las fiebres recurrentes transmitidas por piojos y por garrapatas en el hombre y enfermedades relacionadas de las aves, y se agrupan en el género Borrelia.

Globalmente, las formas espirales a veces se consideran espiroquetas. El insistir en datos morfológicos como base de diferenciación y definición de géneros es una consecuencia del hecho de que con excepción de Leptospira, no crecen en medios de laboratorio y, por lo tanto, nos hallamos en una ignorancia completa de su actividad fisiológica diferencial, que constituye gran parte de la base para caracterizar otras bacterias.

Formas de involución. La gran mayoría de las bacterias son relativamente constantes en sus formas y dimensiones en cultivos jóvenes que crecen activamente en buenas condiciones. En cultivos viejos en los cuales muchas de las células han muerto o están muriéndose, la estructura celular se desintegra y aparecen formas aberrantes. Estas incluyen estructuras esféricas, formas bacilares en Y, células que contienen grandes cantidades de material granuloso, y otras. Se trata de formas degenerativas o formas de involución; probablemente resulten de desintegración de los mecanismos de permeabilidad selectiva, con imbibición de agua, autólisis de estructuras celulares por acción de enzimas proteolíticas y otras intracelulares, etc. Algunos investigadores prestan importancia a formas raras descubiertas en cultivos viejos, considerándolas representativas de una sucesión ordenada de tipos morfológicos indicadores de un ciclo vital complejo.

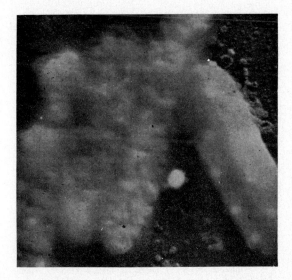

FIG. 2-2. Micrografía electrónica de una preparación con sombra de cromio de *Leptospira icterohaemorrhagiae*. El filamento axial está separado de la espiral protoplásmica por un espacio estrecho en *a*, y se halla más próximo en *c*. La cubierta se observa en *b*. × 125 000. (Simpson y White.[17])

También pueden producirse formas aberrantes de bacterias haciéndolas crecer en condiciones algo adversas, como a temperaturas más altas que la óptima, en presencia de concentraciones relativamente elevadas de sales inorgánicas, y de concentraciones subletales de substancias antibacterianas. En este último caso, la actividad antibacteriana puede consistir principalmente en inhibir el crecimiento más que ser bactericida, resultado quizá de una inhibición del proceso de división celular más que de la síntesis de substancia celular, de manera que en tales cultivos se desarrollan cocos y otros microorganismos gigantes.

ESTRUCTURAS DE LAS CELULAS BACTERIANAS

La actividad fisiológica total de la bacteria es, en muchos aspectos, tan estrechamente similar a la de formas más voluminosas, que admitir por lo menos la existencia de ciertos mecanismos comunes a nivel molecular o macromolecular resulta algo más que una simple hipótesis de trabajo. Aunque es evidente, incluso por examen superficial, que la célula bacteriana es discontinua, y por lo tanto que tiene estructuras, consideraciones de volumen hacen igualmente claro que sus principales elementos estructurales no necesitan ser, y en algunos casos quizá no puedan ser, réplicas pequeñas a escala de los observados en células mayores. Por lo tanto, el problema que se plantea es de elucidar la naturaleza de elementos subcelulares, y de su relación con las funciones fisiológicas de las células.

El punto de referencia es necesariamente la célula viva, y la información obtenida por observación directa está sometida a los límites impuestos por el grado de resolución óptica posible con luz visible o ultravioleta. Esta información básica se suplementa y complementa con estudios de células muertas tratadas con colorantes y otros reactivos citoquímicos, sometidas a observación bajo las elevadas amplificaciones posibles con el microscopio electrónico, o utilizando las dos técnicas. Tal información suplementaria deberá tratarse con la debida reserva, ya que hay los artefactos resultantes de fijar, teñir, y otras medidas necesarias para preparar los gérmenes.

Para fines de exposición, las estructuras de la célula bacteriana pueden dividirse corrientemente en dos grupos: las que son externas a la célula y las que ocurren en su interior.

Estructuras externas

Hay dos tipos de estructuras externas para la célula bacteriana, los flagelos u órganos de locomoción, y el material capsular o capa viscosa que rodea la célula. Ninguna de ellas es esencial para la existencia continuada de la célula. Una bacteria puede quedar desprovista de sus flagelos, por ejem-

plo por agitación mecánica, o sin su cápsula, por disección enzimática, sin que se produzca inhibición del crecimiento o de las funciones metabólicas.

Flagelos.[35, 51, 64, 114] El flagelo bacteriano es un largo apéndice filamentoso nacido en un cuerpo esférico, o gránulo basal, de un diámetro de aproximadamente 100 nm y localizado a nivel de la pared de la célula o inmediatamente por dentro, según se demuestra en la figura 2-4. El filamento termina en una estructura en forma de gancho con el cual se une al cuerpo basal. El gancho y el cuerpo basal se observan en micrografías electrónicas de flagelos disociados de la célula bacteriana, como puede verse en la figura 2-5. La estructura del cuerpo basal se ha demostrado que era relativamente compleja, a base de cuatro anillos, para los cuales se han determinado con precisión las dimensiones y las relaciones mutuas. Esta estructura, según han demostrado Dephamphilis y Adler,[27] se ilustra esquemáticamente en la figura 2-6. La fijación por vía del cuerpo basal es a las membranas citoplásmicas y polisacáridas externas de la célula,[28] de hecho, la membrana externa disociada y el lipopolisacárido pueden reunirse de nuevo in vitro en el cuerpo basal del flagelo.[26]

El flagelo suele tener 12 a 15 nm de diámetro, sin terminación afilada, y es de longitud variable, con límites de 1 a 70 μ, de ordinario entre 15 y 25 μ. En la célula viva está arrollado en forma de hélice cilíndrica, pero en preparaciones secas la tercera dimensión queda retraída al mínimo y se observa como filamento ondulado. Dada su longitud, el flagelo puede demostrarse a veces en la célula viva mediante microscopio de contraste de fase, más

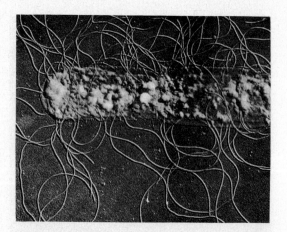

FIG. 2-4. Micrografía electrónica de un preparado sombreado que muestra los flagelos de *Proteus vulgaris.* Las bacterias crecieron en agar, se conservaron en el refrigerador a 5°C durante 16 a 20 horas, se suspendieron en formalina al 5 por 100 y se lavaron dos veces antes de montarlas en colodión. La preparación es muy transparente y se aplana completamente, de manera que algunas estructuras internas son demostrables por las sombras. Puede verse bien el origen de los flagelos en pequeños cuerpos esféricos de aproximadamente 100 nm de diámetro y dimensiones muy uniformes. (van Iterson.)

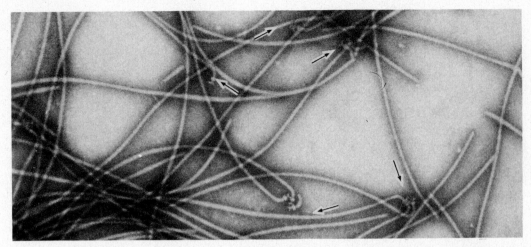

FIG. 2-5. Flagelos intactos purificados de *Escherichia coli* teñidos negativamente con acetato de uranio a pH 4.5. Puede verse un complejo de cuerpo basal y gancho en el extremo de varios de los filamentos (flechas). $\times$ 66 000. (Cortesía del Dr. DePamphilis y de Journal of Bacteriology.)

fácilmente con el microscopio de campo obscuro. En preparaciones teñidas con mordiente, el colorante se deposita en el flagelo haciéndolo suficientemente grueso para que pueda observarse con el microscopio corriente, y claro está, puede verse fácilmente en las micrografías electrónicas.

Los flagelos se observan frecuentemente, aunque no de manera exclusiva, en las bacterias de forma bacilar. Pueden estar unidos a los polos de la célula o cerca de los mismos, o distribuidos sobre el resto de la superficie celular, con tendencia a quedar los polos sin flagelos; su localización y número son relativamente constantes para cada especie bacteriana. La clasificación de las bacterias en cuanto a presencia de flagelos la inició Messea. Según este autor, las bacterias que tienen un solo flagelo polar se denominan monotricos; las que tienen dos o más flagelos en un extremo de la célula, lofotricos; las que tienen penachos de flagelos en ambos extremos de la célula, anfitricos, y las que tienen flagelos, generalmente 8 a 12, distribuidos sobre toda la superficie celular son peritricos.[64]

La intensidad de movimiento de las bacterias móviles muchas veces resulta sorprendentemente elevada. Por ejemplo, se ha comprobado que los bacilos entéricos movibles como los de la tifoidea, coliformes y similares, tienen velocidades medias de 25 a 30 μ por segundo, y el vibrión del cólera se mueve hasta 55 μ por segundo. Estas velocidades son comparables a las de 65 a 130 Km por hora en los automóviles.

Antigénicamente la substancia flagelar es diferente que la de la célula, y el anticuerpo para la misma es específico. La función de los flagelos en la motilidad es interferida gravemente por la presencia de anticuerpo específico y los microorganismos se inmovilizan al aglutinarse los flagelos.[72] Esta es la base de la "prueba de inmovilización" que ha prestado muy a menudo grandes servicios serodiagnósticos en enfermedades como la sífilis.

Los flagelos también difieren en composición química de la substancia de la propia célula. Pueden separarse de esta por agitación intensa y centrifugación diferencial. Están formados por polímeros lineales de pequeñas moléculas proteínicas, que se despolimerizan en medio débilmente ácido (HCl 0.05 M) dando una solución clara incolora y una fracción insoluble en ácido, rica en fósforo y glúcido. La proteína puede volverse a polimerizar en medio salino concentrado (por ejemplo $(NH_2)_2SO_4$

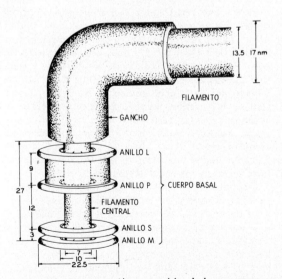

FIG. 2-6. Representación esquemática de la estructura que une el filamento flagelado a la célula bacteriana; el anillo M está unido a la membrana citoplásmica. Los componentes indicados de la estructura se han estudiado individualmente y se han caracterizado; no son hipotéticos. (Cortesía del Dr. DePamphilis y de Journal of Bacteriology.)

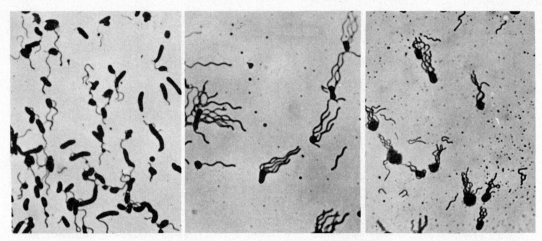

FIG. 2-7. Flagelos de bacterias en frotis teñidos y observados con el microscopio óptico. *Izquierda.* Flagelo polar único de un vibrión de agua; *centro,* flagelos peritricos de *Sal. typhimurium; derecha,* flagelos peritricos de *Rhizobium leguminosarum.* × 2 000. (Kral.)

al 50-60 por 100) creando una solución opaca viscosa. En esta forma se conduce como una solución de moléculas proteínicas finas y alargadas, y el microscopio electrónico demuestra que se halla formada por pequeñas partículas de forma bacilar que parecen flagelos fragmentados. Su composición de aminoácidos es característica; no contienen cantidades medibles de histidina, triptófano, hidroxiprolina o cistina. La composición química es la misma para diferentes géneros de bacterias como Proteus y Bacillus. Los estudios de difracción con rayos X han demostrado que la proteína flagelar, para la cual se ha propuesto el nombre de flagelina, es similar a la queratina, la miosina, la epidemia y el fibrinógeno. Se han observado dos características una que sugiere cadena de polipéptidos plegadas en configuración alfa, la otra en configuración beta cruzada, considerada característica del músculo contraído activamente. Esto quizá indicaría que el movimiento de los flagelos unidos a la célula viva resultaría de cambios rítmicos entre las dos configuraciones.[3]

Los movimientos de los flagelos parecen producirse al azar; las estructuras fibrosas conductoras internas que se descubren en los ciliados no parecen tener su contrapartida en las bacterias movibles, y no se observa la presencia de tal "sistema nervioso primitivo". Los movimientos aparentemente coordinados de los flagelos constituyen un fenómeno hidrodinámico, que ocurre cuando los movimientos flagelares al azar en una bacteria multiflagelada coinciden por casualidad iniciando generalmente el movimiento de la célula.[15, 53, 82]

El gasto de energía necesario para la motilidad ha sido calculado[78] que correspondería a unos 14 electrón-voltios por segundo; admitiendo una eficacia del 25 por 100, a un gasto total de 56 electrón-voltios por segundo. Además, la analogía entre las fibras musculares y la contracción observada de fla-

gelos aislados en presencia de ATP se ha considerado como indicación de que la fuente de energía es la liberada en el metabolismo de enlaces fosfáticos ricos en energía, con unos 150 enlaces reaccionando por segundo. Como cada flagelo muestra 10 a 20 sacudidas por segundo, y se admite que una bacteria peritrica tiene 10 a 20 flagelos, es posible que cada sacudida sea consecuencia de un fenómeno metabólico aislado, como la desintegración de un enlace fosfático rico en energía.

Fimbrias. En un estudio de flagelos bacterianos, Houwink y van Iterson[50] describieron en diversos tipos de bacterias flageladas pequeños apéndices filamentosos que más tarde se han catalogado de pelos, cerdas, filamentos y fimbrias; este último nombre parece haber merecido cierta amplia aceptación. Los estudios de otros autores[13] han demostrado que las fimbrias son menos rígidas que los flagelos, y considerablemente menores de 10 × 300 a 1 000 nm en número de 100 a 250 por célula bacteriana. En el caso de los bacilos disentéricos parecen facilitar la adherencia de las bacterias a la mucosa intestinal; en los bacilos disentéricos de Flexner contienen un antígeno común a los diversos serotipos (capítulo 21). No todas las bacterias flageladas tienen fimbrias y su significación todavía es incierta.

Cápsulas.[110, 111] Muchas bacterias, probablemente todas, si crecen en condiciones adecuadas se rodean de una capa de material gelatinoso, mal definido, que se tiñe mal y que ha recibido los nombres de cápsula, capa mucosa o cubierta. Aunque hay tendencia a aplicar un término para un tipo de bacteria y otro para otra, por ejemplo la cápsula del neumococo, la capa mucosa de Leuconostoc, y la cubierta del bacilo de la peste, los términos en la práctica son intercambiables. Entre las bacterias patógenas, la presencia de una cápsula se acompaña de virulencia, no porque la cápsula posea ninguna función esencial en la economía de la célula sino porque dificulta netamente la ingestión de las bacterias por las células fagocitarias del cuerpo.

Las cápsulas bacterianas no se observan en los frotis teñidos corrientes porque no retienen color. Pueden teñirse débilmente con algunos procedimientos particulares [30] y se ha señalado que el azul Alcian [71] tiñe el polisacárido capsular, pero en general el mejor método para demostrar la cápsula es la preparación de "relieve" húmeda o fijada y secada, en la cual las bacterias están suspendidas en tinta china diluida (carbón coloidal). La cápsula desplaza la tinta y la célula bacteriana se observa incluida en lagunas, que representan las cápsulas, sobre fondo obscuro.

El volumen relativo de la cápsula varía ampliamente. En formas intensamente encapsuladas, como los neumococos y el bacilo de Friedländer, el espesor de la cápsula frecuentemente es mayor que el diámetro o la anchura de la célula, y muchas veces es continua en células vecinas como diplococos o estreptococos. En otras bacterias puede ser mucho más delgada, solamente una capa muy fina, pero todavía demostrable, alrededor de la célula; en otros casos la cápsula es demasiado pequeña para poderse demostrar directamente, aunque la existencia de material capsular puede comprobarse por métodos químicos e inmunológicos. El volumen de la cápsula depende algo del método utilizado para demostrarla, pues el secado y la fijación, por ejemplo, tienden a reducirla; se admite, en general, que las preparaciones húmedas en relieve son las que brindan los resultados precisos.

Naturaleza de la substancia capsular. La índole del material que constituye la cápsula bacterial tiene gran interés en parte porque en muchos casos la formación de anticuerpo para la substancia capsular de los microorganismos patógenos constituye el elemento más importante de la respuesta inmune humoral.

La substancia capsular de la mayor parte de bacterias, quizá de todas, es un polisacárido, que eventualmente puede contener nitrógeno y que por hidrólisis puede proporcionar ácidos de azúcares, aminoazúcares y ácidos orgánicos, así como monosacáridos. Por ejemplo, el material capsular del neumococo de tipo 2 es un polímero de la glucosa. El del neumococo de tipo 3 es más complejo, formado por glucosa y ácido glucurónico unidos en las posiciones 1 y 4, respectivamente, para proporcionar ácido 4-beta-glucuronosidoglucosa, o ácido celobiurónico; estas unidades de ácido aldobiónico se polimerizan por unión en posiciones 1 y 3 proporcionando cadenas que tienen pesos moleculares hasta de 140 000. La substancia capsular del neumococo de tipo 1 contiene nitrógeno y parece ser un polímero de un trisacárido constituido por dos ácidos urónicos (en parte ácido galacturónico) junto con un tercer componente que contiene nitrógeno y grupos acetilos.

Algunas cápsulas bacterianas pueden contener mucoproteína unida al polisacárido, pero no sabemos si deba considerarse un constituyente de la cápsula o contaminante. Sea como sea, la superioridad neta de la célula bacteriana encapsulada sobre el polisacárido purificado para estimular la formación de anticuerpos sugiere que por lo menos parte del polisacárido puede estar unido a proteína en la célula viva.

Otros materiales capsulares bacterianos, especialmente en el género Bacillus, son de naturaleza polipéptida. El del bacilo del carbunco es un polipéptido D-glutamilo, mientras que los de especies no patógenas contienen ácido D-glutámico y también su isómero natural, en proporción hasta del 20 por 100. En estas formas el polipéptido no parece mezclado con polisacárido. El material capsular del bacilo tuberculoso parece ser un caso especial en el sentido de que contiene cantidades relativamente elevadas de ácidos nucleicos junto con polisacárido.

La cápsula es una estructura laxa que no interfiere con la impermeabilidad. Como la despolimerización enzimática de substancias capsulares, tanto como la del polisacárido neumocócico y la cápsula de ácido hialurónico de algunos estreptococos hemolíticos, no parece lesionar la pared celular ni afectar la viabilidad, dicha cápsula se considera en muchas bacterias una estructura diferente de la pared celular. Sin embargo, en ocasiones, y en particular para el polipéptido glutamílico de Bacillus, está comprobado que la despolimerización origina cierto trastorno de la pared celular y puede deducirse que la substancia capsular también es parte de la estructura de la pared de la célula.

En sentido más restringido la cápsula difícilmente alcanza la dignidad de una estructura celular, por cuanto la substancia capsular es un producto terminal del metabolismo, secretado continuamente, o excretado, hacia el medio que rodea a la célula. Por lo tanto, su volumen es función de la intensidad de su formación y secreción, y de su solución continua y constante en la periferia. Aunque en la mayor parte de casos probablemente esté formada intracelularmente, en ocasiones puede producirse fuera de la célula, quizá en la superficie de la misma. Por ejemplo, el líquido de cultivo acelular de *Leuconostoc mesenteroides,* bacteria que produce mucosidad en los procesos de refinación del azúcar, polimeriza la sacarosa produciendo la substancia capsular de tipo dextrán de esta bacteria.

Reacción capsular específica. Como antes dijimos, la substancia capsular es antigénica, funcionando principalmente como antígeno parcial o hapteno. Reacciona específicamente con anticuerpo homólogo para producir una microprecipitación en la cápsula, alterando su índice de refracción de manera que se observa más definida en preparaciones húmedas sin teñir.

Este fenómeno fue descrito en 1896 por Rogers, trabajando con el hongo Oidium, y por Neufeld en 1902 para el neumococo como hinchazón de la cápsula, la reacción denominada de Quellung (palabra alemana que indica hinchazón). Esta reacción permite una rápida identificación serológica y ha sido aplicada a diversos grupos de estreptococos, meningococos, bacilo de la influenza, bacilo de Friedländer, algunos de los coliformes y a especies de Pasteurella y de bacilos, así como al neumococo. No sabemos si en realidad se produce una verdadera hinchazón. La medición cuidadosa ha demostrado que en la mayor parte de casos no puede comprobarse un aumento de volumen, pero en ocasiones, por ejemplo con el neumococo, sí es posible. Como un neumococo se combina con 4×10^6 moléculas de anticuerpo que, cuando están aglomeradas, tienen un volumen de aproximadamente 0.8 μ^3, pero aumenta en volumen de 2.8 a 9.8 μ^3; además del volumen ocupado por la globulina inmune que ha producido hinchazón.[55] Tal hinchazón puede ser consecuencia de varios factores, como hidratación secundaria y aumento de viscosidad que retrasa la difusión.

La reacción de la substancia capsular con globulina sérica inmune también se produce con otras proteínas en condiciones adecuadas. Parece consistir en una combinación de tipo salino entre la substancia capsular y proteínas como la caseína, diversas albúminas y globulinas, y hemoglobina en pH bajo, al lado ácido del punto isoeléctrico de la proteína. Esta reacción capsular difiere de la que se produce con anticuerpo homólogo por cuanto no es específica y depende del pH.

Reacciones de coloración

Como se deduce de lo dicho anteriormente, la célula bacteriana intacta se tiñe con facilidad con colorantes básicos como cristal violeta, azul de metileno y fucsina básica, pero relativamente mal con colorantes ácidos como la eosina. Aunque en células viejas se observa una coloración irregular con diferenciación de zonas teñidas más intensamente o gránulos, y es característica de algunos tipos de bacterias, la mayor parte se tiñen uniformemente sin diferenciación de la estructura interna que es fácilmente demostrable, por ejemplo, en células de tejidos de mamíferos.

Esta neta afinidad por colorantes básicos indica la existencia de un protoplasma ácido que contiene cantidades extraordinariamente elevadas de nucleoproteína distribuida más o menos uniformemente. Esta deducción se confirma por el elevado contenido de nitrógeno purínico y pirimidínico en la célula bacteriana; los ácidos ribonucleico y desoxirribonucleico forman del 5 hasta el 30 por 100 del peso seco de la substancia de la célula.

Las reacciones de tinción de la célula bacteriana intacta son notablemente uniformes, con dos excepciones importantes. Son la reacción dependiente de la tinción de Gram y la elevada resistencia a la penetración del colorante y la decoloración que caracteriza los denominados bacilos acidorresistentes.

Coloración de Gram.[5] Este método de tinción diferencial fue creado por el histólogo Christian Gram para teñir bacterias en los tejidos, y descrito en 1884. Es un método arbitrario que incluye cuatro etapas: 1) coloración primaria con cristal violeta, que suele contener un mordiente como oxalato amónico; 2) aplicación de solución yodurada diluida de Lugol (1:15); 3) decoloración, casi siempre con alcohol etílico de 95 por 100, y 4) coloración de contraste con otro colorante, generalmente safranina. Tiñendo las bacterias con este método se pueden separar en dos grupos: las grampositivas, que conservan el colorante primario y presentan color violeta obscuro; las gramnegativas, que se decoloran y quedan ligeramente teñidas por la coloración de contraste, rosada en el caso de la safranina.

La reacción grampositiva es relativamente rara. Solo se observa en bacterias, levaduras y hongos filamentosos. Muy pocas estructuras biológicas son grampositivas; son las que se consideran autorreproductoras, e incluyen cromosomas de algunas especies, mitocondrias, centrosomas y centrómeros.

La reacción de bacterias a la coloración de Gram guarda relación con cierto número de otras características, y se observan diferencias representativas en el cuadro que acompaña. Tales diferencias solo son relativas y no completamente uniformes. El gonococo, por ejemplo, aunque gramnegativo, se conduce en diversos aspectos (por ejemplo, la susceptibilidad a la actividad antibacteriana de la penicilina) como si fuera grampositivo.

También hay diferencias notables en la permeabilidad de las células bacterianas para aminoácidos, ácido glutámico y lisina en particular, que guardan relación con la reacción de Gram. Las bacterias grampositivas se distinguen por su capacidad de concentrar tales aminoácidos existentes en el medio ambiente, mientras que tal síntesis es intracelular en las bacterias gramnegativas,[34] observación que puede estar relacionada con la relativa complejidad de las necesidades nutritivas de las formas grampositivas. Las diferencias entre las bacterias relacionadas con la reacción de Gram alcanzan un total impresionante, y sugieren que la reacción al colorante de Gram refleja diferencias fundamentales entre dos tipos de bacterias. En consecuencia, el mecanismo de la reacción de Gram ha merecido mucho interés.

Se han propuesto tres tipos de teorías para explicar la reacción de Gram. Una permeabilidad diferencial para el complejo soluble en alcohol de yodocolorante fue propuesta por Benians. Stearn y Stearn sugirieron una diferencia en el punto isoeléctrico del contenido celular entre las bacterias grampositivas y las gramnegativas, fundándose en que un punto isoeléctrico más bajo en las bacterias grampositivas resultaría en un complejo más estable con el colorante básico de la tinción primaria; finalmente, se ha sostenido, sobre todo por Churchman, que el lugar donde se produce la reacción de Gram es en las capas externas o corteza de la célula; el mate-

Diferencias entre bacterias grampositivas y gramnegativas

Bacterias grampositivas		Bacterias gramnegativas
Más susceptibles	Actividad antibacteriana de colorantes básicos, detergentes aniónicos y catiónicos, fenol, sulfamidas, penicilina	Más resistentes
Más resistentes	Actividad antibacteriana de acidas, teluritos, agentes oxidantes, estreptomicina	Más susceptibles
Más resistentes	Digestión por enzimas proteolíticas, acción lítica de alcalinos	Más susceptibles
Más complejas	Necesidades nutritivas	Más sencillas
1-4 por 100 de lípido	Composición de la pared celular	11-22 por 100 de lípido
Ausencia de ciertos aminoácidos		Presencia de todos los aminoácidos

rial interno sería gramnegativo en ambos tipos de bacterias.

Cada una de estas teorías tiene argumentos en su favor, pero ninguna excluye totalmente a las demás. En general, la reacción de Gram parece ser una propiedad de toda la célula y no depender de algunos componentes de la misma. La demostración más precisa al respecto es la presencia de un complejo de ribonucleato de magnesio —proteína en las bacterias grampositivas que no existe en las gramnegativas. Este material puede extraerse de las células grampositivas disolviéndolas con bilis y dejando un "citosqueleto" gramnegativo; puede depositarse de nuevo y volver a tomar bacterias naturalmente gramnegativas. Las bacterias grampositivas también pueden hacerse negativas tratándolas con ribonucleasa, y se ha podido substituir el ribonucleato bacteriano con ribonucleato de levadura. Sin embargo, no ha sido posible tomar bacterias naturalmente gramnegativas y hacerlas grampositivas tratándolas con complejos de ribonucleato obtenido de bacterias grampositivas.

También hay datos que relacionan la reacción de Gram con otros componentes celulares lípidos y polisacáridos. Sin embargo, el mecanismo que interviene en la reacción de Gram todavía es mal conocido y las diferencias básicas entre los dos tipos de bacterias, asociadas con otras propiedades o reflejadas en las mismas, todavía no están resueltas.

Coloración acidorresistente. Ya se observó hace mucho tiempo que algunos grupos de bacterias son difíciles de teñir y resisten igualmente a la decoloración con agentes muy eficaces como el ácido-alcohol; en consecuencia, se denominaron acidorresistentes. Al respecto se parecen superficialmente a las esporas bacterianas. Estas bacterias forman un grupo homogéneo, el de las células acidorresistentes, constituido por el género Mycobacterium, que incluye los bacilos de la tuberculosis y la lepra, junto con elementos patógenos para animales de sangre fría y formas saprófitas.

Estas bacterias se caracterizan por un contenido elevado de lípido, hasta 40 por 100 de la substancia seca. Estos lípidos bacterianos han sido estudiados

en detalle, especialmente los del bacilo tuberculoso, y se ha comprobado que consisten principalmente en fosfolípidos y cera. La porción no saponificable de la fracción cérea incluye alcoholes elevados, uno de los cuales, un hidroximetoxiácido saturado denominado ácido micólico, guarda relación con la propiedad de la acidorresistencia. El ácido micólico puede considerarse como el substrato en esta reacción de tinción, y la propiedad de la acidorresistencia, limitada a estas bacterias y ciertos actinomicetos, parece ser consecuencia de una solubilidad relativamente mayor del colorante fenol en los lípidos celulares que en el agente decolorante.

Ni la reacción de Gram ni la propiedad acidorresistente de algunas bacterias brindan información acerca de la estructura de la célula bacteriana, pero guardan relación con su estructura química. En el primer caso, la estructura química se asocia con otras propiedades de las células, según ya vimos; en el segundo, con fenómenos inmunológicos y patogénicos cuando se trata de formas patógenas.

La pared celular y la membrana plasmática

La aparición de bacterias en formas que no son esféricas demuestra una rigidez de estructura suficiente para resistir las fuerzas de la tensión superficial. Aunque el estado de gel del protoplasma puede contribuir en parte a dicha rigidez, la estructura responsable principal es la pared de la célula. No se ha podido demostrar en forma inequívoca la presencia de una pared celular en las bacterias hasta hace relativamente poco, cuando pudieron emplearse técnicas nuevas, especialmente el microscopio electrónico. Hoy sabemos que la estructura externa de la célula bacteriana es de tipo dual, consistente en la propia pared celular y la membrana plasmática que reviste la superficie interna de la pared celular.

Pared celular.[36, 85, 93] La pared celular no se observa en frotis teñidos corrientes, pero cuando el citoplasma se ha retraído, hirviendo las células en so-

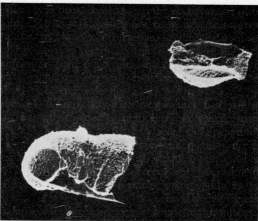

FIG. 2-8. Paredes celulares de *Bacillus megaterium*. *Izquierda,* Preparado secado al aire que superficialmente aumenta las dimensiones de la célula; la banda engrosada representa la pared celular resintetizada durante las primeras etapas de la división celular, y las partículas esféricas son de látex. × 11 500. *Derecha*. Preparado, congelado y desecado, que muestra estructura tridimensional de la pared celular, correspondiendo más estrechamente a las dimensiones de la célula intacta. × 12 250. (Salton y Williams.)

lución alcalina diluida puede demostrarse en frotis teñidos con cristal violeta. También puede teñirse por el método de Dyar en el cual se utiliza rojo Congo con cloruro de cetilpiridinio como mordiente catiónico.

Cuando la pared bacteriana se desintegra por medios físicos, como las vibraciones sónicas o ultrasónicas, los fragmentos de pared celular no tienden a redondearse, sino que presentan líneas de fractura. Con micrografías electrónicas de fragmentos de pared celular se comprueba que las estructuras es de saco en colapso, pero este sería un artefacto dependiente de los efectos de las fuerzas de tensión superficial que operan durante el proceso de desecación. Cuando las paredes celulares se secan en estado de congelación esto se evita y, por ejemplo, las formas alargadas tienen forma cilíndrica. Datos como estos parecen demostrar netamente que la pared celular es una estructura que posee rigidez, ductilidad y elasticidad, manifiestas en la célula intacta.

Preparaciones de pared celular. Las paredes de células bacterianas pueden prepararse libres de material intracelular con diversas técnicas. La desintegración mecánica de las células tiene la ventaja de que evita la alteración química de la substancia de la pared celular, siempre que no se produzca autólisis por liberación de las enzimas microbianas liberadas. Se logra moliendo y agitando con pequeñas perlas de vidrio o mediante la disrupción sónica o ultrasónica.

Las bacterias varían en su resistencia a tal disrupción mecánica. En el desintegrador de tejidos de Mickle,[73] en el cual la suspensión bacteriana se mezcla con pequeñas perlas de vidrio y los frascos se agitan mediante un movimiento circular y vibratorio, el tiempo necesario para disrupción del 95 por 100 o más de las células varía, entre cinco minutos para bacterias frágiles como el vibrión colérico has-

ta una hora para el estafilococo. Se obtienen resultados similares sometiendo la suspensión bacteriana a vibración sónica de 9 a 10 Kc o vibración ultrasónica de 20 a 40 Kc. Algunas bacterias son muy resistentes al último tipo de tratamiento, especialmente los estafilococos y estreptococos; en general, las bacterias grampositivas son más difíciles de desintegrar por medios mecánicos que las gramnegativas. Las paredes celulares se separan del contenido celular liberado por centrifugación; después de lavados repetidos con agua destilada o solución molar de cloruro sódico quedan libres de partículas densas de electrones, ácidos nucleicos, etc. Las paredes celulares así preparadas conservan substancialmente todas sus propiedades originales, por ejemplo, adsorben el bacteriófago (capítulo 3), son estables y resisten la digestión con tripsina, ribonucleasa y desoxirribonucleasa.

Propiedades de la pared celular. Los estudios de tales preparaciones han dado mucha luz sobre la índole de la pared celular. Es más delgada en las bacterias gramnegativas que en las grampositivas, en general 100 a 200 Å de espesor, constituyendo aproximadamente el 20 por 100 del peso de la célula seca, tiene un diámetro eficaz de poros de 1 a 2 nm, y es permeable a moléculas tan voluminosas como los nucleótidos.

La superficie externa de la pared celular en casi todas las bacterias grampositivas se observa lisa. Pero muchas bacterias gramnegativas muestran (generalmente después de teñido negativo preparatorio para el microscopio electrónico) unidades morfológicas dispuestas regularmente, según puede verse en la figura adjunta. Estas imágenes son hexagonales o tetragonales; predominan las primeras en las bacterias gramnegativas, mientras que se observa más frecuentemente una disposición rectangular en las bacterias grampositivas que presentan estas estructuras.[36]

El elemento básico en la pared celular es una capa rica en electrones que funciona como estructura de sostén, y que consiste principalmente en un complejo péptido de polímeros unidos en forma covalente. Este material, denominado diversamente mucopéptido, glucoaminopéptido, peptidoglicano y mureína, existe en las paredes celulares de todas las bacterias examinadas, excepto las formas halófilas, y no existe en protoplastos, esferoplastos y formas L (ver luego). Su composición varía según el tipo de bacteria pero, en general, sus productos de hidrólisis incluyen glucosamina, D- y L-alanina, ácido D-glutámico y L-lisina, ácido DD o LL o meso-α-ε-diaminopinélico, ácido 2,4-diaminobutírico, o bien D o L-ornitina.

Los polisacáridos hidrolizados producen azúcares como ramnosa, galactosa, glucosa, manosa y arabinosa. Se ha comprobado que el del bacilo diftérico es un oligosacárido constituido por dos moléculas de D-galactosa, una de D-manosa y tres de D-arabinosa, y que tiene peso molecular de aproximadamente 1 000. Se descubre regularmente la presencia de hexosamina, que probablemente exista en la pared celular como N-acetil-hexosamina pero no como un polímero de tipo quitina.

Hay cantidades relativamente grandes de fósforo en forma de polímeros de ribitolfosfato y glicerofosfato. Estos complejos contienen otras substancias, por ejemplo, residuos de α-glucosilo y de O-alanilo, y reciben el nombre de ácidos teicoicos.[69]

Al paso que la pared celular de las bacterias grampositivas está formada principalmente por material rico en electrones que contiene mucopéptido, manifiesto en micrografías electrónicas como una estructura aparentemente única, la pared celular de las bacterias gramnegativas es una estructura de dos capas. La porción interna es una banda rica en electrones que contiene mucopéptido, mientras que la porción externa parece constituida por un complejo de lipoproteína y lipopolisacáridos reunidos para constituir un tipo de estructura en mosaico. Este material incluye las endotoxinas lipopolisacáridas que se extraen mediante fenol diluido, substancia que también suprime la capa más externa de la pared celular.[47] El material entre las capas interna y externa de la pared celular de las bacterias gramnegativas parece ser de naturaleza amorfa y proteínica, y sirve como enlace cohesivo entre las dos capas. A pesar del aspecto amorfo, algunos autores han descrito en él estructuras fibrilares.

Las paredes celulares de diversos tipos de bacterias, incluyendo algunos micrococos y bacilos, se rompen o se lisan [106] por acción de la lisozima, el agente bacteriológico que existe en las lágrimas y otras secreciones, la clara de huevo, etc. El substrato de lisozima en la pared celular de la bacteria es un mucocomplejo que contiene hexosamina o mucopolisacárido, pero la desintegración enzimática es incompleta por cuanto los productos principales de la degradación tienen pesos moleculares de 10 000 a 20 000. Por lo tanto, la disolución de la pared celular por lisozima no es una digestión completa, sino más bien una despolimerización, desintegrando la pared de las células como estructura. La lisozima hidroliza los enlaces beta 1-4 entre el ácido N-acetilmurámico y la N-acetilglucosamina, y las paredes celulares de las bacterias sensibles a la lisozima contienen unidades de estas substancias unidas repetidamente por enlaces adecuados.

Las paredes celulares de los estreptococos son resistentes a la acción de la lisozima, pero son desintegrados por enzimas producidas por *Streptomyces albus* y otros actinomicetos. Las paredes de las células bacterianas atacadas por lisozima no son afectadas por estas enzimas, indicando que interviene un substrato diferente. Sin embargo, los productos de degradación son similares a los logrados por la lisozima.

Membrana plasmática.[60, 94] La membrana plasmática o citoplásmica de la célula bacteriana se

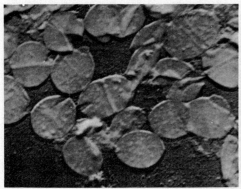 

FIG. 2-9. Preparaciones de pared celular. *Izquierda*, Paredes celulares sin lavar de *Streptococcus faecalis* preparados en el aparato de Mickle; muestran la división de la pared celular que permite escapar el contenido, los pequeños cuerpos de gran densidad electrónica adheridos a la pared celular, y las bandas engrosadas que ocurren en las primeras etapas de la división celular. $\times$ 12 000. *Derecha*, Preparado desecado y congelado de la pared celular de *Rhodospirillum rubrum* que muestra cuerpos esféricos y la pared celular de este microorganismo. $\times$ 42 000. (Salton y Williams; Salton y Horne.)

halla aplicada contra la superficie interna de la pared celular, separándola del plasma de la célula. Por disrupción mecánica de la célula, pueden observarse fragmentos de la membrana unidos a la pared celular rota, y pueden teñirse en la célula con técnica adecuada.[91] La membrana, al separarse de la pared celular y de los restos de células fragmentadas, se rompe en la denominada fracción de partícula pequeña, que puede extraerse por centrifugación diferencial.

La substancia de la membrana plasmática parece ser una lipoproteína compleja, que contiene 50 a 75 por 100 de proteína y 20 a 35 por 100 de lípido; constituye el 10 por 100, aproximadamente, del peso seco de la célula.[76] Estos y otros datos similares parecen indicar que corresponde al concepto clásico de las membranas lipoproteínicas, y que en la célula intacta es una capa estrechamente aglomerada de lipoproteína, de dos a cuatro moléculas de espesor.

Las membranas bacterianas difieren de las membranas de los mamíferos en diversos sentidos: los esteroles no existen, excepto en el caso de Mycoplasma, hay poco o nada de fosfolípido de tipo de fosforilglicerato de colina, aunque hay glicerilfosforilato de lípidos de etanolamina; hay cantidades relativamente grandes de fosfatos de glicerilo y poliglicerilo, y ácidos grasos ramificados de número impar. No sabemos cuál pueda ser el significado de tales diferencias de composición química.

Esta membrana tiene poca fuerza mecánica y no contribuye de manera notable a conservar la forma de la célula, como lo demuestra la esfericidad que adopta la forma bacilar después que se ha suprimido la pared celular por disección enzimática (ver luego). Está comprimida contra la pared celular por una presión hidrostática hasta de 20 atmósferas, que corresponde a la diferencial de presión osmótica a su nivel. Aunque se trata de una estructura diferente de la pared celular, en cuanto difieren en composición química y en contenido enzimático, las dos están unidas por algo más que la cohesión lateral. Así, la membrana plasmática se rompe en ausencia de la pared celular por enfriamiento, pero mucho menos fácilmente en la célula intacta, de donde cabe deducir que hay algún tipo de vínculo entre las dos estructuras de manera que es inhibida la redistribución de partes de las membranas para proporcionar zonas libremente permeables.

Mesosomas. La membrana plasmática se invagina, sobre todo en bacterias grampositivas, para formar estructuras internas que se denominan mesosomas o condrioides. Estos pueden adoptar forma vesicular, laminar o tubular. Aunque son de estructura membranosa, no sabemos cuáles componentes de la membrana plasmática están incluidos, ni tampoco cuál es la naturaleza del material contenido dentro de dichas vesículas una vez establecidas. Hay datos que indican gran variedad de funciones fisiológicas para los mesosomas, pero hasta aquí ninguna ha sido plenamente confirmada.

Regulación osmótica.[42, 77] Aunque pared celular y membrana plasmática son dos estructuras diferentes, separables artificialmente, en la bacteriana constituyen una unidad integrada, y la función es en parte la de barrera osmótica y de mecanismo regulador que separa el plasma celular del medio donde está suspendido proporcionando a la bacteria el concepto de Claudio Bernard del medio ambiente relativamente aislado necesario para los organismos que tienen vida libre.

La contribución de la pared bacteriana a esta función es principalmente la de una estructura de sostén, pero también contribuye a la permeabilidad de la célula intacta en el sentido de actuar como barrera para substancias que tengan pesos moleculares de 10 000 o mayores. Aunque esto no es esencial para la economía fisiológica de la célula (ver luego), proporciona cierta protección contra substancias de elevado peso molecular, como anticuerpos y enzimas líticas. La membrana plasmática funciona como una importante barrera osmótica para substancias de peso molecular más bajo, y presenta las propiedades acostumbradas de las membranas semipermeables vivas, como la permeabilidad selectiva y el transporte de substancias a través de la barrera contra gradientes de concentración.

La célula bacteriana parece ser libremente permeable al ion sódico, produciéndose rápido equilibrio entre las concentraciones interna y externa del mismo. Pero el ion potasio puede acumularse dentro de las células contra un gradiente de concentración; el proceso se acompaña de metabolismo exergónico y es inhibido por la presencia de 2-4-dinitrofenol, acida sódica y tóxicos respiratorios similares.

Se han llevado a cabo estudios relativamente precisos de permeabilidad bacteriana para los aminoácidos, en particular lisina y ácido glutámico, con unas cuantas especies bacterianas; parece haber diferencias netas entre las formas gramnegativas y las grampositivas. Se admite, en general, que las bacterias gramnegativas son libremente permeables a los aminoácidos, mientras que las grampositivas no lo son. Esto no parece absolutamente cierto, pues de una parte puede demostrarse la presencia de fondos comunes de aminoácidos en el interior de algunas bacterias, por lo menos algunas gramnegativas; por otra parte, las bacterias grampositivas estudiadas parecen ser por lo menos parcialmente permeables a ciertos aminoácidos, aunque la acumulación de otros incluye el transporte activo y la necesidad de una fuente de energía. Así, mientras la lisina parece difundir rápidamente en ambas direcciones a través de la barrera osmótica, es independiente de toda actividad metabólica exergónica, la lisina intracelular no puede extraerse por lavado de las células bacterianas suspendidas en agua destilada a menos que en el medio hubiere glucosa.

Permeasas.[22] Está comprobado que el transporte activo de substancias nutritivas a través de la barrera osmótica es función, en parte por lo menos, de actividades enzimáticas a las cuales se ha dado el nombre de permeasas. Una permeasa de este tipo es esencial para que algunas cepas de bacilos coliformes utilicen la lactosa; por ejemplo, la enzima adecuada, beta-galactosidasa, puede estar presente dentro de la célula, pero a menos que exista el mecanismo de transporte el azúcar no es aprovechado. La actividad de permeasa está sometida a control genético; las células que carecen de ella, pero que contienen beta-galactosidasa, se denominan mutantes crípticos (capítulo 6), o sea que son metabólicamente inertes en presencia del substrato. Se ha descrito un número considerable de tales actividades de permeasa.

La permeabilidad bacteriana tiene particular interés en relación con el efecto de substancias antibacterianas caracterizadas por actividad bacteriostática o inhibidora del crecimiento como los quimioterápicos, la base de la inversión de la actividad antibacteriana, y la índole de la resistencia medicamentosa en relación, por ejemplo, con permeabilidad alterada para aminoácidos como el ácido glutámico.[33] Los datos existentes, aunque pocos en contraste con los disponibles para temas clásicos de estudios de permeabilidad, como huevos de Arbacia y eritrocitos, sugieren la intervención de un mecanismo de transporte activo o de difusión de recambio, con deformación reversible de parte de la membrana plasmática para permitir el paso del portador.[74] Esto plantea la interesante posibilidad de que algunos tipos de acción antibacteriana puedan resultar efectos de un mecanismo portador, de la estructura de la barrera osmótica o de ambos fenómenos.

Protoplastos bacterianos.[38, 113] Por desintegración enzimática de la pared celular de la célula bacteriana viva, por ejemplo tratando especies de bacilos con lisozima, la célula empieza por hincharse, luego el protoplasma se despega parcialmente de la pared celular que se está desintegrando, y, por último, después de disuelta totalmente la pared ce-

lular el contenido celular adopta forma esférica. Esta forma esférica, el protoplasma celular incluido en la membrana plasmática, constituye el protoplasto.

El protoplasto es una estructura frágil porque la membrana plasmática tiene poca resistencia mecánica. Cuando la pared celular se suprime por disolución enzimática en solución salina fisiológica, los protoplastos empiezan a desintegrarse casi tan rápidamente como son formados, primero dejando una membrana vacía o "fantasma", luego con fragmentación de dicha membrana. Weibull ha comprobado que la sacarosa y el polietilenglicol actúan como agentes estabilizantes; actualmente está comprobado que si se suprime la pared celular de células suspendidas en medios como de sacarosa 0.1 a 0.5 molar, polietilenglicol al 7.5 por 100, cloruro sódico 0.25 a 0.5 molar o fosfato molar a pH 7, el protoplasto es relativamente estable durante varias horas si se conserva en medio semianaerobio y se protege de choques. Los protoplastos estabilizados suspendidos en solución 0.2 molar de sacarosa que contenga sales de magnesio en concentración 0.01 molar o mayor puede lisarse al disminuir la concentración de sacarosa, proporcionando "fantasmas" estables. Cuando la pared celular está lesionada afectándose su integridad estructural, pero persiste, la célula bacteriana también se redondea adoptando forma esférica y recibe el nombre de esferoplasto.

Estudios fisiológicos efectuados con protoplastos estabilizados han demostrado que persiste casi totalmente la competencia de la célula intacta en el protoplasto, indicando por deducción la función de la pared celular. Los protoplastos presentan una gran intensidad de respiración endógena ($QO_2 = 66$) y pueden oxidar la glucosa. Son capaces de incorporar C^{14} en la proteína y el ácido nucleico, con intensidad solo ligeramente menor que las células intactas en crecimiento activo. La forma de incorporación del carbón del acetato correspondería a la operación del ciclo de ácido tricarboxílico proporcionan-

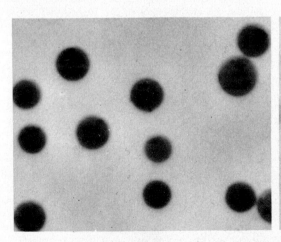
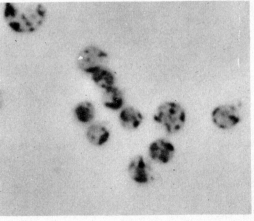

FIG. 2-10. Protoplastos *(izquierda)* y fantasmas de protoplasto *(derecha)* de *Bacillus megaterium*. Obsérvese la forma esférica adoptada por el bacilo al disolverse la pared celular. Microfotografías de contraste de fase. $\times$ 3 000. (Weibull.)

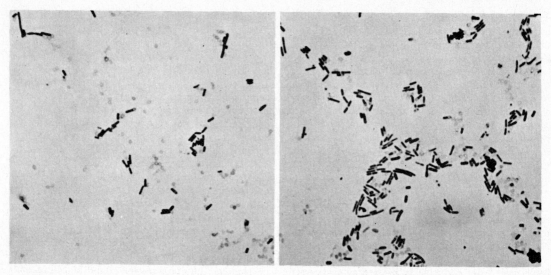

FIG. 2-11. Formación de esporas por las bacterias. *Izquierda, Clostridium botulinum* de tipo B que muestra las clostrisporas típicas separadas de las células vegetativas desintegradas. *Derecha, Clostridium sporogenes,* con una espora clostridial subterminal. Estas preparaciones están teñidas con un solo colorante en la forma acostumbrada; las células vegetativas captan el colorante, pero las esporas siguen sin teñir. Fucsina; × 1 050.

do intermedios para la síntesis de aminoácidos, lo cual indicaría una verdadera síntesis más que un intercambio; las capacidades de síntesis del protoplasto se confirman por la síntesis de la enzima adaptativa beta-galactosidasa. Está comprobado también que el protoplasto es capaz de crecimiento y división.

El protoplasto difiere de la célula intacta en el sentido de que solo puede formar esporas (ver luego) y sostener la multiplicación del virus bacteriano (capítulo 3), después que estos procesos ya han sido iniciados en la célula intacta. Sin embargo, puede infectarse con ácido nucleico infeccioso de bacteriófago, sugiriendo que la pared celular funciona en la absorción inicial y la eliminación del DNA viral para la célula huésped, pero no afecta la síntesis subsiguiente.

Estructuras internas [65, 81]

La línea divisoria entre estructuras externas y estructuras internas de la célula bacteriana no es neta, quizá en su mayor parte solo esté justificada por un concepto utilitario. Así, en cierto sentido, el protoplasto es un elemento subcelular; pero los flagelos siguen unidos a él ya que los gránulos basales donde se originan a nivel de la superficie interna de la pared celular, o cerca de la misma, no parecen ser parte integral de la pared celular, pues persisten después que dicha pared ha sido disuelta enzimáticamente. En forma análoga la espora bacteriana se forma dentro de la célula, pero representa una etapa en la vida de la bacteria, más que una estructura subcelular en el sentido ordinario del término.

La espora bacteriana.[17, 40] La formación de esporas es rara en las bacterias, y se limita sobre todo, quizá únicamente, a los bacilos. Los bacilos aerobios productores de esporas constituyen el género Bacillus, y los bacilos anaerobios obligados a microaerófilos que forman esporas son miembros del género Clostridium. Ambos se hallan ampliamente difundidos por la naturaleza. Los miembros del primer grupo son formas saprófitas que se encuentran en el suelo, el polvo y el agua y, con excepción del bacilo del carbunco, no son patógenos para el hombre en circunstancias ordinarias. El grupo anaerobio está distribuido en forma similar, e incluye formas saprófitas no patógenas, junto con microorganismos patógenos por virtud de su producción de toxinas, como los bacilos del tétanos y de la gangrena gaseosa y los bacilos botulinos, aunque no son parásitos obligados.

Para algunos autores la formación de esporas representa una forma primitiva de diferenciación más susceptible de trastornos metabólicos que el crecimiento.

La espora bacteriana es un cuerpo refringente oval formado dentro de la célula bacteriana y que se observa tanto intra como extracelularmente en el frotis corriente teñido; la substancia de la célula vegetativa se ha desintegrado alrededor de las formas de vida libre. Dentro de la célula la dimensión mayor de la espora es paralela al eje mayor del bacilo. Su anchura puede ser prácticamente la misma que la de la célula vegetativa, o puede ser mayor y hacer prominencia en la pared de la célula. Este último aspecto es el que más frecuentemente se observa en las formas anaerobias y constituye la base del nombre genérico Clostridium.

La espora puede estar localizada en el centro de la célula vegetativa, y se dice que es central, o puede hallarse parte en el centro y parte en el extremo de la célula y ser subterminal; finalmente, puede hallarse en el extremo de la célula y se denomina terminal. Las dimensiones relativas de la espora son constantes y su localización lo es bastante dentro de cada especie. Su volumen y localización pueden ser causa de una morfología característica; por ejemplo, la espora terminal voluminosa del bacilo del tétanos proporciona a la célula vegetativa que contiene la espora el aspecto de un palillo de tambor.

En el frotis corriente teñido la espora aparece como un cuerpo refringente no teñido dentro de la célula vegetativa coloreada; algo de pigmento puede adherirse superficialmente a las esporas libres, delineando su periferia. Con el microscopio electrónico y cortes ultrafinos se comprueba que la espora consiste en un núcleo central denso, una corteza fibrilar y un revestimiento externo. La espora puede teñirse utilizando calor, mordiente, o ambos. Una vez teñida, resulta igualmente difícil de decolorar con los reactivos usuales como alcohol, alcohol-ácido y alcohol-acetona. En consecuencia, la tinción diferencial de la espora es algo que no tiene dificultad; por ejemplo, el frotis puede teñirse con fucsina fenicada caliente, decolorarse con alcohol y teñirse de fondo con un colorante de contraste, como el azul de metileno, para proporcionar una espora de color rojo en una célula vegetativa de color azul.

La espora tiene un metabolismo endógeno bajo, pero mensurable, de alrededor de 0.3 μl de O_2 consumido por hora y por mg de peso seco. Se caracteriza por un aumento del contenido de calcio en comparación con la célula vegetativa, y la presencia de ácido dipicolínico (ácido 2,6-piridindicarboxílico) que se halla en el revestimiento externo.

Los factores que intervienen en la formación de esporas se conocen mal pero, en general, estas se forman fácilmente en condiciones óptimas de crecimiento, y la formación de esporas comienza al final del periodo del crecimiento exponencial o inmediatamente después.

Los efectos de las condiciones ambientales sobre la formación de esporas varía según los tipos de bacterias. Por ejemplo, el bacilo anaerobio del carbunco solamente forma esporas en condiciones aerobias, y las esporas no se descubren en frotis por impresión de órganos como el bazo de animales muertos de carbunco, por cuanto los tejidos no son suficientemente aerobios para permitir la esporulación. Análogamente, los bacilos anaerobios esporulantes no producen esporas en condiciones aerobias que no permitan el crecimiento. La temperatura de incubación también puede ser factor; es bien conocido que los bacilos aerobios esporulantes no forman esporas cuando crecen a las temperaturas máximas toleradas para el crecimiento; de hecho, pueden producirse variantes permanentemente desprovistas de esporas por cultivo continuado a temperaturas elevadas.

Las observaciones citológicas han demostrado que al iniciarse la formación de esporas hay una concentración local de material que se tiñe fuertemente con colorantes básicos, probablemente nucleoproteína, y que constituye el primordio de la espora o la antespora. Esto puede ocurrir con la producción de un gránulo que aumenta de volumen hasta formar la espora en algunas bacterias; en otras parece pro-

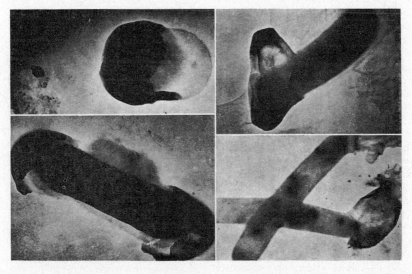

FIG. 2-12. Micrografías electrónicas que muestran el proceso de germinación de esporas de *Bacillus mycoides*. *Arriba, a la izquierda,* la célula vegetativa está empezando a salir de la espora. *Arriba, a la derecha,* la célula vegetativa está creciendo a un lado de la cápsula de la espora, y la ha roto en dos partes en la imagen *inferior izquierda. Abajo, a la derecha,* la germinación se ha completado. Las zonas más obscuras en las células vegetativas se consideran por algunos autores como núcleos en miniatura. (Cortesía del doctor G. Knaysi y The Journal of Bacteriology.)

ducirse un agregado de gránulos que se tiñen intensamente; en otras solo hay concentración local de gránulos dispersos. En todo caso, cuando la formación es completa la espora adopta el aspecto refringente característico, y la célula vegetativa que la rodea se desintegra. Solo se forma una espora por cada célula vegetativa; la formación de esporas no puede considerarse un método de multiplicación; además, no está demostrada la existencia de fenómenos sexuales o de conjugación en la formación de esporas bacterianas, como ocurre en los hongos.

Se ha comprobado [29] que la espora contiene antígenos que no existen en la célula vegetativa; ello indica que el proceso de esporulación es algo más que una reunión y concentración de substancia de la célula vegetativa. Los antígenos de la espora son específicos, por cuanto las esporas de especies celulares vegetativas inmunológicamente diferentes son distintas, y no comparten antígenos de esporas comunes.

La composición de la espora no explica satisfactoriamente su extraordinaria resistencia a las lesiones, aunque algunos autores consideran que la presencia de ácido dipicolínico guarda relación con la termorresistencia. No solo es relativamente impermeable a colorantes, como ya dijimos también es más resistente a los efectos lesivos de calor, desecación, compuestos bactericidas, etc., que la célula vegetativa.

Los métodos de esterilización (capítulo 5) se dirigen necesariamente a la destrucción de las esporas microbianas ubicuas. Algunas esporas bacterianas, como las de los organismos que producen la acidificación de alimentos conservados, pueden ser extraordinariamente resistentes al calor, y necesitan calentamiento con vapor a presión a 120°C durante tres horas para que sean destruidas. Muchas no son tan resistentes, y para ser destruidas se necesita calentamiento con vapor a 115°-120°C durante 15 a 20 minutos. Otras son destruidas por ebullición durante breve tiempo, pero pocas o quizá ninguna se destruyen por tratamiento a 58° ó 60°C durante 30 minutos, que bastan para destruir la mayor parte de células vegetativas bacterianas. También son extraordinariamente resistentes a la desecación; el ejemplo clásico es el de la viabilidad de las esporas del carbunco secadas sobre un hilo de seda en el laboratorio de Koch después de 60 años.

La proporción entre la concentración de compuestos bactericidas que matan la célula vegetativa y la que mata la espora es del orden de 10^3 a 10^4 para la mayor parte de desinfectantes como hipocloritos y fenoles. Constituyen excepciones importantes y de interés los agentes alquilantes como el óxido de etileno o el formaldehido, para los cuales la proporción es entre 0.5 y 15.

Cuando la espora se coloca en medio favorable para el desarrollo de células vegetativas, germina.[39] Los factores que afectan la germinación no son bien conocidos. Puede ser tardía e irregular, y en algunas circunstancias se ha comprobado que esto se asociaba con la presencia de ácidos grasos como ácido

oleico y linoleico en el medio de cultivo. Las esporas pueden hacerse germinar mecánicamente, por abrasión del revestimiento de la espora con perlas de vidrio, y la consiguiente pérdida de ácido dipicolínico, pero la supresión del ácido dipicolínico con agentes tensioactivos no permite que siga el desarrollo. La germinación puede acelerarse por choque térmico, una breve exposición a temperatura elevada, por ejemplo 80°C, antes de efectuar el cultivo. Una vez iniciada la germinación, se produce con ritmo exponencial. El metabolismo del ácido nucleico difiere del que tiene lugar en la célula vegetativa, por lo menos en el caso de *Bacillus subtilis,* con una síntesis preliminar de RNA durante las dos primeras horas, seguida de la iniciación de síntesis de DNA. El ácido dipicolínico es eliminado durante la germinación y no se descubre en las esporas germinadas o las células vegetativas.

El primer signo microscópico de germinación es un cambio en el aspecto refringente de la espora, que se vuelve más permeable a los colorantes y los capta igual que la célula vegetativa. Después la sucesión de acontecimientos es variable. La pared de la espora puede adelgazarse, ponerse tensa y adoptar la forma de célula vegetativa. En otros casos la célula vegetativa parece crecer dentro de la pared de la espora que se rompe y se abre como una cáscara. El bacilo del carbunco crece a un lado de la pared de la espora, mientras que *Bacillus subtilis,* muy parecido, crece simultáneamente en lados opuestos. En *Bacillus megaterium* la cáscara de la espora se abre a lo largo del surco ecuatorial, permitiendo la salida de la célula vegetativa. Otras bacterias tienen métodos intermedios de germinación, y pueden observarse irregularidades en el desarrollo de esporas dentro de células vegetativas de una misma especie bacteriana. Obsérvese que, como la célula vegetativa

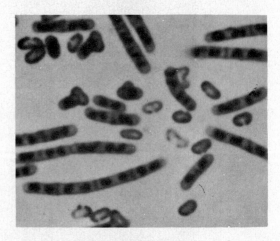

FIG. 2-13. Células vegetativas recién germinadas de *Bacillus mesentericus* que muestran cápsulas de esporas sueltas. Obsérvense los límite celulares en los largos filamentos constituidos por células en disposición terminoterminal. Las zonas coloreadas intensamente son cuerpos cromatínicos. Fijación de tetraóxido de osmio y ácido clorhídrico, Giemsa $\times$ 4 000. (Robinow.)

solo produce una espora, al germinar esta solo origina una sola célula vegetativa, y el proceso de germinación no es un proceso de multiplicación.

La función biológica de la espora bacteriana se desconoce. Se trata netamente de una etapa normal en la vida de las bacterias formadoras de esporas, y puede considerarse como una forma de reposo, posiblemente análoga a la hibernación o la estivación en las formas biológicas más elevadas. Su elevada resistencia a los agentes lesivos sirve para asegurar la persistencia de la especie en circunstancias desfavorables; pudiera considerarse que la espora tiene valor de supervivencia.

El núcleo bacteriano.[32, 92] Las bacterias contienen cantidades elevadas de ácidos nucleicos, más que la mayor parte de las demás células, y la forma acostumbrada de tinción uniforme de la célula bacteriana con colorantes básicos indica su distribución general dentro de ella. Como otros organismos, con excepción de los virus (ver luego), las bacterias contienen ambos, ácido desoxirribonucleico (DNA) y ácido ribonucleico (RNA). El DNA se halla principalmente en masas o cuerpos dentro de la célula, mientras que el RNA se halla en el citoplasma que los rodea. Esta localización del DNA queda enmascarada en la preparación corriente teñida, pues el RNA también está teñido, pero puede demostrarse tiñendo después de suprimir selectivamente el RNA por hidrólisis ácida ligera, o con tratamiento de ribonucleasa, o cuando es deficiente en células en inedia que crecen en un medio con elementos nutritivos mínimos. Las masas de DNA, o cuerpos cromatínicos, suelen teñirse débilmente con colorantes básicos, aunque pueden teñirse con mordiente y fucsina, pero se tiñen intensamente con Giemsa y son Feulgen positivas.*

* La reacción de Feulgen es una prueba microquímica de presencia de DNA. El grupo aldehídico del DNA hidrolizado con ácido reacciona con el reactivo de Schiff para

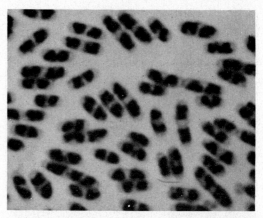

FIG. 2-14. Fotomicrografía, con microscopio de luz, de un cultivo de dos horas y media de bacilo del colon fijado con vapores de tetraóxido de osmio y cloruro mercúrico alcohólico, hidrolizado entre 56º y 60ºC con ácido clorhídrico normal y teñido con Giemsa. Los cuerpos que se tiñen intensamente son cuerpos cromatínicos. (Robinow.)

Por la identidad persistente de una cepa determinada de bacterias es evidente que tiene que haber un mecanismo de control hereditario, y está comprobado que los cuerpos cromatínicos son núcleos en cuanto a su función. Hay uno o dos por célula, y tres o cuatro en bacterias que se hallan en multiplicación activa; se duplican coincidiendo con la división celular, de modo que persisten en las células hijas. Al mismo tiempo son de estructura relativamente simple, y no están incluidos en una membrana limitante; los informes sobre aparición de imágenes de mitosis no parecen bien fundados.

La morfología del núcleo, o nucleoide bacteriano se ha determinado principalmente por estudios de devolver el calor a la fucsina reducida, y los agregados de DNA aparecen como masas violeta. La prueba es para grupos aldehídicos libres, y no es específica del DNA.

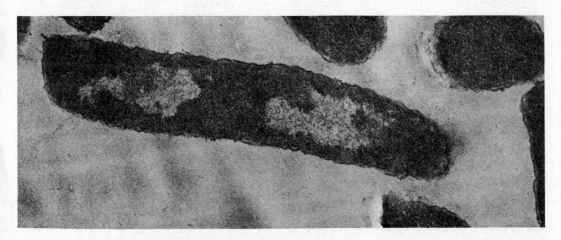

FIG. 2-15. Cuerpos cromatínicos de DNA en *Escherichia coli* K-12S durante la fase de crecimiento exponencial. Obsérvese la ausencia aparente de membrana limitante. Corte y fijación de tetraóxido de osmio. $\times$ 40 000. (Kellenberger.)

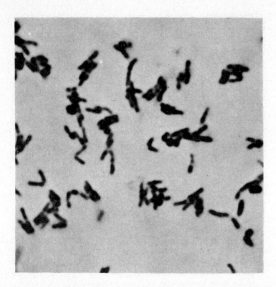

FIG. 2-16. Gránulos metacromáticos y tinción bipolar en el bacilo diftérico. Obsérvense las diferencias entre estos gérmenes y los bacilos de la peste. Azul de metileno; $\times$ 1 975.

recombinación de caracteres hereditarios durante la conjugación bacteriana[41] (capítulo 6). Se ha comprobado que determinantes genéticos aislados están dispuestos en orden lineal, y todo el genoma se halla contenido en un solo duplex de DNA, que extendido completamente tiene de 100 a 1 400 micras de largo. Esta estructura se ha observado directamente en elegantes experiencias de Cairns[16] y de Kleinschmidt y colaboradores.[58] En el primer caso se liberó DNA marcado con tritio por lisis de la pared bacteriana mediante Duponol, y se dejó desenredar sobre la superficie de una membrana de diálisis, que a su vez se recubrió de emulsión fotográfica, y se prepararon radioautografías. En el segundo caso se lisaron protoplastos en una película monomolecular fina de proteína extendida en la interfase de aire-agua, se ensombreció y se examinó con microscopio electrónico. No se observaron extremos libres; ello corresponde a los datos obtenidos por estudios de conjugación según los cuales el cromosoma de *E. coli* es circular, en contraste con el del colifago T_2, que es lineal. Pero la transferencia durante la conjugación es lineal, y resulta evidente que el cromosoma circular debe romperse para permitir tal transferencia. Mucho se ha discutido acerca del mecanismo por virtud del cual se produce la rotura y la polarización para poder tener lugar la transferencia. Se han aportado datos, principalmente por Jacob, Monod y colaboradores, en el sentido de que el punto donde se abre el cromosoma circular es a nivel del factor sexual (capítulo 6) y que el cromosoma está en contacto con la membrana plasmática a ese nivel, pero el hecho no está completamente demostrado.

Como el cromosoma bacteriano es unas mil veces más largo que el nucleoide, se deduce que ha de estar doblado, o en formación compacta de otro modo, para poder estar contenido dentro del nucleoide. El microscopio electrónico con cortes ultrafinos ha demostrado que la característica más general de la estructura del nucleoide es una disposición paralela de agregados de DNA que contienen unas 500 hélices de DNA y están orientados según el eje mayor de la célula bacteriana, en la forma descrita por Kellenberger.[57] Probablemente estos agregados representen fibras de DNA dobladas en uno y otro sentidos. En tal caso se plantea la pregunta de cuál sea el contacto del cromosoma con la membrana celular. Tal contacto se comprueba en micrografías electrónicas, y se observa que en el protoplasto hay contacto directo con la membrana plasmática; en la célula bacteriana hay contacto, o incluso penetración, entre núcleo y mesosomas.

Citoplasma.[52] El citoplasma de las bacterias parece tener una estructura mucho menos compleja que el de otras células. El retículo endoplásmico de la célula corriente no existe, sobre todo en bacterias gramnegativas, y los perfiles de membrana observados en algunas bacterias grampositivas no están netamente diferenciados. Sin embargo, parece existir una red de estructuras aparentemente lineales con interconexiones, y hay fibrillas finas que se extienden desde el plasma nuclear profundamente hacia el citoplasma.

Gránulos citoplásmicos.[9] La célula bacteriana contiene diversos gránulos suficientemente voluminosos para ser observados con el microscopio de luz. Los que se tiñen con ciertos colorantes básicos reciben el nombre de gránulos metacromáticos o de Babes-Ernst son fáciles de observar en bacterias como el bacilo diftérico y otros similares teñidos con azul de metileno o azul de toluidina alcalinos, y tam-

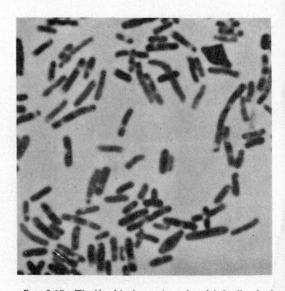

FIG. 2-17. Tinción bipolar e irregular del bacilo de la peste. Obsérvense las zonas intensamente teñidas y los gránulos metacromáticos. Fijación con alcohol metílico y tinción con azul de metileno; $\times$ 2 400.

bién como gránulos polares en otras formas, como los bacilos de la peste fijados en metanol antes de teñirlos. Son de dimensiones variables, tan grandes como 0.6 μ; gránulos mayores pueden representar agregados de gránulos menores. Estos gránulos contienen cantidades relativamente elevadas de polimetafosfato insoluble en ácido tricloracético, cuya presencia se asocia también con su carácter metacromático. Estos gránulos se disuelven en ácido o álcali diluidos, o en agua hirviendo, y son característicamente de gran densidad electrónica, pero son destruidos por un haz electrónico intenso.

Otros gránulos visibles son de naturaleza polisacárida o lípida. Los primeros se tiñen con yodo, que da color pardo rojizo, y el material que los compone ha recibido el nombre de iogen, granulosa o almidón bacteriano. El polisacárido intracelular también puede teñirse con el método del ácido peryódico de Schiff. Los gránulos lípidos tienen aspecto de vacuolas en las bacterias teñidas con colorantes básicos como el Sudán III en preparados húmedos, o el negro Sudán en preparados secos.

El polisacárido y el lípido de los gránulos pueden considerarse como productos terminales del metabolismo y no parecen desempeñar parte activa en los procesos fisiológicos de la célula. Sin embargo, los gránulos metacromáticos son asiento de actividad enzimática (ver luego) y hay motivos para creer que el polifosfato que contienen puede servir para almacenar energía conservada en enlaces fosfáticos ricos en energía, acumulados durante procesos oxidativos, con el trifosfato de adenosina (ATP) actuando como intermedio.

Partículas submicroscópicas. Además de los gránulos que pueden observarse con el microscopio de luz, el protoplasma bacteriano, como el de otras células, contiene gránulos minúsculos o pequeñas partículas que pueden separarse de los constituyentes solubles de la célula por centrifugación a velocidades que proporcionan 100 000 × G o más, y solo pueden observarse en micrografías electrónicas. Es algo desconcertante el hecho de que tales partículas no se observen en micrografías electrónicas de cortes ultrafinos, y resulta dudoso que existan en la célula bacteriana en la misma forma que se descubre en los lisados.

Los tipos de sedimentación logrados con bacterias rotas por diversos medios, excluyendo fragmentos mayores como la pared celular, los gránulos metacromáticos y los cromatóforos, muestran siempre diversos componentes macromoleculares distintos. Suele haber una banda amplia que se desplaza lentamente a 5 S,* y máximos a 8 S, 20 a 30 S, y 40 S.

La fracción 5 S es una mezcla heterogénea de substancias que constituyen el material fundamental del protoplasma. La fracción 8 S contiene la parte principal, 80 a 90 por 100 del DNA presen-

te en la célula. Esto último sugiere que la organización morfológica del DNA en las células intactas, por ejemplo en cuerpos cromatínicos u otras estructuras que pudieran considerarse de organización nuclear, es frágil por cuanto el DNA constituyente fácilmente se libera en forma soluble. Esta fracción también contiene el RNA sin estructura que existe en el citoplasma. Juntas estas dos fracciones constituyen el sobrenadante y contienen la mitad o más de toda la substancia intracelular medida como nitrógeno, proteína, o peso seco.

Ribosomas.[83, 84, 95, 96, 101] De las partículas submicroscópicas, los ribosomas son los que mayor interés han merecido, ya que guardan estrecha relación con la síntesis de proteínas. De manera que no pueden estudiarse aparte de esta función. El RNA citoplásmico existente en la célula bacteriana puede separarse en tres tipos, según sus funciones: RNA ribosómico (rRNA), de transferencia de aminoácidos, o RNA de transferencia (tRNA) y RNA mensajero (mRNA). De ellos, el rRNA constituye aproximadamente el 80 por 100 del RNA celular total. El nucleoide contiene varios DNA que son complementarios del orden en que se hallan en los nucleótidos de los tres tipos de RNA, y estos RNA se sintetizan a base de tales plantillas; el rRNA y el tRNA en forma continua, el mRNA con intensidad variable según la presencia de represores o inductores, con máximo de aproximadamente una copia cada dos o tres segundos.

De las partículas que contienen rRNA las hay de cuatro dimensiones, la partícula 30 S, la 50 S, la 70 S, y los agregados de partículas 70 S unidas formando una tira común de mRNA. La terminología no es completamente uniforme, pero, en general, la partícula 70 S se considera que es el ribosoma, las partículas 30 S y 50 S serían subunidades del ribosoma, y los agregados mayores serían polirribosomas o polisomas. Hablando en forma estricta, estos últimos no son polímeros.

Además del rRNA, que constituye aproximadamente los dos tercios de la masa del ribosoma, también contiene proteína. Pueden demostrarse unas 20 proteínas diferenciables en la partícula 30 S, y 25 a 31 proteínas en la partícula 50 S; cada proteína en una partícula se halla en copia única. De las contenidas en la partícula 30 S, algunas (denominadas proteínas "de unidad" por Kurland) existen en todas las partículas, mientras que las otras (denominadas proteínas "fraccionales") no están uniformemente presentes, dando lugar a una heterogeneidad de ribosomas en cuanto al contenido cualitativo de proteína. Algunas de estas proteínas parecen funcionar en relación con la síntesis proteínica, otras en diversas vías diferentes.

Las subunidades, ribosomas y polisomas se observan durante el proceso cíclico de la síntesis proteínica. Las partículas 30 S y 50 S están libres en el citoplasma de las células. El ciclo se inicia por formación de un complejo de la subunidad 30 S con mRNA y formil-metionil tRNA. Al fijarse a

---

* Unidades Svedberg, o sea 1 S = $10a^{13}$ cm/seg/campo de unidad.

mRNA, se une al complejo una subunidad 50 S, y se forman los ribosomas, que se unen a una tira común de mRNA; así se forma el polisoma.

Hay diversos tipos de tRNA, que contienen uno a cuatro tipos para cada uno de los 20 aminoácidos. El aminoácido es activado por una enzima específica, y es transferido a un tRNA específico. El mRNA funciona como plantilla para la síntesis de proteína, o sea que establece el orden de aminoácidos en la cadena peptídica, y hay diversos tipos de mRNA, cada uno correspondiendo a una proteína específica. Al operar, los complejos adecuados de tRNA-aminoácido se asocian con los lugares predeterminados en la plantilla de mRNA; cada residuo de aminoácido queda colocado en su lugar por su tRNA, y se inserta en la cadena peptídica. A medida que ribosomas adicionales se unen a una tira de mRNA, al parecer desplazándose de un extremo a otro, va teniendo lugar una síntesis continua de proteína en diversas etapas de desarrollo en los puntos de fijación ribosómica. Al llegar al final de la tira de mRNA, el ribosoma y el péptido se liberan. La partícula 70 S tiende a disociarse y a dar lugar a un fondo común de subunidades, al cual recurren los polisomas y los complejos de 70 S en el ciclo de la síntesis proteínica.

Localización intracelular de enzimas [43, 68, 75]

Cabe anticipar que la diferenciación morfológica de la célula bacteriana en estructuras subcelulares, tanto a nivel microscópico como submicroscópico, puede acompañarse de una diferenciación fisiológica y una organización bioquímica correspondientes. De hecho, la existencia simultánea de procesos opuestos como de síntesis, utilización y destrucción de nucleótidos en el interior de la célula, hace inevitable que exista alguna separación eficaz de los procesos metabólicos.

Las estructuras celulares externas, flagelos y cápsulas, no tienen función bioquímica ninguna y su pérdida no afecta los procesos fisiológicos de la célula. Los flagelos hasta donde sepamos solo sirven como músculos macromoleculares y la substancia capsular es un producto del metabolismo que se evacua al medio ambiente, y que solo tiene función protectora de la célula, por ejemplo ante la fagocitosis.

Análogamente, la pared celular parece ser sobre todo una estructura de sostén, que contribuye muy poco a la barrera osmótica, pero de la cual también cabe prescindir, ya que el protoplasto es fisiológicamente completo, con algunas excepciones, como su incapacidad de iniciar la esporulación. Las paredes celulares separadas de sus contaminantes protoplasmáticos por lavado, a juzgar por las micrografías electrónicas, no se ha comprobado que tengan actividad enzimática.

La membrana plasmática, como el elemento más importante de la barrera osmótica de la célula bacteriana, guarda estrecha relación con la actividad enzimática. Como ya dijimos, la membrana intacta da positiva la reacción de Feulgen, y hay sistema de citocromo muy próximo a ella.

Como se ha dicho en otra parte, la relativa impermeabilidad de la célula bacteriana viva a substancias como fosfatos, junto con la enérgica actividad metabólica de estos microorganismos, implica un mecanismo de transporte muy eficaz a través de la barrera osmótica. Si, como se ha sugerido, tal mecanismo incluyera la absorción de substancias nutritivas y la desorción de productos terminales del metabolismo, por acción de enzimas adecuadas actuando como portadores, la asociación de la actividad enzimática con la membrana sería muy estrecha a pesar de que la membrana por sí misma no tuviera tal actividad. Cabe, pues, admitir que la reducción del sistema de citocromooxidasa del citocromo ocurre, en parte por lo menos, en la periferia de la organización celular.[63] Además, la facilidad con la cual partículas muy ricas en electrones quedan unidas a fragmentos de paredes celulares de bacterias desintegradas, sugiere que algunas de estas partículas pueden hallarse muy próximas a la periferia de la célula.

Otra confirmación de la localización de la actividad enzimática en la periferia celular la brinda, por ejemplo, la difusión de ácido glutámico hacia el interior de las células, y la relación de mecanismos glucolíticos con la superficie celular. La glutamina penetra rápidamente en la célula, mientras que el ácido glutámico no penetra a menos que disponga de una fuente de energía como la glucosa, implicando que los mecanismos de asimilación contra un gradiente de concentración pueden incluir la descarboxilación a nivel de la superficie celular. Análogamente, la fosforilación de la hexosa por células de levadura parece tener lugar sobre todo en la periferia de la célula, y las enzimas que catalizan la desfosforilación del difosfato de adenosina y del pirofosfato inorgánico se hallan localizadas ahí.

Parece seguro que los gránulos metacromáticos microscópicos que contienen polimetafosfato sirven como fuente de energía en enlaces fosfáticos de gran energía, pero no sabemos la forma en la cual la energía disponible en estas "centrales de fuerza" se emplee para reacciones metabólicas endotérmicas; solo sabemos que es liberada por vía de ATP.

El tratamiento con tetrazoles, como el cloruro de trifeniltetrazólido, causa reducción a formazán insoluble, que se observa acumulado en zonas localizadas. Análogamente, el azul de indofenol aparece en zonas localizadas después de tratar la célula con los reactivos Nadi, o sea α-naftol y dimetil-p-fenilendiamina. Se ha objetado que el formazán se acumula por acreción en todos los casos, y que el azul de indofenol suele acumularse por solución en gránulos lípidos, de manera que los gránulos de las actividades indicadas constituyen un artefacto.

Esta crítica no es aplicable a los cambios de color seriados observados con verde Janus B, que son típicos de las mitocondrias y ocurren en gránulos bacterianos intracelulares o, aunque más lentamente, en gránulos libres que existen en lisados bacteriofágicos. Estos gránulos bacterianos quizá sean los mesosomas derivados de la membrana plasmática, o condrioides; este último término hace referencia con su actividad similar a la de las mitocondrias.

La mayor parte de la actividad enzimática de la célula bacteriana guarda relación con los gránulos submicroscópicos, y con las substancias solubles, esto es, las de < 20 S, presentes en el plasma fundamental desmenuzado. La amplitud de volumen de las partículas es grande, aunque la mayor parte del material se halla en la fracción 40 S (10 a 20 nm), pero no parece que exista una relación definida entre el volumen y la localización de los diversos tipos de actividad enzimática. Es posible que las partículas más voluminosas sean agregadas, y las partículas menores sean fragmentos de la fracción 40 S; esto es, la actividad de gránulos incluso microscópicos puede ser en parte consecuencia de la presencia de partículas submicroscópicas ocluidas, mientras que la actividad enzimática sedimentable puede solubilizarse tratando los sedimentos mediante oscilación sónica. Con estas reservas, pueden localizarse tipos de actividad enzimática en partículas sedimentadas, y también en el líquido sobrenadante, que se admite representa el plasma fundamental de la célula.

Los componentes del mecanismo de transporte electrónico, incluyendo citocromos y fragmentos de flavina, oxidasa del citocromo, reductasa de citocromo-DPN, y oxidasa de DPNH (de DPN reducido) se hallan en gran parte, y quizá casi exclusivamente, en las partículas submicroscópicas. Sin embargo, se comprueba que las enzimas que funcionen en el ciclo tricarboxílico están divididas entre partículas sedimentables y substancia fundamental de la célula. De estas, la deshidrogenasa succínica se halla casi exclusivamente en los gránulos, y el 90 por 100 más de la actividad total de la célula puede corresponderle. La deshidrogenasa málica se encuentra tanto en los gránulos como en el líquido sobrenadante, mientras que la aconitasa y la deshidrogenasa isocítrica están exclusivamente en el líquido que sobrenada. La localización de la deshidrogenasa α-cetoglutárica es incierta. La deshidrogenasa pirúvica también se encuentra en el sobrenadante, pero el sistema que la relaciona con el O_2 se halla en los gránulos. Así, pues, en la catálisis de algunas de las actividades fisiológicas hay una acción sinérgica entre los gránulos y el plasma fundamental de la célula.

Los gránulos submicroscópicos se presentan como estructuras bioquímicamente complejas capaces de llevar a cabo el transporte de electrones, así como la oxidación de ácidos orgánicos en proporciones substancialmente equivalentes a las que se alcanzan por la célula intacta. De ello se deduce que los componentes, incluyendo cofactores, de los sistemas catalíticos no solo están presentes, sino que se hallan en forma fisiológicamente disponible, y que las actividades de cada uno están orientadas para proporcionar una organización de actividad máxima. Así, la partícula submicroscópica es una unidad básica integral de la estructura celular y de su organización, con un papel netamente establecido en la fosforilación oxidativa,[14] y constituye quizá el equivalente bacteriano de la mitocondria en las células de los animales mayores. Consideraciones cuantitativas sugieren que los gránulos pueden ser enzimáticamente heterogéneos. Admitiendo un diámetro de 20 nm, un peso específico de 1.2 y una cantidad de proteína, la tercera parte, aproximadamente, del peso húmedo tal partícula podría contener unas 14 moléculas de proteína, con peso molecular medio de 35 000. Es difícil reconciliar este cálculo con la presencia conocida de un mecanismo completo de transporte electrónico, como el sistema de la succinooxidasa. Si hay tipos enzimáticamente diferentes de gránulos, no pueden separarse por centrifugación diferencial.

MORFOLOGIA DE LAS COLONIAS DE BACTERIAS

Cuando las bacterias crecen en la superficie de un medio nutritivo solidificado con agar o gelatina, las células que proliferan quedan prácticamente en posición fija y forman masas de millones y millones de células observables a simple vista. Las colonias así formadas tienen dimensiones desde las mínimas, apenas visibles, hasta masas de varios milímetros de diámetro. Presentan características no solo de volumen sino también de forma y textura, y en algunos casos de color que, si bien hasta cierto punto depende de la naturaleza del medio de cultivo y de las condiciones de incubación, en circunstancias establecidas son constantes y muchas veces de gran valor diferencial. Por lo tanto, la morfología de las colonias constituye una de las características morfológicas de las bacterias indispensables para su aislamiento primario.

La dimensión de las colonias bacterianas, admitiendo condiciones favorables para el cultivo, es muy uniforme para cada especie o tipo. Así, por ejemplo, las colonias de estreptococos son relativamente pequeñas, de 1 mm o menos de diámetro, como las de la mayor parte de tipos de neumococos relativamente similares, mientras que las colonias de estafilococos y bacilos entéricos son algo mayores, y las de otras especies de bacilos pueden tener varios milímetros de diámetro. Pueden observarse también colonias minúsculas, enanas o D, mucho menores de las corrientes, pero representan una variante de observación rara.

La forma de la colonia depende de su borde y de su espesor. El borde puede ser liso o irregular, y aserrado en mayor o menor grado. Cuando el espesor es mucho mayor en el centro y disminuye uniformemente hacia el borde, se dice que la colonia es elevada, en ocasiones tanto que casi tiene forma hemisférica. O puede ser relativamente uniforme, de manera que la colonia parece un disco en la superficie del medio.

La consistencia y la textura de la masa de células también son características distintivas de la morfología colonial. La primera va desde la colonia seca, friable, como las colonias que tocadas con un asa estéril pueden desplazarse en la superficie del medio, hasta las que tienen consistencia viscosa, de manera que la masa celular se pega al asa que la toca, y se separa de la colonia formando un hilo al alejarla. La superficie de crecimiento puede ser uniformemente lisa y reluciente, o estriada con indentaciones, radial o concéntrica, continua o con roturas. Examinándola con la luz transmitida la masa celular puede parecer amorfa o granular, y varía desde completamente translúcida, quizá con tinte azulado, pasando por grados variables de opalescencia, hasta la opacidad blanca o amarillenta.

La pigmentación es más frecuente en las bacterias saprófitas, y la masa celular puede tener color rojo, anaranjado, amarillo, etc., por la presencia de pigmentos carotinoides y es verde en caso de algunas bacterias fotosintéticas que contienen bacterioclorina. De los elementos patógenos, la única forma importante pigmentada es *Staphylococcus aureus,* cuyas colonias tienen color amarillo de oro. La pigmentación no es manifiesta en cada célula aislada, pues el pigmento se halla en gránulos intracelulares demasiado pequeños para poder ser vistos con microscopio de luz.

Como estas características ocurren en grados y combinaciones variables según los tipos de bacteria, el aspecto de la colonia muchas veces es plenamente característico y pueden distinguirse tipos de bacte-

rias entre sí en cultivos mixtos o contaminados. Sin embargo, la diferenciación por la morfología de las colonias solo ha sido provisional; se necesita un estudio detallado de la fisiología y las características inmunológicas de una bacteria para identificarla.

La morfología de las colonias es análoga a la estadística, en el sentido de que deriva de cada célula individual pero es una característica de la masa celular. Así, la pigmentación no se descubre en la célula aislada pero sí en la colonia; la consistencia viscosa de la colonia proviene de la substancia capsular de bacterias con gruesas cápsulas; la textura arrollada de las colonias de *Bacillus* es consecuencia de la tendencia de las células a quedar unidas en forma terminoterminal y formar filamentos; las bacterias con motilidad activa como Proteus, en realidad se mueven o esparcen en la superficie del medio para proporcionar una película continua de crecimiento, etc. En esta forma, la morfología de la colonia puede acompañarse de otras características importantes de la bacteria; por ejemplo, entre las bacterias patógenas la virulencia puede asociarse con la formación de cápsulas; si esto ocurre, la colonia de la forma virulenta es de aspecto y textura lisos, y la de la avirulenta es rugosa (capítulo 6).

Las características de las colonias pueden aumentarse o provocarse sembrando la bacteria en los denominados medios de cultivo diferencial, que explotan propiedades fisiológicas relevantes. Cuando las bacterias crecen en un medio que contenga agar y sangre desfibrinada, aparecen zonas de color verdoso o zonas claras en el medio opaco rojo alrededor de las colonias de bacterias que forman hemolisinas; estas lisan los eritrocitos y metabolizan la hemoglobina produciendo compuestos verdosos o incoloros; tales bacterias se dice que son α-hemolíticas o β-hemolíticas, respectivamente. La capacidad de los bacilos diftéricos para reducir sales de telurio ori-

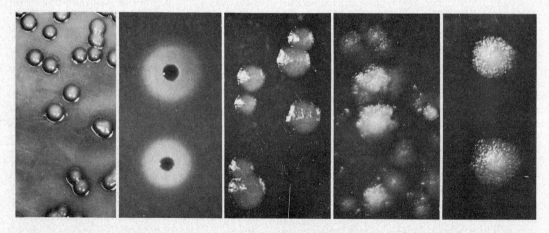

FIG. 2-18. Tipos morfológicos de colonias bacterianas. De *izquierda* a *derecha,* las colonias viscosas elevadas lisas de gonococo en agar chocolate, colonias de estreptococos β-hemolíticos en agar sangre mostrando las zonas claras centrales de hemólisis y el borde ligeramente irregular de la colonia típica; colonias de bacilos típicos en agar nutritivo que muestran el borde irregular típico (aspecto de hoja de arce) y la superficie irregular pero lisa; colonias de bacilo tuberculoso en medio de Löwenstein con el aspecto rugoso característico; y colonias de bacilos del carbunco en medio nutritivo de forma típicamente rugosa virulenta.

gina colonias negras en medios diferenciales de telurito. Análogamente, puede incorporarse al medio un azúcar como la lactosa, junto con un indicador, por ejemplo al reactivo de Schiff, o un indicador acidobásico, de manera que las bacterias que fermentan el azúcar devuelven el color a la fucsina decolorada, y las colonias son rojas o se tiñen por el indicador a consecuencia de un aumento local de acidez en las mismas. La morfología de las colonias en dichos medios casi invariablemente constituye un caso especial, por cuanto el medio se ha creado para estimular o provocar un aspecto característico de las colonias estudiadas que facilite su aislamiento de otras bacterias en cultivos mixtos.

Morfología de rickettsias y virus

Los microorganismos conocidos como rickettsias y virus se estudian aparte de las bacterias verdaderas, o sea Eubacteriales, con fundamento fisiológico más que morfológico. Con raras excepciones, las bacterias no son primariamente parásitos intracelulares; pueden proliferar en medios nutritivos sin elementos vivos. En contraste, las rickettsias y virus solo crecen estrechamente asociados con células huéspedes vivas, y se encuentran dentro del protoplasma o el núcleo de las mismas. Aunque las mayores de estas formas las unen en serie continua con las bacterias de menor volumen, al disminuir progresivamente la dimensión de estos agentes, resultan diferentes tanto morfológicamente como en composición química.

MORFOLOGIA DE LAS RICKETTSIAS

Las rickettsias son morfológicamente similares a las bacterias menores. Tienen forma cocobacilar a bacilar, de 0.3 μ × 0.3 a 0.5 μ; en ocasiones son tan largas como 2 μ; por sus dimensiones se superponen a bacterias pequeñas como *Pasteurella tularensis* y *Bartonella*. Por tanto, pueden observarse con microscopio de luz. Se trata de elementos uniformemente

gramnegativos que se tiñen poco o nada a menos que la solución de colorante esté amortiguada y se utilicen mordientes. En frotis y en cortes de tejidos se tiñen de color púrpura con Giemsa. En frotis teñidos con el método de Macchiavello (fucsina amortiguada, solución de ácido cítrico, y tinción de contraste de azul de metileno) las rickettsias son rojas, y azules las células de los tejidos; el método de Castaneda de azul de metileno amortiguado-safranina como tinción de contraste les proporciona color azul sobre fondo rosado. También pueden teñirse con colorante diluido de Wright después de fijación con metanol.

Se observan aisladas y a pares; casi siempre en masas intracelulares densas; las rickettsias del grupo del tifus característicamente en el protoplasma, las de la fiebre manchada en el núcleo de las células huéspedes, sobre todo las de origen mesotelial que revisten las cavidades serosas. No son móviles y no forman esporas.

El protoplasma se tiñe homogéneamente, pero contiene gránulos positivos para Feulgen, similares a los que se observan en las bacterias; la célula contiene tanto DNA como RNA. En micrografías electrónicas se observa una capa capsular externa, membrana limitante y gránulos ricos en electrones. En cortes delgados de *Coxiella burnetii* la membrana limitante tiene 5 a 10 nm de espesor, y parece muy similar a la pared celular de las bacterias en propiedades morfológicas y químicas.[1] La célula contiene un cuerpo rico en electrones, relativamente voluminoso, además de los gránulos.[105] Tratando las rickettsias de tifus con éter para liberar el antígeno soluble, la substancia capsular es eliminada y probablemente represente dicho antígeno.

Aunque la estructura de las rickettsias no ha sido estudiada tan intensamente como la de las células bacterianas, parece comprobado que estos microorganismos son muy similares a las bacterias, y su carácter fisiológico no queda reflejado por diferencias morfológicas significativas. Como no son cultivables en medios sin células vivas, no tienen morfología de colonias que corresponda a la de las bacterias, pero los agregados estrechamente aglomerados en los cuales se observan dentro de la célula huésped sugieren un cuerpo de inclusión por virus (ver luego).

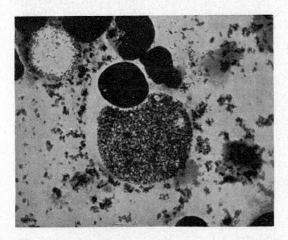

FIG. 2-19. Rickettsias de la fiebre Q en un frotis de exudado cutáneo. Obsérvese el macrófago lleno de un número enorme de rickettsias. × 1 125.

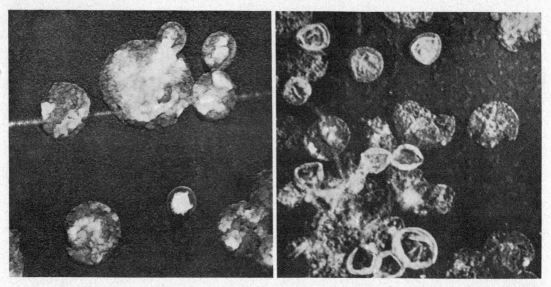

FIG. 2-20. Morfología de microorganismos del grupo psitacosis. *Izquierda.* Preparación sombreada con cromo y secada al aire del agente de la meningoneumonitis. Los dos tipos de partículas, relativamente grandes sin cuerpo central y relativamente pequeñas con un cuerpo central denso, son netamente visibles. $\times$ 20 000. *Derecha.* Paredes celulares de agente de meningoneumonitis tratado con desoxicolato-tripsina, sombreado con cromo y secado al aire $\times$ 12 000. (Moulder.)

Si bien las rickettsias son incapaces de proliferar fuera de la célula huésped, contienen enzimas oxidativas y transaminasas. Las rickettsias del tifus metabolizan el glutamato transformándolo en oxalacetato según este esquema:

glutamato → cetoglutarato → succinato →
fumarato → malato → oxalacetato

y tanto este mecanismo como el de la transaminación entre el glutamato y el oxalacetato son muy similares, quizá idénticos, a los que se descubren en bacterias (capítulo 4) y animales superiores, pero estas formas carecen del equipo enzimático necesario para una existencia independiente.

ORGANISMOS DE TIPO PSITACOSIS —LINFOGRANULOMA VENEREO [79, 80]

Estos agentes durante mucho tiempo se consideraron virus por depender de células huéspedes para su multiplicación, y por cultivarse in vitro solamente en cultivos de tejidos. El grupo incluye agentes causa de enfermedad en el hombre como linfogranuloma venéreo y tracoma, psitacosis y ornitosis en los pájaros, transmisibles al hombre, y los que producen neumonitis en roedores y enteritis y encefalitis de animales domésticos.

Cada vez ha resultado más claro que estos agentes deben distinguirse de los virus o "virus verdaderos". Contienen ambos RNA y DNA, están rodeados de una pared celular muy parecida por sus propiedades a las de las bacterias, aparece fisión binaria como parte de su ciclo de crecimiento, y las enfermedades que producen son sensibles a la quimioterapia con sulfamidas y varios antibióticos. La sensibilidad a los quimioterápicos parece indicar cierto grado de independencia metabólica; de hecho, se ha comprobado que estos organismos sintetizan ácidos fólicos y tienen necesidades nutritivas diferentes de las que corresponden a las células huéspedes en las cuales se cultivan.

El carácter morfológico de estos agentes se complica por la aparición de partículas de virus de dos dimensiones. Una, el cuerpo elemental, es una esfera de unos 250 nm de diámetro. En micrografías electrónicas estas partículas aparecen como sacos aplanados que contienen un cuerpo central denso, constituyendo una zona elevada en la membrana aplanada cuando la preparación está sombreada, y otros mayores, de 300 a 450 nm de diámetro, por el aplanamiento. Estas partículas se cree representan el agente infeccioso, probablemente en fase de reposo, aunque una sola partícula no basta para producir infección.

Después de inocular tejido susceptible, en unas horas aparecen cuerpos voluminosos denominados cuerpos iniciales. Tienen 650 a 800 nm de diámetro, y se supone que son cuerpos elementales hinchados. La estructura de estas partículas es desconocida. Pueden descubrirse cuerpos o vesículas mayores todavía en células y tejidos infectados, pero estos no tienen morfología distintiva.

MORFOLOGIA DE LOS VIRUS [2, 24, 31]

Los virus, o "virus verdaderos", se separan de las bacterias no solo por las dimensiones extraordinariamente pequeñas de algunos de ellos, sino más exactamente por contener solo un tipo de ácido nucleico, DNA o RNA, al parecer, nunca los dos;

por su reproducción solamente por su ácido nucleico, y por la incapacidad de la partícula viral para crecer o sufrir división binaria.

Cuerpos de inclusión. Se duplican solamente dentro de la célula huésped, utilizando los mecanismos intracelulares sintéticos de la célula para producir substancia viral. Las partículas de virus con mucha frecuencia, aunque no siempre, constituyen masas o agregados dentro de la célula, visibles con microscopio de luz y denominados cuerpos de inclusión. Los cuerpos de inclusión se dividen en dos grupos fundándose en su localización intracelular. Los cuerpos de inclusión del grupo de las enfermedades exantemáticas como viruelas (viruela, vacuna, viruela de las aves, etc.), mixomatosis, etc., se encuentran en el citoplasma de la célula infectada. Los asociados con otras virosis son característicamente intranucleares, y forman dos grupos. Uno, denominado tipo A, es un cuerpo relativamente voluminoso que rompe la estructura del núcleo y se encuentra en las células infectadas con virus como los de herpes, varicela, y seudorrabia. El otro, tipo B, descubierto en unas pocas virosis, incluyendo poliomielitis, es mucho menor y se observa en un núcleo por lo demás de aspecto normal.

En ocasiones, los cuerpos de inclusión se han denominado, según los autores que los describieron, como cuerpos de Guarnieri en la viruela y la vacuna, y cuerpos de Negri en la rabia. Su presencia contribuye mucho a histopatología característica de cierto número de virosis. Por ejemplo, aunque el virus de la rabia produce cambios degenerativos inflamatorios en el sistema nervioso central, especialmente en los ganglios raquídeos, la enfermedad solo puede diagnosticarse con seguridad si se demuestran cuerpos de Negri en el citoplasma de las grandes células ganglionares en frotis teñidos por impresión, o en cortes tisulares teñidos, preferiblemente de hipocampo mayor o cerebelo.*

En algunos casos por lo menos, los cuerpos de inclusión citoplásmicos son agregados de unidades infecciosas o partículas de virus, y pueden considerarse análogos de colonias bacterianas. Esto fue demostrado en forma inequívoca primero en la viruela de las aves, en el estudio ya clásico de Woodruff y Goodpasture. Cuando el cuerpo de inclusión se desgarra, se desintegra en gránulos muy pequeños, de 200 a 300 nm de diámetro en el caso de los virus variolosos y del grupo de la psitacosis, que puede comprobarse son de la unidad infecciosa del virus. Se han dado en lo pasado diversos nombres a estos elementos, como cuerpos de Paschen en la viruela y la vacuna, cuerpos L.C.L.† o cuerpos ini

ciales de la psitacosis o, más generalmente, cuerpos elementales. Tales términos, con la posible excepción del último, han tendido a desaparecer del uso común, y la unidad infecciosa del virus suele denominarse partícula viral o, simplemente, virus.

En otras enfermedades por virus, tales agregados de unidades infecciosas no se observan; las partículas virales se liberan por disolución de la estructura celular huésped, o, en ausencia de degeneración, son eliminadas hacia el medio ambiente en alguna otra forma, a veces posiblemente por un proceso de extrusión.

No está demostrado que todos los cuerpos de inclusión observados en las virosis sean realmente agregados de virus; la índole de muchos cuerpos de inclusión, y de inclusiones intranucleares en particular, es tema de discusión.

La partícula de virus. Según antes indicamos, la partícula de virus es extraordinariamente pequeña; las dimensiones de los mayores, los de viruela, son de 200 × 300 nm, casi invisibles con microscopio ordinario, hasta los menores, los poliovirus, de unos 25 nm de diámetro. Por lo tanto, los límites de dimensiones son de uno a 20, y las de la partícula de virus madura es uniforme, más que las bacterias que crecen aisladamente y se multiplican por fisión binaria. Las partículas tienen formas diversas, incluyendo la de ladrillo de los virus de viruela, las formas bacilares de diversos virus de plantas, y la forma más complicada, con cola, de los virus de bacterias; pero la gran mayoría tienen forma esférica. En general, los virus se caracterizan por su composición química y su estructura física.

Composición química.[59] Se ha logrado preparar gran número de virus en forma suficientemente pura para permitir el análisis químico con bastante seguridad. La partícula de virus contiene ácido nucleico, quizá en 4 a 6 por 100, que es DNA o RNA, pero nunca los dos. La presencia de un solo tipo de ácido nucleico separa netamente los virus de otros organismos, y la presencia de uno u otro tipo de ácido nucleico constituye la base para una separación inicial de los virus en dos grupos, o sea virus de DNA y virus de RNA.

La proteína del virus tiene composición común, o muestra tendencia a presentar preponderancia de aminoácidos dicarboxílicos, en contraste con las proteínas básicas, que contienen protamina e histona como parte proteínica de la nucleoproteína. El hidrato de carbono parece ser un constituyente viral de importancia secundaria, aunque puede ser origen de especificidad inmunológica para antígenos virales. El contenido lípido varía mucho, de 1 a 2 por 100 en el virus del papiloma, hasta el 50 por 100 señalado para el virus de la encefalomielitis equina; virus como el de la influenza y del herpes se hallan a mitad de camino, con un contenido lípido de aproximadamente 25 por 100. La presencia de lípido que puede extraerse con éter quizá tenga relación con su actividad, o sea que se inactivan por extracción con éter etílico, o son

---

* Si no se descubren los cuerpos de Negri, ello no excluye la infección con virus de rabia. El diagnóstico de laboratorio de esta y otras virosis se estudia específicamente en relación con las enfermedades correspondientes.

† Llamados así porque fueron descritos independientemente, y en forma prácticamente simultánea (1930), por Levinthal en Alemania, Coles en Inglaterra, y Lillie en Estados Unidos de Norteamérica.

resistentes al éter, y esta propiedad permite una buena separación de los virus en los dos grupos.

Estructura. Los adelantos del microscopio electrónico, con perfeccionamiento continuo de los métodos de fijación y tinción, y la creación de técnicas como la tinción negativa,[48] junto con estudios de difracción con rayos X, han permitido aclarar por lo menos los elementos principales de la estructura física de la partícula de virus.

En términos generales, las partículas de virus constan de un agregado central de ácido nucleico rodeado de una cubierta proteínica, y, en algunos casos, una membrana externa, que puede ser única o doble. Hay una terminología de los componentes diferenciales de la partícula que ha merecido aceptación general,[20] y que puede describirse eficazmente en forma de definiciones: la cubierta proteínica que rodea el núcleo central de ácido nucleico se llama cápside. La cápside está formada por unidades estructurales reunidas en agregados morfológicos denominados capsómeras. La partícula constituida por ácido nucleico rodeado de una cápside se denomina nucleocápside. La membrana externa, que no siempre existe, es la cubierta. La partícula de virus madura es un virión, que puede ser nucleocápside o nucleocápside encerrada por cubierta.

Tenemos poca información acerca de la organización física del ácido nucleico en el núcleo central. En algunos virus, como los de la viruela, el ácido nucleico parece estar como nucleoproteína; en otros, como el virus del herpes, como ácido nucleico solo. Hay datos indicando también que hay ácido nucleico como una molécula, doblada para formar paquetes in situ.

De las demás características morfológicas de la partícula viral, la más interesante ha sido la estructura de la cápside.[70, 90, 115] Algunos virus, como los adenovirus, pueden estar ordenados en masas dentro de la célula huésped; otros, como los poliovirus, no solo no muestran tal disposición, sino que se han preparado en forma cristalina. Tales disposiciones ordenadas reflejan una estructura simétrica de la cápside y una orientación de sus capsómeras. Como señalaron Crick y Watson[25] en su predicción (1956) de una estructura poliédrica para los pequeños virus, el código de pequeñas moléculas proteínicas idénticas constituiría un empleo altamente eficiente de la limitada información genética contenida en el ácido nucleico del virus.

Simetría. Consideraciones teóricas[19] indican que las disposiciones más eficaces de una capa proteínica es la de tubos helicoidales y capas icosaédricas, estas últimas incluyendo los mismos principios de disposición geométrica que las estructuras geodésicas de Buckminster Fuller. Se ha comprobado que muchos virus, aunque no todos, muestran simetría helicoidal o cúbica; constituyen excepciones obvias los virus de viruela y los virus bacterianos.

De los virus que muestran simetría helicoidal, muchos son virus de plantas o insectos, y de ellos quizá el mejor conocido sea el virus del mosaico del tabaco. Según veremos después, la cápside de este virus es un tubo hueco de proteína en forma de hélice, constituido por $16^1/_3$ subunidades por vuelta. Algunos virus animales, en particular los mixovirus, también poseen simetría helicoidal, aunque esto resulta menos manifiesto por cuanto las partículas son de forma casi esférica. El componente helicoidal del virus de la influenza, por ejemplo, parece formar espiral muy cerrada o hallarse empaquetado dentro de una cubierta. No se observa en las preparaciones corrientes, pero en partículas parcialmente desintegradas se descubren rizos y tiras paralelas.

El tipo usual de simetría cúbica viral es icosaédrico, y muchos virus animales, incluyendo poliovirus, virus del herpes, reovirus, adenovirus y virus de polioma entran dentro de este grupo. Tal simetría es la base de la estructura de la cápside, pero las partículas virales no deben presentar precisamente esta forma. Tales virus se hallan divididos en diversas clases según el número de capsómeras que constituyen la cápside, por ej.: 12, 32, 42, 92, 162, 252 y 812. Se han establecido fórmulas para calcular el número de capsómeras; la fórmula general de Wildy y Horne es $10x(n-1)^2+2$, donde x puede tener valor de 1 ó 3, y n es el número de capsómeras, incluyendo las dispuestas entre ellas y los ejes de simetría adyacentes de cinco dobleces. Hay motivos para creer que las cápsides icosaédricas están formadas por dos tipos de capsómeras, uno pentagonal que contiene cinco unidades asimétricas, y otro hexagonal constituido por seis unidades asimétricas. Por ejemplo, los adenovirus de tipos 2 y 5 tienen 252 capsómeras, de las cuales 12 capsómeras pentagonales se hallan en los vértices, y 240 hexagonales en los bordes y las caras.

Además de la cápside, y una cubierta a veces, pueden descubrirse otras estructuras demostrables por tinción negativa en su mayor parte, en diversos tipos de partículas de virus.[115] Por ejemplo, las partículas de virus de viruela se ha comprobado que contienen estructuras tubulares diagonales, en disposición irregular, y las partículas de virus de influenza tienen una estructura de superficie (cubierta) caracterizada por proyecciones regulares. La índole de estos y de otros componentes de las partículas de virus hasta aquí se conoce imperfectamente en cuanto a composición química, poder antigénico, funciones, etc.[86, 112, 116]

Virus bacterianos (bacteriófagos)[104]

La lisis transmisible de bacterias fue descubierta por Twort en 1915, y redescubierta por d'Herelle en 1917; durante muchos años se conoció como fenómeno de Twort-d'Herelle. El agente se encuentra en el filtrado carente de bacterias, de cultivos lisados de estas, y la adición de este filtrado a un cultivo fresco, en desarrollo, provoca, después de un periodo adecuado de incubación, lisis, manifiesta como aclaramiento del caldo de cultivo o una zona o placa clara, en una película uniforme de desarrollo bacteriano en la superficie de cultivo de agar. Este fenómeno es consecuencia de la actividad de agentes virales parásitos de células bacterianas. Hay muchos de tales virus o bacteriófagos, algunos con especificidad amplia, otros con especificidad estrecha, incluso dentro de las especies, para las bacterias huéspedes.

Dada la facilidad de manejo de los virus de bacterias en el laboratorio, han servido como prototipos para investigar la naturaleza de los virus, aunque no debe inferirse que sean directamente comparables en todos aspectos con los de animales y plantas. En consecuencia, son mejor conocidos que la mayor parte de los demás, y entre estos virus bacterianos, el grupo parásito de los bacilos coliformes es, con mucho, el más ampliamente investigado. Hay siete de estas cepas "T" en total, de las cuales T_2, T_4 y T_6, los fagos "T-pares", constituyen un grupo serológico, T_3 y T_7 otro, en tanto que T_1 y T_5 no están relacionados entre sí ni con los otros colifagos T. Todos ellos tienen aspecto de renacuajo, pero las colas de T_3 y T_7 son muy cortas. Los fagos parásitos de otras bacterias, incluyendo estafilococos, estreptococos y micobacterias, también parecen tener esta misma forma.[10, 11]

En micrografías electrónicas de preparaciones desecadas por congelación de fagos T, las cabezas son poliédricas, casi cristalinas; cuando se observan en sentido paralelo, o perpendicular a la cola, tienen seis lados relativamente lineales. Las cabezas de los fagos T-pares son hexágonos alargados de 65 × 95 nm, en tanto que los otros fagos T tienen cabezas hexagonales, cuyo diámetro varía de 47 nm en T_3 y T_7, a 50 nm en T_2 y 65 nm en T_5. La cola varía en tamaño y proporción; la de los fagos T-pares mide 100 × 25 nm, la de T_1 y T_5 es más alargada, 150 × 10 nm y 170 × 10 nm, respectivamente, en tanto que la de T_3 y T_7 es más corta, mide 15 × 10 nm. La cola no es un órgano de locomoción, ya que no contribuye a la velocidad de difusión del fago; la velocidad de absorción sobre células bacterianas es proporcional a la concentración de la célula, y considerablemente menor que la velocidad calculada de colisión, y por lo tanto no concuerda con la suposición de que los bacteriófagos posean motilidad activa.

Estos fagos son virus DNA, aunque se han descrito fagos RNA.[117] Estos últimos, en contraste con los fagos DNA, son esféricos, muy pequeños, y carecen de la cola que describiremos luego. La partícula de virus está formada por una sola tira de RNA incluida, en una cubierta proteínica, y una proteína denominada A, actúa en la transferencia del ácido nucleico contenido por vía de los pelos sexuales masculinos hacia la bacteria huésped.

La estructura de los fagos DNA es más compleja. La porción cefálica está constituida por DNA,[6, 23] comprendiendo hasta el 40 por 100 del virus, como ya se indicó, y cubierto por una membrana o capa de proteína, que verosímilmente funciona como barrera osmótica, ya que cuando la partícula es sometida al choque osmótico, el DNA sale, dejando una cáscara vacía.

La estructura de la cola también es compleja; sus componentes juegan diferentes papeles en la primera etapa del ciclo reproductor, en la cual el fago se absorbe, con la punta de la cola, sobre la superficie del huésped bacteriano (capítulo 3). La cola parece tener estructura tubular, cerrada por un tapón o espícula. En los T-pares, y ciertos fagos de bacilos de la tifoidea, la capa de la cola es contráctil, pero en otros no lo es. La porción distal de la estructura tubular está diferenciada de la porción

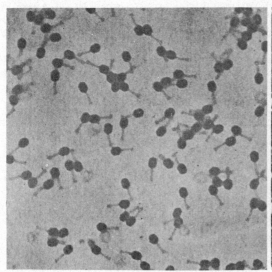 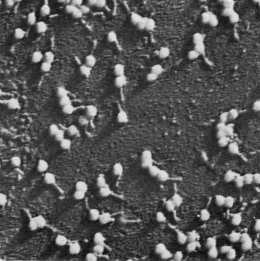

FIG. 2-21. Micrografías electrónicas de colifago. La placa de la izquierda muestra fago sin tratar. La de la derecha es una preparación similar con sombras de cromio. (Sharp, Taylor, Hook y Beard.)

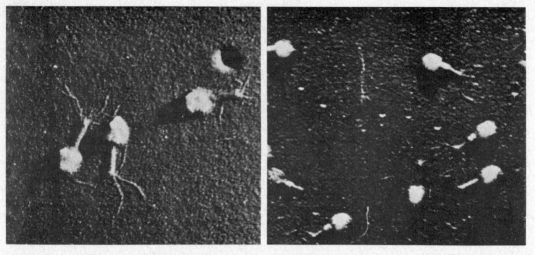

FIG. 2-22. Estructura de la porción distal de la cola de colifagos T. *Izquierda*, T$_4$ congelado y descongelado para liberar las tiras de proteína. $\times$ 100 000. (Williams.) *Derecha*, Punta de la cola del polifago T$_2$ después de suprimir la proteína de la parte distal de la cola mediante tratamiento de peróxido. $\times$ 100 000. (Kosloff.)

proximal en que los últimos nm están constituidos por bandas de proteínas unidas por ésteres de tiol. Puede despolimerizarse por tratamiento con Zn^{++} o Cd^{++} y también después de absorbida por la célula huésped, dejando en ambos casos una porción de la espícula caudal sin cubierta.

Además, dicho extremo caudal está bien diferenciado, con respecto a la distribución de grupos amínicos con carga positiva que participan fundamentalmente en la absorción inicial.

Estudios serológicos han demostrado que por lo menos hay dos proteínas inmunológicamente diferentes en el fago, una en la membrana cefálica y otra en la cola; el anticuerpo contra la porción caudal es el que neutraliza la infecciosidad del fago. Hay por lo menos cuatro proteínas distinguibles: la de la membrana cefálica, la de la porción proximal de la cola, la de la porción distal de la cola y la de la espícula caudal.

Ya nos hemos referido a la formación de áreas de lisis por bacteriófago, en las zonas de desarrollo de bacterias susceptibles, sobre la superficie de

medios de agar. Cuando están separadas, resultan análogas a las colonias bacterianas, en el sentido de que es razonable suponer que la zona de lisis es resultado de la proliferación de un solo fago y sus descendientes, como la colonia bacteriana está formada por los descendientes de una sola bacteria.

Estas áreas de lisis por fago generalmente se conocen como placas. Así, pueden aislarse fagos en "cultivos puros", llevándolos a un medio de agar, previamente inoculado con bastantes bacterias susceptibles, que den un desarrollo confluente; luego las placas son recogidas y "subcultivadas". La aparición de placas de fago también permite estudiar otro carácter morfológico, la forma de la placa.

Dado que no hay tantas variables, y por tanto combinaciones de características en las placas de bacteriófago como en las colonias bacterianas, dichas placas tienen carácter distintivo con valor diferencial. Por ejemplo, hay "placas grandes" de fagos, "placas pequeñas" y "placas diminutas". Otro tipo de placa es el *tu,* o de halo turbio, caracterizado por un centro claro, rodeado por una zona difusa

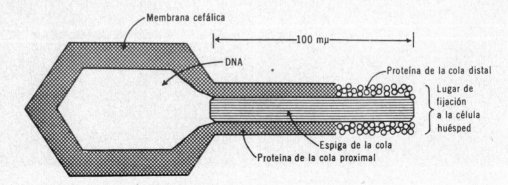

FIG. 2-23. Esquema de la estructura diferenciada de colifagos de la serie T-pares.

turbia. O bien, los bordes de la placa pueden tener límites precisos o confusos. Estas características de placas tienen la misma validez que los datos morfológicos de colonias bacterianas, y se consideran como expresiones fenotípicas de carácter genético.

Virus animales [2, 31]

Los virus animales se distinguen en varios tipos diferenciables morfológicamente con el microscopio electrónico, incluyendo el examen de preparaciones con tinción negativa. Vamos a considerar brevemente algunos de ellos; los veremos en detalle en capítulos ulteriores dedicados a virus aislados o grupos de virus.

Virus de viruela y similares. Los virus de este grupo tienen forma relativamente homogénea. Incluyen los agentes causales de enfermedades del hombre como viruela, vacuna, molusco contagioso, y enfermedades de animales inferiores, como mixoma y fibroma de conejos, peste de gansos y viruela del ratón.

Las partículas virales tienen forma de ladrillo, son relativamente grandes, 200 × 300 nm, aunque algunas pueden ser algo menores. En las micrografías electrónicas aparece una porción central densa. La digestión con pepsina hace más manifiesto el cuerpo central y muestra una membrana limitante. El tratamiento ulterior con desoxirribonucleasa provoca disolución del cuerpo central, dejando la partícula viral como una membrana vacía. Las semejanzas estructurales con las bacterias, o sea, una masa central de DNA, rodeada de "viroplasma" y cubierta por membrana limitante, sencilla o doble, ya han sido descritas por muchos investigadores.

Mixovirus. [49] Los virus de este grupo son virus RNA, generalmente esféricos, con simetría helicoidal, y sensibles al éter. La espiral de nucleoproteína está incluida en una cubierta que contiene constituyentes de la célula huésped, sobre todo lípidos. La estructura externa de la partícula se deforma fácilmente, causando las diferencias de forma observadas. El término mixovirus se refiere a la afinidad por substancias mucinosas, como las que se encuentran en la superficie de los eritrocitos, donde intervienen en la hemaglutinación viral; estos virus contienen una enzima, la neuraminidasa, que despolimeriza el substrato mucinoso.

Estos virus se dividen en dos grupos, denominados I y II, o subgrupo I y subgrupo II. Los virus del grupo I tienen 80 a 120 nm de diámetro, y la espiral de nucleoproteína tiene unos 9 nm de diámetro. El grupo II incluye los virus mayores, de 150 a 250 nm de diámetro, en los cuales la espiral de nucleoproteína tiene diámetro de aproximadamente 18 nm. Hay tendencia a ciertas variaciones morfológicas, como en el aspecto de los virus de influenza en filamentos, y las diversas formas asumidas por el virus de la enfermedad Newcastle en particular.

El grupo I incluye los virus de influenza humana de tipos A, B y C, el virus de la influenza porcina, el de la peste de las aves, mientras que los virus del grupo II incluyen los virus de la enfermedad Newcastle, de las paperas, los virus de parainfluenza, y los virus de simios SV5 y SV41. Algunos otros virus, como el del sarcoma de Rous, del sarampión y del moquillo son morfológicamente muy similares a los mixovirus.

Virus del herpes. Los virus de este grupo son virus de DNA, en los cuales el DNA puede pre-

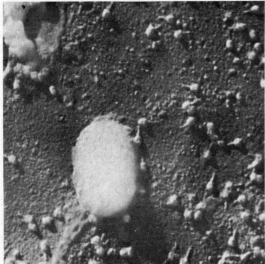
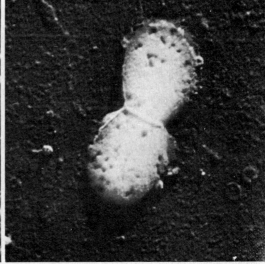

FIG. 2-24. Micrografías electrónicas de preparados sombreados mostrando la lisis de bacilos coliformes por colifago T_4. *Izquierda,* Bacilo intacto rodeado de partículas de fago; *derecha,* bacilo a punto de dividirse en el cual la membrana celular ha empezado a separarse en la etapa inicial de lisis. × 20 000. (Wyckoff.)

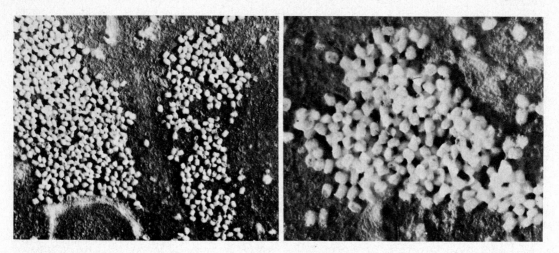

Fig. 2-25. Micrografía electrónica de cortes delgados de membrana corioalantoidea de embrión de pollo de diez días, 24 horas después de inoculada con virus de vacuna. Pueden observarse los muchos cuerpos elementales, con su aspecto cuboideo o cilíndrico. *Izquierda,* $\times$ 4 500, *derecha,* $\times$ 12 500. (Wyckoff.)

sentar dos tiras. Tienen simetría cúbica, con 162 capsómeras constituyendo la cápside icosaédrica, y están rodeados por una doble cubierta; el virus maduro es una partícula esférica de 120 a 130 nm de diámetro. Los virus del herpes son sensibles al éter.

Este grupo incluye los virus del herpes simple en el hombre, el virus B, el virus de la seudorrabia, y el virus III de animales inferiores. El virus de varicela-zoster (varicela-herpes zoster) es algo mayor, de 150 a 200 nm, y en un tiempo se creyó que guardaba relación con los virus de viruela, pero hoy se considera un herpesvirus. Hay varios virus morfológicamente similares, como el citomegalovirus del hombre, y los virus que producen enfermedades respiratorias en animales inferiores, que se consideran similares a los del herpes, y considerados por algunos como herpesvirus.

Adenovirus.[100] Estos son virus de DNA con estructura que parece filamentosa en el nucleoide. Muestran simetría cúbica, con 162 ó 212 capsómeras constituyendo la cápside icosaédrica, y forman aproximadamente esferas de 70 a 80 nm de diámetro. Las partículas de virus muchas veces están dispuestas ordenadamente con cuerpos de inclusión citoplásmicos en las células infectadas. Estos virus son estables al éter.

Los adenovirus del hombre, conocidos también como APC (*a*denoidal-*p*haryngeal-*c*onjunctival) por el tipo de enfermedades que producen, pueden separarse en tipos serológicos caracterizados numéricamente. Unos virus muy similares son de origen bovino, murino, simiano y aviario. El adenovirus aviario muchas veces se denomina virus GAL (*g*allus-*a*denovirus-*l*ike).

Picornavirus.[88] Es un grupo de virus RNA de muy pequeñas dimensiones, 22 a 27 nm de diámetro, que ha dado origen al nombre (*pico* [pequeño], *RNA, virus*). Los picornavirus tienen simetría cúbica, y posiblemente 42 capsómeras, constituyendo la cápside icosaédrica. Su contenido de ácido nucleico es relativamente elevado de 25 a 30 por 100, y resisten al éter.

Los virus de las enfermedades humanas en este grupo incluyen los conocidos como enterovirus, o sea poliovirus, virus Coxsackie, ECHO (Enteric Cytopathic Human Orphan) y los rinovirus que producen el resfriado común. Los poliovirus y los del tipo Coxsackie A se han preparado en forma cristalina. Hay cierto número de virus que producen enfermedades en animales inferiores incluidos también en este grupo, por ejemplo el virus de la glosopeda del ganado, el de la encefalomiocarditis y el que causa la enfermedad Teschen en el cerdo.

Papovavirus. Son virus de DNA, que contienen ácido nucleico de dos tiras, oncogénicos o potencialmente oncógenos. El nombre proviene de *pa*piloma, *po*lioma y agente *va*cuolante; lo propuso Melnick para que mereciera aceptación general. Estos virus suelen ser relativamente pequeños, de 30 a 50 nm de diámetro, con simetría cúbica de 42, 60 ó 92 capsómeras constituyendo la cápside, sin cubierta, pero hay cierta variación o incertidumbre dentro del grupo.

El agente causal de las verrugas infecciosas en el hombre es un miembro de este grupo; se ha señalado que tiene 45 nm de diámetro, con 42 capsómeras en la cápside, y tendencia a formar agregados cristalinos dentro de las células infectadas. El virus del papiloma del conejo de Shope tiene unos 45 nm de diámetro, y 42, 60 ó 92 capsómeras. Hay otros virus de papiloma en animales inferiores mal conocidos, pero considerados papovarirus. El virus de polioma, virus oncógeno con especificidad de huésped menos neta, tiene unos 45 nm de diámetro, con un número de capsómeras diversamente señalado como 42 y 92. El llamado virus vacuolante, de ori-

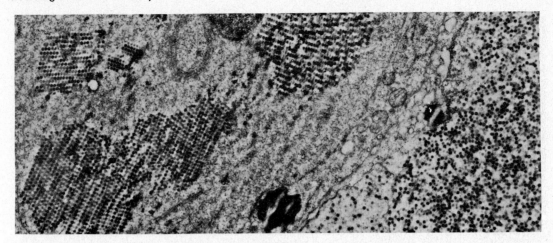

FIG. 2-26. Adenovirus en dos células adyacentes. En la célula de la derecha las partículas virales están dispersas al azar; en la célula de la izquierda, se presentan en forma ordenada, y los últimos agregados puede verse con el microscopio óptico dentro de las células infectadas. Son claramente visibles los dos tipos de partículas virales, unas más densas al microscopio electrónico que otras. × 11 550. (Councilman Morgan.)

gen simiesco, SV40, también es miembro de este grupo, mide 40 nm de diámetro, y posee 42 capsómeras constituyendo la cápside.

Arbovirus. Los virus de este grupo tienen la propiedad en común de ser transmitidos por artrópodos (*ar*thropod-*b*orne) de donde su nombre; en general son mucho menos conocidos que muchos otros. El nombre es ecológico en lugar de basarse en las características del virión, y como tal tiende a formar un grupo heterogéneo. Más recientemente se ha sugerido que los grupos A y B, separables por hemaglutinación, pero no diferentes morfológicamente,[54] incluyen la mayor parte de estos virus, que reciben el nombre de grupo de "togavirus" (capítulo 7). Todos son virus de RNA, sensibles al éter, y con nucleocápside incluida en una membrana.

Su simetría todavía no es bien conocida, tienen forma esférica y sus dimensiones, variables según los virus, van de 50 a 60 nm de diámetro. Los virus mayores del grupo, de 50 a 300 nm hoy se sabe que se parecen a los virus de la coriomeningitis linfocítica, y juntos constituyen un nuevo grupo de virus que todavía no ha sido bautizado. La mayor parte han recibido el nombre de lugares, por ejemplo virus de encefalomielitis equina oriental, occidental y venezolana, virus Sindbis, virus del bosque Semliki, virus del Nilo Occidental, y virus de la encefalitis B japonesa; en raros casos tienen nombres descriptivos como virus Chikungunya.

Virus de insectos [8, 98, 99]

Son muchas las infecciones de insectos, especialmente de larvas, causadas por virus.[103] La mayor parte se caracterizan por la presencia de cuerpos de inclusión en las células infectadas, constituidos por partículas virales. La enfermedad *Sacbrood* de

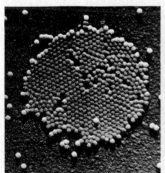

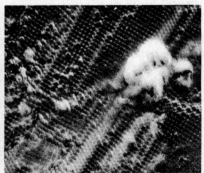

FIG. 2-27. Poliovirus. *Izquierda,* Virus purificado, con su forma esférica y tendencia de las partículas a unirse. × 8 000. *Centro,* Un cristal de poliovirus. × 100. *Derecha,* Superficie de un cristal del virus, mostrando la presencia de partículas virales en hileras ordenadas. (Schwerdt.)

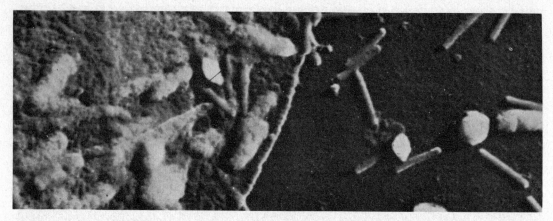

FIG. 2-28. Virus de la enfermedad poliédrica de la mariposa *Porthetria dispar*, mostrando el cuerpo poliédrico a la izquierda. Los "paquetes" de partículas virales en forma de bastón, están cubiertos por membranas limitantes, dentro y fuera del cuerpo de inclusión poliédrica, y las partículas con aspecto de bastón son las del virus maduro libre. $\times$ 22 000. (Bergold.)

las abejas resulta excepcional porque no se encuentran cuerpos de inclusión.

Muchos de estos cuerpos son de aspecto poliédrico, y su tamaño varía de 0.5 a 15 μ, pero más frecuentemente de 3 a 5 μ, y las enfermedades en que se presentan se conocen como enfermedad poliédrica o poliedrosis. La mejor conocida es la ictericia de las larvas del gusano de seda *(Bombyx mori)* conocida desde principios del siglo XVI. Otras larvas de insectos, que sufren infecciones similares, son las de algunas mariposas y diversas especies de cucarachas. El otro tipo de cuerpos de inclusión son ovales, pequeños, con longitud menor de 1 μ, y los virus asociados a veces se conocen como virus encapsulados o de granulosis. Producen enfermedades en gusanos y larvas de mariposas.

Los cuerpos de inclusión son insolubles en agua y no son afectados por los procesos de descomposición bacteriana del tejido huésped, de manera que pueden prepararse en forma relativamente pura mediante centrifugación. Pueden ser disueltos en álcalis diluidos, para liberar las partículas de virus, y posiblemente ocurre un proceso análogo en el intestino del insecto al comenzar el padecimiento. Los cuerpos de inclusión consisten de partículas virales de nucleoproteínas (de tipo DNA) incluidas en una matriz de proteína, serológicamente relacionada con la de las partículas virales, y cubierta por una "membrana limitante" de proteína específica precipitada, o muy similar. La proteína matriz constituye el 95 por 100, y las partículas virales de 3 a 5 por 100 del cuerpo de inclusión.

Las partículas de la mayor parte de los virus de insectos tienen aspecto bacilar, de 20 a 27 $\times$ 200 a 400 nm. Se supuso durante muchos años que todos los virus de insectos tenían este aspecto, hasta que se demostró que en algunos casos precisos puede predominar la forma esférica, con 20 a 40 nm de diámetro.

Las partículas con aspecto bacilar se presentan en los cuerpos de inclusión, en pequeños agregados, encerrados en una membrana. En los cuerpos de inclusión poliédricos puede haber seis a ocho bastones, dispuestos en haces, mientras que en inclusiones ovales menores predominan los bastones aislados, y eventualmente pueden encontrarse dos a tres en una sola membrana. En el cuerpo de inclusión íntegro o en desintegración, pueden llegar a observarse esferas, y hay razones para suponer que los bastones se originan en los cuerpos esféricos, que se rompen para liberar esferas en ciclo reproductivo. También puede haber filamentos que recuerdan los relacionados con algunos virus de animales. En etapas tempranas, el cuerpo de inclusión tiene consistencia líquida, pero se hace más viscoso al aumentar la concentración de proteínas; finalmente estas se precipitan en la periferia, formando la inclusión completa madura. En cualquier caso, es probable que los bastones representen la etapa del reposo de la mayor parte de estos virus, pero a veces esta etapa puede ser la de esfera.

Virus de plantas [67]

Son muchas las enfermedades de plantas de etiología viral, y el tercer grupo de virus está compuesto por estos agentes, separables en más de 100 clases. Las enfermedades que producen comprenden los grupos amarillos de enfermedades (tales como áster amarillo); enfermedades del mosaico del tabaco y acuba; enfermedades de mancha anular de tabaco, patata y espuela de caballero; enfermedades de la hoja del tabaco, algodón y remolacha; la hoja en col (deformación de la hoja), enfermedades de remolacha, nabo, y la marchitez manchada del tomate.

Casi todos estos agentes son transmitidos por vectores artrópodos de las familias Aphididae (áfidos), Cicadellideae (saltamontes), Aleyrodideae (moscas blancas), Coccideae (chinches manchadas), y Thrysanoptera. De estos vectores, las áfidos son con mucho los más frecuentes, y los saltamontes los menos;

solo una virosis de plantas, la marchitez manchada, se transmite por Thrysanoptera; las moscas blancas son vectores más frecuentes en climas tropicales que en templados. La transmisión puede ser mecánica y generalmente lo es, por ejemplo en áfidos, pero también llega a ser biológica, puesto que el insecto es infectado, y solo resulta capaz de transmitir el virus después de un periodo de incubación, pudiendo persistir infeccioso por largos periodos, incluso toda la vida. En algunos casos, como en el virus de la atrofia del arroz, se transmite por la hembra al huevo.[66] Esta transmisión biológica es de particular interés, ya que indica que los huéspedes capaces de permitir el desarrollo del virus pueden ser plantas o animales. Muchos de estos virus han sido cultivados en tejidos que simulan los de insectos.[37] Algunos han sido intensamente estudiados, en tanto que otros no son tan bien conocidos. En general, presentan dos tipos morfológicos, unos tienen aspecto de bastón, son relativamente grandes e incluyen al virus del mosaico del tabaco (VMT) y al del pepino; ambos miden 300 × 15 nm, y el virus de la enfermedad X de la patata, que es un poco más largo, 430 × 10 nm. El resto de los virus de plantas son partículas pequeñas, esféricas o poliédricas, de diámetro de 15 a 30 nm. Muchos de ellos, notablemente VMT y el del pepino, así como los virus de enanismo manchado del tomate, necrosis del tabaco, mosaico de la judía del sur y necrosis amarilla del nabo han sido preparados en forma cristalina. Estos virus parecen consistir de nucleoproteína pura o casi pura. Los ácidos nucleicos de los virus de plantas son exclusivamente de tipo RNA, en contraste con los de bacterias y animales,

y su contenido de ácido nucleico varía del 5 a 6 por 100, hasta 40 por 100 en el caso del virus de la mancha anular del tabaco. Dos de los virus de plantas, VMT y enanismo manchado, pueden ser considerados para nuestro actual propósito como ejemplos de virus mejor conocidos de plantas.

Virus del mosaico del tabaco.[87, 102] Fue el primero en cristalizar, preparado por Stanley en 1934, como paracristales en forma de agujas. Es una nucleoproteína pura, que contiene 94 por 100 de proteína y 6 por 100 de ácido nucleico de tipo RNA, con peso molecular de unos cinco millones.

La unidad infectante es un cilindro de proteína de 300 × 15 nm, con una parte central de ácido nucleico, probablemente multifilamentoso, con diámetro de unos 4 nm. El virus puede encontrarse, o ser dividido, en unidades de longitud menor, o en múltiplos de ellas, pero los pequeños bastones carecen de actividad viral. Presentan pliegues profundos y pueden estar enroscados más estrechamente que lo que sugiere el diámetro de 15 nm. La forma en que se combinan el ácido nucleico y la proteína es desconocida, pero su naturaleza es tal que el ácido nucleico no es atacado por la ribonucleasa en la partícula íntegra.

Esta puede ser destruida por álcalis, dodecil sulfato de sodio, o urea, separándose la proteína y el ácido nucleico, y desintegrándose aquella en subunidades químicas con peso molecular de 17 000 a 18 000 en los cuales la treonina es el aminoácido C-terminal, y el N-terminal está unido en una estructura cíclica. La cadena peptídica de 145 residuos está arrollada en forma de hélice, de manera que las subunidades tienen forma de rondana. El

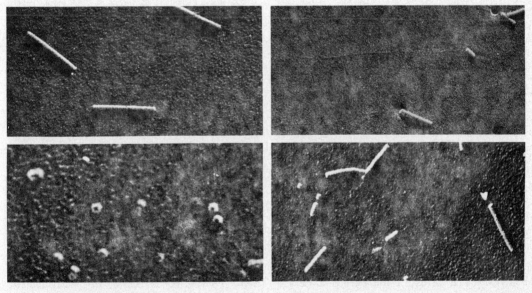

FIG. 2-29. Virus del mosaico del tabaco. *Superior izquierda,* Partícula infecciosa del virus. × 58 000. *Superior derecha,* Partículas virales parcialmente desintegradas, mostrando los delgados filamentos de la porción central, de ácido nucleico, unidos a los fragmentos. × 42 000. *Inferior izquierda,* Unidades con aspecto de rondanas, de la estructura proteínica cilíndrica. × 115 000. *Inferior derecha,* Virus "reconstituido", mostrando la variabilidad de tamaño de las partículas así producidas. × 50 000. (Williams.)

FIG. 2-30. Micrografía electrónica de un cristal extraordinariamente perfecto, de tipo rómbico, de virus de necrosis del tabaco, preparado con técnica de réplica de carbón. × 42 000. (Labaw y Wyckoff.) [62]

tamaño mínimo de la subunidad, que puede ser polimerizada hasta dar una estructura con aspecto de bastón, es mayor que esto; su peso molecular es de unos 100 000.

Ha sido posible copolimerizar la proteína y el ácido nucleico después de separarlos en dodecil sulfato de sodio, produciéndose bastones con la composición y tamaño originales y con actividad viral. Además, se ha preparado un virus "híbrido" combinando ácido nucleico de cepas de llantén, de VMT, con una proteína de VMT ordinaria, produciéndose un virus que causa un padecimiento característico de la cepa de llantén, y cuya descendencia contiene proteína y ácido nucleico de llantén. La importancia relativamente mayor de la porción de ácido nucleico de la molécula se confirma con la producción de cambios relativamente amplios en la proteína, sin afectar la actividad viral. Esta no se pierde cuando se acetilan hasta el 70 por 100 de grupos amínicos libres, o todos los grupos —SH que reaccionan con yodo, pero sí ocurre la inactivación cuando se introduce yodo en el anillo de la tirosina. Además, la descendencia de estos virus alterados contiene el componente proteínico normal de VMT.

Virus del enanismo manchado.[18] Representa los virus esféricos pequeños de plantas. Ha sido cristalizado en forma de dodecaedros y es, verosímilmente, nucleoproteína pura, o casi pura, pero contiene bastante más, 16 por 100, de ácido nucleico que el VMT. En micrografías electrónicas de preparaciones secadas con aire, aparece con aspecto esférico, y unos 30 nm de diámetro. En preparaciones desecadas y congeladas, es evidente que las partículas virales son más bien poliédricas que esferoidales, y en sección transversal suelen ser hexagonales. Estas partículas tienden a presentarse ordenadamente, y los cristales están constituidos por partículas así dispuestas. Los estudios de difracción de rayos X sugieren que la partícula viral está constituida por 60 subunidades con peso molecular de unos 125 000.

Morfología comparada de microorganismos

Los parásitos de hongos y animales considerados en otros lugares son más complejos y morfológicamente más completos que las bacterias, ya que aún las formas unicelulares son diferenciadas en el núcleo usual y las otras estructuras intracelulares. Comenzando por las bacterias y las algas verdeazul no tratadas aquí, empieza a disolverse este patrón familiar de estructura celular.

Entre las bacterias, la existencia de un núcleo funcional, morfológicamente separado, es nebulosa, y su lugar es quizá tomado por el cuerpo cromatínico, que contiene grandes cantidades de DNA, pero sin relación, como no sea equívoca, con un núcleo. Hay gránulos que contienen polifosfatos y son visibles con el microscopio óptico, pero funcionan en el almacenamiento energético en forma de enlaces de fosfato ricos en energía; no tienen la actividad asociada con las mitocondrias de las células ordinarias. Más bien, la función mitocondrial está asociada en parte con partículas intracelulares diminutas, y los cálculos cuantitativos sugieren que aun estas, individualmente, pueden no tener la actividad metabólica que muestran en agregados. La membrana celular persiste como estructura de sostén y puede, por su pequeña contribución como barrera osmótica, tener valor en la supervivencia, pero puede despreciarse quedando como unidad funcional el protoplasto bacteriano, que carece solamente de la capacidad para iniciar la formación de esporas.

En los límites de tamaño de los virus mayores, los inevitables efectos de la masa se hacen aún más evidentes, ya que la estructura diferenciada que persiste sirve como envase y protege al mecanismo directivo de ácido nucleico; la unidad consta de poco más que una membrana protectora, rodeando un corpúsculo, denso al microscopio electrónico, que consiste principalmente en ácidos nucleicos. Finalmente, en los virus más simples hay poca o ninguna estructura, y la partícula consiste en nucleoproteína desnuda, cuya individualidad es solo indirecta, a través del mecanismo directivo que contiene, y probablemente solo puede considerarse como "viviente" porque puede reproducirse indefinidamente en células huéspedes. Es probable que la "organización viviente" alcance su límite inferior en las dimensiones de las grandes moléculas de proteínas; así, la subunidad más pequeña de VMT que puede ser polimerizada, dando una unidad infecciosa, tiene peso molecular de 100 000, y la subunidad de virus de enanismo manchado tiene 125 000. Este límite inferior puede considerarse como indicación de que, efectivamente, el ácido nucleico está protegido por la cubierta proteínica, o sea, la del virus en reposo. Con la demostración del ácido nucleico infeccioso (capítulo 3) puede reducirse el límite inferior al tamaño de una macromolécula de ácido nucleico polimerizado.

BIBLIOGRAFIA

1. Allison, A. C., and H. R. Perkins. 1960. Presence of cell walls like those of bacteria in rickettsiae. Nature **188**:796–798.
2. Andrewes, C., and H. G. Pereira. 1967. Viruses of Vertebrates. Balliére, Tindall and Cassell, London.
3. Astbury, W. T., E. Beighton, and C. Weibull. 1955. The structure of bacterial flagella. Symp. Soc. Exp. Biol. **9**:282–305.
4. Barer, R., and V. E. Cosslett. 1969. Advances in Optical and Electron Microscopy. Vol. 1, 1966, Vol. 2, 1968, Vol. 3, 1969. Academic Press, New York.
5. Bartholemew, J. W., and T. Mittwer. 1952. The Gram stain. Bacteriol. Rev. **16**:1–29.
6. Bendet, I. J. 1963. Biophysical characterization of bacteriophage nucleic acid. Adv. Virus Res. **10**:65–100.
7. Bennett, A. H., *et al.* 1959. Phase Microscopy. John Wiley & Sons, New York.
8. Bergold, G. H. 1959. Biochemistry of insect viruses. Vol. 1, pp. 505–524. *In* F. M. Burnet and W. M. Stanley (Eds.): The Viruses. Academic Press, New York.
9. Bradfield, J. R. G. 1956. Organization of bacterial cytoplasm. Symp. Soc. Gen. Microbiol. **6**:296–317.
10. Bradley, D. E. 1967. Ultrastructure of bacteriophages and bacteriocins. Bacteriol. Rev. **31**:230–314.
11. Bradley, D. E., and D. Kay. 1960. The fine structure of bacteriophages. J. Gen. Microbiol. **23**:553–563.
12. Brieger, E. M. 1963. Structure and Ultrastructure of Microorganisms. Academic Press, New York.
13. Brinton, C. C. 1959. Non-flagellar appendages of bacteria. Nature **183**:782–786.
14. Brodie, A. F., and C. T. Gray. 1957. Bacterial particles in oxidative phosphorylation. Science **125**:534–537.
15. Burge, R. E., and M. E. J. Holwill. 1965. Hydrodynamic aspects of microbial movement. Symp. Soc. Gen. Microbiol. **15**:250–269.
16. Cairns, J., 1963. The chromosome of *Escherichia coli.* Cold Spring Harbor Symp. Quant. Biol. **28**:43–46.
17. Campbell, L. L. (Ed.). 1969. Spores IV. et ante. American Society for Microbiology, Bethesda, Md.
18. Caspar, D. L. D. 1956. The structure of bushy stunt virus. Nature **177**:475–476.
19. Caspar, D. L. D., and A. Klug. 1962. Physical principles in the construction of regular viruses. Cold Spring Harbor Symp. Quant. Biol. **27**:1–24.
20. Caspar, D. L. D., *et al.* 1962. Proposals. Cold Spring Harbor Symp. Quant. Biol. **27**:49.
21. Clark, G. L. (Ed.). 1961. The Encyclopedia of Microscopy. Reinhold, New York.
22. Cohen, G. N., and J. Monod. 1957. Bacterial permeases. Bacteriol. Rev. **21**:169–194.
23. Cohen, J. A. 1967. Chemistry and structure of nucleic acids of bacteriophages. Science **158**:343–351.
24. Crawford, L. V., and M. G. P. Stoker (Eds.). 1968. The Molecular Biology of Viruses. Society for General Microbiology, 18th Symposium, Cambridge University Press, London.
25. Crick, F. H. C., and J. D. Watson. 1956. Structure of small viruses. Nature **177**:473–475.
26. DePamphilis, M. L. 1971. Dissociation and reassembly of *Escherichia coli* outer membrane and of lipopolysaccharide, and their reassembly onto flagellar basal bodies. J. Bacteriol. **105**:1184–1199.
27. DePamphilis, M. L., and J. Adler. 1971. Fine structure and isolation of the hook-basal body complex of flagella from *Escherichia coli* and *Bacillus subtilis.* J. Bacteriol. **105**:384–395.
28. DePamphilis, M. L., and J. Adler. 1971. Attachment of flagellar basal bodies to cell envelopes: specific attachment to the outer, lipo-polysaccharide, membrane and cytoplasmic membrane. J. Bacteriol. **105**:396–407.
29. Doak, B. W., and C. Lamanna. 1948. On the antigenic structure of the bacterial spore. J. Bacteriol. **55**:373–380.
30. Duguid, J. P. 1951. The demonstration of bacterial capsules and slime. J. Pathol. Bacteriol. **63**:673–685.
31. Fenner, F. 1968. The Biology of Animal Viruses. Vol. 1. Molecular and Cellular Biology. Academic Press, New York.
32. Fuhs, G. W. 1965. Symposium on the fine structure and replication of bacteria and their parts. I. Fine structure and replication of bacterial nucleoids. Bacteriol. Rev. **29**:277–293.
33. Gale, E. F. 1953. Assimilation of amino acids by gram-positive bacteria and some actions of antibiotics thereon. Adv. Protein Chem. **8**:288–391.
34. Gale, E. F. 1959. Synthesis and Organization in the Bacterial Cell. John Wiley & Sons, New York.
35. Gibbons, I. R. 1968. The biochemistry of motility. Ann. Rev. Biochem. **37**:521–546.
36. Glauert, A. M., and M. J. Thornley. 1969. The topography of the bacterial cell wall. Ann. Rev. Microbiol. **23**:159–198.
37. Grace, T. D. C. 1959. Tissue culture for arthropod viruses. Trans. N.Y. Acad. Sci., Ser. II, **21**:237–241.
38. Guze, L. B. (Ed.). 1968. Microbial Protoplasts, Spheroplasts, and L-Forms. Williams & Wilkins, Baltimore.
39. Hansen, J. N., G. Spiegelman, and H. O. Halvorson. 1970. Bacterial spore outgrowth: its regulation. Science **168**:1291–1298.
40. Hanson, R. S., J. A. Peterson, and A. A. Yousten. 1970. Unique biochemical events in bacterial sporulation. Ann. Rev. Microbiol. **24**:53–90.
41. Hayes, W. 1965. The structure and function of the bacterial chromosome. Symp. Soc. Gen. Microbiol. **15**:294–323.
42. Henderson, P. J. F. 1971. Ion transport by energy-conserving biological membranes. Ann. Rev. Microbiol. **25**:393–428.
43. Heppel, L. A. 1967. Selective release of enzymes from bacteria. Science **156**:1451–1455.
44. Heywood, V. H. (Ed.). 1971. Scanning Electron Microscopy. Academic Press, New York.
45. Hoffman, H. 1964. Morphogenesis of bacterial aggregations. Ann. Rev. Microbiol. **18**:111–130.
46. Hoffman, H., and M. E. Frank. 1965. Time-lapse photomicrography of lashing, flexing, and snapping movements in *Escherichia coli* and *Corynebacterium* microcultures. J. Bacteriol. **90**:789–795.
47. Horecker, B. L. 1966. The biosynthesis of bacterial polysaccharides. Ann. Rev. Microbiol. **20**:253–290.
48. Horne, R. W., and P. Wildy. 1963. Virus structure revealed by negative staining. Adv. Virus Res. **10**:101–170.
49. Horne, R. W., *et al.* 1960. The structure and composition of the myxoviruses. I. Electron microscope studies of the structure of myxovirus particles by negative staining techniques. Virology **11**:79–98.
50. Houwink, A. L., and W. van Iterson. 1950. Electron microscopical observations on bacterial cytology. II. A study on flagellation. Biochim. Biophys. Acta **5**:10–44.
51. Iino, T. 1969. Genetics and chemistry of bacterial flagella. Bacteriol. Rev. **33**:454–475.
52. Iterson, W. van. 1965. Symposium on the fine structure and replication of bacteria and their parts. II. Bacterial cytoplasm. Bacteriol. Rev. **29**:299–325.
53. Jahn, T. L., and E. C. Bovee. 1965. Movement and locomotion of microorganisms. Ann. Rev. Microbiol. **19**:21–58.
54. Jensen, A. B., *et al.* 1971. Rapid identification of an arbovirus by observation of its morphogenesis in the electron microscope. J. Infect. Dis. **123**:551–554.
55. Johnson, F. H., and W. L. Dennison. 1944. The volume change accompanying the Quellung reaction of pneumococci. J. Immunol. **48**:317–323.
56. Kay, D. (Ed.). 1961. Techniques for Electron Microscopy. Blackwell, Oxford.
57. Kellenberger, E. 1960. The physical state of the bacterial nucleus. Symp. Soc. Gen. Microbiol. **10**:39–66.

58. Kleinschmidt, A. K., and D. Lang. 1963. Intrazelluläre Desoxyribonucleinsäure von Bakterien. Fifth Int. Congr. Electron Microscop. **2**:0–8.

59. Knight, C. A. 1954. The chemical constitution of viruses. Adv. Virus Res. **2**:153–182.

60. Korn, E. D. 1969. Cell membranes: structure and synthesis. Ann. Rev. Biochem. **38**:263–288.

61. Krulwich, T. A., and J. L. Pate. 1971. Ultrastructural explanation for snapping postfission movements in *Arthrobacter crystallopoietes*. J. Bacteriol. **105**:408–412.

62. Labaw, L. W., and R. W. G. Wyckoff. 1958. The electron microscopy of tobacco necrosis virus crystals. J. Ultrastruct. Res. **2**:8–15.

63. Lascelles, J. 1965. Comparative aspects of structures associated with electron transport. Symp. Soc. Gen. Microbiol. **15**:32–56.

64. Leifson, E. 1960. Atlas of Bacterial Flagellation. Academic Press, New York.

65. Luria, S. E. 1960. The bacterial protoplasm: composition and organization. Vol. 1, pp. 1–34. *In* I. C. Gunsalus and R. Y. Stanier (Eds.): The Bacteria. Academic Press, New York.

66. Maramorosch, K. 1955. Multiplication of plant viruses in insect vectors. Adv. Virus Res. **3**:221–249.

67. Markham, R. 1959. The biochemistry of plant viruses. Vol. 2, pp. 33–126. *In* F. M. Burnet and W. M. Stanley (Eds.): The Viruses. Academic Press, New York.

68. Marr, A. G. 1960. Enzyme localization in bacteria. Ann. Rev. Microbiol. **14**:241–260.

69. Martin, H. H. 1966. Biochemistry of bacterial cell walls. Ann. Rev. Biochem. **35**:457–484.

70. Mayor, H. D., and R. M. Jamison. 1966. Morphology of small viral particles and subviral components. Prog. Med. Virol. **8**:183–213.

71. McKinney, R. E. 1953. Staining bacterial polysaccharides. J. Bacteriol. **66**:453–454.

72. Menolasino, N. J., M. Goldin and A. Hoffman. 1956. Alteration in flagellar morphology induced by specific antiflagellar antiserum. J. Bacteriol. **71**:54–59.

73. Mickle, H. 1948. Tissue disintegrator. J. Roy. Microscop. Soc. **68**:10–12.

74. Mitchell, P. 1954. Transport of phosphate through an osmotic barrier. Symp. Soc. Exp. Biol. **8**:254–261.

75. Mitchell, P. 1959. Biochemical cytology of microorganisms. Ann. Rev. Microbiol. **13**:407–440.

76. Mitchell, P., and J. Moyle. 1951. The glycerophosphoprotein complex envelope of *Micrococcus pyogenes*. J. Gen. Microbiol. **5**:981–992.

77. Mitchell, P., and J. Moyle. 1956. Osmotic function and structures. Symp. Soc. Gen. Microbiol. **6**:150–180.

78. Morowitz, H. J. 1954. The energy requirements for bacterial motility. Science **119**:286.

79. Moulder, J. W. 1964. John Wiley & Sons, New York.

80. Moulder, J. W. 1966. The relation of the psittacosis group (Chlamydiae) to bacteria and viruses. Ann. Rev. Microbiol. **20**:107–130.

81. Murray, R. G. E. 1960. The internal structure of the cell. Vol. 1, pp. 35–96. *In* I. C. Gunsalus and R. Y. Stanier (Eds.): The Bacteria. Academic Press, New York.

82. Newton, B. A., and D. Kerridge. 1965. Flagellar and ciliary movement in micro-organisms. Symp. Soc. Gen. Microbiol. **15**:220–249.

83. Nomura, M. 1970. / Bacterial ribosome. Bacteriol. Rev. **34**:228–277.

84. Osawa, S. 1968. Ann. Rev. Biochem. **37**:109–130.

85. Osborn, M. J. 1969. Structure and biosynthesis of the bacterial cell wall. Ann. Rev. Biochem. **38**:501–538.

86. Pereira, H. G., and R. C. Valentine. 1967. Morphological and antigenic sub-units of viruses. Brit. Med. Bull. **23**:129–132.

87. Pirie, N. W. 1957. The anatomy of tobacco mosaic virus. Adv. Virus Res. **4**:159–190.

88. Plummer, G. 1965. The picornaviruses of man and animals: a comparative review. Prog. Med. Virol. **7**:327–361.

89. Richards, O. W. 1954. Phase microscopy 1950–1954. Science **120**:631–639.

90. Richter, A. 1963. Structure of viral nucleoproteins. Ann. Rev. Microbiol. **17**:415–428.

91. Robinow, C. F., and R. G. E. Murray. 1953. The differentiation of cell wall cytoplasmic membrane and cytoplasm of gram-positive bacteria by selective staining. Exp. Cell Res. **4**:390–406.

92. Ryter, A. 1968. Association of the nucleus and the membrane of bacteria: a morphological study. Bacteriol. Rev. **32**:39–54.

93. Salton, M. R. J. 1964. The Bacterial Cell Wall. American Elsevier, New York.

94. Salton, M. R. J. 1967. Structure and function of bacterial cell membranes. Ann. Rev. Microbiol. **21**:417–442.

95. Schlessinger, D. 1969. Ribosomes: development of some current ideas. Bacteriol. Rev. **33**:445–453.

96. Schlessinger, D., and D. Apirion. 1969. *Escherichia coli* ribosomes: recent developments. Ann. Rev. Microbiol. **23**:387–426.

97. Simpson, C. F., and F. H. White. 1961. Electron microscope studies and staining reactions of leptospires. J. Infect. Dis. **109**:243–250.

98. Smith, K. M. 1955. Morphology and development of insect viruses. Adv. Virus Res. **3**:199–220.

99. Smith, K. M. 1959. The insect viruses. Vol. 3, pp. 369–392. *In* F. M. Burnet and W. M. Stanley (Eds.): The Viruses. Academic Press, New York.

100. Sohier, R., Y. Chardonnet, and M. Prunieras. 1965. Adenoviruses. Status of current knowledge. Prog. Med. Virol. **7**:254–325.

101. Spirin, A. S., and L. P. Gavrilova. 1969. The Ribosome. Springer-Verlag, New York.

102. Stanley, W. M. 1956. Virus composition and structure —25 years ago and now. Fed. Proc. Amer. Soc. Exp. Biol. **15**:812–818.

103. Steinhaus, E. A. 1957. Microbial diseases of insects. Ann. Rev. Microbiol. **11**:165–182.

104. Stent, G. S. 1963. Molecular Biology of Bacterial Viruses. Freeman, San Francisco.

105. Stoker, M. G. P., K. M. Smith, and P. Fiset. 1956. Internal structure of *Rickettsia burnettii* as shown by electron microscopy of thin sections. J. Gen. Microbiol. **15**:632–635.

106. Stopl, H., and M. P. Starr. 1965. Bacteriolysis. Ann. Rev. Microbiol. **19**:79–104.

107. Symposium. 1956. Bacterial Anatomy. Society for General Microbiology, 6th Symposium. Cambridge University Press, London.

108. Symposium. 1965. Function and Structure in Microorganisms. Society for General Microbiology, 15th Symposium. Cambridge University Press, London.

109. Thompson, D'Arcy. 1952. On Growth and Form. 2nd ed. Cambridge University Press, London. See also the abridged edition by Bonner, J. T. (Ed.). 1961. Cambridge University Press, London.

110. Thorne, C. B. 1956. Capsule formation and glutamyl polypeptide synthesis by *Bacillus anthracis* and *Bacillus subtilis*. Symp. Soc. Gen. Microbiol. **6**:68–80.

111. Tomcsik, J. 1956. Bacterial capsules and their relation to the cell wall. Symp. Soc. Gen. Microbiol. **6**:41–67.

112. Waterson, A. P. 1965. The significance of viral structure. Arch. ges. Virusforsch. **15**:275–300.

113. Weibull, C. 1958. Bacterial protoplasts. Ann. Rev. Microbiol. **12**:1–26.

114. Weibull, C. 1960. Movement. Vol. 1, pp. 153–206. *In* I. C. Gunsalus and R. Y. Stanier (Eds.): The Bacteria. Academic Press, New York.

115. Wildy, P., and R. W. Horne. 1963. Structure of animal virus particles. Prog. Med. Virol. **5**:1–42.

116. Wildy, P., D. H. Watson, and W. I. H. Shedden. 1967. Non-structural proteins of viruses. Brit. Med. Bull. **23**:169–174.

117. Zinder, N. D. 1965. RNA phages. Ann. Rev. Microbiol. **19**:455–472.

CAPITULO 3

DESARROLLO DE LOS MICROORGANISMOS

El desarrollo de los microorganismos consiste esencial y fundamentalmente en la síntesis específica y equilibrada de los componentes del protoplasma a partir de las substancias nutritivas existentes en el medio ambiente. Además, los constituyentes de nueva formación deben unirse y disponerse en forma conveniente para obtener duplicados de la unidad original. La especificidad de todo el proceso depende principalmente de la intervención de mecanismos directores, o controles genéticos, que poseen en especial la característica única de autoduplicación, y así se encuentran como partes intrínsecas de las unidades nuevas.

Evidentemente, este proceso depende de las substancias nutritivas disponibles y de sus concentraciones, y es afectado por ellas; asimismo, se requiere un suministro continuo de energía para las reacciones endotérmicas de síntesis. Esta energía proviene de las reacciones acopladas de oxidorreducción de la respiración; también podemos decir que el ambiente nutritivo comprende substratos oxidables y substancias reducibles que funcionan como aceptores de hidrógenos intermedios, definitivos o ambos.

El desarrollo microbiano puede estudiarse de distintas maneras. Una de ellas es el aspecto citológico; otras son el desarrollo de los microorganismos como población, y la naturaleza de los procesos bioquímicos correspondientes. Estas distinciones son artificiales, pues solo representan un distinto énfasis relativo para uno u otro aspecto del mismo proceso, pero son útiles para claridad de la exposición. Estudiaremos aquí especialmente los dos primeros aspectos; el tercero lo veremos en el capítulo 4.

DESARROLLO DE LAS BACTERIAS

Con mucho, el método más común de multiplicación de las bacterias es la fisión binaria simple, en la cual la célula parece estrecharse en su parte media y separarse en dos células hijas. La fisión se produce en un solo plano, indicado por aparición de una cinta ecuatorial densa en la pared celular, en ángulo recto con el eje mayor de bacilos y espirilos. En las formas esféricas puede tener lugar en uno, dos o los tres planos, lo que permite las agrupaciones morfológicas características descritas en el capítulo 2. Los bacilos y espirilos se alargan ligeramente antes de la fisión, no así los cocos en general, aunque puede haber cierto aumento del diámetro de la célula sin que se modifique gran cosa su forma esférica. El tamaño que cada célula debe alcanzar antes de dividirse es muy constante, aunque se encuentran diferencias en esta cifra máxima según la edad del cultivo (véase adelante).

La división celular está estrechamente ligada a la síntesis de substancia celular; pero puede considerarse un proceso distinto en el sentido de que entre ciertos límites de división celular puede impedirse por falta de síntesis de pared celular o inhibición de este proceso, mientras que siguen formándose otros componentes de la substancia celular. Por ejemplo, uno de los efectos de la penicilina es inhibir la división de los estafilococos; las células aisladas siguen creciendo sin dividirse, y alcanzan gran tamaño. La división celular puede inhibirse de muchas maneras: empleando cultivos pobres en magnesio (Mg^{++}), con algunos compuestos orgánicos como 5-diazouracilo, acriflavina o metilenmelamina, o con radiaciones ionizantes como rayos X o alfa. Cuando se tratan así formas bacilares, no se dividen, sino que siguen creciendo, dando filamentos largos.

Al conocer mejor la estructura interna de la célula bacteriana, se han podido esclarecer algunos aspectos citológicos de la división celular.[23] Después de la réplica del cromosoma[4] la etapa siguiente es la formación de un tabique o placa celular, perpendicular al eje mayor de la bacteria, o casi, en el caso de los bacilos, y que divide el contenido celular en porciones aproximadamente iguales. Dicho tabique en las bacterias grampositivas se desarrolla por crecimiento centrípeto de la membrana plasmática, a la que sigue de cerca la pared celular. No se sabe con certeza cómo tiene lugar este fenómeno, o sea, si la membrana plasmática se extiende o si la formación del tabique tiene que ver con los pequeños cuerpos periféricos que se ven en las micrografías electrónicas de cortes delgadísimos, desplazándose hacia dentro con la pared celular. De cualquier manera, hay estrechamiento de la célula, y las dos células hijas se separan. En las bacterias gramnegativas, el crecimiento de la pared celular parece ser general más que local, seguido de constricción antes de la división celular.[57]

La multiplicación bacteriana suele verificarse por fisión transversa; pero también pueden encontrarse otras modalidades. En algunos casos (bacilos tuberculoso y diftérico) se aprecia ramificación característica de algunos hongos superiores, y algunos investigadores han descrito gemación semejante a la que presentan las levaduras. Puede haber procesos más complejos, por ejemplo formación en la célula de gránulos viables o "gonidias", que al salir de la bacteria se transforman en células morfológicamente adultas; esto se demostró en la llamada etapa de multiplicación del desarrollo de algunas bacterias del suelo; pero no es un fenómeno frecuente. Otros procesos reproductivos complejos se encuentran en Bacteroides y Mycoplasma (capítulo 26), en los cuales las células frágiles se hinchan hasta formar grandes cuerpos redondos, que luego pueden presentar germinación multipolar con segmentación de las excrecencias para formar células hijas. Todas estas reproducciones complejas son raras en el sentido que se encuentran siempre en unos cuantos tipos de bacterias, o rara vez en gran número de estas.

La conjugación entre células bacterianas de sexo diferente ocurre con transferencia de determinantes genéticos (capítulo 6), pero, como en el caso de formación de esporas, no se considera un mecanismo de réplica per se.

En la fisión binaria, el tiempo de generación (tiempo que transcurre entre las divisiones celulares) es mínimo durante la fase exponencial del desarrollo del cultivo bacteriano (véase adelante). Algunas bacterias entéricas, como el vibrión colérico y el colibacilo, tienen proliferación muy rápida, con tiempos de generación de 20 minutos o menos, y una especie de Pseudomonas marina que tiene generación tan breve como 9.8 minutos.[15] Las bacterias que crecen más lentamente, digamos el bacilo tuberculoso, tienen tiempos de generación de varias horas o hasta días.

La rapidez de la división celular en las bacterias no es un fenómeno único, como lo dijeron algunos, pues las células embrionarias de formas superiores pueden multiplicarse con la misma velocidad. Lo notable en cuanto a dicha rapidez estriba más bien en que en este tiempo brevísimo la célula bacteriana alcanza su madurez completa.

Desarrollo de las poblaciones bacterianas

Por razones prácticas obvias, las bacterias suelen manipularse y estudiarse no como individuos, sino como agregados formados por gran número de células.

El desarrollo bacteriano puede, por tanto, considerarse equivalente al de poblaciones de muchos millones de células cuyas características son principalmente de tipo estadístico; el comportamiento de células aisladas se estudia a través de la frecuencia de determinados fenómenos.

El desarrollo de las bacterias en cultivos puede estudiarse desde distintos puntos de vista, y los métodos de medición dependen de la finalidad perseguida. Un punto de vista sencillo, muy frecuente, aunque tácito, consiste en descubrir como sigue el desarrollo bacteriano:

$$\text{Medio de cultivo} + O^2 \rightarrow \text{protoplasma}$$
$$\text{bacteriano} + \text{substancia oxidada}$$

La "reacción" procede de izquierda a derecha y llega finalmente a un equilibrio. Las constantes de velocidad pueden establecerse por el tiempo que tardan en desaparecer las substancias reactivas, o en aparecer los productos finales.

Aunque se complique por cierto número de reacciones colaterales, la relación mencionada ha sido sumamente útil en los estudios del metabolismo bacteriano. Por ejemplo, el desarrollo de bacterias autotróficas se mide fácilmente por la transformación de carbonatos en carbono orgánico. Un concepto algo más mecanicista es el de la inestabilidad de un cultivo que tras sufrir una serie de modificaciones complejas llega a un equilibrio estable a un nivel energético inferior; esta es la base de los estudios del metabolismo energético de las bacterias.[62] El método más frecuente en la medición del desarrollo bacteriano en los cultivos consiste en contar a intervalos fijos el número de células existentes. Pueden contarse los microorganismos vivos por dilución cuantitativa y cultivo en placa, o el total de células, por observación directa o indirecta (mediante la turbieza que se traduce en números con una curva de calibración previa). También puede conocerse el número total de bacterias existentes a través de su peso seco.

Cuando se encuentran vivas todas las células, o prácticamente todas, y se reproducen por fisión binaria, la multiplicación es exponencial. No se logra la máxima multiplicación posible en teoría. Al aumentar el número de microorganismos en el tubo de cultivo, la competencia entre ellos (alimentos, oxígeno, etc.), reduce progresivamente el desarrollo, hasta que se alcanza una densidad de población que equivale a saturación.

Si no existiera un "freno" progresivo de este tipo, el aumento de población quedaría expresado por la igualdad:

$$\frac{dY}{dt} = bY$$

donde Y es el número de individuos por unidad de volumen y b la velocidad de desarrollo o tiempo de generación del microorganismo. Cuando hay una densidad máxima de células (K), este desarrollo geométrico solo se logra en parte, en función de cuanto se acerca el cultivo del estado de densidad máxima en un momento dado. La igualdad correspondiente sería:

$$\frac{dY}{dt} = bY\frac{K-Y}{K}$$

que no es sino la diferencial de la función logística:

$$Y = \frac{K}{1 + e^{a-bx}}$$

Esta función, que gráficamente nos da una curva simétrica en S, traduce el aumento de población de muchos organismos vivos. Si el número de bacterias en un cultivo se mide periódicamente, y se utiliza para construir una curva contra el tiempo de incubación, se obtiene también una curva en S de este tipo, pero asimétrica, pues el cambio de dirección no se encuentra a la mitad entre las asíntotas superior e inferior. Generalmente estas curvas se construyen en papel semilogarítmico, en el cual uno de los ejes corresponde al logaritmo del número de bacterias, y el otro al tiempo en escala aritmética. Este procedimiento da una curva más simétrica y tiene la ventaja no solo de disminuir los errores de recuento, sino también que, mientras los microorganismos se multiplican en forma exponencial, los puntos caen sobre una línea recta, y el tiempo de generación corresponde a la pendiente de la misma. Puede aplicarse un análisis matemático mucho más complejo para estudiar el crecimiento bacteriano,[53] pero para nuestros fines basta con la simplificación precedente.

La curva del desarrollo bacteriano que aparece en la figura adjunta se divide en varios segmentos o fases. Las porciones más importantes son la base de latencia, en que el número de microorganismos aumenta poco o nada, la fase logarítmica o de desarrollo exponencial en que las bacterias se multiplican a máxima velocidad, y la fase estacionaria, cuando se ha alcanzado el crecimiento total máximo. Al principio y al final del periodo de desarrollo exponencial, pueden a veces distinguirse fases de aceleración positiva y negativa del desarrollo, pero tienen poca utilidad. Después de la fase estacionaria, muere cierta cantidad de células, rápida o lentamente, y también según una función exponencial; la muerte bacteriana se estudia en otro lugar (capítulo 5).

Cualquier estudio del desarrollo de los cultivos bacterianos muestra claramente que calificativos como "buen desarrollo" y "mal desarrollo" no significan gran cosa. Un buen desarrollo puede ser un desarrollo rápido, debido a un periodo latente relativamente corto, un tiempo de generación breve durante la fase exponencial, o ambos; pero también puede significar desarrollo intenso en el sentido de que la población máxima sea considerable. Las dos cosas no son forzosamente sinónimas; por ejemplo, el vibrión colérico se desarrolla con la misma rapidez en la fase logarítmica en los cultivos aireados, en agua peptonada simple o enriquecida con 10 por 100 de suero; pero la densidad máxima alcanzada es mucho mayor en el medio enriquecido. Por lo tanto, el significado de la palabra "desarrollo" es variable, y dicho desarrollo, de cualquier forma que se defina y cualquiera que sea el fin para el cual se use, es función del medio en el microcosmos del recipiente de cultivo. El ritmo de crecimiento en condiciones naturales es función de diversos factores, y es más complejo que el estudiado en cultivos puros en el laboratorio.[5]

Fase de latencia. Cuando se inoculan bacterias en medios recientes, se requiere un tiempo bastante largo (periodo de latencia) para que el microorganismo se adapte a un nuevo ambiente, distinto del cultivo inicial. Cada día hay más pruebas [27] de que este periodo puede dividirse en fases latentes aparente y verdadera. La primera se debe a la presencia en el inóculo de células no viables, en el sentido de que no se reproducen, aunque también puedan conservar su metabolismo; esto significa disminución del valor verdadero del inóculo. Dentro de ciertos límites, la duración de la fase de latencia tiene relación directa con el valor del inóculo eficaz y a partir de estas consideraciones puede preverse el número de células presentes en distintos momentos de la fase ulterior de desarrollo exponencial.

En cambio, la fase de latencia verdadera es el periodo que requieren las células viables del inóculo para acumular enzimas, coenzimas difusibles, y productos intermedios esenciales para la síntesis de substancia celular en las concentraciones equilibradas correspondientes a la síntesis óptima. Cuando el inóculo proviene de un cultivo en fase de desarrollo exponencial, desaparece o se reduce mucho la fase de latencia, pues las células ya están en el equilibrio fisiológico, y en posibilidad de llevar a cabo una síntesis rápida.

Por otro lado, la fase de latencia puede prolongarse indefinidamente si se impide el proceso de adaptación. Una aireación intensa que impida la acumulación por respiración endógena de pequeñas cantidades de bióxido de carbono, esenciales en el desarrollo, retrasa este y la multiplicación. En la misma forma, la adición de substancias antibacterianas de actividad fundamentalmente bacteriostática (que inhiban el desarrollo de los gérmenes en lugar de matarlos) prolonga indefinidamente la fase de latencia. Estas substancias incluyen algunas de importancia práctica (agentes quimioterápicos como sulfamidas y algunos antibióticos), y otras (algunos colorantes). Actúan interfiriendo con reacciones metabólicas esenciales, por ejemplo la síntesis de enzimas (capítulo 5); cuando su efecto es neutralizado (por ejemplo, mediante ácido *p*-aminobenzoico en caso de haberse inhibido el desarrollo con sulfamidas), se reanuda el desarrollo. Vemos, pues, que el efecto de muchos agentes quimioterápicos es en cierto sentido una prolongación indefinida de la fase de latencia del desarrollo bacteriano.

Fase de desarrollo exponencial. Aquella fase del desarrollo del cultivo bacteriano durante la cual las células se duplican a velocidad constante y geométrica representa un estado estable aproximado, limitado, de la relación entre la bacteria y su

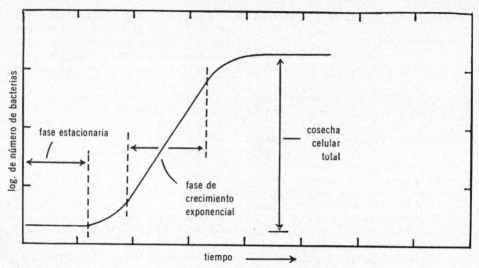

FIG. 3-1. Esquema del desarroll$_0$ bacteriano; curva construida con el logaritmo del número de células en las ordenadas, y el tiempo de incubación en las abscisas.

medio. El estado estable es aproximado, porque el medio se altera continuamente por la función del microorganismo; es limitado, porque solo dura parte de la vida del cultivo.

Naturalmente, la velocidad de desarrollo es establecida por factores limitantes. Estos pueden ser intrínsecos de la potencialidad fisiológica celular, por ejemplo, las velocidades de difusión a través de la barrera osmótica de la célula. También pueden ser extrínsecos, como ciertos factores del ambiente (concentración de un alimento esencial, de un substrato oxidable, o velocidad de difusión del oxígeno en el cultivo).

Cultivo circulante continuo.[45, 46] En parte, el desarrollo bacteriano puede mantenerse en fase logarítmica por resiembras sucesivas rápidas cuando el cultivo inicial alcanza esta fase; es mejor aún cultivar la bacteria en una circulación continua de medio fresco. Se han ideado numerosos aparatos para este propósito; los de utilización más amplia han sido el "quimiostato" y el "bactógeno". El primero funciona a base de diferencia de presión de aire para lograr un suministro continuo de medio fresco a una pequeña cámara donde se encuentra el cultivo, conforme se agota el medio. En el segundo dispositivo, el medio se bombea continuamente a un gran frasco giratorio en el cual las bacterias se desarrollan en grandes cantidades de medio de cultivo. Ambos dispositivos funcionan a velocidades fijas, algo por debajo de las necesarias para que el desarrollo alcance su velocidad máxima. El estado estable obtenido se ha sometido a análisis matemático detallado. Se ha empleado una variación de este esquema en la cual la corriente de medio fresco se controla con un sistema fotoeléctrico para conservar un mismo número de microorganismos (por nefelometría).

En estas condiciones constantes de equilibrio, un factor del medio, digamos la concentración de un ali-

mento, puede variarse mientras los demás se conservan constantes y en exceso; esto permite con precisión los efectos de limitación de velocidad.[70] Además, la cinética de la formación de productos de síntesis puede estudiarse en función del tiempo de generación, que se vuelve un parámetro experimental. En teoría, estos cultivos deberían conservarse indefinidamente, pero en la práctica esto no se logra, por la inestabilidad de los mecanismos directores de síntesis; se presentan mutaciones que alteran las características de la población microbiana. Por otro lado, los factores que afectan la frecuencia natural de mutaciones pueden estudiarse en condiciones constantes y conocidas del medio.

División celular sincrónica.[8] En el cultivo bacteriano ordinario, la división celular tiene lugar al azar, y se obtiene un aumento continuo de la cifra de células por el gran número de acontecimientos separados. Si se somete el cultivo a alternancias de temperaturas de incubación y muy frías, es posible obligar a la mayor parte de las células a dividirse en un cierto periodo de tiempo, y sincronizar así la división celular. Los estudios sobre neumococos y el bacilo tífico del ratón han demostrado que la población entera es más sensible a las transformaciones genéticas en el primer caso, y a la conversión al estado lisogénico (véase adelante) en el segundo. Estos resultados, y otros del mismo tipo, hacen pensar que los microorganismos en división activa son relativamente más sensibles a las alteraciones de los mecanismos genéticos directores que los microorganismos en estado de reposo.

Supresión de la división celular. El final de la fase exponencial del desarrollo queda señalado por un descenso relativamente rápido de la división celular. Esta no cesa por completo en la fase estacionaria, pero las células empiezan a morir y las divisiones restantes contrarrestan este efecto, de modo que el número de microorganismos viables permanece relativamente constante algún tiempo. Este período puede ser relativamente corto, y en pocas horas la disminución del número de células viables se vuelve exponencial; también es posible que el número de microorganismos viables fluctúe alrededor de un valor medio que suele ser inferior a la densidad celular máxima.

La velocidad decreciente de división celular puede explicarse de muchas maneras, y se debe a muchos factores distintos en diferentes cepas de microorganismos, o en el mismo cultivo en diferentes zonas y condiciones. El factor limitante puede ser la desaparición de substancias nutritivas, pero esto probablemente no sea muy importante en la mayor parte de medios de cultivo. La actividad metabólica puede reducirse por falta de substratos para los procesos respiratorios; por ejemplo, un determinado carbohidrato puede disminuir mucho, o la velocidad de difusión del oxígeno puede ser insuficiente cuando la densidad celular es muy alta. Uno de los factores de más importancia es la acumulación de productos finales del metabolismo, por ejemplo, alcoholes y ácidos orgánicos formados a partir de carbohidratos, hasta concentraciones tóxicas. Así, vemos que la población celular que puede obtenerse en cultivos líquidos aumenta notablemente añadiendo una fuente de energía fácil de atacar, por ejemplo glucosa, y aireando vigorosamente. El efecto de agitación de la aireación garantiza hasta cierto punto una concentración uniforme de substrato en el medio (incluyendo el oxígeno), y suministra un exceso de oxígeno, de modo que no solo son más completas las oxidaciones, y disminuye la acumulación de ácidos orgánicos y productos similares, sino que la energía producida es mayor. En estas condiciones, el factor limitante es la concentración de glucosa, y un ciclo de desarrollo a menudo puede iniciarse añadiendo más glucosa y bastante álcali para neutralizar las pequeñas cantidades de ácidos orgánicos acumulados.[64]

Si bien estas reacciones productoras de energía, y los productos que de ellas derivan, son de enorme importancia para el desarrollo, es más preciso su efecto sobre el control de la biosíntesis [19, 56] expresado como inducción de síntesis de nuevas enzimas (primeras fases del desarrollo); también actúa en forma notable inhibiendo las actividades enzimáticas y la síntesis de enzimas. Estos temas se estudian en detalle en el capítulo 4.

Variación morfológica. En las diferentes fases del desarrollo del cultivo, se encuentran modificaciones morfológicas y fisiológicas de la bacteria. Cuando se inicia el desarrollo, el tamaño máximo alcanzado por las células antes de la fisión aumenta un poco, y en esta etapa del desarrollo gran parte de las bacterias de un cultivo resultan mayores que en otros momentos. Las células se tiñen en forma homogénea, y no hay datos de granulaciones, ni siquiera en aquellas bacterias en que se demuestran con más facilidad gránulos metacromáticos.

La respiración por célula aumenta, y se alcanza un valor máximo al final de la fase de desarrollo acelerado; cuando el cultivo entra en la fase de desarrollo logarítmico, este valor disminuye. Este aumento del metabolismo es más aparente que real, pues tiene relación cuantitativa con el tamaño de la célula.

También disminuye este cuando el cultivo entra en la fase logarítmica de desarrollo, aunque las células aisladas sigan homogéneas y se tiñan uniformemente. En la fase estacionaria las bacterias son más pequeñas, y pueden formar esporas (en los cultivos de bacterias con esta característica). Cuando empieza a disminuir el recuento de microorganismos viables, la tinción ya no es homogénea, sino que empiezan a aparecer granulaciones y formas de involución.[10]

Se ha llamado citomorfosis a la sucesión de tipos morfológicos, desde las grandes células jóvenes o embrionarias hasta las formas degeneradas seniles que aparecen en cultivos viejos, pasando por las formas maduras, de menor tamaño y tinción más uniforme durante el desarrollo exponencial; algunos investigadores establecen un paralelo entre este fenómeno y la sucesión similar de tipos celulares en organismos superiores.

DUPLICACION DE LOS VIRUS [41, 24, 68]

Como los virus son parásitos intracelulares estrictos, formados fundamentalmente por un mecanismo director y nada más, su reproducción difiere de la bacteriana porque implica una desviación específica de los procesos de síntesis de la célula huésped, y el producto final no es un sistema fisiológico completo. La síntesis de virus puede estudiarse de distintas maneras con referencia al metabolismo normal de la célula huésped, por ejemplo, a través de la persistencia o alteración de reacciones metabólicas producidas por la formación del virus. También pueden medirse las proporciones relativas de substancia original, del virus, substancia de célula huésped y substrato metabólico existente en el medio extracelular, que va a formar la substancia del nuevo virus.

Las consecuencias de esta relación parasitaria con la célula huésped son variables. En algunos casos, la proliferación vírica destruye la célula huésped (lisis de la célula bacteriana por bacteriófagos, o cambios degenerativos producidos en células huéspedes en cultivos de tejidos por muchos virus animales). Otras veces la célula huésped sufre poco y continúa una existencia aparentemente normal, a la vez que permite la reproducción del virus; otras infecciones virales producen hiperplasia. Estos efectos sobre las células huéspedes en las infecciones naturales forman en gran parte la base de la patogenia y la anatomía patológica de las enfermedades por virus.

Características de la reproducción de los virus. En general, se encuentra en la proliferación

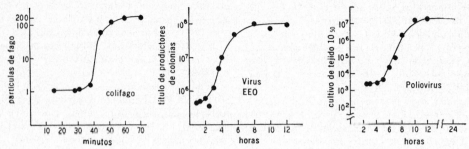

FIG. 3-2. Curvas de desarrollo de virus típicos. Los virus colifagos y de la encefalomielitis equina occidental dan curvas de desarrollo de una sola etapa; el virus de la encefalomielitis equina occidental se desarrolló en cultivo de fibroblasto
de pollo y se estudió por el método de recuento y placa, utilizando una capa monocelular de fibroblastos de pollo. El virus de la polio de tipo 3 se desarrolló en cultivo de células HeLa y se estudió por cultivo de tejido. DI[36]. (Reproducido
de Doermann, Dulbecco, y Ackermann y Francis, respectivamente.)

de los virus una serie de etapas distintas. La primera es una adsorción más o menos específica del
agente infeccioso sobre la superficie de la célula
huésped. Luego, la partícula penetra a la célula, y
durante cierto tiempo (algunos minutos o varias
horas) no es posible encontrarla, digamos destruyendo la célula y buscando actividad vírica en los
restos de la misma (periodo latente, de eclipse u
obscuro); se acepta que en esta fase el virus se
encuentra en forma de provirus. Durante este tiempo se inicia la síntesis de substancia vírica, pero no
puede encontrarse virus activo hasta que la unidad
infecciosa se organice por un proceso de maduración. Antes de completarse dicho proceso, la presencia del virus queda enmascarada. Estos fenómenos ordenados se deducen de la presencia de virus
"incompletos" en células huéspedes rotas prematuramente, y de su existencia en combinación con
virus completo en condiciones experimentales apropiadas. No hay pruebas de que se produzca en la
célula huésped un fenómeno equivalente a la fisión
binaria del virus intacto.

De cualquier manera, una vez terminada la organización, el virus sale de la célula huésped al
final del ciclo reproductivo, rompiendo la estructura celular o siendo expulsado de una célula que
todavía funciona. La liberación puede ser explosiva, como es el caso de la lisis celular, o el virus
puede salir de la célula y pasar al medio ambiente
en un periodo bastante largo. Un ciclo sencillo de
este tipo se llama desarrollo en una etapa. Las partículas libres del virus invaden otras células huéspedes, vuelven a infectar células no destruidas en el
primer ciclo, o ambas cosas, y el proceso se repite
hasta que se agota el substrato de la célula huésped.
En el organismo huésped infectado la reproducción
del virus puede ser inhibida por el desarrollo de
una respuesta inmunológica eficaz, y la combinación de partículas virales libres con anticuerpos, con
lo que se interrumpe el ciclo de reproducción.

En el desarrollo viral en una etapa, la destrucción de las células huéspedes solo presenta sincro-

nía parcial en el primer ciclo, y luego pierde esta
característica, en tanto que la liberación continua
de virus en las células huéspedes significa aumento
también continuo de la cantidad de virus. En ambos casos, las curvas de desarrollo construidas con
la cantidad o el título de virus en las ordenadas,
y el tiempo en las abscisas, tienen forma de S y
recuerdan las que se obtienen con cultivos bacterianos.

Este esquema general de· multiplicación parece
válido para casi todos los virus estudiados hasta la
fecha, con pequeñas variaciones. Solamente pueden
establecerse comparaciones hasta cierto límite, pues
no es seguro que sean análogas fases similares del
desarrollo de virus diferentes.

La réplica (duplicación) del bacteriófago [7, 9]

Los virus bacterianos presentan oportunidades únicas para aclarar los procesos de réplica viral provocados en la célula huésped; por lo tanto, han
merecido particular interés de los investigadores.
Hay que establecer la distinción entre los fagos de
DNA, cuya estructura ha sido descrita en el capítulo precedente, y los fagos de RNA descritos más
recientemente.

Fagos RNA.[29, 66, 72] Los, fagos RNA que han
sido más estudiados son cepas fr, MS2, R17, f2, y
Qβ de colifago. Los cuatro primeros guardan estrecha relación serológicamente, mientras que el fago
Qβ es diferente en este respecto. Hay otros fagos
en estos grupos, y hay también un tercer grupo
serológico.

Estos fagos son esféricos; carecen de la cola que
tienen la mayor parte de fagos DNA, y están formados por una tira enrollada de RNA de unos 10 000
Å de largo incluida en una cubierta de proteína.
La proteína de la cubierta es de tipo dual, incluyendo proteína de cápside como elemento estructural principal, y una proteína que interviene en la

réplica y que se denomina "proteína A". Esta última se observa localizada en un punto específico en la estructura de la cápside. La especificidad de huésped para las células bacterianas masculinas que contienen el factor de fertilidad (f) proviene de la adsorción específica inicial de estos fagos al pelo masculino (M) de la célula bacteriana.

Adsorción. La partícula del fago es adsorbida en forma reversible, o sea que se conserva infecciosa por disociación, por el pelo M a nivel de la proteína A. Por lo tanto, la proteína A es esencial para este proceso, y para orientar la tira de RNA.

Inyección. La proteína A, por interacción entre la partícula de virus y el pelo M, desencadena el proceso de inyección del RNA dentro de la célula bacteriana. Después se descama, junto con la cápside vacía, dentro del medio. En esta etapa el RNA es sensible a la RNasa, lo cual se considera que indica que por muy breve tiempo se halla fuera de ambos su cubierta de proteína y el pelo M. Se desarrolla y penetra en la célula bacteriana como una tira lineal orientada; esta etapa depende de la presencia de Mg^{++}. La necesidad de Mg^{++} es, en cierto modo, anómala, ya que tiende a estabilizar la configuración enrollada, pero algunos investigadores consideran que sirve para moderar un desenrollamiento demasiado rápido causado por el intercambio de ion Na^+ en la etapa de sensibilidad de RNasa. No conocemos las fuerzas a las cuales se deba este proceso de inyección.

Infección. Cuando la tira de RNA penetra en la célula, funciona como mRNA, reaccionando con subunidades ribosómicas 30 S y tRNA, luego efectuando un complejo con subunidades 50 S para formar ribosomas, e iniciar así la síntesis de proteína. El cromosoma RNA está codificado para tres proteínas: la proteína de la cápside, la proteína A y la polimerasa de RNA; y está orientado para penetrar en la célula huésped, de manera que la síntesis tiene lugar en este orden. No sabemos con seguridad si el ribosoma se disocia al completarse la síntesis de una proteína determinada, y vuelve a asociarse para la síntesis de la proteína siguiente.

Las primeras proteínas proporcionan la estructura de la cápside y la réplica de RNA que constituye el núcleo de la partícula de virus es función de la tercera, la polimerasa. La polimerasa es muy específica por su genoma; la afinidad relativa de la polimerasa $Q\beta$ es unas 10 veces mayor para su plantilla de RNA que para otros tipos de RNA existentes en la célula huésped. Después de la fijación de la plantilla de RNA y su polimerasa, factores de la célula huésped parecen intervenir, en parte, en la síntesis de RNA viral. La producción de esta reacción in vitro, por Spiegelman y colaboradores, utilizando tiras de RNA viral infecciosas del fago $Q\beta$, junto con extracto de la célula huésped coliforme, constituye el experimento denominado "la vida en un tubo de ensayo".

La reunión de toda la partícula viral no la conocemos bien. La tira de RNA nuevamente sintetizada se enrolla, y se forma la cápside alrededor de ella a base de subunidades de proteína de cápside y proteína A. La proteína A es una parte esencial de la estructura de la partícula, por cuanto no solo cuando falta el fago resulta no viable, sino también porque su RNA es sensible a la RNasa. Las partículas virales completadas se producen en gran número en la célula huésped infectada al final del ciclo de réplica, y pueden disponerse ordenadamente en estructuras similares a las observadas en otros tipos de virus intracelulares. Las partículas maduras se liberan cuando la estructura de la célula huésped se rompe y se produce la lisis.

Fagos de DNA. El contenido de ácido nucleico y la estructura más compleja de los fagos DNA se reflejan en un ciclo de réplica más complicado que todavía no conocemos tan bien a nivel molecular como el de los fagos RNA.

Adsorción.[75] Adsorción de la partícula viral sobre la superficie de la célula bacteriana es sumamente específica, y establece en gran parte si la bacteria es "sensible" a la infección o no, o inversamente, si el fago es capaz de infectar la cepa o especie bacteriana en cuestión. En los colifagos T_2 cuando menos, la porción diferenciada del fago que interviene en la adsorción es la parte terminal de la cola, y el fago se fija "de cola" sobre la bacteria. La adsorción queda inhibida por presencia de anticuerpo para la proteína del extremo de la cola (probablemente esta se cubre de una capa de globulina inmune), pero el anticuerpo no es eficaz cuando la adsorción ya ha tenido lugar.

La reacción inicial consiste en formación de enlaces electrostáticos entre la cola del fago y la superficie de la bacteria. Hay pruebas de que dichos enlaces unen grupos amino y carboxilo, estos abundantes en la pared de la bacteria, aquellos, en la partícula del fago.[54] Hay una relación lejana entre la sensibilidad de una bacteria para un fago y sus antígenos somáticos. Los fagos se combinan con antígeno somático purificado formado por lípidos y polisacáridos, y con la porción lípido-carbohidrato del complejo de algunos bacilos disentéricos.[35] El substrato químico de los colifagos T_2 es una substancia semejante, que da por hidrólisis 34 por 100 de los lípidos y 16.5 por 100 de substancias reductoras, y se encuentra en un cuerpo esférico en el espesor de la pared de la célula bacteriana.[76]

Infección de la bacteria.[18] Durante corto tiempo, la adsorción de la partícula del fago sobre la pared bacteriana es reversible; pero a los pocos minutos se vuelve irreversible, cuando desaparece la proteína del extremo de la cola, dejando al descubierto la espina que forma el núcleo de dicha cola. Como vimos antes (cap. 2), la estructura de la parte distal de la cola parece depender de la existencia de enlaces tiol-éster, y la pared bacteriana contiene bastante cinc para catalizar la disolución de la estructura.

Luego, la pared celular es destruida en el punto de ataque, y se liberan compuestos nitrogenados so-

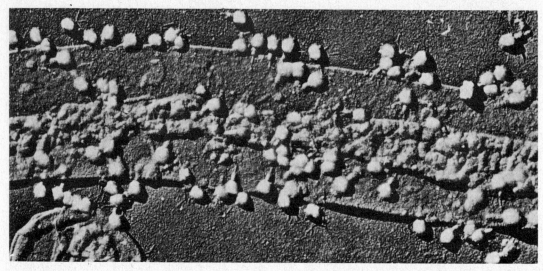

FIG. 3-3. Interacción del colifago T$_2$ con la pared celular de *E. coli* B; nótese la disociación de la estructura proteínica del extremo de la cola, que en algunos casos deja sobresalir la espiga de la cola. Las pequeñas partículas en forma de bastón pueden ser espigas expulsadas. $\times$ 30 000. (Kellenberger.)

lubles; la barrera osmótica ya no es tan buena, y sale parte del contenido celular. Esto parece producido por el contacto entre la pared celular y la cola descubierta del virus, a través de activación de una enzima termolábil que despolimeriza la estructura de la pared celular. Luego, la espina de la cola desaparece y el contenido de la cabeza del fago (DNA) es inyectado en la célula bacteriana. Se desconocen las fuerzas responsables de este fenómeno, pero hay que notar que cuando la porción distal de la cola se suprime por tratamiento con cianuro de cadmio, el vaciamiento del DNA se acelera en presencia de ciertos compuestos como ácidos aminados, aminas y azúcares aminados, cuya característica común es un nitrógeno de amino con carga positiva. Al terminar estos acontecimientos, que aparecen en el esquema de la figura 3-4, las partículas del fago pueden separarse tratando la suspensión en un homogeneizador. Una pequeña porción de la cola sigue sobre la pared de la bacteria, y el resto de la partícula es una cabeza vacía con la membrana de la base de la cola. Esta estructura puede tener actividad

biológica; los fantasmas, partículas de fagos carentes de DNA, preparadas con choque osmótico, son letales para las células bacterianas a las que pueden fijarse.[13]

Todos estos fenómenos también pueden lograrse in vitro, o sea, sin intervención de la célula bacteriana viva intacta. Ya hemos hablado de la disolución parcial de la parte distal de la cola. Además, las partículas del fago pueden adsorberse sobre preparados de pared bacteriana purificados, o tratarse con substrato lípido-carbohidrato purificado, según dijimos antes. En el primer caso se liberan compuestos nitrogenados solubles, y en ambos casos el DNA del fago sale al medio, con inactivación consiguiente del virus.

Virus vegetativo.[39] Se emplea el término de virus vegetativo para designar los virus intracelulares en proliferación, en contraste con la fase de reposo del virus extracelular, que no prolifera. La duplicación intracelular del bacteriófago se presenta como una serie de acontecimientos morfológicos y bioquímicos distintos.

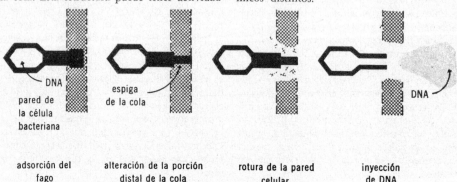

adsorción del   alteración de la porción   rotura de la pared   inyección
fago   distal de la cola   celular   de DNA

FIG. 3-4. Esquema de los fenómenos sucesivos en la infección de la célula huésped por un colifago; léase de izquierda a derecha. (Reproducido de Evans.)

Poco después de la infección, se rompen los cuerpos cromatínicos, que ya no pueden encontrarse como tales. No se producen otros cambios manifiestos hasta casi el final del ciclo de desarrollo, en cuyo momento la substancia celular se ha alterado manifiestamente, formando una especie de red filamentosa de cuyos intersticios salieron las partículas maduras del fago.

Cuando los procesos de duplicación se interrumpen periódicamente de distintas maneras, por ejemplo por rotura mecánica o química (cianuro) de la célula infectada, o tratamiento con substancias como proflavina o 5-metiltriptófano, y se busca en el material resultante actividades o morfologías características, se tiene la impresión de un proceso ordenado. Durante la primera parte del periodo de latencia o fase de eclipse, no puede encontrarse actividad de fagos ni elementos morfológicos. Luego aparecen cuerpos esféricos vacíos que contienen poco o nada de DNA; van aumentando en número, y se consideran como precursores de la partícula de fago. Hacia la mitad del periodo latente, pueden encontrarse partículas infecciosas maduras, completas, con cola y DNA. Aparecen cada vez más, tal vez a expensas de las partículas redondas, pues estas disminuyen correspondientemente, hasta que se alcanza la cantidad total de partículas infectantes, la "cota de estallido", y la célula se desintegra para liberar el parásito, quedando solamente el retículo descrito antes. Por lo tanto, la partícula de fago madura parece ser sintetizada por etapas y luego "montada".

La partícula infectante solo ha cedido al nuevo virus una pequeñísima cantidad de DNA (menos de 1 por 100 del DNA total del nuevo virus); el resto de la substancia viral ha sido sintetizado por la célula huésped. De acuerdo con los datos morfológicos, se produce primero una síntesis obligada de proteína viral desde el principio del periodo de latencia. La síntesis de DNA se inicia de siete a ocho minutos después de empezada la infección; las primeras partículas maduras de fago aparecen de 12 a 15 minutos después del inicio de la infección, y siguen haciéndolo hasta que la célula bacteriana se rompa.

Las proteínas del fago solo provienen en pequeña parte (de 15 a 30 por 100) de las bacterianas; son sintetizadas fundamentalmente a partir de los elementos del medio de cultivo. En cambio, prácticamente todo el DNA bacteriano es desdoblado en pequeños fragmentos, que se emplean para formar DNA del fago. Cuando la cantidad de DNA no es suficiente, se sintetiza más utilizando elementos del medio. Además, en el caso de los colifagos T_2 la 5-hidroximetilcitosina (constituyente del DNA), que no existe en el DNA bacteriano, también se sintetiza a partir de citosina bacteriana o del medio de cultivo. La síntesis de este componente necesita al parecer la formación de enzimas que normalmente no existen en la bacteria.

Lisogenia.[3, 63] Desde el punto de vista de su relación con la bacteria huésped, pueden distinguirse dos tipos de virus de bacterias. Los primeros, o bacteriófagos virulentos, producen el tipo de infección que acabamos de describir, que termina en destrucción de la célula huésped por lisis y liberación de partículas maduras de fago. Los demás, o bacteriófagos moderados, pueden dar lugar a producción de fago activo y a su liberación por lisis, a una infección abortada en la cual no se produce fago y la curación es espontánea, o, finalmente, a infección no lítica en la cual no hay producción de fago activo, sino que persiste la forma inactiva indefinidamente en el huésped bacteriano (o sea, se vuelve hereditaria). El tratamiento de una cepa bacteriana sensible con el fago moderado suele dar lugar a una combinación de estas variedades de infección. Una cepa de bacterias infectada por la segunda variedad se llama lisogénica, y el fenómeno es la lisogenia. Es más frecuente en caso de infección múltiple

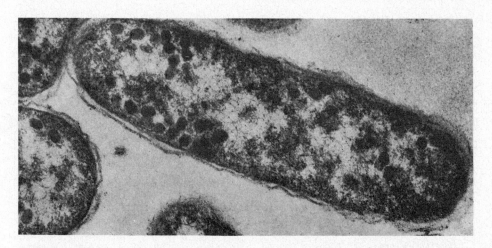

FIG. 3-5. Desarrollo intracelular del colifago T_2 en *E. coli* B; nótese que solo se encuentran las porciones poliédricas cefálicas de fagos incompletos. Sección fijada con tetraóxido de osmio. × 60 000. (Kellenberger.)

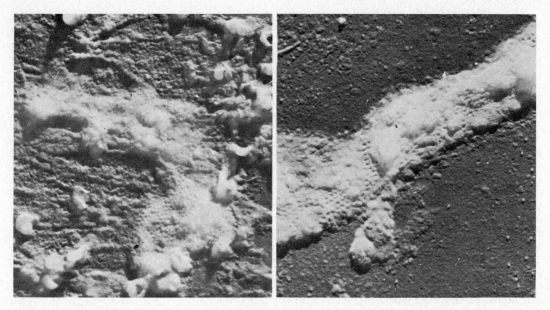

FIG. 3-6. Micrografías electrónicas de preparaciones de *E. coli* lisado con un colifago (iluminación oblicua). La micrografía de la izquierda muestra el protoplasma filamentoso; puede verse cierta estructura en los filamentos, inmediatamente por encima de la masa central; se forma una red en la masa inferior. Los fragmentos aislados opacos que proyectan sombras largas son fragmentos de membrana celular de la bacteria. × 15 000. A la derecha se ven los filamentos longitudinales entrelazados en un bacilo alargado que sufre lisis; nótese también la red oblicua de la esquina inferior izquierda. × 22 500. (Wyckoff.)

de una célula, digamos cuando existe un exceso de fago.

La lisogenia puede ser simulada por un estado portador en el cual coexisten fagos virulentos por bacterias resistentes a los fagos, y la multiplicación tiene lugar por infección y lisis de mutantes sensibles a los fagos, que se presentan de cuando en cuando en la población bacteriana. Los dos tipos de asociación pueden diferenciarse cultivando la bacteria en un medio que contenga suero antifago. En el estado portador, o el cultivo mixto, el fago está libre y es neutralizado por el anticuerpo, de modo que no puede infectar las células sensibles ocasionales, y al cabo de unas cuantas resiembras desaparece. En las cepas lisogénicas, el fago persiste dentro de las células bacterianas y es transmitido de una generación a otra durante la división celular; por lo tanto, las resiembras en medios que contienen anticuerpo no lo afectan.

El ejemplo clásico de bacteria lisogénica es una cepa de colibacilo, el coli Lisbonne, aislada en 1922 por Lisbonne y Carrere, que es huésped de un

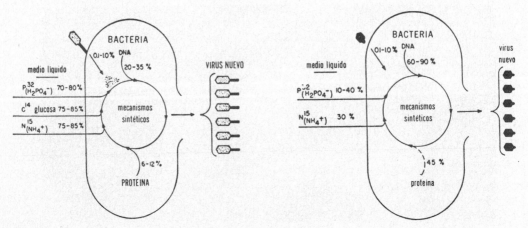

FIG. 3-7. Esquema del origen del fósforo, el carbono y el nitrógeno en la síntesis de substancia de colifago por la célula huésped. Las cifras en porcentaje representan las cantidades relativas que serán empleadas por el fago. *Izquierda*, Colifagos T_2, T_4, etc. *Derecha*, Colifago T_7. (Evans.)

fago del bacilo disentérico de Shiga. Cuando se estudian a fondo, muchas cepas de bacterias resultan lisogénicas, y es posible que la mayor parte de ellas estén infectadas por fagos.

La forma en la cual el virus persiste en la cepa lisogénica se llama provirus o profago, pero no se conoce su naturaleza. Al igual que el fago virulento en la fase de eclipse de la infección, no es posible demostrarlo en las bacterias lisogénicas rotas; pero hay datos para pensar que la persistencia del profago es algo más que una detención del proceso normal de síntesis y duplicación del fago. Generalmente se dice que el fago activo se reduce a profago, pero no se ha establecido qué se entendía por reducción.

Puede demostrarse la presencia de virus en células infectadas mediante el tratamiento con luz ultravioleta, rayos X y otras radiaciones ionizantes, mostaza nitrogenada (metil bis-[β-cloretil]-amina), peróxidos, etcétera. Muchas bacterias mueren, pues se requieren dosis elevadas, pero en las que sobreviven se inducen procesos de síntesis y formación de fago. Las bacterias se lisan en corto tiempo, tal vez en cosa de dos horas, liberándose fago activo.

Las relaciones mutuas entre fagos moderados y sus bacterias huéspedes son relativamente complejas. En general, una bacteria lisógena no puede ser destruida por la forma activa del fago que posee en su interior, y se dice que es "inmune", estado que recuerda la inmunidad contra la superinfección en enfermedades como la sífilis. Existen otras cuatro posibles relaciones; en la primera, hay inmunidad cruzada recíproca entre cepas parecidas de fagos. En la segunda, sensibilidad recíproca, o sea, la bacteria lisógena que posee un fago A puede ser superinfectada por un fago B y viceversa. En la tercera, encontramos predominio parcial de un fago sobre otro, y la cepa lisogénica infectada por un fago A es inmune a un fago B, en tanto que la cepa lisogénica infectada por B puede ser lisada, superinfectada o ambas cosas por A. Finalmente, puede haber predominio completo de un fago sobre otro, en el sentido de que durante la superinfección el primer fago es reemplazado por el segundo. En esta última relación, se habla de cepas incompatibles de fagos. Cuando existe la relación apropiada entre cepas de fagos, la lisogenia puede ser múltiple, y una cepa bacteriana lisogénica puede poseer varios fagos.

En las bacterias infectadas por fagos virulentos, todo el mecanismo directo de la célula huésped parece substituido por el del virus, y el sistema fisiológico de la célula se encuentra literalmente bajo nueva dirección. En el estado lisogénico, el mecanismo director de la célula huésped no es substituido sino asesorado, y la célula huésped sintetiza provirus además de constituyentes normales propios.

El cambio también puede incluir la síntesis de otras substancias, así como modificaciones ligeras del aparato genético de la bacteria. Por lo tanto, las características de la bacteria que suelen considerarse propiedades inherentes y biológicamente fundamentales de la célula pueden atribuirse ahora a la presencia de fago en estado lisogénico, o ser modificadas por él.

Estas modificaciones se traducen de distintas maneras. Por ejemplo, el bacilo diftérico se distingue de bacilos difteroides muy parecidos porque produce toxina diftérica. Sin embargo, se demostró que esta característica solo existía en bacilos diftéricos lisogénicos, y podía eliminarse suprimiendo el estado lisogénico, o inducirse en bacilos difteroides volviéndolos lisogénicos. Además, las características de las bacterias lisogénicas, bien sea que parezcan previas a la infección (digamos características bioquímicas o contenido de antígeno específico), bien sea adquiridas (por ejemplo, resistencia a los medicamentos), pueden transferirse a otra bacteria volviéndola lisogénica con fagos provenientes de la primera.[22] Este fenómeno de transducción, o herencia infectante, se estudia en el capítulo 6.

Duplicación de los virus de animales [17, 47, 61]

Al igual que los virus de bacteria, los de animales solo proliferan sobre una célula viva. Las células adecuadas para este fin se dividen en dos grupos generales: huevo de gallina embrionado y cultivos de tejido de células animales (epitelios o fibroblastos). Algunas células pueden conservarse indefinidamente por resiembras, igual que sucede con los cultivos bacterianos, mientras que otras mueren al cabo de unas cuantas resiembras.

En ambos casos, el substrato para el desarrollo está formado por células huéspedes de metabolismo activo, en las cuales se induce la síntesis de virus. El ciclo de desarrollo es más largo que en el caso de los virus de bacterias; en estos, puede durar 20 minutos, y rara vez requiere más de 90 minutos desde el inicio de la infección; en cambio, el ciclo de desarrollo de los virus de animales dura varias horas, por ejemplo cuatro como mínimo para el virus de la influenza, y siete para el del herpes simple, antes de que las células huéspedes liberen el primer virus completo.

Si bien es indispensable una célula viva para el estudio de los virus de animales, también es útil en el caso de bacterias patógenas y respuestas de la célula huésped. Puede producirse meningitis en el embrión de pollo con el meningococo; algunos de los primeros trabajos con agentes infecciosos en cultivos de tejido se ocuparon del desarrollo del bacilo tuberculoso en cultivos de macrófagos, y los tejidos cultivados pueden producir anticuerpos y mostrar reacciones de hipersensibilidad cuando proceden de animales inmunizados.

Cultivo en huevo. Las células del huevo embrionario (no solamente las del embrión propiamente dicho, sino también las de la membrana corioalantoidea, las que revisten la alantoides, y otras) pueden infectarse con agentes que no afectan al animal adul-

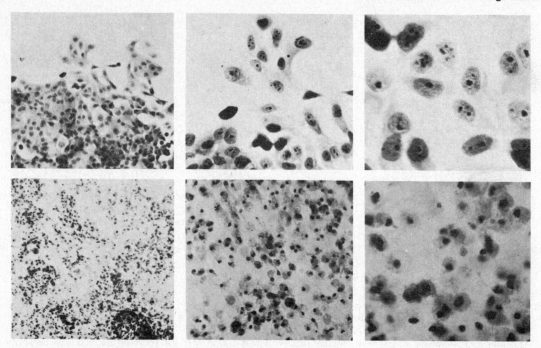

FIG. 3-8. Alteraciones citológicas producidas en cultivo de células HeLa por virus de polio tipo I. *Arriba*, Tejido no infectado, × 65, × 160, × 250 (de izquierda a derecha). *Abajo*, Cambios degenerativos al cabo de dos días, con las mismas amplificaciones. (Scherer, Syverton y Grey.)

to. Se trata de una manifestación del fenómeno general de aumento de resistencia o inmunidad natural que acompaña a la diferenciación tisular. Otra técnica consiste en extirpar el embrión y cultivar los virus en las células restantes, por ejemplo las de la cavidad alantoidea.

El desarrollo viral puede ser favorecido por ciertos tejidos y no por otros, o ciertas fases de diferenciación a exclusión de otras; por ejemplo, pueden obtenerse abundantes cultivos de rickettsias en la bolsa alantoidea del huevo de seis a ocho días, virus de la encefalomielitis equina en los tejidos de embriones de siete a nueve días y el saco vitelino del huevo de quince días, virus de la influenza en la cavidad alantoidea del huevo de diez a once días, y virus de la vacuna en la cavidad amniótica del huevo de ocho a nueve días (cuando la multiplicación de células huéspedes es suficiente para substituir a las que se destruyen) y sobre la membrana corioalantoidea del huevo de doce a catorce días.

Las alteraciones anatomopatológicas que se obtienen pueden parecerse más o menos a la infección en el huésped natural. Al cultivar virus de la viruela u otros parecidos sobre membrana corioalantoidea, aparecen en esta pústulas con proliferación celular focal, luego necrosis y ulceración e inclusiones citoplásmicas típicas. Cuando se inocula el embrión, resultan infectados los tejidos de origen endo y mesodérmicos, y hay erupciones sobre la piel. En la misma forma, al inocular el virus del herpes simple en la membrana corioalantoidea, hay necro-

sis del epitelio ectodérmico; luego, el virus infecta a las células mesodérmicas, y se encuentran inclusiones en las células endoteliales. Se produce encefalitis herpética en el embrión inoculado por vía intracerebral, en tanto que la inoculación en la cavidad amniótica da lugar a lesiones vesiculosas en piel y mucosa faríngea además de una infección general de las células del amnios. Por otro lado, el cultivo de rickettsias en saco amniótico, o de virus de la influenza en cavidad alantoidea, no producen alteraciones comparables a las de la infección natural, ni a la inducida en animales de experimentación.

Cultivo de tejidos.[67] Las células cultivadas para propagación de virus pueden ser explantes primarios, como en el caso de las células renales de mono, o líneas celulares establecidas que pueden propagarse indefinidamente, como cultivos bacterianos, y se conocen con denominaciones diversas como células L, células HeLa, y células KB. Los cultivos pueden ser en capa única, en los cuales algunos virus causan zonas discretas manifiestas de patología celular, denominadas placas, y que son similares a las colonias microbianas. Los llamados cultivos spinner, en los cuales las células están suspendidas, también son útiles. Se describen las técnicas fundamentales del cultivo de tejidos en detalle en otros lugares.[55]

Citopatogenia.[16] En general, aunque no siempre, la proliferación del virus se acompaña de cambios en las células huéspedes; es el efecto citopatogénico de los virus. Las distintas alteraciones observadas permiten separar los virus en grupos; algunos producen solamente degeneración celular; otros, degeneración celular más cuerpos de inclusión en las células degeneradas y, finalmente, los hay que dan lugar a células multinucleadas o masas sincitiales multinucleadas de protoplasma, junto con cambios degenerativos, con inclusiones o sin ellas.

El primer grupo comprende agentes como los virus de la polio, Coxsackie, de la glosopeda y de la enfermedad de Newcastle; el segundo grupo comprende los virus de enfermedades pustulosas (viruela del ratón o ectromelia infecciosa, vacuna, plaga de las gallinas y grupo psitacosis-linfogranuloma); el tercer grupo comprende virus como los de herpes simple, herpes zoster y varicela. Un cuarto grupo de virus, que se desarrolla en los cultivos de tejidos sin producir cambios notables en las células huéspedes, está formado por los virus de influenza, parotiditis, rabia, encefalitis de San Luis y fiebre amarilla.

Etapas del desarrollo. La réplica de virus animales en huevos o en cultivos de células se efectúa según el plan general antes descrito. La absorción inicial es específica probablemente afectando zonas receptoras en la célula huésped. La penetración se inicia muy pronto después de la absorción, y los virus animales difieren de los virus bacterianos, por cuanto el proceso incluye la pinocitosis, en la cual la célula desempeña papel activo.[11]

Aunque puede haber cierta alteración de la partícula del virus por el hecho de la fijación, el ácido nucleico viral es liberado de la nucleocápside solamente después que la partícula ha penetrado en la célula. Después del periodo de eclipse,[36] el virus maduro es liberado en forma más o menos continua, y pueden producirse ciclos sucesivos de réplica, dentro de la misma célula, ya que esta no es destruida después de un solo ciclo, como en la réplica del fago. En general, todo el proceso tiene lugar mucho más lentamente que en la réplica de virus bacterianos, y suele necesitar varias horas.

Los virus de animales difieren entre sí en detalles del proceso de réplica; en algunos casos, por ejemplo, la partícula de virus maduro se forma dentro de la célula huésped, en otros la integración parece completarse en la periferia de la célula, inmediatamente antes de ser liberado. Vamos a considerar el virus de la influenza, el herpesvirus, el poliovirus y los virus de la viruela y afines como ilustración.

Virus de la influenza.[24, 40, 51] La proliferación del virus de la influenza en las células endodérmicas que revisten la cavidad alantoidea del huevo de gallina embrionado es bastante fácil; al respecto, este es uno de los virus de animales mejor conocidos. Después de inocular el virus a la cavidad alantoidea de un embrión de diez a once días, el número de partículas virales que pueden encontrarse en el líquido amniótico disminuye según una función exponencial; desaparece alrededor de la mitad en poco más de una hora, al ser absorbido el virus sobre la célula huésped. Durante esta fase inicial, la infección de

las células puede ser impedida por RDE, o sea neuraminidasa, que destruye el receptor del glóbulo rojo durante la hemaglutinación por virus de la influenza; hay razones para pensar que la célula huésped y los receptores del glóbulo rojo sean similares. Después de la adsorción, las partículas virales entran en las células huéspedes, y el periodo de eclipse dura unas cuatro horas.

La primera prueba de multiplicación viral es la aparición a la mitad del periodo de eclipse de antígeno soluble, que puede reconocerse por prueba de fijación del complemento; no es infectante ni aglutinante. Al respecto, conviene notar que si se desintegra la partícula madura de virus agitando la suspensión celular con éter, se desdobla en antígeno soluble de fijación de complemento y hemaglutinina; esto hace pensar que el antígeno soluble es una fase intermedia en la síntesis del virus.

De tres a cuatro horas después de la inoculación, hay actividad hemaglutinante en extractos de membrana alantoidea, pero no infectividad; estos caracteres solo se vuelven cuantitativamente superiores a los que existían en el inóculo a las cuatro horas o más. La actividad hemaglutinante no significa poder de infección, y los virus infectantes se encuentran de cinco a seis horas después de la inoculación; pasan casi de inmediato al líquido alantoideo.

Los estudios morfológicos sobre selecciones ultradelgadas de membrana alantoidea, empleando el microscopio electrónico, han mostrado hasta ahora partículas virales maduras esféricas y estructuras filamentosas; pero no pudieron encontrarse cambios característicos en los núcleos o citoplasmas de las células huéspedes. Los filamentos son prolongaciones de la pared celular,[17] semejantes a las que se obtienen con cambios de presión osmótica. Tanto los filamentos como las esferas están formados por una membrana limitante y una capa difusa, y las esferas contienen un cuerpo central denso de unos 20 nm de diámetro. Las esferas aparecen en la superficie de la célula o en seguida por dentro, mediante unión del cuerpo interno, la capa externa y la membrana limitante.

La relación entre filamentos y esferas no se conoce bien. Algunos piensan que son distintos, pero otros dicen que los filamentos son hileras de esferas, o dan origen a dichas hileras. El filamento puede romperse con ácidos, después de lo cual las esferas son digeridas por la tripsina.[71]

De cualquier manera, las esferas (de 60 a 70 nm de diámetro) representan la forma madura, infectante, y hemaglutinante del virus. En cada ciclo de desarrollo se liberan de 40 a 60 de ellas. El ciclo se repite por infección y reinfección de las células que revisten la cavidad alantoidea, y se acumula el virus en el líquido amniótico, hasta que el sistema se agota en unas 48 horas.

Virus incompleto.[2, 44] En condiciones apropiadas, puede producirse virus de la influenza incompleto, o sea funcionalmente deficiente, en el sentido de que carece de poder infectante. Se obtienen par-

FIG. 3-9. Corte ultradelgado (iluminación lateral) de membrana corioalantoidea infectada por virus de influenza. Los filamentos que sobresalen de la membrana de las células se dividen en partículas esféricas. × 10 000. (Wyckoff.)

tículas virales deficientes cuando se inocula la cavidad alantoidea del huevo embrionado con grandísimas cantidades de virus, cuando el virus se cultiva en la cavidad alantoidea de huevos desembrionados, o cuando se cultivan en cerebro de ratón cepas no neurotrópicas (no adaptadas) del virus.

En el primer caso, el inóculo debe ser bastante grande (más de una unidad de hemaglutinación) para producir infección múltiple de las células alantoideas; la cavidad alantoidea está cubierta por 1×10^8 células, y una unidad hemaglutinante de virus contiene de 1×10^6 a 1×10^7 partículas virales. Tal vez la capacidad de síntesis de virus de la célula alantoidea sea limitada, y si se sobrepasa dicho límite la célula responda con síntesis incompleta, formando solo parte del virus. En el segundo caso, la supresión del embrión parece afectar las células alantoideas de modo que solo pueden llevar a cabo parte de la síntesis del virus. En el tercero, el virus no está adaptado al substrato de la célula huésped del sistema nervioso central, en el sentido de que estas células no son capaces de síntesis completa.

Los virus incompletos o deficientes difieren de los maduros en que, si bien aglutinan los glóbulos rojos y se adsorben específicamente sobre ellos, no solamente carecen de poder infectante (por lo que no pueden proliferar), sino que también son más pequeños con una constante de sedimentación de 500 S comparada con las 750 S del virus completo maduro. Distintos estudios muestran que el virus incompleto no es un producto de degradación, sino que su producción obedece a detención de los procesos de síntesis y unión de la partícula viral madura.

Virus del herpes simple.[58, 65] Los estudios del desarrollo de otros virus de animales han mostrado que se producían los mismos fenómenos (adsorción,

eclipse, ensamble y liberación del virus) con pequeñas variaciones. El virus del herpes simple tiene interés por la aparición de un exceso de DNA en los núcleos de las células infectadas y formación intranuclear del virus. El virus se adsorbe rápidamente sobre la membrana corioalantoidea del huevo embrionado (de 50 a 80 por 100 de las partículas virales lo hacen en 15 minutos) y el proceso suele ser casi completo al cabo de una hora. Es más lento (50 por 100 en una hora, y dos horas para adsorción completa) en cultivos de células HeLa.[31] El periodo latente va de seis a doce horas; luego, la población viral aumenta exponencialmente durante diez a veinte horas; pero puede demostrarse un exceso de DNA en los núcleos de las células infectadas a las seis horas a partir de la infección. En los núcleos, las partículas virales se presentan como ácido nucleico envuelto en una capa única de proteínas.

En otro lugar (tal vez en el citoplasma) se adquiere una segunda capa de proteínas antes de la liberación de virus.

Virus de la poliomielitis.[12, 32] Los virus de la polio obtenidos en riñón de mono y otros cultivos de tejido quedan completamente adsorbidos en dos horas en condiciones óptimas; el periodo de eclipse dura de tres a cuatro horas. Empieza a acumularse nuevo virus en la célula, y se ha dicho que subunidades proteínicas que aparecen en el citoplasma empiezan a unirse desde tres horas después de la infección, llevando a la producción ulterior de la partícula viral típica icosaédrica. Hay pruebas de que se sintetizan en forma independiente la proteína y el RNA,[25] pero no se sabe si la síntesis de este tiene lugar en el núcleo. Los experimentos de nueva combinación hacen pensar que la agregación de proteínas alrededor del RNA del virus tiende a ser indiscriminada; pero en general se conocen mal los procesos de síntesis de su substancia viral y maduración de la partícula vegetativa. Empieza la producción de virus completo a las cinco horas de la infección, y el fenómeno es relativamente rápido en el caso de la célula individual; pero la liberación es asincrónica y continúa en el cultivo durante las 18 a 24 horas que siguen a la infección.[14] Las células infectadas muestran alteraciones morfológicas notables en núcleo y citoplasma, tienden a desintegrarse durante la liberación del virus, y la célula muere en un solo ciclo de multiplicación viral.[1]

Virus de la viruela y afines.[6, 43] Los virus del grupo de la viruela se han estudiado con cierto detalle, y las morfologías observadas sugieren una sucesión ordenada de las formas que se producen durante la reproducción. A diferencia del virus de la influenza, que parece ser "armado" en la superficie de la célula o cerca de ella, para salir casi de inmediato al medio, algunos virus de la viruela por lo menos se forman en masas de protoplasma diferenciado en el interior de la célula, y el citoplasma de la célula huésped puede estar lleno de partículas virales maduras en las últimas etapas de la infección. Cuando las masas de protoplasma diferenciado son bastante densas, constituyen los cuerpos de inclusión típicos; cuando son menos densos (o sea, no hay todavía cuerpos de inclusión propiamente dichos), el protoplasma diferenciado forma una matriz en donde se desarrollan las partículas virales. El proceso ha sido estudiado en detalle

por Gaylord y Melnick,[49] por microscopia electrónica de secciones ultradelgadas de tejido infectado, montadas en metilacrilato, y trabajando con virus de vacuna, ectromelia infecciosa (viruela del ratón) y molusco contagioso (semejantes en cuanto a morfología de sus formas de desarrollo o maduras).

Durante la multiplicación activa, pueden verse diferentes partículas. Hay esferas huecas; esferas llenas de un material poco opaco a los electrones; formas esféricas u ovoides con un cuerpo pequeño redondo, o mayor y en forma de barra o de campana, muy opaco a los electrones; y finalmente, cuerpos ovoides de densidad uniforme respecto al haz de electrones, que representan el virus maduro. Puesto que las esferas huecas predominan al principio de la infección, y el material opaco a los electrones en la fase final, puede deducirse que las distintas partículas provienen una de otra en forma ordenada, y que las esferas huecas son una fase temprana del ciclo de desarrollo. El proceso parece ser el mismo cuando el virus se forma como cuerpo de inclusión o dentro de una matriz, aunque tal vez esté menos confinado en este último caso. Por ejemplo, se encuentran las mismas formas de desarrollo del virus de la vacuna en las células de la membrana corioalantoidea de los huevos de gallina embrionados, donde son raros los cuerpos de inclusión, y en las células de la córnea del conejo, donde los hay prácticamente siempre.

Acido nucleico infectante.[26, 52] Por la naturaleza del ciclo de multiplicación de los virus de bacterias, puede afirmarse que la entrada de ácido nucleico

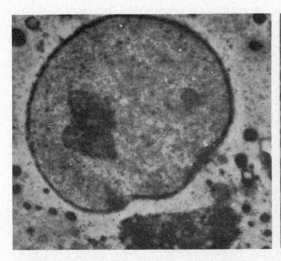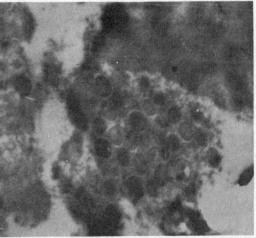

FIG. 3-10. Micrografías electrónicas de los cuerpos en desarrollo del virus de la vacuna. *Izquierda,* Infección inicial de una célula corioalantoidea del huevo embrionado, que muestra el núcleo de la célula, y por debajo de él la matriz de donde nacen las partículas virales. Los cuerpos de desarrollo en la matriz son pocos, y dan impresión de membranas "vacías"; en el citoplasma se encuentran partículas vitales maduras, opacas a los electrones, dispersas. $\times$ 4 000. *Derecha,* Diferenciación del virus en un cuerpo de inclusión en una célula de la córnea del conejo; nótese la transformación de parte de la inclusión en partículas virales, y el desarrollo de cuerpos virales en distintas fases de maduración. $\times$ 16 500. (Gaylord y Melnick.)

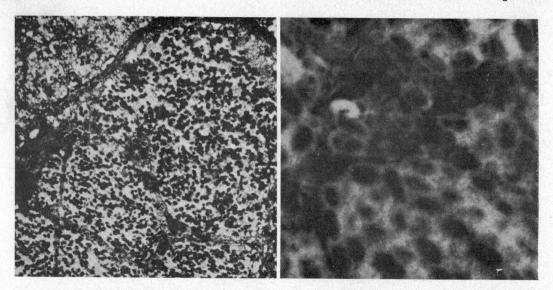

FIG. 3-11. Micrografías electrónicas del virus del molusco contagioso (infección natural). *Izquierda,* Célula llena de partículas virales maduras, aisladas en bolsitas por filamentos de substancia citoplásmica. El núcleo está desplazado hacia un lado, y el nucléolo es muy denso. × 8 000. *Derecha.* Partículas virales a gran aumento, que muestran todas las fases de desarrollo, desde los precursores del virus unidos en restos de citoplasma hasta partículas maduras muy densas, pasando por esferas con masas densas en forma de barras o de campana en el centro. × 26 000. (Gaylord y Melnick.)

viral en la célula huésped es una característica esencial que inicia la síntesis de virus por el huésped. Puede demostrarse una función correspondiente del RNA de muchos virus de animales, separando RNA del virus bajo forma de ácido nucleico infectante, que también puede infectar la célula huésped, y obligarla a sintetizar no solo el ácido nucleico, sino toda la partícula viral vegetativa. Gierer y Schramm describieron la extracción de RNA del virus del mosaico del tabaco con fenol al 50 por 100; luego, la técnica fue aplicada a distintos virus de animales, en su mayor parte pequeños virus neurotrópicos (polio, encefalomielitis equina, y algunos virus Coxsackie, ECHO, o de enfermedades transmitidas por artrópodos). El poder infectante de estas preparaciones se demuestra inoculando animales intactos, huevos embrionados, y una gama de cultivos de tejido; puede suprimirse con ribonucleasa. La infectividad es baja, generalmente del orden de 0.1 por 100 de la del preparado de virus de donde procede el ácido nucleico; pero puede aumentar empleando soluciones hipertónicas (más o menos 1 M) de cloruro de sodio y sacarosa, que estabilizan el poder infectante del ácido nucleico y facilitan su penetración a las células.

Algunas observaciones con preparados solubles de DNA obtenidos de virus de bacterias pueden tener el mismo significado. Las soluciones de la substancia viral obtenidas por lisis, choque osmótico y extracción en urea concentrada infectan los protoplastos de células huéspedes, que no pueden ser infectados por virus intactos. La actividad es probablemente la del DNA, sobre todo en el caso de las

preparaciones con urea; pero la presencia de proteína funcional no puede excluirse por completo.

Virus satélites.[28, 38] Los estudios de morfología viral mediante microscopio electrónico, a veces, según han señalado diversos observadores, muestran la presencia de pequeñas partículas de 20 a 30 nm, reunidas con partículas mayores del virus conocido. Tales pequeñas partículas se ha considerado que representan virus incompleto, o sea cápsides formadas incompletamente, restos celulares, etc. En 1963, Kassanis comprobó que el virus de la necrosis del tabaco, que mostraba heterogeneidad en el volumen de las partículas, de hecho está constituido por dos virus diferenciables, de los cuales el pequeño no podría reproducirse excepto en presencia del virus mayor. Este fenómeno desde entonces se ha observado con otros virus de las plantas, y de animales, incluyendo el virus del sarcoma de Rous, el virus del sarcoma de Maloney aislado del virus de leucemia murina de Maloney, y con cierto número de adenovirus de origen tanto humano como de simios. Los virus incapaces de réplica aisladamente se denominan virus satélites, y los virus con los cuales se asocian al reproducirse la réplica, como virus auxiliares. Los virus satélites que se descubren juntos con adenovirus auxiliares se denominan también virus adenoasociados.

Los virus satélites se consideran deficientes, en el sentido de que su ácido nucleico no está codificado, por ejemplo, en cuanto a proteína de la cápside, o se consideran defectuosos por cuanto la proteína de la cápside está formada pero es anormal y no puede reunirse para producir la partícula viral completa. En consecuencia, algunos de estos virus se ha comprobado que son inestables por cuanto son susceptibles de inactivación por nucleasas. Más recientemente se ha visto que la partícula viral individual de algunos virus adenoasociados contiene un genoma de una sola tira, en el cual cada partícula contiene una tira mayor o menor de DNA que, extraída de las partículas virales, se asocia para constituir una molécula de tira doble.[48, 60]

Los virus satélites no son artefactos de laboratorio; se han aislado de diversos huéspedes. Se considera que pueden originarse como mutantes deficientes o defectuosos. En un caso hay datos que sugieren que el virus satélite adenovirus SV40 (cepa de adenovirus de tipo 7 LL) es un híbrido entre los virus aparentemente disímiles adenovirus y virus de SV40 de simio. El poder patógeno de los virus satélite y auxiliar no está demostrado, pero ha tenido gran interés el comprobar que el fenómeno satélite hasta aquí se ha descubierto sobre todo en virus oncógenos. El fenómeno satélite presenta complicaciones potenciales en relación con una etiología específica única para diversas enfermedades virales.

Células y tejidos huéspedes.[20, 37, 59] Como vimos antes, la síntesis de virus por una célula huésped supone desviación del metabolismo normal por imposición de un nuevo mecanismo director. La comparación entre los procesos de síntesis viral y las síntesis normales del huésped tiene importancia teórica y práctica.[21, 30]

En general, la proliferación de los virus es un proceso aerobio obligado, que tiene lugar con más facilidad, y muchas veces exclusivamente, en las células huéspedes de metabolismo activo. Son pocas las pruebas manifiestas de infección, o sea, la respiración endógena no es alterada por la infección. Cuando el tejido carece de glucosa, la producción de virus aumenta añadiendo esta, y en menor grado piruvato o alanina. El buen funcionamiento del ciclo de Krebs parece ser fundamental, y la producción de virus es inhibida por substancia como el fluoroacetato.

Tiene gran interés que la infección viral puede persistir en cultivos de células huéspedes, que siguen multiplicándose, produciéndose un estado "de portador".[33, 50] Walker [74] ha distinguido cuatro tipos de cultivo de portador: *a*) aquellos en los cuales la mayor parte de células huéspedes son genéticamente resistentes y la infección viral persiste en células susceptibles, que están en minoría; *b*) aquellos en los cuales las células huéspedes son sensibles a la infección, pero factores antivirales del medio limitan la transferencia de célula a célula; *c*) aquellos en los cuales las células huéspedes son sensibles a la infección viral, pero factores interferentes producidos en el cultivo celular hacen que la mayor parte sean temporalmente refractarias; y *d*) aquellos en los cuales las células huéspedes están infectadas, pero no son destruidas, persistiendo la infección a través de las divisiones celulares. Tales relaciones entre células y virus no son mutuamente exclusivas, y puede haber más de un tipo simultáneamente, o pueden observarse tales relaciones sucesivamente; también son posibles ambos fenómenos a un mismo tiempo.

Citotropismo. Es muy específico de cada virus la variedad de célula o de tejido donde puede desarrollarse, o sea, que le suministran un substrato apropiado. Al hablar del cultivo de virus en huevos embrionados, se ha dicho que algunos virus se desarrollan en ciertos tejidos y no en otros. La combinación de diferenciación celular en animales superiores y desarrollo intracelular obligado de los virus constituye la base de la predilección celular de los virus (citotropismo). Esta no es una característica única de estos agentes, pues ciertas bacterias patógenas también pueden mostrar una afinidad semejante para algunos tejidos (infección preferente del sistema nervioso central por el meningococo, o predilección de los bacilos tíficos o sus congéneres para la médula ósea, poder infectante relativamente bajo del vibrión colérico después de inoculación parenteral); estos fenómenos se conocen como localización o localización preferente, y no citotropismo.

Los virus pueden dividirse bajo este punto de vista en distintos grupos: neurotrópicos, neumotrópicos, dermotrópicos y viscerotrópicos. El grupo neurotrópico incluye agentes como los virus de la encefalitis, que producen fundamentalmente enfermedad del sistema nervioso central; el grupo dermotrópico corresponde a los virus de la viruela y afines; el grupo viscerotrópico tiene en el virus de la fiebre amarilla un buen representante; en el grupo neumotrópico encontramos los virus de la influenza, la neumonitis, etc.

El citotropismo es muy pronunciado en virología, sobre todo porque estos parásitos dependen por completo de las células huéspedes para reproducirse, y también porque los síntomas de la enfermedad que producen provienen en gran parte de la patología en algunos tipos de tejidos y no en otros. Sin embargo, se considera menos importante que antes, porque puede cambiar y porque los tejidos infectados por virus pueden no mostrar cambios patológicos ni dar origen a síntomas de enfermedad. Por ejemplo, vemos que el virus natural viscerotrópico de la fiebre amarilla, el virus de la vacuna, dermotrópico, y el virus de la influenza, neumotrópico, pueden volverse neurotrópicos por cultivos en cerebro de ratón, etc. En segundo lugar, se ha visto cada día más que la patogenia de algunas enfermedades virales cuando menos suponía multiplicación en tejidos distintos de los responsables de las manifestaciones de la enfermedad; por ejemplo, los virus de la polio se multiplican en el tubo digestivo sin producir alteraciones histológicas, y llegan al sistema nervioso central por difusión hematógena.

El citotropismo sigue siendo una característica fundamental de los virus porque es consecuencia de su capacidad de multiplicarse más fácilmente en una variedad de célula que en otra; pero esta característica no es fija.

Infecciones múltiples e interferencia

En vista de la multiplicación intracelular obligada de los virus, surge la interesante pregunta de si pueden causar infecciones múltiples o no. Aunque no se conozca lo bastante el tema complejo de las relaciones mutuas entre los virus y la célula huésped, es evidente que habrá tales infecciones múltiples, o no, según el virus estudiado y las circunstancias de la infección.

Infecciones múltiples. Pueden presentarse dos variedades de infecciones múltiples; la primera, infección múltiple de un animal, no corresponde a nuestro estudio, pues quedan afectados tejidos y células diferentes. La otra variedad de infección múltiple es aquella en que la misma célula huésped es infectada simultáneamente por más de un virus, y permite el desarrollo independiente de todos ellos, a la vez que prosigue con sus propias actividades metabólicas hasta cierto grado. Ya hemos descrito una infección múltiple de este tipo, la de una bacteria lisogénica por virus moderados. Entre los demás virus, el fenómeno puede presentarse con algunas combinaciones de ellos y no con otras. Uno de los mejores ejemplos es la infección simultánea de la célula de la córnea del conejo con virus de la vacuna y del herpes simple, en cuyo caso pueden encontrarse en la misma célula las inclusiones intranucleares características del herpes, y los cuerpos de inclusión citoplásmicos de la vacuna. Cuando los virus no presentan relación mutua, como en este caso, las infecciones se desarrollan independientemente en el sentido de que un virus no actúa sobre otro.

Cuando se produce, por exposición simultánea de la célula huésped, una infección múltiple con virus parecidos, digamos los colifagos T_2, T_4, etc., o las variantes del virus de la influenza, durante el curso de la infección mixta que se obtiene, puede haber interacción entre los virus, con combinación de características y aparición de descendientes híbridos.

Interferencia.[34, 73, 77] Hay interferencia entre virus cuando una segunda infección no puede superponerse a una infección existente, o cuando un virus infecta la célula (se multiplica) y excluye al segundo. En el primer caso, es necesario establecer la infección con el primer virus por inoculación previa, y dejar pasar un periodo equivalente cuando menos a la mitad de un ciclo de desarrollo antes de infectar con el segundo. Por ejemplo, si bien pueden producirse infecciones mixtas con colifagos T_2, T_4, etc., por inoculación simultánea en la forma antes indicada, no es posible infectar la célula con el segundo fago si la infección con el primero se hace con anterioridad; lo mismo puede decirse de las cepas del virus de la influenza inoculadas en la cavidad alantoidea del huevo embrionado. En la misma forma son incompatibles los virus de la parotiditis y la influenza, pues la infección con el uno no puede superponerse a una infección existente con el otro.

En el segundo caso, cuando los virus de interferencia se inoculan en grandes cantidades, inhiben notablemente el desarrollo del otro virus; se produce una protección completa, al parecer, o una infección abortada. Por ejemplo, la inoculación intracerebral de virus de la influenza no adaptado al ratón, y que solo puede llevar a cabo un ciclo de multiplicación en este tejido, da un elevado grado de protección contra el virus virulento de la encefalomielitis equina occidental inoculada por la misma vía; esta inmunidad dura una semana, y la sensibilidad normal solo se alcanza al cabo de tres semanas. En la misma forma, en condiciones experimentales diferentes, la infección de la rata con el mismo virus por vía intranasal es inhibida por los virus de la encefalitis de San Luis o de la encefalitis B japonesa administrados por la misma vía, y la mortalidad se reduce de 100 a 5 por 100. El segundo tipo de experimentos demuestra que la interferencia rara vez tiene eficacia total, y que debe haber cierta multiplicación del segundo virus. No se sabe si este fenómeno se debe a que unas cuantas células huéspedes escaparon a la primera inoculación y recibieron la segunda, o si tiene lugar infección múltiple en un pequeño número de células.

La interferencia no tiene relación con la fase inicial de adsorción de la infección, ni puede lograrse con componentes solubles de los virus; es consecuencia de la relación entre la partícula viral y la célula huésped después de modificados los mecanismos de síntesis de esta.

Tipos de interferencia. Las relaciones de interferencia pueden ser recíprocas, en el sentido de que cualquiera de los dos virus impida la superinfección con el otro. La interferencia también puede tener lugar en una dirección solamente: uno de los virus puede ser incapaz de superinfección, pero el otro conserva su poder infectante a pesar de infección previa con el primero. Naturalmente, existe un tercer tipo de relación, el de la falta de interferencia, que tiene por resultado el desarrollo de infecciones múltiples del tipo descrito anteriormente. No parece haber mucha correspondencia entre los tipos de interferencia, o su falta, y las demás características de los virus; en este sentido la interferencia es inespecífica.

Autointerferencia. Los virus atenuados o inactivados pueden producir efectos de interferencia en sistemas heterólogos; en otras palabras, contra diversos virus, y además inhiben la multiplicación del virus activo homólogo correspondiente. Ya se dijo que puede presentarse infección mixta de las células alantoideas del huevo embrionado cuando se inocula la cavidad alantoidea con distintas cepas de virus de la influenza. Como en el caso de los colifagos T-pares, cuando se ha establecido infección por una cepa, no puede lograrse con la segunda. La "inmunidad" de las bacterias lisógenas a la lisis por el mismo fago en forma activa tal vez sea un fenómeno análogo, interfiriendo el provirus con la síntesis de virus activo. Otro fenómeno semejante de interferencia es la protección del zorro contra la infección con virus virulento del moquillo, mediante la inoculación, bien sea simultánea o al principio de la fase de incubación, de grandes cantidades de virus adaptado al hurón.

Cuando se emplea virus inactivado para lograr la interferencia, la forma de inactivación tiene cierta importancia. La inactivación del virus de la influenza con formaldehido suprime la propiedad de interferencia; la inactivación por calor da resultados variables, y por ultravioletas da preparados de eficacia uniformes en cuanto a interferencia. En el caso del virus de la influenza, el virus incompleto también impide la infección subsiguiente con virus completo activo.

Virus enmascarado. También puede presentarse autointerferencia empleando mezclas de virus activo e inactivo para lograr la infección, siempre y cuando exista exceso considerable (1 000 veces o más) de virus inactivo, y la concentración sea bastante alta. Se pueden combinar virus activos e inactivos por mezcla mecánica, inactivación parcial, intencional o no, o cuando se forma una cantidad relativamente alta de virus incompleto. Al inocular un cultivo de tejido o animales sensibles con una mezcla de este tipo, hay pocos signos de la presencia de virus activo, o ninguno, por efecto de interferencia del virus inactivo; se dice que la actividad vírica se encuentra enmascarada.

Este enmascaramiento puede presentarse cuando el virus con el cual se inocula ha sido almacenado durante mucho tiempo, o en condiciones que inactivan la mayor parte de las partículas. Asimismo, este efecto vuelve muy difícil la titulación exacta del punto final de la destrucción del virus, pero en ambos casos una simple dilución del inóculo permite demostrar la presencia del virus activo (si queda bastante para que pueda hacerse dicha dilución).

En los animales infectados con algunos virus, en especial de tumores, la actividad puede tender a desaparecer por pasos sucesivos en animales (injertos de tejido infectado); se habla otra vez de enmascaramiento de la actividad. Es posible que este enmascaramiento sea producido en parte por la existencia del virus inactivo; pero también son importantes otros factores, como la presencia simultánea de anticuerpo.

Naturaleza de la interferencia. Parece claro que la interferencia de virus es un fenómeno celular. Una de las teorías más atrayentes al respecto habla de inhibición competitiva por ácidos nucleicos virales incompatibles; pero esta teoría no explica por completo los fenómenos de interferencia producidos por virus inactivado.

FISIOLOGIA COMPARADA DEL DESARROLLO

Las capacidades fisiológicas de los microorganismos son una imagen en espejo de sus necesidades de desarrollo, en el sentido de que la síntesis de substancia celular a partir de compuestos inorgánicos u orgánicos simples es un proceso más complejo que cuando se parte de precursores más directos de los constituyentes del protoplasma. En conjunto, los microorganismos forman series continuas, desde las variedades autotróficas (que viven en un medio inorgánico, obteniendo energía de la oxidación de substratos inorgánicos por un proceso de fotosíntesis, y asimilan nitrógeno, carbono, etc., de fuentes inorgánicas) hasta los parásitos intracelulares obligados (prácticamente incapaces de actividad fisiológica independiente) nos ocuparemos en detalle de los procesos de respiración, síntesis y asimilación.

En el sentido estricto de la palabra, los únicos microorganismos no parásitos son los autotróficos, pues no dependen de ninguna manera de otros organismos vivos. Empiezan a aparecer limitaciones fisiológicas en las formas heterotróficas, cuyas necesidades características de substratos orgánicos para el desarrollo se manifiestan primero como requerimiento de carbono orgánico, a la vez fuente de energía (por oxidación) e intermediario para la síntesis de substancia celular. Entre las variedades más exigentes de microorganismos, las necesidades para el desarrollo se vuelven más específicas, y deben suministratrse en forma ya elaborada; ciertas estructuras moleculares como las representadas por ácidos aminados y fragmentos de enzimas o precursores de las mismas; pero el microorganismo todavía tiene independencia fisiológica por constituir un sistema fisiológico completo.

Finalmente, los parásitos intracelulares obligados forman un grupo aparte, pues no constituyen sistemas fisiológicos completos, sino que dependen de las síntesis de las células huéspedes vivas para su reproducción. El que la falta de actividad metabólica independiente se encuentre en las formas de menor tamaño no es simple coincidencia. Literalmente, no hay sitio en la pequeña partícula viral para el número (desconocido pero ciertamente considerable) de moléculas que requieren una unidad fisiológica independiente.

Puesto que el desarrollo es la duplicación de la unidad individual, y que un proceso de este tipo tiene que ser dirigido para que se conserve la individualidad, los microorganismos de diversas capacidades fisiológicas se vuelven iguales sobre este terreno. El mecanismo genético que dirige o controla la síntesis se encuentra en los compuestos de ácido nucleico y pentosa; la forma desoxi (DNA) existe en bacterias y algunos virus, y la forma RNA en otros virus.

Los mecanismos de réplica de DNA in situ por polimerasas de RNA y la dirección del proceso de síntesis proteínica por mediación de los diversos tipos de RNA y los ribosomas están ya perfectamente aclarados. En las bacterias, los mecanismos de respiración y síntesis del organismo completo existen en cada célula, pero estos virus solo contienen el aparato director, incluido en la cápside, pero activo en estado libre como ácido nucleico infeccioso, y parasitan la célula huésped en relación con las reacciones productoras de mucha energía y las funciones sintéticas de los ribosomas (capítulo 2). Por lo tanto, las diferencias entre los microorganismos serían más cuantitativas que cualitativas.

El desarrollo de los microorganismos puede considerarse principalmente como una manifestación de la duplicación del ácido nucleico de pentosa, más o menos complicada por las reacciones colaterales de síntesis del resto de la unidad. Este enfoque no solamente plantea en un terreno común la multiplicación de los diversos microorganismos, sino que también suministra una hipótesis de trabajo para interpretar la manera en que pueden alterarse los mecanismos hereditarios de estas unidades vivas.[69]

BIBLIOGRAFIA

1. Bablanian, R., H. J. Eggers, and I. Tamm. 1965. Studies on the mechanism of poliovirus-induced cell damage. I. The relation between poliovirus-induced metabolic and morphological alterations in cultured cells. II. The relation between poliovirus growth and virus-induced morphological changes in cells. Virology **26**:100–113, 114–121.
2. Barry, R. D. 1961. The multiplication of influenza virus. I. The formation of incomplete virus. Virology **14**:389–397.
3. Bertani, G. 1958. Lysogeny. Adv. Virus Res. **5**:151–193.
4. Bonhoeffer, F., and W. Messer. 1969. Replication of the bacterial chromosome. Ann. Rev. Genet. **3**:233–246.
5. Brock, T. D. 1971. Microbial growth rates in nature. Bacteriol. Rev. **35**:39–58.
6. Cairns, J. 1960. The initiation of vaccinia infections. Virology **11**:603–623.
7. Calendar, R. 1970. The regulation of phage development. Ann. Rev. Microbiol. **24**:241–296.
8. Cameron, I. L., and G. M. Padilla (Eds.). 1966. Cell Synchrony. Studies in Biosynthetic Regulation. Academic Press, New York.
9. Champe, W. P. 1963. Bacteriophage reproduction. Ann. Rev. Microbiol. **17**:87–114.
10. Chatterjee, B. R., and R. P. Williams. 1962. Cytological changes in aging bacterial cultures. J. Bacteriol. **84**:340–344.
11. Dales, S. 1965. Penetration of animal viruses into cells. Prog. Med. Virol. **7**:1–43.
12. Darnell, J. E., Jr., and H. Eagle. 1960. The biosynthesis of poliovirus in cell cultures. Adv. Virus Res. **7**:1–26.
13. Duckworth, D. H. 1970. Biological activity of bacteriophage ghosts and "take-over" of host cell functions by bacteriophage. Bacteriol. Rev. **34**:344–363.
14. Dunnebacke, T. H., and R. C. Williams. 1962. The maturation and release of infectious polio and Coxsackie viruses in individual tissue cultured cells. Arch. ges. Virusforsch. **11**:583–591.
15. Eagon, R. G. 1962. *Pseudomonas natriegens,* a marine bacterium with a generation time of less than 10 minutes. J. Bacteriol. **83**:736–737.
16. Enders, J. F. 1954. Cytopathology of virus infections (particular reference to tissue culture studies). Ann. Rev. Microbiol. **8**:473–502.
17. Eriksen, R. L. 1968. Replication of RNA viruses. Ann. Rev. Microbiol. **22**:305–322.
18. Evans, E. A., Jr. 1954. Bacterial viruses. With particular reference to the synthesis of. Ann. Rev. Microbiol. **8**:237–256.
19. Gale, E. F. 1959. Synthesis and Organization in the Bacterial Cell. John Wiley & Sons, New York.
20. Ginsberg, H. S. 1961. Biological and biochemical basis for cell injury by animal viruses. Fed. Proc. **20**:656–660.
21. Green, M. 1966. Biosynthetic modifications induced by DNA animal viruses. Ann. Rev. Microbiol. **20**:189–222.
22. Groman, N. B. 1961. Phage-host relationships in some genera of medical significance. Ann. Rev. Microbiol. **15**:153–176.
23. Helmstetter, C. E. 1969. Sequence of bacterial reproduction. Ann. Rev. Microbiol. **23**:223–238.
24. Henle, W. 1953. Multiplication of influenza virus in the entodermal cells of the allantois of the chick embryo. Adv. Virus Res. **1**:142–228.
25. Henry, C., and J. S. Youngner. 1963. Studies on the structure and replication of the nucleic acid of poliovirus. Virology **21**:162–173.
26. Herriott, R. M. 1969. Implications of infectious nucleic acids in disease. Prog. Med. Virol. **11**:1–15.
27. Hinshelwood, C., and A. C. R. Dean. 1967. Growth, Function and Regulation in Bacterial Cells. Oxford University Press, New York.
28. Hoggan, M. D. 1970. Adenovirus associated viruses. Prog. Med. Virol. **12**:211–239.
29. Hohn, R., and B. Hohn. 1970. Structure and assembly of simple RNA bacteriophages. Adv. Virus Res. **16**:43–98.
30. Holland, J. J. 1964. Enterovirus entrance into specific host cells, and subsequent alterations of cell protein and nucleic acid synthesis. Bacteriol. Rev. **28**:3–13.
31. Holmes, I. H., and D. H. Watson. 1963. An electron microscope study of the attachment and penetration of herpes virus in BHK21 cells. Virology **21**:112–123.
32. Howes, D. W. 1959. The growth cycle of poliovirus in cultured cells. II. Maturation and release of virus in suspended cell populations. Virology **9**:96–109.
33. Hsiung, G. D. 1968. Latent virus infections in primate tissues with special reference to simian viruses. Bacteriol. Rev. **32**:185–205.
34. Isaacs, A. 1959. Viral interference. Symp. Soc. Gen. Microbiol. **9**:102–121.
35. Jesaitis, M. A., and W. F. Goebel. 1955. Lysis of T-4 by the specific lipocarbohydrate of phase II *Shigella sonnei.* J. Exp. Med. **102**:733–752.
36. Joklik, W. K. 1965. The molecular basis of the viral eclipse phase. Prog. Med. Virol. **7**:44–96.
37. Kaplan, A. S., and T. Ben-Porat. 1968. Metabolism of animal cells infected with nuclear DNA viruses. Ann. Rev. Microbiol. **22**:427–450.
38. Kassanis, B. 1968. Satellitism and related phenomena in plant and animal viruses. Adv. Virus Res. **13**:147–180.
39. Kellenberger, E. 1961. Vegetative bacteriophage and the maturation of the virus particle. Adv. Virus Res. **8**:1–61.
40. Kingsbury, D. W. 1970. Replication and functions of Myxovirus ribonucleic acids. Prog. Med. Virol. **12**:49–77.
41. Laland, S. G., and L. O. Fröholm (Eds.). 1968. The Biochemistry of Virus Replication. Academic Press, New York.
42. Levintow, L. 1965. The biochemistry of virus replication. Ann. Rev. Biochem. **34**:487–526.
43. Loh, P. C., and J. L. Riggs. 1961. Demonstration of the sequential development of vaccinial antigens and virus in infected cells: observations with cytochemical and differential fluorescent procedures. J. Exp. Med. **114**:149–160.
44. Magnus, P. von. 1954. Incomplete forms of influenza virus. Adv. Virus Res. **2**:59–80.
45. Malek, I., K. Beran, and J. Hospodka (Eds.). 1964. Continuous Cultivation of Microorganisms. Academic Press, New York.
46. Malek, I., and Z. Fencl (Eds.). 1966. Theoretical and Methodological Basis of Continuous Culture of Microorganisms. Academic Press, New York.
47. Martin, E. M. 1967. Replication of small RNA viruses. Brit. Med. Bull. **23**:192–197.
48. Mayor, H. D., *et al.* 1969. Plus and minus single-stranded DNA separately encapsidated in adeno-associated satellite virions. Science **166**:1280–1282.
49. Melnick, J. L., *et al.* 1952. Electron microscopy of viruses of human papilloma, molluscum contagiosum, and vaccinia, including observations of the formation of virus within the cell. Ann. N.Y. Acad. Sci. **54**:1214–1225.

50. Melnick, J. L., *et al.* 1965. Recent developments in hidden virus infections. Perspect. Virol. **4**:72–112.
51. Nayak, D. P. 1969. Influenza virus: structure, replication and defectiveness. Fed. Proc. **28**:1858–1866.
52. Pagano, J. S. 1970. Biologic activity of isolated viral nucleic acids. Prog. Med. Virol. **12**:1–48.
53. Painter, P. R., and A. G. Marr. 1968. Mathematics of microbial populations. Ann. Rev. Microbiol. **22**:519–548.
54. Puck, T. T., and L. J. Tolmach. 1954. The mechanism of virus attachment to host cells. IV. Physiochemical studies on virus and cell surface groups. Arch. Biochem. Biophys. **51**:229–245.
55. Rapp, F., and J. L. Melnick. 1964. Application of tissue culture methods in the virus laboratory. Prog. Med. Virol. **6**:268–317.
56. Roberts, R. B., K. McQuillen, and I. Z. Roberts. 1959. Biosynthetic aspects of metabolism. Ann. Rev. Microbiol. **13**:1–48.
57. Rogers, H. J. 1970. Bacterial growth and the cell envelope. Bacteriol. Rev. **34**:194–214.
58. Roizman, B., S. B. Spring, and J. Schwartz. 1969. The herpes-virion and its precursors made in productively and in abortively infected cells. Fed. Proc. **28**:1890–1898.
59. Rose, H. M., and C. Morgan. 1960. Fine structure of virus-infected cells. Ann. Rev. Microbiol. **14**:217–240.
60. Rose, J. A., *et al.* 1969. Evidence for a single stranded adenovirus associated virus genome: formation of a density hybrid on release of viral DNA. Proc. Nat. Acad. Sci. **64**:863–869.
61. Sanders, F. K. 1967. In-vitro studies of viral multiplication and pathogenesis. Brit. Med. Bull. **23**:175–177.
62. Senez, J. C. 1962. Some considerations on the energetics of bacterial growth. Bacteriol. Rev. **26**:95–107.
63. Signer, E. R. 1968. Lysogeny: the integration problem. Ann. Rev. Microbiol. **22**:451–488.
64. Sinclair, N. A., and J. L. Stokes. 1962. Factors which control maximal growth of bacteria. J. Bacteriol. **83**:1147–1154.
65. Smith, K. O. 1963. Physical and biological observations on herpesvirus. J. Bacteriol. **86**:999–1009.
66. Stavis, R. L., and J. T. August. 1970. The biochemistry of RNA bacteriophage replication. Ann. Rev. Biochem. **39**:527–560.
67. Swim, H. E. 1959. Ann. Rev. Microbiol. **13**:141–176.
68. Symposium. 1966. Symposium on replication of viral nucleic acids. Bacteriol. Rev. **30**:267–308.
69. Symposium. 1969. Replication of DNA in microorganisms. Cold Spring Harbor Symposia, Vol. 33.
70. Uden, N. van. 1969. Ann. Rev. Microbiol. **23**:473–486.
71. Valentine, R. C., and A. Isaacs. 1957. The structure of influenza virus filaments and spheres. J. Gen. Microbiol. **16**:195–204.
72. Valentine, R. C., R. Ward, and M. Strand. 1969. The replication cycle of RNA bacteriophages. Adv. Virus Res. **15**:2–60.
73. Wagner, R. R. 1960. Viral interference. Some considerations of basic mechanisms and their potential relationship to host resistance. Bacteriol. Rev. **24**:151–176.
74. Walker, D. L. 1964. The viral carrier state in animal cell cultures. Prog. Med. Virol. **6**:111–148.
75. Weidel, W. 1958. Bacterial viruses: with particular reference to absorption/penetration. Ann. Rev. Microbiol. **12**:27–48.
76. Weidel, W., and E. Kellenberger. 1955. The *E. coli* B-receptor for phage T5. II. Electron microscopic studies. Biochim. Biophys. Acta **17**:1–9.
77. Wheelock, E. F., R. P. Bryce Larke, and N. L. Caroline. 1968. Interference in human viral infections: present status and prospects for the future. Prog. Med. Virol. **10**:286–347.

CAPITULO 4

METABOLISMO BACTERIANO

Dr. M. J. Wolin

Las funciones básicas de la célula microbiana pueden ilustrarse con *Salmonella typhimurium,* bacilo móvil que sintetiza substancia celular, se divide y se mueve y desplaza cuando circula en un medio que contiene glucosa, sales inorgánicas de amonio, fosfato y sulfato, con oligoelementos (Mg, Mn, Fe, Co, Zn, Cu, Mo).

La glucosa es su fuente de carbono y de energía. Hay un número elevadísimo, de dos a tres mil enzimas, en la célula que transforma la glucosa en piedras de construcción; luego se utilizan estos precursores para construir las macromoléculas fundamentales de las cuales están compuestas todas las células: proteínas, ácidos nucleicos, carbohidratos y lípidos. Como la mayor parte de las macromoléculas contienen nitrógeno, fósforo y azufre, estos elementos se unen a la estructura carbonada correspondiente usada para la síntesis de macromoléculas particulares. La síntesis y el movimiento requieren energía, proporcionada por transformaciones enzimáticas especiales de la glucosa.

Las bacterias, en conjunto, utilizan un número enormemente elevado de fuentes de energía. Algunas la captan de la luz, otras de productos químicos orgánicos e inorgánicos. Por fortuna, hay algunas reglas fundamentales para el proceso de transformación de energía, desde la fuente a una forma química que puede ser utilizada para los procesos celulares que requieren energía. Además, se ha comprobado que todas las vías de generación energética terminan en adenosintrifosfato (ATP) y nucleótidos reducidos de piridina (PNH), la moneda de energía química en las células, y todas las vías de utilización energética provienen de ATP y PNH. El ATP participa en reacciones biosintéticas reaccionando con precursores para dar productos intermedios que forman los nuevos enlaces de carbono-carbono y carbono-nitrógeno de las piedras de construcción. PNH, o sea el dinucleótido reducido de nicotinamida y adenina (NADH), o el fosfato del dinucleótido reducido de nicotinamida y adenina (NADPH), es una fuente de electrones para las muchas reacciones biosintéticas que requieren un agente reductor.

El modus operante para utilizar ATP y PNH en el mundo microbiano no es universal, pero no es tan diverso como las vías de producción de ATP y PNH. El ATP y PNH se caracterizan para formar piedras de construcción, precursores de macromoléculas; hay mucha diversidad en la formación de precursores según las bacterias. *Sal. typhimurium* sintetiza el esqueleto carbonado de la histidina a partir de la glucosa, pero especies de Chromatium obtienen energía de la luz, y todos sus compuestos carbonados son sintetizados a partir del bióxido de carbono. Evidentemente, hay diferencias en la progresión que siguen estos dos microorganismos desde la fuente de carbono hasta la histidina.

Mientras los gérmenes divergen en sus mecanismos de formación de ATP y PNH, y en mecanismos de formación de piedras de construcción, hay mucha uniformidad en la utilización de ATP y de piedras de construcción para sintetizar macromoléculas celulares.

Energía[6, 8]

Fuentes de energía. Si una bacteria es capaz de utilizar la luz como fuente de energía, se denomina fototrófica.[16] Si puede emplear productos químicos como fuente de energía, se llama quimiotrófica. Los microorganismos quimiotróficos se dividen en dos categorías principales: quimiolitotróficos y quimioorganotróficos. Los quimiolitotróficos obtienen energía de compuestos inorgánicos,[15] y los quimio-organotróficos utilizan compuestos orgánicos como fuentes de energía. Un organismo determinado puede corresponder exclusivamente a una de estas categorías, o a las dos. *Streptococcus pyogenes* es completamente quimioorganotrófico; generalmente utiliza carbohidratos como fuentes de energía. *Rhodospirillum rubrum* crece como fototrófico, pero también puede crecer en la obscuridad como quimioor-

4–1.

Fuentes típicas de energía para formar microorganismos

Organismos	Fuentes de energía
1) Fototróficos	
Rhodospirillum rubrum	luz
Chromatium okenii	luz
2) Quimiotróficos	
a) Quimiolitotróficos	
Thiobacillus thiooxidans	$H_2S + 2 O_2 \rightarrow H_2SO_4$
Nitrosomonas europaea	$NH_3 + 1\frac{1}{2} O_2 \rightarrow HNO_2 + H_2O$
Methanobacterium ruminantium	$4 H_2 + CO_2 \rightarrow CH_4 + 2 H_2O$
b) Quimiorganotróficos	
Streptococcus faecalis	glucosa $\rightarrow$ 2 lactatos
Propionibacterium shermanii	$1\frac{1}{2}$ glucosa $\rightarrow$ 2 propionatos + acetato + CO_2
Clostridium tetanomorphum	2 glutamatos + 2 $H_2O \rightarrow$
	butirato + 2 acetatos + 2 CO_2 + 2 NH_3
Saccharomyces cerevisiae, and	glucosa + 6 $O_2 \rightarrow$ 6 CO_2 + 6 H_2O
Escherichia coli (aerobic)	
Methanomonas methanica	$CH_4 + 2 O_2 \rightarrow CO_2 + 2 H_2O$

ganotrófico. Algunas bacterias pueden crecer en forma quimiolitotrófica y quimioorganotrófica (ver cuadro 4-1 para reacciones típicas productoras de energía).

Las substancias inorgánicas para crecimiento quimiolitotrófico son compuestos ferrosos, compuestos sulfurados reducidos como sulfuros y tiosulfato, amoniaco y nitritos, e hidrógeno. Casi todos los compuestos orgánicos pueden servir como fuentes de energía para microorganismos. Unos cuantos compuestos orgánicos sintéticos, por ejemplo DDT y algunos detergentes son "moléculas recalcitrantes" o sea que no se desintegran biológicamente y persisten en la naturaleza. Algunas bacterias son bastante restrictivas en relación con la clase de compuesto orgánico utilizado como fuente de energía.

Str. Pyogenes es miembro de toda una familia de bacterias (las bacterias del ácido láctico, Lactobacillaceae) que obtienen principalmente energía fermentando carbohidratos. La familia incluye varios géneros: Streptococcus, Lactobacillus, Leuconostoc, Pediococcus, y Bifidobacterium. En contraste, una sola especie del género Pseudomonas, *Ps. multivorans*, es capaz de utilizar aminoácidos, ácidos grasos, carbohidratos y compuestos aromáticos (por ejemplo, ácido benzoico), como fuentes de energía. Se conocen bacterias que crecen sobre hidrocarburos —de los gases metano, etano y propano, hasta los hidrocarburos complejos que se encuentran en el petróleo.

Esta enorme capacidad para utilizar fuentes orgánicas de energía, da a los microorganismos su importante papel en la naturaleza para formar compuestos cíclicos con los elementos de cadenas alimenticias naturales. Un esquema simplificado de esta formación cíclica es el siguiente:

1) Carbono, nitrógeno, azufre, y fósforo inorgánicos son convertidos en material orgánico vegetal (fotosíntesis).
2) Material orgánico vegetal es convertido en material orgánico animal.
3) Material orgánico vegetal y animal es convertido en carbono, nitrógeno, azufre y fósforo inorgánico por microorganismos. El proceso de mineralización es principalmente un proceso que proporciona energía para los microorganismos.
4) Repetición de la etapa 1.

Fosfato rico en energía y ATP. El fósforo existe en todas las células en forma de macromoléculas (o sea ácidos nucleicos) y en moléculas pequeñas de peso intermedias en las vías de generación de energía y de biosíntesis. Los dos tipos más importantes de compuestos fosfóricos son ésteres de fosfato y anhídridos de fosfato. La diferencia entre estos dos grupos (*A* y *B*) queda indicada por el importante interproducto metabólico intermedio, el ácido 1,3-difosfoglicérico.

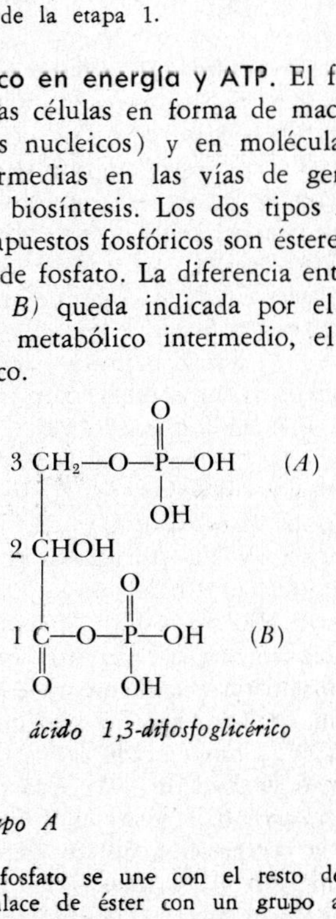

ácido 1,3-difosfoglicérico

Fosfato de grupo A

1) El grupo fosfato se une con el resto de la molécula por un enlace de éster con un grupo alcohólico primario.

2) Por analogía con compuestos orgánicos simples y familiares, esta unión puede compararse con el enlace estérico que une el etanol y el ácido acético en el acetato de etilo.

$$CH_3-CH_2-O-\overset{\overset{\displaystyle O}{\|}}{C}-CH_3$$

acetato de etilo

3) Como el acetato de etilo, el éster de fosfato no es hidrolizado fácilmente, y por hidrólisis libera poco calor (energía).
4) Por estos motivos, los ésteres de fosfatos orgánicos, como las sales inorgánicas de fosfatos, se dice que contienen enlaces fosfáticos de baja energía, que muchas veces se presentan con la notación taquigráfica R-P.

Fosfato del grupo B

1) El grupo fosfato está unido al resto de la molécula a través de un enlace de anhídrido a un grupo carboxilo.
2) Por analogía, este enlace puede compararse al enlace anhídrido entre dos moléculas de ácido acético en el anhídrido acético.

$$CH_3-\overset{\overset{\displaystyle O}{\|}}{C}-O-\overset{\overset{\displaystyle O}{\|}}{C}-CH_3$$

anhídrido acético

3) Como el anhídrido acético, este anhídrido de fosfato se hidroliza fácilmente y libera grandes cantidades de calor (energía) por hidrólisis.
4) Los anhídridos de fosfato orgánico se dice que contienen enlaces fosfáticos de alta energía, que se representan como R$\sim$P.

El ATP (ver cuadro 4-2 en la página siguiente) tiene otro fosfato de baja energía, unido en forma estérica al carbono 5 de la ribosa de la adenosina. Sin embargo, los dos fosfatos terminales están unidos entre sí y con el fosfato más interno por uniones de anhídrido ricas en energía entre grupos de ácido fosfórico. Una estrategia del metabolismo es la conversión de parte de la energía de una fuente en estos enlaces de fosfoanhídrido, que luego sirven como fuente de energía química para los procesos celulares que necesitan energía. Los enlaces de fosfoanhídrido se están fabricando y se están utilizando continuamente cuando la célula extrae energía de su ambiente para crecimiento y división.

Los productos inmediatos del uso de los enlaces ricos en energía son los compuestos pobres en energía adenosindifosfato (ADP, un $\sim$ P) y adenosinmonofosfato (AMP, sin $\sim$ P). Una célula que está empleando activamente energía para biosíntesis tendría una proporción relativamente pequeña de su fondo común de nucleótido de adenina en forma de ATP y ADP, y una elevada proporción de AMP, dado el rápido empleo de $\sim$ P. Cuando el empleo de energía se hace más lento en proporción de la producción, la composición del fondo común se invierte, aumentando las formas $\sim$ P (ADP, ATP) en concentración relativa. Una célula en el primer

estado tiene poca "carga energética", y en el último estado tiene una carga elevada. Algunas enzimas que intervienen en la generación de energía y en la biosíntesis se ha comprobado que están reguladas por la carga energética de la célula.[1] Un estado de carga energética baja pide más energía; esta situación estimula la generación de energía y disminuye su consumo. Luego ocurre a la inversa para una carga rica en energía. Oscilaciones de la carga energética operan gobernando, lo que ayuda a establecer el ritmo de producción energética según el ritmo de utilización.

Rendimiento del desarrollo.[14] La construcción de una nueva célula es un proceso cuantitativo. Tiene que generarse cierta cantidad ATP para formar una cantidad de fuente energética que permita la síntesis de una cantidad relativamente constante de macromoléculas que constituyen una célula. Es posible determinar experimentalmente la cantidad de fuente energética que tiene que emplearse para producir cierta cantidad de células nuevas. La estrategia del experimento estriba en crecer las células en un medio donde todos los nutrientes se hallan en exceso, excepto la fuente de energía. Entonces el crecimiento es proporcional a la cantidad de fuente energética proporcionada.

Streptococcus faecalis utiliza glucosa como fuente de energía y deja de crecer en un medio por lo demás completo cuando la glucosa se ha agotado. El peso seco de células producidas con cantidades variables de glucosa limitante puede medirse. Efectuando el experimento, se descubre una relación constante entre el peso seco de las células producidas y los moles de glucosa utilizados. El rendimiento molar del crecimiento, o sea el peso seco por mol de glucosa usada (abreviado $Y_{glucosa}$) se comprueba que es de 21.0 g/mol. Como el peso molecular de la glucosa es 180, esto significa que *Str. faecalis* necesita 180 g de glucosa para obtener la energía necesaria para formar 21 g de células nuevas.

Como muchas bacterias, por ejemplo *Salmonella typhimurium*, utilizan no solo glucosa como fuente de energía sino también como fuente principal de carbono, ¿cómo sabemos qué parte de la glucosa utilizada por *Str. faecalis* se empleó no para producir energía sino como precursor de macromoléculas celulares? *Str. faecalis* tiene una capacidad muy limitada de sintetizar las piedras de construcción precursoras de macromoléculas, especialmente aminoácidos, purinas y pirimidinas, y estas tienen que proporcionarse preformadas en el medio. Cuando se proporciona glucosa radiactiva (^{14}C) a *Str. faecalis* en un experimento de rendimiento de desarrollo, solo una cantidad mínima se incorpora a las células, en comparación con la cantidad utilizada para generar energía.

Casi toda la glucosa utilizada por *Str. faecalis* es convertida en ácido láctico. La fermentación es idéntica a la glucólisis muscular, y su energética es bien conocida. La ecuación global de fermentación es la siguiente:

$$C_6H_{12}O_6 + 2\ ADP + 2\ P_i \rightarrow$$
$$2\ CH_3CHOHCO_2H + 2\ ATP$$

Como se producen 2 ATP por mol de glucosa, los 21.0 g de células producidos por mol de glucosa se formaron con 2 moles de ATP, o sea 10.5 g de células por mol de ATP ($Y_{atp} = 10.5$). Tipos similares de experimentos de rendimiento de crecimiento efectuados con otras bacterias y levaduras dan aproximadamente el mismo valor para Y_{atp}. $Y_{substrato}$ no es una constante, porque el ATP producido por mol de substrato puede variar según el substrato y según la vía de la catabolia. Por ejemplo, *Leuconostoc mesenteroides* utiliza una vía para la fermentación de la glucosa, que origina la ecuación global siguiente:

$$C_6H_{12}O_6 + ADP + P_i \rightarrow$$
$$CH_3CHOHCO_2H + CH_3CH_2OH + CO_2 + ATP$$

Aquí $Y_{glucosa}$ es 10.5 y Y_{ATP} es 10.5.

El valor de Y_{ATP} proporciona una guía del crecimiento que cabría esperar cuando la energía es limitante y se conoce la obtención de ATP por mol de fuente energética. Por ejemplo, 1 ml de sangre humana normal contiene aproximadamente 1 mg de glucosa, o sea unos 5.3 mol por ml. Esto podría sostener el crecimiento de 21 × 5.6, ó 118 μg de estreptococos que fermentan la glucosa, como *Streptococcus faecalis*. Como una célula estreptocócica pesa aproximadamente 10^{-6} μg, cabría obtener una población final de 1.2 × 10^8 estreptococos por ml cuando se agotara la glucosa sanguínea. Un buen medio de laboratorio puede fácilmente sostener el crecimiento en este nivel si se dispone de glucosa suficiente. Si estamos estudiando un germen con

una vía desconocida de generación de energía desde un substrato, también puede emplearse el valor de Y_{atp} para obtener un valor aproximado de ATP obtenido por mol de substrato utilizado cuando crece el microorganismo en substrato limitante, y dividiendo $Y_{substrato}$ por 10.5.

Luz y formación de ATP. La energía de una fuente debe convertirse en los enlaces de fosfoanhídrido de ATP y utilizarse para la reducción de los nucleótidos de piridina, nucleótido de adenina y nicotinamida (NAD), y fosfato de dinucleótido de adenina y nicotinamida (NADP), para que se produzca la biosíntesis.

Por tanto, casi todas las principales reacciones biológicas para generación de energía giran alrededor del tema de reacciones de oxidación-reducción que liberan energía desde una fuente química o son utilizadas para convertir la energía de la luz en energía química. Hay motivos para admitir que los sistemas que convierten la luz en energía química fueron desarrollados temprano en la evolución de sistemas biológicos generadores de energía.[12]

Como puede verse en la naturaleza actualmente, los sistemas de energía fotoquímica empiezan con absorción de cuantos de luz por estructura subcelulares que contienen clorofila. En plantas verdes, la clorofila está localizada en el sistema membranoso complejo de los organitos subcelulares, el cloroplasto. En las bacterias procarióticas la clorofila está contenida en subunidades (cromatóforos) de la membrana única de los fototróficos. Aunque los detalles de la activación de la clorofila por absorción de luz son complejos, el resultado puede considerarse como la salida de un electrón desde la molécula de clorofila. El electrón rechazado es transferido, siguiendo una serie de portadores celulares de electrón, y fi-

4–2.

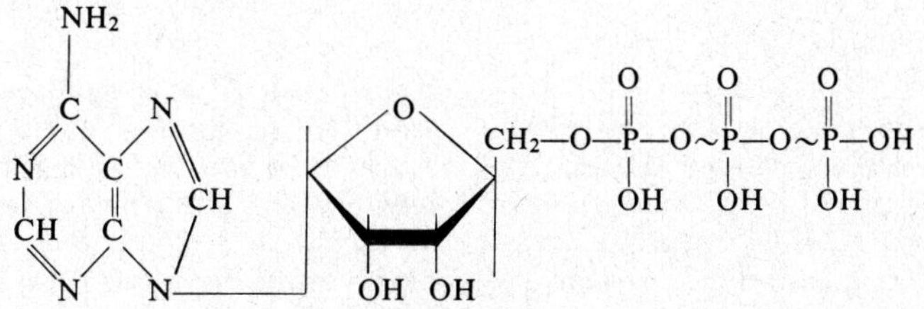

adenosintrifosfato (ATP)

+ P ⇅ − P

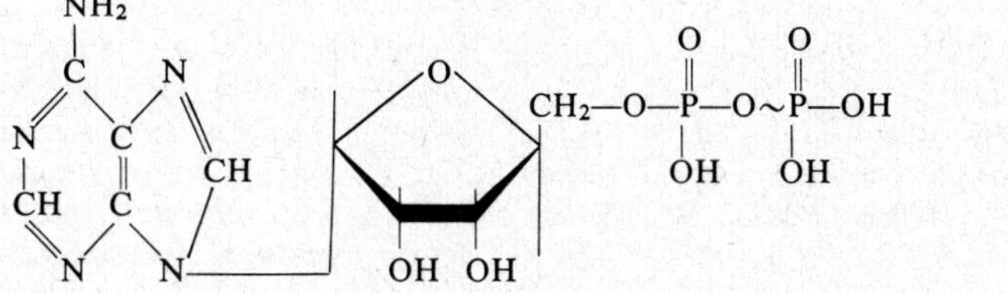

adenosindifosfato (ADP)

nalmente hasta la clorofila deficiente en electrones para restablecerla en su estado original.

En efecto, la clorofila activada por la luz es un agente poderosamente reductor. Tiene un potencial de oxidación-reducción (O-R) bajo. Así pues, la energía luminosa es convertida en una forma de energía química potencial, una clorofila activada que puede reducir más aceptores oxidados de electrón en la membrana. Los portadores de electrón son una serie de compuestos de potencial O-R creciente, tales que, después que uno se reduce, a su vez reduce el compuesto próximo de potencial O-R más elevado. Los portadores incluyen la proteína ferredoxina, probablemente el primer portador reducido por la clorofila activada, flavoproteína, quinonas y citocromos. Cuando queda disponible energía química en forma de clorofila activada, todas las siguientes reacciones O-R proceden expontáneamente, aunque la mayor parte de ellas requieren catálisis enzimáticas.

Todas las reacciones espontáneas proceden con liberación de energía. La cantidad de energía química útil disponible por cualquier reacción química se designa ΔG. ΔG^0 es el cambio estándar de energía libre, o sea la energía libre cuando todos los reactantes y los productos están en actividad de unidad. ΔG^0 se relaciona con la constante de equilibrio (K_{eq}),

$$\Delta G^0 = -RT \ln K_{eq}$$

donde R es la constante de los gases (1.99 cal/mol. deg) y T es la temperatura absoluta. Para ilustrar la significación de esta relación, utilizaremos una reacción hipotética entre un agente reductor (donador de electrones), AH_2 y un agente oxidante (aceptor de electrones) B. Vamos a establecer sus concentraciones iniciales en 10^{-6} M e imaginaremos que reaccionan a $37°C$, de manera que solo 10^{-9} M de AH_2 y B quedan en equilibrio, y aproximadamente 10^{-6} M, A y BH_2 existen en equilibrio. Entonces,

$$\Delta G^0 = -RT \ln \frac{(10^{-6})(10^{-6})}{(10^{-9})(10^{-9})}$$
$$= -1.99 \times 310 \times 2.3*[(-12)-(-18)]$$
$$= -8513 \text{ cal./mol.}$$

Insistimos que ΔG^0 no es el cambio de energía libre en equilibrio. Es el cambio de energía libre para un conjunto especificado de condiciones estándar, o sea unidad de actividad. El cambio de energía libre para cualquier situación se indica como ΔG y se relaciona con ΔG^0 y otros parámetros de la reacción de oxidación y reducción en la siguiente forma

$$\Delta G = \Delta G^0 + RT \ln \frac{(A)(BH_2)}{(AH_2)(B)}$$

Esto, cuando se llega al equilibrio $\Delta G = 0$, lo cual se comprende porque no tiene lugar ninguna reacción. Cuando (A), (BH_2), (AH_2) y (B) son

* $log_{10} = 2.3 \ (ln)$.

1, o sea con unidad de actividad, entonces $\Delta G = \Delta G^0$ (ln 1 = 0).

El potencial de oxidorreducción (voltaje, medido en voltios V), la diferencia de potencial entre un donador de electrones y un aceptor de electrones, es proporcional al cambio de energía libre de la reacción O-R. El potencial O-R es una medida del potencial de un compuesto para dar electrones a un protón con el fin de formar H_2 en condiciones de una semicelda la H_2 estándar (H^+/H_2) o para compuesto aceptar electrones de H_2, en las mismas condiciones, para reducir. La semicelda H_2 estándar es H_2 a la presión de un atmósfera y H^+ en unidad de actividad, y se define como poseyendo un potencial O-R de cero.

En biología se ha convenido en que, cuanto más negativo es el potencial O-R, mayor la tendencia a dar electrones. Por lo tanto, si el sistema (A/AH_2) tiene un potencial de -0.100 V, es capaz de dar electrones al electrodo estándar H_2; si (B/BH_2) tiene un potencial de $+0.085$ V, es capaz de aceptar electrones del electrodo estándar H_2 y del sistema (A/AH_2).

E_0 es el potencial estándar para una semicelda, y es el potencial que existe cuando la forma oxidada es igual a la forma reducida, o sea A = AH_2 El cambio estándar de energía libre entre dos semiceldas, o sea A/AH_2 y B/BH_2 es proporcional a la diferencia de los potenciales estándar así

$$\Delta G^0 = -nF \Delta E_0$$

donde n equivale al número de electrones por gramo-equivalente transferidos desde el donador de electrones al aceptor de electrones, y F es la constante de Faraday (23 000 calorías para un voltio absoluto-equivalente). Para la reacción

$$AH_2 + B \rightleftarrows A + BH_2$$

dos electrones y dos protones son transferidos de AH_2 a B y, utilizando los potenciales indicados antes para potenciales de semicelda,

$$\Delta G^0 = -2(23,000)[0.085-(-0.100)]$$
$$= -8510 \text{ cal./mol.}$$

Este es esencialmente el mismo valor obtenido utilizando la constante de equilibrio para la reacción.

Las ecuaciones y las computaciones muestran las relaciones entre cambios de energía libre, constantes de equilibrio y potenciales O-R. La activación de una molécula de clorofila por la luz proporciona una fuente de energía de potencial O-R bajo. El movimiento escalonado de los electrones desde la clorofila activada, a través de una serie de portadores de electrones con potencial O-R creciente, tendrá lugar espontáneamente con liberación de energía. La catálisis enzimática de transferencia de electrones de cualquier reacción solo acelera el ritmo de la reacción y no tiene acción ninguna sobre el equilibrio final, o sobre el cambio de energía libre.

Los organismos fotótrofos tienen los ingredientes adecuados para utilizar la energía luminosa con el

4-3.

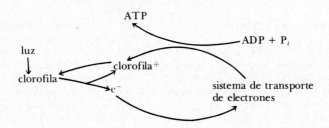

Fosforilación cíclica

---

fin de promover reacciones de transferencia de electrones que proporcionan energía. También tienen los ingredientes para aprisionar parte de la energía química en el ATP, que podrá utilizarse en reacciones que necesitan energía. Esto puede demostrarse experimentalmente. Pueden aislarse cromatóforos de las células desintegradas de bacterias fototróficas. Si se proporciona a los cromotóforos luz, ADP y P_i se produce ATP como resultado:

$$ADP + P \xrightarrow{\text{luz}} ATP$$

El cromatóforo es un fabricante de ATP. Posee clorofila y todos los agentes de transporte de electrones necesarios para que los electrones pasen de la clorofila activada nuevamente a la clorofila pobre en electrones. La máquina existe para acoplar la energía química liberada a la síntesis de ATP, en un proceso denominado fotofosforilación (ver **4-3**). Todavía no conocemos bien el mecanismo de acoplamiento de la energía química disponible con la síntesis de ATP.

La clorofila activada por la luz puede seguir como fuente de electrones para formar los nucleótidos de piridina reducidos necesarios para la biosíntesis. La extracción de un electrón de una molécula de clorofila excitada para formar PNH, roba electrones de la cadena que lleva desde el electrón extraído a la clorofila deficiente de electrones. Se necesita una fuente exógena de electrones para restablecer la clorofila en su estado fundamental inicial. En las plantas verdes, H_2O proporciona la fuente exógena de electrones necesaria para sostener el crecimiento fototrófico mediante la reacción.

$$H_2O + NADP^+ \xrightarrow{h\nu} NADPH + H^+ + \tfrac{1}{2}O_2$$

La fotoevolución del oxígeno es una reacción compleja, en la cual interviene la energía luminosa y componentes de transporte electrónico entre la clorofila y NADP. Los únicos procariotes que llevan a cabo esta reducción son las algas azulverdosas. La evolución del oxígeno se considera un mecanismo evolucionario muy avanzado para proporcionar poder reductor para la biosíntesis reductora.[12] La introducción de este mecanismo se considera que es el origen, en la evolución, del oxígeno atmosférico, y el preludio para la evolución de organismos que utilizan oxígeno en sistemas respiratorios generadores de energía en otros aspectos de su metabolismo.

Los primeros organismos fototróficos, las bacterias, utilizaban donadores de electrones que no eran el H_2O para lograr los electrones necesarios en la biosíntesis reductora. Estos sistemas se reflejan en los que actualmente se utilizan por las bacterias fototróficas. Las bacterias fototróficas de azufre púrpura y de azufre verde son anaerobias y utilizan H_2S como fuente de electrones:

$$H_2S + 4\,H_2O + 4\,NADP^+ \rightarrow$$
$$4\,NADPH + H_2SO_4 + 4\,H^+$$

4-4.

Fotofosforilación no cíclica

Algunas de estas bacterias y algunas de las bacterias fototróficas que no son de azufre púrpura pueden utilizar H_2 como fuente de electrones:

$$H_2 + NADP^+ \rightarrow NADPH + H^+$$

Unas cuantas bacterias de azufre púrpura y azufre verde, y todas las bacterias de púrpura sin azufre, pueden utilizar compuestos orgánicos como fuentes de electrones; por ejemplo, algunas pueden utilizar etanol:

$$C_2H_5OH + 2\ NADP^+ + H_2O \rightarrow$$
$$CH_3CO_2H + 2\ NADPH + 2\ H^+$$

Todos estos procesos son anaerobios, requieren luz y un donador exógeno de electrones. Solo las bacterias de púrpura sin azufre pueden crecer en presencia de O_2, pero cuando lo hacen no crecen fototróficamente. El oxígeno inhibe la formación de cromatóforos y las bacterias de púrpura sin azufre crecen quimiotróficamente oxidando compuestos orgánicos cuando se desarrollan aerobiamente.

El empleo de fuente de electrones para efectuar una reducción neta de NADP y una biosíntesis reductora no interfiere con la transferencia de electrones a través de la cadena electrónica desde la clorofila reducida a la clorofila oxidada. El donador exógeno de electrones permite que la biosíntesis reductora y la formación de ATP tengan lugar simultáneamente, pero se trata de un proceso no cíclico, que recibe el nombre de fotofosforilación no cíclica (ver 4-4).

La energía luminosa del sol es la fuente primaria de energía para casi todas las reacciones biológicas. Las plantas verdes y muchas bacterias fototróficas utilizan ATP y NADPH generados por la luz para sintetizar células empleando CO_2 y formas inorgánicas de los demás elementos del protoplasma. Los compuestos orgánicos sintetizados quedan entonces disponibles para las diversas formas de vida de este planeta que requieren compuestos orgánicos preformados para energía, y como piedras de construcción para síntesis de macromoléculas celulares.

Fosforilación oxidativa. Un mecanismo general empleado para obtener energía de compuestos inorgánicos y orgánicos por oxidación guarda estrecha relación con el mecanismo fototrófico. Sin embargo, reacciones quimiolitotróficas y quimiorganotróficas de oxidación-reducción empiezan con fuentes preexistentes de donadores primarios de electrones y aceptores terminales de electrones, y no dependen de la luz para su producción. La estrategia general es la misma: donadores de bajo potencial electrónico introducen electrones en una cadena de portadores de electrones celulares con potencial O-R creciente, y transferencia final a un aceptor electrónico terminal; el más común es el oxígeno. Los portadores celulares de electrones son del mismo tipo que los del sistema de transporte de electrones

que intervienen en la generación de energía fototrófica, incluyendo flavoproteínas, quinonas, y citocromos, organizados en una factoría de energía membranosa. En los eucariotas, un organito subcelular, la mitocondria, contiene la fábrica de energía membranosa; en los procariotas, los sistemas de transportes electrónicos están organizados en la única membrana citoplásmica.

La formación de ATP por estas reacciones quimiotróficas de transporte electrónico, denominada fosforilación oxidativa, y los detalles de la cadena de transporte de electrones, han sido ampliamente estudiados en mitocondrias de animales. Como en el caso de la fotofosforilación, todavía no está completamente aclarado el mecanismo de acoplamiento de la energía química liberada en las reacciones oxidativas para formación de ATP.

Los dos donadores claves que alimentan con electrones el sistema de transporte de electrones de la membrana de la mitocondria, son NADH y succinato. NADH se forma a partir de NAD por reducción enzimática utilizando electrones de metabolitos derivados principalmente de la desintegración de las importantes fuentes de energía de las células de animales, carbohidratos y lípidos. El succinato es un donador de electrones clave, porque desempeña el papel central en el ciclo del ácido tricarboxílico, oxidando el acetato, metabolito principal producido por fuentes energéticas de carbohidratos y lípidos. En la mitocondria tienen lugar las siguientes reacciones:

$$NADH + H^+ + \tfrac{1}{2}O_2 + 3\ ADP + 3\ P_i \rightarrow$$
$$NAD^+ + H_2O + 3\ ATP$$

y,

$$\underset{succinato}{HO_2C(CH_2)_2CO_2H} + \tfrac{1}{2}O_2 + 2\ ADP + 2\ P_i \rightarrow$$
$$\underset{fumarato}{HO_2CCH{=}CHCO_2H} + H_2O + 2\ ATP$$

Los electrones son transferidos de cualquiera de los substratos a un grupo prostético de flavina de una deshidrogenasa específica localizada en la membrana, y luego enzimáticamente se desplazan de manera seriada desde la flavina reducida a una quinona (coenzima Q) y a los citocromos b, c_1, c, a, y a_3 hasta O_2. Los citocromos a y a_3 constituyen la oxidasa del citocromo, la enzima compleja que interviene directamente reduciendo el O_2 hasta H_2O. La ATP se genera en zonas de voltaje específico conocido dentro de la cadena, o sea entre el citocromo c y la oxidasa del citocromo.

Las bacterias que tienen energía para crecer oxidando compuestos inorgánicos y orgánicos en un principio utilizan el mismo mecanismo general que la mitocondria para aprisionar energía química a través de la fosforilación oxidativa. Los quimiorganotróficos que oxidan carbohidratos empleando O_2 como aceptor terminal de electrones tienen un sistema de transporte de electrones unidos a la membrana que contienen flavoproteínas, quinonas y citocromos;

estos difieren en detalle en los que hay en las mitocondrias animales, pero esencialmente llevan a cabo oxidaciones similares de NADH y succinato acopladas a la síntesis de ATP. La estequiometría entre el substrato oxidado y el ATP sintetizado no se conoce con seguridad para ningún sistema bacteriano, pero se cree que es menor que la obtenida con mitocondrias. En otras palabras, el acoplamiento entre la energía disponible y la síntesis de ATP parece ser menos eficaz en los sistemas bacterianos.

Algunas de las bacterias que contienen citocromo pueden substituir el nitrato en lugar del O_2 como aceptor terminal de electrones. Por ejemplo, algunos miembros de los géneros Bacillus y Pseudomonas pueden oxidar la glucosa aerobiamente, reduciendo el O_2 a H_2O, o bien anaerobiamente, reduciendo el nitrato a óxido nítrico y gas nitrógeno. Ambos procesos permiten la síntesis de ATP por vía de fosforilación oxidativa.

Los compuestos específicos que sirven como donadores de electrones para el sistema de transporte de electrones de la membrana varían según los organismos, dependiendo de la naturaleza de los substratos utilizados para crecimiento. Los quimiorganotróficos tienen que metabolizar su gran variedad de substancias orgánicas por obtener un producto, como NADH, succinato que puede reducir directamente los componentes de la cadena de transporte electrónico. Los quimiolitotróficos, por ejemplo oxidantes de Fe^{2+} y H_2 dependen enteramente del sistema terminal de transporte de electrones y de la fosforilación oxidativa para generar energía, mientras que los quimioorganotróficos pueden obtener energía de fosforilaciones de substratos orgánicos, según veremos luego.

La generación de ATP por fosforilación oxidativa no se limita al empleo de O_2 como aceptor terminal de electrones (como ya señalábamos con el ejemplo de la reducción del nitrato) ni tampoco se limita a organismos que contengan citocromos. Algunas bacterias que contienen citocromos, las bacterias reductoras de sulfato, obtienen energía para crecimiento acoplando la oxidación de compuestos orgánicos como el lactato a la reducción de sulfato en sulfuro; en estas bacterias la fosforilación oxidativa interviene en la formación de ATP. Las bacterias que forman metano no contienen citocromos, pero obtienen energía para crecer de la siguiente reacción:

$$4\,H_2 + CO_2 \rightarrow CH_4 + 2\,H_2O$$

En estas bacterias la formación de ATP tiene que asociarse totalmente con la transferencia de electrones desde H_2 a CO_2. No conocemos bien la índole del transporte electrónico asociado con la formación de ATP en las bacterias productoras de metano.

Fosforilación de substrato. El ATP también puede formarse a partir de fuentes de energía orgánicas por un proceso denominado fosforilación de substrato. Los substratos de energía se convierten enzimáticamente en compuestos específicos que tienen parte de la energía química potencial del compuesto original concentrada en enlaces fosfáticos de alta energía. Este tipo de aprisionamiento de la energía queda ilustrado por la fermentación de la glucosa a nivel del músculo. La vía fermentativa, la llamada vía de Embden-Meyerhoff-Parnas (EMP) se indica en 4-5.

Estas reacciones químicas catalizadas por enzimas, desplazan, rompen, oxidan, hidratan, deshidratan y añaden fosfato a los enlaces derivados de la molécula original de glucosa. Desde el punto de vista del aprisionamiento de energía de la glucosa en forma de ATP, todos están destinados a proporcionar dos substancias para dos reacciones enzimáticas particulares. Un substrato es el 3-P-gliceraldehido, el otro es el fosfoenolpiruvato.

La deshidrogenasa de 3-P-gliceraldehido oxida al grupo aldehídico del éster fosfático y simultáneamente reduce NAD. El grupo aldehídico es oxidado a través de un tioéster enzimático intermedio:

$$R\text{—}CHO + E\text{—}SH + NAD^+ \rightarrow E\text{—}S{\sim}\overset{\displaystyle O}{\overset{\|}{C}}\text{—}R +$$
$$NADH + H^+$$

ESH es la enzima (E) con —SH representando el grupo sulfhidrilo del aminoácido cisteína en la proteína. El tioéster es un enlace energético rico en energía, en el cual la energía de la reacción de oxidación-reducción queda almacenada temporalmente. El fosfato inorgánico reacciona con el intermedio enzimático para dar un fosfoanhídrido, el ácido, 1,3-difosfoglicérico:

$$E\text{—}S{\sim}\overset{\displaystyle O}{\overset{\|}{C}}\text{—}R + H_3PO_4 \rightarrow E\text{—}SH + R\text{—}\overset{\displaystyle O}{\overset{\|}{C}}{\sim}OPO_3H_2$$

El enlace fosfoanhídrido es un enlace de fosfato rico en energía, y puede transferirse directamente al ADP en una reacción catalizada por la cinasa del ácido fosfoglicérico:

$$R\text{—}\overset{\displaystyle O}{\overset{\|}{C}}\text{—}O{\sim}PO_3H_2 + ADP \rightarrow ATP + R\text{—}C{\overset{\displaystyle O}{\underset{\displaystyle OH}{\Large\diagup}}}$$

La segunda reacción que origina el compuesto de fosfato rico en energía es catalizado por la enzima enolasa:

$$\begin{array}{ccc} CO_2H & & CO_2H \\ | & & | \\ HC\text{—}O\text{—}PO_3H_2 & \rightarrow & C\text{—}O{\sim}PO_3H_2 + H_2O \\ | & & \| \\ CH_2OH & & CH_2 \end{array}$$

ácido 2-fosfo-glicérico   *ácido fosfoenolpirúvico*

Se trata, pues, de una deshidrogenación, y parte de la energía potencial del ácido 2-fosfoglicérico se concentra en el enlace enol-fosfato. El fosfato entonces está a punto para transferir al ADP en una reacción catalizada por la cinasa de fosfoenolpiruvato:

4–5.

Glucólisis fosforilante de la glucosa a ácido pirúvico (esquema EMP)

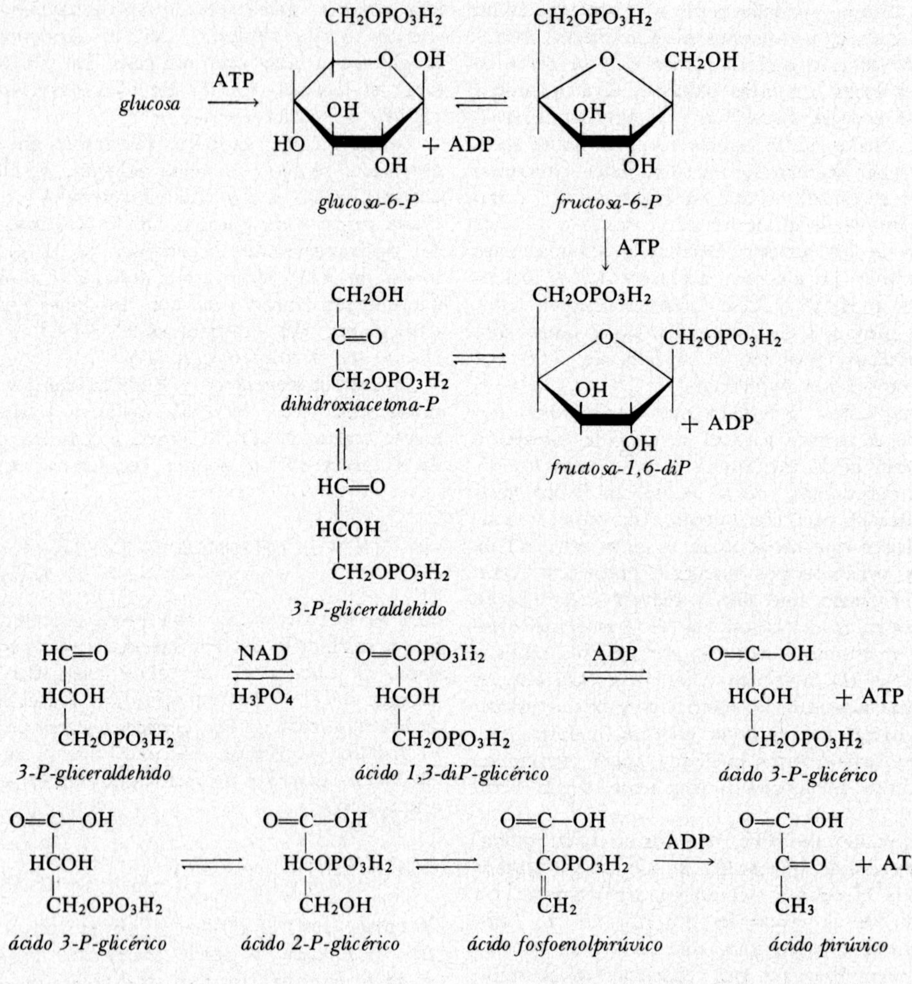

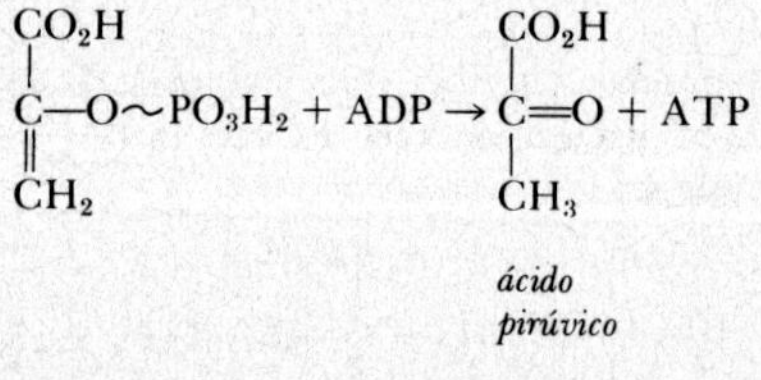

$$CH_2OPO_3H_2$$

glucosa $\xrightarrow{\text{ATP}}$ ... $+ ADP$

glucosa-6-P   *fructosa-6-P*

$$\xrightarrow{\text{ATP}}$$

dihidroxiacetona-P   *fructosa-1,6-diP* $+ ADP$

$$HC=O$$
$$HCOH$$
$$CH_2OPO_3H_2$$
3-P-gliceraldehido

$HC=O$		$O=COPO_3H_2$		$O=C-OH$
$HCOH$	$\overset{NAD}{\underset{H_3PO_4}{\rightleftharpoons}}$	$HCOH$	$\overset{ADP}{\rightleftharpoons}$	$HCOH$ $+ ATP$
$CH_2OPO_3H_2$		$CH_2OPO_3H_2$		$CH_2OPO_3H_2$
3-P-gliceraldehido		*ácido 1,3-diP-glicérico*		*ácido 3-P-glicérico*

$O=C-OH$		$O=C-OH$		$O=C-OH$	$\xrightarrow{ADP}$	$O=C-OH$
$HCOH$	$\rightleftharpoons$	$HCOPO_3H_2$	$\rightleftharpoons$	$COPO_3H_2$		$C=O$ $+ ATP$
$CH_2OPO_3H_2$		CH_2OH		CH_2		CH_3
ácido 3-P-glicérico		*ácido 2-P-glicérico*		*ácido fosfoenolpirúvico*		*ácido pirúvico*

$$\underset{CH_2}{\overset{CO_2H}{\underset{|}{\overset{|}{C}}}}-O \sim PO_3H_2 + ADP \rightarrow \underset{CH_3}{\overset{CO_2H}{\underset{|}{\overset{|}{C}}}}=O + ATP$$

*ácido
pirúvico*

Como se han formado dos moles de 3-P-gliceral-dehido y dos moles de fosfoenolpiruvato por cada mole de glucosa fermentada, se ha producido un total de 4 moles de ATP por mol de glucosa. Sin embargo, es necesario utilizar hasta 2 moles de ATP en la reacción que convierte la molécula de glucosa en los precursores específicos de fosfato rico en energía del ATP. El rendimiento neto de ATP por mol de glucosa es de 2.

Aunque una de las reacciones que requieren ATP se describe como la reacción de hexocinasa,

glucosa $+ ATP \rightarrow$ glucosa-6-fosfato $+ ADP$

hoy sabemos que muchas bacterias utilizan un método diferente para formar glucosa-6-fosfato:

glucosa $+$ fosfoenolpiruvato $\rightarrow$ glucosa-6-fosfato $+$ piruvato

Esta es una reacción completa que se lleva a cabo por enzimas en la membrana celular, y se utiliza no solo para fosforilar la glucosa, sino también para transportar glucosa desde el medio externo, a través de la membrana, hacia el interior de la célula.[4] No se forma ATP del 1-fosfoenolpiruvato formado por la glucosa; pero como no se utiliza ATP para fabricar glucosa-6-fosfato, el rendimiento neto de ATP por mol de glucosa sigue siendo de 2. Una fosfotransferasa similar de fosfoenolpiruvato: azúcar se utiliza para transportar otros azúcares hacia el interior de las células bacterianas.

Hay una reacción oxidativa en el esquema EMP, la oxidación de 3-P-gliceraldehido a ácido 1,3-difosfoglicérico. NAD se reduce en NADH. Como NAD solo se produce en pequeñas cantidades en la célula, su reducción sin reoxidación acabaría interrumpiendo la desintegración de la glucosa. Algo de NADH puede reoxidarse por reacciones biosintéticas reductoras, pero el número de estas reacciones es pequeño, incapaz de proporcionar suficiente conversión de glucosa en piruvato para satisfacer la necesidad de ATP para crecimiento y división. Los estreptococos y el músculo tienen un método simple para oxidar rápidamente NADH transformándola de nuevo en NAD con el fin de sostener el sistema generador de energía. Utilizan la reacción de deshidrogenasa láctica,

$$H^+ + NADH + \text{piruvato} \to NAD^+ + \text{lactato}$$

La fermentación global de la glucosa en ácido láctico no requiere la adición de un aceptor exógeno de electrones, pero todavía son esenciales las reacciones de oxidación-reducción para impulsar el sistema hacia la síntesis de ATP. En efecto, una reacción O-R, la deshidrogenasa de 3-P-gliceraldehido, combinada con algunas reacciones no oxidativas, origina la formación de substratos para otra reacción O-R, de deshidrogenasa láctica. La reacción terminal O-R impulsa la secuencia global por reoxidación de NADH.

El término "fermentación" muchas veces se utiliza en forma poco estricta para describir una variedad de procesos metabólicos netamente diferentes. Para nuestros fines, el término lo utilizaremos para indicar solamente procesos de oxidoreducción por virtud de los cuales compuestos orgánicos simples son catabolizados dando productos en ausencia de un substrato añadido aceptor de electrones. Aunque los carbohidratos son los substratos más familiares para la fermentación, la definición no excluye otros compuestos comunes utilizados como fuentes de energía mediante vías de oxidación-reducción. El ácido láctico y algunos aminoácidos, por ejemplo, pueden ser fermentados por algunas bacterias. La energía del substrato es convertida principal, pero no exclusivamente, en ATP por vía de la fosforilación de substrato durante la fermentación. Sin embargo, la fosforilación de substrato no se limita a las fermentaciones. Por ejemplo, *Saccharomyces cerevisiae* y otras levaduras fermentan (anaerobiamente) la glucosa hasta etanol y CO_2,

$$C_6H_{12}O_6 \to 2\ C_2H_5OH + 2\ CO_2$$

y también oxidan completamente (aerobiamente) la glucosa hasta CO_2 y H_2O:

$$C_6H_{12}O_6 + 6\ O_2 \to 6\ CO_2 + 6\ H_2O$$

Durante la fermentación y la respiración, la glucosa es convertida en piruvato por el esquema EMP con las fosforilaciones de substrato típicas. El NADH formado se utiliza en la fermentación así:

$$\text{glucosa} + 2\ NAD^+ \to$$
$$2\ \text{piruvato} + 2\ NADH + 2\ H^+$$

$$2\ \text{piruvato} \to 2\ CH_3CHO + 2\ CO_2$$
$$\textit{acetaldehido}$$

$$2\ CH_3CHO + 2\ NADH + 2\ H^+ \to$$
$$2\ C_2H_5OH + 2\ NAD^+$$
$$\textit{etanol}$$

Resumen:

$$\text{glucosa} \to 2\ \text{etanol} + 2\ CO_2$$

Durante la respiración, el NADH es oxidado a través de un sistema terminal de transporte de electrones hasta NAD y H_2O, acompañando a la fosforilación oxidativa, y el piruvato es oxidado hasta CO_2 y H_2O por reacciones que incluyen substrato y fosforilación oxidativa. En la levadura, el rendimiento neto de 2 ATP por mol de glucosa proviene de la fosforilación de substrato durante la fermentación. El rendimiento neto de 36 ATP por mol de glucosa proviene de la oxidación de la glucosa: 2 por fosforilación de substrato de glucosa a piruvato y H_2O, por fosforilación de substrato de piruvato a CO_2 y agua, y el resto por fosforilación oxidativa. En general, la oxidación de un substrato con O_2 como aceptor de electrones proporciona una célula con más ATP por mol de substrato que la fermentación del mismo substrato, y el aumento suele ser grande cuando la célula es capaz de sintetizar ATP por fosforilación oxidativa.

Relación con el oxígeno.[11] Las bacterias suelen denominarse anaerobias, anaerobias facultativas, o aerobias. En términos estrictos, estas palabras se refieren a la capacidad de un organismo para crecer en presencia o ausencia de aire. Un aerobio requiere aire para su crecimiento, un anaerobio no puede crecer en el aire, y un anaerobio facultativo crece en ausencia o en presencia de aire. Un aerobio no tiene mecanismo para obtener energía destinada al crecimiento en ausencia de aire. Un anaerobio puede obtener energía en ausencia de aire, pero el aire le es tóxico. Un anaerobio facultativo puede obtener energía en ausencia de aire, pero el aire no le es tóxico.

El ingrediente clave del aire, base de las denominaciones, es el oxígeno. Sin embargo, insistamos en que el aire contiene 20 por 100 de oxígeno, y que la incapacidad de un organismo para crecer en el aire no significa necesariamente que dicho organismo no pueda crecer cuando hay cantidades menores de oxígeno; por ejemplo, el 20 por 100 de O_2 puede ser tóxico mientras que el 2 por 100 de O_2 puede no ser tóxico.

Los aerobios también pueden necesitar O_2 para reacciones enzimáticas específicas utilizando O_2 molecular como substancia específica en la biosíntesis. La formación de tirosina a partir de fenilalanina, y la formación de ácidos grasos insaturados a partir de ácidos grasos saturados, requiere O_2 molecular en algunos organismos. La necesidad de O_2, por lo tanto, puede significar una necesidad biosintética, así como un requerimiento de energía.

En la práctica, la ausencia de crecimiento observado en condiciones anaerobias puede incluso no depender de una necesidad de O_2. El aire contiene pequeñas cantidades de CO_2, y puede necesitarse CO_2 para la biosíntesis de aminoácidos y otros compuestos celulares. Una prueba crítica de ausencia de crecimiento anaerobio debiera incluir cierta cantidad de CO_2 en la atmósfera anaerobia, por ejemplo de nitrógeno, para limitar la denominación aerobia a las relaciones del organismo con el O_2.

Un anaerobio facultativo puede utilizar o no utilizar oxígeno en su metabolismo energético. *Esche-richia coli* y *Saccharomyces cerevisiae* fermentan los carbohidratos en ausencia de O_2, y oxidan los carbohidratos hasta CO_2 y H_2O en presencia de O_2. Muchas bacterias que fermentan carbohidratos, por ejemplo la mayor parte de estreptococos y otras bacterias del ácido láctico, simplemente sobreviven en presencia de aire. El oxígeno puede ser metabólicamente inerte para estos organismos.

No conocemos bien el mecanismo de la toxicidad de O_2 para los anaerobios; quizá intervenga más de un mecanismo. El oxígeno pudiera actuar produciendo substancias tóxicas, como el peróxido de hidrógeno o los peróxidos orgánicos. El oxígeno también pudiera actuar causando oxidación de substancias esenciales reducidas en la célula, por ejemplo grupos sulfhidrilos, que no pueden regenerarse fácilmente por los gérmenes anaerobios. En este caso, la toxicidad de O_2 incluiría la destrucción directa de un ingrediente esencial más bien que la producción de un agente tóxico, que, a su vez, destruye algún proceso celular clave.

Reacciones metabólicas

DESINTEGRACION DE CARBOHIDRATO[27]

Los carbohidratos fermentan y se oxidan con el fin de proporcionar energía para el crecimiento, y en muchos casos las vías utilizadas para generación de energía introducen las pequeñas moléculas necesarias en las vías biosintéticas. Hay un número muy elevado de carbohidratos en la naturaleza, incluyendo oligosacáridos, polisacáridos y monosacáridos. Las hexosas y las pentosas son los monosacáridos principales como compuestos libres, o como constituyentes de oligosacáridos y polisacáridos. La glucosa es, con mucho, el monosacárido más frecuente en la naturaleza como azúcar libre; como el único componente azucarado en la celulosa, el almidón y el glucógeno; y como componente de otros oligo y polisacáridos.

El tipo general de empleo de todos los carbohidratos es su paso enzimático siguiendo unas pocas guías centrales para catabolia de unos cuantos fosfatos de azúcar claves. Las enzimas de diversas vías desintegran los fosfatos de azúcar hasta compuestos de pequeño peso molecular, principalmente piruvato, acetato y bióxido de carbono. En raros casos el piruvato se acumula y es metabolizado a productos de fermentación, o bien oxidado, en organismos que respiran, hasta acetato o bien a CO_2 y H_2O. El acetato puede ser un producto terminal o puede oxidarse hasta CO_2 y H_2O.

Para comprender la catabolia de un carbohidrato específico por una bacteria determinada, es necesario comprender lo siguiente:

1) Cómo el carbohidrato penetra en la vía central.
2) Cuál vía central es utilizada.
3) Cuáles son los productos y cómo se forman.
4) Cuáles reacciones O-R intervienen (relacionado con las preguntas 2 y 3).
5) Saber si se sintetiza ATP (relacionado con las preguntas 2 y 3).
6) Cómo la vía catabólica proporciona los ingredientes para la biosíntesis.
7) Cómo se regula la catabolia.

Polisacáridos y oligosacáridos.[22] Los polisacáridos y los oligosacáridos suelen reunirse en las vías principales siendo desintegrados primeramente hasta los monosacáridos constituyentes. Por ejemplo, los organismos que utilizan celulosa como fuente energética contienen celulasas que hidrolizan la celulosa hasta glucosa. El xilano es hidrolizado hasta xilosa, el almidón a glucosa, la lactosa a glucosa y galactosa, la sacarosa a glucosa y levulosa, etc. Las enzimas son específicas para los substratos empleados, y en la mayor parte de los casos son hidrolíticas:

$$(\text{monosacáridos})_n + (n-1)\ H_2O \rightarrow n\ \text{monosacáridos}$$

Cuando el carbohidrato es voluminoso (n es grande), como en la celulosa o el almidón, las enzimas hidrolíticas están localizadas en la superficie celular, o son eliminadas hacia el ambiente, por la dificultad de transportar los compuestos de gran peso molecular a través de la membrana celular.

Hay unas pocas excepciones a los mecanismos hidrolíticos para formación de monosacáridos desde los disacáridos. Unos cuantos gérmenes tienen enzimas fosforolíticas que fosforilizan el disacárido hasta fosfato de azúcar, y luego azúcar libre, por ejemplo,

sacarosa (glucosa-levulosa) $+ P_i \rightarrow$
$$\text{glucosa-1-fosfato} + \text{levulosa}$$

En *Staphylococcus aureus,* y probablemente en muchas otras bacterias, la lactosa (glucosa-galactosa) esta es transportada penetrando en la célula por el sistema fosfotransferasa de fosfonolpiruvato para dar la siguiente secuencia:[4]

lactosa + fosfoenolpiruvato →
(fuera de la célula)
$$\text{fosfato de lactosa} + \text{piruvato}$$
(dentro de la célula)
fosfato de lactosa → glucosa-6-P + galactosa

La asociación de la desintegración del disacárido con el metabolismo de los productos de transporte de fosfato de disacárido solo se ha descubierto recientemente, y todavía no podemos generalizar acerca de la importancia de este método de desintegración de disacárido.[4]

Otro método utilizado para la desintegración de disacáridos se limita a la desintegración de sacarosa y a unas cuantas especies de bacterias de ácido láctico. El método incluye polimerización de una parte de la molécula de sacarosa, liberando la otra parte como azúcar libre. Se produce un polímero de fructosa (levano) si los organismos disponen de una enzima transfructosilante (levansucrasa):

n glucosa-fructosa → n glucosa + $(\text{fructosa})_n$
levano

Un polímero de glucosa (glucano o dextrano) es el resultado de la acción de una enzima transglucosilante,

n glucosa-fructosa → n fructosa + $(\text{glucosa})_n$
(*glucano o dextrano*)

Los dextranos bacterianos se han utilizado como dilatadores de sangre y se emplean para separar compuestos por diferencias de peso molecular en un método de separación conocido como filtración de gel. La producción de glucano por *Streptococcus mutans* se ha culpado de la formación de caries en el hombre y en animales inferiores.[21] El glucano de *Str. mutans* producido a partir de la sacarosa fija el germen a las superficies del diente, donde, junto con otros microbios aprisionados, puede originar productos de fermentación ácida que disuelven el esmalte del diente.

En infecciones humanas la desintegración de polisacáridos y oligosacáridos hasta azúcares libres probablemente no tenga importancia para gérmenes que invaden hábitats normalmente estériles, como la sangre y tejidos orgánicos específicos. La principal fuente de energía de carbohidratos en este ambiente

es la glucosa. Hay algunas excepciones, por ejemplo el glucógeno en el hígado y la lactosa en el azúcar de la leche producida durante la lactancia. Los estafilococos que infectan una mama después del parto, indudablemente obtienen la energía para crecimiento de la lactosa.

Sin embargo, existen normalmente bacterias en gran número en partos no estériles dentro del cuerpo: en la cavidad bucal y en la parte baja del tubo digestivo. Estas bacterias se sostienen con fuentes energéticas de alimento humano. Sacarosa, almidón, incluso celulosa, que el ser humano ingiere pero no utiliza como fuente de energía, pueden ser empleados por una u otra de estas bacterias en estos hábitats. Entonces la catabolia de estos carbohidratos pudiera tener importancia en infecciones de estas cavidades "abiertas", por ejemplo en la formación de caries, la enfermedad periodóntica, infecciones de garganta y de tubo intestinal. La energía de los carbohidratos de los alimentos también tendrá importancia para albergar patógenos potenciales que penetran en medios normalmente estériles por vía de los pulmones desde la boca, o hacia la sangre y tejidos a través de lesiones en el intestino.

Conversiones de monosacáridos. Una vez formados los monosacáridos tienen que convertirse en un intermedio de fosfato de azúcar de la vía o vías centrales utilizadas por el organismo. El grado de dificultad (intensidad de manipulación enzimática) necesario para lograrlo depende de la relación entre el monosacárido y los fosfatos de azúcar de la vía correspondiente. Por ejemplo, un estreptococo que fermenta el almidón solo tiene que fosforilar el derivado de glucosa para producir un elemento clave intermedio del esquema EMP glucosa-6-fosfato. La conversión de galactosa, formada a partir de la lactosa, hasta glucosa-6-fosfato incluye una serie de reacciones enzimáticas:

galactosa + ATP → galactosa-1-P + ADP
uridindifosfato de glucosa + galactosa-1-P →
$$\text{uridindifosfato de galactosa} + \text{glucosa-1-P}$$
uridindifosfato de galactosa → uridindifosfato de glucosa
glucosa-1-P → glucosa-6-P

Resumen:
$$\text{galactosa} + \text{ATP} \rightarrow \text{glucosa-6-P} + \text{ADP}$$

El fin perseguido por toda esta serie es epimerizar el hidroxilo en el carbono 4 de la galactosa para hacer glucosa. Galactosa y glucosa son idénticas, excepto por la configuración del grupo hidroxilo en el carbono 4 (ver **4-6**). La estructura del uridindifosfato de glucosa se indica en **4-6**.

La estrategia general para convertir un monosacárido "extraño" en una estructura "nativa" de la vía central estriba en utilizar reacciones de epimerización e isomerización, para poner en su lugar los grupos hidroxilo y carbonilo. A veces esto incluye un derivado de nucleósido con azúcar, como en el caso de la galactosa, y a veces los enzimas manipu-

4-6.

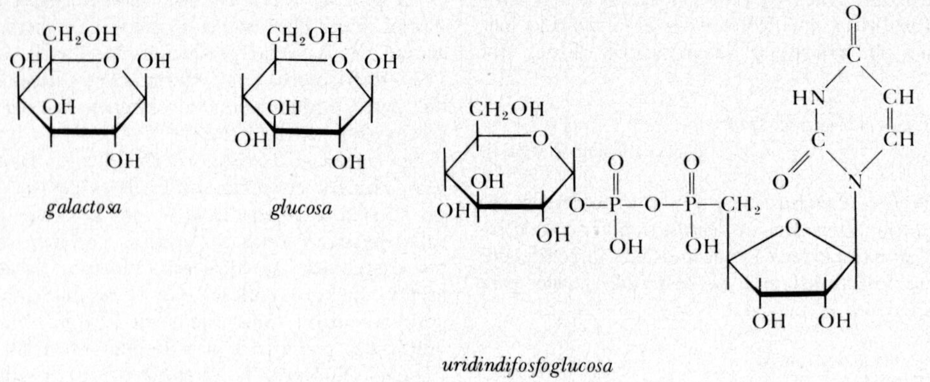

galactosa   *glucosa*

uridindifosfoglucosa

4-7.

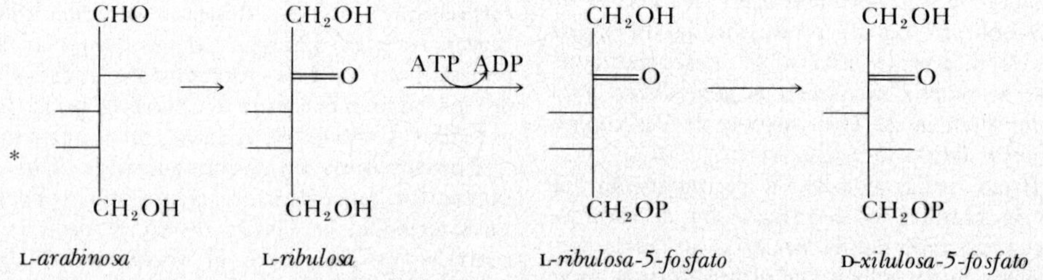

L-*arabinosa*   L-*ribulosa*   L-*ribulosa-5-fosfato*   D-*xilulosa-5-fosfato*

*Las líneas simples representan grupos hidroxilo.

lan monosacáridos libres para lograr el fin perseguido. En la fermentación de L-arabinosa, constituyente importante de la hemicelulosa de las plantas, por algunas bacterias de ácido láctico, es necesario formar D-xilulosa-5-fosfato a partir de L-arabinosa. La D-xilulosa-5-fosfato es un compuesto central en la fermentación de las pentosas por microorganismos. La conversión se logra por reacciones que no incluyen derivados nucleósidos con azúcar (ver 4-7).

Las conversiones de D-galactosa → D-glucosa y L-arabinosa → D-xilulosa son indicaciones de un gran número de tipos similares de conversión en la gran variedad de monosacáridos que los microorganismos encuentran en la naturaleza. Se utilizan también reacciones similares para transformar la vía central de azúcares en monosacáridos especiales para la biosíntesis de componentes celulares específicos. Los microorganismos encuentran diversos compuestos relacionados con azúcares, aldosas y cetosas, como aminoazúcares, alcoholes polihídricos (derivados de la reducción del carbonilo del azúcar al grupo hidroxilo), y compuestos en los cuales el grupo aldehídico del azúcar se ha convertido en un grupo carboxílico (ácidos aldónicos) o el hidroxilo más alejado del carbonilo se ha convertido en un grupo carboxilo (ácidos urónicos). Evidentemente, existen mecanismos para convertir estas fuentes energéticas en los ésteres fosfáticos de la vía central, pero no corresponde aquí entrar en detalles al respecto.

VIAS DE HEXOSAS CENTRALES

Se han descubierto diferentes vías para desintegrar las hexosas en compuestos de peso molecular menor. En la vía EMP (ver 4-5), la molécula de hexoxa se rompe en dos unidades de 3 carbonos antes de tener lugar una reacción O-R. Sin embargo, tres vías diferentes incluyen la oxidación primaria del grupo aldehídico en grupo carboxilo antes de romperse la cadena carbonada. Las vías empiezan todas con reacciones de fosforilación y oxidación, que originan la formación de 6-fosfogluconato a partir de la glucosa (ver 4-8). Antes de entrar en detalles acerca de las reacciones enzimáticas que intervienen en estas tres vías, veamos los tipos respectivos de roturas que originan la formación de compuestos menores a partir del compuesto con 6 carbonos:

Vía 1

$$C_6 \rightarrow 2\ C_3$$

Vía 2

$$C_6 \rightarrow C_5 + C_1$$
$$C_5 \rightarrow C_3 + C_2$$

Resumen:

$$C_6 \rightarrow C_3 + C_2 + C_1$$

Vía 3

$$3\ C_6 \rightarrow 3\ C_5 + 3\ C_1$$
$$2\ C_5 \rightarrow C_7 + C_3$$
$$C_7 + C_3 \rightarrow C_6 + C_4$$
$$C_5 + C_1 \rightarrow C_6 + C_3$$
$$2\ C_6 \rightarrow 4\ C_3$$

Resumen:

$$3\ C_6 \rightarrow 5\ C_3 + 3\ C_1$$

La vía 3 incluye la mayor diversidad de actividad enzimática. Las vías 2 y 3 tienen en común una desintegración de C_6 a C_5 y C_1.

Vía 1. La vía 1 (ver **4-9**) continúa desde el 6-fosfogluconato con una *d*eshidratación al ácido 2-ceto-3-desoxi-6-fosfoglucónico (KDPG). KDPG luego se rompe entre los carbonos y 3 y 4 para proporcionar 3-P-gliceraldehido y piruvato. Luego el 3-P-gliceraldehido se convierte en piruvato exactamente por las mismas reacciones utilizadas en el esquema EMP. Esta vía suele denominarse de Entner-Doudoroff (ED) según el nombre de sus descubridores. Aunque la vía difiere de la vía EMP, ambas producen 2 moles de piruvato por molécula de glucosa. Como se utiliza 1 ATP para fabricar una hexosa fosforilada, y se forman 2 ATP cuando la hexosa se convierte en piruvato, el rendimiento neto de ATP por mol de glucosa es 1, en contraste con rendimiento neto de 2 para esquema EMP.

Vías 2 y 3. Las vías 2 y 3 proceden igualmente desde 6-fosfogluconato hasta una unidad C_5 y C_1. Una sola enzima, la deshidrogenasa de 6-fosfogluconato, cataliza la descarboxilación oxidativa de 6-fosfogluconato hasta ribulosa-5-fosfato (Ru-5-P) y CO_2 con un nucleótido de piridina como aceptor de electrón (ver **4-10**). En ambas vías operan dos reacciones oxidativas para lograr la rotura primaria de la unidad en C_6.

4-8.

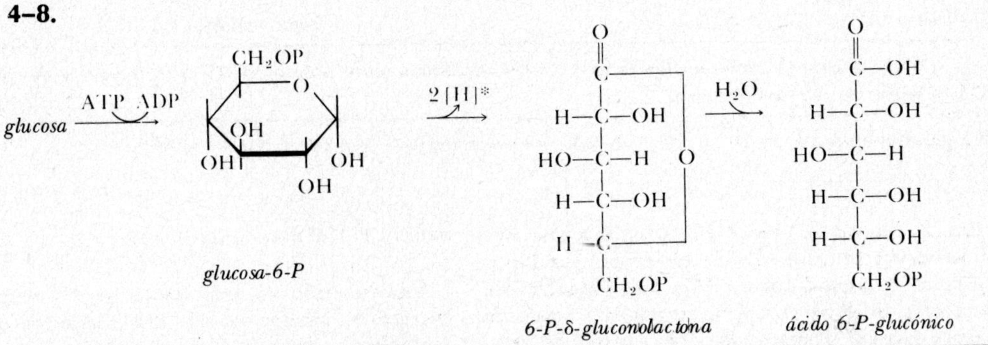

glucosa → glucosa-6-P → 6-P-δ-gluconolactona → ácido 6-P-glucónico

* (H) es una forma general de indicar supresión de dos protones y dos electrones sin especificar el aceptor de electrones.

4-9.

Vía 1 –esquema de Entner-Doudoroff (ED)

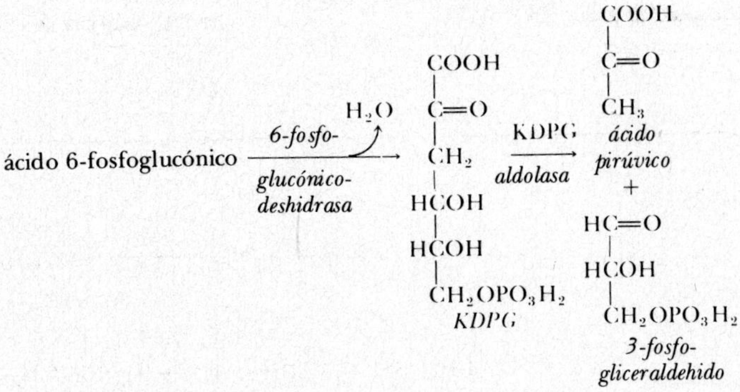

ácido 6-fosfoglucónico → (6-fosfoglucónico-deshidrasa) KDPG → (aldolasa) ácido pirúvico + 3-fosfogliceraldehido

$$\text{3-P-gliceraldehido} \xrightarrow{2\ ADP + 2\ P_i + 2\ NAD^+} 2\ \text{piruvato} + 2\ ATP + 2\ NADH + 2\ H^+$$

4–10.

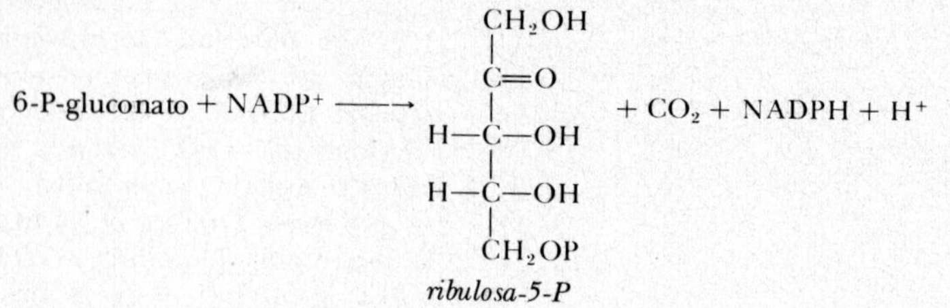

$$6\text{-P-gluconato} + NADP^+ \longrightarrow \begin{array}{c} CH_2OH \\ | \\ C=O \\ | \\ H-C-OH \\ | \\ H-C-OH \\ | \\ CH_2OP \end{array} + CO_2 + NADPH + H^+$$

ribulosa-5-P

4–11.

Vía 2 –fosfocetolasa

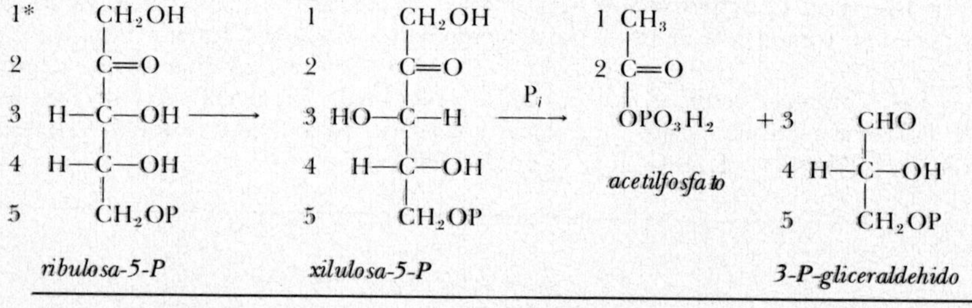

1* CH_2OH 1 CH_2OH 1 CH_3
2 $C=O$ 2 $C=O$ 2 $C=O$
3 $H-C-OH \longrightarrow$ 3 $HO-C-H \xrightarrow{P_i}$ OPO_3H_2 $+3$ CHO
4 $H-C-OH$ 4 $H-C-OH$ *acetilfosfato*   4 $H-C-OH$
5 CH_2OP 5 CH_2OP 5 CH_2OP

ribulosa-5-P   *xilulosa-5-P*   *3-P-gliceraldehido*

* Los átomos C numerados para mostrar las relaciones entre átomos de C de substrato y de producto. C-1 proviene de C-2 de la hexosa.

$$3\text{-P-gliceraldehido} + 2\,ADP + 2\,P_i + NAD^+ \longrightarrow \text{piruvato} + 2\,ATP + NADH + H^+$$

Vía 2. La vía 2 (ver **4-11**) continúa con una epimerización del hidroxilo en el carbón 3 a Ru-5-P para dar xilulosa-5-fosfato (Xu-5-P), seguida por una rotura final de la cadena carbonada, catalizada por una enzima denominada fosfocetolasa. El xelulosa-5-P y el fosfato inorgánico se rompen dando acetilfosfato y gliceraldehido-3-fosfato. El fosfogliceraldehido luego se convierte en piruvato, por las mismas reacciones descritas para la vía EMP. La rotura fosforolítica de xilulosa-5-fosfato origina la formación de un producto con un enlace de fosfoanhídrido rico en energía, del acetilfosfato. Desde el acetilfosfato puede producirse ATP:

$$\text{acetil} \sim P + ADP \rightarrow \text{acetato} + ATP$$

Esta reacción es importante en el metabolismo energético microbiano. En casi todos los casos de acumulación de acetato como producto de metabolismo energético, sea cual sea el mecanismo de producción del acetato, la fosfotransferasa antes señalada de acetilfosfato: ADP interviene en la producción de acetato libre y ATP.

Sin embargo, la vía 2 es la más importante para fermentación de hexosa para unos miembros de la familia de bacterias del ácido láctico, o sea ciertos lactobacilos y el género Leuconostoc. Estos

---

4–12.

$$CH_3COPO_3H_2 + NADH + H^+ \longrightarrow \longrightarrow * CH_3CHO + NAD^+ + P_i$$
acetaldehido

$$CH_3CHO + NADH + H^+ \longrightarrow CH_3CH_2OH + NAD^+$$
etanol

* Las flechas dobles indican que intervienen dos enzimas en la reacción.

4–13.

Vía 3 –transcetolasa-transaldolasa

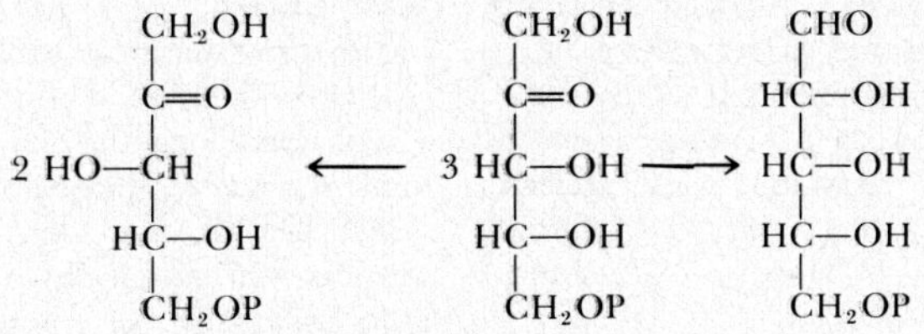

$$
\begin{array}{ccc}
\text{CH}_2\text{OH} & \text{CH}_2\text{OH} & \text{CHO} \\
\text{C}=\text{O} & \text{C}=\text{O} & \text{HC}-\text{OH} \\
2\ \text{HO}-\text{CH} & \longleftarrow \quad 3\ \text{HC}-\text{OH} \longrightarrow & \text{HC}-\text{OH} \\
\text{HC}-\text{OH} & \text{HC}-\text{OH} & \text{HC}-\text{OH} \\
\text{CH}_2\text{OP} & \text{CH}_2\text{OP} & \text{CH}_2\text{OP} \\
Xu\text{-}5\text{-}P & Ru\text{-}5\text{-}P & R\text{-}5\text{-}P
\end{array}
$$

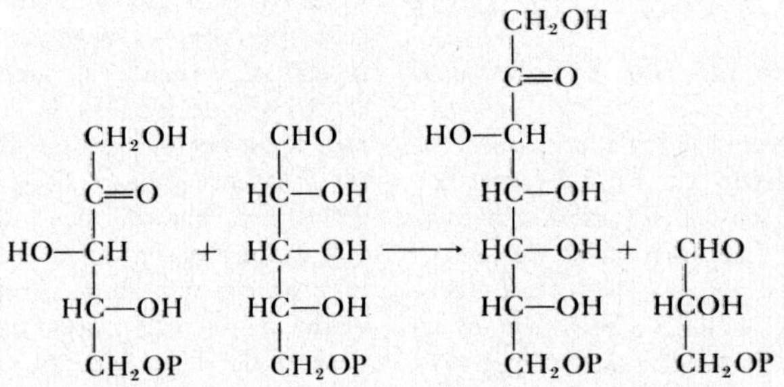

$$
\begin{array}{cccc}
& & \text{CH}_2\text{OH} & \\
& & \text{C}=\text{O} & \\
\text{CH}_2\text{OH} & \text{CHO} & \text{HO}-\text{CH} & \\
\text{C}=\text{O} & \text{HC}-\text{OH} & \text{HC}-\text{OH} & \\
\text{HO}-\text{CH} \quad + & \text{HC}-\text{OH} \longrightarrow & \text{HC}-\text{OH} \ + & \text{CHO} \\
\text{HC}-\text{OH} & \text{HC}-\text{OH} & \text{HC}-\text{OH} & \text{HCOH} \\
\text{CH}_2\text{OP} & \text{CH}_2\text{OP} & \text{CH}_2\text{OP} & \text{CH}_2\text{OP} \\
Xu\text{-}5\text{-}P & R\text{-}5\text{-}P & S\text{-}7\text{-}P & G\text{-}3\text{-}P
\end{array}
$$

Transcetolasa

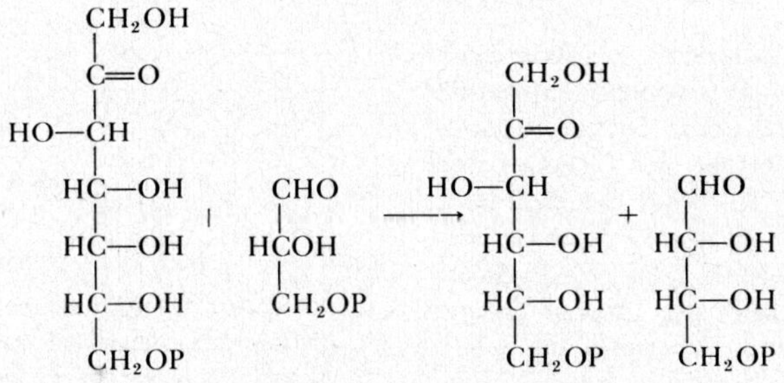

$$
\begin{array}{cccc}
\text{CH}_2\text{OH} & & & \\
\text{C}=\text{O} & & \text{CH}_2\text{OH} & \\
\text{HO}-\text{CH} & & \text{C}=\text{O} & \\
\text{HC}-\text{OH} & \text{CHO} & \text{HO}-\text{CH} & \text{CHO} \\
\text{HC}-\text{OH} & \text{HCOH} \longrightarrow & \text{HC}-\text{OH} \ + & \text{HC}-\text{OH} \\
\text{HC}-\text{OH} & \text{CH}_2\text{OP} & \text{HC}-\text{OH} & \text{HC}-\text{OH} \\
\text{CH}_2\text{OP} & & \text{CH}_2\text{OP} & \text{CH}_2\text{OP} \\
S\text{-}7\text{-}P & G\text{-}3\text{-}P & F\text{-}6\text{-}P & E\text{-}4\text{-}P
\end{array}
$$

Transaldolasa

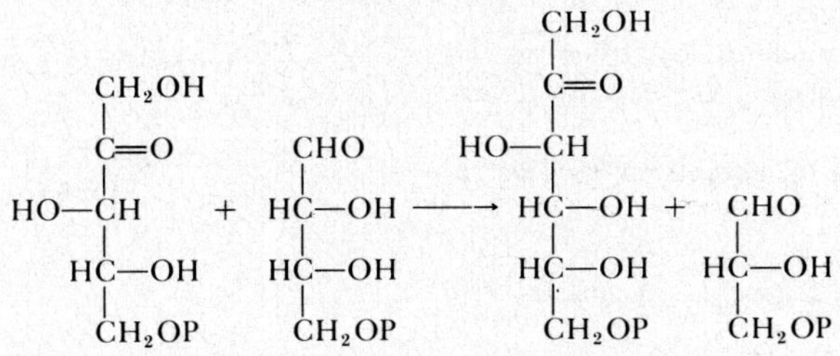

$$
\begin{array}{cccc}
& & \text{CH}_2\text{OH} & \\
& & \text{C}=\text{O} & \\
\text{CH}_2\text{OH} & \text{CHO} & \text{HO}-\text{CH} & \\
\text{C}=\text{O} & \text{HC}-\text{OH} \longrightarrow & \text{HC}-\text{OH} \ + & \text{CHO} \\
\text{HO}-\text{CH} \quad + & \text{HC}-\text{OH} & \text{HC}-\text{OH} & \text{HC}-\text{OH} \\
\text{HC}-\text{OH} & \text{CH}_2\text{OP} & \text{CH}_2\text{OP} & \text{CH}_2\text{OP} \\
\text{CH}_2\text{OP} & & & \\
Xu\text{-}5\text{-}P & E\text{-}4\text{-}P & F\text{-}6\text{-}P & G\text{-}3\text{-}P
\end{array}
$$

Transcetolasa

2 F-6-P + 2 ATP → 2 fructosa-1,6-diP (F-1,6-P) + 2 ADP

2 F-1,6-P → 2 G-3-P + 2 dihidroxiacetona-P

2 dihidroxiacetona-P → 2 G-3-P

5 G-3-P + 10 ADP + 10 P_i + 5 NAD$^+$ → 10 piruvato + 10 ATP + 5 NADH + 5 H$^+$

organismos normalmente utilizan acetilfosfato como fondo de electrones para producir etanol (ver **4-12**). La formación de etanol desde el acetilfosfato puede utilizar el equivalente reductor de cuatro átomos de H formados durante la fermentación (2 H = 1 NADH), pero se forman seis equivalentes de átomo H (cuatro de hexosa a pentosa, y dos de gliceraldehido-3-fosfato a piruvato). Las bacterias de ácido láctico utilizan el último par de átomos de H para hacer lactato desde el piruvato (deshidrogenasa láctica).

La fermentación global es:

glucosa + ADP + P$_i$ →
$$\text{lactato + etanol + } CO_2 \text{ + ATP}$$

La cifra de rendimiento neto de ATP por mol de glucosa es 1.

Vía 3. En la vía 3 (ver **4-13** en la página siguiente) Ru-5-P se convierte en Xu-5-P como en la segunda vía; además Ru-5-P es isomerizado a ribosa-5-fosfato (R-5-P). La formación de R-5-P por los productos seriados glucosa → 6-fosfogluconato → Ru-5-P → R-5-P es una serie muy común en la naturaleza, incluso cuando las reacciones enzimáticas no son esenciales para producir energía. Muchos organismos, incluyendo al hombre, utilizan la serie para proporcionar R-5-P para síntesis de ribosa y desoxirribosa que formarán parte de los ácidos nucleicos.

Sin embargo, en la vía catabólica, la isomerización y la epimerización de Ru-5-P proporcionan los substratos para la transcetolasa de la enzima. Esta enzima cataliza la transferencia de dos carbonos desde la terminal carbonilo de Xu-5-P a la terminal aldehido de R-5-P, para dar el fosfato de azúcar de 7 carbonos seudoheptulosa-7-P (S-7-P), y 3-P-gliceraldehido (G-3-P). La transaldolasa cataliza la transferencia de los tres carbonos superiores de S-7-P a G-3-P para dar el fosfato de azúcar de 4 carbonos eritrosa-4-P (E-4-P) y fructosa-6-P (F-6-P). Otra reacción de transcetolasa pasa otros dos carbonos de una sola molécula de Xu-5-P al aldehido de E-4-P, para proporcionar F-6-P y G-3-P.

Obsérvese que los compuestos aceptores en las dos reacciones de transcetolasas, R-5-P y E-4-P son homólogos.

En esta etapa de la vía, el organismo ha efectuado lo siguiente:

3 glucosa + 3 ATP → 2 F-6-P +
$$\text{G-3-P + 3 } CO_2 \text{ + 12 [H] + 3 ADP}$$

Las reacciones restantes de la vía son las mismas que las del esquema EMP. El rendimiento neto de ATP por mol de glucosa convertida en piruvato es de 1 2/3.

Otras vías. Se conocen unas cuantas vías más para desintegración de la glucosa, principalmente ligeras modificaciones de una u otra de las antes señaladas. No sabemos con seguridad por qué motivo existan las diversas vías en la naturaleza. No sabemos si son supervivientes de diferentes intentos evolucionarios para obtener energía de las hexosas, o si un germen determinado obtiene ventaja en su hábitat general empleando una vía determinada. Las vías difieren, pero hay principalmente reacciones enzimáticas idénticas en las tres vías. En todas ellas 3-P-gliceraldehido es un elemento clave intermedio, y son iguales las enzimas que intervienen para convertir G-3-P en piruvato.

Estudio de las vías con isótopos. Empleando técnicas con radioisótopo resulta relativamente sencillo identificar la vía utilizada por cada microorganismo. Puede marcarse específicamente cualquier carbono de una molécula de glucosa mediante ^{14}C radiactivo. Si se alimenta un organismo con glucosa marcada, y luego se localiza la marca en las moléculas producidas, puede obtenerse una idea bastante clara de las vías de desintegración. Como ejemplo, imaginemos que un organismo fermenta la glucosa hasta etanol y CO_2. Supongamos que puede tener solo una de dos vías, la EMP o la ED; y que empleamos glucosa radiactiva para proporcionar la pista de cada una. Ambas vías dan 2 piruvatos desde la glucosa, proporcionando el siguiente cuadro general de desintegración:

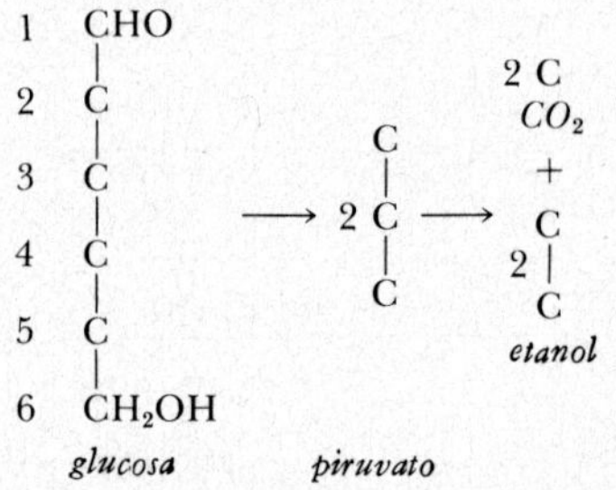

La molécula de glucosa se numera por convención; el problema estriba en saber cuáles átomos de C terminan el producto C según las vías:

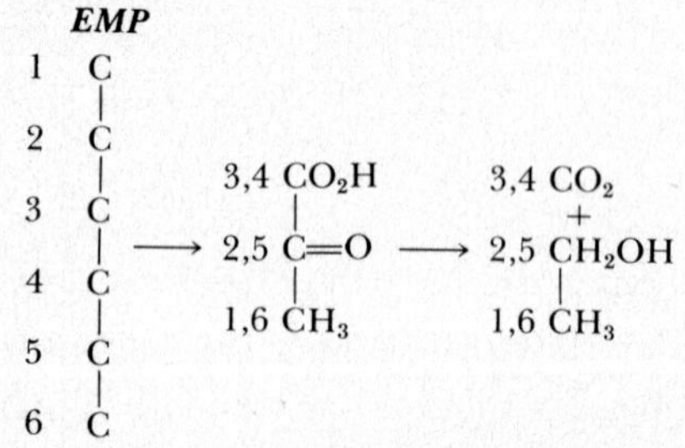

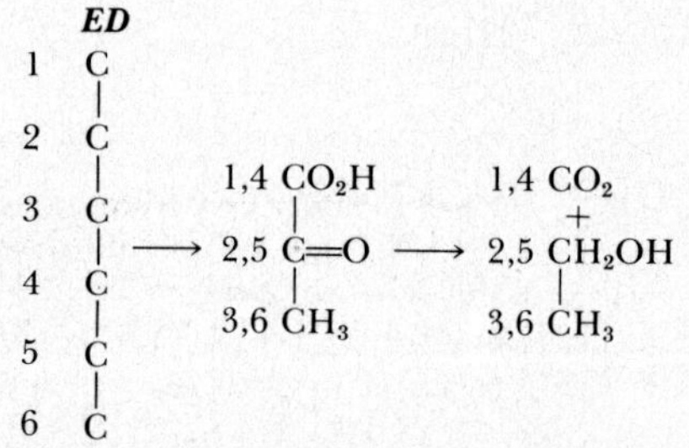

Los números de los carbonos de los productos indican los carbonos de la glucosa de los cuales derivan según las vías respectivas. Alimentando el organismo con [1-14C] glucosa, y recogiendo y midiendo la radiactividad en el CO_2 producido, distinguiremos entre EMP y ED. EMP no proporcionará $^{14}CO_2$, mientras que ED sí lo proporcionará. El resultado inverso se obtendrá si se emplea [3-14C] glucosa.

Lo dicho hasta aquí es una simplificación excesiva. Sin embargo, empleando con cuidado glucosa marcada específicamente, y analizando los productos, pueden distinguirse casi todas las vías entre sí, y puede descubrirse la operación simultánea de más de una vía por un organismo. Disponemos de métodos para seleccionar química o enzimáticamente átomos de carbono de productos que no son el CO_2 con el fin de determinar su radiactividad. La metodología general no es única para estudios de catabolia de carbohidratos; la marca con isótopos de átomos específicos de una molécula como medio para seguir el destino metabólico de los átomos marcados es un medio general muy útil en bioquímica.

Vías de pentosa

La única diferencia entre la catabolia de una hexosa y una pentosa por la secuencia de transcetolasa-transaldolasa o la secuencia de fosfocetolasa se halla en las reacciones globales de O-R. Para formar una pentosa a partir de una hexosa, el grupo aldehídico de la hexosa tiene que oxidarse pasando a carboxílico, el cual, a su vez, se descarboxila dejando una pentosa. Por lo tanto, se necesitan más reacciones de fondo electrónico para la desintegración de hexosa. Por ejemplo, ya hemos señalado que la vía de fosfocetolasa de algunas bacterias de ácido láctico termina con el acetilfosfato que se utiliza como fondo de electrones. El etanol se produce como consecuencia de la fermentación de la glucosa. Sin embargo, utilizando la misma vía para una pentosa, se suprime la necesidad de utilizar el acetilfosfato como fondo de electrones; si se fermenta L-arabinosa, por ejemplo:

L-arabinosa $+$ ATP $\rightarrow$ $\rightarrow$ D-Xu $—$ 5 $—$ P
D-Xu $—$ 5 $—$ P $—$ P_i $\rightarrow$ acetil $\sim$ P $+$ G $—$ 3 $—$ P
G $—$ 3 $—$ P $+$ 2 ADP $+$ P_i $\rightarrow$ $\rightarrow$ lactato $+$ 2 ATP
acetil $\sim$ P $+$ ADP $\rightarrow$ acetato $+$ ATP

Resumen

L-arabinosa $+$ 2 ADP $+$ 2 P_i $\rightarrow$
$\quad$ lactato $+$ acetato $+$ 2 ATP

Aunque se utilizan reacciones idénticas una vez formada Xu-5-P a partir de la hexosa o la pentosa, la supresión de la necesidad de utilizar el acetilfosfato permite la formación de acetato y ATP durante la fermentación de la pentosa. No solo los productos son diferentes (acetato o etanol) sino que el rendimiento de ATP por molécula de azúcar fermentado es diferente: 2 para la pentosa y 1 para la hexosa.

Formación de producto [27]

El piruvato es un intermedio central entre las fuentes de energía de carbohidratos y los productos carbonados finales del metabolismo energético. Sirve como fondo de electrones, como precursor de lactato o como precursor de otros productos de fermentación. También puede servir como comienzo de una serie de reacciones oxidativas que originan la oxidación total de los carbohidratos hasta CO_2 y H_2O en organismos que respiran. En la vía central, una buena parte (quizá todo) del carbono del carbohidrato pasa a este intermedio importante, pero se producen algunos productos sin formación intermedia de piruvato. En las vías de pentosa fosfatada, se produce algo de CO_2 a partir de hexosas antes de formar piruvato. En la vía de fosfocetolasa los productos con 2 carbonos, acetato (fermentación de pentosa) y etanol (fermentación de hexosa), provienen del acetilfosfato directamente resultante de la desintegración de Xu-5-P. En ocasiones, los microorganismos utilizarán intermedios formados antes del piruvato para reacciones electrónicas y para eliminación de productos. Un ejemplo de ello es la formación de glicerol como producto de fermentación:

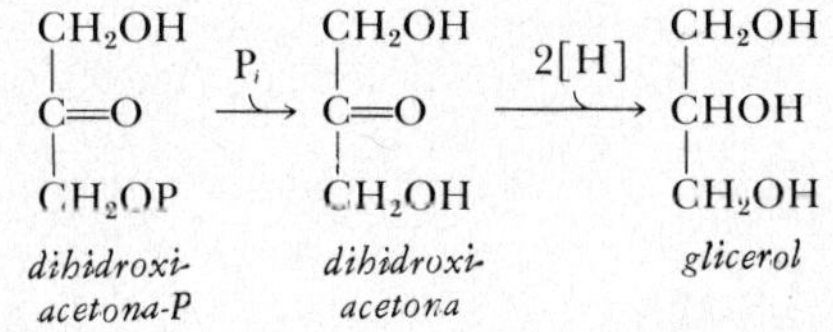

$$\begin{array}{ccccc}
CH_2OH & & CH_2OH & & CH_2OH \\
| & P_i & | & 2[H] & | \\
C{=}O & \rightarrow & C{=}O & \rightarrow & CHOH \\
| & & | & & | \\
CH_2OP & & CH_2OH & & CH_2OH \\
\textit{dihidroxi-} & & \textit{dihidroxi-} & & \textit{glicerol} \\
\textit{acetona-P} & & \textit{acetona} & &
\end{array}$$

Sin embargo, las excepciones no anulan el papel central del piruvato.

Diversas coenzimas importantes se asocian con el metabolismo del piruvato. Las coenzimas son compuestos orgánicos no proteínicos íntimamente asociados con la química de transformación de substratos por algunas enzimas. Suelen hallarse muy profusamente, y casi siempre relacionadas con vitaminas, pueden unirse estrechamente a las enzimas (unión covalente o unión firme) o participar en la asociación laxa transfiriendo una parte del substrato a otra enzima. El grupo químico unido a la coenzima es un substrato para la reacción enzimática subsiguiente. El modo de acción de las coenzimas en el metabolismo del piruvato ilustra cómo funcionan las coenzimas en el metabolismo intermedio.

Una reacción terminal de tipo de electrones que incluye piruvato (deshidrogenasa láctica) ya la hemos considerado. Esta reacción, típica de coenzimas de nucleótido de piridina, se escribe para mostrar la porción específica del nucleótido de piridina participando en la transferencia de electrones (ver 4-14).

4-14.

Reacciones de nucleótido de piridina

$$\text{piruvato} + \text{NADH} + H^+ \longrightarrow \text{lactato} + \text{NAD}$$

NADH *NAD*

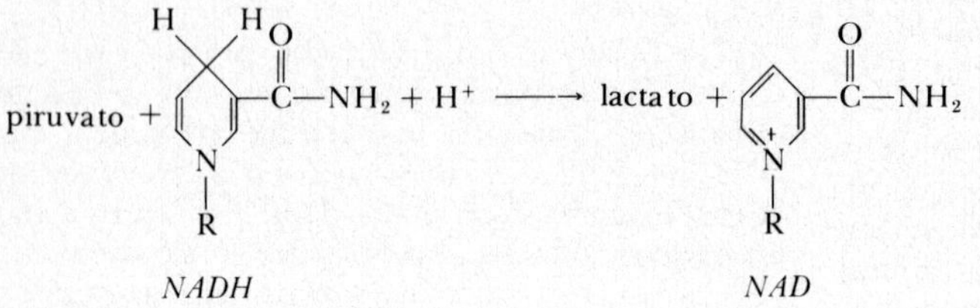

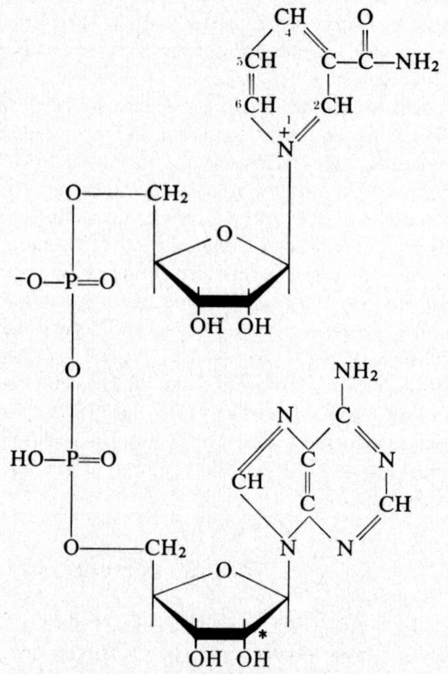

dinucleótido de nicotinamida-adenina (NAD)

* Posición del tercer grupo fosfato de NADP.

La porción activa de los nucleótidos de piridina es el anillo de nicotinamida que proviene de la vitamina niacina (nicotinamida). Un ion hídrido ($H^- = H^+ + 2\ e^-$) se transfiere entrando y saliendo de la cuarta posición del anillo en todas las oxidaciones relacionadas con nucleótidos de piridina, oxidaciones y reducciones. El papel principal de los nucleótidos de piridina es el desplazamiento de electrones desde el donador de electrones hasta los substratos aceptores de electrones. Las estructuras completas de NAD Y NADP se indican en el cuadro 4-14.

Descarboxilación del piruvato. Diversas reacciones importantes de piruvato tienen por consecuencia su descarboxilación. Todas las descarboxilaciones parecen incluir como coencima la difosfotiamina (DPT). Las diferentes enzimas inician la catálisis formando α-hidroxietil-DPT como intermedio unido a la enzima (ver 4-15). La carboxilasa de la levadura actúa en esta forma, y su reacción acaba rompiendo el α-hidroxietil-DPT en acetaldehido:

ácido pirúvico + DPT-enzima →
$\qquad\qquad$ α-hidroxietil-DPT-enzima + CO_2
α-hidroxietil-DPT-enzima → acetaldehido + DPT-enzima

El acetaldehido producido por la levadura se utiliza como substrato de electrones para formación de etanol:

$$CH_3CHO + NADH + H^+ \rightarrow CH_3CH_2OH + NAD^+$$

El etanol es un producto de fermentación bacteriana bastante común, y siempre es producido a partir del acetaldehido por reducción con nucleótido de piridina reducido. Sin embargo, solo en una especie bacteriana se produce acetaldehido por un mecanismo de carboxilasa de la levadura. La mayor parte de la formación bacteriana de acetaldehido proviene de reducción del acetilcoenzima A que estudiaremos más tarde.

DPT es un portador de "aldehido activo" en todas las reacciones enzimáticas en las cuales participa. El tipo de aldehido portado dependerá del substrato, y la disposición del aldehido depende de la enzima particular. La tiamina es la vitamina relacionada con la coenzima.

Otra reacción de hidroxietil-DPT importante para la formación de productos de fermentación incluye la condensación del "acetaldehido activo" con una segunda molécula de piruvato para proporcionar áci-

4–15.

Difosfotiamina y descarboxilación de piruvato

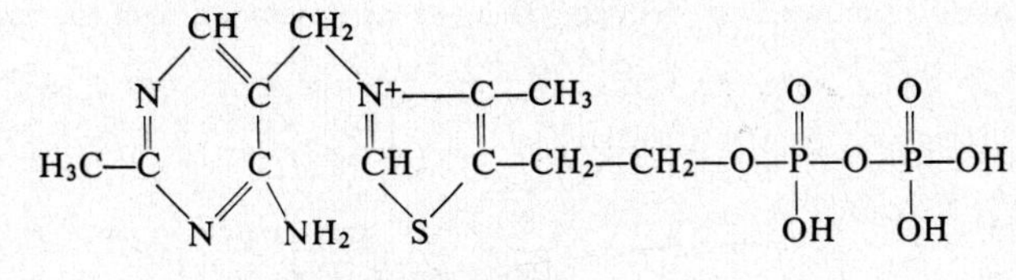

$$CH_3-C \begin{matrix} & CH & CH_2 \\ N & \| & | \\ \| & C & N^+-C-CH_3 \\ C & & \| \\ N & C & CH \quad C-CH_2-CH_2-O-P-O-P-OH \\ & NH_2 & S \end{matrix}$$

difosfotiamina (DPT)

$$CH_3-\overset{O}{\underset{\|}{C}}-COOH \quad + \quad \begin{matrix} R_1 \\ | \\ N^+-C-CH_3 \\ \| \quad \| \\ H-C \quad C-R_2 \\ S \end{matrix} \quad \rightarrow \quad \begin{matrix} R_1 \\ OH \; | \\ | \quad N^+-C-CH_3 \\ CH_3-C-C \quad \| \\ | \quad C-R_2 \\ H \quad S \end{matrix} \quad + \; CO_2$$

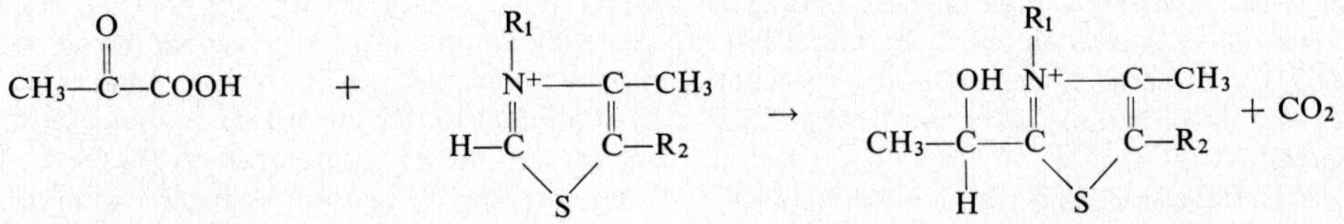

ácido pirúvico   *DPT*   *α-hidroxietil-DPT*

Formación de acetoína

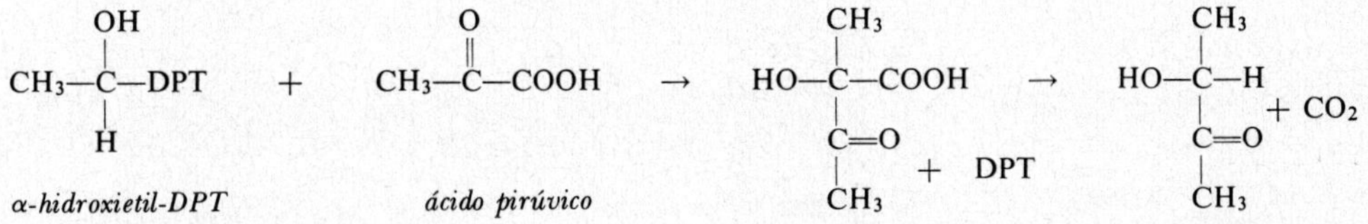

$$\begin{matrix} OH \\ | \\ CH_3-C-DPT \\ | \\ H \end{matrix} \; + \; CH_3-\overset{O}{\underset{\|}{C}}-COOH \; \rightarrow \; \begin{matrix} CH_3 \\ | \\ HO-C-COOH \\ | \\ C=O \\ | \\ CH_3 \end{matrix} + DPT \; \rightarrow \; \begin{matrix} CH_3 \\ | \\ HO-C-H \\ | \\ C=O \\ | \\ CH_3 \end{matrix} + CO_2$$

α-hidroxietil-DPT   *ácido pirúvico*   *ácido α-acetoláctico*   *acetoína*

4–16.

Oxidación de α-hidroxietil-DPT

a) *Transferencia a un aceptor electrónico exógeno*

$$CH_3CHOH-DPT + CoASH \longrightarrow CH_3CO \sim SCoA + 2\,[H]$$

b) *Formación de gas H_2*

$$CH_3CHOH-DPT + CoASH \longrightarrow CH_3CO \sim SCoA + H_2 \uparrow$$

c) *Formación de ácido fórmico*

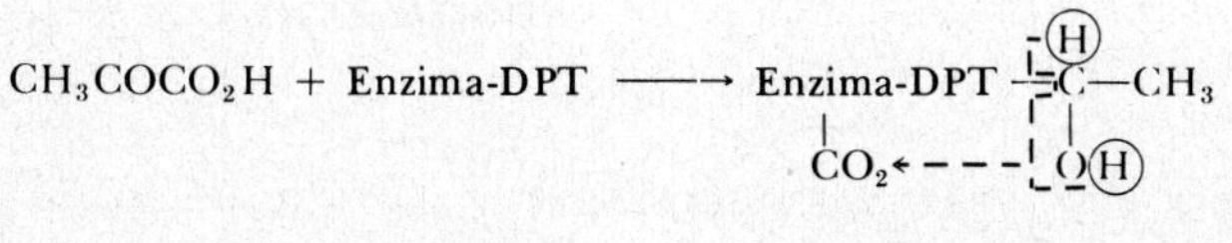

$$CH_3COCO_2H + Enzima\text{-}DPT \longrightarrow Enzima\text{-}DPT \begin{matrix} (H) \\ \overset{\cdot}{=}C-CH_3 \\ | \\ CO_2 \leftarrow --- O(H) \end{matrix}$$

enzima-CO₂-hidroxietil-DPT intermedio

$$intermedio + CoASH \longrightarrow CH_3CO \sim SCoA + HCO_2H + Enzyme\text{-}DPT$$

ácido fórmico

do α-acetoláctico (ver 4-15). El α-acetolactato nunca se acumula como producto; siempre se descarboxila a acetoína, que puede acumularse como producto (ver 4-15). En ocasiones, la acetoína se reduce más a 2,3-butanodiol,

$$CH_3CHOHCOCH_3 + 2[H] \rightarrow CH_3CHOHCHOHCH_3$$

o se oxida a diacetilo.

$$CH_3CHOHCOCH_3 \rightarrow CH_3COCOCH_3 + 2[H]$$

La fermentación bacteriana por buenos productores de butanodiol se ha utilizado en el comercio. El butanodiol tiene importancia para fabricar butadieno en la producción de caucho sintético. El diacetilo es un componente aromático importante de alimentos basados en la fermentación bacteriana, como quesos y mantequilla.

Los sistemas bacterianos más importantes para descarboxilación del piruvato incluyen la oxidación del grupo α-hidroxietilo en DPT hasta el grupo acetilo. El grupo acetilo formado casi siempre es acetilcoenzima A (coenzima A = CoASH) y los electrones se disponen en una de las tres vías siguientes:

a) Transferencia a un aceptor electrónico exógeno.
b) Formación de gas H_2.
c) Formación de ácido fórmico.

Los tres métodos para oxidar el grupo hidroxietilo se indican en el cuadro 4-16. El método *c* es diferente de todas las demás reacciones de rotura del piruvato, porque CO_2 no es un producto ni tampoco un intermedio libre. Aunque el mecanismo no está completamente aclarado, el esquema de 4-16 corresponde a la presente información. Este esquema sugiere que ocurre descarboxilación típica del piruvato, con producción de CO_2 unido a la enzima. El hidroxietil-DPT se oxida hasta acetilcoenzima A, con reducción simultánea del CO_2 a formato.

El formato y H_2 son productos comunes de fermentación de las bacterias. Las anaerobias formado-

4-17.

Coenzima A (CoA)

(a) $CH_3-\overset{O}{\overset{\|}{C}}-S-CoA + H_3PO_4 \rightleftharpoons CoA + CH_3-\overset{O}{\overset{\|}{C}}-O-\overset{O}{\overset{\|}{P}}-OH$
      acetil-CoA   *acetilfosfato*

(b)   acetilfosfato + ADP → ácido acético + ATP

ras de esporas, miembros del género Clostridium, producen H_2 por la reacción *b*. Los miembros de la familia Enterobacteriaceae, las bacterias entéricas, producen formato por la reacción *c*. Además, algunas de las bacterias entéricas (por ejemplo Escherichia coli) tienen un sistema enzimático denominado el sistema de la hidrogenilasa fórmica, que produce H_2 y CO_2 a partir del formato:

$$HCO_2H \rightarrow H_2 + CO_2$$

Así pues, hay dos sistemas bacterianos principales para producción de H_2 a partir de carbohidratos, el sistema *b* y una combinación del sistema *c* con el sistema de hidrogenilasa.

Formación de productos por acetilcoenzima A. La acetilcoenzima A (acetil-CoA) es un precursor importante de los productos del metabolismo energético de los carbohidratos. También es un ejemplo de una clase muy importante de compuestos de metabolismo intermedio, los tioésteres de coenzima A. La vitamina ácido pantoténico es parte de la estructura de la coenzima A (para mayores detalles ver cuadro 4-17).

La coenzima A, a través de su grupo tiol terminal, participa en la formación y transferencia de aciltioésteres. Un enlace tioéster es un enlace rico en energía, y la energía del enlace puede utilizarse para síntesis de ATP. La acetil-CoA puede convertirse en acetilfosfato, que a su vez puede convertirse en acetato y ATP. La acetiltransferasa de acetil-

coenzima A: ortofosfato (fosfotransacetilasa) es una enzima bacteriana frecuente (ver 4-17). Acetil-CoA formado directamente del piruvato o del acetilfosfato (vía de fosfocetolasa) también se reduce a acetaldehido por la mayor parte de bacterias productoras de etanol:

$$H^+ + NADH + CH_3CO\sim SCoA \rightarrow$$
$$CH_3CHO + HSCoA + NAD^+$$

Obsérvese que la energía para el enlace de tioéster no queda disponible como ATP cuando se forma acetaldehido. El enlace de tioéster tiene energía que esencialmente es eliminada por el organismo en el producto etanol (ver 4-12).

La acetil-CoA también se utiliza para formar acetoacetil-coenzima A precursor de diversos productos importantes de fermentación bacteriana:

$$2 CH_3CO\sim SCoA \rightarrow CH_3COCH_2CO\sim SCoA + CoASH$$
$$\textit{acetoacetil-CoA}$$

La acetoacetil-CoA se utiliza para formar ácido butírico, alcohol *n*-butílico, acetona e isoprotenol, productos importantes de la fermentación bacteriana (ver 4-18). Los productos de fermentación derivados de acetoacetil-CoA son bastante frecuentes entre los miembros del género Clostridium pero no se limitan a dicho género. La producción industrial de acetona y butanol por fermentación de clostridios tuvo importancia en un tiempo, y todavía se emplea. También tiene cierta importancia histórica porque Chaim Weizmann, un microbiólogo britá-

---

4-18.

Productos de acetoacetil-CoA

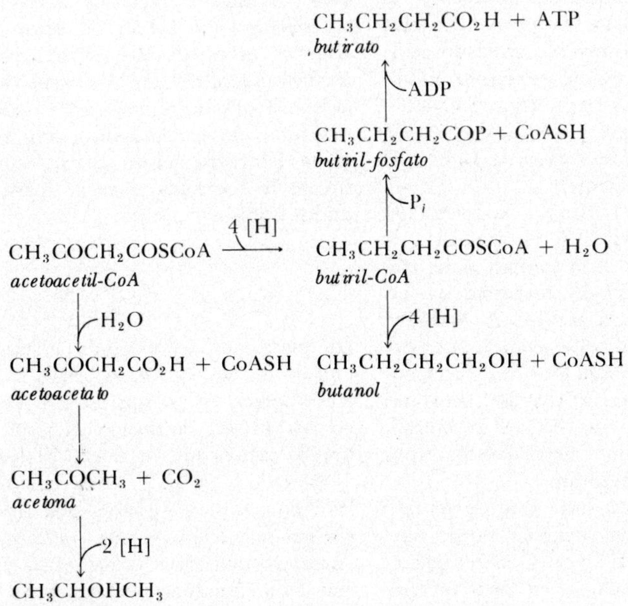

$$CH_3CH_2CH_2CO_2H + ATP$$
butirato

$$\uparrow\!\!\!\searrow ADP$$

$$CH_3CH_2CH_2COP + CoASH$$
butiril-fosfato

$$\uparrow\!\!\!\searrow P_i$$

$$CH_3COCH_2COSCoA \xrightarrow{4\,[H]} CH_3CH_2CH_2COSCoA + H_2O$$
acetoacetil-CoA   *butiril-CoA*

$$\downarrow\!\!\!\searrow H_2O \qquad\qquad\qquad \downarrow\!\!\!\nearrow 4\,[H]$$

$$CH_3COCH_2CO_2H + CoASH \qquad CH_3CH_2CH_2CH_2OH + CoASH$$
acetoacetato   *butanol*

$$\downarrow$$

$$CH_3COCH_3 + CO_2$$
acetona

$$\downarrow\!\!\!\nearrow 2\,[H]$$

$$CH_3CHOHCH_3$$
isopropanol

4–19.

Acido lipoico y oxidación de piruvato

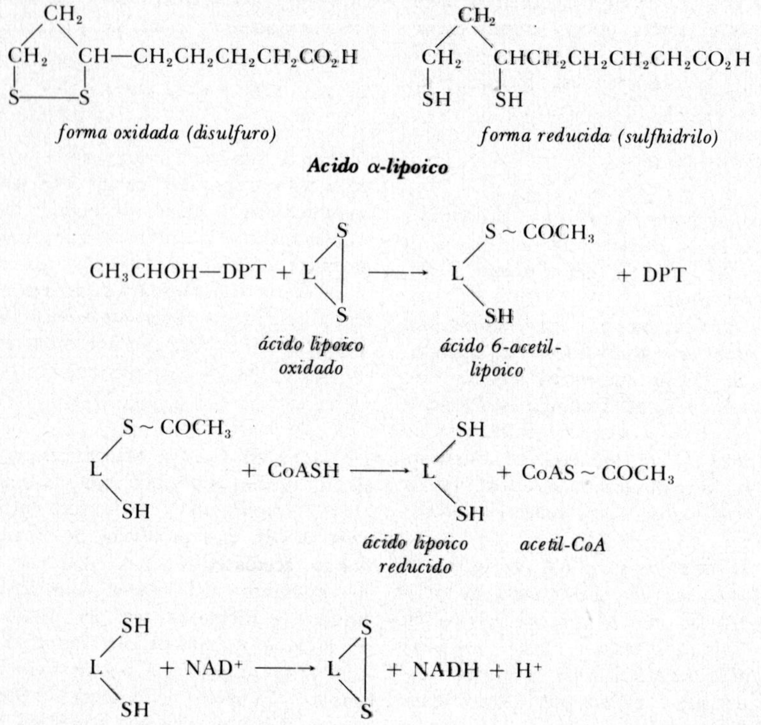

$$CH_2 \quad CH_2$$
$$CH_2 \quad CH-CH_2CH_2CH_2CH_2CO_2H \qquad\qquad CH_2 \quad CHCH_2CH_2CH_2CH_2CO_2H$$
$$S——S \qquad\qquad\qquad\qquad\qquad SH \quad SH$$

forma oxidada (disulfuro)   *forma reducida (sulfhidrilo)*

Acido α-lipoico

$$CH_3CHOH—DPT + L\begin{array}{c}S\\|\\S\end{array} \longrightarrow L\begin{array}{c}S \sim COCH_3\\ \\SH\end{array} + DPT$$

ácido lipoico   *ácido 6-acetil-*
oxidado   *lipoico*

$$L\begin{array}{c}S \sim COCH_3\\ \\SH\end{array} + CoASH \longrightarrow L\begin{array}{c}SH\\ \\SH\end{array} + CoAS \sim COCH_3$$

ácido lipoico   *acetil-CoA*
reducido

$$L\begin{array}{c}SH\\ \\SH\end{array} + NAD^+ \longrightarrow L\begin{array}{c}S\\|\\S\end{array} + NADH + H^+$$

nico nacido en Rusia, patentó el microorganismo *Clostridium acetobutylicum,* que se utilizó en la producción de acetona durante la primera guerra mundial. La acetona era el disolvente utilizado en la elaboración de cordita, importante explosivo en dicha guerra. Weismann utilizó el prestigio y el dinero ganado con su patente para lograr la declaración Balfour y el establecimiento del estado de Israel, del cual pasó a ser primer presidente.

La enzimología del ácido butílico y la formación de butanol a partir de butiril-CoA es análoga a la enzimología del ácido acético y la formación de etanol por acetil-CoA. El derivado coenzima de un grupo químico particular, o sea acetil-CoA, participa en diversos tipos de reacción, por ejemplo transferencia a fosfato, reducción a acetaldehido, y condensación a acetoacetil-CoA. Derivativos de coenzimas de homólogos, por ejemplo acetil-CoA y butiril-CoA, y análogos, probablemente participen en tipos similares de reacciones enzimáticas.

La acetil-CoA es no solo un importante precursor de productos de fermentación; también puede oxidarse completamente hasta CO_2 y H_2O por organismos que respiran. La vía oxidativa en bacterias que utilizan carbohidratos es el ciclo del ácido tricarbo-

xílico. La formación de acetil-CoA a partir del piruvato en estos organismos que respiran es por el sistemas *a* (ver 4-16). El mejor estudiado de estos sistemas es el sistema de oxidasa de piruvato en *Escherichia coli*.[18] En el sistema de *E. coli* el grupo aldehido del hidroxietil DPT "aldehido activo" es oxidado a un grupo acílico, con transferencia simultánea del grupo acílico a uno de los átomos de azufre de la coenzima (ver el cuadro 4-19), oxidado ácido lipoico:

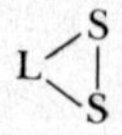

$$L\begin{array}{c}S\\|\\S\end{array}$$

Los electrones del aldehido se utilizan para reducir uno de los sulfuros a un grupo sulfhidrilo. El ácido acetil-lipoico es un tioéster rico en energía. El grupo acetilo es transferido al CoA. Luego el ácido lipoico es oxidado de nuevo a su forma oxidada.

La oxidación se cataliza por una flavoproteína, la deshidrogenasa lipoica. Una flavoproteína es una enzima que contiene una coenzima en forma de la vitamina riboflavina como grupo prostético. Las formas más comunes de coenzimas son el mononucleótido de flavina (fosfato de riboflavina) y el

4-20.

Coenzimas de flavina

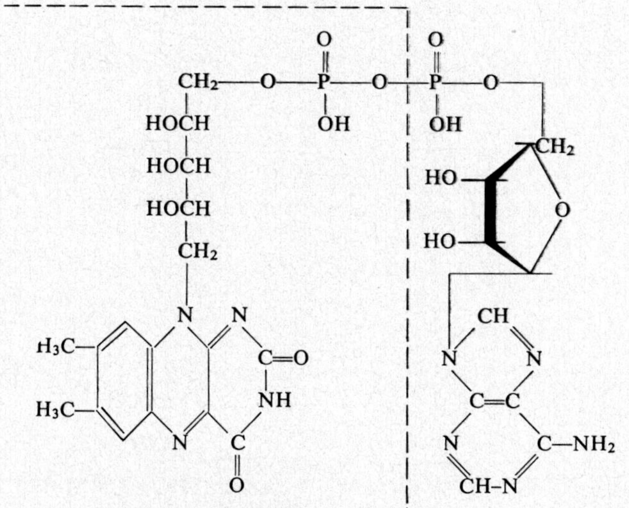

fosfato de riboflavina

dinucleótido de flavina y adenina

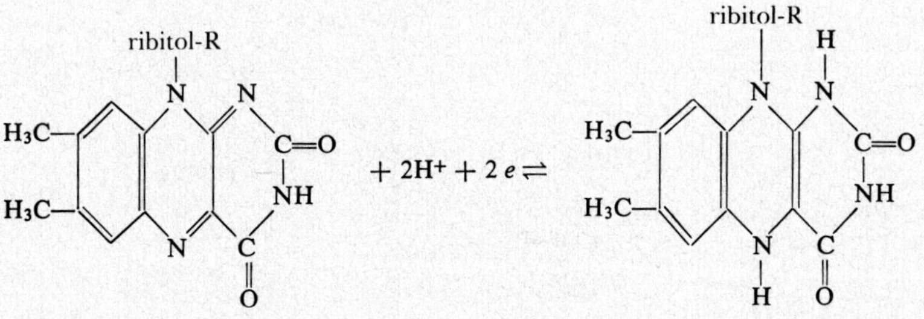

$+ 2H^+ + 2e \rightleftharpoons$

forma oxidada

forma reducida

4-21.

Ciclo de Krebs del ácido tricarboxílico

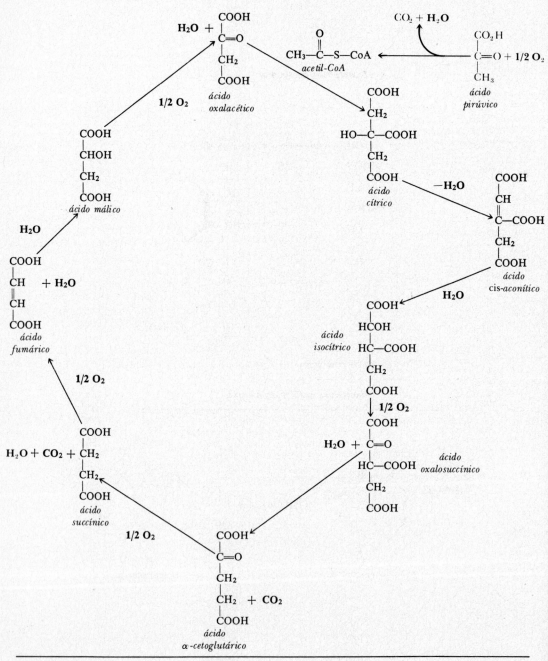

Reacción global:

C$_3$H$_4$O$_3$ + 2 ½ O$_2$ → 3 CO$_2$ + 2 H$_2$O
  ácido
  pirúvico

dinucleótido de flavina y adenina; suele tratarse de enzimas fijadas fuertemente. Los electrones son transferidos entrando y saliendo del sistema de anillo flavínico (ver 4-20).

El ácido lipoico no suele ser una vitamina; solo hay unos pocos casos en los cuales resulta necesario para el crecimiento. Como coenzima, se une en forma covalente con la proteína enzimática por su grupo carboxílico.

El sistema de oxidasa de piruvato de *E. coli* es muy similar al de las mitocondrias del corazón de ternera. Existen las células como un complejo de gran peso molecular que contiene una descarboxilasa de DPT que transfiere la porción aldehídica del piruvato al ácido lipoico oxidado unido a la transacetilasa de acetil-lipoico: acetil-CoA. La deshidrogenasa lipoica también forma parte de un complejo multienzimático. La reacción global es la siguiente

$$CH_3COCO_2H + NAD^+ + CoASH \rightarrow$$
$$CH_3CO{\sim}SCoA + NADH + H^+$$

NADH luego es oxidado a NAD + H_2O por el sistema respiratorio terminal, y la acetil-CoA es oxidada a CO_2 y H_2O por el ciclo del ácido tricarboxílico (ciclo TCA).

Ciclo del ácido tricarboxílico. El ciclo de Krebs o ciclo TCA (ver 4-21). comienza con una condensación de acetil-CoA con oxaloacetato para dar citrato, ácido tricarboxílico de seis carbonos. Las reacciones restantes consisten en un mecanismo para oxidar la unidad condensada de acetilo del acetil-CoA hasta CO_2 y H_2O con regeneración del oxaloacetato necesario para iniciar el ciclo.

La oxidación de los productos intermedios incluye cuatro reacciones del ciclo. La deshidrogenasa isocítrica oxida el isocitrato a ácido oxalosuccínico, con reducción del nucleótido de piridina. La oxidación del α-cetoglutarato hasta ácido succínico y CO_2 tiene

lugar pasando por succinil-CoA. El mecanismo de formación de succinil-CoA a partir de α-cetoglutarato es idéntico al mecanismo de la oxidasa de piruvato explicado antes; incluye DPT, ácido lipoico, NAD y una coenzima flavínica. Piruvato y α-cetoglutarato ambos son ácidos α-ceto, y las reacciones globales pueden generalizarse así:

$$R{-}COCO_2H + CoASH + NAD^+ \rightarrow$$
$$R{-}CO{\sim}SCoA + NADH + H^+$$

donde R es CH_3^- en el caso del piruvato y HO_2C $(CH_2)_2$ en el α-cetoglutarato. El sistema de oxidasa de α-cetoglutarato existe como un complejo multienzimático separado del complejo de oxidasa de piruvato, pero análogo al mismo. El enlace de alta energía de la succinil-CoA se utiliza para formar ATP (ver 4-22). El difosfato de guanosina primero se convierte en trifosfato de guanosina, que luego se utiliza para convertir ADP en ATP. El difosfato de guanosina es un difosfato de ribonucleósido de purina muy similar en estructura al ADP.

Las otras oxidaciones del ciclo TCA son la oxidación de ácido succínico a ácido fumárico, y la oxidación de ácido málico a ácido oxalacético. La deshidrogenasa málica es una enzima unida a un nucleótido de piridina, y la deshidrogenasa succínica es una flavoproteína. La flavina reducida se oxida por el sistema respiratorio terminal, como ocurre con todos los nucleótidos de piridina reducidos en las tres oxidaciones relacionadas con nucleótidos de piridina. Según ya señalamos, gran parte del ATP queda disponible para la célula por virtud de fosforilaciones acopladas a estas oxidaciones terminales. La única fosforilación de substrato del ciclo TCA se halla en la etapa de succinil-CoA a succinato.

4-22.

$$\text{succinil} \sim SCoA + P_i + \text{difosfato de guanosina (GDP)} \rightarrow \text{ácido succínico} + \text{trifosfato de guanosina (GTP)}$$

$$GTP + ADP \longrightarrow ATP + GDP$$

4-23.

$$\begin{array}{c} O \sim P \\ | \\ CH_2{=}C{-}CO_2H + ADP + CO_2 \longrightarrow HO_2CCH_2COCO_2H + ATP \end{array}$$
fosfoenolpiruvato   *oxalacetato*

$$HO_2CCH_2COCO_2H + 2[H] \longrightarrow HO_2CCH_2CHOHCO_2H$$
malato

$$HO_2CCH_2CHOHCO_2H \longrightarrow HO_2CCH{=}CHCO_2H + H_2O$$
fumarato

$$HO_2CCH{=}CHCO_2H + 2[H] \longrightarrow HO_2CCH_2CH_2CO_2H$$
succinato

4–24.

Formación de ácido propiónico

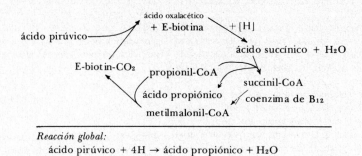

Reacción global:

$$\text{ácido pirúvico} + 4H \rightarrow \text{ácido propiónico} + H_2O$$

Formación de succinato y propionato. Dos productos importantes de fermentación microbiana se forman a partir del piruvato en reacciones que incluyen la carboxilación del piruvato para formar oxaloacetato. Estos productos son ácido succínico y ácido propiónico. Hay diversas reacciones enzimáticas conocidas para formar oxaloacetato a partir del piruvato o de fosfoenolpiruvato. La reacción específica de CO_2 utilizada por bacterias que excretan succinato no ha sido estudiada en detalle. La formulación de la producción de succinato en **4-23** utiliza una enzima de fijación de CO_2 que se sabe es funcional en una bacteria que produce succinato para ilustrar el orden general del fenómeno. La formación de grandes cantidades de ácido succínico, como producto de fermentación, requiere una gran fijación

de CO_2. Las bacterias que utilizan la fermentación del ácido succínico como único medio para generar energía para su crecimiento tienen que lograr gran concentración de CO_2 en medios naturales o artificiales.

La formación de ácido propiónico ha sido estudiada ampliamente en el género Propionibacterium.[26] Especies de este género tienen importancia en la producción del queso suizo (de Gruyère) donde les corresponde la producción de los agujeros (por CO_2) y de ácidos propiónico y acético como componentes para sabor y olor. Resulta difícil describir el orden de las reacciones (ver **4-24**) simplemente partiendo de la reacción inicial, pues esta reacción inicial incluye uno de los productos terminales de la serie, la metilmalonil-CoA (MM-CoA). Un gru-

4–25.

Biotina y transcarboxilación

$$\text{metilmalonil-CoA} + \text{E-biotin} \xrightarrow{\text{transcarboxilasa}} \text{propionil-CoA} + \text{E-biotin-}CO_2$$

$$\text{E-biotin-}CO_2 + \text{ácido pirúvico} \rightarrow \text{ácido oxalacético} + \text{E-biotin}$$

4-26.

Vitamina B_{12} y coenzima de B_{12}

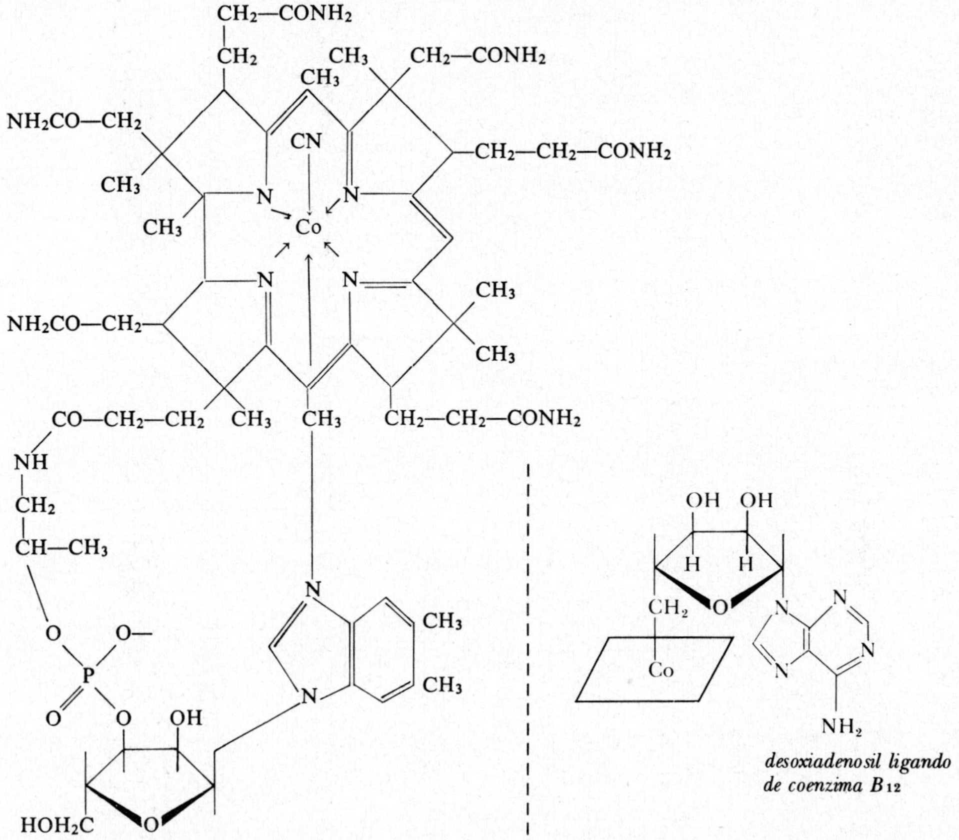

cianocobalamina (vitamina B 12)

desoxiadenosil ligando de coenzima B 12

---

po carboxilo de MM-CoA es transferido al piruvato para proporcionar propionil-CoA y oxaloacetato en una reacción de transcarboxilasa (ver **4-25**). La transcarboxilasa utiliza biotina como coenzima. La biotina es un portador de CO_2 en diversas reacciones enzimáticas (ver **4-25**). Siempre está unida en forma covalente a las enzimas.

El oxaloacetato se convierte luego en succinato por reacciones idénticas a las que sigue la vía de fermentación del succinato. Se forma luego succinil-CoA por una transacilación con propionil-CoA producido en la reacción de transcarboxilasa

succinato + propionil-CoA → succinil-CoA + propionato.

Succinil-CoA sufre isomerización a metil-malonil-CoA en una sola etapa. La isomerasa tiene como coenzima una vitamina B_{12} unida estrechamente (ver **4-26**). La coenzima es un derivado desoxiadenosílico de la vitamina B_{12} con el grupo desoxiadenosilo unido al cobalto de la vitamina. La forma del co-

mercio de la vitamina B_{12} tiene un grupo ciano unido al cobalto.

La coenzima de la vitamina B_{12} actúa en reacciones enzimáticas como dador y aceptor de iones hídridos (H^-, un protón con 2 electrones) pero no suele transportar iones hídridos entre substratos. Permite la formación de intermedios temporales oxidados entre un substrato y un producto. El producto recupera el mismo estado de oxidación que el substrato al terminar la reacción. La reacción de isomerasa y el mecanismo de acción de la coenzima de B_{12} se indica en **4-27**. La reacción global es la isomerización de succinil-CoA a metilmalonil-CoA. La función de coenzima parece ser la de labilizar un ion hídrido del substrato para permitir que se produzca una nueva disposición química intramolecular. La coenzima de vitamina B_{12} participa en varios tipos fundamentalmente diferentes de reacciones enzimáticas. Por ejemplo, es la coenzima de una enzima bacteriana que convierte el glicerol en β-hidroxipropionaldehido:

4-27.

Coenzima e isomerasa de B$_{12}$

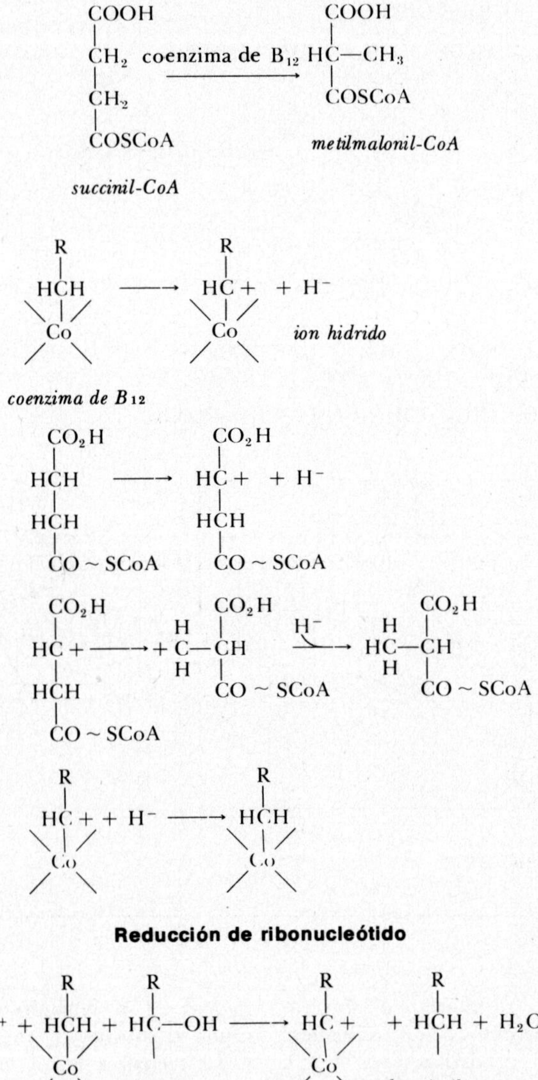

$$
\begin{array}{ccc}
\text{COOH} & & \text{COOH} \\
| & & | \\
\text{CH}_2 & \xrightarrow{\text{coenzima de B}_{12}} & \text{HC—CH}_3 \\
| & & | \\
\text{CH}_2 & & \text{COSCoA} \\
| & & \\
\text{COSCoA} & & \textit{metilmalonil-CoA} \\
\textit{succinil-CoA} & &
\end{array}
$$

$$
\begin{array}{ccc}
\text{R} & & \text{R} \\
| & & | \\
\text{HCH} & \longrightarrow & \text{HC}+ \quad + \text{ H}^- \\
| & & | \\
\text{Co} & & \text{Co} \quad \textit{ion hidrido}
\end{array}
$$

coenzima de B$_{12}$

$$
\begin{array}{ccc}
\text{CO}_2\text{H} & & \text{CO}_2\text{H} \\
| & & | \\
\text{HCH} & \longrightarrow & \text{HC}+ \quad + \text{ H}^- \\
| & & | \\
\text{HCH} & & \text{HCH} \\
| & & | \\
\text{CO} \sim \text{SCoA} & & \text{CO} \sim \text{SCoA}
\end{array}
$$

$$
\begin{array}{ccccc}
\text{CO}_2\text{H} & & \text{CO}_2\text{H} & & \text{CO}_2\text{H} \\
| & & | & \text{H}^- & | \\
\text{HC}+ & \longrightarrow + \text{C—CH} & \xrightarrow{} & \text{HC—CH} \\
| & \text{H} \quad | & & \text{H} \quad | \\
\text{HCH} & \text{CO} \sim \text{SCoA} & & \text{CO} \sim \text{SCoA} \\
| & & & \\
\text{CO} \sim \text{SCoA} & & &
\end{array}
$$

$$
\begin{array}{ccc}
\text{R} & & \text{R} \\
| & & | \\
\text{HC}+ + \text{ H}^- & \longrightarrow & \text{HCH} \\
| & & | \\
\text{Co} & & \text{Co}
\end{array}
$$

Reducción de ribonucleótido

$$
\begin{array}{ccccc}
& \text{R} & \text{R} & \text{R} & \text{R} \\
& | & | & | & | \\
\text{H}^+ + & \text{HCH} + & \text{HC—OH} \longrightarrow & \text{HC}+ & + \text{HCH} + \text{H}_2\text{O} \\
& | & & | & | \\
& \text{Co} & \textit{ribosa} & \text{Co} & \textit{desoxirribosa}
\end{array}
$$

$$
\begin{array}{ccc}
\quad\text{SH} & \text{R} & \text{R} \quad\quad \text{S} \\
\quad| & | & | \quad\quad | \\
\text{R} \quad + & \text{HC}+ \longrightarrow & \text{HCH} + \text{R} \quad\quad + \text{H}^+ \\
\quad| & | & | \quad\quad | \\
\quad\text{SH} & \text{Co} & \text{Co} \quad\quad \text{S}
\end{array}
$$

$$
\begin{array}{ccc}
\text{CH}_2\text{OH} & & \text{CHO} \\
| & & | \\
\text{CHOH} & \longrightarrow & \text{CH}_2 \\
| & & | \\
\text{CH}_2\text{OH} & & \text{CH}_2\text{OH} \\
\textit{glicerol} & & \textit{β-hidroxipropionaldehido}
\end{array}
$$

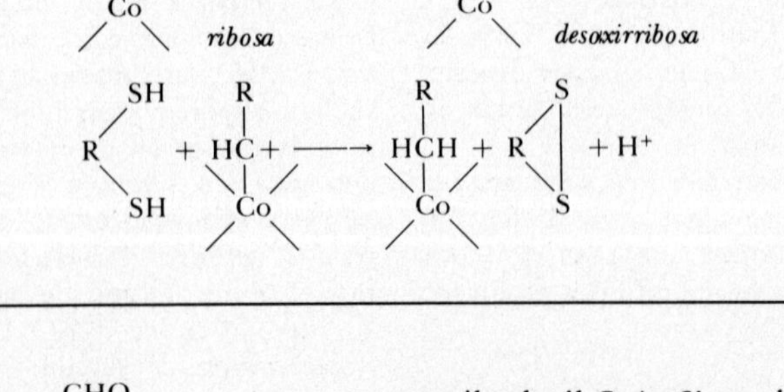

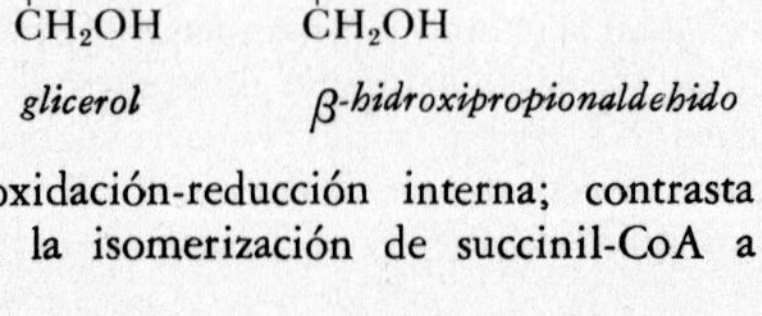

Esto es una oxidación-reducción interna; contrasta netamente con la isomerización de succinil-CoA a metilmalonil-CoA. Sin embargo, hay un común denominador, porque la química de ambas reacciones requiere la labilización de un ion hídrido.

Posiblemente la reacción más importante de coenzima B$_{12}$ es la reducción de ribonucleótidos a desoxirribonucleótidos en algunos organismos. Esta es una excepción importante a la reacción usual de coenzima B$_{12}$, porque incluye la oxidación de un compuesto disulfhidrilo, con reducción del hidroxilo de la ribosa en desoxirribosa. Sin embargo, probablemente interviene la transferencia de un hídrido (ver 4-27).

Después que se ha formado metilmalonil-CoA por la isomerasa, se utiliza en la transcarboxilasa para formar propionil-CoA, y se produce otra molécula de oxaloacetato para conversión a propionato (ver 4-24).

En las propionibacterias la reducción de fumarato y succinato incluye la utilización de un citocromo como portador de electrones entre el reductante primario, probablemente NADH, y la enzima que reduce el fumarato. Estudios sobre el desarrollo del crecimiento sugieren que se genera un ATP junto con esta reducción. Algunas de las bacterias que producen succinato como producto de fermentación también emplean un citocromo como portador de electrones en la etapa de transferencia electrónica. En un tiempo se creía que los citocromos estaban limitados a los organismos que respiran en presencia de O_2. Sin embargo, hay varios procesos anaerobios y diversas bacterias estrictamente anaerobias que han hecho cambiar esta idea. Ya nos hemos referido a la importancia de los citocromos en la generación fototrófica de energía, proceso estrictamente anaerobio en las bacterias. Algunos de los gérmenes fototróficos no pueden crecer en absoluto en presencia de oxígeno.

Hay otras bacterias que forman ácido propiónico utilizando vías similares a las de Propionibacterium, o sea que utilizan oxaloacetato, succinil-CoA y metilmalonil-CoA como intermedios. Puede haber diferencias de detalle, pero hay una vía completamente independiente para la formación de propionato que no utiliza ni el piruvato como intermedio. Esta vía procede del ácido láctico, formado por la propia bacteria a partir de carbohidratos, o formado por otras bacterias. Esta vía incluye una deshidratación del ácido láctico en ácido acrílico, y reducción del acrilato a propionato (ver 4-28).

Vías centrales y difosfotiamina. Ya nos hemos referido a las diversas estrategias utilizadas por las bacterias para producir la mayor parte de los productos conocidos importantes de fermentación, y hemos visto cómo el piruvato es un intermedio clave para la mayor parte de estas reacciones. Utilizando el piruvato como punto de partida, hemos vigilado los tipos de reacciones producidos por diversas enzimas; algunas de estas reacciones las estudiaremos de nuevo al referirnos a otros procesos de desintegración o síntesis. Por lo que se refiere a la desintegración de los carbohidratos, las únicas coenzimas de las que nos hemos ocupado antes de formarse el piruvato (en las vías centrales) son los nucleótidos de piridina. Sin embargo, hay otra de estas coenzimas que tiene importancia en dos de estas vías centrales, la difosfotiamina, y vamos a considerar ahora su papel en estas vías.

Las dos vías son las de fosfocetolasa y las de trancetolasa-transaldolasa. El substrato interesante es del 5-fosfato de xilulosa. Se forma un "aldehido activo" intermedio, en forma análoga a como ocurre en las reacciones de piruvato. Los dos carbonos superiores de Xu-5-P son transferidos a DPT para producir dihidroxietil-DPT, análogo del α-hidroxietil-DPT formado en las reacciones de piruvato. De la misma manera que el hidroxietil-DPT representa un "acetaldehido activo" (CH_3CHO), el dihidroxietil-DPT representa un "glicolaldehido activo" (CH_2OHCHO). La fosfocetolasa transfiere el "glicolaldehido activo" al fosfato, cambiando su disposición para proporcionar acetilfosfato. La transcetolasa transfiere el "glicolaldehido activo" a un aceptor aldehido adecuado, para lograr un producto adicional. Estas reacciones de dihidroxietil-DPT se resumen en 4-29.

Regulación [1, 24]

Todos los mecanismos generales para regular el metabolismo microbiano operan regulando el metabolismo de los carbohidratos. Estos mecanismos incluyen regulación a nivel de represión e inducción de la síntesis de enzimas, y regulación por retroalimentación. Esta última incluye retroalimentaciones

---

4-28.

Vía de acrilato para formación de propionato

$$2\ CH_3CHOHCO_2H \longrightarrow 2\ CH_2{=}CHCO_2H + 2\ H_2O$$
  lactato *acrilato*

$$CH_3CHOHCO_2H \longrightarrow CH_3COCO_2H + 2\ [H]$$
  piruvato

$$CH_3COCO_2H \longrightarrow CH_3CO_2H + 2\ [H] + CO_2$$
  acetato

$$2\ CH_2{=}CHCO_2H + 4\ [H] \longrightarrow 2\ CH_3CH_2CO_2H$$
  propionato

Resumen:

3 lactatos → 2 propionatos + acetato + CO_2

4–29.

Dihidroxietil-DPT

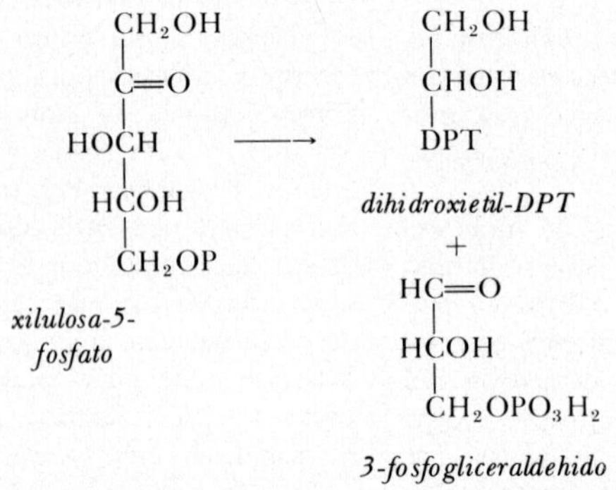

$$
\begin{array}{ccc}
\text{CH}_2\text{OH} & & \text{CH}_2\text{OH} \\
| & & | \\
\text{C}=\text{O} & & \text{CHOH} \\
| & & | \\
\text{HOCH} & \longrightarrow & \text{DPT} \\
| & & \\
\text{HCOH} & & \textit{dihidroxietil-DPT} \\
| & & + \\
\text{CH}_2\text{OP} & & \text{HC}=\text{O} \\
 & & | \\
\textit{xilulosa-5-} & & \text{HCOH} \\
\textit{fosfato} & & | \\
 & & \text{CH}_2\text{OPO}_3\text{H}_2
\end{array}
$$

3-fosfogliceraldehido

Fosfocetolasa

$$\text{CH}_2\text{OHCHOH}-\text{DPT} + \text{P}_i \longrightarrow \text{DPT} + \text{CH}_3\text{CO} \sim \text{P}$$
$$\textit{acetil} \sim \textit{P}$$

Transcetolasa

$$\text{CH}_2\text{OHCHOH}-\text{DPT} + \text{RCHOHCHO} \longrightarrow \text{DPT} + \text{RCHOHCHOHCOCH}_2\text{OH}$$

| *ribosa-5-P* | *sedoheptulosa-7-P* |
| *o eritrosa-4-P* | *o fructosa-6-P* |

---

positiva y negativa, en las cuales compuestos de pequeño peso molecular estimulan o inhiben la actividad de enzimas que existen independientemente de cualquier papel sobre las moléculas pequeñas en la reacción química específica catalizada por la enzima. La regulación del cambio de energía es un tipo específico de regulación por retroalimentación. En la regulación por retroalimentación los compuestos del pequeño peso molecular (efectores) cambian en alguna forma la estructura tridimensional de la enzima para hacerla más o menos eficaz en la conversión del substrato en producto. La regulación de retroalimentación controla el trabajo de las enzimas existentes; es igual como el pie en un acelerador que controla la rapidez de un automóvil. La inducción y la represión son iguales que la mano en la llave del contacto de ignición que da la señal de "marcha-paro".

El sistema clásico, base de nuestro conocimiento de la inducción y la represión en la síntesis de cualquier proteína, es el sistema de β-galactosidasa de *Escherichia coli*. La enzima rompe la lactosa en glucosa y galactosa. El DNA de *E. coli* contiene la información para sintetizar β-galactosidasa, pero una proteína represora de DNA impide que una porción particular del genoma sea transcrita al RNA mensajero que codifica la síntesis de β-galactosidasa. Cuando hay lactosa, actúa sobre la proteína represora y la libera del DNA, provocando así la síntesis de RNA mensajero de β-galactosidasa y, finalmente, la síntesis de β-galactosidasa.

Sistemas similares de inducción regulan el metabolismo de una gran variedad de carbohidratos y otros nutrientes. Si no hay necesidad de inducción para el metabolismo, o sea que no se fabrica un represor, el sistema se llama constitutivo. La catabolia de la glucosa es constitutiva en *E. coli* y en muchas otras bacterias.

Otro tipo de regulación de represión de todo o nada se llama represión de catabolito. Si *E. coli* dispone simultáneamente de glucosa y galactosa, la lactosa no induce la formación de β-galactosidasa hasta que se ha utilizado toda la glucosa. La represión de catabolito parece guardar relación con los niveles de 3'5'-adenosinmonofosfato cíclico (AMP cíclico) en las células. El AMP cíclico es necesario para la síntesis de β-galactosidasa inducida por la lactosa. El metabolismo de la glucosa en alguna forma evita la acumulación de suficiente AMP cíclico para inducción de β-galactosidasa. No conocemos bien el mecanismo de regulación de la concentración de AMP cíclico, pero la desaparición de la glucosa permite la acumulación de AMP cíclico y el inicio de la formación de β-galactosidasa. Otros substratos de energía, que no son la glucosa, pueden provocar represión de catabolito, y diversas enzimas están sometidas a la regulación por represión de catabolito.

El oxígeno puede actuar como represor o inductor. La formación del aparato fotosintético de bacterias purpúricas no sulfúricas es reprimida por el oxígeno. La síntesis de mitocondrias en la levadura es inducida por el oxígeno. La inducción y la represión por O_2 no se limitan a estos ejemplos. No conocemos el mecanismo por virtud del cual O_2 actúa como regulador.

Otros parámetros fisiológicos, como pH y temperatura de crecimiento, pueden influir en la expresión de la actividad enzimática en bacterias. En la mayor parte de casos el mecanismo no se ha estudiado suficientemente para saber si la influencia se ejerce a nivel de la síntesis enzimática o de regulación de la actividad de enzimas existentes. Sin embargo, es un hecho que *E. coli* no produce H_2 y CO_2 a partir de la glucosa si crece a temperatura de 40°C, mayor que su óptimo de 37°C. *Streptococcus faecalis* produce principalmente ácido láctico a partir de la glucosa si el pH del medio se permite que disminuya a medida que se produce ácido. Si el pH se controla conservándolo neutral por adición de alcalino que neutralice los ácidos producidos, la glucosa origina una cantidad considerable de etanol, acetato y formato. Factores nutricionales también pueden regular la actividad enzimática. Aunque el sistema de la oxidasa de piruvato de *Str. faecalis* es constitutivo, la actividad de oxidasa no puede expresarse a menos que se añada ácido lipoico al medio, porque las células no pueden sintetizar ácido lipoico. La formación de ácidos butírico y acético y H_2 a partir de la glucosa por algunos clostridios disminuye netamente cuando está limitada la cantidad de hierro en el medio de crecimiento. Cuando hay poco hierro, se produce una desviación hacia la formación de ácido láctico. El efecto del hierro parece ejercerse sobre la expresión de la reacción del piruvato a acetil-CoA, H_2 y CO_2 en estos organismos.

En unos cuantos casos se ha estudiado la regulación por retroalimentación de enzimas en el metabolismo bacteriano de carbohidratos. Diversas bacterias lácticas ácidas poseen deshidrogenasas lácticas que requieren específicamente una cantidad de fructosa-1,6-difosfato para poner en marcha la actividad enzimática. La regulación de retroalimentación muchas veces es compleja, operando varios efectores sobre una sola enzima. La deshidrogenasa del piruvato de *E. coli* (piruvato + NAD^+ + CoASH → acetil-CoA + NADH + CO_2 + H^+) está influida por la carga energética, la acetil-CoA, proporciones de $NADH/NAD^+$ y el fosfoenolpiruvato. Un cambio pequeño de energía y de fosfoenolpiruvato estimula la actividad; la acetil-CoA y una proporción elevada de $NADH/NAD^+$ la inhibe. La concentración de estos efectos en la célula sirve para modular la actividad de la deshidrogenasa del piruvato.

Otras vías biosintéticas, por ejemplo la síntesis de aminoácidos y purinas también está regulada por mecanismos de control de represión y retroalimentación. El producto final de una vía suele actuar como correpresor para la síntesis de enzimas para una vía. Este y una proteína represoras son necesarias para reprimir la síntesis de RNA mensajero. Cuando hay poca cantidad de producto final, no hay represión, y la síntesis de las enzimas de la vía proporciona buena cantidad de producto final. El control de retroalimentación suele ser ejercido por el producto final, que actúa inhibiendo la primera etapa irreversible de la vía biosintética.

La regulación es un problema complejo, que solo lo podemos tratar superficialmente. El reconocimiento de la importancia de la regulación metabólica debiera actuar como inhibidor psicológico de extrapolaciones dogmáticas a partir de estudios experimentales de metabolismo de tubo de ensayo, efectuados solamente en unas pocas condiciones experimentales, sobre actividades de la misma bacteria en medios diferentes, incluyendo el medio natural. Los actuales conocimientos sobre metabolismo bacteriano brindan una guía excelente del potencial metabólico de cada especie, pero no definen la expresión de este potencial en todas las condiciones ambientales.

EL CICLO DEL CARBONO

Los carbohidratos son desintegrados en productos orgánicos por algunas bacterias en ausencia de oxígeno, y oxidados hasta CO_2 y H_2O por otras bacterias. Otros compuestos orgánicos naturales importantes —proteínas, lípidos y ácidos nucleicos— también son desintegrados hasta productos orgánicos en condiciones anaerobias y oxidados hasta CO_2, H_2O y amoniaco (procedente de los compuestos que contienen nitrógeno) en medios aerobios. Las bacterias tienen acceso directo a estos constituyentes celulares y también a productos de desecho de su metabolismo en animales. La alantoína y el ácido úrico, por ejemplo, son productos de desintegración de la purina excretados en animales que quedan disponibles para las bacterias. La serie de vías para la desintegración de todos estos compuestos no la vamos a estudiar (como hicimos con los carbohidratos). Resultará más útil señalar unos cuantos principios (utilizando como ejemplo la desintegración del carbohidrato) pada delinear la estrategia general de la catabolia y su significación biológica.

Las bacterias poseen enzimas hidrolíticas para digerir proteínas, lípidos y ácidos nucleicos hasta compuestos de pequeño peso molecular que pueden penetrar en la célula. Las proteasas hidrolizan las proteínas dando péptidos y, finalmente, aminoácidos; las lipasas hidrolizan los lípidos hasta glicerol y ácidos grasos; y las nucleasas hidrolizan los ácidos nucleicos hasta purinas, pirimidinas, ribosa y desoxirribosa. Una vez formados monómeros, intervienen la fermentación anaerobia y la respiración anaerobia, así como la respiración aerobia, para proporcionar la energía que se necesita para crecimiento.

Consideremos, por ejemplo, la descomposición de una proteína, en un medio anaerobio. Algunas especies del género Clostridium tienen enzimas proteolíticas muy activas, y obtienen energía para crecer del metabolismo de los aminoácidos resultantes. Sin embargo, una proteína puede contener 16 a 20 ami-

4-30.

Desintegración de arginina

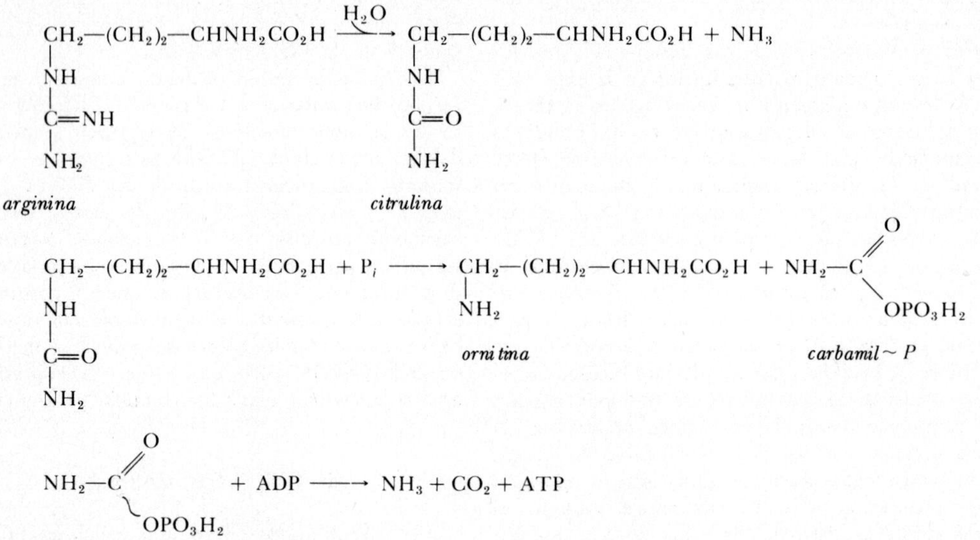

$$CH_2\text{---}(CH_2)_2\text{---}CHNH_2CO_2H \xrightarrow{H_2O} CH_2\text{---}(CH_2)_2\text{---}CHNH_2CO_2H + NH_3$$

with NH / C=NH / NH₂ branch (arginina) and NH / C=O / NH₂ branch (citrulina)

arginina   *citrulina*

$$CH_2\text{---}(CH_2)_2\text{---}CHNH_2CO_2H + P_i \longrightarrow CH_2\text{---}(CH_2)_2\text{---}CHNH_2CO_2H + NH_2\text{---}C\overset{O}{\underset{OPO_3H_2}{\diagdown}}$$

with NH / C=O / NH₂ branch on left; NH₂ branch on right

ornitina   *carbamil* ~ *P*

$$NH_2\text{---}C\overset{O}{\underset{OPO_3H_2}{\diagdown}} + ADP \longrightarrow NH_3 + CO_2 + ATP$$

---

noácidos diferentes, y las diversas especies de Clostridium tienen maquinaria enzimática para alimentarse con varios de estos aminoácidos mediante un sistema de respiración anaerobia denominado reacción de Stickland.[2] Se utilizan pares de aminoácidos en un sistema acoplado de oxidación-reducción en el cual un aminoácido es oxidado y el otro es reducido:

(1) $RCHNH_2CO_2H \rightarrow RCOCO_2H + NH_3 + 2$ [H]
(2) $RCOCO_2H \rightarrow RCO_2H + CO_2 + 2$ [H]
(3) 4 [H] $+ 2$ $R'CHNH_2CO_2H \rightarrow 2$ $R'CH_2CO_2H + 2NH_3NH_3$

Resumen:

$$RCHNH_2CO_2H + 2\ R'CHNH_2CO_2H \rightarrow$$
$$RCO_2H + 2\ R'CH_2CO_2H + CO_2 + 3\ NH_3$$

En la reacción *1*, el aminoácido dador de electrón es oxidado formando su correspondiente cetoácido y amoniaco. El cetoácido es oxidado y descarboxilado dando un ácido graso y CO_2 (reacción *2*). La reacción *2* es esencialmente la misma que antes describimos para la descarboxilación oxidativa del piruvato, y puede lograrse energía por vía de intermedios de acil-CoA, como en el ejemplo del piruvato. En la reacción *3*, la reacción de acceptor de electrón, otro aminoácido diferente se desamina en forma reductora dando el correspondiente ácido graso y NH_3.

Hay muchos casos en los cuales las bacterias pueden obtener energía de la fermentación de aminoácidos aislados[2] provenientes de la proteólisis. La formación de cetoácidos y la generación de energía por intermedios de acil-CoA es importante en muchas de estas fermentaciones, y los productos usuales son ácidos grasos. Un caso especial de generación energética es el relacionado con la desintegración de

la arginina. Aquí puede obtenerse energía por una vía no oxidativa; esto es una excepción a la regla general de reacciones O-R para generación de energía. La catabolia de la arginina origina la formación de carbamilfosfato (ver **4-30**). El carbamilfosfato contiene un enlace fosfoanhídrido cuya energía se utiliza para la formación de ATP. Diversas especies de estreptococos pueden obtener energía para crecer de la conversión de arginina en ornitina. El carbamilfosfato es un intermedio de alta energía en la descomposición de alantoína, y probablemente un intermedio en la desintegración de pirimidina.

La descomposición de la purina[2] es otra excepción a la asociación de generación energética con reacciones O-R, e ilustra también la función de formas de coenzima del ácido fólico en reacciones químicas. La forma de coenzima de ácido fólico es la vitamina reducida ácido tetrahidrofólico (THFA). El ácido fólico está compuesto por una pteridina substituida unida a una porción de ácido glutámico y ácido-*p*-aminobenzoico (ver **4-31**).

Los diversos derivados 1-carbonados de THFA (ver **4-31**) representan diversos estados de oxidación de la unidad de 1-carbono como sigue:

1) N^5—CH_3(metil)THFA; estado de oxidación equivalente al del metanol o de un grupo metilo.
2) N^5,N^{10}—CH_2(metileno)—THFA; estado de oxidación equivalente al del formaldehido o de un grupo hidroximetil o metileno.
3) N^5,N^{10}—CH(metenil)—THFA, N^5—$CH=NH$—(formimino)—THFA, y N^{10}—CHO(formil)—THFA; estado de oxidación equivalente al del formato o el metenil, o de los grupos formimino o formilo.

N^5-metil-THFA interviene en las reacciones de transferencia de grupo metilo, como la formación de metionina a partir de la homocisteína:

4-31.

Coenzimas de ácido fólico

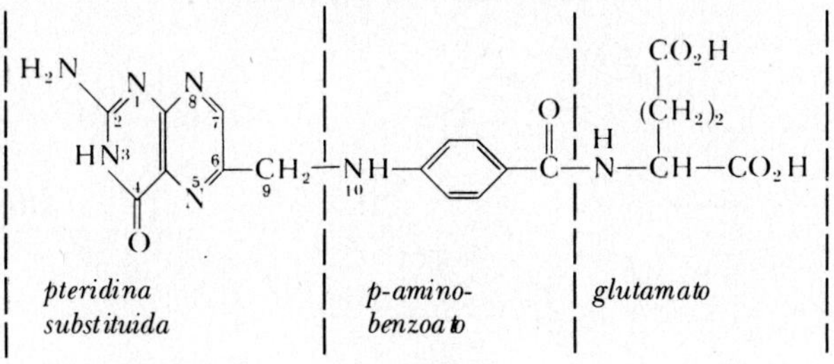

| *pteridina substituida* | *p-amino-benzoato* | *glutamato* |

Ácido fólico

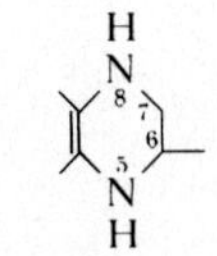

ácido tetrahidrofólico (THFA)

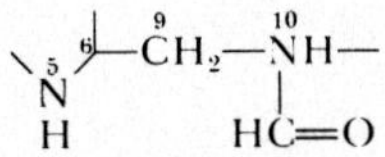

N^{10}-*formil-THFA*

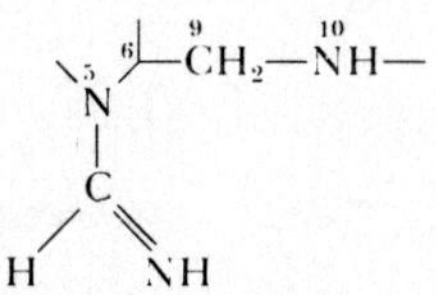

N^5-*formimino-THFA*

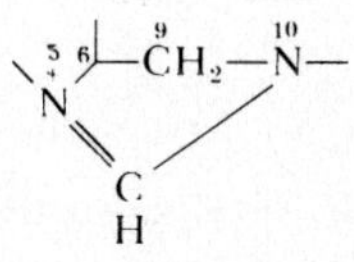

N^5, N^{10}-*metenil-THFA*

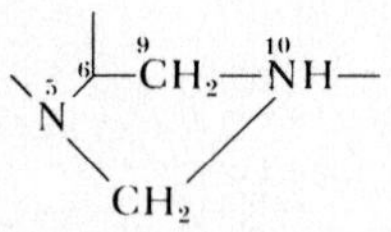

N^5, N^{10}-*metilen-THFA*

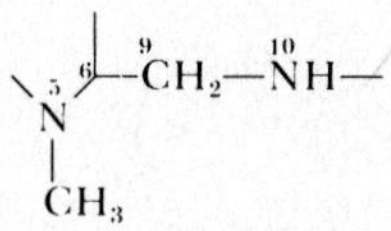

N^5-*metil-THFA*

$$N^5—CH_3—THFA + HSCH_2CH_2CH_2\overset{\overset{\displaystyle NH_2}{|}}{C}HCO_2H \longrightarrow$$

homocisteína

$$CH_3SCH_2CH_2CH_2\overset{\overset{\displaystyle NH_2}{|}}{C}HCO_2H + THFA$$

metionina

N^5,-N^{10}-metileno-THFA interviene en las reacciones de transferencia de grupo hidroximetilo, como la formación de serina a partir de la glicina:

$$N^5,N^{10}—CH_2—THFA + H_2O + \overset{\overset{\displaystyle NH_2}{|}}{C}H_2CO_2H \longrightarrow$$

glicina

$$HO—CH_2\overset{\overset{\displaystyle NH_2}{|}}{C}H_2CO_2H + THFA$$

serina

En la vía que acompaña de descomposición de la purina (ver **4-32**) THFA interviene en las reaccio-

nes de transferencia de grupo formilo y formimino. La formiminoglicina se forma a partir de la xantina por una serie de hidrólisis. El grupo formimino es transferido a THFA, y formimino-THFA se convierte en N^{10}-formil-THFA. La etapa que proporciona energía en la vía es la conversión de N^{10}-formil-THFA, ADP y Pi a formato, THFA y ATP.

Estos pocos ejemplos de ataque anaerobio de substratos orgánicos que no son carbohidratos demuestran que los microorganismos pueden obtener energía de fosforilaciones de substratos asociados con la transformación de la mayor parte de substratos orgánicos. La mayor parte de los substratos de los que nos hemos ocupado hasta ahora pueden utilizarse como fuentes de energía para descomposiciones fermentativas, para descomposiciones no fermentativas que no incluyen la intervención de un aceptor de electrones, o de mecanismos respiratorios. En la descomposición aerobia, las transformaciones de substrato originan fosforilaciones del mismo, pero predomina la fosforilación oxidativa como sistema generador de energía.

La generación actual de energía anaerobia probablemente refleje los sistemas que se desarrollaron an-

4–32.

Descomposición de la purina*

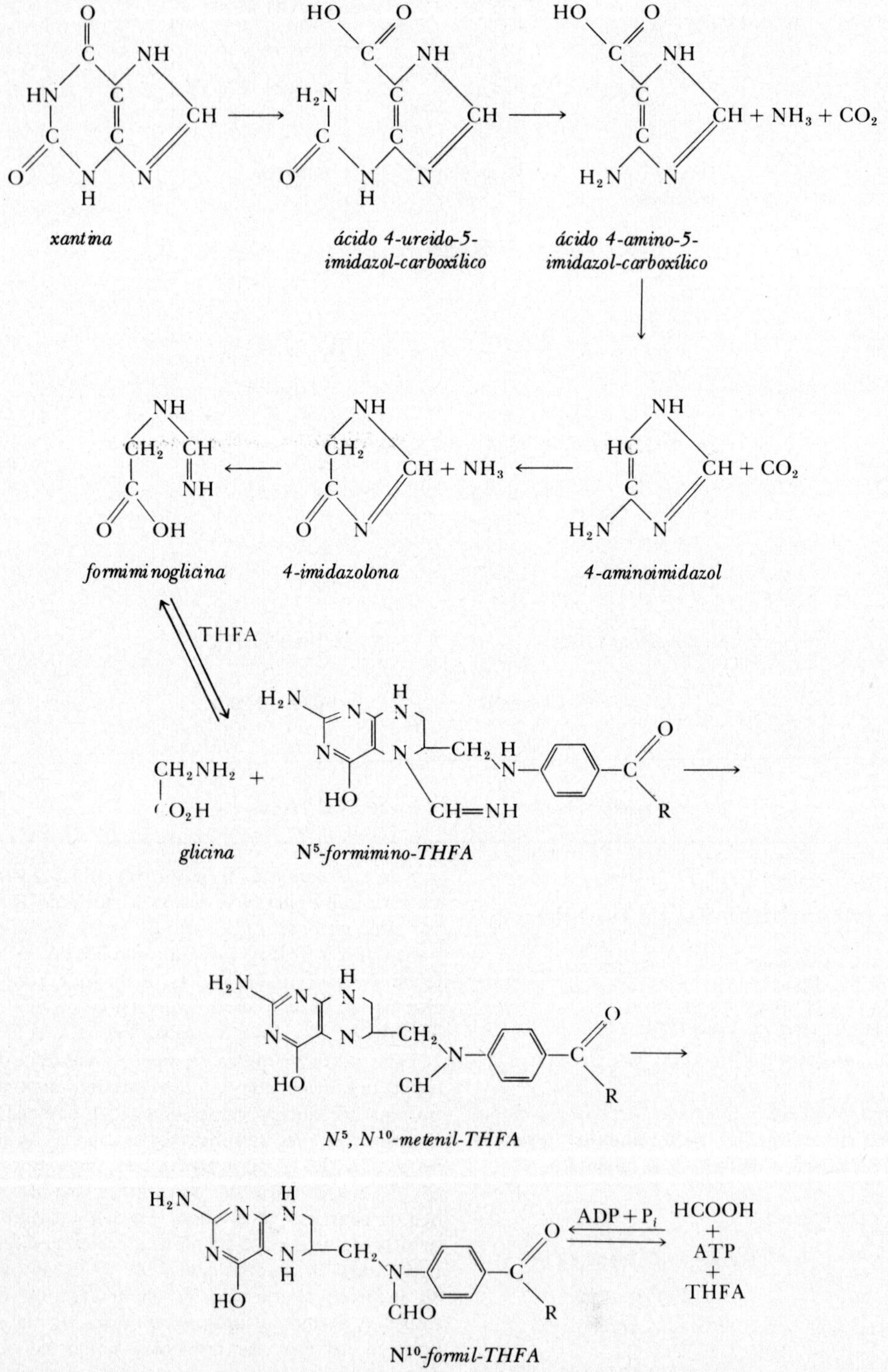

xantina

ácido 4-ureido-5-
imidazol-carboxílico

ácido 4-amino-5-
imidazol-carboxílico

formiminoglicina   4-imidazolona   4-aminoimidazol

THFA

CH_2NH_2 +
O_2H

glicina N^5-formimino-THFA

N^5, N^{10}-metenil-THFA

$ADP + P_i$ HCOOH
+
ATP
+
THFA

N^{10}-formil-THFA

---

* Reacciones enzimáticas en la conversión de xantina a glicina, formato, bióxido de carbono y amoniaco por *Clostridium cylindrosporum*. (Adaptado por Barker.[2])

tes de haber existido los sistemas fotoquímicos para introducir O_2 en la atmósfera terrestre. En el ambiente inicial anaerobio, se desarrollaron algunos mecanismos anaerobios respiratorios junto con algunos sistemas primitivos de fosforilación oxidativa. Pero el único sistema de fosforilación principal sin substrato que puede haber existido en el medio anaerobio era el de las bacterias fototróficas anaerobias, porque el único aceptor de electrón de alto potencial en el ambiente era la clorofila temporalmente oxidada por cuantos de luz.

La mayor parte de los mecanismos de descomposición anaerobia se han desarrollado más tarde (y son contemporáneos) terminando en la acumulación de grasos, ácidos de cadena corta y H_2 en el ambiente. Hemos visto que formato, propionato, acetato u butirato son productos frecuentes de la fermentación. Los demás productos comunes de la fermentación, como alcoholes, lactato y succinato, pueden convertirse en los productos terminales ácidos grasos y H_2 en medio anaerobio. Los productos ácidos grasos de cadena corta y H_2 todos acaban convirtiéndose en metano[25] y CO_2. Cultivos puros conocidos de bacterias de metano producen este metano de cuatro substratos —H_2, CO_2, formato y acetato— en la siguiente forma:

$$4 \, H_2 + CO_2 \rightarrow CH_4 + 2 \, H_2O$$
$$4 \, HCO_2H \rightarrow CH_4 + 3 \, CO_2 + 2 \, H_2O$$
$$CH_3CO_2H \rightarrow CH_4 + CO_2$$

Las conversiones de otros productos de fermentación en metano incluyen fermentaciones de cultivos mixtos, o bacterias de metano desconocidas. El punto principal es que si hay tiempo suficiente en un ambiente anaerobio, casi toda la materia orgánica es convertida en CH_4 y CO_2 por una mezcla de diversas especies. Un solo compuesto aislado, como la glucosa, puede transformarse por diversas bacterias en diferentes productos orgánicos. El metabolismo ulterior de estos productos converge en el punto terminal de CH_4 y CO_2.

Hay algunos compuestos orgánicos naturales que parecen difíciles de romper anaerobiamente. Incluyen anillos aromáticos (como los de los aminoácidos aromáticos tirosina, fenilalanina y triptófano) e hidrocarbonados que se descubren en las ceras naturales. Estas se acumulan en el ambiente anaerobio y, de hecho, se cree que los depósitos naturales de gas y de petróleo provienen del residuo de la descomposición anaerobia de materia orgánica que quedó aprisionada en nichos permanentes anaerobios por debajo de la superficie terrestre.

En el ambiente aerobio todo acaba convergiendo en CO_2 y H_2O, incluyendo el residuo de descomposición anaerobia o sea metano, hidrocarbonados y anhídridos aromáticos. Como en el caso de la descomposición anaerobia, se utilizan diversas vías diferentes para llegar a los productos últimos. Sin embargo, toda materia orgánica se convierte en CO_2, que luego se convierte nuevamente en materia orgánica por fotosíntesis.

Existe tendencia a pasar inadvertida la importancia de la descomposición anaerobia en este ciclo, a consecuencia de la manifiesta ubicuidad del oxígeno en la superficie de la tierra. Sin embargo, la ubicuidad del oxígeno es más aparente que real en lo que se refiere en medios microbianos. Estos medios son acuosos, y la solubilidad de O_2 en el agua es poca. Si la carga orgánica es elevada, el oxígeno en el ambiente acuoso rápidamente es utilizado por oxidaciones microbianas. Como el ritmo de disolución del oxígeno desde el aire es lento, rápidamente predominan procesos anaerobios. La flora normal predominante de la cavidad bucal y el tubo digestivo del hombre son anaerobios obligados o bien organismos que obtienen la energía con procesos anaerobios (aunque pueden sobrevivir en presencia de oxígeno). El medio microbiano del intestino es netamente anaerobio, y los microambientes donde se desarrollan las bacterias en la cavidad bucal se vuelven rápidamente anaerobios después de colonización, incluso a pesar de la considerable penetración de aire en esta cavidad. Muchos patógenos importantes obtienen energía para crecer solamente gracias a la descomposición anaerobia, y los que pueden llevar a cabo procesos generadores de energía, tanto aerobios como anaerobios, probablemente utilicen muchas veces sistemas anaerobios durante la infección. La superficie de la piel es la única parte del cuerpo que sostiene el crecimiento de flora con metabolismos netamente aerobios, y hay solo unos pocos elementos patógenos que dependen netamente de metabolismo aerobio para su crecimiento.

CICLOS DE NITROGENO Y DE AZUFRE

Cuando los microorganismos mineralizan el carbono de compuestos orgánicos biosintetizados, también mineralizan los demás elementos de los constituyentes celulares orgánicos. El fosfato orgánico es convertido en fosfato inorgánico, el nitrógeno orgánico en amoniaco, y el azufre orgánico en hidrógeno sulfurado.

El ciclo del nitrógeno. Para devolver el nitrógeno a la cadena alimenticia, el amoniaco se convierte en nitrato, que es la forma más estable de nitrógeno en el suelo. El amoniaco puede utilizarse como fuente de nitrógeno por las plantas, pero la estabilidad del amoniaco en el ecosistema es poca, porque el amoniaco desaparece cuando el pH es alcalino. La formación de nitrato asegura una forma estable de nitrógeno, que puede utilizarse directamente por las plantas verdes. La formación de nitrato a partir del amoniaco tiene lugar por bacterias autotróficas quemolitotróficas en dos etapas:

$$(1) \; NH_3 + 1\tfrac{1}{2} \, O_2 \rightarrow H^+ + NO_2^- + H_2O$$
$$(2) \; NO_2^- + \tfrac{1}{2} \, O_2 \rightarrow NO_3^-$$

El proceso global se llama nitrificación. La etapa *1* la efectúan miembros de los géneros Nitrosomonas y Nitrosococcus; la etapa *2,* el género Nitrobacter.

4–33.

Ciclos del nitrógeno y del azufre

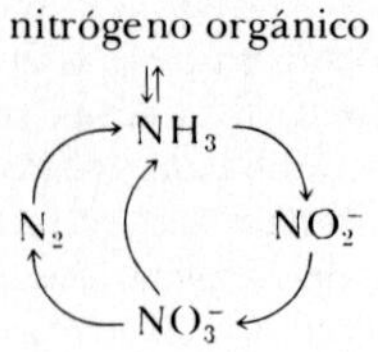

nitrógeno orgánico

azufre orgánico

Ciclo del nitrógeno 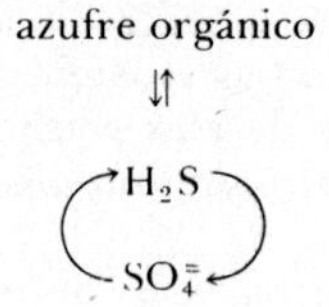   *Ciclo del azufre*

Algunas bacterias establecen competencia con este proceso de nitrificación. Una parte utilizan nitrato igual que las plantas verdes, reduciéndolo a amoniaco, que luego se incorpora a compuestos nitrogenados orgánicos de las células. Esto todavía conserva el nitrógeno en el ciclo del ecosistema. Sin embargo, hay otras bacterias (que ya hemos señalado) que llevan a cabo la respiración "de nitrato" o sea que reducen el nitrato a N_2. El gas N_2 abandona el ecosistema. La reducción del nitrato a N_2 se denomina desnitrificación.

Un proceso de restauración de enorme importancia en la naturaleza es la fijación de gas N_2 en gas NH_3 por microorganismos.[17] Esto substituye el N_2 perdido por desnitrificación y el nitrógeno perdido por el arrastre natural de nitrato. El NH_3 es fijado por bacterias fijadoras de N_2 para síntesis de compuestos celulares nitrogenados a cargo de bacterias o plantas. El NH_3 pasa directamente a las plantas gracias a microorganismos simbióticos. Los más importantes son miembros de los géneros Rhizobium; infectan las raíces de leguminosas (por ejemplo, la soja, la alfalfa) y originan la formación de un nódulo. Este nódulo contiene una forma diferenciada del ribozio de vida libre. El nódulo fija N_2 en NH_3, pero ni los rizobios de vida libre ni las leguminosas fijan N_2. Diversas bacterias de vida libre, como Clostridium, Bacillus, Klebsiella, Azotobacter, géneros fototróficos y las algas azulverdosas fijan N_2.

Estas últimas son muy importantes para proporcionar N_2 fijado en los arrozales.

La nitrogenasa, complejo enzimático de dos proteínas, ha sido obtenida purificada de diversas bacterias. En presencia de una fuente de electrones y de ATP, la nitrogenasa se transforma en un poderoso agente reductor y reduce el N_2 en NH_3:

$$6 H^+ + 6 e^- + N_2 \rightarrow 2 NH_3$$

Aunque esta es una reducción de seis electrones, no se han identificado productos intermedios. El papel del ATP no está claro. Se desintegra en ADP y Pi durante la fijación de N_2, y se utilizan aproximadamente cinco ATP por N_2 fijado. Sea cual sea el mecanismo de acción, la nitrogenasa es una enzima muy notable. La síntesis química de compuestos con nitrógeno fijo procedente de N_2 requiere temperaturas muy elevadas y presiones, con catalizadores adecuados. Las bacterias no tienen dificultad para hacer esto a 25"C y a presión de una atmósfera.

Estos procesos de síntesis de N orgánico procedente de NH_3, ammonificación, nitrificación, desnitrificación y fijación de nitrógeno, constituyen el ciclo de nitrógeno (ver 4-33).

Ciclo del azufre. El ciclo del azufre es muy similar (ver 4-33).[19] El H_2S producido por la descomposición de materia orgánica se fija en sulfato por tiobacilos quimiolitotróficos y bacterias fototróficas púrpuras y azules de azufre. Las plantas verdes, y muchas bacterias, utilizan el sulfato para sintetizar compuestos celulares de azufre (por ejemplo, cisteína, metionina). Una reacción inversa es la reducción del sulfato a sulfuro durante la respiración anaerobia de bacterias que reducen el sulfato. Estas bacterias (por ejemplo Desulfovibrio) usan la reducción del sulfato en H_2S como proceso generador de energía.

Biosíntesis de molécula

SINTESIS DE MOLECULAS PEQUEÑAS [3, 10]

Los microorganismos difieren mucho en la capacidad de sintetizar compuestos de pequeño peso molecular precursores de macromoléculas celulares y vitaminas. Algunas bacterias, incluyendo muchas patógenas, tienen poca capacidad de síntesis, y requieren aminoácidos preformados, vitaminas, purinas y

4–34.

Columna vertebral disacárida de peptidoglicano

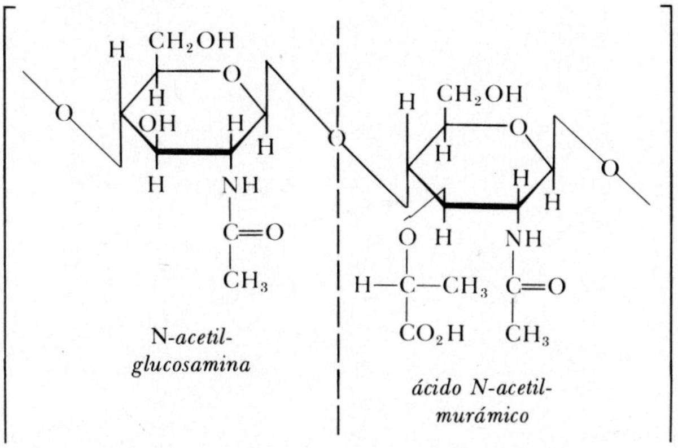

N-acetil-
glucosamina

ácido N-acetil-
murámico

pirimidinas para su desarrollo. Las necesidades específicas varían. La falta de capacidad sintética, o la necesidad de estos compuestos de peso molecular pequeño, indica que tales compuestos siempre abundan en el medio natural donde vive el organismo. Si los ancestros del organismo poseían esta capacidad sintética que ahora falta, probablemente se perdió en el curso de la evolución.

En el otro extremo del espectro biosintético están los organismos que sintetizan todos sus compuestos carbonados celulares partiendo del bióxido de carbono. Estos organismos, llamados autotróficos, incluyen bacterias fototróficas, bacterias quimiolitotróficas, e incluso unas cuantas quimioorganotróficas. Hay pocas bacterias que obtienen energía oxidando compuestos como el ácido fórmico o el metano hasta CO_2 y H_2O y, por lo tanto, son quimioorganotróficas, pero sintetizan todo el carbono celular a partir del bióxido de carbono. Las bacterias que utilizan directamente compuestos orgánicos preformados para la biosíntesis de macromoléculas celulares y vitaminas se denominan heterotróficas.

Aunque hay excepciones, las vías específicas para la síntesis de compuestos específicos de pequeño peso molecular son muy similares en todos los organismos. Un ejemplo simple es la síntesis de alanina. El piruvato siempre es el precursor de la alanina, y la alanina se produce por aminación reductora del piruvato,

$$CH_3COCO_2H + NH_3 + NADPH + H^+ \rightarrow$$
$$CH_3CHNH_2CO_2H + NADP^+ + H_2O$$
alanina

o por una reacción de transaminasa,

$$CH_3COCO_2H + HO_2C(CH_2)_2CHNH_2CO_2H \rightarrow$$
glutamato
$$CH_3CHNH_2CO_2H + HO_2C(CH_2)_2COCO_2H$$
α-cetoglutarato

La última reacción requiere que el organismo tenga a su disposición ácido glutámico, o que pueda sintetizarlo, pero podemos llegar a la conclusión de que todos los gérmenes que hacen alanina primero habrán fabricado piruvato.

Sin embargo, hay diferencias en la forma como las bacterias entran en la vía de la alanina, o sea diferencias en la forma como producen piruvato a partir de la fuente carbonada. Estas diferencias de entrada existen para todas las vías específicas de síntesis de todos los compuestos de pequeño peso molecular. por lo tanto, las principales preguntas acerca de biosíntesis de moléculas pequeñas son estas:

1) ¿Cuáles son las vías específicas de biosíntesis?
2) ¿Cómo penetran en las vías específicas desde las diversas fuentes carbonadas utilizadas por bacterias?
3) ¿Cómo está regulada la síntesis?

La pregunta *3* ya la consideramos al referirnos a la regulación de la desintegración de carbohidratos. Más bien que proporcionar un catálogo de vías específicas y la forma como se entra en estas vías desde diversas fuentes de carbono, vamos a enfocar solamente el problema de la biosíntesis de una macromolécula de célula bacteriana, el peptidoglicano (llamado también mureína y mucoréptico).[20, 23] El peptidoglicano es el polímero al cual corresponde la rigidez de la pared de la célula bacteriana y la forma de las bacterias. Se halla en todos los procariotas, excepto micoplasma, que son bacterias sin paredes celulares rígidas.

El *peptidoglicano* es un heteropolímero formado por una columna vertebral de polisacárido que contiene unidades alternas de *N*-acetilglucosamina y ácido murámico (ver **4-34**). El ácido murámico es la *N*-acetilglucosamina con un ácido unido en forma de éter añadido a su posición 3 (es el éter que se formaría si se uniera el ácido láctico a la posición 3 de *N*-acetilglucosamina con supresión de

4–35.

Peptidoglicano de Staphilococcus aureus

MurNAc
L-Ala
D-Glu · NH$_2$
L-Lys
D-Ala

(Gly)$_5$

GlcNAc

GlcNAc

MurNAc
L-Ala
D-Glu · NH$_2$
L-Lys
D-Ala
D-Ala

(Gly)$_5$

MurNAc
L-Ala
D-Glu · NH$_2$
L-Lys
D-Ala

(Gly)$_5$

GlcNAc

GlcNAc

(Gly)$_5$

MurNAc
L-Ala
D-Glu · NH$_2$
L-Lys
D-Ala

GlcNAc

(Gly)$_5$

Abreviaturas: GlcNAc, N-acetil-glucosamina; MurNAc, ácido N-acetilmurámico; Ala, alanina; Glu-NH$_2$, isoglutamina; Lys, lisina, y Gly, glicina.

Peptidoglicano de Escherichia coli

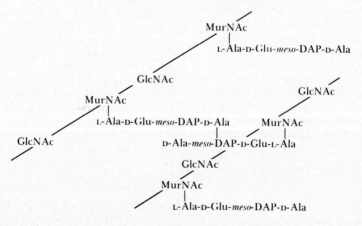

MurNAc
L-Ala-D-Glu-*meso*-DAP-D-Ala

GlcNAc

GlcNAc

MurNAc
L-Ala-D-Glu-*meso*-DAP-D-Ala

MurNAc
D-Ala-*meso*-DAP-D-Glu-L-Ala

GlcNAc

GlcNAc

MurNAc
L-Ala-D-Glu-*meso*-DAP-D-Ala

Abreviaturas: véase antes; también Glu, glutamato, y DAP, diaminopimelato.

una molécula de agua). El grupo carboxilo del ácido substituyente queda disponible para formar un enlace de amida con L-alanina. Entonces la alanina se une a otros D- y L-aminoácidos para originar una corta cadena lateral de péptido. Los peptidoglicanos bacterianos difieren en cuanto a: *a)* los aminoácidos específicos de la cadena lateral; *b)* los substituyentes de la columna vertebral polisacárida, y *c)* los enlaces cruzados entre las cadenas laterales peptídicas. En 4-35 se presentan dos peptidoglicanos diferentes de *Staphylococcus aureus* y de *Escherichia coli*. Nos ocuparemos de la síntesis de la estructura básica tomando como ejemplo el peptidoglicano de *E. coli* para demostrar los principios biosintéticos. Es el enlace cruzado entre cadenas de polisacárido vecinas que forman el saco macromolecular rígido alrededor de la célula bacteriana.

Síntesis desde glucosa. E. coli crece en la glucosa como única fuente de carbono y de energía. ¿Cómo puede producir componentes peptidoglicánicos partiendo de la glucosa? Vamos a considerar primero la porción N-acetilglucosamina. *E. coli* fabrica fructosa-6-fosfato por reacciones que ya consideramos antes (ver 4-5) y luego produce N-acetilglucosamina-6-fosfato mediante F-6-P, glutamina y acetil-CoA (ver 4-36). También hemos revisado la forma como se produce acetil-CoA desde la glucosa (ver 4-16); pero, ¿de dónde proviene la glutamina? El ácido glutámico se produce primero a partir del α-cetoglutarato generado a través de las reacciones del ciclo TCA (ver 4-21), y la glutamina desde glutamato, ATP y NH3 (ver 4-37).

La aminación reductora de α-cetoglutarato a glutamato y piruvato tienen importancia general. Otros

4-36.

Formación de N-acetil-glucosamina-6-P

fructosa-6-P   glutamina   glucosamina-6-P   glutamato

$$R-NH_2 + CH_3CO \sim SCoA \longrightarrow R-N-\overset{O}{\overset{\|}{C}}-CH_3 + CoASH$$

glucosamina-6-P   N-acetil-glucosamina-6-P

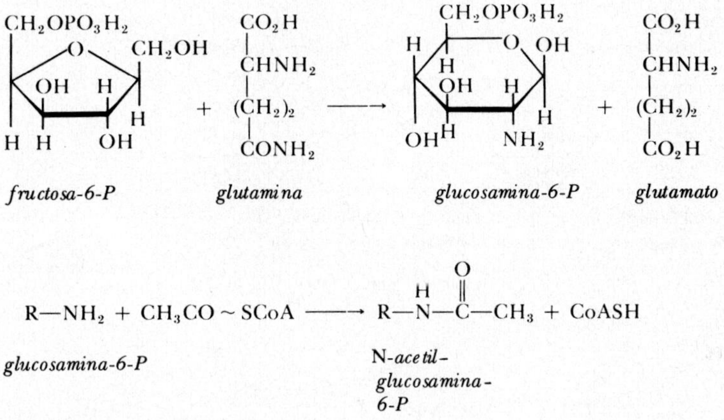

4-37.

Formación de glutamina

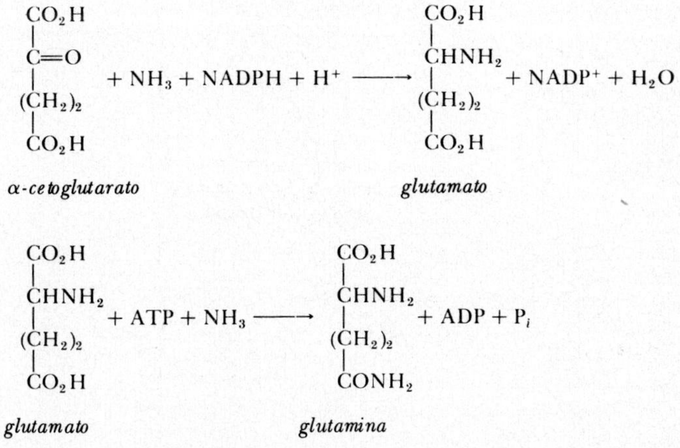

α-cetoglutarato   glutamato

glutamato   glutamina

4–38.

Síntesis de purinas

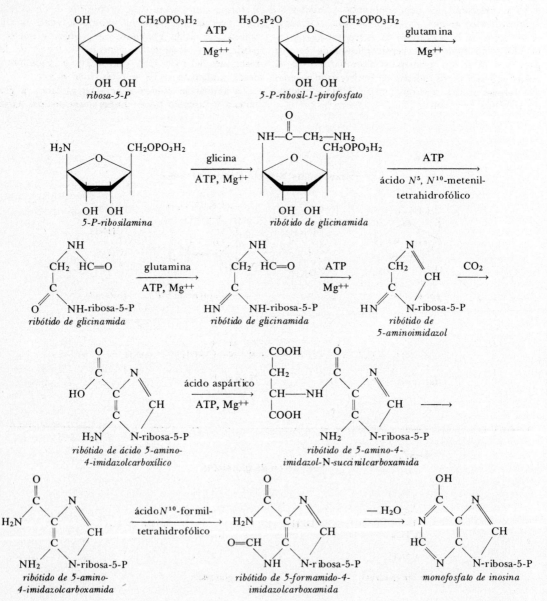

4–39.

Formación de serina y glicina

$$\underset{\substack{\text{3-fosfoglicerato}}}{\overset{\displaystyle CO_2H}{\underset{\displaystyle CH_2OP}{\mid\ HCOH\ \mid}}} + NAD^+ \longrightarrow \underset{\substack{\text{fosfohidroxi-}\\ \text{piruvato}}}{\overset{\displaystyle CO_2H}{\underset{\displaystyle CH_2OP}{\mid\ C{=}O\ \mid}}} + NADH + H^+$$

$$\overset{\displaystyle CO_2H}{\underset{\displaystyle CH_2OP}{\mid\ C{=}O\ \mid}} + \overset{\displaystyle CO_2H}{\underset{\substack{(CH_2)_2\\ CO_2H}}{\mid\ CHNH_2\ \mid}} \longrightarrow \underset{\text{fosfoserina}}{\overset{\displaystyle CO_2H}{\underset{\displaystyle CH_2OP}{\mid\ CHNH_2\ \mid}}} + \overset{\displaystyle CO_2H}{\underset{\substack{(CH_2)_2\\ CO_2H}}{\mid\ C{=}O\ \mid}}$$

$$\overset{\displaystyle CO_2H}{\underset{\displaystyle CH_2OP}{\mid\ CHNH_2\ \mid}} \longrightarrow \underset{\text{serina}}{\overset{\displaystyle CO_2H}{\underset{\displaystyle CH_2OH}{\mid\ CHNH_2\ \mid}}} + P_i$$

$$\overset{\displaystyle CO_2H}{\underset{\displaystyle CH_2OH}{\mid\ CHNH_2\ \mid}} + THFA \longrightarrow \underset{N^5, N^{10}\text{-}metenil\text{-}THFA}{N^5, N^{10}{-}CH_2{-}THFA} + \underset{glicina}{CH_2NH_2CO_2H}$$

aminoácidos se forman por transaminación de precursores cetoácidos. Estas transaminaciones dependen de la incorporación previa de amoniaco en el glutamato o la alanina; ambos se transforman en donadores claves de amino en las transaminaciones. El grupo amida de la glutamina también tiene importancia general participando en diversas reacciones esenciales de amidación.

El ATP se forma a partir del ADP por reacciones que proporcionan energía ya estudiadas, y utilizadas aquí para la síntesis de un enlace de amida que requiere energía. Pero hemos de considerar cómo *E. coli* produce el fosfato de nucleósido de purina a partir de la glucosa, y también como fabrica los enlaces ricos en energía.

Una vez más, *E. coli* tiene un punto de partida en el metabolismo de los carbohidratos para formar ribosa-5-fosfato desde la glucosa-6-fosfato. El ribulosa-5-fosfato formado por descarboxilación oxidativa del ácido-6-fosfoglucónico se isomeriza en ribosa-5-fosfato (ver **4-8, 4-10, 4-13**); la base para la construcción de una molécula de purina. La vía general de la biosíntesis de purina se indica en **4-38** en la página opuesta. El nitrógeno del anillo purínico proviene del nitrógeno amídico de la glutami-

na y de grupos amino del ácido aspártico y glucocola. Los carbonos provienen de la glicina, derivados 1-carbonados del ácido tetrahidrofólico, y CO_2.

Regresemos a la glucosa para ver cómo *E. coli* fabrica glicina y los derivados 1-carbonados de tetrahidrofolato: la glicina proviene de la serina, que a su vez proviene del ácido 3-fosfoglicérico, producto intermedio en la conversión de glucosa a piruvato (ver **4-5**). La conversión de serina en glicina incluye el ácido tetrahidrofólico. La vía de 3-fosfoglicerato a glicina se indica en **4-39**. El producto N^5,N^{10}-metenil-THFA resultante de la conversión de serina en glicina puede oxidarse hasta N^5,N^{10}-metilen-THFA. N^{10}-formil-THFA, formado a partir de N^5,N^{10}-metilen-THFA quedan disponibles para las reacciones de formilación de la vía de purina. La porción básica de la vía de purina termina en el ácido inosínico (monofosfato de inosina). Se necesita ácido aspártico para convertir el ácido inosínico en ácido adenílico en una donación de grupo amino análoga a la utilizada en la propia vía de la purina. (Ver **4-40** para formación de monofosfatos de adenosina y guanosina a partir del monofosfato de inosina.) El ácido aspártico proviene del oxaloacetato por una reacción de transaminación:

oxaloacetato $+$ glutamina $\rightarrow$ aspartato $+$ α-cetoglutarato

Con todos los ingredientes de la glucosa, *E. coli* puede fabricar AMP; entonces

$$AMP + ATP \rightarrow 2\ ADP$$

Finalmente *E. coli* ha fabricado glutamina, y ahora puede fabricar *N*-acetilglucosamina-6-fosfato. Para producir ácido murámico la célula añade un difosfato de nucleósido a la hexosamina. En casi todas las reacciones de polimerización de azúcar, las enzimas utilizan más nucleótidos de azúcar que azúcares libres. Otros tipos de manipulaciones enzimáticas de

---

4-40.

Formación de monofosfato de adenosina y guanosina

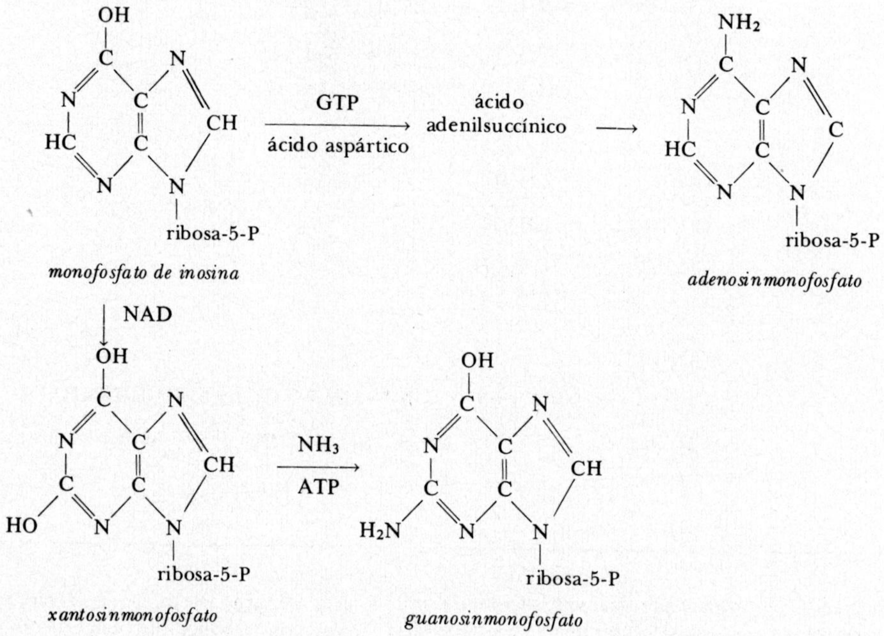

monofosfato de inosina — GTP / ácido aspártico → ácido adenilsuccínico → adenosinmonofosfato

xantosinmonofosfato — NH₃ / ATP → guanosinmonofosfato

* GTP $=$ trifosfato de guanosina.

4-41.

Síntesis de UDP-N-acetil-glucosamina

N-acetil-glucosamina-6-P $\longrightarrow$ N-acetil-glucosamina-1-P (N-Ac-Gn-1-P)

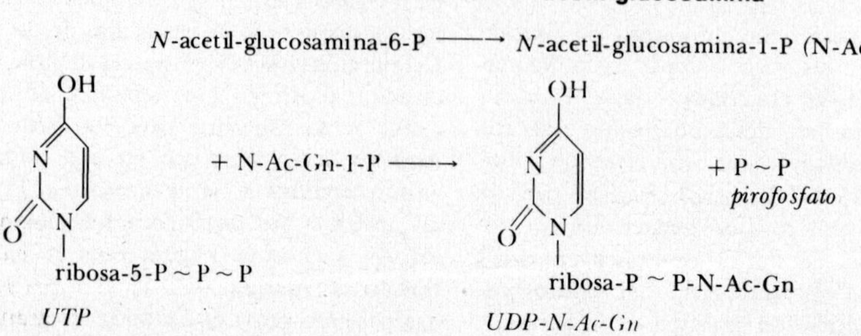

UTP $+$ N-Ac-Gn-1-P $\longrightarrow$ UDP-N-Ac-Gn $+$ P $\sim$ P *pirofosfato*

4-42.

Síntesis de pirimidinas

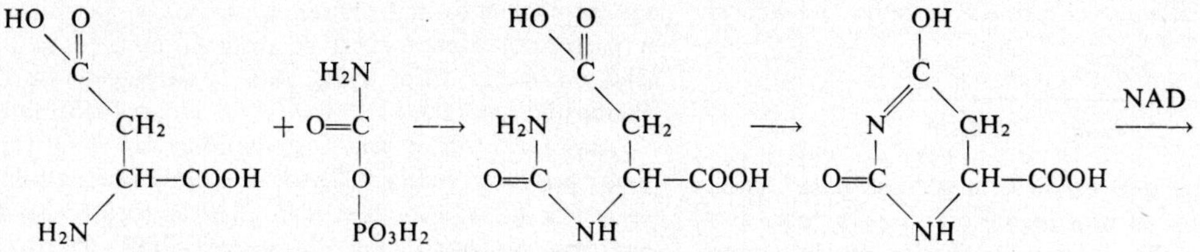

ácido aspártico   carbamilfosfato   ácido carbamilaspártico   ácido dihidrorótico

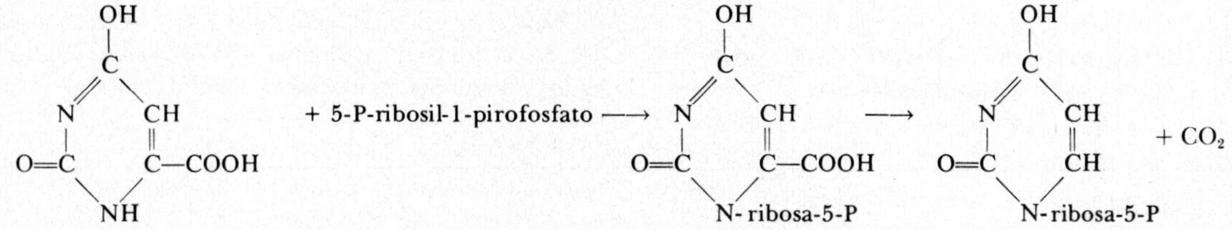

ácido orótico   ribótido de ácido orótico   monofosfato de uridina

$+ CO_2$

(a) $UMP + ATP \rightarrow UDP + ATP$
     $2\ UDP \rightarrow UTP + UMP$

(b)

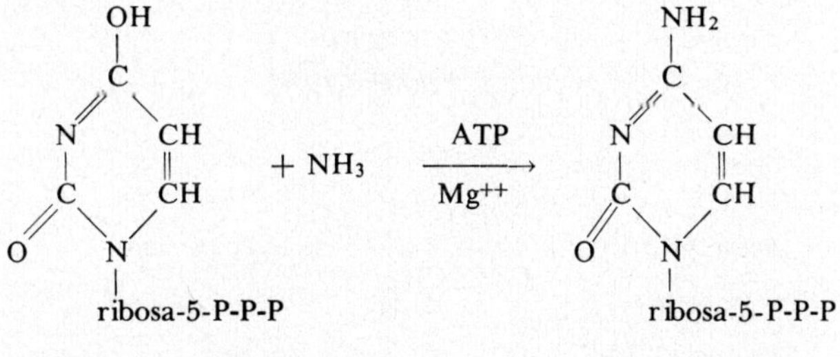

trifosfato de uridina   trifosfato de citidina

4-43.

Formación de ácido UDP-N-acetil-murámico

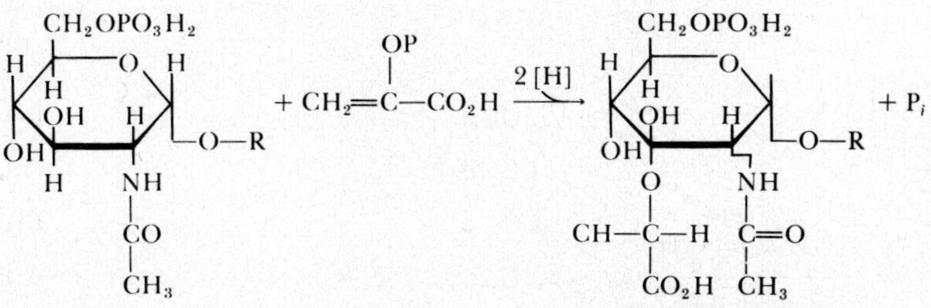

UDP-N-Ac-Gn   ácido UDP-N-Ac-murámico

azúcares incluyen también nucleótidos de azúcar, por ejemplo la conversión ya mencionada de galactosa en glucosa. La uridin-difosfato-*N*-acetilglucosamina, formada a partir del trifosfato de urina (UTP) y *N*-acetilglucosamina-l-fosfato es el precursor del ácido murámico (ver **4-41**). El anillo entre el fosfato y el azúcar en todos los nucleótidos de azúcar siempre se halla en el primer carbono del azúcar:

$$\underbrace{\overset{\displaystyle\searrow}{O}-P}_{azúcar}\underbrace{\sim P-U}_{UDP}$$

E. coli tiene que volver a la glucosa para fabricar una pirimidina, el uracilo, necesario para fabricar la pared celular. La primera reacción en la síntesis de pirimidina utiliza CO_2 NH_3 y ATP para fabricar carbamilfosfato:

$$NH_3 + CO_2 + ATP \rightarrow H_2N\overset{\displaystyle O}{\overset{\|}{C}}O\sim P + ADP$$
carbamilfosfato

La síntesis de arginina empieza con la formación de carbamilfosfato desde CO_2, NH_3 y ATP. Como ocurre con muchos otros compuestos, el carbamilfosfato es un producto intermedio clave de la biosíntesis, así como del metabolismo energético. En la síntesis de pirimidina el carbamilfosfato se condensa con ácido aspártico, y la vía es la indicada en **4-42**. La formación de trifosfatos de uridina y de citidina a partir del monofosfato de uridina también se indica en **4-42**. (Ver **4-38** para la formación de 5-P-ribosil-1-pirifosfato a partir de ribosa-5-fosfato.)

Ahora *E. coli* utiliza fosfoenolpiruvato y 2 [H] para producir ácido UDP-*N*-acetilmurámico como se indica en **4-43**. (Ver **4-5** para la formación de fosfoenolpiruvato.) Los derivados UDP, UDP-*N*-acetilmurámico, UDP-*N*-acetilglucosamina son los substratos de las reacciones finales de polimerización de peptidoglicano.

Para el péptido, *E. coli* tiene que construir a partir de la glucosa: L-alanina (ya lo hemos considerado), D-alanina, ácido *meso*-diaminopimélico, y áci-

4-44.

Síntesis de ácido diaminopimélico y licina

4–45.

Síntesis de succinato por vía de sintetasa de malato e isocitratasa

1) *Activación de acetato*

2 acetatos + 2 ATP + 2 CoASH → 2 acetil-CoA + 2 AMP + 2 P ~ P
$$\qquad\qquad\qquad\qquad\qquad\qquad\qquad\qquad\qquad\text{ácido adenílico}$$

2) *Sintetasa de malato*

$$CH_3COSCoA + HO_2CCHO \longrightarrow HO_2CCH_2CHOHCO_2H + CoASH$$
$$\qquad\qquad\qquad\text{ácido glioxílico} \qquad\quad \text{ácido málico}$$

3) *Deshidrogenasa málica*

malato → oxalacetato + 2 [H]

4) *Enzima de condensación*

acetil-CoA + oxalacetato → citrato + CoASH

5) *Aconitasa*

citrato → *cis*-aconitato → isocitrato

6) *Isocitratasa*

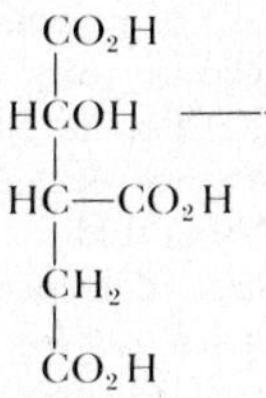

$$\begin{array}{l} CO_2H \\ | \\ HCOH \\ | \\ HC-CO_2H \\ | \\ CH_2 \\ | \\ CO_2H \end{array} \longrightarrow HO_2CCHO + HOOCCH_2CH_2CO_2H$$

$$\qquad\qquad\qquad\qquad\qquad \text{glioxilato} \qquad\qquad \text{succinato}$$

isocitrato

Resumen:

2 acetatos + 2 ATP + 2 CoASH → succinato + 2 AMP + 2 P ~ P + 2 [H]

---

do D-glutámico. Los aminoácidos D se forman a partir de aminoácidos L por racemasas específicas de aminoácidos, o sea una enzima específica interconvierte los isómeros D y L:

L-alanina ⇄ D-alanina
Acido L-glutámico ⇄ ácido D-glutámico

La síntesis de diaminopimélico es la que todavía debe efectuarse y aquí *E. coli* comienza con ácido aspártico y piruvasa y utiliza la serie de reacciones que se indican en **4-44** para fabricar ácido diaminopimélico. La misma vía se utiliza para producir lisina. La succinil-CoA utilizada en la vía se produce por reacciones del ciclo TCA (ver **4-21**).

Es en esta forma como *E. coli* produce todos los ingredientes para el peptidoglucano de la glucosa. Muchos de los ingredientes se utilizan también para fabricar otras macromoléculas: UTP y ATP para ácidos nucleicos, y los L-aminoácidos y glutamina para proteínas. Estos compuestos también se utilizan para otras reacciones biosintéticas. El ácido diaminopimélico se emplea para la formación de peptidoglicano y como precursor de glicina. Los D-aminoácidos se descubren principalmente en el peptidoglicano, pero también en unos cuantos polímeros de superficies de bacterias. Las vías para síntesis de orotidina-5-fosfato y ácido inosínico son vías fundamentales para biosíntesis de todas las pirimidinas y purinas.

Síntesis de acetato.[7] *E. coli* puede crecer aerobiamente sobre acetato como única fuente de energía y de carbono y, por lo tanto, fabricar peptidoglicano del acetato. El carbono del acetato tiene que penetrar en las vías que acabamos de revisar. La clave para la entrada del acetato es la serie de reacciones que se indican en **4-45**. La síntesis de un compuesto de 4 carbonos, el succinato, a partir de dos unidades de acetato con 2 carbonos proporciona el punto de partida para formar piruvato:

succinato → fumarato + 2 [H]
fumarato + H_2O → malato
malato → oxaloacetato + 2 [H]
oxaloacetato → piruvato + CO_2

El piruvato luego es fosforilado hasta fosfoenolpiruvato:

$$\qquad\qquad\qquad\qquad\qquad O\sim P$$
$$\qquad\qquad\qquad\qquad\qquad |$$
$$CH_3COCO_2H + ATP \rightarrow CH_2{=}C-CO_2H +$$
$$\qquad\qquad\qquad\qquad\qquad\qquad AMP + P\sim P$$

La inversión del esquema EMP (ver **4-5**) se utiliza para formar fosfatos de hexosa a partir del fosfoenolpiruvato. Hay una sola reacción única en la vía inversa, la fosfatasa de fructosa-1,6-difosfato:

$$F\text{-}1,6\text{-}P \rightarrow F\text{-}6\text{-}P + P_i$$

Esta enzima atrae el esquema EMP en la dirección de la síntesis de hexosa-fosfato porque la desfosforilación es irreversible. Este es un punto de control metabólico importante junto con la fosfofructocinasa (F-6-P + ATP → F-1,6-P + ADP). Cuando *E. coli* está utilizando un carbohidrato como fuente de energía ha de disponer de algún mecanismo para acentuar la actividad de la fosfofructocinasa en comparación con la fosfatasa de F-1,6-difosfato. Ocurre a la inversa cuando crece en acetato. No estudiaremos en detalles los mecanismos de regulación, pero es importante recordar que el esquema EMP tiene que modificarse con fosfatasa de F-1,6-difosfato para permitir la síntesis de hexosa, y tiene que introducirse un mecanismo regulador para permitir el empleo de enzimas EMP para síntesis o para desintegración de carbohidrato.

La serie sintetasa de malato-isocitratasa también proporciona una vía para oxidación del acetato cuando *E. coli* crece sobre acetato. Aunque el ciclo TCA pudiera pensarse que podía utilizarse, el ciclo TCA requiere un aporte continuo de oxaloacetato. Ocurre así porque el ciclo TCA es una vía llamada anfibólica, o sea que sus funciones sirven para proporcionar tanto energía (catabólica) como precursores para síntesis de material celular (anabólica). Las vías anabólicas drenan carbono del ciclo TCA, evitando la regeneración de cantidades catalílicas de oxaloacetato necesarias para la función catabólica. Cuando el carbohidrato es la fuente de energía, la carboxilación de piruvato en oxaloacetato aporta oxaloacetato. Cuando la fuente de energía es el acetato se necesita otra vía para aportar el producto, porque no se dispone de una fuente continua de piruvato a partir del carbohidrato. La vía sintetasa de malato-isocitratasa permite aportar la cantidad adecuada de oxaloacetato. Las reacciones de restauración de este tipo se llaman reacciones anapleróticas. La operación de las reacciones de oxidación del acetato por *E. coli* creciendo sobre acetato, el ciclo de glioxilato, se indican en 4-46.

Síntesis de CO_2. La síntesis de fosfato de hexosa, piruvato e intermedios del ciclo TCA desde el acetato, por la serie de sintetasa de malato-isocitratasa, permite penetrar en estas vías generales para síntesis de componentes de peptidoglicano ya considerados. Vamos a ver ahora una fuente diferente de entrada, la utilizada por todos los gérmenes autotróficos. Estos incluyen las plantas verdes, así como las bacterias autotróficas. Aquí se plantea el problema de cómo todos los gérmenes que utilizan CO_2 como única fuente de carbono celular introducen el CO_2 en las vías biosintéticas principales. La contestación es el ciclo reductor de la pentosa que permite la síntesis de fructosa-6-fosfato a partir de CO_2. Las reacciones de CO_2 se indican en 4-47.

Es un ciclo de pentosa porque la reacción clave utilizada para fijar CO_2 en un compuesto orgánico es la reacción de carboxidismutasa, donde ribulosa-1,5-diP y CO_2 se convierten en dos moles de ácido-3-P-glicérico (ver 4-48). Para que continúe la fijación de CO_2, la serie tiene que operar regenerando el aceptor de CO_2, ribulosa-1,5-diP. El poder reductor (NADPH) y ATP para biosíntesis reductora proviene del metabolismo de la fuente energética química de los quimiolitotrofos y de la luz y los donadores exógenos de electrones utilizados por los fototrofos. La mayor parte de reacciones del ciclo son similares o idénticas a las reacciones ya consideradas en relación con la catabolia de la glucosa por vía de transcetolasa-transaldolasa (ver 4-13), y la síntesis de carbohidrato a partir de acetato. La fosforilación de ribulosa-5-P y ribulosa-1,5-diP (ver 4-48) es similar a la reacción de fosfofructocinasa de la vía EMP (ver 4-5), y las fosfatasas de fructosa-1,6-diP y sedoheptulosa-1,diP son similares a la fosfatasa de fructosa-1,6-diP que hemos estudiado en relación con la síntesis de hexosa-P a

---

4-46.

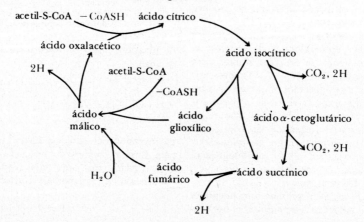

Ciclo de glioxilato

4–47.

Ciclo reductor de pentosa

6 ribulosa-1,5-diP + 6 CO_2 + 6 H_2O → 6[intermediario]→ 12 glicerato-3-P
carboxidismutasa

12 glicerato-3-P + 12 ATP ⇌ 12 glicerato-1,3-diP + 12 ADP
cinasa de fosfoglicerato

12 glicerato-1,3-diP + 12 NADPH ⇌ 12 gliceraldehido-3-P + 12 $NADP^+$ + 12 P_i
deshidrogenasa de fosfato de D-gliceraldehido

5 gliceraldehido-3-P ⇌ 5 dihidroxiacetona-P
isomerasa de triosafosfato

3 gliceraldehido-3-P + 3 dihidroxiacetona-P ⇌ 3 fructosa-1,6-diP
aldolasa

3 fructosa-1,6-diP + 3 H_2O → 3 fructosa-6-P + 3 P_i
fosfatasa

2 fructosa-6-P + 2 gliceraldehido-3-P ⇌ 2 eritrosa-4-P + 2 xilulosa-5-P
transcetolasa

2 eritrosa-4-P + 2 dihidroxiacetona-P ⇌ 2 sedoheptulosa-1,7-diP
aldolasa

2 sedoheptulosa-1,7-diP + 2 H_2O → 2 sedoheptulosa-7-P + 2 P_i
fosfatasa

2 sedoheptulosa-7-P + 2 gliceraldehido-3-P ⇌ 2 ribosa-5-P + 2 xilulosa-5-P
transcetolasa

2 ribosa-5-P ⇌ 2 ribulosa-5-P
isomerasa de fosfopentosa

4 xilulosa-5-P ⇌ 4 ribulosa 5 P
epimerasa de fosfocetopentosa

6 ribulosa-5-P + 6 ATP + 6 ribulosa-1,5-diP + 6 ADP
fosfopentocinasa

Resumen:
6 ribulosa-1,5-diP + 6 CO_2 + 18 ATP + 12 NADPH →
6 ribulosa-1,5-diP + fructosa-6-P + 18 ADP + 17 P_i + 12 NADP + (H_2O no señalada)

---

partir del acetato. Estas tres reacciones son irreversibles y empujan la secuencia en dirección de la síntesis. La síntesis de sedoheptulosa-1,7-diP a partir de eritrosa-4-P y dihidroxiacetona-P (ver **4-48)** es toda similar a la formación de fructosa-1,6-diP del gliceraldehido-3-P y la dihidroxiacetona-P y la reacción es catalizada por la aldolasa (ver **4-5)**.

Una vez que la síntesis global de fructosa-6-P tiene lugar, se emplean reacciones heterotróficas convencionales para lograr los puntos de penetración para la síntesis de precursores de pequeño peso molecular del peptidoglicano. A partir de fructosa-6-P, la autotrofia es esencialmente como en *E. coli.**

* Esto no implica que el peptidoglicano de los autótrofos sea idéntico a *E. coli.* Las variaciones del peptidoglicano

Esta revisión de síntesis de peptidoglicano a partir de tres fuentes diferentes de carbono, carbohidrato, acetato, o CO_2, no cubre todos los posibles centros de entrada de todas las fuentes carbonadas. La consideración de la síntesis de precursores de peptidoglicano evidentemente excluye que nos ocupemos de la síntesis de todos los cuerpos de pequeño peso molecular precursores de las macromoléculas celulares pero ilustra las características generales de la biosíntesis de las moléculas pequeñas. Además de diferencias en las vías utilizadas para entrar en esquemas biosintéticos comunes, claro está que la biosíntesis requiere disponer de ATP y poder reduc-

antes señaladas se pueden observar entre diversas bacterias autotróficas.

4-48.

Algunas reacciones del ciclo reductor de pentosa

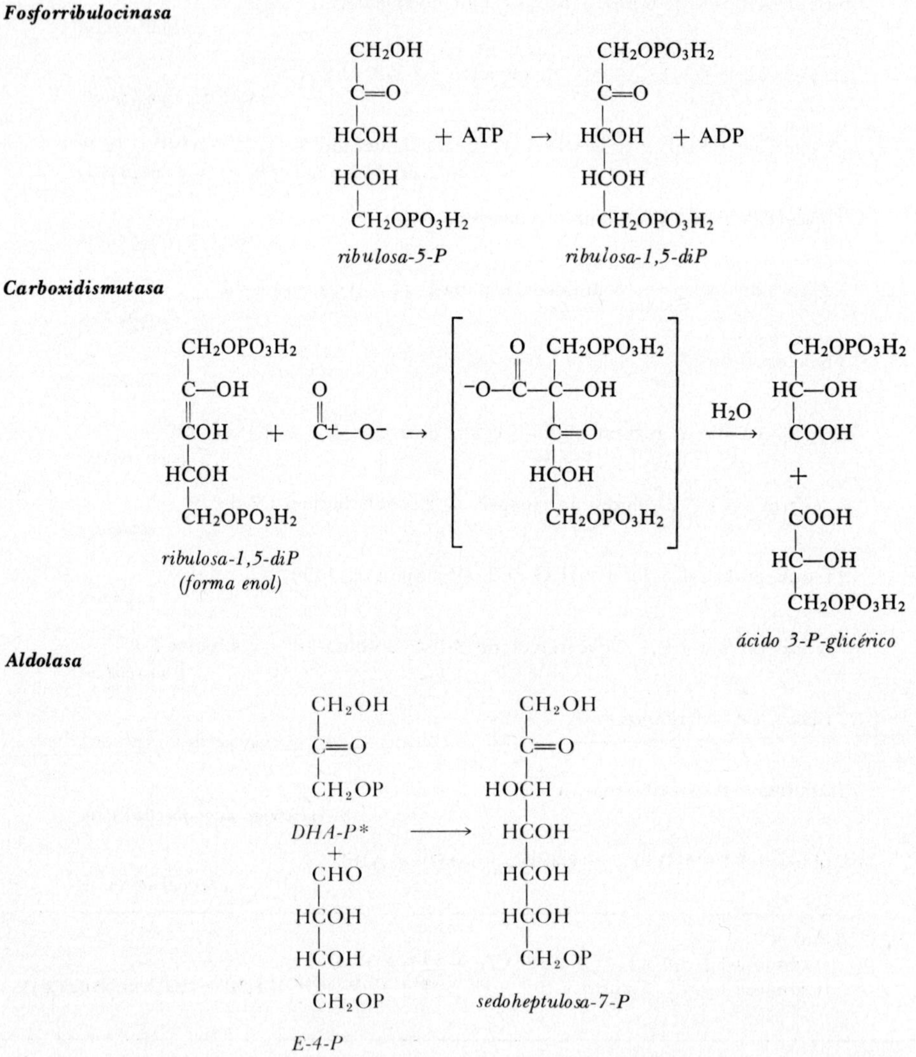

Fosforribulocinasa

$$
\begin{array}{ccc}
CH_2OH & & CH_2OPO_3H_2 \\
| & & | \\
C=O & & C=O \\
| & & | \\
HCOH \; + \; ATP \; \rightarrow & HCOH \; + \; ADP \\
| & & | \\
HCOH & & HCOH \\
| & & | \\
CH_2OPO_3H_2 & & CH_2OPO_3H_2 \\
\textit{ribulosa-5-P} & & \textit{ribulosa-1,5-diP}
\end{array}
$$

Carboxidismutasa

$$
\begin{array}{ccccc}
CH_2OPO_3H_2 & & & O\;\;CH_2OPO_3H_2 & & CH_2OPO_3H_2 \\
| & & & \;\;\;|\;\;\;\;| & & | \\
C-OH & \;O & & \;\;-O-C-C-OH & & HC-OH \\
| & \;\| & & \;\;\;\;\;\;\;| & \xrightarrow{H_2O} & | \\
COH \; + & C^+-O^- \rightarrow & & C=O & & COOH \\
| & & & | & & + \\
HCOH & & & HCOH & & COOH \\
| & & & | & & | \\
CH_2OPO_3H_2 & & & CH_2OPO_3H_2 & & HC-OH \\
\textit{ribulosa-1,5-diP} & & & & & | \\
\textit{(forma enol)} & & & & & CH_2OPO_3H_2 \\
& & & & & \textit{ácido 3-P-glicérico}
\end{array}
$$

Aldolasa

$$
\begin{array}{cc}
CH_2OH & CH_2OH \\
| & | \\
C=O & C=O \\
| & | \\
CH_2OP & HOCH \\
\textit{DHA-P}^* & | \\
+ & HCOH \\
CHO & HCOH \\
| & | \\
HCOH & HCOH \\
| & | \\
HCOH & CH_2OP \\
| & \\
CH_2OP & \textit{sedoheptulosa-7-P} \\
\textit{E-4-P} &
\end{array}
$$

* DHA-P = dihidroxiacetona-fosfato.

---

tor mediante metabolismo energético. Los detalles sobre la síntesis de la mayor parte de las otras pequeñas moléculas pueden encontrarse en cualquier texto amplio de bioquímica.[3, 10]

Coenzimas. Aunque el papel de las coenzimas en la biosíntesis no se ha estudiado suficientemente, tienen tanta importancia en ella como en las vías catabólicas. Las coenzimas del ácido fólico son importantes para la síntesis de purina y su desintegración, y la difosfotiamina es tan importante en la labor de la transcetolasa para sintetizar carbohidratos como lo es la transcetolasa de la vía catabólica.

Una coenzima no considerada antes, el fosfato de piridoxal, va a ocuparnos ahora en relación con tres reacciones de síntesis de peptidoglicano, transaminasa, racemasa de aminoácido y formación de glicina desde la serina. El fosfato de piridoxal (ver **4-49**), que guarda relación con la vitamina piridoxal, tiene un papel muy importante en el metabolismo aminoácido. Es fundamental para la formación de una base de Schiff (ver **4-49**) con aminoácidos en presencia de un ion metálico. Según la enzima específica a la cual está unida, esta base de Schiff puede sufrir diversas reacciones, como transaminación, ra-

4-49.

Fosfato de piridoxal

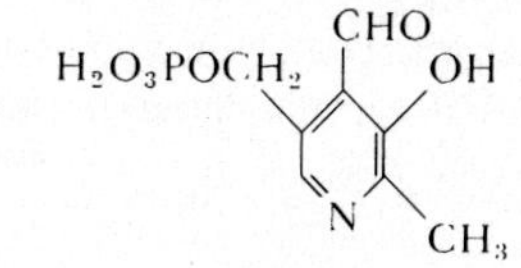

$$H_2O_3POCH_2 - \overset{CHO}{\underset{N}{\bigcirc}} - \overset{OH}{\underset{CH_3}{}}$$

*fosfato
de piridoxal*

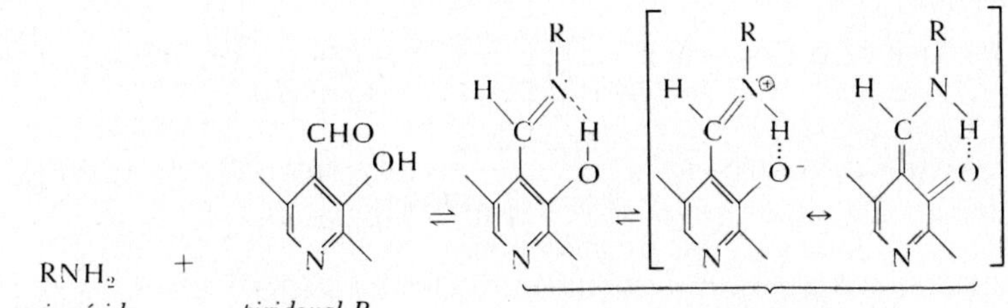

RNH_2 +   piridoxal-P   *Bases de Schiff*

aminoácido

---

cemización y formación de glicina. Muchas bacterias tienen descarboxilasas de aminoácidos específicos que descarboxilan aminoácidos en CO_2 y aminas:

$$RCHNH_2CO_2H \rightarrow RCH_2NH_2 + CO_2$$

Estas enzimas suelen ser fosfato de piridoxal. Su función todavía es algo obscura, aunque se sugiere que su papel es de controladoras de pH, ya que su acción tiende a elevar el pH del medio.

SINTESIS DE MACROMOLECULAS

La síntesis de ácidos nucleicos y proteínas no la vamos a estudiar aquí; la información puede obtenerse de cualquier texto de bioquímica.[10] Aunque la vía de síntesis lípida es esencialmente la misma en las bacterias que en los organismos elevados, nos ocuparemos brevemente de los lípidos por dos motivos. El primero es que los detalles de la vía de síntesis de ácido graso son más claros en la síntesis bacteriana. En la bacteria las enzimas se hallan en estado soluble, mientras que en organismos superiores las reacciones que originan la formación de ácidos grasos de cadena larga guardan relación con complejos de multicomponentes de gran peso molecular. Ha sido muy difícil aclarar los detalles de la síntesis con las sintetasas complejas de ácido graso.

El segundo motivo guarda relación con el hecho de que casi todos los lípidos bacterianos son componentes estructurales de membranas celulares, y en

algunos casos forman parte de la propia estructura de la célula. Un área importante de la biología contemporánea es el descubrimiento de las relaciones entre la estructura y función de membranas y superficies celulares, y el aclaramiento de cómo la síntesis de componentes de superficie se integra con la síntesis de todos los demás componentes celulares. Este último problema es fundamental para completar la comprensión del crecimiento celular y la división celular; el primer problema guarda relación con procesos tan importantes como el transporte de nutrientes penetrando en las células, transporte de electrones, fosforilación oxidativa y por la luz, síntesis de estructuras de superficie, y eliminación de productos extracelulares (incluyendo proteínas). Aparte de las implicaciones de tales estudios de sistemas bacterianos para microbiología, las bacterias han demostrado ser un medio tan bueno para aclarar principios bioquímicos generales acerca de membranas como para aclarar los principios del metabolismo intermediario y de la genética.

Síntesis lípida.[5] Los precursores monoméricos de los ácidos grasos de cadena larga son acetil-CoA y malonil-CoA. Malonil-CoA se forma a partir de CO_2 y acetil-CoA en una reacción que necesita biotina (ver 4-50). La polimerización de unidades acílicas y las reacciones de reducciones y desaturación de la síntesis de ácidos grasos tienen lugar con una proteína portadora que contiene una porción de la molécula de CoA, la 4'-fosfopanteteína (ver 4-17), unida en forma covalente a la proteína como grupo prostético. La proteína portadora se denomina pro-

4-50.

Síntesis de ácido graso

$$Mn^{++}$$
$$CO_2 + ATP + E\text{-biotina} \rightleftharpoons CO_2\text{-biotina} + ADP + P_i$$
$$CO_2\text{-E-biotina} + CH_3COSCoA \rightarrow E\text{-biotina} + HOOCCH_2COSCoA$$
malonil-CoA

---

(1) $CH_3COSCoA + ACP\text{-SH} \underset{\text{de acetilo}}{\overset{\text{transacetilasa}}{\rightleftharpoons}} CH_3COS\text{-ACP} + CoA\text{-SH}$

(2) $HOOCCH_2COSCoA + ACP\text{-SH} \underset{\text{de malonilo}}{\overset{\text{transacilasa}}{\rightleftharpoons}} HOOCCH_2COS\text{-ACP} + CoA\text{-SH}$

(3) $CH_3COS\text{-ACP} + HOOCCH_2COS\text{-ACP} \underset{\beta\text{-cetoacil-ACP}}{\overset{\text{sintetasa de}}{\rightleftharpoons}} CH_3COCH_2COS\text{-ACP} + ACP\text{-SH} + CO_2$
(acetoacetil-)

(4) $CH_3COCH_2COS\text{-ACP} + NADPH + H^+ \underset{\beta\text{-cetoacil-ACP}}{\overset{\text{reductasa de}}{\rightleftharpoons}} CH_3CHOHCH_2COS\text{-ACP} + NADP^+$
(β-hidroxibutiril)

(5) $CH_3CHOHCH_2COS\text{-ACP} \underset{\text{de enoíl-ACP}}{\overset{\text{hidrasa}}{\rightleftharpoons}} CH_3CH{=}CHCOS\text{-ACP} + H_2O$
(crotonil-)

(6) $CH_3CH{=}CHCOS\text{-ACP} + NADPH + H^+ \underset{\text{de enoíl-ACP}}{\overset{\text{reductasa}}{\rightarrow}} CH_3CH_2CH_2COS\text{-ACP} + NADP^+$
(butiril-)

(7) $CH_3CH_2CH_2COS\text{-ACP} + CoASH \overset{\text{transacilasa}}{\longrightarrow} CH_3CH_2CH_2COSCoA + ACP\text{-SH}$
butiril-CoA

---

teína portadora de acilo (ACP). La malonil-ACP pierde un grupo carboxilo cuando participa en la adición de una unidad de acetilo a una unidad previamente formada de acilo-ACP. El proceso continúa hasta que se han sintetizado los derivados de cadena larga saturada de acetil-CoA (ver **4-50** que muestra la síntesis de butiril-CoA como ejemplo, pero los ácidos grasos de C_{14} a C_{18} son los más frecuentes en los lípidos bacterianos). Estos se emplean después para síntesis de fosfolípido (ver **4-51** para la síntesis de los dos fosfolípidos comunes, fosfatidilserina y fosfatidiletanolamina). Casi todos los lípidos bacterianos están en toma de fosfolípidos de membrana. Se forman tioésteres de ácido graso no saturado-CoA a partir de tioésteres saturados acil-CoA por oxidación, y son utilizados para síntesis de fosfolípidos. Se descubren diversos lípidos en las membranas de las bacterias, generalmente diferentes ácidos grasos en diferentes fosfolípidos dentro de una especie determinada. Una vez formados los fosfolípidos se integran con una variedad de proteínas diferentes para producir la membrana procariótica.

Síntesis de macromoléculas de superficie.[13, 20] La mayor parte de las macromoléculas peculiares asociadas con las células bacterianas son macromoléculas de superficie, casi todas polisacáridos o derivados de polisacáridos. Incluyen estructuras como peptidoglicano (ver **4-35**), los lipopolisacáridos de las bacterias gramnegativas (ver **4-52**), los ácidos teicoicos de las bacterias grampositivas (ver **4-53**) y una larga serie de diferentes polisacáridos que se descubren en las superficies celulares como los polisacáridos específicos tipo de los neumococos.

El lipopolisacárido está formado por un lípido unido a un núcleo polisacárido que tiene unidas cadenas polisacáridas que son las determinantes del antígeno O de las enterobacteriáceas.[9] El lípido, llamado lípido A, contiene glucosamina, ácido 3-desoxi-D-mano-octulosónico, ácidos grasos y fosfato. El polisacárido nuclear contiene etanolamina, fosfato, ácido octulosónico, L-glicero-D-manoheptosa, glucosa, galactosa y N-acetilglucosamina. Los azúcares del antígeno O varían según el tipo serológico. En *Salmonella typhimurium*, por ejemplo (ver **4-52**) los azúcares son abecuosa (3,6'-didesoxi-D-xilohexosa), manosa, ramnosa y galactosa. El lipopolisacárido es parte de la endotoxina de estos organismos. La estructura compleja del lipopolisacárido todavía no está aclarada.

Los ácidos teicoicos son polímeros que contienen fosfatos de ribitol o glicerol. La mayor parte de los ácidos teicoicos tienen columnas vertebrales de unidades que se repiten de polioles unidos uno a otro por puentes de fosfodiéster. Azúcares, generalmente glucosa o N-acetilglucosamina, están unidos en forma glucosídica al poliol. D-Alanina también está unido al poliol en un enlace de éster. Los polímeros se presentan unidos a las paredes celulares (polímeros

4–51.

Síntesis de fosfatidilserina y fosfatidiletanolamina en Escherichia coli

$$CH_2OH \quad CH_2OH \quad CH_2OOCR$$

$$
\begin{array}{c}
CH_2OH \\
| \\
CHOH \\
| \\
CH_2OH \\
\textit{glicerol}
\end{array}
\xrightarrow{ATP}
\begin{array}{c}
CH_2OH \\
| \\
CHOH \\
| \\
CH_2OPO_3H_2 \\
\textit{fosfato de glicerol}
\end{array}
\xrightarrow{2\ RCOSCoA}
\begin{array}{c}
CH_2OOCR \\
| \\
CHOOCR \\
| \\
CH_2OPO_3H_2 \\
\textit{ácido fosfatídico}
\end{array}
$$

trifosfato de citidina

$$
\begin{array}{c}
CH_2OOCR \\
| \\
CHOOCR \\
| \\
CH_2{-}O{-}\overset{O}{\underset{OH}{P}}{-}O{-}\overset{O}{\underset{OH}{P}}{-}O{-}CH_2
\end{array}
$$

NH₂ / C / N / CH / C / CH / O / N

diglicérido de difosfato de citidina

$HOCH_2CHNH_2$ | $COOH$ — *serina*

$$
\begin{array}{c}
CH_2OOCR \\
| \\
CHOOCR \\
| \\
CH_2{-}O{-}\overset{O}{\underset{OH}{P}}{-}O{-}CH_2CHNH_2 \quad + \quad \textit{monofosfato de citidina} \\
\qquad\qquad\qquad\quad COOH
\end{array}
$$

fosfatidilserina

$-CO_2 \longrightarrow$ *fosfatidiletanolamina*

4–52.

Lipopolisacárido de Salmonella typhimurium

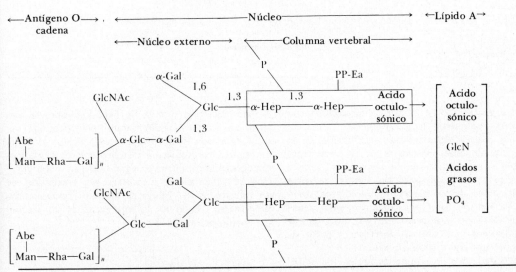

←Antígeno O→ , ←———————Núcleo———————→ ←Lípido A→
cadena

←Núcleo externo→ ←——Columna vertebral——→

Abreviaturas: Abe, abecuosa; Man, manosa; Rha, ramnosa; Gal, galactosa; GlcNAc, *N*-acetil-glucosamina; Glc, glucosa; Hep, L-glicero-D-manoheptosa; Ea, etanolamina, y GlcN, glucosamina.

4–53.

Acidos teicoicos

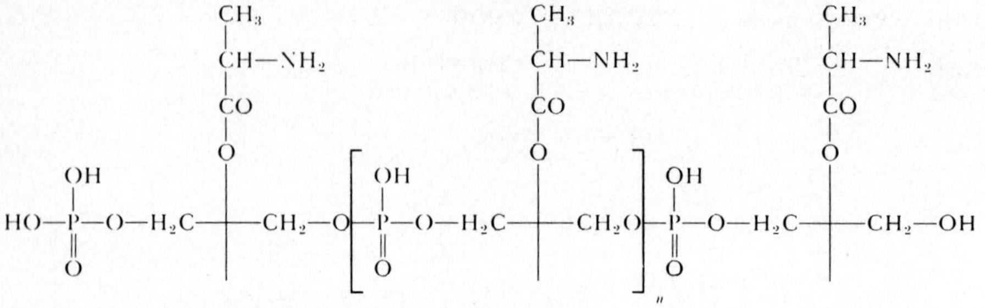

$$CH_3 \quad CH_3 \quad CH_3$$
$$CH—NH_2 \quad CH—NH_2 \quad CH—NH_2$$
$$CO \quad CO \quad CO$$
$$O \quad O \quad O$$

$$HO—P(OH)(O)—O—H_2C{-}{-}CH_2—O—\left[P(OH)(O)—O—H_2C{-}{-}CH_2O\right]_n P(OH)(O)—O—H_2C{-}{-}CH_2—OH$$

Lactobacillus casei (intracelular)

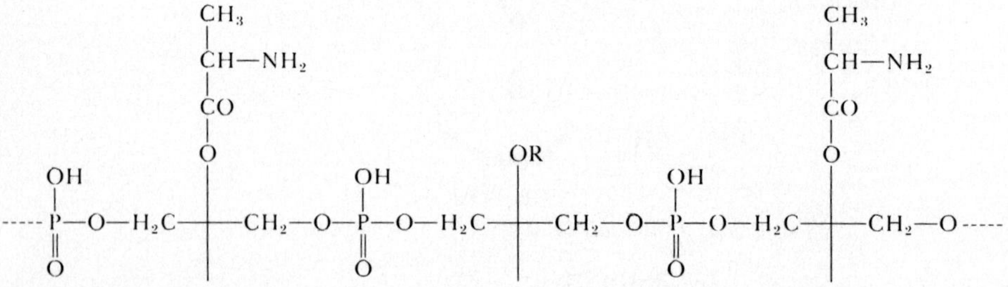

$$CH_3 \quad\quad\quad\quad\quad CH_3$$
$$CH—NH_2 \quad\quad\quad\quad CH—NH_2$$
$$CO \quad\quad\quad\quad\quad\quad CO$$
$$O \quad\quad\quad OR \quad\quad O$$

$$----P(OH)(O)—O—H_2C{-}{-}CH_2—O—P(OH)(O)—O—H_2C{-}{-}CH_2—O—P(OH)(O)—O—H_2C{-}{-}CH_2—O----$$

Lactobacillus plantarum (intracelular: R = α-glucosil)

Acidos gliceroltel coicos

$$HO—P(OH)(O)—O—H_2C{|}{|}{|}CH_2—O—\left[P(OH)(O)—O—H_2C{|}{|}{|}CH_2—O\right]P(OH)(O)—O—H_2C{|}{|}{|}CH_2—OH$$

$$RO\ O\ O \quad\quad RO\ O\ O \quad\quad RO\ O\ O$$
$$CO \quad\quad\quad CO \quad\quad\quad CO$$
$$CH—NH_2 \quad CH—NH_2 \quad CH—NH_2$$
$$CH_3 \quad\quad\quad CH_3 \quad\quad\quad CH_3$$

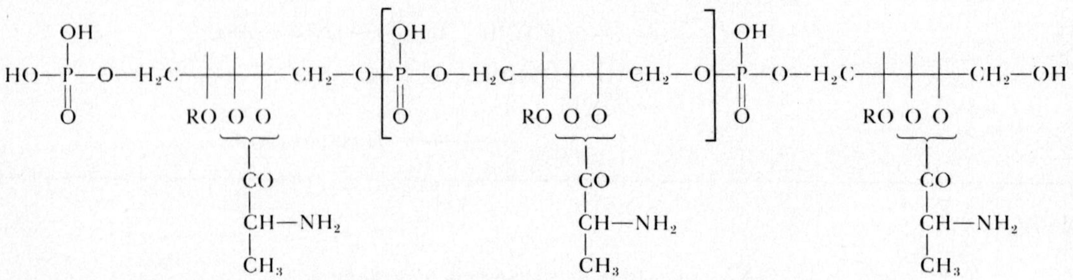

Bacillus subtilis (R = β-glucosil; $n = 7$)
Staphilococcus aureus H (R = α- y β-N- acetilglucosaminil; $n = 6$

Acidos ribitolteicoicos

---

de ribol o glicerol) o en asociación intracelular con membranas (polímeros de glicerol).

Excepto por el peptidoglicano, la función de la mayor parte de estas substancias en el crecimiento bacteriano y su división no la conocemos, aunque sí conocemos las propiedades de algunas de estas moléculas como determinantes inmunológicos, como lugares de fijación para bacteriófago, y como determinantes de poder patógeno. Las porciones polisacáridas de estas moléculas se sintetizan a partir de azúcares de nucleósido-difosfato-azúcares o sus derivados, y las enzimas de polimerización suelen descubrirse en las membranas celulares.

Para iniciar la síntesis de peptidoglicano, se sintetiza un uridin-difosfato-muramil-pentapéptido (ver 4-54) por adición seriada de aminoácidos al ácido murámico. La formación de estos enlaces peptídicos requiere ATP y enzimas específicas. La polimerización se inicia en la membrana por mediación de un intermedio del lípido de muramil pentapéptido. El portador lípido en la membrana es un alcohol C_{55} poliisoprenoide:

$$CH_3$$
$$H_2O_3P—O—(CH_2=CH—CH_2)_{11}H$$

4–54.

Síntesis de peptidoglicano por Staphylococcus aureus

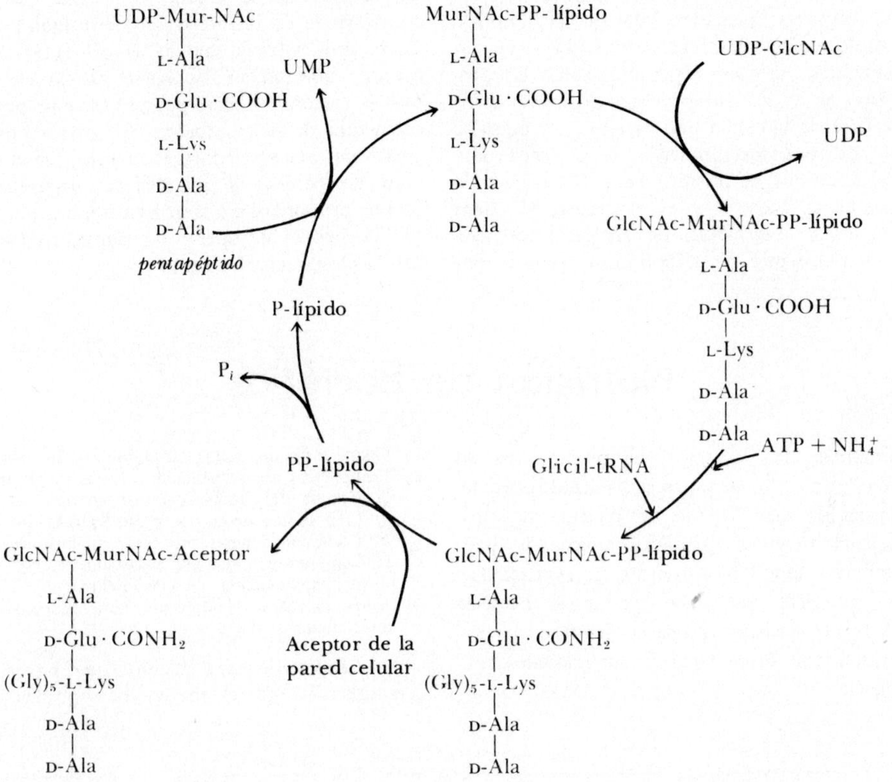

UDP-Mur-NAc
| L-Ala
UMP
| D-Glu · COOH
| L-Lys
| D-Ala
| D-Ala
pentapéptido

MurNAc-PP- lípido
| L-Ala
| D-Glu · COOH
| L-Lys
| D-Ala
| D-Ala

UDP-GlcNAc

UDP

GlcNAc-MurNAc-PP-lípido
| L-Ala
| D-Glu · COOH
| L-Lys
| D-Ala
| D-Ala
ATP + NH$_4^+$

P-lípido

P$_i$

PP-lípido

Glicil-tRNA

GlcNAc-MurNAc-Aceptor
| L-Ala
| D-Glu · CONH$_2$
| (Gly)$_5$-L-Lys
| D-Ala
| D-Ala

Aceptor de la pared celular

GlcNAc-MurNAc-PP-lípido
| L-Ala
| D-Glu · CONH$_2$
| (Gly)$_5$-L-Lys
| D-Ala
| D-Ala

Abreviaturas: MurNAc, ácido N-acetil-murámico; Ala, alanina; Glu · CO$_2$H, ácido glutámico; Lys, lisina; Glu · CONH$_2$, isoglutamina; GLcNAc, N-acetil-glucosamina; gly, glicina, y tRNA, RNA de transferencia.

Después de lograda la síntesis de la unidad sacárida en el intermedio lípido por la interacción de UDP-N-acetilglucosamina y la modificación de la cadena peptídica, el producto intermedio modificado es transferido a un aceptor preexistente para extender la estructura de la pared celular. Las modificaciones peptídicas ocurren en el intermedio lípido y son específicas para cada especie. En el caso de *Staphilococcus aureus,* incluyen adición de un residuo de pentaglicina a la glicina del pentapéptido y amidación del grupo carboxilo del ácido D-glutámico. La pentaglicina se forma por adición seriada de glicina desde glicil-tRNA. La amidación del ácido glutámico origina la formación de un residuo de isoglutamina, HO$_2$C(CH$_2$)$_2$CHNH$_2$CONH$_2$. La reacción final en *Staph. aureus* es la formación de puentes cruzados por transpeptidación entre cadenas adyacentes de peptidoglicano. El grupo carboxilo de D-alanina del pentapéptido de una cadena se une al grupo amino de la glicina terminal de la porción pentaglicina de la cadena vecina. La D-alanina ter-

minal del pentapéptido se libera durante la reacción de transpeptidación. La actividad antibiótica de la penicilina depende de la inhibición de la síntesis de la pared celular por inhibirse la reacción de transpeptidación.

La síntesis de los lipopolisacáridos de bacterias gramnegativas y ácidos teicoicos por bacterias grampositivas también incluye intermedios de fosfatolípidos derivados de nucleósido-difosfato-azúcar. Todos los polisacáridos descubiertos en las superficies celulares son sintetizados a partir de precursores nucleósido-difosfato-azúcar, pero no todas las síntesis incluyen intermedios de fosfato lípido. Por ejemplo, el ácido hialurónico, que se descubre en las cápsulas de los estreptococos hemolíticos del grupo A, es una unidad repetida de ácido glucurónico unida a N-acetilglucosamina. La síntesis incluye polimerización de los derivados de UDP de ambos azúcares, sin intermedios de fosfato lípido. Las substancias específicas de tipo de los neumococos se sintetizan de manera similar, a partir de nucleósido-difosfato-azúcares.

Hay tal variedad de diferentes macromoléculas, que resulta imposible entrar en detalles en este capítulo. Además de polisacáridos o derivados de polisacáridos, algunas bacterias (como *Bacillus anthracis*) tienen cápsulas formadas por un polipéptido de ácido D-glutámico. También se descubren en superficies celulares proteínas especiales, como las proteínas de tipo M de los estreptococos de grupo A.

La superficie de la célula bacteriana es un mosaico de compuestos reunidos alrededor de un saco peptidoglicano o unidos al mismo. La superficie es la interfase entre la bacteria y el ambiente, el lugar donde ocurren las reacciones de antígeno-anticuerpo, y un determinante de atracción o rechazo por

fagocitos. Tanto la índole peculiar del peptidoglicano como su necesidad esencial para la integridad de la célula hacen que sea un blanco vulnerable para la destrucción de la célula bacteriana. La membrana forma parte de la interfase, determinando gran parte de lo que entra y sale de la célula, incluyendo los agentes que matan las bacterias. Muchos desinfectantes (alcoholes, detergentes) actúan rompiendo la estructura de la membrana. El interés por las investigaciones actuales sobre estructura, biosíntesis y función de paredes y membranas bacterianas seguramente proporcionará una base segura para comprender la manera de operar las células bacterianas y sus interacciones con el ambiente.

Nutrición de bacterias

Para sintetizar los diversos compuestos de su protoplasma, y por lo tanto crecer y multiplicarse, la bacteria ha de disponer de un medio que contenga los constituyentes químicos adecuados para sostener las reacciones biosintéticas necesarias. Las substancias químicas que debe recibir la bacteria para poder crecer y multiplicarse constituyen sus necesidades nutritivas. Estos factores nutricionales suelen clasificarse:

1) Compuestos necesarios como fuentes de energía.
2) Compuestos necesarios como piedras de construcción para la síntesis del nuevo material celular.
   a) Compuestos necesarios como fuentes de carbono.
   b) Compuestos necesarios como fuentes de nitrógeno.
   c) Compuestos orgánicos necesarios en su forma intacta como factores de crecimiento.
3) Iones inorgánicos necesarios para el metabolismo y el crecimiento.

Si dispone de estos factores necesarios, las bacterias crecerán en el medio fisicoquímico adecuado

---

4-55.

Funciones metabólicas de vitaminas del grupo B

Vitamina B	*Gérmenes típicos que la necesitan*	*Forma de coenzima*	*Funciones metabólicas*
Tiamina	*Staph. aureus* *L. fermenti*	DPT	Activación de cetoácidos y cetoazúcares; transferencia de unidades de 2 carbonos
Acido nicotínico	*L. plantarum* *Pr. vulgaris*	NAD y NADP	Transferencia de hidrógeno
Riboflavina	*L. casei* *Str. lactis*	Riboflavina-5-P Dinucleótido de flavina-adenina	Transferencia de hidrógeno

Vitamina B₆
  piridoxal
  piridoxal o
  piridoxamina
	L. casei
	{ *Cl. perfringens*
	  Str. faecalis
		Piridoxal-P
		Piridoxamina-P
			Descarboxilación, desaminación, transaminación y racemización de aminoácidos

Acido pantoténico	*Brucella abortus* *Pr. morgani*	CoA 4'-Fosfopanteteína	Activación y transferencia de acilos Síntesis de ácido graso
Ac. *p*-aminobenzoico	*Cl. acetobutylicum* *Acetobacter suboxydans*	Acido tetrahidrofólico	Transferencia de 1-carbono
Acido fólico	*L. casei* *Cl. tetani*	Acido tetrahidrofólico	
Biotina	*Leuc. mesenteroides* *Cl. tetani* *L. plantarum*	Biotina-CO₂	Fijación de CO₂, síntesis de ácido graso
Vitamina B₁₂	*L. leichmannii* *L. lactis*	5'-desoxiadenosil-B₁₂	Transferencia de 1-carbono Síntesis de desoxirribósidos Isomerización

4-56.

Síntesis de tiamina

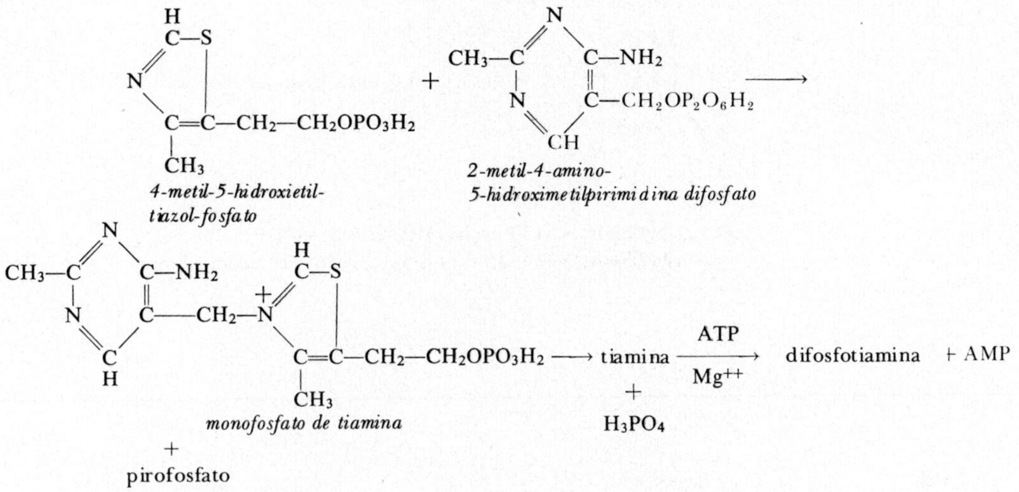

$$
\begin{array}{c}
\text{H} \\
\text{C}-\text{S} \\
\text{N} \qquad \\
\text{C}=\text{C}-\text{CH}_2-\text{CH}_2\text{OPO}_3\text{H}_2 \\
\text{CH}_3
\end{array}
\qquad + \qquad
\begin{array}{c}
\text{N} \\
\text{CH}_3-\text{C} \qquad \text{C}-\text{NH}_2 \\
\text{N} \qquad \text{C}-\text{CH}_2\text{OP}_2\text{O}_6\text{H}_2 \\
\text{CH}
\end{array}
\longrightarrow
$$

4-metil-5-hidroxietil-tiazol-fosfato   *2-metil-4-amino-5-hidroximetilpirimidina difosfato*

$$
\begin{array}{c}
\text{N} \\
\text{CH}_3-\text{C} \quad \text{C}-\text{NH}_2 \qquad \overset{\text{H}}{\text{C}}-\text{S} \\
\text{N} \quad \text{C}-\text{CH}_2-\overset{+}{\text{N}} \qquad \\
\text{C} \qquad\qquad \text{C}=\text{C}-\text{CH}_2-\text{CH}_2\text{OPO}_3\text{H}_2 \longrightarrow \text{tiamina} \\
\text{H} \qquad\qquad\qquad \text{CH}_3
\end{array}
$$

$$
\text{tiamina} \xrightarrow[\text{Mg}^{++}]{\text{ATP}} \text{difosfotiamina} + \text{AMP}
$$

monofosfato de tiamina $+$ H_3PO_4

$+$

pirofosfato

(temperatura, pH, O_2 favorables). Las diversas bacterias tienen necesidades muy variables para su crecimiento, e incluso una misma bacteria puede tener necesidades nutricionales diferentes según las condiciones del crecimiento y la presencia o ausencia de otras substancias en el medio. Muchos aspectos de la nutrición bacteriana ya los hemos estudiado a propósito de las funciones metabólicas de los diversos factores nutricionales. También se ha hablado mucho de las funciones metabólicas de factores de crecimiento, de manera que aquí nos ocuparemos sobre todo de reunir y resumir la información básica acerca del papel que desempeñan factores de crecimiento en la nutrición bacteriana.

FACTORES DE CRECIMIENTO

Un factor de crecimiento puede definirse como un compuesto orgánico que una bacteria necesita para crecer, pero que no puede sintetizar. Como todas las células tienen prácticamente la misma cons-titución química, se deduce que la bacteria A, que no necesita el factor de crecimiento que requiere la bacteria B, carece de esta necesidad porque puede sintetizar el factor en cuestión. Así, *Lactobacillus casei* requiere ácido fólico, mientras que *E. coli* no lo necesita, porque fabrica el suyo.

Los factores de crecimiento son de dos tipos principales: 1) Los necesarios en cantidades muy pequeñas, y que funcionan catalíticamente como porciones de sistemas enzimáticos: las vitaminas B son las principales representantes de este tipo; 2) las necesarias en cantidades grandes, que se incorporan directamente solo con pequeñas modificaciones en el material celular: aminoácidos, purina y pirimidina son los principales ejemplos de este tipo de factor de crecimiento.

El grupo de vitamina B. Las vitaminas del complejo B, o grupo vitamínico B, son compuestos orgánicos hidrosolubles de bajo peso molecular, constituyentes de casi todas las células vivas donde funcionan como coenzimas o porciones de coenzimas. Suelen denominarse como vitamina el com-

---

4-57.

Síntesis de NAD y NADP

1) Acido nicotínico + 5-P-ribosil-1-pirofosfato $\longrightarrow$ ribonucleótido de ácido nicotínico + pirofosfato

2) ribonucleótido de ácido nicotínico + ATP $\longrightarrow$ desamido-NAD + pirofosfato

3) desamido-NAD + NH_3 (o glutamina) + ATP $\longrightarrow$ NAD + (glutamato) + ADP + P_i

4) NAD + ATP $\longrightarrow$ NADP + ADP

4–58.

Síntesis de riboflavina-P y FAD

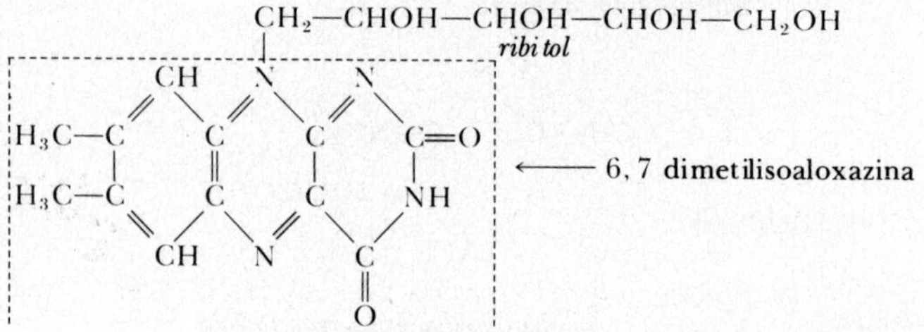

$$CH_2-CHOH-CHOH-CHOH-CH_2OH$$

ribitol

← 6, 7 dimetilisoaloxazina

riboflavina + ATP → riboflavina-5-P + ADP

riboflavina-5-P + ATP → dinucleótido de flavina-adenina + P-P

4–59.

Familia de la vitamina B₆

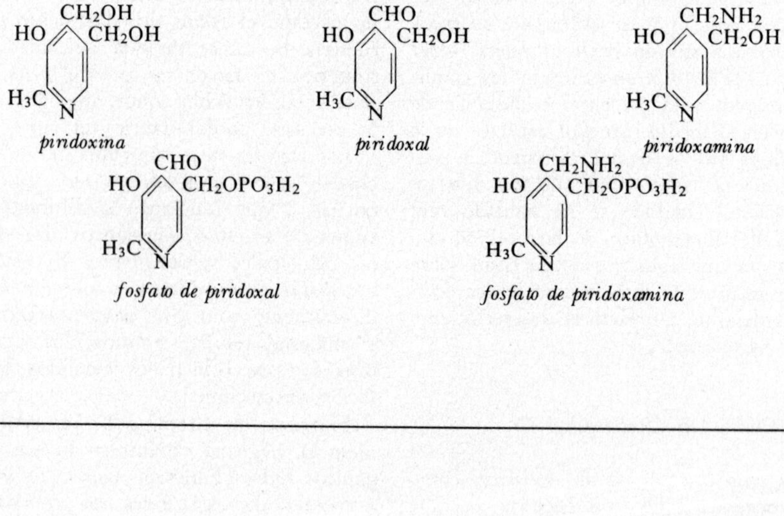

piridoxina   *piridoxal*   *piridoxamina*

fosfato de piridoxal   *fosfato de piridoxamina*

4–60.

Síntesis de ácido pantoténico

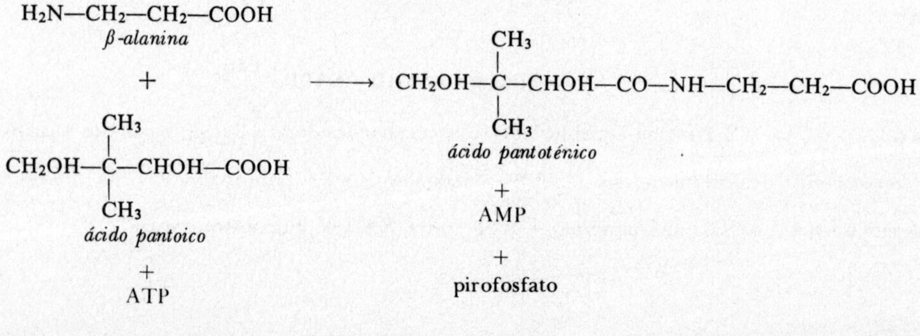

$$H_2N-CH_2-CH_2-COOH$$

β-alanina

+

$$CH_2OH-\overset{\displaystyle CH_3}{\underset{\displaystyle CH_3}{C}}-CHOH-COOH$$

ácido pantoico

+

ATP

⟶

$$CH_2OH-\overset{\displaystyle CH_3}{\underset{\displaystyle CH_3}{C}}-CHOH-CO-NH-CH_2-CH_2-COOH$$

ácido pantoténico

+

AMP

+

pirofosfato

puesto más sencillo que, proporcionado a la célula, le permite sintetizar la coenzima. Así, el ácido pantoténico es una vitamina B cuya forma de coenzima es CoA.

Como las vitaminas B funcionan catalíticamente, estimulan el crecimiento bacteriano a concentraciones muy bajas. Las vitaminas B suelen proporcionarse a las bacterias en concentraciones aproximadamente 10^{-6} a 10^{-10} M ó 10^{-4} a 10^{-8} mg por ml de medio. La vitamina B_{12} y la biotina suelen necesitarse en las cantidades menores, y el ácido nicotínico y la riboflavina en las mayores. El cuadro que acompaña (ver 4-55) resume las funciones metabólicas de las vitaminas B.

Tiamina. La tiamina es uno de los factores de crecimiento bacterianos primeramente conocido y más frecuentemente necesario. Es sintetizada por condensación del tiazol y la pirimidina (ver 4-56). Como puede esperarse en consecuencia, algunas bacterias necesitan solo el tiazol, la pirimidina sola, y algunas ambas, o la tiamina intacta. Hasta aquí no se ha descubierto ningún microorganismo que requiera la enzima completa, DPT.

Acido nicotínico (niacina). El ácido nicotínico y la nicotinamida son los factores de crecimiento generalmente necesarios para bacterias que sintetizan NAD y NADP (ver 4-14). Sin embargo, muchas especies del género Hemophilus no pueden utilizar el ácido nicotínico o su amida para síntesis de NAD y NADP, y hay que proporcionarles las coenzimas intactas o el ribósido de nicotinamida. La probable vía metabólica desde el ácido nicotínico a NAD y NADP es la de 4-57.

ácido nicotínico   *nicotinamida*

Riboflavina. La riboflavina como factor de crecimiento se parece al ácido nicotínico, no por su estructura sino por su función como coenzima en la transferencia de hidrógeno. La riboflavina tiene la estructura que se indica en 4-58. Está formada por una base nitrogenada, 6,7-dimetilisoaloxacina (flavina) y ribitol, el azúcar-alcohol correspondiente a la ribosa. Sus formas de coenzima son el riboflavina-5-fosfato y el dinucleótido de adenina y flavina (ver 4-20). Los coenzimas de la riboflavina se sintetizan como se indica en 4-58.

Vitamina B_6. Vitamina B_6 es término general para diversos factores estrechamente relacionados entre sí (fórmulas estructurales en 4-59). De ellas, el fosfato de piridoxal y el fosfato de piridoxamina son las formas de coenzima. Para animales mayores, levaduras y mohos, piridoxina, piridoxal y piridoxamina tienen la misma actividad como factores de crecimiento. Pero para la mayor parte de bacterias, se necesita piridoxal o piridoxamina. Algunas, como *L. casei* responden solo al piridoxal, mientras que

unas cuantas cepas de lactobacilos requieren fosfato de piridoxal o fosfato de piridoxamina.

Acido pantoténico. El ácido pantoténico se necesita para el crecimiento de muchas bacterias. Su principal función es como parte de CoA, la coenzima de transferencia de acilo (ver 4-17). Se sintetiza por unión de β-alanina y ácido pantoico (ver 4-60). Como en el caso de la tiamina, algunos organismos necesitan solo una parte de la vitamina (β-alanina o ácido pantoico) para su crecimiento, pero los lactobacilos y muchas otras bacterias pueden utilizar solamente el ácido pantoténico intacto.

Un lactobacilo, *L. bulgaricus,* necesita una forma más alta de ácido pantoténico, la pantoteína. La 4'-fosfopanteteína es la coenzima de la sintetasa del ácido graso (ver 4-17). CoA no es de necesidad absoluta para el crecimiento para algunos microorganismos, pero es factor estimulante para *Acetobacter suboxydans.*

Acido p-aminobenzoico y el grupo del ácido fólico. El papel del ácido fólico en la transferencia de 1-carbono ya lo hemos considerado. Cada miembro del grupo del ácido fólico contiene ácido p-aminobenzoico y un núcleo de piridina (ver 4-31).

El ácido *p*-aminobenzoico se incorpora al ácido fólico; las sulfamidas inhiben el crecimiento bacteriano impidiendo la incorporación. Muchas bacterias, como *E. coli*, no necesitan ácido *p*-aminobenzoico o cualquiera de sus formas más complicadas, pero su importancia en el metabolismo se comprueba fácilmente por su capacidad de superar la inhibición del crecimiento producida por las sulfamidas, Otros, como *L. plantarum*, requieren ácido *p*-aminobenzoico preformado, pero pueden sintetizar ellas mismas el resto de la coenzima de ácido fólico. Sin embargo, algunos lactobacilos y clostridios también carecen de capacidad de sintetizar otras porciones de la molécula del ácido fólico. Así, *Str. faecalis* necesita un factor de crecimiento de por lo menos la complejidad del ácido pteroico, en el cual el enlace entre el ácido *p*-aminobenzoico y el núcleo de piridina ya está formado. Además, *L. casei* carece de capacidad de unir el ácido glutámico al ácido pteroico; por lo tanto, requiere ácido pteroilglutámico como factor de crecimiento. Finalmente, *Pediococcus cerevisiae* necesita ácido folínico (ácido N^5-formiltetrahidrofólico).

La necesidad de ácido *p*-aminobenzoico o ácido fólico puede disminuir o suprimirse añadiendo unidas pirimidinas y aminoácidos que son sintetizados en reacciones que requieren ácido fólico. Estas mismas substancias también contrarrestan la acción inhibidora del crecimiento de las sulfamidas sobre gérmenes que no requieren ni ácido *p*-aminobenzoico ni ácido fólico.

Biotina. La biotina es factor de crecimiento para muchos tipos de microorganismos y para animales mayores. En combinación con una proteína enzimática específica, la biotina reacciona con CO_2 para lograr un complejo de enzima-biotina-CO_2 (ver 4-

25, 4-50). La necesidad de biotina de los microorganismos, como la de las demás vitaminas B, está netamente afectada por la presencia de substancias que son sintetizadas en reacciones dependientes de biotina. El mejor ejemplo de esta dependencia lo proporciona la relación mutua entre biotina, ácido aspártico y ácido oleico para la nutrición de *L. plantarum*. La bacteria crecerá sin ácido aspártico o ácido oleico si la cencentración de biotina es alta. Si también se añade ácido aspártico la necesidad de biotina disminuye diez veces; si se añaden ambos ácidos, aspártico y oleico, *L. plantarum* crece sin biotina en el medio. La biotina es la coenzima para la síntesis de ácidos grasos (ácido oleico) y para la fijación de CO_2 sobre el piruvato para dar oxaloacetato, precursor del ácido aspártico.

Vitamina B$_{12}$. Esta vitamina es una molécula voluminosa y compleja formada por: 1) un sistema complejo de anillo, la porción del cobalto estrechamente relacionada con las porfirinas de los citocromos, la clorofila y la hemoglobina, y sintetizada por mecanismos similares; 2) un átomo de cobalto trivalente unido a la estructura de tipo porfirínico de manera muy similar a como se une el hierro en la hemoglobina; 3) unión de cianuro al ion de cobalto; 4) un nucleótido que contiene como base el benzimidasol substituido, y 5) una molécula de un aminoácido que está unido a ambos, el fósforo del nucleótido y una cadena lateral de la porción del cobalto (ver **4-26**). Aunque quizá el máximo interés por la vitamina B$_{12}$ proviene de su capacidad de combatir algunas anemias en el hombre, se necesita por muchos lactobacilos, y gran número de reacciones enzimáticas en las bacterias dependen de coenzimas de vitamina B$_{12}$. Por ejemplo, la conversión ya considerada de metilmalonil-CoA hasta succinil-CoA, y la reducción de difosfatos de ribonucleósidos a sus contrapartidas de desoxirribonucleósido requiere la participación de 5'desoxiadenosil-B$_{12}$ en la cual el grupo CN$^-$ de la vitamina B$_{12}$ ha sido substituido por un grupo 5'-desoxiadenosilo proveniente del ATP.

Aminoácidos. Muchas bacterias pueden sintetizar ellas mismas sus aminoácidos (como *E. coli*) o pueden sintetizarlos todos menos uno o dos (*Salmonella typhi* solo necesita triptófano). En general, los gérmenes gramnegativos son poderosos sintetizantes de aminoácidos y no requieren aminoácidos preformados, o solo los necesitan en número limitado. La capacidad de las bacterias grampositivas para sintetizar aminoácidos es mucho más limitada, sobre todo entre las bacterias de ácido láctico. Por ejemplo, *Leuc. mesenteroides* requiere 17 aminoácidos diferentes. Los aminoácidos son necesarios en concentraciones netamente mayores que las de vitaminas B, aproximadamente 10^{-4} M, o sea 0.01 mg por ml de medio.

Purinas y pirimidinas. Muchas bacterias, especialmente los lactobacilos, no pueden sintetizar las bases púricas y pirimídicas que necesitan como constituyentes de sus ácidos nucleicos, nucleótidos, etc. En general, el bloqueo sintético parece hallarse en la formación del núcleo de purina o pirimidina, y la mayor parte de gérmenes que requieren bases nitrogenadas todavía son capaces de cierta interconversión de las bases. Así, *L. plantarum* puede utilizar adenina, guanina, hipoxantina, o xantina como única fuente de purina. Otros gérmenes son más exigentes y responden mucho mejor a una purina que a otra. El ejemplo clásico de una necesidad de pirimidina es el de *Staph. aureus* para el uracilo en crecimiento anaerobio. La oxidación del ácido dihidroorótico (ver **4-42**) depende del oxígeno en *Staph. aureus*. El uracilo puede sintetizarse en condiciones aerobias, pero no en medio anaerobio.

LOS ELEMENTOS INORGANICOS

Los constituyentes elementales de la célula bacteriana que no son carbono, hidrógeno, oxígeno y nitrógeno que existen en los compuestos orgánicos también deben ser proporcionados en un medio nutritivo adecuado. Suele incluirse en los medios bacteriológicos fosfato, sulfato, potasio, calcio, magnesio, manganeso y iones férricos. La necesidad de iones en el metabolismo es evidente. Los compuestos de fosfato orgánico desempeñan algún papel en casi todas las fases del metabolismo intermediario; como los fosfolípidos y los ácidos nucleicos, forman parte de la estructura de la célula. El sulfato, o alguna forma de azufre, es necesario para la síntesis de los aminoácidos sulfurados. Los iones de potasio, calcio, magnesio, y manganeso son cofactores o activadores de sistemas enzimáticos.

Algunos organismos también tienen necesidades inorgánicos más específicas. Así, el bacilo diftérico produce una cantidad óptima de toxina con una concentración de hierro de 0.00014 mg por ml de medio aproximadamente. Concentraciones menores o mayores inhiben la producción de toxina, sin afectar el crecimiento. Azotobacter requiere específicamente molibdeno para la fijación de nitrógeno.

Otros iones inorgánicos también se observan en el protoplasma bacteriano y, por lo tanto, tienen que existir en el medio. Sin embargo, es muy difícil decir claramente que un ion determinado resulta absolutamente necesario para el crecimiento. Ocurre así porque los iones inorgánicos son contaminantes universales de todos los tipos de materiales, de manera que es difícil obtener medios sin ningún indicio de un ion.

Valoración microbiológica. Una aplicación práctica importante del descubrimiento de las necesidades de factor de crecimiento por las bacterias ha sido el desarrollo de métodos para determinación cuantitativa de vitaminas y aminoácidos según la respuesta al crecimiento de los microorganismos.

El grado elevado de especificidad y sensibilidad que puede lograrse en la valoración microbiológica ha hecho de estas técnicas un arma de enorme valor en muchos campos de la investigación biológica.

BIBLIOGRAFIA

1. Atkinson, D. E. 1969. Regulation of enzyme function. Ann. Rev. Microbiol. **23**:47–68.
2. Barker, H. A. 1961. Fermentations of nitrogenous compounds. Vol. 2, pp. 151–207. *In* I. C. Gunsalus and R. Y. Stanier (Eds.): The Bacteria. Academic Press, New York.
3. Cohen, G. N. 1967. Biosynthesis of Small Molecules. Harper & Row, New York.
4. Kaback, H. R. 1970. Transport. Ann. Rev. Biochem. **39**:561–598.
5. Kates, M. 1966. Biosynthesis of lipids in microorganisms. Ann. Rev. Microbiol. **20**:13–44.
6. Klotz, I. M. 1967. Energy Changes in Biochemical Reactions. Academic Press, New York.
7. Kornberg, H. 1965. The co-ordination of metabolic routes. pp. 8–31. *In* M. R. Pollack and M. H. Richmond (Eds.): Function and Structure in Microorganisms. Cambridge University Press, Cambridge.
8. Lehninger, A. L. 1971. Bioenergetics. 2nd ed. W. A. Benjamin, Menlo Park, Calif.
9. Luderitz, O., A. M. Staub, and O. Westphal. 1966. Immunochemistry of O and R antigens of *Salmonella* and related *Enterobacteriaceae*. Bacteriol. Rev. **30**:192–255.
10. Mahler, H. R., and E. H. Cordes. 1971. Biological Chemistry. 2nd ed. Harper & Row, New York.
11. McBee, R. H., C. Lamanna, and O. B. Weeks. 1955. Definitions of bacterial oxygen relationships. Bacteriol. Rev. **19**:45–47.
12. Olson, J. M. 1970. The evolution of photosynthesis. Science **168**:438–446.
13. Osborn, M. J. 1970. Structure and biosynthesis of the bacterial cell wall. Ann. Rev. Biochem. **38**:501–538.
14. Payne, W. J. 1970. Energy yield and growth of heterotrophs. Ann. Rev. Microbiol. **24**:17–52.
15. Peck, H. D., Jr. 1968. Energy-coupling mechanisms in chemolithotrophic bacteria. Ann. Rev. Microbiol. **22**:489–518.
16. Pfennig, N. 1967. Photosynthetic bacteria. Ann. Rev. Microbiol. **21**:285–324.
17. Postgate, J. R. (Ed.). 1971. The Chemistry and Biochemistry of Nitrogen Fixation. Plenum Press, New York.
18. Reed, L. J., and D. J. Cox. 1966. Macromolecular organization of enzyme systems. Ann. Rev. Biochem. **35**:57–84.
19. Roy, A. B., and P. A. Trudinger, 1970. The Biochemistry of Inorganic Compounds of Sulphur. Cambridge University Press, Cambridge.
20. Salton, M. R. J. 1964. The Bacterial Cell Wall. Elsevier, New York.
21. Scherp, H. W. 1971. Dental caries: prospects for prevention. Science **173**:1199–1205.
22. Sokatch, J. R. 1969. Oligosaccharide catabolism. pp. 55–66. *In* J. R. Sokatch. Bacterial Physiology and Metabolism. Academic Press, New York.
23. Strominger, J. L. 1962. Biosynthesis of bacterial cell walls. Vol. 3, pp. 413–470. *In* I. C. Gunsalus and R. Y. Stanier (Eds.): The Bacteria. Academic Press, New York.
24. Watson, J. D. 1970. Molecular Biology of the Gene. 2nd ed. W. A. Benjamin, New York.
25. Wolfe, R. S. 1971. Microbial formation of methane. Adv. Microbiol. Physiol. **6**:107–146.
26. Wood, H. G., and R. L. Stjernholm. 1962. Assimilation of carbon dioxide by heterotrophic organisms. Vol. 3, pp. 41–117. *In* I. C. Gunsalus and R. Y. Stanier (Eds.): The Bacteria. Academic Press, New York.
27. Wood, W. A. 1961. Fermentation of carbohydrates and related compounds. Vol. 2, pp. 59–149. *In* I. C. Gunsalus and R. Y. Stanier (Eds.): The Bacteria. Academic Press, New York.

CAPITULO 5

AGENTES FISICOS, SUBSTANCIAS BACTERICIDAS (DESINFECTANTES) Y DROGAS QUIMIOTERAPICAS

Dr. M. J. Wolin

Para matar bacterias o, por lo menos, impedir su multiplicación, disponemos de diversos agentes físicos y químicos. Los que matan se llaman bactericidas. Cuando se han eliminado totalmente del ambiente, las bacterias blanco evidentemente ya no son capaces de multiplicarse. Los agentes bacteriostáticos son los que impiden la multiplicación de las bacterias blanco al estar en contacto con los microorganismos. La supresión de un agente bacteriostático permite que se restablezca el crecimiento microbiano si las bacterias se hallan en medio adecuado. La esterilización es un proceso bactericida porque se destina a matar todas las bacterias existentes en la substancia tratada.

Los agentes bactericidas inactivan en forma irreversible funciones esenciales de las células. Por ejemplo, si todas las proteínas de una célula son coaguladas por el calor, la célula muere. La penicilina inhibe la síntesis de las paredes celulares, y el crecimiento celular sin pared produce la muerte por lisis. Los bacteriostáticos ejercen una inhibición potencialmente reversible de funciones celulares. Los sulfamídicos, por ejemplo, inhiben la síntesis de ácido fólico e impiden que se produzcan las reacciones enzimáticas dependientes del ácido tetrahidrofólico. El crecimiento y la multiplicación celulares cesan, pero no se ha producido lesión permanente. Una vez suprimida la sulfamida, la célula vuelve a fabricar ácido fólico y produce células nuevas.

La muerte de las células y la prevención de su multiplicación es importante para tratamiento y profilaxia de las enfermedades. En términos generales, es una forma para el hombre de ejercer cierta influencia sobre la población microbiana del ambiente. Si no se dispusiera de medios estériles, por ejemplo, no existiría la industria moderna de elaboración de alimentos, porque no podrían dominarse los gérmenes que los destruyen, y el espacio estaría contaminado por toda clase de microorganismos procedentes de la tierra, ya que las poblaciones microbianas de los vehículos espaciales no se podrían dominar. Este capítulo revisa algunos de los métodos físicos y químicos más importantes utilizados para controlar poblaciones matando y evitando la multiplicación de las células.

Agentes físicos

Temperatura.[5, 15, 22] Las bacterias pueden sobrevivir en límites amplios de temperaturas; pueden incluso crecer en un límite también amplio de temperaturas. A la temperatura óptima para el crecimiento, alcanzan el ritmo máximo de crecimiento. Este disminuye, generalmente al principio de manera no muy rápida; pero últimamente se logra una temperatura que origina crecimiento mínimo. El crecimiento desaparece rápidamente por encima del óptimo cuando empieza la inactivación térmica, hasta lograr una temperatura máxima, por encima de la cual la desnaturalización térmica no puede compensarse por biosíntesis, y viene la muerte.

Las bacterias se dividen en psicrófilas, mesófilas o termófilas, para indicar las temperaturas en las cuales crecen mejor. Las mesófilas son las que viven con temperaturas moderadas. Las bacterias mesófilas con apetencia por mamíferos tienen óptimos de crecimiento correspondientes a temperaturas corporales, por ejemplo 37°C para parásitos o bacterias del hombre. Los gérmenes con apetencia por la naturaleza suelen tener óptimos más bajos, alrededor de 25 a 30°C. Los microorganismos psicrófilos prefieren temperaturas bajas. Aunque las temperaturas óptimas no son mucho menores que las correspondientes a las especies mesófilas del exterior, sus temperaturas de crecimiento mínimo son mucho más bajas. Algunos gérmenes psicrófilos pueden crecer por debajo de 0°C si se evita que el agua se congele añadiéndole solutos, por ejemplo azúcares. Las bacterias termófilas prefieren el calor, con temperaturas óptimas de 55° a 65°C aproximadamente. La mayor parte pueden crecer a temperaturas mayores. Recientemente se aisló una bacteria que podía crecer hasta la temperatura de 98°C. Algunos gérmenes termófilos son termófilos obligados; no pueden crecer en un ambiente mesófilo. Otras son termófilas facultativas y pueden crecer desde el medio mesófilo al termófilo. No hay correlación segura y fija entre características de temperatura y géneros, pero las termófilas parecen ser más frecuentes en los géneros que producen esporas. Clostridium y Bacillus, y las psicrófilas en el género Pseudomonas.

Las temperaturas bajas (inmediatamente por encima de la congelación) suelen ser bacteriostáticas, excepto para gérmenes psicrófilos. Las reacciones químicas de la vida y de la muerte disminuyen mucho su ritmo a temperaturas bajas. Hay excepciones; por ejemplo, gonococos y meningococos mueren más rápidamente a temperaturas de refrigerador que a 37°C, y la mayor parte de bacterias pueden almacenarse durante semanas o meses en estado viable inactivo en un refrigerador.

Efectos letales del calor. El calor mata las bacterias. Todas las células vegetativas mueren con calor húmedo, o sea agua y vapor, después de exposición durante unos minutos a temperatura algo mayor a la de su crecimiento máximo. El ritmo de muerte depende del tiempo y de la temperatura. Cuanto más alta la temperatura, más breve el tiempo de muerte. El bacilo tuberculoso muere en 30 minutos a 58°C, en 20 minutos a 59°C y en dos minutos a 65°C. Puede determinarse el tiempo de muerte térmica de una bacteria, o sea el tiempo necesario para matarla a una temperatura determinada. El punto de muerte térmico también puede medirse; es la temperatura en la cual se produce la muerte conservando el tiempo constante.

La temperatura y el tiempo de calor prácticamente mortales dependen de los tipos de organismos que se van a matar y del efecto del calor sobre el material que contienen los organismos. Si se requiere una esterilización absoluta, cosa necesaria al preparar alimentos conservados, y casi todos los medios bacteriológicos, las formas microbianas más resistentes exigen el tiempo determinado y la temperatura específica de tratamiento. Las células vegetativas no son lo que preocupan más en la esterilización; las reglas dependen de las esporas bacterianas. Algunas de las esporas más resistentes al calor sobreviven a la ebullición durante horas, y es necesario llegar a temperaturas altas (con vapor o presión) para matarlas en un tiempo relativamente breve. Las autoclaves de vapor trabajan a 121°C durante 15 minutos y matan perfectamente los gérmenes si las condiciones para transferencia del calor son buenas (por ejemplo, los tubos de ensayo separados que contienen pequeños volúmenes de líquido se esterilizan fácilmente a 121°C durante 13 minutos en una autoclave corriente, pero se necesita más tiempo para esterilizar 15 litros de líquido en un recipiente de 20 litros). En los envases, la presión que se produce en las latas cerradas permiten desarrollo de temperaturas esterilizantes elevadas.

A veces, no es necesaria una esterilidad completa. Si el objetivo es suprimir todas las bacterias patógenas en una jeringa, basta la ebullición durante 10 a 15 minutos, porque las esporas de las bacterias patógenas no son tan resistentes al calor como las de las bacterias no patógenas. A veces, no es necesario pensar en las esporas. La leche se pasteriza por calentamiento para matar los elementos patógenos, incluyendo brucelas, salmonelas, estreptococos, sobre todo los bacilos tuberculosos. Ninguno de ellos forma esporas. La pasterización, o sea el calentamiento a 62°C durante 30 minutos, o bien a 72°C durante 15 segundos, permite matar las células vegetativas de los patógenos de la leche. La leche pasterizada no es un producto estéril, como puede demostrarse fácilmente dejando un recipiente cerrado a temperatura de la habitación durante un día o dos.

Además del tiempo, la temperatura y la célula o la espora bacteriana, otros factores influyen en el ritmo de muerte por calor. Los valores altos o bajos de pH aumentan la intensidad de la muerte. Los productos alimenticios ácidos, como tomates, necesitan menos calor para esterilización que los productos neutros, como los granos. La adición de carbonato sódico al agua para hervir los instrumentos quirúrgicos eleva la eficiencia de la muerte térmica (y disminuye la oxidación). Un factor muy importante es la humedad. El calor seco es un agente mucho menos mortal que el calor húmedo, para una misma cantidad determinada de calor proporcionado. La eficacia relativa del calor húmedo y del calor seco para matar bacterias es similar al efecto del contenido de agua sobre la eficacia de la coagulación de la albúmina del huevo.* El calor seco es muy adecuado para esterilizar diversos tipos de material, como cápsulas de Petri y pipetas. Hay que conservar las temperaturas de 160° a 170°C durante dos a tres horas para lograr la esterilización con calor seco.

El calor mata desnaturalizando macromoléculas. Las proteínas se coagulan, las interacciones de los pares de bases en los ácidos nucleicos se rompen, y los lípidos se disuelven y desaparece su asociación normal interna y con las proteínas de las membranas

---

* La albúmina del huevo en solución acuosa coagula a 56°C; cuando contiene 25 por 100 de agua, entre 74° y 80°C; con 18 por 100 de agua, entre 80° y 90°C; con 6 por 100 de agua, a 145°C. La albúmina de huevo anhidra puede calentarse hasta 170°C sin que se produzca coagulación.

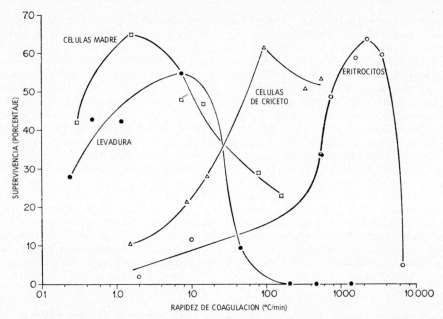

FIG. 5-1. Efectos comparativos de la velocidad de enfriamiento sobre la supervivencia de diversas células enfriadas hasta —196°C, y desenfriadas rápidamente. La levadura y los glóbulos rojos humanos (RBC) se congelaron en agua destilada, y en sangre, respectivamente. Las células madre de la médula y las células de criceto (hamster) estaban suspendidas en soluciones salinas equilibradas que contenían 1.25 M de glicerol. (Modificado de Mazur y colaboradores, en Wostenholme y O'Connor's *The Frozen Cell,* 1970, cortesía de J. & A. Churchill, Londres.)

celulares. La coagulación proteínica probablemente sea la causa principal de la muerte celular. La intensidad de coagulación térmica de las proteínas en solución es paralela a la intensidad de destrucción de las bacterias por agua caliente.

Congelación.[15] La congelación de bacterias puede ser mortal. Sin embargo, en general, la congelación tiene significación práctica por su carácter bacteriostático. Las células durmientes, potencialmente viables, son un producto corriente de la congelación de los medios de cultivo. La congelación es un medio práctico para conservar cultivos y evitar el crecimiento bacteriano en material susceptible de descomposición microbiana. Un ejemplo de esto último es la conservación de alimentos congelados.

Diversas variables influyen en lo que le ocurre a la célula cuando se congela. Incluyen la propia célula, el ritmo de congelación, la rapidez de descongelación, la temperatura de almacenamiento en estado congelado, y el medio donde están suspendidas las células. Cuando las células se enfrían por debajo del punto de congelación del citoplasma generalmente superior a —1°C, no se congelan inmediatamente. Quedan superenfriadas hasta —10° a —15°C, incluso cuando en el exterior hay hielo. Por lo tanto, la presión de vapor del agua es mayor internamente que externamente. Intervienen dos procesos para equilibrar las presiones de vapor interna y externa. O bien el agua se congela dentro de la célula, o se desplaza saliendo de la célula hacia el medio externo. Lo primero origina deshidratación por formación de cristales de hielo, lo último pro-

voca deshidratación por desaparición del agua de la célula. La formación intracelular de cristales de hielo predomina cuando el enfriamiento es rápido; el enfriamiento lento reduce al mínimo la formación de cristales de hierro. En ambos casos, los solutos se concentran y precipitan dentro de las células cuando se suprime el agua. La causa de la lesión celular durante la congelación todavía no está muy bien aclarada; se cree que la concentración de solutos durante la congelación produce lesión de las membranas, seguida de lisis al venir la descongelación.

Además, se considera que la formación de cristales de hielo rompe las membranas celulares. En general, un enfriamiento rápido es más lesivo para las células que un enfriamiento lento. Como puede verse en la figura que acompaña, la situación se complica porque la supervivencia óptica se logra con un ritmo de enfriamiento óptimo. La congelación intracelular se produce por encima de un valor óptimo, no por debajo del mismo. El óptimo probablemente sea un punto de equilibrio en el cual las células no son lesionadas por cristales de hielo y están expuestas en grado mínimo a concentraciones elevadas de soluto por la deshidratación.

La descongelación lenta ocasiona más lesión a una población celular congelada que la descongelación rápida. Los cristales de hielo que se forman cuando las células se congelan rápidamente aumentan hasta volúmenes mayores durante la descongelación lenta, y probablemente originan más trastorno físico. La descongelación lenta también suele ser mala para las células congeladas lentamente, sin formación de cristales de hielo, pero el motivo de ello no está todavía aclarado.

Un peso molecular bajo, la ausencia de electrólitos, los solutos permeables, el glicerol, la sacarosa y el dimetilsulfóxido, protegen las células contra toda lesión por congelación. Probablemente lo hagan desplazando electrólitos intracelulares de la fase acuosa durante el enfriamiento, y evitando así la exposición de la célula a concentraciones elevadas de electrólitos. El peso molecular alto, las substancias impermeables, como la albúmina sérica, el dextrán y la polivinilpirrolidona, también protegen contra la lesión por enfriamiento. El mecanismo de tal protección no está aclarado.

La conservación en estado congelado requiere el almacenamiento a baja temperatura. Cuanto más baja la temperatura, mejor la conservación. Suelen utilizarse el CO_2 sólido (menos 78°C) o el N_2 líquido (menos 180°C) para almacenamiento. Si agua líquida queda dentro de la célula congelada, las reacciones bioquímicas degenerativas se van produciendo hasta aproximadamente menos 130°C. El almacenamiento a baja temperatura impide o hace lentas estas reacciones degenerativas. La desecación con congelación (liofilización), o sea la defecación en vacío desde el estado congelado, suprime totalmente el agua de las células y es un método excelente para conservarlas.

La criobiología, o estudio de los efectos del frío sobre materiales biológicos, es un campo de estudio relativamente nuevo. Los estudios sobre conservación y destrucción celulares solo constituyen un aspecto de la criobiología, pero el empleo práctico de la congelación para conservar células, tejidos y órganos, ha sido un estímulo importante para la investigación de los efectos de la congelación.

Desecación. En contraste con la desecación y congelación, la desecación en el aire mata las células vegetativas de muchas bacterias. Quizá la acción destructora de concentraciones altas de solutos producidas por deshidratación se acelere cuando las células se secan a temperaturas normales del aire. Las bacterias difieren en su sensibilidad para la desecación. El bacilo tuberculoso es resistente, y el vibrión colérico es muy sensible. Las esporas son muy resistentes. La sensibilidad a la defecación de los patógenos de las vías respiratorias altas tienen particular interés. Las infecciones respiratorias suelen transmitirse por gotitas que flotan en el aire. El tiempo que una gotita sigue siendo infecciosa es función de la resistencia del agente infeccioso a la desecación. La muerte máxima de microorganismos en las gotitas del aire tiene lugar con una humedad relativa del 50 por 100. Con humedades menores, la desecación rápida hace que el organismo sea resistente a solutos concentrados; humedades altas retrasan la concentración de solutos intracelulares.

Desintegración física de células. A consecuencia de su pequeño volumen y de la resistencia de la pared rígida de la célula, las bacterias son relativamente difíciles de romper por medios físicos.

Sin embargo, estos métodos tienen importancia para obtener fracciones celulares destinadas a estudios bioquímicos y preparación de antígenos, pero no son útiles como métodos de esterilización. Las ondas ultrasónicas de alta frecuencia, el molido con abrasivos de dimensiones mínimas como perlitas de vidrio, y los rápidos cambios de presión de 500 a 600 atmósferas, son métodos utilizados frecuentemente para romper físicamente células bacterianas.

Filtración. La esterilización por filtración tiene cada vez mayor importancia a medida que se van creando materiales de filtro nuevos que permiten la rápida filtración de gases y líquidos contaminados. Algunas bedidas del comercio, como la sidra y la cerveza, se esterilizan ahora por filtración, pues son soluciones farmacéuticas termolábiles.

Radiación.[7, 26] Desde hace tiempo se sabe que la luz solar es bactericida. La radiación ultravioleta (UV) es el mayor agente bactericida proporcionado por el sol. Los aminoácidos aromáticos de las proteínas y las bases púricas y pirimídicas de los ácidos nucleicos absorben la radiación UV. Las bases pirimídicas, en particular la timina del DNA, son los principales compuestos blancos afectados por la acción bactericida de la radiación UV. La energía absorbida por la timina hace que sufra una reacción fotoquímica con moléculas de timina vecinas en una misma tira de DNA. La réplica de DNA queda bloqueada, porque la formación de dímeros de timina impide el apareamiento de bases necesario para la réplica de las tiras hijas de DNA.

Puede lograrse cierta reparación de la lesión de los dímeros de timina mediante enzimas reparadoras que existen en las células bacterianas. También tienen lugar recombinaciones de DNA, que originan mutantes no letales. Sin embargo, la mayor parte de recombinaciones terminan en la producción de mutaciones mortales. Que se produzca o no se produzca la muerte dependerá de un equilibrio entre el grado de lesión y la eficacia de los mecanismos de reparación en una célula determinada. Cuando la dosis aumenta, pueden formarse los dímeros citosina-timina y citosina-citosina para aumentar el poder letal de la radiación de UV.

La longitud de onda más baja de la luz UV que llega a la superficie de la tierra procedente del sol es de 290 nm. La luz UV de máxima intensidad puede generarse con lámparas de vapor de mercurio de baja presión. Su emisión principal es de 253.7 nm, o sea cerca del máximo de absorción por DNA. Estas lámparas "germicidas" se utilizan para estudios experimentales de radiación UV en estudios de mutación y muerte. También son útiles prácticamente para experimentación, principalmente disminuyendo las infecciones de origen aéreo en salas de hospital y en lugares donde viven animales; ahí el estrecho contacto entre individuos puede reducirse al mínimo. La exposición directa de células bacterianas a la reacción UV es necesaria para lograr un tratamiento eficaz. Muchos materiales, incluyendo el vidrio ordinario, absorben fuertemente la luz UV.

La luz visible del sol también puede causar la muerte celular por procesos fotoquímicos desconocidos.[9] Los pigmentos carotenoides producidos por ciertas bacterias protegen contra la lesión que causa la luz visible. Sin embargo, no suele ser una buena idea exponer cultivos bacterianos a la luz durante largo tiempo si interesa conservarlas.

Radiación ionizante. Las radiaciones ionizantes dan a las células una carga más intensa de energía, por cuanto de radiaciones que la radiación UV o de luz visible. Las radiaciones ionizantes incluyen rayos alfa (núcleos de helio), rayos beta (electrones que se desplazan rápidamente), rayos gamma, y rayos X. Estos dos últimos son las fuentes más frecuentes utilizadas en los estudios sobre efectos de la radiación ionizante sobre bacterias. La radiación ionizante no ha logrado todavía categoría particular como medio esterilizante. Se ha utilizado para esterilizar algunos materiales, por ejemplo alimentos, pero la cantidad de radiación necesaria para matar bacterias muchas veces lesiona al producto; por ejemplo, origina olores y sabores diversos en los alimentos.

El efecto mortal de las radiaciones ionizantes depende de la ionización no específicas de las moléculas que hay en su trayecto. Las moléculas ionizadas reaccionan químicamente con otras moléculas, ionizadas o no ionizadas, de su vecindad. Como ocurre con la radiación UV, el lugar más importante de destrucción parece ser el DNA. Así, pueden demostrarse varias modificaciones químicas de los ácidos nucleicos después de tratamiento con radiación ionizante, pero no sabemos cuál de estos acontecimientos, o si varios de ellos, son los que provocan la muerte. En solución diluida, el DNA es destruido en su mayor parte por interacción con radicales libres H: y OH; producidos por la lisis de H_2O. Estos, a su vez, actúan sobre los ácidos nucleicos produciendo nuevos radicales libres (en dicho ácido nucleico) que más tarde crean oxidación o uniones cruzadas. Los enlaces de fosfodiéster se rompen, se liberan bases y fosfatos inorgánicos, la desoxirribosa se oxida, las bases se desaminan y se deshidroxilan, y se forman hidroperóxidos. Sin embargo, es probable que los efectos mortales dependan más, de la acción directa de la radiación ionizante sobre la molécula del ácido nucleico que indirectamente de la radiólisis del agua. El efecto principal de la acción directa es la rotura de la columna vertebral de azúcar-fosfato del DNA. La rotura del DNA impide la duplicación. También aquí existen mecanismos enzimáticos reparadores, como en el caso de la lesión por UV, y los efectos letales de la radiación ionizante son el resultado neto de la interacción de lesión y reparación.

Desinfectantes [15, 22]

Los agentes químicos que destruyen patógenos suelen denominarse desinfectantes. La esterilización por acción de un desinfectante es posible, pero no obligada. Los desinfectantes muchas veces son tóxicos para el hombre u otros blancos de los microorganismos patógenos; pero los desinfectantes tóxicos son muy útiles para destruir patógenos en el medio humano o animal. Los desinfectantes que pueden aplicarse tópicamente a superficies corporales suelen denominarse antisépticos.

Acidos y alcalinos. Tanto los ácidos enérgicos como los alcalinos fuertes, o sea los muy disociados, ejercen intenso efecto bactericida. La actividad mortal de los ácidos minerales es proporcional a su grado de disociación, pero la de los ácidos orgánicos parece ser efecto de toda la molécula, pues de ordinario el grado de disociación no es elevado. Los ácidos de fermentación, como el láctico y el acético, ayudan a proteger los productos alimenticios "ácidos" (pickles, chucruta, queso, etc.), y los almacenados en los silos de gérmenes indeseables lesivos. Los ácidos grasos volátiles de cadena corta, no disociados (acético, propiónico y butírico) son bacteriostáticos y ligeramente bactericidas para gérmenes entéricos (Escherichia, Salmonella, Shigella). Como los ácidos grasos volátiles son productos principales de la fermentación bacteriana en el intestino grueso de los animales monogástricos, pueden desempeñar cierto papel regulando el crecimiento de las bacterias entéricas en el tubo digestivo. La acción desinfectante de los alcalinos como el hidróxido sódico también resulta porporcional al grado de disociación. Sin embargo, la actividad germicida de los hidróxidos de tierras alcalinas es mayor que la que puede atribuirse a la disociación, pues el ion metálico suele ser tóxico por sí mismo. Tanto ácidos como alcalinos, en concentración demasiado baja para matar rápidamente bacterias, suelen aumentar la actividad de otros agentes desinfectantes. Por ejemplo, la actividad germicida de muchas sales es mayor en presencia de ácidos o alcalinos y, como señalamos antes, las bacterias mueren mucho más rápidamente por el calor en presencia de ácidos o alcalinos diluidos que en un medio neutro.

Metales pesados. Los metales pesados más activos son mercurio, plata y cobre. El cloruro mercúrico es muy activo en solución acuosa al 0.1 por 100. En general, un número relativamente pequeño de compuestos de mercurio tiene actividad antibacteriana, y los que actúan así por la presencia de ion mercúrico son primariamente bacteriostáticos, más que bactericidas. Las sales de plata, como el nitrato, aunque algo menos activas, siguen siendo germicidas muy eficaces. Las sales de cobre son menos activas, pero muy eficaces para la destrucción de algas y otros gérmenes que contienen clorofila.

La actividad antimicrobiana de los metales pesados depende sobre todo de la formación de sales poco disociables de los grupos sulfhidrilos de proteínas, por ejemplo

$$2 \text{ proteína} - \text{SH} + \text{Hg}^{2+} \rightarrow$$
$$\text{Proteína} - \text{S} - \text{Hg} - \text{S} - \text{Proteína} + 2 \text{ H}^+$$

Los efectos de los metales pesados se invierten por tratamiento con concentraciones elevadas de compuestos sulfhidrílicos. En efecto, la ecuación antes señalada se invierte cuando el catión de metal pesado se fija al compuesto sulfhidrílico añadido.

Se han efectuado intentos más o menos logrados para utilizar la actividad germicida del mercurio y de la plata preparando compuestos orgánicos que, poseyendo acción desinfectante, no son muy tóxicos para los tejidos corporales. Estos productos incluyen metafén, mertiolato, mercurocromo (dibromo-oximercurifluoresceína), Mercabolide, nitrato de Merfenilo, Mertoxol (ácido acetoximercurio-2-etilhexilfenolsulfónico) y Meroxyl (sal sódica del ácido 2-4-dihidroximercurio-benzofenona-2'-sulfónico) junto con una serie de compuestos de plata y proteína como Argirol, Protargol, Argonina y similares (ver 5-1). Los compuestos orgánicos de mercurio suelen utilizarse como desinfectantes de piel, aunque son de valor dudoso, y en soluciones diluidas son conservadores. El Mertiolato, por ejemplo, en concentración al 1:10 000, es un conservador excelente y muy bien aceptado para antisueros y productos biológicos similares. Los compuestos de plata son útiles en el tratamiento de infecciones de mucosas.

Agentes oxidantes. El permanganato potásico y las sales sódica y cálcica del ácido hipocloroso (HOCl) muestran gran actividad bactericida por sus propiedades oxidantes. Mol por mol, el ácido hipocloroso es uno de los germicidas más poderosos conocidos; su sal cálcica (conocida generalmente como cloruro de cal) se utiliza mucho para tratar los suministros de agua en medios privados y en pequeñas instalaciones municipales. El gas cloro reacciona con el agua para formar ácido hipocloroso, y se utiliza mucho para desinfectar aguas y piscinas (albercas). El ácido hipocloroso reacciona con compuestos orgánicos que contienen un grupo amídico, formando compuestos llamados cloraminas. Estos ejercen fuerte acción desinfectante que parece depender de la presencia del grupo = NCl. El cloro libre se escapa lentamente de las cloraminas. Dos de ellas, la cloramina T y la dicloramina T, se utilizaron con mucho éxito para desinfección de heridas profundas durante la primera guerra mundial.

El bromo y el yodo son también potentes germicidas. Además de actuar como oxidante, I_2 se combina en forma irreversible con proteínas, yodando la tirosina. El yodo en forma de tintura (I_2 al 2 a 7 por 100 en solución alcohólica que contiene KI) es un excelente desinfectante de piel. El bromo se ha utilizado a veces como desinfectante para agua de albercas de natación. Tanto el peróxido de hidrógeno como el ozono son bactericidas, pero el primero se descompone rápidamente por acción de la catalasa de los tejidos y tiene poco poder de penetración aplicado a heridas y erosiones. Los agentes oxidantes probablemente actúen oxidando en forma irreversible moléculas esenciales de la célula, por ejemplo grupos sulfhidrilos de proteínas, que se oxidan a sulfóxidos. La oxidación ligera de las proteínas con ácido perfórmico, por ejemplo, origina la formación de residuos de ácido cisteico de la cisteína, metioninsulfona de la metionina, y destrucción del triptófano.

Fenoles. El fenol y sus derivados se hallan entre los compuestos orgánicos antibacterianos más útiles. El fenol destruye rápidamente las células vegetativas de las bacterias, y más lentamente las esporas en solución acuosa al 5 por 100; su actividad no disminuye mucho por la presencia de materia orgánica Se utiliza como estándar para comparación con otros desinfectantes, en particular los de estructura química similar.

La actividad del fenol aumenta por substitución del anillo. Los fenoles metilados, los cresoles orto, meta y para, y los fenoles halogenados, tienen mayor actividad que el compuesto original. Sin embargo, el resorcinol, y el hidroxifenol son poco bactericidas. En general, la substitución de cadenas alifáticas en el fenol y en los hidroxifenoles aumenta su actividad antibacteriana, en proporción directa de la longitud de la cadena lateral, pero disminuye su solubilidad en el agua, hasta limitar el valor práctico de tales compuestos.

Los bisfenoles han pasado a ser los desinfectantes fenólicos más útiles por sus propiedades bacteriostáticas y fungistáticas relativamente intensas y su toxicidad relativamente baja. Estos compuestos están formados por dos anillos fenólicos unidos carbono con carbono, o por un puente de oxígeno, azufre o alcaleno, especialmente metileno.

5-1.

$$C_2H_5HgS - \text{COONa}$$
Mertiolate

$$CH_3 - \text{NO}_2 ; \text{ONa HgOH}$$
Metafén

$$HO - \text{HgCl}$$
Mercarbolida

Los más importantes de ellos son los compuestos ortohidroxidifenilo y clorados de metileno y azufre. El ortohidroxidifenilo se halla en el comercio como O'Syl y lysol; este último contiene también ácido cresílico. El hexaclorofeno (ver 5-2) tiene la propiedad útil y rara de conservar substancialmente toda su acción antibacteriana cuando se incorpora en jabones. Un ejemplo de un clorofeno azufrado de empleo común es el tiobisfenol, bitionol (ver 5-2), análogo azufrado del tetraclorofeno. Estos compuestos son relativamente insolubles en agua, pero solubles en alcalinos diluidos y en muchos solventes orgánicos. Difieren del fenol por su actividad, ya que, si bien son algo más activos que el fenol según la prueba del coeficiente fenol (ver luego), se necesita una exposición más prolongada para lograr actividad bactericida máxima, y son bacteriostáticos en diluciones altas. Los desinfectantes fenólicos precipitan las proteínas, pero las concentraciones mínimas necesarias para matar células son superiores a las concentraciones necesarias para precipitar la proteína. Hay gran número de datos indicando que la interacción de desinfectantes fenólicos con proteínas en la membrana provoca disrupción de la estructura membranosa. La acción bactericida probablemente guarde relación con la destrucción de la estructura de la membrana y sus funciones, pero aún no conocemos detalles de su modo de acción.

Detergentes. Las substancias detergentes con acción sobre la tensión superficial se dividen en tres grupos (ver 5-3). Los compuestos aniónicos son jabones, sales sódicas y potásicas de ácidos grasos elevados, sulfatos de alquilo, como el laurilsulfato sódico, y alquilbencensulfonatos. Los compuestos de amonio cuaternario son substancias catiónicas, y el grupo no iónico incluye poliéteres y ésteres de poliglicerol. Algunas de estas substancias tienen actividad antibacteriana.

La actividad antimicrobiana de los jabones es limitada, y no pueden considerarse antisépticos o desinfectantes eficaces. Son agentes útiles para la supresión mecánica de bacterias de la piel, pues emulsionan secreciones lipoides en las cuales están incluidos los microorganismos. Por lo tanto, el número de bacterias existentes en la piel disminuye mucho cuando se lava con jabón, pero solo en forma temporal. Puede lograrse actividad antibacteriana apreciable con jabones combinándolos con substancias desinfectantes como los cresoles, pero, en general, la actividad de la substancia incorporada disminuye cuando se añade al jabón. Como hemos dicho antes, el hexaclorofeno es una excepción importante a esta regla general. El empleo de jabones con hexaclorofeno logra no solo una disminución inmediata del número de bacterias existentes en la piel, sino también una acción bacteriostática del hexaclorofeno residual, que inhibe intensamente el crecimiento de bacterias en ella.

Algunos alquilsulfatos tienen mayor actividad antibacteriana que los jabones, inhibiendo el crecimiento en concentraciones relativamente elevadas (0.1 por , 100). Los que son activos son muy selectivos; afectan bacterias grampositivas, pero no las gramnegativas.

5-2.

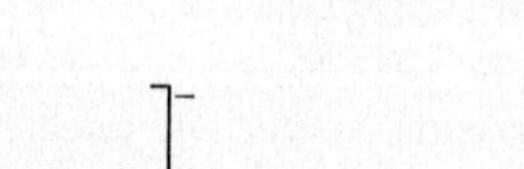

hexaclorofeno 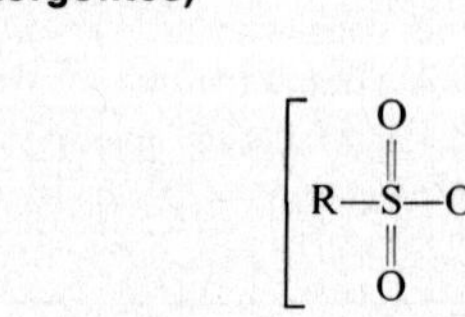   *bitionol*

5-3.

Substancias tensioactivas (detergentes)

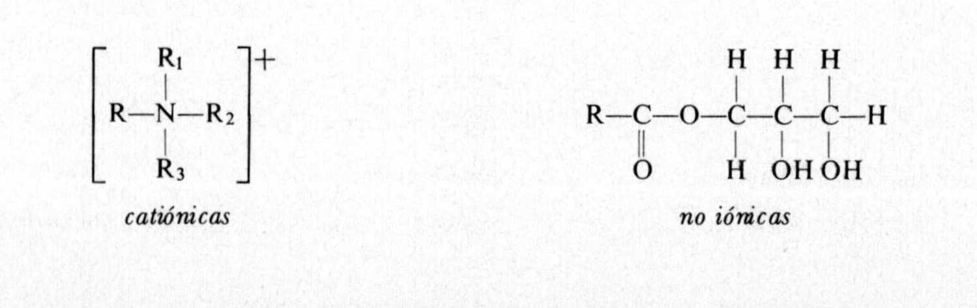

aniónicas

catiónicas   *no iónicas*

5-4.

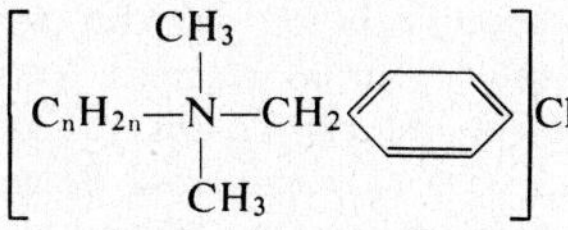

$$\left[C_nH_{2n}-\overset{\displaystyle CH_3}{\underset{\displaystyle CH_3}{N}}-CH_2-\text{C}_6H_5 \right] Cl$$

Zefirán, cloruro de benzalconio

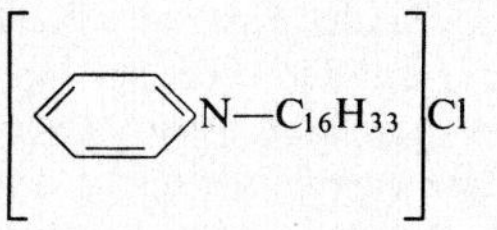

$$\left[\text{C}_6H_5-N-C_{16}H_{33} \right] Cl$$

Cloruro de Ceepryn

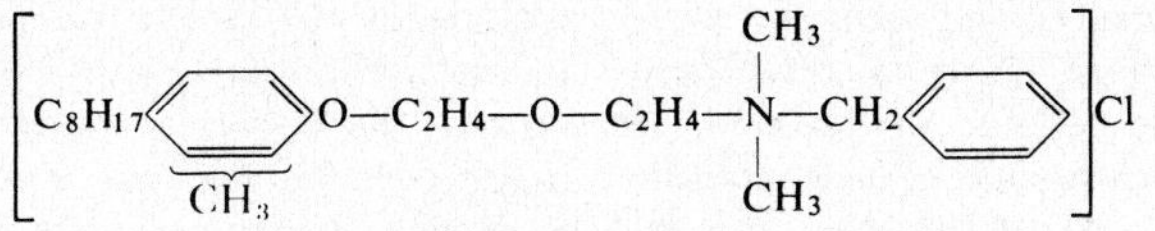

$$\left[C_8H_{17}-\overset{\displaystyle CH_3}{\underset{}{\text{C}_6H_3}}-O-C_2H_4-O-C_2H_4-\overset{\displaystyle CH_3}{\underset{\displaystyle CH_3}{N}}-CH_2-\text{C}_6H_5 \right] Cl$$

Cloruro de Diaperen

$$\left[C_8H_{17}-\text{C}_6H_4-O-C_2H_4-O-C_2H_4-\overset{\displaystyle CH_3}{\underset{\displaystyle CH_3}{N}}-CH_2-\text{C}_6H_5 \right] Cl$$

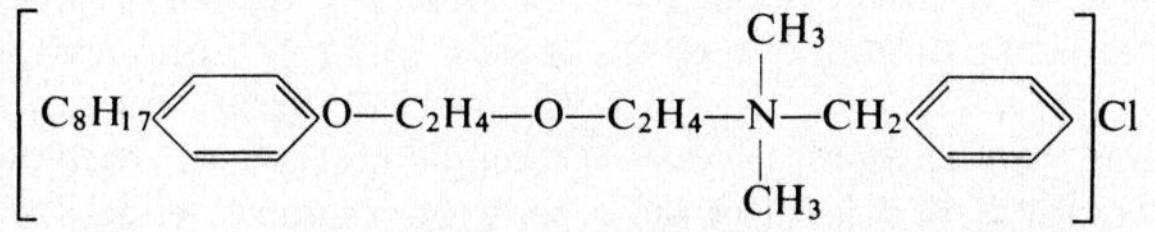

Cloruro de Femerol

Los compuestos de amonio cuaternario constituyen un grupo de aminas que pueden considerarse derivadas del cloruro amónico en el cual diversos radicales substituyen a los hidrógenos. De ordinario, uno es una cadena larga alquílica de C_8 a C_{18}, los demás son grupos alquílicos más cortos, grupos fenílicos, etc. Se han sintetizado muchos, quiza un millar, incluyendo el Zefirán (cloruro de alquildimetilbencilamonio), el Ceepryn (cloruro de cetilpiridinio), el Femerol (cloruro de diisobutilfenoxietoxietildimetilbencilamonio) y el Diapareno (cloruro de diisobutilcresoxietoxietildimetilbencilamonio) que han merecido gran aceptación (5-4). Los detergentes catiónicos son igualmente eficaces contra bacterias grampositivas y gramnegativas.

Hay una neta incompatibilidad entre detergentes aniónicos y catiónicos, por cuanto al mezclarse la actividad antibacteriana desaparece. Los detergentes no iónicos no tienen este efecto; por ejemplo, los compuestos de amonio cuaternario pueden mezclarse con detergentes no iónicos que tienen buena acción solubilizante, para proporcionar un agente de limpieza antibacteriano. Los detergentes son bactericidas porque destruyen la integridad de la membrana celular, rompiendo las interacciones de proteínas y lípidos de la membrana. Como la superficie de la bacteria normalmente tiene carga negativa, los detergentes catiónicos probablemente sean más eficaces por la interacción de la molécula del detergente con la superficie de la membrana.

Alcohol y éteres. El alcohol etílico y el éter etílico, usados frecuentemente como desinfectantes de la piel, no son buenos germicidas. Su eficacia probablemente dependa de la solución de las secreciones lipoides de la piel y la consiguiente supresión mecánica de microorganismos. El alcohol absoluto tiene poco o ningún poder germicida. La actividad bactericida de las soluciones de alcohol-agua aumenta con la adición de agua, pero el alcohol al 50 por 100 ó menos posee poca actividad. Setenta por 100 es la concentración que suele emplearse para desinfectar la piel. Los alcoholes absolutos propílico e isopropílico también son poco eficaces, pero muestran actividad en solución acuosa. Los alcoholes pueden ser bactericidas por su capacidad de romper complejos lípidos de las membranas y desnaturalizar proteínas.

Desinfectantes gaseosos. El empleo de gases bactericidas para desinfectar habitaciones, paredes y demás (desinfección terminal o fumigación) ha disminuido mucho en los últimos años, sin un aumento consiguiente del número de enfermedades infecciosas. El gas generalmente utilizado, bióxido de azufre (producido quemando flor de azufre) probablemente no sea bactericida como gas, pero sí en solución acuosa. Por lo tanto, solo es eficaz en presencia de humedad adecuada (humedad relativa de 60 por 100 o mayor). Otros gases, como el cianuro de hidrógeno, tienen poco o ningún efecto sobre las bacterias. Aunque el valor de la desinfección terminal puede ponerse en duda, el de la desinfestación está comprobado, y los gases, en particular el ácido cianhídrico, se utilizan mucho para la destrucción de ratas en barcos y similares.

Agentes alquilantes. Algunos de estos se ha comprobado que son bactericidas muy eficaces en forma gaseosa, tanto sobre objetos sólidos y soluciones como sobre bacterias suspendidas en el aire. Incluyen óxido de etileno, óxido de propileno, etilenamina, bromuro de metilo y formaldehido. Estas substancias tienen la propiedad peculiar de ser relativamente más eficaces para destruir esporas bacterianas que los desinfectantes corrientes, y su actividad parece ser irreversible y bactericida.

El formaldehido se ha utilizado durante muchos años, pero suele dar poco resultado por su ligera penetración y requiere una humedad relativamente elevada. Se ha utilizado más recientemente en combinación con esterilización de vacío a temperatura baja para textiles y materiales similares.

El óxido de etileno es de obtención más reciente, y también muy eficaz. Forma con el aire una mezcla explosiva, pero el peligro se evita mezclando con 17 a 10 volúmenes de bióxido de carbono; la mezcla suele denominarse carbóxido. Puede aplicarse a presión a telas o materiales de diverso tipo; los agentes que van a esterilizarse se tratan en esterilizador que parece en autoclave y que se evacua hasta 14 libras; penetra luego el óxido de etileno hasta 20 a 23 libras de presión, y se deja así durante toda la noche.

Otro agente alquilante que ha merecido particular interés es la beta-propiolactona. A diferencia del óxido de etileno, no es inflamable, pero necesita mucha humedad (80 por 100) para ser eficaz, y penetra relativamente poco, de manera que funciona sobre todo como desinfectante de superficie. Es muy bactericida y virucida en concentraciones de 1 a 5 mg por litro, y se considera unas 25 veces más eficaz que el formaldehido. Aunque no posee la utilidad general del óxido de etileno, es particularmente eficaz para la descontaminación de espacios cerrados como habitaciones y edificios; también puede utilizarse para esterilizar materiales termolábiles.

Los agentes alquilantes son muy reactivos con diversos grupos funcionales de ácidos nucleicos y proteínas, por ejemplo $-NH_2$, $-OH$, $-CO_2H$ y $-SH$. La actividad bactericida probablemente resulte de la alquilación de estos grupos funcionales en macromoléculas esenciales.

Colorantes. Los colorantes se utilizan mucho en bacteriología para teñir y como indicadores. Además, muchos de ellos muestran neta actividad bacteriostática y bactericida, que frecuentemente resulta específica, manifestándose contra un germen y no contra otro. La incorporación de un colorante adecuando en un medio lo vuelve selectivo; por ejemplo, favorece el crecimiento de algunas especies de bacterias e inhibe el de otras. En general esta especificidad guarda buena correlación con la reacción de Gram; los gérmenes gramnegativos en su mayor parte son mucho menos sensibles a los colorantes que los grampositivos. La actividad de estos compuestos se afecta por el pH; la toxicidad de los colorantes ácidos aumenta con la acidez, y la de los básicos con la alcalinidad.

Cierto número de colorantes de trifenilmetano son inhibidores en diluciones altas. El verde malaquita, por ejemplo, inhibe el crecimiento de *B. subtilis* en dilución de 1:4 millones, y estafilococos en 1:1 millón; se necesitan concentraciones más altas, por ejemplo 1:30 000 a 1:40 000, para inhibir los bacilos cólicos y tíficos.

Las propiedades bacteriostáticas de los colorantes de triaminotrifenilmetano, las llamadas rosanilinas, parecen relacionadas con la substitución de grupos alquilos en las cadenas laterales amino. La fucsina básica, mezcla de los colorantes simples no substituidos rosa y pararrosa de anilina, es un bacteriostático relativamente débil; se necesitan diluciones de 1:500 000 para inhibir el crecimiento de *B. subtilis*. La fucsina ácida, mezcla de varios derivados sulfonados de la fucsina básica, también es débilmente inhibidora; en un tiempo se utilizó como indicador ácido con el nombre de indicador de Andrade para los medios de cultivo. Por otra parte, el violeta de metilo,* mezcla de tetra-penta y hexametilpararrosanilina es muy bacteriostático e inhibe completamente el crecimiento de bacterias como estafilococos y bacilos diftéricos en diluciones de 1:1 millón de 1:5 millones. Se necesitan aproximadamente 150 veces más colorante para suprimir el crecimiento de las bacterias gramnegativas menos sensibles, como las del colon y los bacilos de la tifoidea.

Los colorantes de acridina, acriflavina y tripaflavina han merecido particular interés, por su significación terapéutica. Los primeros son muy bacteriostáticos en diluciones tan altas como 1:3 millones. El último inhibe los estafilococos y gérmenes similares en dilución de 1:2 millones, y el gonococo, relativamente frágil, en dilución de 1:10 millones a 1:50 millones. El gonococo muere por exposición a colorantes en diluciones de 1:80 000 a 1:400 000 en plazo de dos a tres minutos.

Factores que influyen en la desinfección. El proceso de desinfección o muerte bacteriana muchas veces, en parte por lo menos, es una reacción química; por lo tanto, está sometido a diversas influencias que afectan la velocidad de tales reacciones. La más importante es la concentración de las substancias que reaccionan, o sea la concentración de desinfectante y el número de bacterias existentes. La concentración eficaz de desinfectante, a su vez, depende de otros dos factores: en primer lugar, la presencia de humedad, que permite la coagulación por el calor y la ionización de las sales bactericidas, y que actúa como solvente y medio de suspensión en el cual puede establecerse contacto íntimo entre el desinfectante y el microorganismo; en segundo lugar, la presencia de materia orgánica extraña.

Muchos desinfectantes químicos actúan por una combinación con la proteína de la célula y, claro está, en presencia de materia orgánica extraña reaccionan con este material inerte, lo cual disminuye su concentración eficaz. Los desinfectantes varían mucho en el grado en el cual sus propiedades bactericidas son afectadas por la materia orgánica. Las sales de metales pesados son precipitados rápida-

---

* El violeta de genciana es una mezcla más o menos impura de violeta de metilo y dextrina. El cristal violeta, hexametil-p-rosanilina, es uno de los constituyentes del violeta de metilo.

mente por el material orgánico, mientras que los compuestos como fenol y cresoles solo son ligeramente afectados. El ritmo de destrucción por el calor también se modifica por la presencia de materia orgánica —gérmenes incluidos en una masa de materia fecal, por ejemplo, quedan protegidos del calor por breve tiempo. La desinfección por germicidas o calor está influida por la temperatura; la velocidad en la reacción aumenta la temperatura.

El pH también influye en el ritmo de destrucción bacteriana, no solo por el calor sino por muchos compuestos químicos; la velocidad, en general, es mínima en la neutralidad y crece al aumentar la acidez o la alcalinidad. Otros diversos factores, como la presencia de sales, afectan el ritmo de la desinfección; pero, en general, no lo bastante para que tengan importancia. En la práctica, el tiempo de exposición de las bacterias a un desinfectante determinado tiene gran importancia y guarda proporción inversa con la rapidez de la muerte. El tiempo necesario para la destrucción de bacterias depende, no solo de los factores antes señalados, sino también de los tipos de bacterias que van a ser destruidos. En algunos casos, la especificidad de un desinfectante puede ser tan intensa que debe tomarse en consideración. Por ejemplo, la toxicidad relativamente mínima del hipoclorito para el bacilo tuberculoso impide su empleo en la desinfección del esputo de estos enfermos. Las esporas bacterianas son mucho más resistentes al calor y a los desinfectantes químicos que las células vegetativas, y se necesita mucho más tiempo para su destrucción. Las células vegetativas de algunas bacterias pueden ser algo más resistentes que las de otras, pero en su mayor parte tales diferencias son demasiado pequeñas para que tengan importancia práctica.

Dinámica de la desinfección. Estudios cuantitativos del ritmo con el cual los microorganismos mueren por agentes letales han indicado que, en muchos casos, el germen muere con ritmo logarítmico; o sea que si se disponen en gráfica los logaritmos del número de gérmenes viables contra el tiempo, los puntos tienden a formar una línea recta (ver la figura adjunta). Este fenómeno se ha observado en la muerte tanto de esporas como de células vegetativas por influencia de desinfectantes químicos o de calor húmedo; también ocurre para la muerte de bacterias en cultivos viejos. La velocidad de la reacción, la pendiente de tal línea, depende de la concentración y del tipo de desinfectante, la naturaleza de los gérmenes, si son esporas o células vegetativas, y de otros factores que influyen en el proceso de desinfección. Este ritmo logarítmico también describe el curso de una reacción monomolecular; este hecho ha permitido que algunos autores lleguen a la conclusión de que la muerte bacteriana es una reacción química monomolecular. Aunque la muerte de las bacterias por algunos desinfectantes indudablemente es un proceso químico, como lo es, por ejemplo, la precipitación de la proteína constituyente en forma de proteinatos por metales pesados, los datos existentes no justifican la conclusión de que la reacción sea monomolecular. Hay confusión al establecer las descripciones y considerar los mecanismos. Datos experimentales han indicado que tales gráficas semilogarítmicas muchas veces pueden establecer una línea recta, otras originan mejor curvas sigmoideas, pues el ritmo de muerte es más rápido al principio en algunos casos y más rápido el final en otros, o incluso irregular. Tiene importancia práctica el hecho de que en la desinfección por productos químicos y por calor hay una minoridad de células, posiblemente más resistentes, que sobreviven largo tiempo después que la mayoría ya han muerto, y que deben destruirse para lograr la esterilización completa. La determinación

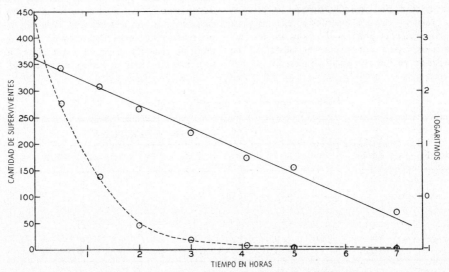

FIG. 5-2. Ritmo de muerte de las esporas de carbunco tratadas con fenol al 5 por 100. La línea interrumpida es de valores aritméticos; la línea continua, de valores logarítmicos. El logaritmo negativo se obtuvo tomando muestras de múltiplos del volumen unitario. (Según Chick.)

Determinación del coeficiente fenol *

Desinfectante	Dilución	Tiempo en minutos		
		5	10	15
Problema	1:300	0	0	0
	1:325	+	0	0
	1:350	+	0	0
	1:375	+	+	0
	1:400	+	+	+
Fenol	1:90	+	0	0
	1:100	+	+	+

La prueba solo es satisfactoria cuando la resistencia del organismo estudiado, en este caso *Sal. typhi,* da una u otra de las siguientes reacciones:

1:90	+ or 0	+ or 0	0
1:100	+	+	+ or 0

$$\text{coeficiente fenol} = \frac{350}{90} = 3.89 = 3.9$$

* Según Stuart, *en* Reddish, G. F.: Antiseptics, Disinfectants, Fungicides, and Chemical and Physical Sterilization. 2nd ed. Philadelphia, Lea & Febiger, 1957.

de la actividad antiviral plantea problemas técnicos especiales, por la necesidad de valorar un agente viable según titulaciones de capacidad infecciosa,[12] y los efectos de autointerferencia, si gran parte del agente se inactivó cerca del punto final (cap. 3).

En todo caso, es evidente que no resulta posible extrapolar el ritmo de muerte exponencial hasta cero y admitir que el tiempo de exposición que esto señala asegure la esterilidad; admitir esto tendría por consecuencia, por ejemplo, una inactivación incompleta del virus de la poliomielitis por el formol al preparar vacunas.[24]

Estandarización de desinfectantes. La eficacia bactericida relativa de los desinfectantes químicos tiene gran importancia práctica. El valor de un método cuantitativo para determinar la capacidad de matar los gérmenes fue reconocido ya en los prime-

ros tiempos de la bacteriología, y la investigación experimental logró establecer una técnica estandarizada que permitió determinar el poder bactericida de un compuesto químico determinado en comparación con el fenol. El valor numérico así obtenido se denomina coeficiente fenol, y se supone que indica si el producto estudiado es, en forma bastante aproximada, mejor o peor germicida que el fenol. Más tarde se han desarrollado métodos de estandarización modificando este. El coeficiente fenol de un desinfectante utilizado contra el bacilo de la tifoidea se calcula como sigue:

Dividir la dilución máxima del desinfectante problema capaz de matar *Salmonella typhi* en 10 minutos (pero no en cinco minutos) por la dilución de fenol que mata en la misma forma, y dividir estas cifras una por otra. Para no tener una idea falsa de precisión del método, el coeficiente se calcula hasta el valor 0.1 más próximo si es menor de 1, hasta el 0.2 más próximo si se halla entre 1 y 5, hasta 0.5 más próximo si se halla entre 5 y 10, y hasta más cerca de 1.0 si se halla entre 10 y 20. Las condiciones consideradas estándar en Estados Unidos de Norteamérica, o sea el coeficiente fenol de la FDA, han sido definidas por la Administración de Drogas y Alimentos.

El efecto de la materia orgánica extraña sobre el poder bactericida de un desinfectante suele tomarse en consideración efectuando la prueba sin añadir materia orgánica o con adición de esta. Puede añadirse 3 por 100 de materia fecal seca, o de levadura seca, a la supensión bacteriana; o los gérmenes pueden suspenderse en suero al 50 por 100. Importa tener presente que las bacterias difieren mucho en su resistencia al fenol; los estafilococos, por ejemplo, son mucho más resistentes que los bacilos de la tifoidea, de manera que se necesita precisión para especificar "coeficiente fenol de tifoidea", "coeficiente fenol de neumococo", etc.

El dato de coeficiente fenol en cuanto a actividad antimicrobiana tiene varios defectos, incluyendo el de no valorar los efectos de la concentración, coeficientes de la temperatura, etc. Además, la validez de un coeficiente fenol determinado para un desinfectante no fenólico se presta a gran discusión. En consecuencia, se han utilizado variantes de la técnica.

Prueba de concentración germicida equivalente *

Desinfectante	Concentración (ppm)	Series de subcultivos †									
		1	2	3	4	5	6	7	8	9	10
Problema	10	0	0	+	+	+	+	+	+	+	+
	20	0	0	0	0	+	+	+	+	+	+
	25	0	0	0	0	0	+	+	+	+	+
Control de NaOCl	50	0	0	+	+	+	+	+	+	+	+
	100	0	0	0	+	+	+	+	+	+	+
	200	0	0	0	0	0	0	+	+	+	+

* Según Stuart, *en* Reddish, G. F.: Antiseptics, Disinfectants, Fungicides, and Chemical and Physical Sterilization. 2nd ed. Philadelphia, Lea & Febiger, 1957.
† El intervalo de tiempo puede variar entre 30 segundos y dos minutos.

Por ejemplo, se ha estudiado la prueba de concentración germicida equivalente para valorar la capacidad letal de substancias como hipocloritos, en las cuales se determinan las concentraciones que tienen la misma capacidad destructora de las bacterias que las de un compuesto de referencia. Este tipo de pruebas se indica en el ejemplo que acompañan en el cuadro adjunto; aquí se compara la actividad del desinfectante problema, en concentración de 10 ppm, que equivale a la del estándar de referencia, NaOCl, en concentración de 50 ppm.

La valoración de la actividad antimicrobiana [23] de los detergentes resulta difícil, por la tendencia de las bacterias estudiadas a quedar absorbidas a las paredes del tubo de ensayo como consecuencia de cambios de la carga en presencia del desinfectante. Las llamadas pruebas de dilución se han utilizado para estas substancias; una suspensión del microorganismo estudiado se seca en la superficie de un portador como varilla de vidrio o anillo de vidrio, se sumerge en el desinfectante por tiempo variable, y luego se somete a cultivo. Estos métodos no son nuevos; ya los emplearon hace años Koch y otros, quienes secaban esporas de carbunco en hilos de seda, perlas de vidrio, etc., para estudiar la actividad bactericida.

Todos estos métodos de valoración sufren el mismo defecto fundamental: dependen de un punto final de esterilidad, un punto final que según han demostrado los estudios de la dinámica del proceso de desinfección, resulta muy dudoso.

Se admite, en general, que el ritmo de muerte, o sea la constante de velocidad de la reacción, es una medida mucho más precisa que cualquier valor que depende como punto final de la esterilidad. La relación entre concentración de desinfectante y tiempo necesario para matar a la bacteria es exponencial, y la constante de velocidad en la reacción, k es dada por la expresión:

$$k = C^n t$$

donde C es la concentración, n es una constante característica para cada desinfectante, y t es el tiempo. El coeficiente de temperatura, claro está, puede determinarse experimentalmente para cada desinfectante. Se comprobará que este tipo de caracterización de la actividad bactericida de un compuesto determinado da mucha mayor información que el tipo usual del coeficiente fenol, por muy precisas que estén definidas las condiciones de la prueba. Sin embargo, no suele utilizarse para trabajo sistemático.

Drogas quimioterápicas[8, 10, 21]

La posibilidad de utilizar substancias antibacterianas in vivo como quimioterápicos depende, sobre todo, de la especificidad de acción de tales substancias. El objeto es matar los microorganismos sin efecto peligroso importante para el huésped. Esta idea no es nueva; fue la base de las investigaciones de Ehrlich, empezadas en 1904, cuando quería descubrir un "proyectil mágico", compuesto fuertemente germicida para un microorganismo determinado y poco tóxico, para poder ser inyectado en cantidades adecuadas y lograr concentraciones eficaces en los tejidos. Su trabajo, dirigido inicialmente hacia la terapéutica de la enfermedad del sueño africana producida por tripanosomas, intentaba conservar la actividad antibacteriana de los compuestos arsenicales y al mismo tiempo reducir la toxicidad para el huésped. Culminó en la síntesis del salvarsán.

Antes de 1940, el enfoque de la quimioterapia de las enfermedades infecciosas era fundamentalmente el mismo enfoque de ensayos empíricos utilizado por Ehrlich. La demostración de una actividad antimicrobiana química in vivo fue seguida de la determinación de cuál era la parte activa de la molécula. Después se estudiaron un número muy elevado de compuestos similares, con la esperanza de conservar o aumentar la actividad antimicrobiana disminuyendo al mismo tiempo la toxicidad para el huésped. Por ejemplo, la acción antipalúdica pequeña, pero neta, de la tionina substituida, el azul de metileno,

fue estudiada por los investigadores alemanes en el desarrollo de la Atebrina. Por lo tanto, ha resultado costumbre el probar productos orgánicos sintéticos, especialmente colorantes e intermedios, buscando su actividad antimicrobiana in vivo. Esta técnica hizo que Domagk, en 1935, observara la actividad netamente quimioterápica del colorante Prontosil en infecciones experimentales de estreptococos. El estudio permitió identificar la parte activa de la molécula, p-aminobenceno-sulfonamida (Sulfanilamida), y la síntesis de un número muy elevado de compuestos relacionados similares conocidos como sulfamídicos. La observación de Domagk tuvo gran significación práctica. Los sulfamídicos fueron los primeros quimioterápicos que resultaron eficaces en infecciones bacterianas.

En 1940 empezó la era de los antibióticos. La penicilina descubierta por Fleming en 1929 era el primer producto microbiano que se utilizó como quimioterápico importante. Aunque la búsqueda empírica de productos químicos sintéticos prosigue, ha quedado netamente superada por la búsqueda empírica de los antibióticos. Estos últimos son producidos por hongos y bacterias; las bacterias más importantes para producir antibióticos son los actinomicetos.

Pruebas de los productos. Tanto si se trata de un antibiótico como de un producto químico sintético, la técnica empírica incluye poner a prueba la actividad microbiana, principalmente in vitro, contra microbios patógenos conocidos. Los agentes prometedores se prueban en cuanto a toxicidad y eficacia controlando infecciones en animales de experimentación in vivo. Si siguen los buenos resultados, se prueban los agentes en enfermedades humanas. Con antibióticos, tiene importancia la purificación y la caracterización química para las técnicas de prueba biológica. Es necesario suprimir material extraño potencialmente tóxico, y comprobar que el antibiótico es diferente de los ya existentes.

También se investiga el modo de acción del producto quimioterápico. Estudios sobre modo de acción han sido más útiles para descubrir los misterios del metabolismo celular que para ayudar a explicar en forma clara la creación o el descubrimiento de nuevos quimioterápicos. Solo recientemente están empezando a descubrirse modos de acción de diversos quimioterápicos, en particular de antibióticos. Quizá algún día habrá información suficiente acerca del metabolismo celular y modos de acción para establecer métodos racionales que substituyan la búsqueda actual, predominantemente empírica, de nuevos quimioterápicos.

Modos de acción. Los quimioterápicos eficaces actúan inhibiendo reacciones metabólicas esenciales sobre el germen blanco, y son relativamente innocuos para el metabolismo del huésped. Esta toxicidad selectiva puede depender de diferencias netas entre el metabolismo del huésped y el metabolismo del germen atacado. Por ejemplo, la penicilina inhibe la síntesis de la pared de la célula bacteriana, proceso anabólico peculiar de las bacterias y, exceptuando las reacciones alérgicas, es inofensiva para los animales. La toxicidad selectiva también puede depender de fijación selectiva a estructuras metabólicas similares. Se conocen quimioterápicos que actúan fijándose selectivamente a gérmenes sensibles y rompiendo sus membranas. Finalmente, la toxicidad selectiva pudiera depender de diferencias de permeabilidad de las células para quimioterápicos. La base de la toxicidad selectiva de muchos quimioterápicos suele ser un misterio, principalmente porque la investigación bioquímica es insuficiente.

Importa saber si un quimioterápico es bactericida o bacteriostático, y si actúa sobre células en reposo o células en crecimiento. Un caso práctico, que demuestra la importancia de estos parámetros, es el antagonismo por sulfamídicos de la acción de la penicilina. Los sulfamídicos son bacteriostáticos. La penicilina es bactericida pero solo mata células en crecimiento. Como las sulfamidas interrumpen el crecimiento, inhiben la acción de la penicilina. Que una droga sea bactericida o bacteriostática puede determinarse fácilmente examinando la viabilidad de las células después de tratamiento y de supresión del agente quimioterápico. El tratamiento debe efectuarse con el germen sensible en condiciones que sostienen el crecimiento o lo evitan (por ejemplo, adición del quimioterápico a un cultivo en fase

inicial, en contraste con la adición a células suspendidas en un medio amortiguador).

Con algunos quimioterápicos es posible describir el lugar de inhibición del crecimiento bacteriano, y el motivo de su acción bactericida o bacteriostática. Con muchos agentes la información sobre el modo de acción todavía es incompleta. Los quimioterápicos se consideran aquí en cuanto a modos de acción como ahora los conocemos. Finalmente, una característica importante de la investigación quimioterápica es el estudio del desarrollo de resistencia de los patógenos a los quimioterápicos.

INHIBIDORES DE LA SINTESIS DE ACIDO FOLICO [11]

Sulfamídicos. La similitud estructural entre la vitamina ácido *p*-aminobenzoico y las *p*-aminobencenosulfamidas (ver 5-5), hizo que Woods y Fildes pensaran que interferían con la utilización de ácido *p*-aminobenzoico por microorganismos. Hoy sabemos que los sulfamídicos son inhibidores de la síntesis de ácido fólico, y el ácido paraaminobenzoico es parte de la molécula del ácido fólico. Los sulfamídicos no inhiben los gérmenes que no pueden sintetizar ácido fólico, incluyendo el hombre y las bacterias que requieren ácido fálico preformado para su crecimiento. La inhibición tampoco se observa para gérmenes que sintetizan el ácido fólico a partir del ácido *p*-aminobenzoico, pero son capaces de utilizar ácido fólico preformado disponible en los tejidos del huésped. *Escherichia coli* sintetiza el ácido fólico a partir del ácido *p*-aminobenzoico, pero parece ser impermeable al ácido fólico exógeno y, por lo tanto, es particularmente susceptible de inhibición por los sulfamídicos.

La inhibición también desaparece cuando se dispone de productos de las vías biosintéticas que requieren coenzimas de ácido fólico. Estos productos incluyen metionina, purinas y timidina. En otras palabras, si no hay necesidad de coenzimas de ácido fólico por disponer de productos que las coenzimas ayudan a elaborar, la inhibición de la síntesis de ácido fólico por los sulfamídicos no resultará perjudicial para la célula. Sin embargo, hay una reacción de coenzima de ácido fólico en las bacterias que origina un producto que no se obtiene de fuente exógena. El ácido N^{10}-formiltetrahidrofólico es necesario para la síntesis de formil-metionil-tRNA a partir de metionil-tRNA. El formil-metionil-tRNA es necesario para iniciar la síntesis de proteína.

Los sulfamídicos son inhibidores competitivos de la síntesis de ácido fólico a partir de ácido *p*-aminobenzoico, pteridina substituida y ácido glutámico. A nivel enzimático establecen competencia con el ácido *p*-aminobenzoico; por lo tanto, la inhibición depende de las afinidades relativas del lugar enzimático para los sulfamídicos y el ácido paraamino-

5–5.

Acido paraaminobenzoico y sulfamídicos

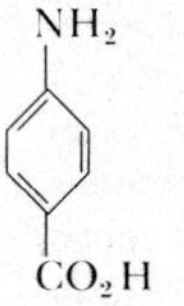

$$NH_2$$

ácido p-aminobenzoico

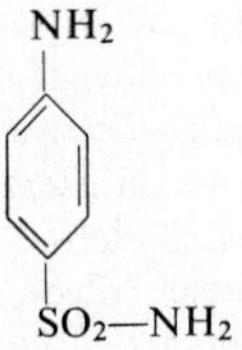

sulfanilamida 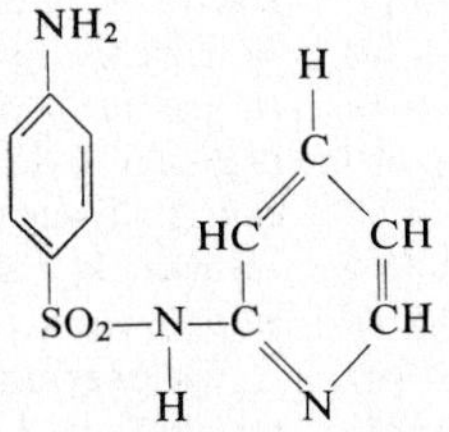   *sulfapiridina* 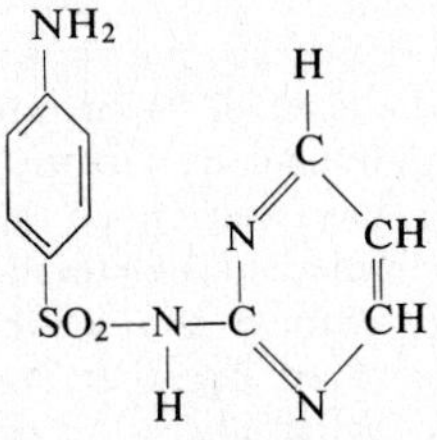   *sulfadiacina*

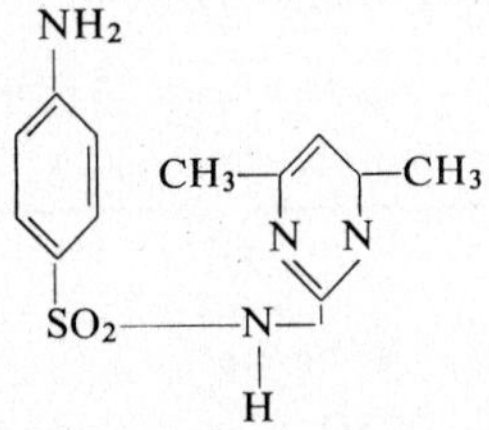

sulfametacina 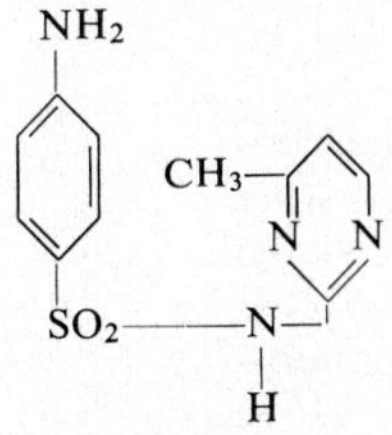   *sulfameracina* 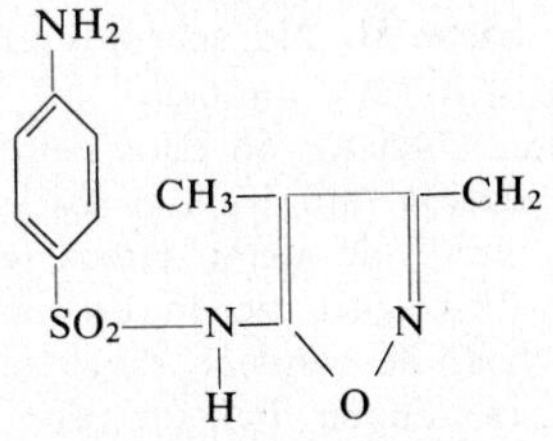   *Gantrisina, Gantrosan, sulfisoxazole, sulfafurazole*

---

benzoico, y la concentración relativa de los dos elementos competitivos. Como hemos dicho antes, puede lograrse una inversión no competitiva de la inhibición de la acción de los sulfamídicos sobre las bacterias mediante ácido fólico y productos terminales de las vías coenzimáticas de ácido fólico.

Los sulfamídicos son bacteriostáticos. Suprimiendo el sulfamídico del medio, o proporcionando a este ácido *p*-aminobenzoico, se restablece el crecimiento del germen sensible. Esto último se utiliza como método práctico para cultivar gérmenes sensibles a los sulfamídicos, y los de la sangre de individuos sometidos a terapéutica sulfamídica, o sea para impedir la acción inhibidora de una muestra de sangre que contiene sulfamídicos además de las bacterias que interesan.

A pesar de poderse vencer la inhibición sulfamídica, los sulfamídicos han sido agentes muy útiles. Son baratos y relativamente poco tóxicos. La inhibición depende, evidentemente, de un complejo de factores que actúan entre ellos: la capacidad de la bacteria para sintetizar ácido fólico, su permeabilidad al ácido fólico, y la presencia de compuestos inversores no competitivos en el medio. Sin embargo, la balanza se ha inclinado en la dirección de

inhibir un número importante de patógenos. Como los antibióticos suelen ser más eficaces, los sulfamídicos ahora se recomiendan solamente para tratar un número limitado de infecciones.

El término sulfamídico suele emplearse para incluir el compuesto inicial de sulfanilamida y sus derivados. Se han preparado varios miles de sulfamídicos, generalmente con substitución en el grupo amídico unido al radical sulfónico (ver 5-1), pero algunos, como la sulfatalidina y la sulfasuxidina, tienen substituciones en el grupo amino unido directamente al anillo bencénico. Estos últimos se absorben poco a nivel del intestino, y tienen utilidad en algunas infecciones limitadas a la luz intestinal, como la disentería bacilar. De todos los compuestos preparados, solo se han utilizado unos pocos. Son eficaces contra microorganismos como estreptococos, estafilococos, neumococos, gonococos, meningococos, bacilo de la peste y bacilos disentéricos pero son relativamente poco eficaces contra gérmenes del grupo Salmonella, incluyendo bacilos de la tifoidea, las rickettsias, y otros.

Parece existir poca diferencia cualitativa entre estos compuestos en lo que a actividad antibacteriana se refiere, pero difieren en solubilidad, ritmo de absorción, eliminación, y otros factores. En general, son poco solubles en agua, y la solubilidad aumenta con la alcalinidad. Después de absorbidos, parte del producto es inactivado por combinación con proteína plasmática, y una parte se acetila a nivel del hígado, dando un producto inactivo; ambos, forma activa y forma inactiva, son eliminados con la orina. Cuando la orina es ácida y de poco volumen, la droga puede acumularse en el riñón lesionándolo. La administración de mezclas de sulfamídicos, como los compuestos triples de sulfadiacina, sulfametacina y sulfameracina, no tienen ventaja terapéutica directa, pero disminuyen la precipitación en el riñón, ya que la solubilidad de cada uno es independiente de la presencia de los demás. La elevada solubilidad de Gantrisin también es útil para evitar la precipitación en los riñones.

Acidos aminohidroxibenzoicos. Hay productos sintéticos que también son análogos del ácido *p*-aminobenzoico, y su modo de acción es el mismo que el de los sulfamídicos. El ácido paraaminosalicílico ha sido el más utilizado de este grupo de quimioterápicos. Son particularmente útiles contra el germen tuberculoso, y no inhiben en forma eficaz otras bacterias. No sabemos el motivo del espectro de actividad limitado.

Sulfonas. Algunos de estos compuestos sintéticos guardan relación química con los sulfamídicos (ver 5-6) y su modo de acción puede ser similar. Como los hidroxibenzoatos, tienen un espectro de acción muy selectiva. Se emplean sobre todo para combatir la lepra, donde interrumpen el curso de la enfermedad.

INHIBIDOR DE LA SINTESIS DE PEPTIDOGLICANO [18, 20]

Algunos antibióticos son inhibidores de la síntesis de peptidoglicano bacteriano Casi todos son bactericidas, y esta acción bactericida se ejerce sobre células en crecimiento. El desarrollo continuado de la célula sin poder sintetizar la capa rígida estructural de peptidoglicano origina la lisis del microorganismo. El peptidoglicano normalmente actúa como una fuerza que se opone a la elevada presión osmótica que hay dentro de la célula bacteriana. La mayor parte de bacterias viven en medios que son hipotónicos en relación con el interior de las mismas, y necesitan una cintura protectora de peptidoglicano para no estallar. Si *Escherichia coli* se trata con penicilina, inhibidor de la síntesis de peptidoglicano, la bacteria no explota en un medio hipertónico, por ejemplo de 2.5 M de sacarosa. Entonces se forman esferoplastos redondos de bacilos en crecimiento. Los esferoplastos contienen poco peptidoglicano en su superficie, pero pueden crecer hasta cierto grado. No pueden dividirse y se lisan si quedan expuestos a un medio hipotónico.

Probablemente enzimas en las porciones hidrolizantes del peptidoglicano de la membrana celular participan en la disrupción de esta después que se ha inhibido su síntesis. Se cree que estas enzimas normalmente participan en el crecimiento de las paredes celulares, y en el proceso de división celular. Cuando se interrumpe la síntesis de peptidoglicano las enzimas hidrolíticas siguen sintetizándose, y pueden empezar a digerir el peptidoglicano existente. Es sabido la necesidad de continuar la síntesis de proteína para que la penicilina ejerza su acción letal.

Los inhibidores de la síntesis de la pared celular incluyen penicilinas, vancomicina, ristocetina, bacitracina y novobiocina. Los lugares de inhibición de la síntesis de peptidoglicano por estos antibióticos se indican en la figura que acompaña (ver en el capítulo 4 lo referente a la síntesis de peptidoglicano). Excepto para la cicloserina, los antibióticos inhiben la reunión a nivel de la membrana de peptidoglicano con precursores nucleósidos de uridina.

Cicloserina. Este producto inhibe la formación de uno de los precursores nucleósidos de uridina, el difosfato de uridina y pentapéptido de muramilo. El pentapéptido acaba con dos moléculas de D-alanina,

$$R—CONH—CH—CONH—CH—CO_2H$$
$$\qquad\qquad CH_3 \qquad\qquad\quad CH_3$$

5-6.

Sulfonas

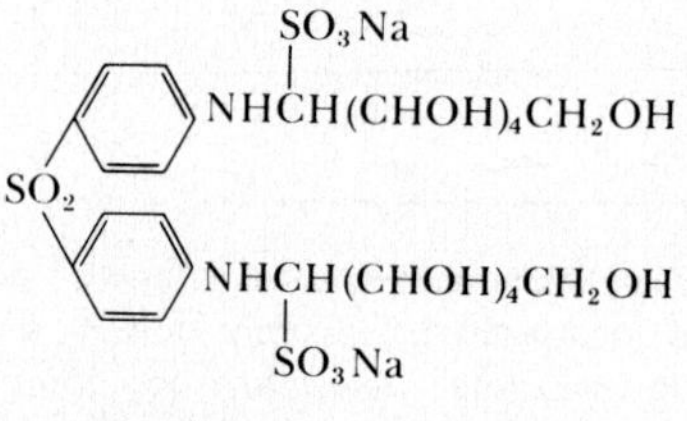

glucosulfona sódica

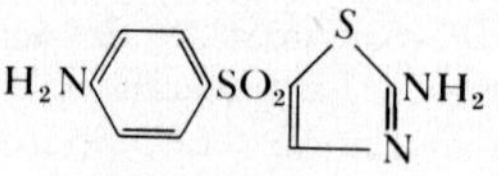

tiazolsulfona

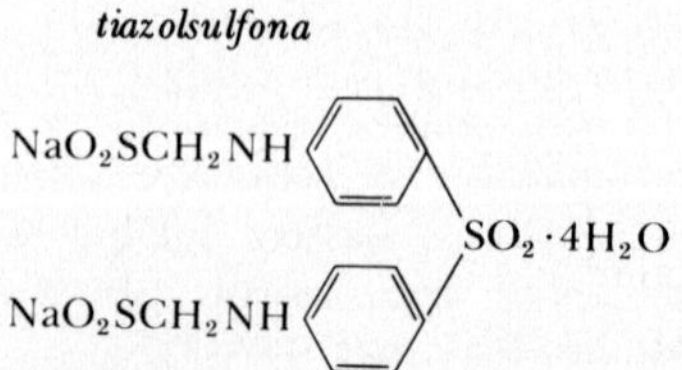

sulfoxona sódica

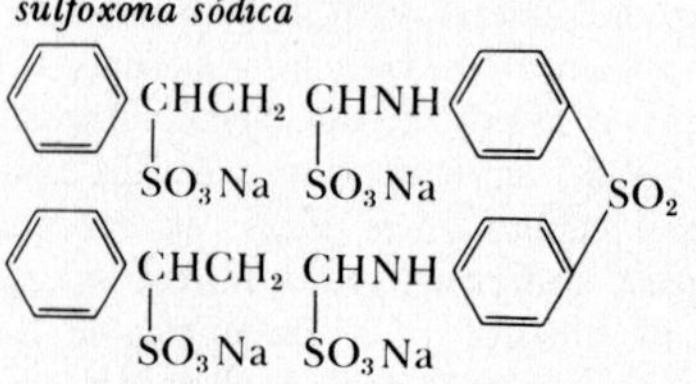

sulfetrona

Se ha comprobado que la cicloserina es producida por un actinomiceto, pero ahora se obtiene por síntesis química. Estructuralmente guarda relación con la alanina (ver **5-7**). Inhibe la formación del pentapéptido impidiendo dos reacciones tempranas que intervienen en la síntesis del pentapéptido, la conversión del dipéptido de L-alanina a partir de dos moléculas de D-alanina. La cicloserina se utiliza principalmente en el tratamiento de la tuberculosis, donde los agentes más adecuados están contraindicados por hipersensibilidad del paciente o resistencia microbiana.

Penicilinas. Las penicilinas (ver **5-8**) son, con mucho, los antibióticos más famosos y más útiles. Están producidos por cepas del hongo Penicillium, y tienen en común una parte que es el ácido 6-aminopenicilánico. Las diversas penicilinas poseen cadenas laterales acílicas laterales en el grupo 6-amino. Las cadenas laterales son necesarias para acción de la penicilina y se introducen biológica o químicamente. Las enzimas a las cuales corresponde la introducción de la cadena acílica lateral son relativamente poco específicas. Si se añade un exceso de ácido fenilacético al medio de producción, el hongo fabrica penicilina bencílica (penicilina G). Cambiando el ácido añadido al medio, pueden prepararse otras penicilinas substituidas. En esta forma se obtiene fenoximetilpenicilina (penicilina V).

Resistencia a la penicilina. El grupo fenoximetilo brinda mayor protección contra la hidrólisis ácida del anillo β-lactámico de cuatro elementos a nivel del estómago. La hidrólisis del anillo lactámico por enzimas, las penicilinasas, que producen las bacterias, es la base de la mayor parte de resistencia a la penicilina por cepas de especies por lo demás susceptibles. Los estafilococos son ejemplos clásicos de cómo el tratamiento penicilínico puede suprimir cepas penicilinasa-negativas para permitir que dominen el ambiente las cepas penicilinasa-positivas. Las cepas de *Staphylococcus aureus* resistentes a la penicilina eran raras cuando se introdujo en terapéutica la penicilina, pero en el curso de los años la selección ha producido poblaciones con una elevada frecuencia de cepas penicilinasa-positivas.

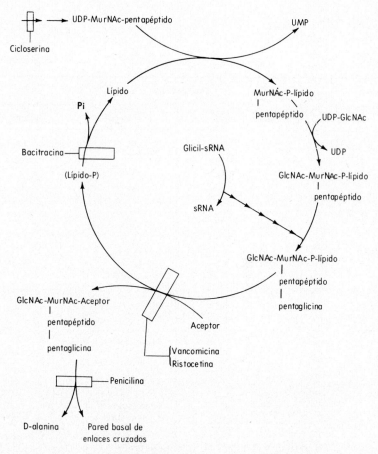

FIG. 5-3. Lugares de inhibición de la síntesis de peptidoglicanos. (Según Davis y col., *Microbiology,* 1967, cortesía de Harper & Row; de Matsuhashi y colaboradores.)

Los estudios sobre especificidad de penicilinasas sugirieron la posibilidad de que, modificando cadenas laterales acílicas inducidas naturalmente, pudieran obtenerse penicilinas resistentes a la penicilinasa. Los intentos para suprimir la cadena lateral de las penicilinas naturales por hidrólisis también hidrolizaban el anillo β-lactámico esencial, e inactivaban la molécula. Se lograron dos soluciones para este problema. Una fue el descubrimiento de que el medio para producir penicilina podía modificarse de manera que solo se produjera y se aislara ácido 6-aminopenicilánico sin cadena lateral. Luego podían añadirse cadenas laterales por labor

química. Además, se descubrieron enzimas microbianas, amidasas, que rompían las cadenas laterales preexistentes de las penicilinas de origen natural. Estas se emplearon para la obtención de ácido 6-aminopenicilánico a partir de penicilinas naturales, para introducción química de nuevas cadenas naturales.

Penicilinas semisintéticas. Gracias a estos métodos se han obtenido varias penicilinas semisintéticas muy útiles. La introducción de grupos acílicos voluminosos logra resistencia a la penicilinasa. Estos grupos se introducen haciendo reaccionar cloruros de acilo adecuados con ácido 6-aminopeni-

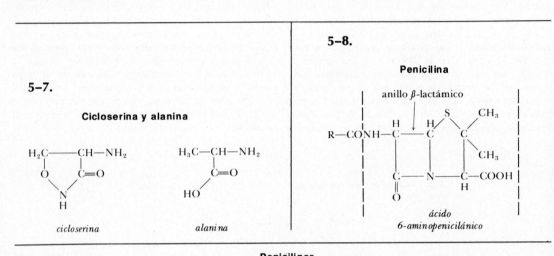

5–7.

Cicloserina y alanina

cicloserina   alanina

5–8.

Penicilina

anillo β-lactámico

ácido
6-aminopenicilánico

Penicilinas

Penicilina	Grupo prostético (R)	Penicilina	Grupo prostético (R)
Ampicilina		Nafcilina	
Bencílica (penicilina G)			
Cloxacilina		Oxacilina	
Dicloxacilina		Feneticilina	
Meticilina		Fenoximetilo (penicilina V)	
Metiltioalil (penicilina O)	$CH_2=CH-CH_2-S-CH_2-$	Quincilina	

Penicilinas semisintéticas *

Nombre genérico	Cadena lateral
Resistentes a la penicilinasa	
Ancilina	2-bifenil-
Cloxacilina	3-(2-clorofenil)-5-metil-4-isoxazoil-
Dicloxacilina	3-(2,6-diclorefenil)-5-metil-4-isoxazoil
Meticilina	6,2',6-dimetoxibenzamido
Nafcilina	2 etoxi-1-naftamido
Oxacilina	6-(3'-fenil-5-metil-isoxazol-4'-carboxamido
Quinacilina	3-carboxiquinoxalina-2-il
De amplio espectro	
Adicilina	ácido D-α-amino-adípico
Ampicilina	6-(D-[—]α-aminofenil-acetamido-
Carbenicilina	α-carboxibenzyl-6-solio
Hetacilina	2,2-dimetil-5-oxo-4-fenil-1-imidoazolidinil-

* Modificado de Grollman y Grollman.[8]

cilánico. Otra ventaja de las penicilinas semisintéticas es la construcción de penicilinas con espectros antibióticos más amplics. La penicilina G, la más utilizada, resulta mucho más activa contra gérmenes grampositivos que gramnegativos. La ampicilina, una penicilina semisintética con un grupo alfa-aminobencilo en lugar de un grupo bencílico, es mucho más activa contra bacterias gramnegativas que la penicilina G. Sin embargo, la ampicilina no resiste a la penicilinasa. En la tabla que acompaña presentamos penicilinas semisintéticas resistente a la penicilinasa, de amplio espectro; algunas estructuras se detallan en 5-8.

Otro empleo de la técnica semisintética es la construcción de un antibiótico útil a partir del antibiótico casi inactivo cefalosporina C. La cefalosporina C es producida por un hongo Cephalosporium, y tiene estructura y modo de acción similares a los de la penicilina, pero carece de la potencia de esta. La substitución química de las cadenas laterales de cefalosporina C permitió producir un compuesto útil, la cefalotina (ver 5-9). Aunque limitada por tenerse que inyectar, la cefalotina tiene un amplio espectro de actividad, resiste a la penicilinasa, y no provoca reacciones alérgicas en pacientes sensibles a la penicilina.

Otros inhibidores de la síntesis de la pared celular. La vancomicina y la ristocetina son producidas por actinomicetos y parecen ser compuestos similares, pero sus estructuras no son bien conocidas. Están formadas por aminoácidos y azúcares. La bacitracina es producida por una cepa de *Bacillus subtilis*. Es una mezcla de polipéptidos cíclicos formados por aminoácidos D y L (ver 5-10). la novobiocina es producida por un actinomiceto. Su estructura se indica en 5-11.

5-9.

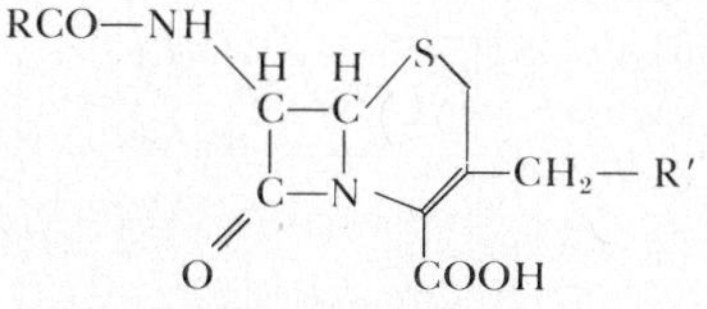

núcleo de cefalosporina

Cefalosporinas

Cefalosporina	RCO	R'
Cefalosporina C	H_3N^+ $\diagdown$CH(CH$_3$)$_3$·CO $^-OOC\diagup$	OCOCH$_3$
Cefalotina	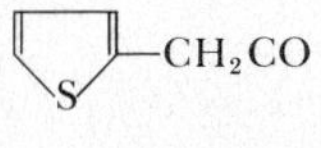 [tiofeno]-CH$_2$CO	OCOCH$_3$

Además de inhibir la síntesis de peptidoglicano, vancomicina y ristocetina pueden inhibir otros aspectos del metabolismo. Se ha comprobado que la bacitracina y la novobiocina también inhiben algo más que la síntesis de peptidoglicano. Hay motivos para creer que la vancomicina y la bacitracina perturban la integridad de la membrana bacteriana; un aspecto de la rotura estructural y la supresión de función de la membrana puede ser la inhibición de la síntesis de peptidoglicano. No hay necesidad de que las inhibiciones por antibióticos se limiten a efectos sobre zonas aisladas o reacciones enzimáticas específicas.

La novobiocina es el único inhibidor de la síntesis de pared celular que es bacteriostático o solo muy lentamente bactericida. Este último hecho no se contradice con el modo de ataque de los inhibidores de la síntesis de peptidoglicano, porque la novobiocina también parece inhibir la síntesis de DNA y RNA. Por lo tanto, la novobiocina inhibiría indirectamente la síntesis de proteína, que se sabe es necesaria para la acción bactericida de la penicilina. En comparación con las penicilinas, estos otros inhibidores de la síntesis de peptidoglicano son de valor práctico más limitado por la toxicidad para el huésped, por los espectros de acción limitados, o por ambas causas.

INHIBIDORES DE LA SINTESIS DE PROTEINA

Hay diversos antibióticos que se ha comprobado son inhibidores de la síntesis de proteína. La síntesis de proteína es un proceso complejo en cadena que tiene lugar a nivel de los ribosomas de la célula. Para situar los antibióticos en sus lugares respectivos de inhibición, es útil empezar resumiendo el proceso de la síntesis proteínica.

Para síntesis de proteína, los ribosomas necesitan los siguientes materiales:

1) RNA mensajero (mRNA) para especificar la proteína que va a fabricarse.
2) RNA de transferencia (tRNA):
   a) Formil-metionil-tRNA (fmet-tRNA) para reconocer el codón de iniciación AUG en el mRNA.
   b) Amino-acil-tRNA (AA-tRNA) para reconocer los codones para los aminoácidos especificados por mRNA.
3) Trifosfato de guanosina (GTP) y factores proteínicos solubles para ayudar a unir los componentes necesarios al ribosoma, y mover etapas intermedias del proceso de ensamble de uno a otro lugar.

El ribosoma es peculiar por cuanto lleva a cabo el ensamble y el desensamble cuando participa en la manufactura de una proteína. Hay dos subunidades del ribosoma procariótico, una subunidad 30 S y una 50 S (ver capítulo 2). Se reunen (ribosoma 70 S) cuando se fabrica la proteína a partir de la plantilla de mRNA, y se separan cuando el proceso ha terminado. Las subunidades individuales tienen funciones específicas e integradas en la síntesis de proteínas. La síntesis de proteína puede dividirse en cinco etapas:

1) La iniciación incluye la subunidad 30 S, mRNA, fmet-tRNA, GTP y factores proteínicos. Después de unirse mRNA y fmet-tRNA a la unidad 30 S, tiene lugar la combinación con 50 S.
2) El reconocimiento del codón incluye la unidad 70 S, GTP y factores proteínicos, y permite la fijación de los AA-tRNA ordenadamente en un lugar específico del ribosoma.

5–10.

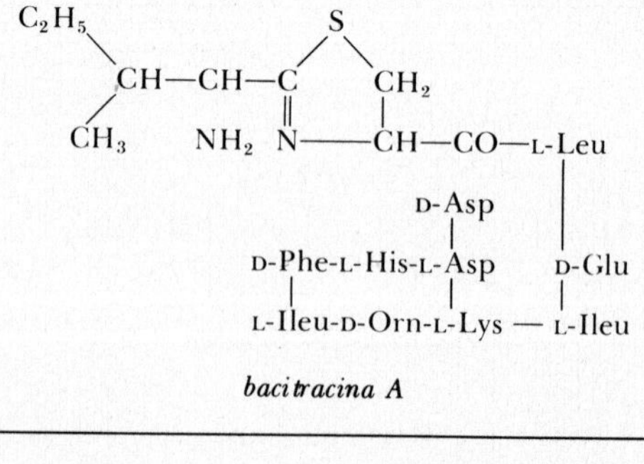

bacitracina A

5–11.

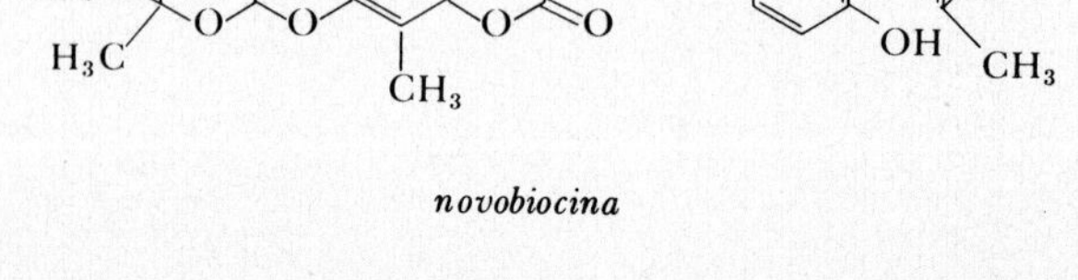

novobiocina

Inhibidores de la síntesis de proteína *

30 S† 40 S)§	50 S† (60 S)§	
Aminoglucósidos	Cloramfenicol	
Estreptomicina		
Dihidroestreptomicina	Macrólidos	
Paromomicina	Niddamicina	
Neomicina	Carbomicina	
Kanamicina	Espiramicina III	
Gentamicina	Tilosina	
Bluensomicina	Leucomicina	
Espectinomicina	Eritromicina	
Kasugamicina	Calcomicina	
	Oleandomicina	
	Lancamicina	
	Metimicina	
Tetraciclinas		
Clorotetraciclina	Lincomicina	
Edeína	Grupo A de la estreptogramina	
Edeína A	Osteogricina A	
Edeína B	Sinergistina A (PA114A)	PROCARIOTOS
	Mikamicina A	
	Vernamicina A	
	Estreptogramina A	
	Grupo B de la estreptogramina	
	Osteogricina B	
	Sinergistina B (PA114B), etc.	
	Viridogriseína (etamicina)	
	Grupo de la tiostreptona	
	Tiostreptona	
	(briamicina, tiactina)	
	Siomicina A	
	(esporangiomicina, A-59)	
	Micrococina	
Pactamicina	Puromicina	
Acido aurintricarboxílico	4-aminohexosa	
	Nucleósidos de pirimidina	
	Gougerotina	AMBOS
	Amicetina	
	Blasticidina S	
	Plicacetina	
	Bamicetina	
	Esparsomicina	
	Glutarimidas	
	Cicloheximida	
	(actidiona)	
	Acetoxicicloheximida	
	Estreptovitacina A	EUCARIOTAS
	Alcaloides de ipecacuana	
	Emetina	

* Adaptado de Pestka.[19]
§ Subunidad procariótico.
‡ Subunidad eucariótico.

Efecto de antibióticos sobre las etapas de síntesis de proteína *

Antibiótico	Iniciación	Reconocimiento de codón	Transpeptidación	Translocación	Terminación
Estreptomicina	+	+	—	+	
Tetraciclinas	—	+	—	+	+
Cloramfenicol	—	—	+	+	—
Eritromicina	—		+	+	

* Adaptado de Pestka,[19] $+$ = inhibición; $-$ = sin efecto; ausencia de signo = efecto desconocido.

3) La transpeptidación forma enlaces peptídicos entre el fmet-tRNA iniciador y el segundo AA-tRNA, y luego sigue la línea con todos los AA-tRNA ordenadamente.
4) La translocación incluye el movimiento del primer peptidil-tRNA y todos los peptidilos-tRNA intermedios al lugar de fmet-tRNA. Esto libera el lugar de reconocimiento del codón interno para reconocer el siguiente AA-tRNA.
5) Para terminar, viene el reconocimiento de un codón de terminación, UAA. Luego factores de liberación pueden soltar la proteína y mRNA y disociar la unidad 70 S en unidades 50 S y 30 S.

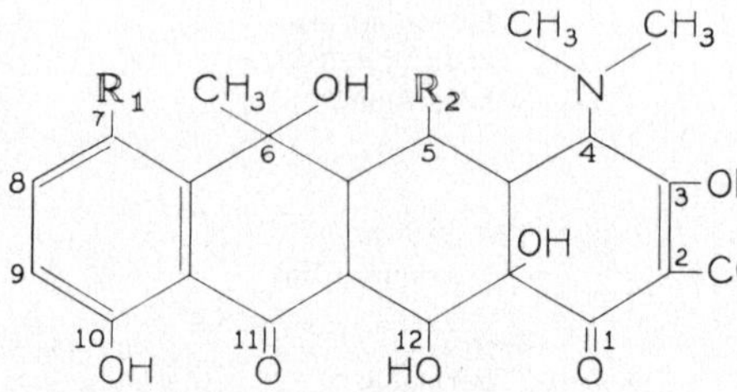

El cuadro que acompaña indica que una gran variedad de antibióticos inhiben la síntesis de proteína en procariotos, eucariotos, o ambos. El cuadro también muestra si funciones atribuibles a la subunidad 30 S o 50 S son inhibidas. Los inhibidores de valor práctico para tratar infecciones bacterianas evidentemente son los que afectan solo los procariotos. De ellos, los aminoglucósidos, tetraciclinas, cloramfenicol, y los macrólidos, son probablemente los quimioterápicos más útiles. Se han estudiado inhibidores en diversas formas, para localizar sus efectos sobre etapas específicas en la síntesis de proteína. Los efectos de los antibióticos más útiles se resumen en el cuadro que acompaña. Como puede verse, de ordinario los efectos son múltiples, como era lógico esperar dada la complejidad de la síntesis proteínica.

Aminoglucósidos. El antibiótico más importante del grupo aminoglucósido (ver 5-12) es la estreptomicina. La kanamicina y la neomicina son otros aminoglucósidos útiles. Estos antibióticos de actinomiceto tienen en común una porción estreptamina o desoxiestreptamina. Azúcares raros o aminoazúcares están unidos en forma glucosídica a la estreptamina o la desoxiestreptamina. Estreptomicina, neomicina y kanamicina son bactericidas. Todas se fijan en forma irreversible con subunidades 30 S y provocan los efectos señalados en el cuadro anterior.

La estreptomicina es eficaz contra diversas bacterias gramnegativas, enterococos grampositivos, y bacilo tuberculoso. La kanamicina y la neomicina tienen espectros antibacterianos más amplios, pero son más tóxicos que la estreptomicina; la neomicina es el más tóxico de los tres aminoglucósidos. Sin embargo, tiene mayor significación práctica el hecho de que las bacterias que desarrollan re-

FIG. 5-4. Fórmula estructural y sistema de numeración del núcleo tetraciclina. En la clorotetraciclina R_1 = Cl, y R_2 = H; en la oxitetraciclina R_1 = H y R_2 = OH; en la tetraciclina ambos, R_1 y R_2 = H. La desmetilclorotetraciclina se parece a la clorotetraciclina, pero carece del grupo CH_3 en C-6. En la doxiciclina, R_1 = H, R_2 = OH, y H substituye al OH en C-6. (Grollman y Grollman.8)

sistencia a un aminoglucósido suelen seguir siendo sensibles a la inhibición por uno de los demás.

Tetraciclinas. Las tetraciclinas de amplio espectro (ver la figura adjunta) interactúan con subunidades 30 S. Sin embargo, en contraste con la estreptomicina, las tetraciclinas son bacteriostáticas, no bactericidas. Su principal lugar de inhibición en la síntesis de la proteína es la inhibición de la fijación AA-tRNA a la subunidad 30 S.

Se conocen diversas tetraciclinas, todas ellas con estructuras muy similares y producidas por Streptomyces. Todas tienen los mismos espectros antibacterianos amplios, y el desarrollo de resistencia bacteriana para una significa resistencia para todas las tetraciclinas. Sin embargo, hay algunas diferencias en la estabilidad de las diversas tetraciclinas, y posiblemente otras diferencias menores de ritmo de absorción y eliminación.

Otros inhibidores de la síntesis proteínica. El cloramfenicol (ver 5-13) es otro antibiótico bacteriostático de amplio espectro, pero afecta la subunidad 50 S más bien que la 30 S, e inhibe la transpeptidación. Aunque aislado originalmente como producto de Streptomyces, ahora se obtiene por síntesis química. El cloramfenicol puede provocar graves discrasias sanguíneas.

Los macrólidos también actúan sobre la subunidad 50 S. La eritromicina (ver 5-14) es el agente terapéutico de mayor importancia práctica en este grupo de antibióticos. Los macrólidos contienen típicamente grandes anillos de lactona (macrólidos)

5–12.

Aminoglucósidos

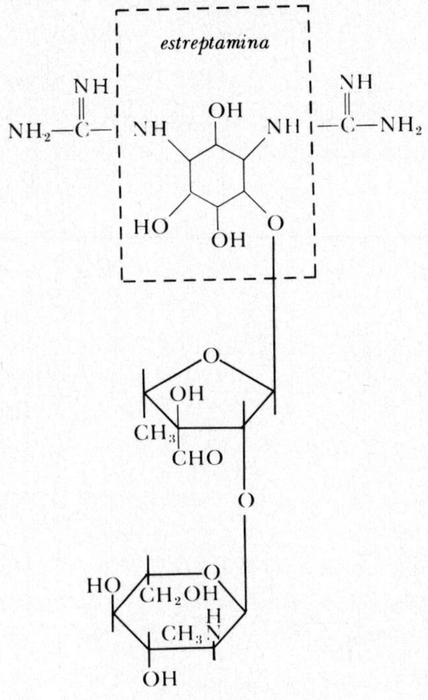

estreptamina

estreptomicina

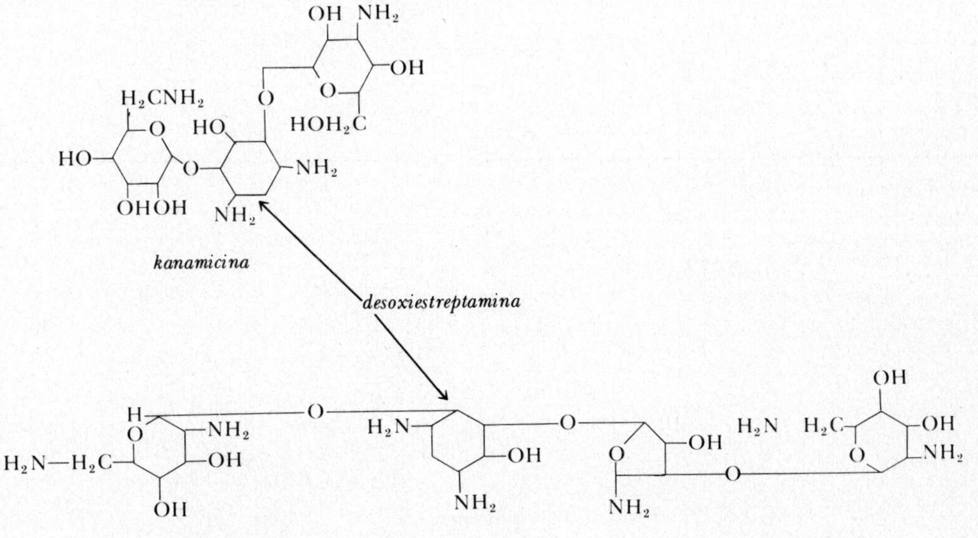

kanamicina

desoxiestreptamina

neomicina B

5–13.

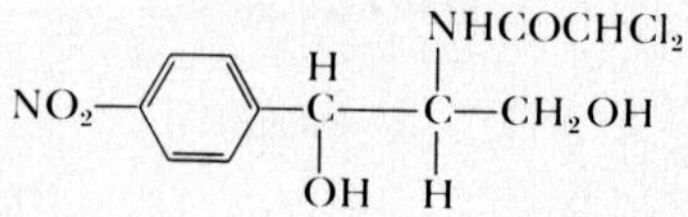

$$NO_2 \text{—} \bigcirc \text{—} \underset{\underset{OH}{|}}{\overset{\overset{H}{|}}{C}} \text{—} \underset{\underset{H}{|}}{\overset{\overset{NHCOCHCl_2}{|}}{C}} \text{—} CH_2OH$$

cloramfenicol

5–14.

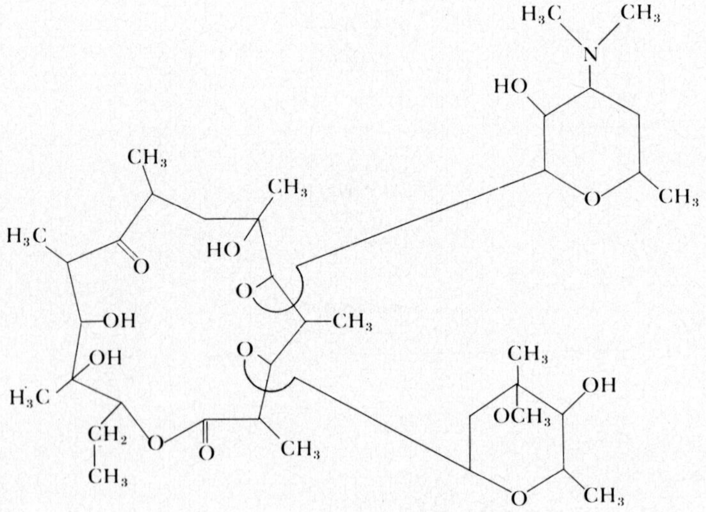

eritromicina

5–15.

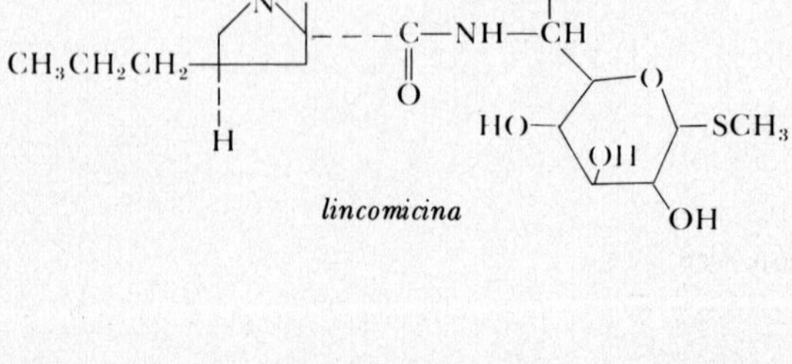

lincomicina

5-16.

Rifamicinas

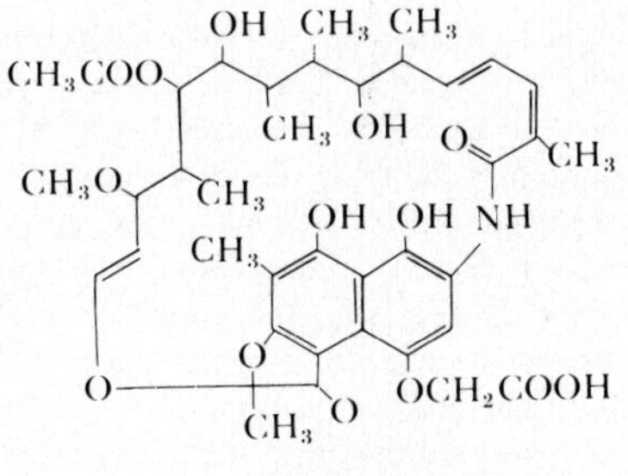

rifamicina B

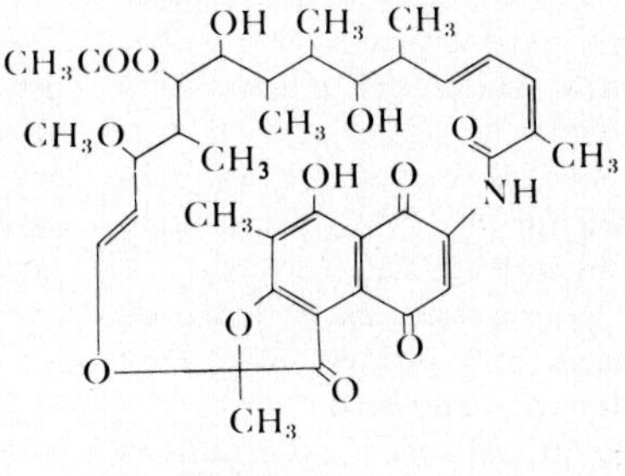

rifamicina S

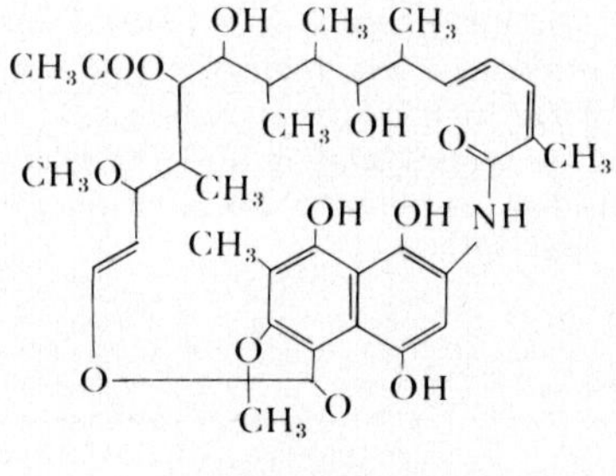

rifamicina SV

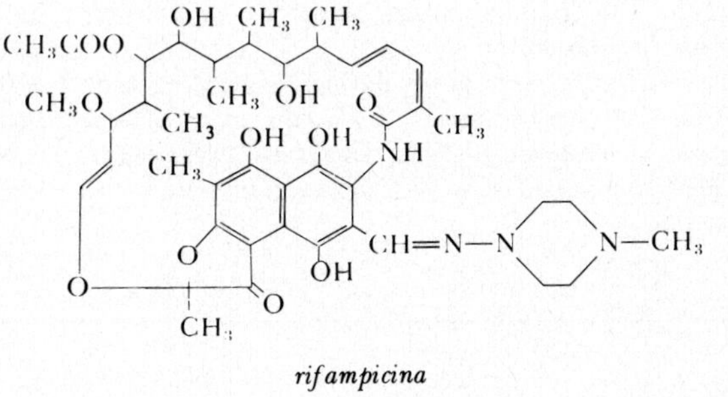

rifampicina

---

unidos en forma glucosídica con azúcares o dimetilaminoazúcares. Los macrólidos son producidos por actinomicetos. La eritromicina inhibe la transpeptidación y la translocación. Los macrólidos son bacteriostáticos con concentraciones cercanas al mínimo necesario para inhibir el crecimiento, pero son bactericidas a concentraciones 10 veces mayores. Las bacterias grampositivas son sensibles a los macrólidos; las gramnegativas son insensibles por su impermeabilidad.

La lincomicina (ver **5-15**) es otro antibiótico de actinomiceto con un espectro antibacteriano similar al de los macrólidos, pero con una estructura totalmente diferente. La lincomicina puede actuar por interferencia con la fijación de mRNA a los ribosomas, inhibiendo la iniciación, o por ambos mecanismos.

INHIBIDORES DE LA FUNCION DEL ACIDO NUCLEICO

Se conocen antibióticos que inhiben la función del ácido nucleico en una de estas tres formas:

1) Interacción con plantillas de DNA, a veces de RNA, que provocan interferencia con la transcripción o la producción de réplicas.
2) Interacción con polimerasas que intervienen en la transcripción o replicación.
3) Algunos antibióticos de nucleósidos son análogos a los componentes del ácido nucleico; interfieren con la síntesis de este, o se incorporan a un ácilo nucleico alterando su estructura y su función.

La actinomicina y la mitomicina son ejemplos del tipo 1, la rifamicina y la estreptovaricina son ejemplos del tipo 2, y el arabinósido de citosina es un ejemplo de tipo 3. Los únicos agentes quimioterápicos importantes son del tipo 2, porque son los únicos que resultan selectivamente tóxicos para bacterias.

Rifamicinas. Son productos de actinomicetos (ver **5-16**). La rifamicina B, la primera rifamicina aislada, no tiene actividad antibacteriana. Sin embargo, es desintegrada rápidamente en rifamicina S, antibiótico muy potente que se forma por oxidación e hidrólisis de la rifamicina B. La rifamicina S también puede reducirse fácilmente a rifamicina SV. Como estos antibióticos no pueden administrarse por vía bucal, se han preparado derivados que son activos por la boca y aumentan mucho la actividad clínica de las rifamicinas. Rifampina es el nombre genético usado en Estados Unidos de Norteamérica y rifampicina el nombre genérico utilizado en otras partes del mundo para los derivados más frecuentes.

Las rifamicinas inhiben específicamente la polimerasa de RNA dependiente de DNA, bloqueando la iniciación de la síntesis de RNA. La droga se fija fuertemente a las polimerasas bacterianas, en concentraciones muy bajas que carecen de acción sobre las polimerasas de los mamíferos.

Las rifamicinas contienen un anillo naftoquinona o naftohidroquinona, ampliado por un gran puente alifático. Las estreptovaricinas, las tolipomicinas y la geldanamicina son otros antibióticos que poseen sistemas de anillos aromáticos ampliados por un puente alifático. Todos estos compuestos se denominan compuestos ansa, y se ha propuesto que todo el grupo de antibióticos se llame ansamicinas. Las estreptovaricinas y los tolipomicinas también inhiben la iniciación de la polimerización de RNA, y se fijan al mismo lugar de la polimerasa que la rifamicina.

Las rifamicinas son particularmente eficaces contra bacterias grampositivas y bacilo tuberculoso. Neisseria y Hemophilus son bacterias gramnegativas particularmente sensibles a la rifamicina.

ANTIBIOTICOS QUE PROVOCAN LESIONES DE LA MEMBRANA

Algunos antibióticos polipéptidos [2] producidos por miembros del género Bacillus parece que actúan matando las bacterias principalmente al lesionar la membrana y destruir la barrera de la permeabilidad celular. La tirotricina, una mezcla de gramicidina (ver 5-17) y tirocidina, así como la polimixina (ver 5-17), son los ejemplos principales de este tipo de agente quimioterápico. Todos los antibióticos bacterianos polipéptidos, incluyendo la bacitracina (que inhibe la síntesis de peptidoglicano), son tóxicos para el ser humano; por lo tanto, se utilizan principalmente en forma local. La tirotricina y la bacitracina son eficaces contra las bacterias grampositivas; la polimixina es eficaz contra infecciones por bacterias gramnegativas. Es frecuente utilizarla en aplicaciones tópicas, como pomadas preparadas con una mezcla de algunos de estos antibióticos tóxicos; por ejemplo, bacitracina, polimixina y neomicina, para lograr una combinación con amplio espectro de actividad. Empleando estos antibióticos más tóxicos, cuando sus propiedades tóxicas tienen poca importancia para el paciente, puede reducirse al mínimo la selección de cepas bacterianas resistentes a los antibióticos menos tóxicos (y más útiles).

5–17.

Antibióticos polipéptidos

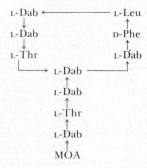

$$NH_2CH_2CH_2CH(NH_2)CO_2H$$
$\alpha, \gamma\text{-}diaminobutirato$ (Dab)

$$CH_3CH_2CH(CH_2)_4CO_2H$$
$$\underset{\displaystyle CH_3}{|}$$
ácido 6-metiloctanoico (MOA)

Polimixina B

HCO—Val—Gly—Ala—D-Leu—Ala—D-Val—Val—D-Val—Try—

D-Leu—Try—D-Leu—Try—D-Leu—Try—NH—CH$_2$—CH$_2$—OH

gramicidina A

5-18.

Isoniacida y análogos

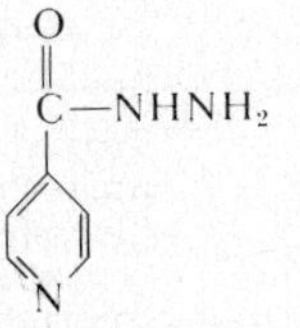

isoniacida 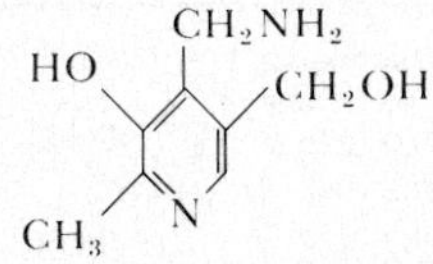   *piridoxamina* 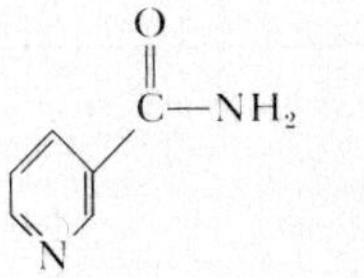   *nicotinamida*

5-19.

Nitrofuranos

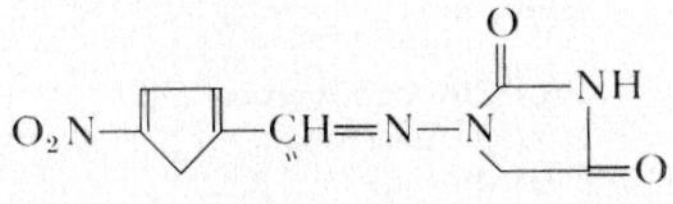

nitrofurantoína

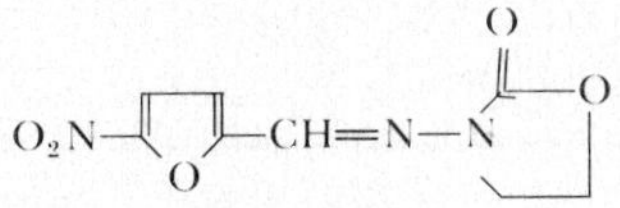

furazolidona

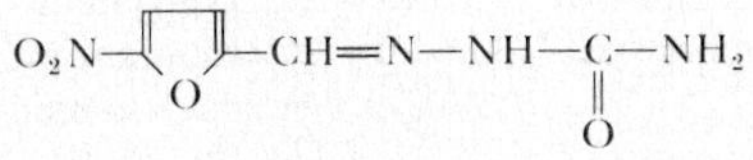

nitrofurazona

OTROS CON MODO DE ACCION DESCONOCIDA

Isoniacida. La isoniacida (hidracida del ácido isonicotínico) es eficaz para tratar la tuberculosis, pero su modo de acción no es bien conocido. Este producto sintético se parece a la nicotinamida y a la piridoxamina (ver **5-18**) En contraste con los inhibidores del ácido fólico, es bactericida. Las enzimas que incorporan nicotinamida en el dinucleótido de adenina y nicotinamida también pueden constituir análogos de la isoniacida (la isoniacida también inhibe enzimas que requieren fosfato de piridoxal como coenzima). No sabemos si la interferencia con la función del nucleótido de piridina, las enzimas de fosfato de piridoxal, o ambos, sea la causa de la acción mortal de la isoniacida. Puede ocurrir que el lugar de acción importante todavía no lo conozcamos. Tampoco está claro el motivo de la acción selectiva de la isoniacida por el bacilo tuberculoso y no por otras bacterias.

Nitrofuranos. Se sabe desde hace tiempo que el furfural y compuestos similares poseen actividad antibacteriana. La actividad está muy aumentada si

se substituye un grupo nitro en posición 5, y se han preparado muchos derivados por substitución de diversas cadenas laterales en posición 2 (ver **5-19**). El primero de los que demostraron utilidad como quimioterápico sintético fue la semicarbazona del 5-nitro-2-furaldehido o nitrofurazona (Furacina). Otros nitrofuranos incluyen *N*-(5-nitro-2-furfurilideno)-1-amino hidantoína, o nitrofurantoína (Furadantina) y *N*-(5-nitro-2-furfurilideno)-3-amino-3-oxalolidona, o furazolidona (Furoxona). En conjunto, estos compuestos tienen un espectro antimicrobiano amplio, afectan diversos hongos y protozoos, así como bacterias. La nitrofurazona se ha utilizado en aplicación tópica en el hombre para tratar quemaduras, etc. La nitrofurantoína es eliminada con la orina después de administración bucal; constituye un quimioterápico eficaz para infecciones de vías urinarias. La furazolidona persiste en el tubo digestivo después de la administración bucal, y se utiliza para tratar infecciones entéricas de etiología bacteriana como Salmonella y Shigella, y también como tricomonacida. Este y otros nitrofuranos también se utilizan en el tratamiento de diversas infecciones de animales domés-

Quimioterápicos más probablemente eficaces en infecciones bacterianas comunes *

Especie bacteriana	Droga de primera elección	Droga de segunda elección
Aerobacter	Kanamicina	Tetraciclina, estreptomicina
Bacteroides	Tetraciclina	Ampicilina, cloramfenicol
Brucela	Tetraciclina	Cloramfenicol
Clostridium tetani	Penicilina G	Cefalosporina, eritromicina
Diplococcus pneumoniae	Penicilina G	Eritromicina, cefalosporina
Pasteurella tularensis	Estreptomicina	Tetraciclina
Hemophilus influenzae	Ampicilina	Tetraciclina, cefalosporina
Klebsiella pneumoniae	Cefalosporina	Kanamicina, polimixina, cloramfenicol
Neisseria gonorrhoeae	Penicilina G	Eritromicina, tetraciclina
Neisseria meningitidis	Penicilina G	Sulfamídicos, tetraciclina
Proteus mirabilis	Ampicilina	Kanamicina, cefalosporina
y otras especies	Kanamicina	Tetraciclina
Pseudomonas aeruginosa	Polimixina	Gentamicina
Salmonella	Cloramfenicol	Ampicilina
Shigella	Ampicilina	Tetraciclina
Staphylococcus aureus		
Productores de penicilinasa	Penicilinas resistentes a la penicilinasa	Cefalosporina, eritromicina, lincomicina, vancomicina
No productores de penicilinasa	Penicilina G	Penicilinas semisintéticas
Streptococcus pyogenes, grupos A, B, C y G	Penicilina G	Cefalosporina, eritromicina
Treponema pallillum	Penicilina G	Eritromicina, tetraciclina

* Según Grollman y Grollman.[8]

ticos. Los datos existentes sugieren que los nitrofuranos ejercen la actividad inhibidora oxidando el ácido pirúvico.

APLICACION DE LOS AGENTES QUIMIOTERAPICOS

La actividad antimicrobiana de los quimioterápicos (no solo los antibióticos, sino también compuestos sintéticos como los sulfamídicos y el ácido p-aminosalicílico) se valoran por pruebas de inhibición de crecimiento. A la inversa, la sensibilidad relativa de diversas cepas y tipos de microorganismo se determina empleando concentraciones estándar de tales substancias. En el cuadro adjunto resumimos los agentes quimioterápicos eficaces en infecciones bacterianas comunes.

Valoración de actividad. Los métodos de valoración son de dos tipos generales: el método del tubo y el método del disco. En el primero se preparan diluciones seriadas de la substancia en un medio de cultivo líquido estándar, y los tubos (o frascos) con medio de cultivo se siembran con un número constante de bacterias, se incuban y y se examinan buscando el crecimiento. Así se mide la actividad por la menor cantidad de la substancia activa que impide el crecimiento en las condiciones especificadas. Cuando procede efectuar un número elevado de pruebas, como en la valoración sistemática de sensibilidad bacteriana, este método consume mucho tiempo. El llamado método del disco se basa en la observación original de una zona

de crecimiento inhibido rodeando una colonia de microorganismos productores de antibióticos, que están creciendo en forma continua en la superficie de un medio de agar.

El primer método creado consistía en colocar verticalmente pequeños cilindros esterilizados de cerámica o de vidrio sobre la superficie del medio con agar inoculado uniformemente, y poniendo con pipeta en cada uno de ellos diluciones seriadas de la substancia problema. La actividad difunde hacia afuera y produce una zona de inhibición de crecimiento. La actividad de la preparación puede determinarse comparándola con la zona de inhibición de crecimiento producida por una solución estándar. En una placa de Petri usual pueden disponerse seis cilindros sin que se superpongan las zonas de inhibición. El estándar en el cual se basa las valoraciones se determinan arbitrariamente. Por ejemplo, la actividad de la penicilina se definió originalmente como la unidad Oxford, empleando una cepa estándar de estafilococo como microorganismo de prueba. Esta fue substituida por la unidad internacional que es aproximadamente igual a la unidad Oxford; el preparado estándar es uno de penicilina G sódica cristalina. Una UI equivale a 0.6 μg de penicilina G sódica. Un mg del estándar contiene 1 670 UI. En forma similar, se define arbitrariamente la UI de otros antibióticos. La penicilina G se prescribe por el número de UI, pero todos los demás antibióticos se prescriben ya señalando solo el peso.

Este tipo de valoración no se limita a la medición de la actividad de substancias quimioterápicas;

Porcentajes de microorganismos representativos aislados de procesos infecciosos sensibles a antibióticos *

| Microorganismo | | Antibióticos | | | | | | | | | | | |
Tipo	Número de cepas	Ampicilina	Cefalotinas	Cloramfenicol	Colistina	Eritromicina	Furadantina	Kanamicina	Novobiocina	Penicilina	Estreptomicina	Sulfamídicos	Tetraciclinas
Estreptococo													
Staph. aureus	472	34	99	94	3	81	81	65	93	41	91	62	45
Staph. albus	37	62	100	81	0	88	94	90	100	57	14	49	54
Streptococo													
Str. faecalis	719	47	37	81	1	77	66	10	14	76	1	0	11
Beta-hem. strep.	144	80	95	91	11	98	84	23	60	88	3	10	48
Non-hem. strep.	31	97	90	97	8	93	84	38	65	87	32	29	71
Alpha-hem. strep.	69	87	90	91	0	98	78	50	64	91	21	30	52
Diplococcus pneumoniae	18	100	100	94	0	100	100	50	100	100	100	83	89
Hemophilus influenzae	10	90	50	100	100	100	100	100	90	100	80	80	80
Neisseria gonorrhoeae	10	80	100	100	0	100	100	0	100	100	60	100	100
Escherichia coli	1 462	49	67	88	94	0.4	84	71	0.7	0	14	71	4
Klebsiella-Aerobacter	729	9	50	82	91	0	38	65	0	0	12	67	5
Citrobacter	63	11	23	37	82	0	76	86	0	0	3	24	0
Proteus mirabilis	370	89	78	87	3	0	5	88	26	11	43	84	0
Proteus rettgeri	26	8	8	23	12	0	6	86	8	0	8	23	0
Proteus morgani	52	33	23	78	4	0	6	89	10	8	42	35	13
Proteus vulgaris	12	0	16	58	9	0	8	80	25	0	41	50	0
Pseudomonas aeruginosa	309	1	3	15	79	0	2	6	3	0	2	65	1
Pseudomonas especies	111	5	14	20	72	5	3	32	5	3	9	44	2

* Los organismos son de los primeros 400 estudiados cada mes, de julio de 1966 a junio de 1967 inclusive, en el Laboratorio de Microbiología Clínica de los Hospitales y Clínicas de la Universidad de Chicago. Los porcentajes que aquí se presentan son de gérmenes considerados sensibles o moderadamente sensibles, con zonas de inhibición de 18 mm o más de diámetro (11 mm para cefalotina), con las concentraciones elevadas en la prueba del disco. Estos datos no son necesariamente característicos de infecciones fuera de los hospitales, las de otros hospitales, o del mismo hospital en otros momentos. (Reunido por el Dr. R. S. Benham y Miss Isabelle Havens.)

se ha aplicado también a otras substancias antimicrobianas, como los compuestos de amonio cuaternario. En contraste con valoraciones del tipo del coeficiente fenol, no depende del punto final de esterilidad, y mide más bien la inhibición del crecimiento que la actividad letal.

Pruebas de sensibilidad. La gran mayoría de estas valoraciones se dirigen a medir la sensibilidad de microorganismos aislados de procesos patológicos, como guía para una quimioterapia eficaz. Aunque pueden establecerse ciertas generalizaciones, por ejemplo, que las bacterias grampositivas son sensibles a la penicilina, y las gramnegativas, con algunas excepciones, no lo son, y que ocurre a la inversa con la estreptomicina, no cabe fiar mucho en estas pruebas por dos motivos. En primer lugar, las bacterias pueden volverse resistentes al quimioterápico, de manera que la sensibilidad de una cepa determinada puede no ser previsible con seguridad absoluta. En segundo lugar, algunos tipos de bacterias, como estreptococos α-hemolíticos, varían mucho de una cepa a otra en cuanto a sensibilidad a los quimioterápicos antibacterianos. Por lo tanto, las pruebas de sensibilidad empleando los gérmenes aislados han pasado a ser un complemento diagnóstico sistemático.

El espectro usual de un quimioterápico determinado suele derivarse de cultivos de bacterias conservadas, pero el que se observa con las bacterias aisladas del propio proceso infeccioso pueden diferir, generalmente por cuanto pueden descubrirse cepas resistentes a bacterias "normalmente" sensibles a un agente determinado. En general, tal variación es particularmente neta con gérmenes aislados de poblaciones de personas hospitalizadas, y tiende a guardar relación con los distintos tipos de quimioterápicos utilizados allí y la extensión y amplitud con la cual se han empleado. La utilidad de un quimioterápico determinado depende, pues, de diversos factores, y el espectro de su actividad se señala en forma más realista por las proporciones de cepas bacterianas que se descubre son suficientemente sensibles al producto para que tenga utilidad como agente terapéutico. Una ilustración de tal espectro de actividad en la práctica se da en el cuadro adjunto.

Prueba de sensibilidad diagnóstica. La prueba de sensibilidad aplicada con este fin se simplifica mucho utilizando discos de papel de filtro impregnados de concentraciones adecuadas de substancias quimioterápicas. Los discos se colocan sobre la superficie del medio de cultivo, en agar uniformemente inoculado con la bacteria de prueba. Hay diversas variaciones de este esquema, incluyendo las piezas de papel de filtro en forma de cresta de gallo que tienen las proyecciones impregnadas con diferentes substancias, las piezas circulares con proyecciones impregnadas hacia el centro, etc. En todo caso, suelen utilizarse dos concentraciones de las substancias antibacterianas, una concentración "alta" y una "baja". Por ejemplo, las concentraciones de

penicilina son de 10 y 1.5 unidades, de tetraciclina de 25 y 4 unidades, de eritromicina de 10 y 1 unidad, de estreptomicina de 100 y 10 μg. La concentración "alta" se intenta que se aproxime a las concentraciones sanguíneas máximas que puedan alcanzarse de la substancia, aunque esto no siempre resulta cierto. Por ejemplo, por motivos técnicos, la sensibilidad a la estreptomicina en terapéutica se comprueba mejor por las concentraciones indicadas, aunque en este caso la concentración sanguínea alcanzada se halle más cerca de 10 μg que de 100 μg por la toxicidad que representa para el huésped.

Después de la incubación, la prueba se lee según el diámetro en mm de las zonas de crecimiento inhibido, pero hay que utilizar buen juicio, pues las dimensiones de la zona de inhibición también son función del ritmo de difusión del producto activo en el medio de cultivo. Por ejemplo, un grado alto de sensibilidad queda indicado por una zona máxima de inhibición alrededor de la concentración "baja", aunque alrededor de la concentración "alta" quizá la zona inhibida no sea mayor como consecuencia del factor de difusión. Este método de valoración de la sensibilidad bacteriana se emplea mucho, y da rasultados muy uniformes, a pesar de su índole semicuantitativa.

Infecciones secundarias.[17] La flora microbiana del hombre, y de otros animales, es diversa; cuando se administra un antimicrobiano con fines terapéuticos hay inevitablemente un efecto secundario sobre la flora normal a consecuencia de la toxicidad selectiva del producto. La flora normal del hombre varía, hasta cierto punto, según los individuos, pero algunas especies de bacterias casi siempre pueden descubrirse en número mayor o menor en diversas partes del cuerpo. Por ejemplo, los anaerobios que no producen esporas dominan la flora del intestino grueso, y las bacterias coliformes casi siempre se descubren en pequeñas cantidades en el mismo medio. Los estafilococos casi siempre se hallan en la superficie de la piel. Diversos factores competitivos actúan para excluir especies "anormales" y conservar las relaciones cuantitativas entre las especies en una parte determinada del cuerpo. La introducción de agentes quimioterápicos activos puede romper el sistema ecológico normal. Las relaciones cuantitativas entre las especies pueden perturbarse, y especies excluidas naturalmente pueden establecerse como resultado de la pérdida de competencia biológica normal. Insistimos en que ciertas partes del cuerpo están totalmente abiertas al medio externo, y algunos de estos hábitats corporales normalmente contienen gran número de bacterias, por ejemplo la cavidad bucal, el intestino grueso y la piel.

Por lo tanto, la quimioterapia puede seleccionar infecciones secundarias que no guardan relación con la enfermedad para la cual se inició la terapéutica. Hay tres tipos de consecuencias más frecuentes. En primer lugar, moniliasis o candidiasis (capítulo 31) puede desarrollarse por proliferación del hongo C *albicans,* con consecuencias que van desde la irritación local a nivel de intestino, ano, o vagina, hasta una infección generalizada, a veces mortal, especialmente en niños pequeños. En segundo lugar, con inhibición selectiva de otros componentes de la flora intestinal, pueden predominar los estafilococos, muchas veces en formas resistentes, produciendo enfermedad diarreica, incluso toxemia estafilocócica mortal. En tercer lugar, cuando está netamente disminuido el crecimiento de la flora intestinal normal, pueden crecer libremente formas como Proteus y Pseudomonas, e invadir los tejidos produciendo infecciones de riñones o vejiga urinaria. Otros efectos pueden depender de una terapéutica antibiótica intensiva. Por ejemplo, la flora bacteriana de boca y garganta muchas veces se vuelve predominantemente de carácter coliforme, y no es raro observar en el laboratorio cultivos coliformes de garganta. Se cree por algunos autores que ciertas cepas de bacilos coliformes, especialmente formas hemolíticas, pueden producir cambios inflamatorios en la garganta.

El efecto global del empleo general de quimioterápicos se indica en los datos reunidos por el Boston City Hospital de 1935 a 1957.[6] Las infecciones estafilocócicas de sangre y meninges aumentaron mucho, y ha habido un enorme aumento coincidente de bacteriemias y meningitis causadas por bacilos gramnegativos como Proteus, Klebsiella (coliforme) y Pseudomonas. La mortalidad por bacteriemia disminuyó de 1935 a 1947, pero después aumentó rápidamente, hasta que en 1957 fue 50 por 100 mayor que en 1935.

Terapéutica combinada.[1] Dada la acción selectiva de substancias antimicrobianas, su administración combinada resultaba inevitable. Teóricamente las combinaciones podían ampliar la actividad antimicrobiana de la terapéutica en ausencia de un diagnóstico preciso del agente etiológico para tratar infecciones mixtas, reducir al mínimo infecciones secundarias que se producen durante una terapéutica intensiva, y disminuir las probabilidades del desarrollo de resistencia por el microorganismo (capítulo 6).

A pesar de las posibilidades teóricas, la terapéutica combinada ha tenido empleo práctico en muy pocas situaciones clínicas especiales. Esto probablemente dependa de lo siguiente: el desarrollo de antibióticos de amplio espectro que pueden utilizarse cuando resulta difícil el diagnóstico preciso, la mejoría de las técnicas diagnósticas, la interferencia y el antagonismo de drogas (ver luego) y la complejidad y las irregularidades del desarrollo de resistencia a los quimioterápicos en las bacterias. Cuando se introdujeron en terapéutica los antibióticos, se creyó que el desarrollo de resistencia sería una simple expresión de frecuencias de mutación natural. Así, si hay una frecuencia de mutación de 1×10^{-7} para resistencia a una droga A, y una frecuencia similar de mutación para una droga B, entonces la posibilidad del desarrollo de resistencia simultánea para ambas drogas es de 1×10^{-14}. La terapéutica combinada parece que tenía que poder eliminar el desarrollo de resistencia. Sin embargo, en muchos casos el desarrollo de resistencia es una selección de cepas resistentes que existen en poblaciones naturales, no una selección de mutantes de una población sensible. En las bacterias entéricas existen factores de resistencia o factores R. Estos contienen la información genética para la expresión de resistencia ante diversos antibióticos netamente diferentes (ver capítulo 6). El efecto práctico del empleo indiscriminado de terapéutica combinada, en el caso de las bacterias entéricas, puede ser la selección de cepas resistentes a diversos antibióticos. En el otro extremo de la escala, hay algunas bacterias, como neumococos y estreptococos, para las cuales la resistencia a un solo antibiótico, la penicilina, nunca ha tenido importancia de problema práctico.

Se han preparado combinaciones diversas, a veces mezclas, a veces compuestos. Entre las mezclas, la combinación de estreptomicina o isoniacida con ácido *p*-aminosalicílico se emplea casi sistemáticamente en el empleo de la tuberculosis. Esta, a veces, es una situación muy peculiar, por cuanto la enfermedad requiere terapéutica prolongada que favorece el desarrollo de resistencia bacteriana, y por la facilidad con la cual los bacilos se vuelven resistentes a la estreptomicina y, en menor grado, a la isoniacida. Otras combinaciones incluyen la adhesión de substancias antimicóticas a los antibióticos de amplio espectro, especialmente las tetraciclinas, para reducir al mínimo el crecimiento excesivo de los hongos durante la terapéutica.

Son compuestos de substancias antibacterianas los siguientes: sulfato de estreptomiciclideno-isonicotinil hidracida (Streptohidracida); Estreptobiono, una sal estable que contiene 48 por 100 de dihidroestreptomicina, 34 por 100 de isoniacida y 18 por 100 de ácido pirúvico; un compuesto de isoniacida y ácido *p*-aminosalicílico (Pasiniacide, Dipasic), etc. El valor de tales preparados no está comprobado.

Sinergia y antagonismo. Contrariamente a lo que cabría suponerse, el efecto de combinación de dos substancias demostrable con una sola especie de microorganismos susceptibles a las dos no es necesariamente aditivo. Este fenómeno ha sido estudiado por diversos investigadores, especialmente Jawetz y colaboradores,[13] y Klein y colaboradores.[14] Klein ha resumido el tipo de efecto producido por las combinaciones de drogas tanto in vitro como in vivo en la siguiente forma:

1) Un efecto sinérgico puede definirse como aquel en el cual la actividad de las dos drogas combinadas es mayor que la obtenida duplicando la concentración de una de ellas aisladamente.
2) Un efecto aditivo es aquel en el cual la actividad antibacteriana de la combinación es mayor que la de cada producto aisladamente, pero menor que la obtenida duplicando la concentración de cualquiera de ellos.
3) El efecto es de interferencia cuando la actividad bacteriana de las drogas combinadas no es mayor que la de cualquiera de los componentes aisladamente.
4) Se dice que dos drogas son antagonistas cuando la actividad bacteriana de la combinación es menor que la obtenida con cualquiera de los componentes aisladamente.

Se han observado efectos que pueden incluirse en una u otra de las categorías antes señaladas, mediante mezclas de sulfamídicos con antibióticos, y mezclas de diferentes antibióticos, pero a veces los fenómenos resultan difíciles de interpretar. Por ejemplo, una de las combinaciones más ampliamente estudiadas es la de estreptomicina con ácido p-aminosalicílico para tratamiento de la tuberculosis; esta combinación parece ser invariablemente sinérgida. Pero la combinación de penicilina y sulfamídicos es inicialmente antagonista; sin embargo, este fenomeno es transitorio y el efecto acaba siendo sinérgico.

Las consecuencias de la combinación de drogas dependen de estas, de la cepa del microorganismo, y de las condiciones en las cuales el organismo se somete a la acción de las drogas. Basándose en los datos actuales, la actividad de combinaciones de drogas es más o menos imprevisible, y esto corresponde a las observaciones de muchos investigadores. La gran incertidumbre en cuanto a indicación de terapéutica combinada puede resolverse considerando que el microorganismo muestra un aumento neto de resistencia al quimioterápico, rápidamente en una enfermedad aguda, o finalmente en infecciones crónicas. Claro está, cada una de las drogas combinadas ha de tener cierta actividad contra el microorganismo, y han de diferir uno de otro en sus modos de acción, de manera que no se desarrolle una resistencia cruzada. El empleo ciego de terapéutica combinada, sin señales de ventaja clínica sobre terapéutica con un solo medicamento, tiene el posible inconveniente de aumentar involuntariamente la frecuencia de formas resistentes de patógenos en el ambiente, simplemente aumentando el empleo innecesario de drogas. Además, aumentan las probabilidades de respuestas alérgicas a las drogas sin ventajas terapéuticas compensadoras.

Otras aplicaciones. Diversos antimicrobianos han sido empleados útilmente fuera del tratamiento de enfermedades infecciosas. El más importante de estos empleos es el de los antibióticos como complementos alimenticios, y para conservación de alimentos. En el primer caso se ha comprobado que la inclusión de pequeñas cantidades (2 a 50 ppm) de antibióticos a los alimentos para animales logra el crecimiento más rápido de los animales domésticos que proporcionan carne, aumenta el número de huevos fértiles, y presentan otras indicaciones de mejor nutrición, de manera que tales alimentos con suplementos son muy utilizados. La índole de este efecto no está aclarada. Se cree por algunos autores que ello resulta de un aumento de síntesis vitamínica por la flora intestinal. Los indicios de antibióticos que persisten en alimentos de origen animal de este tipo no parecen tener importancia, aunque pueden presentar actividad suficiente en los huevos para evitar el crecimiento de bacterias con fines experimentales cuando se emplea huevo embrionado de gallina.

El tratamiento de carnes recién preparadas, como pescado y aves, con soluciones diluidas de antibióticos de amplio espectro tiene valor como conservador, de manera que se conservan frescos por un tiempo netamente mayor, y estas substancias pueden tener aplicación en la conservación de alimentos.[3, 4, 27] Se ha aprobado oficialmente la clorotetraciclina con este fin, en concentración de 7 ppm; es destruida cuando el alimento se somete a cocción.

BIBLIOGRAFIA

1. Barber, M., 1965. Drug combinations in antibacterial chemotherapy. Proc. Roy. Soc. Med. **58**:990–995.
2. Bodanszky, M., and D. Perlman. 1969. Peptide antibiotics. Science **163**:352–358.
3. Deatherage, F. E. 1957. Use of antibiotics in the preservation of meats and other food products. Amer. J. Pub. Hlth. **47**:594–600.
4. Farber, L. 1959. Antibiotics in food preservation. Ann. Rev. Microbiol. **13**:125–140.
5. Farrell, J., and A. Rose. 1967. Temperature effects on microorganisms. Ann. Rev. Microbiol. **21**:101–120.
6. Finland, M., W. F. Jones, Jr., and M. W. Barnes. 1959. Occurrence of serious bacterial infections since introduction of antibacterial agents. J. Amer. Med. Assn. **170**:2188–2197.
7. Ginoza, W. 1967. The effects of ionizing radiations on nucleic acids of bacteriophages and bacterial cells. Ann. Rev. Microbiol. **21**:325–368.
8. Grollman, A., and E. F. Grollman. 1970. Pharmacology and Therapeutics. Lea and Febiger, Philadelphia.
9. Harrison, A. P., Jr. 1967. Survival of bacteria. Ann. Rev. Microbiol. **21**:143–152.
10. Hash, J. H. 1972. Antibiotic mechanisms. Ann. Rev. Pharmacol. **12**:35–56.
11. Hitchings, G. H., and J. J. Burchall. 1965. Inhibition of folate biosynthesis and function as a basis for chemotherapy. Adv. Enzymol. **27**:417–468.
12. Isaacs, A. 1957. Particle counts and infectivity for animal viruses. Adv. Virus. Res. **4**:112–158.
13. Jawetz, E. 1952. Antibiotic synergism and antagonism: review of experimental evidence. Arch. Intern. Med. **90**:301–309.
14. Klein, M., and S. E. Schoor. 1953. The role of bacterial resistance in antibiotic synergism and antagonism. J. Bacteriol. **65**:454–465.
15. Lawrence, C. A., and S. S. Block. 1970. Disinfection, Sterilization, and Preservation. Lea and Febiger, Philadelphia.
16. Mazur, P. 1970. Science **168**:939–949.
17. McCoy, E. 1954. Ann. Rev. Microbiol. **8**:257–272.
18. Osborn, M. J. 1969. Structure and biosynthesis of the bacterial cell wall. Ann. Rev. Biochem. **38**:501–538.
19. Pestka, S. 1971. Ann. Rev. Microbiol. **25**:487–562.
20. Reynolds, P. E. 1966. Antibiotics affecting cell wall synthesis. pp. 47–69. In B. A. Newton, and P. E. Reynolds (Eds.): Biochemical Studies of Antimicrobial Drugs. Cambridge University Press, Cambridge.
21. Rogers, H. J. 1968. The mode of action of antibiotics. Vol. 2, pp. 421–448. In E. E. Bittar and N. Bittar (Eds.): The Biological Basis of Medicine. Academic Press, New York.
22. Sykes, G. 1965. E. & F. N. Spons, London.
23. Symposium. 1960. J. Appl. Bacteriol. **23**:318–371.
24. Timm, E. A., et al. 1956. The nature of the formalin inactivation of poliomyelitis virus. J. Immunol. **77**:444–452.
25. Wehrli, W., and M. Staehelin. 1971. Actions of the rifamycins. Bacteriol. Rev. **35**:290–309.
26. Witkin, E. M. 1969. Ultraviolet-induced mutation and DNA repair. Ann. Rev. Microbiol. **23**:487–514.
27. World Health Organization. 1962. The Public Health Aspects of the Use of Antibiotics in Food and Feedstuffs. Report of an Expert Committee. World Health Organization, Geneva.

CAPITULO 6

MECANISMOS GENETICOS EN LAS BACTERIAS

Dr. Edward M. Johnson
Dr. Louis S. Baron

Durante largo tiempo en la historia de la bacteriología persistió la idea de que las leyes que gobernaban la herencia en individuos que se reproducían sexualmente, no podían aplicarse a las bacterias. Las bacterias se reproducían asexualmente y no poseían ningún sistema conocido de intercambio genético; se dudó incluso de que tuvieran núcleo. Así pues, los campos de la genética y de la bacteriología eran diferentes, y no parecía que ninguno pudiera contribuir al otro. Pero a medida que los bacteriólogos se preocuparon más del problema de explicar la variabilidad de las poblaciones bacterianas, hubo algunos que advirtieron que las contestaciones tenían que buscarse según los mismos principios genéticos que se aplicaban a organismos más elevados. Fue con esta idea que se originó la genética bacteriana a mitad de la década de 1940.

Al reconocer que las bacterias poseen el mismo material hereditario que existe en organismos superiores, y al descubrirse y clasificarse los mecanismos de transferencia genética bacteriana, el microbio pronto pasó a ser medio magnífico para estudio genético. Los sistemas bacterianos empezaron a proporcionar conocimientos importantes acerca de la naturaleza química y las funciones del material genético. Desde un punto de vista bacteriológico, el enfoque genético demostró la naturaleza de la variación bacteriana, y proporcionó nuevos conocimientos sobre la capacidad de intercambio genético entre bacterias, tanto en el laboratorio como en los hábitats nativos. Para ambas, bacteriología y genética, que se habían evitado una a otra tantos años, la reunión resultó muy beneficiosa.

En este capítulo, los autores intentan demostrar cómo algunas propiedades y funciones bacterianas se comprenden en términos de sus mecanismos genéticos fundamentales. Teniendo esto presente, nos ocuparemos de muchos de los conceptos derivados de estudios de genética bacteriana y su ciencia compañera, la biología molecular. Sin embargo, recordemos que la presentación de estos conceptos en un solo capítulo no puede cubrir adecuadamente el tema de ambas ciencias, ni intentaremos hacerlo. El lector interesado, puede consultar diferentes obras excelentes que se ocupan ampliamente de estos temas.[31, 74, 91, 173, 186]

Naturaleza de la variación bacteriana

Se ha reconocido durante años que los diversos atributos de cualquier población bacteriana —características morfológicas, características bioquímicas, constitución antigénica, virulencia, etc.— dependen de cambios entre los miembros de dicha población. Sin embargo, esta llamada "variabilidad" de las poblaciones bacterianas por largo tiempo fue solo objeto de observación y de registro. Se hicieron pocos esfuerzos serios para someterla a experimentación crítica. Las descripciones de variaciones bacterianas, lentas o bruscas, reversibles o irreversibles, espontáneas o provocadas, en su mayor parte dependían de las condiciones en las cuales se observaba la variación particular. En tales circunstancias y dada la idea entonces predominante de que las células bacterianas no contenían aparato genético comparable al de los organismos superiores, no debe sorprender que las causas de estos cambios diversos quedaran obscuras por varios años. De hecho, incluso después que se demostró la índole genética de las variaciones bacterianas, la aceptación para algunos microbiólogos ocurrió lentamente.

MUTACION

La probabilidad de que cualquier gen bacteriano sufra mutación espontánea es aproximadamente de 1 para cada 10^8 a 10^9 generaciones de células bacterianas. Como las bacterias suelen estudiarse en poblaciones, y raramente como células aisladas, es evidente que no se descubrirá una célula mutante aislada a menos que su descendencia pase a formar una parte substancial de la población. Esta situación ocurre cuando las bacterias se colocan en un ambiente que es favorable para una célula mutante que se halle presente, pero adversa para el crecimiento de población no mutante. La célula mutante, con su resistencia al efecto adverso del ambiente, tendrá una ventaja selectiva sobre la mayor parte de la población, y rápidamente la superará. En medios líquidos, la velocidad con la cual este cambio de población puede tener lugar es tal que muchos de los primeros bacteriólogos creían que las células de la población original se habían cambiado o "adaptado" en respuesta directa a la acción del medio. Hoy sabemos que la función de dicho medio no es provocar una mutación específica, sino más bien seleccionar las mutaciones que ocurren espontáneamente en su interior.

La prueba de la fluctuación. La primera demostración experimental neta de que las mutaciones bacterianas ocurren independientemente de un medio selectivo, la proporcionó en 1943 por la prueba de fluctuación de Luria y Delbrück.[118] Estos investigadores eligieron para su estudio la adquisición de resistencia para un bacteriófago virulento como propiedad mudable de la población bacteriana. Consideraron que si la mutación para la resistencia al fago era un acontecimiento espontáneo sin relación con la exposición a dicho fago, entonces un número elevado de cultivos bacterianos independientes, cada uno iniciado a partir de un pequeño inóculo, tenía que mostrar una gran fluctuación en el número de mutantes resistentes al fago. En otras palabras, en los cultivos en los cuales la mutación ocurría temprano, el sembrar dicho cultivo en agar cubierto de fago revelaría muchas células mutantes, mientras que en los cultivos en los que la mutación ocurría en fase tardía, este cultivo en placas demostraría pocas o ninguna célula mutante. A la inversa, si el mismo número de muestras se sembraban a partir de un solo cultivo bacteriano inoculado en condiciones similares, la distribución de mutantes resistentes al fago había de ser mucho más homogénea. Efectuando esta prueba con la bacteria *Escherichia coli*, estos son exactamente los resultados que experimentaron Luria y Delbrück. La fluctuación en el número de células mutantes según las muestras sembradas en placas partiendo de un cultivo único, era ligera, y dentro de los límites esperados del error de muestreo; por el contrario, la fluctuación de las muestras de cultivos independientes, era varios centenares de veces mayor.

Siembra de réplica en placa. Aunque propor-

cionando una prueba estadística indirecta de la índole espontánea de la mutación bacteriana, la prueba de fluctuación tenía el inconveniente de requerir el contacto entre la población bacteriana y el agente (fago) sospechosos de provocar la mutación. Este problema fue resuelto en 1952 por J. y E. M. Lederberg con una técnica simple, pero ingeniosa, llamada la siembra de réplica en placa.[110] Una población bacteriana creciendo en forma confluente sobre la superficie de una placa de agar nutritivo, se comprime suavemente contra una almohadilla de terciopelo estéril. Las fibras que se proyectan del terciopelo, actúan como pequeñas agujas que inoculan, y crean muestras aisladas de clonos de la capa celular. Si este impronto de la población original luego se comprime sobre una placa de agar cubierta de fago, puede demostrarse la existencia de cualquier clono resistente en la placa original o maestra. Pueden efectuarse improntos con varias placas de agar cubiertas de fago, partiendo del mismo terciopelo, para controlar el experimento, pues pueden aparecer clonos fagorresistentes en estas placas como consecuencia de mutaciones producidas poco después que las células han sido transferidas. Sin embargo, una colonia fagorresistente que aparece en la misma localización en cada una de las placas de réplica, indicará la posición de una colonia resistente al fago en la placa maestra. Tomando cuidadosamente células de esta localización en la placa maestra, puede obtenerse un inóculo enriquecido de células fagorresistentes. La descendencia de este inóculo se siembra de nuevo sobre una placa de agar nutritivo, pero esta vez, dado el número elevado de células resistentes, resulta necesario difundir menos células para garantizar la presencia de clonos fagorresistentes. Además, con menos células en la placa el número de células por clono ha aumentado. En consecuencia, un inóculo tomado del lugar determinado por siembra en placa de réplica de esta nueva placa original estará muy enriquecida en células fagorresistentes.

Con repetición sucesiva de esta técnica, es posible reducir el número de células dispersas en la placa original hasta el punto que pueden identificarse como mutantes fagorresistentes colonias separadas y aisladas con siembras de réplica. Lo característico de esta demostración, es que las células originales siempre se subcultivan en medio libre de fago; los mutantes fagorresistentes son aislados directamente sobre la placa maestra, sin haber estado nunca expuestos al propio fago. La siembra en placas de réplica proporciona, pues, la demostración directa de la aparición espontánea de mutación bacteriana, en ausencia de un agente selectivo.

Efectos de la mutación de genes sobre el fenotipo

Hay algunas funciones celulares que una bacteria no puede perder si ha de sobrevivir. Las funciones que intervienen en la réplica del DNA, la síntesis de RNA, y la división celular, por ejemplo, son indispensables para la supervivencia celular, sea cual sea la situación ambiental de la bacteria. Por lo tanto, las mutaciones que inactivan cualquiera de los genes determinantes de tales funciones, se denominan letales. Como un organismo mutante puede estudiarse solamente si hay condiciones ambientales bajo las cuales puede producirse su crecimiento y multiplicación, las mutaciones letales no resultan útiles para determinar la índole de la función celular afectada.

Recientemente ha sido posible abordar el estudio genético de funciones celulares indispensables utilizando lo que se denominan mutaciones condicionalmente letales. Por ejemplo, algunas mutaciones que afectan funciones celulares indispensables, son sensibles a la temperatura. O sea que se expresan a temperaturas elevadas (por ejemplo, $42°C$) pero no a temperaturas más bajas. Así, una mutación en un gen bacteriano que determina una polimerasa de DNA normalmente sería letal, pero si es sensible a la temperatura, pudiera examinarse por la capacidad del germen para crecer normalmente a baja temperatura.[39, 68, 136]

Sin embargo, a pesar de la reciente utilización de mutaciones condicionalmente letales, serían pocos nuestros conocimientos sobre genética bacteriana si no fuera por el heho de que muchas propiedades y funciones de las bacterias no son indispensables. En otras palabras, no son esenciales para la supervivencia de la célula en condiciones ambientales adecuadas. Por lo tanto, las mutaciones que afectan estas propiedades y funciones pueden estudiarse genéticamente. Algunos ejemplos de mutaciones que incluyen funciones genéticas no indispensables, y que recientemente han sido estudiadas en esta forma, se describen en las secciones siguientes, según su efecto sobre el fenotipo bacteriano.

Fuente de carbono y mutantes de factor de crecimiento. La capacidad de una célula para utilizar diversos carbohidratos como fuentes de carbono es una propiedad no indispensable (siempre, claro está, que por lo menos se disponga de una fuente de carbono utilizable). *Escherichia coli,* por ejemplo, es capaz de utilizar muchos carbohidratos como fuentes de carbono, pero pueden obtenerse mutantes que no utilizan cualquiera de los carbohidratos. Tales mutantes también se caracterizan fenotípicamente por su incapacidad de fermentar el carbohidrato que no pueden utilizar. En condiciones adecuadas, también resulta no indispensable la capacidad de sintetizar factores de crecimiento específico, por ejemplo, aminoácidos, purinas, pirimidinas o vitaminas. Las mutaciones que afectan estas propiedades se denominan auxotróficas, y el organismo mutante se denomina un auxotrofo, para distinguirlo del organismo independiente del factor de crecimiento, de tipo salvaje, el prototrofo. Los mutantes auxotróficos se reconocen por su incapacidad de crecer en un medio químicamente definido

que carece del factor de crecimiento que no sabe sintetizar. Así, *Esherichia coli* de tipo salvaje, capaz de sintetizar todos sus factores de crecimiento, crecerá en un medio sintético (mínimo) formado por una fuente inorgánica de nitrógeno, sales, agua y una fuente utilizable de carbono como la glucosa: en este medio, solo crecerán mutantes auxotróficos de *E. coli,* después de añadir el aminoácido necesario requerido, la purina, la pirimidina o la vitamina requeridas.

Como indicamos en el capítulo 4, los diversos factores de crecimiento son sintetizados a partir de precursores elementales por una serie de etapas separadas, cada una de las cuales está mediada por una enzima específica. Por lo tanto, las mutaciones auxotróficas pueden caracterizarse bioquímicamente más por la enzima específica de la vía biosintética que el mutante ya no produce. Los auxotrofos llevan a cabo la biosíntesis hasta la etapa de la vía que es mediada por la enzima afectada; entonces acumulan el último producto intermedio que son capaces de sintetizar. Si el producto intermedio siguiente de la serie se proporciona por vía endógena, la biosíntesis prosigue a lo largo de la vía, y se reanuda el crecimiento celular. Por lo tanto, los mutantes auxotróficos que están "bloqueados genéticamente" en diversas etapas de una vía biosintética, pueden utilizarse para lograr información acerca del número, orden y naturaleza de los productos intermedios que intervienen.

Además de su papel para aclarar los mecanismos bioquímicos del metabolismo celular, los mutantes auxotróficos han proporcionado los medios necesarios para examinar la función de los genes a nivel molecular. Los análisis genéticos de mutaciones auxotróficas y de fuentes de carbono han demostrado la existencia y la naturaleza de sistemas reguladores genéticos (ver luego). También, según veremos luego en la sección sobre transferencia genética, tales mutaciones permiten reconocer alelos heredados de tipo salvaje, o marcadores, en experimentos de genética de hibridación.

Fago y resistencia química. También se incluyen en la categoría de funciones celulares no indispensables la resistencia a los bacteriófagos y a productos químicos inhibidores como estreptomicina, cloramfenicol, acida, o ácido nalidíxico. En general, la mutación con resistencia a los fagos incluye una alteración del lugar receptor de fago en la superficie bacteriana, de manera que el fago ya no es capaz de adsorber a la célula e inyectarle DNA.

Sin embargo, puede también incluir un cambio en algún otro mecanismo interno del huésped, esencial para la réplica del genoma inyectado de fago. La resistencia a los agentes antimicrobianos puede ser consecuencia de una pérdida de la permeabilidad de la membrana celular para el agente, o puede reflejar un cambio en la capacidad de la célula para tratar internamente al agente, o sea para modificarlo o desintegrarlo químicamente.

Alteración antigénica. Es de las estructuras celulares bacterianas externas a la membrana, o sea la pared, la cápsula, los pelos (fimbrias), y los flagelos, que la célula deriva su carácter antigénico (capítulo 11). Las mutaciones en los gérmenes que gobiernan la biosíntesis de estas estructuras acabarán en la pérdida o la alteración de las mismas, y por lo tanto en el cambio de la constitución antigénica. La parte más importante del carácter antigénico de una célula depende de la pared celular, que es el lugar de los antígenos somáticos u O. En cuanto a su química, estos antígenos O, se han estudiado sobre todo ampliamente en las bacterias gramnegativas del género Salmonella, cuyos miembros presentan gran variedad de especificidades serológicas, y cuya especificidad antigénica O reside en la parte más externa, lipopolisacárida, de la pared celular.[115, 150]

La estructura del núcleo del lipopolisacárido de Salmonella consiste en una región interna que contiene 2-ceto-3-desoxioctonato, etanolamina, fosfato y lípido, y una parte externa formada por cadenas cortas, a base de glucosa, galactosa, heptosa, fosfato y N-acetilglucosamina. Unidos a las cadenas cortas del núcleo (cuya estructura es común a todos los miembros del género) están las cadenas laterales largas, específicas de O, compuestas por unidades repetidas de oligosacáridos. Los tipos de azúcares existentes en estas cadenas laterales, y su disposición en las unidades que se van repitiendo, determinan las diferentes especificidades antigénicas O, entre los diversos serotipos de Salmonella. Las mutaciones en los genes que gobiernan las diversas etapas de la biosíntesis de la estructura del núcleo, o de las cadenas laterales antigénicas unidas a él, resultan fenotípicamente en la pérdida de la especificidad particular de antígeno O. Tales mutantes se denominan rugosos, en contraste con el tipo salvaje que sintetiza antígeno, y que se denomina liso. También se producen mutantes en los cuales las unidades repetidas de las cadenas laterales específicas de O no están polimerizadas, de manera que solo hay una unidad que se repite por cadena; tales mutantes se clasifican fenotípicamente como semirrugosas.[123]

El empleo de mutantes rugosos ha facilitado mucho el análisis de la biosíntesis de polisacáridos de la pared celular, demostrando nuevamente el valor potencial de las mutaciones que incluyen una función celular no indispensable. Así, el lipopolisacárido de la pared puede sufrir una modificación substancial por diversas mutaciones (cada una afectando una etapa particular de su biosíntesis) sin afectar la viabilidad del organismo (a diferencia, por ejemplo, del componente mureína de la pared, cuya síntesis es crítica para la supervivencia celular).

Flagelos, pelos y cápsulas, claro está, son apéndices celulares no indispensables, y su desaparición por mutación también se refleja en la pérdida del poder antigénico que reside en su estructura. La pérdida de flagelos, a consecuencia de mutación en los genes que determinan las subunidades polipéptidas que comprenden estos apéndices, también produce un cambio fenotípico secundario en la célula, que es la pérdida de motilidad. Sin embargo, también se producen mutaciones en genes que afectan la motilidad, provocando parálisis de los flagelos sin pérdida concurrente de los mismos.

Virulencia. En bacterias patógenas, la virulencia es una propiedad alterable por mutación de genes. Algunas mutaciones del tipo ya descrito también tienen efecto sobre la virulencia. Por ejemplo, una mutación auxotrófica que afecta la biosíntesis de purina en *Salmonella typhimurium* originará en el organismo incapacidad para lograr una infección experimental en la cavidad peritoneal del ratón, porque este factor particular de crecimiento no le es proporcionado en dicho medio. En forma similar, los mutantes antigénicamente rugosos del germen virulento liso serán avirulentos, a consecuencia de su mayor susceptibilidad para los mecanismos de defensa del huésped. Sin embargo, claro está que la síntesis de purinas o de componentes antigénicos lisos, no es la función celular primaria que confiere al ratón virulencia para *Sal. typhimurium*. En este caso, como en la mayor parte de gérmenes patógenos, la función de los genes directamente ocupados en determinar la virulencia es desconocida. Sin embargo, nuestra ignorancia del número y la función de los genes que intervienen no cambia su susceptibilidad para la mutación.

En teoría, la virulencia debiera ser susceptible de estudio genético, como cualquier otra propiedad no indispensable de la célula. Sin embargo, en la práctica tales estudios se complican por diversos factores. Entre ellos los siguientes: 1) la situación antes mencionada, en la cual el gen alterado controla una función que no interviene primariamente en la virulencia, pero de todas maneras resulta en un fenotipo avirulento; 2) la probable naturaleza poligénica de la virulencia, y 3) la disponibilidad de un sistema hereditario adecuado en el caso del patógeno particular estudiado. Estos problemas se tratarán más tarde en la sección sobre transferencia genética.

Base molecular de la mutación

La estructura del DNA, elegantemente deducida por Watson y Crick en 1953,[187, 188] en bien conocida, y los detalles pueden consultarse en cualquier texto de biología molecular o de bioquímica. Es del DNA que se transcribe la información genética hacia el RNA mensajero, y (mediante el RNA de transferencia de los aminoácidos) se traduce en cadenas de polipéptidos de la proteína en los ribosomas de las células. Esta información genética está contenida en la secuencia de los residuos nucleótidos de la molécula de DNA; tres nucleótidos sucesivos proporcionan el "código" para un solo aminoácido.

Así pues, un gen puede definirse en términos moleculares como un segmento específico de la molécula de DNA, cuya secuencia de bases de nucleótido determina la secuencia de aminoácidos de la cadena de polipéptidos. Como un polipéptido suele estar compuesto de 200 a 600 aminoácidos, cada uno codificado por una secuencia de tres bases, se deduce que el germen determinante ha de contener de 600 a 1800 nucleótidos.[186]

Habiendo definido el gen en términos moleculares, ahora podemos definir la mutación, en los mismos términos, como cualquier alteración en la secuencia de pares de bases del DNA. Estas alteraciones pueden agruparse en tres categorías: 1) las que incluyen la inserción de un adicional de bases en la secuencia normal de pares de bases del DNA; 2) las que incluyen la pérdida de uno o más pares de bases de la secuencia normal; y 3) las que incluyen una substitución de un par de bases por otro. Las mutaciones de esta última categoría se denominan transiciones, cuando una purina es substituida por otra purina, o una pirimidina por una pirimidina diferente, por ejemplo, GC por AT, o bien AT por GC; se denominan transversiones cuando una purina es substituida por una pirimidina o viceversa; p. ej.: GC por TA, o CG por AT.[60]

Substitución de un par de bases. La transcripción de información genética tiene lugar a lo largo de una tira de la molécula de DNA, formando un RNA mensajero complementario, cuya secuencia de bases está determinada por la secuencia de bases del DNA. Tres bases sucesivas del RNA mensajero, que ahora llevan el código para un aminoácido particular, forman lo que se llama un codón. Cuando estos codones son transferidos en orden lineal sobre los ribosomas, originan una disposición lineal de aminoácidos específicos en un orden determinado en la cadena polipéptida. Una substitución de un par de bases en el DNA (transición o transversión) tiene por efecto cambiar una de estas bases en el codón de RNA que determina. Así, UUU (el codón para fenilalanina) se transformará en UUG (el codón de leucina) como consecuencia de la substitución de la citosina en lugar de adenina en el triplete de DNA (AAC en lugar de AA), y la leucina substituirá a la fenilalanina en este punto de la cadena polipéptidica.

La substitución del par de bases, y el cambio resultante de un aminoácido en la cadena de polipéptidos, puede resultar o no resultar en la pérdida de actividad biológica de la proteína completada. Así, hay muchos lugares en una cadena polipéptidica en los cuales un aminoácido puede ser substituido por otro sin pérdida ninguna de función biológica. También, debido a la degeneración del código genético (o sea, muchos aminoácidos tienen más de un codón) es posible que la substitución de un par de bases en el DNA, resulte en un codón alterado que, de todas maneras, determine el mismo aminoácido que en el codón de tipo salvaje. Cuando la pérdida de actividad biológica ocurre como consecuencia de substitución de un par de bases, puede restablecerse por una mutación inversa, que restablezca la secuencia original del par de bases. Sin embargo, las mutaciones que restablecen el fenotipo original, no siempre incluyen un restablecimiento del genotipo original. Por ejemplo, la substitución de una nueva base en el mismo sitio, diferente de la correspondiente al tipo salvaje o del mutante inicial, puede tener por consecuencia un codón modificado para el mismo aminoácido, o puede especificar un nuevo aminoácido, que es un equivalente funcional del aminoácido de tipo salvaje. El restablecimiento del fenotipo original, también puede producirse como consecuencia de una mutación supresora (ver luego) que afecta un lugar genético que no es el de la mutación primaria, y cancela el efecto de la mutación primaria.

Inserción o supresión (pérdida) de un par de bases. Las mutaciones que incluyen la inserción o la pérdida de un par de bases del DNA, tienen por consecuencia desplazar la estructura de lectura de los codones del RNA, desde el punto de la mutación (de aquí el término "desplazamiento de armazón") de manera que todos los codones siguientes están cambiados. Por ejemplo, si un tipo salvaje de RNA mensajero se traslada con la orden

$$\dots \text{AGU CCA UCA CUU AAU}$$

la pérdida de un par de bases de DNA, que suprime la base inicial de adenina en este mensaje, tendrá por consecuencia su transcripción y traslado en el nuevo orden:

$$\dots \text{GUC CAU CAC UUA} \dots$$
↑ Base perdida (A)

El efecto de la desaparición de un par de bases puede estar contrarrestado por la inserción de otro par, y viceversa. Así, en el ejemplo anterior, una segunda mutación resultante de la inserción de una base adicional, por ejemplo la guanina, que sigue inmediatamente al primer codón mutante (GUC) restablecerá el orden de lectura original

$$\dots \text{GUC GCA UCS CUU AAU} \dots$$
Base inserta ↑   Mensaje restablecido

Si, como en este ejemplo, solo uno o dos codones quedan sin cambio, la proteína resultante puede conservar su actividad biológica a pesar de los aminoácidos substituidos. La mutación por inserción o supresión que así compensa una mutación primaria de desplazamiento de armazón se denomina un supresor intragénico.

Las mutaciones por supresión también pueden incluir un número elevado de pares de bases. A veces pueden perderse centenares de nucleótidos; en raros casos, todo un gen. En tales circunstancias, ya no es posible la mutación de reversión hacia la disposición normal, ni puede restablecerse la función de gen original por mecanismos de supresión.

Mutaciones sin sentido.[22, 24, 62] Generalmente el efecto de las mutaciones de substitución y de desplazamiento de armazón, estriba en producir codones alterados, que se traducen en aminoácidos diferentes de los correspondientes al tipo salvaje. Este tipo de alteración de codón se denomina mutación con sentido equivocado. Se ha comprobado que tres codones mutantes, UAG, UAA, y UGA, no se traducen en ningún aminoácido, sino que, por el contrario, provocan la terminación de la cadena de polipéptido, y la liberación del polipéptido incompleto separándose del ribosoma. Estos codones se denominan codones sin sentido, y las mutaciones que producen se denominan mutaciones sin sentido. Antes de conocerse la naturaleza de estas mutaciones, recibieron los nombres de mutaciones ámbar (que hoy sabemos produce el codón UAG) y ocre (mutaciones que producen el codón UAA) y estos nombres han seguido en uso. No hay ningún nombre correspondiente para el codón UGA.

Aparte de su aparición en las mutaciones que provocan terminación prematura de la cadena polipéptida, los codones UAG, UAA y UGA parece que existen en el germen de tipo salvaje, y constituyen su mecanismo normal de terminación de la cadena. No estimulan la fijación de ningún RNA de transferencia, pero parece ser leídos por proteínas específicas denominadas factores de liberación.[186]

Mutaciones por supresor. Hay varios mecanismos de mutación que pueden compensar la presencia de uno o más codones alterados resultantes de una mutación primaria. Estas mutaciones de supresor se clasifican de intragénicas cuando ocurren en un lugar diferente dentro del mismo gen, y extragénicas cuando ocurren en un gen diferente. Ya describimos antes el efecto restaurador de un tipo de mutación por supresor intragénico, a saber, la inserción de un par de bases o su supresión cerca del lugar de una mutación primaria. La supresión intragénica también puede producirse a consecuencia de una segunda mutación de sentido equivocado en un mismo gen, con aparición de un segundo aminoácido "erróneo" en el polipéptido, que restablece en alguna forma la configuración espacial original alrededor de la parte funcional de la molécula.

A diferencia de los supresores intragénicos, las mutaciones por supresor extragénico no trabajan alterando los codones de RNA; en su lugar, cambian la forma como estos codones son leídos por la maquinaria de traducción de la célula. Afectan la especificidad del aminoácido de moléculas de RNA de transferencia, de manera que un RNA de transferencia específico, que traslada el codón mutante con el aminoácido "erróneo", ahora puede llevar un aminoácido diferente, pero uno que es "adecuado" para dicho lugar en el polipéptido. Sin embargo, dicho RNA de transferencia mutante, seguirá llevando el aminoácido "equivocado" para todos los codones de la célula de tipo salvaje, que son similares al codón mutante susceptible de supresión. Se deduce, pues, que este mecanismo de supresión tiene que operar con poca eficacia; si fuera muy eficaz, la supresión de gran número de codones correctos pudiera causar la muerte. Mediante la supresión operando con poca eficacia, puede sintetizarse una cantidad pequeña, pero suficiente, de proteína mutante en su forma biológicamente activa, y todas las demás proteínas de la célula, la mayor parte del tiempo, se fabricarán correctamente.

Inducción de mutación [74]

El conocimiento de la base molecular de la mutación de genes se ha logrado principalmente por estudios sobre los efectos mutágenos de algunos grupos de productos químicos, que se sabe interactúan en forma específica con las bases púricas y pirimídicas. Por ejemplo, productos químicos que son análogos cercanos de bases del ácido nucleico normal, pueden incorporarse al DNA durante la réplica. Dos potentes mutágenos entre los análogos de bases son el 5-bromouracilo, análogo de la timina, y la 2-aminopurina, similar a la adenina. Como a veces el 5-bromouracilo se empareja con la guanina en lugar de la adenina, y la 2-aminopurina puede emparejarse también con la citosina en lugar de la timina, el efecto de ambos análogos de base (una vez incorporados) es producir en series subsiguientes de réplica transiciones de AT a GC, y de GC a AT.

A diferencia de los análogos de base, cuya acción depende de su incorporación en el DNA de réplica, algunos mutágenos químicos actúan directamente sobre el DNA en reposo, para alterar sus bases. El ácido nitroso, por ejemplo, actúa desaminando y oxidando la adenina a hipoxantina (que se empareja con la citosina más bien que con la timina) y desaminando la citosina a uracilo (que se empareja con la adenina). Así, el ácido nitroso también produce las transiciones AT-GC y GC-AT. Otros mutágenos químicos, como el agente alquilante etiletanosulfonato actúan suprimiendo una base del DNA, en este caso la guanina. Como la guanina suprimida puede ser substituida por cualquiera de las otras tres bases, el etiletanosulfonato produce la sola transición GC-AT y las transversiones GC-TA y GC-CG.

Colorantes de acridina, como la proflavina y 5-aminoacridina producen una clase peculiar de mutantes, cuyas propiedades se explican mejor admitiendo que son del tipo de desplazamiento de armazón.[23] Revierten espontáneamente, y su reversión con ritmo elevado puede provocarse por colorantes de acridina, pero nunca por análogos de base o por ácido nitroso.

Las reversiones de mutaciones provocadas por colorantes de acridina, siempre son consecuencia de mutaciones de segundo lugar dentro de un mismo gen. La inserción o la desaparición de bases de DNA por colorantes de acridina depende de su capacidad de intercalarse entre estas bases. Así, durante la réplica del DNA, la introducción de una molécula de acridina entre dos bases vecinas de la tira que sirve de plantilla producirá un espacio vacío a ese nivel, que puede llenarse en la tira nueva por la inserción de una base extra. La supresión de una base en la nueva tira puede tener lugar si se interpone una molécula de acridina en esa tira de manera que bloquea la producción de una réplica de la base complementaria en la planilla.

Luz ultravioleta. La exposición de las bacterias a la luz ultravioleta aumenta el número de mutaciones entre los supervivientes. Cambios químicos a consecuencia de la irradiación ultravioleta afectan las bases pirimídicas, que se hidratan en sus dobles enlaces 4:5; los nucleótidos de citosina parecen más sensibles que los nucleótidos de timina. Un segundo efecto sobre las bases pirimídicas es la formación de enlaces covalentes entre pirimidina y vecinas de una misma tira, produciéndose lo que se llama dímeros. Los dímeros de timina-timina parecen ser la forma más estable, aunque se ha comprobado la existencia de dímeros entre todas las combinaciones de pirimidinas.[157]

Como uno de los efectos de la irradiación ultravioleta es convertir la citosina en uracilo, este mecanismo, que produciría la transición GC-AT, pudiera intervenir en la mutagénesis. En forma alternativa, la hidratación de la citosina puede alterar su afinidad de emparejamiento y ser causa de mutación. La formación de dímeros de pirimidina, claro está, interviene como mecanismo de mutaciones, aunque el modo de acción en este caso no está aclarado. La distorsión de la molécula de DNA como consecuencia de formación de dímero pudiera pensarse que introdujera diversos tipos de errores de copia sobre la réplica. Sin embargo, este mecanismo dependería de la formación de réplica de la región distorsionada antes del proceso de rotura del dímero, y la reparación de la cadena que sigue a la lesión causada por la irradiación. También serían posibles los errores introducidos durante el propio proceso de reparación.

Mutación espontánea. Las mutaciones que tienen lugar en ausencia de un agente mutágeno conocido se denominan espontáneas. Este término probablemente sea equivocado, pero sirve para cubrir nuestra actual ignorancia sobre las causas específicas de tales mutaciones. Diversas situaciones ambientales afectan el ritmo de mutación espontánea, y muchos productos intermedios del metabolismo celular son mutágenos. Así es probable que muchas de las llamadas mutaciones "espontáneas" de hecho estén provocadas por algunos mutágenos en el medio que rodea la célula.

Una mutación en un locus genético específico de *Salmonella typhimurium* llamado "mutador" se ha comprobado que aumenta el ritmo de mutaciones espontáneas de gran número de genes aumentándolo hasta 1 000 veces.[134] Se cree que esta mutación afecta un gen cuya función de tipo salvaje es la

síntesis de una base de purina, de manera que ahora sintetiza una base mutágena análoga.[101, 102] También se ha identificado un gen mutador en *Escherichia coli*,[180] pero parece que difiere del mutador de Salmonella por cuanto las mutaciones producidas por él son todas transversiones, en contraste con las transiciones provocadas por análogos de bases.[195] En el bacteriófago T4 se ha descubierto un gen mutador cuyo producto es una polimerasa de DNA. La polimerasa mutante parece generar un ritmo de mutación elevado introduciendo errores de copia durante la producción de réplica.[169] Este hecho indica que hay que considerar también la estereoespecificidad de la polimerasa de DNA, junto con la integridad de la plantilla de DNA como fuente de error en el proceso de transcripción.

REGULACION GENETICA

Antes de conocerse la variación bacteriana en términos de selección ambiental y mutaciones espontáneas, había autores que consideraban que la variabilidad bacteriana representaba una adaptación directa del organismo al ambiente. Hecho irónico, esta interpretación probablemente parecía confirmada por el descubrimiento de que ciertas enzimas de hecho se sintetizan en cantidades notables solamente en presencia de su substrato. Este fenómeno, conocido originalmente como adaptación enzimática, se denomina ahora inducción de síntesis enzimática, y su estudio ha logrado los conceptos actuales sobre el control genético de la regulación. Además de proporcionar la base de nuestra comprensión de una variedad de sistemas bacterianos inducibles y represibles, este concepto también brinda un medio para comprender —en términos de regulación genética— ciertas variaciones bacterianas que no pueden explicarse por mutación.

El operón de lactosa de E. coli. [85, 86, 87, 91] Los estudios efectuados por Jacob, Monod y colaboradores sobre el sistema que controla la utilización de lactosa por *E. coli* han proporcionado la mayor parte de nuestros conocimientos sobre cómo operan la inducción y la represión de las enzimas a niveles genéticos. Hay tres enzimas que parecen intervenir en la fermentación de la lactosa por *E. coli:* una β-galactosidasa; una permeasa de galactosidasa, necesaria para la captación de lactosa; y una transacetilasa, cuyo papel es desconocido pero que interviene en la inducción coordinada con la β-galactosidasa y la permeasa. En *E. coli* de tipo salvaje, la síntesis de estas enzimas es inducible; o sea que solo se produce en presencia de un β-galactósido en el medio de cultivo. Sin embargo, aparecen mutantes en los cuales la síntesis de todas estas enzimas pasa a ser constitutiva, o sea que ocurre tanto en presencia como en ausencia del inductor de β-galactósido. También se descubren mutantes en los cuales no tiene lugar la síntesis de una u otra de estas enzimas, y no pueden ser inducidas.

La utilización de estos diversos tipos de mutantes de fermentación de lactosa en análisis genéticos ha demostrado que la inducción de las enzimas de lactosa incluye dos tipos de genes, los estructurales, y los reguladores. En este caso, los genes estructurales son los que determinan las enzimas β-galactosidasa (denominada *lacZ*), permeasa (*lacY*), y transacetilasa (*lacA*). En este caso, el gen regulador se llama *lacI*; determina la producción de una proteína citoplásmica que se denomina un represor. La acción de este represor estriba en fijarse a un sitio específico del DNA denominado el operador (*lacO*), que controla la expresión de los genes estructurales. Como veremos luego, es esta capacidad del represor de fijarse al operador la que determina la síntesis enzimática inducible; en contraste con la constitutiva.

Un grupo de genes estructurales cuya función como unidad integrada está controlada por un gen operador, se denomina operón. Los genes estructurales del operón de la lactosa están dispuestos, en relación con el gen operador y el regulador, en el orden lineal

lacI ... *lacO* ... *lacZ* ... *lacY* ... *lacA*
Genes Regulador Operador Estructurales

Todos los genes de un operón se transcriben juntos como un solo RNA mensajero poligénico; así el operón forma una sola unidad genética de transcripción coordinada con la polimerización de RNA, empezando en el operador *lacO* y siguiendo a su vez sobre los loci *lacZ*, *lacY*, y *lacA*.

La fijación del represor al operador parece impedir la iniciación de esta transcripción, de manera que no se transmite ningún mensaje a los ribosomas, y no tiene lugar la síntesis de las enzimas especificadas por los genes *lacZ*, *lacY* y *lacA*. En la célula de tipo salvaje inducible, el gen *lacI* es funcional y constituye el depresor que se fija a *lacO*, de manera que "desconecta" los genes del operón. El papel del inductor β-galactósido estriba en combinarse con el represor, inactivándolo y permitiendo que el operón se ponga "en marcha". Así pues, en el germen de tipo salvaje los genes *lacZ*, *lacY* y *lacA*, aunque funcionales, no se expresan hasta que un β-galactósido, que tiene el doble papel de inductor y de substrato, penetra en la célula y se combina con el represor para inactivarlo. Las mutaciones para síntesis constitutivas de enzimas se producen por alteración del gen *lacI* que afecta la producción del represor, o por un cambio en el gen *lacO*, que no pueda fijarse al represor.

Originalmente se pensaba que el gen operador de lactosa servía la función de fijar el represor y de iniciar la síntesis de RNA mensajero. Investigaciones posteriores parecen indicar que el operador solo sirve para la primera función, y que la iniciación de la síntesis de RNA mensajero está controlado por otro gen llamado promotor. En el operón de lactosa, el promotor está localizado entre los genes *lacO* y *lacZ*.

Extensión del concepto de operón. El proceso de regulación genética descubierto en el sistema de utilización de la lactosa pronto originó la ampliación del concepto de operón a otros sistemas de inducción y represión. Así, el sistema inducible de utilización de galactosa de *E. coli* también incluye tres enzimas (cinasa, transferasa, y epimerasa) cuya síntesis está determinada por genes contiguos controlados coordinadamente por un operador situado en una extremidad de la secuencia. Como en el caso del operón de lactosa, el operón de galactosa normalmente está "como contacto cerrado", en ausencia del inductor, por un represor citoplásmico, que en este caso es producido por un gen no ligado.[27, 28] Las fermentaciones de arabinosa[43] y ramnosa[152] también están mediadas por genes adyacentes que son inducidos en forma coordinada, pero en estos casos el mecanismo regulador genético es de control positivo. A diferencia del mecanismo de control negativo de los sistemas de lactosa y galactosa, en el cual el represor actúa "desconectando" en operón, la función de los represores de arabinosa y ramnosa, cuando están activados por sus inductores respectivos, es la de "poner en marcha" el operón.

La mayor parte de los sistemas reguladores estudiados no incluyen la inducción de síntesis enzimática, sino que se refieren a la represión coordinada de las síntesis de enzimas por el producto final de una vía biosintética. En muchas vías de crecimiento se ha comprobado que en la biosíntesis de factor de crecimiento las enzimas de la vía estaban sometidas a represión simultáneamente, y en un mismo grado, y que eran desreprimidas simultáneamente como consecuencia de la mutación. Así pues, las secuencias de genes que determinan las enzimas de estas vías constituyen operones que pueden ser "puestos en marcha" por el producto de un gen regulador. En estos sistemas, el producto se llama correpresor; no puede combinarse con el operador hasta que es activado con el producto final de la vía para formar represor. Los mutantes desreprimidos, en los cuales continúa la síntesis de enzima incluso en presencia de una cantidad excesiva de producto terminal, se producen por alteración del gen regulador, de manera que el correpresor no es sintetizado, o bien por alteración en el operador, de manera que no se fija el represor activo.[4, 16, 114, 124, 182]

Variación de fase en Salmonella. Las bacterias del grupo Salmonella presentan mucha heterogeneidad en el carácter antigénico de sus flagelos. Además la inmensa mayoría de serotipos de Salmonella son capaces de producir no solo uno, sino dos tipos de flagelos antigénicamente diferentes. En una misma bacteria los flagelos son exclusivamente de un tipo antigénico. Sin embargo, en la descendencia de esta célula se encuentran células cuyos flagelos son del segundo tipo antigénico. Las bacterias con flagelos del segundo tipo antigénico, a su vez, dan lugar a descendencia que posee el serotipo de flagelo original, y así sucesivamente. Los dos tipos de flagelos producidos por un organismo determinado se denominan antígeno de fase 1 y de fase 2, y las cepas de Salmonella que sintetizan flagelos de ambos tipos se llaman difásicas.

El ritmo con el cual tiene lugar la variación de fase 1 a fase 2 y viceversa, difiere considerablemente de una cepa a otra. Sin embargo, puede ocurrir con tal rapidez que basta con sembrar en placa un germen que expresa un tipo de fase, y probar colonias aisladas con antisueros específicos de fase, para demostrar colonias del tipo alterno. Este rápido cambio entre las dos estructuras antigénicas alternativas, sería muy difícil de explicar en términos de mutación. Se explica mucho más fácilmente en términos de regulación genética; de hecho, estudios genéticos de este sistema nos han indicado hasta el momento actual que interviene un mecanismo regulador.

El antiguo flagelar de fase 1 de una cepa determinada de Salmonella está determinado por un gen estructural en un locus cromosómico denominado H_1. Serotipos diferentes de Salmonella producen antígenos flagelares diferentes de fase 1, pero en cada serotipo el gen determinante del tipo particular de fase 1 ocupa un locus cromosómico H_1 idéntico. En otras palabras, los diferentes determinantes antigénicos de fase 1 comprenden una serie alélica de genes en un locus H_1 común.[108, 175] De manera similar, todos los tipos antigénicamente diferentes de antígenos flagelares de fase 2 están determinados por genes alélicos que ocupan un locus cromosómico común denominado H_2. En una cepa determinada difásica de Salmonella, la expresión de los genes estructurales H_1 y H_2 está regulada de manera que, cuando el gen H_2 está activo en la síntesis de flagelos de fase 2, la función del gen H_1 queda suprimida. Cuando el gen H_2 se vuelve inactivo, el gen H_1 automáticamente se expresa de nuevo en la síntesis de flagelos de fase 1.[109] Aunque todavía no está bien aclarado el mecanismo por virtud del cual tiene lugar esta regulación, parece incluir un gen localizado en H_2, o cerca de este locus, que produce una substancia citoplásmica con la propiedad de reprimir la actividad del gen en el locus H_1.[80, 151]

Hay motivos para admitir que los sistemas reguladores genéticos similares al que opera en la variación de fases de Salmonella pueden descubrirse como base también de otras variaciones bacterianas. Así, la biosíntesis de polisacárido capsular en *Escherichia coli*, que tiene por consecuencia la producción de formas mucoides, se ha estudiado genéticamente, y se ha comprobado que estaba controlada por genes reguladores.[125, 126] Otros sistemas de variación no se han sometido a análisis genético, pero es probable que algunos sean mediados por mecanismos reguladores genéticos. Por ejemplo, cepas de *Citrobacter ballerup*, que sintetizan un antígeno de cubierta llamado Vi, fácilmente dan origen, sembradas en placa, a colonias que no sintetizan este antígeno. Estas formas sin expresión de Vi (llamadas formas W), con la misma rapidez, al sembrarlas en placa originan formas en las cuales se ha recuperado la síntesis de Vi (formas V). Como en el caso de la variación de fase de Salmonella, el ritmo rápido de transición V-W en ambas direcciones no se explica fácilmente en términos de mutación genética. Pero puede entenderse muy bien en términos de regulación genética.

Naturaleza de la transferencia genética en bacterias

En las secciones anteriores nos hemos referido repetidamente a la utilización análisis genéticos para establecer la naturaleza de la variación bacteriana. El análisis genético en las bacterias, como en cualquier otro sistema biológico, incluye la hibridación experimental. Así, su logro depende de la existencia de mecanismos por virtud de los cuales puede producirse un intercambio de material genético entre gérmenes de genotipos diferentes. A pesar de que las bacterias en forma nativa no están diferenciadas en cuanto a sexo, existen tres mecanismos generales por virtud de los cuales pueden intercambiarse genes bacterianos. Estos mecanismos, denominados transformación, conjugación y transducción, vamos a describirlos en las secciones siguientes.

TRANSFORMACION

En 1928 un microbiólogo médico llamado Griffith, mientras estudiaba la infección neumocócica en el ratón; descubrió el fenómeno que permitió la identificación de DNA como el material hereditario de la célula.[65] El neumococo en su forma encapsulada (o lisa) es un germen muy virulento para el ratón. Inyectada por vía peritoneal, una de tales células del neumococo causa una infección que mata al animal, generalmente en plazo de 24 a 48 horas. Esta virulencia elevada depende fundamentalmente del efecto protector de la cápsula polisacárida de las defensas naturales del ratón. Sin embargo, se producen espontáneamente cepas mutantes de neumococo que han perdido su capacidad de sintetizar este polisacárido capsular inmunológicamente específico. Tales mutantes presentan aspecto plano rugoso, en comparación con el aspecto liso reluciente de las colonias de la forma encapsulada, S, del neumococo. La forma mutante rugosa, R, del neumococo que ha perdido su cápsula protectora, ya no es virulenta para el ratón.

En el experimento clásico de Griffith, se inyectaron por vía subcutánea ratones con un cultivo avirulento R (previamente aislado de un cultivo virulento S con especificidad de polisacárido capsular de tipo II), junto con un preparado de células de tipo III S muertas por el calor y, por lo tanto, innocuas. Aunque ni las células R ni las células de tipo III S muertas por el calor, inyectadas aisladamente, mataban a ningún ratón, una proporción elevada de los ratones murieron después de recibir juntas la inyección de células R y del preparado de células tipo III S muertas por el calor. Al efectuar la autopsia, se aislaron gérmenes capsulados, y estas células lisas se comprobó habían adquirido la especificidad capsular de las células de tipo III S. Estos resultados demostraron claramente que un carácter genético heredable, origen de la síntesis de un polisacárido capsular específico, había sido transferido desde las células de tipo III S muertas por el calor a las células avirulentas vivas R. Aunque derivadas originalmente de células de tipo II S, las células R se habían transformado en el tipo III S, y eran capaces de sintetizar una cápsula de esta nueva especificidad inmunológica.

Los experimentos de transformación de Griffith pronto fueron confirmados por otros autores, y a los pocos años se lograron transformaciones in vitro. En lugar del ratón como sistema selectivo para descubrir las células S transformadas, se añadió suero anti-R a cultivos en caldo de células R creciendo en presencia de células S muertas por el calor. Las células R aglutinadas se depositaban en el fondo del tubo de ensayo, con lo cual se permitía que las células transformadas S se recuperaran fácilmente del crecimiento que quedaba suspendido en el líquido sobrenadante del tubo de ensayo. Poco después se efectuaron experimentos de transformación in vitro utilizando extractos bacterianos solubles que habían sido filtrados para suprimir todo material celular. Solo quedaba ser identificado químicamente el principio activo causa de la transformación de los neumococos.

En 1944, Avery, MacLeod y McCarty pudieron purificar el factor de transformación, y lo identificaron como ácido desoxirribonucleico muy polimerizado.[10] Comprobaron que la actividad de la fracción activa desaparecía por tratamiento con desoxirribonucleasa (DNase), enzima que despolimeriza el DNA, mientras que las enzimas que desintegran las proteínas carecían de efecto. Quedaba, pues, prácticamente demostrado que la estructura genética de la célula está codificada en su DNA. En el caso del neumococo, la cantidad de DNA purificado capaz de transformación de células R en células S era del orden de 1 parte por 600 millones.

Para eliminar toda posibilidad de que una fracción nucleoproteínica todavía desempeñara cierto papel en este fenómeno, Hotchkiss purificó el DNA del neumococo hasta que no quedaba más que indicios muy pequeños de material proteínico en la fracción activa. También demostró que otros caracteres bacterianos, como la resistencia a la penicilina de un mutante neumocósico, podían transferirse

gracias a transformación del DNA a receptores neumocócicos sensibles a la penicilina.[77] La transferencia de este y de otros caracteres bacterianos, como la resistencia a la estreptomicina, se comprobó que eran independientes unos de otros, y de la transformación de células R en células S, aunque pudo descubrirse una frecuencia extraordinariamente baja de tales caracteres transformados dentro de un mismo transformante. Cuando se producían estas raras circunstancias, se admitía que dependían de dos acontecimientos transformadores independientes.

Como la transformación es un acontecimiento raro que requiere un sistema selectivo para descubrir los transformantes dentro de la población celular global, la resistencia medicamentosa representa un carácter ideal para aislamiento cuantitativo de células transformadas. Este método permitió a Hotchkiss y Marmur demostrar que el determinante genético de la resistencia a la estreptomicina estaba estrechamente ligado al determinante genético de la fermentación de manitol.[79] Expusieron células neumocócicas sensibles a la estreptomicina, que no fermentaban el manitol, a DNA extraído de neumococos resistentes a la estreptomicina y fermentadores del manitol. Luego seleccionaron transformantes para resistencia a la estreptomicina sembrando en placa las células expuestas en placas de agar con estreptomicina, y comprobaron que un número considerable también había adquirido la capacidad de fermentar el manitol. Estos resultados indicaban que los genes para estos dos marcadores estaban muy cerca uno de otro, frecuentemente en la misma molécula de DNA. Este fenómeno ahora se denomina de transformación asociada de genes, y tiene gran valor para establecer el mapa cromosómico de cepas bacterianas transformables, así como para estudiar la integración de genes transformados.

Géneros bacterianos transformables.[171] La transformación se ha podido demostrar en diversos géneros bacterianos, y también se ha comprobado que ocurre entre diferentes especies dentro de un mismo género, aunque con frecuencia mucho menor. Estos géneros incluyen Hemophilus, Neisseria, Rhizobium, Streptococcus, Staphylococcus y Bacillus. Las transformaciones señaladas entre diferentes géneros, como en el caso de *Diplococcus pneumoniae* (neumococo) y estreptococo, o entre estreptococo y estafilococo, indudablemente refleja la artificialidad de la clasificación de las bacterias. Sin embargo, los resultados de tales experimentos de transformación pueden servir para permitir una mejor valoración de las relaciones entre los microorganismos.

Mecanismos de transformación.[171] Estudios de transformación con el grupo antes señalado de bacterias transformables han logrado reunir varios hechos que describen el proceso genético. El DNA activo que debe ser adsorbido tiene que hallarse en el estado de tira doble. Las células receptoras han de estar en el estado llamado "competente" antes que pueda producirse la captación de DNA. En diversas especies se ha comprobado que eran diferentes las condiciones necesarias para producir competencia. Hotchkiss observó que en el neumococo la competencia tiene lugar en un punto especial del crecimiento celular, con su crecimiento sincrónico de células receptoras, conservándolas primero a temperaturas de 25°C y luego desplazándolas a la temperatura óptima de 37°C.[78] Este punto en el neumococo se ha comprobado que era poco después de la división celular, mientras que en el caso de *Bacillus subtilis* tiene lugar cerca del final del periodo de crecimiento exponencial, y se logra mejor en un medio mínimo que en un medio complejo.[170] Además, en *B. subtilis* las células competentes parecen existir en un estado de falta de crecimiento, que se refleja por su resistencia a la penicilina,[140] antibiótico que en general solo es eficaz contra células en crecimiento. Tales células de *B. subtilis* conservan su competencia durante tres o cuatro horas, siempre que no se haga nada para evitar la síntesis proteica, necesaria para lograr el estado competente. Evidentemente, la síntesis de proteína es necesaria para producir un factor de competencia que contiene proteína, o un activador cuya verdadera función todavía no es bien conocida.

Cuando el DNA de transformación se une en forma irreversible a la célula receptora, ya no es sensible a la acción de la DNasa. Sigue un breve periodo de eclipse, quizá de unos cinco minutos, durante el cual si se extrae el DNA añadido ya no es biológicamente activo como principio de transformación, probablemente por la iniciación del proceso de integración que incluye la recombinación genética con el DNA del receptor. Este proceso de integración en *B. subtilis* muy probablemente incluya la incorporación de DNA de una sola tira por substitución en el genoma receptor. Evidentemente no ocurre así en las transformaciones de Hemophilus, donde no hay fase de eclipse y parece intervenir el DNA de tira doble, más bien que el DNA de tira sencilla, en la etapa de integración.[181]

El sistema de transformación de *B. subtilis*. El descubrimiento por Spizizen, en 1958, de la transformación de *B. subtilis* [170] fue muy útil para la determinación de la fijación de grupos, y para establecer el mapa genético por transformación, y tuvo también importancia general. En los sistemas *D. pneumoniae* y *H. influenzae* solo se han registrado unos pocos casos de genes ligados, por no poder disponer de marcadores nutricionales en estas cepas. En el caso del neumococo, se han descrito la ligadura entre los marcadores de estreptomicina y manitol, y un caso de ligadura entre ciertos genes que controlan la síntesis de la cápsula. Con *H. influenzae* la observación de marcadores se ha limitado a la ligadura entre los genes para resistencia a los antibióticos como catomicina y estreptomicina.[64] En contraste con *D. pneumoniae* y *H. influenzae*, que requieren medios complejos para crecimiento, *B. subtilis* es un germen capaz de crecer bien en un medio simple, definido como mínimo.[170]

Este permite aislar gran número de diferentes mutantes auxotróficos, además de las cepas usuales resistentes al antibiótico.

Se ha comprobado que genes para la biosíntesis de diversos aminoácidos aromáticos y para la síntesis de histidina estaban ligados a los que controlan la síntesis de triptófano en *B. subtilis*, indicando que por lo menos podían estar contenidos trece loci genéticos en una sola molécula de DNA.[44, 141, 142] Sin embargo, no todos los loci que participan en una vía sintética estaban ligados; diversos loci de histidina se ha comprobado que no están ligados, como ocurre también con tres loci no ligados que intervienen en la biosíntesis de arginina.

Según veremos en detalle en la sección de transducción, algunos bacteriónegos pueden actuar como vectores para la transferencia de genes bacterianos de un huésped en el cual el fago se ha propagado a otro huésped que recibe y expresa el material genético aportado por el fago, sin sufrir lisis. Tales fagos, que efectúan la transducción en *B. subtilis*, se han aislado y utilizado para demostrar casos de ligadura de marcadores que no suele descubrirse ordinariamente por transformación de DNA.[177, 179] Pero si se aísla el DNA bacteriano en condiciones de tratamiento poco enérgico, a veces también puede observarse la ligadura de tales marcadores por transformación.[100]

Recientemente Yoshikawa y Sueocka [197] han utilizado un método muy útil para establecer el mapa del cromosoma de *B. subtilis*. Logran determinar el orden relativo de los genes de una serie de marcadores. Esto se basa en observar que se producen el doble de transformantes por marcadores en el extremo de la réplica de cromosoma cuando se aísla DNA de células en fase de crecimiento exponencial. En esta forma se identificó un marcador de adenina como el origen de la réplica, ya que demostró la máxima frecuencia de transformación, mientras que los marcadores para metionina e isoleucina se comprobó que estaban ligados provocando aproximadamente el mismo número bajo de transformantes y, por lo tanto, localizados en el lado opuesto del mapa cromosómico.

Transfección. La disponibilidad del sistema de transformación en *B. subtilis* y el fenómeno de la transducción genética de *B. subtilis* por bacteriófagos ha permitido estimar los genes bacterianos presentes en el DNA extraído del fago que causa la transducción. También es posible estudiar la infección de células de *B. subtilis* empleando DNA extraído del fago, lo cual puede originar crisis de la célula con liberación de partículas de fago completas. Este proceso se llama transfección, y puede tener lugar solamente en células competentes, y con muy poca eficacia.[54, 171] En ocasiones se han publicado informes de producción de virus animales dentro de *B. subtilis*, después de exposición al ácido nucleico del virus animal. Estos informes se han considerado posibles ejemplos de transfección por material genético heterólogo; sin embargo, no han sido ampliamente aceptados. En el caso de *E. coli,* aunque se han publicado de cuando en cuando informes de transformación, todavía no ha aparecido uno suficientemente útil o fácil de repetir para poderse aplicar a estudios ulteriores. De todas maneras, diversos trabajos acerca de la transfección con células de *E. coli* K-12 o esferoplastos (bacterias cuyas paredes celulares han sido suprimidas en mayor o menor grado con tratamientos diversos) han brindado técnicas de gran valor para estudio genético. Estos estudios los consideraremos en la sección de transducción.

Un caso de transformación en el que interviene el ácido ribonucleico (RNA) ha sido publicado recientemente a propósito de la resistencia a los sulfamídicos por *D. pneumoniae*.[45] Sin embargo, el material activo era sensible tanto a RNasa como a DNasa, indicando que puede intervenir un complejo polinucleótido de DNA y RNA. Los transformantes resistentes de los sulfamídicos que se produjeron como consecuencia del tratamiento de RNA generalmente eran inestables, muchas veces perdían su resistencia, aunque en alguna ocasión se obtuvieron formas resistentes integradas en forma estable. En *B. subtilis* se ha señalado la transformación de RNA de resistencia penicilínica. Pero este resultado todavía no ha sido confirmado.

CONJUGACION

La conjugación es el proceso de cópula entre dos bacterias sexualmente diferenciadas, durante la cual puede transferirse material genético de una célula a otra. Su existencia fue descubierta en 1946 por Lederberg y Tatum [111, 112] en una cepa de *Escherichia coli* llamada K-12, y es en esta cepa donde mejor se ha estudiado. La diferenciación sexual y la conjugación de K-12 depende de la presencia de un elemento transmisible genético extracromosómico denominado factor sexual o F.[71, 107] Como más tarde se ha comprobado que elementos similares promueven la conjugación, y se ha descubierto la transferencia genética en diversos sistemas conyugales, F ha pasado a ser el prototipo con el cual se comparan todos los demás factores sexuales. Por lo tanto, es lógico empezar por considerar la naturaleza de F para estudiar la conjugación bacteriana.

El factor sexual F. El complemento normal de información genética en *E. coli* se halla contenido en una sola molécula continua (circular) de DNA llamada subcromosoma, que tiene una longitud total de un milímetro.[29] El factor sexual F, también una molécula circular de DNA, tiene unas dimensiones de aproximadamente 1/50 del cromosoma de *E. coli;* en su forma extracromosómica no hay conexión entre F y el cromosoma bacteriano. Cada una de estas estructuras se reproduce independientemente. La formación genética que reside en las secuencias de nucleótidos de F no es en forma alguna necesaria para el funcionamiento normal de la célula; por lo tanto, el factor sexual es un elemento genético que no es en modo alguno indispensable. Sin embargo, su presencia determina la capacidad del germen para iniciar el proceso conyugal por virtud del cual puede transferirse DNA cromosómico, como el propio F. Las células en las cuales existe F se llaman F+, machos o donadores, mientras que las células que no poseen F se llaman F−, hembras o receptores.

El factor sexual lleva información genética que determina la síntesis, por la célula huésped, de un apéndice superficial específico denominado un pelo F. Esta protrusión, a modo de pelo, compuesta por una subunidad de proteína que se repite, con un núcleo vacío, o vacío axial, es el determinante externo de la capacidad conyugal. Se sabe que es esencial para la formación de un contacto eficaz entre las células F+ y F−, y hay motivos para creer que puede servir también como el tubo conyugal con el cual se transfiere DNA.[25, 26] En contraste con los pelos comunes o fimbrias de *E. coli,* que existen en gran número en la superficie de la célula, puede haber solo uno o unos pocos pelos F en una célula, y se ha sugerido que solo se sintetiza un pelo F por cada factor sexual presente. La presencia del pelo F también confiere a la célula un carácter antigénico adicional, que se denomina antígeno F.[148]

En la célula de *E. coli* vegetativa, la réplica de F tiene lugar al mismo ritmo que la del cromosoma, y las moléculas duplicadas se parten con cada división celular. Sin embargo, una vez iniciada la conjugación, el resultado de la producción de la réplica F es la transferencia de una de las moléculas F duplicadas penetrando en la célula femenina. Probablemente este proceso es facilitado porque el factor sexual está unido a la membrana de la célula en un punto opuesto a la superficie receptora, o pelo F. Cuando el contacto con la célula receptora desencadena el mecanismo de transferencia, empieza el proceso de replicación de F en un lugar específico de la molécula, creando un extremo libre que se desenrolla de la hélice y pasa a través del tubo conyugal penetrando en el receptor. La síntesis complementaria de la tira a lo largo de la tira no libre de la célula F+ deja una réplica duplicada de F en el donador, mientras que la síntesis similar de DNA a lo largo de la tira libre transferida en la hembra proporciona una réplica F intacta en este compañero conyugal.[84]

Es solamente por conjugación con una célula F+ que un germen F− pueda adquirir el factor sexual; la exposición a filtrados acelulares o extractos de bacterias F+ no produce este resultado. La transferencia de F durante la conjugación de la células F+ y F− en cultivo mixto generalmente es un proceso muy eficaz. La frecuencia de transferencia de F varía según las cepas de F+, pero en ocasiones puede ser tan elevada que casi el 100 por 100 de

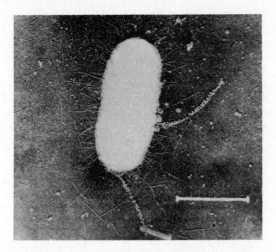

FIG. 6-1. Una célula bacteriana masculina con dos pelos F a los cuales están adsorbidos fagos masculinos. Los pelos F se distinguen fácilmente de los muchos pelos cortos de tipo I que rodean la célula. (Cortesía del Dr. Charles C. Brinton, Jr.)

las células F⁻ presentes quedan convertidas a F⁺. Una vez adquirido, F se transforma en un componente bastante estable dentro de la población bacteriana, y la aparición de células que han perdido F espontáneamente en estado normal es raro. Sin embargo, el tratamiento de poblaciones. F⁺ con anaranjado de acridina [75] tiende a impedir más la replicación de F que la replicación cromosómica y, por lo tanto, se produce un aumento del ritmo de pérdida del factor sexual.

Transferencia de genes por cepas F⁺. Aproximadamente una de cada 10^5 células en una población F⁺ transfiere ciertos genes cromosómicos donadores al receptor durante la conjugación. El resultado de tal transferencia puede observarse si las células F⁺ y F⁻ en una población que se está conjugando pueden distinguirse por una o más características fenotípicas. Por ejemplo, si la célula F⁻ tiene una necesidad auxotrófica digamos para treonina *(thr⁺)*, y la célula F⁺ es incapaz de sintetizar, por ejemplo, metionina *(met⁻)*, ninguna de estas cepas crecerá si se siembran por separado en un medio sintético sólido que solo contenga sales inorgánicas y una fuente de carbono utilizable como la glucosa. Sin embargo, si se siembran juntas ambas células F⁺ y F⁻ en este medio, algunas células F⁻ recibirán del donador sus genes que determinan la biosíntesis de treonina *(thr⁺)*, y la descendencia se desarrollará en este medio como clonos híbridos de *thr⁺*.

La transferencia de genes cromosómicos en el acoplamiento bacteriano es unidireccional —desde el donador al receptor.[70, 72] La célula F⁻ generalmente recibe solo una porción del DNA donador y, como veremos luego, solo incorpora por recombinación una fracción de esta porción. Por lo tanto,

el híbrido formado es esencialmente la célula F⁻ con algunos genes incorporados provenientes del donador. En consecuencia, el proceso de selección ha de ser solamente uno que permita la supervivencia de la cepa híbrida F⁻. Por ejemplo, si la cepa *met⁻* F⁺ descrita antes es sensible a la estreptomicina, y la cepa *thr⁻* F⁻ es resistente a la estreptomicina puede añadirse estreptomicina a las placas sembradas y todavía podrán obtenerse los híbridos *thr⁺* de la cepa F⁻. A pesar de su efecto finalmente mortal sobre los donadores, la estreptomicina no impide que transfieran el carácter *thr⁺* a sus compañeros F⁻. Como el papel del donador en la formación de híbridos solo es la transferencia de DNA, su fracaso final para vivir no afecta el fenómeno del cruzamiento. Por otra parte, si la cepa F⁻ es sensible a la estreptomicina en estas circunstancias, los híbridos *thr⁺* producidos durante la conjugación morirán mucho antes que sus descendientes puedan formar clonos visibles.

La Hfr donadora. La transferencia de genes cromosómicos por una población F⁺ ocurre como consecuencia de una interacción, en algunas células F⁺ entre F y el cromosoma bacteriano. Parece que existen cierto número de regiones dispersas alrededor del cromosoma bacteriano que guardan cierta homología con F; las probabilidades de emparejamiento del factor sexual con cualquiera de estos lugares de afinidad específica, seguido del entrecruzamiento (ver luego) puede tener por consecuencia su incorporación o integración dentro del cromosoma en dicho locus. Así, F (que ahora es un segmento lineal del DNA cromosómico circular) y el cromosoma bacteriano se integran formando una unidad de réplica en la célula vegetativa, y en la célula que se conjuga forman una unidad integrada de transferencia. Las células en las cuales F ha quedado integrado con el cromosoma bacteriano se llaman Hfr (por "high frequency of recombination" —alta frecuencia de recombinación—) por su capacidad de transferir algunos genes cromosómicos con frecuencias por lo menos mil veces mayor que las observadas en poblaciones F⁺.

Como hemos dicho antes, el resultado de la réplica de F durante la conjugación de una célula F⁺ estriba en transferir F DNA que penetra en el receptor. En una célula Hfr el resultado de la réplica conyugal F es mandar DNA cromosómico que penetra en el receptor. La reacción del extremo libre en este caso ocurre a nivel del factor sexual integrado, haciendo que este punto del cromosoma bacteriano (llamado el origen) sea el extremo directivo del proceso de transferencia. Así pues, el factor sexual es ahora el último elemento de DNA que va a ser transferido, y su transmisión al receptor solo tiene lugar si se ha transferido adelante de él todo el cromosoma. Como la interrupción espontánea del proceso conyugal suele producirse antes de completada la transferencia cromosómica, F resulta transferido pocas veces en una cópula de Hfr × F⁻.[72, 193]

Los genes cromosómicos que un donador Hfr transfiere con máxima frecuencia son los localizados cerca de su origen de transferencia. Este origen de transferencia está determinado por el lugar donde F se ha integrado y por la polaridad particular de transferencia que esta integración ha creado. Así pues, según la forma de insertarse F en un lugar determinado, el proceso de transferencia cromosómica tiene lugar en dirección de las agujas del reloj desde F, o en dirección contraria desde F. Tanto el lugar de integración F como la polaridad de la transferencia cromosómica están determinados para cada tipo de Hfr; sin embargo, entre los diferentes tipos Hfr que se originan en una población F+ existe una gran diversidad en cuanto a genes transferidos con gran frecuencia. De hecho, la baja frecuencia de transferencia observada para un gen determinado de la población F+ en realidad refleja la actividad de una pequeña proporción de tipos diversos de Hfr dentro de dicha población, transfiriendo cada uno un gen diferente con alta frecuencia.[89, 90]

Las cepas Hfr pueden aislarse en cultivo puro de una población de F+ por una variación del experimento de siembra con réplica antes descrito. En este caso, un medio sólido selectivo para el crecimiento de colonias híbridas bacterianas se siembra en forma dispersa en una población F-, y luego se hace el impronto con la réplica de terciopelo de una capa de células F+. Las localizaciones donde aparecen colonias híbridas en el medio selectivo indican los lugares en los cuales pueden descubrirse células Hfr en la placa de F+.

Transferencias del cromosoma bacteriano

Aunque los genes cromosómicos de *E. coli* están dispuestos en un grupo de unión circular, su transferencia por una cepa Hfr durante la conjugación tiene lugar en forma lineal. Como hemos dicho antes, esta transferencia empieza con el origen y termina con la propia F, si la unión conyugal dura tiempo suficiente. Sin embargo, a medida que progresa la transferencia aumentan las probabilidades de que se produzca una separación espontánea de los pares que están en cópula, fracturándose el cromosoma y acabando el proceso de transferencia. Todos los genes donadores que todavía no han sido transferidos quedan entonces excluidos del receptor. Así pues, los genes cromosómicos Hfr muestran un gradiente de frecuencias de transferencia conyugal que va disminuyendo a medida que aumenta su distancia del origen. Este gradiente de transferencia es un medio gracias al cual pueden ordenarse en relación con su origen los genes del grupo de unión Hfr.

Aunque una Hfr determinada solo proporciona un cuadro lineal del grupo de reunión bacteriana, es la conducta comparativa de diferentes tipos de Hfr la que inicialmente permitió establecer el concepto de cromosoma circular. Por ejemplo, una Hfr determinada puede transferir sus genes cromosómicos en el orden ← A B C D...X Y Z, indicando que A y Z están en los extremos opuestos. Sin embargo, otra Hfr, derivada de la misma población F+, puede transferir sus genes en el orden ← Y Z A B...V W X, estableciendo así una unión entre Z y A. En otras palabras, cuando se utilizan cepas diferentes de Hfr es imposible definir los extremos del cromosoma de la cepa F+ de donde se originaron.

Cópula interrumpida.[73, 178, 192] El orden y la distancia entre los genes de un grupo de unión Hfr puede determinarse con bastante precisión con una técnica en la cual las parejas de conjugación Hfr × F- se interrumpen sistemáticamente con intervalos de tiempo determinado. Esta interrupción se logra tomando alícuotas de un caldo de cultivado en el cual las células Hfr y F- se están conjugando, y sometiéndolo a una vigorosa agitación, de manera que las parejas en cópula queden separadas. Originalmente esta agitación se lograba mediante una licuadora Waring, pero los mezcladores de tipo vibratorio también logran bien la separación de los pares. Después de la agitación, una muestra de la mezcla de cópula interrumpida se siembra en placa sobre un medio selectivo para buscar híbridos que están heredando un gen particular. Si se ha preparado antes de la siembra una dilución adecuada de esta mezcla de células en cópula, y se utiliza un agente contraselectivo letal, como un fago o la estreptomicina (para la cual el receptor es resistente) contra Hfr, no se produce una intensidad importante de nuevas cópulas entre las parejas separadas. Así, si inicialmente se pusieron en contacto al iniciar el experimento (tiempo cero) poblaciones Hfr y F-, y la cópula se interrumpiera, digamos, 10 minutos después, la aparición de colonias de híbridos solo se descubrirá si el gen seleccionado está suficientemente cerca del origen para ser transferido a un número suficiente de células F- en plazo de 10 minutos.

El método para determinar el tiempo en el cual un gen Hfr empieza a penetrar en la célula receptora pueden ilustrarse considerando una cepa de Hfr (denominada P4X-6) que se sabe transfiere un gen para la síntesis de prolina (*pro+*) cinco minutos después del contacto inicial. Al tiempo cero se mezcla un cultivo en caldo de la población de Hfr con un cultivo en caldo de la población *pro+* F-. Luego, cada tres minutos se toma una muestra de esta mezcla, se diluye adecuadamente, se agita para separar las parejas que están copulando, y se siembra en placa sobre medio selectivo para híbridos *pro+*. Como la penetración del gen *pro+* requiere por lo menos cinco minutos, la inspección (después de incubación) de la muestra sembrada en placa a los tres minutos mostrará que no se han producido híbridos *pro+*. La inspección de la muestra de seis minutos puede mostrar ninguna o solo unas pocas

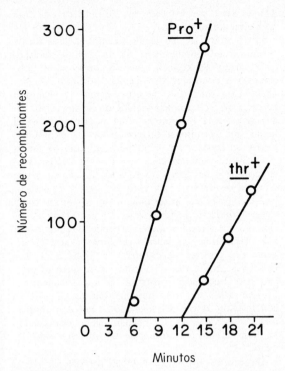

FIG. 6-2. Gráfica de una cópula interrumpida entre *E. coli* Hfr donador P4X-6 y una cepa de *E. coli* F- que muestra la aparición *pro+* y *thr+* en función del tiempo de interrupción de la cópula y la toma de muestras. El punto en el cual las curvas cruzan el eje del tiempo es el momento en el cual los genes donadores penetran en la célula receptora, 5 minutos en el caso de *pro+* y 12 minutos de *thr+*.

colonias de híbridos *pro+,* porque el números de híbridos que ha recibido el gen *pro+* en este punto era demasiado pequeño para reflejarse en la muestra que sirvió para sembrar la placa. Sin embargo, en la muestra de nueve minutos deben obtenerse un número importante de colonias de híbridos *pro+.* Cada muestra sucesiva presentará un aumento en el número de híbridos en comparación con la muestra anterior, hasta alcanzarse un valor de meseta en que el número ya se conserva constante.

Si el número de colonias de híbridos por placa se dispone en gráfica (en el eje *y*) contra cada intervalo de tiempo (eje *x*) se obtiene una curva que en este caso es una línea recta, y cuya extensión corta el eje *x* a los cinco minutos. Este punto de intersección de la curva con el eje del tiempo indica el momento en el cual los híbridos empiezan a recibir el gen *pro+* de Hfr P4X-6. Dentro del mismo experimento pueden determinarse los tiempos de penetración de otros genes también si la cepa F- se marca adecuadamente. Por ejemplo, si el receptor *pro-* en este experimento también es *thr-,* pueden sembrarse en placas también muestras de la mezcla en que se interrumpió la cópula en medio selectivo para híbridos *thr+,* y se obtendrá un

tiempo de entrada de 12 minutos para este gen. Así se observa una distancia de siete unidades de tiempo (minutos) que separa los genes *pro+* y *thr+* en el cromosoma de Hfr P4X-6. Esta distancia puede confirmarse utilizando una cepa diferente de Hfr (denominada H) en otra cópula interrumpida con la misma cepa F-. Hfr H transfiere su cromosoma con una polaridad opuesta a la P4X-6, y en este caso *thr+* penetra primero a los ocho minutos, seguido de *pro+* a los 15 minutos. Sin embargo, el intervalo de tiempo de siete minutos entre los dos genes es el mismo con cualquiera de las Hfr.

Comparando el intervalo de tiempo medido entre dos genes por una Hfr que las transfiere en etapa temprana, con el mismo intervalo medido por otras cepas Hfr que transfieren estos genes más tarde, se ha comprobado que por lo menos la primera mitad del cromosoma de Hfr es transferido con velocidad constante. Pasado este punto, la rapidez de la transferencia tiende a ser menor. Sin embargo, los orígenes de transferencia de las cepas Hfr disponibles están situados alrededor del cromosoma, de manera que todos los genes pueden establecerse en forma de mapa localizándolos, cuando menos para una Hfr que los transfiere en plazo de 30 minutos o menos. Midiéndolas en esta forma, a temperatura constante de 37°C, la longitud total del grupo de ligadura de *E. coli* en unidad de este tiempo es de 90 minutos.[178] Con una longitud física total de aproximadamente un milímetro, determinada por medición autorradiográfica, el cromosoma ha de contener aproximadamente 3×10^6 pares de nucleótidos, de manera que cada minuto equivaldría a 3.3×10^4 pares de nucleótidos. Para simplificar, admitiendo que el gen medio contiene 1 000 pares de nucleótidos, tiene que haber aproximadamente 33 genes por cada unidad de tiempo de un minuto.

Recombinación. El proceso por virtud del cual un gen donador transferido entra a formar parte del cromosoma circular recombinante de la célula híbrida todavía no es bien conocido. Se admite, en general, que la etapa inicial en este proceso incluye el apareamiento del fragmento transferido del DNA donador con la región homóloga del cromosoma receptor. Después de este alineamiento, tienen que producirse roturas en los mismos lugares en las dos moléculas progenitoras, después de lo cual el extremo roto del cromosoma receptor se une con el extremo de conjugación del cromosoma donador. Esta unión de los cromosomas progenitores opuestos se llama entrecruzamiento o *crossing over;* se necesitan dos de tales acontecimientos de entrecruzamiento para incorporar un segmento lineal de DNA donador en el cromosoma receptor. La unión recíproca de extremos rotos para formar una molécula recombinante se cree que es el mecanismo por virtud del cual se producen todas las recombinaciones genéticas.

Herencia de caracteres no seleccionados. La recombinación del carácter donador seleccionado en un híbrido bacteriano requiere que tenga lugar por lo menos un entrecruzamiento de cada lado de la localización cromosómica de dicho carácter. Dentro de los límites variables del segmento cromosómico definido por estos entrecruzamientos, algunos genes ligados y no seleccionados también se heredarán. Si la cepa receptora se marca adecuadamente, de manera que pueda descubrirse la herencia de estos genes, se comprueba que cuando más cerca está un gen del carácter seleccionado dentro de un grupo ligado, más frecuente es su aparición junto con dicho carácter. Además, los caracteres situados entre dos genes "externos" heredados de un grupo ligado es mucho más probable que existan en el híbrido, no que sean excluidos de él. Así, si el orden de cuatro genes separados uniformemente y ligados es ABCD, los híbridos seleccionados para recibir A con mucha frecuencia serán de tipo AB, menos frecuentemente de tipo ABC, y menos frecuentemente todavía de tipo ABCD. Obsérvese que se necesitan solo dos entrecruzamientos, uno a la derecha y uno a la izquierda del gen A para producir cualquiera de las clases híbridas antes señaladas. La producción de un segundo par de entrecruzamientos dentro del grupo ligado, como sería necesaria para producir las clases híbridas AC o

AD, es rara; por lo tanto, los híbridos de este tipo normalmente son raros.

La conducta de los genes ligados en esta forma permite establecer el mapa de un gen desconocido en el grupo en relación con dos otros cuyas posiciones son conocidas. Analizando híbridos seleccionados para cada uno de estos genes en cuanto a herencia no seleccionada de los otros dos, el orden del gen queda determinado, de manera que es el mejor que permite la formación de las recombinaciones observadas con el número mínimo de entrecruzamiento. Sin embargo, este tipo de análisis solo es posible para genes localizados a tres a cuatro minutos del carácter seleccionado. Pasado este tiempo, los genes no seleccionados se conducen como si no estuvieran ligados, y su frecuencia de aparición en los híbridos ahora depende de que hayan sido transferidos en sentido proximal (hacia el origen) del carácter seleccionado, o distal a él. Los caracteres proximales no ligados se heredan al azar, con una frecuencia constante de aproximadamente 50 por 100, mientras que los localizados distales con relación al gen seleccionado se heredan en porcentajes decrecientes (o quedan excluidos) cuando va aumentando su distancia del carácter seleccionado.[74, 91]

El donador F-prima.[1, 2, 172] El proceso por virtud del cual F sufre conjugación y entrecruzamiento con el cromosoma bacteriano para crear la configuración Hfr es reversible; o sea que F puede desprenderse del cromosoma de una célula Hfr dando origen nuevamente al estado F+. El ritmo con el cual tiene lugar la reversión de Hfr a F+ varía según las cepas de Hfr, pero en general es aproximadamente el mismo que el ritmo de conversión de F+ a Hfr, o sea una vez cada 10^5 generaciones celulares. Sin embargo, en raras ocasiones el proceso de separación de F no tiene lugar en forma exactamente inversa de su integración. En su lugar se regenera un factor sexual libre que contiene dentro de su estructura circular un segmento del cromosoma bacteriano. En correspondencia, el cromosoma bacteriano ahora tiene pérdida de los genes que están incorporados dentro del factor sexual. La célula en la cual tiene lugar este tipo de separación de F se llama una célula F-prima (F') y el factor sexual compuesto F-prima o F-merogenote.

Las células primarias F-prima transfieren el F-merogenote con mucha eficacia a células F−. En general, los genes cromosómicos transferidos como parte de un factor F-prima tienden a seguir formando parte del factor F-prima recircularizado en la cepa receptora, creando así una célula F-prima secundaria. En la célula F-prima secundaria los genes cromosómicos del F-merogenote ahora son duplicados de los alelos que existen también en el cromosoma bacteriano. Así, a diferencia de la cepa F-primaria, en la cual la constitución genética haploide se conserva, las células F-primas secundarias son parcialmente diploides con relación a los genes que transporta el F-merogenote.

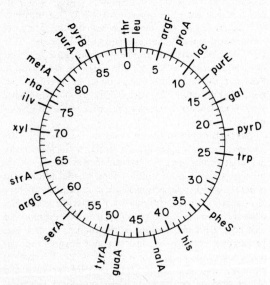

FIG. 6-3. Mapa cromosómico de *E. coli* K-12 que muestra los loci de algunos determinantes genéticos de este organismo. Los números dentro del círculo indican la duración del mapa en minutos. Los loci genéticos están dispuestos según sus tiempos relativos de penetración en experiencias de coito interrumpido con diversas cepas Hfr. Los símbolos indican genes para biosíntesis de arginina (*argF*, G), guanina (*guaA*), histidina (*his*), isoleucina-valina (*ilv*), leucina (*leu*), metionina (*metA*), prolina (*proA*), fenilalanina (*pheS*), purina (*purA*, E), pirimidina (*pyrB*, D) serina (*serA*), treonina (*thr*), triptófano (*trp*), y tirosina (*tyrA*); la utilización de galactosa (*gal*), lactosa (*lac*), ramnosa (*rha*), y xilosa (*xyl*); y la resistencia a estreptomicina (*strA*) y ácido nalidíxico (*nalA*).

A consecuencia de su subsegmento incorporado de genes alérgicos con los del cromosoma bacteriano, el factor F-prima en una cepa F-prima secundaria interactúa mucho más facilmente con el cromosoma que el factor sexual en una cepa F+. El apareamiento y el entrecruzamiento en esta región para integrar el factor F-prima dentro del cromosoma tiene lugar con frecuencia de una vez cada 10 generaciones celulares, y el desprendimiento de una F-prima integrada es igualmente rápido. La población de F-primas secundarias es, pues, una mezcla de células de tipo F-prima y Hfr en equilibrio dinámico. Conjugándose con una población F⁻ las células que contienen un factor F-prima desprendido al tiempo de la cópula lo transferirán, mientras que las células en las cuales el factor F-prima está integrado se conducirán como donadores cromosómicos Hfr.

Transferencia intergenérica de genes de E. coli K-12

Las células masculinas de *E. coli* K-12 se ha comprobado que forman uniones conyugales con otros miembros de Enterobacteriaceae (Salmonella, Shigella, Serratia, y Proteus) así como con otros géneros más divergentes, como Vibrio y Pasteurella. En esta forma, genes cromosómicos de *E. coli* asociados con F, como parte de un factor F-prima, se han transferido a representantes de todos estos géneros, y se ha observado su expresión en los organismos correspondientes. La transferencia de genes cromosómicos no ligados con F, por cepas de *E. coli* Hfr, se ha logrado con cepas receptoras de Shigella, Salmonella y Proteus. Sin embargo, cuando el segmento de DNA de *E. coli* transferido debe conservarse en un receptor extragenérico, y no se trata de la asociación con un factor sexuado que se duplica en forma autónoma, la hibridación se logra menos fácilmente. En general, cuanto más cercana la relación genética del receptor particular de *E. coli* K-12 más frecuentemente se logra su hibridación con una K-12 Hfr.

Transferencia de genes de E. coli a Salmonella. Aunque el descubrimiento inicial de la transferencia genética de *E. coli* K-12 y Salmonella se lograba con un receptor *Salmonella typhimurium*,[11, 12] la mayor parte de cepas *Sal. typhimurium* no proporcionan híbridos cruzándose con derivados de K-12 Hfr. Sin embargo, pueden obtenerse mutantes de estas cepas de Salmonella en los cuales DNA K-12 transferido puede participar en los intercambios de recombinación con el cromosoma de Salmonella.[12, 133, 135] La naturaleza de esta mutación de "esterilidad" a "fertilidad", en relación con la aceptación de DNA de *E. coli*, todavía no se ha aclarado. Hay datos[34, 147] que parecen indicar que puede incluir un proceso análogo el sistema de restricción-modificación de *E. coli* K-12 (ver la sección de transducción), en el cual DNA identificado por la célula como "extraño" es desintegrado

enzimáticamente.[8, 41] Si tiene lugar un proceso similar en este sistema de cruzamiento intergenérico, entonces los mutantes fértiles representarían cepas algo alteradas en su capacidad de transportar esta restricción al DNA de *E. coli* que penetra.

En términos de estructura, el cromosoma de Salmonella es homólogo del cromosoma de *E. coli;* o sea que el orden y la distancia de los genes que determinan los mismos productos, o productos similares, son esencialmente iguales en cada organismo. Sin embargo, a nivel de las secuencias individuales de nucleótidos, los dos cromosomas presentan una homología incompleta.[50, 198] Esta divergencia a nivel molecular se conoce por experimentos en los cuales tiras únicas de DNA extraídas y fragmentadas de una especie se permiten que formen combinación in vitro con fragmentos complementarios de una sola tira de otra. En estos experimentos de reasociación, la máxima homología que puede obtenerse entre el DNA de *E. coli* y el DNA de Salmonella es del orden de 45 por 100.[20]

La conducta del DNA de *E. coli* transferido conyugalmente en híbridos de Salmonella ha sido bastante estudiada en cruzamientos que incluyen *Sal. typhosa* como receptor genético. Se comprueba que este organismo naturalmente es receptivo para la transferencia, como lo demuestra el hecho de que la transmisión a él de factores F-prima procedentes de *E. coli* se logra aproximadamente con la misma eficacia que la observada con receptores *E. coli*.[96] Como los genes cromosómicos de *E. coli* ligados a F en este caso siguen asociados con el factor F-prima que se duplica en forma autónoma en el híbrido, no hay problema en cuanto a su conservación por el huésped *Sal. typhosa*. Sin embargo, cuando los gérmenes cromosómicos de *E. coli* son transferidos por un donador Hfr, la frecuencia de recuperación de híbridos de *Sal. typhosa* seleccionados para recibir un carácter donador específico es por lo menos mil veces menor que la observada en cruzamientos comparables con receptores K-12. Además, la recombinación del gen de *E. coli* seleccionado solo tiene lugar en aproximadamente la mitad de los híbridos recuperados de *Sal. typhosa;*[93] en los demás, el segmento de DNA de *E. coli* transferido que lleva el gen se conserva como una adición potencialmente inestable al complemento genético regular de la célula. Tales híbridos son, pues, diploides parciales heterocigóticos[15] en relación con los genes contenidos en el fragmento cromosómico heredado de *E. coli.*

Hay muchas variaciones en el grado de estabilidad con el cual los segmentos genéticos de *E. coli* quedan conservados en estado diploide en híbridos de *Sal. typhosa*. Típicamente, y con una frecuencia de 1 al 10 por 100, los híbridos parcialmente diploides, al ser sembrados nuevamente en placa, separan clonos, en los cuales se han perdido los genes *E. coli*. Sin embargo, algunos híbridos parcialmente diploides de *Sal. typhosa* conservan los genes de *E. coli* en forma mucho más estable, de manera que clonos repetidos de gran número de células no logran demostrar colonias que se segregan. A la inversa, otras células híbridas pueden, por replicado, mostrar hasta 100 por 100 de segregación de clonos en los cuales la pérdida de los genes de *E. coli* ha restablecido el genotipo haploide original de Salmonella.

Todavía no conocemos la forma cómo un híbrido parcialmente diploide conserva DNA no recombinado de *E. coli* no asociado con F. En algunos híbridos parcialmente diploides de *Sal. typhosa* se ha comprobado que el DNA de *E. coli* se conserva en forma circular,[105] lo cual implica que los extremos rotos del fragmento de DNA se unen para crear una estructura de réplica similar a F, o al propio cromosoma bacteriano. No sabemos si esta unión de extremos no correspondientes puede tener lugar a cualquier nivel de un fragmento cromosómico de *E. coli*, o solamente en algunos lugares específicos. Tampoco sabemos si la configuración circular es la única forma en la cual se conservan tales segmentos genéticos diploides. Una posibilidad sería, por ejemplo, la inserción en tandem del segmento de DNA de *E. coli* en el cromosoma de Salmonella.

La cantidad de DNA de *E. coli* que los híbridos de *Sal. typhosa* pueden conservar en estado diploide es muy grande. Según los híbridos, los segmentos genéticos de *E. coli* conservados en esta forma suelen tener longitud variable, desde quizá 3 hasta aproximadamente 10 a 15 unidades de tiempo, pero en ocasiones pueden tener más de la tercera parte de la longitud del cromosoma de *E. coli*.[94] Sin embargo, solo una pequeña fracción del DNA donador sufre recombinación en el híbrido. Entre los híbridos de *Sal. typhosa* en los cuales tiene lugar la recombinación de un gen donador seleccionado, se comprueba que el segmento de DNA que lleva dicho gen tiene una longitud de una a dos unidades de tiempo.[93] Además, si se examina la recombinación de genes donadores transferidos en su parte proximal y no ligados, se comprueba que tiene lugar con una frecuencia menor del 3 por 100.[94]

Transferencia de genes de E. coli a Proteus.
El grado de homología estructural considerado del cromosoma, de Proteus con el cromosoma de *E. coli*, no lo conocemos. Sin embargo, experimentos de reasociación indican que, en el mejor de los casos, existe solo una homología de nucleótidos del 6 por 100 entre DNA de *E. coli* y de *Pr. mirabilis*.[20] Quizá no deba sorprendernos, pues que la hibridación de *Pr. mirabilis* con genes cromosómicos transferidos de *E. coli* Hfr en realidad se logre con gran dificultad. La frecuencia de recuperación de tales híbridos es muy baja (aproximadamente 1 por 10^8 a 10^9 células donadoras) y todos los híbridos de Proteus recuperados parecen diploides parciales inestables con relación a los genes de *E. coli* que conservan.[63] No sabemos si la recombinación de DNA de *E. coli* puede tener lugar en híbridos con *Pr. mirabilis*.

Un aspecto peculiar de la transferencia de genes de *E. coli* a Proteus proviene de que la composición global de bases de DNA en cada organismo es netamente diferente. En el DNA de *Pr. mirabilis* el 39 por 100 de pares de bases totales son de tipo guanina-citosina $(G + C)$, en contraste con el tipo adenina-timina $(A + T)$. En el DNA de *E. coli* el contenido de $G + C$ es de 50 por 100. Esta diferencia en las proporciones entre los pares de $G + C$ y de $A + T$ en estos de DNA de dos especies se refleja también en una diferencia en la densidad cuando se extrae y centrifuga cada uno en equilibrio en un gradiente de densidad de cloruro de cesio (CsCl). En estas condiciones, el DNA de Proteus adopta una posición en el gradiente que corresponde a su densidad de 1.698 g/cm³, mientras que el DNA de *E. coli* forma una "banda" en una posición que corresponde a su densidad de 1.710 g/cm³.[52, 158]

A consecuencia de esta diferencia en la composición de bases de DNA entre los dos gérmenes es posible utilizar un medio fisicoquímico para estudiar los híbridos de Proteus que contienen segmentos de gen de *E. coli*. Cuando el DNA de tales híbridos es extraído y examinado con un gradiente de densidad de CsCl, el DNA de *E. coli* se separa de la banda principal de DNA de Proteus formando una banda adicional en la posición del gradiente correspondiente a su densidad de 1.710 g/cm³. Por lo tanto, puede calcularse la cantidad de DNA de *E. coli* en el híbrido como porcentaje del DNA total extraído.[63] En esta forma ha sido posible determinar las dimensiones relativas de diferentes factores F-prima de *E. coli*,[47, 52, 154] así como el contenido de DNA y de otros elementos genéticos como factores de transferencia de resistencia [48, 154] y determinantes colicinogénicos [40] (ver luego) después de la transferencia conjugal a *Pr. mirabilis*. También se han examinado fragmentos cromosómicos de *E. coli* no asociados con F, sino conservados en estado diploide en híbridos de Proteus. Dichos híbridos parcialmente diploides se ha comprobado que contienen fragmentos de DNA de *E. coli* que van de 6 a 26 por 100 del DNA híbrido total extraído.[63]

Transferencia de genes de E. coli a Shigella.
El cromosoma de Shigella, como el de Salmonella, es casi homólogo con el cromosoma de *E. coli* K-12. Además, en contraste con los respectivos 6 por 100 y 45 por 100 de reasociaciones de los DNA de Proteus y Salmonella con el DNA de *E. coli* K-12, el DNA de *Shigella flexneri* presenta una homología del 85 por 100 con el de K-12.[21] Como puede preverse de dicha relación, la hibridación conjugal de *Sh. flexneri* por donadores Hfr K-12 se logra más eficazmente en el caso de receptores Salmonella, y en particular de Proteus. La frecuencia de recuperación de híbridos de Shigella en apareamientos con cepas de K-12 Hfr generalmente es unas cien veces mayor que la observada con receptores Salmonella, aunque todavía es por lo menos

10 veces menor que la observada con receptores K-12.[51,117] Además, solo el 5 al 10 por 100, aproximadamente, de los híbridos de *Sh. flexneri* recuperados de dichos cruzamientos se observa que son diploides inestables con respecto a caracteres de *E. coli* para los cuales se han seleccionado.[51] A pesar de la mayor eficiencia de recombinación del gen donador seleccionado, la herencia por recombinación de caracteres transferidos proximalmente de *E. coli* no seleccionados varía entre 1 y 10 por 100. Esta herencia poco frecuente contrasta con el 50 por 100 de herencia de recombinación no seleccionada de caracteres proximales no ligados en el cruzamiento de intracepas de K-12.

Los híbridos de *Shigella flexneri* producidos por transferencia conyugal de genes *E. coli* a partir de donadores K-12 Hfr se han utilizado con muy buen resultado en estudios sobre patogenia de disentería bacilar.[51, 56, 57] Al paso que la integración de cierto número de regiones cromosómicas de K-12 no tiene efecto sobre la capacidad del híbrido de Shigella para producir una infección experimental en un animal adecuado, por lo menos dos regiones genéticas de K-12, cuando se incorporan, producen alteraciones en la virulencia del híbrido. La recombinación de una de estas regiones afecta a un gen de Shigella cuya función es permitir al organismo penetrar en las células epiteliales del huésped. La recombinación de la otra región incluye un gen de Shigella que permite que el organismo persista en la mucosa intestinal del huésped después de haber penetrado en las células epiteliales. Probablemente los alelos de *E. coli* de estos genes son afuncionales, o bien originan productos alterados. Por lo tanto, su subtitución de los alelos nativos de Shigella en el híbrido tiene por consecuencia la pérdida de aquellas propiedades de virulencia determinadas por los alelos de Shigella.

Transferencia genética promovida por F en bacterias que no son K-12

La transferencia del factor sexual de *E. coli* K-12 a otras cepas de *E. coli*, Shigella y Salmonella ha permitido aislar donadores de tipo Hfr en dichas cepas. En términos generales, estos donadores se conducen en forma similar a la de sus contrapartidas de K-12, transfiriendo sus genes cromosómicos en orden lineal desde el origen creado por la integración de F. El aislamiento de tales donadores ha permitido la creación de sistemas de cópula intracepa diferentes de K-12 y, además, ha ampliado mucho la transferencia de genes entre géneros y entre especies.

Conjugación provocada por F en Salmonella. La conducta de F en un huésped bacteriano que no es K-12 se ha estudiado sobre todo en miembros del género Salmonella. Se han aislado diversos derivados Hfr de *Sal. typhimurium* [155, 199] y de *Sal. abony* [119] con diferentes orientaciones de transferen-

cia y polaridades, a partir de poblaciones infectadas por F de dichos organismos. Además, se han identificado factores F-prima en estas cepas.[155] Por lo tanto, el factor sexual parece conducirse de la misma manera en estos huéspedes Salmonella como lo hace en *E. coli* K-12; es capaz de existir en estado F⁺, Hfr o F-prima.

En experimentos de conjugación con receptores de Salmonella, la conducta de donadores Hfr de Salmonella suele ser similar a la de derivados de Hfr de K-12. Sin embargo, la velocidad con la cual el cromosoma de una Hfr Salmonella es transferido es menor que la observada para una Hfr K-12.[95, 155] Por lo tanto, la distancia en unidades de tiempo entre un par determinado de genes de Salmonella, medida por una Hfr de Salmonella, parece ser grande en comparación con la distancia entre genes alélicos de localización idéntica en *E. coli*, a juzgar por la medición en K-12 Hfr. En consecuencia, las experiencias de cópula interrumpidas efectuadas con cepas de Salmonella Hfr indican una longitud cromosómica total de 140 minutos, en comparación con el mapa de 90 minutos para K-12.[155]

El tipo de recombinación observado entre los híbridos derivados de una cópula intracepa de Salmonella no parece muy diferente del observado para entrecruzamientos intracepa de K-12. Por otra parte, cuando se efectúan cópulas entre especies diferentes de Salmonella, la herencia de genes donadores no seleccionados proximales es baja, en promedio entre 4 y 10 por 100. Aunque todos los híbridos recuperados en cópulas interespecies de Salmonella parecen heredar el carácter seleccionado del dador por recombinación, y no se observan diploides parciales, los genes donadores no seleccionados se conducen como no ligados, a no ser que estén situados a menos de dos unidades de tiempo de distancia del gen seleccionado.[97, 98]

Dada la pequeña cantidad de DNA donador que el híbrido de una cópula interespecie puede incorporar, la recombinación previsible de caracteres no seleccionados está limitada a aquellos cuyas determinantes genéticas están estrechamente ligadas a un carácter selectivo disponible. Por desgracia, muchos de los genes cuya recombinación sería deseable estudiar en cruzamientos entre especies, por ejemplo las determinantes de las propiedades antigénicas o patógenas del organismo, no pueden determinarse en un cruzamiento, y deben heredarse como caracteres no seleccionados. De todas maneras, las cópulas interespecies de Salmonella ya han logrado demostrar relaciones alélicas que los genes determinan las diferentes propiedades antigénicas de los diversos serotipos, especialmente relacionados con determinación de antígenos O específicos de grupo. Además de los derivados Hfr del grupo B (expresando O antígeno 4) de especie de Salmonella — *Sal. abony* y *Sal. typhimurium*— se han obtenido también derivados Hfr o F-prima en *Sal. typhosa* [95, 97] y *Sal. enteritidis* [121] (grupo D, O antígeno 9); *Sal. paratyphi* [92] (grupo A, O antígeno 2); y *Sal. montevi-*

deo[122] (grupo C₁, O antígenos 6, 7). Se ha utilizado un derivado de cada una de estas especies para transferir los genes que determinan su antígeno O específico de grupo a una especie receptora, expresando una especificidad antigénica O diferente. Siempre que un receptor en cualquiera de estos cruzamientos adquiere la especificidad antigénica O del donador, pierde su especificidad antigénica O nativa. Por cruzamientos recíprocos entre las especies de este tipo se ha comprobado que los genes que determinan estas diferentes especificidades antigénicas O tienen una localización cromosómica idéntica en todos estos organismos. En otras palabras, los diversos serotipos O de Salmonella resultan de diferentes formas alélicas de los gérmenes que comprenden un locus cromosómico común de antígeno O.[92, 97, 121, 122] Se ha observado una relación alélica similar de determinantes antigénicos O en cruzamientos conyugales entre diversos serotipos O de *E. coli*.

La naturaleza alélica de los genes que determinan los antígenos flagelares de Salmonella en los loci H₁ y H₂ ya se describió antes. Cepas Hfr de Salmonella se han utilizado para determinar las posiciones cromosómicas de estos loci y establecer una relación alélica entre genes H₁ de Salmonella y genes del determinante aislado flagelar de fase H de *E. coli*.[120] Se han utilizado también copas de Hfr de Salmonella en cruzamientos entre especies para localizar los determinantes genéticos del antígeno Vi en *Sal. typhosa*[97, 98] (ver el capítulo 20). Por lo menos dos loci genéticos controlan la expresión de este antígeno en *Sal. typhosa;* uno de ellos, denominado *ViaB*, parece contener los determinantes estructurales mayores del antígeno. El otro locus, denominado *ViaA*, existe y también es funcional en *Sal. typhymurium* y en otras bacterias intestinales que normalmente no expresan el antígeno Vi. La función del locus *ViaA* no se ha establecido, pero en *Sal. typhosa* puede incluir acetilación[98] de las unidades de ácido aminourónico de galactosa, de los cuales está formado el antígeno Vi.[32]

Como las bacterias del género Salmonella son patógenas en diversos animales, la disponibilidad de cruzamiento entre especies dentro de un mismo grupo parecería permitir una situación ideal para el estudio genético de la virulencia. Como ya dijimos, uno de los problemas de dicho estudio es el de distinguir las funciones genéticas que son determinantes primarios de la virulencia, de aquellas que solo intervienen en forma incidental. Este problema se presentaría si se usaran mutantes avirulentos en cruzamientos con un germen donador virulento de la misma cepa. El donador virulento es capaz de reparar el defecto de virulencia del receptor independientemente de la naturaleza del defecto; por lo tanto, el experimento no establece es el gen aceptado como determinante primario de la virulencia. Ocurre así también en cruzamientos de especies si se estudia la pérdida de virulencia de un híbrido como consecuencia de recombinación de genes cromosómicos de un donador avirulento. Esta situación ha sido

examinada en el caso de híbridos de *Sal. typhimurium* que perdieron la virulencia para el ratón a consecuencia de incorporar segmentos cromosómicos específicos de una cepa donadora de *Sal. abony*.[103] Por desgracia, no puede determinarse con este experimento si las regiones genéticas que intervienen contenían determinantes primarios de virulecia.

Un cruzamiento entre especies identificaría un determinante primario de virulencia si los genes transferidos de un donador virulento impartían una virulencia similar a especies receptoras que en forma nativa no la poseían. Un ejemplo de esta situación pudiera ser la producción de un híbrido virulento para el ratón de *Sal. typhosa*, por transferencia genética de un donador *Sal. typhimurium* virulento para el ratón. Como las cepas de *Sal. typhosa* son específicamente patógenos humanos, que no tienen acción patógena nativa en el ratón, cualquier gen de *Sal. typhimurium* que confiera esta capacidad necesariamente sería un determinante primario de la virulencia.

Aunque teóricamente debiera poderse lograr que un híbrido de Salmonella de una especie aceptara y expresara los genes determinantes de virulencia de otra especie, la obtención de dicho híbrido probablemente resulte muy difícil. Como ya dijimos, la índole fragmentaria de la transferencia genética que se observa entre los sistemas de entrecruzamiento de especies estudiados hasta aquí hace que la recuperación de cualquier carácter no seleccionado sea rara, a menos que se halle estrechamente ligado a un carácter selectivo disponible. Además, es probable que intervenga más de un gen en la determinación de virulencia, y no está garantizado que estos genes estén unidos entre ellos. En un cruzamiento entre especies, la herencia de más de un gen determinante de virulencia no ligado en un solo cruzamiento sería excepcional. A pesar de estos, y de otros problemas técnicos, la transferencia de la virulencia entre las especies sigue siendo un tema muy importante e interesante.

Conjugación provocada por F en Shigella. El aislamiento de derivados Hfr de poblaciones de Shigella infectadas por F no se ha logrado, ni tampoco se ha observado la transferencia de cromosomas para tales poblaciones F⁺. Sin embargo, sería prematuro comparar esta situación con la conducta de F en cepas de Escherichia y Salmónella, pues investigaciones más profundas podrían demostrar también la capacidad de integración cromosómica de F en Shigella. De todas maneras, se han obtenido derivados de Hfr en Shigella por el método de seleccionar híbridos que heredan un gen cromosómico transferido terminalmente de *E. coli* Hfr al cual está ligado F.[55, 156] Cepas de Hfr Shigella obtenidas en esta forma tienen la misma orientación de transferencia cromosómica que la Hfr original utilizada para producirlas. En experiencias de interrupción de la cópula, los tiempos de penetración para genes cromosómicos de Shigella Hfr son idénticos a los observados para los determinantes homólogos de una K-12 Hfr

Sin embargo, hay indicación de que mientras una parte de la población de Shigella Hfr transfiere genes cromosómicos con el mismo ritmo que K-12 Hfr, otras células dentro de la población pueden mostrar un ritmo más lento de transferencia.[156]

Un derivado Hfr de *Shigella flexneri* 2a ha sido utilizado recientemente para investigar la base genética de los antígenos O de Shigella.[55] Los genes que determinan los antígenos específicos de grupo y específicos de tipo de *Sh. flexneri* 2a fueron localizados en el cromosoma con experiencias de cruzamiento con un receptor *E. coli* K-12. El locus cromosómico de los determinantes antigénicos específicos de grupo Shigella parecen ser idénticos al identificado como locus de antígeno O en especies de Salmonella y Escherichia. Sin embargo, ha descubierto un locus diferente que contiene los genes que determinan el antígeno específico de tipo de Shigella. Además, la expresión del antígeno específico de tipo dependía de la presencia del antígeno específico de grupo, hecho que corresponde a la estructura propuesta del lipopolisacárido de *Sh. flexneri,* en el cual cadenas laterales α-glucosil secundarias (determinando la especificidad antigénica de tipo) están unidas a las cadenas laterales primarias que determinan la especificidad de grupo.

Elementos genéticos extracromosómicos

El factor sexual de F de *E. coli* se descubrió por su capacidad de promover la transferencia conyugal de los genes cromosómicos de su huésped. Su único efecto fenotípico, la producción del pelo F, por entonces no habría sido suficiente para señalar su presencia. Por otra parte, el primer factor F-prima descubierto, F-*lac,* lo fue porque estaba incorporado a los genes cromosómicos del operón de lactosa de *E. coli,* proporcionándole así un carácter fenotípico fácil de identificar (la capacidad de utilizar lactosa) en receptores conyugales lactosa-negativos.[83] En forma similar, se han descubierto otros elementos genéticos extracromosómicos porque producían algún cambio fenotípico fácil de discutir en el organismo huésped, no por las propiedades sexuales que conferían. Sin embargo, al efectuar el análisis, muchos de estos elementos extracromosómicos identificados más tarde se ha comprobado que muestran gran similitud con F.

Elementos de lactosa transmisibles. En el diagnóstico de infecciones entéricas, una característica de identificación del agente bacterial causal es la capacidad del germen para fermentar la lactosa. Las cepas de Escherichia en forma característica fermentan la lactosa, mientras que las de Salmonella, Proteus y, generalmente, Shigella, no la fermentan. Sin embargo, se han descubierto cierto número de cepas de Salmonella y Proteus aisladas de la clínica que poseían la capacidad de fermentar la lactosa. El análisis genético de algunas de estas cepas excepcionales ha demostrado que su capacidad de fermentar la lactosa no resulta de ninguna alteración genética, sino que depende de genes asociados con un factor sexual estracromosómico transmisible.[42, 46, 53, 190]

Además de su capacidad para estimular las uniones conyugales intra e interespecífica, y su propia transferencia entre cepas de Escherichia y Salmonella y Proteus, todos estos elementos transmisibles de lactosa se ha comprobado que tienen un contenido de G + C de 50 por 100. Según ya vimos, el contenido de más de 50 G + C es típico del DNA de Escherichia, Shigella y Salmonella, pero no del DNA de Proteus, cuyo contenido de G + C es del 39 por 100. Cuando se hallan contenidos en *Proteus mirabilis,* diversos de estos elementos se ha comprobado que constituyen aproximadamente el 3 por 100 del contenido total de DNA de la célula,[42, 53, 190] aunque se ha comprobado que otros constituyen el 1 por 100 o menos.[42] El elemento F-*lac* de *E. coli,* también con un contenido de 50 por 100 de G + C, constituye el 2.5 por 100 del DNA total extraído de células de *Pr. mirabilis* que lo contenían.

Algunos de los elementos transmisibles de lactosa, aislados naturalmente, parecen estimular la transferencia de genes cromosómicos de sus cepas huéspedes con muy poca frecuencia.[42] Sin embargo, la naturaleza de esta transferencia no se ha aclarado y no está comprobado que los elementos sean capaces de integrarse con el cromosoma del huésped. Además, el hecho de que contienen genes que determinan la utilización de lactosa sugiere la existencia cromosómica previa en algún huésped bacteriano. Como ambas especies de Proteus y de Salmonella, son incapaces de fermentar la lactosa, probablemente este huésped original era un germen parecido a *Escherichia.*

Factores de transferencia de resistencia. Inicialmente se observó resistencia a diversas drogas en casos de disentería bacilar; las cepas de Shigella aisladas eran resistentes a más de uno de los quimioterápicos generalmente utilizados: estreptomicina, cloramfenicol, tetraciclina y sulfamida. No debiera haber sorprendido que el tratamiento con cualquiera de estos productos actuara seleccionando una cepa mutante resistente a la droga; pero que tales mutantes fueran resistentes también a una o más de otras drogas fue algo inesperado. También se aislaron cepas de *E. coli* que mostraban tipos similares de resistencia medicamentosa múltiple de algunos enfermos disentéricos. El estudio de este fenómeno permitió descubrir que la resistencia a estas drogas podía transferirse, por conjugación, de células resistentes a células sensibles. Una célula resistente a las cuatro drogas empleadas, con un solo acontecimiento conyugal, pudo transferir los determinantes genéticos de todas estas resistencias a un receptor sensible.[3, 132, 184]

Más tarde, también se descubrieron cepas de *Salmonella typhimurium* aisladas de enfermos de gastroenteritis que contenían tipos similares de resistencia medicamentosa transmisible.[6, 36] Pronto se comprobó que la transmisión de resistencia medicamentosa múltiple podía lograrse no solo entre gérmenes de la misma especie, sino también entre especies diferentes. Cepas aisladas clínicamente de *E. coli, Citrobacter (Escherichia) freundii*, Klebsiella, Aerobacter y Proteus con frecuencia creciente llevaban los tipos de resistencia características transferible. Además de estas resistencias a estreptomicina, cloramfenicol, tetraciclina y sulfamídicos, aumentó la lista de estos caracteres que podían transferirse en *bloque* a bacterias sensibles para resistencias transmisibles a otros quimioterápicos como neomicina, kanamicina y ampicilina.[5, 106] En la actualidad, la resistencia medicamentosa transmisible se reconoce como un problema médico de gran importancia en relación con la quimioterapia de infecciones causadas por aquellas bacterias en las cuales tiene lugar este fenómeno.

La transferencia de los genes que determinan la resistencia medicamentosa múltiple depende de su asociación con un factor sexual entracromosómico llamado RTF ("resistance transfer factor" o sea factor de transferencia de resistencia). Los factores de transferencia de resistencia son elementos DNA circulares [49, 143] ligeramente menores de volumen que F,[160] que determinan la síntesis de pelos sexuales que confieren la capacidad conyugal a la célula huésped. Se han podido distinguir dos tipos de factores de transferencia de resistencia, que difieren en relación con la estructura de los pelos sexuales que determinan. Un tipo origina un pelo sexual morfológicamente similar al pelo F, y que sirve (como el pelo F) como lugar de adsorción para bacteriófagos RNA específicos de F. El otro tipo determina un pelo sexual similar en su morfología y especificidad bacteriofágica al pelo sexual determinado por el factor colicina I (ver luego).[37, 104]

Ambos tipos de factor de transferencia de resistencia parecen contener genes que actúan suprimiendo la síntesis de pelos sexuales, y por lo tanto su capacidad de promover la conjugación.[128, 129, 130] Así pues, la frecuencia de transferencia de estos elementos normalmente es muy baja en comparación con la de F. Sin embargo, las células que han recibido nuevamente estos RTF, y en las cuales el mecanismo de represión todavía no han tenido tiempo de volverse suficientemente eficaz, sintetizan en forma eficiente pelos sexuales, y el RTF de transferencia de estas poblaciones se produce con mucha frecuencia. Las poblaciones celulares de este tipo se denominan HFT (sistema HFT para "high frequency transfer", frecuencia de transferencia elevada). También se han obtenido mutantes desreprimidos de RTF, en los cuales la transferencia es muy frecuente.[131]

Los factores de transferencia de resistencia que determinan la producción de pelos de tipo F, se denominan Fi+ (para "fertility inhibition", inhibición de fertilidad) [185] porque inhiben la expresión de F en células en las cuales coexisten ambos elementos genéticos. La transferencia de un fi+ RTF a bacterias F+, disminuye la capacidad de tales bacterias para transferir F, y cuando se introduce en una cepa Hfr, fi+ RTF disminuye considerablemente la frecuencia de transferencia cromosómica de la que Hfr es capaz. Así pues, la represión que ejerce un fi+ RTF sobre su propia síntesis de pelo sexual, y su transferencia conyugal, parece ejercerse también sobre las mismas funciones de F. Todo esto tiende a sugerir una gran similitud entre F y fi+ RTF, con la excepción de que F está normalmente desreprimido, y por lo tanto sus funciones conyugales siempre se expresan.[129, 130] Por otra parte, los factores de transferencia que determinan la producción de pelos de tipo colicina I, y que también son capaces de reprimir su propia función conyugal, no reprimen la función F. Se denominan fi−.

Parece prudente considerar RTF como un elemento genético que puede existir (y que en realidad existe) independientemente de los genes que determinan resistencia, y que muchas veces se asocian con él. La asociación de los genes determinantes de resistencia con RTF, que les permite ser transferidos durante la conjugación, no es necesariamente estable; los determinantes de resistencia pueden observarse en alguna circunstancia en que se separan de RTF, así como de ellas mismas. Además, los determinantes de resistencia, ellos mismos son capaces de existir como elementos extracromosómicos, que se autorreproducen independientemente, aunque en ausencia de RTF no son transmisibles.[183]

El origen de estos diversos determinantes de resistencia medicamentosa, que pueden asociarse con RTF y en esta forma se vuelven transmisibles, es tema de discusión. Esencialmente, el problema es saber si estos determinantes han formado alguna vez parte del complemento genético cromosómico de cualquier bacteria, o si de hecho se han originado como elementos genéticos extracromosómicos. Algunos RTF, por lo menos, son capaces de interactuar con el cromosoma bacteriano, en una forma similar a la de F, y existe la posibilidad de que determinantes de resistencia puedan haber sido adquiridos de algún huésped bacteriano en esta forma. Sin embargo, otra concepción sería la de admitir que el desarrollo evolucionario de resistencia transmisible a las drogas ha sido totalmente extracromosómico.

Factores de colicina. Algunas cepas de bacterias entéricas producen antibióticos proteináceos, denominados colicinas, que se adsorben a receptores específicos en las paredes celulares de bacterias sensibles relacionadas, y las matan. Pueden distinguirse diversos tipos de colicinas basándose en su capacidad de difusión y su especificidad de huésped; han recibido diferentes letras para denominación, como I, V, B, K, E_1, y E_2. Las cepas que muestran la propiedad de producir colicinas se denominan colicinógenas, y son inmunes para el efecto de sus propias colicinas. En algunos casos por lo menos, la síntesis de colicinas parece ser un acontecimiento mortal para la célula que la produce. Sin embargo, al paso que todos los miembros de una población de células colicinógenas son potencialmente capaces de sintetizar colicinas, solo una minoría de las células lo hacen en realidad, y mueren en el proceso. Las bacterias colicinógenas pueden transportar los determinantes de más de una colicina.[58, 144, 153]

Los genes que determinan la producción de colicinas son extracromosómicos, y en circunstancias que varían según el determinante colicinógeno, son transmisibles durante la conjugación. El determinante genético de colicina I, por ejemplo, está contenido en un factor sexual extracromosómico, que provoca su transferencia conyugal intra e interespecífica propia. Como ya dijimos, el factor sexual colicina I determina la síntesis de un pelo sexual similar al producido por fi⁻ RTF, pero diferente de los pelos determinados por F y por los fi⁻ RTF. Por otra parte, los determinantes genéticos de las colicinas E1 y E2 no confieren a sus células huéspedes la capacidad de iniciar la conjugación. Sin embargo, si una célula que contiene cualquiera de estos determinantes colicinógenos es infectada más tarde con el factor sexual colicina I, de manera que la conjugación pueda iniciarse, la transferencia del determinante residente inicial (así como del factor colicina I) se produce con gran frecuencia. La transferencia de los determinantes de colicina E1 y E2 en esta forma parece producirse independientemente de la transferencia del factor colicina I, y no como consecuencia de que esté ligado a él. La formación de uniones conyugales durante las cuales son transmisibles los determinantes E1 y E2 también se logra por el factor sexual F.[165]

El factor sexual colicina I es capaz de provocar la transferencia de los genes cromosómicos del huésped durante la conjugación. Cepas de Salmonella son resistentes en forma natural a la acción de colicinas, y la conjugación provocada por factor colicina se empleó para estudiar la transferencia de genes cromosómicos en apareamientos intragenéricos de Salmonella, antes de lograrse el desarrollo de derivados Hfr en este gen.[166] Sin embargo, esta transferencia de gen se cree que se logra por un mecanismo que no es la recombinación del factor de colicina con el cromosoma bacteriano.[33] Hoy por hoy, no está demostrado que el factor sexual colicina I sea capaz de volverse cromosómicamente integrado.

Los determinantes genéticos de colicina V y colicina B son transmisibles desde cepas que los albergan, y también a veces se transfieren al cromosoma del huésped en estas circunstancias. Parece que cada uno de estos determinantes es transportado por un elemento extracromosómico capaz de la transferencia por virtud de su asociación con un factor sexual similar a F. Este factor similar a F determina la síntesis de pelos sexuales similares a los determinados por F y los fi⁺ RTF, y confiere sensibilidad de fago específica F, a su cepa huésped.[139]

Otros elementos extracromosómicos. Además de los elementos extracromosómicos antes mencionados, se han descrito muchos otros elementos similares, e indudablemente se descubrirán muchos más a medida que los microbiólogos se den cuenta de la probabilidad de su presencia cada vez más frecuente

en sistemas bacterianos. Se han descrito factores sexuales en Pseudomonas aeruginosa [76] y en Vibrio cholerae.[19] En Pseudomonas el factor sexual, denominado FP, se reconoció por su capacidad de provocar transferencia conyugal de genes cromosómicos de su huésped. El factor sexual Vibrio, denominado P, parece transportar el determinante de una bacteriocina, y sirve también para provocar la transferencia conyugal de genes cromosómicos de su huésped. Recientemente se ha comprobado que el factor P también en una molécula de DNA circular, algo mayor que F, cuyo contenido de G + C de 40 por 100 es muy diferente del 46 por 100 de G + C contenido en el DNA cromosómico de *V. cholerae*.[35] Ni el factor Vibrio P, ni el factor FP de Pseudomonas, se ha demostrado que sufran recombinación con el DNA crosmosómico de su huésped.

El examen de cepas de *E. coli* asociadas con enfermedades entéricas del cerdo, ha revelado por lo menos tres elementos extracromosómicos transmisibles. Los primeros descritos transportaban el determinante de un antígeno K de tipo L (ver el capítulo 19), denominado K88.[149] Más tarde, se descubrió la producción de alfa-hemolisina en una cepa de *E. coli* asociada con un elemento extracromosómico transmisible denominado *Hly*,[163] y después un factor transmisible que determina la producción de enterotoxina, denominado *ent*,[164] también fue descubierto en cepas de *E. coli* patógenas para cerdos. Recientemente se ha demostrado la existencia de factores *ent* extracromosómicos en cepas de *E. coli* asociadas con algunas enfermedades diarreicas del hombre.[161]

En *Staphylococcus aureus* hay un grupo de elementos extracromosómicos, las plásmides de penicilinasa,[145, 146] responsables de la resistencia a la penicilina que presentan la mayor parte de cepas aisladas en clínica de este organismo. Las plásmides de penicilinasa descubiertas en diferentes cepas de estafilococos, difieren en cuanto al tipo de penicilinasa que producen, así como la naturaleza de otros determinantes que llevan como, la resistencia al mercurio y otros iones inorgánicos, y a la eritromicina. Estas plásmides no confieren capacidad conyugal a sus células huésped por lo tanto, nativamente no son transmisibles. Pero experimentalmente pueden transferirse intactas a diversas cepas de *Staph. aureus*, por medio de bacteriófagos que provocan transducción. La introducción de una plásmide en una célula que contiene otra plásmide genéticamente posible de distinguir, en ocasiones tiene por consecuencia la conservación estable de ambas plásmides, y la formación de un diploide plásmide heterocigótico persistente; en este caso, se dice que tales plásmides son compatibles. Otros pares de plásmides, denominadas incompatibles, no persisten juntas en la misma célula, y su separación tiene lugar en ocasión de unas cuantas divisiones celulares, después de que se ha formado la plásmide diploide. En ambos casos, es posible la recombinación genética entre las dos plásmides.

TRANSDUCCION

Para determinar si la conjugación bacteriana era frecuente en microorganismos que no son *E. coli*, Zinder y Lederberg examinaron una serie de cepas de tipo específico de fago de *Salmonella typhimurium*, buscando indicaciones de fertilidad.[200] Tales cepas para establecer tipo de fagos, se sabe que difieren en sus características de sensibilidad a los fagos, primariamente por la presencia de diversos fagos benignos o lisogénicos que transportan. Cuando algunas cepas de *Sal. typhimurium*, que tenían marcadores auxotróficos diferentes, se mezclaron para permitir la conjugación, y después se sembraron en placa, se observaron, de hecho, un pequeño número de recombinantes prototróficos (aproximadamente 1 por cada 10^6 células). Sin embargo, siguieron formándose recombinantes incluso cuando las dos cepas se impedía que tuvieran contacto sexual, introduciéndolas separadamente en el caldo contenido en cada rama de un tubo en U que lleva en su parte media un filtro de vidrio ultrafino.[38] Si bien la aparición inesperada de recombinantes en este experimento podía haber dependido de transformación, esta posibilidad se excluyó cuando se comprobó que este fenómeno de intercambio genético era totalmente insensible a la acción de cierto número de enzimas, incluyendo DNasa y RNasa.[200]

Pronto se comprobó por los resultados del tubo en U, que un fago benigno, que ahora se denomina P22, albergado en una cepa de *Sal. typhimurium*, LT-22, desempeña un papel crítico. Este fago, después de ser liberado por lisis espontánea de una célula LT-22 ocasional durante el crecimiento, atravesaba el filtro de lana de vidrio y crecía hasta título elevado sobre la cepa sensible de *Sal. typhimurium* LT-2 existente en el otro brazo del tubo en U. Enre las partículas de P22 que pasan en sentido retrógado a través del filtro, para ser absorbidas por la cepa LT-22, estaban fagos que llevaban genes bacterianos obtenidos de la cepa LT-2 lisada durante el proceso de maduración del fago. Algunos de estos genes bacterianos estaban incorporados por recombinación al cromosoma LT-22, originando así la formación de los híbridos prototróficos. Como suele ocurrir con cepas que transportan fagos lisogénicos, la cepa LT-22, por ser inmune, no era lisada por las partículas de fago P22 absorbidas o superinfectadas.[200]

En el estado lisogénico,[31] el fago suele insertarse en el cromosoma bacteriano en un lugar específico como profago, que se autorreproduce como parte del cromosoma. La inmunidad depende de una substancia represora formada bajo el control del genoma del fago, actuando ambos para evitar que el profago sea inducido para proporcionar fago, y evitando también la réplica del fago superinfectante de inmunidad homóloga. Se produce lisis si el represor es inactivado, permitiendo que el profago sea inducido para causar réplica del genoma del fago. Como ya dijimos, la inducción puede producirse espontá-

neamente durante el crecimiento en un número relativamente pequeño de células. Por otra parte, prácticamente toda la población puede estimularse para proporcionar una descarga de fagos, exponiendo las células a diversos agentes inductores.

En el sistema de intercambio genético, que Zinder y Lederberg llamaron transducción, células P22 sensibles podían también actuar como receptoras, porque partículas de fago en los lisados transductores frecuentemente producían lisogenia en lugar de lisar las células antes de provocar su transducción.[200] Además, se comprobó que las células transducidas a veces seguían siendo sensibles a P22, sobre todo cuando los experimentos de transducción se efectuaron con poca multiplicidad de infección. Este resultado originó los experimentos que demostraron que la partícula transductora es defectiva, pues en lugar del genoma del fago lleva un pequeño fragmento del cromosoma bacteriano.

Transducción generalizada

Experimentos efectuados en diversos laboratorios han demostrado que la transducción de P22 es generalizada, por cuanto diferentes genes bacterianos del huésped sensible —quizá cualquiera— pueden sufrir transducción a cepas recipientes adecuadas de Salmonella. La frecuencia de transducción para la mayor parte de marcadores parece ser similar, del orden de aproximadamente un transductante por 10^5 a 10^6 partículas de fago. Sin embargo, para que la transducción sea posible, es necesario que la cepa receptora sea capaz de absorber P22, hecho que se ha comprobado guarda correlación con la presencia de antígeno somático 12, un antígeno común a especies de Salmonella de grupos B y D del esquema de Kauffman-White.[200] Así, por ejemplo, una cepa de grupo D, *Salmonella typhosa*, que posee antígenos somáticos 9 y 12, como antígeno flagelar "d", puede sufrir transducción por P22 con genes derivados de *Sal. typhimurium* donadora del grupo B. Además de marcadores de fermentación nutricionales, el antígeno "d" flagelar de *Sal. typhosa* puede substituirse por el antígeno flagelar "y" de *Sal. typhimurium* por transducción del gen adecuado del huésped de *Sal. typhimurium*. El sistema selectivo utilizado para demostrar tránsducción de antígeno flagelado, en este caso utiliza un suero anti "d" flagelar añadido a una placa de agar de motilidad semisólida. La población de receptores es inmovilizada por el antisuero en el punto de inoculación sobre la placa de agar semisólido, mientras que los transductantes que han adquirido el antígeno flagelar "i" no son inhibidos y pueden difundir libremente por toda la placa, desde donde pueden volverse a aislar fácilmente.[108]

Transducción abortiva. Aunque algunos fragmentos transducidos se incorporan en forma estable al cromosoma de la célula receptora, un número apreciable de transducciones son abortivas, por cuanto el material genético transducido pasa unilateralmente de célula hija a célula hija. El fenómeno de la transducción abortiva fue observado primeramente en la transducción de motilidad en Salmonella, donde hubo líneas continuas de colonias en el agar semisólido. Como ha señalado Stocker, estas líneas dependen de que, en presencia del fragmento transducido que controla la motilidad, la célula receptora que previamente no era movible resultará movible, hasta que al producirse la división celular, este fragmento pase a las células hijas.[174] Para entonces, como la célula ya no es móvil, empieza a crecer in situ y forma una colonia. El mismo acontecimiento tiene lugar con cada división celular sucesiva, de manera que se forman una serie de colonias cercanas separadas, formando senderos o líneas en el medio para motilidad. Las transducciones abortivas también se han observado en el caso de marcadores de fermentación nutricionales; entonces aparecen en forma de colonias pequeñas. En general, el estado abortivo puede persistir durante varias generaciones, dando origen solo raramente a transductantes estables.

Análisis de transducción. La frecuencia de transducciones en el sistema P22-Salmonella es suficientemente baja para excluir casi totalmente la posibilidad de dos marcadores no ligados (transducciones dobles) apareciendo en el mismo transductante. Esto significa que la cotransducción de dos o más determinantes ligados gana mucha importancia para establecer el mapa de cromosomas y el orden relativo de los genes. El fragmento cromosómico en el cual pueden transportarse marcadores ligados por P22, está limitado por el volumen que pueden acomodar dentro de la cabeza del fago. Esta cantidad de DNA, se ha determinado que es aproximadamente el 1 por 100 del cromosoma de *Sal. typhimurium*. Con el sistema de transducción de P22 disponible para análisis genético de *Sal typhimurium*, se emprendieron estudios detallados sobre estructura fina de diversos loci genéticos. En el operón de histidina, por ejemplo, una serie de nueve genes que controlan la formación de todas las enzimas responsables de la biosíntesis de L-histidina ha sido ordenado por métodos de establecimiento de mapa por transducción.[69] En muchos casos, el análisis de transducción ha demostrado la acumulación de todos los genes que intervienen en una misma vía biosintética. En otros casos, algunos de los genes que participan en las mismas vías sintéticas o metabólicas se ha comprobado que tienen localizaciones separadas en el cromosoma bacteriano.

Transducción generalizada en E. coli. Lennox logró demostrar transducción generalizada de *E. coli* K-12, con un fago lisogénico denominado P1, que había sido aislado de otra cepa de *E. coli*.[113] Este fago tiene una serie de huéspedes, que incluyen *E. coli* B, así como diversas especies de Shigella. Resultados de transducción similares se lograron por Jacob, utilizando el fago 363, que serológicamente guarda relación con P1.[82] Estos fagos pueden in-

corporar aproximadamente 2 por 100 del genoma del huésped; en consecuencia, pares de genes como los loci *thr* y *leu* pueden sufrir cotransducción (ver figura 6-3). La relación entre el volumen de la cabeza del fago y la cantidad de DNA huésped transportada por las partículas defectivas en la transducción ha demostrado una neta correlación en el caso de P1, en comparación con partículas de fago mutante P1, que tienen cabezas menores que la normal.[81] Tales partículas de cabeza pequeña, aisladas mediante centrifugación en gradiente de sacarosa, no muestran ninguna frecuencia de la transducción ligada de los marcadores *thr* y *leu*, que se presenta con frecuencia mayor del 1 por 100 con partículas de P1 normales. Se ha calculado que estas partículas pequeñas de P1 reúnen menos de la mitad de la cantidad del DNA huésped transportado por las partículas usuales de P1.

Un aspecto interesante y peculiar del sistema P1-*E. coli* es el hecho de que el profago P1 se autorreproduce en forma autónoma a partir del cromosoma huésped K-12, en lugar de estar fijado en un lugar específico cromosómico. Al respecto, P1 se conduce de una manera similar a la de otros elementos extracromosómicos que antes hemos descrito, y que son capaces de controlar su propia réplica. De ordinario, solo se descubre un profago P1 por genoma bacteriano, implicando un mecanismo de réplica que opera junto con el del cromosoma huésped.[81]

El descubrimiento del sistema de transducción de P1-*E. coli* permitió el mismo enfoque para establecer con precisión el mapa cromosómico que antes hemos descrito para P22-Salmonella. Un ejemplo elegante de tal análisis fue presentado por Yanofsky y Lennox en su estudio del operón de triptófano (*trp*) de *E. coli* K-12.[196] Estos autores pudieron ordenar el acúmulo de cinco genes que interfieren en la vía biosintética del triptófano, y orientar estos loci en relación con el marcador *cys*B (cisteína B) en el cromosoma K-12. En este estudio, se caracterizaron una serie de cepas mutantes cuyas lesiones genéticas más tarde se identificaron como la localización exacta del aminoácido inadecuado inserto en la cadena polipéptida de la proteína *trp*A. Una vez comprobada la estructura de la proteína activa *trp*A, determinada por el primer gen del acúmulo, Yanofsky y colaboradores pudieron establecer la correlación de la localización genética del lugar mutante con la presencia a ese nivel en el polipéptido del aminoácido anormal. Así comprobaron que el orden de nucleótidos en el gen *trp*A coincidía con la secuencia de aminoácidos que constituía la cadena politéptida. Este hecho demostró la manera inequívoca el concepto generalmente admitido de la situación colineal de la estructura del gen con la proteína para la cual codifica.[194]

Otro locus genético que ha sido estudiado intensivamente por análisis de transducción con P1 es el locus de la utilización de la arabinosa (*ara*). Según antes señalamos, tanto el operón de lactosa (*lac*) como el de galactosa (*gal*) están sometidos a repre-

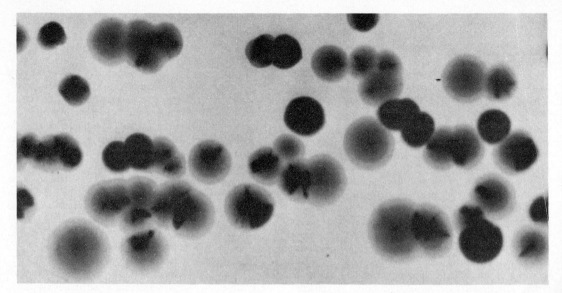

FIG. 6-4. Un *E. coli* K-12 inestable transductante, con una región *gal* heterocigótica diploide *(gal⁻/gal⁺)* sembrado en estría en una placa le agar-galoctosa de MacConkey. Los fermentadores *gal⁺* aparecen como colonias obscuras; las colonias más claras son los segregantes *gal⁻*, que no fermentan; las colonias mixtas están formadas de células diploides *gal⁻ gal⁺* en el proceso de segregación.

sión o control negativo por represores específicos que impiden la transcripción de los genes que intervienen para utilizar estos azúcares. Englesberg y colaboradores, después de establecer el mapa de genes en el operón *ara*,[67] comprobaron que la regulación de la síntesis de enzimas estaba bajo control positivo por el gen *araC*. En presencia del inductor, este gen produce una substancia que activa el operón *ara* más bien que un represor que conserva "apagado" el operón hasta que es inactivado por el inductor. Además del control positivo en los operones *ara* y *rha*, esta forma de regulación también se ha establecido en la utilización de la maltosa.

Transducción especializada

En contraste con la capacidad de transducción generalizada del fago P1, el fago benigno λ de *E. coli* K-12 se comprobó inicialmente que solo transducía los genes de utilización de galactosa del huésped que estaban localizados cerca de su lugar de inserción cromosómica del profago.[137] Para lograr esta transducción especializada de los determinantes *gal* fue necesario inducir el profago λ transportado por el huésped lisogénico.[138] Esto puede lograrse exponiendo el cultivo bacteriano lisogénico a la luz ultravioleta, o por tratamiento con agentes inductores como la mitomicina C, y por técnicas como la privación de timina en el huésped. Quizá el método más eficaz para lisis fue el desarrollado por Sussman y Jacob cuando aislaron un mutante en el cual el fago represor es termolábil. Una cepa lisogénica de *E. coli* K-12 para este mutante "termoinducible", después de una breve incubación de

45ºC durante la etapa de crecimiento logarítmico, acabará causando lisis del fago en plazo aproximado de una hora.[176]

Cuando los lisados de fago λ inducido se aplican a receptores sensibles *E. coli* K-12 *gal⁻*, se obtiene una frecuencia baja de aproximadamente un transductante *gal⁺* por 10^6 a 10^7 partículas de fago. Sin embargo, examinando los transductantes de *gal⁺* se comprueba que un porcentaje elevado son inestables, segregando continuamente colonias *gal⁻* al hacer las resiembras. Estos transductantes inestables tienen una región *gal* heterocigótica diploide *(gal⁻/gal⁺)*; en consecuencia, se denominan heterogenotes. Todos estos heterogenotes son inmunes para λ. Además, después de la inducción originan lisados transductores que proporcionan un número muy alto de transducciones de *gal⁺*. Por lo tanto, el lisado de fago inducido obtenido de una cepa lisogénica λ se llama polisado de baja frecuencia de transducción (LTF), mientras que el preparado induciendo el fago de un heterogenote λ lisogénico *gal⁻/gal⁺* se denomina lisado de transducción de frecuencia elevada (HFT).[176]

Un lisado HFT contiene dos tipos de fagos. El primero es la partícula corriente que forma placas, incapaz de transducir porque no transporta los genes *gal*. El otro tipo incluye los defectivos, denominados λ*dg* (para "defectivo *gal*") que no pueden formar placas porque tienen incorporada la región vecina de *gal* del cromosoma K-12 en lugar de genes del fago esenciales para la producción de partículas de fago plenamente funcionales. Durante la inducción de lisados de LFT que proporcionan λ, tales recambios son acontecimientos raros cuando el profago se separa del cromosoma bacteriano. La infección de receptores sensibles con un valor bajo en lisado HFT produce heterogenotes doblemente lisogénicos que transportes cromosoma integrados con λ normal y el fago defectivo λ*dg,* o bien heterogenotes lisogénicos solamente para λ*dg.* El profago λ*dg* puede inducirse para que provoque lisis de la célula huésped, pero no se forman partículas de fago activas porque está bloqueada la réplica del fago. En el caso de los heterogenotes doblemente lisogénicos, el profago normal actúa proporcionando las funciones de las que carece el fago trasductor defectivo; el resultado es la producción de los dos tipos diferentes de fago en cantidades aproximadamente iguales.[9, 30]

La formación de partículas λ*dg* tiene por consecuencia un doble entrecruzamiento entre λ y el cromosoma huésped, e incluye intercambio de la región *gal* para aproximadamente una cuarta parte del genoma λ. Al paso que las partículas λ normales presentan una densidad característica y uniforme por gradiente de ultracentrifugación, cada elemento λ*dg,* producido por un acontecimiento independiente en el lisado de LFT, variará en su densidad debido a los intercambios desiguales con el cromosoma huésped. Preparados λ*dg* diferentes aislados de lisados HFT independientes por ultracentrifugación, aunque de densidades únicas, están cada uno compuestos característicamente de fagos uniformes genéticamente estables.[189]

La transducción de los genes *gal* por λ*dg* requiere la participación de partículas de fago activas denominadas "fago auxiliar". Este efecto auxiliar puede lograrse por diversos fagos relacionados con λ y por híbridos entre fagos λ y similares o fagos lambdoides. Kaiser y Hogness después de aislar λ*dg* libre de λ y extraer DNA de λ*dg* por tratamiento con fenol, pudieron demostrar que el DNA de λ*dg* era eficaz para transfección, siempre que los receptores K-12 también se sometieran a tratamiento con fago auxiliar. Los transformantes de *gal⁺* que tuvieron lugar se comprobó que habían recibido esencialmente todo el genoma de λ*dg.*[99]

Inducción cigótica. El sistema λ se ha utilizado para ilustrar cierto número de importantes fenómenos genéticos. Entre ellos es notable el fenómeno de la inducción cigótica que se observa en la conjugación entre donadores lisogénicos λ y receptores sensibles a λ. Cuando la parte del cromosoma masculino que contiene el profago λ unido penetra en el receptor hembra no inmune el cigoto formado que no tiene la substancia represora de λ, y no puede evitar que el profago adquirido nuevamente sea inducido para provocar el estallido del fago. Estos fenómenos no tienen lugar cuando ambos, donador y receptor, son λ lisogénicos, o cuando un donador λ sensible se conjuga con un receptor λ lisogénico. La producción de esta inducción cigótica implica que tiene que haber represor λ en el citoplasma para que tenga lugar la represión.[88]

Restricción y modificación de DNA extraño. Otro fenómeno de importancia básica descubierto con ayuda del sistema λ es el de la modificación controlada por el huésped y la restricción de DNA. En los primeros estudios, Bertani y Weigle[18] comprobaron que un λ propagado por *E. coli* K-12 indicado como λ, K podía producir placas de *E. coli* C con una eficacia de siembra en placa (eficiency of plating [eop]) de 1. Sin embargo, si λ se hace crecer primero en *E. coli* C, la descendencia de fagos resultantes demuestra una eop mucho más baja en K-12. La mayor parte de partículas de fago λ.C estaban limitadas en alguna forma para crecer en K-12. Las pocas partículas que dieron origen a placas, aunque capaces de crecer ahora en K-12 con eop de 1 no eran mutantes susceptibles de huéspedes diversos porque el mismo efecto restrictivo se ejercía por K-12 después de un solo ciclo de crecimiento de λ en la cepa C. Evidentemente, el crecimiento de λ.K en *E. coli* no está limitado, y el fago tampoco se modifica a un estado que pueda ser reconocido por K-12. Por lo tanto, cuando se inyecta DNA de fago λ.C a K-12, es desintegrado por nucleasas, probablemente como respuesta protectora de K-12 contra un elemento de DNA extraño no conocido. Esta restricción y modificación específica de huésped que afecta al fago λ está determinado por un gen cromosómico de K-12 denominado *hsp.* Muchos elementos extracromosómicos o fagos como P1 tienen sus propios loci *hsp* responsables de restricción-modificación. Un ejemplo típico lo ilustra el hecho de que λ.K está restringido por *E. coli* K-12 lisogénico para P1. El mecanismo de la modificación se cree que depende de metilación de algunas bases de DNA, que probablemente impidan la desintegración del DNA huésped por sus propias nucleasas.[7]

Otras transducciones especializadas. Las transducciones especializadas recientemente se han extendido al operón de *trp* al aislar el fago φ80 cuyo lugar de fijación se halla cerca del locus *trp.*[127] Se han producido fagos híbridos entre φ80 y λ de manera que φ80 se considera un fago lambdoide. El establecimiento de mapa de genes para síntesis de biotina *(bio)* cerca del lugar de fijación cromosómica λ *(attλ)* ha permitido la transducción especializada de la región *bio* mediante fagos defectivos en *bio* (λ*db*).[191] Diversos investigadores han creado métodos para extender la transducción especializada a otros loci del cromosoma K-12. Por ejemplo, el fago φ80 portador de genes *lac* puede aislarse en una cepa K-12 por una transposición del operón *lac* al lugar de fijación de φ80.[17] Una técnica similar, que origina la transposición del operón *lac* cerca del lugar *attλ,* ha permitido el aislamiento de fagos λ*lac.* Estos fagos, además de su utilidad para aislar regiones genéticas específicas, también son útiles para estudiar la regulación de operón. Recientemente se ha comprobado que el propio profago λ puede integrarse en una serie de lugares de fijación secundaria en el cromosoma K-12. Esto se ha logrado utilizando un mutante K-12 desprovisto del lugar normal *attλ* cerca de *gal.*[159]

La amplitud de huéspedes de λ recientemente se ha extendido para incluir cepas de *Sal. typhosa* y *Sal. typhimurium* produciendo híbridos de tales cepas con donadores K-12. Los híbridos de Salmonella han de adquirir los loci que controlan el receptor fago λ de *E. coli;* de lo contrario son incapaces de absorber λ.[13] Se ha determinado también que un gen huésped de *E. coli* denominado λ*rep* es necesario por Salmonella para la réplica de λ. Tales híbridos de Salmonella están sujetos a la transducción de los genes de *gal E. coli* por λ*dg*. Cepas de *Salmonella* también tienen el lugar normal *att*λ,[13, 162] y pueden producirse lisados HFT capaces de contener λ*dg* en la región *gal* de Salmonella. El fago λ propagado en híbridos de Salmonella está limitado a *E. coli* K-12. Los híbridos de Salmonella que no han adquirido el locus K-12 *hsp* no se quedan restringidos a λ K.[14]

Los fagos generalizados de transducción P22 y P1 se ha comprobado que funcionan también en transducciones especializadas. El lugar de fijación para P22 se sabe que está cerca del marcador de prolina *(pro)* en el cromosoma de *Sal. typhimurium*.[167] Después de la inducción, los lisados de P22 se conducen como si contuvieran partículas transductoras especializadas para los genes *pro*.[163] En el caso de P1, si se utiliza el fago para la transducción de genes *lac* K-12 a *Shigella dysenteriae,* parece formarse un fago P1 *dl* ("defectivo para *lac"*) que funciona como un fago transductor especializado.[116]

Conversión lisogénica. Cepas de *Corynebacterium diphtheriae* que son virulentas liberan una toxina soluble responsable de la acción patógena de este microorganismo. En 1951, Freeman [59] comprobó que cepas avirulentas no toxígenas de *C. diphtheriae* son sensibles a un fago benigno que se sabe es transportado por todos los cultivos toxigénicos de *C. diphtheriae*. Cuando cepas avirulentas se someten a lisogénesis con este fago, denominado fago β, se convierten al estado toxigénico o virulento. Además, se ha comprobado que la producción de toxina tiene lugar durante la réplica vegetativa del fago en células huésped sensibles no toxígenas. Estos resultados han indicado que la producción de toxina está determinada por el fago β.[66]

Se ha demostrado una participación similar de estos fagos lisógenos [123] en la producción de algunos antígenos del componente polisacárido de la pared celular en varias especies de Salmonella y Shigella. Este fenómeno relacionado con los fagos se ha denominado conversión antigénica. El fago transductor generalizado P22, por ejemplo, se ha comprobado que controla la producción del antígeno somático 1. Si una cepa de Salmonella que carece del antígeno 1 (como *Sal. enteriditis* que expresa antígenos somáticos 9 y 12) sufre lisogénesis con P22, se convertirá antigénicamente y su constitución antigénica somática será ahora de 1, 9, 12.

Las conversiones de fagos como las que acabamos de señalar representan casos en los cuales la expresión de los genes que determinan las funciones normales del fago se reflejan secundariamente en la síntesis del nuevo producto por el huésped bacteriano. Otro tipo de conversión del fago puede resultar de genes de origen bacteriano que se han incorporado al genoma del fago, sin afectar al mismo tiempo su capacidad de replicación. Tales fagos no defectivos, que producen colonias en placas, especializados, se han descrito en casos de λ y de φ80.

BIBLIOGRAFIA

1. Adelberg, E. A., and S. N. Burns. 1960. Genetic variation in the sex factor of *Escherichia coli.* J. Bacteriol. **79**:321–330.
2. Adelberg, E. A., and J. Pittard. 1965. Chromosome transfer in bacterial conjugation. Bacteriol. Rev. **29**:161–172.
3. Akiba, T., *et al.* 1960. On the mechanism of the development of multiple drug-resistant clones of *Shigella*. Japan. J. Microbiol. **4**:219–227.
4. Ames, B., *et al.* 1967. The histidine operon. p. 271. *In* V. V. Koningsberger and L. Bosch (Eds.): Regulation of Nucleic Acid and Protein Biosynthesis. Elsevier Publishing Co., Amsterdam.
5. Anderson, E. S., and N. Datta. 1965. Resistance to penicillin and its transfer in *Enterobacteriaceae. Lancet* **i**:407–409.
6. Anderson, E. S., and M. J. Lewis. 1965. Drug resistance and its transfer in *Salmonella typhimurium*. Nature **206**:579–583.
7. Arber, W. 1965. Host controlled modification of bacteriophage. Ann. Rev. Microbiol. **19**:365–378.
8. Arber, W., and D. Dussoix. 1962. Host specificity of DNA produced by *Escherichia coli.* I. Host-controlled modification of bacteriophage lambda. J. Mol. Biol. **5**:18–36.
9. Arber, W., G. Kellenberger, and J. Weigle. 1957. La défectuosité du phage lambda transducteur. Schweiz. Pathol. Bakteriol. **20**:659–665.
10. Avery, O. T., C. M. MacLeod, and M. McCarty. 1944. Studies on the chemical nature of the substance inducing transformation of pneumococcal types. J. Exp. Med. **79**:137–158.
11. Baron, L. S., W. F. Carey, and W. M. Spilman. 1958. Hybridization of *Salmonella* species by mating with *Escherichia coli.* p. 50. 7th International Congress of Microbiology, Stockholm.
12. Baron, L. S., W. F. Carey, and W. M. Spilman. 1959. Genetic recombination between *Escherichia coli* and *Salmonella typhimurium*. Proc. Nat. Acad. Sci. **45**:976–984.
13. Baron, L. S., *et al.* 1970. Behavior of coliphage lambda in hybrids between *Escherichia coli* and *Salmonella*. J. Bacteriol. **102**:221–222.
14. Baron, L. S., *et al.* 1972. Lytic replication of coliphage lambda in *Salmonella typhosa* hybrids. J. Bacteriol. **110**:1022–1031.
15. Baron, L. S., W. M. Spilman, and W. F. Carey. 1960. Diploid heterozygous hybrids from matings between *Escherichia coli* and *Salmonella typhosa*. J. Exp. Med. **112**:361–372.
16. Beckwith, J. R., *et al.* 1962. Coordination of the synthesis of the enzymes in the pyrimidine pathway of *E. coli.* J. Mol. Biol. **5**:618–634.
17. Beckwith, J. R., and E. R. Signer. 1966. Transposition of the *lac* region of *Escherichia coli.* J. Mol. Biol. **19**:254–265.
18. Bertani, G., and J. J. Weigle. 1953. Host controlled variation in bacterial viruses. J. Bacteriol. **65**:113–121.
19. Bhaskaran, K. 1959. Recombination of characters between mutant stocks of *Vibrio cholerae*, strain 162. J. Gen. Microbiol. **23**:47–54.
20. Brenner, D. J., *et al.* 1969. Polynucleotide sequence relationships among members of the *Enterobacteriaceae*. J. Bacteriol. **98**:637–650.

21. Brenner, D. J., *et al.* 1972. Polynucleotide sequence divergence among strains of *Escherichia coli* and closely related organisms. J. Bacteriol. **109**:953–965.

22. Brenner, S. 1966. Colinearity and the genetic code. Proc. Roy. Soc. Ser. B. **164**:170–180.

23. Brenner, S., *et al.* 1961. The theory of mutagenesis. J. Mol. Biol. **3**:121–124.

24. Brenner, S., *et al.* 1967. UGA: a third nonsense triplet in the genetic code. Nature **213**:449.

25. Brinton, C. C., Jr. 1965. The structure, formation, synthesis and genetic control of bacterial pili and a molecular model for DNA and RNA transport in gram negative bacteria. Trans. N.Y. Acad. Sci. **27**:1003–1054.

26. Brinton, C. C., Jr., P. Gemski, Jr., and J. Carnahan. 1964. A new type of bacterial pilus genetically controlled by the fertility factor of *E. coli* K-12 and its role in chromosome transfer. Proc. Nat. Acad. Sci. **52**:776–783.

27. Buttin, G. 1963. Mécanismes régulateurs dans la biosynthèse des enzymes du métabolisme du galactose chez *Escherichia coli* K-12. I. La biosynthèse induit de la galactosidase et l'induction simultanée de la séquence enzymatique. J. Mol. Biol. **7**:164–182.

28. Buttin, G. 1963. Mécanismes régulateurs dans la biosynthèse des enzymes du métabolisme du galactose chez *Escherichia coli* K-12. II. La déterminisme génétique de la régulation. J. Mol. Biol. **7**:183–205.

29. Cairns, J. 1963. The chromosome of *Escherichia coli*. Cold Spring Harbor Symp. Quant. Biol. **28**:43–46.

30. Campbell, A. 1957. Transduction and segregation in *Escherichia coli* K-12. Virology **4**:366–371.

31. Campbell, A. M. 1969. Episomes. Harper & Row, New York.

32. Clark, W. R., J. McLaughlin, and M. E. Webster. 1958. An amino-hexuronic acid as the principal hydrolytic component of the Vi antigen. J. Biol. Chem. **230**:81–89.

33. Clowes, R. C., and E. E. M. Moody. 1966. Chromosomal transfer from "recombination-deficient" strains of *Escherichia coli* K-12. Genetics **53**:717–726.

34. Colson, A. M., C. Colson, and A. VanPel. 1969. Host-controlled restriction mutants of *Salmonella typhimurium*. J. Gen. Microbiol. **58**:57–64.

35. Data, A., *et al.* 1973. Isolation and characterization of the fertility factor P of *Vibrio cholerae*. J. Bacteriol. In press.

36. Datta, N. 1962. Transmissible drug resistance in an epidemic strain of *Salmonella typhimurium*. J. Hyg. **60**:301–310.

37. Datta, N., A. M. Lawn, and E. Meynell. 1966. The relationship of F type piliation and F phage sensitivity to drug resistance transfer in R⁺F⁻ *Escherichia coli* K-12. J. Gen. Microbiol. **45**:365–376.

38. Davis, B. D. 1950. Non-filterability of the agents of genetic recombination in *E. coli*. J. Bacteriol. **60**:507–508.

39. DeLucia, P., and J. Cairns. 1969. Isolation of an *Escherichia coli* strain with a mutation affecting DNA polymerase. Nature **224**:1164–1166.

40. DeWitt, W., and D. R. Helinski. 1965. Characterization of colicinogenic factor E₁ from a non-induced and a mitomycin C-induced *Proteus* strain. J. Mol. Biol. **13**:692–703.

41. Dussoix, D., and W. Arber. 1962. Host specificity of DNA produced by *Escherichia coli*. II. Control over acceptance of DNA from infecting lambda. J. Mol. Biol. **5**:37–49.

42. Easterling, S. B., *et al.* 1969. Nature of lactose-fermenting *Salmonella* strains obtained from clinical sources. J. Bacteriol. **100**:35–41.

43. Englesberg, E., *et al.* 1965. Positive control of enzyme synthesis by gene C in the L-arabinose system. J. Bacteriol. **90**:946–957.

44. Ephrati-Elizur, E., P. A. Srinivasan, and S. Zamenhof. 1961. Genetic analysis by means of transformation of histidine linkage groups in *Bacillus subtilis*. Proc. Nat. Acad. Sci. **47**:56–63.

45. Evans, R. H. 1964. Introduction of specific drug resistance properties by purified RNA-containing fractions from *Pneumococcus*. Proc. Nat. Acad. Sci. **52**:1442–1449.

46. Falkow, S., and L. S. Baron. 1962. Episomic element in a strain of *Salmonella typhosa*. J. Bacteriol. **84**:851–859.

47. Falkow, S., and R. V. Citarella. 1965. Molecular homology of F-merogenote DNA. J. Mol. Biol. **12**:138–151.

48. Falkow, S., *et al.* 1966. The molecular nature of R-factors. J. Mol. Biol. **17**:102–116.

49. Falkow, S., D. K. Haapala, and R. P. Silver. 1969. Relationships between extrachromosomal elements. p. 136. *In* Bacterial Episomes and Plasmids. CIBA Foundation Symposium. Little, Brown & Co., Boston.

50. Falkow, S., R. Rownd, and L. S. Baron. 1962. Genetic homology between *Escherichia coli* K-12 and *Salmonella*. J. Bacteriol. **84**:1303–1312.

51. Falkow, S., *et al.* 1963. Virulence of *Escherichia Shigella* genetic hybrids for the guinea pig. J. Bacteriol. **86**:1251–1258.

52. Falkow, S., *et al.* 1964. Transfer of episomic elements to *Proteus*. I. Transfer of F-linked chromosomal determinants. J. Bacteriol. **87**:209–219.

53. Falkow, S., *et al.* 1964. Transfer of episomic elements to *Proteus*. II. Nature of *lac⁺ Proteus* strains isolated from clinical specimens. J. Bacteriol. **88**:1598–1601.

54. Földes, J., and T. A. Trautner. 1964. Infectious DNA from a newly isolated *B. subtilis* phage. Z. Vererbungsl. **95**:57–65.

55. Formal, S. B., *et al.* 1970. Genetic transfer of *Shigella flexneri* antigens to *Escherichia coli* K-12. Infect. Immunol. **1**:279–287.

56. Formal, S. B., *et al.* 1971. A chromosomal locus which controls the ability of *Shigella flexneri* to evoke kerotoconjunctivitis. Infect. Immunol. **3**:73–79.

57. Formal, S. B., *et al.* 1965. Abortive intestinal infection with an *Escherichia coli–Shigella flexneri* hybrid strain. J. Bacteriol. **89**:1374–1382.

58. Fredericq, P. 1957. Colicins. Ann. Rev. Microbiol. **11**:7–22.

59. Freeman, V. J. 1951. Studies on the virulence of bacteriophage-infected strains of *Corynebacterium diphtheriae*. J. Bacteriol. **61**:675–688.

60. Freese, E. 1959. The difference between spontaneous and base analogue induced mutations of phage T₄. Proc. Nat. Acad. Sci. **45**:622–633.

61. Freifelder, D. 1968. Studies on *E. coli* sex factors. IV. Molecular weights of the DNA of several F' elements. J. Mol. Biol. **35**:95–102.

62. Garen, A. 1968. Sense and nonsense in the genetic code. Science **160**:149–159.

63. Gemski, P., Jr., J. A. Wohlhieter, and L. S. Baron. 1967. Chromosome transfer between *Escherichia coli* Hfr strains and *Proteus mirabilis*. Proc. Nat. Acad. Sci. **58**:1461–1467.

64. Goodgal, S. H. 1961. Studies on transformation of *Hemophilus influenzae* IV. Linked and unlinked transformations. J. Gen. Physiol. **45**:205–228.

65. Griffith, F. 1928. The significance of pneumococcal types. J. Hyg. **27**:113–159.

66. Groman, N. B. 1955. Evidence for the active role of bacteriophage in conversion of non-toxigenic *Corynebacterium diphtheriae* to toxin production. J. Bacteriol. **69**:9–15.

67. Gross, J., and E. Englesberg. 1959. Determination of the order of mutational sites governing L-arabinose utilization in *Escherichia coli* B/r by transduction with phage P1bt. Virology **9**:314–331.

68. Gross, J., and M. Gross. 1969. Genetic analysis of an *Escherichia coli* strain with a mutation affecting DNA polymerase. Nature **224**:1166–1168.

69. Hartman, P. E., J. C. Loper, and D. Serman. 1960. Fine structure mapping by complete transduction between histidine-requiring *Salmonella* mutants. J. Gen. Microbiol. **22**:322–353.

70. Hayes, W. 1952. Recombination in *Bact. coli* K-12: unidirectional transfer of genetic material. Nature **169**:118–119.

71. Hayes, W. 1953. Observations on a transmissible agent determining sexual differentiation in *Bact. coli*. J. Gen. Microbiol. **8**:72–88.

72. Hayes, W. 1953. The mechanism of genetic recombination in *Escherichia coli*. Cold Spring Harbor Symp. Quant. Biol. **18**:75–93.

73. Hayes, W. 1957. *.coli*. J. Gen. Microbiol. **16**:97–119.

74. Hayes, W. 1968. John Wiley & Sons, New York.

75. Hirota, Y. 1960. The effect of acridine dyes on mating type factors in *Escherichia coli*. Proc. Nat. Acad. Sci. **46**:57–64.

76. Holloway, B. W., and B. Fargie. 1960. Fertility factors and genetic linkage in *Pseudomonas aeruginosa*. J. Bacteriol. **80**:362–368.

77. Hotchkiss, R. D. 1951. Transfer of penicillin resistance in pneumococci by the desoxyribonucleate derived from resistant cultures. Cold Spring Harbor Symp. Quant. Biol. **16**:457–461.

78. Hotchkiss, R. D. 1954. Cyclical behavior in pneumococcal growth and transformability occasioned by environmental changes. Proc. Nat. Acad. Sci. **40**:49–55.

79. Hotchkiss, R. D., and Marmur, J. 1954. Double marker transformations as evidence of linked factors in desoxyribonucleate transforming agents. Proc. Nat. Acad. Sci. **40**:55–62.

80. Iino, T., and J. Lederberg. 1964. Genetics of Salmonella. *In* E. van Oye (Ed.): The World Problem of Salmonellosis. Uitgeverij Dr. W. Junk, The Hague, Netherlands.

81. Ikeda, H., and J. Tomizawa. 1965. Transducing fragments in generalized transduction by phage P1. I. Molecular origin of the fragments. J. Mol. Biol. **14**:85–109.

82. Jacob, F. 1955. Transduction of lysogeny in *Escherichia coli*. Virology **1**:207–220.

83. Jacob, F., and E. A. Adelberg. 1959. Transfect de caractères génétiques par incorporation au facteur sexuel d'*Escherichia coli*. C. R. Acad. Sci. **249**:189–191.

84. Jacob, F., S. Brenner, and F. Cuzin. 1963. On the regulation of DNA replication in bacteria. Cold Spring Harbor Symp. Quant. Biol. **28**:329–348.

85. Jacob, F., and J. Monad. 1961. On the regulation of gene activity. Cold Spring Harbor Symp. Quant. Biol. **26**:193–211.

86. Jacob, F., *et al.* 1960. L'opérone: groupe de gènes à expression coordonné par un opérateur. C. R. Acad. Sci. **250**:1727–1729.

87. Jacob, F., A. Ullman, and J. Monad. 1964. Le promoteur, élément génétique nécessaire à l'expression d'un opéron. C. R. Acad. Sci. **258**:3125–3128.

88. Jacob, F., and E. L. Wollman. 1954. Induction spontanée du développement du bactériophage λ au cours de la recombinaison génétique chez *E. coli* K-12. C. R. Acad. Sci. **239**:455–456.

89. Jacob, F., and E. L. Wollman. 1956. Recombinaison génétique et mutants de fertilité chez *Escherichia coli*. C. R. Acad. Sci. **242**:303–306.

90. Jacob, F., and E. L. Wollman. 1957. Analyse des groupes de liaison génétique de différentes souches donatrices d'*Escherichia coli* K-12. C. R. Acad. Sci. **245**:1840–1843.

91. Jacob, F., and E. L. Wollman. 1961. Sexuality and the Genetics of Bacteria. Academic Press, New York.

92. Johnson, E. M. 1967. Somatic antigen 2 inheritance in *Salmonella* groups B and D. J. Bacteriol. **94**:2018–2021.

93. Johnson, E. M., J. A. Alexeichik, and L. S. Baron. 1972. Recombination of *Escherichia coli* chromosomal segments in *Salmonella typhosa*. J. Bacteriol. **109**:1313–1315.

94. Johnson, E. M., S. B. Easterling, and L. S. Baron. 1971. Inefficiency of genetic recombination in hybrids between *Escherichia coli* and *Salmonella typhosa*. J. Bacteriol. **106**:243–249.

95. Johnson, E. M., S. Falkow, and L. S. Baron. 1964. Chromosome transfer kinetics of *Salmonella* Hfr strains. J. Bacteriol. **88**:395–400.

96. Johnson, E. M., S. Falkow, and L. S. Baron. 1964. Recipient ability of *Salmonella typhosa* in genetic crosses with *Escherichia coli*. J. Bacteriol. **87**:54–60.

97. Johnson, E. M., B. Krauskopf, and L. S. Baron. 1965. Genetic mapping of Vi and somatic antigenic determinants in *Salmonella*. J. Bacteriol. **90**:302–308.

98. Johnson, E. M., B. Krauskopf, and L. S. Baron. 1966. Genetic analysis of the ViA-his chromosomal region in *Salmonella*. J Bacteriol. **92**:1457–1463.

99. Kaiser, A. D., and D. S. Hogness. 1960. The transformation of *Escherichia coli* with deoxyribonucleic acid isolated with bacteriophage λdg. J. Mol. Biol. **2**:392–415.

100. Kelly, M. S., and R. H. Pritchard. 1965. Unstable linkage between genetic markers in transformation. J. Bacteriol. **89**:1314–1321.

101. Kirchner, C. E. J. 1960. The effects of the mutator gene on molecular changes and mutation in *Salmonella typhimurium*. J. Mol. Biol. **2**:331–338.

102. Kirchner, C. E. J., and M. J. Rudden. 1966. Location of a mutator gene in *Salmonella typhimurium* by transduction. J. Bacteriol. **92**:1453–1456.

103. Krishnapillai, V., and L. S. Baron. 1964. Alteration in the mouse virulence of *Salmonella typhimurium* by genetic recombination. J. Bacteriol. **87**:598–605.

104. Lawn, A. N., *et al.* 1967. Sex pili and the classification of sex factors in the *Enterobacteriaceae*. Nature **216**:343–346.

105. Leavitt, R. W., *et al.* 1971. Isolation of circular deoxyribonucleic acid from *Salmonella typhosa* hybrids obtained from matings with *Escherichia coli* Hfr donors. J. Bacteriol. **108**:1357–1365.

106. Lebek, G. 1963. Über die Enstehung mehrfachresistanter Salmonellen. Ein experimenteller Beitrag. Zentralbt. Bakteriol. Abt I, Orig. **188**:494–505.

107. Lederberg, J., L. L. Cavalli, and E. M. Lederberg. 1952. Sex compatability in *E. coli*. Genetics **37**:720–730.

108. Lederberg, J., and P. R. Edwards. 1953. Serotypic recombination in *Salmonella*. J. Immunol. **71**:232–240.

109. Lederberg, J., and T. Iino. 1956. Phase variation in *Salmonella*. Genetics **41**:743–757.

110. Lederberg, J., and E. M. Lederberg. 1952. Replica plating and indirect selection of bacterial mutants. J. Bacteriol. **63**:399–406.

111. Lederberg, J., and E. L. Tatum. 1946. Gene recombination in *E. coli*. Nature **158**:558.

112. Lederberg, J., and E. L. Tatum. 1946. Novel genotypes in mixed cultures of biochemical mutants of bacteria. Cold Spring Harbor Symp. Quant. Biol. **11**:113–114.

113. Lennox, E. S. 1955. Transduction of linked genetic characters of the host by bacteriophage P1. Virology **1**:190–206.

114. Lester, G., and C. Yanofsky. 1961. Influence of 3-methylanthranilic and anthranilic acids on the formation of tryptophan synthetase in *Escherichia coli*. J. Bacteriol. **81**:81–87.

115. Lüderitz, O., A. M. Staub, and O. Westphal. 1966. Immunochemistry of O and R antigens of *Salmonella* and related *Enterobacteriaceae*. Bacteriol. Rev. **30**:192–255.

116. Luria, S. E., J. N. Adams, and R. C. Ting. 1960. Transduction of lactose-utilizing ability among strains of *E. coli* and *S. dysenteriae* and the properties of the transducing phage particles. Virology **12**:348–390.

117. Luria, S. E., and J. W. Burrows. 1957. Hybridization between *Escherichia coli* and *Shigella*. J. Bacteriol. **74**:461–476.

118. Luria, S. E., and M. Delbrück. 1943. Mutations of bacteria from virus sensitivity to virus resistance. Genetics **28**:491–511.

119. Mäkelä, P. H. 1963. Hfr males in *Salmonella abony*. Genetics **48**:423–429.

120. Mäkelä, P. H. 1964. Genetic homologies between flagellar antigens of *Escherichia coli* and *Salmonella abony*. J. Gen Microbiol. **35**:503–510.

121. Mäkelä, P. H. 1965. Inheritance of the O-antigens of *Salmonella* groups B and D. J. Gen. Microbiol. **41**:57–65.

122. Mäkelä, P. H. 1966. Genetic determination of the O-antigens of *Salmonella* groups B (4, 5, 12) and C_1 (6, 7). J Bacteriol. **91**:1115–1125.

123. Mäkelä, P. H., and B. A. D. Stocker. 1969. Genetics of polysaccharide biosynthesis. Ann. Rev. Genet. **3**:291–322.

124. Margolin, P., and R. H. Bauerle. 1966. Determinants for regulation and initiation of expression of tryptophan genes. Cold Spring Harbor Symp. Quant. Biol. **31**:311–321.

125. Markovitz, A. 1964. Regulatory mechanisms for synthesi of capsular polysaccharide in mucoid mutants of *Escherichia coli* K-12. Proc. Nat. Acad. Sci. **51**:239–246.

126. Markovitz, A., M. N. Lieberman, and N. Rosenbaum 1967. Derepression of phosphomannose isomerase b regulator gene mutations involved in capsular polysac

charide biosynthesis in *Escherichia coli* K-12. J. Bacteriol. **94**:1497–1501.

127. Matsushiro, A., 1963. Specialized transduction of tryptophan markers in *Escherichia coli* K-12 by bacteriophage φ80. Virology **19**:475–482.

128. Meynell, E., and N. Datta. 1965. Functional homology of the sex factor and resistance transfer factors. Nature **207**:884–885.

129. Meynell, E., and N. Datta. 1966. The relation of resistance transfer factors to the F factor of *Escherichia coli* K-12. Genet. Res. **7**:134–140.

130. Meynell, E., and N. Datta. 1966. The nature and incidence of conjugation factors in *Escherichia coli*. Genet. Res. **7**:141–148.

131. Meynell, E., and N. Datta. 1967. Mutant drug-resistance factors of high transmissibility. Nature **214**:885–887.

132. Mitsukaski, S., K. Harada, and H. Hashimoto. 1960. Multiple resistance of bacteria and transmission of drug-resistance to other strains by mixed cultivation. Japan. J. Exp. Med. **30**:179–184.

133. Miyake, T. 1959. Fertility factor in *Salmonella typhimurium*. Nature **184**:657–658.

134. Miyake, T. 1960. Mutator factor in *Salmonella typhimurium*. Genetics **45**:755–762.

135. Miyake, T. 1962. Exchange of genetic material between *Salmonella typhimurium* and *Escherichia coli* K-12. Genetics **47**:1043–1052.

136. Monk, M., and J. Kinross. 1972. Conditional lethality of *recA* and *recB* derivatives of a strain of *Escherichia coli* K-12 with a temperature sensitive deoxyribonucleic acid polymerase I. J. Bacteriol. **109**:971–978.

137. Morse, M. L. 1954. Transduction of certain loci in *Escherichia coli* K-12. Genetics **39**:984.

138. Morse, M. L., E. M. Lederberg, and J. Lederberg. 1956. Transduction in *Escherichia coli* K-12. Genetics **41**:142–156.

139. Nagel de Zwaig, R. 1966. Association between colicinogenic and fertility factors. Genetics **54**:381–390.

140. Nester, E. W. 1964. Penicillin resistance of competent cells in deoxyribonucleic acid transformation of *Bacillus subtilis*. J. Bacteriol. **87**:867–875.

141. Nester, E. W., and J. Lederberg. 1961. Linkage of genetic units of *Bacillus subtilis* in DNA transformation. Proc. Nat. Acad. Sci. **47**:52–55.

142. Nester, E. W., M. Schafer, and J. Lederberg. 1963. Gene linkage in DNA transfer: a cluster of genes concerned with aromatic biosynthesis in *Bacillus subtilis*. Genetics **48**:529–551.

143. Nisioka, T., M. Mitani, and R. Clowes. 1969. Composite circular forms of R factor deoxyribonucleic acid molecules. J. Bacteriol. **97**:376–385.

144. Nomura, M. 1967. Colicins and related bacteriocins. Ann. Rev. Microbiol. **21**:257–280.

145. Novick, R. P. 1969. Extrachromosomal inheritance in bacteria. Bacteriol. Rev. **33**:210–235.

146. Novick, R. P., and M. H. Richmond. 1965. Nature and interactions of the genetic elements governing penicillinase synthesis in *Staphylococcus aureus*. J. Bacteriol. **90**:467–480.

147. Okada, M., T. Watanabe, and T. Mujake. 1968. On the nature of the recipient ability of *Salmonella typhimurium* for foreign deoxyribonucleic acids. J. Gen. Microbiol. **50**:241–252.

148. Ørskov, I., and F. Ørskov. 1960. An antigen termed f⁺ occurring in F⁺ *E. coli* strains. Acta Pathol. Microbiol. Scand. **48**:37–46.

149. Ørskov, I., and F. Ørskov. 1966. Episome-carried surface antigen K88 of *Escherichia coli*. I. Transmission of the determinant of the K88 antigen and influence on the transfer of chromosomal markers. J. Bacteriol. **91**:69–75.

150. Osborn, M. J., *et al.* 1964. Science **145**:783–789.

151. Pearce, U. B., and B. A. D. Stocker. 1967. Phase variation of flagellar antigens in Salmonella; abortive transduction studies. J. Gen. Microbiol. **49**:335–349.

152. Power, J. 1967. The L-rhamnose genetic system in *Escherichia coli* K-12. Genetics **55**:557–568.

153. Reeves, P. 1965. The bacteriocins. Bacteriol. Rev. **29**:24–45.

154. Rownd, R., R. Nakaya, and A. Nakamura. 1966. Molecular nature of the drug-resistance factors of the *Enterobacteriaceae*. J. Mol. Biol. **17**:376–393.

155. Sanderson, K. E. 1970. Current linkage map of *Salmonella typhimurium*. Bacteriol. Rev. **34**:176–193.

156. Schneider, H., and S. Falkow. 1964. Characterization of an Hfr strain of *Shigella flexneri*. J. Bacteriol. **88**:682–689.

157. Setlow, J. K. 1966. The molecular basis of biological effects of ultraviolet irradiation and photoreactivation. Vol. II, p. 195. *In* M. Ebert and A. Howard (Eds.): Current Topics in Radiation Research. North-Holland Publishing Co., Amsterdam.

158. Shildkraut, C. L., J. Marmur, and P. Doty. 1962. Determination of the base composition of deoxyribonucleic acid from its buoyant density in CsCl. J. Mol. Biol. **4**:430–443.

159. Shimada, K., R. A. Weisberg, and M. E. Gottesman. 1972. Prophage lambda at unusual chromosomal locations. J. Mol. Biol. **63**:483–503.

160. Silver, R. P., and S. Falkow. 1970. Studies on resistance transfer factor deoxyribonucleic acids in *Escherichia coli*. J. Bacteriol. **104**:340–344.

161. Skerman, F. J., S. B. Formal, and S. Falkow. 1972. Plasmid-associated enterotoxin production in a strain of *Escherichia coli* isolated from humans. Infect. Immun. **5**:622–624.

162. Smith, G. R. 1971. Specialized transduction of the *Salmonella hut* operons by coliphage λ: deletion analysis of the *hut* operons employing λ *phut*. Virology **45**:208–223.

163. Smith, H. W., and S. Halls. 1967. The transmissible nature of the genetic factor in *Escherichia coli* that controls haemolysin production. J. Gen. Microbiol. **47**:153–161.

164. Smith, H. W., and S. Halls. 1968. The transmissible nature of the genetic factor in *Escherichia coli* that controls enterotoxin production. J. Gen. Microbiol. **52**:319–334.

165. Smith, S. M., H. Ozeki, and B. A. D. Stocker. 1963. Transfer of ColE₁ and ColE₂ during high frequency transmission of ColI in *Salmonella typhimurium*. J. Gen. Microbiol. **33**:231–242.

166. Smith, S. M., and B. A. D. Stocker. 1962. Colicinogeny and recombination. Brit. Med. Bull. **18**:46–51.

167. Smith, S. M., and B. A. D. Stocker. 1966. Mapping of prophage P22 in *Salmonella typhimurium*. Virology **28**:413–419.

168. Smith-Keary, P. F. 1966. Restricted transduction by bacteriophage P22 in *Salmonella typhimurium*. Genet. Res. **8**:73–79.

169. Speyer, J. F. 1965. Mutagenic DNA polymerase. Biochem. Biophys. Res. **21**:6–8.

170. Spizizen, J. 1958. Transformation of a biochemically deficient strain of *Bacillus subtilis* by deoxyribonucleate. Proc. Nat. Acad. Sci. **44**:1072–1078.

171. Spizizen, J., B. E. Reilly, and A. H. Evans. 1966. Microbial transformation and transfection. Ann. Rev. Microbiol. **20**:371–400.

172. Stanier, R. Y., M. Doudoroff, and E. A. Adelberg. 1970. The Microbial World. 3rd ed. Prentice-Hall, Englewood Cliffs, N.J.

173. Stent, G. S. 1971. Molecular Genetics: An Introductory Narrative. W. H. Freeman & Co., San Francisco.

174. Stocker, B. A. D. 1956. Abortive transduction of motility in *Salmonella*, a non-replicated gene transmitted through many generations to a single descendant. J. Gen. Microbiol. **15**:575–598.

175. Stocker, B. A. D., N. D. Zinder, and J. Lederberg. 1953. Transduction of flagellar characters in *Salmonella*. J. Gen. Microbiol. **9**:410–433.

176. Sussman, R., and F. Jacob. 1962. Sur un système de répression thermosensible chez le bacteriophage λ d'*Escherichia coli*. C. R. Acad. Sci. **254**:1517–1518.

177. Takahashi, I. 1961. Genetic transduction in *Bacillus subtilis*. Biochem. Biophys. Res. Comm. **5**:171–175.

178. Taylor, A. L. 1970. Current linkage map of *Escherichia coli*. Bacteriol. Rev. **34**:155–175.

179. Thorne, C. B. 1961. Fed. Proc. **20**:254.

180. Treffers, H. P., V. Spinelli, and N. O. Belser. 1954. A factor (or mutator gene) influencing mutation rates in *Escherichia coli*. Proc. Nat. Acad. Sci. **40**:1064–1071.

181. Voll, M. J., and S. H. Goodgal. 1965. Loss of activity of transforming deoxyribonucleic acid after uptake by *Hemophilus influenzae*. J. Bacteriol. **90**:873–883.

182. Wagner, R. P., and A. Bergquist. 1960. The nature of the genetic blocks in the isoleucine-valine mutants of *Salmonella*. Genetics **45**:1375–1386.

183. Watanabe, T. 1966. Infective heredity of multiple drug resistance in bacteria. Bacteriol. Rev. **27**:87–115.

184. Watanabe, T., and T. Fukasawa. 1961. Episome-mediated transfer of drug resistance in *Enterobacteriaceae*. I. Transfer of resistance factors by conjugation. J. Bacteriol. **81**:669–678.

185. Watanabe, T., *et al.* 1964. Episome-mediated transfer of drug resistance in *Enterobacteriaceae*. VII. Two types of naturally occurring R factors. J. Bacteriol. **88**:716–726.

186. Watson, J. D. 1970. The Molecular Biology of the Gene. 2nd ed. W. A. Benjamin, New York.

187. Watson, J. D., and F. H. C. Crick. 1953. Genetic implications of the structure of deoxyribonucleic acid. Nature **171**:964–967.

188. Watson, J. D., and F. H. C. Crick. 1953. The structure of DNA. Cold Spring Harbor Symp. Quant. Biol. **18**:123–131.

189. Weigle, J., M. Meselson, and K. Paigen. 1959. Density alterations associated with transducing ability in the bacteriophage lambda. J. Mol. Biol. **1**:379–386.

190. Wohlhieter, J. A., *et al.* 1964. Characterization of DNA from a *Proteus* strain harboring an episome. J. Mol. Biol. **9**:576–588.

191. Wollman, E. L. 1963. Transduction spécifique du marqueur biotine par le bactériophage λ. C. R. Acad. Sci. **257**:4225–4226.

192. Wollman, E. L., and F. Jacob. 1958. Sur les processus de conjugaison et de recombinaison chez *E. coli*. V. Le mecanisme du transfect de matérial génétique. Ann. Inst. Pasteur **95**:641–666.

193. Wollman, E. L., F. Jacob, and W. Hayes. 1956. Conjugation and genetic recombination in *Escherichia coli* K-12. Cold Spring Harbor Symp. Quant. Biol. **21**:141–162.

194. Yanofsky, C., *et al.* 1964. On the colinearity of gene structure and protein structure. Proc. Nat. Acad. Sci. **51**:266–272.

195. Yanofsky, C., E. C. Cox, and V. Horn. 1966. The unusual mutagenic specificity of an *E. coli* mutator gene. Proc. Nat. Acad. Sci. **55**:274–281.

196. Yanofsky, C., and E. S. Lennox. 1959. Linkage relationship of the genes controlling tryptophan synthesis in *Escherichia coli*. Virology **8**:425–447.

197. Yoshikawa, H., and N. Sueoka. 1963. Sequential replication of *Bacillus subtilis* chromosome I. Comparison of marker frequencies in exponential and stationary growth phases. Proc. Nat. Acad. Sci. **49**:559–566.

198. Zinder, N. D. 1960. Hybrids of Escherichia and Salmonella. Science **131**:813–815.

199. Zinder, N. D. 1960. Sexuality and mating in Salmonella. Science **131**:924–926.

200. Zinder, N., and J. Lederberg. 1952. Genetic exchange in *Salmonella*. J. Bacteriol. **64**:679–699.

CAPITULO 7

TAXONOMIA DE LOS MICROORGANISMOS

Entre los microorganismos, los hongos son claramente vegetales, y los parásitos animales son animales uni o pluricelulares; ambos grupos se clasifican formalmente según las bases morfológicas convencionales descritas en otra parte (capítulos 31 y 33). Las bacterias y los virus ocupan una posición intermedia entre los reinos animal y vegetal. Se relacionan con los hongos a través de los actinomicetos y las bacterias de tipo vegetal, especialmente las micobacterias (bacilo de la tuberculosis y semejantes) y las corinebacterias (bacilo de la difteria y difteroides). Su relación con el reino animal, a través de los protozoarios, es menos clara, aunque muchos consideran que las espiroquetas tienen mayor afinidad por los animales que otras bacterias. Las rickettsias y los virus probablemente puedan considerarse más bien como derivados de las bacterias, y relacionarse con plantas y animales propiamente dichos solo a través de ellas.

Como las bacterias tienen propiedades tanto de vegetal como de animal, durante cierto tiempo hubo mucha discusión sobre si debían colocarse en uno u otro reino. Otra proposición intermedia, que tuvo cierto apoyo, pero no llegó a aceptarse, fue crear un tercer reino, el de los Protistas, para estas formas. Ulteriormente resultó evidente que esto en realidad no tiene importancia, porque obtener una respuesta inequívoca a la cuestión no satisface ningún propósito útil, y todo el problema ha sido en gran parte abandonado. Sin embargo, en tiempos relativamente recientes ha prevalecido la opinión de que, si bien las bacterias poseen tanto propiedades vegetales como animales, en conjunto se parecen

más a las plantas que a los animales, y se han clasificado formalmente entre los vegetales, en las talofitas, como esquizomicetos u hongos que se dividen por fisión. Las relaciones que se han propuesto con otros entroncamientos vegetales se indican en el esquema adjunto. Al mismo tiempo, la importancia de la fisiología comparada para caracterizar y diferenciar las bacterias, el tipo animal de sus procesos fisiológicos, ha hecho que muchos bacteriólogos las consideren animales, y se refieren a ellas como "animales de experimentación". Por supuesto, no hay, o hay muy pocas bases para clasificar las rickettsias o los virus como plantas o como animales.

Aunque las interrelaciones de los organismos esquizomicetos plantean problemas que, respecto a muchos caracteres esenciales, son nuevos para el taxonomista, aparecen claramente ciertos grupos "naturales". El más evidente es el que se basa en la morfología, con una división primaria en formas esféricas, de bastoncillos, espirales y filamentosas, y subdivisiones basadas en la formación de esporas, la existencia y localización de flagelos, y las reacciones por las coloraciones de Gram y acidorresistente. De las primeras clasificaciones, las más conocidas son las de Migula y de Lehmann y Neumann, según estas bases. Estas clasificaciones tuvieron mucha influencia sobre la taxonomía de las bacterias, y dieron por resultado la denominación de gran número de especies, muchas de las cuales conservan ese nombre.

Sin embargo, la morfología no constituye una base suficiente para separar las especies bacterianas, porque muchos organismos morfológicamente se-

Filo   I. *Thallophyta*, plantas en que no hay diferenciación de raíces, tallo y ramas

Subfilo 1 —algas
Subfilo 2 —hongos— talofitas carentes de clorofila
       Clase   I. Esquizomicetos —las bacterias
       Clase   II. Mixomicetos —los mohos
       Clase III. Ficomicetos —hongos de tipo alga
       Clase   IV. Ascomicetos —hongos que forman ascosporas
       Clase   V. Basidiomicetos —hongos que forman basidiosporas

Filo II. *Bryophyta* —los musgos
Filo III. *Pteridophyta* —los helechos
Filo IV. *Spermatophyta* —las plantas con semillas

mejantes pueden ser muy diferentes respecto a otros caracteres. También se han utilizado ampliamente las diferencias fisiológicas, que por lo general pueden determinarse fácilmente en el laboratorio.

Cuando se va más allá de estas divisiones primarias, la dificultad de la clasificación se hace cada vez mayor; está demostrado que depende de que no sabemos lo suficiente sobre las relaciones filogenéticas de unas bacterias con otras para poder hacer una clasificación detallada, que defina los géneros y especies.

La dificultad fundamental para hacer una clasificación, y no una simple clave diferencial para bacterias y virus, es la incertidumbre general que prevalece respecto a la importancia o la trivialidad de los caracteres diferenciales utilizados.[10] Desde luego, necesariamente una buena taxonomía deberá basarse en la genética microbiana y los sistemas de fertilidad, estos últimos tomados en su acepción amplia, para incluir las reacciones de transducción y la recombinación sexual.[1, 9] Otros puntos de vista incluyen la existencia de constituyentes celulares básicos susceptibles de determinarse por análisis bioquímicos; así, por ejemplo, el estudio de algunas bases bioquímicas de la coloración diferencial de Gram ha dado resultados que sugieren que el contenido de aminoácidos y azúcares, determinado por cromatografía, y la relación de las purinas con las pirimidinas en el DNA bacteriano, muestra cierta correlación con los géneros y especies, etcétera.[13] Como en otras áreas especializadas, ha aparecido una terminología que resulta suficientemente compleja para requerir la definición de términos.[5]

Aunque la variabilidad de los microorganismos es importante para su clasificación, no hace imposible la diferenciación e identificación por los métodos fisiológicos e inmunológicos usuales, como pudiera suponerse. La inestabilidad se manifiesta cuando el ambiente varía, pero generalmente los microorganismos aislados en la misma forma conservan su individualidad, para los fines de identificación; o bien, si la variación es común, como la variación O-D del virus de la influenza en aislamiento primario en cavidad alantoidea de huevo de gallina embrionado, se presenta con regularidad y se toma en consideración. Por supuesto, de tiempo en tiempo, se producen formas aberrantes, pero en general una clave de identificación es a la vez práctica y útil, aunque no represente relaciones genéticas u otras.

De los diversos sistemas de clasificación formal elaborados con el paso de los años, la más detallada y la que ha persistido ha sido la del *Bergey's Manual* [2] aunque no es aceptada unánimemente. Esta y otras clasificaciones se señala que se basan en relaciones filogenéticas. Actualmente parece admitirse, en general, aunque de modo tácito, que los géneros y especies microbianos no son más que formas de géneros y especies. Al mismo tiempo hay problemas prácticos de identificación; por ejemplo, con fines diagnósticos, la creación de una nomenclatura común que merezca aceptación general. Lo primero

se reconoce por la preparación de llaves como la de Skerman [18] basada en la clasificación de Bergey, y la de Cowan [4, 6] que cubre las formas patógenas. Esta última parece irse adaptando gracias a los esfuerzos de la Asociación Internacional de Sociedades de Microbiología.

TAXONOMIA NUMERICA [15, 19]

Al disponerse ampliamente de computadoras, y al aumentar la convicción de la poca precisión de la actual clasificación filogenética de los microorganismos, se ha despertado interés considerable por la taxonomía numérica. En general, se utilizan caracteres unitarios y no se valoran, aunque los caracteres complejos desintegrados en unidades adquieren valor efectivo. Tales caracteres unitarios necesariamente provienen de lo que se sabe acerca de unidades taxonómicas operacionales (OTU), que en la práctica son cepas de microorganismos. Como no se establece diferenciación acerca de la importancia "fundamental" relativa de tales caracteres unitarios, una clasificación derivada de ellos resulta genética más que filogenética. Debe utilizarse un número relativamente elevado, no menor de 50, de caracteres unitarios para dar límites de confianza suficiente a los resultados. El empleo de varias unidades permite un corte transversal del grupo analizado, y una clasificación con fines generales que sea de carácter politético. Cuando se utilizan menos unidades para el desarrollo de clasificaciones con fines particulares, por ejemplo claves diagnósticas, la clasificación tiende a ser monotética. Tales clasificaciones con fines especiales pueden derivarse de una clasificación con fines generales.[12]

Después de tabular los datos, o sea n unidades características distribuidas entre t unidades operacionales (OTU), se calculan los índices de similitud (S) para cada par de OTUs. Una medida utilizada frecuentemente de similitud es un coeficiente de asociación, $S = n_S - (n_S + n_d)$ donde n_S es el número de similitudes y n_d el número de diferencias. Los cuadros de S normalmente son triangulares. El análisis de grupo se efectúa constituyendo grupos taxonómicos de OTU que muestran las mayores similitudes. Estos grupos se llaman fenomes, y pueden disponerse en forma esquemática basándose en sus similitudes. Tal análisis puede originar la definición de un "organismo medio" o una cepa particularmente típica, y este puede considerarse que es un neotipo, por ejemplo un neotipo de Pseudomonas.[11]

Pueden emplearse otros métodos de análisis. El análisis de componentes principales evita la preparación de esquemas de grupos y difiere por cuanto reúne caracteres en grupos y los valora.[8] El empleo de índices de similitud probabilística es una técnica algo más pesada, pero también evita el método de la acumulación, y parece proporcionar subdivisiones más finas.[7]

Clasificación de los microorganismos según Bergey (1957)

Orden	Familia	Tribu	Género	
Pseudomonadales (suborden Pseudomonadineae)	Nitrobacteraceae		Nitrosomonas	bacterias nitrificantes
			Nitrosococcus	
			Nitrobacter	
	Methanomonadaceae		Methanomonas	bacterias del metano
			Hydrogenomonas	bacterias del hidrógeno
	Thiobacteriaceae		Thiospira	el vibrión del azufre
			Thiobacillus	algunas bacterias del azufre
	Pseudomonadaceae		Pseudomonas	*Ps. aeruginosa* y otras
			Acerobacter	bacterias del ácido acético
	Spirillaceae		Vibrio	vibriones del cólera, paracólera y no coléricos
			Cellvibrio	vibriones que oxidan la celulosa
			Spirillum	*Sp. minus* (fiebre por mordedura de rata) y especies saprófitas
Chlamydobacteriales				bacterias saprófitas filamentosas, incluyendo la bacteria encapsulala del hierro
	Azotobacteraceae		Azotobacter	bacterias no simbióticas fijadoras del nitrógeno
	Rhizobiaceae		Rhizobium	bacterias simbióticas fijadoras del nitrógeno
			Agrobacterium	patógenos de plantas y saprófitos
			Chromobacterium	algunas bacterias saprófitas pigmentadas
	Achromobacteraceae		Alcaligenes	*Alc. fecalis* y formas relacionadas
			Achromobacter	bacterias no pigmentadas del suelo y del agua
			Flavobacterium	bacterias pigmentadas del suelo y del agua
	Enterobacteriaceae	Escherichieae	Escherichia	bacterias coliformes
			Aerobacter	
			Klebsiella	bacilo de Friedländer
		Erwinieae	Erwinia	patógenos de plantas
		Serratieae	Serratia	*Serratia marcescens* (*Chromobacterium prodigiosum*) y formas relacionadas
		Proteeae	Proteus	*Pr. vulgaris* y formas relacionadas
		Salmonelleae	Salmonella	bacilos tífico y paratífico
			Shigella	bacilos disentéricos
Eubacteriales	Brucellaceae		Pasteurella	bacilos de la peste y de la septicemia hemorrágica
			Brucella	bacilos de la fiebre ondulante y del aborto contagioso
			Haemophilus	bacilos de la influenza, la tos ferina y el chancro blando
			Actinobacillus	actinobacilosis, bacilo del muermo

Orden	Familia	Subfamilia	Género	Descripción
	Bacteroidaceae		Bacteroides	anaerobios estrictos no esporulados
	Micrococcaceae		Staphylococcus	los estafilococos
			Gaffkya	M. tetragenus y bacterias relacionadas
			Sarcina	S. lutea y otros cocos
	Neisseriaceae		Neisseria	gonococo, meningococo, etc.
			Veillonella	algunos cocos anaerobios
	Lactobacillaceae	Streptococceae	Diplococcus	neumococo y formas relacionadas
			Streptococcus	los estreptococos
			Leuconostoc	los cocos saprófitos
		Lactobacilleae	Lactobacillus	bacterias del ácido láctico
	Propionibacteriaceae		Propionibacterium	bacterias del ácido propiónico
	Corynebacteriaceae		Corynebacterium	bacilos de la difteria y difteroides
			Listeria	L. monocytogenes
			Erysipelothrix	bacteria de la erisipela de los cerdos y erisipelatoide
	Bacillaceae		Bacillus	bacilos aerobios esporulados, como B. anthracis, B. subtilis, etc.
			Clostridium	bacilos anaerobios estrictos esporulados que comprenden el tétanos, la gangrena gaseosa y el botulismo
Actinomycetales	Mycobacteriaceae		Mycobacterium	bacilos de la tuberculosis, de la lepra y saprófitos
	Actinomycetaceae		Nocardia	actinomicetos aerobios, a veces acidorresistentes
			Actinomyces	actinomices anaerobios, de la actinomicosis
	Streptomycetaceae		Streptomyces	formas del suelo, que frecuentemente producen antibióticos
Spirochaetales	Spirochaetaceae		Spirochaeta	formas de vida libre
			Saprospira	formas saprófitas del agua
			Cristispira	parásitos de moluscos
	Treponemataceae		Borrelia	espiroquetas de las fiebres recurrentes
			Treponema	espiroquetas de la sífilis y el pian
			Leptospira	espiroquetas de la ictericia infecciosa y la fiebre de los campos
Mycoplasmatales	Mycoplasmataceae		Mycoplasma	organismos de tipo pleuroneumonía (PPLO)
Rickettsiales	Rickettsiaceae	Rickettsieae	Rickettsia	tifus, fiebre manchada, etc.
			Coxiella	fiebre Q
		Ehrlichieae	Cowdria	hemoglobinuria del ganado
	Bartonellaceae		Bartonella	bartonelosis humana
			Haemobartonella	bartonelosis de perros, roedores y ganado
Virales				virus de bacterias, plantas y animales

CLASIFICACION DE LAS BACTERIAS

Nomenclatura.[3, 17] Ni el código botánico ni el zoológico de nomenclatura han resultado satisfactorios aplicados a las bacterias y virus, y se ha creado un Código Internacional de Nomenclatura de Bacterias y Virus, a base de comités designados por varios congresos internacionales de microbiología.

En general, una bacteria tiene un nombre genérico, que se escribe siempre con mayúsculas, y que puede o no ser descriptivo (por ejemplo, *Bacillus*, bastoncillo; o *Pasteurella*, en honor de Pasteur), y un nombre específico, que puede ser adjetivo (*albus* = blanco), o un nombre que indique posesión (*Clostridium welchi* o clostridio de Welch), o un nombre en aposición (*Bacillus radicicola*, el bacilo habitante de las raíces). En bacteriología no es tan común como en zoología o en botánica la costumbre de indicar el autor del nombre, como *Bacillus subtilis* Cohn. Evidentemente, es poco conveniente el uso de nombres trinomiales y cuadrinomiales, como *Granulobacillus saccharobutyricus mobilis non liquefaciens*. Los trinomiales ocasionalmente son útiles para designar variedades de subespecies. Con frecuencia se encuentran términos como bacilo de Friedländer y bacilo tífico, que se usan como nombres comunes.

Géneros. Tal vez una de las mayores dificultades que encuentra el taxonomista de bacterias es la exigüedad de los géneros. El problema del grado de diferencia necesario para establecer un nuevo género no ha recibido solución satisfactoria, y en la actualidad todavía existe considerable confusión y falta de uniformidad. En muchos casos hay nombres genéricos nuevos ampliamente usados por bacteriólogos de muchas partes del mundo, parcialmente, sin duda, porque se aplican a grupos bastante distintos de microorganismos y tiene un valor auténtico de clasificación. Tales son, por ejemplo, *Brucella* para los bacilos de la fiebre ondulante humana y del aborto contagioso del ganado; *Salmonella* para los bacilos paratíficos, y *Pasteurella* para el bacilo de la septicemia hemorrágica de los animales domésticos, el bacilo de la peste y el de la tularemia. El nombre *Shigella*, usado para los bacilos disentéricos, ha tenido mucha aceptación. Sin embargo, la situación de los géneros respecto a las bacterias, y especialmente a los virus, es discutible, porque no representan la misma situación que en zoología y botánica, donde se basan en la frecuencia de los caracteres o los genes, y la capacidad de hibridación. La fecundidad cruzada entre Escherichia y Shigella y Salmonella, que han demostrado las experiencias de recombinación señaladas con anterioridad (capítulo 7), constituye un claro indicio de las incertidumbres que presenta la definición de los géneros en las bacterias.

Especies. La diferenciación de las especies se hace la mayor parte de las veces sobre bases fisiológicas. Rara vez basta un solo carácter, especialmente por la facilidad con que ocurren variaciones. Como regla general, se usan muchas características, pero con frecuencia se encuentran dificultades cuando se presentan formas intermediarias. Esto es común entre los bacilos entéricos, posiblemente porque son mejor conocidos que muchos otros grupos de bacterias.

Tipos. La diferenciación inmunológica generalmente se considera que no da la categoría de especie, aunque a veces coincide con la diferenciación de la especie basada en características fisiológicas. Inversamente, las pequeñas reacciones cruzadas interespecíficas no identifican una especie. Sin embargo, hay algunas excepciones a lo anterior, y muchos autores dividen el género Salmonella en especies, según su estructura antigénica. Las diferencias inmunológicas tienen mucho valor, especialmente desde el punto de vista epidemiológico, y generalmente constituyen la base para diferenciar los tipos dentro de una especie. Así, los estreptococos se dividen en grupos, llamados A, B, C, etc., basándose en una clase de antígenos, y en tipos, designados por números arábigos, según otro antígeno. Los neumococos también se dividen en forma semejante en tipos numerados, basándose en el antígeno capsular. *Clostridium botulinum* se separa en los tipos A, B, C, etc., basándose en la especificidad inmunológica de la toxina, que no tiene relación con la característica inmunológica de la substancia celular. Así, pues, no existe un criterio general en cuanto a diferenciación del tipo. Las diferencias fisiológicas dentro de las especies generalmente no se usan para diferenciar tipos, y la reacción bioquímica se toma simplemente como una variable.

CLASIFICACION DE VIRUS [14, 16, 22]

Aunque la clasificación de virus presenta problemas para el taxonomista que en diversos aspectos son únicos, los problemas de caracterización y nomenclatura requieren por lo menos respuestas pragmáticas, aunque todavía no conozcamos bien las relaciones filogenéticas. Inicialmente los virus se agruparon y calificaron basándose en la especificidad del huésped. Por ejemplo, virus bacteriano, virus de plantas y virus de animales; y se separaron en subgrupos según el tipo de enfermedad producido, como virus dermatrópicos, viscerotrópicos y neurotrópicos en el caso de los virus animales. Han recibido nombres que provienen de las enfermedades que originan, por ejemplo poxvirus, poliovirus, herpesvirus, papovavirus (virus de *pa*piloma-*po*lioma-*va*cuolantes), etc.; o según su origen, en el caso de adenovirus, rinovirus y reovirus, o reovirus de origen respiratorio-entérico; o por su modo de transmisión más frecuente y característico, como arbovirus (virus transportados por artrópodos). Al aumentar nuestros conocimientos se emplearon nombres descriptivos, como picornavirus para los virus RNA pequeños (*pico*) y, más recientemente, diplornavirus para los virus caracterizados por su contenido de RNA de doble tira.

Cada vez resultaba más claro que el código de la nomenclatura bacteriana no es adecuado para los

Clasificación de virus animales *

Acido nucleico	Simetría	Eter	Cubierta	Lugar de ensamble del virión	Número de capsómeras	Volumen del virión (nm)	Grupo de virus	Virus representativos
DNA	Cúbica	Resistente	Desnuda	Núcleo	12 ó 32	18-24	Parvovirus	Virus satélites / Virus de rata Kilham
					42 ó 72	40-55	Papovavirus	Papiloma de conejo / Papiloma humano / Polioma
		Sensible	Recubierta	Núcleo	252	70-80	Adenovirus	Adenovirus humanos / Virus animales
					162	110	Herpesvirus	Virus herpético simple / Virus herpéticos animales / Virus de varicela-zoster / Citomegalovirus
	Desconocida	Resistente	Revestimiento complejo	Citoplasma		230 × 300	Poxvirus	Virus de viruela / Virus de vacuna / Virus animales / Molluscum contagiosum / Virus de mixoma-fibroma
RNA	Cúbica	Resistente	Desnuda	Citoplasma	32	18-30	Picornavirus	Enterovirus / Poliovirus / Virus Coxsackie / Virus ECHO / Rinovirus / Virus de encefalomiocarditis
					92	54-75	Reovirus (Diplornavirus)	Reovirus / Virus de fiebre de garrapatas del Colorado
	Helicoidal	Sensible	Recubierta	Citoplasma		80-120	Mixovirus	Virus de influenza A, B, C / Peste de las aves
						100-300	Paramixovirus	Virus de parainfluenza 1, 2, 3, 4 / Virus de parotiditis / Virus de sarampión / Virus de enfermedad Newcastle / Virus sincitial respiratorio
						60 × 225	Rabdovirus	Virus de rabia / Virus de estomatitis vesicular
						ca 100	Leucovirus	Virus de leucemias aviarias, murinas y felinas
	Desconocida	Sensible	Recubierta	Citoplasma		35	Togovirus	Arbovirus A y B / Virus de rubéola (?)
						80-120	Coronavirus	Algunos virus respiratorios humanos / Virus de hepatitis del ratón / Virus de bronquitis aviaria

virus, aunque algunos autores favorecen la nomenclatura latina binomial, por ejemplo *Hespesvirus hominis.* Este tema ha sido abordado en forma constructiva por un cuerpo internacional, el Comité Internacional de Nomenclatura de Virus de la Asociación Internacional de Sociedades Microbiológicas [21] para asegurar la uniformidad internacional. El comité prudentemente ha adoptado el camino de no emplear nombres propios de personas; tampoco se ha observado una prioridad (que ha venido a aumentar la confusión en la nomenclatura bacteriana).

Ya se ha acumulado conocimiento suficiente para permitir la caracterización de los virus basándonos en la estructura del virión. Pueden hacerse separaciones dicotómicas basándose en diversas características, que permiten la definición de grupos de virus. Una separación primaria se logra a base del ácido nucleico, o sea virus de DNA y de RNA. Análogamente, la simetría helicoidal o cúbica permite una segunda dicotomía. Otra separación útil puede efectuarse con respecto a la sensibilidad al éter, y puede reflejar una diferencia básica en la estructura lípida de los virus. La presencia o ausencia de membrana o cubierta limitante permite otra dicotomía más. Características más detalladas, como el diámetro de la nucleocápside de los virus helicoidales, y el número de triangulación y el de capsómeras en la cápside de los virus cúbicos, se han sugerido para permitir nuevas diferenciaciones.

La separación en grupos principales, como se indica en el esquema que acompaña, parece ser útil y posible, y los virus cuyo tipo de ácido nucleico y simetría todavía no se conocen bien deben incluirse en tal esquema provisional. No sabemos si el hacer más complicada y detallada la clasificación, lo cual requeriría necesariamente una nomenclatura nueva y poco familiar, no causaría más confusión que claridad en el estado actual de las cosas.

BIBLIOGRAFIA

1. Baron, L. S., *et al.* 1968. Intergeneric bacterial matings. Bacteriol. Rev. **32**:362–369.

2. Breed, R. S., E. G. D. Murray, and N. R. Smith (Eds.). 1957. Bergey's Manual of Determinative Bacteriology. 7th ed. Williams & Wilkins, Baltimore.

3. Buchanan, R. E., J. G. Holt, and E. F. Lessel, Jr. 1966. Index Bergeyana. Williams & Wilkins, Baltimore.

4. Cowan, S. T. 1965. Manual for the Identification of Medical Bacteria. Cambridge University Press, London.

5. Cowan, S. T. 1968. A Dictionary of Microbial Taxonomic Usage. Oliver and Boyd, Edinburgh.

6. Cowan, S. T., and K. J. Steel. 1961. Diagnostic tables for the common medical bacteria. J. Hyg. **59**:357–372.

7. Goodall, D. W. 1966. Numerical taxonomy of bacteria — some published data re-examined. J. Gen. Microbiol. **42**:25–37.

8. Hill, L. R., *et al.* 1965. Automatic classification of staphylococci by principal-component analysis and gradient method. J. Bacteriol. **89**:1393–1401.

9. Jones, D., and P. H. A. Sneath. 1970. Genetic transfer and bacterial taxonomy. Bacteriol. Rev. **34**:40–81.

10. Leifson, E. 1966. Bacterial taxonomy: a critique. Bacteriol. Rev. **30**:257–266.

11. Liston, J., W. Weibe, and R. R. Colwell. 1963. Quantitative approach to the study of bacterial species. J. Bacteriol. **85**:1061–1070.

12. Lockhart, W. R., and P. A. Hartman. 1963. Formation of monothetic groups in quantitative bacterial taxonomy. J. Bacteriol. **85**:68–77.

13. Mandel, M. 1969. New approaches to bacterial taxonomy: perspective and prospects. Ann. Rev. Microbiol. **23**:239–274.

14. Maramorosch, K., and E. Kurstak (Eds.). 1971. Comparative Virology. Academic Press, New York.

15. Marmur, J., S. Falkow, and M. Mandel. 1963. New approaches to bacterial taxonomy. Ann. Rev. Microbiol. **17**:329–372.

16. Melnick, J. L., 1970. Summary of classification of animal viruses, 1970. Prog. Med. Virol. **12**:337–342.

17. Report. 1966. International Committee on Nomenclature of Bacteria. Int. J. Syst. Bacteriol. **16**:459–490.

18. Skerman, V. B. D. 1949. Guide to the Identification of the Genera of Bacteria. Williams & Wilkins, Baltimore.

19. Sneath, P. H. A. 1964. New approaches to bacterial taxonomy: use of computers. Ann. Rev. Microbiol. **18**:335–346.

20. Symposium. 1962. Microbial Classification. Society for General Microbiology, 12th Symposium. Cambridge University Press, London.

21. Wildy, P., *et al.* 1967. Virus-classification, nomenclature, and the International Committee on Nomenclature of Viruses. Prog. Med. Virol. **9**:476–482.

22. Wilner, B. I. 1965. A Classification of the Major Groups of Human and Other Animal Viruses. 3rd ed. Burgess, Minneapolis.

CAPITULO 8

MICROORGANISMOS PATOGENOS Y ENFERMEDAD

La enfermedad infecciosa puede considerarse producto secundario, no inevitable, de la relación entre parásito y huésped.[121] Al paso que, según ya dijimos, la iniciación de la actividad de un microorganismo parásito puede basarse en su capacidad de producir lesión suficiente en el huésped para facilitar el desarrollo de focos de infección, su poder patógeno es incidental y solo tiene significación en cuanto se relaciona con el establecimiento de un nicho ecológico y la supervivencia de los microorganismos. Con modificación de la relación entre huésped y parásito —por control efectivo de algunos agentes infecciosos, la aplicación amplia de quimioterapia, y el estado económico cambiante de la población de huéspedes humanos— han aparecido nuevas enfermedades, y agentes infecciosos conocidos han alcanzado mayor importancia.[113]

La relación etiológica entre microorganismos y enfermedad infecciosa ya fue sospechada por diversos autores poco antes de su descubrimiento por Leeuwenhoek; en cierto modo, se confirmó por los estudios de vacunación de Jenner y de otros autores, especialmente los clásicos de Snow sobre transmisión del cólera, en la cual estaba implicado un *contagium vivum*. Fue solamente a mitades del siglo XIX cuando, según ya se ha descrito (cap. 1), esta idea empezó a cristalizar en conocimientos gracias a desarrollos paralelos, como la transmisión del carbunco por sangre infectada, lograda por Brauell en 1867, y el reconocimiento de la similitud entre el proceso fermentativo y la sepsis, que brindó la base de la cirugía antiséptica de Lister, culminando en la demostración por Koch de la etiología microbiana del carbunco. Explotando sus técnicas de cultivos puros y aplicándola a diversas enfermedades, la etiología de muchas de ellas vino a aclararse, desplazando la doctrina hipocrática del desequilibrio de los cuatro humores orgánicos, descritos así: sangre, flema, bilis amarilla y bilis negra, como base de enfermedad.

Etiología microbiana específica de las enfermedades infecciosas

Una cosa es sospechar, o incluso comprobar la capacidad de los microorganismos para producir enfermedad, y otra es obtener la prueba segura de una relación etiológica específica entre un microorganismo y una enfermedad determinada.

Postulados de Koch. Tal prueba fue brindada primeramente por Koch, en forma de una cadena lógica de datos experimentales, generalmente conocidos como postulados de Koch. (Aunque no se ha comprobado que así los formulara el propio Koch, y hay motivos para creer que provenían de su maestro Cohn.) Sin embargo, sea como sea, hay cuatro de tales postulados; el quinto fue sugerido en un tiempo, pero no suele resultar aplicable.

Primer postulado. El primero de estos es la aparición del microorganismo asociado con la enfermedad. Esto es relativamente simple en algunos procesos en los cuales el germen causal se descubre en cultivo puro en diversas muestras; por ejemplo, el bacilo de la tifoidea en la sangre, o el bacilo de la peste en el líquido aspirado de los ganglios linfáticos infectados en la forma bubónica del proceso. Sin embargo, en otros, y en particular infecciones de vías respiratorias y digestivas, el microorganismo causal se encuentra mezclado con muchas bacterias similares y necesita ser seleccionado.

La necesidad de tal observación primaria resulta evidente, pues si no se observara dicha relación no habría motivo para sospechar una posible relación etiológica que justificara investigación ulterior. Al mismo tiempo, es necesario poner de relieve el primer postulado, por diversos motivos. En primer lugar, síndromes muy similares, incluso imposibles de distinguir entre sí, pueden tener etiología muy diferente. Por ejemplo, no se puede distinguir, entre algunas enfermedades diarreicas de etiología variada, simplemente por la clínica. Por ejemplo, la disentería bacilar aguda y el cólera asiático que aparecen frecuentemente en personas debilitadas, bacterias muy diversas pueden ser causa de enfermedad de las vías urinarias, y el problema todavía no resuelto de la etiología del denominado resfriado común es en gran parte consecuencia de la amplia variedad de agentes causales que originan substancialmente los mismos síntomas.

En segundo lugar, hay que tomar la palabra "observación" en sentido amplio. En el caso de las bacterias patógenas, puede no establecerse distinción morfológica entre el germen patógeno y otros no patógenos con el relacionado. Por ejemplo, bacterias como la de la difteria y bacilos difteroides, y los bacilos entéricos patógenos y los coliformes no patógenos resultan morfológicamente imposibles de distinguir. Además, cuando el agente infeccioso es demasiado pequeño para poderse ver con microscopio de luz, como ocurre con los virus, no puede observarse directamente. Así, pues, el primer postulado se funde con el segundo, en el sentido de que muchas veces es necesario caracterizar y diferenciar el microorganismo en forma aislada para establecer su presencia en relación con la enfermedad.

Generalmente se admite que el primer postulado implica no solo la presencia del microorganismo en asociación con la enfermedad, sino también el corolario de que tal microorganismo no exista en ausencia de enfermedad. Aparte de la presencia de microorganismos similares en una misma muestra, de los cuales solo uno puede tener relación con el proceso patológico, los microorganismos patógenos pueden hallarse en individuos que no presenten síntomas patológicos, por ejemplo, en infecciones causales inadvertidas, portadores y otras formas de infección asintomática. Fue la presencia de bacilos difteríos en individuos normales y de enfermos que hizo que Klebs, descubridor del microorganismo, pusiera en duda su relación etiológica con la enfermedad.

Por lo tanto, en la práctica profesional es necesario calificar el primer postulado dogmático en diversas formas: la observación ha de ser ampliada para incluir, por ejemplo, la citopatología del cultivo de tejidos inoculados con material infeccioso, asociación observada por lo menos en la mayor parte de casos de enfermedad, y considerar al microorganismo como sospechoso aunque se encuentre en personas normales. Tal asociación no demuestra en forma alguna una relación etiológica; se necesitan mayores comprobaciones.

Segundo postulado. Es el que indica que el microorganismo ha de poder aislarse y crecer en cultivo puro. Esto, claro está, es esencial para separar el agente causal de otros microorganismos cuando

están presentes y, como ya dijimos, muchas veces forma parte íntegra del primer postulado con fines de caracterizar el agente. Suelen poderse aislar y hacer crecer las bacterias patógenas en cultivo puro; la dificultad práctica es la necesidad de un medio de cultivo adecuado, cosa que a veces no puede lograrse. El bacilo de la lepra, descubierto siempre en enormes cantidades en material proveniente de lesiones, morfológicamente es muy característico por su carácter acidorresistente y por la disposición de las células, pero, a pesar de informes en sentido contrario, no se ha podido cultivar en el laboratorio, ni en medios sin células ni en cultivos de tejidos; tampoco se ha logrado éxito uniforme en la inoculación directa de material leproso. Hay una respuesta inmune a la enfermedad, que se manifiesta como hipersensibilidad al material soluble que puede extraerse de los nódulos leprosos (lepromina). Este último dato es una demostración poco categórica, porque la hipersensibilidad es cruzada con la de la tuberculina, pero el bacilo de la lepra se acepta provisionalmente como el agente causal de la enfermedad, sobre todo porque no parece posible poderse descubrir en ninguna otra.

La espiroqueta de la sífilis tampoco ha sido cultivada de acuerdo con el segundo postulado, pero su relación causal con la enfermedad se ha establecido en forma más firme porque los datos de confirmación son bastante categóricos. Incluyen una respuesta inmune específica a la substancia de la espiroqueta, que aparece en el curso de la enfermedad, y la reproducción de esta por inoculación directa de material infeccioso que, hasta donde podamos saber, solo contiene la espiroqueta. En algunos casos, pues, la necesidad del segundo postulado puede eludirse con un grado mayor o menor de probabilidad de la relación etiológica supuesta.

En el caso de las rickettsias y virus el aislamiento necesariamente debe efectuarse con cultivos de tejidos o huevo embrionado de gallina. Pudiera suponerse que la pureza de tales cultivos fuera dudosa, pero aunque esto pudiera ser verdad hasta cierto punto, la multiplicidad de virus en cultivos mixtos de tejidos suele resultar evidente. El crecimiento de estos agentes se demuestra directamente en el caso de las rickettsias, que pueden observarse con el microscopio de luz, y se indica en el caso de los virus por la patología muchas veces característica del substrato tisular, o por algún carácter distintivo, como el desarrollo de hemaglutininas en el líquido alantoideo del huevo de gallina embrionado infectado con virus del grupo de la influenza; sin embargo, en algunos casos quizá no haya manifestaciones netas de crecimiento, y el agente puede transportarse por el denominado "paso ciego" en una serie de cultivos de tejido o de huevos. Después de varios de tales trasplantes, los defectos citopatogénicos pueden resultar manifiestos, y en todo caso se busca el poder infeccioso del material cuando la dilución es suficiente para excluir una infecciosidad persistente. La naturaleza algo aleatoria de tales métodos no los invalida.

Tercer postulado. El tercer postulado requiere que la enfermedad pueda reproducirse [39] en un animal susceptible, inoculándolo con el microorganismo obtenido de un cultivo puro. Esto frecuentemente resulta difícil de lograr, por dos motivos, en primer lugar, la enfermedad debe reproducirse en forma reconocible, o sea que debe conservar suficiente relación con la enfermedad natural; en segundo lugar, quizá sea difícil encontrar un animal susceptible. Estos no son puntos de gran importancia para estudiar enfermedades, por ejemplo, de los animales domésticos, pues el huésped natural puede ser también el huésped experimental. Sin embargo, para las enfermedades infecciosas del hombre hay que descubrir algún animal de experimentación susceptible. Los agentes causales de enfermedades en el hombre muchas veces son parásitos adaptados muy estrechamente, de manera que, o bien no infectan al animal de experimentación, o no le producen enfermedad que pueda reconocerse como relacionada con la enfermedad humana espontánea.

Aunque, en general, algunos simios y monos superiores, como chimpancés, son más sensibles a la infección con elementos patógenos humanos que, por ejemplo, los roedores, su susceptibilidad no resulta necesariamente paralela a las relaciones filogenéticas. La búsqueda de un animal de experimentación adecuado en gran parte debe hacerse por tanteo e intuición. En los años de 1930, por ejemplo, el único animal de experimentación disponible en el cual podía producirse la poliomielitis era el mono rhesus. Un investigador eminente inoculó sistemáticamente todos los animales de experimentación que pudo alcanzar, y finalmente comprobó que una cepa de este virus podía infectar la rata algodonera. Análogamente, el virus de la influenza no pudo reproducirse en animales de experimentación durante años, hasta que se observó la similitud de las lesiones pulmonares producidas en el hurón por el virus del moquillo y las de la influenza humana; entonces se vio que la influenza humana podía reproducirse en el hurón por inoculación intranasal.

Otras enfermedades del hombre, como la gonorrea y la fiebre tifoidea, no se han reproducido en animales de experimentación, pero algunas como la tuberculosis y la difteria en el cobayo se reproducen con facilidad. El ratón es exquisitamente sensible a la infección con neumococo inoculado por vía parenteral; el hombre parece situado a mitad de camino entre el ratón y el perro, más resistente por lo que se refiere a susceptibilidad a la infección con esta bacteria. Aunque hay otros muchos, estos ejemplos bastan para ilustrar la susceptibilidad algo desigual a la infección por microorganismos patógenos.

Además de tal variación de susceptibilidad, algunos agentes infecciosos producen un efecto retrasado o aparentemente indirecto. El primero incluye los llamados "virus lentos" que parecen ser causa de enfermedades como el prurigo lumbar *(scrapie)* en la oveja, Kuru en el hombre y encefalopatía en el visón.[36] El prurigo, por ejemplo, puede reproducirse en ratones, pero transcurren varias semanas antes que aparezcan los síntomas.[93] Otros virus dan origen no solo al cuadro clínico conocido de la enfermedad sino que pueden producir también defectos congénitos cuando la infección tiene lugar durante el embarazo. La rubéola se conoce por sus efectos teratógenos, y hay señales de que los herpes-virus y los citomegalovirus tienen tendencias similares.[17]

La importancia de reproducir la enfermedad infecciosa en un animal de experimentación es fundamental. A menos que la enfermedad pueda estudiarse en condiciones controladas de laboratorio, no se conocerá bien. Es igualmente evidente que, a menos que se cumpla este tercer postulado, no es posible afirmar categóricamente la relación etiológica de un microorganismo con una enfermedad determinada.

Cuarto postulado. Según el cuarto postulado, el microorganismo debe encontrarse en la infección producida en el animal sensible, y resultar el mismo que el inoculado. Si se cubren los tres postulados anteriores, el cuarto suele lograrse sin dificultad. De todas maneras, es necesario comprobar que el animal de hecho se infectó con el microorganismo, y que la enfermedad o la muerte así producida es específica, consecuencia de la inoculación y no de una infección intercurrente ocurrida en un animal de experimentación. En raros casos hay dificultades al respecto. Algunos de los tumores causados por virus, por ejemplo, son transmisibles mediante filtrados desprovistos de células, pero después de varios pasos por implantación de tejido quizá ya no sea posible descubrir el virus. Los motivos de ello son relativamente complejos y, en parte por lo menos, de orden técnico.

"Quinto postulado". Después de descubrir las exotoxinas bacterianas se sugirió la necesidad de un quinto postulado, a saber, poder reproducir la enfermedad en animales susceptibles por inoculación de productos del crecimiento microbiano desprovistos de células.

Esto solo es aplicable a una minoría de casos; aunque confirma la identidad de la etiología específica de la enfermedad, no es esencial para poder establecer tal identidad en forma absolutamente indudable.

Datos confirmatorios. Cuando los datos proporcionados por los cuatro postulados resultan equívocos, adquieren significación en demostraciones menos directas, pero también confirmatorias, de la etiología de una enfermedad determinada. Esto ya se señaló en relación sobre todo con la imposibilidad de reproducir la enfermedad humana de manera característica en animales de experimentación. El más importante de tales datos confirmatorios es de tipo inmunológico.

Tomando el ejemplo de la fiebre tifoidea, y prescindiendo de las infecciones accidentales con cultivos puros de bacilos de la tifoidea que satisfacen las necesidades del tercer postulado, los datos inmunológicos confirman netamente la relación etiológica del microorganismo con la enfermedad; esta enfermedad puede evitarse inmunizando con vacunas preparadas mediante cultivos de un microorganismo, y el individuo infectado espontáneamente que se recupera de la enfermedad desarrolla inmunidad dirigida específicamente contra el microorganismo, que puede corrientemente demostrarse de diversas maneras.

O bien el dato confirmatorio puede ser de tipo epidemiológico, señalando un microorganismo particular, relacionado con una enfermedad determinada, a pesar de que tal enfermedad no pueda ser reproducida experimentalmente.

Etiología múltiple. En las enfermedades que ocurren espontáneamente puede intervenir más de un tipo de microorganismos; cabe distinguir tres tipos de tales enfermedades. En tales circunstancias, la infección secundaria no es rara; el invasor primario sirve para disminuir la resistencia del huésped, de manera que un segundo tipo de microorganismo, de poder patógeno limitado y muchas veces formando parte de la flora microbiana normal del huésped, puede producir la enfermedad. La neumonía estafilocócica, por ejemplo, generalmente no es una infección primaria, encontrándose por ello la mayor parte de veces como infección secundaria, comúnmente secuela de la influenza. De manera similar, Proteus es de capacidad patógena relativamente limitada, pero puede ser potenciado por estafilococos, porque estos forman una substancia que convierte a Proteus en un agente virulento y letal.

Otro grupo de enfermedades son las infecciones mixtas caracterizadas desde su iniciación por la presencia de más de un género de microorganismos. Así, quizá media docena de especies bacterianas son causa de gangrena gaseosa, presentándose en varias combinaciones, rara vez aisladamente. Los microorganismos son independientes tanto en las infecciones secundarias como en las mixtas, y son capaces individualmente de producir enfermedad patológica.

En el tercer tipo de infección el agente etiológico no es único sino múltiple, y la enfermedad es consecuencia de una interacción sinérgica tal de los microorganismos que la combinación tiene una capacidad patógena que sus componentes no poseen.[104] Dicha etiología múltiple se vuelve compleja y probablemente sea más común de lo que hoy parece. Dos ejemplos bastarán para ilustrar lo anterior.

Uno es el ya clásico ejemplo de doble etiología de enfermedad, la influenza de los cerdos descrita por Shope. Los dos microorganismos son la variedad porcina del bacilo de la influenza, *Hemophilus suis* (*H. influenzae* var. *suis*) y una variante del virus de la influenza. La enfermedad influenza porcina no está causada ni por el virus solo ni por la bacteria sola, sino por una combinación de ambos. El otro ejemplo es la difteria humana. Por más de 70 años no hubo razón alguna para creer que el agente microbiano de esta enfermedad fuera otro que el establecido de manera clara y precisa. El bacilo de la difteria fue no solamente aislado y caracterizado en 1883, sino que al año siguiente se describió la poderosa exotoxina capaz de producir los síntomas y las lesiones del padecimiento. Subsecuentemente se desarrolló la terapéutica con antitoxina y la eficaz inmunización con toxoide. Sin embargo, alrededor de 1950 se demostró que únicamente los bacilos diftéricos lisógenos pueden ser tóxicos y, por lo tanto, patógenos (capítulo 6), y quedó establecido claramente que el agente etiológico de la difteria, no es, en realidad, un microorganismo aislado, sino una combinación del bacilo y del virus bacteriano adecuado.

No está aclarado todavía cuán común pueda ser el fenómeno de la verdadera etiología múltiple. Hay cierto número de indicios sobre muchas enfermedades infecciosas cuya etiología puede no estar tan firmemente establecida como se ha pensado. Por ejemplo, parece poco dudoso el poder patógeno de los estreptococos hemolíticos; sin embargo, la inoculación a voluntarios humanos de cultivos frescos frecuentemente ha dado resultados negativos. De manera similar, la meningitis por meningococo constituyó un problema importante en el personal militar durante la primera guerra mundial, pero dejó de serlo en grado significativo durante la segunda, a pesar de la elevada frecuencia de portadores de microorganismos. La aparición de enfermedades infecciosas es un fenómeno muy complejo que involucra algo más que la naturaleza y las propiedades de los microorganismos causales, pero es posible que las discrepancias observadas sean en parte debidas a una simplificación exagerada de su etiología microbiana.

Virulencia microbiana [127]

El término "patogenicidad" ha sido utilizado en el texto precedente en el sentido generalmente aceptado de capacidad para producir enfermedad. Esta propiedad varía ampliamente, no solo de un tipo a otro de bacteria, sino también entre cepas de un mismo género de microorganismos.

Se han utilizado varios términos para designar la capacidad de producir enfermedades. El más común de ellos es virulencia.

En este texto los conceptos "patogenicidad" y "virulencia" son utilizados en el sentido sugerido por Miles,[86] o sea, que el significado de patogenicidad se ha tomado como capacidad potencial de producir enfermedad y es aplicado a grupos o especies de microorganismos, mientras que virulencia es utilizada en el sentido de grado de patogenicidad dentro de un grupo o especie. Así, es posible hablar de cepas avirulentas, virulentas, altamente virulentas, etc., dentro de los grupos o especies de microorganismos que se dice son patógenos.

Es evidente que la capacidad de producir enfermedad por el microorganismo se expresa únicamente cuando la enfermedad se produce. Por el contrario, la resistencia del huésped (tratada en la siguiente sección) se expresa según la respuesta a la exposición adecuada a microorganismos. Aunque ambos términos son fundamentalmente inseparables, en la práctica pueden ser medidos manteniendo uno relativamente constante y variando el otro.

Medición de la virulencia. La medición de la virulencia consiste, pues, en ensayar la capacidad de infectar, con consecuencias observables, en animales "normales", como los de una cepa prototipo de ratones. La consecuencia observada es generalmente un fenómeno de todo o nada, como la muerte. En la inoculación de prueba en animales experimentales con dosis graduadas del microorganismo o de substancias como las toxinas bacterianas, es evidente que la virulencia (o toxicidad, etc.) es inversamente proporcional a la dosis eficaz, es decir, que, por ejemplo, cuanto menor sea la dosis requerida para matar, mayor será la virulencia. Esta es la base para medir la virulencia (o toxicidad, determinando la dosis letal mínima), o sea la dosis menor necesaria para matar a un animal de experimentación.

Si cada dosis es aplicada a grupos de animales formados por cuatro como mínimo, hasta un máximo práctico de diez o veinte, en lugar de un solo animal, cada vez aparecen datos adicionales. Primero, la proporción de animales que responden en cada grupo varía desde ninguno o prácticamente ninguno en el grupo de animales que reciben la dosis menor, a todos o prácticamente todos los animales del grupo que reciben la dosis más alta. La anotación de resultados se hace generalmente en fracciones donde el numerador indica la cantidad de animales que reaccionan y el denominador el número de animales inoculados con esa dosis y registrado, por ejemplo, como 0/6, 1/6, 3/6 y 6/6 para las diversas cantidades del material de prueba.

Segundo, cuando los grupos de animales son suficientemente numerosos y las dosis están adecuadamente graduadas, se comprueba también que la proporción de animales afectados por unidad de incremento de dosis se eleva lentamente al principio, después rápidamente y, al final otra vez lentamente, al crecer la proporción. Si las muertes u otros efectos acumulativos se disponen en gráfica contra el logaritmo de las dosis, los puntos tenderán a formar una curva en S que representa la distribución de frecuencias de la resistencia natural de los animales de experimentación utilizados. Cuando el efecto acumulativo se dispone en una gráfica de probabilidad sobre la escala de la distribución normal de frecuencias, contra el logaritmo de la dosis, los puntos tienden a caer sobre una línea recta que puede ser ajustada por inspección o por el método de cuadrados mínimos.

La dosis eficaz media (DE₅₀). El punto sobre la escala de las dosis en el cual esta línea corta el punto del 50 por 100 de efecto acumulativo proporciona la dosis interpolada eficaz en la mitad de los animales inoculados con ella. Esta es la dosis eficaz en el 50 por 100 o DE_{50}, o DL_{50} (dosis letal media) cuando la muerte es la respuesta medida. Este valor se escribe $DE_{50} \pm$ el error estándar porque, está sujeto al error de muestreo, y su precisión está indicada por su error estándar, el cual se establece también gráficamente, como está indicado en la figura correspondiente.

Los datos mencionados permiten el cálculo de la significación de las diferencias entre titulaciones como, por ejemplo, en las pruebas de protección (véase más adelante).[6, 7]

El error estándar es la desviación estándar de la distribución normal de frecuencias, o sea la distancia en este caso sobre la escala de las dosis, desde el centro de la distribución al punto de inflexión a ambos lados; puede, por lo tanto, ser positivo o negativo con respecto al punto central. Como la mitad de las desviaciones es negativa, el uso de números negativos puede evitarse agregando a los valores el número 5, es decir, en el punto central el valor es 5, en −1 es 4, en +1 es 6, y así sucesivamente. Esta desviación alterada es conocida como *probit*. Cuando los valores de *probit* para el porcentaje de muertas acumulativas u otros efectos se disponen en gráfica contra la dosis en escala logarítmica, la relación entre ambos es lineal porque la escala de *probites* es otra manera de representar la distribución normal de frecuencias. La DE_{50} es el punto en la escala de las dosis donde la línea ajustada por inspección o de manera más precisa por cuadrados mínimos cruza al 5 en la escala de *probites*. La escala de *probites* está superpuesta a la escala de probabilidades en la figura correspondiente.

La medición de la virulencia por la DE_{50} o DL_{50} está sujeta a calificación por cuanto la virulencia también viene indicada por la pendiente de la curva dosis-respuesta. Las pendientes pueden variar ampliamente de un microorganismo patógeno a otro. Cuando, por ejemplo, una cepa altamente virulenta de neumococos se titula en el ratón, la curva dosis-respuesta tiene una inclinación muy pronunciada y generalmente no abarca más de dos intervalos logarítmicos en la escala de las dosis. En contraste, cuando la virulencia de Salmonella es titulada en el mismo animal, la curva dosis-respuesta tiene una pendiente mucho menos pronunciada, extendiéndose a más de seis intervalos logarítmicos sobre la escala de las dosis. El significado de la pendiente no está claro, pero es obvio que, continuando con el mismo ejemplo, la virulencia de los neumococos y de Salmonella no es comparable empleando únicamente su DL_{50}.

La curva dosis-respuesta, o el aumento en la proporción de muertes a medida que la dosis se eleva, puede considerarse debida a la actividad independiente de las partículas que se reproducen a sí mismas, es decir, a la creciente probabilidad de que un solo microorganismo eficaz se multiplique hasta el momento de la muerte. Los estudios cuantitativos apoyan este hecho en animales altamente susceptibles, o sea cuando la DL_{50} es pequeña, a diferencia de los animales parcialmente resistentes para los cuales la DL_{50} es alta, en quienes el número total de bacterias en el momento de la muerte del animal parece ser consecuencia del crecimiento de todos los microorganismos inoculados más que de una fracción eficaz.[85] Esto último es también congruente con la observación general de la proporción inversa que existe entre el volumen del inóculo y el periodo de incubación.

Mucina. Muchos de los microorganismos patógenos para el hombre se adaptan tan estrechamente al huésped humano que son relativamente avirulentos para los animales de experimentación más utilizados. Nungester observó por primera vez que la virulencia de muchos de estos microorganismos, por ejemplo, meningococos, bacilos tíficos, bacilos disentéricos, vibrión del cólera, puede ser netamente acrecentada inoculando una suspensión de bacterias con mucina gástrica. El papel que juega la mucina parece ser proteger los microorganismos de la fagocitosis en las titulaciones sistemáticas en los laboratorios, pero el moco de las vías respiratorias y digestivas puede funcionar como protector de las mucosas contra las infecciones de contagio natural. La investigación de esta actividad de las mucinas ha tenido cierto interés y se han obtenido una serie de fracciones,[42] incluyendo la fracción heparina, que también es anticomplementaria y está asociada con una fracción polisacárida (polisacárido C) que actúa de manera sinérgica con la primera, afectando posiblemente la permeabilidad capilar. Hay, además, una fracción residual particulada que también actúa de manera sinérgica con la fracción de viscosidad, pero independientemente de la fracción heparina. Los mucopolisacáridos de otro origen, especialmente

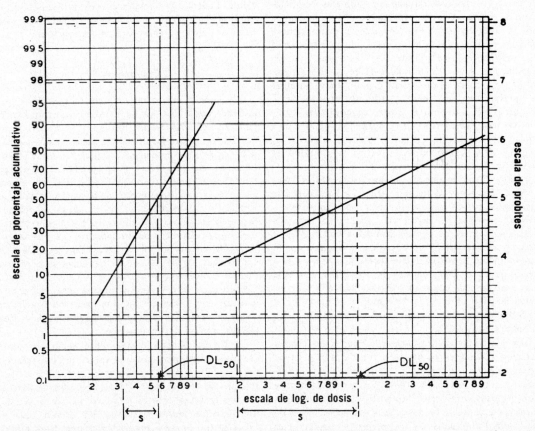

FIG. 8-1. Determinación gráfica de la dosis 50 por 100 interpolada (DE_{50}, DL_{50}) y su error estándar, s, en papel logarítmico. La escala vertical es la frecuencia normal de distribución en porcentaje de efecto acumulativo; la horizontal es la escala de dosis. La escala de *probites* se halla a la derecha. Se observan curvas de dosis-respuesta muy pendientes y menos inclinadas.

algunos bacterianos (levanas [26]) también muestran tendencia a facilitar la virulencia, probablemente porque se alojan en los intersticios del endotelio capilar modificando de esta manera la permeabilidad y la respuesta inflamatoria.

La intensificación de la virulencia bacteriana por mucina y substancias similares, aunque tiene considerable importancia para lograr infecciones experimentales que sin este método solo se obtendría con gran dificultad, deriva su mayor significación de su relación con la resistencia natural.

Las infecciones inducidas de esta manera son muy artificiales; por lo tanto, si se emplean para ensayar la respuesta de inmunidad, por el método pasivo o el activo, proporcionan resultados susceptibles de crítica severa.

Obviamente, la protección con anticuerpos, quimioterápicos, etc., demostrable con tales infecciones, es una protección del animal tanto contra los efectos de la mucina como de los microorganismos.

Pruebas de protección. Las titulaciones de virulencia se emplean frecuentemente para valorar lo eficacia de algún tratamiento como la inmunización activa o pasiva, o la administración de drogas, comparando, directa o indirectamente, la DL$_{50}$ de un microorganismo determinado en animales normales con la misma en animales tratados. Desde un punto de vista analítico, o sea del diseño experimental, pueden obtenerse resultados más seguros empleando un inóculo de prueba estándar y variando el tratamiento. Al medir en animales la capacidad protectora por inmunización pasiva con un suero inmune es preferible, por ejemplo, administrar cantidades variables del antisuero a grupos de animales, seguido de una inoculación de prueba con un número constante de microorganismos. De manera similar, en la prueba de inmunización activa para valorar la potencia inmunógena de vacuna, se aplican a los animales dosis graduados de vacuna seguidas, después de transcurrido tiempo suficiente para permitir que se desarrolle inmunidad, de cantidades constantes de inoculación bacteriana. Este procedimiento ideal no siempre es posible cuando la virulencia del microorganismo de prueba cambia ampliamente de un momento a otro. En tales casos el material protector se da en dosis constantes, y la DL$_{50}$ se titula tanto en animales tratados como en animales de control; la protección se mide como la proporción de la DL$_{50}$ entre los animales que son tratados y los animales testigos.

La prueba de neutralización, o prueba de neutralización con suero, es una variante de la prueba de protección que se aplica a la titulación de antitoxina y anticuerpos producidos por virus. La toxina o el preparado de virus infectante, previamente titulado para conocer la dosis, se mezcla con cantidades variables de antisuero, se incuba por algún tiempo, y la mezcla se inocula a los animales susceptibles. La supervivencia de los animales indica la presencia de anticuerpos neutralizantes en el suero.

TOXINAS MICROBIANAS [1, 9]

La alteración de los procesos fisiológicos normales que constituye a la enfermedad es, en el caso de las infecciones, consecuencia de la toxicidad de los microorganismos que proliferan en los tejidos. Las substancias tóxicas que afectan a los tejidos, células y posiblemente sistemas enzimáticos, se forman en los microorganismos de manera incidental durante sus actividades metabólicas y difunden más o menos libremente de las células microbianas; también la substancia celular de una gran variedad de microorganismos es tóxica. Se puede agregar que los efectos tóxicos pueden ser producidos de manera indirecta como en la activación de enzimas tisulares por cinasas bacterianas, o por formación de substancias inflamatorias o tóxicas en los tejidos afectados y desarrollo de hipersensibilidad (cap. 13) para la substancia celular microbiana.

Los elementos tóxicos de origen microbiano pueden ser clasificados en tres grupos: las potentes exotoxinas, las toxinas bacterianas clásicas, las endotoxinas contenidas dentro de la célula intacta, y un grupo heterogéneo de substancias tóxicas que difunden más o menos libremente a partir de la célula intacta. Tal separación es artificial, porque los límites entre los grupos frecuentemente son poco precisos, pero es útil para la exposición.

Exotoxinas [58]

Las exotoxinas bacterianas son los venenos más potentes conocidos; se ha calculado que una cantidad tan reducida como 200 g de la toxina A del botulismo, en forma cristalina, sería suficiente para matar a toda la población del planeta. Estas toxinas tienen su contrapartida en las zootoxinas menos potentes, como venenos de serpientes, arañas y alacranes, y en fitotoxinas, como la ricina y la abrina. La formación de exotoxinas por bacterias es relativamente poco común; se limita al bacilo del botulismo, bacilo diftérico, bacilo tetánico y a una especie de bacilo disentérico, el de Shiga. En ocasiones se ha creído que los bacilos de la gangrena gaseosa producían exotoxina, pero estas actividades son múltiples en el sentido de que la misma cepa de bacterias generalmente causa más de una toxicidad, y estas actividades tienden a corresponder al grupo de las toxicidades activas enzimáticamente.

La toxina de tipo A del botulismo en su forma cristalina es la más potente de las toxinas bacterianas: la DL$_{50}$ para el ratón es de solo 4.5×10^{-9} mg N. La toxina de tipo B es algo menos potente, ya que la DL$_{50}$ para el ratón es da 5 a 9×10^{-9} mg N; y la toxina cristalina del tétanos tiene su DL$_{50}$ en 6.6×10^{-7} mg N. La toxina de la difteria altamente purificada, pero sin cristalizar, mata a los cobayos en dosis de 0.4 μg por kilogramo de peso corporal. La neurotoxina de Shiga posee el mismo orden de toxicidad en su forma purificada, pero se obtiene en cantidades relativamente pequeñas, de manera que los filtrados de cultivos frescos no son tan tóxicos como los de bacilos botulínicos, tetánicos o diftéricos. Aunque estas cantidades de toxina son extremadamente pequeñas, se trata de neurotoxinas y no deben considerarse como disueltas en todo el animal. Así, por ejemplo, la dosis letal de toxina de tipo A del botulismo contiene aproximadamente 20 millones de moléculas, correspondiendo unas ocho moléculas por célula nerviosa.

La potencia de estas toxinas, en general, es análoga a su eficiencia como antígenos. Pueden obtenerse sueros antitóxicos de alta titulación, donde 1 ml neutralizará a miles de dosis letales medias (DLM) en el cobayo, para contrarrestar la toxina diftérica. La neutralización de una exotoxina por una antitoxina se efectúa según la ley de las proporciones múltiples, es decir, si x unidades de antitoxina neutralizan y unidades de toxina, nx unidades de antitoxina neutralizarán ny unidades de toxina.

Las exotoxinas son proteínas, pues son desnaturalizadas por el calor, pueden extraerse de una solución por precipitación salina, etcétera. Las toxinas botulínicas de alto peso molecular (cerca de 1×10^6) parecen ser polímeros y pueden desintegrarse en fragmentos activos. Tales fragmentos activos de toxinas de tipo A y de tipo E tienen pesos moleculares de 12 000 a 16 000 y los de toxina de tipo B, de 9 000 a 10 000.[73] Las toxinas tetánica y diftérica también se han preparado en forma cristalina; la primera tiene peso molecular de 140 000, estimado por filtración de gel.[62, 89] La última parece ser una cadena de polipéptido única con peso molecular de 62 000, formada por dos fragmentos denominados A y B unidos por enlaces de disulfuro y peptídico.[46] De ellos, el fragmento A es el enzimáticamente activo (ver luego).

Con excepción de la toxina botulínica, las exotoxinas son destruidas por las enzimas proteolíticas; por lo tanto, la toxina botulínica es la única toxina eficaz administrada por la boca.[72] La dispersión del polímero por las proteasas gastrointestinales hasta fragmentos activos menores, más fáciles de absorber, pueden desempeñar papel muy importante contribuyendo a la toxicidad por vía bucal.

Después de inyectar exotoxinas hay un periodo de incubación antes que los síntomas de intoxicación aparezcan. Este periodo de incubación puede ser muy corto o prolongarse hasta 36 a 48 horas o más. El periodo de incubación usual de la toxina tetánica es de 36 horas, pero puede reducirse hasta 35 a 60 minutos inyectando grandes cantidades, 500 000 DLM de toxina cristalina.

El descubrimiento de que la acción tóxica de las toxinas solubles es destruida si se tratan con formaldehido, que respeta las propiedades antigénica y de combinación con antitoxina, ha tenido enorme interés práctico en procedimientos de inmunización. La toxina así tratada se denomina toxoide.

Toxinas botulínicas. La actividad de la toxina botulínica ha sido estudiada con bastante detalle. Se ha visto que la acetilcolina produce contracción en el músculo intoxicado por toxina botulínica, pero no lo hace cuando la intoxicación es con curare. Este hecho se ha interpretado como indicando que no se produce acetilcolina en las placas terminales por el animal envenenado, y que la acción de la toxina es de localización proximal con relación a donde esta se produce. De acuerdo con lo anterior está que no se libere acetilcolina durante la parálisis neuromuscular producida por la toxina. El sitio de acción de la toxina es en las fibrillas nerviosas, ya que se libera acetilcolina después de estimular directamente el diafragma aislado de cobayo, pero no cuando se produce tetanización de los nervios frénicos. La parálisis neuromuscular que ocurre en el animal envenenado resulta de interferencia con la conducción en las ramas terminales de los nervios motores, en los puntos de ramificación terminal o cerca de ellos, pero proximales con relación al lugar donde se libera acetilcolina. Pero se desconoce la naturaleza de la actividad de la toxina que produce tal interferencia en la conducción.

Toxina tetánica. La toxina tetánica actúa tanto central como periféricamente. Su acción sobre el sistema nervioso central parece ser similar a la de la estricnina, suprimiendo la inhibición sináptica.[16] Los efectos periféricos parecen ser dobles; incluyen una acción espástica en la unión neuromuscular de los músculos voluntarios (tétanos local) y una acción paralítica similar a la de la toxina botulínica, o sea que el músculo liso paralizado por acción de la toxina todavía reacciona a la acetilcolina de sus nervios colinérgicos. Los lugares de fijación periférica para la toxina parecen ser los sacos transversos y terminales de los elementos longitudinales del sistema sarcotubular en el músculo estriado.[139]

Toxina diftérica. Los síntomas de la difteria guardan relación con la acción de la toxina sobre los músculos esquelético y cardiaco. Aparte de la obstrucción mecánica de la membrana diftérica, la causa inmediata de muerte suele ser la insuficiencia cardiaca; los pacientes que se han recuperado pueden mostrar cierta parálisis residual. En el cobayo se producen efectos tóxicos similares, junto con una reacción hemorrágica en las suprarrenales.

Por estudios sobre efecto de la toxina diftérica en cultivos de células (HeLa) sabemos que la síntesis proteínica es inhibida en presencia de la toxina. Utilizando este criterio, se ha comprobado que los tejidos blanco del cobayo son el tejido muscular, o sea el músculo esquelético, el cardiaco y el diafragma.[11] También se ha visto que este efecto se ejerce sobre los componentes subcelulares de la célula relacionados con la síntesis de proteína, o sea los ribosomas.[10, 21]

Como antes señalamos, la rotura de la toxina diftérica en fragmentos A y B, con pesos moleculares de 24 000 y 38 000 respectivamente, originan la aparición de actividad enzimática asociada con el fragmento A; el fragmento B es inactivo al respecto. Como los fragmentos están unidos en la molécula intacta por enlaces tiol y peptídicos, la rotura se produce por ligera digestión con tripsina en presencia de un agente reductor del tiol.[22, 30, 45, 46] La actividad enzimática del fragmento A cataliza la rotura del dinucleótido de adenosina y nicotinamida (NAD), con liberación de nicotinamida libre y transferencia de la porción de difosfato de adenosina y ribosa (ADP) a la transferasa II, para formar un enlace covalente complejo; la transferasa parece ser un receptor único en esta reacción.[44] La transferasa II, recordemos, es una translocasa que efectúa la translocación de la cadena peptídica creciente y el polirribosoma para aceptar el aminoácido siguiente del aminoacil-tRNA; su fijación inhibe eficazmente la síntesis de proteína. Sin embargo, el fragmento A no es tóxico para el animal y se requiere el fragmento B para la toxicidad in vivo; se ha sugerido que B puede funcionar con respecto a la penetración de la célula huésped.

Toxinas productoras de diarrea. Un grupo descubierto hace relativamente poco de toxinas bacterianas incluye las relacionadas con la enfermedad infecciosa diarreica. Cuando existen en la luz del intestino, originan el desplazamiento de agua y iones desde los tejidos hacia la luz, para causar diarrea. Esta actividad tóxica puede demostrarse experimentalmente, sobre todo en el asa ileal ligada del conejo. La primera descrita y mejor conocida es la toxina termolábil producida por el vibrión colérico.[14] Su importancia en la patogenia de la enfermedad la demuestra su capacidad, en forma de compuesto libre de bacterias, para producir los síntomas de la enfermedad. Se ha comprobado que toxinas similares, en ocasiones incluso mostrando una relación inmunológica cruzada con la toxina del cólera, son producidas por otras bacterias. Estas incluyen los coliformes enteropatógenos asociados con enfermedades diarreicas de animales inferiores [52, 88] y del hombre,[108] algunas especies de bacilos disentéricos,[70] y cepas de *Cl. perfringens* que producen diarrea por intoxicación alimenticia.[31]

La toxina colérica, y probablemente otras toxinas similares, no afectan la absorción a nivel del intestino delgado, pero aumentan la excreción, con resultado global de pérdida del líquido. No conocemos la naturaleza de la reacción tóxica, quizá sobre todo porque el control de la secreción tampoco es bien conocido. El efecto de la toxina colérica se ha comprobado que se acompaña de un aumento de monofosfato cíclico de adenosina (cAMP),[99] pero todavía no está demostrado en forma definitiva que tal asociación no sea algo fortuito.

Endotoxinas [92, 103, 106, 135]

Las endotoxinas se diferencian claramente de las exotoxinas ya que se encuentran intracelularmente

en muchas bacterias gramnegativas, especialmente en los bacilos entéricos, como complejos lípido-polisacárido-polipéptidos. Son termostables, v. gr., a la ebullición en solución neutra, pero son destruidas por hidrólisis ácida débil, no son digeridas por enzimas proteolíticas, tienen relativamente baja toxicidad en el ratón, la DL_{50} es un poco menor de 0.1 mg, y se neutralizan solo parcialmente por el suero antitóxico, y en términos generales tienen la misma actividad, independientemente de su origen. Parecen ser componentes estructurales de la célula bacteriana, representan el antígeno O y se encuentran, cuando menos en su mayor parte, en la membrana celular de la bacteria.

Las endotoxinas pueden extraerse de la célula bacteriana intacta con ácido tricloracético, glicoles o éter etílico acuoso y se encuentran presentes en soluciones de substancia celular preparada por desintegración mecánica, tanto antes como después de digestión con enzimas proteolíticas. El complejo completo se extrae con ácido tricloracético y glicol; en esta forma la porción de polipéptido no da las reacciones cualitativas usuales de proteína. Esta clase de preparación se conoce como antígeno de Boivin, o de tipo Boivin, pues se preparó por primera vez con el método de extracción con ácido tricloracético ideado por Boivin. La porción de la fracción lípida puede extraerse tratando el complejo con formamida caliente, y no tiene relación ni con la toxicidad ni con la antigenicidad. Después de mayor degradación suele perderse la toxicidad, y el polisacárido libre difiere según el tipo de bacteria de que fue preparada la endotoxina y es responsable de su carácter antigénico.

La naturaleza de la toxicidad aún no se ha aclarado; sin embargo, Goebel y colaboradores demostraron que el complejo de endotoxina del bacilo disentérico de Flexner daba un polisacárido no tóxico y una proteína ácida tóxica por hidrólisis ácida; con hidrólisis alcalina y alcohol aparecía un polisacárido tóxico y una proteína no tóxica. La proteína tóxica podía ser destoxicada con alcohol alcalino, y el polisacárido tóxico con hidrólisis ácida, pero no era posible caracterizar el elemento tóxico. Posteriormente se ha venido utilizando ampliamente un método de extracción con fenol al 50 por 100 y separación del fenol por diálisis o extracción con un solvente no miscible, el cual produce un lipopolisacárido que representa la endotoxicidad. La pequeña cantidad de lípido contenido es distinta de la fracción mayor, 10 a 15 por 100, de la preparación de tipo Boivin, y no es separada por extracción con solventes apropiados; se presume que forma parte integrante de la toxicidad. Tales preparaciones pueden considerarse representativas de los polisacáridos tóxicos derivados del antígeno de Boivin por distintos medios.[131]

Por inoculación parenteral, las endotoxinas producen aumento en la temperatura corporal; en ocasiones se les conoce como pirógenos bacterianos, pero su actividad farmacológica es característica en el sentido de que aumentan la permeabilidad. La permeabilidad capilar puede aumentarse con producción de hemorragia local, y es interesante que esto ocurre más fácilmente en tejido tumoral que en tejido normal, de manera que si la dosis se ajusta adecuadamente puede producirse hemorragia exclusivamente en el tejido tumoral. Con la inoculación intradérmica ocurre una reacción inflamatoria típica, frecuente en el conejo, que puede emplearse para titulación de la actividad endotóxica inoculando la toxina sola o potenciándola con adrenalina. La reacción a la endotoxina es notablemente similar al fenómeno de Shwartzman (ver luego); algunos piensan que ello puede ser responsable de parte o de toda su toxicidad.

La semejanza entre la intoxicación grave y el choque es notable; hay caída de la tensión arterial y aumento en la presión venosa por estancamiento de la sangre en el sistema porta, lo cual coincide con leucopenia y trombocitopenia. Difiere del choque anafiláctico en que el tiempo de coagulación no se prolonga. Puede ocurrir choque por endotoxinas en bacteriemias por bacilos gramnegativos. Estas infecciones se han hecho mucho más frecuentes con el uso de la antibioticoterapia, y tal tipo de choque es de considerable importancia porque muchas veces resulta difícil diferenciarlo del choque por infarto del miocardio.

Una consecuencia curiosa de la inoculación parenteral de endotoxina es un aumento de resistencia del animal receptor a la infección con bacterias o virus. El mecanismo de este fenómeno no es bien conocido, pero en el caso de ataque por virus puede guardar relación con la movilización de interferón endógeno.

Contrariamente a lo que suele creerse, las endotoxinas son excelentes antígenos y estimulan la formación de anticuerpos aglutinantes y precipitantes en títulos altos. El anticuerpo, sin embargo, solo neutraliza la toxicidad en proporción menor; en este aspecto las endotoxinas se asemejan a algunos azoantígenos, farmacológicamente activos, que se preparan artificialmente y cuya actividad no es neutralizada por el anticuerpo, aunque se combinen con él.

Toxinas de virus y rickettsias.[23] Hay substancias tóxicas que se asocian con algunos virus y rickettsias y que son endotoxinas en el sentido de que no han sido disociadas del agente infeccioso. Aun cuando las alteraciones patológicas producidas por esas actividades incluyen efectos sobre permeabilidad, se consideran aparte de las endotoxinas bacterianas ya que son termolábiles y se neutralizan específicamente y de manera más efectiva, posiblemente en proporciones múltiples, por el correspondiente suero antitóxico. No se conoce nada de su naturaleza química.

El virus de la influenza, en dosis de 1 500 a 2 000 unidades hemaglutinantes, produce cambios similares en el ratón por inoculación intravenosa; las cepas más tóxicas producen efectos en el intestino delgado, como edema y congestión vascular.

La inoculación intracerebral en el ratón produce signos neurológicos con temblor, convulsiones clónicas que alternan con convulsiones tónicas y alteraciones meningoencefalíticas en el cerebro. La inoculación intravenosa al ratón del virus de la enfermedad de Newcastle produce cambios similares a los que se encuentran con el virus de la influenza, o sea condensación pulmonar y enteritis hemorrágica.

Los microorganismos del grupo psitacosis linfogranuloma tienen una toxicidad demostrable por inoculación intravenosa al ratón, pero se requieren dosis grandes, equivalentes a 40 millones de dosis infectantes, para producir la muerte. Los ratones que mueren en forma temprana, o sea en las primeras 12 horas, presentan congestión pulmonar con hemorragias aisladas, líquido de edema en los alveolos, trombos de fibrina en los capilares glomerulares del riñón, y focos de lesión o necrosis en el hígado. En animales que mueren más tarde, la lesión hepática es lo más manifiesto, con focos necróticos múltiples acompañados de hemorragia.

Entre las rickettsias, las que producen el tifus exantemático, el de los matorrales y posiblemente también la fiebre manchada, forman toxinas similares. En el ratón y la rata, frecuentemente se observan en la intoxicación aguda congestión visceral y enteritis hemorrágica con edema. Estudios más detallados han demostrado que en el ratón, poco tiempo después de la inoculación hay vasoconstricción y trasudación de plasma, con alteración en la permeabilidad capilar. Además, la toxina de las rickettsias, cuando menos del tifus endémico, produce hemólisis intravascular extensa en el conejo.

No se ha aclarado en qué proporción las toxinas virales y rickettsiales pueden contribuir al proceso de la enfermedad. Por ejemplo, en un ciclo de desarrollo del virus de la influenza se liberan 40 a 60 partículas infectantes por cada célula alantoidea. En volumen, ello solo representa una pequeña porción del volumen total de la célula, probablemente 1.5×10^{-5}, pero es suficiente para producir la muerte. Parece ser que la replicación afecta alguna porción vital de la célula, ya que la postulada toxicidad del virus para producir la muerte es muy poco probable. Por otro lado, el acúmulo de toxicidad puede ser factor contribuyente, por ejemplo, alterando la permeabilidad capilar.

Otras substancias tóxicas

Además de las exotoxinas y endotoxinas, los microorganismos producen gran variedad de otras substancias que pueden contribuir al proceso de enfermedad directamente o facilitando el establecimiento de un foco de infección. Algunas son citotóxicas, afectan eritrocitos y glóbulos blancos; otras interfieren directa o indirectamente en el mecanismo de la coagulación; otras son enzimas que catalizan la descomposición de elementos estructurales de los tejidos, como el ácido hialurónico de la substancia fundamental y la colágena. Consideraremos brevemente las más importantes de estas actividades.

Hemolisinas. Una gran variedad de bacterias producen hemolisinas; estas son substancias que producen disolución de glóbulos rojos de animales superiores. Las hemolisinas bacterianas, que deben distinguirse de las hemolisinas inmunes que produce un animal en respuesta a la inyección de glóbulos rojos de otra especie, son de dos tipos: las llamadas hemolisinas filtrables, que son extracelulares y pueden separarse de la célula bacteriana por filtración, y las hemolisinas que se demuestran por cultivo de bacterias en medios semisólidos que contienen sangre completa.

Hemolisinas filtrables. Las hemolisinas filtrables a veces se denominan según la bacteria que las produce; la estreptolisina, por ejemplo, es una hemolisina producida por estreptococo, y una estafilolisina es una hemolisina de estafilococo. La actividad hemolítica se demuestra añadiendo filtrado o cultivo completo a una suspensión de eritrocitos lavados en solución salina fisiológica; después de un periodo de incubación los glóbulos rojos son destruidos y la hemoglobina aparece libre en solución. La relación entre estas hemolisinas y otras que ocurren en forma natural, como las saponinas, las hemolisinas de los venenos de serpientes y similares, no está aclarada. Las hemolisinas bacterianas parecen ser de naturaleza proteínica, son inactivadas por calor (55°C durante 30 minutos), y son antigénicas, o sea que inyectadas en animales estimulan la formación de antihemolisinas.

Que la actividad hemolítica es propiedad de un grupo de substancias de origen bacteriano más que una sola substancia formada por varias especies bacterianas, se demuestra no solo por diferencias en especificidad inmunológica sino por las distintas propiedades de tal actividad. Muchas hemolisinas, por ejemplo, son estables con oxígeno, pero algunas, producidas por neumococos, ciertas cepas de estreptococos y algunos anaerobios formadores de esporas, son sensibles al oxígeno, o sea activas en su forma reducida pero inactivas en su forma oxidada; la oxidorreducción es reversible a baja temperatura. Las hemolisinas difieren aún más de unas a otras por su resistencia al calor y al ácido, y por el tiempo de incubación que precede a la hemólisis de los glóbulos rojos. Las diferencias de actividad sobre los eritrocitos de varias especies de animales superiores pueden ser muy ostensibles; una determinada hemolisina, por ejemplo, puede lisar células rojas de carnero pero no de conejo. En general, los eritrocitos de la especie animal de la que se aísla la bacteria son más sensibles a sus hemolisinas que los eritrocitos de otras especies animales.

Una sola cepa bacteriana puede originar más de una hemolisina. Algunas cepas de estafilococo producen cuando menos dos hemolisinas; una actúa

tanto sobre eritrocitos de conejo como de carnero, y a 37°C la lisis ocurre rápidamente; la otra actúa solo contra eritrocitos de carnero, que son lisados después de mantenerlos a temperatura ambiente durante una noche; este fenómeno se ha llamado lisis "caliente-fría". La primera se denomina lisina α, la segunda lisina β. La acción de ambas puede demostrarse en sangre de carnero y agar; la lisina α produce una zona completamente clara a las 24 horas de incubación; la lisina β produce una zona obscura que se torna clara después de enfriar la placa de cultivo. El estafilococo produce otras hemolisinas además de estas.

La producción de múltiples hemolisinas y lisinas caliente-frías no se encuentra limitada exclusivamente al estafilococo. Muchos estreptococos, por ejemplo, producen dos hemolisinas, una oxígeno-lábil, termostable, que se ha llamado estreptolisina "O", y una sensible al ácido, termolábil, estreptolisina "S". La producción de hemolisinas múltiples es especialmente neta entre los anaerobios obligados esporulados como los del grupo de la gangrena gaseosa. Por ejemplo, los más frecuentes de estos, *Clostridium perfringens,* produce tres toxinas, la α, la θ y la κ; las dos primeras son hemolisinas, y la α es una lisina caliente-fría y una lecitinasa.

La producción de hemolisinas en ocasiones se favorece incluyendo suero en el caldo de cultivo de los microorganismos; es interesante que la actividad de la hemolisinas formadas en tales medios es más intensa sobre las células rojas de la especie animal de la que se tomó el suero. La actividad hemolítica de un cultivo puede ser transitoria, probable

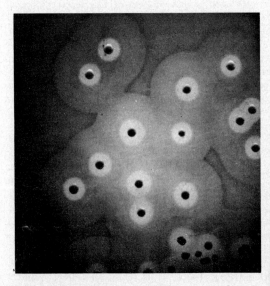

FIG. 8-2. Hemólisis de "calor-frío" por *Staphylococcus aureus* en agar y sangre de carnero, producida conservando la placa alternativamente en la incubadora y a temperatura del refrigerador. Las pequeñas zonas claras se producen en la estufa por la lisina alfa; las zonas mayores en el refrigerador, por la lisina beta.

mente debido a inactivación de la hemolisina formada. Algunas hemolisinas pierden su actividad cuando se incuban a 37"C por dos horas o más.

La forma precisa en que se altera la estructura del eritrocito y que permite la salida de la hemoglobina no se conoce, es un fenómeno de "todo o nada" en el que ninguna célula se lisa parcialmente. Como algunos otros agentes hemolíticos, las hemolisinas bacterianas alteran la superficie de las células, y estas se hinchan antes de lisarse. La alfahemolisina estafilocócica y la estreptolisina S se ha comprobado que lisan protoplastos bacterianos [5] así como glóbulos rojos.

Hemólisis en cultivo de placa con sangre. Las colonias de algunas especies bacterianas en agar-sangre producen cambios visibles en el medio que rodea inmediatamente a la colonia, que se denominan "hemólisis". Se observan dos tipos generales de cambios: uno se llama hemólisis α o "verde", en el cual la colonia bacteriana se encuentra rodeada por una zona verdosa; la otra, hemólisis β, en la cual la zona que rodea a la colonia es clara y sin color, en contraste con la opacidad roja del medio. El examen microscópico de la zona verde muestra la presencia de múltiples corpúsculos coloreados, pero en las zonas de hemólisis β no se aprecian corpúsculos.

La relación entre la hemólisis de sangre en placa y las hemolisinas filtrables suele ser confusa, ya que los microorganismos hemolíticos en placa no producen, al parecer, hemolisinas filtrables; algunos investigadores consideran que puesto que las hemolisinas filtrables son difíciles de demostrar, el hecho de no encontrarlas no tiene significación. Parecería que los procesos serían diferentes; en el caso de las hemolisinas filtrables se altera la permeabilidad del eritrocito y la hemoglobina escapa al líquido del medio, mientras que en la hemólisis de sangre en placa el pigmento se desintegra hasta compuestos verdes o incoloros.

Por otro lado, parece haber una íntima relación entre hemólisis β y estreptolisina "O".

El mecanismo de la hemólisis β no es bien conocido, pero en el caso de las hemolisinas estafilocócicas la hemoglobina no se destruye; según Christie y Graydon, la zona clara que rodea a la colonia se debe a migración de la hemoglobina liberada. Inicialmente se pensó que la hemólisis verde dependía de la formación de metahemoglobina asociada con la formación de peróxido de hidrógeno; sin embargo, se ha demostrado que el compuesto verde es un derivado de la hemoglobina que contiene fierro, posiblemente formado por reducción. Como en el caso de las hemolisinas filtrables, la hemólisis en sangre-agar frecuentemente es específica de especie; una mayor proporción de cepas bacterianas producirá hemólisis en sangre de una especie animal y no de otra.

La relación entre capacidad de producir hemolisinas y virulencia es obscura. Aunque en algunas bacterias parásitas, como estreptococos y estafilococos, la virulencia se asocia con la actividad hemolítica, un buen número de bacterias saprófitas producen también hemolisinas. Por otro lado, se ha señalado que en las infecciones de la mama por estafilococo, las cepas hemolíticas son mucho más irritantes que los organismos no hemolíticos. Cabría esperar que una infección por bacterias hemolíticamente activas se acompañase de anemia y hemoglobinuria; sin embargo, esto no es la regla. Las infecciones por *Cl. perfringens* frecuentemente se caracterizan por gran destrucción de eritrocitos y, consecuentemente, anemia e ictericia intensas por liberación continua de toxina α-hemolítica. La hemólisis intravascular masiva con hemoglobinuria e hiperpotasemia producida por la toxina de la rickettsia del tifus, que antes se señaló, puede ser una parte importante del cuadro patológico de esta enfermedad. En muchos casos, claro está, una hemolisina bacteriana puede ser tóxica en otras formas; por ejemplo, las toxinas bacterianas algunas veces son hemolíticas.

Leucocidinas. Cierto número de bacterias, especialmente estreptococos, estafilococos y neumococos, producen leucocidinas, substancias que matan y, algunas veces, lisan los leucocitos polimorfonucleares. La muerte de los leucocitos por resultado de son incapaces de reducir el azul de metileno; este fenómeno se emplea para demostrar la actividad de tales substancias.[83] Un método microscópico directo usando el microscopio de contraste de fase ha aclarado en parte el efecto de estas substancias sobre el glóbulo blanco. Las leucocidinas demostrables en esa forma son las llamadas leucocidinas Panton-Valentine (PV). Esta leucocidina es un sistema de dos componentes en el cual los dos factores, separables por cromatografía de recambio iónico, funcionan sinérgicamente. Los leucocitos humanos y de conejo, puestos en contacto con leucocidina, se hacen esféricos; el núcleo se fragmenta y las células con algunas leucocidinas pueden destruirse; con otras permanecen intactas.

La cantidad de leucocidina producida por una especie bacteriana varía ampliamente según las cepas, y una misma cepa puede producir más de una leucocidina. La identificación de más de una leucocidina depende de diferencias en la termostabilidad y el tipo de leucocitos afectados; una leucocidina estafilocócica, por ejemplo, afecta tanto los leucocitos de conejo como los humanos, mientras otra solo es activa con células de conejo. En general, las leucocidinas se parecen mucho a las hemolisinas filtrables ya que son antigénicas, su resistencia al calor es variable, y en algunos casos pueden ser idénticas a las hemolisinas. La hemolisina α del estafilococo, por ejemplo, es una leucocidina, la llamada leucocidina de Neisser-Wechsberg. Pueden no ser específicas de una cepa; algunas leucocidinas del estafilococo, por ejemplo, son inmunológicamente similares, si no idénticas, sea cual sea la cepa bacteriana de la que procedan.

El papel que juegan las leucocidinas en la virulencia de una bacteria es obscuro. Teóricamente debería ser ventajoso para un microorganismo invasor el poder destruir esas células fagocíticas y, por lo tanto, en cierto grado destruir las defensas del organismo. Pero los leucocitos polimorfonucleares no son las más importantes células en la destrucción fagocítica de las bacterias, y el efecto de estas substancias sobre otras células fagocíticas, mononucleares, histiocitos y otras, no es bien conocido. Como en el caso de las hemolisinas, las leucocidinas de origen bacteriano deben diferenciarse de las leucocidinas inmunes, es decir, de las que son producidas por el organismo animal en respuesta a la inyección de leucocitos de otra especie.

Coagulasa. La formación de coágulos sanguíneos es acelerada por coagulasa, substancia de origen bacteriano. La producción de coagulasa parece limitada sobre todo al estafilococo y puede estar relacionada causalmente con la formación de trombos frecuente en infecciones por esos microorganismos. Algunas cepas ocasionales de otras bacterias, como *Pseudomonas aeruginosa*, *Serratia marcescens*, *Escherichia coli*, y *Bacillus subtilis* se ha observado que aceleran la coagulación de la sangre. La actividad de coagulasa se demuestra por la adición de bacterias a plasma (humano o de conejo) sanguíneo citratado u oxalatado, que forma gel en plazo de tres horas. Se puede demostrar también mezclando las bacterias con plasma en una laminilla y examinando si hay formación de grumos con producción de fibrina —la prueba de formación de grumos con plasma.

Se ha demostrado que la formación de un coágulo ocurre en dos etapas: primero hay una reacción entre la substancia que produce la bacteria, procoagulasa, con un cofactor o activador presente en el plasma para formar el agente coagulante, la coagulasa; en segundo lugar ocurre la coagulación del plasma bajo influencia de coagulasa. Aun cuando en sentido estricto el factor bacteriano es la procoagulasa, comúnmente se denomina coagulasa. Es relativamente termostable y puede obtenerse, con cierta dificultad, libre de células. Es antigénico, aunque con algunas complicaciones, y se presenta como cierto número de tipos antigénicos, varios de los cuales pueden producirse por una sola cepa de estafilococo.[55] El factor del plasma es muy similar, pero no idéntico, a la protrombina, de la cual puede separarse por filtración Seitz (se retiene protrombina) y se asocia con la fracción globulina. Parece que la coagulasa ocurre en dos formas, una unida a la célula, la otra libre;[32] se supone que la primera interviene en la prueba de formación de grumos con plasma.

La distribución del factor plasmático entre las especies animales explica las diferencias en la coagulación del plasma; la mayor parte de coagulasas coagulan el plasma humano, de conejo y de caballo, pero no de rata, pollo o cobayo, aunque el último puede coagular lentamente a 25ºC y no a 37ºC.

Generalmente se acepta que la formación de coagulasa por el estafilococo guarda íntima relación con la virulencia, y frecuentemente se hace referencia al "estafilococo coagulasa-positivo", implicando con ello un estafilococo virulento. Existe una relación entre la susceptibilidad de los animales a las infecciones por estafilococo y la formación de cofactor del plasma. Así, la rata, el ratón y el cobayo con frecuencia son relativamente resistentes a la infección experimental con estafilococo coagulasa-positivo, y la virulencia del estafilococo coagulasa-positivo puede aumentarse inoculándoles bacterias suspendidas en plasma coagulable. Al parecer, las bacterias cubiertas con una película de fibrina son fagocitadas con dificultad; además, la aglutinación de bacterias y células fagocíticas por la fibrina tiende a inhibir mecánicamente el proceso de fagocitosis. Más aún, se ha observado que la coagulasa antagoniza, en mayor o menor grado, la actividad antibacteriana del suero normal, y las bacterias coagulasa-positivas son capaces de desarrollarse en suero normal, mientras que las coagulasa-negativas no lo hacen.[33]

Cinasas bacterianas. Algunas clases de bacterias, especialmente el estreptococo, tienen capacidad para disolver coágulos de fibrina o inhibir la coagulación del plasma. Esta actividad fue descrita por Tillett y Garner en 1933 como fibrinolisina. Puede titularse como la dilución más alta que lise un coágulo de fibrina en un tiempo dado o como el tiempo necesario para lisar un coagulo de fibrina; o, finalmente, según la cantidad de proteína que se vuelve soluble en ácido tricloracético. El último es el menos sensible, debido a que la disolución del coágulo ocurre más pronto que la proteólisis hasta substancias solubles en tricloracético o nitrógeno amínico libre.

La reacción no ocurre cuando el coágulo se ha formado por interacción de trombina humana purificada y fibrinógeno. Se ha demostrado que el factor producido por el estreptococo no es la substancia lítica, sino una cinasa que activa un precursor (plasminógeno) de una proteasa del plasma (plasmina) que se encuentra entre las euglobulinas, y que la plasmina es de hecho el agente lítico. La actividad bacteriana, por lo tanto, no es de fibrinolisina como se le llamó originalmente, y aún ahora; es más apropiado referirse a ella como una cinasa; en el caso del estreptococo es una estreptocinasa.

Estreptocinasa. Se han observado algunas anomalías en la actividad bacteriana. Por ejemplo, el estreptococo de origen humano lisa coágulos de plasma, pero no el plasma de la mayor parte de los animales. Sin embargo, la fibrina animal es susceptible de lisis si se coagula con trombina humana, y la fibrina humana es susceptible de ser lisada si se coagula con trombina animal. Además, los coágulos de conejo se vuelven susceptibles si se mezclan con plasminógeno de origen humano. Tales observaciones son explicadas en gran parte porque coexisten tanto la plasmina libre como un inhibidor de plasmina, la antiplasmina del plasma; este último de la fracción albúmina. Por tanto, la ausencia de susceptibilidad del plasma de conejo obedece a la presencia de cantidades relativamente grandes de antiplasmina, no a deficiencia de plasminógeno, como se pensó. En forma similar, al diluir el plasma, el complejo plasmina-antiplasmina se disocia, y la solución se hace fibrinolítica. La inactivación de antiplasmina por el cloroformo es la base de una purificación comercial del antisuero; el suero antitóxico se agita con cloroformo y se incuba para permitir la digestión preferente de las proteínas séricas que no son anticuerpos globulinas.

La activación fibrinolítica, o lisocinasa, se encuentra en otras bacterias además del estreptococo. La del estafilococo, estafilocinasa, es un poco diferente de las estreptocinasas, en especificidad de especie y otros aspectos; hay datos en el sentido de que el estafilococo que produce la lisina beta (hemolisina) no produce estafilocinasa. Una gran variedad de otras bacterias, incluyendo bacilos entéricos y algunos de los anaerobios obligados esporulados, digieren coágulos de fibrina, pero se conoce poco de la mayor parte de estas actividades; posiblemente en algunos casos la digestión se deba más a enzimas proteolíticas que a cinasas.

Las estreptocinasas son antigénicas, y las de diferentes cepas parecen ser inmunológicamente muy similares. Los antisueros inhiben específicamente su actividad, y la aparición de una anticinasa en el suero ha resultado un índice útil de infección previa por estreptococo cinasa-positivo.

Buen número de bacterias muestran tendencia a inhibir la coagulación del plasma; esta propiedad puede demostrarse retrasando la adición de calcio al plasma oxalatado; cuando el calcio se añade después de un periodo preliminar de incubación, el coágulo no se forma. Esta propiedad se ha demostrado sobre todo en cultivo en caldo glucosado, y, en algunos casos cuando menos, la incapacidad del plasma para coagular es el resultado de la presencia de ácido láctico y otros tipos formados por la fermentación.

La estreptocinasa parece estar íntimamente relacionada con la virulencia, y en particular con la capacidad para invadir tejidos del organismo. Como una de las primeras reacciones del organismo a la destrucción tisular es la formación de coágulos sanguíneos que tienden a tabicar y aislar la región infectada, no debe sorprenderse que las bacterias capaces de lisar tales coágulos muestren tendencia neta a la invasión tisular extensa. El estreptococo se encuentra entre las formas patógenas más invasoras, y esta fase de su virulencia puede atribuirse, cuando menos en parte, a la formación de fibrinolisina.

Hialuronidasa (factor de difusión, invasina).[84]

La permeabilidad de los tejidos aumenta en forma considerable por un factor, comúnmente denominado factor de Duran-Reynals según su descubridor, presente en algunos tejidos de mamíferos, en particular en el testículo. Cuando se inyectan bacterias, virus vacunal, y substancias como toxinas, tinta china, y similares, al mismo tiempo que extractos que contienen tal factor, difunden rápidamente desde el sitio de inoculación. Cepas de estafilococo y estreptococo que no tienen gran poder invasor, en esta forma pueden hacerse altamente invasivas; la hialuronidasa parece ser esencial para lograr infección por inhalación.[25] Este factor también se encuentra presente en gran número de bacterias que se distinguen por sus propiedades invasoras, como ciertas cepas de estafilococos y estreptoccos, neumococos, y anaerobios obligados tales como el bacilo de la gangrena gaseosa. En esos microorganismos existe cierta relación entre el contenido de factor de Duran-Reynals y virulencia; las cepas no invasoras de estafilococo antes señaladas contienen poca cantidad de este factor o carecen de él, pero se hacen invasoras cuando se les suministra, mientras que las cepas invasoras generalmente producen ellas mismas el factor.

Esta substancia es una enzima, la hialuronidasa, cuyo substrato es el ácido hialurónico, mucopolisacárido formado de acetilglucosamina y ácido glucurónico; el ácido actúa como cemento tisular y se encuentra en el líquido sinovial y en muchas partes del cuerpo.

La descomposición del ácido hialurónico ocurre en tres etapas; en la primera ya no es precipitable con ácido acético; en la segunda etapa hay despolimerización y disminución de la viscosidad; la tercera se caracteriza por liberación de azúcares reductores. Cada una de ellas se ha empleado para titular la actividad de hialuronidasa, y la mayor parte de los métodos in vitro se basan en cambios de viscosidad. La acción de la enzima para disminuir la viscosidad del ácido hialurónico por hidrólisis facilita la penetración tisular de las bacterias que la producen. El efecto sobre los tejidos es transitorio; después de inocular preparaciones de la enzima, la barrera dérmica se restablece parcialmente en 24 horas, completamente en 48.

Es interesante que el ácido hialurónico se encuentre también en la cápsula de algunas cepas de estreptococos. Tales cepas no producen hialuronidasa, y en presencia de esta son despojadas de sus cápsulas y fagocitadas más fácilmente (ver luego). La capacidad de tales cepas de invadir tejidos no depende, por supuesto, de la elaboración de hialuronidasa. La actividad parece ser antigénica, ya que es neutralizada por sueros específicos, pero inmunológicamente son distintas cuando provienen de diferentes orígenes; se ha sugerido que la enzima estaría combinada con diferentes proteínas según los organismos.

La hialuronidasa es antagonizada por una enzima presente en el plasma sanguíneo normal, que se ha llamado antiinvasina I. Una enzima bacteriana, proinvasina I, destruye la antiinvasina I, y otra enzima del plasma, antiinvasina II, destruye la proinvasina I.

Se ha sugerido que el equilibrio de este sistema huésped-bacteria rige si habrá o no habrá invasión tisular.

Estreptodornasa. La estreptodornasa es una desoxirribonucleasa producida por muchos estreptococos hemolíticos, junto con estreptocinasa, que despolimeriza el DNA viscoso; su actividad puede titularse por métodos de viscosidad. Parece no tener relación con la virulencia. Tanto la estreptodornasa como la estreptocinasa se pueden utilizar para desbridamiento enzimático de heridas. El funcionamiento de la última depende de la presencia de suficiente plasminógeno.

Generalmente no se dispone todavía de plasminógeno para este propósito, pero puede prepararse de plasma humano.[19]

Cápsulas

La relación entre la presencia de cápsula en una bacteria patógena y su virulencia ha sido estudiada en otro sitio (capítulos 2 y 6). El material capsular, generalmente de naturaleza polisacárida, aunque puede contener nitrógeno y aminoácidos, no es tóxico ni puede considerarse análogo a las toxinas, hemolisinas y substancias similares. La cápsula parece funcionar más bien como un mecanismo defensivo de la bacteria contra la actividad fagocítica de los leucocitos. Las bacterias encapsuladas pueden ser ingeridas por un glóbulo blanco, pero en lugar de morir y ser digeridas, permanecen en el interior del leucocito por un tiempo y posteriormente son expulsadas viables. La capacidad de una bacteria encapsulada para resistir la destrucción fagocítica puede, de hecho, tener por resultado una distribución más amplia del microorganismo que la que podría obtenerse en otra forma con el transporte dentro de la célula fagocitaria. Es interesante, en relación con esto, que el neumococo no virulento lo es mucho en el conejo privado de sus leucocitos. Esto probablemente sugiera que el material polipéptido que constituye la cápsula del bacilo del carbunco contiene ácido D(—) glutámico. Como las enzimas proteolíticas solo atacan polipéptidos formados por aminoácidos de la serie L, posiblemente un bacilo carbuncoso capsulado resultaría muy resistente a las enzimas digestivas de la célula fagocítica.

No se sabe si la virulencia depende totalmente de la defensa contra la fagocitosis que resulta de la formación de cápsula, pero sin duda juega papel importante. La presencia de anticuerpos para la substancia capsular suprime esta resistencia bacteriana, y la inmunización contra el material capsular del neumococo, por ejemplo, produce un grado tan alto de inmunidad contra la infección por neumococo como la que resultaría si la inmunización se hiciese con la bacteria completa.

Factores diversos

Además de estos factores más o menos definidos y mejor conocidos, se ha señalado que un buen número de bacterias producen substancias que pueden tener relación con la virulencia. Tal es el caso del factor necrosante, o necrotoxina, producido por algunos estafilococos, que mata las células tisulares; un factor hipotérmico producido por el bacilo de Shiga de la disentería, que disminuye la temperatura corporal; una substancia productora de edema formada por el neumococo,[71] substancias relacionadas con las endotoxinas de algunas bacterias entéricas que afectan los niveles sanguíneos de glucosa de algunos animales, y algunas otras. Por desgracia, lo incompleto de la información actual no permite una generalización satisfactoria acerca de la virulencia bacteriana, pero parece comprobado que una bacteria patógena tiene a su disposición una serie de mecanismos, combinados en forma peculiar para ella misma, que hacen posible el éxito de una invasión a los tejidos del huésped.

Toxicidad originada en el huésped

No es raro observar signos de toxemia en enfermedades infecciosas cuando se ha demostrado que el microorganismo causal no es capaz de formar substancias tóxicas in vitro. Un ejemplo clásico de ello es la gran toxemia de las infecciones neumocócicas agudas, cuando la substancia celular del neumococo y sus productos metabólicos formados en cultivo son relativamente poco peligrosos. Observaciones de este tipo sugieren que o bien la toxicidad se origina en el huésped y es producida por los tejidos infectados del mismo, o el microorganismo produce substancias tóxicas en el ambiente que representa el tejido infectado que no sintetiza en cultivo in vitro.

Sobre lo primero caben dos alternativas obvias. Puede postularse que en la interacción de los sistemas metabólicos del organismo proliferante y de las células huéspedes, los de estas se alteran con la acumulación de substancias tóxicas para el huésped. Aun cuando no hay la demostración definitiva de tal interacción, lo plausible de la hipótesis aumenta por la desaparición relativamente rápida de los signos de toxemia al instituir la quimioterapia. Las drogas quimioterápicas no son antitóxicas, aunque se han descrito ligeros efectos sobre las toxinas microbianas, pero son capaces de inhibir la proliferación del microorganismo, sugiriendo con ello que el metabolismo activo del microorganismo en desarrollo puede tener relación con su toxicidad. Quizá en forma similar, en la gangrena gaseosa (capítulo 28) el huésped está en choque, aunque su toxina general no puede descubrirse, y la antitoxina resulta ineficaz; la amputación de la extremidad afectada alivia los síntomas generales.

La otra alternativa es una interferencia más o menos específica por un producto bacteriano sobre un sistema funcional del huésped. Ya hemos descrito dos ejemplos de ello. Uno es la activación del plasminógeno por el antagonismo con las cinasas bacterianas, tales como estreptocinasa por su inhibidor normal, la antiplasmina. El otro es el producto estafilocócico, incorrectamente denominado coagulasa, que activa un cofactor del plasma separable de la protrombina. En algunos casos puede verse que las substancias tóxicas son producidas por el tejido del huésped. La toxina tromboplástica, o necrosina, que puede aislarse de lesiones dérmicas por estreptococo, se ha encontrado también en la piel normal sujeta a traumatismo.[24, 111]

Otros fenómenos de este tipo se conocen menos. Está comprobado, por ejemplo, que la respuesta febril a una substancia bacteriana muchas veces no se debe a substancias pirógenas presentes en los microorganismos sino que es consecuencia de una interacción entre la substancia bacteriana y el plasma para formar o liberar substancias pirógenas de origen endógeno.[49] Otro fenómeno similar es la gran sensibilidad a la histamina, que aumenta hasta cien veces después de la inoculación con bacilo pertussis, y que probablemente pueda atribuirse a un efecto sobre la intensidad de liberación de histamina por los tejidos. Este tipo de "hipersensibilidad" posiblemente tenga relación con la patogenia de la tos ferina, en la cual los accesos de tos persisten después que han desaparecido las bacterias del paciente. En relación con ello es muy sugestivo que la sensibilidad a la histamina producida en esta forma sea más intensa en el ratón hembra que en el macho, y que en la tos ferina la regla general según la cual la mortalidad por enfermedad infecciosa es netamente mayor en el hombre resulta invertida.

El fenómeno de Shwartzman.[116, 133] La reacción que se conoce como fenómeno de Shwartzman puede considerarse un caso especial de reacción del huésped que da por resultado un aumento en su sensibilidad a substancias microbianas. Ocurre más fácilmente en el conejo y se produce por dos inoculaciones, una "preparatoria" y una "desencadenante" unas horas (8 a 30) después una de la otra; la reacción producida puede ser local o general. En la primera, la inoculación preparatoria se administra por vía intradérmica, y la inoculación desencadenante por vía intravenosa; poco tiempo después de la segunda inoculación se produce hemorragia y necrosis en el sitio de la inoculación preparatoria. La reacción general se induce dando las dos inoculaciones por vía intravenosa y se caracteriza por necrosis cortical bilateral en los riñones. Mientras que el elemento tiempo, y el que no se necesite un poder antigénico común en las substancias desencadenante y preparatoria excluye una base inmunológica de la reacción, se asemeja netamente al fenómeno de Arthus y se intensifica cuando el animal

ha recibido inoculaciones inmunizantes del material preparatorio.

No todas las bacterias contienen substancias preparatorias, pero las endotoxinas de los bacilos entéricos son casi uniformemente eficaces. De hecho, se ha sugerido, especialmente por Stetson, que la toxicidad de muchas endotoxinas bacterianas puede ser una manifestación de reacción de Shwartzman, posiblemente aumentada por una respuesta inmune en algunos casos cuando la dosis preparatoria es absorbida por intestino como endotoxina de los coliformes y componentes similares de la flora intestinal. Hay una variedad mucho más amplia de substancias desencadenantes que de preparatorias, y substancias como almidón, agar, suero o bacterias, que no tienen efectos preparatorios pueden ser desencadenantes.

La participación del huésped en esta reacción se manifiesta en múltiples formas. Después de la inoculación preparatoria intradérmica hay una reacción celular local alrededor de las vénulas de la zona, aumento de la glucólisis asociada con el influjo de heterófilos, y acumulación local de ácido láctico. Esta respuesta, y la reacción subsecuente a la inoculación desencadenante, se previene por tratamientos que causen leucopenia como la irradiación o la administración de mostazas nitrogenadas. El significado de la respuesta celular se manifiesta también por el aumento en la respuesta cuando se bloquea el sistema macrofágico con Thorotrast, y por una mayor sensibilidad a la inoculación preparatoria con endotoxina cuando el animal ha sido tratado con cortisona. En resumen, los hechos sugieren que la inoculación preparatoria interfiere con un importante mecanismo destoxicante.

La infección local por gran variedad de bacterias, como bacilos tuberculosos, carbuncoso y de la influenza y estreptococos, es preparatoria aun cuando el microorganismo en sí no lo sea. Por lo tanto, los estreptococos no son preparatorios aunque una infección estreptocócica local puede llegar a serlo; además, la actividad preparatoria puede comprobarse en extractos del tejido infectado. Aún no se ha aclarado hasta dónde el fenómeno de Shwartzman interviene en la patogenia de enfermedades infecciosas.

Toxinas microbianas formadas en los tejidos. La segunda posibilidad antes mencionada es que la producción de toxinas por el microorganismo solo tenga lugar en el ambiente que representa el tejido infectado. Esto es sugerido, por ejemplo, por el aumento de virulencia que puede producirse al pasar de un animal a otro; por la incapacidad de diferenciar in vitro las cepas virulentas de las no virulentas de ciertos microorganismos como el bacilo de la peste, y por el contraste entre el bacilo del carbunco in vitro e in vivo.

La última es una de las posibilidades de este tipo más extensamente estudiadas. Hay escasos o ningún signo de toxicidad en el cultivo corriente in vitro del bacilo del carbunco; tampoco pueden prepararse vacunas eficaces con gérmenes muertos, aun cuando pueda demostrarse, por inoculación animal, que es altamente virulento y produce inmunización después de la infección. Si bien participan múltiples factores, para el propósito actual baste señalar que puede extraerse del tejido infectado un antígeno inmunizante eficaz; y que el estudio de las necesidades nutritivas para su producción ha permitido desarrollar medios de cultivo en los cuales tal antígeno se forma in vitro. Esta substancia inmunizante no tiene toxicidad suficiente para explicar la muerte de los animales infectados; sin embargo, en el plasma de los animales infectados, sí puede demostrarse. Esta toxicidad puede separarse en dos fracciones, una de las cuales se sedimenta con centrifugación de alta velocidad, mientras que la otra no lo hace. Por separado la toxicidad de cada fracción es menor, pero al combinarse su toxicidad es sinérgica. La fracción sedimentable parece el antígeno inmunizante, aunque difiere por ser tóxica al combinarse con la fracción no sedimentable; el antígeno inmunizante puede ser la forma "toxoide" de la fracción tóxica. Aún no se conoce en qué forma el ambiente tisular hace posible la formación de estas substancias tóxicas, pero está claro que la toxigenicidad de estas bacterias, y sin duda también de otras, en el animal infectado no se refleja claramente en la acción tóxica de los cultivos in vitro.

Resistencia [115, 128]

De las consideraciones anteriores sobre virulencia microbiana se desprende que, si la capacidad de un microorganismo para producir enfermedad está condicionada por una serie de mecanismos que se originan en él, el poder patógeno debe evaluarse en términos de resistencia del huésped. Por regla general, un microorganismo patógeno se limita a un pequeño número de huéspedes; los microorganismos patógenos para animales no suelen serlo para plantas; solo algunos de los microorganismos que pueden infectar mamíferos son también patógenos para animales de sangre fría; algunos se limitan incluso a tejidos de una sola especie. La resistencia, como la virulencia, depende de muchos factores, algunos de los cuales se conocen en forma más o menos específica, o en términos de generalidades que sirven de velo para la ignorancia; otros, con toda probabilidad, todavía no se sospechan. La resistencia a la infección es, en cierto sentido, algo más compleja que la virulencia ya que, como se verá, no solo las barreras específicas a la infección son variables según la especie, e incluso de un tejido a otro de un mismo animal, sino que la eficacia de estas barreras es también manifestación del bienestar fisiológico general y por lo tanto están sujetas a influencias extrínsecas o ambientales.

Los factores que operan en el huésped son de dos tipos generales, los del grupo constitutivo, que incluyen los que ocurren en el animal normal, y los del grupo adaptativo, respuesta a la presencia de los microorganismos patógenos. Los últimos son predominantemente los que se asocian con la respuesta inmune, y se estudian en otro lugar (capítulos 12 y 13), mientras los primeros se considerarán aquí.

Resistencia de especie, racial y heredada. [47, 129] Las especies de organismos superiores difieren grandemente en su resistencia a una determinada enfermedad, hecho comprobado hace tiempo en relación con la reproducción experimental de la enfermedad.

En muchos casos la resistencia a la infección es relativa, pues la enfermedad puede producirse a veces administrando dosis masivas de bacterias a un animal resistente, y en otros parece ser absoluta. El hombre, por ejemplo, al parecer es completamente inmune a la peste bovina, y muchos animales inferiores son resistentes a diversas enfermedades del hombre. En general, los factores responsables de las diferencias en la resistencia de las especies se desconocen totalmente, pero en unos cuantos casos se ha visto que la temperatura corporal, o diferencias en la estructura anatómica, rigen las variaciones observadas. El experimento clásico de Pasteur en el que logró que gallinas naturalmente resistentes se hiciesen sensibles al carbunco disminuyendo la temperatura al sumergirlas en agua fría, y el experimento inverso, la producción de carbunco en el sapo resistente, con solo elevar su temperatura de 25 a 35°C, pueden explicarse en términos de temperatura corporal desfavorable. Se han hecho observaciones similares en cuanto a susceptibilidad de la rana para la toxina tetánica. [107] La ausencia de susceptibilidad de animales de experimentación como el cobayo y el conejo a la enterotoxina producida por algunas bacterias quizá pueda atribuirse a la falta del mecanismo del vómito.

Como se señaló antes, la resistencia a un agente infeccioso determinado no se asocia necesariamente con relaciones filogenéticas, y no existe un patrón que permita predecir la susceptibilidad de un animal, según un proceso lógico; la tabulación de animales susceptibles a una enfermedad determinada representa información adquirida fundamentalmente por tanteo.

Animales domésticos y de experimentación. Difieren en cuanto a la resistencia a enfermedades infecciosas no solo las especies animales superiores sino también las razas de una especie susceptible. Hay muchos casos de diferencias de resistencia para enfermedades infecciosas en variedades o cepas de animales. La resistencia relativa del carnero de Argelia al carbunco es bien conocida, y los cisnes endogámicos de Berkshire han demostrado ser muy resistentes a la brucelosis. Se ha demostrado por múltiples y extensas investigaciones que esta, como era de esperar, es una inmunidad racial verdadera heredable. Los estudios iniciales de Wright y Lewis demostraron que había grandes diferencias de susceptibilidad al bacilo tuberculoso entre familias endogámicas de cobayos, diferencias que se transmitían a la descendencia. En trabajos subsecuentes,[48] se ha demostrado que la resistencia a la infección puede aumentarse o disminuirse por medio de cruces selectivos, en ocasiones en grado importante. Lurie ha criado cepas de conejos resistentes o sensibles a la infección por bacilos tuberculosos. Cuando se les somete a inhalación infecciosa de bacilo tuberculoso humano, la respuesta del animal es esencialmente de tipo de todo o nada, ilustrando claramente el papel de factores genéticos; en el animal resistente los bacilos solo se multiplican durante breve tiempo y después son destruidos, mientras que en el animal susceptible profileran libremente por largos periodos.[78] La resistencia del ratón a la infección con bacilos tuberculosos también parece depender de constitución genética.[80]

Es interesante que la resistencia a la endotoxina bacteriana también puede aumentarse o disminuirse por cruces selectivos. La resistencia no se comporta como un carácter mendeliano simple; en cierto grado es específico en el sentido de que una raza que tiene mayor resistencia a la infección por un microorganismo no es necesariamente resistente a otro. Por ejemplo, en el trabajo de Webster ratones seleccionados por su resistencia a la infección con *Salmonella enteritidis* mostraron elevada resistencia a infecciones por neumococo y bacilo de Friedländer, pero eran más susceptibles al virus de la meningoencefalitis (*louping ill*) que las cepas seleccionadas por su susceptibilidad. En términos generales, parece que la resistencia heredada es, hasta cierto grado, específica, ya que es efectiva contra grupos de infecciones similares más que contra la infección en general.

Se ha prestado considerable atención a los mecanismos de resistencia y susceptibilidad heredadas. Así, en los estudios de Lurie la resistencia se asoció con baja permeabilidad de la piel, valorada por inoculación intradérmica de tinta china, respuesta de anticuerpos aumentada en rapidez e intensidad, y aparición de alto grado de hipersensibilidad. Se ha comprobado que en el ratón hay neta correlación entre el número de leucocitos y la resistencia a la tifoidea murina, y en general la función macrofágica parece intervenir.[77] En forma similar, la resistencia y la susceptibilidad de crías de pollos a la infección por *Sal. pullorum* se asocian con el número de linfocitos; diferencias en hígado y bazo en cepas resistentes de ratón se asocian con la capacidad de los macrófagos para digerir bacterias fagocitadas, y cepas de pollos genéticamente resistentes a infecciones por *Sal. gallinarum* tienen temperaturas corporales más altas que las cepas susceptibles, combinado con fagocitosis más activa. La resistencia a las infecciones por virus también depende de factores genéticos.[2]

Aun cuando estas correlaciones, como las anteriores, son sugestivas, en general no ha sido posible asociar la resistencia con un solo carácter; por el contrario, parece depender de una interacción compleja de caracteres que, individualmente, no explican la resistencia observada. Sin embargo, la herencia de la resistencia al virus de la influenza se considera que depende de un solo alelo autosómico dominante.[76] Diferencias de susceptibilidad pueden, por supuesto, ser reflejo de las diferencias correspondientes en la capacidad de inmunización, o sea de responder a un estímulo antigénico con producción de anticuerpos como en los conejos resistentes de Lurie; la respuesta a los toxoides y otros antígenos [43, 51] ocurre en forma similar.[63]

Razas humanas.[112] La relativa resistencia de las razas humanas a la infección ha sido tema de considerable interés y ha permitido tal investigación. En circunstancias normales, en E.E. U.U. de N.A. las razas de color son mucho más susceptibles a enfermedades infecciosas que la blanca. Sin embargo, hay algunas excepciones. Así, la epidemia de influenza de 1918 parece haber tenido mayor mortalidad en jóvenes blancos que en la población de color de la misma edad. Una excepción similar es el caso de los negros de Baltimore, que presentan una proporción menor entre difteria clínica e infecciones inmunizantes que los niños blancos correspondientes. Generalmente se reconoce también que los individuos de raza negra tienen un notable grado de resistencia a la erisipela, y es bien conocida su respuesta más favorable a todas las formas de tratamiento de la gonorrea.

Se ha atribuido especial interés al índice de mortalidad por tuberculosis en blancos y no blancos, tanto global como según grupos de edad. Ha sido motivo de gran discusión si la elevada mortalidad observada entre los no blancos es reflejo de su estado económico o de susceptibilidad racial.[69]

Parece, también, haber diferencias entre "razas" menos definidas de hombres. Está comprobado que los irlandeses son menos resistentes a la tuberculosis que otros elementos de la población norteamericana, como los italianos. Por otro lado, la raza judía es considerada por algunos como relativamente resistente a la tuberculosis; a pesar de la gran frecuencia de la infección, su mortalidad es muy baja.[102] Es difícil saber hasta qué punto los datos disponibles apoyan la hipótesis de que las razas humanas difieran en susceptibilidad a infecciones como esta (y otras como neumonía), pues el control adecuado de factores ambientales es difícil, si no imposible.

En general, carecemos de datos apropiados sobre la transmisión hereditaria de la susceptibilidad o resistencia a la infección en el hombre, pero dos hechos sugieren que los factores hereditarios están implicados. Los mejores estudios son los realizados en gemelos, mono y dicigóticos; estos últimos sirven de control. Hay muchos en relación con tuberculosis y la mayor parte concuerdan en que existe un elemento hereditario en la susceptibilidad;[117] estudios similares para la poliomielitis indican que la susceptibilidad a la forma paralítica de la enfermedad puede estar condicionada por un gen recesivo en estado heterocigoto.[57] Se sospecha un elemento hereditario cuando una enfermedad aparentemente "persiste en las familias". La fiebre reumática es tal enfermedad, y la relación observada entre frecuencia de la enfermedad y parentesco sanguíneo parece significativa.[122] Pero, en general, la asociación de la frecuencia o la gravedad de las enfermedades infecciosas con grupos sanguíneos humanos resulta dudosa.[29, 91] El problema es de segregación genética prácticamente significativa.

Uno de los casos mejor establecidos de control hereditario de resistencia a una infección específica es el de la relativa ausencia de susceptibilidad a ciertos tipos de paludismo asociada con anemia de células falciformes y anemia mediterránea (talasemia).[118] Estas anemias son casi invariablemente mortales en el homocigoto, pero el individuo heterocigoto para el gen apropiado es considerablemente más resistente a la infección palúdica que los individuos sin estos genes. En la anemia de células falciformes, la síntesis de hemoglobina está afectada directamente por el gen, y en la hemoglobina anormal (hemoglobina S) la valina es substituida por ácido glutámico en un punto de la cadena peptídica. En la talasemia, la expresión genética es responsable de que la síntesis de hemoglobina esté afectada cuantitativamente para dar un exceso del tipo fetal de hemoglobina (hemoglobina F). Es probable que la presencia de tales hemoglobinas en el eritrocito lo hagan menos sensible a la infección con parásitos palúdicos.

Sin embargo, una enfermedad determinada puede ser relativamente leve en su efecto sobre las razas humanas que han estado en contacto con ella por largo tiempo, y tornarse muy virulenta en otras razas para las que es nueva. El sarampión, por ejemplo, enfermedad leve del hombre civilizado, ha sido mortal para ciertas razas primitivas. En otros casos, enfermedades que originalmente eran muy virulentas han venido a serlo menos con el tiempo; la lepra no está tan difundida como en tiempos bíblicos, y la sífilis es un padecimiento considerablemente más benigno que en el siglo XVI. Este tipo de fenómenos han sido interpretados por algunos como indicando desarrollo de inmunidad racial por selección de individuos más resistentes, por otros como sugestivos de adaptación del microorganismo acompañada de pérdida de virulencia. En la actualidad no es posible diferenciar claramente estas dos posibilidades; quizá actúen ambos efectos.

Debe señalarse, en relación con esto, que puede manifestarse lo que cabría llamar inmunidad seudorracial en una raza en íntima relación con un agente infectante dado. Muchos individuos tienen la enfermedad, los que sobreviven son inmunes y esta inmunidad se transfiere pasivamente a la descendencia, quienes son infectados antes que esta inmunidad pasiva desaparezca completamente, y en consecuencia tienen una forma leve de la enfermedad, pero se inmunizan sólidamente. La inmunidad es transferida pasivamente a una tercera generación, y el proceso continúa tanto tiempo como la raza permanezca en contacto con la enfermedad. Un mecanismo similar parece ser el responsable de la aparente inmunidad racial de los negros del Africa Oriental a la fiebre amarilla; la inmunidad de los adultos se origina como resultado de una infección moderada en la infancia.

Edad.[124] En términos generales la resistencia a las infecciones aumenta con la edad, pero hay excepciones importantes. Los tejidos embrionarios y fetales tienen poca resistencia y su susceptibilidad permanece elevada después de nacer, por un tiempo variable, pero breve. El embrión de pollo y sus membranas pueden ser fácilmente infectados por diversos agentes, especialmente virus y rickettsias, a las cuales el pollo es, en la práctica, completamente resistente. De manera similar, los trasplantes de tejidos sometidos a cultivo in vitro tienden a adoptar el carácter de tejido embrionario o de tejido neoplásico, y son susceptibles de infección por agentes diversos.

La persistencia de la susceptibilidad después de nacer tiene importancia para la propagación de ciertos agentes infecciosos, como algunas cepas de poliovirus en el caso de ratones recién nacidos, o de la infección entérica de conejos lactantes por el vibrión colérico.

Un factor importante, aun cuando no es el único, en la susceptibilidad a la infección de elementos muy jóvenes, es la falta de una respuesta inmune. Esto se compensa en el mamífero recién nacido, por lo menos en lo que a supervivencia se refiere, por la presencia de anticuerpos de origen materno que proporcionan una protección temporal contra los muchos microorganismos que encuentra al salir de un ambiente estéril. En ocasiones, esto quizá no sea suficiente, y pueden producirse infecciones generales mortales con microorganismos que no suelen considerarse patógenos. Tales infecciones con bacilos coliformes se observan ocasionalmente en recién nacidos humanos, y la enfermedad de los potrillos, conocida como diarrea del ganado, es una septicemia de etiología coliforme. Al parecer, el mecanismo inmune está poco desarrollado incluso al nacer y el tejido extremadamente joven es incapaz de distinguir lo "no propio" de proteínas u otras substancias extrañas antigénicas. Esto trae como consecuencia que la inmunización profiláctica de niños recién nacidos sea relativamente ineficaz.

La predominancia de las enfermedades de la infancia no depende necesariamente de una extraordinaria falta de resistencia no específica en los grupos de edad preadolescente. El hombre parece altamente susceptible a enfermedades como sarampión, parotiditis o varicela, pero los agentes infecciosos son su-.ficientemente frecuentes en la población humana para que las probalidades de encontrarse con ellos en una etapa más temprana de la vida sean grandes. Cuando el niño está relativamente aislado, como sucede en ciertas áreas rurales, la probabilidad de contraer tal enfermedad es menor, y tiende a aparecer en etapa más tardía de la vida. Esta es la razón por la cual las denominadas enfermedades de la infancia tienden a ser un problema cuando jóvenes adultos se concentran súbitamente en grupos militares; tales grupos incluyen una buena proporción de individuos que no han contraído aún infecciones inmunizantes en la infancia.

Hacia la pubertad, el individuo medio ha adquirido una variedad de inmunidades, con síntomas francos de infección o sin ellos, similares a la inmunidad seudorracial antes descrita. La yuxtaposición de tales inmunidades adquiridas con la pubertad ha llevado, de tiempo en tiempo, a la postulación de una "inmunidad de la maduración", un estado de resistencia aumentada que se ha presumido relacionada de manera causal con la madurez sexual. Tal explicación se ofreció por muchos años para la ma-

yor resistencia a la difteria de los adultos jóvenes, pero luego se demostró que resulta de infecciones inmunizantes e inadvertidas de la infancia. Tal explicación para la resistencia de los adultos a la poliomielitis fue corriente, hasta que se comprobó que la infección con poliovirus es muy común, y que lo raro son los individuos con síntomas paralíticos. Además, han fallado experimentos con animales en los cuales la precocidad sexual se provocó administrando hormonas sexuales, para demostrar una inmunidad de la maduración. La asociación natural entre maduración sexual y resistencia a las enfermedades infecciosas parece ser un hecho fortuito, que no indica relación causal.

Otras diferencias en la susceptibilidad a las enfermedades infecciosas asociadas con la edad parecen tener una base más bien fisiológica que inmunológica. Los dos mejores ejemplos son los de la tuberculosis pulmonar aguda mortal en adultos jóvenes, y la gran susceptibilidad de los ancianos a las neumonías por neumococos y similares.

La infección con bacilo tuberculoso está netamente influida por factores predisponentes, lo cual es característico de un bien establecido balance entre huésped y parásito. Además de los factores que se encuentran agrupados bajo el encabezado general de tensiones y violencias del medio *(stress)* parece haber una susceptibilidad fisiológica que comienza a manifestarse entre los 13 y 20 años y no declina

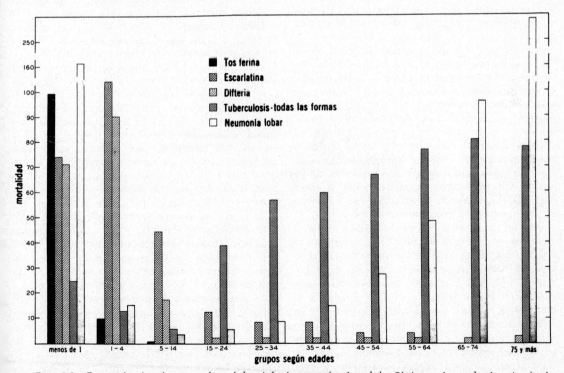

FIG. 8-3. Frecuencia de algunas enfermedades infecciosas según la edad. Obsérvese la predominancia de las enfermedades de la infancia en los primeros años, el aumento de la tuberculosis en los adultos jóvenes, y el aumento notable de la neumonía lobar con el paso de los años. El valor para la escarlatina se ha multiplicado por 40, y el de la difteria por 10, para comparación. (Datos de los informes del Bureau of Census.)

hasta cerca de los 30. Esto se refleja en la distribución por edades de los índices de muerte por esta enfermedad, la cual, independientemente del elevado índice en el primer año de la vida, atribuible principalmente al riesgo de infección, alcanza máximos en los grupos de esas edades. El máximo secundario de la llamada tuberculosis tardía del adulto, alrededor de los 50 años, que se ha manifestado en las últimas tres décadas, es otro aspecto sin importancia en relación con este punto. Las bases fisiológicas de la mayor susceptibilidad a este padecimiento de los adultos jóvenes no son conocidas.

La mayor susceptibilidad de los ancianos a las neumonías se interpreta, en general, como expresión de la acumulación de cambios degenerativos, que así se manifiesta. No ha sido posible asociar esta susceptibilidad con cambios fisiológicos específicos, pero la incapacidad de acumular inmunidades para microorganismos del tipo del estreptococo y el neumococo durante la vida de un individuo, ya que tales inmunidades son transitorias, es sin duda un factor, pero difícilmente de carácter diferencial.

El estudio de los efectos de la edad sobre la sensibilidad de animales de experimentación al bacilo tuberculoso [37] y a las infecciones estreptocócicas [137] ha demostrado la importancia de la edad; el efecto sobre la susceptibilidad del cobayo a la infección tuberculosa parece ser similar al que ocurre en el hombre. La edad es un factor que también interviene en la susceptibilidad de ratones a virus Coxsackie [75] y de viruela; [81] y en las infecciones herpéticas experimentales el macrófago parece ser factor importante.[66]

Una consecuencia de las diferencias en la resistencia, o en la inmunidad adquirida, a varios organismos patógenos, asociada con la edad, es que la prevalencia de la enfermedad aun (cuando no necesariamente la infección) es una función importantísima de la distribución de edades en la población.

Sexo. Algunos padecimientos muestran diferente frecuencia según el sexo; por ejemplo, la neumonía y la meningitis epidémica son más frecuentes en los varones que en las mujeres, en tanto que la escarlatina, la fiebre tifoidea y otras son más frecuentes en las mujeres. Exceptuando unos pocos años, en el periodo de 41 años que va de 1900 a 1940, la mortalidad de las mujeres, para jóvenes blancas, ha sido uniformemente más baja que la de los hombres aun cuando ha ocurrido lo contrario en la población no blanca de Estados Unidos. En la década de 1931-1940, la diferencia entre el hombre y la mujer en la población no blanca desapareció, y en 1940 la mortalidad para hombres y mujeres, en jóvenes no blancos, fue exactamente la misma, de 5.0 por 1 000. Los índices correspondientes para la población blanca fueron de 1.4 para las mujeres y 2.0 para los hombres. En el caso de la tuberculosis, la variabilidad en los índices de mortalidad para una edad específica indica una respuesta diferencial

por parte de los sexos. Una diferencia sexual se señala por las consecuencias de la epidemia de influenza de 1918, la cual parece haber tenido efecto más desfavorable sobre la mortalidad de la mujer que sobre la del hombre en edades de 15 a 24 años, a juzgar por el índice relativamente alto de mortalidad femenina para todos los grupos raciales varios años después de la epidemia.

Se ha sugerido que esta diferencia entre los sexos pudiera resultar de que la resistencia tuviera alguno de los atributos ligado al sexo; o bien, como las diferencias son más aparentes durante la pubertad y después, pudiera estar involucrado algo de tipo de inmunidad de maduración. No hay datos claros para sostener la primera hipótesis. En lo que respecta a la segunda, se ha informado de cierto número de argumentos experimentales, los más precisos en relación con la permeabilidad de la piel, que se ha encontrado mayor en conejos hembras que en machos. Se ha demostrado también que los pollos hembras son más susceptibles a la infección con el parásito palúdico de los pollos, *Plasmodium gallinaceum,* que los machos; el tratamiento con hormonas sexuales masculinas y femeninas no afectó las diferencias. Las diferencias de capacidad de respuesta inmune según los sexos se han observado en ratones; la hembra responde más intensamente.[132] Cualquier explicación de las diferencias encontradas entre los sexos debe, por supuesto, tomar en consideración otros factores, como ocupación, riesgo de exposición, etcétera.

Clima y época del año.[98, 125] Que el clima y la época del año ejercen efecto neto sobre la frecuencia y mortalidad de diversas enfermedades infecciosas es hecho bien conocido. Por ejemplo, en los climas tropicales no son tan frecuentes las infecciones de las vías respiratorias superiores como en los climas templados, pero las disenterías son más comunes en los trópicos. La frecuencia estacional de ciertas enfermedades infecciosas también es bien conocida. La meningitis meningocócica se presenta predominantemente en invierno y primavera, la poliomielitis a fines de verano y comienzo del otoño, y así sucesivamente. Una de las más notables relaciones entre estación y frecuencia de enfermedad es la del cólera asiático; la estación epidémica coincide con la época calurosa y muestra una notable correlación con la precipitación pluvial y la humedad relativa. Se ha dicho que en los trópicos la difteria es enfermedad rara y la escarlatina ocurre muy pocas veces. Sin embargo, estudios de frecuencia según las edades de pruebas positivas de Schick y Dick, indicadoras de inmunidad para estas enfermedades, han demostrado que las infecciones inmunizantes inadvertidas son tan frecuentes en los trópicos como en los climas templados.[38]

En muchos casos, la influencia del clima y la estación sobre la frecuencia de la enfermedad puede ser atribuida a las oportunidades para transmisión del organismo causal, como aglomeraciones en habitaciones mal ventiladas, aparición estacional o geográfica de un insecto vector, etc., pero en otras los factores responsables son desconocidos.

Hay muchos datos en el sentido de que la resistencia varía con la estación, la temperatura y factores similares. Por ejemplo, la intensidad de la reacción cerebral del ratón inoculado con virus de encefalitis de San Luis, y de cobayos inoculados con la rickettsia del tifus endémico se ha comprobado que es mayor en verano y menor en el invierno; en un periodo de años, ratones adaptados a vivir en medio ambiente húmedo presentan una resistencia a la infección por estreptococo hemolítico, que es la cuarta parte de la correspondiente a los adaptados a un ambiente frío; los índices de morbilidad y mortalidad en ratones infectados con tifus murino son modificados por la temperatura ambiental, y la resistencia de los ratones a la infección por neumococo se afecta de manera similar. En conjunto, el frío disminuye la resistencia a la infección en los animales de experimentación.[67, 100, 123] Cuando menos en algunas ocasiones, puede relacionarse la variación estacional de la resistencia con la dieta (ver luego). No es improbable que investigaciones futuras proporcionen un conocimiento amplio del efecto de los factores climáticos sobre la susceptibilidad a la enfermedad.

Bienestar general fisiológico. Independientemente de la resistencia a la enfermedad que un organismo pueda poseer en virtud de factores de especie, raza u otros, tal resistencia se afecta profundamente por su estado fisiológico. En términos generales, la resistencia es máxima como cuando el organismo está funcionando normalmente en todos aspectos, y se reduce por diversos factores que interfieren y alteran el estado fisiológico normal. En algunos casos, una infección previa puede reducir la resistencia hasta el punto que puede tener lugar una infección con una bacteria menos virulenta como es el caso de las infecciones secundarias; en otros, alteraciones funcionales del tipo de la diabetes sacarina traen como consecuencia una disminución en la resistencia a la infección.[8] Son más frecuentes los efectos deletéreos de una dieta inadecuada y de la fatiga.

Nutrición.[110] La relación entre la susceptibilidad a la infección y la nutrición defectuosa han sido de considerable interés en relación con el estudio de las enfermedades carenciales. Es indudable que el estado nutritivo tiene significación práctica en relación con la frecuencia y mortalidad de las enfermedades infecciosas. El problema general no ha respondido al estudio experimental tan fácilmente como podría haberse supuesto. En la gran mayoría de los casos, la inanición no puede separarse claramente de una deficiencia específica, como una carencia de vitaminas o de aminoácidos, y los resultados se complican por la existencia de reacciones secundarias como la deshidratación que resulta de la disminución en la ingestión de agua en ani-

males sometidos a ciertas dietas deficientes. Sin embargo, parece claro, en términos generales, que dietas cualitativa y cuantitativamente inadecuadas pueden predisponer a la infección bacteriana. La reducción de la resistencia parece estar asociada con una respuesta inmune humoral reducida, pero esto queda compensado, en parte cuando menos, por intensa respuesta fagocitaria a la infección.

La importancia de una ingesta proteínica adecuada ha sido puesta de relieve por Cannon y colaboradores,[15] quienes han demostrado que la depleción de las reservas proteínicas de los animales de experimentación sometidos a dietas pobres en proteínas interfieren notablemente con la formación de anticuepos, o sea la síntesis de globulinas inmunes. La formación de anticuerpos es interferida de manera importante por una depleción proteínica moderada, pero una depleción intensa interfiere también con el funcionamiento normal de los mecanismos celulares de defensa, según demuestra la disminución de la fagocitosis.

Por otra parte, se desconoce la manera como la desnutrición trae consigo una disminución en la resistencia; la información actual indica que el efecto es de tipo general. Tiene interés señalar que el efecto desfavorable no está limitado al individuo desnutrido, sino que puede transmitirse a la descendencia. Estudios experimentales han demostrado, por ejemplo, que la dieta de ratones con una resistencia genéticamente homogénea a la infección, afecta la resistencia de los descendientes en grado mayor que la dieta de estos.

La neta reducción en la resistencia asociada con dietas inadecuadas no es específica; la resistencia a la infección está reducida en general, y no hay relación entre la falta de un factor dietético aislado y la susceptibilidad a una infección particular. Se han hecho diversos intentos para demostrar tal relación; el ácido ascórbico, por ejemplo, tiene cierta capacidad para neutralizar la toxina diftérica, pero la deficiencia en vitamina C no predispone a la infección por bacilo diftérico en mayor grado que a otros gérmenes, como el bacilo tuberculoso, por ejemplo.

Diversos autores han formulado la observación aparentemente contradictoria de que la resistencia a la infección por diversos virus aumenta por una dieta inadecuada. Que esto no se contrapone totalmente a la disminución en la resistencia asociada con la depleción de proteínas o de otras deficiencias dietéticas, se comprende considerando que los virus son parásitos intracelulares obligados; posiblemente una célula sana es de importancia primaria para la multiplicación de los virus y la célula carencial sea un medio desfavorable para su desarrollo, enmascarando de esta manera una respuesta inmune que está disminuida por deficiencias nutritivas.

Se han señalado hechos más específicos al respecto en relación con ciertas infecciones bacterianas. En otro lugar se dijo que la selección de las variantes virulentas de un microorganismo puede ocurrir in vivo; variantes virulentas de *S. typhimurium*, que requieren treonina, son seleccionadas por el animal que recibe de manera adicional esta substancia.[94] Se ha encontrado también que una variante inducida de *S. typhi* con necesidades nutritivas complejas mostró, al mismo tiempo, virulencia disminuida para el ratón. La suposición de que el animal no proporcionaba los nutrientes requeridos en cantidad adecuada quedó apoyada por la observación de que se restableció la virulencia cuando a los animales se les administraron las cantidades suplementarias de los nutrientes requeridos por la bacteria —purina, ácido *p*-aminobenzoico y ácido aspártico. Resultados similares se han obtenido con variantes de bacilo de Friedländer que requieren purina; la variación estacional de la virulencia pudiera relacionarse con el estado nutritivo de los animales.[13]

Fatiga. Desde hace tiempo sabe el médico que el reposo corporal es un auxiliar valioso en el tratamiento de la enfermedad, y hay datos clínicos que sugieren que la resistencia a una infección inicial puede disminuir por la fatiga excesiva. Los datos experimentales al respecto son escasos, y en cierto grado contradictorios, pero es probable que el efecto desfavorable de la fatiga sobre el buen estado fisiológico normal se refleje en cierto incremento de la susceptibilidad a la infección. La rata blanca normal, por ejemplo, es muy resistente al carbunco, pero cuando se encuentra agotada por el trabajo en una rueda de molino, se hace susceptible. En el mismo animal las infecciones latentes por *S. enteritidis* pueden ser activas por la fatiga, a tal grado que el desenlace sea mortal. De manera semejante, estudios en seres humanos han indicado que un individuo puede volverse transitoriamente susceptible al resfriado común por la fatiga. Se ha comprobado que el ejercicio aumenta la infección tuberculosa intrapleural en el cobayo, facilitando la diseminación de la infección,[12] pero, hecho curioso, se ha comprobado que los monos sometidos a situaciones de alarma son más resistentes a las poliomielitis.[82]

Otros mecanismos que intervienen en la resistencia asociada a un estado general satisfactorio son obscuros. Estudios hechos sobre la resistencia al resfriado común, en grupos de población, sometiendo los datos de frecuencia a un análisis de variación según los grupos, han sugerido que un factor constitucional, todavía mal definido, opera en la etiología de la infección clínica. También está comprobado que la capacidad para mantener una buena circulación y la habilidad para contrarrestar los efectos de los cambios bruscos de temperatura están asociados con la resistencia a la infección experimental. Los efectos adversos de los cambios súbitos de temperatura y humedad del organismo, reflejados en los cambios de la mucosa nasal, quizá sean manifestación de choque por temperatura.

Los intentos para asociar tal choque, deficiencias vitamínicas, fatiga, y otros elementos de resistencia inespecífica de la salud, con mecanismos específicos de defensa, como la capacidad para formar anticuerpos, no han sido uniformemente claros.

Las defensas externas del organismo. La organización celular del cuerpo animal es un sistema cerrado con respecto al medio ambiente, del cual se encuentra separado por la piel, mucosa, y mucosa intestinal. Estas estructuras, generalmente impermeables a partículas materiales del tamaño de una bacteria, constituyen la primera línea de defensa en contra de microorganismos invasores que, por otra parte, es altamente eficaz. En tanto que la obstrucción mecánica contribuye en buena parte a la eficacia de estas barreras, tanto la piel como las mucosas desempeñan una parte activa en la protección del organismo contra la invasión bacteriana.

Piel. Por regla general, la piel intacta representa una barrera más o menos infranqueable para los microorganismos. Las bacterias se encuentran normalmente en la piel entre las células superficiales cornificadas, pero de ordinario no son capaces de penetrar en el interior de los tejidos a menos que sean favorecidas por alguna lesión cutánea, como herida o quemadura. La penetración directa de la piel se ha señalado, sin embargo, como la ruta inicial de infección en ciertas enfermedades infecciosas como la de Weil (leptospirosis), y posiblemente la sífilis. Asimismo, se ha sugerido fuertemente la infección por vía de las glándulas sudoríparas y de los folículos pilosos, especialmente en el caso de infecciones por estafilococos y estreptococos, que causan acné, impétigo, furúnculos, etc., y se ha demostrado experimentalmente con estas bacterias piógenas.

La piel no parece ser una superficie inerte en la cual las bacterias mueran principalmente como una consecuencia de la sequedad. Por el contrario, la piel intacta ejerce actividad bactericida demostrable sobre los microorganismos que no se encuentran normalmente presentes, pero tal actividad no es tan pronunciada como se había supuesto. Ha sido considerada por algunos como consecuencia de la actividad bactericida de los ácidos grasos no saturados, especialmente el ácido oleico, que se encuentra en las secreciones sebáceas. Esta actividad es inhibida por la albúmina del suero, cosa que puede tener cierta significación práctica en el caso de la piel que rodea una quemadura u otra lesión que produzca exudado seroso. Posiblemente tenga relación la acción fungostática de los ácidos alifáticos saturados libres en la grasa del pelo del adulto. Bacterias que normalmente se encuentran presentes en la piel, como los estafilococos blancos, no disminuyen mucho en número cuando se frotan en la superficie de la piel, hecho que probablemente explique su presencia constante en el cuerpo.

Conjuntiva. Las bacterias y las partículas de polvo que asientan en los ojos son rápidamente eliminadas por el lavado mecánico de las lágrimas. Las secreciones lagrimales contienen la enzima lisozima,[87, 109] que se encuentra también presente en ciertos extractos tisulares, es idéntica a la avidina de la clara de huevo, y ha sido preparada en forma cristalina. Como describimos en otra parte (capítulo 2), esta enzima descompone las paredes celulares de ciertas bacterias con formación de protoplastos; pero estos suelen ser inestables y el efecto antibacteriano de esta actividad es bacteriolítico. Relativamente pocos microorganismos son sensibles a esta actividad. Uno de ellos, *Micrococcus lysodeikticus,* es exquisitamente sensible y es destruido por las lágrimas en diluciones tan elevadas como 1:40 000.

Nariz, nasofaringe y aparato respiratorio.[3, 54, 138] Las bacterias y otras partículas materiales presentes en el aire inspirado son retiradas rápidamente a su paso a través de los tortuosos pasajes nasales, revestidos por una mucosa a cuya superficie húmeda se adhieren. De esta manera, el aire es limpiado de bacterias en las vías respiratorias superiores; las que pasan la laringe son captadas en los bronquios y solo unas cuantas alcanzan las últimas ramificaciones de los bronquiolos. El proceso es tan eficiente que el aire espirado casi no contiene bacterias, excepto las que son expulsadas en gotas por medio del estornudo o de la tos.

La película húmeda que cubre la mucosa de las vías respiratorias altas y en la cual quedan embebidas las bacterias extraídas del aire inspirado y las que proceden de las secreciones lagrimales, está constituida por moco; este consiste en una substancia delgada y altamente viscosa que, en cierto sentido, constituye una capa continua cubriendo las superficies dentro de nariz, senos, faringe y esófago. La capa de moco se encuentra en movimiento continuo por virtud de la actividad de los cilios que deslizan el moco y su contenido de bacterias hacia la orofaringe, donde es deglutido. El intercambio de moco es rápido: el que cubre los dos tercios posteriores de la nariz es reemplazado cada 10 ó 15 minutos, en tanto que aquel que recubre el tercio anterior es substituido en una a dos horas. Aun cuando el moco en sí mismo no tiene actividad bactericida, cuando se combina con la actividad ciliar constituye un medio notablemente eficiente para limpiar las vías aéreas superiores de bacterias.[74] Las partículas inhaladas con diámetro aproximado de 7 micras quedan retenidas en las vías respiratorias superiores del conejo; aproximadamente la mitad de las partículas de 3 micras de diámetro son igualmente retiradas; el resto, prácticamente todas las de 1.5 micras de diámetro o menos, penetran en los pulmones (ver también capítulo 9). Las bacterias que penetran en las vías respiratorias superiores y pasan a los alveolos son fagocitadas por macrófagos.[50]

La lisozima se encuentra, por supuesto, en el moco nasal; y se ha observado que la secreción serosa normal de la nariz contiene un agente inactivador de virus distinto de la lisozima. La actividad es virucida para la influenza de otros virus inactivados por el desoxicolato de sodio, aun cuando la parte que desempeña en la resistencia a la infección no está clara.

Boca, estómago e intestino. La boca contiene una flora bacteriana normal predominante y una flora menor transitoria. La primera incluye microorganismos que tienen posiciones establecidas entre los dientes, sobre prótesis dentarias, entre dientes y encías, etc., en tanto que la última representa una contaminación constante. Ambas están sometidas a reducción continua por la acción de arrastre de la saliva. Algunos autores creen que la saliva tiene una mínima acción bactericida. Se ha comprobado que la saliva era algo bactericida; parte del mecanismo antibacteriano es una peroxidasa,[120] pero la supresión de bacterias parece ser principalmente un proceso mecánico. Los microorganismos desplazados hacia la parte posterior de la boca se encuentran con los procedentes de la nariz, y con ellos son deglutidos.

Las bacterias que alcanzan el estómago quedan sometidas al medio ambiente fuertemente ácido del jugo gástrico normal y no hay duda de que la gran mayoría son destruidas allí. Algunas alcanzan el intestino, quizá porque estén incluidas en partículas sólidas de alimentos y así protegidas, o porque sean capaces de resistir por breve tiempo la exposición a la acción bactericida de las secreciones gástricas. Generalmente se encuentran en el estómago muy pocas bacterias viables, pero el número de microorganismos aumenta en el intestino delgado al ir aumentando el pH del duodeno al íleon. El intestino grueso contiene gran número de bacterias derivadas no solamente de los niveles más altos del tubo intestinal, sino también de multiplicación de las bacterias presentes en el intestino como habitantes normales. Como en las vías respiratorias, el moco juega importante papel en la expulsión mecánica de las bacterias. Aquí, sin embargo, el moco no constituye una capa uniforme sobre la mucosa intestinal, sino que constituye una especie de malla. Las vellosidades se liberan de las partículas por medio de movimientos que los ponen en contacto con el moco, al cual las partículas, incluyendo las bacterias, se adhieren. El moco, junto con los microorganismos incluidos, es eliminado en forma de pequeñas masas y transportado hacia el exterior gracias a los movimientos peristálticos del intestino. Por lo tanto, las bacterias que entran en la boca y las vías respiratorias altas acaban expulsadas con las heces.

Los microorganismos presentes en la luz del intestino, incluyendo los que constituyen la flora intestinal normal, se hallan prácticamente fuera de los tejidos del cuerpo. Esta flora por sí misma constituye un mecanismo protector con el cual el patógeno invasor ha de establecer competencia para lograr crear un foco de infección (ver luego). La penetración en los tejidos, a partir del intestino, como en el caso de la fiebre tifoidea, suele hacerse por vía de las placas de Peyer hacia el sistema linfático y la corriente sanguínea siguiendo el conducto torácico. De ordinario esta barrera es altamente eficaz, pero uno de los efectos de la radiación ionizante a todo el cuerpo es su destrucción, seguida de invasión generalizada de los tejidos por bacterias del intestino; y la causa inmediata de la muerte en la enfermedad por irradiación puede ser una bacteriemia fulminante.

Vías genitales. Las vías genitales normales están notablemente libres de bacterias. La uretra, tanto en el hombre como en la mujer, normalmente es estéril, consecuencia quizá de la acción de lavado de la orina ligeramente ácida. Las pocas bacterias que pueden estar presentes se hallan confinadas a la región del meato. La secreción normal de la vagina es ácida y notoriamente bactericida para la mayor parte de especies bacterianas.

Defensas internas. Una vez que han logrado acceso a los tejidos, los organismos patógenos necesitan establecerse y mantener focos de infección; en ello intervendrán diversas factores internos de resistencia. La relativa susceptibilidad, o resistencia, de los tejidos, expresada como el citotropismo de los microorganismos en infecciones naturales ya ha sido estudiada en otra parte (capítulo 3). Otros factores incluyen las respuestas fisiológicas relevantes sometidas a la regulación hormonal y las actividades antimicrobianas demostrables en tejidos y órganos.

Hormonas corticosuprarrenales.[68] El desequilibrio hormonal y la consecuente alteración de una amplia variedad de funciones, en general se asocia con mayor susceptibilidad a la infección. Por lo tanto, los elementos de resistencia natural pueden deducirse de los efectos que originan susceptibilidad aumentada. Tales efectos no son directos en el sentido que las secreciones internas afecten al microorganismo directamente, pero están relacionados, aun cuando no necesariamente unidos, con los patrones fisiológicos de respuesta a estímulos como los causados por los microorganismos patógenos y sus productos.

La bien conocida predisposición de los diabéticos a infecciones como la enfermedad gangrenosa de las extremidades, quiza esté asociada con la alteración circulatoria, e ilustra lo indirecto de la relación entre el desequilibrio hormonal y la resistencia natural. De modo semejante, el hipotiroidismo disminuye la resistencia a la tuberculosis experimental,[79] pero el efecto sobre la respuesta inmune específica es menos claro y parece variar según las especies animales.[114] De las hormonas, tienen gran interés las del grupo corticosuprarrenal por la neta depresión de resistencia que producen. En esencia, este efecto es consecuencia de la acción inhibidora de la respuesta inflamatoria y la

actividad de las células del sistema macrofágico (reticuloendotelial) y demuestra la significación de estas células en la resistencia natural. La respuesta celular a la infección es cualitativamente la misma en el animal normal que en el específicamente inmunizado, pero en este último está notablemente acelerada, y se estudia en otro sitio. Aquí, los efectos de este grupo de hormonas pueden considerarse ampliador y modificador de la contribución que este sistema de células hace a la resistencia, así como indicador de la significación de otros factores probablemente menos importantes.

Los efectos que la administración de hormonas corticosuprarrenales tienen sobre las infecciones han sido resumidos por diversos revisores. La administración de ACTH o cortisona a pacientes con una enfermedad febril aguda generalmente logra una rápida defervescencia, en proporción de la severidad de los síntomas, pero al mismo tiempo no solamente no hay mejoría con respecto al microorganismo, sino que la infección puede diseminarse y son posibles las infecciones secundarias casi asintomáticamente, por efecto de la hormona. El herpes simple parece ser una excepción, ya que la aplicación tópica de corticosteroides, frecuente en oftalmología, en el caso de las infecciones herpéticas del ojo causa exacerbación del proceso, y con frecuencia ha originado perforación de la córnea.[64] Administradas a animales normales, estas hormonas deprimen la resistencia natural a las infecciones experimentales, excepto en casos como la infección por neumococo en el ratón, donde la susceptibilidad ya es máxima y causa activación de infecciones latentes, si las hay. Más aún, cuando se administran en combinación con antibióticos, la eficacia de los quimioterápicos se encuentra reducida, lo que demuestra la importancia que tienen los factores del huésped para el éxito de la quimioterapia. Estas hormonas también aumentan la actividad de endotoxinas, como se indicó en relación con el fenómeno de Shwartzman, no por afectar la toxina directamente, sino por interferir con la respuesta celular y con los mecanismos de destoxicación. Los anticuerpos preexistentes no son modificados, ni la unión del antígeno con el anticuerpo, pero la acción de estas hormonas deprime la formación de anticuerpos. Por lo tanto, no debe sorprender que la aparición de una infección sea razón importante para suspender la terapéutica con cortisona o ACTH iniciada por otros motivos, o que la causa inmediata de la muerte en el hiperadrenalismo espontáneo (síndrome de Cushing) con frecuencia sea la infección, y que la mortalidad por esta enfermedad no se haya modificado en forma apreciable desde la introducción de agentes quimioterápicos antimicrobianos.

Factores orgánicos y tisulares.[61, 119] La posible presencia de substancias antimicrobianas en varios tejidos y órganos es punto de considerable interés, pero poco estudiado. Se han obtenido dos clases de substancias de una gran variedad de tejidos;

unas solubles en agua o en solución salina, otras de naturaleza lípida.

Las substancias hidrosolubles que se encuentran en algunos extractos salinos de páncreas y timo de cerdo y timo de ternera son polipéptidos básicos que contienen cantidades relativamente grandes de lisina o arginina. Esas substancias tienen, en la suspensión, actividad antibacteriana contra microorganismos como bacilo del carbunco, estreptococos, estafilococos y bacilo tuberculoso, de intensidad diferente. Polipéptidos similares se encuentran también en exudados inflamatorios de pulmón activos contra neumococos. No es absolutamente seguro que todas estas substancias no sean artefactos nacidos, por ejemplo, de la hidrólisis de distonas durante la extracción. La espermina, que se encuentra en el semen y en tejidos como el riñón de ternera, tiene actividad antibacteriana contra el bacilo tuberculoso. Se han aislado también de hígado y bazo de rata y cobayo substancias de naturaleza lípida, solubles en solventes orgánicos y ligeramente solubles en agua y solución salina, con actividad antineumocócica, la cual guarda relación directa con la susceptibilidad de la especie animal a la infección por estas bacterias. Substancias bactericidas también forman parte del suero normal, y existen en los eritrocitos, como en los leucocitos polimorfonucleares. Son termolábiles y activas tanto contra bacterias grampositivas como gramnegativas. Una de las mejor conocidas, activa sobre estafilococos, es la β-lisina que ataca el estafilococo y existe en el suero.[65] En la mayor parte de los casos tal relación directa entre actividad antimicrobiana y susceptibilidad de la especie animal de la que se obtuvo el extracto tisular no se ha confirmado.

Interferón.[20, 27, 134] Los estudios sobre el mecanismo de interferencia viral permitieron descubrir que la célula huésped normalmente sensible a la infección viral puede hacerse resistente al quedar expuesta a ciertos virus o componentes de virus. Esta respuesta se relaciona con la síntesis por la célula huésped de una substancia denominada interferón. El interferón ha sido purificado; se ha comprobado que es una proteína sensible a la tripsina, de peso molecular 20 000 a 40 000, a veces hasta 90 000. Contiene la mayor parte de los aminoácidos más comunes, y algo de carbohidrato, incluyendo glucosamina. La variación observada de peso molecular se atribuye a la etapa de agregación de subunidades del polímero proteínico, algunas de las cuales pueden ser tan pequeñas como pesando 12 000.

La producción de interferón puede demostrarse por ataque directo del virus al animal, o titulando el virus en cultivo de tejidos; o bien el interferón, presente en el suero en el primer caso, o en el líquido de cultivo de tejido en el segundo, puede titularse por la actividad protectora pasiva en el animal intacto o en cultivo de tejidos. La más sensible de estas valoraciones de la respuesta de interferón es la titulación de virus en cultivos de células productoras de interferón.

Se ha comprobado que muchas substancias, además de los virus, estimulan la célula huésped para producir interferón, o sea actuando como inductoras. La inducción de formación de interferón ocurre mucho más fácilmente in vivo en el animal intacto que in vitro en cultivo de tejido, como lo demuestra el número de substancias que pueden actuar como inductores. La formación de interferón es provocada en tejidos de cultivo por extractos micóticos que contienen RNA de doble tira, por diversos RNA de doble tira naturales, y por polirribonucleótidos helicoidales. In vivo, actúan como inductores no solo estos, sino también algunas bacterias, protozoos y rickettsias; extractos de bacterias, rickettsias y plantas; y policarboxilatos y polisulfonatos sintéticos. Tres substancias de bajo peso molecular también se ha comprobado que funcionan como inductores in vivo: los antibióticos cicloheximida y kanamicina, así como la DEAE-fluorenona. Los dos primeros se necesitan en dosis muy elevadas tóxicas. El último produce grandes cantidades de interferón circulante en la rata y en el ratón cuando se da en dosis subtóxicas por vía bucal.

De los inductores, la endotoxina bacteriana ha sido ampliamente utilizada, y se ha tenido especial interés en los inductores polinucleótidos, tanto naturales como sintéticos.[4] El DNA de doble tira no actúa como inductor, excepto en cantidades muy elevadas; tampoco es eficaz el RNA de una sola tira. El efecto inductor de los virus que contienen estos nucleótidos se cree dependiente de la presencia de RNA de doble tira en el curso de la réplica viral.

Diversos homopolímeros artificiales, el ácido polirriboinosínico (poli I), el polirribocitidílico (poli C), el polirriboadenílico (poli A), y el polirribouridílico (poli U) son inactivos como inductores. Sin embargo, cuando los pares complementarios de nucleótido son más complejos, para crear poli I:C o poli A:U, los complejos son activos, el poli I:C más a juzgar por la dosis necesaria. Los límites generales de actividad vienen indicados por las dosis requeridas de poli I:C en cultivo de tejido; 10 a 20 μg por ml del líquido de cultivo de tejido producen liberación y síntesis de interferón, y 1 a 2 $\times$ 10^{-3} μg bastan para producir resistencia del tejido del cultivo al ataque del virus. Estos polinucleótidos helicoidales no son compuestos químicamente definidos, por la variación en la longitud de las cadenas de homopolímero y en la estructura secundaria del complejo, que depende, en parte, del medio iónico. Las características asociadas con la actividad de inductores incluyen el peso molecular, la estructura helicoidal, el orden de las bases, la presencia de grupos 2'-hidroxilo en la porción carbohidrato, etc.[28]

Se plantea el problema de por qué motivo el interferón no se produce en cantidades que pueden descubrirse por la célula cuando no hay un inductor. Aunque no están completamente aclarados los mecanismos reguladores, probablemente la síntesis de interferón esté reprimida en ausencia de un inductor, y serviría para contrarrestar al represor.[18]

Por sí mismo, el interferón no tiene actividad antiviral, pero hay datos indirectos indicando que su efecto sobre la célula huésped estriba en desencadenar la síntesis de una proteína antiviral. Basándose en la sensibilidad a inhibidores metabólicos, se distinguen dos etapas: 1) activación del genoma celular produciendo la síntesis (sensible a actinomicina D) de mRNA para la síntesis de proteína antiviral, y 2) translación a la síntesis proteínica (sensible a la puromicina).

El efecto protector asociado al interferón tiene un amplio espectro en relación con los virus infectantes, pero es muy específico para las células huésped, o sea que el interferón exógeno solo es protector de células huésped contra muchos virus dentro de especies filogénicamente muy relacionadas, como entre ciertos primates. Puede haber excepciones, por ejemplo para el efecto protector de las células renales de conejo en relación con el interferón producido en cultivos de piel de prepucio humano. La protección puede ser muy intensa. Por ejemplo, conejos tratados con 1 mg por Kg de peso de poli I:C fueron netamente protegidos contra 625 dosis LD_{50} de virus de rabia, y protegidos parcialmente contra 3 125 dosis DL_{50}.[35] El efecto protector de poli I:C en el ratón contra la infección experimental con vacuna se ha señalado que es unas 10 veces mayor, según la dosis, que el proporcionado por Marboran *(N-metilisatin-β-tiosemicarbazona)* que se utiliza como medicamento contra la viruela; y las células en cultivo de tejido humano están protegidas contra muchos de los virus respiratorios.[59]

La protección brindada por el interferón, o su inducción, tienen duración limitada (unos días en condiciones experimentales) y es profiláctica más bien que terapéutica. La extensión del efecto profiláctico resulta difícil, por la rebeldía de las células a la inducción repetida; en la práctica la especificidad de la célula huésped impide el empleo de interferón exógeno para tratar las enfermedades humanas. Queda la posibilidad de que el problema de la inducción repetida pueda tener una solución según la dosis, y puede haber un efecto terapéutico en el animal multicelular intacto en el cual no todas las células están afectadas simultáneamente. Sigue mereciendo gran interés la posible utilidad del fenómeno del interferón en la profilaxia y tratamiento de las enfermedades humanas.[60] Todavía no sabemos hasta qué punto actúe contribuyendo a la resistencia para enfermedades causadas por virus naturales.

Properdina.[96] Esta fracción antigénica de peso molecular elevado de la euglobulina humana fue descrita por Pillemer y colaboradores; representa no más del 0.03 por 100 de la proteína sérica total y tiene intensa actividad antimicrobiana contra la enfermedad de Newcastle y bacilos entéricos gramnegativos cuando se combina en el sistema de la properdina, formado por properdina y los otros cuatro componentes del complemento (capítulo 12), y iones de magnesio.

La properdina se inactiva por una combinación irreversible con una substancia que se conoce como cimosán. El cimosán es el residuo insoluble de células de levadura que se digieren con tripsina y se extraen con agua y alcohol; consiste principalmente en el carbohidrato de la cápsula celular. El complejo properdina-cimosán inactiva selectivamente el tercer componente del complemento (C_3) en presencia de iones de magnesio a 37°C pero no a 17°C. La actividad se titula preparando un suero carente de properdina pero que contiene C_3 tratándolo con cimosán a 15°C a 18°C. El suero o líquido tisular, etc., desconocido, es titulado para properdina mezclando varias diluciones con el suero sin properdina más cimosán, se incuba y se titula para C_3 en el sistema hemolítico usual. Una unidad de properdina se define como la menor cantidad que extraiga, como complejo de properdina-cimosán, 120 unidades (50 por 100) de C_3.

La naturaleza de la properdina todavía es obscura; no se sabe si es una especie molecular distinta que tiene múltiples propiedades o un conjunto de substancias. Aunque originalmente se describió como un componente normal del suero relacionado con una actividad antimicrobiana distinta de la del sistema antígeno-anticuerpo (capítulo 12), ahora sabemos que la actividad bactericida del suero depende de la presencia de un anticuerpo presente en forma "natural" en sueros "normales".[90] Por lo tanto, la relación entre la properdina y la resistencia natural resulta dudosa.

Respuesta celular.[34, 53] Cuando los tejidos del cuerpo son invadidos por microorganismos ocurre una reacción inflamatoria celular característica. El área es invadida por celulas fagocíticas, primero heterófilos o leucocitos polimorfonucleares, y posteriormente macrófagos que pueden transformarse en fibroblastos, interviniendo en el proceso de reparación. Este tipo de reacción constituye uno de los aspectos más importantes de la resistencia; la respuesta inflamatoria en animales no inmunes constituye un elemento de resistencia. En el animal inmune esta respuesta al antígeno microbiano homólogo es cualitativamente la misma, pero la reacción es acelerada en forma notable; se estudia en otro sitio.

Flora normal.[105] Un microorganismo más capaz de resistir los mecanismos de defensa del huésped, pero al mismo tiempo incapaz, excepto cuando la resistencia disminuye a un nivel bajo, de invadir los tejidos del organismo, puede existir en unión con el huésped como parte de su flora normal. Los estafilococos capaces de resistir la acción bactericida de la piel se encuentran casi invariablemente en esta superficie, y se consideran "habitantes" normales. Por otro lado, la escasa flora bacteriana de la vagina se compone casi completamente de bacterias acidúricas, y los tipos de bacterias presentes en el intestino dependen en gran parte del tipo de alimentos presentes, o sea de la dieta del huésped y el pH a los diversos niveles del intestino.

Ciertas clases de bacterias, tales como el lactobacilo, espiroquetas, algunos cocos y otros, se hallan en la cavidad bucal en los intersticios de los dientes y debajo de las prótesis dentales constituyendo una flora normal, característica de esta región. Las bacterias comúnmente presentes en nariz y garganta son de diferentes tipos, como neumococo, bacilo de Friedländer, estreptococos viridans y hemolítico. Estos microorganismos, en cierta forma flora normal, no se encuentran tan bien establecidos como la flora de otras regiones; la naturaleza de los microorganismos presentes puede depender en gran parte del tipo de bacterias que están entrando constantemente en las vías respiratorias superiores.

Mientras la resistencia del huésped se mantenga a un nivel suficientemente alto, las bacterias que constituyen la flora normal no producirán daño. Sin embargo, si la resistencia disminuye en alguna forma, o se desequilibra por administración de antibióticos como las tetraciclinas, según se señaló antes, las formas más virulentas pueden invadir los tejidos e instalar una infección. La congestión de la mucosa nasal y la consecuente interferencia con la actividad ciliar y el movimiento del moco, que siguen al choque del enfriamiento, con cierta frecuencia hacen posible una infección por bacterias como el estreptococo hemolítico o neumococo, que se encontraban ya presentes.

La flora normal funciona también como parte del complejo de resistencia, especialmente cuando la vía de entrada del microorganismo patógeno es el tubo gastrointestinal. Los patógenos deben competir con éxito con la flora normal del intestino para establecer un foco de infección e iniciar el proceso de la enfermedad. El efecto protector de la flora normal, que puede variar desde competencia hasta antagonismo, puede ser muy considerable. Las relaciones antagónicas que intervienen son complejas, basadas en la interrelación de actividades metabólicas de los microorganismos que están compitiendo.[41, 56] Por ejemplo, las infecciones entéricas de los animales de experimentación con patógenos entéricos para el hombre puede ser muy difícil de establecer, pero cuando el germen patógeno se hace resistente a drogas y se inocula por vía intragástrica con la droga, los microorganismos de la flora normal son inhibidos, cosa que no sucede con el patógeno resistente al medicamento y por lo tanto es incapaz de establecer una infección.[40]

Animales libres de gérmenes.[97, 126] La adaptación de microorganismos a la existencia parásita la demuestra la tendencia de enfermedades establecidas por largo tiempo a ser menos graves y al mismo tiempo más difundidas, y ya ha sido considerada en otro sitio (capítulo 6). El corolario es saber si el huésped, a través de una larga asociación, se adapta o no a la presencia del microorganismo a tal grado que la relación sea simbiótica. En ciertos casos la presencia de microorganismos parásitos guarda una relación significativa con la asimilación de los alimentos por el huésped; tal es el caso, por ejemplo, en relación con las plantas leguminosas y las bacterias de los nódulos de la raíz, y los animales herbívoros y los microorganismos que descomponen la celulosa en el rumen. Ha despertado considerable interés la idea de que la abundante flora intestinal del hombre y otros animales tenga cierta relación análoga.[130]

Nuttall y Thierfelder demostraron hace tiempo que los cobayos extraídos por cesárea y mantenidos en un ambiente estéril sobrevivieron unos 10 días, pero Schottelius no tuvo éxito intentando criar pollos bacteriológicamente estériles. Las deficiencias nutritivas de la dieta de pollos al parecer fueron la causa de esos resultados, ya que posteriormente se demostró que los pollos podían sobrevivir hasta 40 días en un ambiente estéril. Los estudios modernos se iniciaron fundamentalmente con los trabajos de Reyniers y colaboradores; se ha demostrado que no solo los pollos sino una gran variedad de animales, como cobayos, conejos, etc., pueden sobrevivir y crecer en total ausencia de bacterias. Los requerimientos nutritivos son considerablemente más complejos que los del animal corriente de experimentación, y la inmunidad natural es limitada, demostrando con ello el importante papel de la respuesta inmune activa en el complejo comúnmente considerado como resistencia.

BIBLIOGRAFIA

1. Ajl, S. J., S. Kadis, and T. C. Montie (Eds). 1970. Microbial Toxins. Vol. 1. Bacterial Protein Toxins. Academic Press, New York.
2. Allison, A. C. 1965. Genetic factors in resistance against virus infections. Arch. Ges. Virusforsch. **17**:280–236.
3. Bang, F. B. 1961. Mucociliary function as a protective mechanism in upper respiratory infection. Bacteriol. Rev. **25**:228–236.
4. Baron, S., *et al.* 1970. Induction of interferon and viral resistance in animals by polynucleotides. Ann. N.Y. Acad. Sci. **173**:568–581.
5. Bernheimer, A. W. 1968. Cytolytic toxins of bacterial origin. Science **159**:847–851.
6. Bliss, C. I. 1956. Confidence limits for measuring the precision of bioassays. Biometrics **12**:491–526.
7. Bliss, C. I. 1956. The calculation of microbial assays. Bacteriol. Rev. **20**:243–258.
8. Bóbr, J. 1965. The effect of alloxan diabetes on experimental staphylococcal infection in mice, J. Pathol. Bacteriol. **89**:749–752.
9. Bonventre, P. F., R. E. Lincoln, and C. Lamana. 1967. Status of bacterial toxins and their nomenclature. Bacteriol. Rev. **31**:95–109.
10. Bowman, C. G., and P. F. Bonventre. 1970. Studies on the mode of action of diphtheria toxin. III. Effect on subcellular components of protein synthesis from the tissues of ir toxicated guinea pigs and rats. J. Exp. Med. **131**:659–674.

11. Bowman, C. G., J. G. Imhoff, and P. F. Bonventre. 1970. Specificity of diphtheria toxin action on heart and muscle tissues of guinea pigs. Infect. Immun. **2**:686–688.
12. Burke, H. E., and E. Mankiewicz. 1963. The pathogenesis of intrapleurally induced tuberculosis in guinea pigs including some observations on the effects of rest and exercise. Amer. Rev. Resp. Dis. **88**:360–375.
13. Burrows, T. W. 1955. The basis of virulence for mice of *Pasteurella pestis*. Symp. Soc. Gen. Microbiol. **5**:152–175
14. Burrows, W. 1968. Cholera toxins. Ann. Rev. Microbiol. **22**:245–268.
15. Cannon, P. 1950. Symposia on Nutrition. Vol. 2. Robert Gould Research Foundation, Cincinnati, Ohio.
16. Carrea, R., and A. Lanari. 1962. Chronic effect of tetanus toxin applied locally to the cerebral cortex of the dog. Science **137**:342–343.
17. Catalano, L. W., and J. L. Sever. 1971. The role of viruses as causes of congenital defects. Ann. Rev. Microbiol. **25**:255–282.
18. Chany, C., F. Fournier, and S. Rousset. 1970. Interferon regulatory mechanism. Ann. N.Y. Acad. Sci. **173**:505–515.
19. Cliffton, E. E., and D. A. Cannamela. 1953. Fibrinolytic and proteolytic activity of human plasminogen prepared from fraction III of human plasma. J. Appl. Physiol. **6**:42–50.
20. Colby, C., and M. J. Morgan. 1971. Interferon induction and action. Ann. Rev. Microbiol. **25**:333–360.
21. Collier, R. J., and H. A. Cole. 1969. Diphtheria toxin subunit active in vitro. Science **164**:1179–1181.
22. Collier, R. J., and J. Kandel. 1971. Structure and activity of diphtheria toxin. I. Thiol-dependent dissociation of a fraction of toxin into enzymatically active and inactive fragments. J. Biol. Chem. **246**:1496–1503.
23. Cooke, P. M. 1961. Rickettsial and viral toxins. Amer. J. Med. Sci. **241**:383–405.
24. Cromartie, W. J., and D. W. Watson. 1951. Toxic materials extracted from streptococcal skin lesions. Fed. Proc. **10**:352.
25. Custod, J. T., *et al.* 1960. Interdependence of hyaluronic acid and M protein in streptococcal aerosol infections in mice. Proc. Soc. Exp. Biol. Med. **103**:751–753.
26. Davies, A. M., M. Shile, and S. Hestrin. 1955. The influence of Aerobacter levan on the permeability of the blood vessels of the skin: Studies with antibody globulins and trypan blue. Brit. J. Exp. Pathol. **36**:500–506.
27. De Clercq, E., and T. C. Merigan. 1970. Current concepts of interferon and interferon induction. Ann. Rev. Med. **21**:17–46.
28. De Clercq, E., F. Eckstein, and T. C. Merigan. 1970. Structural requirements for synthetic polyanions to act as interferon inducers. Ann. N.Y. Acad. Sci. **173**:444–461.
29. Downie, A. W., *et al.* 1965. Smallpox frequency and severity in relation to A, B and O blood groups. Bull. Wld. Hlth. Org. **33**:632–625.
30. Drazin, R., J. Kandel, and R. J. Collier. 1971. Structure and activity of diphtheria toxin. II. Attack by trypsin at a specific site within the intact toxin molecule. J. Biol. Chem. **246**:1504–1510.
31. Duncan, C. L., and D. H. Strong. 1969. Ileal loop fluid accumulation and production of diarrhea in rabbits by cell-free products of *Clostridium perfringens*. J. Bacteriol. **100**:86–94.
32. Duthie, E. S. 1954. Evidence for two forms of staphylococcal coagulase. J. Gen. Microbiol. **10**:427–436.
33. Ekstedt, R. D., and W. J. Nungester. 1955. Coagulase in reversing antibacterial activity of normal serum on *Micrococcus pyogenes*. Proc. Soc. Exp. Biol. Med. **89**:90–94.
34. Elberg, S. S. 1960. Cellular immunity. Bacteriol. Rev. **24**:67–95.
35. Fenje, P., and B. Postic. 1971. Prophylaxis of experimental rabies with the polyriboinosinic-polyribocytidylic acid complex. J. Infect. Dis. **123**:426–428.
36. Field, E. J. 1969. Slow virus infections of the central nervous system. Int. Rev. Exp. Pathol. **8**:129–239.
37. Francis, J. 1961. The effect of age on the susceptibility of guinea pigs to tuberculosis. Tubercle **42**:333–336.

38. Franz, K. H., *et al.* 1964. Results of Dick and Schick tests in Liberian children. Trans. Roy. Soc. Trop. Med. Hyg. **58**:68–71.
39. Frenkel, J. K. 1969. Models for infectious diseases. Fed. Proc. **28**:179–190.
40. Freter, R. 1956. Experimental enteric *Shigella* and *Vibrio* infections in mice and guinea pigs. J. Exp. Med. **104**:411–418.
41. Freter, R. 1962. *In vivo* and *in vitro* antagonism of intestinal bacteria against *Shigella flexneri*. II. The inhibitory mechanism. J. Infect. Dis. **110**:38–46.
42. Gale, D., and S. S. Elberg. 1952. Studies on enhancement of bacterial infection by hog gastric mucin. J. Infect. Dis. **91**:50–62.
43. Gasser, D. L. 1969. Genetic control of the immune response in mice. I. Segregation data and localization to the fifth linkage group of a gene affecting antibody production. J. Immunol. **103**:66–70.
44. Gill, D. M., *et al.* 1969. Studies on the mode of action of diphtheria toxin. VII. Toxin stimulated hydrolysis of nicotinamide adenine dinucleotide in mammalian cell extracts. J. Exp. Med. **129**:1–21.
45. Gill, D. M., and L. L. Dinius. 1971. Observations on the structure of diphtheria toxin. J. Biol. Chem. **246**:1485–1491.
46. Gill, D. M., and A. M. Pappenheimer, Jr. 1971. Structure-activity relationships in diphtheria toxin. J. Biol. Chem. **246**:1492–1495.
47. Gowen, J. W. 1960. Genetic effects in nonspecific resistance to infectious disease. Bacteriol. Rev. **24**:192–200.
48. Gowen, J. W. 1961. Experimental analysis of genetic determinants in resistance to infectious disease. Ann. N.Y. Acad. Sci. **91**:689–709.
49. Grant, R., and W. J. Whalen. 1953. Latency of pyrogen fever. Appearance of fast acting pyrogen in blood of febrile animals and in plasma incubated with bacterial pyrogen. Amer. J. Physiol. **173**:47–54.
50. Green, G. M., and E. H. Kass. 1964. The role of the alveolar macrophage in the clearance of bacteria from the lung. J. Exp. Med. **119**:167–176.
51. Green, I., and B. Benacerraf. 1971. Genetic control of immune responsiveness to limiting doses of proteins and hapten conjugates in guinea pigs. J. Immunol. **107**:374–381.
52. Gyles, C. L., and D. A. Barnum. 1969. A heat-labile enterotoxin from strains of *Escherichia coli* enteropathogenic for pigs. J. Infect. Dis. **120**:419–246.
53. Harris, H. 1960. Mobilization of defensive cells in inflammatory tissue. Bacteriol. Rev. **24**:3–15.
54. Hatch, T. F. 1961. Distribution and deposition of inhaled particles in respiratory tract. Bacteriol. Rev. **25**:237–240.
55. Henderson, A., and J. Brodie. 1963. Investigations on staphylococcal coagulase. Brit. J. Exp. Pathol. **44**:524–528.
56. Hentges, D. J. 1969. Inhibition of *Shigella flexneri* by the normal intestinal flora. II. Mechanisms of inhibition by coliform organisms. J. Bacteriol. **97**:513–517.
57. Herndon, C. N., and R. G. Jennings. 1951. A twin-family study of susceptibility to poliomyelitis. Amer. J. Hum. Genet. **3**:17–46.
58. Heyningen, W. E. van, and S. N. Arseculeratne. 1964. Exotoxins. Ann. Rev. Microbiol. **18**:195–216.
59. Hill, D. A., S. Baron, and R. M. Chanock. 1969. Sensitivity of common respiratory viruses to an interferon inducer in human cells. Lancet **ii**:187–188.
60. Hilleman, M. R. 1970. Prospects for the use of double-stranded ribonucleic acid (poly I:C) inducers in man. J. Infect. Dis. **121**:196–211.
61. Hirsch, J. G. 1960. Antimicrobial factors in tissues and phagocytic cells. Bacteriol. Rev. **24**:133–140.
62. Holmes, M. J., and W. L. Ryan. 1971. Amino acid analysis the molecular weight determination of tetanus toxin. Infect. Immun. **3**:133–140.
63. Ipsen, J., Jr. 1954. Inherent immunizability to *Tetanus* toxoid, based on studies in pure inbred mice. J. Immunol. **72**:243–247.
64. Jawetz, E., M. Okumoto, and M. Sonne. 1959. Studies on

herpes simplex. X. The effect of corticosteroids on herpetic keratitis in the rabbit. J. Immunol. **83**:486–490.

65. Johnson, F. B., and D. M. Donaldson. 1968. Purification of staphylococcal β-lysin from rabbit serum. J. Bacteriol. **96**:589–595.

66. Johnson, R. T. 1964. The pathogenesis of herpes virus encephalitis. II. A cellular basis for the development of resistance with age. J. Exp. Med. **120**:359–374.

67. Jones, J. H., and P. J. Campbell. 1963. The effect of artificial reduction of deep body temperature on the course of an acute infection in the rat. J. Pathol. Bacteriol. **84**:428–433.

68. Kass, E. E. 1960. Hormones and host resistance to infection. Bacteriol. Rev. **24**:177–185.

69. Katz, J., and S. Kunofsky. 1960. Environmental versus constitutional factors in the development of tuberculosis among Negroes. Amer. Rev. Resp. Dis. **81**:17–25.

70. Keusch, G. T., L. J. Mata, and G. F. Grady. 1970. *Shigella* enterotoxin: isolation and characterization. Clin. Res. **18**:442.

71. Kreger, A. S., and A. W. Bernheimer. 1969. Physical behavior of pneumolysin. J. Bacteriol. **98**:306–307.

72. Lamanna, C. 1960. Toxicity of bacterial exotoxins by the oral route. Science **131**:1100.

73. Lamanna, C., and G. Sakaguchi. 1971. Botulinum toxins and the problem of nomenclature of simple toxins. Bacteriol. Rev. **35**:242–249.

74. Laurenzi, G. A., and J. J. Guarneri. 1966. A study of the mechanisms of pulmonary resistance to infection: the relationship of bacterial clearance to ciliary and alveolar macrophage function. Amer. Rev. Resp. Dis. **93**:134–141.

75. Lerner, A. M., H. S. Levin, and M. Finland. 1962. Age and susceptibility of mice to Coxsackie A viruses. J. Exp. Med. **115**:745–762.

76. Lindenmann, J. 1964. Inheritance of resistance to influenza virus in mice. Proc. Soc. Exp. Biol. Med. **116**:506–509.

77. Lurie, M. B., and A. M. Dannenberg, Jr. 1965. Macrophage function in infectious disease with inbred rabbits. Bacteriol. Rev. **29**:466–476.

78. Lurie, M. B., P. Zappasodi, and C. Tickner. 1955. On the nature of genetic resistance to tuberculosis in the light of the host-parasite relationships in natively resistant and susceptible rabbits. Amer. Rev. Tuberc. **72**:297–329.

79. Lurie, M. B., *et al.* 1959. On the role of the thyroid in natural resistance to tuberculosis. II. The effect of hypothyroidism. The mode of action of thyroid hormones. Amer. Rev. Tuberc. **79**:180–203.

80. Lynch, C. J., C. H. Pierce-Chase, and R. Dubos. 1965. Genetic study of susceptibility to experimental tuberculosis in mice infected with mammalian tubercle bacilli. J. Exp. Med. **121**:1051–1070.

81. Marennikova, S. S., and T. I. Kaptsova. 1965. Age-dependence of susceptibility of white mice to variola virus. Acta Virol. **9**:230–234.

82. Marsh, J. T., *et al.* 1963. Poliomyelitis in monkeys: decreased susceptibility after avoidance stress. Science **140**:1414–1415.

83. McLeod, J. A., and J. W. McLeod. 1961. The technique and interpretation of tests for leucocidin with special reference to the value of ethylene diamine tetra-acetic acid (EDTA). Brit. J. Exp. Pathol. **42**:171–178.

84. Meyer, K. 1947. The biological significance of hyaluronic acid and hyaluronidase. Physiol. Rev. **27**:335–359.

85. Meynell, G. G., and E. W. Meynell. 1958. The growth of microorganisms in vivo with particular reference to the relation between dose and latent period. J. Hyg. **56**:323–346.

86. Miles, A. A. 1955. The meaning of pathogenicity. Symp. Soc. Gen. Microbiol. **5**:1–16.

87. Miller, T. E. 1969. Killing and lysis of gram-negative bacteria through the synergistic effect of hydrogen peroxide, ascorbic acid, and lysozyme. J. Bacteriol. **98**:949–955.

88. Moon, H. W., S. C. Whipp, and A. L. Baetz. 1971. Comparative effects of enterotoxin from *Excherichia coli* and *Vibrio cholerae* on rabbit and swine small intestine. Lab. Invest. **25**:133–140.

89. Murphy, S. G., and K. D. Miller. 1967. Tetanus toxin and antigenic derivatives. J. Bacteriol. **94**:580–585.

90. Muschel, L. H. 1961. The antibody-complement system and properdin. Vox Sang. **6**:385–397.

91. Muschel, L. H. 1966. Blood groups, disease and selection. Bacteriol. Rev. **30**:427–441.

92. Nowotny, A. 1969. Molecular aspects of endotoxic reactions. Bacteriol. Rev. **33**:72–98.

93. Outram, G. W. 1971. Early reduction of drinking in mice with scrapie. Lancet i:397.

94. Page, L. A., R. J. L. Goodlow, and W. Braun. 1951. The effect of threonine on population changes and virulence of *Salmonella typhimurium*. J. Bacteriol. **62**:639–647.

95. Panos, C., and S. J. Ajl. 1963. Metabolism of microorganisms as related to their pathogenicity. Ann. Rev. Microbiol. **17**:297–328.

96. Pensky, J., *et al.* 1968. Properties of highly purified human properdin. J. Immunol. **100**:142–158.

97. Phillips, A. W., and J. E. Smith. 1959. Germfree animal techniques and their application. Adv. Appl. Microbiol. **1**:141–174.

98. Piccardi, G. 1962. The Chemical Basis of Medical Climatology. Charles C Thomas, Springfield, Ill.

99. Pierce, N. F., W. B. Greenough, and C. C. J. Carpenter. 1971. *Vibrio cholerae* enterotoxin and its mode of action. Bacteriol. Rev. **35**:1–13.

100. Previte, J. J., and L. J. Berry. 1962. The effect of environmental temperature on the host-parasite relationship in mice. J. Infect. Dis. **110**:201–209.

101. Pulaski, E. J. 1964. Common Bacterial Infections. W. B. Saunders Co., Philadelphia.

102. Rakower, J. 1953. Tuberculosis among Jews. Mortality and morbidity among Jewish ethnic groups. Tuberculosis among Yemenite Jews. Etiologic factors. Amer. Rev. Tuberc. **67**:85–93.

103. Roantree, R. 1967. O antigens and virulence of enterobacteria. Ann. Rev. Microbiol. **21**:443–446.

104. Roberts, D. S. 1969. Synergic mechanisms in certain mixed infections. J. Infect. Dis. **120**:720–724.

105. Rosebury, T. 1962. Microorganisms Indigenous to Man. McGraw-Hill, New York.

106. Rowley, D. 1971. Endotoxins and bacterial virulence. J. Infect. Dis. **123**:317–327.

107. Rowson, K. E. K. 1961. The action of tetanus toxin in frogs. J. Gen. Microbiol. **25**:315–329.

108. Sack, R. B., *et al.* 1971. Enterotoxigenic *Escherichia coli* isolated from patients with severe cholera-like disease. J. Infect. Dis. **123**:378–385.

109. Salton, M. R. J. 1957. The properties of lysozyme and its action on microorganisms. Bacteriol. Rev. **21**:82–99.

110. Schneider, H. A. 1960. Nutritional factors in host resistance. Bacteriol. Rev. **24**:186–191.

111. Schwab, J. H., and D. W. Watson. 1954. Host factors in the experimental group A streptococcal infections. The role of tissue thromboplastin. J. Infect. Dis. **95**:267–274.

112. Schweitzer, M. D. 1961. Genetic determinants of communicable disease. Ann. N.Y. Acad. Sci. **91**:730–757.

113. Sencer, D. J. 1971. Emerging diseases of man and animals. Ann. Rev. Mcirobiol. **25**:465–486.

114. Shewell, J., and D. A. Long. 1959. J. Hyg. **57**:202–209.

115. Shilo, M. 1959. Nonspecific resistance to infections. Ann. Rev. Microbiol. **13**:255–278.

116. Shwartzman, G. 1937. Phenomenon of Local Tissue. Reactivity and Its Immunological, Pathological and Clinical Significance. P. B. Hoeber, New York.

117. Simonds, B. 1957. Twin research in tuberculosis. Eugen. Rev. **49**:25–32.

118. Siniscalco, M., *et al.* 1966. Population genetics of haemoglobin variants, thalassaemia and glucose-6-phosphate dehydrogenase deficiency, with particular reference to the malaria hypothesis. Bull. Wld. Hlth. Org. **34**:379–393.

119. Skarnes, R. C., and D. W. Watson. 1957. Antimicrobial factors of normal tissues and fluids. Bacteriol. Rev. **21**:273–294.

120. Slowey, R. R., S. Eidelman, and S. J. Klebanoff. 1968. Antibacterial activity of the purified peroxidase from human parotid saliva. J. Bacteriol. **96**:575–579.

121. Smith, H. 1968. Biochemical challenge of microbial pathogenicity. Bacteriol. Rev. **32**:164–184.
122. Stevenson, A. C., and E. A. Cheeseman. 1956. Heredity and rheumatic fever. Some later information about data collected in 1950-1951. Ann. Hum. Genet. **21**:139–143.
123. St. Rose, J. E. M., and B. H. Sabiston. 1971. Effect of cold exposure on the immunologic response of rabbits to human serum albumin. J. Immunol. **107**:339–343.
124. Strehler, B. L., and A. S. Mildvan. 1960. The general theory of mortality and aging. Science **132**:14–21.
125. Symposium. 1958. Symposium on weather and disease. Proc. Roy. Soc. Med. **51**:259–266.
126. Symposium. 1959. Germfree veretebrates: Present status. Ann. N.Y. Acad. Sci. **78**:1–400.
127. Symposium. 1960. Biochemical aspects of microbial pathogenicity. Ann. N.Y. Acad. Sci. **88**:1021–1318.
128. Symposium. 1960. Nonspecific resistance to infection. Bacteriol. Rev. **24**:1–200.
129. Symposium. 1961. Genetic perspectives in disease resistance and susceptibility. Ann. N.Y. Acad. Sci. **91**:595–818.
130. Symposium. 1963. Contributions of intestinal microflora to the nutrition of the host animal. Fed. Proc. **22**:109–133.
131. Symposium. 1966. Molecular biology of gram-negative bacterial lipopolysaccharides. Ann. N.Y. Acad. Sci. **133**:277–786.
132. Terres, G., S. L. Morrison, and G. S. Habicht. 1968. A quantitative difference in the immune response between male and female mice. Proc. Soc. Exp. Biol. Med. **127**:664–667.
133. Thomas, L., and R. A. Good, 1952. Studies on the generalized Shwartzman reaction. I. General observation concerning the phenomenon. J. Exp. Med. **96**:605–624.
134. Vilček, J. 1969. Interferon. Springer-Verlag, New York.
135. Weinbaum, G., S. Kadis, and S. J. Ajl (Eds.). 1971. Microbial Toxins. Vol. 4. Bacterial Endotoxins. Academic Press, New York.
136. Weinberg, E. D. 1971. J. Infect. Dis. **124**:401–410.
137. Willoughby, D. S., Y. Ginsburg, and D. W. Watson. 1964. Host-parasite relationships among group A streptococci. II. Influence of sex on the susceptibility of inbred mice toward streptococcal infection. J. Bacteriol. **87**:1457–1461.
138. Wright, G. W. 1961. Structure and function of respiratory tract in relation to infection. Bacteriol. Rev. **25**:219–227.
139. Zacks, S. I., and M. F. Sheff. 1968. Tetanus toxin: fine structure localization of binding sites in striated muscle. Science **159**:643–644.

CAPITULO 9

EPIDEMIOLOGIA DE LAS ENFERMEDADES INFECCIOSAS

Cualesquiera que sean los poderes patógenos de un microorganismo y la eficacia de las defensas del huésped, una condición preliminar esencial en la producción de una enfermedad infecciosa, es el encuentro del parásito con su huésped propuesto. En algunos casos en los cuales la bacteria es saprófita, penetra en el cuerpo por accidente, por decirlo así; tal ocurre, por ejemplo, en el tétanos, gangrena gaseosa, e infecciones similares. Sin embargo, en la mayor parte de casos, los microorganismos patógenos están adaptados de una forma más o menos estricta al parasitismo, y pasan de un animal a otro, con una estancia relativamente breve en el mundo externo. Por lo tanto, la transmisión de la infección suele ser un proceso en el cual el microorganismo causante es transferido directamente de un animal enfermo a uno sano, pero susceptible.[42]

Aclarar los mecanismos involucrados en esta transmisión es cuestión de suma importancia. Si se conoce el orden de los acontecimientos que precedieron a la infección, puede, y suele ser posible, interrumpirla en su punto vulnerable, y por lo tanto controlar la propagación de la enfermedad. La enfermedad no depende totalmente de la resistencia del huésped y la virulencia del germen; es en realidad el resultado de la interacción del huésped con las poblaciones de parásitos. Es en este punto donde el estudio de las enfermedades infecciosas traspasa el campo de la microbiología, de la medicina clínica, y adopta un significado biológico muy amplio, como un problema de competencia entre especies.[5]

El equilibrio que tiende a establecerse entre huésped y parásito es inestable, ya que los factores determinantes, como las características de la población del huésped, y posiblemente las de la población de parásitos, igual que los factores ambientales, cambian constantemente, y el equilibrio tiende siempre a establecerse a un nuevo nivel. Este cambio puede ser repentino y violento, cuya manifestación externa es la erupción de la enfermedad; con menor frecuencia, puede ser un incremento o decremento gradual en la frecuencia de la enfermedad.

Los factores relacionados con el mantenimiento o cambio de este equilibrio son el objetivo de la epidemiología.[26, 37] Es mejor considerar el término epidemiología en este sentido amplio; por lo tanto, incluye el estudio de la transmisión de enfermedades endémicas, o sea enfermedad que tiene un grado de frecuencia bajo pero está constantemente presente en una población; además, el estudio de las enfermedades epidémicas, o sea las de gran virulencia que solo aparecen irregularmente en forma clínica. Con relación a ello se debe hacer constar que se aplica frecuentemente el término pandemia a una epidemia de proporciones extraordinariamente grandes. Estas categorías, aunque útiles, no se excluyen la una a la otra; una enfermedad endémica en una localidad, puede a veces alcanzar proporciones de epidemia, para luego caer a un nivel endémico.

Son esenciales para conocimiento de la epidemiología de las enfermedades ciertas características del agente etiológico, de la infección clínica, y de las vías posibles de transmisión. Las más importantes son:

1) La vía por la cual penetra el agente infeccioso en el cuerpo
2) La vía de salida del agente infeccioso
3) La resistencia del microorganismo a los efectos nocivos del medio ambiente
4) La presencia o ausencia de un huésped intermediario
5) La relación entre la enfermedad neta, clínicamente reconocible, y la expulsión de bacterias virulentas del cuerpo

Estas se determinan de una manera más fácil y rápida por el estudio directo del agente etiológico, en condiciones controladas, al igual que la patogenia de las enfermedades naturales. Cuando se conoce el agente etiológico, cabe deducir una primera aproximación de estas propiedades con certeza sorprendente observado el comportamiento epidemiológico de la enfermedad. Por ejemplo, aun cuando la famosa epidemia de "Broad Street Pump" (la fuente de la calle mayor) ocurrió antes de descubrirse la causa del cólera, el cuadro indirecto indicó claramente a Snow que el agente infeccioso salía del cuerpo con las heces y entraba en el tubo gastrointestinal con el agua contaminada de pozos.

El portador. En relación con la característica antes señalada, procede una explicación mayor. En los comienzos de la bacteriología se suponía que el contacto del huésped con el parásito tenía uno de los dos resultados siguientes: no aparecía infección alguna, debido a gran resistencia de parte del huésped, o se desarrollaba una enfermedad clínica característica en el paciente.

Más tarde se pudo ver claramente que podía ocurrir un estado intermedio, el establecimiento de una infección subclínica. Tales infecciones son, naturalmente, ocultas y no manifiestas; solo pueden demostrarse aislando e identificando el agente infeccioso. Se denomina portador a un individuo infectado en esta forma.

Se diferencian comúnmente dos tipos de portador; el portador casual, que alberga el microorganismo temporalmente, durante unos cuantos días o semanas, y el portador crónico, que continúa infectado durante un periodo relativamente largo, a veces toda la vida. Tales individuos propagan el agente infeccioso. En el primer grupo se encuentran la gran mayoría de los portadores de bacilo diftérico, meningococo, neumococo y algunos tipos de estreptococos, etc.; el segundo incluye los portadores de algunos bacilos entéricos, sobre todo del bacilo de la tifoidea. A veces se distingue un tercer tipo de portador, el convaleciente, que permanece infectado durante un periodo más o menos largo después de recobrado de la enfermedad. Estos últimos procesos no se incluyen en la categoría de infecciones ocultas. Sin embargo, a veces no es posible hacer una separación clara, ya que algunos portadores casuales o crónicos pueden ser, en realidad, convalecientes de una enfermedad de forma atípica, o tan leve que pasó inadvertida (casos ambulantes).

Aunque hoy en día es muy común reconocer el estado de portador, las implicaciones del principio general de que la infección puede ocurrir sin enfermedad frecuentemente se olvidan. Por ende, las infecciones con síntomas clínicos pueden constituir una parte, y en algunos casos solo una parte muy pequeña, de las infecciones crónicas. Por lo tanto, si una fracción importante de las infecciones es de tipo oculto, una valoración precisa del grado de diseminación de una infección en la población de huéspedes, no puede ser correcta basándose solamente en los casos clínicos de la enfermedad. Las consecuencias de ello son varias. Por ejemplo, las enfermedades que ocurren esporádicamente, y no parecen transmitidas fácil o frecuentemente del paciente al individuo sano, como la poliomielitis, la meningitis meningocócica y la neumonía neumocócica, pueden estar tan ampliamente diseminadas y ser tan fácilmente transmisibles como el sarampión y el catarro común, pero la enfermedad clínica frecuentemente es excepción, más que la regla. Ade-

más, el aumento o disminución de una enfermedad, las edades de los pacientes, y su distribución geográfica, pueden no reflejar variabilidad de la frecuencia, sino ser más bien consecuencia de la variación en la proporción de enfermos y portadores. Aunque aquí se ha deducido de la observación de la frecuencia con que se presenta el estado de portador, ninguna de estas posibilidades es simplemente hipotética, ya que se ha demostrado la existencia de todas. Así, no se presentan portadores predominantemente en los grupos de edad avanzada, ni de bacilo diftérico entre la población escolar, donde la morbilidad de esta enfermedad es mayor; los portadores de bacilo diftérico son tan comunes en los trópicos como en los climas templados, a pesar de los pocos casos clínicos de difteria en los climas cálidos, etc. En muchos otros casos, como el de la poliomielitis, se sospecha la existencia de dicha situación, técnicamente difícil de probar. Es obvio, por lo tanto, que reconocer el estado de portador y sus implicaciones es básico para comprender bien la epidemiología y mecanismos de propagación de las enfermedades infecciosas.

TIPOS EPIDEMIOLOGICOS DE ENFERMEDADES INFECCIOSAS

Basándose en dicha información fundamental, se pueden dividir las enfermedades infecciosas en varios grupos epidemiológicos que sirven para ilustrar, a pesar de ciertas limitaciones, la infinidad de formas como se puede propagar una enfermedad infecciosa.[2] Damos a continuación una clasificación esquemática, basada en el hecho de que el hombre es el sujeto de la infección, y que el control de las enfermedades del mismo es el objetivo:

1) Enfermedades de animales inferiores directamente transmisibles al hombre (rabia, tularemia, muermo, etc.)
2) Enfermedades de los animales o del hombre transmitidas por insectos, en las cuales:
   a) El insecto actúa como vector mecánico, por ejemplo, la mosca común (fiebre tifoidea)
   b) El parásito se multiplica en el vector (peste bubónica)
   c) El parásito es transmitido de una generación de insectos a la siguiente por infección de los huevos (tabardillo)
   d) El parásito tiene una fase de su ciclo biológico en el insecto (paludismo)
3) Enfermedades de los animales o del hombre transmitidas indirectamente:
   a) Con el agua (las infecciones entéricas, como la fiebre tifoidea y el cólera)
   b) Con la leche (fiebre escarlatina, tuberculosis bovina, fiebre de Malta)
   c) Con los alimentos (fiebres tifoidea y paratifoidea)
   d) Por objetos inanimados o substancias absorbentes, como libros y toallas (fiebre escarlatina, difteria e infecciones similares)
4) Infecciones transmitidas de hombre a hombre directamente:
   a) Por gotas infecciosas —infecciones aerógenas (las infecciones respiratorias y otras)
   b) Por contacto directo (principalmente las enfermedades respiratorias y venéreas).

Las características epidemiológicas de una enfermedad muestran, por un lado, cierta relación, a veces bastante estrecha, con otras infecciones semejantes; por el otro, cierta variabilidad, que resulta de las diversas formas de propagación, las infecciones entéricas, cólera, fiebre tifoidea, y las disentéricas, son similares en cuanto a su comportamiento epidemiológico, pero completamente diferentes al respecto de las enfermedades respiratorias o las que son transmitidas por insectos. La epidemiología de la fiebre tifoidea es variable dentro de ciertos límites, y depende en cierto grado del modo como sea transmitida, ya sea por agua, leche, alimentos o por contacto. En el caso de la tifoidea transmitida por el agua, el agua de beber proporciona el eslabón faltante, y la epidemia resultante suele ser explosiva, y limitada a la región abastecida por el agua contaminada, sin respetar edad, sexo o nivel económico. Por otro lado, la tifoidea transmitida con la leche está limitada geográficamente por la ruta de entrega de la leche infectada; presenta mayor frecuencia entre los grupos de población jóvenes y entre mujeres, y a veces es más frecuente en pacientes de nivel económico más elevado. La infección transmitida por los alimentos es aún más limitada, frecuentemente dentro de una familia, sin respetar edad o sexo.

También se pueden presentar variaciones de las características epidemiológicas de una enfermedad, según los cambios en el comportamiento de la población de huéspedes. Por ejemplo, la frecuencia de la poliomielitis ha cambiado en las últimas décadas, presentándose hoy en día con mayor frecuencia en los grupos de mayor edad y desapareciendo, en los niños, en forma notable, todo ello acompañado de mayor frecuencia de brotes epidémicos de la enfermedad. Se interpreta este cambio como demostración de un contacto efectivo retrasado con el virus, y parece comprobado que en relación con el nivel económico; es decir, que es más notable en los niveles económicos más altos.

Infección transmitida por el aire. Muchas de las enfermedades del hombre son transmitidas por el aire, con el cual se inhala el material infeccioso en suspensión. En contraste con la transmisión indirecta de las enfermedades por vectores como el agua y la leche por ejemplo, este vínculo entre la fuente de infección y el huésped es difícil de romper, y generalmente ha sido imposible de controlar de esta manera las infecciones transmitidas por el aire en grado práctico. En condiciones naturales, el material infeccioso puede estar disperso en partículas sumamente finas en el aire que proviene directamente de la fuente de infección, o puede estar en el polvo inhalado suspendido en el aire.

Nubes infecciosas. Pflugge postuló hace años que las enfermedades de la parte alta del aparato respiratorio podían ser transmitidas por gotitas que contienen el microorganismo, expulsadas de la nariz y boca al toser o estornudar. Las gotas que estudió

eran relativamente grandes, con diámetro mayor de 0.1 mm, y solo contaminaban al aire en distancias cortas antes de caer al suelo. Como las consideraciones epidemiológicas estipulan que las infecciones aerógenas se transmiten en distancias considerables, las infecciones "por gotitas" de Pflugge parecían carecer de importancia. Al principio de la década de 1930, esta situación fue investigada, sobre todo por Wells y colaboradores, y encontraron que los datos aportados por Pflugge eran incompletos; en condiciones normales de humedad, las gotas de diámetro menor de 0.1 mm eran rápidamente reducidas de tamaño por evaporación, quedando núcleos de microorganismos viables e infecciosos durante varias horas. Dichas gotas que son expulsadas por la tos, los estornudos y al hablar, originan suspensiones; han sido estudiadas por Jennison y se indican en la ilustración adjunta. Un ejemplo del significado de este modo de propagación es la descripción de los *cloud babies* (niños de nube), que esparcen nubes infecciosas de estafilococos, y que desempeñan importante papel en la propagación de las infecciones en las casas cuna.[10]

Durante la segunda guerra mundial despertaron notable interés las infecciones por inhalación, debido a la posibilidad de que se emplearan materiales infecciosos contra el enemigo para propagar infecciones aerógenas; esto ha sido motivo de considerable estudio detallado.[7] Se pueden dispersar finamente en el aire, en condiciones controladas en el laboratorio, agentes infecciosos, por medio de atomizadores o pulverizadores, y la nube que así se produce se puede estudiar determinando los microorganismos viables, la capacidad de producir infección, etc. Se ha visto que la supervivencia de las bacterias en la nube está condicionada por la humedad relativa y la naturaleza del medio en que se suspendieron originalmente. Es posible producir nubes que contengan gran número de microorganismos, a pesar de que se mueran muchos al hacerlo. Se puede probar la infecciosidad de dichas nubes que contienen microorganismos patógenos, exponiendo a su acción animales de experimentación en cámaras adecuadas; se ha encontrado que se produce fácilmente la infección por inhalación de nubes que contengan a los microorganismos patógenos adecuados.

Suponiendo que hay microorganismos viables en número adecuado en la nube, su distribución en el organismo después de la inhalación depende en primer lugar del tamaño de las partículas. Como hemos señalado anteriormente las vías respiratorias altas tienen mecanismos de defensa sumamente eficientes, que eliminan las partículas del material suspendido en el aire inhalado, atrapando dichas partículas sobre las superficies húmedas de las mucosas. En general, las partículas grandes se detienen en el área nasal; las muy pequeñas pueden escapar a la retención, pero ser exhaladas. Penetra en la nariz el 80 por 100 de las partículas de 1.8 micras de diámetro, el 50 por 100 de las de cuatro micras, y el 20 por 100 de las de 12 micras; cuando se respira por la boca, se retiene en los pulmones el 23 por 100 de las partículas de una micra, 38 por 100 de las de dos micras, 52 por 100 de las de tres micras, y el 68 por 100 de las de cinco micras.[32] Sin embargo, la retención corporal total es mayor de lo que indica el simple examen del aparato respiratorio. También se encuentran bacterias inhaladas en esófago y estómago. Con el empleo de fósforo radiactivo, se encontró que hay retención del 30 por 100 de las partículas de una micra en el árbol respiratorio, y retención casi completa en todo el cuerpo de la dosis teóricamente inhalada; el 70 por 100 restante se retiene casi totalmente en el tubo gastrointestinal. La aparición del material inhalado en el tubo gastrointestinal es consecuencia del mecanismo de retención, por medio del cual el moco secretado en las vías respiratorias altas, que contenía bacterias, es deglutido, y las bacterias son finalmente excretadas con las heces.

Una gran variedad de procedimientos de laboratorio, que comprenden desde pipetear, decantar el sobrenadante después de la centrifugación, hasta abrir cultivos secados por congelación, y efectuar mezclas, produce aerosoles. La mayor parte de las infecciones accidentales de laboratorio se deben probablemente a la producción de dichos aerosoles; el control de estos, requiere material y técnica adecuados.[14, 32]

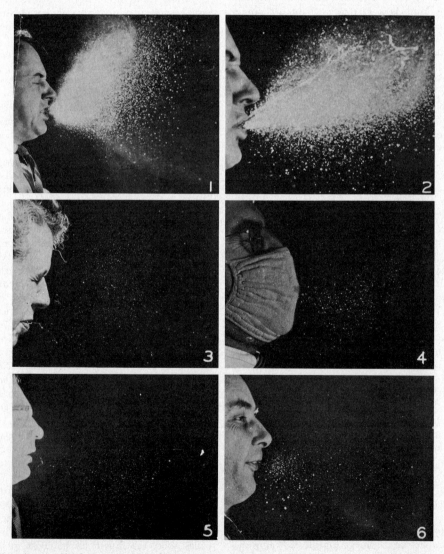

FIG. 9-1. Atomización de las secreciones de boca y nariz observada con fotografía de gran velocidad. 1, Estornudo violento en un sujeto normal; obsérvense los dientes muy cercanos, que originan atomización verdadera; 2, estornudo de resfriado; obsérvense los filamentos de moco y la atomización menos eficaz de las secreciones viscosas; 3, estornudo sofocado; 4, estornudo a través de una máscara facial densa; 5, tos; obsérvese la eliminación menor que en caso de estornudo libre; 6, enunciación de la letra "f". (Jenninson.)

Polvo infeccioso.[28] La fuente de las bacterias patógenas en el polvo es doble: las gotas que los contienen y que son demasiado grandes para permanecer suspendidas en el aire terminan por sedimentarse; y las secreciones infecciosas que contaminan los objetos, sobre todo tejidos, como los pañuelos y los cobertores, que después de secos se convierten en polvo infeccioso. Por ejemplo, la contaminación del medio ambiente con *Streptococcus pyogenes,* por pacientes, es en parte la contaminación del polvo. Los datos actuales sugieren que la inhalación de las bacterias de polvo transportado por el aire, puede ser cuantitativamente más importante que las partículas expulsadas directamente; es decir, que probablemente el polvo sea una fuente más rica y constante de contaminación del aire. Las medidas de control dirigidas hacia la supresión del polvo, como aceitar los cobertores y pisos en los pabellones de infecciosos de los hospitales, han sido más eficaces en el control de las infecciones que los intentos de destruir las bacterias del aire con irradiaciones ultravioletas.

LA POBLACION MICROBIANA

La bien conocida variación de gravedad y "contagiosidad" de las enfermedades infecciosas es consecuencia de las variaciones correspondientes de una especie de bacterias patógenas a otra, en cuanto a su capacidad de invadir los tejidos del cuerpo, y, una vez establecidos allí, de producir enfermedad clínica.

Como ya indicamos poco antes (capítulo 6), una misma especie puede presentar estas variaciones, que pueden ser inducidas experimentalmente con manipulación adecuada. La posibilidad de que se presenten dichas variaciones dentro de una misma especie, en condiciones naturales, ha intrigado durante años a los estudiosos de enfermedades infecciosas.

Es tentador explicar el origen y la aparición de una epidemia suponiendo que el agente etiológico de una enfermedad de proporciones endémicas aumenta en virulencia con cada paso de una a otra persona, hasta que es tan grande que aparece una epidemia.

También se puede suponer, por tanto, que la estancia en una población de huéspedes con gran proporción de sujetos inmunes resulta en la disminución de la virulencia del microorganismo y, por lo tanto, en decremento de la epidemia. Además, se puede concebir que la reincidencia de una epidemia resulte de fluctuaciones periódicas de la virulencia del parásito. Por desgracia para tal explicación, no está demostrado que la virulencia desempeñe papel importante en la evolución de las olas sucesivas de una epidemia, y en la naturaleza la virulencia microbiana parece ser un carácter relativamente constante.

Por otro lado, las diferencias en la gravedad de una enfermedad, de una epidemia a otra, se atribuyen, en parte, a la existencia de cepas del agente infeccioso que difieren en virulencia. Un ejemplo de ello es el caso ya señalado de la viruela benigna y maligna; algunos investigadores creen que ciertas cepas del bacilo diftérico causan una enfermedad más grave, que otras (capítulo 29). Aun cuando el bacilo varía de una cepa a otra, los datos existentes indican que dentro de una misma cepa la virulencia no tiene un grado de fluctuación demostrable.

Posiblemente atribuibles en parte a las alteraciones en la virulencia bacteriana, son los cambios en la morbilidad y mortalidad de algunas enfermedades como escarlatina, sífilis, y tuberculosis durante periodos largos. En el caso de la escarlatina, los 25 años que precedieron a la década de 1830 constituyeron un periodo de baja mortalidad, que fue seguido de un periodo de 40 años de alta mortalidad. Desde entonces la mortalidad ha disminuido, y aun cuando la frecuencia persiste alta, los casos mortales son relativamente raros. En otras enfermedades solo se ha observado un decremento. La sífilis ya no es la amenaza que fue durante el siglo XVI, y el decremento de la tuberculosis comenzó antes que se instituyeran las actuales medidas preventivas y terapéuticas. En otras enfermedades, como el sarampión, no se han observado dichas alteraciones a largo plazo en su frecuencia. La información es aún muy limitada para poder valorar estos fenómenos; posiblemente en algunas enfermedades hay fluctuaciones periódicas a largo plazo de la virulencia bacteriana (esto puede ser un artefacto, que solo represente variaciones en el predominio de algunas cepas "epidémicas" virulentas del parásito), mientras que en otras enfermedades puede desempeñar papel importante una reducción adaptativa de la virulencia, un aumento de la resistencia del huésped, o una combinación de ambos. Quizá el ejemplo más elegante de este fenómeno ha sido ilustrado por el intento de controlar la población de conejos en Australia por introducción del virus de la mixomatosis. Inicialmente la población de conejos disminuyó rápidamente, pero al adaptarse huésped y parásito se estableció un equilibrio que suprimió en forma prácticamente completa el objetivo inicial.[12]

En general, se puede decir, que desde un punto de vista breve la población bacteriana como existe en la naturaleza es muy estable en cuanto a capacidad para producir enfermedad en una población de huéspedes. Aunque la gravedad de la enfermedad puede variar, y lo hace a menudo, de una epidemia a otra, los cambios de virulencia no son factor importante en una ola epidémica. Sin embargo, en periodos largos las alteraciones de la virulencia pueden contribuir a los cambios en la morbilidad y mortalidad observados en algunas enfermedades infecciosas.

LA POBLACION DE HUESPEDES [30]

En contraste con la relativa estabilidad de la población bacteriana, la población humana tiene una resistencia para la infección muy variable, atribuible tanto a factores intrínsecos como extrínsecos, pero no de magnitud suficiente para que sus consecuencias sean de importancia práctica.

Como una población, humana o animal, está formada por organismos individuales, se deduce que su carácter depende de la naturaleza de estos individuos y las relaciones entre ellos, y su reacción a una influencia externa es expresada por la suma de las respuestas de sus miembros. La respuesta de una población humana a una enfermedad infecciosa es valorada necesariamente por los componentes de respuestas individuales de cada miembro en resumen; se estima por algún método de recuento. Dicho recuento, naturalmente, es la base de las estadísticas, que con todas sus ramificaciones y refinamientos, constituye un poderoso instrumento para estudiar la respuesta de las poblaciones humanas a la enfermedad —una respuesta que se valora en términos de frecuencia, proporciones, tablas de edades, y datos numéricos similares.[9]

Factores intrínsecos. La distribución por edades es uno de los factores intrínsecos más importantes que rigen la respuesta de una población humana a una enfermedad infecciosa. El predominio cuantitativo en grupos de menor edad que caracteriza a una población inmadura disminuye al crecer la población, mientras que en los de edad más avanzada aumenta correspondientemente. A consecuencia de ello, las enfermedades de la niñez y de adultos jóvenes, como difteria, tuberculosis y semejantes, tienen un predominio relativamente grande en las poblaciones inmaduras, que disminuye al pasar el tiempo, mientras que las enfermedades de la vejez aumentan de frecuencia al madurar la población. La frecuencia con que se presenta una infección se expresa por el número de personas infectadas en la unidad de tiempo, que es la verdadera frecuencia, o como el número de personas infectadas en un mismo momento que es la predominancia o prevalencia. Es necesario en la práctica corregir los valores de morbilidad y mortalidad; se puede hacer ya sea por el empleo de valores específicos, es decir, la proporción de casos o muertes dentro de un grupo de edad determinada; o empleando valores estandarizados, que no son valores reales, sino lo que los valores reales serían si la distribución de las edades de una población fuera la de una población patrón de referencia.*

* Se han empleado dos patrones en Europa: uno basado en la población de Suecia tal como era en 1890; el otro, basado en la población de Inglaterra y país de Gales como fue según el censo de 1901. El primer patrón es de la distribución de las edades solamente, mientras que el segundo es por edad y sexo. En Estados Unidos de Norteamérica se toma como patrón la población de todo el país, y las poblaciones de los estados o de otras partes del país, se comparan o se ajustan con él.

La distribución según los sexos de una población, y su composición racial tienen menor significado práctico, aun cuando en algunas comunidades de Estados Unidos de Norteamérica se han necesitado valores específicos de mortalidad, debido a la alta mortalidad de los negros.

Factores extrínsecos. Los factores extrínsecos que alteran la resistencia de una población de huéspedes a la propagación de una enfermedad, pueden ejercer sus efectos en una de las dos formas siguientes: primero, influyendo sobre la resistencia de algunos o de todos los individuos que forman la población; segundo, influyendo en las relaciones entre los individuos. Posiblemente el factor más importante de la primera categoría sea la inmunidad activa individual. Si una proporción suficiente de la población es inmune para una enfermedad, como resultado de inoculación artificial o por haberse recuperado de un ataque, la resistencia de todo el grupo contra epidemias de la misma enfermedad es alta, fenómeno que se ha denominado "inmunidad de masa". Otros factores pueden reducir la resistencia de un individuo; por ejemplo, durante los periodos de tensión o desgracia, cuando grupos relativamente grandes de población están desnutridos, fatigados y expuestos a la inclemencia de los elementos, las enfermedades epidémicas pueden propagarse con gran velocidad.

De igual importancia para la resistencia de una población a las enfermedades epidémicas, son los factores que rigen las relaciones entre sus miembros. Las grandes aglomeraciones o la convivencia forzada, que resulta de alojamientos inadecuados, crean obviamente oportunidades para la propagación de enfermedades respiratorias y de otros tipos, que son transmitidas directamente de hombre a hombre, como de otras enfermedades infecciosas transmitidas indirectamente, por ejemplo, el tifus propagado por el piojo. Igual acontece con la propagación de las infecciones entéricas, que depende en gran parte de las condiciones sanitarias y de la solución del doble problema del abastecimiento de agua y supresión de aguas negras. Costumbres de ciertos grupos que favorecen la existencia de una rica población de ratas crean una gran amenaza potencial de peste bubónica, y la presencia de gran número de mosquitos de la especie adecuada permite la amplia propagación del paludismo y la fiebre amarilla.[33] Un ejemplo muy claro de los efectos que tiene el cambiar los tipos de conducta de una población sobre la frecuencia de una enfermedad es el del kuru, infección por un virus pequeño que tiene un periodo de incubación de cinco a 15 años. Se presenta en las tierras altas de Nueva Guinea y fue descrito en 1957, cuando le correspondieron la mitad de las muertes en personas adultas; producía la muerte seis a nueve meses después de iniados los síntomas. Es una enfermedad neurológica progresiva (degeneración cerebelosa subaguda) que ocurre primariamente en niños mayores y mujeres. Se considera transmitido por las prácticas de canibalismo en un ritual en el cual los miembros de la tribu fallecidos son comidos por sus amigos y parientes; muchachos y hombres comen la carne mejor, y el cerebro y las vísceras son comidos por las mujeres y los niños. Al disminuir esta práctica, a comienzos de la década de 1950, la mortalidad en mujeres disminuyó bruscamente en el periodo de 1960-1965, y aunque cada año aproximadamente el mismo número de personas nacidas entre 1945 y 1951 murieron de kuru, casi ningún niño nacido después de 1955 contrajo la enfermedad.[16]

Estos y otros factores de tipo político, sociológico o económico, incluyen obviamente en la resistencia de la población contra la propagación de la enfermedad.[29]

INTERACCION HUESPED-POBLACIONES DE PARASITOS

Lo dicho ha mostrado la complejidad de la interacción huésped-parásito. Aun suponiendo que la población de parásitos, cuando estos son una bacteria patógena, conservan relativamente constante su propiedad de producir enfermedad, la resistencia de la población de huéspedes es variable y el equilibrio entre las dos raramente es un "estado estable". Como ya indicamos, la relación entre las poblaciones del huésped y del parásito es parte del problema de la competencia entre las especies, estudiado con gran amplitud. Las enfermedades infecciosas del hombre constituyen una serie de casos especiales de las relaciones huésped-parásito, que difieren entre sí por su forma de transmisión, periodo de incubación e infecciosidad, inmunidad, número de casos mortales, etc. Los estudios de las enfermedades infecciosas han adoptado dos formas: la primera, el análisis teórico de la propagación de las epidemias; la segunda, el estudio experimental de epidemias controladas de animales de laboratorio, es decir, la epidemiología experimental.

Análisis teórico.[25, 31, 38] El tratamiento teórico de la frecuencia de las enfermedades infecciosas en el tiempo, consiste en formular modelos matemáticos, basados en las probabilidades de contraer la enfermedad, independientemente de las variaciones hipotéticas de la virulencia del microorganismo o de la resistencia de la población de huéspedes, fuera de la inmunidad adquirida. Se deben de tomar en consideración cierto número de variables, incluyendo el contacto efectivo o la dosis requerida para producir la infección, la mezcla homogénea de individuos infectados y susceptibles, infecciosidad del receptor en relación con el periodo de incubación o de latencia, con el comienzo y la defervescencia de la enfermedad, y con la eficacia de la inmunidad ligada a la recuperación.

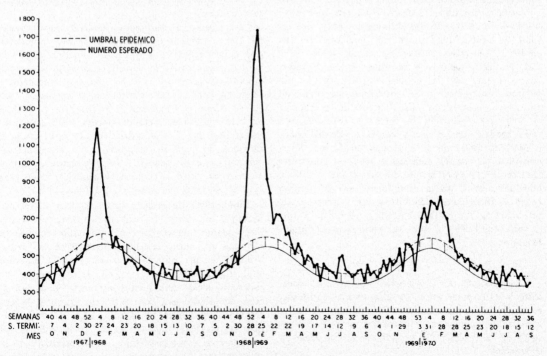

Fig. 9-2. Efecto de la estación sobre enfermedades infecciosas, basado en la variación estacional de mortalidad por neumonía de influenza en 122 grandes ciudades de Estados Unidos de Norteamérica. La banda muestra la variación esperada, o umbral epidémico; las desviaciones de la banda, atribuibles a epidemia de influenza, representan frecuencia epidémica. (Morbidity and Mortality Weekly Report, Annual Supplement, Vol. 19, 1970. Center for Disease Control, U.S. Public Healt Service.)

De todos estos factores, se supone que la recuperación de la enfermedad da una inmunidad efectiva, pero la manera como se definen los otros factores relevantes antes de formular términos matemáticos origina dos formas de enfoque, la determinante y la estocástica o conjetural.

El enfoque determinista está basado en suponer que cuando el número de personas susceptibles e infectadas es conocido, junto con valores como los de casos de infección, nacimientos y muertes, cualquier estado futuro de la población de huéspedes puede determinarse con precisión.[4] Desde el punto de vista estocástico, las variables son tomadas como probabilidades; por ejemplo, la formulación de Bartlett se basa en admitir que la infección y la eliminación de los sujetos susceptibles son acontecimientos temporales al azar, y desarrolló las funciones generadoras de probabilidad para estas dos variantes —el número de personas susceptibles y el de infectados.

Desde otro punto de vista, los modelos matemáticos son de dos clases, el de la infección de duración limitada y el de la infección continua. Los primeros modelos, incluyendo las ecuaciones de Ross sobre paludismo, y las expansiones binomiales de Reed y Frost, de Soper, y de Greenwood, son del tipo de la infección limitada en el tiempo, ya que su periodo de infecciosidad se limita a un punto, y el desarrollo de etapas sucesivas, o generaciones de casos de enfermedad que siguen a la introducción de la infección en una población susceptible, se describe en términos sucesivos de una expansión binomial. Más de un valor de probabilidad puede ser funcional en una epidemia, por falta de homogeneidad en las mezclas, es decir, dentro de familias de varios tamaños y dentro de la población total, originando cadenas binomiales, y se introduce un elemento estocástico cuando la distribución de frecuencia de estas probabilidades se toma en consideración.

El modelo de infección constante de Kermack y McKendrick[23] puede ilustrarse en forma determinística, es decir, empleando valores constantes de infección y eliminación. En un grupo mezclado homogéneamente de n individuos, en un tiempo t hay x individuos susceptibles, un número y de infectados y z que están aislados, muertos, o que se han recobrado y por lo tanto son inmunes; entonces:

$$x + y + z = n$$

Si se designa por β un valor de infección constante y por γ el valor de eliminación constante, el número de infecciones en el tiempo dt es $\beta\, xydt$, y el número de eliminados es $\gamma\, ydt$, y el curso de la epidemia se representa por la ecuación diferencial

$$dx/dt = -\beta xy$$
$$dy/dt = \beta xy - \gamma y$$
$$dz/dt = \gamma y$$

La resolución aproximada da el valor de cambio del número total de casos, o curva epidémica, como

$$dz/dt = (\gamma^3 u^2/2\beta^2 x)\ \text{sech}^2\ (\tfrac{1}{2}u\gamma t - \theta)$$

y el tamaño aproximado de una epidemia pequeña es

$$(2\gamma/\beta x_0)\ (x_0 - \gamma/\beta).$$

Cuando $t = 0$ y toda la población está formada por individuos susceptibles, es decir, $x = n$ a menos que $n > \gamma/\beta$, no se puede iniciar ninguna epidemia, y el valor de eliminación relativo $\pi = \gamma/\beta$, da el umbral de densidad de los sujetos susceptibles. Cuando n es mayor que el umbral de densidad, es decir $n = \rho + v$, el tamaño total de una epidemia será $2v$, reduciendo la densidad inicial de los sujetos susceptibles $\rho + v$, a $\rho - v$, un valor tan abajo del umbral ρ como antes estaba por arriba. Este es el teorema del umbral de Kermack y McKendrick, que se ilustra en la figura adjunta. El ritmo con el cual aumenta o disminuye el número de casos es función del periodo de incubación; cuanto más breve la incubación, más explosivo el carácter de la epidemia. El tiempo de generación, que transcurre entre la exposición del individuo susceptible a una dosis infectante, y aquel en el cual empieza a difundir la inyección al medio que lo rodea, es una medida más precisa del tiempo de incubación, porque en muchas enfermedades el individuo es infeccioso antes que aparezcan los síntomas. Cuando la infección continua se trata en forma empírica al azar la situación resulta matemáticamente más compleja.[1]

Cada situación patológica tiende a transformarse en una combinación única de hechos admitidos que deben reducirse a forma matemática y, por lo tanto, no generalizable. La disponibilidad de computadoras ha permitido utilizar modelos matemáticos de la difusión de la enfermedad, y cotejarlos contra su conducta observada.[21, 41] También se deduce de ello que tales métodos pueden utilizarse para determinar la eficacia teórica de la aplicación de métodos de control, aisladamente y en combinación; si se extienden para incluir costos, permiten analizar la eficacia o el beneficio del costo para valorar medidas de control (ver luego).

Inmunidad de masa. La naturaleza de la inmunidad de masa se aclarará en este momento, pues cuanto mayor sea la proporción de sujetos inmunes de una población, menor será la probabilidad de un contacto efectivo entre el enfermo y el sujeto susceptible; es decir, la mayoría de los contactos serán con sujetos inmunes, y la población demuestra una resistencia de grupo a la enfermedad epidémica tan grande, que no es posible que se presente una epidemia, y la enfermedad se reduce al estado endémico, como resultado de la importación de nuevos casos o de persistencia de la infección en portadores sanos, cuyos contactos darán origen a casos aislados. Un miembro susceptible de dicha población inmune, por lo tanto, goza de inmunidad no lograda por él mismo sino por pertenecer al grupo inmune.

Durante el curso de una epidemia, la disminución del número de sujetos susceptibles hasta alcanzar el valor de la densidad umbral coincide con el máximo de la ola epidémica, y disminuye la frecuencia de casos nuevos porque la enfermedad no se puede propagar. Como señalamos antes, el número total de casos en una epidemia será doble del número de sujetos susceptibles por encima de este umbral de densidad al principio de la epidemia, y al declinar, la población queda con un mayor o menor grado de inmunidad de masa.

Tales relaciones tan precisas solamente son de tipo aproximado. En la práctica, el umbral de densidad fluctúa y en parte es función de la dosis. Por ejemplo, la inmunización de 30 por 100 de los niños que todavía no asisten a la escuela basta para controlar la difteria epidémica, pero la proporción es mucho más alta en los niños de las escuelas; por lo general, se acepta 70 por 100 como el nivel de inmunidad de masa para controlar la difteria epidémica. La proporción más elevada necesaria en niños mayores, posiblemente sea consecuencia de la exposición creciente a la infección. Sabin ha calculado que la inmunización del 70 por 100 de los niños bastaría para eliminar la poliomielitis epidémica. Otros estudios sobre eficacia de la inmunización para sarampión han demostrado que la inmunización del 50 por 100 de los niños susceptibles tiene por consecuencia una disminución de aproximadamente 90 por 100 en los casos de enfermedad manifiesta.[19]

Cuando la frecuencia de una enfermedad es grande, un sujeto determinado estará expuesto a mayor número de bacterias por unidad de tiempo; algunos que antes eran inmunes a la infección por un número menor de bacterias, en estas circunstancias se tornarán susceptibles, y la "concentación efectiva", por así decir, de individuos inmunes disminuye, con el efecto consiguiente sobre la inmunidad de masa para la epidemia. Se ha denominado presión de infección este efecto de la dosis sobre la población de huéspedes, y es hecho de considerable importancia práctica. Esto altera en realidad el valor β de infección, que se tomó antes como invariable, ya que está relacionado con la dosis por unidad de tiempo, y altera a ρ, valor de densidad umbral. Pueden presentarse entonces olas epidémicas sucesivas como consecuencia del aumento de la presión de infección, igual que por la acumulación de sujetos susceptibles (véase luego). Otra cosa son las olas recurrentes de una enfermedad, que es una entidad clínica y no etiológica.

Relaciones a largo plazo. La cuestión de las relaciones a largo plazo entre una población infecciosa y una población susceptible es algo más compleja. La resolución matemática, como las ecuaciones del paludismo de Ross, o las de Martini para las enfermedades inmunizantes,[20] deben interpretarse con cautela, sobre todo porque el enfoque matemático requiere parámetros que permanezcan constantes por largos periodos. Esta condición probablemente sea satisfecha rara vez o nunca; es bien conocido, por ejemplo, que durante

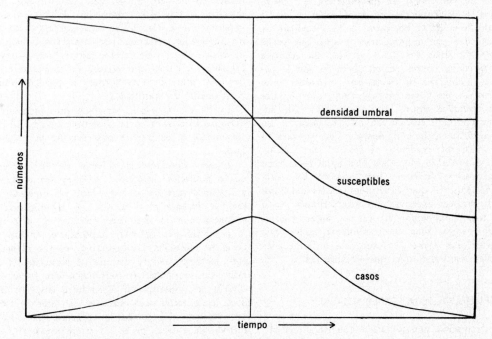

FIG. 9-3. Representación esquemática del curso de una ola epidémica según número de casos (curva inferior) y número de susceptibles (curva superior). Obsérvese la coincidencia del máximo de la epidemia con el umbral de densidad de los susceptibles. (Según McKendrick.)

el siglo pasado tanto la difteria como la escarlatina adoptaron carácter maligno y aumentaron su predominio, antes bajo, durante algunas décadas; y que durante los últimos 50 años han ido disminuyendo gradualmente tanto en frecuencia como en gravedad. Sin embargo, tiene interés el hecho de que las ecuaciones diferenciales de Martini, por ejemplo, muestran un equilibrio estable en el origen y otro en el valor positivo al que se llega por una serie de oscilaciones por arriba y por abajo del estado final de equilibrio, de manera que aparece una serie de olas epidémicas. Estas soluciones sugieren que: *a)* posiblemente en ciertas condiciones la enfermedad tienda a desaparecer, y *b)* en otras condiciones la enfermedad alcanzará un equilibrio después de una serie de epidemias de gravedad decreciente. Dicha periodicidad en la frecuencia de las enfermedades infecciosas es bien conocida; uno de los mejores ejemplos es el del sarampión, que aparece en forma epidémica con intervalos de aproximadamente dos años. Dentro de lo que se conoce, ninguna enfermedad infecciosa que ocurre en condiciones naturales muestra una periodicidad amortiguada que se aproxime a la invariabilidad, aun cuando se ha comprobado que sucede en epidemias experimentales, en las cuales el valor de inmigración de nuevos sujetos susceptibles es muy alto.

Naturalmente, una enfermedad desaparecerá si no puede reproducirse, es decir, que la bacteria está solamente presente en los casos activos, y cada caso en promedio no origina un segundo. Es posible que algunas enfermedades estén desapareciendo de este modo; se ha sugerido, por ejemplo, que la disminución de la frecuencia de la tuberculosis se debe, en parte, a la dificultad de la enfermedad para reproducirse, proceso que se ha acelerado al aislar los casos activos. La segunda sugerencia tiene interés por su conexión con la periodicidad epidémica de ciertas enfermedades, como el sarampión. Es obvio, naturalmente, que después de una epidemia aparece un nuevo grupo de sujetos susceptibles; cuando su número alcanza un nivel suficientemente alto, aparece una nueva epidemia, y así sucesivamente, al infinito. Sin embargo, no es probable que estas olas epidémicas sean amortiguadas tal y como han previsto las ecuaciones teóricas, ya que variaciones sutiles del complejo de factores excesivamente simplificados como parámetros, eliminarán el efecto amortiguador. Pasarán muchos años, probablemente, antes que las predicciones sobre el futuro de enfermedades infecciosas sean algo más que adivinanzas.

EPIDEMIOLOGIA EXPERIMENTAL[13, 39]

La información que se puede obtener de la observación de las epidemias naturales, es decir, la epidemiología descriptiva, es limitada, ya que el observador no tiene el control del proceso, y en la práctica el experimento se lleva a cabo para él, no por él. Sin embargo, en las epidemias experimentales se pueden ajustar las condiciones a voluntad, y cabe esperar que dichos experimentos sean muy informativos.

El estudio de las epidemias de enfermedades infecciosas desarrolladas en poblaciones de animales de laboratorio, en condiciones controladas, ha sido efectuado por Topley, Greenwood, Wilson, y otros investigadores en Inglaterra, y por Webster y sus colegas en Estados Unidos. Estos estudios experimentales se han limitado, en su mayor parte, al estudio de la propagación de *Salmonella typhimurium (aertrycke)*, *Sal. enteriditis*, *Pasteurella muriseptica*, y del virus de la ectromelia (viruela de ratón), que se presenta en poblaciones de ratones. La tifoidea y la pasteurelosis del ratón son consideradas análogas de enfermedades humanas como la fiebre tifoidea, en las cuales hay una inmunidad imperfecta y un estado de portador; la ectromelia como el análogo de una enfermedad humana que produce inmunidad completa, como la difteria. El grado hasta el cual puedan llevarse las analogías, y en el cual son aplicables a la población humana mucho más compleja, y tal como existe bajo condiciones naturales, las conclusiones a las que se ha llegado son dudosas; sin embargo, estos estudios, que están todavía en su infancia, han logrado valiosa información.

Los experimentos que se han llevado a cabo han sido de dos tipos generales. Se produjo la epidemia cerrada en una población de ratones, frecuentemente en número aproximado de 50, por introducción de animales infectados. El otro tipo de experimento se efectuó en una población de ratones infectados, reclutada por inmigración constante; es decir, que se agregaban ratones con intervalos regulares, y ritmo que variaba de tres a seis ratones por día. En esta forma se pueden resumir rápidamente los resultados:

1) La ola epidémica iniciada introduciendo individuos infectados en la población cerrada, se parecía mucho a las que se observan en la población humana.

2) Se estudiaron los efectos de la dispersión de la población infectada de la epidemia cerrada, en grupos grandes o pequeños, en diversos momentos durante el desarrollo de la epidemia. Se encontró que el momento en que se dispersaba la población era de vital importancia; cuanto más tarde se efectuaba la dispersión, menos favorables eran los resultados, y después de alcanzado el máximo de la epidemia, continuaba sin freno, aun cuando la población se encontrara dispersa hasta dejar cada ratón solo. Esto es de interés particular, ya que alejarse de la epidemia ha sido un método de escapar de la infección (véase *"El Decamerón"*). Con relación a esto, se pueden apreciar los resultados de la dispersión de los niños

de los centros industriales de Inglaterra en 1939-1940. Se produjo una reducción del 40 por 100 o más de la morbilidad por difteria en los pueblos que habían sido evacuados, junto con un aumento del 60 a 70 por 100 entre los niños de la población local de los de albergues; este regresó al valor normal después de seis meses. De igual forma, con esta dispersión acabó la periodicidad bienal del sarampión.

3) Los efectos de la inmunización activa sobre la epidemia no fueron tan grandes como cabría suponer. Si los ratones eran inmunizados antes de la epidemia, era manifiesto un efecto favorable, más pronunciado en la ectromelia que con *Sal. typhimurium*. La inmunización que se efectuaba después de iniciada la epidemia no tuvo resultado.

4) En la población de ratones reclutada por inmigración continua, se produjeron una serie de olas epidémicas, cuya frecuencia estaba ligada al ritmo de inmigración. Por lo tanto, con un ritmo de inmigración bajo, un ratón cada tercer día, las olas epidémicas estaban separadas por periodos de remisión, durante los cuales no hubo muertes. Al aumentar el ritmo de inmigración, las olas epidémicas se produjeron con mayor frecuencia; introduciendo seis ratones diarios, no hubo periodo de remisión, las olas epidémicas adoptaron la forma de periodos de mayor mortalidad.

5) Con valores altos de inmigración, las crestas y valles de la curva de mortalidad diaria se vuelven cada vez menos pronunciados; al cabo de un año, tanto el ritmo de inmigración como la población tienden a volverse invariables. De esta forma fue posible acercarse experimentalmente a la periodicidad amortiguada, y finalmente al equilibrio previsto según bases teóricas matemáticas (véase antes), y la población experimental de huéspedes puede equilibrarse aproximadamente con la población del parásito.

6) Fue muy interesante un experimento accidental, que se efectuó con una población reclutada con inmigración rápida. La población de ratones había alcanzado un equilibrio durante el verano, cuando se produjo en Londres una ola de calor poco común. Hubo muchas muertes inespecíficas (los ratones son muy sensibles al calor), seguidas por una fluctuación intensa de muertes específicas. Al cabo de cierto tiempo se alcanzó un nuevo equilibrio, pero con cifras de mortalidad mucho más altas y con menos individuos que antes. Se comprobó que la virulencia del parásito no cambió, y los nuevos inmigrantes no habían sufrido los efectos del calor. Por lo tanto, la relación huésped-parásito, en sí, fue alterada por una "catástrofe" del medio. Tiene interés la relación entre estas observaciones y la asociación a largo plazo, entre la población humana y las enfermedades infecciosas. Si se acepta que un día de vida de un ratón equivale a 30 días de la vida de un hombre, durante los cuatro años de este experimento se observó lo siguiente: *a*) un periodo de estabilidad con cifras bajas constantes de mortalidad y población creciente (unos 600 días) equivalentes a una experiencia humana de poco menos de 50 años —esto es más largo que el periodo de 25 años, que terminó alrededor de 1830, durante el cual la mortalidad de la escarlatina fue relativamente baja—; *b*) un periodo equivalente a 15 años de olas epidémicas graves y repetidas, y *c*) un periodo equivalente a unos 30 años de mortalidad relativamente alta, en un estado de equilibrio más o menos estable y en una población numéricamente reducida —la época después de 1830 de escarlatina virulenta, duró más de 40 años.

7) Las cifras de mortalidad de los ratones estaban íntimamente ligadas al tiempo durante el cual formaban parte de la población infectada; la cifra alcanzó rápidamente un máximo durante los primeros días de encierro en jaula, disminuyendo lentamente al pasar el tiempo; este descenso fue más notable en el caso de la ectromelia que en la tifoidea o pasteurelosis del ratón, donde los sobrevivientes de una ola epidémica pueden ser víctimas de la siguiente. La eliminación con intervalos constantes de un número de ratones igual al de los que agregaban con el mismo ritmo modificó de manera notable las cifras de mortalidad. En estas circunstancias, la cresta inicial de mortalidad fue más baja, pero no se apreció la disminución rápida, y la mortalidad persistió alta. La eliminación fue muy benéfica para los ratones suprimidos; en general, cuanto más pronto se hacía esto, mayor era el beneficio, excepto durante la disminución de una ola epidémica, cuando el aislamiento no aumentaba las probabilidades de supervivencia de cada ratón.

Aun cuando en los estudio experimentales la evolución de una sola ola epidémica se parece mucho a lo que sucede en una población humana, la imposibilidad de controlar las epidemias experimentales por medio de la inmunización, difiere de lo observado en enfermedades epidémicas del hombre. Algunas enfermedades del hombre, como la difteria y la viruela, pueden ser conservadas en nivel endémico por inmunización activa de un número suficientemente grande de individuos de la población. Aun cuando esta y otras pequeñas discrepancias resulten ser verdaderas o no, se han obtenido con estas investigaciones varias sugerencias pertinentes. En algunos casos no ha sido posible interpretar la respuesta de la población experimental de huéspedes en términos de mortalidad y supervivencia probable en jaula; en otros, la interpretación es impugnable.

Sin embargo, algunos de los experimentos han dado resultados claros, que tienen relación directa con la interacción de las poblaciones de huéspedes y parásitos en la naturaleza. Posiblemente el más importante de todos sea la demostración experimental de la existencia de olas epidémicas, que resulten de adición continua de sujetos susceptibles a la población infectada. A pesar de que dicha sucesión de acontecimientos ha sido prevista por la epidemiología teórica, como señalamos más arriba, los brotes constantes de una enfermedad del hombre o de los animales domésticos que se cree suprimida durante cada periodo interepidémico, frecuentemente se toman como demostración de una nueva importación de la infección. Claro está, tiene gran significado la demostración experimental de este fenómeno, y de la ineficacia de la cuarentena para control de enfermedades que se han propagado mucho (solamente cuando una enfermedad no está presente, o lo está en pequeños focos limitados, pueden ser eficaces la cuarentena y el aislamiento).

DATOS EPIDEMIOLOGICOS Y SU INTERPRETACION [22]

El objetivo de un estudio epidemiológico es triple: primero, indicar la naturaleza del agente infeccioso, su fuente de origen, y su manera de transmisión, cuando estos no han sido plenamente establecidos de otra manera, es decir, con base experimental; segundo, extender esta información a una teoría general correspondiente a la epidemiología de la enfermedad; y, tercero, determinar en detalle las condiciones locales que favorecen o controlan la propagación de la infección en un área o comunidad. Con este propósito, se requieren cuatro tipos generales de información, generalmente de carácter simple, pero de amplia extensión.

Distribución geográfica. Se obtiene mucha información del área donde se presenta la enfermedad y de la regularidad de su distribución geográfica. Así, la distribución general de una enfermedad indica que las condiciones ambientales, incluyendo fauna, clima, etc., específicas de un área determinada, no son esenciales para su transmisión. De igual forma, la restricción de una enfermedad a un área indica que ciertas condiciones ambientales son necesarias para su diseminación; pueden incluir grandes aglomeraciones, presencia de insectos vectores, abastecimiento de agua, proximidad a los reservorios de infección, etc. En general, una distribución uniforme de la enfermedad indica un modo sencillo de transmisión como en el caso del sarampión, mientras que una distribución irregular, como la de la meningitis cerebrospinal y del tifus, implica un proceso más complejo, dependiente de una fuente de infección, y de otras condiciones de transmisión, que tienen también distribución irregular.

Predominio o frecuencia de la enfermedad. El predominio de la enfermedad sugiere la existencia de una fuente de infección. Una cifra alta, como la del sarampión, indica que los casos observados son la fuente de infección más importante,

si no la única. Por el contrario, la distribución esporádica, en casos muy separados, implica la existencia de un reservorio oculto, como los portadores casuales o crónicos, o algún animal inferior.

Distribución estacional. La distribución estacional proporciona también información, cuando se considera junto con otros caracteres epidemiológicos de la enfermedad. Así, una epidemia estacional puede depender de una transmisión hipotética por insectos, o puede eliminar a un insecto vector como agente único de transmisión.

Distribución por edades. La distribución de una enfermedad por edades posiblemente sea consecuencia de otras características epidemiológicas, y frecuentemente ayuda a interpretarlas. Así, una enfermedad que ocurre principalmente durante los primeros años de la vida, como sarampión o difteria, frecuentemente muestra diferencias en la frecuencia por edades entre las zonas urbanas y rurales, que se explican por el mayor número de infecciones inmunizantes, aparentes o subclínicas, en las zonas de aglomeración. Como se encuentran diferencias similares a las anteriores en el caso de la poliomielitis, la distribución por edades, junto con otras de sus características epidemiológicas, confirman la opinión de que esta enfermedad se encuentra muy frecuentemente como infección subclínica.

Los datos epidemiológicos consisten, por lo tanto, en una serie de hechos interrelacionados, a partir de los cuales se obtienen una conclusión, o una serie de conclusiones. El primer paso en el estudio epidemiológico es necesariamente demostrar las relaciones entre la frecuencia de una enfermedad y algunas condiciones; el segundo, es la comprobación de tales interrelaciones; y el tercero, establecer relaciones con la epidemiología teórica general de la enfermedad. Un ejemplo simple es el de la fiebre tifoidea transmitida por la leche, en la que se puede demostrar que los casos se presentan predominantemente a lo largo de la ruta del lechero, que en las familias abastecidas por este lechero la infección se presenta en quienes beben la leche, que los casos aparecen en un tiempo limitado, sugiriendo infección simultánea, y que un empleado de la lechería es portador del bacilo de la tifoidea. Estos factores no solamente están relacionados unos con otros; además, concuerdan con la teoría epidemiológica de la fiebre tifoidea, a saber, que la infección es básicamente por transferencia de material fecal (u orina) infectada de un paciente o portador a la boca de una persona susceptible.

Aun cuando esto pueda parecer evidente hay opinión bastante extendida, de que, por ser los datos epidemiológicos solamente circunstanciales, no pueden ser concluyentes. Esto posiblemente se deba a no apreciar el desarrollo, casi siempre básicamente estadístico, y por ende matemático, del análisis lógico y del significado de todos los datos en conjunto. El método de análisis e interpretación de las pruebas epidemiológicas es idéntico al de las pruebas experimentales, la diferencia estriba, por lo tanto, como ya dijimos, en que la epidemia está hecha para el observador, y no dirigida por él de manera que no puede ser dirigida.

CONTROL DE LAS ENFERMEDADES INFECCIOSAS [3], [27]

Con un conocimiento, que sabemos imperfecto, de los factores que rigen la forma y grado de extensión de la diseminación de una enfermedad infecciosa resulta posible controlarla. La variedad de tipos epidemiológicos de una enfermedad, y la variación individual dentro de cada grupo amplio, son causa de la diferencia en las medidas de control; el combate de una enfermedad según ciertas condiciones constituye siempre un caso individual y particular. Sin embargo, por lo general las medidas de control son de tres tipos:

1) Las dirigidas a reducir o eliminar la fuente de infección, como:
   a) Cuarentena y aislamiento de pacientes y portadores
   b) Destrucción de los reservorios animales de infección
   c) Tratamiento del drenaje para disminuir la contaminación del agua
   d) Terapéutica que reduce o suprime infecciosidad del individuo
2) Aquellas destinadas a romper la conexión entre la fuente de infección y las personas susceptibles, es decir, las medidas sanitarias generales, como:
   a) Cloración del abastecimiento del agua
   b) Pasterización de la leche
   c) Supervisión de los alimentos y de los que los manipulan
   d) Destrucción de insectos vectores
3) Las que eliminan al sujeto susceptible y elevan la inmunidad de masa, por medio de la inmunización, incluyendo:
   a) Inmunización pasiva, que da una inmunidad temporal después de haber estado expuesto a la infección, o cuando una enfermedad amenaza con volverse epidémica
   b) Inmunización activa, que protege al individuo de la enfermedad y a la población de huéspedes de una enfermedad epidémica

Se pueden aplicar a la mayor parte de enfermedades infecciosas del hombre una, otra, o una combinación de estas medidas de control; vamos a ilustrarlo para los principales tipos de enfermedades epidémicas.

Enfermedades de animales inferiores transmisibles al hombre.[34] Las enfermedades de este grupo tienen en común un reservorio animal. Por lo tanto, a veces se puede ejercer un control directo de la fuente de infección. Cuando la transmisión es directa, como en el caso de la rabia, el reservorio de infección es el perro doméstico, que puede controlarse por inmunización o cuarentena de los animales. Sin embargo, no se puede controlar el reservorio en los animales salvajes, y no se puede llevar a cabo la eliminación total de la enfermedad, excepto en circunstancias especialmente favorables y localmente. El reservorio animal de la tuberculosis bovina, naturalmente, es fácil de controlar directamente, y puede ser eliminado matando los animales infectados, como se ha logrado en Estados Unidos de Norteamérica. Aquí también, la pasterización de la leche protege a la población humana.

Enfermedades transmitidas por insectos. El control de las enfermedades transmitidas por insectos vectores se efectúa fácilmente controlando al vector. Por lo tanto, el control del paludismo es en realidad el control del mosquito, y el tifus, transmitido por el piojo, puede combatirse con medidas dirigidas contra el piojo del hombre o por inmunización del mismo. En estos casos, el vector está íntimamente ligado al hombre, por preferencia o por necesidad, pero cuando una enfermedad tiene como reservorio un animal salvaje, y es transmitida por un vector que pica tanto al hombre como al animal, es más difícil de controlar. La peste es ejemplo de una enfermedad intermedia al respecto. La rata, reservorio de infección, está íntimamente asociada con el hombre, y se puede controlar fácilmente tanto la población de ratas, como la de las pulgas de las ratas; pero ni el reservorio del roedor salvaje, ni el insecto vector de la peste selvática se pueden controlar en grado eficaz. También es difícil controlar la tularemia o la fiebre manchada; esta última tiene como reservorio la garrapata.

Enfermedades transmitidas de hombre a hombre. Cuando la enfermedad se transmite de hombre a hombre directamente, por ejemplo con agua, leche o alimentos contaminados, puede controlarse interrumpiendo el eslabón conector. Así, en Estados Unidos de Norteamérica la adición de cloro al agua y la pasterización de la leche durante años han bastado para disminuir netamente la frecuencia de tifoidea y escarlatina de origen lácteo; ya no se observan epidemias de tales enfermedades, frecuentes en el pasado. Las enfermedades transmitidas por los alimentos son más difíciles de controlar en la práctica por las fallas humanas. La intoxicación alimenticia por estafilococos o *Cl. perfringens* (capítulo 11) depende casi siempre de contaminación de origen humano, y la fuente de infección en casos de salmonelosis de origen alimenticio resulta de una manipulación inadecuada de los alimentos.

Infección transmitida por vía aérea. Hasta aquí no se ha podido controlar eficazmente la infección por vía aérea interfiriendo en la transmisión, por ejemplo mediante rayos ultravioleta o aerosoles de substancias microbicidas. Tales infecciones suelen ser respiratorias, pero a veces pueden transmitirse así otras enfermedades como la viruela.

Cuarentena. Probablemente el método más viejo de control de la difusión de enfermedades infecciosas sea el separar la persona infectada de las personas susceptibles por cuarentena. Con raras excepciones, en particular la cuarentena eficaz de rabia en Inglaterra, esto no resulta tan útil como podría pensarse, sobre todo por la presencia o aparición de fuentes humanas de infección en pacientes asintomáticos, o sea el estado crónico casual o prodrómico de portador. Aunque hay tendencia a abandonarla, la cuarentena sigue aplicándose en el mundo entero para viajes internacionales por cooperación con la Organización Mundial de la Salud.[43] Las enfermedades a las cuales sigue aplicándose la cuarentena internacional son peste, cólera, fiebre amarilla, viruela, tifus de los piojos y fiebre recurrente. El empleo cada vez mayor de viajes aéreos entre países ha creado complicaciones;[8] por ejemplo un caso de cólera que apareció en Australia se comprobó que había sido adquirido en Bombay inmediatamente antes de salir el avión; el periodo de incubación de 10 a 14 días de la viruela ha tenido por consecuencia la aparición de síntomas de la enfermedad cierto tiempo después de la llegada desde una zona infectada.

Inmunización.[17, 18] La eficacia de la inmunización profiláctica varía mucho según las enfermedades. La inmunización en masa, cuando se produce una inmunidad intensa y duradera, es un método muy eficaz para controlar enfermedades epidémicas por el mecanismo de inmunidad en masa antes descrito, o incluso por la erradicación práctica. Así, la viruela prácticamente ha sido erradicada de Estados Unidos de Norteamérica y Europa por inmunización en masa; los casos ocasionales que se presentan son importados del sudeste asiático, la principal reserva de infección, y por zonas endémicas de Africa y Centro y Sudamérica. En 1966 la Asamblea Mundial de la Salud emprendió un esfuerzo global para acabar con la viruela en plazo de 10 años. El éxito de dicho programa en el oeste y el centro de Africa sugiere que puede lograrse la erradicación de la enfermedad.[24]

Cuando la inmunidad producida por la inoculación profiláctica solo es parcial y de duración limitada, como ocurre en enfermedades como la tifoidea y la influenza, se necesita inmunización repetida para conservar el grado parcial de control que brinda este medio. Como la inmunidad sólida y duradera para la enfermedad infecciosa es la excepción, más que la regla, y en la práctica otras medidas de control son más o menos imperfectas, la erradicación de la mayor parte de enfermedades infecciosas limitadas al hombre parece poco probable.[6, 15]

Análisis de costo-beneficio. Las disponibilidades existentes para control de enfermedades infecciosas no son ilimitadas, y se plantea el problema de saber cuál sea la utilización eficaz de tales disponibilidades. El desarrollo de modelos matemáticos[36] de enfermedades infecciosas, y el estudio con computadoras basado en diversos parámetros supuestos, han permitido un enfoque bastante preciso de la medición de costo-beneficio o costo-eficacia para las medidas de control. Por ejemplo, en el caso del cólera epidémico, suponiendo un costo de 1 centavo por inmunización y 25 dólares por tratamiento de un caso, un ritmo de ataque de ocho a 1 000 habitantes representa el punto clave, o sea que con valores menores resulta más barato tratar los casos de la enfermedad, y con valores mayores se logra mayor beneficio del costo empleando inmunización masiva. En una consideración más compleja del control de la tifoidea durante un periodo de 30 años, en el cual se toman una serie de premisas calificadoras, se ha calculado que la proporción favorable del costo-beneficio es de 1.7 para inmunización repetida (seis campañas de inoculación en masa con intervalos de cinco años), 1.6 para la personal y 1.2 para inmunización combinada repetida en masa (cinco campañas) y personal.

Este enfoque impersonal puede mitigarse por consideraciones de aspectos psicológicos y sociológicos en relación con las medidas de control previstas. Esto es, por ejemplo, lo que se ha efectuado para control de la tuberculosis, incluyendo un parámetro de preferencia social-de tiempo, y calculando el efecto de la variación de este parámetro sobre la eficacia de las medidas de control.[40]

BIBLIOGRAFIA

1. Bailey, N. T. J. 1955. Some problems in the statistical analysis of epidemic data. J. Roy. Statist. Soc. Ser. B, 17:35–58.
2. Baker, A. C. 1943. The typical epidemic series. Amer. J. Trop. Med. 23:559–566.
3. Benenson, A. S. (Ed.). 1970. Control of Communicable Diseases in Man. 11th ed. American Public Health Association, New York.
4. Black, M. L., and I. D. Gay. 1965. Some kinetic properties of a deterministic epidemic confirmed by computer stimulation. Science 148:981–985.
5. Burnet, F. M. 1962. Natural History of Infectious Disease. 3rd ed. Cambridge University Press, London.
6. Cockburn, A. 1967. Infectious Diseases. Their Evolution and Eradication. Charles C Thomas, Springfield, Ill.
7. Dimmick, R. L., and A. B. Akers, 1969. An Introduction to Experimental Aerobiology. John Wiley & Sons, New York.
8. Dorolle, P. 1968. Old plagues in the jet age. International aspects of present and future control of communicable disease. Brit. Med. J. ii:789–792.
9. Dunn, J. E., Jr. 1962. The use of incidence and prevalence in the study of disease development in a population. Amer. J. Pub. Hlth. 52:1107–1124.
10. Eichenwald, H. F., O. Kotsevalov, and L. A. Fasso. 1960. The "cloud baby": An example of bacterial-virus interaction. Amer. J. Dis. Child. 100:161–173.
11. Felsenfeld, O. 1966. The Epidemiology of Tropical Diseases. Charles C Thomas, Springfield, Ill.
12. Fenner, F., and R. N. Ratcliffe. 1965. Myxomatosis. Cambridge University Press, London.
13. Greenwood, M., *et al.* 1936. Experimental Epidemiology. Medical Research Council (Great Britain) Special Report Series No. 209.
14. Hammon, W. McD. 1968. Human infection acquired in the laboratory. J. Amer. Med. Assn. 203:647–648.

15. Hinman, E. H. 1966. World Eradication of Infectious Diseases. Charles C Thomas, Springfield, Ill.
16. Hornabrook, R. W., and D. J. Moir. 1970. Kuru. Epidemiological trends. Lancet **ii**:1175–1179.
17. Langmuir, A. D. 1961. Epidemiology of airborne infection. Bacteriol. Rev. **25**:173–181.
18. Langmuir, A. D. 1964. Airborne infection: how important for public health? I. A historical review. Amer. J. Pub. Hlth. **54**:1666–1668.
19. Levitt, L. P., *et al.* 1970. Determination of measles immunity after a mass immunization campaign. Pub. Hlth. Repts. **85**:261–265.
20. Lotka, A. J. 1925. Elements of Physical Biology. Williams & Wilkins, Baltimore. (Unabridged edition. 1956. Elements of Mathematical Biology. Dover, New York.)
21. MacDonald, G., C. B. Cuellar, and C. V. Foll. 1968. The dynamics of malaria. Bull. Wld. Hlth. Org. **38**:743–755.
22. MacMahon, B., T. F. Pugh, and J. Ipsen. 1960. Epidemiologic Methods. Little, Brown & Co., Boston.
23. McKendrick, A. G. 1940. The dynamics of crowd infection. Edinburgh Med. J. **47**:117–136.
24. Millar, J. D., and W. H. Foege. 1969. Status of eradication of smallpox (and control of measles) in West and Central Africa. J. Infect. Dis. **120**:725–732.
25. Muench, H. 1959. Catalytic Models in Epidemiology. Harvard University Press, Cambridge, Mass.
26. Paul, J. R. 1966. Clinical Epidemiology. Revised ed. University of Chicago Press, Chicago.
27. Rogers, F. 1968. Epidemiology and Communicable Disease Control. Grune & Stratton, New York.
28. Shaffer, J. G. 1964. Airborne infection: how important for public health? III. Airborne infection in hospitals. Amer. J. Pub. Hlth. **54**:1683–1688.
29. Sigerist, H. E. 1943. Civilization and Disease. Cornell University Press, Ithaca, N. Y.
30. Sladen, B. K., and F. B. Bang (Eds.). 1969. Biology of Populations. The biological Basis of Public Health. American Elsevier, New York.
31. Spicer, C. C., and S. Lipton. 1958. Numerical studies on some contagious distributions. J. Hyg. **56**:516–522.
32. Sulkin, S. E. 1961. Laboratory-acquired infections. Bacteriol. Rev. **25**:203–209.
33. Surtees, G. 1971. Urbanization and the epidemiology of mosquito-borne disease. Absts. Hyg. **46**:121–134.
34. Symposium. 1958. Ann. N.Y. Acad. Sci. **70**:277–762.
35. Symposium. 1966. Second international conference on aerobiology (airborne infection). Bacteriol. Rev. **30**:485–698.
36. Symposium. 1970. Proceedings of the Fifth International Science Meeting. International Epidemiological Association, Sauremena Administracijia, Belgrade.
37. Taylor, I., and J. Knowelden. 1964. Principles of Epidemiology. 2nd ed. Chruchill, London.
38. Taylor, W. F. 1958. Some Monte Carlo methods applied to an epidemic of acute respiratory disease. Hum. Biol. **30**:185–200.
39. Topley, W. W. C. 1942. The biology of epidemics. Proc. Roy. Soc. Ser. B, **130**:337–359.
40. Waaler, H. T., and M. A. Piot. 1970. Use of an epidemiological model for estimating the effectiveness of tuberculosis control measures. Bull. Wld. Hlth. Org. **43**:1–16.
41. Waaler, H., A. Geser, and S. Anderson. 1962. The use of mathematical models in the study of the epidemiology of tuberculosis. Amer. J. Pub. Hlth. **52**:1002–1013.
42. Williams, R. E. O. 1960. Intramural spread of bacteria and viruses in human populations. Ann. Rev. Microbiol. **14**:43–64.
43. World Health Organization. 1971. International Health Regulations Adopted by the Twenty-Second World Health Assembly. World Health Organization, Geneva.

CAPITULO 10

MICROBIOLOGIA DEL AGUA
Y DE LAS AGUAS NEGRAS

De las relaciones entre los miembros de las poblaciones humanas que facilitan la transmisión de infecciones, las que dependen de los suministros de agua y eliminación de las aguas negras ocupan uno de los lugares más importantes. Las enfermedades transmitidas por estos medios se limitan, naturalmente, al grupo de las llamadas entérica, en las que la infección se origina por el tubo digestivo y los microorganismos causantes se eliminan con las heces. Por lo tanto, la infección resulta del contacto directo entre el material fecal infectante y la boca de una persona susceptible; cuando esta contaminación afecta un abastecimiento de agua potable, como es frecuente, hay brotes de cólera, tifoidea y enfermedades similares. Sin embargo, esa relación se rompe fácilmente; gracias a la aplicación de medidas de control eficaces las grandes epidemias de origen hídrico se están convirtiendo rápidamente en cosas del pasado, y las que se ven hoy en día indican descuido en la aplicación de los conocimientos actuales.

AGUA [14, 22]

A causa de las enfermedades de origen hídrico y el deseo obvio de controlarlas, los estudios de bacteriología del agua se han orientado, en su mayor parte, hacia sus aspectos sanitarios. El mejor criterio aislado para juzgar la calidad sanitaria del agua es, por supuesto, la clase y número de bacterias que contiene. Si fuera posible, como método sistemático, descubrir invariablemente las bacterias que causan las enfermedades, sería innecesario, desde el punto de vista sanitario, considerar las formas no patógenas. Sin embargo, no sucede así; el juicio sobre la calidad sanitaria del agua no puede basarse en la ausencia de un microorganismo como el bacilo de la tifoidea. Para aislar esta bacteria, por ejemplo, es necesario recurrir a cultivos de enriquecimiento en medios adecuados y a otros métodos que toman mucho tiempo, porque suele haber un mayor número de bacterias símilares,

como el bacilo del colon; además, no siempre se tiene buen éxito, y un resultado negativo es de un valor sumamente dudoso.

Pero es lícito suponer que cuando el agua se contamina con materia fecal humana, es probable que contenga bacterias que causen infecciones entéricas. Esta probabilidad es una realidad cuando la materia fecal se mezcla y se almacena, como sucede con las aguas negras de una población, por la existencia de portadores sanos tanto de bacilo tífico como de microorganismos semejantes. Como no resulta práctico aislar estas bacterias patógenas en forma sistemática, será útil, para juzgar la calidad sanitaria del agua, algún indicador de la contaminación fecal. La pregunta que se planteó hace muchos años fue: ¿hay tipos de bacterias que nunca se encuentran en aguas naturales libres de bacterias patógenas, pero que podrían encontrarse siempre en agua contaminada con materia fecal humana y por lo tanto probablemente con bacterias patógenas? Si es así, tales tipos de bacterias pueden usarse para indicar la contaminación. La respuesta a esta pregunta implica considerar la flora bacteriana de las aguas naturales, incluyendo tanto las bacterias propias del agua como los microorganismos cuya presencia es consecuencia de contaminación por causas extrañas.

Bacterias propias de las aguas naturales. No se conocen bien las bacterias cuyo medio propio es el agua; en parte porque es difícil que muchas de ellas crezcan en medios de laboratorio. Sin embargo, no hay duda que existe una flora bacteriana normal y característica de las aguas naturales. Los tipos de bacterias que caracterizan esta población natural pueden considerarse brevemente:

1) Bacterias superiores, frecuentemente las formas capsuladas que se asignan a las Chlamydobacteriales, incluyendo las formas de azufre, hierro y otras
2) Las Caulobacterias, un grupo le bacterias que se encuentran en lagos y otras colecciones de agua, adheridas a algún objeto inanimado
3) Las formas espirales, que se encuentran frecuentemente en gran número en el agua; algunas pueden ser muy grandes, de 20 a 30 µ de largo, en comparación con los espirales parasitarios

4) Gran variedad de bacilos, incluyendo:
   a) Formas pigmentadas como *Serratia marcescens*, *Chromobacter violaceum* y *Bact. aurescens*
   b) Diversas formas no pigmentadas como:
      1. Las bacterias fluorescentes —*Pseudomonas fluorescens*
      2. Algunas de las bacterias azufrosas
      3. Termófilas
      4. Bacilos aerobios, formadores de esporas, de grupo taxonómico incierto
5) Formas de cocos:
   a) Pigmentadas, generalmente amarillas —con gran frecuencia *Sarcina lutea*, y
   b) No pigmentadas —*Micrococcus aquatilis, M. candicans*, y otros
6) Bacterias fijadoras de nitrógeno —*Azotobacter aquatile* en particular
7) Bacterias nitrificantes —Nitrosomonas y Nitrobacter.

Estas bacterias del agua se encuentran en el agua dulce de pantanos, arroyos y lagos. Las bacterias de aguas saladas no se han estudiado tan extensamente, pero al parecer [33] el agua de mar contiene bacterias similares, incluyendo las formas que fijan nitrógeno, las fluorescentes, varias formas pigmentadas, y similares. Las poblaciones bacterianas del agua guardan la misma relación con las transformaciones constantes y repetidas de la materia orgánica que se observan en las aguas naturales y en el suelo y son, por lo tanto, parte integral de la vida acuática.

Algunas, pero no todas, las bacterias del agua pueden cultivarse en medios de laboratorio. Pero ninguno es bueno para todas; por ejemplo, las nitrificantes no pueden crecer en presencia de materia orgánica. Como las bacterias que se encuentran en las láminas necesariamente solo son las que crecen en el medio usado, el valor de los recuentos de la lámina, para estimar el número de microorganismos, resulta dudoso. En ocasiones, son útiles los cultivos de enriquecimiento; debe hacerse notar, entre paréntesis, que la simple conservación de una muestra de agua durante algunas horas con frecuencia aumentará notablemente su número. Se ha conseguido mucha información con el método de "cultivo en portaobjetos" que consiste en suspender un portaobjetos de vidrio, limpio, en el agua durante varios días, sacarlo, teñirlo y estudiarlo al microscopio.

Contaminación bacteriana de las aguas naturales. Además de las bacterias naturales del agua, esta puede, y suele, contener una diversidad de bacterias que la contaminan desde fuentes externas. Estas son dos —aire y suelo, y las excreciones animales y humanas.

Bacterias del aire y el suelo. El número de bacterias en el aire, como es de suponer, está relacionado íntimamente con la cantidad de partículas grandes o "polvo" que tiene suspendidas. Son menos en el aire del campo que en el de la ciudad, menos en el de la montaña que en el de tierras bajas, y el aire en mitad del océano está casi libre de bacterias. En circunstancias apropiadas, las bacterias suspendidas en el aire son las que se expulsan de las vías respiratorias superiores de los seres humanos y tienen importancia en la transmisión de "infecciones por gotitas"; pero en cuanto se refiere al aire en general, es hecho insignificante y relativamente raro. Se han encontrado en el aire de hospitales y cuartos de enfermos microorganismos patógenos como el bacilo tuberculoso y cocos piógenos, pero por regla general las bacterias patógenas son excesivamente raras en el polvo seco. Los microorganismos que se encuentran en el aire varían algo según los lugares, pero por lo general hay ciertas formas constantes. Los hongos y levaduras son bastante comunes, y en algunos casos superan a las bacterias. Incluyen diversas especies de hongos como *Penicillium glaucum* (el hongo verdeazul) y diversas levaduras, sobre todo torulas pigmentadas (rojas). *Bacillus subtilis* y formas similares, junto con los diversos micrococos, a menudo pigmentados, se encuentran casi universalmente,[12] llegan a las aguas naturales depositándose ellas o son precipitados con la lluvia.

Muchas de las bacterias que se encuentran en el aire, en particular las aerobias formadoras de esporas, son esencialmente formas propias del suelo que vuelan en el polvo y pueden sobrevivir secas. El suelo en sí contiene cantidades tremendas de bacterias; un gramo de suelo del campo contiene probablemente 100 millones a 50 mil millones de bacterias vivas; la mayor parte se encuentran en los primeros 12 cm superiores, pocas en la tierra natural a profundidad mayor de un metro a metro y medio. La gran mayoría de estos microorganismos son propios del suelo e incluyen bacterias fijadoras de nitrógeno y las nitrificantes, las del grupo amilobacter, y una diversidad de formas cuyas actividades bioquímicas son parte integral del mecanismo de la descomposición de materia orgánica en el suelo. Una pequeña parte de la flora bacteriana propia del suelo está formada por patógenos potenciales como *Clostridium tetani, Cl. edematis*, y *Cl. botulinum.*

También pueden encontrarse como contaminación otras bacterias que no son las que caracterizan la flora normal del suelo. En la práctica, puede considerarse que los patógenos que se encuentren provienen de una de las dos siguientes fuentes: la carne de animales y personas que han muerto de una enfermedad infecciosa, y las excreciones humanas. En el primer caso solo tiene importancia un organismo, el bacilo del carbunco, ya que otras bacterias que causan enfermedades en el hombre y en animales, como las de tularemia, peste, fiebre manchada y otras enfermedades de los animales, junto con bacterias patógenas humanas como el bacilo diftérico y estreptococos, no sobreviven mucho en el suelo.

Sin embargo, en el caso del bacilo del carbunco las esporas pueden sobrevivir largo tiempo, tal vez años, y los gusanos de la tierra las llevan a la superficie desde los animales sepultados. En esa forma los pastos pueden continuar siendo infecciosos para el ganado por mucho tiempo.

Las bacterias patógenas de las excreciones humanas son, por supuesto, los microorganismos que salen del cuerpo por el intestino, o sea las que causan enfermedades entéricas. Las bacterias no se multiplican en el suelo pero su viabilidad puede ser muy prolongada, posiblemente de dos o tres meses.

Claro está que los microorganismos que se encuentren en el aire y en el suelo tienen acceso relativamente fácil a cursos y depósitos de agua, y la contaminación puede ser más o menos continua o con intervalos irregulares en condiciones excepcionales, como durante lluvias copiosas e inmediatamente después. Por consiguiente, el aire y el suelo, en particular este, contribuyen considerablemente a la flora bacteriana del agua. Algunos de los patógenos en potencia, por ej., los bacilos tetánico y del edema maligno, no son infecciosos cuando se ingieren; otros, aunque vivan tiempo suficiente, rara vez producen infecciones por esta vía. Sin embargo, la puerta normal de entrada de las bacterias intestinales es el tubo digestivo, y estos microorganismos son los que contribuyen en forma bastante importante a la contaminación por medio del suelo.

Los microorganismos intestinales pueden llegar directamente a los lagos y ríos u otras colecciones de agua mediante lluvias copiosas; por esto, la presencia de excreciones en capas acuíferas y la contaminación consecutiva de las aguas represadas es de gran importancia práctica. En muchos casos, particularmente en manantiales superficiales y similares, el bacilo tífico y otros invaden los suministros de agua desde retretes, letrinas, y dispositivos semejantes, siguiendo las aguas subterráneas. La distancia por la que puede viajar esa contaminación es función del porcentaje de muerte de las bacterias y la intensidad de flujo del agua subterránea. Esto último depende obviamente de muchos factores, como cantidad de lluvia, formaciones geológicas locales y cosas semejantes, y cada caso de contaminación o posibilidad de la misma, debe considerarse individualmente. En general, los suelos finos y la arena tienden a impedir un gran avance, más que la arena gruesa y la grava. Las formaciones rocosas pueden tener gran importancia; la piedra arenisca, por ejemplo, filtra las bacterias, mientras que la piedra caliza tiende a desgastarse formando canales comunicantes directos, y los receptáculos horadados en estas formaciones pueden contener bacilo tífico que llega al agua desde muchos kilómetros de distancia; por lo tanto, siempre deben considerarse como peligrosas. El desarrollo rápido de la población en los alrededores, a menudo más allá de los abastecimientos municipales de agua y de los sistemas de eliminación de aguas negras, ha revivido los problemas de contaminación de agua subterránea.[34] especialmente en áreas rurales.

Contaminación por excreta. La cantaminación del agua con excreta humanas puede efectuarse no solo indirectamente por medio del suelo, como antes hemos indicado, sino también directamente. Esta contaminación directa es, en su mayor parte, consecuencia de las densidades de población humana y de la organización urbana, y depende de que las aguas negras de una comunidad se vierten en un curso de agua que abastece a otra. Contaminadas directa o indirectamente, esas aguas no solo contienen la flora bacteriana propia, complementada con microorganismos del suelo, sino también la flora intestinal humana. Esta última contribuye con grandes cantidades de bacilo coliforme, y mucho menos del *Cl. perfringens,* con estreptococos fecales alfa-hemolíticos o enterococos (*Streptococcus faecalis*), junto con cualquier otro patógeno que pueda estar presente. Los microorganismos patógenos son bacterias patógenas intestinales como Salmonella; bacilo dissentérico, vibrión colérico donde la enfermedad como endémica epidémica; algunos parásitos animales como la amiba patógena y áscaris; y los llamados virus intestinales que se encuentran en el intestino y se excretan en las heces, como los virus de poliomielitis y Coxsackie, y los del grupo ECHO.

En determinadas condiciones la contaminación por excreta animales reviste importancia. Por ejemplo, el agua superficial puede contener bacterias coliformes por animales domésticos, y su presencia no implica la misma complicación que si hay bacterias coliformes humanas. En otros casos las excreciones animales pueden contener bacterias patógenas para el hombre, o sea, que el agua puede contaminarse con leptospira de orina de rata. Sin embargo, la contaminación con excreciones animales no suele tener gran importancia sanitaria.

Factores que influyen en la clase y número de bacterias. La cantidad de bacterias que pueden encontrarse en el agua depende principalmente del tipo de agua, si es agua superficial como la que se encuentra en arroyos, lagos y manantiales superficiales, o agua profunda de pozos perforados. En el primer caso hay muchas oportunidades de que se contamine y, como es lógico, de ser rica en bacterias. Por otra parte, el agua de pozos profundos ha sufrido una filtración eficaz para poder llegar a las capas más profundas, donde obviamente no está expuesta a gran contaminación; por ello se encuentran relativamente pocas bacterias.

Diversos factores ambientales influyen en el contenido de bacterias del agua; entre los principales están la cantidad de materia orgánica que contenga y la temperatura. En general, cuantos más productos nutritivos hay, en forma de materia orgánica, mayor será la cantidad de bacterias. Las temperaturas bajas no permiten el desarrollo rápido y tienden a conservar bajo el número de bacterias: ello favorece la supervivencia de patógenos como el bacilo tífico, incapaces de multiplicarse de todos modos. Las temperaturas elevadas aumentan la cantidad de bacterias cuando hay bastante materia orgánica, pero si el alimento no es suficiente, después de un incremento preliminar en el que este se consume, disminuye la cantidad por debajo de la cifra inicial. No es raro que otros factores ambientales influyan en la determinación de los tipos de bacterias existentes en el agua; las termófilas predominarán, naturalmente, en manantiales calientes, las sulfurosas en manantiales sulfurosos, y la acidez de muchas aguas naturales limitará la flora a bacterias acidorresistentes.

Bacterias en el hielo. Aunque es difícil, quizá imposible, esterilizar una substancia exponiéndola a temperaturas bajas, muchas de las bacterias que contienen mueren, solo las células resistentes quedan vivas. La gran mayoría de las bacterias del agua mueren por la congelación. En consecuencia, el hielo solo contiene una fracción de las bacterias que contenían el agua de la que se formó. Más del 90 por 100 de las bacterias comunes del agua y de los bacilos tíficos mueren en unas horas, y luego disminuye progresivamente la cantidad; al final de una semana de congelación menos del 1 por 100 de los bacilos tíficos siguen vivos. El hielo almacenado durante seis meses prácticamente es estéril. Rara vez se han descubierto brotes de tifoidea atribuibles al uso de hielo, aunque en algunos casos las pruebas de transmisión por el hielo parecen bastante concluyentes. En ausencia de contaminación directa durante su manejo, el peligro de tifoidea por el hielo que se usa en el agua de bebida siempre es menor que el del agua provenga de la misma fuente.

Análisis bacteriológico del agua.[1,21] De lo dicho se deduce que las bacterias cuya presencia en el agua es consecuencia de contaminación fecal no existen en el agua sin contaminar y son tan diferentes de las bacterias propias del agua que pueden distinguirse fácilmente. De estas bacterias el bacilo coliforme se encuentra en grandes cantidades, mientras que *Str. faecalis* y *Cl. perfringens,* aunque se presentan constantemente, suelen ser menos abundantes. Parece, por lo tanto, que cualquiera de estos microorganismos podría usarse como indicador de la contaminación. Los bacilos coliformes se usan casi exclusivamente en Estados Unidos y *Str. faecalis* y *Cl. perfringens,* se han empleado en Europa. Pero, a veces es más difícil diferenciar los estreptococos, y mueren más rápidamente que las bacterias coliformes. *Cl. perfringens,* tiene la desventaja de que sus esporas son viables por mucho tiempo, en contraste con los bacilos coliformes que, si son más resistentes que el tífico, mueren con el tiempo; por eso *Cl. perfringens,* no permite diferenciar una contaminación reciente de una antigua.

El examen bacteriológico del agua para buscar bacilos coliformes se apoya en el hecho de que este microorganismo fermenta la lactosa. La técnica estandarizada para el examen ha sido establecida por la Asociación Norteamericana de Sanidad Pública y la Asociación Norteamericana de Trabajos sobre el Agua, y se revisa periódicamente. En resumen, incluye tres partes: 1) la prueba de presunción, 2) la prueba de confirmación, y 3) la prueba completa.

En la primera se inocula un caldo de lactosa con diluciones decimales de la muestra de agua, comúnmente 10 ml, 1 ml y 0.1 ml (expresados en diluciones son, respectivamente, 0.1, 1 y 10). El volumen, menor de inóculo que produce fermentación proporciona una indicación aproximada de la cantidad de bacilos coliformes que contiene el agua. De los medios enriquecidos selectivos que contienen bilis de buey, verde brillante o ambos, o ricinoleato o sulfato de laurilo, solo el caldo con triptosa y laurilsulfato se ha aceptado oficialmente para la prueba de presunción sin confirmación; por lo tanto, no para aguas filtradas o tratadas. Puede obtenerse una estimación más precisa inoculando cinco tubos con cada dilución y calculando el número más probable de bacilos coliformes basándose en el número de tubos donde hubo fermentación.[27]

La prueba de confirmación consiste en inocular un medio específico selectivo, como placas de Endo o azul de metileno-eosina (AME), caldo de lactosa y bilis con verde brillante, caldo de lactosa con cristal violeta, caldo de lactosa-fucsina, o caldo de formiato de ricinoleato. La aparición de las típicas colonias de coli en las placas, o de fermentación en el caldo selectivo de lactosa, constituyen una prueba de confirmación positiva.

En la prueba completa se toman una o más de las colonias típicas de una placa de Endo o AME, inoculada con el cultivo original en caldo de lactosa o del medio selectivo secundario donde hubo fermentación, y se pasan a un tubo inclinado con agar y a uno de fermentación de lactosa. Después de la incubación, se toma un frotis del cultivo inclinado, se tiñe y se examinan en busca de bacilos gramnegativos, no formadores de esporas (bacilos coliformes). Si el cultivo morfológicamente corresponde a ellos, y se fermenta la lactosa, la prueba completa es positiva.

Procedimiento de la membrana filtrante.[9] Este método para contar bacterias en el agua y en otros líquidos con fines especiales, como cultivo cuantitativo de sangre, fue introducido por Goetz en Alemania en el año 1947, y luego se estudió con mayor amplitud en Estados Unidos. Suelen tomarse como indicador microbiano los bacilos coliformes, pero también pueden contarse los enterococos.[26]

Esencialmente consiste en filtrar la muestra de agua por presión negativa a través de un disco de celulosa que retenga las bacterias,* quitarlo y pasarlo a una almohadilla absorbente ** que con-

---

* Como los filtros de Millipore de tipo HA con cuadrícula marcada, o equivalente.
** Equivalente al filtro de papel Schleicher y Schuell núm. 470, de aproximadamente 48 mm de diámetro, capaces de absorber 1.8 a 2.2 ml de medio nutritivo.

tenga un medio líquido específico como el de Endo en el caso de los bacilos coliformes, e incubar. Las colonias bacterianas crecen sobre la superficie del disco filtrante y pueden contarse.

Se examinan volúmenes de 100 a 500 ml de agua terminada, es decir, considerada potable, filtraciones aisladas de 0.1, 1, y 10 ml de agua de pozo, y cantidades adecuadamente reducidas de aguas contaminadas. El volumen por filtrar no será menor de 20 ml; cuando la muestra no llega a esta cantidad debe diluirse a 30 ml con agua estéril amortiguada. El disco filtrante, esterilizado en autoclave antes del uso, se quita después de la filtración y se arrolla, evitando incluir burbujas de aire, sobre la almohadilla absorbente que contiene el medio nutritivo en una placa de Petri estéril. La membrana se incuba durante dos horas y después se transfiere a una almohadilla nueva saturada con el medio nutritivo, se incuba durante toda la noche y se cuentan las colonias.

Las cifras de coliformes que así se obtienen son algo menores que las estimadas con el método de NMP. Todavía no se aclara si los dos métodos no miden precisamente los microorganismos, o si la diferencia resulta de la tendencia matemática [30] del método NMP, que se ha observado que da valores 20 a 25 por 100 mayores que la verdadera densidad coliforme.

Esta es la prueba directa del filtro de membrana. Cuando se examinan los productos de la prueba completa antes descritos, es decir, las colonias representativas, y se comprueba que se trata de bacilos gramnegativos, no formadores de esporas que producen gas en tubos de fermentación de lactosa constituye la prueba de verificación del filtro de membrana.

El indicador microbiano. Es evidente que un buen indicador de la contaminación microbiana debe persistir cuando menos tanto, y de preferencia más, que los microorganismos patógenos que pueden acompañarlo. Todos los microorganismos usados, bacilos coliformes, enterococos y *Cl. perfringens,* persisten más que los bacilos patógenos intestinales, como el bacilo tífico; los primeros pueden en algunas circunstancias mostrar incluso una multiplicación pasajera. La supervivencia de los virus intestinales es semejante a la de las bacterias patógenas, pero cuando menos algunos, como los Coxsackie, pueden persistir más que los bacilos coliformes a temperaturas bajas de 8 a 10°C, y estos y otros virus como los de poliomielitis resisten más a la cloración que los bacilos coliformes. Por consiguiente, en aguas tratadas los recuentos de coliformes pueden tener niveles "aceptables" pero quizá persistan algunos virus intestinales.

La significación de la contaminación por virus de las aguas potables sigue siendo poco conocida. Algunos enterovirus por lo menos, son infecciosos por vía bucal, según lo demuestra la inmunización eficaz por vía bucal con poliovirus atenuados; pero

es otro problema saber si el grado observado de contaminación del agua por virus es de magnitud suficiente para que se ingiera una dosis infecciosa. La hepatitis por virus, por ejemplo, se obtiene mucho más frecuentemente por ingestión de mariscos contaminados que tienen concentrado el agente infeccioso procedente de agua infectada, y parece que no se han observado epidemias hídricas de enfermedades causadas por virus comparables con las de la fiebre tifoidea. De todas maneras, tiene mucha importancia e interés el problema de la significación práctica de la contaminación de las aguas potables por virus patógenos para el hombre.[2, 3, 5]

Hemos usado antes, deliberadamente, el término amplio e inclusivo de bacilos coliformes. Se trata de un grupo heterogéneo, dentro del gran grupo de bacilos intestinales gramnegativos (capítulo 18). Los que fermentan la lactosa rápidamente son los microorganismos que se encuentran en las pruebas anteriores para contaminación fecal; incluyen los tipos coli y aerógeno, junto con formas intermedias. Estas corresponden a diferentes géneros, p. ej., *Escherichia coli* y *Aerobacter aerogenes* en Estados Unidos, y el género Bacterium en todas partes; se está comprobando que *A. aerogenes* como se define usualmente se va reduciendo, siendo la gran mayoría de estas formas *A. cloacae* o *Cloaca cloacae,* según la nomenclatura utilizada.

Aparte de la nomenclatura, la diferenciación de estos coliformes entre sí se hace fácilmente mediante reacciones bioquímicas estandarizadas para este propósito (capítulo 19). Que esta diferenciación tenga importancia para la calidad sanitaria del agua, es otro asunto. Algunos autores piensan que el tipo coli debe asociarse fundamentalmente con una contaminación fecal, mientras que el tipo aerógeno puede presentarse libremente en la naturaleza y tiene menos importancia sanitaria. Sin embargo, el tipo aerógeno también se observa en el intestino y rara vez se encuentra cuando no hay contaminación fecal del suelo; es dudoso que la diferenciación de los dos tipos tenga importancia, fuera de condiciones excepcionales.

Como hemos indicado antes, el estreptococo α-hemolítico de origen fecal, el enterococo y *Cl. perfringens,* tienden a ser de origen fecal únicamente, y se han usado como indicadores de contaminación. En Estados Unidos los enterococos han merecido interés en relación con el examen microbiológico de las albercas de natación (véase luego), aunque también se han usado con mayor frecuencia los colibacilos. En general, la falta de medios específicos de cultivo para descubrir y contar los enterococos ha sido una dificultad práctica, y se han desarrollado varios medios de cultivo relativamente satisfactorios.[25] Estos métodos se han hecho selectivos, añadiéndoles acida sódica, y pueden emplearse diferenciales con colorantes como el violeta de etilo o cloruro de trifeniltetrazolio, utilizando la técnica del filtro de membrana. Los enterococos tienen tendencia a persistir más tiempo que las bacterias intestinales patógenas, pero no tanto como los coliformes, y suelen encontrarse en número considerablemente menor que los colibacilos.

Recuento en placas. Suele ser conveniente tener una medida aproximada del número total de bacterias que hay en el agua que se bebe, no porque pueda juzgarse con este solo dato la calidad sanitaria del agua, sino porque esa información con frecuencia posee valor auxiliar. Los recuentos efectuados por dilución cuantitativa y siembra son, hay que recordarlo, de los microorganismos que crecerán en el medio usado; otras bacterias no pueden determinarse con este método.

Se preparan dos series de placas, unas en las que el medio es gelatina nutritiva, otras con agar nutritivo. Las placas de gelatina, o un juego de las de agar, se incuban a 20°C y las de agar a 37°C. En general, las bacterias de las aguas naturales y del suelo crecen mejor a 20°C; en algunos casos no crecen nada a 37°C, y las bacterias de origen animal crecen más rápidamente a la temperatura del cuerpo. El número relativo de microorganismos que crecen en las dos temperaturas, por lo tanto, a veces sugiere el origen de las bacterias encontradas.

Análisis químico. El análisis en busca de compuestos químicos apropiados, con frecuencia tiene valor como auxiliar del análisis bacteriológico para determinar la calidad sanitaria del agua.[1, 21] Por ejemplo, la contaminación por aguas negras añade compuestos complejos —proteínas, hidratos de carbono y grasa al agua, y la cantidad y estado de los productos de descomposición de estas substancias pueden servir como índice del grado y tiempo de contaminación. Suelen determinarse amoniaco, nitritos, nitratos, cloruros y nitrógenos albuminoide. De estos, los cloruros y, hasta cierto punto, los nitratos son los más útiles. El análisis químico del agua se hace con frecuencia en relación con la dureza, turbidez, sabor, olor y características similares que, aunque con frecuencia son de notable importancia industrial o estética, no tienen importancia sanitaria.

Valoración de la calidad sanitaria del agua.[1] Los medios con los cuales se juzga la calidad sanitaria del agua pueden resumirse brevemente:

1) Análisis bacteriológico, incluyendo:
   a) presencia o ausencia de bacterias coliformes, y
   b) número y tipo de bacterias existentes
2) Tipo de agua, sea superficial o profunda
3) Condiciones locales, y
4) Análisis químico.

De estos, la presencia y el número de colibacilos es lo más importante, y debe recordarse que la característica esencial de esta prueba es la abundancia relativa, más que la presencia. Descubrir un simple colibacilo en 50 ml de agua, o incluso ocasionalmente en 5 ml, no es base razonable para sospechar del agua. Debe tenerse en cuenta la posibilidad de

una contaminación esporádica por bacilos coli derivados de animales domésticos o pájaros, y no del hombre. Los campos abonados y pasturas, llenos de ganado o borregos pastando, son fuentes probables de colibacilos y pueden dar lugar a deducciones erróneas si se descuida el examen ambiental en un suministro de agua. Por lo tanto, es esencial conocer esas condiciones locales tan bien como el tipo de agua para interpretar los hallazgos bacteriológicos. El análisis químico puede ser de gran ayuda en algunos casos, pero suele ser más útil en el estudio y control de una contaminación masiva, en la que la descomposición de materia orgánica y la presencia de desperdicios industriales son una molestia, más que en el examen de la simple calidad sanitaria de un agua.

Aguas potables. El significado de los hallazgos bacteriológicos proporciona los estándares a que debe ceñirse un agua adecuada para beber. Ahora se comprenderá que, si bien un número considerable de colibacilos en un agua siempre sugiere contaminación fecal humana o animal, un estándar es necesariamente un mínimo difícil de definir según las circunstancias. En Estados Unidos, el Servicio de Salud Pública ha preparado patrones recomendados [31] destinados a representar un mínimo. En el procedimiento recomendado de la frecuencia del muestreo depende de condiciones locales, variando el mínimo de uno por mes para una población de 2 500, a 500 por mes para una de cinco millones. La muestra consiste en cinco porciones de 10 ml, o cinco de 100 ml. Los resultados del examen bacteriológico por los Métodos Estándar deben ser así:

1) De todas las porciones de 10 ml examinadas por mes, no más del 10 por 100 mostrarán colibacilos.
2) Ocasionalmente, más de tres de las cinco muestras tendrán coliformes; esto no debe ocurrir en más de 5 por 100 de las muestras cuando se toman 20 o más por mes, o en más de una muestra si se toman menos de 20.
3) Si se obtiene tal resultado (como en 2) en una sola muestra estándar, deben hacerse pruebas diariamente hasta que se encuentren consecutivamente cuando menos dos muestras satisfactorias. Estas muestras diarias deben considerarse "muestras especiales" y no se incluirán en los totales mensuales.
4) Con respecto a las muestras de 100 ml:
   a) No más del 60 por 100 mostrarán gérmenes coliformes.
   b) Ocasionalmente, todas las cinco porciones que constituyen una sola muestra presentarán coliformes; esto no debe ocurrir en más del 20 por 100 de las muestras cuando se examinan cinco o más por mes, o en más de una si se toman menos de cinco muestras. Si es así, deben tomarse "muestras especiales" diariamente, como se indicó antes.

El agua debe ser satisfactoria en cuanto a sabor, olor y color, y debe contener menos de las siguientes cantidades de impurezas químicas: plomo, 0.1 ppm; flúor, 1.5 ppm; arsénico y selenio, 0.05 ppm; cobre, 0.3 ppm; hierro y manganeso, 0.3 ppm; magnesio, 125 ppm; cinc, 15 ppm; cloruro y sulfato, 250 ppm; sólidos totales, 500 ppm; fenol, 0.001 ppm.

El Ministerio Británico de Sanidad sugiere las siguientes normas [21] basadas en el recuento presunto de colibacilos, determinado por la formación de ácido y gas en el caldo de MacConkey, con agua de la que entra en el sistema de distribución.

Las aguas se dividen en clases según las siguientes bases:

Clase I. El agua de clase I, considerada como altamente satisfactoria, contiene menos de un coliforme por 100 ml.
Clase II. Agua considerada satisfactoria, contiene 1 a 2 coliformes por 100 ml.
Clase III. Agua considerada sospechosa, contiene 3 a 10 coliformes por 100 ml.
Clase IV. Agua no satisfactoria, contiene más de 10 coliformes por 100 ml.

En tanto se especifica una sola prueba de presunción, en Inglaterra se ha encontrado que el número de pruebas de presunción positivas es muy elevado. Las aguas de las clases I y II concuerdan estrechamente con los patrones norteamericanos.

La Organización Mundial de la Salud ha recopilado estándares en el sentido de juntar sistemas y prácticas comunes de análisis de agua, junto con los procedimientos que se sugieren; [35] en general, se parecen mucho a los antes descritos.

Piscinas de natación y balnearios.[20] El control sanitario del agua en piscinas y balnearios se basa igualmente en exámenes bacteriológicos. La Asociación Norteamericana de Sanidad Pública ha recomendado que no más del 15 por 100 de las muestras del agua de la piscina contengan más de 200 bacterias por ml, o den pruebas positivas confirmadas para coliformes en cualquiera de cinco muestras de 10 ml cuando la piscina está en uso. El patrón es tan alto como el del agua para beber, pero las piscinas suelen llenarse con agua de la calidad de la que se usa para beber, y la contaminación no solo deriva de los bañistas sino que es dulce y altamente infecciosa. La presencia de estreptococos formadores de ácido también es muy útil como medida de la contaminación bucal y de la piel y suele corresponder estrechamente al recuento total. Los estafilococos presentes en la nariz, la garganta y la piel, parece que serían un indicador lógico para el agua de las piscinas, y se ha propuesto emplearlos.[10] Está comprobado que el número de estafilococos guarda relación directa con la carga de bañistas, y siendo más resistente puede persistir por mayor tiempo que los gérmenes coliformes, de manera que puede haber números relativamente elevados de estafilococos en ausencia prácticamente completa de gérmenes coliformes.

Estas aguas por lo general contienen cloro residual que debe neutralizarse con tiosulfato cuando se recogen las muestras para examen bacteriológico. En balnearios naturales al aire libre la prueba más importante es la de coliforme. Las normas son necesariamente mucho más tolerantes que las de piscinas interiores, y las adoptadas localmente varían desde un permiso de 100 coliformes por 100 ml en California e Indiana hasta 3 000 por 100 ml que permite el Departamento de Sanidad de la Ciudad de Nueva York.

Purificación de los abastecimientos de agua.[16] Cuando, mediante examen bacteriológico o de otra manera, se sabe que un agua es peligrosa para el consumo, se plantea el problema de las formas y medios de purificación artificial. Hay varios métodos útiles para purificar el agua; difieren según la cantidad y carácter del agua a tratar y pueden resumirse como sigue:

1) Métodos mecánicos:
   a) Almacenamiento
   b) Filtración
      1. Filtración lenta por arena
      2. Coagulación y filtración rápida por arena
2) Métodos químicos:
   a) En gran escala —hipocloritos y cloro líquido
   b) En escala menor —hipoclorito, luz ultravioleta, ozono, etcétera.

De ellos, el almacenamiento no suele considerarse como método de purificación del agua, aunque por lo general se reducen mucho el número de bacterias en las aguas en depósito porque se agota el alimento y, en consecuencia, mueren y se asientan, no tanto bacterias solas sino materia suspendida que las acarrea al asentarse. Con frecuencia es conveniente eliminar parcialmente la materia suspendida, sobre todo en aguas turbias, lo que puede conseguirse corrientemente dejando que permanezca el agua por un tiempo determinado en un estanque de asentamiento.

La filtración lenta por arena es uno de los métodos más eficaz y antiguo para purificar el agua y se usa en muchas ciudades europeas y algunas de las más antiguas de Norteamérica. Estos filtros de arena están construidos en tal forma que el agua pasa a través de 0.3 a 1.5 m de arena colocados sobre capas graduales de grava. La velocidad de filtración debe regularse con precisión y la eficacia del procedimiento controlarse mediante pruebas bacteriológicas frecuentes del líquido que sale. Estos filtros son muy eficaces. Las bacterias son eliminadas por un mecanismo biológico en el que la actividad de los protozoarios es un aspecto importante, y en muy pequeña parte por esfuerzo mecánico. El paso del agua a través de estos filtros es necesariamente un proceso relativamente lento; en consecuencia, se necesitan superficies muy grandes, que por razones económicas o de otra índole no es posible tener ya en las grandes ciudades norteamericanas. En los últimos años se han construido pocos de estos filtros, y cada día se hace más común el uso de filtros de arena rápidos.

Los filtros de arena rápidos, que pueden usarse con aguas turbias que obstruirían un filtro de arena lento, se emplean con frecuencia junto con "coagulación"; esta consiste en añadir substancias como sulfato férrico o alumínico que forma precipitados floculentos (hidróxidos). El precipitado acarrea la mayor parte de las substancias suspendidas y, por supuesto, muchas bacterias, y se filtra fácilmente, proporcionando una corriente limpia que contenga relativamente pocas bacterias. Estos filtros deben limpiarse periódicamente, proceso pocas veces necesario con los filtros de arena lentos. Sin embargo, con ellos es posible tratar una gran cantidad de agua en un área de filtración relativamente reducida.

La destrucción de bacterias patógenas en abastecimientos de agua se realiza más a menudo tratándola con germicidas. Entre ellos, el hipoclorito (hipoclorito de calcio o polvo blanqueador) se usó en una época ampliamente para tratar abastecimientos municipales de agua, y todavía tiene aplicaciones en tratamientos en gran escala, aunque ha sido substituido por el cloro líquido que se suministra en cilindros a presión. El cloro se añade directamente al agua mediante un aparato de alimentación automático en cantidades medidas con exactitud, dependientes del carácter del agua. En general, cuanto mayor sea la cantidad de substancia orgánica extraña, mayor debe ser la cantidad de cloro añadida.

La cantidad de cloro captada se denomina demanda de cloro, y el punto en el que el cloro residual o disponible se vuelve proporcional al añadido se llama "punto de rotura" en la curva de demanda de cloro. La aplicación de cloro hasta el punto de rotura suele mejorar substancialmente la calidad sanitaria del agua.

De ordinario cuando se añade cloro líquido al agua superficial ordinaria, limpia y no muy contaminada, en proporción de alrededor de 0.5 a 1 parte de "cloro disponible" por 3.78 millones de litros, se destruyen las bacterias intestinales ordinarias, incluyendo patógenos como el bacilo tífico. Ciertos virus intestinales, como los virus de poliomielitis, resisten más la cloración que los colibacilos, necesitándose una concentración de más de 0.2 ppm, mientras que una dosis tan baja como 0.1 ppm puede bastar para destruir los coliformes. El problema de la persistencia de virus intestinales en aguas tratadas se ha manifestado por las epidemias de hepatitis infecciosas hídricas observadas.[3, 17, 24]

Los sabores y olores en aguas cloradas pueden deberse a un exceso de cloro por métodos de control inadecuados, o bien a la acción del cloro sobre compuestos que hay en el agua, por lo común como desperdicios industriales. El exceso de cloro y el sabor, causados por la cloración, a menudo pueden eliminarse mediante descloración con SO_2 o con tratamiento de $KMnO_4$ o carbón activado. La actividad bactericida del cloro puede prolongarse, especialmente en aguas que contienen bastante substancia orgánica, añadiendo simultáneamente amoniaco líquido, formándose así cloraminas.

La cloración de los abastecimientos municipales de agua ha reducido prácticamente siempre la frecuencia de infecciones entéricas, en particular la tifoidea en Estados Unidos, pero añadir cloro u otros productos bactericidas no es una panacea. Cuando un agua está muy contaminada, las bacterias incluidas en las partículas de substancia orgánica no mueren ni en presencia de cloro disponible. Suele aceptarse que una cantidad mayor de 50 colibacilos por ml indica que la contaminación es demasiado intensa para que la cloración tenga buen éxito.

El bióxido de cloro (ClO_2) también se ha usado para tratar el agua. Tiene la ventaja de destruir el sabor de algas como el de clorofenol de ciertas aguas cloradas, y oxida las substancias orgánicas más rápidamente que el cloro, permitiendo por lo tanto conservar un residuo de cloro en el sistema de distribución. Esta substancia en solución acuosa se descompone por acción de la luz en ácido clórico y perclórico y oxígeno, y es más bactericida para los colibacilos que el cloro.

Con frecuencia conviene combinar la filtración y la cloración, sobre todo con filtros rápidos de arena. La filtración preliminar no solo es estéticamente deseable en caso de aguas turbias, sino que en esa forma se necesita mucho menos cloro para tratarlas que si no se hubiera eliminado la mayor parte de las substancias suspendidas.

El tratamiento químico del agua en escala menor no siempre implica considerar primero el costo; por lo tanto, pueden usarse otros métodos. El tratamiento del agua de las piscinas con radiación ultravioleta no añade olor o sabor al agua, y, aunque es considerablemente más caro que la cloración, puede usarse porque la operación es en menor escala.[28] El tratamiento con yodo se ha considerado por algunos investigadores superior al tratamiento con cloro.[4] El ozono, que es muy bactericida, también resulta relativamente caro y no suele usarse en Estados Unidos de Norteamérica, pero en Europa se emplea mucho. Por supuesto, siempre es preferible la cloración; también se han empleado bromo y yodo.[19]

En ocasiones el tratamiento del agua plantea un problema individual, como en el caso de un ejército en el campo o cuando se sabe que un abastecimiento público no es puro. En el primer caso el agua puede tratarse añadiéndole hipoclorito en forma de polvo blanqueador o una solución de hipoclorito de sodio o dos gotas de tintura de yodo al 2 por 100 por litro. Se dispone de tabletas y solución de hipoclorito para este propósito, y los compuestos de yodo, como el triyoduro potásico de tetraglicina, también se fabrican en tabletas con nombres comerciales como Globaline, Potable Aqua e Individual Water Purification Tablets. Parece que estas últimas son eficaces contra quistes de amibas, cercarias y ciertos virus, como contra los bacilos entéricos patógenos más comunes.[6] En el hogar, pueden usarse filtros como el de Berkefeld o candelillas Chamberland, pero la filtración es lenta y es necesario vigilar la operación y el aseo frecuente. El método más simple y sencillo para tratar el agua familiar o individual es simplemente hervirla. La ebullición durante cinco minutos basta para destruir con seguridad el bacilo tífico y formas similares, como el vibrión colérico. Cuando las enfermedades hídricas son frecuentes, o cuando un abastecimiento de agua es notoriamente impuro o está expuesto a contaminación, el único procedimiento completamente seguro es la ebullición.

AGUAS NEGRAS [11]

Se consideran aguas negras el agua ya usada del abastecimiento de una población, y como tal es una dilución de materia fecal y otros desperdicios. Desde el punto de vista higiénico son vehículo importante en la transmisión de infecciones entéricas; por lo tanto, es muy importante la forma como se eliminan. Los mecanismos para eliminar las aguas negras tienen como objetivo: primero, librar a una población de un volumen de desperdicio constante; segundo, disponer de ellas en tal forma que no sean perjudiciales para otras poblaciones.

Los compuestos orgánicos complejos que hay en las aguas negras sufren los mismos procesos de descomposición que destruyen la materia orgánica muerta en la naturaleza, y son parte de los llamados ciclos de elementos como el nitrógeno, fósforo y similares. Por lo tanto, cualquier tipo de tratamiento de las aguas negras, no es más que un mecanismo para llevar a cabo o acelerar estas transformaciones. Los compuestos orgánicos primero son transformados en aminoácidos, monosacáridos y similares, que se oxidarán completamente, hasta bióxido de carbono y agua en el caso de carbono e hidrógeno, y hasta nitrito y nitrato en el caso del nitrógeno. Las bacterias son los agentes activos de esta descomposición y oxidación. Aunque en principio es esencialmente simple, en la práctica el tratamiento de las aguas negras es problema complejo que no podemos exponer aquí extensamente.[8, 23]

La eliminación de las aguas negras, en general, cae en una de estas tres categorías: *a)* dilución, *b)* tratamiento parcial, y *c)* tratamiento completo. En el primer caso las aguas negras se vacían simplemente en alguna colección de agua donde no moleste a la población. En este caso la descomposición y oxidación de los componentes del agua negra se hacen en la naturaleza, y, si transcurre suficiente tiempo, no quedan rastros y aumentan los nitratos que, a su vez, sirven como material alimenticio para el fitoplancton. Cuando esta transformación ocurre en una corriente el fenómeno se conoce como autopurificación de las corrientes. Sin embargo, el elemento esencial no es el movimiento del agua, sino que transcurre tiempo suficiente para que la descomposición y oxidaciones sigan hasta terminarse. El suelo contaminado con aguas negras se "purifica a sí mismo" en forma semejante. Tal purificación puede atribuirse a la incapacidad de las bacterias patógenas para competir con la flora normal de las aguas naturales. Más recientemente se ha observado que la destrucción de tales bacterias puede atribuirse, en parte a la muerte y lisis resultante de infección de las bacterias con Bdellovibrio, una pequeca bacteria parásita de otras bacterias.[13]

Con el aumento de las densidades de población, el disponer de las aguas negras mediante dilución ya no resulta satisfactorio, porque una colección de agua con frecuencia es el abastecimiento para una población vecina. Por lo tanto, es necesario algún tratamiento; en otras palabras, se hace que la descomposición ocurra en parte o en su totalidad en los diversos tanques y otros dispositivos que caracterizan una instalación para tratar aguas negras, en lugar de permitir que se realicen en colecciones naturales de agua. En la práctica, el tratamiento adopta la forma de procesos preparatorios seguidos de un periodo de digestión anaerobia, y luego de uno de oxidación aerobia. El tratamiento puede terminarse incluso por medio de nitrificación, o las aguas negras parcialmente tratadas pueden eliminarse por dilución. Todo el proceso de oxidación en la segunda etapa, o tratamiento de barro activado, puede acelerarse mucho tratando con oxígeno en tanques cerrados más bien que empleando a reacción usual. Este proceso es más eficaz para la utilización del oxígeno, según un factor de 10 a 15 veces, y se ha considerado más barato en términos de inversión y operación. Ha despertado cierto interés la aplicación de procesos fisicoquímicos más que biológicos para tratar las aguas negras, utilizando la precipitación con cal en la segunda etapa; tiene la ventaja de suprimir los fosfatos, cosa que no efectúa el método biológico, pero es relativamente ineficaz en el proceso de oxidación.

Cuando la supresión de material fecal es problema familiar o individual los mecanismos son algo diferentes, pero los procesos de descomposición y oxidación son esencialmente los mismos, sea que se use una letrina, un pozo o una fosa séptica.[32]

El tratamiento de las aguas negras no destruye necesariamente las bacterias patógenas; [15] los virus son particularmente resistentes [7, 18] incluso cuando el líquido final efluente es clorado. El poliovirus, por ejemplo, no solo se ha descubierto en aguas negras después de inmunización masiva con virus atenuado por vía bucal; también sobrevive al tratamiento final con cloro.[29]

BIBLIOGRAFIA

1. American Public Health Association. 1965. Standard Methods for the Examination of Water and Wastewater 12th ed. American Public Health Association, New York.
2. Berg, G. 1966. Virus transmission by the water vehicle. I. Viruses. II. Virus removal by sewage treatment procedures. III. Removal of viruses by water treatment procedures. Hlth. Lab. Sci. 3:86–89, 90–100, 170–181.
3. Berg, G. (Ed.) 1967. Transmission of Viruses by the Water Route. Wiley-Interscience, New York.
4. Black, A. P., *et al.* 1970. The disinfection of swimming pool waters. I. Comparison of iodine and chlorine and swimming pool disinfectants. II. A field study of the disinfection

of public swimming pools. Amer. J. Pub. Hlth. **60**:535–545, 740–750.

5. Chang, S. I. 1968. Waterborne viral infections and their prevention. Bull. Wld. Hlth. Org. **38**:401–414.

6. Clark, R. N. 1956. The purification of water on a small scale. Bull. Wld. Hlth. Org. **14**:820–826.

7. Clarke, N. A., and P. W. Kabler. 1964. Human enteric viruses in sewage. Hlth. Lab. Sci. **1**:44–50.

8. Eckenfelder, W. W., Jr., and D. J. O'Connor. 1961. Biological Waste Treatment. Pergamon Press, New York.

9. Ehrlich, R. 1960. Application of membrane filters. Adv. Appl. Microbiol. **2**:95–112.

10. Favero, M. S., C. H. Drake, and G. B. Randall. 1964. Use of staphylococci as indicators of swimming pool pollution. Pub. Hlth. Repts. **79**:61–70.

11. Gaudy, A. F., Jr., and E. T. Gaudy. 1966. Microbiology of waste waters. Ann. Rev. Microbiol. **20**:319–336.

12. Gregory, P. H. 1961. The Microbiology of the Atmosphere. Wiley-Interscience, New York.

13. Guélin, A., and D. Lamblin. 1966. Sur le pouvoir bactéricide des eaux. Bull. Acad. Nat. Med. **150**:526–532.

14. Heukelekian, H., and N. Dondero (Eds.). 1964. Aquatic Microbiology. John Wiley & Sons, New York.

15. Kabler, P. 1959. Removal of pathogenic microorganisms by sewage treatment processes. Sewage Indust. Wastes **31**:1373–1382.

16. Kabler, P. W. 1962. Purification and sanitary control of water (potable and waste). Ann. Rev. Microbiol. **16**:127–140.

17. Kelly, S. M., and W. W. Sanderson. 1960. The effect of chlorine in water on enteric viruses. II. The effect of combined chlorine on poliomyelitis and Coxsackie viruses. Amer. J. Pub. Hlth. **50**:14–20.

18. Kollins, S. A. 1966. The presence of human enteric viruses in sewage and their removal by conventional sewage treatment methods. Adv. Appl. Microbiol. **8**:145–193.

19. Koski, T. A., L. S. Stuart, and L. F. Ortenzio. 1966. Comparison of chlorine, bromine and iodine as disinfectants for swimming pool water. Appl. Microbiol. **14**:276–279.

20. Lehr, E. L., and C. C. Johnson, Jr. 1954. Water quality of swimming places. A review. Pub. Hlth. Repts. **69**:742–748.

21. Ministry of Health (Great Britain). 1969. The Bacteriological Examination of Water Supplies. 4th ed. Her Majesty's Stationery Office, London.

22. Oppenheimer, C. H. (Ed.). 1963. Symposium on Marine Microbiology. Charles C Thomas, Springfield, Ill.

23. Porges, N. 1960. Newer aspects of waste treatment. Adv. Appl. Microbiol. **2**:1–30.

24. Robeck, G. G., N. A. Clarke, and K. A. Dostal. 1962. Effectiveness of water treatment processes in virus removal. J. Amer. Water Works Assn. **54**:1275–1290.

25. Slanetz, L. W., and C. H. Bartley. 1964. Detection and sanitary significance of fecal streptococci in water. Amer. J. Publ. Hlth. **54**:609–614.

26. Slanetz, L. W., D. F. Bent, and C. H. Bartley. 1955. Use of the membrane filter technique to enumerate enterococci in water. Pub. Hlth. Repts. **70**:67–72.

27. Stevens, W. L. 1958. Dilution series: a statistical test of technique. J. Roy. Statist. Soc. Ser. B, **20**:205–214.

28. Stratford, B. C. 1963. An ultraviolet water-sterilizing unit. Med. J. Australia **1**:11–12.

29. Theios, E. P., *et al.* 1967. Effect of sewage treatment on recovery of poliovirus following mass oral immunization. Amer. J. Pub. Hlth. **57**:295–300.

30. Thomas, H. A., Jr., R. L. Woodward, and P. W. Kabler. 1956. Use of molecular filter membranes for water potability control. J. Amer. Water Works Assn. **48**:1391–1402.

31. United States Public Health Service. 1962. Public Health Service Drinking Water Standards Publication No. 956. U.S. Public Health Service, Washington, D.C.

32. Wagner, E. G., and J. N. Lanoix. 1958. Excreta Disposal for Rural Areas and Small Communities. World Health Organization, Geneva.

33. Wood, E. J. F. 1967. Microbiology of Oceans and Estuaries. American Elsevier, New York.

34. Woodward, F. L., F. J. Kilpatrick, and P. B. Johnson. 1961. Experiences with ground water contamination in unsewered areas in Minnesota. Amer. J. Pub. Hlth. **51**:1130–1136.

35. World Health Organization. 1970. European Standards for Drinking-Water. World Health Organization, Geneva.

CAPITULO 11

MICROBIOLOGIA DE LA LECHE Y LOS ALIMENTOS

Además de la ramificaciones de un abastecimiento de agua potable, los vectores que son los elementos más comunes de enfermedades microbianas son la gran variedad de alimentos que consume el hombre. Como el agua, los alimentos constituyen normalmente el enlace entre el individuo susceptible y la fuente de infección.

Leche [13], [21], [27], [38]

Como transmisora de enfermedades infecciosas, la leche difiere del agua en que es un medio excelente para el desarrollo de muchas bacterias patógenas, y de otros alimentos en que es el único de origen animal que se consume en gran parte cruda. Considerando que se consumen grandes cantidades de leche —se estima que alrededor del 16 por 100 de la alimentación media en Estados Unidos es a base de leche y productos lácteos— es patente su importancia en la transmisión de enfermedades. Las que transmite la leche son: primero, enfermedades del ganado transmisible al hombre incluyendo tuberculosis bovina, fiebre ondulante, fiebre aftosa, e infecciones estreptocócicas de ubres infectadas; segundo, enfermedades del hombre en las que la leche sirve como enlace entre hombre y hombre, como fiebre tifoidea, difteria, y, rara vez, algunas otras, como la poliomielitis.

Orígenes de las bacterias de la leche. A diferencia del agua, la leche no tiene flora bacteriana propia, y es probable que la que se secreta por la ubre de una vaca sana sea estéril. Sin embargo, la leche en la ubre rara vez o nunca es bacteriológicamente estéril, porque los microorganismos la invaden a través de los conductos lácteos de las tetillas, y la primera porción de la leche que sale (primera leche) siempre contiene más bacterias que la última. Además, no hay una flora bacteriana característica de la leche; la presencia de microorganismos siempre es consecuencia de contaminación. Desde este punto de vista, las bacterias de la leche se incluyen en dos grupos: primero, las que se encuentran en los tejidos de una vaca infectada y consi-

guen llegar a la ubre; segundo, las que llegan a la leche, por lo general después de extraerla, de fuentes ajenas al animal.

Bacterias que provienen de ganado infectado. De estos microorganismos el más importante es tal vez el bacilo tuberculoso. Esta bacteria llega a la leche directamente por tuberculosis de la ubre, que se observa en el 1 a 2 por 100 de las vacas infectadas, e indirectamente por contaminación con estiércol de la vaca que se traga el esputo infeccioso y lo elimina con las heces. En ambos casos la leche es infecciosa para el hombre, dando lugar el bacilo tuberculoso de variedad bovina por lo general a tuberculosis articular y ósea más que pulmonar. Por supuesto, la leche puede infectarse con bacilo tuberculoso humano de personas infectadas. El primer tipo de infección se observa en gran proporción cuando se permite la transmisión de esta enfermedad. El padecimiento puede controlarse en su origen, o sea eliminando el ganado infectado de la vacada lechera, una costumbre prácticamente general en Estados Unidos de Norteamérica.

Br. abortus, variedad bovina de *Brucella melitensis*, agente que causa la fiebre ondulante, infecta el ganado produciéndole aborto contagioso. Este microorganismo se elimina con la leche e infecta al hombre produciendo un tipo leve de fiebre ondulante. La variedad caprina de esta bacteria, que se encuentra en la leche de cabras infectadas, produce una enfermedad mucho más grave en el hombre. La fiebre ondulante, como la tuberculosis, puede dominarse controlando la enfermedad en el animal infectado.

El virus de la fiebre aftosa, enfermedad del ganado, se excreta con la leche y por eso se transmite al hombre. Sin embargo, en él la enfermedad es leve y no tiene gran importancia de salud pública. Son más importantes las infecciones estreptocócicas de la ubre, llamadas inflamaciones de la ubre o mastitis. Para descubrirla suele usarse la prueba de Hotis; consiste en incubar leche fresca en presencia de violeta de bromocresol al 0.025 por 100 durante 24 horas a 37°C. La reacción positiva, formación de manchas y sedimentos amarillos en el lado del tubo de prueba, depende de la presencia de estreptococos y aglutininas en la leche; el anticuerpo aglutina las bacterias en desarrollo, y la reacción ácida depende de la fermentación de la lactosa. Los estreptococos de la mastitis bovina, *Str. agalactiae,* rara vez causan enfermedad en el hombre, pero las epidemias de infección estreptocócica de origen lácteo pueden asociarse con inflamación aguda de la ubre en el ganado lechero, y la infección masiva y continua que se observa en algunos brotes de infección estreptocócica humana, indica que estaban infectadas las ubres del ganado. Se ha sugerido que *Str. pyogenes* puede proliferar, con síntomas o sin ellos, en la ubre, y es posible que ocurran epidemias de infección estreptocócica humana, aunque es probable que en la mayor parte de los casos las infecciones de origen lácteo sean consecuencia de contaminación humana directa. En ocasiones, la ubre puede infectarse con bacilos diftéricos, que producen pequeñas úlceras externas; pero el hecho es raro.

Bacterias de fuentes externas. Cuando la leche se recoge en condiciones ordinarias las bacterias de la ubre solo forman una fracción insignificante del número total de microorganismos que contiene. La piel de la vaca, las manos del lechero, las vasijas para recogerla, y el polvo del establo contribuyen a la cantidad de bacterias que se encuentran inmediatamente después de ordeñar. Si la leche se obtiene con asepsia, solo contiene algunos cientos (200 a 400) de bacterias por ml; recogida con menos cuidado, puede contener unos miles (2 000 a 6 000); manipulándola sin cuidado, incluso la leche fresca puede estar muy contaminada (30 000 a 100 000 por ml). Si la leche se guarda a 0°C disminuye la cantidad de bacterias en las primeras horas, pero a temperaturas elevadas el porcentaje de multiplicación es alto y, cuando se siembra profusamente a la salida, hay cantidades enormes de bacterias.

Las bacterias no patógenas que se encuentran en la leche, suelen diferenciarse por razones fisiológicas en los siguientes grupos:

1) Bacterias acidificantes
2) Bacterias alcalinizantes
3) Bacterias proteolíticas
4) Bacterias inertes.

El primer grupo incluye las bacterias fermentadoras, y el tipo más común de fermentación es la del ácido láctico, proceso por el cual la leche suele agriarse en condiciones naturales. Diversas bacterias pueden ser responsables, entre ellas *Staphylococcus aureus*, *Str. pyogenes* y *Escherichia coli.* Pero algunas especies son las activas comúnmente en el agriamiento natural de la leche. Pueden dividirse en dos grupos: uno formado por los bacilos encapsulados gasificantes de tipo *Bacterium (lactis) aerogenes*, relacionados íntimamente con *E. coli,* y diferenciados principalmente por poseer cápsulas,

ser inmóviles y capaces de producir gas o partir del almidón de patata. El segundo tipo, un estreptococo, *Streptococcus lacticus* (o *lactis*), abunda en la leche que se agria espontáneamente, cuando la acidez es alta.

Las leches con ácido láctico, que algunos consideran de valor terapéutico en el tratamiento de ciertas afecciones intestinales, se preparan inoculándolas con especies de Lactobacillus como *L. acidophilus* y *L. bulgaricus.* Los lactobacilos se encuentran comúnmente en la fermentación de ensilaje y existen en poca cantidad en la boca y el tubo digestivo humanos; de ordinario no son responsables del agriamiento normal de la leche.

Aunque comúnmente el ácido láctico es el que predomina en la fermentación de la leche, en ocasiones se forma ácido butírico. Esto se debe generalmente a la presencia de bacterias anaerobias de ácido butírico, pero puede depender de *Bacillus subtilis* y de bacilos aerobios afines formadores de esporas.

La fermentación alcohólica espontánea de la leche es menos usual en condiciones normales que la láctica o la butírica, y la preparación de algunas bebidas alcohólicas depende de producir artificialmente esta forma de fermentación. El kumis, bebida preparada por los tártaros mediante fermentación alcohólica de leche de yeguas, y el kefir, leche efervescente agria preparada por los habitantes del Cáucaso con leche de vaca, cabra y borregas, se preparan inoculando leche fresca con kumis viejo en el primer caso y "gránulos de kefir" en el segundo. No se conoce bien la bacteriología de la fermentación del kumis, pero en el caso del kefir al parecer están incluidas tanto una bacteria como una levadura. Algunas especies de levadura pueden producir la fermentación alcohólica de la leche en cultivo puro.

Las bacterias alcalinizantes son los organismos que no fermentan lactosa, pero probablemente actúen sobre las substancias nitrogenadas presentes liberando amoniaco. Cuando los bacilos tífico y paratífico, por ejemplo, se cultivan en leche con tornasol no hay ningún efecto manifiesto fuera de una alcalinización que aumenta lentamente. Otras bacterias, como algunas de las que forman esporas, de tipo aerobio, también producen lipasa y descomponen las grasas, convirtiendo la leche en un líquido amarillo transparente.

Las bacterias proteolíticas también producen reacción alcalina y, además, hidrólisis de las proteínas lácteas. Dos enzimas o grupos de enzimas son las responsables; una, semejante a la rennina, precipita las proteínas formando un coágulo blando; la segunda, caseasa, efectúa la hidrólisis de las proteínas que convierte la leche en un líquido claro, proceso llamado algunas veces peptonización. Sin embargo, esta no sigue a la precipitación cuando el microorganismo no tiene caseasa. Las bacterias que producen estos cambios incluyen aerobios formadores

de esporas como *B. subtilis,* ciertas cepas de estafilococos, *Proteus vulgaris* y otros. La proteólisis puede producirse en leche hervida en la que los fermentadores lácticos que no forman esporas han sido
destruidos, dejando las formas proteolíticas más resistentes que forman esporas.

"Enfermedades" de la leche. A veces se observan una serie de alteraciones raras o anormales llamadas "enfermedades" de la leche. La "leche azul",
"leche roja", y "leche amarilla" se deben a la presencia de diversas bacterias cromógenas. La "leche amar-
ga", caracterizada por sabor amargo que a veces se
desarrolla en poco tiempo se debe asimismo a los
productos de ciertos microorganismos. La leche sufre
en ocasiones una fermentación mucosa o viscosa,
que la mayor parte de las veces se considera indeseable, aunque en la fabricación del queso Edam, en
Holanda, se produce intencionalmente, por acción
de una especie particular de estreptococo.

Las bacterias inertes son las que no producen cambios visibles . en la leche. Incluyen ciertas bacterias que no forman pigmento, provenientes del agua
y otras fuentes y, además, la mayor parte de bacterias patógenas que se encuentran en la leche. Por
lo tanto, esta peligrosa contaminación no se descubre sin examen bacteriológico.

Bacterias patógenas de fuentes externas.[37]
Las múltiples fuentes de contaminación dan por
resultado la flora bacteriana heterógena que puede
encontrarse en la leche. Es importante, desde el
punto de vista higiénico, que, además de los microorganismos del suelo y del agua, las bacterias que
acarrea el hombre llegan con relativa facilidad a
la leche. La contaminación con bacterias patógenas
humanas es peligro constante, no solo cuando se
extrae la leche sino durante su manipulación hasta
que llega al consumidor. La contaminación puede
ser directa, como en el caso de estreptococos o bacilos diftéricos de la garganta y bacilos tíficos de
las manos de individuos infectados, o indirecta, por
ejemplo, cuando el agua que se usa para lavar los
botes de leche está contaminada con bacilo tífico.
De cualquier forma, los microorganismos no siguen
vivos simplemente, como ocurre en el agua, sino

que se multiplican activamente y pueden observarse
en cantidades tremendas en una leche que originalmente solo estaba contaminada en mínima parte.

Por lo tanto, los factores más importantes de los
que depende la cantidad de bacterias que pueden
encontrarse en la leche son, primero, la clase y
grado de contaminación inicial, y, segundo, la temperatura en que se conserva la leche. Por lo tanto,
la producción de leche higiénicamente satisfactoria
incluye limpieza en el primer caso, y enfriamiento
inmediato y almacenamiento a baja temperatura
en el segundo.

Propiedad bactericida de la leche fresca.
Como antes indicamos, el número de bacterias que
se encuentra en la leche recién extraída disminuye
inicialmente. Los recuentos en placas pueden dar
valores excesivos; en la leche se encuentran los
diversos anticuerpos, no solo las substancias bactericidas sino también las aglutininas, que, al aglutinar las bacterias pueden disminuir tales recuentos
en placas. Sin embargo, se ha comprobado netamente que la leche recién ordeñada, aunque en grado
ligero, es bactericida y bacteriostática. Esta actividad es termolábil, se destruye en 15 minutos a 75°C
y en dos minutos a 80 ó 90°C; desaparece pocas
horas después que la leche se ha extraído.

Determinación de la calidad de la leche. Con
mucho, el mejor índice de la calidad de la leche
es el número de bacterias que contiene. Las bacterias presentes siempre resultan de contaminación;
por eso tales microorganismos son indicadores dig-
nos de confianza de la limpieza y cuidado de la
leche, y suelen usarse con este propósito.

Recuentos en placas. El número total de bacterias de una leche refleja su calidad higiénica, y el
recuento en placas ha sido, y sigue siendo, ampliamente utilizado para clasificarla bacteriológicamente. Es necesario unificar los medios y las técnicas para obtener resultados comparables. Se ha
desarrollado un procedimiento tipo auspiciado por
la Asociación Norteamericana de Salud Pública.[2]

Las normas de calidad de la leche, según recuentos en placas, son de uso general, pero varían de
una localidad a otra. En algunos casos se permite

Epidemias de enfermedades causadas por la leche *

	Brotes		Casos	
Enfermedad	*Número*	*Porcentaje del total*	*Número*	*Porcentaje del total*
Tifoidea y paratifoidea	76	45.2	1 209	12.1
Angina séptica y escarlatina	57	34.0	6 812	68.2
"Gastroenteritis"	24	14.3	1 423	14.2
Disentería bacilar	5	3.0	411	4.1
Difteria	5	3.0	123	1.2
Poliomielitis	1	0.6	11	0.1
TOTALES	168	100.0	9 989	100.0

* En el Estado de Nueva York, excluida la Ciudad de Nueva York, según informe de Dublin, Rogers, Perkins y
Graves.[11]

más de un grado de leche; por ejemplo, una leche de "grado A" no debe contener más de 30 000 bacterias por ml mientras se reparte, y una de "grado B" no más de 100 000. Constantemente se restringen más las cifras y se disminuye el máximo de bacterias permitidas. No es conveniente que exista más de un grado de leche, ya que con ello se permite la distribución de producto de baja calidad; siempre que sea posible, es preferible una sola clase. En Chicago, por ejemplo, no hay más que un grado de leche, y no debe contener más de 10 000 bacterias por ml durante el reparto al consumidor.

La técnica del filtro de membrana que se usa para examen bacteriológico del agua (capítulo 10) no es útil para exámenes sistemáticos de la leche. No es posible que pasen a través del disco filtrante cantidades importantes de leche sin que se obstruya; si se usa este método, las bacterias deben eliminarse primeramente por centrifugación y filtrarse después de suspenderlas nuevamente en solución salina o amortiguada.

Puede servir con soluciones limpiadoras para el material y similares.

Recuentos con microscopio. Además del recuento macroscópico ordinario de colonias obtenidos por siembra, el método microscópico ideado por Breed es útil para muchos fines. En esta técnica se toma la leche en una pipeta capilar que permite medir 0.01 ml, y se seca sobre un área de 1 cm^2 en un portaobjetos. Después de eliminar la grasa con xilol y fijar con alcohol, se tiñe la película con azul de metileno. El número de bacterias por centímetro cuadrado se estima contando una zona limitada. La proporción empleada para comparar el recuento microscópico con el común de placa es de 4:1, se admite que es poco precisa y variable. Este recuento microscópico directo no incluye incubación y ha demostrado valor especial para juzgar la calidad de la leche fresca cuando se transporta a las estaciones receptoras.

Reducción del azul de metileno.[31] Si se añade una pequeña cantidad de azul de metileno a la leche y se incuba la mezcla, el colorante, con el tiempo, es reducido a la base blanca incolora. Aunque la leche recién extraída tiene acción débil para reducir este y otros colorantes, la reducción es en la práctica, consecuencia de las actividades metabólicas de las bacterias que contiene. Por lo tanto, hay una relación directa entre el tiempo necesario para la reducción y el número de bacterias presentes; medir este tiempo de reducción brinda una aproximación útil de la calidad de la leche. El método es adaptable sobre todo a la leche cruda y tiene la gran ventaja de no necesitar aparatos especiales o entrenamiento del operario. Aunque en esta forma la leche no puede clasificarse con precisión, suele considerarse que una leche que decolora en menos de dos horas es de poca calidad, mientras que la que no se decolora en ocho horas

es excelente. Con bastante frecuencia se ha usado resazurina en lugar de azul de metileno.

Recuento de coliformes. El índice de coliformes de contaminación del agua no suele poderse aplicar a la leche. La contaminación del agua de importancia sanitaria es fecal, pero no sucede así con la leche; los colibacilos, por ejemplo, no se asociarán con la presencia de bacilo diftérico en la leche. Además, como la mayor parte de leches del mercado contiene heces de vaca (según las estimaciones, el 60 al 100 por 100) es probable que los colibacilos que contenga sean sobre todo de origen bovino. Aunque el recuento de colibacilos se utilizó ampliamente en años pasados, no vale la pena, excepto en circunstancias especiales.

Aislamiento de bacterias patógenas. En contraste con el agua, el aislamiento de bacterias patógenas de la leche no solo es un procedimiento práctico sino a menudo conveniente. La presencia de bacilo tuberculoso, por ejemplo, solo puede demostrarse en forma concluyente aislándolo; en este caso suele hacerse inoculando cobayos. Otros patógenos, como el estreptococo hemolítico y la brucela, se aíslan por cultivo. El aislamiento de estas bacterias no es técnica sistemática pero debe hacerse cuando se sospecha que un brote de enfermedad tenga origen lácteo.

Prueba de sedimento y recuento de leucocitos. El número de leucocitos y de basura de una muestra de leche, que pueden aislarse mediante un disco normal de algodón, con frecuencia tiene valor para determinar la calidad de la leche. Pueden encontrarse grandes cantidades de leucocitos por ubres infectadas; cuando se observan en los frotis de Breed sugieren mastitis. La cantidad de sedimento que contiene una muestra de leche indica su grado de contaminación, y con frecuencia (aunque no siempre) se relaciona con el número de bacterias.

Control higiénico de la leche.[2] La calidad sanitaria de la leche puede controlarse en alguna de las dos formas siguientes: evitando hasta el máximo la contaminación y la multiplicación de las bacterias que contenga; segundo, destruyendo las bacterias, en particular las patógenas.

Inspección. La oficina de sanidad local en muchos lugares inspecciona periódicamente las granjas lecheras, y, aunque ello no asegura que la leche no contenga bacterias patógenas, es eficaz porque aumenta la limpieza y disminuye el número de bacterias. Suele usarse una tarjeta de registro y la granja lechera se valora según un sistema de puntos.

Leche certificada. Uno de los primeros intentos para evitar el peligro de infecciones de origen lácteo fue elaborar métodos para proteger la leche en cualquiera de sus etapas, producción, recolección y distribución. Con este fin, se crearon "Comisiones Médicas para la Leche" en varios lugares de Estados Unidos de Norteamérica, generalmente bajo los auspicios de la sociedad médica local. Esta comisión certifica que la leche que se ajusta a ciertas normas es de gran calidad. Las normas, que suelen ser excelentes, se refieren a aspectos como limpieza del corral y de la lechería, pureza del abastecimiento de agua del establo, esterilización adecuada de los utensilios, y salud de las vacas y de los ordeñadores. El número de bacterias se limita a 10 000 por ml y la leche debe distribuirse en 36 horas.

Indudablemente es más seguro consumir leche certificada que la que se recoge y transporta sin este control; la labor de las comisiones de la leche contribuyó mucho para mejorar su calidad en muchas partes del país. Al mismo tiempo, la leche cruda, certificada o no, nunca puede considerarse protegida contra todo riesgo de contaminación; es evidente la dificultad —para no decir imposibilidad— de saber con seguridad que nunca se emplean en un establo portadores de tifoidea o personas que padecen difteria o escarlatina leves. De hecho, se han señalado brotes de difteria, fiebre paratifoidea y otras enfermedades por leche certificada. Por esta razón, como por el costo de producción relativamente alto, todavía es limitado el uso de leche certificada.

Pasterización. El método mejor para controlar infecciones de origen láctico, con mucho, es destruir las bacterias patógenas de la leche. Pasteur aplicó por primera vez el uso de temperaturas bastante altas para matar la mayor parte de microorganismos, pero no tan elevadas que provocaran alteraciones radicales en la substancia calentada, para conservar vinos sin destruir su aroma o sabor original.

Aunque todavía se usa bastante para la cerveza y vinos embotellados, en la actualidad el proceso de pasterización se emplea principalmente para la leche.

La temperatura a la que debe someterse la leche y el tiempo necesario dependen de la resistencia al calor de las bacterias por destruir. Desde un principio se ha dirigido la atención hacia el bacilo de la tuberculosis principalmente; se ha comprobado que muere exponiéndolo a una temperatura de 60°C durante 20 minutos. Por lo tanto, en la práctica, una temperatura de 61° a 63°C por 30 minutos proporciona un margen de seguridad adecuado; estas exigencias son las que suelen especificarse. Los aspectos técnicos para tratar grandes cantidades de leche en esta forma son muy importantes y en ellos se incluyen evitar la espuma, diseño adecuado de válvulas para impedir "bolsas frías" y extremos cerrados, y detalles similares. Cabe suponer que sería conveniente una temperatura más alta o mayor tiempo para aumentar el margen de seguridad, pero no es posible porque si se aumenta cualquiera de ellos se alteran las características físicas de la leche, dispersándose la grasa en glóbulos menores que no ascenderán al dejarla en reposo.

La pasterización también puede efectuarse aplicando temperaturas más altas por menos tiempo, como en el proceso llamado relámpago (temperatura alta por tiempo corto; en inglés HTST) en que se trata a 71° ó 72°C durante 15 segundos. A menos que la leche se caliente previamente y el proceso se controle con precisión, es posible que no sea tan eficaz como el de sostenimiento, y se ha observado que las brucelas continúan viviendo si no hay calentamiento previo. El proceso también tiende a afectar las características físicas de la leche.

Los valores de recuentos en placas disminuyen notablemente con la pasterización, ya que no solo se destruyen las bacterias patógenas como el bacilo de la tuberculosis, *Br. abortus*, estreptococos y similares, sino que también mueren la mayor parte de otras bacterias que se encuentran como células vegetativas. Está en duda que la pasterización, en particular el proceso rápido, sea eficaz para destruir las rickettsias de la fiebre Q porque, si bien esta enfermedad no parece de origen láctico, ninguno de los procesos de pasterización destruye invariablemente las rickettsias introducidas experimentalmente.

La prueba de la fosfatasa se basa en la presencia de la enzima termolábil fosfatasa en la leche. Como el 96 por 100 de la enzima se destruye con el calentamiento a 62°C por 30 minutos, la cantidad que queda en la leche pasterizada puede usarse como indicador de la forma en que se llevó a cabo la pasterización. La enzima libera fenol de los ésteres fenilfosfóricos; como se propuso originalmente, la prueba consiste en añadir fenolfosfato disódico y reactivo de Folin, incubar 18 a 24 horas y leer el color azul que se desarrolle.

La pasterización no mata todas las bacterias. Ciertos estreptococos, además de los aerobios y anaerobios resistentes que forman esporas, pueden resistir las temperaturas de la pasterización. Se trata de formadores de ácido láctico más que de formas patógenas; por lo tanto, la leche pasterizada se agria en la forma usual cuando está en reposo, aunque necesita más tiempo —o sea, que mejora su calidad de conservación. Si se usan temperaturas más altas (82°C), mueren las bacterias productoras de ácido láctico, y a medida que la leche se descompone hay proteólisis. Con frecuencia hay bacterias termófilas en gran cantidad en la leche, ya que la temperatura de pasterización es la de incubación para estos microorganismos. Es frecuente que se atribuya a su actividad el ligero sabor metálico ácido que suele tener en ocasiones la leche pasterizada.

La presencia de microorganismos termófilos y otros termodúricos en la leche se considera falta de higiene en el establo, a condición de que el equipo con el cual se trata no esté contaminado con estas formas, como suele ser frecuente. Por otra parte, la presencia de bacterias psicrófilas en la leche pasterizada, como Pseudomonas, alcalígenos y acromobacterias, no solo desmerece la calidad de conservación de la leche sino que casi siempre indica manipulaciones poco higiénicas, o sea que representa contaminación después de efectuada la pasterización.

El proceso de pasterización, en tanto que es eficaz para destruir las bacterias patógenas que contiene la leche, e, incidentalmente, aumenta su conservación, no debe considerarse como excusa para vender leche sucia y muy contaminada. Hay pruebas, por ejemplo, de que la diarrea de verano de los lactantes se acompaña del desarrollo de grandes cantidades de bacterias, aunque no sean patógenas en el sentido usual. Por lo tanto, en la mayor parte de casos las reglas sanitarias especifican no solo el número de bacterias que se permiten en la leche pasterizada al repartirla, sino también un límite máximo para la leche cruda que va a pasterizarse.

Reglamentación de la calidad de la leche. La aplicación de métodos apropiados para obtener y conservar satisfactoriamente la leche, desde el punto de vista higiénico es, esencialmente, un problema social y legal más que científico. Con este fin cada día se incorporan más y más reglamentaciones en las leyes; cuando se cumplen adecuadamente, disminuyen mucho las enfermedades de origen lácteo. Casi la mitad de las ciudades de más de 1 000 habitantes clasifican la leche y permiten la venta de una clase de leche cruda y una pasterizada; del volumen total de leche que se vende 74 por 100 es pasterizada, 99.4 por 100 es de vacas con prueba de tuberculina, y 35 por 100 con prueba de aborto. Los reglamentos de sanidad suelen ser algo más estrictos y se observan más rigurosamente en las grandes ciudades. En Chicago, por ejemplo, se pasteriza toda la leche, incluyendo la certificada, y esta regla se cumple estrictamente.

Estas medidas han disminuido notablemente el número de bacterias en la leche que se vende. En 1901 en la Ciudad de Nueva York variaba entre 300 000 en la época de más frío a 5 000 000 durante los meses del verano; en Chicago (1904) las cifras variaban de 10 000 a 74 000 000, y en Boston (1892) promediaban 4 500 000. En correspondencia, ha decrecido la frecuencia de enfermedades de origen lácteo; por ejemplo, en 1907-1915 hubo 2 215 casos de fiebre tifoidea en Massachusetts atribuibles a la leche, pero en 1919-23 solo hubo 297.

Productos lácteos. Diversos alimentos hechos con leche, como helados, mantequilla, queso y similares, son transmisores potenciales de enfermedades cuando se preparan de leche contaminada con bacterias patógenas. Las bacterias tienen tendencia a morir con el almacenamiento, aunque se ha comprobado que el bacilo de la tifoidea puede continuar vivo durante tres meses o más en la mantequilla, y se han encontrado bacilos de la tuberculosis en la mantequilla y ciertas variedades de queso de maduración rápida. Los helados pueden transmitir fiebre tifoidea, infecciones estreptocócicas, etc. Se acostumbra pasterizar los ingredientes, y por lo general a temperaturas más altas de las que se usan para la leche. Algunos casos de fiebre aftosa humana se han atribuido a mantequilla y queso contaminado, pero la importancia sanitaria pública de tales hallazgos es problemática.

Intoxicaciones e infecciones alimenticias [14, 33, 39]

Las enfermedades transmitidas por la leche y sus derivados también pueden diseminarse por medio de otros alimentos; además, pueden observarse otros tipos de enfermedades que resultan de ingerir alimentos contaminados y que caracterizan al grupo de afecciones denominadas intoxicaciones alimenticias. Estas pueden resumirse brevemente como sigue:

1) Idiosincrasias individuales
2) Intoxicación por alimentos
   a) Ordinariamente venenosos
   b) Envenenados accidentalmente
   c) Que contienen venenos de origen bacteriano formados por:
      1. *Clostridium botulinum*
      2. Estafilococos
      3. *Clostridium perfringens*
3) Infecciones por alimentos, incluyendo:
   a) Infecciones bacterianas, como:

1. Fiebre tifoidea, disentería y cólera
2. Infección por Salmonella
b) Infecciones parasitarias.

En algunos casos la comida simplemente sirve como vector en la transmisión de enfermedades como las parasitarias e intestinales. Sin embargo, en las restantes las manifestaciones clínicas son las que acompañan a una intoxicación alimenticia —vómitos, diarrea, enteritis y un grado mayor o menor de postración. Aunque algunas de las intoxicaciones que antes mencionamos no son de origen bacteriano, su aspecto clínico puede ser semejante y deben tenerse en cuenta al intentar descubrir la etiología de un brote. Por ejemplo, la hipersensibilidad para determinado alimento se manifiesta frecuentemente con vómitos, y en una familia el brote puede resultar de predisposición familiar; a menudo no es posible diferenciar los trastornos gastrointestinales consecutivos a la ingestión de alimentos de ordinario venenosos, como los hongos, o contaminados con venenos como arsénico o cianuro de los provocados por toxinas bacterianas.

VENENOS ALIMENTICIOS DE ORIGEN BACTERIANO

La intoxicación con alimentos que contienen substancias tóxicas de origen bacteriano es muy común, probablemente más de lo que suele reconocerse. El término "envenenamiento por ptomaína" es erróneo, engañoso e impreciso. Las bases orgánicas como putrescina, cadaverina, metilamina y similares, llamadas ptomaínas, que resultan de la descomposición bacteriana de las proteínas, no son tóxicas por vía bucal; tampoco lo son otros productos de la descomposición. En tanto que un alimento parcialmente descompuesto puede ser estéticamente poco atractivo, es obvia la inocuidad de los productos de descomposición si consideramos el estado tan avanzado de la misma a que llegan algunos quesos. Por el contrario, la toxicidad es atribuible a la presencia de substancias sintetizadas por las bacterias, cuya existencia puede acompañarse o no de señales de descomposición del alimento.

Botulismo. El botulismo es una intoxicación alimenticia de gran mortalidad, por ingestión de la toxina preformada de uno u otro de los tipos de *Clostridium botulinum* (capítulo 28). Estas toxinas son neurotoxinas y se hallan casi entre los venenos más poderosos conocidos (capítulo 8). La separación de estos microorganismos en diversos tipos, denominados con letras mayúsculas, se funda en la especificidad inmunológica de sus toxinas; o sea que no hay neutralización cruzada por antitoxina, con excepción de los subtipos del tipo C. En Estados Unidos de Norteamérica el botulismo suele estar producido por el tipo A y el tipo B; más recientemente algunos casos de botulismo en Estados Unidos de Norteamérica y Canadá han sido producidos por el tipo E que predomina en el Japón, y también se halla en países escandinavos.

Cl. botulinum suele hallarse en el suelo, en forma de saprófito, pues las infecciones con él son extraordinariamente raras. Por lo tanto, el suelo representa la fuente de infección de los alimentos en el caso de los tipos A y B. El botulismo de tipo E se ha asociado con el consumo de productos de pescado, y el microorganismo se ha aislado del contenido intestinal de peces de los Grandes Lagos, con una frecuencia tan alta como el 9 por 100 en el Lago Michigan y el 57 por 100 en Green Bay.[3] También se ha descubierto en el salmón de Alaska[26] y en diversos productos de pescado ahumado en el noroeste del Pacífico.[23]

Un sexto tipo, el tipo F, descrito en 1960 y asociado con el botulismo humano por pasta de hígado en Dinamarca, también se ha aislado del salmón del Río Columbia[9] y de cangrejos en Virginia.[41]

Cuando se han contaminado los alimentos con *Cl. botulinum* hay dos requisitos previos para la formación de toxina. En primer lugar, como estos microorganismos son anaerobios obligados, se requieren para su crecimiento condiciones anaerobias, que las proporcionan los alimentos conservados o incluidos en embutidos, alimentos empaquetados en plástico, etc. En segundo lugar, se necesita un periodo de incubación; ello no tiene dificultad, pues tales alimentos elaborados se consideran que están protegidos y se conservan muchas veces por largo tiempo sin refrigeración. En tales circunstancias, los bacilos crecen y producen toxina, quizá con signos muy pequeños o nulos de que el alimento se haya descompuesto. Las toxinas botulínicas son relativamente resistentes a la digestión enzimática y, de hecho, las de tipos A, B y E por digestión proteolítica pueden desintegrarse produciendo fragmentos activos de peso molecular menor; en consecuencia, son activos por vía bucal.

Pueden producirse brotes de botulismo en forma de pequeños grupos de intoxicados, formados por individuos que han consumido el alimento venenoso. El botulismo en los tipos A y B en Estados Unidos de Norteamérica suele proceder de alimentos enlatados, en particular alimentos neutros como chícharos (guisantes), que son difíciles de esterilizar y pueden haberse envasado en frío. Tales brotes tienden a producirse en zonas rurales.

Una historia típica puede incluir el consumo del alimento con la percepción de un sabor ligeramente anormal, de manera que el resto se tira dándoselo a comer a las gallinas. Las gallinas son sensibles al botulismo; un signo característico es la parálisis de los músculos cervicales, que produce el "cuello caído". Los síntomas de botulismo humano aparece en plazo de uno a dos días. La antitoxina es eficaz, pero solo en plan profiláctico, ya que los síntomas resultan de lesión nerviosa que la antitoxina no puede reparar. Si se dispone de algo del alimento puede inyectarse a un grupo de animales de experimentación, algunos de los cuales estén protegidos pasivamente con antitoxina. O bien el microorganismo puede aislarse, e identificarse su capacidad de producir toxinas.

Hasta hace poco, los alimentos enlatados del comercio no han sido fuente de botulismo en Estados Unidos de Norteamérica. Se han señalado un total de 659 brotes y 1 696 casos en Estados Unidos de Norteamérica entre 1899 y 1969.[15] En aquellos en los cuales se identificó el tipo, hubo 201 brotes, tipo A en el 71.6 por 100, tipo B en 18.4 por 100, tipo E en el 8.5 por 100 y tipo F en el 0.5 por 100; la mayor parte de los brotes recientes de 1960 a 1969 han sido producidos por el tipo E. De los brotes, el 92 por 100 de los causados por el tipo A han ocurrido al oeste del río Misisipí, con el 16 por 100 en los cinco estados occidentales, California, Washington, Colorado, Oregón y Nuevo México. En contraste, el 61 por 100 de todos los brotes causados por tipo B han ocurrido al este del Misisipí. De 535 brotes en los cuales se identificó el vehículo, los alimentos enlatados fueron causa del 88.4 por 100; incluyeron verduras (59.3 por 100), frutas conservadas (13.1 por 100) y productos de carne y pescado (11.6 por 100). Aunque los productos de carne y pescado predominan en el botulismo de tipo E, también se producen con tipos A y B. En Europa el botulismo ha sido causado casi siempre por productos de salchichonería (de aquí el nombre) más que por verduras conservadas.

El botulismo de tipo E se ha producido por pescado y productos de la pesca en su mayor parte, según antes dijimos. Un preparado de pescado crudo, izushi, ha sido el vehículo más frecuente en el Japón.[40] El pescado sin cocer ha intervenido también en Estados Unidos de Norteamérica, sobre todo el pescado blanco ahumado de los Grandes Lagos que había sido conservado en bolsas de plástico y distribuido por una cadena de supermercados. Un brote causado por atún fue el primer caso de botulismo producido por un alimento conservado en Estados Unidos de Norteamérica desde hacía 40 años.

Las esporas de *Cl. botulinum* de tipo E son menos resistentes al calor que las de otros tipos, y el bacilo crece en pequeñas porciones de tejido muscular a temperaturas extraordinariamente bajas.[10]

Intoxicación alimenticia por estafilococos. Como el botulismo, la intoxicación alimenticia por estafilococos es consecuencia de la ingestión de toxina preformada. La enterotoxina suele estar producida por cepas de estafilococos virulentos según los criterios acostumbrados, o sea *Staphylococcus aureus* de pigmento áureo, intensamente hemolítico en agar-sangre y coagulasa-positivo (capítulo 15). En una serie de tales cepas de origen hospitalario se comprobó que el 10 por 100, aproximadamente, producían enterotoxina.[20] No parece que existan características morfológicas o fisiológicas que permitan distinguir las cepas productoras de enterotoxina.

La producción de enterotoxina es máxima en caldo de corazón y cerebro semisólido por agar[4] y se difunde al medio vecino. Su acción es central más que local; produce vómitos y diarrea en el hombre después de un periodo de incubación de dos a seis horas, con recuperación en plazo de 24 a 48 horas. El mono es el único animal de experimentación susceptible. La enterotoxina es eficaz por vía bucal en una dosis aproximadamente 10 veces mayor que la necesaria para desencadenar respuesta en el hombre. Se produce gastroenteritis[28] y los síntomas son mucho menos intensos que en el hombre, generalmente en forma de vómitos, unas cuantas veces en un periodo de aproximadamente cinco

horas. También es eficaz por vía intravenosa en el mono y se emplea la prueba en gatitos.

Se ha preparado la enterotoxina en forma muy purificada, y se ha comprobado que era una proteína con peso molecular de 35 000 a 40 000. Precipita con antisuero específico en la prueba de difusión de gel creada por Surgalla y colaboradores, y se han creado otras varias valoraciones serológicas, incluyendo la hemaglutinación pasiva invertida.[35] Se presenta en cuatro tipos inmunológicos, denominados A, B, C y D, que no parecen diferir entre ellos por su actividad. La toxina es muy activa; para el hombre, la dosis eficaz de material purificado es del orden de 1 a 4 μg. La enterotoxina B es el tipo menos frecuente; la A solo es producida por la mitad, aproximadamente, de las cepas enterotoxígenas, y en combinación con D por un 25 por 100 adicional; la D sola es producida por el 8 por 100 de las cepas.[7]

Los alimentos que intervienen en la intoxicación por estafilococos suelen ser materiales que contienen almidón como las natillas utilizadas en pasteles y postres, ensaladas, etc., pero la enterotoxina también se produce en la carne.[6] La fuente de infección puede ser un producto como huevos en polvo, pero probablemente lo más frecuente es que provenga de una persona infectada, como un portador nasal o un individuo con un absceso abierto que haya preparado el alimento. La contaminación puede persistir cuando se manipula material mal lavado, como moldes para pasteles. Las ensaladas, los rellenos de natilla, etc., no se cuecen después de preparados, y la penetración de calor en los alimentos que más tarde se cuecen suele ser insuficiente para matar los estafilococos, relativamente resistentes. Antes de ser consumido, el alimento puede pasar cierto tiempo a temperatura de la habitación, sobre un anaquel, o en una vitrina, o en camino para una comida campestre, lo cual proporciona el periodo de incubación necesario para crecimiento y para que los estafilococos produzcan enterotoxina.

La identificación de un brote de envenenamiento alimenticio por su etiología estafilocócica suele efectuarse por deducción; o sea que el vehículo se define por datos epidemiológicos y el cultivo demuestra que contiene número enorme de estafilococos. De ordinario no se dispone de monos o voluntarios humanos para la prueba de la toxicidad del alimento o la producción de enterotoxina por el germen aislado. Con el perfeccionamiento logrado en la reacción de precipitación del gel en portaobjetos, en la prueba de doble difusión, puede descubrirse una cantidad tan pequeña como 1 μg por mililitro de enterotoxina, y aplicarse a extractos concentrados del alimento en cuestión.[5] En condiciones de laboratorio, y utilizando alimentos deliberadamente contaminados, las enterotoxinas A y B pudieron identificarse serológicamente en 40 a 70 por 100 de los casos. Esta prueba ya ha sido descrita y considerada aplicable en forma más o menos sistemática, pero hasta aquí no se ha empleado de manera general.

Este tipo de intoxicación alimenticia es muy frecuente, sobre todo en Estados Unidos de Norteamérica [25] más que en Europa, donde a las infecciones por Salmonella transmitidas por alimentos (ver luego) les corresponde la mayor parte de los brotes de intoxicación alimenticia.[32, 34]

Intoxicación alimentaria por Clostridium. La presencia del germen anaerobio obligatorio *Clostridium perfringens,* causa de la gangrena gaseosa (capítulo 28), en 1945 se comprobó (por McClung) que producía intoxicación alimentaria en el hombre. La causa de este tipo de intoxicación alimentaria se halla ya bien establecida, y se están publicando brotes de este trastorno con frecuencia creciente, probablemente a consecuencia de la búsqueda más cuidadosa del microorganismo. En California el número de brotes de intoxicación alimentaria atribuible a *Cl. perfringens* ha aumentado al cuádruplo entre 1960 y 1961; en este último año le correspondía el 17.5 por 100 de todas las personas afectadas de intoxicación alimentaria. Se han observado aumentos similares en Inglaterra, con la cuarta parte, quizá de todos los casos de intoxicación alimenticia atribuibles a *C. perfringens.*

La capacidad enteropatógena de *Cl. perfringens* se atribuye a su formación de una enterotoxina termolábil no dializable que, como la enterotoxina del cólera, interviene en el desplazamiento de agua y iones desde los tejidos hacia la luz del intestino, para provocar diarrea. La actividad de preparados sin células es fácil de demostrar en el asa de íleon ligada de conejo.[12] A diferencia de la intoxicación alimenticia estafilocócica, en la cual la toxina casi invariablemente está preformada en el vehículo alimenticio, la intoxicación alimenticia por *Cl. perfringens* suele aparecer como una infección ligera en la cual, como en el cólera y las diarreas coliformes del adulto, la diarrea proviene de la actividad de enterotoxina formada dentro de la luz del intestino. No sabemos con seguridad si la enterotoxina preformada de *Cl. perfringens* interviene en la intoxicación alimenticia de origen natural.

No todas las cepas son activas; parece que no hay características diferenciales en las cepas que producen intoxicación alimentaria. Estas últimas producen gangrena gaseosa en condiciones experimentales, y parece que no hay base para separar las cepas de *Cl. perfringens* en causantes de intoxicación alimenticia y causantes de gangrena gaseosa, o cepas clásicas.[22]

INFECCIONES BACTERIANAS DE ORIGEN ALIMENTARIO

No sabemos con seguridad si otros tipos de bacterias que se consideran asociadas con los envene-

namientos alimentarios —por su presencia en número muy elevado en alimentos acusados de causar el trastorno por datos epidemiológicos— producen enterotoxinas. En la actualidad, tal asociación, si es realmente causal, puede considerarse que es una infección de origen alimentario.

Las infecciones de origen alimentario son de dos grandes tipos. De una parte, cierto número de enfermedades, sobre todo trastornos entéricos en los cuales la vía bucal representa la puerta de entrada más común, pueden transmitirse por los alimentos, pero con producción de síntomas característicos de aquellas enfermedades. Por otra parte, la infección alimentaria con algunos tipos de bacterias produce enfermedad caracterizada por comienzo brusco de vómitos y diarrea, y desaparición de los síntomas en plazo relativamente breve —en resumen, un síndrome de intoxicación alimentaria.

El primer tipo de intoxicación de origen alimentario incluye enfermedades como la disentería bacilar y la amibiana, la tifoidea, las paratifoideas y el cólera, en todas las cuales la sintomatología y la evolución son características del microorganismo y no se parecen a las de la intoxicación alimentaria.

Aunque de magnitud limitada, la infección de origen alimentario desempeña importante papel para conservar en forma endémica alguna de estas enfermedades. La llamada tifoidea residual, por ejemplo, que persiste a pesar del control higiénico de los sistemas de aprovisionamiento de agua y de leche, en gran parte es de origen alimentario. La utilización de cocineros y otro personal que manipulan alimentos y son portadores de tifoidea brinda la oportunidad de infección alimentaria, con la consiguiente transmisión de la enfermedad.

El segundo tipo de infección transmitida por alimentos se caracteriza por comienzo brusco con vómito y diarrea, y duración limitada, de dos a tres días. El tipo de enfermedad no puede diferenciarse clínicamente de la intoxicación alimenticia por estafilococos, excepto por cuanto el periodo de incubación es más prolongado, de 12 a 24 horas en lugar de tres a seis horas. La inmensa mayoría de brotes de este tipo son infecciones con especies de Salmonella diferentes del bacilo de la tifoidea, y aunque se denominan intoxicaciones alimenticias por Salmonella, de hecho no son intoxicaciones sino infecciones. Otras bacterias, incluyendo coliformes y estreptococos, se han señalado a veces como causa de este tipo de intoxicación alimenticia, pero con datos más bien circunstanciales que definitivos.

Intoxicación alimentaria por Salmonella. En las infecciones por Salmonella, suele intervenir una de las tres siguientes especies: *Sal. typhimurium* (*Sal. aertrycke*) y sus variedades (*newport, stanley,* etc.), *Sal. eteritidis* y *Sal. cholerae suis* (incluyendo Voldagsen y *paratyphy C*). *Sal. typhimurium* es el microbio más frecuentemente observado, mientras que *Sal. cholerae suis* raramente se halla presente. La ingestión de alimentos que contienen gran número de estos gérmenes suele originar síntomas típicos de intoxicación alimentaria. No se ha comprobado la producción de substancia enterotóxica por estas bacterias, y es probable que tenga lugar una infección, según señalan el periodo de incubación relativamente más prolongado y el descubrimiento de estas bacterias en las heces. La mortalidad es variable, entre 0 y 10 por 100. Casi todos los alimentos pueden transportar estos microorganismos, aunque predominan en las carnes y otros alimentos proteínicos.

Tanto *Sal. typhimurium* como *Sal. enteritidis* suelen residir en ratas y ratones; es probable que en muchos casos estos roedores sean el origen de la infección del alimento. En otros casos la infección puede provenir de un portador humano, y en diversas ocasiones se ha comprobado que el envenenamiento cárneo era de carne que provenía de un animal enfermo.

Como en el caso de la intoxicación alimentaria por estafilococos suele haber el antecedente de posible o probable fuente de contaminación, y almacenamiento del alimento contaminado en circunstancias que permiten el crecimiento bacteriano. La identificación del agente causal descubierto en el alimento se logra mediante una técnica sistemática de laboratorio, que incluye el aislamiento y la identificación con los métodos usuales de cultivo y serológico (capítulo 20).

Enfermedades por mariscos. Los mariscos, incluyendo ostras, almejas y mejillones han sido responsables de la transmisión de enfermedades entéricas, en especial fiebre tifoidea y, más recientemente, hepatitis infecciosa, por contaminación de las áreas donde crecen o se almacenan. Suelen comerse crudos o parcialmente cocinados, lo que facilita la transmisión de enfermedades; se ha comprobado que, en tanto que las ostras cocidas, y las almejas fritas o sancochadas son prácticamente estériles, las almejas al vapor, ostiones fritos y guisados y los mejillones cocinados en las formas usuales siguen conteniendo bacterias coliformes. Los mariscos durante su respiración y alimentación filtran grandes cantidades de agua y captan con facilidad patógenos intestinales de los lechos contaminados o cuando se colocan en aguas salubres cerca de las desembocaduras de aguas negras para que "engorden"; en realidad, conservan el germen patógeno. También están contaminados de manera similar con virus, según demuestra la epidemiología de epidemias de hepatitis infecciosa transmitida por alimentos.[8] Se han aislado diversos enterovirus, incluyendo ECHO y virus Coxsackie, de ostras tomadas de agua contaminada;[29] en condiciones experimentales, se ha comprobado [24] que contenían poliovirus y virus Coxsackie con persistencia del virus hasta por 28 días.

Sin embargo, si las bacterias incluidas no son eliminadas muy pronto, atraviesan el tubo digestivo, y son expulsadas en plazo aproximado de cinco horas. La rapidez con la cual las bacterias atraviesan el marisco sugiere la posibilidad de que puedan limpiarse de infección almacenando estos alimentos en agua limpia o agua clorada. Tal posibilidad no solo es lógica sino práctica; cuatro días bastan para suprimir prácticamente todas las bacterias coliformes. Se aplican a los mariscos esencialmente los mismos métodos utilizados para el examen bacteriológico del agua. El Servicio de Sanidad Pública de Estados Unidos de Norteamérica ha sugerido que en la prueba de presunción no tiene que haber más del 50 por 100 de muestras de 1 ml de líquido reunido de las conchas y tejido finamente triturado de 10 o más ostras, moluscos o similares que presenten bacterias coliformes, pero esta cifra es de orientación más que de un valor estándar, y resulta flexible.

INFECCIONES PARASITARIAS DE ORIGEN ALIMENTARIO

Incluyen los diversos trematodos, tenias, equinococos y ascárides que infectan al hombre. En estas enfermedades, a menudo se encuentra en la substancia alimentaria la etapa infecciosa del parásito como parte de su ciclo de vida; el mecanismo correspondiente puede estudiarse en otra parte (capítulo 33).

CONTROL DE LAS ENFERMEDADES TRANSMITIDAS POR ALIMENTOS

Los alimentos constituyen un vehículo inanimado extraordinariamente eficaz de enfermedad. Sobre todo por cuanto las bacterias patógenas son capaces de multiplicarse en ellos produciendo toxinas, permitiendo un crecimiento enorme de los gérmenes, o por ambos mecanismos a un tiempo. El control de las enfermedades transmitidas por alimento significa vigilar toda la serie de acontecimientos, desde que se cosecha el producto hasta su consumo final. En general, ello significa prevención de contaminación, y destrucción de posibles contaminantes por métodos adecuados; o bien, inhibición de su crecimiento en el intervalo entre la contaminación y el consumo; o bien ambas técnicas juntas.

En ocasiones no es posible evitar la contaminación inicial, como ocurre con la triquina para el cerdo, o con *Cl. botulinum* para el pescado, pero en su mayor parte la contaminación es de origen humano. Las fuentes de contaminación son personas infectadas que manipulan alimentos. Estas personas pueden ser portadores episódicos o crónicos, y pueden sufrir infecciones pasajeras o manifiestas. Es posible controlar tal contaminación, en parte, por examen bacteriológico periódico, excluyendo a estas personas de las ocupaciones que incluyen la manipulación de alimentos. Esto es función del Departamento de Sanidad, pero quizá no sea invariablemente eficaz. Así, al paso de diversos Departamentos de Sanidad estatales conservan el registro de todos los portadores crónicos de tifoidea, e impiden que entren en contacto con alimentos no permitiéndoles trabajar en restaurantes u otros establecimientos donde se preparan los alimentos, los exámenes periódicos de las personas que trabajan en la rama de alimentos pueden dejar inadvertidas infecciones pasajeras o estados de portadores.

Los alimentos pueden examinarse [1] para determinar su calidad higiénica, según el tipo y número de microorganismos que contienen. Esto permite no solo valorar su calidad,[36] sino también obtener datos acerca de su historia. Es posible, pues, establecer valores estándar para la microbiología de los alimentos como se hace para el agua y la leche, que tengan base legal y que sean defendidos por instituciones a uno u otro nivel gubernamental, como la Administración de Drogas y Alimentos. La introducción de nuevos métodos de la elaboración de los alimentos, como en el caso de los alimentos congelados, plantea nuevos problemas de elaboración y de creación de estándares.[16, 17]

Aunque lo dicho hasta aquí sobre control de la calidad microbiológica de los alimentos puede aplicarse en forma colectiva, los elementos esenciales de dicho control, claro está que crean problemas particulares. El ejercicio del cuidado adecuado en la preparación doméstica de la alimentación —su conservación en refrigeradores cuando esté indicado, etc.— debe efectuarse a nivel individual y familiar.

BIBLIOGRAFIA

1. American Public Health Association. 1958. Recommended Methods for the Microbiological Examination of Foods. American Public Health Association, New York.
2. American Public Health Association. 1960. Standard Methods for the Examination of Dairy Products. 11th ed. American Public Health Association, New York.
3. Bott, T. L., *et al.* 1966. *Clostridium botulinum* type E in fish from the Great Lakes. J. Bacteriol. **91**:919–924.
4. Casman, E. P., and R. W. Bennett. 1963. Culture medium for the production of staphylococcal enterotoxin A. J. Bacteriol. **86**:18–23.
5. Casman, E. P., and R. W. Bennett. 1965. Detection of staphylococcal enterotoxin in food. Appl. Microbiol. **13**:181–189.
6. Casman, E. P., D. W. McCoy, and P. J. Brandly. 1963. Staphylococcal growth and enterotoxin production in meat. Appl. Microbiol. **11**:498–500.
7. Casman, E. P., *et al.* 1967. Identification of a fourth staphylococcal enterotoxin, enterotoxin D. J. Bacteriol. **94**:1875–1882.
8. Cliver, D. O. 1966. Implications of foodborne infectious hepatitis. Pub. Hlth. Repts. **81**:159–165.
9. Craig, J. M., and K. S. Pilcher. 1966. Clostridium botulinum type F: isolation from salmon from the Columbia River. Science **153**:311–312.
10. Dolman, C. E., and H. Iida. 1963. Type E botulism: its epidemiology, prevention and specific treatment. Can. J. Pub. Hlth. **54**:293–308.
11. Dublin, T. D., *et al.* 1943. Milk-borne outbreaks due to serologically typed hemolytic streptococci. Amer. J. Pub. Hlth. **33**:157–166.
12. Duncan, C. L., and D. H. Strong. Ileal loop fluid accumulation and production of diarrhea in rabbits by cell-free products of *Clostridium perfringens*. J. Bacteriol. **100**:86–94.
13. Foster, H. G., *et al.* 1957. Dairy Bacteriology. Prentice-Hall, New York.
14. Frazer, W. C. (Ed.). 1967. Food Microbiology. McGraw-Hill, New York.
15. Gangarosa, E. J., *et al.* 1971. Botulism in the United States, 1899–1969. Amer. J. Epidemiol. **93**:93–101.
16. Georgala, D. L., and A. Hurst. 1963. The survival of food poisoning bacteria in frozen foods. J. Appl. Bacteriol. **26**:346–358.
17. Goresline, H. E. 1963. Sanitation in new ways of processing food. Pub. Hlth. Repts. **78**:737–742.
18. Hall, H. E., *et al.* 1963. Characteristics of *Clostridium perfringens* strains associated with food and food-borne disease. J. Bacteriol. **85**:1094–1103.
19. Hall, H. E., R. Angelotti, and K. H. Lewis. 1965. Detection of the staphylococcal enterotoxins in food. Hlth. Lab. Sci. **2**:179–191.
20. Hallander, H. O. 1965. Microbiol. **63**:299–305.
21. Hammer, B. W., and F. J. Babel. 1957. Dairy Bacteriology. 4th ed. John Wiley & Sons, New York.
22. Hauschild, A. H. W., and F. S. Thatcher. 1968. Experimental gas gangrene with food-poisoning *Clostridium perfringens* type A. Can. J. Microbiol. **14**:705–709.
23. Hayes, S., J. M. Craig, and K. S. Pilcher. 1970. The detection of *Clostridium botulinum* type E in smoked fish products in the Pacific Northwest. Can. J. Microbiol. **16**:207–209.
24. Hedström, C. E., and E. Lycke. 1964. An experimental study on oysters as virus carriers. Amer. J. Hyg. **79**:134–142.
25. Hodge, B. E. 1960. Control of staphylococcal food poisoning. Pub. Hlth. Repts. **75**:355–361.
26. Houghtby, G. A., and C. A. Kaysner. 1969. Incidence of *Clostridium botulinum* type E in Alaskan salmon. Appl. Microbiol. **18**:950–951.
27. Jezeski, J. J. 1954. The microbiology of dairy products. Ann. Rev. Microbiol. **8**:429–448.
28. Kent, T. H. 1966. Staphylococcal enterotoxin gastroenteritis in rhesus monkeys. Amer. J. Pathol. **48**:387–407.
29. Metcalf, T. F., and W. C. Stiles. 1965. The accumulation of enteric viruses by the oyster *Crassostrea virginica*. J. Infect. Dis. **115**:68–76.
30. Nakamura, M., and J. A. Schluze. 1970. *Clostridium perfringens* food poisoning. Ann. Rev. Microbiol. **24**:359–372.
31. Nilsson, G. 1959. Reducing properties of normal and abnormal milk and their importance in bacteriological grading of milk. Bacteriol. Rev. **23**:41–47.
32. Public Health Laboratory Service. 1960. Food poisoning in England and Wales. Monthly Bull. Min. Hlth. and Pub. Hlth. Lab. Serv. **19**:224–237.
33. Riemann, H. (Ed.). 1969. Food-Borne Infections and Intoxications. Academic Press, New York.
34. Seeliger, H. P. R. 1960. Food-borne infections and intoxications in Europe. Bull. Wld. Hlth. Org. **22**:469–484.
35. Silverman, S. J., A. R. Knott, and M. Howard. 1968. Rapid, sensitive assay for staphylococcal enterotoxin and a comparison of serological methods. Appl. Microbiol. **16**:1019–1023.
36. Slanetz, L. W., *et al.* (Eds.). 1963. Microbiological Quality of Foods. Academic Press, New York.
37. Smith, J. 1957. Milk-borne disease. J. Dairy Res. **24**:121–133.
38. Symposium. 1955. Recent advances in the bacteriology of milk and milk products. J. Appl. Bacteriol. **18**:322–395.
39. Symposium. 1955. Food poisoning: the scope of the problem. Practitioner **174**:645–696.
40. Tohyama, Y., and R. Murata (Eds.). 1963. Symposium on problems of botulism in Japan. Japanese J. Med. Sci. Biol. **16**:303–312.
41. Williams-Walls, N. J. 1968. Clostridium botulinum type F: isolation from crabs. Science **162**:375–376.

CAPITULO 12

ANTIGENOS, ANTICUERPOS Y COMPLEMENTO
Su naturaleza e interacciones

DR. NATALIE E. CREMER

El concepto de antígenos, anticuerpos e inmunidad nació de la vieja observación según la cual los individuos, después de haber sufrido ciertas enfermedades infecciosas, casi nunca las sufrían por segunda vez. La idea de inmunidad recibió prueba experimental al demostrar Jenner en 1796 que la inoculación del hombre con vacuna brindaba protección contra la viruela, enfermedad muchas veces mortal. La prueba de la existencia de anticuerpos la dieron von Behring y Kitasato en 1890, al demostrar que el suero de animales donadores inmunizados con una toxina bacteriana protegía animales normales de una dosis mortal de dicha toxina. La toxicidad o infecciosidad pronto se comprobó que no era un requisito obligado para que una substancia fuera antigénica, o sea para provocar la formación de anticuerpo. Materiales innocuos, como proteínas séricas de animales, inyectadas a diversos animales de otras especies, también desencadenaban la formación de anticuerpo.

Metchnikoff reconoció que los anticuerpos no eran la única protección contra la infección; células fagocíticas, que aprisionaban y destruían substancias tóxicas, también desempeñaban un papel central. Durante un tiempo se pensó que tales células, como atrapaban el antígeno, también tenían que producir anticuerpos. Estos estudios demostraron que tal idea era equivocada, y se comprobó que las células de la serie linfocítica eran las productoras de anticuerpos,[36, 52, 84] y los vehículos de reacciones de hipersensibilidad tardía.[17, 108]

El estudio de la inmunología puede dividirse en dos grandes divisiones, una que se ocupa de anticuerpos o de la respuesta humoral; la otra de la respuesta celular. La respuesta inmune no siempre es ventajosa para el individuo.

En determinadas condiciones puede ser perjudicial, al crear hipersensibilidad de tipo humoral o de tipo celular.

En este capítulo y en el siguiente trataremos el tema de la inmunología bajo los títulos generales de secciones "Antígenos, anticuerpos y complemento", "Formación de anticuerpo y respuesta inmune" e "Inmunidad e hipersensibilidad".

Antígenos

Clásicamente los antígenos se definen como substancias que inyectadas a los animales estimulan la formación de nuevas proteínas específicas llamadas anticuerpos, complementarias del antígeno, y que pueden demostrarse después de un periodo de latencias en diversas fracciones del suero de la sangre. El suero que contiene anticuerpos se denomina antisuero. Los antígenos se denominan "nativos" o "naturales", o sea antígenos de fuentes naturales (por ejemplo proteínas séricas), o bien "sintéticos", los producidos en el laboratorio (por ejemplo copolímeros de aminoácidos). Un tercer grupo, el de los llamados "antígenos artificiales" incluye antígenos naturales con grupos introducidos químicamente, como la albúmina de suero bovino con grupos dinitrofenilo añadido. Cuando una substancia es capaz de provocar la formación de anticuerpo, se dice que es antigénica o inmunógena. La mayor parte de macromoléculas, proteínas, polisacáridos, nucleoproteínas y lipoproteínas nativas son antigé-

porción proteínica — hapteno

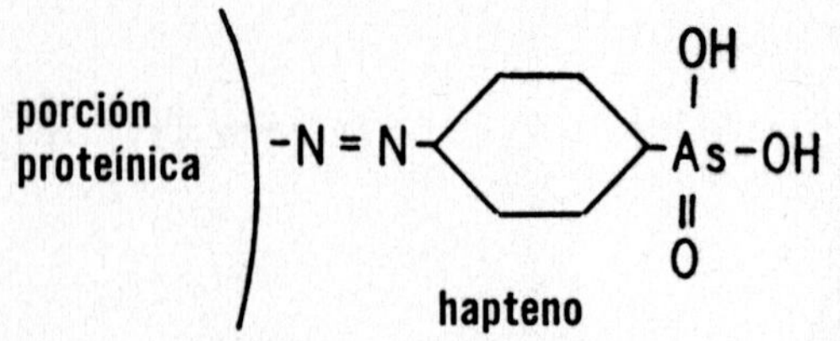

$-N=N-\langle\bigcirc\rangle-As-OH$ con OH y O

FIG. 12-1. Ejemplo de un antígeno proteínico conjugado preparado acoplando ácido *p*-azofenil arsenílico con una proteína por diazoación.

nicas, mientras que los ácidos nucleicos y los lípidos purificados no suelen ser antigénicos, excepto si se combinan con proteínas.

Determinantes antigénicos. Los anticuerpos se combinan específicamente con lugares de la molécula de antígeno en combinación que Ehrlich comparaba a la unión de una cerradura con su llave.[34] Los lugares específicos de combinación del anticuerpo en el antígeno se. denominan determinantes antigénicos; su número teóricamente debiera establecer la valencia del antígeno; en realidad probablemente no lo hace. La información sobre el tema es limitada, sobre todo en relación con los antígenos naturales. De las reacciones de antígeno-anticuerpo se deduce que el antígeno es multivalente; por ejemplo, en presencia de un exceso de moléculas de anticuerpo una molécula de albúmina de huevo puede combinarse con cinco moléculas de anticuerpo.[68] Sin embargo, en una proteína nativa, como la albúmina de huevo, probablemente hay muchos más determinantes antigénicos, que por motivos estéricos que no pueden combinarse con el anticuerpo. Estudios efectuados con antígenos sintéticos parecen indicar que así ocurre. La valencia de un antígeno sintético es similar a la de una proteína natural del mismo peso molecular, aunque el antígeno sintético puede tener decenas o centenares de determinantes antigénicos unidos en forma de cadenas laterales poliméricas.[114] Resulta, pues, que el número de determinantes antigénicos específicos puede ser mucho más elevado que la valencia determinada experimentalmente.

En la analogía de Ehrlich de la cerradura y la llave, la cerradura representa el lugar de combinación de las moléculas de anticuerpo sintetizadas con precisión extraordinaria para adaptarse especialmente a la llave o determinante antigénico. Los determinantes antigénicos son grupos químicos que existen en la molécula del antígeno. Si este es un polisacárido, como el dextrano, el determinante puede ser un oligosacárido que tenga más de seis o siete residuos simples de azúcar; si es una proteína, unos pocos residuos de aminoácido.

Haptenos. Al paso que las proteínas séricas, los glóbulos rojos, y otros antígenos naturales, tienen sus propios determinantes antigénicos, químicamente pueden introducirse en ellos determinantes adicionales —pequeñas moléculas de composición

reconocida como grupos arsenilato o dinitrofenilo. Inyectadas a los animales, estas moléculas, denominadas haptenos, son demasiado pequeñas para desencadenar una respuesta de anticuerpo; por lo tanto, no pueden calificarse de antígenos. Sin embargo, cuando se unen artificialmente a una molécula portadora, o en forma de conjugación por ligaduras covalentes con una proteína nativa, actúan como determinantes antigénicos añadidos, estimulando la formación de anticuerpos específicos, con sus características químicas y físicas. In vitro los haptenos se combinan con sus anticuerpos específicos, bloqueando los lugares de combinación del anticuerpo para cualquier reacción ulterior de grupos hapténicos en la molécula portadora. Esta reacción, denominada inhibición de hapteno, es un medio muy útil para estudiar la naturaleza y especificidad del lugar de combinación de anticuerpos, así como la naturaleza de los determinantes antigénicos.

Landsteiner introdujo el empleo de haptenos para estudiar la estructura antigénica, y fue el primero en definir la base química de la especificidad antigénica.[74] Empleando un número muy elevado de productos químicos simples, demostró en forma inequívoca la fijación específica entre el hapteno empleado en la conjugación del antígeno (llamado entonces antígeno conjugado) y el anticuerpo desencadenado en respuesta al antígeno conjugado. Desde entonces, los métodos analíticos basados en la especificidad inmunológica han pasado a ser medios excelentes, aplicables a gran número de problemas biológicos, además de los referentes a enfermedad e infección, como investigaciones sobre síntesis, estructura y función de macromoléculas; mecanismos genéticos e incompatibilidades de sangre y otros tejidos; relaciones de filogenia y ontogenia; y diversos temas similares.

Atributos para antigenicidad. Los atributos para antigenicidad e inmunogenicidad —esto es, la capacidad de una substancia para ser antígeno y formar anticuerpo— no son bien conocidos. Un requisito previo es que la substancia sea extraña al animal inoculado. Ha de ser extraña en el sentido de que el animal no reconoce el material como parte de su propia constitución química; según la terminología de Burnet, el animal no reconoce el antígeno como "propio"[15] (*self*). Si el material es propio, el animal no reacciona excepto en algunas circunstancias anormales que estudiaremos a propósito de la autoinmunidad.

Aunque el peso molecular elevado no es un prerrequisito absoluto, generalmente las substancias que tienen peso molecular menor de 10 000 son poco o nada antigénicas. Una excepción notable de proteína nativa a esta generalidad es la ribonucleasa pancreática, antígeno excelente con peso molecular de 14 000. Otras excepciones incluyen polímeros sintéticos de aminoácidos seleccionados con pesos moleculares alrededor de 10 000 o menos que se ha comprobado que eran antigénicos.[114]

Polímeros lineales, formados por L-alanina, ácido L-glutámico, y L-tirosina, con peso molecular alrededor de 4 000, y copolímeros de ácido L-glutámico y L-lisina, con peso molecular de 5 000, son antigénicos. Al parecer, incluso péptidos sintéticos de configuración y composición adecuadas pueden ser antigénicos. La hexa-L-tirosina, tri-L-tirosina y la amida de N-acetil-L-tirosina (a la cual, en promedio, se había añadido un grupo azofenil arsonato) fueron inmunógenos en el cobayo, igual que la nona-L-lisina modificada por la adición de dos o tres grupos dinitrofenilo por molécula.

Otros factores de antigenicidad. La forma como la substancia antigénica se pone en contacto con los animales está en factores adicionales que no son estructura física o química del antígeno.

Animales. La elección de animales para utilizar en estudio de antigenicidad tiene gran importancia. Desde hace tiempo se sabe que algunas especies, y determinados animales dentro de las mismas pueden ser buenos o malos productores de anticuerpos para diversos antígenos. Algunos trabajos previos [83] demostraban que cobayos criados al azar, e inmunizados con toxoide diftérico, podían separarse en buenos y malos productores de anticuerpo. Después de varias generaciones de crecimiento selectivo, cruzando buenos productores con buenos productores, y malos productores con malos productores, se obtenían dos poblaciones de cobayos, una que uniformemente respondía bien, y otra que uniformemente respondía poco a los antígenos. Estudios posteriores con diversas cepas de ratones endogámicos confirmaron el origen genético de las diferencias de respuesta a los antígenos multivalentes y demostraron que en ellas podían intervenir los genes.[83]

Los genes que controlan las respuestas inmunes se denominan "genes específicos de respuesta inmune". Empleando polipéptidos sintéticos y antígenos naturales, albúmina humana y albúmina sérica bovina,[35, 48] se han identificado diversos genes autosómicos dominantes en ratones y cobayos. Su control sobre la respuesta de anticuerpo parece ser específico para aminoácidos dispuestos en un orden determinado en el antígeno.[83] Dos de los genes de respuesta inmune que han sido más estudiados, el gen de PLL en el cobayo, y el IR-1 en el ratón, parecen estar estrechamente ligados muy cerca de los loci de histocompatibilidad (ver la sección de antígenos celulares).

En la práctica, para tener la seguridad de obtener un buen antisuero a un antígeno determinado, es necesario inmunizar cierto número de animales. Por ejemplo, con conejos elegidos al azar, preferidos desde hace mucho tiempo por los inmunólogos por su capacidad de responder a diversos antígenos, generalmente uno o dos por lo menos de un grupo de 10 responden muy poco a la albúmina sérica bovina administrada en forma soluble.

Dosis de antígeno. La cantidad necesaria variará según los antígenos y especies de animales. El ejemplo clásico del efecto de la dosis es la respuesta del ratón al polisacárido purificado de la cápsula del neumococo. Una dosis elevada, de 0.5 mg de antígeno, no causaba respuesta, mientras que una dosis 1 000 veces menor, 5×10^{-4} mg, provocaba la producción de anticuerpo.[38] Este fenómeno se denomina parálisis inmunológica, o ausencia de respuesta inmunológica, se estudiará más tarde. Un fenómeno similar se observa con polímeros sintéticos formados solo por D-aminoácidos, que antes se creía no eran inmunógenos. Los resultados negativos se comprobó que dependían de la dosis; la respuesta al polímero D dependía netamente de la dosis.[115] La dosis óptima para respuesta de anticuerpo era de 1 μg por ratón. La respuesta del isómero L prácticamente no guardaba relación con la dosis. Estos son casos especiales, en los cuales la ausencia de producción de anticuerpo resultaba de la presencia de un exceso de antígeno. Frecuentemente puede ocurrir a la inversa, cuando la dosis de antígeno ha sido demasiado pequeña para desencadenar la respuesta inmune.

Coadyuvantes.[95, 134, 137] Cuando la cantidad de antígeno es limitada, o el antígeno es de mala calidad, el poder antigénico puede aumentarse mediante coadyuvantes, cuya acción no está muy bien aclarada. Antígenos naturales solubles casi siempre se rompen rápidamente in vivo y son eliminados, de manera que su influencia antigénica dura poco. La capacidad inmunógena de un antígeno puede aumentarse cuando se prepara en forma relativamente insoluble combinándolo con un coadyuvante —por ejemplo, adsorción sobre bentonita, precipitación con sales de alumbre, o inmunización en un gel de poliacrilamida o alginato de calcio. Se supone que al inyectar dicho material al animal, se producen depósitos de antígeno de los cuales se libera lentamente antígeno soluble, que prolonga el estímulo antigénico.

Los polisacáridos de endotoxinas de bacterias gramnegativas tienen efecto coadyuvante, sobre todo cuando se administran simultáneamente con el antígeno. No actúan creando depósitos de antígeno, pero pueden hacerlo por su acción tóxica sobre los tejidos, que a su vez estimulan la respuesta del huésped para la proliferación celular.

Con mucho, el coadyuvante más ampliamente utilizado, y uno de los más eficaces, es el coadyuvante de Freund.[40, 41] Se trata de una emulsión de agua-en-aceite formada por partes iguales de antígeno en solución salina y en aceite mineral, al cual se añade un emulsificante como aquaphor (un preparado de lanolina) o Arlacel A (manido-mono-oleato). Si se desea pueden añadirse micobacterias; los dos preparados se llaman, respectivamente, coadyuvante de Freund completo e incompleto. Cuando se añaden micobacterias, se estimula la inmunidad celular (hipersensibilidad tardía) además de la formación de anticuerpo; si el antígeno es un antígeno tisular de tejido cerebral, puede provocarse autosensibilidad. El coadyuvante de Freund no solo estimula la producción de anticuerpo sino que, a diferencia de otros, la conserva en valor alto durante meses sin estímulo adicional. Provoca la formación de depósitos de antígeno con diseminación de las gotitas de emulsión del lugar de inoculación a los ganglios linfáticos regionales. A nivel de la inyección se forman granulomas, que también contribuyen a la formación de anticuerpo. Después de inyectar el antígeno en el extremo de las patas, la proliferación de células formadoras de anticuerpos se observa en una zona muy amplia de células linfoides que incluyen bazo, médula ósea y ganglios linfáticos lejanos.

Vía de inyección. La vía por la cual se inocula el antígeno al animal afecta los órganos determinados que serán los lugares primarios de formación de anticuerpo y, por lo tanto, aquellos en los cuales se estimularán las poblaciones celulares. El bazo suele ser el principal órgano productor de anticuerpo cuando el antígeno se inyecta por vía intravenosa; los ganglios linfáticos poplíteos cubren este papel después de la inyección subcutánea de antígeno en las patas posteriores de los animales.

Cuando haptenos lípidos se mezclan con proteínas como un suero extraño, se vuelven antigénicos. Este fenómeno fue observado primeramente por Landsteiner [74] en estudios con el hapteno de Forssman. Otras substancias que pueden obtenerse de los tejidos con solventes de lípidos se comprobó que se combinan de manera similar con proteínas séricas, para volverse antigénicas.

PODER ANTIGENICO DE MOLECULAS Y SU ESPECIALIDAD

Proteínas y polipéptidos. La presencia de aminoácidos aromáticos en las proteínas en un tiempo se consideró esencial para la acción antigénica. La importancia de los aminoácidos aromáticos para la estructura antigénica se basaba, en parte, en la ineficacia antigénica de la gelatina (colágena desnaturalizada), que contiene un número muy elevado de residuos de glicina pero carece de tirosina. La importancia, pero no la necesidad absoluta, de tirosina se demostró por estudios que siguieron empleando polipéptidos sintéticos.[114] La adición de tirosina a la gelatina aumentaba considerablemente su poder inmunógeno; L-cisteína provocaba un aumento limitado, pero neto, y DL-alanina, ácido L-glutámico, L-lisina, L-serina o L-prolina carecían de efecto. La fijación de policiclohexilalanina, compuesto cíclico, pero no aromático, o la adición de policisteína, provocaba fuerte aumento de la acción antigénica, indicando que el radical aromático no es esencial. La prueba definitiva provino de experiencias utilizando polialanina de cadena múltiple, un polímero no inmunógeno. La fijación de copolipéptidos de ácido glutámico y fenilalanina, histidina,

leucina, o lisina hizo que la polialanina se volviera inmunógena, de la misma manera que por adición de tirosina. Hoy sabemos que la poca acción antigénica de la gelatina guarda relación con su falta de rigidez por la poca estructura secundaria y terciaria de la molécula. La rigidez o la falta de flexibilidad a determinados niveles de la macromolécula parece favorecer el poder antigénico.

La diversidad de agrupamiento de la molécula también puede contribuir, pues si bien la adición de L-lisina o ácido L-glutámico no afecta el poder antigénico de la colágena, la fijación de péptidos de ácido L-glutámico o L-lisina provocaron aumento. Inyectados al conejo, homopolímeros como el ácido poliglutámico y la poli-L-tirosina son inmunógenos. También son factores los grupos polares en las macromoléculas. En apoyo de este concepto, la gelatina se convirtió en un poderoso antígeno por adición de tirosina y ácido glutámico; el ácido glutámico contribuyó fuertemente a la acción antigénica.

Landsteiner varios años antes había señalado diferencias en la respuesta de anticuerpo basándose en la isomería óptica del antígeno inyectado, y demostrado que los anticuerpos producidos podían distinguirse entre configuraciones L y D. Trabajos recientes lo han confirmado, demostrando que los polipéptidos de D-aminoácidos, unidos a proteínas, contribuyen al poder inmunógeno y a la especificidad de la proteína.

Polisacáridos como antígenos. Gran parte de nuestros conocimientos sobre antígenos polisacáridos proviene de estudios de productos naturales como bacterias y substancias de grupo sanguíneo. Algunos de estos antígenos están formados por polisacáridos; otros son complejos con lípidos o proteínas. Los complejos con lípidos se estudiarán a propósito de estos últimos.

La cápsula de los neumococos es un polisacárido puro, y da especificidad al organismo; según ella conocemos o se identifican por lo menos 75 tipos diferentes. Se conoce la composición de azúcar de muchos tipos [66] y la estructura de tres tipos (tipos 3, 6, y 8) que han sido bien determinados. El material capsular se denomina SSS (substancia soluble específica), y en el caso del neumococo de tipo 3 está formado por un polímero de unidades repetidas de ácido celobiurónico de peso molecular 267 500. El ácido celobiurónico es un disacárido de ácido D-glucurónico y D-glucosa, unidos por enlace glucosídico de β-1,4. El SSS del neumococo de tipo 8 contiene D-glucosa, D-galactosa y ácido D-glucurónico, y unidades repetidas de ácido celobiurónico, como en el tipo 3; en consecuencia, los dos tipos reaccionan mutuamente (capítulos 2 y 17).

Además de los antígenos capsulares específicos de tipo, el neumococo tiene un antígeno específico de especie de pared celular, que se denomina substancia C. Se trata de un ejemplo de complejo de carbohidrato-proteína formado por cuatro aminoácidos (lisina, serina, ácido glutámico y alanina) y cuatro aminoazúcares (D-glucosamina, D-galactosamina-6-fosfato, ácido murámico, y fosfato de ácido murámico).

Estudios muy profundos efectuados con dextranos nativos indican que polímeros constituidos solamente por un tipo de residuo de azúcar son antigénicos.[66] Los dextranos nativos son polímeros de alto peso molecular (10^7-10^8) de glucosa, principalmente con uniones α-1,6. Son producidos por diversas bacterias, por ejemplo *Leuconostoc mesenteroides* y *Streptococcus dextranicum*. Cada cepa de bacterias produce su propia variedad de dextrano por lo que se refiere a las proporciones de uniones α-1,6 y no-α-1,6; por ejemplo, α-1,4; α-1,3 y α-1,2 (capítulo 4). Sea cual sea el número de enlaces α-1,6 del polímero, todos los dextranos pueden reaccionar (precipitar) con casi todo el anticuerpo en un antisuero con especificidad para la unión α-1,6. Sin embargo, la eficacia por unidad de peso varía según el número de uniones α-1,6 en el polímero.

Para poder precipitar todo el anticuerpo, se necesitan concentraciones más elevadas de polímeros que tienen menos enlaces α-1,6. Los dextranos con 70 por 100 o más de enlaces α-1,6 son igualmente eficaces por unidad de peso. Cuando el número disminuye por debajo de 70 por 100, la cantidad de dextrano necesaria para precipitar el anticuerpo aumenta. Este efecto pudiera depender del número disminuido en lugares de fijación del polímero para un anticuerpo específico de α-1,6, o de que lugares no-α-1,6 en el polímero interfieren con el acercamiento estrecho entre el lugar reactivo en el dextrano y el de combinación en el anticuerpo.

Las substancias de grupo sanguíneo representan, en parte, antígenos del sistema ABO de los glóbulos rojos, y están en forma hidrosoluble en los humores corporales de ciertos individuos denominados secretores. En peso contienen aproximadamente 75 por 100 de carbohidrato, formado por L-fucosa, D-galactosa, N-acetil-D-glucosamina y N-acetil-D-galactosamina.[67] El resto de la molécula está constituido por aminoácidos; la especificidad de la molécula está dirigida hacia la porción carbohidrato. La estructura postulada incluye cierto número de cadenas de carbohidrato unidas a intervalos breves por enlaces químicos primarios a una columna vertebral peptídica.[91]

Acidos nucleicos como antígenos.[102] El hecho de que los esfuerzos para provocar anticuerpo contra ácidos nucleicos químicamente puros no tuviera resultado hizo pensar que los ácidos nucleicos no eran antigénicos, y los nucleótidos no podían actuar como determinantes antigénicos. Esta opinión poco a poco fue cambiando. Una de las primeras dudas provino de descubrir anticuerpos reactivos con DNA en el suero de individuos atacados de la enfermedad lupus eritematoso generalizado, de etiología desconocida. Los anticuerpos no tenían especificidad;

reaccionaban con una amplia variedad de DNA de diversos orígenes.

Lisados de fago T_4, que contienen DNA con una base rara, la 5-hidroxi-metilcitosina glucosilada provocó anticuerpos en el conejo, con especificidad dirigida principalmente a la base glucosilada. La reactividad entre el DNA del fago y el anticuerpo requería del DNA desnaturalizado de una sola tira, indicando la necesidad de que fueran accesibles los nucleótidos para reaccionar con el anticuerpo. La inmunización con ribosomas provocó la formación de anticuerpos que reaccionaban con polirribonucleótidos naturales y sintéticos. Estos dos estudios demostraban netamente la necesidad de un material de tipo portador; siguieron estudios utilizando DNA desnaturalizado de timo de ternera o DNA de fago T_4 en forma de una sola tira, en complejo por acción electrostática con albúmina sérica metilada de bovino. La inyección al conejo provocó anticuerpos contra ambos, el DNA y la albúmina sérica bovina metilada. En forma similar, copolímeros de desoxiadenilatotimidilato, homopolímeros de ribonucleótidos, y oligodesoxirribonucleótidos, todos eran eficaces cuando se ligaban con albúmina sérica metilada de bovino. Las substancias no inmunógenas eran igualmente eficaces que las inmunógenas como portadoras de la porción ácido nucleico. La conjugación de uridina a un polipéptido sintético ramificado, antigénico o no antigénico provocaba en el conejo la formación de anticuerpos que precipitaban el DNA de timo de ternera desnaturalizado por el calor. Los anticuerpos tenían una estrecha especificidad en estudios de inhibición en los cuales la uridina era mejor inhibidor de la reacción que la timidina o la desoxiuridina, y la citidina, la adenosina, la guanosina, el uracilo o la D-ribosa no producían inhibición. Los otros nucleósidos, unidos en forma similar, provocaban la formación de anticuerpo muy específico dirigido hacia el nucleósido en conjunto, más que hacia la base o el azúcar aisladamente.

Lípidos como antigénicos.[106] Al paso que los lípidos generalmente no actúan como antígenos completos, algunas clases de lípidos pueden ser parte integral de moléculas hapténicas. La presencia de macromoléculas que contienen lípido en las membranas celulares tiene particular importancia en el estudio de antígenos de tumores, sangre y trasplantes, donde puede representar marcadores de membranas, y gran parte del conocimiento de antígenos que contienen lípido se ha logrado gracias a tales estudios.

Con excepción de lípidos conjugados mediante enlaces covalentes con proteínas, solo dos de las clases principales de lípidos existentes en los tejidos vivos funcionan como haptenos, los fosfátidos y los glucoesfingolípidos.

Los materiales utilizados para explorar la antigenicidad de substancias que contienen lípidos suelen ser de dos tipos, homogeneizados brutos de tejidos, o lípidos purificados. La inmunización de conejos con fracciones tisulares suele provocar anticuerpos dirigidos directamente contra glucoesfingolípidos neutrales, hecho que implica que otros haptenos lípidos existentes en concentraciones altas en las fracciones correspondientes son menos eficaces. Lípidos purificados, con adición de proteína de otras especies, como el suero de cerdo en el conejo, desencadenan la formación de anticuerpo para gangliósidos, galactocerebrósidos y cardiolipina.

Hay cinco fosfolípidos bien caracterizados que se han comprobado tienen propiedades hapténicas. La cardiolipina, aislada del corazón de ternera y utilizada en el diagnóstico serológico de la sífilis, es un fosfátido complejo que tiene estructura de difosfatidilglicerol. Se han aislado cuatro oligomanósidos de fosfatidilinositol de *Mycobacterium tuberculosis*.

A un glucoesfingolípido, galactocerebrósido, le corresponde la especificidad de órgano del cerebro. Otro glucoesfingolípido, antígeno de Forssman, descubierto por Forssman en 1911 como componente natural de tejido del cobayo y de los glóbulos rojos de carnero, ha merecido mucha atención, por su ubicuidad y distribución al azar en especies animales y bacterianas. La porción hapténica de un antígeno de Forssman aislado de tejido equino es un glucoesfingolípido, tetrasacárido de ceramida, formado por *N*-galactosamina, galactosa, glucosa y ceramida. La citolipina K y la citolipina R, dos antígenos aislados del tejido tumoral, son también tetrasacáridos de ceramida, con el mismo número y el mismo orden de residuos carbohidratos que el hapteno de Forssman. Sin embargo, los tres son inmunológica y químicamente diferentes. La base de la especificidad inmunológica puede depender de la unión glucosídica entre residuos de *N*-acetilgalactosamina (GalNac) y galactosa (Gal); sería un enlace alfa en el hapteno de Forssman —GalNAc (α 1-3) Gal— y un enlace β en el sistema de citolipina K. La substancia de grupo sanguíneo A tiene el mismo orden terminal —GalNac (α 1-3) Gal— que el hapteno de Forssman del tejido equino.

Hay diferencias químicas entre las substancias de grupo sanguíneo descubiertas en líquidos corporales y los antígenos de grupo sanguíneo extraídos de los propios glóbulos rojos. Las primeras son glucoproteínas hidrosolubles, según señalamos a propósito de los polisacáridos; los últimos pueden extraerse con solventes de lípidos. Se ha trabajado más con las substancias de grupo sanguíneo, más fáciles de extraer que las existentes en la membrana del glóbulo rojo. Los antígenos del glóbulo rojo son glucoesfingolípidos, con una elevada concentración de fucosa, que contienen un residuo de glucosa y glucosamina y dos o tres residuos de galactosa. Se ha comprobado que pueden tener una columna vertebral con una serie de oligosacáridos (galactosa-glucosamina-galactosa-galactosamina) que se convierte en las substancias específicas reactivas de grupo H, Le[a], Le[b], A y B por adición de residuos de glucosa, galactosa o galactosamina (ver la sección de grupos sanguíneos).

Pueden producirse por inmunización con conjugados de esteroide y seroalbúmina bovina anticuerpos para diversos esteroides (testosterona, estrona, estradiol, cortisol y aldosterona).

Aunque gran parte de la actividad inmunológica depende de los residuos carbohidratos en haptenos glucolípidos, también contribuyen grupos hidrófobos. La longitud de la cadena del residuo de ácido graso tiene importancia. Estudiando la eficacia de compuestos sintéticos en cuanto a reactividad con anticuerpo dirigido contra haptenos lípidos, la reducción de la longitud de la cadena hasta menos de ocho provocaba fuerte reducción de la reactividad. Los estudios sobre reactividad entre cardiolipina y anticuerpo específico han indicado que por lo menos dos de las cuatro cadenas originales de ácido graso de la molécula son necesarias para la actividad serológica (en la prueba de fijación del complemento). La esterificación de grupos hidroxilos libres provocó disminución de la actividad, mientras que la hidrogenación de enlaces no saturados causó solamente una pequeña disminución de actividad. La porción polar de cardiolipina (gliceril-fosforil-gliceril-fosforil-glicerol) no inhibía la reacción.

Antígenos de reacción cruzada.[130] Cualquier pareja de antígenos, en su relación mutua pueden considerarse idénticos, que producen reacción cruzada, o no idénticos. Esta relación puede explorarse estudiando la especificidad del antisuero con el antígeno homólogo (el antígeno utilizado para producir el antisuero) y el antígeno heterólogo. Aunque cabe emplear cualquier prueba basada en reacción de anticuerpo-antígeno, la más frecuentemente utilizada es la precipitación (se estudia en otra sección), en solución libre (prueba de precipitina) o en gel (pruebas de difusión en gel). La precipitación tiene lugar porque antígenos y anticuerpos con lugares multivalentes complementarios entre sí pueden copolimerizarse formando redes que, si alcanzan volumen suficiente, precipitan.

Los antígenos se considerán inmunológicamente idénticos si sus estructuras químicas y físicas son iguales, o tan similares que no se pueden descubrir diferencias en la respuesta inmune desencadenada. Los antígenos de reacción cruzada son aquellos en los cuales la constitución química tiene determinantes idénticos o muy similares, y también otros determinantes diferentes. En una población de moléculas de anticuerpo como la que existe en un antisuero, habrá algunas reactivas con una u otra de los diversos determinantes antigénicos que existen en la molécula del antígeno. Algunos de estos anticuerpos serán reactivos con una segunda molécula antigénica, que puede tener algunos determinantes iguales o muy similares. Por ejemplo, el antígeno A tiene determinantes antigénicos 1, 2 y 3, y el antígeno B determinantes 2, 4 y 5, el antisuero contra cualquiera de los antígenos reaccionará con ambos, dada la presencia común de anticuerpos para el determinante antigénico 2. Estos son antígenos de reacción cruzada. Un antisuero puede hacerse específico para su antígeno heterólogo por adsorción con el antígeno heterólogo. Así, los anticuerpos reactivos con determinantes antigénicos del antisuero A pueden suprimirse con adsorción de antígeno B; el antisuero entonces quedará específico para el antígeno A.

Un ejemplo de reacción cruzada entre determinantes antigénicos similares, pero no idénticos, es el de las proteínas conjugadas con haptenos, ácido *m*-aminobencenosulfónico u *o*-ácido aminobencenosulfónico. (Cada hapteno estaba conjugado a una proteína diferente, portadora no idéntica.) El anticuerpo dirigido contra el ácido *m*-aminobencenosulfónico reaccionaba, pero menos fuertemente, con el isómero orto.

Los determinantes antigénicos de proteínas naturales son difíciles de estudiar e identificar, por las estructuras secundaria y terciaria de las proteínas. La mayor parte de información disponible definitiva de antígenos de reacción cruzada es la de polisacáridos dispuestos linealmente. Un ejemplo excelente de antígenos de reacción cruzada es la cápsula polisacárida de neumococo de tipo III y de neumococo de tipo VIII (cuya estructura se estudió a propósito de los polisacáridos). El ácido celobiurónico que existe en ambos explica la reactividad cruzada de los dos.

Insistimos en que el término "antígeno de reacción cruzada" solo se refiere a antígenos aislados diferentes con grupos determinantes similares en moléculas por lo demás disímiles, no a una mezcla de antígenos. Si se estudia antisuero para una mezcla de antígenos, las reacciones comunes pudieran depender de la presencia de antígenos idénticos, y entonces solo se trataría de un caso de reacción homóloga.

Aplicación forense de la especificidad antigénica.[30] La especificidad antigénica sirve como medio importante en criminología. En casos de asesinato, la sangre en las ropas o en otros artículos puede identificarse humana o animal por la especificidad de sus proteínas. Aunque el antisuero preparado contra suero humano puede reaccionar con suero de sangre de otros mamíferos, estos anticuerpos de reacción cruzada pueden suprimirse adsorbiendo el antisuero con los antígenos de reacción cruzada. En forma similar, también puede descubrirse la adulteración de productos de carne con tejido de animales de diversas especies.

ANTIGENOS CELULARES

Las paredes y las membranas de las células están formadas por diversos antígenos, algunos de los cuales tienen distribución limitada, mientras que otros se encuentran en toda la escala filogénica. Pueden estudiarse, en general, como antígenos heterófilos (heterogenéticos) o antígenos isófilos (isoantígenos). Los antígenos heterófilos están dispersos al azar en todo el mundo biológico, y existen en el hombre, animales inferiores, microorganismos y plantas; los isoantígenos solo existen en algunos miembros dentro de las mismas especies. Esta terminología no es definitiva, pues algunos isoantígenos (por ejemplo las substancias de grupo sanguíneo del hombre) se califican de isoantígenos, y suelen considerarse en esta forma, pero son antígenos heterófilos porque tienen en común con antígenos de otras especies algunos de sus determinantes antigénicos.

También se han hecho otras divisiones según la distribución de antígenos en órganos y tejidos. Estos pueden ser heterogenéticos o específicos de especies. Tales antígenos se denominan específicos de órganos, pero la mayor parte de ellos presentan reacciones cruzadas con uno o más antígenos de otros tejidos.[32] Los antígenos de cristalino ocular del ojo, cerebro, médula espinal, testículos y tiroides desde hace tiempo se han considerado los clásicos antígenos específicos de órgano. Incluso en este caso, existe cierta reactividad cruzada entre los tres primeros antígenos señalados, pero al parecer no existe con otros órganos.[99] Los antígenos de órgano son muy difíciles de aislar y purificar. Obviamente, el grado de especificidad del órgano observado depende de la intensidad de purificación del antígeno aislado y de los anticuerpos que proporcionan, así como de la sensibilidad de la prueba utilizada para análisis.

Antígenos heterófilos. Entre los antígenos heterófilos, el mejor conocido es el de Forssman. La observación original de Forssman, de que la inyección al conejo de extractos salinos de riñón de cobayo provocaba un anticuerpo que reaccionaba con los glóbulos rojos del carnero, hizo que se descubrieran muchos otros antígenos similares. El antígeno de Forssman probablemente no sea un solo antígeno, sino que representa un grupo general de antígenos de reacción cruzada con la propiedad común de provocar en el conejo anticuerpo reactivo con glóbulos rojos de carnero. Los glóbulos rojos de carnero, como otras células poseen en sus membranas celulares cierto número de determinantes antigénicos controlados genéticamente, algunos de los cuales son comunes a diversas especies. Hay hapteno de Forssman en el caballo, camello, cabra, carnero, cobayo, ratón, perro, gato, hombre (substancia sanguínea de tipo A), ballena pollo, sapo, tortuga y huevos de algunos peces. Entre los microorganismos, se descubren en *Trichinella spiralis,* algunas cepas de bacterias gramnegativas, neumococo, *Bacillus anthracis y Pasteurella cuniculicida.* No existe en ternera, ciervo, cerdo, conejo, rata, la mayor parte de los primates y pájaros, ranas y algunos peces.[28] Como para ser antigénica una substancia no puede ser *self* (propia), debe utilizarse un animal que carezca de hapteno para producir anticuerpo anti Forssman. El animal de elección suele ser el conejo. El antígeno suele descubrirse en tejidos y órganos. Empleando la técnica de anticuerpo fluorescente se descubre en el endotelio y los tejidos conectivos de la adventicia y vasos sanguíneos del órgano. Hay ciertas diferencias según las especies, como su presencia en los túbulos colectores del riñón en el cobayo y el pollo, pero no en los mismos tejidos de ratón, perro y gato.[126]

Ya hemos mencionado la estructura química del hapteno de Forssman del tejido equino y de la substancia A de grupo sanguíneo del hombre. El antígeno de Forssman en la cepa rugosa del neumococo de tipo I reacciona en forma cruzada con la substancia de grupo sanguíneo A, y con el antígeno específico de grupo del neumococo, la substancia C (ya estudiada a propósito de los antígenos polisacáridos). El antisuero contra polisacárido neumocócico de tipo XIV contiene anticuerpos contra los cuatro principales antígenos del grupo sanguíneo humano. Según veremos después, la reactividad cruzada de antígenos de grupo sanguíneo con el polisacárido de tipo XIV ha demostrado ser un medio muy útil para estudiar la estructura y especificidad de las substancias de grupo sanguíneo.

Los antígenos somáticos o de ciertas salmonelas producen en el conejo anticuerpos que presentan reacción cruzada con glóbulos rojos de carnero y substancia de grupo sanguíneo A. Las salmonelas pueden separarse en tipos según su estructura antigénica O; la especificidad de esta depende de residuos de azúcar. Los determinantes antigénicos del antígeno O suelen denominarse con números arábigos (capítulo 20). Conociendo las estructuras de los tipos con actividad Forssman y los que no la tienen puede deducirse cuál es el residuo de azúcar al cual corresponde la actividad. *Sal. typhimurium* y *Sal. paratyphi* con estructura antigénica 1, 4, 5, 12 y *Sal. stanley* y *Sal. heidelberg* con estructura 4, 5, 12, tienen actividad de Forssman. Las cepas de Salmonella con estructura antigénica O de tipos 1, 4, 12 no poseen esta actividad, sugiriendo que la determinante antigénica 5 es la causa de ello. El azúcar interviene en la especificidad de este determinante *O*-acetilgalactosa.[65, 73]

Muchos otros antígenos enterobacterianos O presentan reacciones cruzadas con substancias de grupo sanguíneo humano. Puede atribuirse a residuos de azúcar comunes. Los lipopolisacáridos que tienen los mismos constituyentes de azúcar que las substancias de grupo sanguíneo, a saber, *N*-acetil-D-galactosamina, *N*-acetil-D-glucosamina, D-galactosa y L-fucosa son particularmente activos en este sentido.

Otro antígeno heterófilo de interés en patología es el común a *Rickettsia prowazeki* y cepas OX-19 de Proteus. Los pacientes con tifus producen anticuerpos que reaccionan con Proteus OX-19 (capítulo 34). Un anticuerpo heterófilo que reacciona con glóbulos rojos de carnero se desarrolla en individuos con mononucleosis infecciosa (capítulo 36).

Antígenos de grupo sanguíneo. *Sistema ABO*.[93, 132] Las substancias de grupo sanguíneo que existen en las secreciones corporales de algunos individuos (secretores), y los antígenos de grupo sanguíneo que existen en la superficie de los glóbulos rojos, se clasifican como isoantígenos por cuanto existen en algunos, pero no en todos, los individuos de una especie. Además, como ya mencionamos, son ejemplos fundamentales de antígenos heterófilos, y demuestran la retención de determinantes antigénicos específicos durante el desarrollo filogénico. No sabemos cuál sea el fin que puedan tener para la supervivencia del hombre. Según han indicado algunos autores, las únicas funciones bien comprobadas son peligrosas, como las reacciones de transfusión de sangre o la enfermedad hemolítica del recién nacido.

Landsteiner, en 1900, descubrió los antígenos de grupos sanguíneos ABO. Mezclando sistemáticamente los glóbulos rojos de cierto número de individuos con los sueros de otros, comprobó que los glóbulos de algunos individuos eran aglutinados por los sueros de otros. De ahí nació la clasificación en cuatro grupos principales. A, B, AB u O. Un individuo tenía antígeno A o B en sus glóbulos rojos, una combinación de A y B (AB), o ninguno de los dos. Este último era el denominado grupo O.

En el suero, se descubrieron isoanticuerpos específicos para el grupo que no existe en los glóbulos rojos. Los individuos con glóbulos de grupo A tenían anticuerpos anti B; los de grupo B tenían anticuerpos anti A; los del grupo AB no tenían anticuerpo; los del grupo O tenían los dos anticuerpos. Por entonces la naturaleza de los glóbulos rojos del grupo O se creía que dependía de la falta de antígenos A o B. Algunos sueros normales del ganado, como el anticuerpo anti Shigella, y algunas proteínas vegetales, se comprobó que aglutinaban los glóbulos rojos O, demostrándose así las características heterogenéticas de la superficie de la célula O. Las secreciones de individuos AB y de individuos homólogos para antígenos A o B inhibían la aglutinación por estos reactivos. El antígeno de superficie de los glóbulos rojos de grupo O, y el antígeno inhibidor en las secreciones de algunos individuos se denominó H (para heterogenético) y el anticuerpo que reaccionaba con el glóbulo O, anticuerpo anti H.[92]

La substancia de grupo A está formada por dos principales subgrupos, A_1 y A_2. Los antígenos de grupo sanguíneo están determinados genéticamente. Cada antígeno es controlado por dos alelos; los alelos A y B son dominantes para el alelo O, y el alelo A_1 es dominante para el grupo A_2. Por ejemplo, los genotipos se expresan fenotípicamente según se indica en el cuadro adjunto.

Correlación de genotipo y fenotipo

Genotipo(s)	Fenotipo
A_1A_2, A_1A_1, A_1O	A_1
A_2A_2, A_2O	A_2
BB, BO	B
A_1 B	A_1B
A_2B	A_2B
OO	OO

Las substancias de grupo sanguíneo A, B y H se descubren en secreciones corporales (saliva, mucina gástrica, líquido de quiste ovárico, sudor) de aproximadamente 75 por 100 de todas las personas (llamadas secretorias) con estos grupos sanguíneos. La secreción está controlada genéticamente por dos genes alélicos, Se y se. Se es dominante; en ausencia de él, no se secreta substancia sanguínea, pero el antígeno de grupo sanguíneo todavía existe en los glóbulos rojos.

Según indicamos a propósito de antígenos lípidos, los antígenos de grupo sanguíneo en las membranas celulares, y el antígeno en las secreciones, son diferentes, no por sus determinantes polisacáridos específicos, sino por la columna vertebral a la cual están unidos los determinantes antigénicos. Los antígenos de glóbulos rojos son glucoesfingolípidos; los antígenos de las secreciones son glucoproteínas. Las investigaciones principales se han efectuado con los antígenos de las secreciones, ya que pueden obtenerse más fácilmente en gran cantidad, y son hidrosolubles.

Recientemente se han descubierto otros sistemas de grupo sanguíneo. En la actualidad hay unos 14 sistemas humanos, que incluyen 60 diferentes factores de grupo conocidos. Los antígenos de uno de ellos, el sistema Lewis (Le^a y Le^b) intervienen en la estructura química del sistema ABO. Los no secretores, y algunos secretores con carácter de glóbulo rojo Le^a secretan una substancia específica de Le^a. La expresión de Le^a es controlada por un par de genes alélicos de Le y le. La expresión de Le^b en los glóbulos rojos y en las secreciones no está controlada por un gen específico individual, sino por una interacción de genes H y Le^a. Los antígenos Lewis no son sintetizados in situ, pero existen en el plasma y son adsorbidos por la membrana del glóbulo rojo.[81] Probablemente sean glucoesfingolípidos.

Pueden distinguirse cuatro grupos de secreciones en los individuos. Secreciones con substancias hemáticas A, B, H, Le^a y Le^b; y las que no contienen substancias de grupo sanguíneo.

El estudio químico profundo de substancias de grupo sanguíneo indica que estas macromoléculas están indicadas por residuos de azúcar que se añaden ordenadamente a una unidad básica. Suprimiendo los residuos de azúcar del extremo no reductor de las substancias de grupo A o de grupo B, aparecen ordenadamente las especificidades antigénicas de todos los otros antígenos. Por ejemplo, en el empleo de substancias de tipo B, la supresión de la galactosa demuestra especificidad oculta H y Le^b en la molécula B. La supresión de fucosa de esta molécula parcialmente desintegrada provoca especificidad de Le^a. Al suprimir más fucosa la molécula desintegrada reacciona con anticuerpo antineumocócico XIV.

La estructura química de los determinantes antigénicos de la macromolécula se cree ahora que se desarrolla en la forma que se indica en el cuadro adjunto.

El estímulo para formación de isoanticuerpos AB probablemente resida en la índole heterogénea de las substancias de grupo sanguíneo. Cuando todavía no se apreciaba debidamente este hecho, se creía que los isoanticuerpos eran "anticuerpos naturales" —naturales en el sentido que existían sin ninguna influencia del ambiente; o sea sin ninguna necesidad de estimulación antigénica. Este concepto ha cambiado. Los isoanticuerpos no suelen existir al nacer, pero existen en la mayor parte de individuos de edad aproximada de seis meses. Durante un año el lactante queda expuesto a diversos microorganismos y alimentos, muchos de los cuales (como ya señalamos) tienen determinantes antigénicos que reaccionan en forma cruzada con las substancias de grupo sanguíneo, y que, por lo tanto, pueden proporcionar estimulación para formación de iscanticuerpos.[120] Los isoanticuerpos "naturales" suelen ser de clase LgM. Los isoanticuerpos nacidos como consecuencia de transfusión incompatible, o por inmunización deliberada con substancia de grupo sanguíneo, suelen ser de clase IgG.[37]

Antígenos MN y P. El segundo sistema de grupos sanguíneos humanos descubierto por Landsteiner fue el sistema MN. Los antígenos M y N son macromoléculas, de tipo de glucoproteína, con pesos moleculares múltiplos de 30 000.[120] No suele haber anticuerpos naturales anti M o anti N en el suero, como ocurre en el sistema ABO. Los genes que controlan estas especificidades se segregan independientemente del sistema ABO. Los genes alélicos para los antígenos N y M son codominantes, y el genotipo y fenotipo son los mismos. Por lo tanto, un individuo es NN, MM o NM.

Un tercer sistema de grupo sanguíneo descubierto por Landsteiner fue el P, que se segrega independientemente de los sistemas MN y ABO. Los sistemas MN y P no tienen la significación clínica del sistema ABO, de tanta importancia para establecer la compatibilidad sanguínea para transfusión.

Factor Rh. El descubrimiento de factor Rh, de gran importancia clínica para la anemia hemolítica del recién nacido,[76] provino de dos observaciones. Landsteiner y Wiener prepararon un antisuero de conejo contra glóbulos rojos de mono (Macaca rhesus) que aglutinaba el 85 por 100 de los glóbulos rojos humanos que estudiaron. Aproximada-

Orden en que se hallan dispuestos los determinantes de grupos sanguíneos A y B [91]

Precursor inactivo o Determinante de neumococo de tipo XIV	β-Gal-$(1\rightarrow 3)$-GlcNAc. . . o bien β-Gal-$(1\rightarrow 4)$-GlcNAc. . .
Determinante Le^a	O-α-Fuc $\downarrow$ $(1\rightarrow 4)$ β-Gal-$(1\rightarrow 3)$-GlcNAc. . .
Determinante H	O-α-Fuc $\downarrow$ $(1\rightarrow 2)$ β-Gal-$(1\rightarrow 4)$-GlcNAc. . . o bien O-α-Fuc $\downarrow(1\rightarrow 2)$ β-Gal-$(1\rightarrow 3)$-GlcNAc. . .
Determinante Le^b	O-α-Fuc O-α-Fuc $\downarrow$ $(1\rightarrow 2)$ $\downarrow$ $(1\rightarrow 4)$ β-Gal-$(1\rightarrow 3)$-GlcNAc. . .
Determinante B	O-α-Fuc $\downarrow$ $(1\rightarrow 2)$ O-α-Gal-$(1\rightarrow 3)$-β-Gal-$(1\rightarrow 3)$-GlcNAc. . . o bien O-α-Fuc $\downarrow$ $(1\rightarrow 2)$ O-α-Gal-$(1\rightarrow 3)$-β-Gal-$(1\rightarrow 4)$-GlcNAc. . .
Determinante A	O-α-Fuc $\downarrow$ $(1\rightarrow 2)$ O-α-GalNAc-$(1\rightarrow 3)$-O-β-Gal-$(1\rightarrow 3)$-GlcNAc. . . o bien O-α-Fuc O-α-GalNAc-$(1\rightarrow 3)$-O-β-Gal-$(1\rightarrow 4)$-GlcNAc. . .

Abreviaturas: Gal = D-galactosa; GlcNAc = N-acetil-D-glucosamina; Fuc = L-fucosa; GalNAc = N-acetil-D-galactosamina.

mente al mismo tiempo, Levine y Stetson comprobaron que el suero de una mujer embarazada con sangre de grupo O aglutinaba los hematíes de grupo O de su marido. Supusieron, con razón, que la mujer había respondido a un antígeno de los glóbulos rojos del feto, heredado del padre. Poco después se comprobó que el antisuero de conejo y el suero de la mujer tenían la misma especificidad para los glóbulos rojos humanos, y el nuevo factor de grupo sanguíneo se denomina Rh según el mono rhesus. La etiología de la eritroblastosis fetal, enfermedad hemolítica del recién nacido, ahora resultaba explicable. Los niños Rh positivos nacidos de madres Rh negativas o de padres Rh positivos, pueden nacer con enfermedad hemolítica, sobre todo si no son los primeros nacidos de una misma madre. Al producirse el parto

del primer niño Rh positivo, la sangre materna y la fetal pueden mezclarse, de manera que la primera recibe la estimulación antigénica de los glóbulos rojos Rh positivos del niño. Se desarrollan anticuerpos IgG que, en ocasión de un segundo embarazo, pueden atravesar la barrera placentaria y reaccionar con los glóbulos rojos del feto, provocando la hemólisis, y el niño nace con ictericia grave.

Recientemente se ha comprobado que la inyección a la madre de globulina gamma anti Rh después del parto suprime la respuesta inmune a los glóbulos rojos fetales Rh positivos; por lo tanto, disminuye considerablemente el peligro de que el segundo hijo sufra enfermedad hemolítica.[39]

El factor Rh no es la estructura única que se pensó inicialmente, sino un sistema complejo de antígenos. Inicialmente Fisher postuló la existencia de tres pares de genes alélicos estrechamente relacionados, que llamó Cc, Dd y Ee. Pronto se descubrieron varios subgrupos de estos factores. Por fortuna, en la práctica, un antígeno, el antígeno D, resultó ser el más poderoso (antigénicamente) y por lo tanto el más importante para la enfermedad hemolítica para las reacciones de transfusión. En la nomenclatura de Wiener:[135] D se emplea para Rh$_0$; C para rh'; E para rh''; d para Hr$_0$; c, para hr' y e para hr''.

Antígenos de histocompatibilidad.[3, 125, 107] Los antígenos de histocompatibilidad (H), o de trasplante, son substancias asociadas a la membrana plasmática de las células de algunos, pero no todos los miembros de una especie o incluidos en ella. Se provocará una respuesta inmune inyectando el tejido o las células portadores de un cierto antígeno H a un miembro de la misma especie que carece del antígeno. Esta situación es análoga a lo que ocurre con los antígenos de los glóbulos rojos, donde un individuo con grupo sanguíneo B u O producirá anticuerpos para el antígeno A. Hay otras similitudes entre los sistemas H y ABO. Los antígenos de la sangre se hallan en los glóbulos rojos, pero también pueden existir en las células de tejidos, y pueden funcionar como antígenos de glóbulo rojo y H.[24]

A partir de las reacciones de transfusión sanguínea se desarrolló el concepto de antígenos de grupo sanguíneo mayores y menores. En forma similar, en el sistema H se ha propuesto la existencia de antígenos mayores y menores. El sistema de antígeno H mayor es complejo; controla varias especificidades antigénicas. En consecuencia, hay alto grado de polimorfismo dentro de una especie. La concentración de antígeno en la membrana celular está controlada genéticamente y es relativamente constante para cada individuo. El sistema H mayor del ratón se denomina H-2, el de la rata AgB, el de los pájaros B, y el del hombre HL-A.

Anticuerpos [21, 31, 33, 47, 49, 75, 90]

Los anticuerpos son moléculas de globulina sérica peculiares, producidas en respuesta a la estimulación antigénica; existen en las globulinas séricas llamadas inmunoglobulinas. Del 20 al 25 por 100 de la concentración de proteínas séricas está formada por inmunoglobulinas, una familia de moléculas proteínicas similares pero heterogéneas. Aunque todos los anticuerpos pueden considerarse globulinas, no se ha aclarado si todas las inmunoglobulinas son anticuerpos. Como resulta difícil efectuar la prueba experimental, no sabemos cuáles inmunoglobulinas existen que no sean anticuerpos.

Si todas las inmunoglobulinas representan anticuerpos de cierta especificidad desconocida, probablemente muchas tienen que haberse producido por estimulación de antígenos que normalmente se encuentran en el ambiente.

Después de la inmunización con un antígeno conocido, hay un aumento de las inmunoglobulinas sintetizadas de nuevo, algunas de las cuales (pero no necesariamente todas), son anticuerpos específicos, inmunoglobulinas con lugares de combinación para los determinantes del antígeno. La índole complementaria del lugar de combinación en el anticuerpo y el determinante antigénico es la base de la especificidad inmunológica.

Un antígeno natural, como una proteína nativa, un virus o una bacteria, tendrá diversos determinantes antigénicos, y en respuesta se producirá una población de diversas moléculas de anticuerpo. Los anticuerpos tienen dos o más lugares de combinación del antígeno, pero cada molécula de anticuerpo tiene lugares de combinación para un solo determinante antigénico específico. Aunque artificialmente en el laboratorio puede prepararse un anticuerpo heteroligante (un anticuerpo con lugares de fijación para dos o más determinantes antigénicos diferentes), no se ha descubierto ninguno en la naturaleza. Puede haber heterogeneidad en lugares de fijación de diversos anticuerpos dirigidos contra un mismo determinante antigénico. Algunos pueden dirigirse contra solamente una parte del determinante, mientras que otros pueden abarcar todo el determinante.

La heterogeneidad de los lugares de fijación, aunque es muy imprecisa, solo constituye un criterio de la diversidad de los anticuerpos. Las inmunoglobulinas, y por lo tanto los anticuerpos específicos, pueden distinguirse por diferencias en la movilidad electroforética, el peso molecular, el número y tipo de las cadenas de polipéptidos, el orden de aminoácidos en las cadenas, las porciones carbohidrato de las moléculas, los determinantes antigénicos específicos, y otros. Se separan en cinco clases, IgG, IgA, IgM, IgD, IgE. Ig se refiere a inmunoglobulina, y las mayúsculas que siguen, G, A, M, D y E, a la cadena polipéptida pesada para cada clase. También se han llamado γG, γA, γM, γD y γE. Al referirse a la estructura molecular dt las inmunoglobulinas, las cadenas pesadas se designan con letras griegas o sea γ, α, μ δ y ε. Algunas de las características físicas y químicas de las inmunoglobulinas se resumen en el cuadro adjunto.

Naturaleza de las inmunoglobulinas. [21, 29, 31, 33, 47, 49, 71, 75] La unidad básica de una molécula de inmunoglobulina está formada por dos cadenas idénticas de polipéptidos ligeros y dos cadenas idénticas de polipéptidos pesadas. Según la clase de inmunoglobulinas existe un número variable de residuos de carbohidratos en la cadena pesada. La unidad básica puede comprender toda la molécula, como en IgG, o pueden reunirse dos o más unidades por enlaces disulfuro para formar una molécula mayor, como en IgA e IgM. Hay dos tipos de cadenas ligeras kappa (κ) y lambda (λ). En la actualidad se conocen tres subgrupos de κ y cinco subgrupos de λ. Las cadenas ligeras están compartidas por todas las clases de Ig. Las cadenas pesadas de cada clase de inmunoglobulina tienen especificidades antigénicas diferentes, que proporcionan individualidad a la clase. Anticuerpos específicos para la cadena pesada de una clase particular no reaccionan en forma cruzada con las cadenas pesadas de otra clase. Las cadenas ligeras y las pesadas están reunidas por enlaces de disulfuro. Los enlaces disulfuro entre las cadenas, así como enlaces no covalentes, estabilizan la estructura tridimensional de la molécula, que depende del orden de sus residuos aminoácidos. El orden de los aminoácidos en cada cadena ligera y cada cadena pesada puede separarse en dos regiones: una variable, en la cual el orden de los aminoácidos puede variar de una a otra molécula (el extremo amino terminal de la cadena), y una constante, en la cual el orden de aminoácidos es el mismo para la clase particular de inmunoglobulina (la terminal carboxilo del extremo de la cadena).

La heterogeneidad de las inmunoglobulinas plantea un formidable problema para intentar determinar el orden de sus aminoácidos; incluso anticuerpos de una especificidad son heterogéneos con respecto al orden de los aminoácidos. Se han logrado grandes adelantos con este problema al descubrir que inmunoglobulinas séricas anormales sintetizadas por células linfoides malignas de un enfermo de mieloma múltiple eran homogéneas, probablemente porque las células malignas nacían todas de un solo clono celular.

Desde hace más de un siglo sabemos que los pacientes con mieloma múltiple eliminan con la

Propiedades de las inmunoglobulinas humanas *

Propiedades	IgG(γG)	IgA(γA)	IgM(γM)	IgD(γD)	IgE(γE)
Biológicas					
Concentración en suero (mg/100 ml)	800-1680	140-420	50-190	0.3-40	≤ 0.1
Actividad de anticuerpo	+	+	+		+[†]
Fijación de complemento	+	0[‡]	+	C	0
Paso a través de placenta	+	0	0		0
Secreción selectiva	0	+	0		+
Inmunológicas					
Tipos de cadena ligera	κ, λ	κ, λ	κ, λ	κ, λ	κ, λ
Clase de cadena pesada	γ	α	μ	δ	ε
subclases	4	2	2		
Alotipo Gm	+	0	0	0	0
InV	+	+	+		
Fórmula	$\kappa_2\gamma_2$ $\lambda_2\gamma_2$	$(\kappa_2\alpha_2)n$ $(\lambda_2\alpha_2)n$ $n = 1, 2, 3 \ldots$	$(\kappa_2\mu_2)_5$ $(\lambda_2\mu_2)_5$	$\kappa_2\delta_2$ $\lambda_2\delta_2$	$\kappa_2\varepsilon_2$ $\lambda_2\varepsilon_2$
Fisicoquímicas					
S_{20},w	6.5-7.0	7, 10, 13, 15, 17	18-20, > 30	6 2-6.8	8.0-8.2
Peso molec. $\times 10^3$					
Inmunoglobulina	143-149	7 S = 158-160 9-10 S = 318 secretoria 370-390	800-950	175-180	185-190
Cadena pesada	52-54	$\alpha_1 = 56$-58 $\alpha_2 = 52$-53	65-70	60-65	71-73
Cadena ligera	22-23.5[¶]				
Carbohidrato (por 100)	2.9	7.5	7.7-10.7	12	10.7-11.7

* Reunido de diversas fuentes.[6, 21, 31, 64, 87, 88]
† Anticuerpo sensibilizante de piel.
‡ IgA puede entrar en el complemento a nivel de C3.
¶ Todas las clases tienen cadenas ligeras de aproximadamente el mismo peso.

orina una proteína anormal llamada proteína de Bence-Jones, que permite establecer el diagnóstico de la enfermedad. Ahora se ha identificado como la cadena ligera del mismo tipo que corresponde a la proteína del mieloma en el suero. Utilizando tales proteínas homogéneas, se ha determinado el orden completo de aminoácidos de una inmunoglobulina IgG,[33] así como porciones de las cadenas pesadas de varias inmunoglobulinas, y el orden casi completo de las cadenas ligeras. Se han descubierto proteínas de mieloma de todas las clases conocidas de inmunoglobulinas normales y han tenido gran utilidad para identificar las clases nuevas de inmunoglobulinas (IgD e IgE) presentes en pequeñas cantidades en el suero normal.

Las inmunoglobulinas, como son moléculas proteínicas, tienen sus propias especificidades antigénicas, que se clasifican de isotópicas, alotópicas e idiotópicas. Las especificidades isotópicas, comunes a todos los individuos de la misma especie, distinguen las clases (o sea, IgG, IgM, IgA, IgD e IgE) y subclases (o sea IgG1, IgG2, IgG3, e IgG4) de inmunoglobulinas. Una clase determinada, y las subclases relacionadas, se definen por el orden de los aminoácidos de la mitad terminal carboxílica de sus cadenas pesadas que es inva-

riable, excepto para especificidades alélicas. Las clases principales de IgG, IgA e IgM se han descubierto en la mayor parte de especies de animales estudiados.

Especificidades alotípicas que distinguen las formas polimórficas de inmunoglobulina no existen en todos los miembros de una especie determinada. Por lo tanto, son isoantígenos (ver la sección de antígenos celulares). Los antígenos alotípicos de inmunoglobulinas humanas se dividen en dos grupos denominados Gm e InV. Hay por lo menos 24 diferentes alotipos Gm que existen en las cadenas pesadas de la clase IgG de inmunoglobulinas, algunos en la región Fc y algunos en la región Fd (ver sección de IgG). Los antígenos InV, de los cuales se conocen dos alotipos, existen en la cadena ligera κ y, por lo tanto, están en todas las clases de inmunoglobulinas con cadenas ligeras κ. La diferencia estructural de los alotipos InV se ha identificado como una substitución de valina-en lugar de-leucina en el residuo aminoácido 191. También se han descubierto marcadores alotípicos para inmunoglobulinas de conejo y de ratón.

Las especificidades idiotípicas se refieren a la individualidad antigénica de proteínas homogéneas de mieloma o de poblaciones de anticuerpos uni formes.[62, 124] Si el anticuerpo producido en un animal se conjuga con su antígeno específico, y el complejo se inocula a un segundo animal de la misma especie y tipo, este segundo animal puede producir anticuerpo específico para el anticuerpo particular del complejo.[42] En forma similar, la proteína del mieloma de un animal, inyectada a otro animal de la misma especie, desencadena anticuerpo específico para sus propios antígenos individuales. Los antígenos individuales se hallan en el fragmento Fab de la inmunoglobulina (ver sección IgG), bien sea en las porciones variables de la cadena ligera o en la parte Fd de la cadena pesada.

IgG. La IgG que existe en el suero en concentración mucho mayor a la de todas las demás inmunoglobulinas, puede separarse en cuatro subclases, IgG1, IgG2, IgG3 e IgG4, según diferencias antigénicas en la porción constante de la cadena pesada. Su peso molecular es de aproximadamente 15.0 000, su coeficiente de sedimentación 6.5 a 7.0 y su fórmula de cadena $\kappa 2\gamma 2$ o $\lambda 2\gamma 2$, según la cadena ligera existente. Es bivalente en relación con los lugares de combinación de anticuerpo para antígeno. Se rompe por acción de la enzima papaína en tres fragmentos, cada uno con un peso molecular de aproximadamente 50 000 (ver la figura adjunta). Dos de los fragmentos (denominados Fab) están constituidos por una cadena ligera unida por un enlace disulfuro, y enlaces no covalentes para la mitad terminal amino de la cadena pesada. La porción de la cadena pesada en el fragmento Fab se denomina Fd. El fragmento Fc está formado por las porciones restantes de las dos cadenas pesadas unidas por un enlace disulfuro y por enlaces no covalentes. Los fragmentos Fab contienen cada uno un lugar de combinación de anticuerpo, mientras que el fragmento Fc tiene un lugar de combinación para anticuerpo pero controla otras actividades biológicas necesarias para el funcionamiento completo y normal de la molécula de anticuerpo. La capacidad de IgG para atravesar la barrera placentaria, aumentar la fagocitosis, fijarse a la piel, neutralizar eficazmente virus, y fijar el complemento, depende de la presencia de la porción Fc de la molécula. La precipitación o aglutinación del antígeno por los fragmentos Fab no es posible, pues son univalentes e incapaces de formar redes con el antígeno.

Si la IgG se rompe con pepsina, se produce un fragmento denominado F(ab')2. F(ab')2 tiene un peso molecular de aproximadamente 100 000 y ha conservado los lugares de combinación de anticuerpo de la molécula original (ver figura adjunta). Consiste en dos fragmentos Fab' unidos por un enlace de disulfuro y enlaces no covalentes. La reducción de los enlaces de disulfuro tiene por consecuencia lograr dos fragmentos Fab'. Los fragmentos obtenidos con papaína y con pepsina no son idénticos, pues las enzimas rompen a cada lado del enlace de disulfuro entre las cadenas que las reúne. Por lo tanto, los fragmentos de pepsina contienen más residuos de aminoácidos de las cadenas pesadas. Para distinguirlos de los productos de papaína se llama Fab'. La porción Fc de las moléculas es desintegrada hasta péptidos pequeños inactivos por la pepsina. Como F(ab')2 es bivalente, ha conservado la capacidad para precipitar o aglutinar el antígeno, pero ha perdido las funciones que requieren la precipitación de la porción Fc. La relación de F(ab')2 con la fijación del complemento no está clara. Aunque el lugar de fijación del complemento suele hallarse en la porción Fc, la F(ab')2 de anticuerpo de conejo cuando se precipita con antígeno específico conserva cierta capacidad de fijar el complemento.[113] Trabajos recientes con anticuerpo de cobayo indican una posible explicación. El anticuerpo de cobayo de clase $\gamma 2$ tiene dos lugares para fijación del complemento, uno en la porción Fc y el otro en la porción F(ab')2. El primero activa el complemento en el orden clásico usual (ver sección sobre complemento), mientras que el otro activa el complemento en C3. El anticuerpo de cobayo de clase $\gamma 1$ solo tiene el lugar en la porción F(ab')2 de la molécula, y no ataca los componentes anteriores, C1, C4 y C2, pero activa los componentes posteriores, de C3 a C9.[110]

Los datos disponibles indican que la IgG es una molécula flexible dispuesta en forma de Y; los dos brazos representan las porciones Fab, y la cola la porción Fc. Los lugares de fijación del antígeno parecen hallarse en los extremos del fragmento Fab. Una región flexible de articulación, que contiene los sitios de rotura por pepsina y papaína permite que los fragmentos Fab se desplacen y formen ángulos diferentes entre sí y con las porciones Fc. Esto se ilustra en la figura 12-2.

Los anticuerpos bivalentes pueden combinarse con dos antígenos a un tiempo, formando así agregados; o pueden ambos lugares de combinación unirse a un antígeno. Esto se ha comprobado con partículas de virus, donde el anticuerpo aparece en forma de asas en la superficie del virión. El lugar de fijación está presente en la porción variable de las cadenas, y para una fijación óptima del antígeno se requieren ambas cadenas, ligera y pesada. Cada una muestra poca afinidad para la fijación; la cadena pesada aislada fija más que la cadena ligera aislada. Las zonas que tienen una frecuencia elevada de substituciones de aminoácidos existen en la porción variable de subgrupos de cadena ligera. Los intercambios pueden explicarse por una sola mutación en el gen que codifica el orden de los aminoácidos, y es en estas zonas, dentro de las porciones variables de las cadenas, donde probablemente existan los lugares de combinación para el anticuerpo.

IgM. La molécula IgM es la mayor de las inmunoglobulinas, con peso molecular de aproximadamente 900 000 y coeficiente de sedimentación de

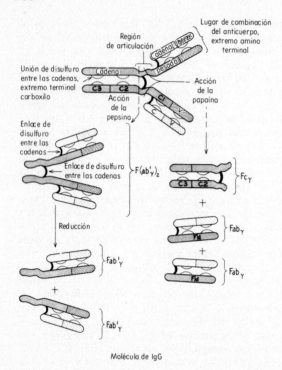

Fig. 12-2. Representación esquemática de IgG y sus subunidades obtenidas por digestión de pepsina o papaína. C y V se refieren a las regiones constantes y variables de las cadenas pesadas y ligeras.

aproximadamente 19 S. Está constituida por cinco subunidades, 7 S, cada una con un peso molecular de aproximadamente 180 000, y consiste en dos cadenas ligeras y dos pesadas llamadas cadenas μ. Su fórmula de cadena es $(\kappa_2\mu_2)_5$ o $(\lambda_2\mu_2)_5$. Se desintegra por las enzimas igual que IgG. Cada subunidad 7 S tiene dos fragmentos Fabμ y un fragmento Fcμ reunidos por diversos enlaces de disulfuro. Las cinco subunidades se reúnen con enlaces de disulfuro cerca de su extremo terminal COOH. Con microscopio electrónico la molécula tiene aspecto estrellado, con un anillo central y cinco brazos que salen, como se indica en la figura adjunta, que se observan separados en los extremos; las divisiones representan las dos porciones Fab de cada subunidad. Teóricamente deben quedar disponibles para el antígeno diez lugares de fijación. Para algunos antígenos se han señalado 10 lugares de fijación, para otros solo cinco. El motivo de ello no está claro, pero puede depender de dificultad estérica después de fijarse al antígeno una porción Fab, o del pliegue cuaternario de la molécula cuando solo queda un lugar en configuración adecuada para la fijación.[31]

Como ocurre con la molécula de IgG, parece que existe una región articular en cada subunidad, entre las porciones Fabμ y Fcμ que permite la movilidad de las porciones Fabμ. Contiene un residuo

de prolina, mientras que en la región articular de IgG hay tres prolinas. Se ha sugerido que, dado el número menor de prolinas en la región articular de IgM, es menos flexible y pudiera hacer más difícil la expresión de divalencia para cada subunidad.[31] El anticuerpo IgM puede formar redes con antígeno fijándose a diversas moléculas de antígeno, o bien diversos lugares de fijación pueden unirse a una misma molécula de antígeno; entonces el anticuerpo aparece en el microscopio electrónico como asas en la superficie del antígeno.

Recientemente se ha descubierto una cadena nueva llamada cadena J, o cadena de unión, en ambas inmunoglobulinas, IgM e IgA. Su localización y su papel en la molécula no están aclarados. Se ha sugerido que la cadena J interviene para reunir las subunidades 7 S de inmunoglobulinas poliméricas.[51, 56, 85]

IgA.[29] La inmunoglobulina IgA existe en pequeña cantidad en el suero, pero constituye la inmunoglobulina principal de las secreciones de las vías respiratoria y gastrointestinal, calostro, leche, saliva y lágrimas. IgG e IgM pueden existir también en tales secreciones, pero en cantidades menores. IgA existe como monómero de 7 S o como dímero o trímero constituido por subunidades 7 S. El dímero 11 S tiene dos subunidades 7 S. El peso molecular del monómero es de 170 000. Las subunidades y el monómero están formados por dos cadenas pesadas, la cadena alfa (peso molecular de cada una aproximadamente 64 000) y dos cadenas ligeras (peso molecular de cada una aproximadamente 22 000).[118] Los valores para pesos moleculares y coeficientes de sedimentación señalados en la literatura varían según las formas de IgA; parecen depender de la fuente de IgA estudiada y de las condiciones en las cuales se efectuaron las determinaciones.[31, 87, 118]

La IgA en las secreciones tiene un componente adicional, denominado pieza secretoria o S (antes llamada pieza de transporte o pieza T) y es una glucoproteína no inmunoglobulínica. Se sintetiza localmente en las células epiteliales. La pieza secretoria del conejo tiene peso molecular de aproximadamente 50 000, y está formada por dos cadenas de polipéptidos unidas por un puente de disulfuro. Está unida en forma no covalente a los monómeros 7 S. En el hombre está unida en forma covalente con subunidades monoméricas. Su función no está aclarada. Originalmente se pensó que ayudaba a transportar la inmunoglobulina desde su lugar de síntesis, en las células plasmáticas que existen debajo de la membrana epitelial, atravesando el epitelio, y pasando a las secreciones. Ya no se piensa así. Hay dos subclases de IgA, IgA1 e IgA2. En IgA1 del hombre y del ratón la cadena ligera está unida a la cadena pesada por un enlace disulfuro, mientras que en IgA2 las cadenas ligeras están unidas entre sí por enlaces de disulfuro más bien que a la cadena alfa.[129] La cadena J descrita para IgM también se ha aislado de inmunoglobulina IgA.

Los anticuerpos de la clase IgA se consideran la primera línea de defensa en las enfermedades infecciosas en las cuales la vía de infección es bucal, como la provocada por *Vibrio cholerae*, o por vía respiratoria, como en el caso de infecciones virales. La presencia de anticuerpos en las secreciones del tubo digestivo (llamados coproanticuerpos) se conoce desde hace tiempo, pero su naturaleza solo se comprendió recientemente.

IgE.[6, 64] La inmunoglobulina IgE, aunque existe en pequeñas cantidades en el suero (menos de 1 μg/ml), posee gran actividad biológica. Los anticuerpos de esta clase se fijan firmemente al tejido, sensibilizándolo para reacciones alérgicas, como las que se observan en la fiebre del heno (ver la sección sobre hipersensibilidades). También se ha descubierto en productos de lavado nasal y esputos, pero, a diferencia de IgA, carecen de la pieza secretoria. Su baja concentración en el suero y en las secreciones ha impedido estudiar a fondo su naturaleza y estructura. El IgE del mieloma tiene un coeficiente de sedimentación de aproximadamente 8 S, y parece estar formado por dos cadenas pesadas (llamadas cadena ε) y dos cadenas ligeras.

IgD. La inmunoglobulina IgD, como la IgE, se presenta en concentración muy baja en el suero normal. Su presencia se comprobó cuando se descubrió una inmunoglobulina nueva y única de mieloma a la cual se le atribuyó la denominación IgD.[31] Las proteínas de mieloma IgD tienen un coeficiente de sedimentación de aproximadamente 6.2 S, y peso molecular alrededor de 183 000. La cadena pesada (cadena δ) tiene peso molecular

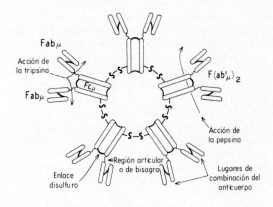

Molécula de IgM

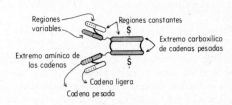

Subunidad de IgM

FIG. 12-3. Representación esquemática de IgM. Cada molécula está formada por cinco subunidades reunidas por enlaces de disulfuro. Cada subunidad contiene dos cadenas pesadas y dos cadenas ligeras unidas por enlaces de disulfuro. (Según Putnam.[71])

alrededor de 69 000. En la actualidad, no conocemos la significación biológica de IgD.

Reacciones de antígeno-anticuerpo

La reacción entre anticuerpo y antígeno puede distinguirse en dos etapas: la etapa primaria, que se refiere a la unión del lugar de combinación en el anticuerpo con el determinante antigénico o hapteno en el antígeno; y la etapa secundaria que resulta en una reacción visible, como precipitación o aglutinación. La reacción primaria ocurre a los pocos segundos, mientras que la secundaria suele requerir horas o días.

Haptenos univalentes, así como antígenos multivalentes, pueden intervenir en la reacción primaria con el anticuerpo, pero solo pueden participar haptenos multivalentes (denominados haptenos complejos) o antígenos en reacciones secundarias como las de precipitación. Esto depende de la naturaleza de los complejos formados. En el caso de haptenos univalentes, solo pueden producirse complejos solubles de hapteno (H) y anticuerpo (Ab) (H-

Ab-H); con antígeno o haptenos multivalentes se forman redes de antígeno y anticuerpo, que cuando alcanzan volumen suficiente precipitan.

Las reacciones secundarias tampoco pueden producirse si el anticuerpo es monolente, como ocurre con los fragmentos Fab. Reactivos monovalentes, como haptenos y fragmentos Fab, como se combinan con lugares específicos, bloquean estos lugares impidiendo cualquier fijación ulterior con anticuerpos completos y antígenos respectivamente. Actúan, pues, bloqueando o inhibiendo agentes para reacciones secundarias. La inhibición de hapteno es una prueba que estudiamos a propósito de antígenos, muy útil para el estudio de determinantes antigénicos de antígenos naturales.

Los anticuerpos univalentes, llamados también anticuerpos incompletos, nunca se ha demostrado que existan naturalmente. Durante años se consideró incompleto el anticuerpo anti Rh (ver la sección sobre antígenos de grupo sanguíneo). Pueden distinguirse dos tipos de anticuerpos anti Rh: uno (anticuerpo aglutinante), que provoca aglutinación de los glóbulos rojos Rh positivos suspendidos en solución salina; y un segundo (anticuerpo bloqueador) que, al paso que puede combinarse con receptores específicos del glóbulo rojo, no provoca aglutinación. La combinación previa de anticuerpo bloqueante con glóbulos rojos impide la aglutinación subsiguiente de células por anticuerpo aglutinante. Si los glóbulos rojos están suspendidos en una concentración elevada de proteína (25 por 100 de sero albúmina) o si se tratan con enzimas proteolíticas, los anticuerpos aglutinantes pueden aglutinarlos. Como no es probable que ninguno de estos métodos logre que el anticuerpo monovalente se vuelva bivalente, los anticuerpos bloqueadores generalmente ya no se consideran incompletos.[11]

Fuerzas que intervienen en la estabilidad de los complejos antígeno-anticuerpo.[69, 101, 133] La formación de complejos de antígeno-anticuerpo o complejos de anticuerpo-hapteno requiere la reacción simultánea de residuos en los lugares de combinación de las moléculas de anticuerpo con los residuos complementarios de los determinantes antigénicos. La estabilidad del complejo depende de enlaces intermoleculares secundarios.

Intervienen interacciones, no solo entre antígenos, sino también entre anticuerpos y el líquido de suspensión. En el caso de las reacciones in vitro el líquido de suspensión suele ser una solución salina amortiguada ligeramente básica. Haptenos artificiales, así como determinantes naturales, suelen tener uno o más grupos apolares no miscibles con agua. Tiene lugar la fijación hidrófoba (la tendencia de los grupos apolares a reunirse unos a otros en solución acuosa) y contribuye en alto grado a la estabilidad del complejo antígeno-anticuerpo.

Se logra estabilización adicional mediante enlaces de hidrógeno, formados por la interacción de un átomo de hidrógeno, unido en forma covalente a un átomo electronegativo con el par de electrones no compartidos de otro átomo electronegativo. Los enlaces principales de esta naturaleza de complejos antígeno-anticuerpo son O—H—O, O—H—N y N—H—N. El solvente acuoso polar en el caso de los enlaces de hidrógeno desempeña un papel competitivo de determinante antigénico, y también quizá para el lugar de combinación del anticuerpo. Uno o más enlaces de hidrógeno entre el agua y los reactantes puede tenerse que romper para que se forme el complejo, reduciendo así la eficacia global de los enlaces de hidrógeno como factor de estabilidad del complejo.

Fuerzas de coulomb, la atracción entre grupos con carga positiva y carga negativa, contribuyen a la estabilidad de muchos complejos de antígeno-

anticuerpo. Los estudios sobre reacciones de antígeno-anticuerpo efectuados a varios niveles de pH confirman esta idea. La reacción es bastante estable entre pH 7.5 y pH 4.5, pero por debajo de 4.5 hay cantidades progresivamente mayores de anticuerpo libre con su consiguiente disminución en el número de complejos combinados.

Otra fuerza de importancia es el tipo London de fuerza de van der Waals, que depende de momentos de dipolo instantáneo creados por el movimiento del centro de carga de los electrones en rápido movimiento alrededor del núcleo cargado. El campo eléctrico instantáneo que así se produce influye sobre otras moléculas vecinas, y resulta una fuerza de atracción. En todos estos casos las moléculas de antígeno y anticuerpo han de poderse acercar unas a otras bastante, de manera que la distancia entre ellas no sea mayor que la distancia dentro de la cual operan las fuerazs y se forman los enlaces; de aquí la importancia de la relación espacial y del carácter complementario entre antígeno y anticuerpo. Como previamente mencionamos, el lugar de combinación del anticuerpo para el isómero D de un aminoácido no reacciona con el isómero L del aminoácido.

Afinidad y avidez del anticuerpo. El grado de atracción o estabilidad en complejos de antígeno-anticuerpo puede considerarse a dos niveles. "Afinidad" describe la fuerza de fijación entre un determinante antigénico o un hapteno univalente y el lugar de combinación específico en la molécula de anticuerpo. Se expresa cuantitativamente como la constante media intrínseca de asociación. "Avidez" describe en sentido cualitativo y relativo, el grado de atracción entre un antígeno complejo que posee diversos determinantes antigénicos, generalmente diversos, y un anticuerpo que tiene dos o más lugares de combinación. Por lo tanto, se refiere a complejos formados entre antígeno multivalente y anticuerpo multivalente, y es útil para considerar la fuerza de fijación del anticuerpo en sistemas biológicos, como la neutralización de virus, la aglutinación de glóbulos rojos y procesos similares.

Reacción primaria. *Reacción entre anticuerpo y hapteno.*[66, 68] La reacción entre anticuerpo y hapteno es reversible y puede escribirse así:

$$1) \qquad Ab + H \underset{k_2}{\overset{k_1}{\rightleftharpoons}} AbH$$

donde Ab indica los lugares de fijación del anticuerpo, H es la concentración de hapteno, y k_1 y k_2 son las constantes de asociación y disociación respectivamente. La constante K de asociación se obtiene según la ley de acción de masas:

$$2) \qquad \frac{k_1}{k_2} = K = \frac{AbH}{(Ab)(H)}$$

Como la reacción es muy rápida, y por lo tanto difícil de medir, suelen tomarse las mediciones después de alcanzado el equilibrio, y K en estas condiciones se describe como la constante de asociación intrínseca.

Si todos los lugares de fijación del anticuerpo son equivalentes, y todos tienen la misma constante de asociación, puede derivarse de la ecuación 2 la ecuación siguiente que describe una línea recta:

$$K = \frac{r}{(n-r)\,c} \quad \text{y} \quad r/c = Kn - Kr$$

donde r equivale a moles de hapteno fijadas por mol de anticuerpo en la concentración de hapteno libre (c), y donde n es la valencia del anticuerpo. Disponiendo en gráfica r/c contra r, debe obtenerse una línea recta (con $-K$ equivalente a la pendiente, Kn equivalente a la intercepción con la ordenada, y n equivalente a la intercepción con la abscisa). Sin embargo, cuando estos datos se disponen así no se obtiene una línea recta, lo cual indica que el admitir que todos los lugares de asociación tienen la misma constante de asociación es erróneo. Como ya hemos dicho, el anticuerpo es heterogéneo en cuanto a lugares de fijación. A consecuencia de esta heterogeneidad, la constante de asociación media se determina cuando están ocupados la mitad de los lugares del anticuerpo. Cuando $r = \dfrac{n}{2}$, la constante de asociación media (K) $= \dfrac{1}{c}$. Esta K se llama la constante media de asociación intrínseca.

La constante de asociación se mide según una técnica denominada diálisis de equilibrio. Una pequeña cámara se divide en dos compartimientos por una membrana semipermeable que permite que las moléculas pequeñas como las de hapteno difundan libremente, pero es impermeable a moléculas de mayor volumen, como el anticuerpo. El anticuerpo se coloca a un lado de la membrana y el hapteno en el otro lado. Se deja difundir el hapteno hasta lograr equilibrio; entonces estará distribuido en forma diferente en los dos compartimientos a consecuencia de la fijación específica con el anticuerpo. Se mide la concentración de hapteno en ambos compartimientos y se calcula la constante de asociación. Para mayor facilidad de medida, el hapteno suele marcarse con un átomo radiactivo, como ^{131}I.

Reacciones secundarias. En los primeros tiempos de la inmunología, se habían observado todas las reacciones básicas in vitro entre antígenos y anticuerpos. Los investigadores de entonces consideraban que contra un solo antígeno se producían diversos tipos de anticuerpos, cada uno de ellos capaz de un solo tipo de reacción secundaria. Así, en reacciones de precipitación el anticuerpo reactivo del antisuero fue la precipitina; en reacciones de aglutinación, la aglutinina; en la sensibilización de células para lisis con complemento, lisina; en la sensibilización de bacterias para fagocitosis, una opsonina. A esta lista también se añadían antitoxinas (anticuerpos que neutralizaban toxinas, como en la difteria), anticuerpo neutralizante (anticuerpos que volvían no infecciosos los microorganismos patógenos) y anticuerpos fijadores del complemento (anticuerpos que fijan el complemento en presencia del antígeno).

En la década de 1920 esta concepción fue totalmente impugnada por la hipótesis unitaria de Zinsser, quien afirmaba que contra un solo antígeno puro únicamente se producía un tipo de anticuerpo, capaz de producir todas las reacciones. Según esta teoría, la reacción que se produciría en presencia de anticuerpo, dependía del estado del antígeno y de la presencia de reactores accesorios. Si el antígeno era soluble se produciría precipitación; si el antígeno estaba en forma de partículas, produciría aglutinación. Cuando había complemento y el antígeno era una célula, se producía lisis; cuando el antígeno era soluble, se fijaba el complemento. Cuando estaban ambos, complemento y fagocitos, y el antígeno era una bacteria, ocurría la opsonización.

Actualmente, con un mejor conocimiento de la naturaleza de los anticuerpos, resulta que ambos puntos de vista eran parcialmente correctos. Hay muchos anticuerpos diferentes, de naturaleza física y química diversa, que pueden participar en una o más de las reacciones de antígeno-anticuerpo.

El complejo de antígeno con anticuerpo, mediante reacciones secundarias o sin ellas, se produce tanto in vitro como in vivo. Como los anticuerpos se hallan en el suero, las manifestaciones de las reacciones secundarias in vitro suelen clasificarse como reacciones serológicas, y el tema general se denomina serología. A continuación vamos a considerar las reacciones in vitro.

REACCIONES DE PRECIPITACION [66, 138]

Las reacciones de precipitación tienen lugar cuando antígeno y anticuerpo se hallan en forma soluble. Pueden producirse en medios líquidos o en geles como los de agar o poliacrilamida.

Prueba cuantitativa de precipitina en medio líquido. Las reacciones de precipitación en medio líquido pueden analizarse cuantitativamente, y determinar la cantidad de antígeno y anticuerpo que que existe en los precipitados. Se hacen reaccionar cantidades constantes de antisuero con concentraciones conocidas variables de antígeno. Después de la incubación inicial a 37°C se deja que las reacciones alcancen equilibrio en frío, generalmente durante dos a tres días. Los precipitados se reúnen por centrifugación y se analizan determinando la proteína. Los líquidos que sobrenadan se unen y se dividen en dos partes; una se analiza en busca de antígeno libre, otra en busca de anticuerpo libre. Para analizar el exceso de anticuerpo se hará la prueba del anillo. Se coloca una parte alícuota de cada líquido sobrenadante en un pequeño tubo, y se dispone en la parte alta del líquido una capa de antígeno. Si hay anticuerpo libre se producirá un anillo de precipitación, pues los reactantes difunden uno hacia el otro y alcanzan una proporción óptima para precipitación. En forma similar el exceso de antígeno se descubre depositando una capa de alícuota del líquido sobrenadante sobre antisuero. En presencia de antígeno libre se forma un anillo de precipitación. En los tubos en que no hay ni antígeno libre ni anticuerpo libre, no se forma anillo ninguno, ni con anticuerpo ni con antígeno. En esta forma se han distinguido tres zonas: la zona de exceso de anticuerpo en la cual la proporción entre anticuerpo y antígeno es elevada, y el exceso de anticuerpo no se combina y queda demostrable en el líquido que sobrenada; la zona de proporciones óptimas, o zona de equivalencia, donde todo el antígeno y todo el anticuerpo se combinan y han precipitado; y la zona de exceso de antígeno, donde hay antígeno libre en el líquido que sobrenada. El análisis de proteína en los precipitados logrados empleando las diversas concentraciones de antígeno muestra una cantidad creciente de precipitación a medida que aumenta la concentración de antígeno, hasta alcanzar la precipitación máxima en la zona de equivalencia. La precipitación disminuye cuando se alcanza la zona de exceso de antígeno; cuando el exceso de antígeno es grande se producen complejos solubles de antígeno-anticuerpo.

En la prueba cuantitativa de precipitina se determina la concentración de anticuerpo en el antisuero

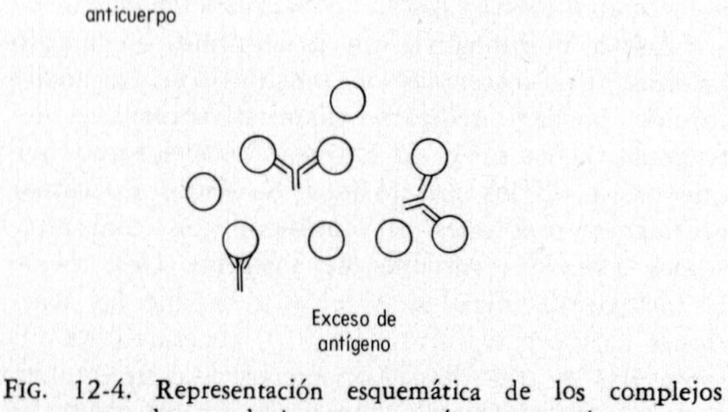

FIG. 12-4. Representación esquemática de los complejos que pueden producirse entre antígeno y anticuerpo.

o en el líquido problema según la diferencia entre el nitrógeno total de proteína y el nitrógeno de proteína antigénica en el precipitado cuando se ha alcanzado el punto de equivalencia. También es posible la coprecipitación de otras substancias nitrogenadas, que debe tenerse en cuenta. La contribución mayor de este tipo es el complemento (ver sección sobre complemento); para lograr resultados precisos hay que descomplementar el antisuero tratándolo con algún sistema heterólogo de antígeno-anticuerpo antes de efectuar la prueba de precipitina.

Dada la multivalencia del anticuerpo y el antígeno, la proporción entre antígeno y anticuerpo en el precipitado cambia constantemente a medida que aumenta la cantidad de antígeno añadida. En la reacción entre albúmina de huevo y el anticuerpo específico para albúmina de huevo preparado en conejos, la proporción Ag-Ab (donde Ab indica anticuerpo) para el precipitado con exceso de anticuerpo tiene una composición molecular media de Ab_5Ag, y en la zona de equivalencia de Ab_3Ag a Ab_5Ag_2. Cuando hay un exceso moderado de antígeno la proporción en el precipitado es Ab_2Ag, y los complejos solubles del líquido que sobrenada son de $AbAg_2$ y Ab_2Ag_3.[68] Si la proporción de AbN/AgN en la zona de acceso de anticuerpo se dispone en gráfica contra el N antigénico añadido, se obtiene una línea recta, que se describe por la siguiente ecuación empírica:

$$\frac{AbN\ pptd}{x} = a - bx$$

Donde x es la cantidad de N añadida, a es la intercepción del eje y, y b equivale a la pendiente de la línea.

Se han establecido diversas fórmulas matemáticas para la reacción cuantitativa de precipitina.[45, 53-55, 57, 58, 127] Heidelberger y Kendall[53-55] admitieron que la reacción era similar a una reacción química entre substancias multivalentes en su relación mutua, y que tenía una conducta según acción de masas para dar la siguiente ecuación:

$$AbN\ pptd\ /\ 2Rx - \frac{R^2}{A}x^2$$

donde A es la cantidad de N de anticuerpo precipitado en el punto medio de la zona de equivalencia; R, la proporción entre A y la cantidad de N antigénico precipitado en este punto; y x la cantidad de N antigénico añadido en este punto. En la ecuación derivada empíricamente, $2R = a$, y

$$\frac{R^2}{A} = b.$$

Hay diversos factores que intervienen en la reacción que origina las ecuaciones anteriores, afectando su validez; hay que tener conocimiento de tales

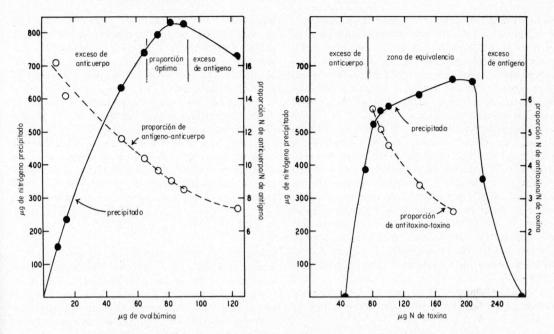

FIG. 12-5. Los dos tipos de sistemas de precipitinas. *Izquierda*, El tipo "conejo" en que el complejo no es soluble en la zona de exceso de anticuerpo; precipitado producido mediante la adición de cantidades variables de ovalbúmina a 1 ml de suero antiovalbúmina de conejo. (Tomado de Heidelberger y Kendall.) *Derecha*, El tipo "caballo" en que el complejo es soluble en exceso de anticuerpo o de antígeno; nitrógeno total precipitado de 1 ml de antitoxina difté- rica de caballo con cantidades variables de toxina. (Tomado de Peppenheimer y Robinson.)

limitaciones. Entre ellas están la necesidad de des- complementar el suero y de que la reacción en es- tudio sea de un solo antígeno con su anticuerpo homólogo; y que el líquido sobrenadante en la zona de equivalencia no contenga ni antígeno ni anticuerpo.

Para algunos antígenos, muy especialmente los antígenos de peso molecular alto, ninguna de las ecuaciones da una relación de tipo lineal. La he- terogeneidad del anticuerpo en cuanto a clase, afi- nidad para antígeno, y especificidad para diversos determinantes del antígeno, afecta la reacción y, por lo tanto, la forma de la curva. La ecuación o la curva de precipitina solo describe la conducta media de una población heterogénea de moléculas de anticuerpo con un solo antígeno.

Hay dos tipos de sistemas en cuanto a la forma- ción de precipitados visibles en zonas de exceso de anticuerpo y antígeno. En uno de ellos, llama- do antes de tipo de caballo o H (porque se ob- servó primeramente en el sistema de toxina-anti- toxina de caballo, *horse* en inglés), la precipitación es inhibida cuando hay exceso de cualquiera de los reactivos. En el otro, la característica de la mayor parte de sistemas de antígeno-anticuerpo llamada a veces de conejo o de tipo R (por el empleo de antisuero de conejo, *rabbit* en inglés) la precipita- ción no es inhibida en la zona de exceso de anti- cuerpo. En esta región todo el antígeno es pre- cipitado, de manera que la cantidad de precipitado

formada con un exceso de anticuerpos se determina según la cantidad de antígeno añadido. Estos dos tipos de sistemas de precipitación se indica en la figura adjunta.

La primera se refiere a una curva de floculación, la última a una curva de precipitina.

En la reacción de tipo de floculación se forman complejos solubles con exceso de antígeno como de anticuerpo. Todo el antígeno y el anticuerpo son precipitados en la zona de equivalencia, una parte amplia en línea recta de dicha curva. Este tipo de curva se observa con antisuero de caballo para di- versos antígenos proteínicos, con antisuero humano para tiroglobulina, y con antisuero de carnero para polipéptidos sintéticos.

Precipitación en geles.[2, 27] Cuando se incorpora antisuero a un gel (como el de gelatina o agar) y se permite que difunda anticuerpo por el gel, o cuando antígeno y anticuerpo difunden uno hacia el otro en un gel, se produce la reacción de pre- cipitina en forma de una banda de precipitado. Este fenómeno se denomina de inmunodifusión. La banda es muy neta cuando la proporción de reac- tantes se aproxima a la de una zona de equiva- lencia, pero generalmente esto no ocurre, y el borde de frente suele ser agudo mientras que el bor- de atrasado es más difuso. Como antígenos indivi- duales forman bandas individuales de precipitado con los anticuerpos homólogos el método de difu- sión de gel permite la demostración de la heterogeneidad antigénica porque una mezcla de antígenos proporciona bandas de precipitación múltiples. El número de componentes observados así es mínimo, pues no hay la seguridad de que no existan otros componentes —pero en cantidad demasiado pequeña para producir bandas visibles, y lo que parecen ser bandas únicas a veces pueden distinguirse o resolverse en más de una banda.

Hay diversas variaciones en la técnica de difusión de gel. La difusión única, según el método de Oudin, emplea agar o gelatina que contiene antisuero en un pequeño tubo lleno con una solución de antígeno. Dejándolo en reposo varios días, el antígeno difunde por el gel que contiene anticuerpo, y se desarrollan bandas de precipitación. En un sistema de un solo antígeno-anticuerpo solo se forma una banda; en sistemas múltiples se forman diversas bandas, correspondiendo al número de sistemas existente en cantidades y proporciones adecuadas.

Oudin comprobó que la banda de precipitado avanza en el método de difusión simple según

$$h = k \sqrt{t}$$

donde h es la distancia atravesada por el frente de la banda, t es el tiempo, y k es una constante. Como k varía con la concentración de antígeno y anticuerpo, es un índice de la concentración de cada reactante cuando se conoce el otro. La viscosidad del gel, la presencia de contaminantes en los reactores, y otros factores afectan a k. Conservando constante anticuerpo, $h/\sqrt{t}$ varía en forma lineal como el logaritmo de la concentración de antígeno, aumentando como aumenta la concentración de antígeno. Si se conserva constante el antígeno $h/\sqrt{t}$ varía en forma lineal como el logaritmo de la concentración de anticuerpo, y disminuye cuando aumenta la concentración de anticuerpo.[98, 138]

La concentración de antígenos y anticuerpos puede estimarse también por una prueba de difusión radial cuantitativa establecida por Mancini y colaboradores.[79, 131] El anticuerpo monoespecífico para el antígeno que se está estudiando se incorpora al gel de agar fundido, y el gel se derrama para formar una capa uniforme. Pozos creados en el agar se llenan con un volumen medido de antígeno. Cuando el antígeno se difunde, alrededor del pozo se forma un halo, que con el tiempo aumenta en dimensiones hasta alcanzar un máximo. Si se deja que prosiga la reacción hasta que todo el antígeno está combinado con el anticuerpo, la zona del halo varía en proporción directa de la concentración de antígeno, e inversa de la concentración de anticuerpo. La dimensión terminal del precipitado (S) es proporcional a la concentración del antígeno (Q_{ag}):

$$S = S_0 + K \cdot Q_{ag}$$

Donde S_0 es la intercepción de la línea recta, y guarda relación con el volumen del pozo de antígeno, y K es la pendiente de la línea.

La pendiente K de la línea recta que relaciona las dimensiones del precipitado con la concentración del antígeno está afectado por la concentración del anticuerpo en la siguiente forma:

$$K = m + n \frac{1}{C_{ab}}$$

donde C_{ab} equivale a la concentración de anticuerpo en el gel, m es la intercepción, y n la pendiente. Se hacen correr simultáneamente una serie de concentraciones conocidas de antígeno purificado contra el antígeno de prueba, y se prepara una curva estándar. La prueba es muy sensible; pueden estimarse con precisión entre 0.01 y 0.02 μg de antígeno. La prueba ha logrado amplia aplicación, sobre todo para determinar cuantitativamente diversas clases de inmunoglobulina en suero. Pueden emplearse para determinar cuantitativamente la proteína en una mezcla, siempre que pueda disponerse de antisuero monoespecífico y antígeno estándar purificado.

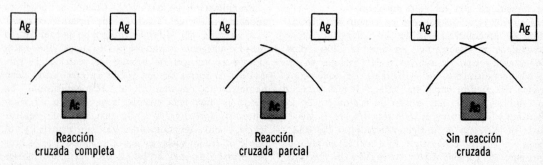

FIG. 12-6. Esquema de la técnica de doble difusión de Ouchterlony con bandas únicas de precipitado de antígeno-anticuerpo. *Izquierda*, La unión de las bandas indica identidad de los antígenos; *centro*, reacción cruzada parcial; *derecha*, el comportamiento independiente de las bandas indica que no hay relación entre los antígenos. En todos los casos el antisuero contiene anticuerpo para ambos antígenos.

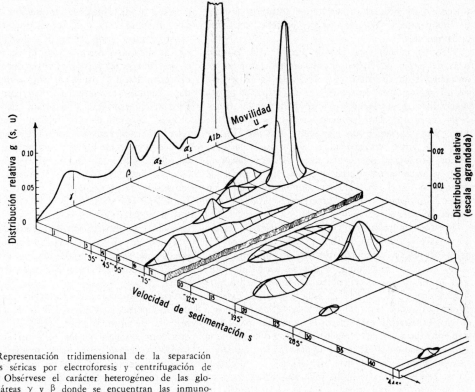

FIG. 12-7. Representación tridimensional de la separación de las proteínas séricas por electroforesis y centrifugación de gran velocidad. Obsérvese el carácter heterogéneo de las globulinas de las áreas γ y β donde se encuentran las inmunoglobulinas. (Wallenius: J. Biol. Chem.)

Ouchterlony[98] creó una técnica de doble difusión, en la cual antígeno y anticuerpo se colocan en pozos preparados en el gel de agar, y se permite que difundan uno hacia otro hasta formar una banda de precipitado. Pueden emplearse varios pozos, de manera que dos o más antígenos pueden difundir simultáneamente hacia un mismo antisuero. Las bandas de precipitados formadas entre cada uno de los antígenos y el antisuero se fusionan en su punto de unión cuando los antígenos son los mismos, pero se cruzan independientemente cuando los antígenos son diferentes. Cuando los antígenos reaccionan en forma cruzada entre ellos, las líneas de precipitado se fusionan parcialmente, formando un espolón. Generalmente pueden producirse precipitados múltiples por un solo sistema de antígeno-anticuerpo cuando la inmunodifusión se lleva a cabo con proporciones de reactantes muy desequilibradas,

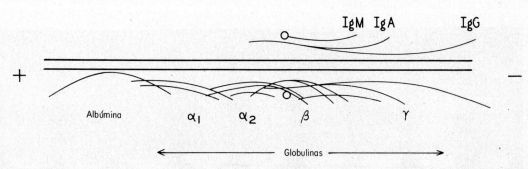

FIG. 12-8. Representación esquemática de una imagen electroforética. En el pozo superior se colocan preparados purificados de IgM, IgA e IgG en el pozo inferior, suero humano completo. Por electroforesis cada proteína se desplaza saliendo del pozo según su movilidad característica en las condiciones utilizadas. Después de la electroforesis se coloca anticuerpo preparado contra suero humano en el canal central, y se observa la precipitación entre cada proteína y su anticuerpo específico.

o cuando el proceso se somete a cambios bruscos de temperatura. Por lo tanto, procede controlar estos factores.[27]

Elek ha creado una prueba similar, en la cual tiras de papel de filtro empapadas en solución de antígeno y de antisuero se colocan en la superficie de un gel de agar. La prueba se ha utilizando para determinar la virulencia in vitro para bacilos diftéricos toxígenos. Las bacterias crecen en forma de tira sobre un medio de agar cerca de una tira de papel de filtro empapada en antitoxina. La exotoxina producida por la bacteria difunde hacia el agar, y hacia la antitoxina que difunde a partir de la tira de papel. En el lugar donde se reúnen en proporción óptima para precipitar, produce una banda de precipitación.

Inmunoelectroforesis.[16, 46, 139, 140] Con la técnica de la electroforesis de límite libre creada por Tiselius en 1933, pueden separarse las proteínas del suero en cinco fracciones, según su forma de emigrar en el campo eléctrico. Se denominan albúmina y globulinas alfa 1, alfa 2, beta y gamma (ver la figura adjunta). En pH básico la albúmina posee la carga negativa más intensa y emigra más rápidamente hacia el polo positivo. Las globulinas que siguen detrás de la albúmina se denominan, en orden de movilidad decreciente, α_1, α_2, β, y γ-globulinas. Los anticuerpos están incluidos sobre todo en el máximo de globulina γ. En la electroforesis de límite libre se mide la migración de las substancias a través de una solución amortiguada.

La inmunoelectroforesis que combina la técnica de electroforesis con la inmunodifusión, es la que, con mucho, logra la mayor resolución de proteínas séricas; empleando esta técnica se han reconocido más de 30 fracciones séricas. La migración tiene lugar en un gel blando. El suero, u otro material que se quiera separar, se coloca en un pozo dispuesto en una capa de gel de agar establecida sobre un portaobjetos de microscopio. Se establece un campo eléctrico y las proteínas emigran según su carga en el pH determinado y según la fuerza iónica utilizada en la prueba. Una vez completada la electroforesis, se establece un corte en sentido

paralelo a la línea de migración proteínica. En este corte se coloca el suero preparado contra los constituyentes proteínicos del suero. Las proteínas séricas difunden desde su punto de migración hacia el anticuerpo, al mismo tiempo que los anticuerpos difunden hacia la línea de migración de las proteínas. Cuando se reúnen, forman complejos de antígeno-anticuerpo que precipitan, creando líneas en el agar. Se produce una línea separada de precipitación con cada constituyente antigénico en el suero. Con esta técnica pueden reconocerse cada una de las cinco clases de inmunoglobulinas (ver la sección de anticuerpos). IgG representa una serie heterogénea de moléculas de movilidad variable. La línea IgG se extiende desde la región lenta γ hacia arriba penetrando en la región α_2. IgA e IgM se mueven con movilidad de globulina beta.

Como en el caso de la prueba de Ouchterlony, pueden reconocerse reacciones de identidad, ausencia de identidad e identidad parcial entre los antígenos.

Por radioinmunoelectroforesis puede descubrirse un anticuerpo específico dentro de una línea determinada de inmunoglobulina.[60] El suero problema que contiene anticuerpos para un antígeno (A) se somete a electroforesis en la forma usual. Se coloca antisuero contra las diversas inmunoglobulinas que hay en el suero problema en el pozo, junto con el antígeno A que se ha marcado con un producto radiactivo como [131]I. Al producirse la difusión y formarse las líneas de inmunoglobulina, el antígeno coprecipita en las líneas que contienen anticuerpo anti A específico. Las líneas radiactivas se observan colocando el gel (después de lavado y secado) en contacto con una placa fotográfica. Después de la exposición adecuada, se revela la placa. Las líneas en la placa pueden relacionarse entonces con las líneas de inmunoglobulina en la imagen electroforética.

REACCION DE AGLUTINACION

La reacción entre anticuerpo y un antígeno particular suele denominarse reacción de aglutinación.

FIG. 12-9. Prueba de aglutinación macroscópica: aglutinación flagelar de Salmonella. El tubo control contiene suspensión de bacterias sin antisuero. Las diluciones sucesivas en los tubos son 1:100, 1:200, 1:500, 1:1 000, 1:2 000 1:5 000, 1:10 000 y 1:20 000. Obsérvese la aglutinación en 1:10 000 pero no en 1.20 000.

El antígeno puede ser una partícula, una bacteria o un glóbulo rojo; o bien un antígeno soluble preparado en forma de partículas por adsorción a estas, o acoplamiento con una partícula, empleando para la adsorción bolitas de látex o glóbulos rojos.

Aglutinación. Si la sangre o el suero de un animal previamente inmunizado contra una bacteria se mezcla con una suspensión de microorganismos, estos últimos se inmovilizan, y al poco tiempo se reúnen para formar grandes acúmulos celulares. En la prueba de aglutinación de portaobjetos, utilizada generalmente para ensayo rápido, se emplea el antígeno como suspensión lactescente y el antisuero se utiliza sin diluir, o solo ligeramente diluido; las bacterias suspendidas se reúnen en presencia de anticuerpo homólogo en un minuto o dos, y dan a la suspensión un aspecto grumoso. En el tubo de ensayo estos grumos se depositan, y la suspensión bacteriana turbia se aclara, con formación de una masa que precipita de células reunidas en el fondo del tubo. Este fenómeno se denomina aglutinación, y las células bacterianas se dice que han sido aglutinadas. Las bacterias no mueren por aglutinación; de hecho crecerán en el suero inmune, aunque con alteraciones morfológicas y aparición de largas cadenas de formas bacilares. No es necesario emplear bacterias vivas para la reacción de aglutinación; las muertas se aglutinan igual que las formas viables.

Aunque diversas especies de bacterias pueden ser aglutinadas por sueros "normales" en diluciones bajas (1:5 a 1:10), la capacidad del suero para aglutinar bacterias aumenta considerablemente por la inmunización. Pueden prepararse antisueros de título alto, que efectuarán la aglutinación en diluciones de 1:20 000 a 1:50 000. Por lo tanto, la reacción de aglutinación es una reacción de reacción antígeno-anticuerpo y el anticuerpo se denomina aglutinina. El antígeno se llama a veces aglutinógeno. La aglutinina no requiere la cooperación del complemento u otras substancias termolábiles; sueros inactivados aglutinarán según su título.

No solo las bacterias, sino diversas células libres, incluyendo glóbulos rojos y otros, son aglutinadas por sueros normales e inmunes. La incompatibilidad de los glóbulos rojos humanos en una transfusión incompatible es consecuencia de la presencia de hemaglutininas específicas. La reacción de hemaglutinación puede observarse microscópicamente mezclando una suspensión de bacterias y antisuero diluido en un portaobjetos, pero se efectúa sobre todo mezclando los dos en proporción de 0.5 a 1.0 ml en pequeños tubos de ensayo, y observando la formación de un precipitado. En el último caso se emplean diluciones variables de suero (preparadas casi siempre en progresión geométrica, mezclando con un mismo volumen de solución salina fisiológica, por ejemplo 1:10, 1:20, 1:40, 1:80; etc.) añadidas a la suspensión bacteriana y se incuban a 37°C durante una noche o bien a 55°C

durante 2 horas. La dilución máxima que muestra aglutinación observable se toma como título del suero. Un suero que muestra aglutinación en dilución de 1:10 000, pero no en 1:20 000, dícese que tiene un título de aglutinación de 1:10 000. Tales títulos, hasta cierto punto, son variables según la densidad de la suspensión bacteriana y otros factores; las suspensiones claras, por ejemplo, que solo muestran ligero enturbiamiento pueden proporcionar títulos de aglutinación más alto que las suspensiones concentradas.

Aglutinación pasiva.[12, 121] Partículas a las cuales se ha adsorbido antígeno soluble adquieren pasivamente capacidad antigénica de dicho antígeno, y tienen una conducta como si estuvieran compuestas de antígeno. La adición de anticuerpo específico para el antígeno adsorbido obliga a las partículas a aglutinarse.

Los antígenos pueden adsorberse sobre látex o partículas similares de dimensiones adecuadas. Es frecuente utilizar glóbulos rojos de carnero; la reacción se denomina hemaglutinación pasiva. Tratando los glóbulos rojos con ácido tánico o crómico diluido, se modifica en cierta forma la superficie celular, de manera que los antígenos se adsorben a ella. No conocemos la índole de la reacción por medio de la cual el antígeno se fija al glóbulo rojo tratado. Se emplean glóbulos rojos frescos, o preparados estables de glóbulos rojos formolados. Los antígenos pueden unirse en forma covalente a los glóbulos rojos mediante uniones de diazonio utilizando como agente de acoplamiento bis(diazo)bencidina. Se han utilizado para la prueba de hemaglutinación pasiva diferentes antígenos, incluyendo haptenos polisacáridos, proteínas solubles, antígenos solubles de microorganismos como la tuberculina, los antígenos O y Vi de los bacilos entéricos, toxinas bacterianas como la tetánica, y virus diversos, como los adenovirus.

La antigenicidad original de los glóbulos rojos no se pierde cuando se adsorbe un antígeno soluble en su superficie. Este factor es importante cuando se usan eritrocitos de carnero y antisueros de conejo, porque estas células contienen antígeno de Forssman, y el anticuerpo a este antígeno suele encontrarse en sueros de animales como el conejo, que no contienen el antígeno. En consecuencia, los eritrocitos de carnero con frecuencia se aglutinan en suero de conejo, y si se usan estos reactivos el antisuero debe tratarse con hematíes de carnero normales para eliminar por adsorción el anticuerpo de Forssman (véase luego) antes de usarlo. Esto también puede evitarse fácilmente usando eritrocitos de conejo.

La prueba de hemaglutinación pasiva a menudo es más sensible que la aglutinación de bacterias, debido al tamaño relativamente grande de la partícula de antígeno. Los sueros antibacterianos con títulos de aglutinina antibacteriana homóloga de 1:5 000 a 1:10 000 pueden aglutinar eritrocitos sensibilizados con antígeno bacteriano soluble hasta títulos de 1:50 000 o más.

Reacción antiglobulina. Es una aglutinación pasiva en que la célula o partícula antigénica se trata primero con antisuero específico para su antígeno de superficie, y después con antisuero para la seroglobulina del anticuerpo específico. Se conoce también como prueba de Coombs. En la primera etapa de la reacción, el anticuerpo homólogo en forma de inmunoglobulina reacciona específicamente con su antígeno. Cuando la globulina inmune se ha adsorbido así específicamente sobre la partícula, esta se comporta antigénicamente como si fuera seroglobulina. Al añadir anticuerpo para la globulina, antiglobulina, la inmunoglobulina que actuó como anticuerpo desde el principio funciona ahora como un antígeno, y las partículas cubiertas son aglutinadas. Por lo tanto, mientras que en un sentido técnico la segunda reacción es específica, la especificidad de la reacción antiglobulina como reacción serológica descansa en la especificidad del antígeno original y su anticuerpo.

La reacción es particularmente útil para el anticuerpo que no puede intervenir en tales reacciones secundarias, como las de precipitación o aglutinación. Se identifica con diversos términos descriptivos, como incompleto, univalente, bloqueador, no precipitante o no aglutinante. Como no está bastante demostrada su univalencia, los últimos tres términos, que describen su acción en los complejos de anticuerpo-antígeno, son las denominaciones más adecuadas (ver la sección sobre anticuerpo anti Rh). Entre las teorías propuestas para explicar esta aparente univalencia está que los lugares de anticuerpo para combinación con antígeno se hallan dispuestos estéricamente en tal forma que solo queda uno disponible para la reacción. Después que el anticuerpo no aglutinante reacciona con el antígeno, el antígeno se vuelve susceptible de aglutinación con el suero antiglobulina. En otras palabras, el anticuerpo se conduce como si fuera monovalente, pero como antígeno reactivo con antiglobulina es multivalente. Los títulos de antiglobulina muchas veces son más elevados que los títulos

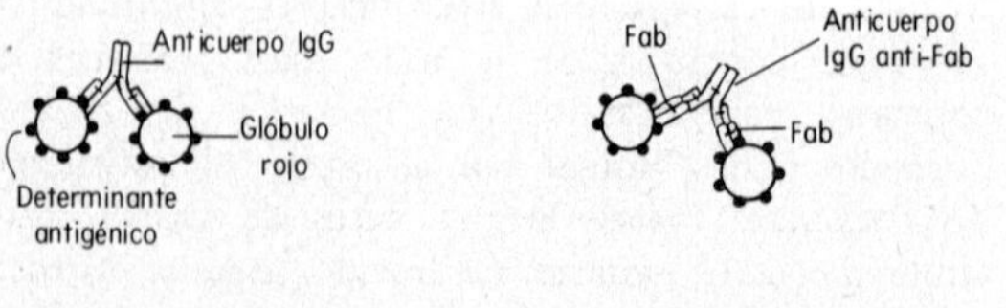

1. Hemaglutinación   2. Reacción antiglobulina

Fig. 12-10. Representación esquemática de la hemaglutinación. *1*, Reacción entre glóbulos rojos y anticuerpo bivalente específico de aglutinación. *2*, Para que la aglutinación se produzca entre glóbulos rojos que han reaccionado con anticuerpo específico univalente (fragmento Fab) se añade anticuerpo anti Fab bivalente.

de aglutinación, porque estos últimos solo titulan anticuerpo aglutinante, mientras que los primeros titulan anticuerpo aglutinante y anticuerpo no aglutinante.

Aglutinación H y O. La prueba de aglutinación y la de absorción de aglutinina (véase la sección de antígenos de reacción cruzada), aunque utilizadas con cierta frecuencia en el diagnóstico de enfermedades infecciosas, han demostrado particular utilidad para estudiar la relación entre especies bacterianas entre sí, y a veces como en el caso de Salmonella, han permitido determinar fórmulas antigénicas complejas basándose en la constitución antigénica de los flagelos y de la superficie celular. Macroscópicamente la aglutinación flagelar, o H, produce un precipitado floculento poco claro, que por examen microscópico demuestra acúmulos bacterianos sueltos en los cuales los flagelos de los microorganismos están enmarañados unos con otros. La aglutinación O, o de superficie celular, produce un precipitado granuloso fino en el cual las diferentes células bacterianas están estrechamente unidas unas contra otras. La inmunización con la célula bacteriana completa tiene ambos componentes antigénicos, flagelar y somático, y origina antisueros que contienen ambos tipos de anticuerpo. La aglutinina H suele encontrarse en título más alto que la aglutinina O.

La presencia de algunos antígenos en la superficie celular puede interferir o evitar la aglutinación de las bacterias por anticuerpo homólogo o por otros determinantes antigénicos. Un ejemplo de este tipo de acción bloqueadora es el del antígeno de cubierta, denominado antígeno Vi, de *Salmonella typhi*. Su presencia impide la aglutinación de las bacterias por anticuerpo anti O. Puede haber antígeno Vi en cultivos frescos aislados de la bacteria, y puede destruirse por calentamiento, que logra que las bacterias sean aglutinables por el anticuerpo anti O.

Aglutinación espontánea. Algunas cepas de bacterias no forman suspensiones estables y se dice que se aglutinan espontáneamente. Esta conducta es especialmente característica de las variedades rugosas; aunque no es un fenómeno inmunológico, con frecuencia tiene importancia práctica en estudios de aglutinación.

Aglutininas de frío. En ciertas enfermedades, como la neumonía atípica primaria, la tripanosomiasis y la anemia hemolítica, se produce una inmunoglobulina IgM monoclonal en cantidades muy elevadas.[26] Se denomina aglutinina de frío. Su nombre proviene de su capacidad de aglutinar gran diversidad de glóbulos rojos homólogos y heterólogos entre 0° y 4°C, pero no a 37°C. A esta última temperatura se separa del glóbulo rojo. Como puede reaccionar con glóbulos rojos autólogos, puede considerarse un autoanticuerpo. Sin embargo, se trata de una reacción no específica, en el sentido de que reacciona tanto con eritrocitos humanos como de animales. Un antígeno que interviene a veces en la anemia hemolítica adquirida se denomina antígeno I y la aglutinina es anti I. Se descubrió cuando un individuo después de transfusiones múltiples con sangre compatible ABO-Rh desarrollaba anemia aguda hemolítica.[136] Se comprobó que el antígeno I en la sangre transfundida, desencadenando la respuesta de aglutinina de frío, era de distribución casi universal; solo cinco de 22 000 donadores tomados al azar resultaron I negativos (la denominación I se usó para indicar su individualidad). Las aglutininas de frío existen en la mayor parte de sueros en cantidades pequeñas, pero en ciertos procesos patológicos pueden alcanzar concentraciones muy elevadas.

TINCION INMUNOFLUORESCENTE

La marca de inmunoglobulina conjugándola con fluorocromos fue creada por Coons en 1942.[25] Se ha comprobado que los isocianatos aromáticos pueden acoplarse a la proteína mediante un enlace de carbamida con los grupos amino libres de la proteína, generalmente los grupos ε-amino de residuos de lisina. Esta reacción se utiliza para acoplar fluorocromos, casi siempre fluoresceína o rodamina, en forma de sus isotiocianatos, con globulina inmune. La globulina se separa de las demás proteínas séricas por los métodos usuales de precipitación salina o de cromatografía de columna. Luego reacciona con el isotiocianato de fluorocromo, y se suprime el exceso de fluorocromo por diálisis. El anticuerpo

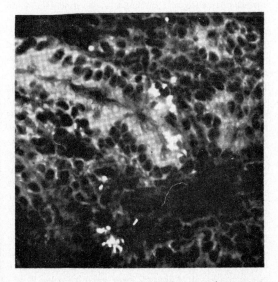

FIG. 12-11. Demostración de bacilos disentéricos en las células epiteliales de la parte media de una vellosidal en la lámina propia del intestino delgado del cobayo; corte de congelación para tinción de anticuerpo fluorescente. Los bacilos, revestidos de anticuerpo marcado con fluoresceína, brillan de color verde amarillo brillante con la luz ultravioleta; aquí se observan de color blanco. (LaBrec.)

conjugado conserva su actividad de anticuerpo, aunque pueden producirse algunos cambios de otras de sus propiedades.

El antígeno homólogo se tiñe específicamente mediante la actividad de anticuerpo del conjugado, y puede observarse en forma de partículas, como bacterias o virus, o en concentraciones de antígeno soluble. La aplicación puede ser directa o indirecta; el antígeno puede teñirse directamente con anticuerpo homólogo, o indirectamente tiñendo primeramente el antígeno con anticuerpo homólogo usual y luego tiñendo por aplicación de anticuerpo fluorescente la globulina de anticuerpo (como variación de la técnica de antiglobulina). El antígeno teñido específicamente muestra fluorescencia con luz ultravioleta; se necesita equipo microscópico adecuado para la observación. El antígeno teñido con fluoresceína muestra fluorescencia de color verde amarillento, y el teñido con conjugados de rodamina de color rojizo; ambos colores tienden a desaparecer cuando la observación se prolonga. Se han publicado diversas descripciones detalladas de estas técnicas.[7, 8, 10, 18, 25, 96, 119, 128]

Aunque mucho menos sensible que la marca de antígeno o anticuerpo con un isótopo radiactivo como ^{131}I, el método de anticuerpo fluorescente es mucho más flexible, y ha tenido gran valor para localizar substancias antigénicas en tejidos, especialmente virus que en otra forma no serían demostrables con el microscopio de luz. También tiene gran valor para la rápida identificación de bacterias. La fluorescencia no específica es frecuente, pero suele poderse reducir hasta valores insignificantes mediante la adsorción preliminar del anticuerpo con tejido pulverizado o carbón activado.

REACCIONES DE NEUTRALIZACION

Anticuerpos protectores y neutralizantes. Cuando un antígeno es un microorganismo patógeno, o un producto tóxico de un microorganismo, el anticuerpo correspondiente puede proteger un animal sensible contra la infección o los efectos de una substancia tóxica.

La medición de tal actividad de anticuerpo depende de establecer un punto de referencia, como la dosis LD_{50} para el agente infeccioso o la toxina en el animal normal, y compararlo con un valor similar obtenido en presencia de anticuerpo. La dosis LD_{50} es la cantidad de material infeccioso o tóxico que mata el 50 por 100 de los animales inoculados en un periodo determinado de tiempo (capítulo 8). En la práctica, la inoculación de prueba suele ser un múltiplo de la LD_{50}, y suele conservarse constante mientras varía la cantidad de anticuerpo. Tales pruebas de actividad de anticuerpo son de dos tipos generales: la prueba de protección y la prueba de neutralización, y la actividad de anticuerpo medida en esta forma se dice que es de anticuerpo protector o anticuerpo neutralizante.

El mecanismo por virtud del cual el anticuerpo protege in vivo no siempre es conocido; factores accesorios, como el aumento de la fagocitosis y la fijación del complemento, pueden contribuir a su acción.

Pruebas de protección. La prueba de protección, a su vez, se subdivide en dos tipos de ensayos, la prueba de protección activa y la de protección pasiva, según que el animal de prueba forme su propio anticuerpo en respuesta o la inoculación de un antígeno, o sea receptor pasivo de anticuerpo preformado de otro animal.

Protección activa. La prueba de protección activa es una prueba de potencia inmunógena del antígeno. Se efectúa inoculando grupos de animales con diluciones seriadas de antígeno, o un número (generalmente bastante grande) de animales con una dosis específica de antígeno. El primer método es necesario para la mayor parte de estudios experimentales. El último suele emplearse para valoración sistemática de la potencia inmunógena de vacunas preparadas y distribuidas en el comercio.

Después de un tiempo, por ejemplo una a tres semanas, durante el cual se desarrolla la respuesta inmune, los animales se someten a prueba con una dosis estándar, por ejemplo 1 000 LD$_{50}$ del microorganismo virulento o la toxina. La protección brindada por la inmunización se mide según la cantidad de antígeno necesario para proteger 50 por 100, u otra proporción especificada de los animales inoculados.

Como los detalles de este y de otros tipos de pruebas de protección y neutralización se determinan por el tipo de microorganismos o de toxina utilizado para inmunizar, y el ataque subsiguiente, tales pruebas solo pueden describirse en términos generales. Al mismo tiempo, hay que tener presentes dos puntos en pruebas de este tipo: en primer lugar, debe saberse que la susceptibilidad del animal de experimentación normal, generalmente el ratón, es bastante constante, y suelen necesitarse animales de por lo menos cierta homogeneidad de crianza. En segundo lugar, el microorganismo debe tener virulencia relativamente elevada para el animal de experimentación, pues cuando procede utilizar dosis elevada, los microorganismos vivos necesarios para causar la muerte pueden alcanzar casi el nivel de toxicidad, o sea la dosis mortal de microorganismos muertos. Esto suele ser cierto, por ejemplo en el caso de bacilos entéricos, gonococos, meningococos y algunos otros tipos de bacterias. Por lo tanto, la virulencia relativa de los microorganismos afecta el nivel de protección brindado; de ordinario no se observa un título elevado de anticuerpo protector, de origen activo o pasivo, cuando el microorganismo es relativamente avirulento.

También hay que tener presente la relación entre la infección experimental y la infección natural, o

que provoca enfermedad en el hombre, cuando tal potencia inmunógena determinada experimentalmente se emplea para caracterizar antígenos destinados a empleo humano. Por ejemplo, la virulencia del vibrión colérico para el ratón es muy baja, pero puede aumentarse mucho suspendiendo la bacteria en mucina para provocar una infección bacteriémica fulminante mortal al inyectar por vía intraperitoneal quizá solo 100 vibriones. La prueba acostumbrada para potencia inmunógena de vacunas de cólera es efectiva en el ratón, pero no está comprobado la relación que pueda tener la infección de prueba con la infección natural como se presenta en el hombre, en la cual los microorganismos están prácticamente confinados a la luz del intestino, y, por lo tanto, hasta qué punto la potencia inmunógena medida en esta forma es aplicable al hombre. De manera similar, la inoculación de bacilos de tos ferina para probar la protección activa en el ratón, se hará por vía intracerebral. La infección tendría muy poca relación con la tos ferina en el hombre, pero es significativo el hecho de que la protección de ratones contra la infección por esta vía es paralela a la protección contra la infección por vía intranasal, que produce en el ratón una infección similar a la observada en el hombre.

Protección pasiva. En la prueba de protección pasiva, se ensaya antisuero en busca de anticuerpo protector por inoculación parenteral de grupos de animales con dosis sucesivas en volumen constante. Quizá proceda dejar transcurrir cierto tiempo entre la administración de antisuero y la inoculación de prueba, 6 a 24 horas, para que el anticuerpo sea absorbido por los tejidos del animal. Si se dan casi simultáneamente, el antisuero y la inoculación de prueba deben administrarse por vías diferentes, como la subcutánea y la intraperitoneal, respectivamente. En todo caso, los animales inmunizados pasivamente se inyectan con una dosis estándar del agente infeccioso o de sus productos. La dosis LD$_{50}$ suele interpolarse en la forma usual, y comparando con la dosis LD$_{50}$ en el animal normal y con la cantidad de antisuero necesario para proteger el 50 por 100 de los animales inmunizados, se calcula fácilmente el número de dosis LD$_{50}$ protegidas por 1 ml de antisuero, o sea su título de anticuerpo protector.

Pruebas de neutralización. La prueba de neutralización suele utilizarse para neutralizar la toxina por antitoxina, y para titular el anticuerpo que interviene en la inmunidad para infecciones virales.[80, 122] Difiere de la prueba de protección por cuanto se mezclan cantidades variables de antisuero con una dosis estándar de microorganismo o de toxina, y se dejan en reposo durante cierto tiempo, por ejemplo 30 minutos, para permitir que el anticuerpo presente reacciones con antígeno; luego se valora la mezcla en cuanto a infecciosidad o toxicidad. Claro está, la prueba puede efectuarse en el animal intacto, pero también es aplicable a cultivos de tejido o cultivos en huevo, cosa que no puede efectuarse con la prueba de protección. El criterio para valoración es la muerte, u otro efecto, en 50 por 100 de los animales, cultivos de tejido o cultivos en huevos; el título de anticuerpo neutralizante se calcula de la misma manera que el título de anticuerpo protector en la prueba de protección pasiva.

Antitoxinas. En 1890 von Behring y Kitasato descubrieron que la inmunidad de conejos y ratones que se habían inmunizado contra el tétanos se acompañaba de la capacidad del suero sanguíneo para neutralizar las substancias tóxicas producidas por el bacilo tetánico. Dichos investigadores denominaron a esta substancia antitoxina. La investigación subsecuente ha demostrado que el cuerpo del animal forma antitoxinas en respuesta a la inyección de diversos venenos antigénicos, no solo los de origen bacteriano como la toxina diftérica, del botulismo y similares, sino también contra fitotoxinas y zootoxinas.

La acción de la antitoxina puede demostrarse directamente en la forma siguiente: si se mezcla in vitro una dosis mortal, o múltiple de la mortal, de toxina con una cantidad adecuada de suero antitóxico, y se inyecta a un animal susceptible, carece de efecto perjudicial en absoluto; el suero inmune anula las cualidades venenosas de la toxina. La reacción, como todas las otras inmunológicas, es muy específica, y una antitoxina que neutraliza la toxina homóloga no tiene efecto sobre toxinas heterólogas.

La combinación de toxina y antitoxina no necesita que ambos componentes se destruyan por completo; mezclas mixtas de toxina y antitoxina pueden disociarse tratándolas con ácido clorhídrico, por enfriamiento en presencia de fenol y tricresol y, hasta cierto grado, mediante simple dilución. En ciertos casos, por ejemplo, en la toxina piociánica y algunos venenos de serpientes, en que la toxina resiste más al calor que la antitoxina, esta puede destruirse selectivamente, y la mezcla neutral se hace tóxica si se calienta adecuadamente. Por lo tanto, parece ocurrir una combinación más o menos lábil entre la toxina y la antitoxina, neutralizándose las propiedades venenosas de la toxina durante el tiempo que persista la unión. La rapidez de la reacción entre toxina y antitoxina, como las reacciones químicas, depende de la temperatura, la concentración, el carácter del medio donde sucede la reacción y factores semejantes, avidez del anticuerpo y factores similares.

La reacción toxina-antitoxina. La reacción entre la toxina diftérica y la antitoxina de caballo sigue la curva del tipo de floculación (H) antes descrito (ver la sección sobre precipitación). Se forman complejos solubles con zonas de exceso de antígeno y de anticuerpo; la floculación tiene lugar entre unos límites determinados de proporción de antígeno y anticuerpo. La reacción de floculación fue observada primeramente por Ramon

con el sistema toxina diftérica-antitoxina de caballo, y se creyó era única para el anticuerpo equino. Más tarde se ha comprobado con otros sistemas, por ejemplo entre tiroglobulina y algunos sueros humanos en la enfermedad de Hashimoto.

Danysz, en los primeros tiempos de estudios de las reacciones de toxina-antitoxina, observó que la neutralización de la toxina depende de la manera como se mezclan los reactantes. La concentración de antitoxina necesaria para neutralizar una cantidad determinada de toxina, añadida de una sola vez a la antitoxina, no neutralizará la misma concentración de toxina que si es añadida poco a poco. Este fenómeno (llamado fenómeno de Danysz) proviene de que antígeno y anticuerpo se combinan en proporciones múltiples. El antígeno, por ser multivalente, puede reaccionar con muchas más moléculas de anticuerpo que las necesarias para neutralización. Tal situación ocurre en la zona de exceso de anticuerpo, donde una pequeña cantidad de antígeno fijará una cantidad desproporcionada de anticuerpo. Un incremento adicional de antígeno que ahora se añada tiene una cantidad de anticuerpo insuficiente con la cual reaccionar. Si esta mezcla se ensaya poco después, será tóxica todavía. Si se deja transcurrir un tiempo para permitir la redistribución de las moléculas hasta alcanzar proporciones óptimas, la toxina será neutralizada en igual grado que si hubiera sido añadida de una vez. La zona de equivalencia se alcanza más rápidamente cuando los reactantes se mezclan en poco tiempo que cuando el antígeno se añade poco a poco. Con suero equino floculante los agregados formados cuando hay exceso de anticuerpo vuelven a equilibrarse relativamente poco a poco con la toxina añadida.

Estandarización de la antitoxina diftérica. La toxina es inestable y con el tiempo se convierte en toxoide. El toxoide, formado espontáneamente o por adición de formaldehido, conserva su capacidad de combinarse con anticuerpo antitoxina y estimular su producción. Como las toxinas son inestables, la antitoxina, que es muy estable cuando se conserva adecuadamente, sirve como estándar último de referencia. La unidad de antitoxina es internacional; los sueros estándar se someten a prueba de cuando en cuando bajo los auspicios del Comité de Expertos de Estandarización Biológica de la Organización Mundial de la Salud. La antitoxina estandarizada se conserva y distribuye por los Laboratorios Internacionales de Estándares Biológicos en el Statens Serum Institute, de Copenhague, Dinamarca.

Se emplean tres métodos para titular la toxina y la antitoxina de la difteria. El primero es el método clásico de Ehrlich, en el cual se determinan dos límites por inoculación del cobayo. Estos son la dosis L_0 de toxina que se define como la cantidad exactamente neutralizada por la unidad estándar de antitoxina, y la dosis $L+$, la cantidad de toxina que, mezclada con una unidad de antitoxina estándar, basta para matar en cuatro días un cobayo de aproximadamente 250 g de peso. Una vez establecidos estos límites, el suero que va a estandarizarse se mezcla con la toxina que se acaba de titular; la cantidad máxima de suero que, mezclada con la dosis L+ de toxina, produce una mortalidad de 100 por 100 en los cobayos inoculados, se considera que contiene una unidad de antitoxina diftérica. Este método no es matemáticamente muy seguro, pero la curva de dosis-respuesta a las exotoxinas bacterianas es de tal pendiente que el método resulta práctico y, por lo tanto, sigue empleándose.

Un segundo método se basa en la observación de que la inyección intradérmica de 1/250 a 1/500 MLD (dosis letal mínima) de toxina diftérica a un cobayo va seguida de reacción local, hinchazón, eritema, y, con cantidades ligeramente mayores de toxina, de necrosis, fenómeno llamado a veces reacción de Römer. Empleando tales inoculaciones intradérmicas puede determinarse una dosis Lr de toxina, o sea la cantidad de toxina que mezclada con una cantidad estándar de antitoxina producirá la reacción cutánea mínima. El suero que va a estandarizarse se mezcla en cantidades variables con dosis Lr de toxina; la cantidad de suero que da la reacción cutánea mínima se considera que contiene una unidad de antitoxina. Este método tiene la ventaja de permitir someter a prueba cierto número de mezclas de toxina-antitoxina en un animal, pero en la práctica no ha desplazado al método clásico.

El tercer método es el de floculación de toxina-antitoxina, denominado a veces de floculación de Ramon; se trata de una reacción de precipitina en la cual el punto final es la zona de equivalencia. La antitoxina estándar se mezcla con cantidades variables de toxina, y el tubo que primeramente (en el tiempo) muestra precipitación contiene una dosis Lf de toxina. Se mezclan cantidades variables en suero que va a valorarse con la dosis Lf de toxina. La cantidad de suero en el tubo que primeramente muestra floculación en esta segunda serie se considera que contiene una unidad de antitoxina. La curva de precipitación o floculación, como se ha descrito en otro lugar, es de tipo caballo, en la cual el complejo antígeno-anticuerpo es soluble con exceso de cualquiera de los dos reactantes, y la dosis Lf así determinada constituye la zona de proporción óptima de la reacción. Este método difiere de los otros dos por cuanto depende del poder de combinación de un filtrado tóxico más bien que de la toxicidad. Se utiliza generalmente no como método final de estandarización, sino como preliminar para seguir con el método de estandarización de Ehrlich.

Las relaciones mutuas de estos límites tienen cierto interés. La dosis L+, claro está, es mayor que la dosis L0; dadas las peculiaridades de la reacción toxina-antitoxina, mucho mayor que una MLD. La dosis Lr se aproxima a la dosis L0 como cabría esperar dada la pequeña cantidad de toxina necesaria para desencadenar la reacción de la piel. La dosis Lf suele ser algo menor que cualquiera de ellas, ya que se trata de una medida de poder de combinación más bien que de una toxicidad. Parece que la proporción Lf/Lr debiera ser la misma para un filtrado tóxico determinado inmediatamente después de la estandarización. Sin embargo, se ha comprobado que esta proporción difiere según los sueros antitóxicos, por variación de avidez del anticuerpo.

Anticuerpo para enzimas.[4, 123] Los microorganismos producen diversas enzimas, algunas de las cuales pueden ser tóxicas para el huésped. Como en el caso de las exotoxinas, en las cuales el anticuerpo neutralizante no se dirige obligadamente hacia el determinante tóxico de la molécula, en la neutralización de enzimas el anticuerpo no se dirige necesariamente hacia la zona catalítica. No conocemos bien el mecanismo por virtud del cual el anticuerpo neutraliza las actividades biológicas.[19, 20]

El grado de inhibición de la actividad enzimática en presencia de anticuerpo específico es función de la cantidad de anticuerpo presente. La proporción de inactivación, que suele titularse añadiendo cantidades crecientes de anticuerpo a una cantidad fija de enzima, al principio es lineal, pero luego disminuye, y cuando hay exceso de anticuerpo persiste un nivel residual de actividad. El monto de esta guarda relación a menudo con el tamaño de la molécula de substrato, siendo la inhibición esencialmente completa en el caso de proteinasas, colagenasa, hialuronidasa, etc., y observándose falta casi total de inhibición rara vez, y cuando la enzima tiene un substrato de peso molecular bajo, por ejemplo, β-galactosidasa, tirosinasa, catalasa, etc.

La inactivación puede ser solo aparente por cuanto la aglomeración de la enzima en el precipitado antígeno-anticuerpo reduce la superficie disponible para el substrato; esta aparente inactivación se observa, por ejemplo, con la catalasa. La inactivación verdadera parece depender de obstáculo espacial, penetrando las moléculas pequeñas de substrato entre las moléculas de anticuerpo adsorbido hacia los sitios activos en la superficie de la enzima, mientras que las grandes no pasan. Esta deducción se apoya no solo en la relación general, aunque no invariable, de la inhibición con el tamaño de la molécula de substrato, sino también por las diversas consecuencias del orden y cantidad en que se añaden a la enzima el anticuerpo y el substrato; es decir, el anticuerpo no desplazará al substrato, y por estudios cinéticos que indican que anticuerpo y substrato no se disputan el mismo sitio de reacción.

Por lo tanto, parece que el sitio de actividad enzimática y el de especificidad antigénica en la enzima no son idénticos necesariamente. En apoyo de esa deducción, rara vez ocurren reacciones cruzadas entre enzimas funcionalmente similares de muy diferentes fuentes, pero sí suceden entre enzimas de origen estrechamente relacionado, y lo último puede atribuirse en apariencia a relaciones antigénicas entre las proteínas más que a los grupos prostéticos de las enzimas. En tanto que parece claro que la antigenicidad y la actividad enzimática no necesitan ser idénticas para que el anticuerpo inhiba la actividad, todavía no ha sido posible demostrar en forma inequívoca que las dos invariablemente no son iguales.

Por el momento será manifiesta la analogía que hay con la neutralización de la toxina por antitoxina. La existencia, o preparación, de toxoides a partir de exotoxinas, carentes de toxicidad, pero con antigenicidad intacta, pueden considerarse para sugerir que la porción tóxica de la molécula quizá sea independiente de su especificidad antigénica. En forma semejante, a menudo se dice que las endotoxinas son antígenos pobres, puesto que la toxicidad persiste en presencia de exceso de anticuerpo. De hecho, son excelentes antígenos valorados por la titulación de los anticuerpos precipitantes que producen, por ejemplo, pero el precipitado antígeno-anticuerpo en la zona de equivalencia es tóxico, aunque no puede descubrirse toxicidad en el sobrenadante. Por lo tanto, hasta cierto punto la neutralización de toxina por anticuerpo quizá sea solo incidental para la reacción antígeno-anticuerpo.

Complemento y reacción lítica

En 1888 Nuttall observó que la sangre desfibrinada y recién extraída, o el suero, son notablemente bactericidas para muchas clases de bacterias, y que esta propiedad es termolábil y se destruye manteniéndolos a 55° a 56°C por 30 minutos. Se dice que esta sangre o suero calentado se ha inactivado. Este efecto bactericida es consecuencia de la presencia de anticuerpo natural en la sangre o el suero, que actúa con la actividad termolábil conocida como complemento. El anticuerpo es citotóxico o citolítico y, como el efecto lítico es el que se usa con mayor frecuencia experimentalmente, esos anticuerpos son lisinas. Actuando como lisina, el anticuerpo media el efecto del complemento para dar una etapa secundaria de la reacción antígeno-anticuerpo que claramente se establece aparte de la unión primaria o de extensiones de esta.

Fenómeno de Pfeiffer. Una de las primeras demostraciones del fenómeno de inmunólisis fue la de Pfeiffer en 1894 con la lisis del vibrión del cólera en la cavidad intraperitoneal del cobayo inmune. Este fenómeno conserva todavía su nombre, se inyecta una suspensión espesa de vibriones y de cuando en cuando se toman muestras de líquido peritoneal y se examinan al microscopio. Los vibriones pierden primero su movilidad, se hinchan, se desmoronan en pequeños fragmentos, y después se disuelven incluso estos, de forma que no queda visible ningún rastro de célula bacteriana. Este fenómeno también puede observarse in vitro cuando los vibriones se mezclan con anticuerpo y complemento.

Los vibriones del cólera y microorganismos similares son relativamente frágiles, incluso más que la mayor parte de bacterias. La bacteriólisis inmunitaria puede observarse con estos microorganismos y con algunos otros; por ejemplo, parte de los bacilos tíficos, pero no todos, tratados en esta forma se lisarán. Al paso que la lisozima contenida en el suero, incluyendo complemento, y en otros líquidos corporales, se considera que interviene en las reacciones inmunes bactericidas y bactericolíticas, después de suprimir la lisozima del sistema queda un efecto residual.[44] En el caso del vibrión colérico se ha comprobado que la pared celular se despolimeriza en presencia del complejo de anticuerpo-complemento en ausencia de lisozima, para producir protoplastos que son viables pero mueren a causa de su fragilidad osmótica; o sea, que el efecto bactericida pudiera haberse evitado completamente por adición de substancias protectoras.[25] Sin embargo, el efecto bactericida puede suceder sin lisis visible, y es posible demostrar con ciertos métodos serológicos apropiados que el antígeno celular se ha combinado con el anticuerpo y el complemento.

Hemólisis. La lisis de bacterias por un suero inmune no es una reacción única en la que solo puedan tomar parte las células bacterianas; la bacteriólisis es más bien un caso especial de un fenómeno general, porque la inmunización con diversas células produce sueros citolíticos. De estas, los eritrocitos son los que se han estudiado más ampliamente, porque la lisis de estas células (hemólisis) es fácilmente visible en el tubo de ensayo; la opacidad roja de la suspensión de células cambia al rojo claro de la solución de hemoglobina a medida que ocurre la lisis. El estroma, pues, no se disuelve, pero al examen aparece deformado. La hemólisis, demostrada por primera vez por Bordet en 1898, ha sido de particular utilidad no solo como un tipo de reacción de lisis peculiarmente apropiada para manipulaciones de laboratorio, sino también como indicador de la combinación antígeno-anticuerpo cuando no puede o no tiene lugar la lisis visible. Estas hemolisinas inmunitarias, es decir, los anticuerpos formados por el organismo del animal en respuesta a la inyección de eritrocitos, son muy diferentes de las hemotoxinas o hemolisinas formadas por microorganismos.

La lisis inmune también puede ser pasiva. Por ejemplo, si se une un hapteno con el glóbulo rojo por diazoación, o si un antígeno soluble es adsorbido en la superficie del glóbulo rojo, como en la hemaglutinación pasiva, estos glóbulos rojos son lisados por el complemento en presencia de anticuerpo para el hapteno o el antígeno adsorbido. Al parecer, la combinación de complemento con el complejo antígeno-anticuerpo a proximidad de la superficie del glóbulo rojo basta para producir la lisis, aunque la estructura del eritrocito no intervenga en la reacción inicial de antígeno-anticuerpo.

Complemento. La fracción activa termolábil que participa en la reacción lítica es un componente del suero normal, y su presencia no guarda relación con la respuesta inmunitaria; es decir, su cantidad no aumenta durante la inmunización. Bordet la llamó alexina, restringiendo el término que Buchner aplicó originalmente a la acción bactericida, indiferenciada y termolábil de la sangre, y Ehrlich la denominó complemento; este último término es el que más se usa.

El hecho de que se trata de un componente del suero normal queda indicado claramente porque cuando la actividad lítica o bactericida del suero recién extraído se ha destruido inactivándola con el calor, se recupera rápidamente añadiéndole suero fresco normal no calentado. El complemento tiene poca especificidad de especie; por ejemplo, el del suero de cobayo puede participar en la lisis de eritrocitos de res en presencia de antisuero preparado en el criceto. Algunas diferencias cuantitativas son notables, porque un suero que puede ser activo como complemento en algunas reacciones puede ser relativamente inactivo en otras combinaciones, y la actividad total es función de las cantidades relativas de los diversos componentes del complemento que puede encontrarse en un suero determinado.

Ya hemos hablado de la inactivación del complemento por el calor. La actividad también desaparece dejando en reposo a temperatura de la habitación (dos o tres horas), más lentamente en el refrigerador, donde puede conservarse durante tres o cuatro días. Es muy estable a temperaturas bajas en forma congelada; la mayor parte de la actividad persiste después de la liofilización; en forma liofilizada puede almacenarse en un refrigerador durante varios meses.

El complemento al parecer se forma rápidamente en el animal íntegro; se ha encontrado que, después de suprimir el complemento al parecer totalmente en el cobayo, por inoculación de albúmina de huevo y antisuero homólogo de conejo, a las ocho horas se descubre un título apreciable de complemento, y para las 18 se ha normalizado.

Fijación del complemento. El concepto de fijación del complemento (CF) nació de un hecho descubierto por Bordet y Gengou en 1901: la reunión de bacterias con anticuerpo y complemento podía descubrirse no solo por la muerte de la bacteria, sino también al demostrar la desaparición de complemento activo en la mezcla de reacción. Cuando se añadían glóbulos rojos sensibilizados (o sea glóbulos rojos en complejo con anticuerpo específico) a la mezcla, y había complemento activo, las células sufrían lisis; cuando el complemento estaba fijado por la reacción de bacteria-anticuerpo, los glóbulos rojos no sufrían lisis. Al año siguiente, Gengou comprobó que antígenos solubles, al igual que antígenos en forma de partículas, podían fijar el complemento en presencia de un anticuerpo específico.

La fijación del complemento por complejo de antígeno-anticuerpo ha dado origen a una prueba sensible y precisa para descubrir la presencia de un antígeno o un anticuerpo específico. Es más sensible que las pruebas de precipitina para descubrir una reacción de antígeno-anticuerpo; una reacción positiva de fijación del complemento requiere aproximadamente 0.05 a 0.1 μg de N de anticuerpo, mientras que para una prueba positiva de precipitina se necesita aproximadamente 1 μg de N.

En la reacción de CF, cuando el antígeno no es una célula susceptible de lisis, no hay demostración visible de que se haya producido una reacción; la presencia o ausencia de complemento libre debe comprobarse añadiendo un sistema indicador. Por lo tanto, la prueba de CF incluye dos sistemas: uno, el sistema de prueba, por ejemplo, un antígeno soluble bacteriano, viral u otro, y un suero problema para buscar anticuerpo específico para el antígeno; y el segundo, el sistema indicador, por ejemplo glóbulos rojos de carnero tratados con hemolisina. En el sistema de prueba, el antígeno y el suero se han incubado con complemento. La temperatura usual de incubación es de 37°C durante nueve minutos, o toda la noche a temperatura del refrigerador. El último método es algo más sensible cuando el anticuerpo es de la clase IgG, mientras que la fijación de complemento por anticuerpo IgM es mejor a la temperatura más elevada. Después del primer periodo de incubación, se añade un volumen de glóbulos rojos de carnero sensibilizados (el sistema indicador o hemolítico) y se prosigue la incubación a 37°C. Si hay ambos, anticuerpo y antígeno, en el sistema de prueba, el complemento queda fijado y no queda libre para reaccionar y provocar lisis de los glóbulos rojos sensibilizados en el sistema indicador. Si falta anticuerpo o antígeno en el sistema de prueba, el complemento no es fijado, y los glóbulos rojos reaccionan con el complemento libre y sufren lisis.

Antes de mezclar antígeno, antisuero (anticuerpo) y complemento en el sistema de prueba, el antisuero se calienta a 56°C durante 30 minutos, para inactivar el complemento que normalmente existe en el suero. Suele utilizarse suero de cobayo como fuente de complemento, porque existe en concentración elevada.

En esta, como en otras reacciones serológicas, el antígeno o el anticuerpo suelen ser desconocidos. Si se emplea un antisuero conocido, puede identificarse un microorganismo u otro antígeno desconocido; a la inversa, puede titularse el suero en anticuerpo para un antígeno conocido. Este tipo de reacción serológica, es particularmente útil cuando el antígeno, conocido o desconocido, en partículas o soluble, puede ser difícil de preparar o de obtener en forma purificada, o en cantidades suficientemente grandes; se aplica ampliamente a los antígenos y anticuerpos de virus y rickettsias. Su forma más conocida es la reacción de Wassermann aplicada al serodiagnóstico de la sífilis.

La especificidad de la reacción CF depende de la reacción inicial entre antígeno y anticuerpo; el sistema indicador no es específico. Por ejemplo, aunque suelen utilizarse los glóbulos rojos de carnero y su anticuerpo homólogo de conejo como sistema indicador, la especificidad en la reacción CF no se modificaría si se prepara con eritrocitos de conejo y su anticuerpo homólogo inmunizado el criceto (hamster).

La reacción de CF técnicamente es más compleja para llevar a cabo que muchas otras reacciones serológicas.

Para demostrar la fijación del complemento, la concentración de todos los reactantes ha de guardar proporciones óptimas. Si se utiliza demasiado o demasiado poco antígeno en el sistema de prueba, no se empleará la proporción adecuada de antígeno y anticuerpo, y el complemento no será fijado, o se fijará muy poco. Si se utiliza demasiado complemento, el exceso quedará libre para reaccionar con el sistema indicador, y se lograrán reacciones negativas falsas. Si se utiliza poco complemento, son posibles las reacciones positivas falsas. Los glóbulos rojos de carnero deben sensibilizarse con las cantidades óptimas de anticuerpo antieritrocito de carnero (llamado amboceptor o hemolisina), pues el exceso de hemosilina puede compensar la cantidad demasiado pequeña de complemento, y viceversa. Por lo tanto, todos los reactantes se titulan en presencia unos de otros, y para lograr la fijación óptima se utilizan en la prueba cantidades conocidas. El punto final es la lisis de 100 por 100 de los glóbulos rojos o del 50 por 100. El punto final a base de 50 por 100 es más preciso que el de 100 por 100.

Otros factores que afectan la prueba y que deben controlarse, son la fuerza iónica, el pH, el volumen total de los reactantes, el número de glóbulos rojos, la concentración de Mg^{++} y Ca^{++} (sin los cuales el complemento es inactivo) y, según ya señalamos, la temperatura. Deben incluirse diversos controles para que la prueba sea válida.

Control del suero. Algunos sueros son anticomplementarios, o sea que fijan el complemento en forma no específica. La causa puede ser contaminación bacteriana de la muestra de suero, presencia de lípidos, presencia de agregados de globulina gamma, almacenamiento prolongado del suero, adición de compuestos que fijan Ca^{++} o Mg^{++}, o algunas enfermedades como lupus eritematoso generalizado y mieloma múltiple, en las cuales el suero contiene inmunoglobulinas anormales que pueden ser anticomplementarias.

Control de antígeno. Algunos antígenos son anticomplementarios, sobre todo los preparados con extractos de tejido infectado que contienen lípidos. Si la fuente de antígeno es tejido infectado, se utiliza como control un antígeno normal, o sea antígeno de tejido normal preparado de la misma manera que el antígeno del tejido infectado.

Control hemolítico. El sistema indicador ha de ser hemolíticamente activo.

Cuantificación. La cantidad de anticuerpo presente o, inversamente, la facultad del antígeno para reaccionar con el anticuerpo, pueden conocerse aproximadamente practicando la reacción de fijación del complemento con diluciones seriadas de antisuero. Puede hacerse cuantitativamente más precisa determinando cuánto complemento fija el complejo antígeno-anticuerpo. Esto se lleva a cabo añadiendo un exceso de complemento conocido con exactitud y titulando nuevamente el complemento no fijado con el sistema hemolítico.

La reacción se lee según la cantidad de hemólisis y es inversa, por cuanto la hemólisis indica reacción negativa de antígeno-anticuerpo. El punto final puede tomarse cuando hay hemólisis total, designarse como $++++$, y los diversos grados de hemólisis como $+$, $++$ ó $+++$. La relación inversa aparece cuando no se registra hemólisis, como en una reacción antígeno-anticuerpo $++++$, hemólisis $+$ como reacción antígeno-anticuerpo $+++$, etc. En tanto que este criterio relativamente imperfecto basta para muchos fines, el punto final de la hemólisis total está sujeto al mismo error que el 100 por 100 de microorganismos muertos por un desinfectante o una mortalidad de 100 por 100 en una investigación de virulencia de toxicidad; es decir, la sensibilidad de los eritrocitos a la lisis está distribuida aproximadamente en forma normal y el 100 por 100 de lisis es un límite al que se llega asintóticamente. Por lo tanto, una unidad más precisa de hemólisis es un punto final interpolado de 50 por 100 de la hemólisis fraccional observada valorada fotométricamente.

Componentes del complemento. [14, 73, 82, 94] Cuando se reunió información sobre la naturaleza y la acción del complemento (C), se demostró que el complemento estaba formado, cuando menos, por cuatro componentes, de características distintas. Tratando el suero fresco en diversas formas se podían distinguir los cuatro componentes: C1, C2, C3 y C4 (ver el cuadro adjunto). C1 era precipitado por diálisis contra agua a pH 5.2, termolábil a 56ºC. C2 quedaba en solución cuando se dializaba contra el agua, y también era lábil a 56ºC. C3 era precipitado por diálisis contra el agua, relativamente termostable a 56"C, y era destruido por tratamiento con zymosan, un polisacárido de la levadura. C4 quedaba en solución cuando se dializaba contra agua, era termostable a 56"C y se destruía por tratamiento con amoniaco o aminas primarias.

Más recientemente se comprobó que C3 contenía, además de C3, cinco componentes adicionales, que actuaban en las últimas etapas de la reacción del complemento; en consecuencia, actualmente se admiten como componentes del sistema del complemento nueve diferentes globulinas denominadas C1, C2, ... C9.[94] (C4 queda entre C1 y C2 en el orden de reacción; su lugar anómalo es una concesión al uso hasta aquí.)

C1 está formado por tres subunidades de proteína, C1q, C1r, C1s. C1q y C8 emigran electroforéticamente como globulinas gamma, C1s y C9 como globulinas alfa, y el resto como globulinas beta. Con excepción de C3, C4, C6 y C7 todos son muy termolábiles a 56ºC. Estos componentes existen en el suero normal en concentraciones variables. C3 se halla en concentración máxima, aproximadamente de 1.2 mg/ml, y C9 en concentración mínima de aproximadamente 0.001 mg/ml. Los pesos moleculares de los componentes varían entre 79 000 (C9) y 400 000 (C1q). Los coeficientes de sedimentación varían entre 4.5 S (C9) y 11.1 S (C1q).

Acción lítica del complemento. Los componentes del complemento, en forma de nueve tipos de macromoléculas proteínicas diferentes, constituyen aproximadamente el 10 por 100 de la fracción globulínica del suero normal. Normalmente siguen inactivos en la sangre circulante, a menos que existan antígeno y anticuerpo unidos en fase líquida o fijados en células. Son activados seriadamente por una serie de reacciones enzimáticas en presencia de la mayor parte de complejos de antígeno-anticuerpo. Algunos de los componentes, cuando son activados, se rompen en fragmentos, de los cuales solo uno es activo para las etapas posteriores del orden de activación. Algunos de los fragmentos inactivos, aunque no intervienen en el proceso citolítico, pueden tener otros atributos farmacológicos o tóxicos. Los fragmentos activados son lábi-

les cuando están libres en solución, y rápidamente se inactivan a menos que se fijen al anticuerpo, a otro componente del complemento, o a membranas celulares, blanco principal de su ataque. Daba la labilidad de las formas activadas cuando no están fijas, para que se produzca citólisis la activación del complemento en realidad ha de producirse a nivel de la superficie membranosa de la célula blanco, o muy cerca de ella.

En el caso de la reacción hemolítica, el antígeno es un componente normal de la membrana del glóbulo rojo. El anticuerpo reacciona con el antígeno y, en presencia de complemento, el primer componente se fija a un lugar en la porción Fc de la molécula de anticuerpo. Este complejo activa los componentes siguientes ordenadamente. Cada uno, cuando es activado, queda fijado a la membrana celular, y cada complejo, a su vez, activa el componente siguiente. Empiezan a aparecer entonces en la membrana celular lesiones de unos 80 a 100 angstroms, que pueden observarse con microscopio electrónico. Después que todos los componentes son activados y se han fijado a la membrana, la célula sufre lisis. El mecanismo regulador de la permeabilidad de las células se perturba, y la lisis de la célula se considera que depende de un choque osmótico; el medio interior de la célula contiene aproximadamente 30 por 100 de proteína, y el del exterior, en el caso del plasma, aproximadamente 7 por 100.

Para comodidad, al exponer el orden de reacciones, utilizaremos los siguientes símbolos:[5] E, significa eritrocitos; A, anticuerpo; C' (el símbolo antiguo) o C (empleo más común), complemento; S, un solo lugar de iniciación de fijación del complemento; y S*, la lesión funcional de la membrana celular a nivel de la fijación del complemento. De C1 a C9 inclusive, los diversos componentes que constituyen el complemento; la barra sobre el número (por ejemplo C1 estado activado del componente que tiene actividad enzimática u otra biológica; una barra sobre una serie de componentes (por ejemplo, C42) estado activo de la serie que tiene actividad enzimática u otra actividad biológica; y sufijos a, b, c,... (o sea, C3a, C3b,...) fragmentos del complemento separados a consecuencia de la rotura del enlace peptídico.

El orden de la reacción puede considerarse que tiene lugar en tres etapas: la etapa de activación, a base de una serie de lugares enzimáticos que generan reacción en la membrana celular, que incluye los cuatro primeros componentes del complemento; la etapa de ataque, con la formación de lesiones estructurales visibles a nivel de la membrana celular por acción de C5, C6 y C7; y la etapa terminal, con formación de lesiones funcionales y lisis de la célula causada por la acción de C8 y C9.[63, 103]

Etapa de activación. La formación de EAC1, C1 es una macromolécula constituida por tres substancias, C1q, C1r y C1s, que están reunidas por Ca++. En ausencia de Ca++ la molécula se disocia y resulta

Complemento (C)

C1	C2	C3	C4
Precipitado* Termolábil	Solùble* Termolábil	Precipitado* Termostable Destruido por zymosan	Soluble* Termostable Destruido por amoniaco

*Después de diálisis contra agua.

inactiva. C1q es el lugar de fijación para el anticuerpo, y al unirse al anticuerpo la porción enzimática de la molécula, C1s, es activada. C1s es una proenzima que en su forma activa tiene actividad de esterasa. También puede activarse en forma no específica por plasmina o tripsina. El papel de la tercera subunidad, C1r, no está bien aclarado. puede actuar fijando juntas los subunidades, o después que la molécula está fijada al anticuerpo, o en ambos sentidos, provocado cambios estructurales en C1s que producen a su activación.

IgA, IgD, IgE e IgG4 no tienen lugar de fijación para C1q; por lo tanto, no pueden participar en la activación del complemento en esta etapa de la serie. IgM, como las demás subclases de IgG, se une a C1q; las diversas subclases de IgG varían en su actividad de fijación, por ejemplo IgG3 > IgG1 > IgG2. El lugar de fijación para C1q es en la porción Fc de la molécula de anticuerpo; en el caso de una proteína de mieloma se halla dentro del fragmento de 62 residuos de aminoácidos de la zona terminal amínica de la porción Fc.[70] Para una buena fijación de C1q, que inicia la formación de un lugar potencialmente citolítico (S), se necesitan una molécula de IgM o dos de IgG muy cerca una de otra sobre la membrana celular. Las imágenes de microscopio electrónico de C1q indican que está formada por cinco o siete subunidades dispuestas radialmente con una unidad central, unidas mediante enlaces no covalentes.[103] Su valencia probable para inmunoglobulina es de 5.

C1q está unido en forma poco firme y puede eluirse espontáneamente en forma activa, transfiriéndose de un lugar a otro. El grado de transferencia depende de la concentración de anticuerpo y de la fuerza iónica del líquido de suspensión. Con glóbulos rojos fuertemente sensibilizados y poca fuerza iónica (0.04) hay poca transferencia; cuando aumenta la fuerza iónica hasta 0.14, la transferencia se vuelve extensa.[77, 94]

El suero normal contiene un inhibidor de C1 activado capaz de limitar la reacción a un lugar particular.

Formación de EAC142. C1 unido a la membrana celular cataliza en dos etapas la formación de la siguiente unidad activa, C42. C4 es modificado por C1, de manera que se fija a un lugar receptor sobre la membrana celular, o al anticuerpo en la membrana. Si hay Mg^{++} C2 se fija en forma irreversible a C4. Entonces un fragmento de C2 es desprendido por C1 dejando en la membrana el producto activo C42, una peptidasa llamada convertasa de C3. Después de formarse la convertasa de C3, C1 ya no se necesita. C2 puede eluirse en forma inactiva del complejo C42, dejando C4 unido a la membrana. Por lo tanto, la semidesintegración de C42 es breve, de aproximadamente 7 a 10 minutos a 37°C.

Formación de EAC1423. Durante la breve actividad de C42, C3 debe activarse. Se rompe en varios fragmentos, uno de los cuales se fija al lugar de C42 sobre la membrana. La consecuencia es C423, una peptidasa. Los demás productos de la desintegración de C3 se liberan hacia la fase líquida. Cada lugar de C42 puede movilizar varios centenares de moléculas de C3, amplificando así la reacción. Con adición de C3 al complejo, empiezan a aparecer efectos biológicos como la fagocitosis, la adherencia inmune y los efectos tóxicos. Los efectos tóxicos dependen de la acción de un producto de rotura de C3 liberado hacia el líquido vecino.

Fase de ataque. Formación de EAC-1423567. Todavía no están aclaradas las etapas de las reacciones en las que intervienen C5, C6 y C7, y que convierten EAC1423 de una forma termolábil a una termostable. Según una teoría, después de la etapa de activación, formándose C1423, los tres componentes siguientes actúan ordenadamente. Otra teoría sugiere que actúan como una unidad trimolecular que se une a la membrana con geometría triangular, formando cada unidad un lugar de fijación para C8.[94]

C5 se rompe en la etapa de fijación de C567. Se fija a la membrana menos del 0.5 por 100 de C5 presente. El fragmento inactivo que es liberado hacia el líquido vecino puede actuar como una anafilatoxina. En este punto también aparece en el líquido vecino una substancia quimiotáctica para los leucocitos.

Hasta la adición de C5 no se observa lesión visible en la membrana celular. Con la adición de C5 a la membrana celular aparecen lesiones ultraestructurales, que alcanzan su número máximo.[103] Después de fijación de C6 y C7 no aparecen lesiones adicionales. No conocemos la naturaleza exacta de tales lesiones, pero probablemente representen zonas lesionadas con las cuales la acción de C8 y C9 resulta en lesiones funcionales.

Fase terminal (citólisis). Formación de EAC1423-56789. La fase que culmina en lisis de la célula incluye dos etapas. 1) Una molécula de C8 se une a cada lugar de C567 en la membrana celular. La fijación de C8 puede inhibirse añadiendo anticuerpo a C5, C6 ó C7. La configuración molecular de la combinación de las cuatro moléculas se cree que es un tetraedro.[94] Almacenándose las células después de añadir C8 hay un escape lento de hemoglobina. 2) Cada C8 tiene seis lugares de fijación para C9. Al añadir C9 al complejo, la célula se lisa muy rápido; probablemente por choque osmótico. La lisis puede evitarse si el medio que rodea la célula tiene una concentración de proteína comparable a la del medio intracelular. En tales condiciones, todavía se pierden iones pequeños por la célula, pero las moléculas voluminosas no escapan de ella. En lo dicho hasta aquí, utilizamos glóbulos rojos como células blanco. Pero cualquier tipo celular, en presencia de anticuerpo específico, puede ser el blanco para la acción citotóxica del complemento. El antígeno no necesita ser un constituyente de la membrana celular; puede estar simplemente unido o adsorbido a ella. La serie de fenómenos citolíticos completos se ilustra en el esquema adjunto.

Otras actividades biológicas del complemento. El complemento puede actuar como parte importante de la defensa natural de un individuo, o puede ser factor contribuyente de lesión tisular y enfemedad.

Anafilatoxinas. En la activación de C3 y C5, se liberan productos de desintegración que tienen propiedades anafilatóxicas y pasan a la fase líquida. Provocan liberación de histamina por las células cebadas, lo cual, a su vez, provoca aumento de permeabilidad capilar y contracción de músculo liso. Si la reacción es general, puede provocarse un choque anafiláctico.

Quimiotaxia. Los productos liberados después de la reacción de C567 con el lugar C423 son quimiotácticos; por lo tanto, son un factor en la defensa natural del individuo. Los productos de C567 que no entran en la reacción citolítica se cree que existen como complejo en solución, y que atraen leucocitos polimorfonucleares fagocíticos en zonas de reacciones de antígeno-anticuerpo.

Adherencia inmune. Los complejos de antígeno-anticuerpo-complemento se adsorben a substancias particuladas como glóbulos rojos, plaquetas, leucocitos o gránulos de almidón. El fenómeno se denomina de adherencia inmune. Solo se necesitan los cuatro primeros componentes del complemento. In vivo esta reacción ayuda a la fagocitosis. Microorganismos infecciosos sensibilizados, como virus, son fagocitados más fácilmente si se unen a una partícula más voluminosa, o si se adhieren a la superficie de una célula fagocítica, y son fácil presa para quedar atrapados.

Conglutinación. La conglutinina que existe en el suero de la ternera normal es una proteína sin relación con la globulina gamma. Provoca aglutinación de los complejos de antígeno-anticuerpo-complemento fijando a C3 en presencia de Ca++. Para esta reacción se necesitan los cuatro primeros componentes del complemento. Se creó una prueba similar a la de fijación del complemento utilizando como indicador de reacción de antígeno-anticuer-

po la desaparición de la actividad de conglutinina.[23, 61, 66]

Inmunoconglutinación. La inmunoconglutinina, que existe en concentraciones bajas en algunos sueros normales, es un anticuerpo para fijar C3 y C4.[73] En la fijación de C3 y C4, quedan expuestos lugares antigénicos que normalmente no son accesibles. El nivel de inmunoconglutinina puede aumentar en las enfermedades infecciosas y después de inmunización con ciertos antígenos. Como está dirigida contra componentes del propio complemento de un individuo, en realidad es un auto-anticuerpo, y suele pertenecer a la clase IgM. La inmunoconglutinina puede producirse inmunizando un individuo con partículas revestidas de complemento de otro individuo, de la misma especie o de otra especie. En este caso, la inmunoconglutinina es primero de la clase IgM, luego de la clase IgG. No conocemos la significación biológica de la inmunoconglutinina. Se ha supuesto que aumenta la resistencia del huésped a la infección.

Sistema activador de C3. Recientemente se ha descubierto un mecanismo de desviación que evita la activación seriada del complemento. Polisacáridos naturales, como la inulina, provocan la activación de un factor sérico no complementario llamado proactivador de C3.[94] Las primeras etapas en la activación de C1, C4 y C2 se evitan, y el ciclo de activación comienza en C3. En el proceso, el proactivador de C3 se rompe, y entra en juego el consumo de C3 hasta C9. Uno de los productos de rotura es una globulina gamma de peso molecular 60 000. Este producto, denominado activador C3, activa C3 y libera anafilatoxina de C3.

Otras substancias pueden activar el proactivador C3, como por ejemplo endotoxina, veneno de cobra y paredes de células de levadura. Los agregados de IgG 1, 2, 3 y 4, como IgA1 e IgA2, también pueden ser eficaces, proporcionando un mecanismo por virtud del cual IgA es capaz de activar los componentes de acción tardía del complemento.

El sistema activador de C3 puede guardar relación con el sistema de properdina. Hay un grupo de factores en el suero normal que forman com-

Activación

$$E + A \longrightarrow EA \xrightarrow[Ca^{++}]{C1q, C1r, C1s} EAC\overline{1} \xrightarrow{C4} EAC\overline{14} \xrightarrow[Mg^{++}]{C2} EAC\overline{142} \xrightarrow{C3} EAC\overline{1423}$$

Ataque   Terminación

$$EAC\overline{1423} \xrightarrow{C5, C6, C7} EAC\overline{1423567} \xrightarrow{C8} EAC\overline{14235678} \xrightarrow{C9} EAC\overline{142356789}$$
$$\downarrow$$
$$\text{Lisis celular}$$

puestos con zymosan, endotoxina y dextrán, capaces de destruir C3 en presencia de Mg^{++}, según describió Pillemer en 1954. Los factores séricos se agruparon colectivamente en el sistema de properdina, que consistía en una nueva proteína sérica, la llamada properdina; otras proteínas séricas similares pero no idénticas a C1, C4 y C2; y Mg^{++}. Ello explicaba, en parte por lo menos, la acción bactericida del suero normal sobre bacterias gramnegativas y la neutralización de ciertos virus. Los componentes del sistema de properdina diferían de los componentes del complemento de acción temprana por cuanto no necesitaban Ca^{++} y atacaban de preferencia C3, respetando C1, C4 y C2. Como el sistema activador de C3, proporciona otra vía para la activación del complemento, con liberación de productos de desintegración biológicamente activos. Su relación con el sistema activador C3 no se conocerá hasta lograr purificar y caracterizar los componentes constituyentes.

Fagocitosis

Si se incuba cierto tiempo una mezcla de leucocitos polimorfonucleares y bacterias u otra substancia en partículas (figurada), se encontrará con el microscopio que algunos leucocitos han ingerido las partículas extrañas, un proceso llamado fagocitosis. Metchnikoff observó primeramente el fenómeno en 1882, mientras estudiaba la respuesta de las células maduras de una larva de estrella de mar a una partícula extraña. Una espina introducida en el cuerpo de una larva de estrella de mar provocaba la llegada de células móviles que rodeaban la espina, y actuaban, según dedujo lógicamente, como mecanismos de defensa del huésped.[86]

Opsoninas.[89, 104] Se ingerirán pocas o ninguna partícula si la mezcla se prepara en solución salina fisiológica, y en gran número cuando el líquido es suero sanguíneo normal. En el caso de las bacterias, muchos microorganismos se encontrarán aglomerados dentro de los leucocitos cuando ambos se suspenden en el inmunosuero específico. Los anticuerpos que contiene, y que estimulan tan notablemente este englobamiento, se denominan bacteriotropinas, término poco empleado, u opsoninas. Este último se utilizó originalmente para designar la actividad del suero normal; por eso a veces se llama opsoninas inmunes a los anticuerpos del animal inmune.

La naturaleza del factor opsonizante en el suero normal no está bien caracterizada. A veces probablemente sea anticuerpo específico resultado de la exposición natural a los antígenos del ambiente. En el caso de partículas consideradas inmunológicamente inertes, como las partículas de carbón o de bentonita, el factor sérico puede ser una proteína con afinidad general o tendencia a la absorción para tales partículas.

Indice opsónico. La estimación cuantitativa de la opsonina presente en un suero inmune determinado, puede hacerse comparando la cantidad de bacterias ingeridas por leucocitos normales en suero normal, con la que ingieren leucocitos normales en el inmunosuero. Las mezclas apropiadas se preparan e incuban en tubos capilares, se hacen frotis, se tiñen y se cuentan las bacterias englobadas por un número arbitrario de leucocitos (en general 50 ó 100). Se determina para los sueros normal e inmune el número medio de bacterias por leucocito, o índice de fagocitosis, y la relación de este índice del inmunosuero con el suero normal se denomina índice opsónico.

Las opsoninas también pueden estimarse por el método de dilución; las muestras se preparan en la forma usual, excepto que los sueros normal y del paciente se diluyen con solución salina o de Ringer. Se hace una mezcla con solución salina o de Ringer para determinar el grado de fagocitosis espontánea. La dilución de suero que da la misma cantidad de fagocitosis que una mezcla sin suero se toma como punto final.

Fagocitos. Las células que limpian los productos de desecho y que ingieren bacterias, otros materiales celulares y componentes gastados del tejido del huésped, se denominan fagocitos. Esta ingestión en realidad no se limita a los leucocitos polimorfonucleares. Estos han sido muy estudiados en experiencias in vitro, por su fácil disponibilidad; también existe en diversos fagocitos mononucleares, como los monocitos de la sangre y las células circulantes y fijas de los tejidos.

El último grupo de células comprende el sistema reticuloendotelial (RES), nombre creado por Aschoff y Landau para designar un grupo de células capaces de captar colorante diluido de la sangre circulante, y de concentrarlo en vacuolas dentro del citoplasma. Células fijas con potencia fagocítica revisten los senos del hígado (células de Kupffer), bazo, médula ósea, ganglios linfáticos, glándulas suprarrenales e hipófisis. Los senos aparecen como vasos de paredes delgadas, con vías amplias donde el curso de la sangre es lento. Las células fagocíticas quedan aplanadas contra la pared del seno y hacen prominencia solamente cuando aumentan de volumen por captación de material extraño o material del huésped viejo como, por ejemplo, glóbulos rojos gastados. Las células fagocíticas del RES también están dispersas en todos los tejidos conec-

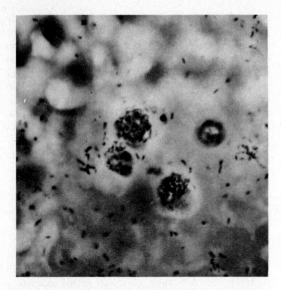

FIG. 12-12. Fagocitosis de bacilo tífico por leucocitos en sangre completa. Obsérvese el número enorme ingerido por las células blancas, y los bacilos libres. Incisión de Hastings. $\times$ 1 200.

tivos de la economía. En un tiempo, tales células se denominaban células migratorias en reposo; actualmente se llaman histiocitos o macrófagos tisulares. El epitelio de la cavidad peritoneal es muy rico en histiocitos tisulares; su acumulación forma zonas blanquecinas en el epitelio. Los macrófagos aparecen en gran número en los exudados peritoneales después de la inyección intraperitoneal de aceite o de otro irritante. El pulmón es otra fuente rica de macrófagos tisulares. Hay una necesidad constante de supresión del polvo inhalado o de partículas de carbón, como de otros materiales. Los macrófagos salen hacia los espacios alveolares y aparecen como células redondas voluminosas llenas de restos fagocitados.

Los datos existentes indican que la médula ósea es la fuente de las células precursoras del macrófago, y en el caso de los macrófagos del exudado peritoneal, el monocito circulante derivado de la médula ósea ha sido identificado como la célula antecedente.[1]

Células fagocíticas derivadas de la microglia existen en el sistema nervioso central. Resultan manifiestas cuando proceden a limpiar restos después de lesiones de cerebro o médula espinal.

Factores que influyen en la fagocitosis.[59, 116] El proceso de fagocitosis in vitro está netamente influido por factores ambientales, la índole del microorganismo, y el tipo de célula utilizada, así como por la cantidad y clase de anticuerpo presente. Una diferencia notable de actividad de las dos clases principales en globulina se ha observado con anticuerpos purificados anti Salmonella. El anticuerpo de la clase IgM era de 500 a 1 000 veces más eficaz que el anticuerpo de la clase IgG. Bas-

taban aproximadamente 10 moléculas de anticuerpo IgM por bacteria para lograr la opsonización.

La presencia de complementos puede provocar aumento de la fagocitosis en algunos sistemas. Se necesitan los cuatro primeros componentes, ya que el efecto probablemente resulta de adherencia inmune (ver la sección sobre complemento), en la cual partículas sensibilizadas de algunas células se unen entre sí en presencia de complemento.

Cuando cambia la reacción de neutral o muy ligeramente ácida, o se desvía de la isotonía y la presencia de algunos iones, en particular el radical citrato, disminuye el grado de fagocitosis. Esto último tiene significación práctica por cuanto contraindica el uso de sangre citratada. La presencia de calcio, por otra parte, puede restablecer el poder fagocítico para leucocitos que se han dejado en reposo en solución salina isotónica durante varias horas.

La superficie como la naturaleza de la partícula que va a ser ingerida, tienen importancia. Las formas virulentas de las bacterias muchas veces son relativamente resistentes a la fagocitosis. En ocasiones esto guarda relación con la presencia de una cápsula; por ejemplo, las formas lisas encapsuladas de neumococos, en ausencia de anticuerpo anticapsular específico, son resistentes a la fagocitosis. La superficie del microorganismo se cambia por interacción con anticuerpo o complemento, de manera que resulta una presa más fácil. La superficie del medio sobre el cual actúa el macrófago también interviene. Una superficie rugosa, como la alveolar del pulmón, facilita la habilidad del fagocito para acorralar el microorganismo, fenómeno denominado fagocitosis de superficie.[141]

El poder o actividad fagocítica de los leucocitos está sometido a muchas variaciones, independientemente de la variación del contenido opsónico de la sangre. Este poder fagocítico inherente de los leucocitos varía, por lo menos en relación con algunas bacterias, incluso en personas aparentemente en perfecta salud. Al nacer, los leucocitos son algo menos activos fagocíticamente que en el adulto; crecen en forma menos activa durante unos cuantos meses, y luego más activa, alcanzando los valores del adulto para estreptococos, neumococos y estafilococos aproximadamente a la edad de tres años. En la neumonía, la escarlatina, y otros procesos en los cuales hay leucocitosis aguda cuando el pronóstico es favorable, se ha comprobado que el poder fagocítico de leucocitos era mayor que el normal para la bacteria correspondiente.

Proceso de fagocitosis.[22, 97, 109, 112, 116] El material es ingerido por las células por los procesos de fagocitosis y pinocitosis que, en conjunto, se denominan endocitosis. Puede no haber una diferencia fundamental entre los dos procesos, quizá solo en el volumen del material ingerido. La pinocitosis, o bebida celular, suele referirse a la ingestión de material soluble en los líquidos que rodean la célula, mientras que la fagocitosis o comida de la célula es la ingestión de material reconocido como extraño por los fagocitos.

La ingestión de material por fagocitos puede tener muchas ramificaciones, no todas ellas bien conocidas. Quizá tenga importancia en la elaboración del antígeno para provocar anticuerpo; en la defensa del cuerpo contra gérmenes invasores y otro material no lesivo, o como diseminador de agentes infecciosos; en la capacidad del cuerpo para eliminar células gastadas o células malignas; y en la inducción de reacciones de hipersensibilidad tardía.

La fagocitosis incluye varias etapas: el acercamiento entre partícula y fagocito, la fijación de la partícula al fagocito, la prensión, la digestión, y la eliminación de la partícula ingerida. En el caso de fagocitos fijados, como sinusoides del hígado, bazo y ganglios linfáticos, el material extraño tiene que llegar a las células fagocíticas. En el caso de zonas localizadas de inflamación e infección, células fagocíticas móviles se reclutan y desplazan hacia el lugar. Substancias quimiotácticas liberadas a nivel de la inflamación o infección pueden atraer los fagocitos, obligándolos a reunirse en gran número. La activación del complemento por complejos de antígeno-anticuerpo provoca liberación del producto secundario C567, material quimiotáctico (ver la sección sobre complemento); materiales que contienen polipéptidos también se ha comprobado que son quimiotácticos.

Material extraño, microorganismos y otros productos se adhieren o fijan a los fagocitos, por anticuerpo citófilo o no citófilo, por anticuerpo inmune y complemento (ver la sección sobre adherencia inmune), por anticuerpo natural, o por algún fenómeno de reconocimiento todavía no determinado.[13, 97] La fijación es por enlace no dependiente de energía, pero al parecer requiere cierto fenómeno de reconocimiento, mientras que el acto de la captación es un proceso activo que requiere energía metabólica.

Fagocitosis y pinocitosis incluyen los mismos acontecimientos iniciales de captación, a saber, la invaginación de la membrana plasmática de la célula, luego la fusión de la membrana con ella misma formando una vacuola interior (fagosoma o pinosoma) en la cual queda aprisionado el material extraño. La vacuola se abre en el citoplasma de la célula, y la membrana celular vuelve a unirse.

Al producirse el contacto y la captación de la partícula por la célula, tiene lugar un aumento de la actividad respiratoria, glucólisis, y oxidación de la glucosa por la vía del monofosfato de hexosa.[100] Estos dos últimos acontecimientos pueden coincidir o producirse aisladamente. Los lisosomas dentro de células fagocíticas contienen hidrolasas ácidas, y por lo menos dos substancias antibacterianas, lisozima y fagocitina. Durante la fagocitosis, las membranas de las vacuolas lisosómica y fagocítica se fusionan, y el contenido del lisosoma penetra en la vacuola fagocítica. También tiene lugar la producción y acumulación de agentes antimicrobianos, como peróxido de hidrógeno y aldehidos.[100, 111] Si el microorganismo ingerido es sensible a cualquiera de estas substancias, muere.

Después de la fagocitosis puede comprobarse que muchas especies de bacterias sufren un proceso de disolución, con hinchazón, granulación y fragmentación como etapas sucesivas, de su destrucción. En el caso de microorganismos susceptibles la eficacia del proceso destructivo queda demostrada en estreptococos avirulentos, de los cuales más del 90 por 100 son destruidos en plazo de 15 minutos dentro de la célula fagocítica. Cuando estas substancias no son eficaces, las células fagocíticas infectadas sirven para proteger los microorganismos del anticuerpo, y pueden actuar diseminando la infección.[43] En un animal no inmune algunas bacterias sobreviven y se multiplican dentro de los macrófagos; son ejemplos de ello *Mycobacterium tuberculosis*, *Brucella abortus*, *Salmonella typhimurium*, y *Listeria monocytogenes*.[97] El virus de la influenza es fagocitado, pero persiste infeccioso por largo tiempo;[9, 50] en general, bacterias virulentas, como los estreptococos, tienden a persistir y pueden destruir el fagocito.

La presencia o ausencia de anticuerpo en el caso de algunos agentes virales establece si la célula fagocítica va a destruir al invasor o no lo destruye.[117] Receptores específicos proteínicos sobre las partículas virales permiten la fijación del virión a células susceptibles. Después de fijarse, por ejemplo el virus de la vacuna, a los macrófagos, la partícula viral queda aprisionada, penetrando en la célula en una vacuola fagocítica. Dentro de la vacuola la cubierta viral interactúa con la membrana vacuolar; el resultado es la disolución de la membrana. El núcleo que contiene DNA es liberado hacia el citoplasma. Las proteínas del núcleo son

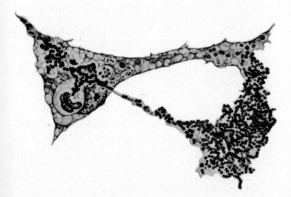

FIG. 12-13. Fagocitosis de neumococos por macrófagos cultivados. Los neumococos débilmente teñidos están degenerando. Hematoxilina y eosina-azur II. × 1 200. (Zuckerman.)

desintegradas por una enzima que se sintetiza nuevamente, la enzima descubridora, y se libera DNA viral para iniciar un nuevo ciclo de síntesis del virus. En presencia de anticuerpo, el virus unido al anticuerpo penetra por vía de una vacuola fagocítica, igual que un virus no sensibilizado, pero no puede escapar de la vacuola. La vacuola fagocítica se fusiona con los lisosomas; las hidrolasas ácidas liberadas desintegran el DNA del virus hasta fragmentos solubles en el ácido. Las proteínas del virus probablemente sean desintegradas en forma similar.

BIBLIOGRAFIA

1. Abdou, N. I., and M. Richter. 1970. The role of bone marrow in the immune response. Adv. Immunol. **12**:202–270.
2. Aladjem, F. 1964. The antigen-antibody reaction. VI. Computational analyses of immunodiffusion data. J. Immunol. **93**:682–695.
3. Amos, D. 1969. Genetic and antigenetic aspects of human histocompatibility systems. Adv. Immunol. **10**:251–297.
4. Arnon, R. 1971. Antibodies to enzymes. Curr. Topics Microbiol. Immunol. **54**:47–93.
5. Austen, K. F. *et al.* 1970. Nomenclature of complement. Immunochemistry **7**:137–142.
6. Bennich, H., and S. G. O. Johansson. 1971. Structure and function of human immunoglobulin E. Adv. Immunol. **13**:1–55.
7. Beutner, E. H. 1961. Immunofluorescent staining: the fluorescent antibody method. Bacteriol. Rev. **25**:49–76.
8. Beutner, E. H. 1971. Defined immunofluorescent staining Ann. N.Y. Acad. Sci. **177**:5–529.
9. Boand, A. V., Jr., J. E. Kempf, and R. J. Hanson. 1957. Phagocytosis of influenza virus. I. *In vitro* observations. J. Immunol. **79**:416–421.
10. Borek, F. 1961. The fluorescent antibody method in medical and biological research. Bull. Wld. Hlth. Org. **24**:249–256.
11. Boyd, W. C. 1966. Fundamentals of Immunology. 4th ed. Wiley-Interscience, New York.
12. Boyden, S. V. 1951. The adsorption of proteins on erythrocytes treated with tannic acid and subsequent hemagglutination by antiprotein serum. J. Exp. Med. **93**:107–120.
13. Boyden, S. V. 1963. Cytophilic antibody in cell-bound antibodies. *In* B. Amos and H. Koprowski (Eds.): Cell-Bound Antibodies. Wistar Institute Press, Philadelphia.
14. Bruninga, G. I. 1971. Complement — A review of the chemistry and reaction mechanisms. Amer. J. Clin. Pathol. **55**:273–282.
15. Burnet, F. M. 1957. Modification of Jerne's theory of antibody production using the concept of clonal selection. Australian J. Sci. **20**:67–69.
16. Cawley, L. P. 1969. Electrophoresis and Immunoelectrophoresis. Little, Brown & Co., Boston.
17. Chase, M. W. 1945. The cellular transfer of cutaneous hypersensitivity to tuberculin. Proc. Soc. Exp. Biol. Med. **59**:134–135.
18. Cherry, W. B., and M. D. Moody. 1965. Fluorescent antibody techniques in diagnostic bacteriology. Bacteriol. Rev. **29**:222–250.
19. Cinader, B. 1957. Antibodies against enzymes. Ann. Rev. Microbiol. **11**:372–390.
20. Cinader, B., and K. J. Lafferty. 1964. Mechanism of enzyme inhibition by antibody. A study of the neutralization of ribonuclease. Immunology **7**:342–362.
21. Cohen, S., and C. Milstein. 1967. Structure and biological properties of immunoglobulins. Adv. Immunol. **7**:1–89.
22. Cohn, Z. 1968. The structure and function of monocytes and macrophages. Adv. Immunol. **9**:163–214.
23. Coombs, R. R. A., A. M. Coombs, and D. G. Ingram.

1961. The Serology of Conglutination. Charles C Thomas, Springfield, Ill.
24. Coombs, R. R. A., and D. Franks. 1969. Immunological reactions involving two cell types. Prog. Allergy **13**:174–272.
25. Coons, A. H. 1958. Fluorescent antibody methods, pp. 399–422. *In* J. F. Danielli (Ed.): General Cytological Methods. Academic Press, New York.
26. Cooper, A. G., S. I. Chavin, and E. C. Franklin. 1970. Predominance of a single μ chain subclass in cold agglutinin heavy chains. Immunochemistry **7**:479–483.
27. Crowle, A. J. 1961. Immunodiffusion. Academic Press, New York.
28. Cushing, J. E., and D. H. Campbell. 1957. Principles of Immunology. McGraw-Hill, New York.
29. Dayton, D. H., *et al.* (Eds.). 1969. The Secretory Immunologic System. U.S. Department of Health, Education and Welfare.
30. Dodd, B. 1963. Clinical Aspects of Immunology. F. A. Davis, Philadelphia.
31. Dorrington, K. J., and C. Tanford. 1970. Molecular size and conformation of immunoglobulins. Adv. Immunol. **12**:333–381.
32. Dumonde, D. C. 1966. Tissue-specific antigens. Adv. Immunol. **5**:245–412.
33. Edelman, G. M., *et al.* 1969. The covalent structure of an entire G immunoglobulin molecule. Proc. Nat. Acad. Sci. **63**:78–85.
34. Ehrlich, P. 1906. Studies on Immunity. John Wiley &, Sons, New York.
35. Ellman, L., I. Green, and B. Benacerraf. 1971. The PLL gene and histocompatibility genotype in inbred and random-bred guinea pigs. J. Immunol. **107**:382–393.
36. Fagraeus, A. 1948. Antibody production in relation to development of plasma cells *in vivo* and *in vitro* experiments. Acta Med. Scand. **130**(suppl. 204):3–122.
37. Fahey, J. L. 1970. Classes of blood-group antibodies. Ann. N.Y. Acad. Sci. **169**:164–167.
38. Felton, L. D. 1949. The significance of antigen in animal tissues. J. Immunol. **61**:107–117.
39. Freda, V. J. 1971. The control of Rh disease. *In* R. A. Good and D. W. Fisher (Eds.): Immunobiology. Sinauer Assoc. Inc., Stamford, Conn.
40. Freund, J. 1947. Some aspects of active immunization. Ann. Rev. Microb. **1**:291–308.
41. Freund, J., *et al.* 1948. Antibody formation and sensitization with aid of adjuvants. J. Immunol. **60**:383–398.
42. Gell, P. G., and A. S. Kelus. 1967. Anti-antibodies. Adv. Immunol. **6**:461–478.
43. Gelzer, J., and E. Suter. 1959. The effect of antibody on intracellular parasitism of *Salmonella typhimurium* in mononuclear phagocytes *in vitro*. Prolonged survival of infected monocytes in presence of antibody. J. Exp. Med. **110**:715–730.
44. Glynn, A. A., and C. M. Milne. 1965. Lysozyme and immune bacteriolysis. Nature **207**:1309–1310.
45. Goldberg, R. J. 1952. A theory of antibody-antigen reactions. I. Theory for reactions of multivalent antigen and bivalent and univalent antibody. J. Amer. Chem. Soc. **74**:5715–5725.
46. Grabar, P., and P. Burtin (Eds.). 1964. Immunoelectrophoretic Analysis. Elsevier, New York.
47. Green, N. M. 1969. Electron microscopy of the immunoglobulins. Adv. Immunol. **11**:1–30.
48. Green, I., and Benacerraf, B. 1971. Genetic control of immune responsiveness to limiting doses of proteins and hapten protein conjugates in guinea pigs. J. Immunol. **107**:374–381.
49. Haber, E. 1968. Immunochemistry. Ann. Rev. Biochem. **37**:497–520.
50. Hanson, R. J., J. E. Kempf, and A. V. Boand, Jr. 1957. Phagocytosis of influenza virus. II. Its occurrence in normal and immune mice. J. Immunol. **79**:422–427.
51. Halpern, M. S., and M. E. Koshland. 1970. Novel subunit in secretory IgA. Nature **228**:1276–1285.
52. Harris, T. N., *et al.* 1945. Role of lymphocytes in antibody formation. J. Exp. Med. **81**:73–83.

53. Heidelberger, M. 1939. Quantitative absolute methods in the study of antigen-antibody reactions. Bacteriol. Rev. **3**:49–95.

54. Heidelberger, M., and F. E. Kendall. 1935. Precipitin reaction between type III pneumococcus polysaccharides and homologous antibody; quantitative study and theory of reaction mechanisms. J. Exp. Med. **61**:563–591.

55. Heidelberger, M., and F. E. Kendall. 1935. Quantitative theory of precipitin reaction; study of azo-protein-antibody system. J. Exp. Med. **62**:467–483.

56. Heimer, R., D. W. Jones, and P. H. Maurer. 1969. Immunoglobulin of sheep colostrum. Biochemistry **8**:3937–3944.

57. Hershey, A. D. 1941. A descriptive theory of specific precipitation. I. The theory. II. Quantitative applications. III. The individuality of antibody. J. Immunol. **42**:455–530.

58. Hershey, A. D. 1942. Specific quantitation. IV. Quantitative application of the restricted theory. J. Immunol. **45**:39–50.

59. Hirsch, J. G. 1965. Phagocytosis. Ann. Rev. Microbiol. **19**:339–350.

60. Hochwald, G. M., G. J. Thorbecke, and R. Asofsy. 1961. Sites of formation of immune globulins and of a component of C'3. I. A new technique for the demonstration of the synthesis of individual serum proteins by tissue *in vitro.* J. Exp. Med. **114**:459–483.

61. Hole, N. H., and R. R. A. Coombs. 1947. The conglutination phenomenon. I. An introduction to the conglutination phenomenon and an account of the observations and views of previous investigators. J. Hyg. **45**:480–489.

62. Hopper, J. E., and A. Nisonoff. 1971. Individual antigenic specificity of immunoglobulins. Adv. Immunol. **13**:58–99.

63. Humphrey, J. H., and R. R. Dourmashkin. 1969. Lesions in cell membranes caused by complement. Adv. Immunol. **11**:75–115.

64. Ishizaka, K. 1969. Site of synthesis and function of gamma E. *In* D. H. Dayton, *et al.* (Eds.): The Secretory Immunologic System. U.S. Department of Health, Education and Welfare.

65. Jenkin, C. R. 1963. Heterophile antigens and their significance in the host-parasite relationship. Adv. Immunol. **3**:351–376.

66. Kabat, E. A. 1961. Kabat and Mayer's Experimental Immunochemistry, Charles C Thomas, Springfield, Ill.

67. Kabat, E. A. 1962. Antigenic determinants of dextrans and blood group substances. Fed. Proc. **21**:694–701.

68. Kabat, E. A. 1968. Structural Concepts in Immunology and Immunochemistry. Holt, Rinehart & Winston, New York.

69. Karush, F. 1962. Immunologic specificity and molecular structure. Adv. Immunol. **2**:1–40.

70. Kehoe, J. M., J. D. Capra, and M. Fougereau. 1971. Amino acid sequence studies of a complement-fixing immunoglobulin fragment. J. Immunol. **107**:320.

71. Kochwa, S., and E. H. Kunkel (Eds.). 1971. Immunoglobulins. Ann. N.Y. Acad. Sci. **190**:5–584.

72. Lachmann, P. J. 1967. Conglutinin and immunoconglutinins. Adv. Immunol. **6**:479–527.

73. Lachmann, P. J. 1969. Complement. Proc. Roy. Soc. Ser. B, **173**:371–376.

74. Landsteiner, K. 1945. The Specificity of Serological Reactions. Harvard University Press, Cambridge, Mass.

75. Lennox, E. S., and M. Cohn. 1967. Immunoglobulins. Ann. Rev. Biochem. **36**:365–406.

76. Levine, P. 1970. Prevention and treatment of erythroblastosis fetalis. Ann. N.Y. Acad. Sci. **169**:234–240.

77. Linscott, W. D. 1970. Complement fixation: the effects of IgG and IgM antibody concentration on C1-binding affinity. J. Immunol. **105**:1013–1023.

78. Luderitz, O., A. M. Staub, and O. Westphal. 1966. Immunochemistry of O and R antigens of *Salmonella* and related enterobacteriaceae. Bacteriol. Rev. **30**:192–255.

79. Mancini, G., A. O. Carbonara, and J. F. Heremans. 1965. Immunochemical quantitation of antigens by single radial immunodiffusion. Immunochemistry **2**:235–254.

80. Mandel, B. 1960. Neutralization of viral infectivity: characterization of the virus-antibody complex, including association, dissociation and host-cell interaction. Ann. N.Y. Acad. Sci. **83**:515–527.

81. Marcus, D. M. 1970. The nature of the Le^a and Le^b antigens in human plasma. Ann. N.Y. Acad. Sci. **169**:161–163.

82. Mayer, M. M. 1970. Highlights of complement research during the past twenty-five years. Immunochemistry **7**:485–496.

83. McDevitt, H. O., and B. Benacerraf. 1969. Genetic control of specific immune responses. Adv. Immunol. **11**:31–74.

84. McMaster, P. D., and S. S. Hudack. 1935. Formation of agglutinins within lymph nodes. J. Exp. Med. **61**:783–805.

85. Mestecky, J., J. Zikan, and W. T. Butler. 1971. Immunoglobulin M and secretory immunoglobulin A. Presence of a common polypeptide chain different from light chains. Science **171**:1163–1165.

86. Metchnikoff, E. 1893. Lectures on the Comparative Pathology of Inflammation. Kegan, Paul, Trench, Trubner and Co., London.

87. Metzger, H. 1970. Ann. Rev. Biochem. **39**:889–928.

88. Metzger, H. 1970. Structure and function of γ M macroglobulins. Adv. Immunol. **12**:57–116.

89. Miller, I. 1970. Specific and non-specific opsonins. Curr. Topics Microbiol. Immunol. **51**:62–78.

90. Milstein, C., and A. J. Munro. 1970. Genetic basis of antibody specificity. Ann. Rev. Microbiol. **24**:335–358.

91. Morgan, W. T. J. 1970. Molecular aspects of human blood group specificity. Ann. N.Y. Acad. Sci. **169**:118–130.

92. Morgan, W. T. J., and W. M. Watkins. 1948. The detection of a product of the blood group O gene and the relationship of the so-called O substance to the agglutinogens A and B. Brit. J. Exp. Pathol. **29**:159–173.

93. Mourant, A. E. 1970. The use of blood groups in the study of populations. Specificity of serological reactions. Ann. N.Y. Acad. Sci. **169**:1–293.

94. Müller-Eberhard, H. J. 1971. Biochemistry of complement. pp. 553–565. *In* B. Amos (Ed.): Progress in Immunology. Academic Press, New York.

95. Munoz, J. 1964. Adv. Immunol. **4**:397–440.

96. Nairn, R. C. 1962. Fluorescent Protein Tracing. Livingstone, London.

97. Nelson, D. S. 1969. Macrophages and Immunity. North Holland Publishing Co., London.

98. Outcherlony, O. 1968. Handbook of Immunodiffusion and Immunoelectrophoresis. Ann Arbor Science Publishers, Ann Arbor, Mich.

99. Paterson, P. V. 1966. Experimental allergic encephalomyelitis and autoimmune disease. Adv. Immunol. **5**:131–208.

100. Paul, B. B., *et al.* 1970. Function of H_2O_2 myeloperoxidase and hexose monophosphate shunt enzymes in phagocytizing cells from different species. Infect. Immun. **1**:338–344.

101. Pauling, L., D. H. Campbell, and D. Pressman. 1943. The nature of the forces between antigen and antibody and of the precipitin reaction. Physiol. Rev. **23**:203–219.

102. Plescia, O. J., and W. Braun. 1967. Nucleic acids as antigen. Adv. Immunol. **6**:231–252.

103. Polley, M. J. 1971. Ultrastructural studies of $C1_q$ and of complement-membrane interactions. *In* B. Amos (Ed.): Progress in Immunology. Academic Press, New York.

104. Rabinovitch, M. 1968. Phagocytosis: The engulfment stage. Seminars Hematol. **5**:134–155.

105. Race, R. R., and R. Sanger, 1962. Blood Groups in Man. 4th ed. F. A. Davis Co., Philadelphia.

106. Rapport, M. M., and L. Graf. 1969. Immunochemical reactions of lipids. Prog. Allergy **13**:273–331.

107. Reisfeld, R. A., and B. D. Kahan. 1970. Transplantation antigens. Adv. Immunol. **11**:117–200.

108. Rich, A. R., and M. R. Lewis. 1932. Nature of allergy in tuberculosis as revealed by tissue culture studies. Bull. Johns Hopkins Hosp. **50**:115–131.

109. Rowley, D. 1962. Phagocytosis. Adv. Immunol. **2**:241–264.
110. Sandberg, A. L., B. Oliveira, and A. G. Osler, 1971. Two complement interaction sites in guinea pig immunoglobulins. J. Immunol. **106**:282–285.
111. Sbarra, A. J., *et al.* 1971. The biochemical and antimicrobial activities of phagocytizing cells. Amer. J. Clin. Nutrit. **24**:272–281.
112. Schultz, J. 1970. Biochemistry of Phagocytic Process. American Elsevier, New York.
113. Schur, P. H., and E. L. Becker. 1963. Pepsin digestion of rabbit and sheep antibodies. The effect of complement. J. Exp. Med. **118**:891–904.
114. Sela, M. 1966. Immunological studies with synthetic polypeptides. Adv. Immunol. **5**:30–129.
115. Sela, M. 1970. Structure and specificity of synthetic polypeptide antigens. Ann. N.Y. Acad. Sci. **169**:23–35.
116. Shands, J. W. 1967. The immunologic role of the macrophage. Mod. Trends Immunol. **2**:86–118.
117. Silverstein, S. 1970. Macrophages and viral immunity. Seminars Hematol. **7**:185–214.
118. Small, P. A., J. H. Curry, and R. H. Waldman. 1969. Characteristics of the secretory immunologic system. *In* D. H. Dayton, *et al.* (Eds.): The Secretory Immunologic System. U.S. Department of Health, Education and Welfare.
119. Spendlove, R. S. 1967. Microscopic technique. Vol. 3. *In* K. Maramarosch and H. Koprowski (Eds.): Methods in Virology. Academic Press, New York.
120. Springer, G. F. 1970. Importance of blood group substances in interactions between man and microbes. Ann. N.Y. Acad. Sci. **169**:134–152.
121. Stavitsky, A. B. 1964. Haemagglutination and Haemagglutination-inhibition reactions with tannic acid and bis-diazotized-benzidine-protein-conjugated erythrocytes. pp. 363–396. *In* J. F. A. Ackroyd (Ed.): Immunological Methods. Blackwell, Oxford.
122. Svehag, S. E. 1968. Formation and dissociation of virus antibody complexes with special reference to the neutralization process. Prog. Med. Virol. **10**:1–63.
123. Symposium. 1963. Antibody to enzymes—a three-component system. Ann. N.Y. Acad. Sci. **103**:493–1154.
124. Symposium. 1970. Experimental approaches to homogeneous antibody populations. Fed. Proc. **29**:55–91.
125. Symposium. 1970. Human histocompatibility antigens. Fed. Proc. **29**:2010–2047.
126. Tanaka, N., and E. H. Leduc. 1956. A study of the cellular distribution of Forssman antigen in various species. J. Immunol. **7**:198–212.
127. Teorell, T. 1946. Quantitative aspects of antigen-antibody. I. A theory and its corollaries. II. Some comparisons between the theory and the experimental results. J. Hyg. **44**:227–236, 237–242.
128. Thomason, B. M., *et al.* 1961. Rapid presumptive identification of enteropathogenic *Escherichia coli* in faecal smears by means of fluorescent antibody. Bull. Wld. Hlth. Org. **25**:137–152.
129. Tomasi, T. B. 1971. The gamma A globulins first line of defense. *In* R. A. Good and D. W. Fisher (Eds.): Immunobiology. Sinauer Associates, Stamford, Conn.
130. Trentin, J. (Ed.). 1967. Cross-reacting Antigens and Neoantigens. Williams & Wilkins, Baltimore.
131. Vaerman, J. P., *et al.* 1969. Further studies on single radial immunodiffusion. I. Direct proportionality between area of precipitate and reciprocal of antibody concentration. Immunochemistry **6**:279–293.
132. Watkins, W. M. 1966. Blood-group substances. Science **152**:172–181.
133. Weir, D. M. 1963. Antigen-antibody reactions. Mod. Trends Immunol. **1**:53–85.
134. White, R. G. 1967. Antigen adjuvants. Mod. Trends Immunol. **2**:28–52.
135. Wiener, A. S. 1944. The Rh series of allelic genes. Science **100**:595–597.
136. Wiener, A. S., *et al.* 1956. Type-specific cold-autoantibodies as a cause of acquired hemolytic anemia and hemolytic transfusion reactions: biologic test with bovine red cells. Ann. Intern. Med. **44**:221–240.
137. Williams, C. A., and M. W. Chase (Eds.). 1967. Methods in Immunology and Immunochemistry. Vol. 1, pp. 197–213. Academic Press, New York.
138. Williams, C. A., and M. W. Chase (Eds.). 1971. Methods in Immunology and Immunochemistry. Vol. 3. Academic Press, New York.
139. Williams, C. A. Jr., and P. Grabar. 1955. Immunoelectrophoretic studies on serum proteins. I. The antigens of human serum. J. Immunol. **74**:158–168.
140. Williams, C. A. Jr., and P. Grabar. 1955. Immunoelectrophoretic studies on serum proteins. II. Immune sera: Antibody distribution. J. Immunol. **74**:397–403.
141. Wood, W. B. Jr. 1960. Phagocytosis with particular reference to encapsulated bacteria. Bacteriol. Rev. **24**:41–49.

CAPITULO 13

FORMACION DE ANTICUERPOS Y RESPUESTA INMUNE

Dr. Natalie E. Cremer

La respuesta inmune

La respuesta inmune, en términos muy simplificados, es el desarrollo en un animal de un estado alterado en relación con una substancia antigénica a consecuencia de la exposición a dicho material. Puede descubrirse por la presencia de componentes nuevos o componentes alterados, humorales y celulares; o sea anticuerpos de diversos tipos y células sensibilizadas. La interacción de estos componentes, unos con otros y con el antígeno y los tejidos del huésped, desencadena una serie de acontecimientos que pueden tener para el huésped efecto beneficioso, lesivo, o nulo.

Las células a las cuales corresponde el sistema inmune son parte del sistema linforreticular en diversos órganos de los vertebrados.[2] Se trata de un sistema muy complejo cuyas interacciones y funciones celulares solo conocemos en parte. Aunque en general, se reconocen por lo menos cinco tipos celulares morfológicos como participantes en la respuesta inmune, su capacidad de transformarse uno en otro origina una situación muy dinámica y confusa. La clasificación de las células por su morfología, aunque es necesaria para la exposición, no nos dice nada acerca de la función, y células morfológicamente imposible de distinguir quizá no tengan necesariamente idénticas funciones. Según las necesidades del momento, las células que participan en la respuesta inmune pueden ser móviles, poniéndose en contacto con el antígeno por interacciones celulares y humorales, y en otros momentos pueden ser sésiles, como parte de una estructura organizada. Los tipos celulares se describen morfológicamente como linfocitos pequeños y grandes, células plasmáticas, macrófagos y células reticulares o células madres fijas. Forman la substancia del bazo, ganglios linfáticos y otros tejidos linfoides periféricos, timo y médula ósea.

CELULAS EN LA RESPUESTA INMUNE

Linfocitos. Los linfocitos pueden separarse en linfocitos pequeños, medianos y grandes. Los linfocitos pequeños son los más numerosos y los más enigmáticos. Miden hasta 7 μ de diámetro y están formados principalmente de mitocondrias y de núcleo con cromatina fuertemente teñida, rodeada por un pequeño anillo de citoplasma que contiene unos cuantos polisomas. Los linfocitos medianos y grandes varían entre 7 y 12 μ de diámetro, y su citoplasma contiene varios polisomas, varias mitocondrias, cantidades variables de retículo endoplásmico y un aparato de Golgi.[2] Se supone que el linfocito pequeño cubre estas tres importantes funciones: reconocimiento del antígeno, transporte de la memoria inmunológica, y producción de la hipersensibilidad retrasada. Como ya indicamos, la morfología y la función de estas células no son estáticas. Los linfocitos pequeños tienen capacidad de dividirse y diferenciarse, y siguiendo esta línea de diferenciación adquieren la capacidad de sintetizar anticuerpos.[1, 58]

El hecho de que los pequeños linfocitos no sean células terminales puede considerarse en diversos aspectos. La primera demostración provino de experiencias in vivo.[51] Suspensiones puras de linfocitos del conducto torácico se reunieron obtenidas de una cepa endogámica de rata. Se inyectaron a los descendientes (híbridos F_1) del cruce entre esta cepa de rata y una segunda cepa endogámica. Las células linfoides originales de la primera cepa endogámica reaccionaron contra los antígenos celulares del híbrido F_1 heredados del progenitor de la segunda cepa endogámica. Se produjo una reacción mortal de injerto-contra-huésped, y 24 horas después de la inyección de linfocitos pequeños, existían a nivel de la inoculación células voluminosas con tinción pironinófila, indicadora de síntesis activa de RNA.

Experiencias in vitro también indicaron que los pequeños linfocitos pueden dividirse, sufriendo una transformación de linfocito-a-blasto. La citohemaglutinina, extracto de frijol, provoca mitosis de los pequeños linfocitos.[27, 73] En forma similar, la adición de antígeno a linfocitos de individuos inmunizados origina proliferación de las células por ejemplo, la adición de tuberculina a linfocitos de personas con reacción tuberculínica positiva, pero no la origina cuando los linfocitos provienen de individuos que no reaccionan.[87] Los linfocitos también son estimulados para aumentar de volumen y dividirse por acción del suero antileucocítico,[52] y por la mezcla con linfocitos de un individuo completamente extraño.[8] La transformación de linfocitos pequeños, que se suponen maduros, en celulas blastos no maduras, tiene lugar con los linfocitos de la sangre, igual que con los linfocitos de linfa y ganglios linfáticos, e indica la índole pluripotencial de tales células. En determinadas circunstancias, la célula blasto inmadura se transforma en otra etapa de linfocito; en otras, en la línea de células plasmáticas. La sugerencia según la cual macrófagos y fibroblastos pueden derivarse de linfocitos pequeños transformados requiere mayor estudio.[1, 116]

Los estudios de incorporación de ácido nucleico indican que existe una población de linfocitos de vida breve y otra de vida prolongada. La duración de la vida de los linfocitos de existencia prolongada, que representan aproximadamente el 5 al 8 por 100 de los linfocitos periféricos, puede ser hasta de nueve meses. Tal población de células serviría como almacenamiento de la memoria inmunológica.

Hay por lo menos tres lugares de linfopoyesis: médula ósea, tejido linfático central (timo y análogos) y tejido linfático periférico (ganglios linfáticos, bazo y tejido linfoide asociado al intestino). Cada uno de estos tejidos puede contribuir con poblaciones de células linfoides morfológicamente similares, pero funcionalmente diferentes. La significación funcional de los linfocitos derivados del timo (T) y de los derivados de la médula ósea (B) se estudia más tarde. Hay una recirculación de linfocitos por la sangre, los órganos linfáticos y los sistemas linfoides, hecho que complica la identificación del origen y la naturaleza de cualquier población de células linfoides. Los linfocitos son muy móviles, adoptando la forma de "espejo de mano" con un seudópodo de citoplasma que hace protrusión. Penetran en el tejido linfoide procedente de la sangre pasando a través del endotelio de los capilares.

Células plasmáticas. La célula plasmática es una célula formadora de anticuerpo. Tiene dimensiones dobles o triples de un linfocito pequeño y contiene un núcleo de forma ovalada que muchas veces está en posición central y contiene grandes bloques de cromatina localizada periféricamente. Su capacidad de sintetizar inmunoglobulina se caracteriza por un retículo endoplásmico complicado, que ocupa la mayor parte del citoplasma. En el citoplasma, cerca del núcleo, hay una zona clara que, observada con microscopio electrónico, se comprueba contiene un aparato de Golgi bien desarrollado. La mayor parte de células plasmáticas se consideran células terminales con una vida que dura dos a tres días.

Empleando la técnica de anticuerpo fluorescente y usando antiinmunoglobulinas marcadas con fluoresceína, puede comprobarse que la célula plasmática contiene un solo tipo de inmunoglobulinas. Es muy raro o imposible observar dos clases diferentes en la misma célula al mismo tiempo. Si se emplea la técnica de anticuerpo fluorescente (de "sandwich") pueden identificarse las células que producen anticuerpo para un antígeno específico. Esto se logra haciendo reaccionar las células con el antígeno específico contra el cual se inmunizaron y, después de suprimir por lavado el antígeno que no reaccionó, tiñéndolo con anticuerpo para el antígeno específico marcado de fluoresceína. Si la célula contiene el anticuerpo específico, el antígeno se fija a las células y estas se tiñen por adición del anticuerpo marcado. La inmunoglobulina puede localizarse a nivel ultraestructural en células formadoras de anticuerpo tratándolas con antiinmunoglobulina marcada con ferritina. Las moléculas de ferritina, ricas en electrones, indican la localización de la inmunoglobulina en las cisternas dilatadas del retículo endoplásmico. El tipo morfológico de células que producen la inmunoglobulina también puede identificarse con este método.

Empleando diferentes técnicas puede demostrarse que no todas las células formadoras de anticuerpo son células plasmáticas. Además del empleo de una marca de ferritina en la técnica del microscopio electrónico, y la de anticuerpo fluorescente, pueden determinarse tipos celulares morfológicamente por inmovilización de bacterias móviles en microgotitas que contienen células aisladas productoras de anticuerpo,[80] adherencia a células aisladas productoras de anticuerpo,[72] adherencia de eritrocitos a células aisladas productoras de anticuerpo (formación de roseta),[15, 34] y por el método de la valoración de placa hemolítica.[64] Estas técnicas se utilizan en combinación con el microscopio de luz o el electrónico.

El método de la placa hemolítica se lleva a cabo incluyendo en una capa de gel blando células de bazo o de ganglios linfáticos procedentes de animales inmunizados contra glóbulos rojos de otras especies. También está incluida en el gel una capa de glóbulos rojos de la misma especificidad utilizada para inmunización. Las células formadoras de anticuerpo secretan anticuerpo contra glóbulo rojo que se difunde por el gel; al añadir más tarde complemento, las células sanguíneas, sensibilizadas en la vecindad inmediata de las células formadoras

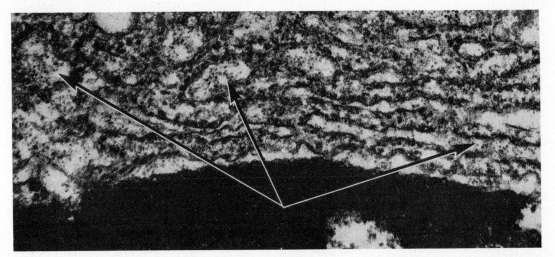

FIG. 13-1. Parte del núcleo y citoplasma de una célula plasmática de ganglio linfático; rata inmunizada con apoferritina, la porción proteínica de la ferritina. El corte de congelación se trató con ferritina, que se combina específicamente con el anticuerpo antiapoferritina. La ferritina, por ser rica en electrones, se observa fácilmente, e indica la localización del anticuerpo dentro de las cisternas (flechas) del retículo endoplásmico. $\times$ 74 000. (Cortesía de L. S. Oshiro.)

de anticuerpo, sufren lisis. Aparece una zona clara o placa clara en la capa de glóbulos rojos, y en el centro de cada placa hay una célula formadora de anticuerpo. Mediante el microscopio electrónico estas células se han identificado como células plasmáticas o linfocitos de mediano calibre, con retículo endoplásmico disperso o abundante.[56]

Datos obtenidos empleando diversos métodos indican que en la respuesta de anticuerpo temprano intervienen linfocitos, células basófilas voluminosas o pironinófilas, y células blastos en mitosis. Más tarde, el tipo celular predominante es el de la célula plasmática madura. Así puede observarse una serie continua de células formadoras de anticuerpo que va desde células pironinófilas inmaduras, con muchos ribosomas pero poco retículo endoplásmico, hasta células plasmáticas plenamente desarrolladas con retículo endoplásmico y aparato de Golgi.

El macrófago.[79] El macrófago, que ya consideramos a propósito de la fagocitosis, es una célula voluminosa, de 15 a 20 μ de diámetro, con mucho citoplasma y un núcleo redondo. Se caracteriza por un número elevado de lisosomas y fagosomas citoplásmicos. Aprisiona y concentra antígeno, y por algunos autores se considera necesario para la elaboración del antígeno transformándolo en una forma activa por fijación a RNA celular soluble.[26, 43, 44] Se supone que el complejo es importante para desencadenar en células linfoides la producción de anticuerpo. Esta teoría ha sido puesta en duda, basándose en que la unión compleja de antígeno con RNA de macrófago no es específica, y tampoco es peculiar y única para el RNA de los macrófagos.[93]

La principal fuente de macrófagos en las reacciones inflamatorias y en los exudados peritoneales se cree que es la médula ósea. El origen de los macrófagos pulmonares alveolares todavía está en duda. En el ratón, la fuente, en parte, es la médula ósea, y en parte son las células parenquimatosas del pulmón.[1]

Células estructurales. Las células estructurales proporcionan la armazón para captar antígeno y alojar células inmunocompetentes. Están constituidas por fibroblastos, células productoras de reticulina, y células endoteliales.

ORGANOS LINFOIDES QUE INTERVIENEN EN LA RESPUESTA INMUNE

Timo. El timo, que suele hallarse en la cavidad torácica, está formado por diversos lóbulos rodeados de una cápsula. Cada lóbulo, a su vez, está dividido por trabéculas en lobulillos. En cada lobulillo hay una zona cortical y una zona medular. La zona cortical está abarrotada de linfocitos, principalmente de tipo pequeño, incluidos en una red de células epiteliales reticulares. Los linfocitos pequeños del timo son de dimensiones uniformes y generalmente algo menores que los pequeños linfocitos del tejido linfático periférico. Se denominan timocitos. Los linfocitos medianos y grandes de la zona cortical muestran intensa actividad mitótica. Las células epiteliales son el tipo celular predominante en la médula, donde en algunas especies se disponen en remolinos (denominados corpúsculos de Hassall). Están unidas por puentes desmosómicos. No se les atribuye actividad fagocítica. También hay algunos linfocitos en la zona medular.

Hay diversas teorías acerca del origen de los timocitos. Según una de ellas, durante la ontogenia, células epiteliales bajo influencia del tejido mesenquimatoso originaron las células precursoras o madres de los linfocitos tímicos.[9] Datos más recientes señalan la médula ósea como fuente de las células madres que emigraron siguiendo la sangre hacia el timo.[75] En el medio tímico de células epiteliales se cree que las células madres procedentes de la sangre se diferencian en linfocitos pequeños. Esta interpretación proviene de estudios de trasplante de células linfoides y células de médula ósea desde ratones normales a ratones receptores irradiados singénicos (endogámicos). Se comprueba que las células de la médula ósea con un marcador cromosómico, inyectadas a un receptor irradiado, pueblan médula ósea, timo y ganglios linfáticos. Si se inyectan células linfoides con un marcador isoantigénico junto con células de médula ósea marcadas, las primeras inicialmente pueblan los ganglios linfáticos y más tarde son substituidas por células con el marcador de la médula ósea. La teoría sugiere que las células de la médula ósea, después de una breve estancia en el timo, periodo en el cual se diferencian en linfocitos pequeños, emigran hacia las zonas de ganglios linfáticos dependientes del timo y las pueblan.[1]

La población de timocitos en el timo contribuye al fondo común circulante de pequeños linfocitos. En el timo los timocitos son substituidos con frecuencia aproximadamente cada tres o cuatro días. Después de estimulación antigénica de los animales el timo, a diferencia del tejido linfoide periférico, no produce células germinativas o centros germinativos.

El volumen del timo cambia con la edad. Es máximo durante la vida fetal y primera infancia;

entonces predominan elementos linfoides. Al aumentar la edad, el timo involuciona; la reducción depende principalmente de una disminución gradual de células linfoides. Durante la infección, las zonas corticales del timo quedan vacías de linfocitos. En algunas enfermedades neoplásicas, como la infección de roedores con virus de leucemia de Moloney o de Gross, el timo primero se atrofia, luego adquiere dimensiones gigantes por la proliferación de células malignas.

Ganglios linfáticos. Los ganglios linfáticos son pequeños órganos redondos u ovoides, que, después de estimulación antigénica, por inyección de antígeno o por infección, aumentan mucho de volumen. Están formados por una médula y una corteza, rodeada de una cápsula de tejido conectivo, desde la cual penetran trabéculas en el ganglio. Dentro de este, una fina red de fibras reticulares sostiene los elementos linfoides, y a lo largo de esta zona se hallan extendidas las células reticulares. Un seno circular de fibras reticulares gruesas, a través del cual fácilmente circulan los líquidos, se halla entre la cápsula y la zona cortical. En la corteza hay zonas redondas, denominadas folículos linfoides primarios, donde la red es más fina, y donde están densamente almacenados linfocitos pequeños. Dentro de estos folículos, después de estimulación antigénica, se desarrollan centros germinativos o folículos secundarios; se trata de zonas de intensa actividad mitótica, que empieza en los linfocitos pequeños y origina la acumulación de muchas células blastos.[58] También hay dentro de los centros germinativos macrófagos dendríticos con capacidad de capturar antígeno en su superficie

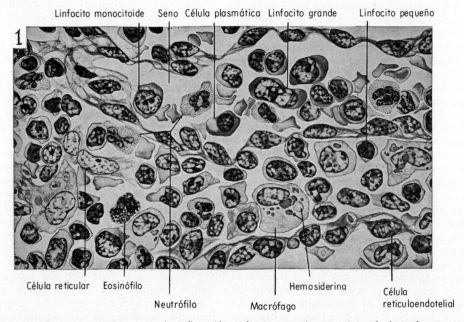

FIG. 13-2 Tipos celulares que intervienen en la inflamación y la respuesta inmune. Corte de bazo de un mono normal que muestra una porción de pulpa roja y seno venoso del bazo. × 1 240. (Taliaferro y Mulligan.)

probablemente en forma de complejos de anticuerpo-antígeno. El antígeno así aprisionado se cree que es el estimulante para activación de células de memoria. También pueden observarse macrófagos dispersos, que contienen cuerpos irregulares, ricos en DNA, denominados cuerpos tingibles (productos de desintegración nuclear).[45] En la médula hay zonas alargadas de red más fina, que sostienen acúmulos de linfocitos. Estas zonas, denominadas cordones medulares, se ramifican y anastomosan entre ellas. Antes de la estimulación antigénica, los cordones medulares están retraídos y contienen, además de pequeños linfocitos, células plasmáticas dispersas y unas cuantas células blastos que pueden contener inmunoglobulina. Después de la inyección subcutánea de antígeno, los ganglios linfáticos que drenan las zonas donde se inyectó el antígeno son estimulados, y se observa en ellos un aumento de todos estos tipos celulares. Los macrófagos de los cordones medulares ingieren gran parte del antígeno inyectado. Los centros germinativos y los cordones medulares aumentan sus dimensiones, y después de unos días puede demostrarse a este nivel la presencia de anticuerpo específico.

Experimentos acerca del efecto de la timectomía sobre la respuesta inmune, y sobre la circulación celular, han establecido el concepto de zonas en los ganglios linfáticos de acumulación de linfocitos dependientes del timo, y zonas independientes del timo. El folículo primario y el centro germinativo se consideran independientes del timo, mientras que la zona intermedia continúa ancha (zona paracortical) entre la corteza y los cordones medulares es dependiente del timo. La zona paracortical se vacía selectivamente de linfocitos pequeños después de la timectomía, y después del drenaje experimental prolongado del conducto torácico. Se producen cambios celulares, que acompañan a la inducción de reacciones de hipersensibilidad tardía, en la zona dependiente del timo. Los linfocitos pequeños que existen en la zona paracortical forman parte del fondo común circulante.

Tejido linfoide del tubo gastrointestinal. Hay acúmulos de tejido linfoide a diversos niveles a lo largo del tubo digestivo: amígdalas a la entrada de la faringe, placas de Peyer localizadas en la lámina propia del intestino delgado, y apéndice. Su aspecto histológico es similar al de los ganglios linfáticos, con una zona cortical de linfocitos densamente acumulados rodeando centros germinativos y una región medular. El tejido linfoide asociado al intestino es estimulado para formar anticuerpos por antígenos administrados por vía bucal o por infecciones respiratorias. Actúan como la primera línea de defensa después de exposición a agentes microbianos con vía de entrada nasal o bucal.

Bazo. Las características anatómicas generales del bazo son similares a las del ganglio linfático. El bazo es el órgano linfoide más voluminoso de la economía. Está rodeado por una cápsula de tejido conectivo denso, de la cual salen trabéculas que dividen el órgano en compartimientos interconectados. Las ramas de la arteria esplénica siguen por las trabéculas; cuando las abandonan quedan rodeadas de una capa de linfocitos. Estas zonas, que constituyen la pulpa blanca del bazo, se denominan folículos o corpúsculos de Malpigio. Después de estimulación antigénica las células linfoides en el centro de los corpúsculos de Malpigio sufren mitosis, con formación de centros germinativos. El resto del bazo, la llamada pulpa roja, está formada por una red de senos y cordones de células. En la pulpa roja predominan los glóbulos rojos, ya que el bazo es la tumba de los eritrocitos gastados. Los cordones esplénicos están formados por una red de fibras de reticulina a lo largo de la cual se descubren células de retículo estrelladas. Los constituyentes celulares son macrófagos, células reticulares, linfocitos y linfoblastos. La inyección intravenosa de antígeno estimula de manera preferente la formación de anticuerpo por el bazo.

CARACTERISTICAS DE LA FORMACION DE ANTICUERPO

Respuestas primaria y secundaria. El tiempo de aparición y la concentración de anticuerpo circulante difieren después de una primera inyección y de una segunda inyección o exposición natural al antígeno. En consecuencia, la respuesta a la primera inyección se denomina respuesta primaria, y la respuesta a la segunda inyección se denomina respuesta anamnéstica o secundaria. El periodo latente entre el momento de la primera inyección de antígeno y la aparición de anticuerpo circulante es por lo menos de varios días; según la dosis y la naturaleza del antígeno puede ser más prolongado. La concentración de anticuerpo aumenta lentamente hasta valores moderados, luego disminuye. En contraste, cuando se produce la respuesta secundaria el periodo de latencia es más breve, el aumento hasta el máximo es mayor y más rápido, y el anticuerpo persiste mayor tiempo. Esto se atribuye a una respuesta anamnéstica o de memoria.

Con la mayor parte de antígenos el primer anticuerpo producido es de la clase IgM, de duración pasajera; más tarde la respuesta es más sostenida de IgG. Sin embargo, como ya señalamos, algunos antígenos desencadenan primariamente una respuesta IgM, por ejemplo los antígenos O de Salmonella y el estroma de glóbulos rojos de carnero. La clase a veces depende también de la dosis de antígeno. En la respuesta del cobayo al fago ϕX174 se observó que una pequeña dosis (10^9 partículas) solo desencadenaban un anticuerpo 19 S, mientras que una dosis elevada (10^{11} partículas) estimulaba primero anticuerpo 19 S, que disminuía luego al ir apareciendo anticuerpo 7 S.[108]

La índole de los anticuerpos cambia con el tiempo que ha transcurrido después de la inmunización.

La respuesta anamnéstica suele ser de tipo IgG, y en ella interviene netamente la memoria. Está menos claro si existe memoria para la síntesis de IgM; parece operar con algunos antígenos, pero no con otros. Con el tiempo también hay un cambio de afinidad de anticuerpo por antígeno. Los anticuerpos producidos tardíamente en la respuesta primaria, o en la respuesta secundaria, se fijan más firmemente al antígeno, por la mayor constante de afinidad del lugar de combinación del anticuerpo. Con el paso del tiempo y las inyecciones de antígeno, las determinantes de la molécula antigénica menores, como las mayores, estimulan la producción de anticuerpo, provocando aumento de anticuerpos de especificidades variables. Tal antisuero, aunque presenta menos especificidad que un antisuero temprano para cualquiera de los determinantes particulares, tiende a formar con el antígeno complejos que son menos disociables. Este aumento de avidez depende, en parte, de la constante de fijación mayor en el antisuero tardío, y también de la presencia de anticuerpo para un número mayor de determinantes antigénicos de la molécula del antígeno.

A nivel celular, antes de la primera inyección de antígeno, puede haber unas pocas células en los órganos linfoides que estén produciendo anticuerpo específico para un antígeno particular. Esto resulta especialmente cierto para antígenos con determinantes ubicuos en la naturaleza, por ejemplo, el antígeno heterófilo de los glóbulos rojos de carnero. Cuando se valoran células esplénicas no estimuladas, como productoras de anticuerpo para glóbulos rojos de carnero, empleando el método de la placa hemolítica, siempre hay un fondo natural de células formadoras de anticuerpo ya presentes. Por este motivo el empleo del término "primario" en el sentido de un encuentro inicial con el antígeno resulta algo ambiguo.

Después de la primera inyección de antígeno, el número de células que producen anticuerpo aumenta mucho sobre el fondo; después de la segunda inyección, hay un incremento grande del número, que se atribuye a la mitosis rápida de la célula de memoria con vida prolongada, donde queda almacenada la información para la síntesis para un antígeno particular. La respuesta anamnéstica es específica para el antígeno, o para el antígeno de reacción cruzada. Un fenómeno interesante, en relación con la memoria, se observó en estudios epidemiológicos de virus de influenza.[35] Virus de influenza, en particular del grupo del tipo A, mutan periódicamente a nuevas formas antigénicas en relación con sus antígenos de cubierta, y con el paso de los años se han desarrollado ciertos número de cepas nuevas, basadas en sus antígenos de cubierta (capítulo 37). Un adulto, al quedar expuesto a una cepa corriente de virus de influenza, responderá con un título de anticuerpos mayor para dicha cepa que la existente en ocasión de su primera exposición durante su juventud. El fenómeno se denominó "la doctrina del pecado original antigénico". El mismo fenómeno puede provocarse con antígenos artificiales. Conejos inmunizados con dinitrofenilo conjugado a globulina gamma bovina (DNP-BGG) unos meses antes de la inyección de globulina gamma bovina con trinitrofenilo (TNP-BGG) producían primariamente anticuerpos anti DNP-BGG más bien que anti TNP-BGG.[36]

Con el fin de desencadenar una buena respuesta secundaria a un hapteno, el portador utilizado para la inyección secundaria ha de ser el mismo que el utilizado para la inyección primaria.[13, 65] Por ejemplo, si se utiliza DNP conjugado a la albúmina de huevo (DNP-EA) para la inyección primaria, y DNP-BGG para la inyección segunda, se formará poco o nada de anticuerpo contra DNP. Sin embargo, si al tiempo de la inyección primera el animal también se inmuniza con el portador heterólogo (en el ejemplo citado, BGG) no se producirá una respuesta anamnéstica en ocasión de la inyección secundaria del hapteno conjugado con el portador heterólogo (DNP-BGG). Es necesario interpretar estos datos considerando la necesidad de interacción de dos tipos celulares para la respuesta anamnéstica, uno de los cuales reconoce los determinantes del portador esencial.

La semidesintegración (media vida) de inmunoglobulinas y anticuerpo. La concentración de inmunoglobulina circulante depende de las intensidades de síntesis y de catabolia; cuando el animal o el individuo se hallan en una situación constante, se admite que la intensidad de la catabolia equivale a la intensidad de la síntesis.[96] Si inmunoglobulina autóloga purificada de una clase determinada, por ejemplo IgG o inmunoglobulina de esta clase procedente de una cepa animal endogámica, se marca con ^{131}I y se inyecta por vía intravenosa al mismo animal, o bien a un animal singénico, puede determinarse la semidesintegración de la inmunoglobulina circulante de esta clase. Inicialmente, como ocurre con substancias extrañas, hay una rápida salida de la circulación debida a un equilibrio entre los espacios intravascular y extravascular. Después viene una disminución exponencial; un porcentaje constante del total es desintegrado por unidad de tiempo.

Después de entrar en esta fase, puede determinarse la semidesintegración $(T\frac{1}{2})$ y el valor de la constante (k):

$$k = \frac{0.693}{T_{1/2}}$$

La concentración corporal total de IgG se estima según la concentración sérica de IgG multiplicada por la proporción entre el fondo común total de IgG y el fondo común intravascular de IgG y el volumen plasmático. Con estos datos se calcula el ritmo de síntesis (ritmo catabólico):

ritmo sintético = (IgG corporal total) (valor de constante)

Se expresa en mg de IgG (o de otra clase de Ig) sintetizados por Kg de peso corporal y por día.

La semidesintegración de IgM es breve (tres a cinco días) en la mayor parte de animales, y es independiente de la concentración sérica. La semidesintegración de IgG es mayor (6 a 23 días) y depende de la concentración sérica. Cuando la concentración de IgG es alta, la semidesintegración es breve y el ritmo catabólico está aumentado. Cuando la concentración de IgG es baja, el animal está hipogammaglobulinémico, la semidesintegración es más prolongada y la intensidad catabólica disminuye. Este fenómeno parece ser de tipo regulador, por lo menos en los roedores, donde ha sido ampliamente estudiado.[96]

La porción Fc de la cadena pesada parece ser la porción de la molécula que establece el ritmo catabólico. La inyección sostenida de la pieza IgG-Fc (pero no de las cadenas Fab o L) abrevia la supervivencia de IgG intacta, y el metabolismo de la porción Fc es similar al metabolismo de toda la molécula.[111]

Cuando el ritmo sintético de producción de anticuerpo equivale al ritmo catabólico, la concentración de anticuerpo se conserva a nivel constante en la circulación. Cuando el ritmo sintético es menor que el ritmo catabólico, la concentración sérica de anticuerpo disminuye, y en ausencia de estimulación antigénica adicional puede alcanzar valores imposibles de descubrir.

INDUCCION Y PRODUCCION DE ANTICUERPO

Todas las etapas de la respuesta inmune —desde la penetración del antígeno en el huésped hasta el producto terminal, anticuerpos específicos, o células sensibilizadas específicamente— no son perfectamente conocidas, sobre todo en cuanto al mecanismo por virtud del cual suceden los acontecimientos. Después de exposición al antígeno hay un proceso de reconocimiento, por virtud del cual las células del huésped reconocen la índole extraña del antígeno; una desintegración del antígeno o un cambio del mismo para que pueda desempeñar su papel de inducción de anticuerpo; finalmente, la transferencia de una señal específica a la célula formadora de anticuerpo para que empiece la síntesis de este. Después de ocurridos estos acontecimientos, la fase de inducción de anticuerpo se ha logrado y empieza la fase productora. Habiendo recibido la señal, la maquinaria celular que sintetiza proteína empieza a producir una inmunoglobulina nueva y única, con lugares específicos complementarios para el antígeno inductor.

Al mismo tiempo, se presentan cambios morfológicos en los órganos linfoides.[33] Según la vía de infección o de inyección de antígeno, ya lo dijimos células del bazo, ganglios linfáticos o tejido linfoide del intestino empiezan a proliferar. En la pulpa roja y blanca del bazo, o en las zonas medular y cortical de los ganglios linfáticos se inician mitosis activas, y aparecen células primitivas voluminosas (inmunoblastos), seguidas de formas de transición. Estas células, observadas con la técnica de anticuerpo fluorescente, están produciendo anticuerpo, y se hallan en camino de diferenciarse en células plasmáticas maduras. Se desarrollan centros germinativos, cuyas células en la respuesta secundaria (pero no en la primaria) contienen anticuerpo. El número de macrófagos con cuerpos tingibles aumenta. No hay acuerdo completo acerca de las zonas principales de proliferación celular y síntesis de anticuerpos, o sea la pulpa roja del bazo y las zonas medulares de ganglios linfáticos, o la pulpa blanca del bazo y las zonas corticales de los ganglios linfáticos. Según la naturaleza del antígeno, la dosis, y la especie animal parecen ser estimuladas zonas diferentes.

Captación y elaboración de antígeno. Como ya hemos indicado, los antígenos inyectados a los animales son captados por los macrófagos de todo el cuerpo. Cuando la inyección es intravenosa el antígeno al principio se acumula primariamente en los macrófagos de la pulpa roja esplénica y el pulmón; más tarde, existe en las células dendríticas de los folículos linfoides.[32, 81, 82] Cuando se inyecta localmente, por ejemplo en la pata de los animales, se acumula en los ganglios linfáticos que drenan la región, apareciendo primero en los macrófagos de los senos periféricos y de la médula, y más tarde en superficies de las prolongaciones dendríticas de fagocitos reticulares en los folículos linfoides de la corteza. En plazo de 24 horas estas últimas células están marcadas con antígeno y, en el caso del antígeno flagelar de *Salmonella adelaide*, la marca persiste por lo menos 28 días. Su presencia guarda relación con la producción de centros germinativos.[3, 81]

A nivel subcelular, el antígeno está asociado con gránulos, probablemente lisosomas. No parece ser captado por células formadoras de anticuerpo, por lo menos según demuestran los métodos actualmente disponibles. Sin embargo, cabe imaginar que existe como determinante antigénico de volumen y cantidades demasiado pequeñas para poder ser identificado. La técnica usual para tratar el antígeno in vivo utiliza antígeno marcado con radioisótopos o anticuerpo específico marcado con fluoresceína.

El aclaramiento del torrente circulatorio de una inyección intravenosa de un antígeno radiactivo puede vigilarse fácilmente. Tiene lugar en tres fases. Durante las primeras 24 horas que siguen a la inyección hay una rápida disminución de antígeno marcado en la circulación, por producirse un equilibrio entre los espacios intravascular y extravascular. Esto va seguido de una disminución exponencial de la concentración, en la cual la intensidad de disminución es proporcional a la concentración en cada momento. Durante este periodo puede calcularse la semidesintegración. El valor de la constante cambia entonces radicalmente por el comienzo de formación de anticuerpo, y sigue un periodo de eliminación muy rápida. Entonces circulan complejos solubles de antígeno-anticuerpo. Una vez eliminado completamente el antígeno de la circulación, aparece anticuerpo libre. El fenómeno de la eliminación muy rápida a consecuencia del anticuerpo se denomina aclaramiento inmune. Se acompaña de una eliminación aumentada de antígeno marcado, que pasa a la orina. Aunque el antígeno es eliminado del torrente circulatorio al cabo de unos días, puede persistir meses en los tejidos, y quizá en pequeñas cantidades incluso durante toda la vida del animal.[26, 42]

Los polisacáridos neumocócicos persisten en los tejidos del ratón durante un año o más cuando la dosis antigénica es relativamente grande. Estudios efectuados con proteínas acopladas mediante enlaces diazoicos a marcas radiactivas indican que los fragmentos antigénicos de proteína también persisten largo tiempo. El antígeno retenido obtenido de hígados de conejos después de inyección intravenosa de seroalbúmina bovina o de hemocianina marcada con ^{35}S se aisló de un complejo con RNA celular.[26] El volumen de determinante antigénico retenido era pequeño, y en el caso de la seroalbúmina bovina el peso molecular era de aproximadamente 500. Algunos de los fragmentos antigénicos retenidos también se aislaron unidos con anticuerpo de nueva formación.

No conocemos la naturaleza y el papel del RNA que se une a los fragmentos de antígeno.[16, 79] No es suficientemente voluminoso para hacer RNA mensajero que codifique toda la molécula de inmunoglobulina. Sin embargo, puede bastar con tener un número suficiente de nucleótidos para codificar los pocos aminoácidos en el lugar de combinación del anticuerpo.[79] A nivel subcelular las cadenas pesada y ligera de las inmunoglobulinas se producen en polisomas separados. Si el RNA está desarrollando un papel informativo, tendrían que intervenir dos mRNA, y ambos tendrían que llegar a las células formadoras de anticuerpo. Hoy por hoy no disponemos de prueba experimental de ello; partiendo de estudios de hibridización, el RNA en el complejo de RNA-antígeno no parece ser un RNA único y peculiar para dicho antígeno particular.[93]

Si es necesaria la transferencia de información desde los macrófagos a las células linfoides, hay oportunidad suficiente para que tenga lugar. Las células linfoides, tanto in vitro como in vivo, muchas veces se reúnen alrededor de los macrófagos.[79] Mediante microscopio electrónico pueden observarse puentes citoplásmicos entre las dos células, y mediante fotografías de fase repetidas, se observan linfocitos que rodean macrófagos y forman seudópodos; estos atraviesan la membrana ondulante del macrófago. Un apoyo experimental del papel de los macrófagos en la elaboración de antígenos se ha logrado con estudios de inducción de síntesis de anticuerpo in vitro.[43, 44] Se produjeron anticuerpos para bacteriófago T$_2$ y hemocianina a nivel de células ganglionares linfáticas normales de ratas no inmunizadas, si estas células primero se ponían en contacto con un extracto de RNA de células peritoneales de rata normal incubadas con los antígenos. La formación de anticuerpo no se provocó por el antígeno solo, ni por el RNA de macrófago que no fuera incubado con antígeno. Cuando se añadió al cultivo estreptomicina o ribonucleasa, no se indujo anticuerpo. El anticuerpo producido era de la clase 19 S (IgM). Después de estos primeros experimentos, el fenómeno se ha repetido con diversos antígenos y diversas células en sistemas diferentes.[79]

Sin embargo, valoraciones sensibles de antígeno han indicado que en preparaciones de RNA había fragmentos de antígeno, y que la actividad del extracto de RNA depende de la presencia de componentes antigénicos.[16] Por lo tanto, queda por resolver el problema de si la inducción de anticuerpos es desencadenada por un papel de informador del RNA, o porque el antígeno existe en los extractos de RNA y el RNA desempeña el papel de coadyuvante. Una posibilidad adicional es que el RNA actuando como portador del fragmento antigénico, facilite su captación por células formadoras de anticuerpo. Hay acuerdo general en que el antígeno debe desintegrarse antes de producirse la inducción de anticuerpo.

No sabemos en qué forma esto se desvía hacia la síntesis de anticuerpo.

Linfocitos derivados del timo (T) y derivados de la médula ósea (B). El origen y el papel de las poblaciones celulares de la respuesta inmune se han deducido de datos experimentales obtenidos empleando procedimientos diversos. Por la naturaleza de los experimentos, no siempre hay acuerdo en la interpretación. Un enfoque estriba en estudiar la relación de la capacidad inmunológica de receptores irradiados por trasplante de poblaciones celulares específicas. Otro enfoque estriba en observar la presencia de disfunciones inmunológicas después de destruir poblaciones celulares específicas dentro de un huésped animal; por ejemplo, por extirpación quirúrgica de órganos (como timo o bazo), o por otros métodos, como irradiación de órganos específicos y tratamiento con inmunoglobulina o suero antitimocito. También se emplean poblaciones celulares puras o mezcladas en sistemas de cultivo de tejido in vitro para estudiar los tipos celulares que se necesitan para inducción y producción de anticuerpo. En tales condiciones, in vitro, poblaciones celulares específicas pueden estimularse o inhibirse por tratamiento con anticuerpos, antígenos u otros reagentes.

Cuando se inoculan células de médula ósea a ratones singénicos irradiados, se forman en el bazo colonias discretas macroscópicas de células hematopoyéticas.[1] Cada colonia proviene de una sola unidad de células donadoras, como lo demuestra la proporción directa entre células inyectadas y formación de colonias. Las células que se multiplican en las colonias provienen del donador, ya que llevan el marcador cromosómico del donador. Como ya señalamos a propósito del timo, células marcadas de médula ósea de origen del donador también pueblan el timo de ratones irradiados, pero no pueblan células de otros órganos linfoides. Una teoría en boga sugiere que la producción en esta forma de dos poblaciones de linfocitos pequeños a partir de la célula madre de la médula ósea, una denominada linfocitos T (linfocitos derivados del timo) que desarrollan ciertas funciones por influencia del ambiente tímico, y otra denominada linfocitos B (derivados de médula ósea, *bone marrow*) que se desarrollan por influencia de la médula ósea y son independientes del timo.[1, 75] El antígeno θ, un haloantígeno que existe en cantidad máxima en cerebro y timo, sirve como marcador para los linfocitos T. Cuando se efectúa una inyección de suero antitimocito que contiene anticuerpos citotóxicos con especificidad por el antígeno θ, mueren selectivamente células T en los órganos linfoides periféricos y en la circulación. Las células B se destruyen selectivamente mediante suero antiglobulina. Ambas reacciones requieren complemento. Los linfocitos T tienen una vida más prolongada que las células B y brindan una contribución mayor al fondo común de linfocitos circulantes. Se cree que son las células de memoria en la formación de anticuerpos, y las células efectoras de la hipersensibilidad tardía.[75, 94] Las células T no secretan activamente anticuerpo, pero su acción es necesaria para las respuestas de anticuerpo a determinados antígenos (antígenos dependientes del timo).[105] Ratones timectomizados en periodo neonatal no responden bien a la inyección de glóbulos rojos de carnero y de proteínas séricas heterólogas, pero parecen responder normalmente a diversos antígenos bacterianos virales. Estos últimos son los denominados antígenos independientes del timo. La dependencia del timo varía según la especie animal. La respuesta a los glóbulos rojos de carnero es de tipo independiente del timo en la rata, mientras que en el ratón es dependiente del timo.

Los linfocitos B, a diferencia de los linfocitos T, tienen vida breve y están más limitados a los tejidos. Son células sensibles al antígeno y se diferencian en células formadoras de anticuerpos.

Células sensibles al antígeno y sus receptores.[29, 74, 100] La presencia de receptores de tipo inmunoglobulina puede demostrarse en la superficie de células linfoides, y es por virtud de estos receptores que se considera que el antígeno desencadena la respuesta específica de anticuerpo. Células linfoides que tienen tales receptores se denominan células sensibles al antígeno, células inmunocompetentes o células reactivas al antígeno. La primera demostración de receptores provino de estudios sobre presencia de marcadores alotípicos e inmunoglobulinas en las membranas de células linfoides.[97, 102] Suero antialotípico específico mezclado con las células linfoides provocaba la formación de blastos por los linfocitos, probablemente por interacción con los marcadores alotípicos de inmunoglobulina en las membranas celulares.

Los antígenos de membrana también se han descubierto al teñir células viables con anticuerpo marcado mediante fluoresceína. La membrana viva no permite el paso de moléculas de anticuerpo. Por lo tanto, en presencia de un antígeno específico de membrana, el anticuerpo marcado solo tiñe la periferia de la célula. Con esta técnica se ha señalado que las membranas de linfocitos sanguíneos periféricos viables se tiñen con anti F (ab')2, anti IgM, anti IgG, incluyendo las cuatro subclases IgG y anti IgA.[47]

Mediante diversas pruebas directas e indirectas, utilizando anticuerpo específico para cadenas ligeras y pesadas de las inmunoglobulinas, se observa que son las células B las que transportan antígenos de inmunoglobulina de cadenas ligera y pesada en sus membranas celulares.[53] Las pruebas directas incluyen citotoxicidad, inmunofluorescencia, inmunorradioautografía, y transformación de linfocitos. Las pruebas indirectas incluyen inhibición de la fijación de antígeno, e inhibición de respuestas inmunes mediadas por células. Los resultados obtenidos con las diferentes técnicas no concuerdan completamente para indicar la clase predominante de determinante de inmunoglobulina en células B. Con inmunofluorescencia y radioautografía, los determinantes de 90 a 95 por 100 de los linfocitos esplénicos con receptores de inmunoglobulina son de la clase IgM.[88, 89, 110] Empleando otras técnicas, los linfocitos con marcadores IgM constituyen una proporción menor de linfocitos inmunoglobulina positivos, y muchos tienen en sus superficies IgG o IgA.[31, 91]

Todas las células B que forman rosetas con glóbulos rojos se señala que tienen receptores de tipo inmunoglobulina en sus membranas. Los determinantes en células B de ratones no inmunizados son predominantemente con especificidades de cadena ligera κ y de cadena pesada μ. Menos del 10 por 100 tienen determinantes de cadena pesada de otras clases. Las células B de ratones inmunizados con glóbulos rojos pueden tener más de una clase de cadena pesada y de alotipo en su superficie en fase temprana después de la inyección primaria de antígeno. Más tarde, la mayor parte tienen solo una cadena pesada demostrable, y un determinante de alotipo.[53]

Las inmunoglobulinas de conejo llevan marcadores alotípicos en las cadenas pesada y ligera. Empleando dos marcas inmunofluorescentes, se observa que cada célula productiva libera anticuerpo con cadenas ligera y pesada de un solo marcador genético, incluso si el animal es heterocigótico para los marcadores. Este fenómeno, denominado exclusión alélica, sugiere que en cada célula aislada que secreta inmunoglobulina solo es activo un alelo para el marcador de cadena ligera, y uno para el marcador de cadena pesada.[88]

La presencia de marcadores de inmunoglobulina en células T es menos evidente. Por pruebas directas no suelen descubrirse. Sin embargo, mediante diversas pruebas indirectas parece que, algunas por lo menos, llevan marcadores de cadena ligera. La formación de rosetas entre glóbulos rojos de carnero y una población seleccionada de células T se evita si las células T se tratan previamente con Fab. Los determinantes de cadena ligera en las células T de ratones normales, en relación con los fragmentos Fab, son principalmente de la especificidad κ sin especificidades que puedan descubrirse para cadena pesada, o sea del fragmento Fc.[53]

Anti IgM inhibe la formación de roseta con células T de ratones inmunizados empleando glóbulos rojos de carnero. Por lo tanto, las células T en este caso parece que llevan ambas la especificidad de cadena ligera y una porción de especificidad de cadena μ. La determinane IgM en las células T probablemente es de la zona de bisagra de la molécula, por cuanto la adsorción de suero anti IgM con F(ab'μ)₂ suprime la actividad, cosa que no hace Fabμ. El antisuero específico para Fcμ, que no reacciona apreciablemente con la zona de bisagra, no inhibe la formación de roseta.[53]

En un estudio que medía la captación de inmunoglobulina anti ratón preparada en conejos, y marcada con ^{125}I, el 0.1 a 0.3 por 100 de las células tímicas de ratón singénico quedaron marcadas con el anticuerpo Ig anti ratón, mientras que quedaron marcadas el 25 al 30 por 100 de las células correspondientes del bazo.[92]

La índole de los receptores en linfocitos derivados del timo todavía no está aclarada. Si los receptores son inmunoglobulinas, pueden ser inmunoglobulinas de una cadena pesada hasta ahora todavía desconocida, que algunos investigadores han denominado IgX. Esta idea se basa en la eficacia del anticuerpo de cadena κ anti ratón para inhibir ciertas respuestas de células T, y la imposibilidad de lograrlo con ningún antisuero conocido de cadena pesada.

La fuente de receptores de inmunoglobulina en los leucocitos no está bien definida. Sin embargo, hay datos indicadores de que no provienen de adsorción pasiva de moléculas de inmunoglobulina o de complejos de antígeno-anticuerpo en la membrana celular. La alternativa sería que fueran sintetizadas por las células que llevan los marcadores.

Para que los receptores tengan importancia en la inducción inmune, deberían tener la misma especificidad que el lugar de combinación del antígeno en la molécula del anticuerpo. Algunos datos parecen confirmar este concepto.[11, 21, 62, 102] Antígenos fuertemente marcados con yodo radiactivo se unen a un número menor de células linfoides de vasos de ratones no inmunizados. Las células marcadas pueden visualizarse mediante radioautografías. Poblaciones celulares que contienen estas células fuertemente marcadas no logran transferir la capacidad de formar anticuerpo específico para el antígeno marcado en ratones singénicos irradiados.

Sin embargo, transfieren la capacidad de producir anticuerpo para un antígeno independiente del marcado. De ello se deduce que las células con receptores específicos para el antígeno marcado son destruidas por la irradiación del marcador radiactivo, mientras que las células con receptores de una especificidad diferente son respetadas. En ratones no inmunizados, el tipo celular al cual se fija el antígeno marcado se ha considerado diversamente como el linfocito pequeño,[21, 85] el linfocito mediano, y una célula blasto.[102] Los receptores fijadores de antígeno en las células de cobayo no inmunizados para antígeno conjugado, albúmina de cobayo o con 2-4 dinitrofenilo (DNP-GPA) son principalmente de la clase γ₂. Por radioautografía se observa el antígeno marcado con ^{125}I unido a unos cuantos linfocitos pequeños. Los cobayos inmunizados con DNP-GPA muestran un número mayor de células fijadoras de antígeno, algunas de las cuales son células plasmáticas. Los receptores en el animal inmunizado son también de clase γ₂ y el anticuerpo sintetizado por la inmunización es de la clase γ₂.[85] Por lo tanto, en este caso los receptores en las células se parecen a la clase de inmunoglobulina y la especificidad de hapteno del anticuerpo producido por los descendientes de la célula.

La verdadera significación de los receptores celulares ha de esperar un estudio más detallado. Hay una serie de puntos que requieren aclaramiento: si son componentes estructurales de la membrana celular o simplemente anticuerpos secretados por la célula; cuáles tipos celulares llevan receptores; si pueden estar representados en una misma célula una o más clases o cadenas de inmunoglobulinas; y cómo la fijación del antígeno a los receptores pudiera provocar estimulación.

Células formadoras de anticuerpo. Las ideas actuales acerca de las células que secretan anticuerpo admiten que solo las células derivadas de la médula ósea, células B, tienen esta capacidad. Sin embargo, para ciertos antígenos parece necesaria la interacción entre dos tipos de células sensibles a los antígenos, las células T y las B, y posiblemente un tercero, el macrófago, para desencadenar la célula precursora de anticuerpo destinada a producirlo.

Se han propuesto algunas ideas diversas acerca de las interacciones celulares de las células T y B.[12, 13, 77, 78, 90, 94] La teoría enfocada hacia el antígeno sugiere que las células circulantes derivadas del timo fijan antígeno y lo presentan a las células B durante el contacto de célula-con-célula, proporcionando así una concentración local elevada de antígeno.[77, 78] Otra teoría (efecto coadyuvante) señala que células derivadas del timo en su interacción con el antígeno son estimuladas para producir moléculas (no necesariamente inmunoglobulina) que aumentan la estimulación antigénica de precursores de células B, productoras de anticuerpo.

Ni el mecanismo por virtud del cual las células B sensibles al antígeno son estimuladas para volverse secretorias de anticuerpo de la línea plasmocítica, ni el papel de las células T en el proceso, se conocen adecuadamente. La necesidad de más de un tipo celular sensible al antígeno también se deduce de estudios con antígenos de hapteno-proteína-conjugado.[13, 90] Según mencionamos, el hapteno suele tenerse que unir a la misma molécula portadora utilizada en la respuesta primaria para desencadenar una buena respuesta secundaria al determinante hapténico. Esto sugiere la participación de dos tipos celulares, uno con receptores específicos para el hapteno y uno con receptores específicos para el portador.

Células de memoria. Para explicar la respuesta anamnéstica a una segunda inyección de antígeno, se ha creado el concepto de células de memoria. Parte de los descendientes de las células sensibles al antígeno pueden diferenciarse en células secretorias de anticuerpo, mientras que otras se vuelven células de memoria. La memoria de una célula que previamente estableció contacto con el antígeno y almacenó información genética, se desencadena por la segunda estimulación antigénica. La célula sufre una transformación en blasto, y vienen varios ciclos de mitosis. Al paso que originalmente había una célula de memoria, ahora hay un clono de células capaces de secretar anticuerpo, y también un número mayor de células de memoria. Los datos existentes sugieren que tanto las células T como las células B pueden ser portadoras de memoria.[103]

INMUNOSUPRESION

La respuesta inmune en relación con la síntesis de anticuerpos, o con el desarrollo de inmunidad celular, puede quedar suprimida administrando ciertas drogas o reactivos, por tratamiento con radiación ionizante, o por extirpación de órganos linfoides. En algunos procesos humanos la respuesta inmune se suprime deliberadamente, por ejemplo, para evitar el rechazo de órganos trasplantados. En otros casos, la inmunosupresión es un efecto secundario indeseable, como en el empleo de productos antiproliferantes para tratar el cáncer. Si la supresión está mediada por la administración de antígeno específico (ver la sección sobre tolerancia) o de anticuerpo, será específica para dicho an-

tígeno particular; si la supresión ocurre por tratamiento con medicamentos, radiación, y similares, el efecto no será específico, y quedará disminuida la respuesta inmune, en general. Con tratamiento adecuado y condiciones adecuadas una o más poblaciones de células linfoides pueden eliminarse selectivamente, y en esta forma lograrse una supresión selectiva de diversos aspectos de la respuesta inmune.

La inmunosupresión también puede tener lugar por diversos estados patológicos clasificados como enfermedades por inmunodeficiencia.[48]

Agentes citotóxicos. Diversos agentes inmunosupresores son también antiinflamatorios. Algunos actúan inhibiendo la proliferación celular, y se denominan agentes citotóxicos.[55] Los agentes citotóxicos pueden subdividirse en antimitóticos y antimetabolitos. Los antimitóticos, por sus efectos fisicoquímicos sobre los ácidos nucleicos y ciertas enzimas intracelulares, afectan el crecimiento y la proliferación de células.

Agentes antimitóticos. Entre los antimitóticos está la radiación ionizante, que bloquea la mitosis celular dificultando la transformación del RNA citoplásmico en DNA por influencia de la polimerasa de DNA. Se acumula RNA en el citoplasma. Al modificarse la actividad citoplásmica, la mitosis queda parcial o completamente inhibida. La célula vive y muere sin dividirse. El efecto es máximo durante la profase; las células ya diferenciadas son más resistentes. La radiación actúa también inactivando grupos sulfhidrilo de enzimas, lo cual, a su vez, origina inhibición de la síntesis de DNA. Una tercera acción de la radiación es favorecer las reacciones radioquímicas en las cuales interviene O_2 libre, que es un tóxico celular. Después de la irradiación corporal total, los órganos linfoides quedan desprovistos de linfocitos y hay una grave hipoplasia en la médula ósea.

Dosis moderadas de rayos X, del orden de una LD_{50}, no suelen afectar la capacidad de los macrófagos para fagocitar restos celulares o antígenos extraños. Sin embargo, hay informes indicando cierta capacidad disminuida de los macrófagos del animal irradiado para digerir y eliminar el material ingerido.[79]

Cuando sistemáticamente se estudia la irradiación subletal de animales en relación con el tiempo de estimulación antigénica, se observa una fase radiosensible y una fase radiorresistente para la formación de anticuerpo.[37, 104] Si los animales son irradiados 48 horas antes de inyectarles el antígeno, hay una intensa depresión de la formación de anticuerpo. Aunque al abreviar el tiempo transcurrido entre la irradiación y la inyección de antígeno mejora la producción de anticuerpo, no se logran valores normales, incluso cuando la irradiación se da simultáneamente con el antígeno, o, máximo, una hora después del mismo. Pero si la irradiación se da tres días después de inyectar el antígeno, no hay trastorno. Las células plasmáticas maduras e inmaduras, que por entonces ya están produciendo anticuerpo, son relativamente radiorresistentes. La consecuencia de ello es que se necesita proliferación celular para las primeras etapas de la producción de anticuerpo.

El cuadro histológico después de administrar dosis subletales de irradiación consiste en una desaparición intensa de células de tejido linfoide inicialmente, por inhibición de las mitosis; esto va seguido de una desintegración masiva de linfocitos. Después tiene lugar un periodo de fagocitosis activa; finalmente, uno de mitosis activa en los órganos linfoides, que son reconstituidos por completo en plazo de tres a cuatro semanas.

Las dosis mortales de irradiación inactivan células inmunológicamente competentes, al igual que otras células de la economía; el resultado es una enfemedad por radiación mortal. Para salvar al animal se dan transfusiones de células hemopoyéticas singénicas o alógenas (células de médula ósea o de bazo). La capacidad inmunológica del animal irradiado parece quedar totalmente destruida, pues las células insertadas crecen y proliferan, volviendo a poblar el huésped irradiado. La demostración de la presencia continuada de células donadoras en el receptor irradiado se confirma por transfusión de células de un cariotipo diferente del que corresponde al huésped, por ejemplo, células de rata en ratones. Si hay una diferencia demasiado grande entre dador y receptor se produce la enfermedad mortal llamada enfermedad secundaria o desmedro *(runt disease)*. Las células inmunológicamente competentes del donador reaccionan contra los antígenos extraños del receptor en forma de reacción de injerto-contra-huésped (ver la sección sobre rechazo de homoinjerto).

Los agentes alquilantes se incluyen en las substancias citotóxicas antimitóticas.[55] Los agentes alquilantes más utilizados son derivados de mostaza nitrogenada, etilenaminas, ésteres sulfónicos de metano, o epóxidos. Dentro de las células sufren una transformación cíclica intramolecular, con formación de radicales que reaccionan fácilmente con las bases nitrogenadas del DNA, en particular la guanosina y la citosina. El enlace entre las bases nitrogenadas y el fosfato de desoxirribosa queda roto. Se producen más roturas entre las bases pareadas en la molécula de DNA, y tienen lugar cortos circuitos entre bases idénticas. El DNA lesionado codifica un mRNA falso que, a su vez, se traduce en proteínas y enzimas anormales. Todo ello origina una célula mutante o muerta. Los agentes alquilantes a veces se denominan drogas radiomiméticas, porque remedan en parte el efecto de la radiación. La ciclofosfamida, derivado de la mostaza nitrogenada, además de suprimir la división celular inhibe la diferenciación de linfocitos en inmunoblastos y reduce las reacciones inflamatorias periféricas.[115] Es eficaz en animales para suprimir la formación de anticuerpo para diversos antígenos. Su acción, a

diferencia de la que posee la radiación X, es transitoria; solo dura lo que dura su administración. Ejerce su efecto antes de inyectar el antígeno y después de la inyección.

Antimetabolitos. Los antimetabolitos, que constituyen el segundo grupo de drogas citotóxicas, actúan substituyendo un componente normal en macromoléculas por su estructura química muy similar, o entrando en competencia con substancias normales en reacciones enzimáticas esenciales para procesos biosintéticos.[55] Las antipurinas y las antipirimidinas solo difieren ligeramente de componentes normales, y quedan integradas en la cadena de síntesis normal de ácidos nucleicos. El ácido nucleico falso es incapaz de intervenir en reacciones necesarias para la síntesis celular. Son ejemplos de antipurinas la 6-mercaptopurina, 6-tioguanina, 8-azatiopreno (Imuran) y la azaguanina; son ejemplos de antipirimidinas el 5-fluorouracilo, la 5-fluorodesoxiuridina (FUDR), y la 5-bromodesoxiuridina (BUDR).

La ametopterina (metotrexato) antagonista del ácido fólico, actúa según la segunda forma antes mencionada. El ácido fólico es coenzima en la transferencia de radicales monocarbonados, por lo tanto, controla la transferencia de radicales metilo en la síntesis de proteína, o sea la transmetilación de aminoácidos (conversión de glicina en serina, histidina en glutamina, y homocisteína en metionina). También interviene en la conversión de uracilo en timina, y en esta forma afecta también la síntesis de bases de ácido nucleico.

Se ha señalado que análogos de la purina impiden la diferenciación de linfocitos en inmunoblastos.[115] Cambios citológicos en los órganos linfoides observados normalmente después de la estimulación antigénica no se presentan en animales tratados con 6-mercaptopurina. Los conejos inyectados con concentraciones elevadas de un inmunógeno relativamente débil, como la seroalbúmina bovina, no responden específicamente a dicho inmunógeno particular, no solo mientras están bajo tratamiento sino incluso después de suprimir la administración de la droga. Se ha especulado acerca de la población de células estimuladas para proliferar y diferenciar, consideradas particularmente susceptibles para la droga a consecuencia de su metabolismo aumentado. Por lo tanto, esta población de células se destruye selectivamente. El metotrexato no impide la formación de inmunoblastos, pero impide su rápida división ulterior para producir linfocitos pequeños sensibilizados. Así pues, la tendencia es a que el metotrexato interfiera con la fase proliferativa posterior más que con la fase inductiva temprana de la formación de anticuerpo.

Corticosteroides. Los corticosteroides se han utilizado desde hace más de 20 años para tratar enfermedades alérgicas y, más recientemente, para tratar enfermedades autoinmunes y evitar el rechazo de trasplantes de órganos. Dada su acción antiinflamatoria, disminuyen los efectos secundarios perjudiciales

les de las reacciones in vivo de antígeno-anticuerpo (ver la sección sobre hipersensibilidad inmediata) y la hipersensibilidad de tipo tardío.[38] Actúan estabilizando las membranas de las células y lisosomas, y en esta forma inhiben la liberación de citotoxinas e histamina, interrumpen la dilatación capilar, y permiten la absorción de líquidos exudativos. Actúan en cada etapa de la respuesta inflamatoria. Con dosis suficiente provocan linfopenia y causan depleción de órganos linfoides. En ratones, conejos y ratas, la formación de anticuerpo está deprimida por el tratamiento cortisónico. El hombre es más resistente; con dosis terapéuticas usuales no se deprime la formación de anticuerpo. Los monos y los cobayos también son más resistentes a la acción de los corticosteroides. En el hombre se cree que la cortisona deprime la hipersensibilidad de tipo tardío asociada con mecanismos celulares inmunes, más que la formación de anticuerpo.[116]

Anticuerpo administrado pasivamente.[25, 95, 107, 109] La producción de anticuerpo después de exposición antigénica no continúa indefinidamente en grado notable si no se repite el estímulo. Si persisten anticuerpos séricos en valores altos por largo tiempo, hay motivo para sospechar que prosigue la estimulación antigénica. Tal situación puede producirse después de administrar un antígeno que se reproduce, como las vacunas de virus vivos, con infecciones persistentes o latentes, con antígenos polisacáridos que se metabolizan poco, o en enfermedades autoinmunes en las cuales los tejidos del huésped proporcionan la estimulación. De ordinario, la concentración de anticuerpo alcanza un máximo previsible para dosis y planes de administración de antígeno en un huésped determinado, y luego disminuye. Incluso en casos en que el anticuerpo persiste años, se estabiliza en cierta concentración. No conocemos bien el mecanismo regulador que controla la producción de anticuerpos.

Experimentalmente, la formación de anticuerpo de cierta especificidad puede suprimirse por administración pasiva de anticuerpo de la misma especificidad. En los primeros días de los trabajos experimentales (1897) destinados a lograr un método eficaz de inmunización contra la difteria, se comprobó que la inyección de mezclas neutrales de toxina y antitoxina provocaba inmunidad en el cobayo. Un tiempo después (1909) Theobald Smith observó que, si en los complejos había exceso de anticuerpo, se lograba una inmunización menos eficaz. Observó que la inyección de mezclas neutrales lograba una inmunidad activa que duraba varios años; las mezclas que producían una lesión local, indicando exceso de toxina, estimulaban una inmunidad mejor; las mezclas que contenían gran exceso de antitoxina disminuían o suprimían la inducción de inmunidad activa.

En 1950, Barr y colaboradores demostraron que después de inyectar antitoxina diftérica a seres humanos recién nacidos estaba inhibida la respuesta a la inmunización activa. Estos hechos más tarde se extendieron a otros antígenos, indicando que el fenómeno era general, no limitado a la toxina de la difteria.[109]

Trabajos más recientes sobre la respuesta primaria en cobayos indican que el poder inmunógeno del antígeno establece, en parte, la capacidad de su anticuerpo correspondiente para suprimir la formación específica de anticuerpo. La formación de anticuerpo para antígenos menos inmunógenos se suprime más fácilmente por complejos con exceso de anticuerpo que con un buen antígeno. Por ejemplo, la supresión de la formación de anticuerpo para seroalbúmina bovina, antígeno pobre en el cobayo, se logra más fácilmente que para ovalbúmina, antígeno mejor. La especie animal también interviene. La formación de anticuerpo en el conejo se suprime menos fácilmente que en el cobayo.

El anticuerpo administrado pasivamente también efectuará la supresión después que ya se ha iniciado la formación de anticuerpo. Los animales que reciben antitoxina cinco días después de recibir toxoide diftérico solo tienen cantidades mínimas o nulas de antitoxina en su suero al cabo de un mes, mientras que los animales de control que no recibieron antitoxinas desarrollan en ese plazo una respuesta normal de anticuerpo. La respuesta anamnéstica al toxoide diftérico también puede suprimirse por antitoxina, pero no tan intensamente como la respuesta primaria. La inhibición tiene lugar en cobayos, pero es pasajera, normalizándose al cabo de un par de semanas. El motivo del mayor efecto supresor sobre la respuesta primaria, en comparación con la secundaria, no se conoce, pero puede guardar relación con la afinidad de receptores celulares, según veremos más tarde.[107]

La capacidad de 19 S y 7 S para actuar como supresor es variable. Empleando un fago (ϕX174) como antígeno, se ha comprobado que la inyección de anticuerpo específico 7 S, obtenido durante una respuesta secundaria en el cobayo, inhibe parcialmente una respuesta primaria 19 S al cabo de una semana, e impide el desarrollo de una respuesta primaria 7 S, o la preparación de una respuesta secundaria 7 S. La administración de anticuerpo 19 S en condiciones similares carece de efecto.[109] El papel del anticuerpo como mecanismo de "retroalimentación" en circunstancias normales de formación de anticuerpo no está aclarado. Se ha sugerido que la producción primaria de anticuerpo 7 S termina la producción de 19 S. Los estudios siguientes se han proporcionado como supuestas confirmaciones. Conejos tratados con 6-mercaptopurina, e inmunizados con globulina gamma bovina, tienen una respuesta 19 S prolongada a la globulina gamma bovina, en ausencia de respuesta 7 S. La administración pasiva de anticuerpo 7 S acaba rápidamente la respuesta 19 S.[95] Se han obtenido resultados similares utilizando como antígeno glóbulos rojos de carnero. Las células de bazo de un donador singénico, transferidas a animales receptores irradiados e inmunizados con glóbulos rojos de carnero, formarán hemolisina 19 S. Sin embargo, si los receptores reciben primero antiglóbulos de carnero 7 S, no tendrá lugar la formación de anticuerpos 19 S por las células del donador. Una observación interesante al respecto es un estudio efectuado con lactantes inmunizados mediante antígenos de Salmonella. Los lactantes normalmente forman antígenos IgM, pero no los producen si han recibido por vía transplancentaria anticuerpos específicos 7 S procedentes de la madre.

No todos los estudios en todas las especies animales, o con antígenos diferentes, confirman la idea de que el anticuerpo 7 S es mejor supresor que el anticuerpo 19 S. Diferencias inherentes hacen difícil la valoración de muchos estudios. La afinidad fijadora de diversas clases de anticuerpos interviene; el anticuerpo con mucha afinidad suprime más eficazmente en concentración baja que el anticuerpo de poca afinidad. Clases diferentes de anticuerpo pueden tener especificidades diferentes, sobre todo si el antígeno es complejo. Hay variaciones en la capacidad de diversas clases de anticuerpo para reaccionar en pruebas serológicas; por ejemplo, el anticuerpo 19 S es más eficaz en pruebas de hemaglutinación que el anticuerpo 7 S. Para comparación definitiva, ambas clases de anticuerpo han de tener constantes de fijación comparables, la misma especificidad, y han de responder igualmente a la técnica de valoración utilizada para la prueba de supresión.

Se produce inhibición de la formación de anticuerpo a nivel celular mediante la administración pasiva de anticuerpo. Utilizando el método de valoración de placa hemolítica, ya descrito, se ha comprobado que grandes volúmenes de anticuerpo específico transmitido pasivamente antes del antígeno, o simultáneamente con él (glóbulos rojos de carnero o lipopolisacárido), inhiben completamente la formación de células que producen 19 S y originan placas. También se inhiben los cambios morfológicos y los cambios de peso en el bazo que normalmente siguen a la estimulación antigénica en una respuesta primaria. El suero hiperinmune, administrado en grandes volúmenes, también ha disminuido mucho el número de células productoras de 7 S y formadoras de placa contra antígenos específicos.

En estos estudios se han utilizado como antígenos glóbulos rojos de carnero y glóbulos rojos de pollo. La supresión tuvo lugar después de un periodo de latencia de 48 a 72 horas, incluso si la transferencia de anticuerpo se retrasaba unas semanas después de inyectar el antígeno.

Hay datos contradictorios sobre el problema de cuál sea la porción de la molécula de IgG necesaria para la inmunosupresión. Con fago ϕX174 o hemocianina como antígeno, el anticuerpo IgG digerido por pepsina, o sea el fragmento F(ab')$_2$ que

contienen ambos lugares de combinación del anticuerpo, solo era ligeramente menos eficaz como inhibidor de la formación de anticuerpo específico que la molécula intacta de anticuerpo 7 S. La ligera disminución de actividad se atribuyó a un aumento de la catabolia del anticuerpo alterado por la pepsina, o a pequeños cambios estructurales en la molécula, resultantes de la técnica de la digestión.[109] Por otra parte, con glóbulos rojos de carnero como antígeno el fragmento F(ab')$_2$ solo tenía una actividad 1/100 a 1/1 000 de la actividad del anticuerpo 7 S intacto, indicando la necesidad de la porción Fc de la molécula. La delineación de las porciones de la molécula de anticuerpo necesaria para inmunosupresión tiene importancia para interpretar el mecanismo de acción del fenómeno. Si se necesita la porción Fc además de los lugares de combinación de anticuerpo hay que considerar la interacción específica con células, o la participación del sistema del complemento. Si solo se necesitan los lugares de combinación de anticuerpo, la inmunosupresión puede resultar primariamente de fijación del antígeno.[95]

Todavía no está bien estudiado el papel del anticuerpo sérico circulante en la terminación de la producción de anticuerpo in vivo en animales y en el hombre, en condiciones normales o patológicas. Al parecer, por la especificidad de la reacción, la primera etapa de la supresión es la combinación del anticuerpo transferido con antígeno libre. Teóricamente, pues, el anticuerpo pudiera desempeñar un papel importante en la supresión aumentada de antígeno, y en esta forma evitar la estimulación continuada de anticuerpo por los antígenos con tendencia a persistir. Si la afinidad de fijación del anticuerpo transferido para el antígeno específico es mayor que la de los receptores en la célula potencialmente formadora de anticuerpo, el anticuerpo transferido pudiera fijarse en forma preferencial al antígeno y, por lo tanto, privar la célula formadora de anticuerpo del estímulo antigénico. Tal situación se presentaría más fácilmente en una respuesta primaria que en una respuesta secundaria. En una respuesta secundaria ya hay clonos de células de memoria con receptores de gran afinidad, dispuestos para responder y establecer competencia por el antígeno con el anticuerpo transferido.

La eficacia de la administración pasiva de anticuerpo específico en el hombre se ha demostrado de manera inequívoca en el caso de incompatibilidad de Rh entre madre y feto (ver la sección sobre factor Rh). La globulina γG pura de título anti Rh elevado, administrada por vía intramuscular a madres Rh negativas en plazo de 72 horas después del parto de un hijo ABO-compatible Rh positivo es eficaz para suprimir la respuesta inmune primaria al antígeno Rh. De 2 523 casos tratados estudiados, solo en cuatro quedó sensibilización mientras que entre 2 299 mujeres no tratadas, 16 quedaron sensibilizadas.[46]

Cuando hay incompatibilidad entre madre y feto en el sistema ABO como en el sistema Rh, la madre raramente se sensibiliza al antígeno Rh del hijo. El fenómeno puede guardar relación con la inmunosupresión por isoanticuerpos. Los receptores Rh negativos, si se inmunizan con sangre Rh positiva incompatible en ABO, no forman anticuerpos anti Rh siempre que tengan anticuerpos para los grupos sanguíneos A o B correspondientes a los glóbulos rojos del donador.[95]

Catabolia. Ya nos referimos antes al efecto de la intensidad catabólica sobre la concentración de proteínas séricas. La intensidad catabólica de IgG, a diferencia de la correspondiente a otras proteínas séricas, depende de la concentración sérica de IgG. Cuanto mayor la concentración, más rápida la catabolia. Esto se comprobó en forma concluyente en estudios con ratones.[40, 96] Ratones sin gérmenes conservados en un ambiente estéril son hipogammaglobulinémicos. Reciben muy poca estimulación antigénica, fuera de la que origina el alimento. La semidesintegración de IgG en tales animales es aproximadamente de 6.8 a 8.2 días, mientras que los animales criados en la forma usual, expuestos normalmente a los microorganismos existentes en el medio, tienen concentraciones séricas de IgG más altas, y una semidesintegración de IgG de 5.4 días. Si se transfiere pasivamente IgG a los animales normales, de manera que aumente netamente su concentración sérica, la semidesintegración se acorta hasta 1.8 a 2.0 días.[39] El control catabólico de la síntesis de IgG, a diferencia del control del anticuerpo, carece de especificidad; probablemente moléculas de IgG de especificidad variable quedarían suprimidas con igual frecuencia del fondo común de IgG.

En el hombre se presenta un fenómeno similar. La supervivencia de IgG suele prolongarse en pacientes con concentración sérica baja de IgG secundaria a una disminución de la síntesis. La semidesintegración de IgG en estos pacientes puede prolongarse hasta 70 días. Al ir aumentando las concentraciones séricas de IgG, la semidesintegración disminuye progresivamente hasta un mínimo de aproximadamente 10 días cuando la concentración sérica es de 30 mg por ml. En este efecto participan las cuatro clases de IgG.

Suero antilinfocítico (ALS).[30, 67, 106] Los linfocitos de una especie animal inoculados a una especie diferente estimulan la formación de anticuerpo sérico citotóxico para las células inoculadas. ALS para empleo humano suele prepararse en el caballo. Los anticuerpos de ALS están dirigidos no solo contra antígenos específicos de linfocitos, sino también contra antígenos comunes a linfocitos y otras células tisulares, y antígenos de células contaminantes como los glóbulos rojos existentes en el inóculo linfoide. Estos anticuerpos extraños son indeseables y representan un peligro potencial. Suelen suprimirse por adsorción específica.

La clase de anticuerpo activa en ALS es IgG; los anticuerpos de la clase IgM son inactivos. Como el ALS es extraño, y por lo tanto inmunógeno para el animal tratado, se forman anticuerpos contra dicho suero. La respuesta por parte del huésped significa varios efectos secundarios indeseables. El anticuerpo anti ALS se combina con ALS e impide su acción sobre los linfocitos. Una vez que el receptor está inmunizado, el tratamiento adicional con ALS cada vez resulta menos inmunosupresor. También puede desarrollarse la enfermedad del suero (ver la sección sobre hipersensibilidad inmediata), con los problemas consiguientes.

El ALS ejerce su efecto citotóxico in vitro con linfocitos cultivados en presencia de complemento, o bien in vivo. Inhibe netamente las respuestas inmunes mediadas por células, y afecta en grado variable la respuesta primaria de anticuerpo a los antígenos clasificados como dependientes del timo. Suele ser ineficaz para suprimir la respuesta de anticuerpo secundario. La supervivencia de injertos halógenos en animales tratados con ALS que previamente ya han rechazado un injerto de la misma especificidad, se prolonga mucho en comparación con los animales normales, que rechazan un segundo injerto en forma rápida y violenta. El empleo de ALS también ha permitido los heteroinjertos (xenoinjertos), o sea los injertos entre dos especies diferentes de animales (ver la sección sobre rechazo de homoinjertos).

Cobayos sensibilizados a un alergeno químico y tratados con ALS no desarrollan reacciones cutáneas tardías cuando se someten a prueba con el alergeno. También están deprimidas las reacciones de Arthus y las respuestas inflamatorias no específicas; y el complemento, que se sabe interviene en estas reacciones,[70] disminuye mucho en la sangre circulante.

Hay cierto número de anticuerpos específicos en ALS, cada uno de los cuales actúa en la inmunosupresión en forma diferente. Los anticuerpos contra la membrana celular reaccionan con el complemento y disminuye el tercer componente de complemento en la circulación. Hay una anticuerpo que no interviene en la supresión de la reacción de Arthus o de la inflamación no específica en el ALS preparado contra extractos celulares. Se comprueba que tiene efecto específico sobre reacciones inmunes mediadas por células. Interfiere con la transferencia pasiva local de la reacción tuberculínica empleando linfocitos de donadores sensibilizados administrados a receptores normales (ver la sección de hipersensibilidad tardía). No interfiere con la reacción entre linfocitos sensibilizados del donador y tuberculina, pero parece inhibir la capacidad de las células normales del receptor para responder.

Un grupo importante de anticuerpos en ALS es el de aquellos que, provocando depleción de complemento circulante, actúan también disminuyendo las lesiones tisulares que producen los complejos solubles de antígeno-anticuerpo. En la reacción de Arthus (ver la reacción de hipersensibilidad inmediata) los animales con anticuerpo humoral para un antígeno particular desarrollan una lesión local si se inyecta antígeno específico en la piel. Se forman complejos de antígeno-anticuerpo a nivel de la inyección, y mediante la participación del complemento tiene lugar lesión tisular local. La lesión local no se produce en cobayos tratados con ALS antes de recibir el antígeno, y no hay acumulación de polimorfonucleares en el lugar de la inyección. La experiencia lograda hasta aquí sugiere que puede producirse una reacción similar en los trasplantes de órganos humanos. Actualmente se admite que las crisis de rechazo en pacientes con trasplante que reciben medicamentos químicos inmunosupresores dependen de anticuerpo humoral y complemento que reaccionan con el trasplante provocando la reacción tisular, más bien que de una respuesta mediada por células. Una función importante del tratamiento de ALS en estos casos estribaría en disminuir la lesión provocada por acción de anticuerpo humoral disminuyendo el complemento, más bien que por interferencia en procesos inmunológicos mediados por células, que probablemente ya estén deprimidos por el tratamiento mediante drogas químicas inmunosupresoras. Los ganglios linfáticos de cobayos tratados con ALS tienen una depleción celular intensa de las zonas paracorticales dependientes del timo. Estas zonas están desprovistas de linfocitos e infiltradas de reticulohistiocitos con actividad fagocitaria. La población de linfocitos pequeños en folículos, centros germinativos, unión corticomedular y cordones medulares, sigue sin cambio. El ALS no adsorbido con eritrocitos de cobayo a veces provoca depleción tímica, pero si se ha adsorbido no provoca alteración tímica a pesar de la reducción de las zonas de los ganglios linfáticos dependientes del timo. El efecto específico de ALS parece efectuarse sobre los pequeños linfocitos circulantes de vida prolongada que intervienen en las respuestas mediadas por células, y que están bajo control del timo. El linfocito de vida breve proveniente de la médula ósea en la circulación, como en el ganglio linfático, no parece afectado. Según las teorías actuales, parece que el ALS actúa a través del sistema de complemento para destruir linfocitos dependientes del timo, o para provocar que sean fagocitados.

La acción del suero antilinfocítico es pasajera; en el ratón termina aproximadamente 50 días después de interrumpido el tratamiento. El periodo de 50 días puede representar el tiempo necesario para que se desarrolle una nueva población de linfocitos. Se ha intentado establecer una tolerancia inmunológica permanente en animales administrando ALS junto con otros agentes inmunosupresores. Hasta aquí no se ha logrado ninguna tolerancia permanente si no es con tratamiento continuado; sin embargo, puede lograrse una prolongación neta del estado de tolerancia. Evidentemente, tales estudios tienen gran importancia para los trasplantes de órganos en el hombre, y para las enfermedades autoinmunes, en las cuales un individuo responde a sus propios tejidos.

Timectomía.[48, 49, 83] La supresión del timo en mamíferos recién nacidos provoca una disminución de la respuesta de anticuerpo para ciertos antígenos en etapa posterior de la vida (antígenos dependientes del timo, según ya estudiamos) así como deficiencias inmunológicas de tipo celular. Un síndrome denominado enfermedad consuntiva acompaña a veces a la timectomía neonatal. Se manifiesta alrededor del tiempo del destete y se caracteriza por interrupción del crecimiento normal, posición encorvada, piel arrugada, pérdida de peso, diarrea y muerte. Si los animales se sostienen con antibióticos, o se conservan en un medio desprovisto de gérmenes, puede evitarse el desmedro. Parece que el trastorno se relaciona con infección por los microbios del ambiente, pues los animales timectomizados son incapaces de combatirlos adecuadamente.

El trastorno de inmunidad celular en ratones recién nacidos timectomizados se manifiesta por diversas reacciones. Aceptan por largo tiempo injertos cutáneos con características de histocompatibilidad H_2 diferentes, a veces en forma permanente. También pueden trasplantarse con buen resultado tumores halógenos, e incluso xenogeneicos. Tienen aumentada la susceptibilidad para el efecto oncógeno de virus de polioma y los efectos carcinógenos del 20-metilcolantreno. Células esplénicas de ratones timectomizados en fase neonatal no logran desencadenar una reacción de injerto-contra-huésped cuando se transfieren pasivamente a receptores irradiados y, como cabría esperar, los híbridos F_1 timectomizados en fase neonatal son más vulnerables al ataque de injerto-contra-huésped por células esplénicas parentales (ver la sección sobre rechazo de homoinjerto).

Por lo tanto, en los mamíferos el timo parece regular las respuestas inmunes de tipo celular, y controlar la respuesta de anticuerpo a los antígenos que requieren un sistema de dos células, una célula auxiliar (derivada del timo) y una célula formadora de anticuerpo (proveniente de la médula ósea).

Se observa poco efecto sobre la respuesta humoral a diversos antígenos solubles en roedores timectomizados cuando son adultos, y estimulados poco después con antígenos. En forma similar, el rechazo de aloinjertos es normal. Sin embargo, si se da antígeno unas semanas o meses después de la timectomía, las respuestas son deficientes. La respuesta de anticuerpo humoral a la albúmina sérica bovina o los glóbulos rojos de carnero está disminuida, y las células linfoides de estos animales tienen poca capacidad para provocar reacciones de injerto-contra-huésped.

Estas observaciones corresponden bien a la teoría según la cual los linfocitos derivados del timo son de vida larga, y el fondo común circulante de estas células se va rellenando periódicamente desde el timo.

Hay indicaciones de que la formación de anticuerpo IgM está menos afectada por la timectomía que la formación de anticuerpo IgG. Se observó una diferencia neta en la respuesta de cepas endogámicas de ratones a un polipéptido sintético denominado (T,G)-A-L, la respuesta al cual está controlada genéticamente y ligada al locus H_2. Tanto los ratones de cepas que responden como de cepas que no responden a la primera inyección de antígeno con una respuesta de anticuerpo IgM, pero solo la cepa que responde produce anticuerpo IgG después de inyecciones estimulantes. Ambas cepas de ratones fueron timectomizadas, irradiadas e inyectadas con células de médula ósea singénica. Un mes más tarde recibieron el polipéptido sintético. Los ratones irradiados y timectomizados, y los ratones irradiados no timectomizados de ambas cepas, formaban anticuerpo IgM específico, pero solo la cepa de los que respondían en el último grupo formaron anticuerpo IgG después de inyecciones estimulantes.[76] La cepa que no respondía, y la cepa timectomizada que respondía no produjeron anticuerpo IgG.

En los pájaros hay una mayor disociación en el control de las dos funciones inmunes; la bolsa de Fabricio controla en gran parte la formación de anticuerpo, mientras que el timo controla las respuestas mediadas por células. La bolsa de Fabricio nace durante la vida embrionaria como una protrusión del endodermo de la cloaca. La extirpación quirúrgica del órgano durante las dos primeras semanas de la vida provoca disminución en la formación de anticuerpo. Cuando se retrasa el tiempo de la bursectomía, cada vez hay menos depresión de la síntesis de anticuerpo. El mismo efecto de depresión inmune se logra con tratamiento del huevo fértil antes de madurar empleando testosterona, lo cual impide el desarrollo de la bolsa. Al efectuar estimulación antigénica continuada, o pasar el tiempo, se logra cierta recuperación en la formación de anticuerpo y en la producción de inmunoglobulina.

Los estudios sobre anticuerpo y clases de inmunoglobulinas indican que cuanto más pronto se efectúe la bursectomía, mayor será la depresión que presentará la producción de inmunoglobulinas IgG, y la formación de anticuerpo IgG para glóbulos rojos de carnero. Por el contrario, la porción IgM está netamente aumentada con la bursectomía temprana, y la producción de anticuerpo IgM para glóbulos rojos de carnero está relativamente poco afectada. Se logró inhibición completa del desarrollo de la bolsa sumergiendo los huevos en testosterona a los tres días de incubación. A la edad de 14 semanas, los niveles de IgG estaban neta-

mente disminuidos, mientras que los de IgM en estos pájaros eran cuatro veces mayores que en los pájaros de control. Estos estudios sugieren que la bolsa no es necesaria para producir IgM, pero sí para la maduración de IgM hasta síntesis de IgG.[71]

En pájaros bursectomizados está disminuida la formación de centros germinativos en órganos linfoides, y hay una neta disminución de células plasmáticas; sin embargo, la formación de linfocitos se observa normal. Si los pájaros bursectomizados también se irradian, el efecto de la bursectomía aumenta, desaparece la capacidad de síntesis de inmunoglobulina, y no se observan centros germinativos ni células plasmáticas. Las zonas de los órganos linfoides que dependen del timo, aunque privadas de linfocitos por la irradiación, vuelven a poblarse en forma similar a como lo hacen dichas áreas en pájaros irradiados no bursectomizados.

El timo en los pollos es una cadena de seis a siete lóbulos que revisten las venas yugulares a cada lado del cuello. Dada la naturaleza del timo de las aves, es difícil suprimirlo por completo; pero en los pájaros en los cuales fue suprimido el timo por completo o en gran parte, era evidente una disminución de la reacción a injertos homólogos. En contraste, los pájaros bursectomizados con timos intactos rechazaban los trasplantes en forma normal.

Competencia de antígeno. Un problema de gran interés práctico y teórico es el de la competencia antigénica.[4] Mediante una selección adecuada de antígenos, y de dosis y planes de inoculación, la respuesta de anticuerpo a uno de los antígenos de una pareja puede disminuirse netamente en comparación con la obtenida en ausencia del antígeno segundo o competidor. El fenómeno descrito por Michaelis en 1902, que lleva su nombre, ha merecido mucho interés durante los años siguientes, pero todavía no conocemos el mecanismo por virtud del cual se produce. Su importancia práctica fue puesta de relieve en estudios de inmunización tempranos de hombre y animales con vacunas de difteria, tétanos y tos ferina.[10, 28] Se observó que el hombre y los animales previamente inmunizados con toxoide diftérico respondían poco a una inyección inicial de vacuna para tos ferina y tétanos cuando se daban simultáneamente con una inyección estimulante de toxoide diftérico. La respuesta de anticuerpo al toxoide tetánico en el cobayo quedó suprimida cuando se inyectó el toxoide tres a 21 días después de la inmunización diftérica; la supresión máxima ocurrió siete días después de la vacunación contra la difteria. Cuando el intervalo era de 28 días, la supresión, aunque importante, estaba disminuida. En niños, la respuesta inmune a la serie primaria de inmunización con vacuna triple (tétanos, difteria y tos ferina) fue vigilada durante un año. El estudio demostró que la preexistencia de inmunidad para la difteria interfería netamente en la rapidez y grado de respuesta de antitoxina tetánica, y la magnitud y la persistencia de la respuesta de aglutinina para tos ferina.

Un estudio sistemático de competencia entre ferritina y globulina gamma bovina indicó que eran posibles tanto la depresión como la estimulación de la producción de anticuerpo. Dosis elevadas de globulina gamma bovina ($240 \ \mu g \ N$) administradas simultáneamente con ferritina a ratones previamente no tratados disminuyen la formación de anticuerpo para la ferritina, mientras que una dosis menor ($48 \ \mu g \ N$) no producía efecto o solo estimulaba en forma transitoria la producción de anticuerpo para ferritina. En forma similar, la producción de anticuerpo para globulina gamma bovina estaba deprimida cuando se inyectaba simultáneamente con ferritina la depresión máxima ocurría en ratones preinmunizados con ferritina. La depresión máxima ocurría en ratones preinmunizados con ferritina, y más tarde estimulados con una combinación de globulina gamma bovina y ferritina.[4]

La competencia puede demostrarse entre un determinante introducido artificialmente y determinantes naturales en una molécula nativa. La ferritina unida a un grupo hapténico, el ácido arsanílico, desencadenaba en ratones previamente no tratados menor producción de anticuerpo específico para la ferritina que la ferritina sola. Grupos hapténicos artificiales diferentes conjugados con la misma molécula también interfieren entre ellos. Las moléculas portadoras se acoplaron con 2,4-dinitrofenol, con *p*-azofenilarsenato, o con ambos haptenos, de manera que ambos estaban conjugados a la misma molécula portadora. La presencia de grupos dinitrofenilo en el antígeno inmunizante suprimió en parte o completamente la respuesta de anticuerpo en el conejo al *p*-azofenilarsenato cuando ambos estaban localizados en una misma molécula. La supresión dependía de la proporción de grupos hapténicos en la molécula, y del método de inmunización.[5]

Otros estudios han indicado que había interferencia entre dos grupos hapténicos diversos, tanto si estaban en la misma como en dos moléculas portadoras separadas.[20] La administración pasiva de anticuerpo para un hapteno suprimía la formación de anticuerpo para dicho hapteno sin afectar la respuesta del hapteno segundo, siempre que ambos estuvieran en la misma molécula. Si los dos haptenos estaban en moléculas separadas, el anticuerpo pasivo para uno causaba supresión de respuesta de anticuerpo para dicho hapteno, y estimulaba la formación de anticuerpo para el segundo hapteno. La competencia antigénica era mayor con dosis elevadas de los antígenos conjugados, y aunque se producía menos anticuerpo para ambos haptenos (derivados de dinitrofenilo y de ácido arsanílico) la producción de anticuerpo no difería

en afinidad de la lograda con cada uno de los antígenos portadores de hapteno aisladamente. La naturaleza de la molécula portadora no parece tener significación en la competencia. Se desarrolló el mismo grado de supresión tanto si los haptenos estaban conjugados a un mismo portador (globulina gamma de conejo) como a dos portadores diferentes (albúmina de huevo y globulina gamma bovina). El lugar de inyección en estos estudios tenía importancia.[19] Solo se desarrolló competencia si los antígenos inoculados eran drenados por los mismos ganglios linfáticos regionales.

La competencia puede demostrarse a nivel celular por la valoración de placa hemolítica.[41] Ganglios linfáticos de conejo, inoculados con una mezcla de antígenos preparados conjugando dos haptenos diferentes a moléculas diferentes de hemocianina, eran deficientes en la formación de células en placa formadora de IgM en comparación con los conejos inmunizados con cada uno de los antígenos aisladamente. La supresión, contrariamente a lo observado en estudios anteriores, era más neta con concentraciones más bajas de antígeno. Se han propuesto diversas teorías para explicar la competencia. Entre ellas están la competencia para una célula pluripotencial necesaria; interferencia con la elaboración del antígeno, su distribución, o ambos; y supresión de síntesis de anticuerpo por un inhibidor no específico.

Tolerancia.[69] Como ya hemos señalado, el hombre y los animales inferiores normalmente no desencadenan una respuesta inmunológica manifiesta, humoral o celular, contra sus propios tejidos. Predomina un estado denominado de tolerancia o de ausencia de respuesta inmunológica. Naturalmente son tolerantes a sus propios antígenos tisulares, y pueden desarrollar tolerancia adquirida para antígenos extraños si quedan expuestos a ellos durante la vida fetal o neonatal. Esto último ya fue previsto en 1949 por Burnet y Fenner, quienes sugerían que puesto que la capacidad de responder inmunológicamente al antígeno no existe, o está muy poco desarrollado durante la vida fetal, cualquier antígeno, presente natural o introducido por inyección parenteral durante este periodo debería ser aceptado como propio.[24] Cualquier antígeno introducido por primera vez después que el animal ya es inmunológicamente maduro sería reconocido como no propio o extraño. La teoría nació del informe publicado por Owen en 1945 acerca de un fenómeno natural que ocurre en terneras gemelas dicigóticas.[84] Este autor observó que las terneras hermanas gemelas tenían los mismos tipos sanguíneos mucho más frecuentemente de lo que correspondería admitiendo una segregación al azar de los genes correspondientes. Esto dependía de un riego sanguíneo común para las gemelas, que producía injerto natural de tejido hematopoyético de una gemela a la otra para producir un tipo sanguíneo doble, o una quimera de tipo sanguíneo. Cada gemela producía dos serotipos de glóbulos rojos, el propio y el de su hermana.

El mismo fenómeno puede demostrarse en la respuesta a los trasplantes de tejido. Terneras hermanas gemelas aceptarán homoinjertos (injertos entre individuos genéticamente diferentes de la misma especie) una de otra como si fueran autoinjertos, a consecuencia de un intercambio de tejido in utero entre las dos.[6] El fenómeno se duplica experimentalmente inoculando ratones de una cepa endogámica in utero con células esplénicas de una segunda cepa genéticamente diferente de ratones.[14] Después que el ratón receptor madura, aceptará injertos de piel del ratón donador. Los ratones adultos que no se han tratado así in utero rechazarán rápidamente el injerto extraño (ver la sección sobre rechazo de homoinjerto). También puede establecerse tolerancia para antígenos no vivos como proteínas y polisacáridos. Ello depende de la dosis; en ciertas circunstancias puede provocarse en animales adultos. En uno de los primeros informes, ratones adultos inyectados con una dosis elevada (500 μg) de polisacárido de neumocócico no respondieron con formación de anticuerpo protector, mientras que administrando una dosis pequeña (0.5 μg) se formaba anticuerpo protector.[42] El fenómeno, llamado originalmente de parálisis inmunológica, se considera que es igual al de la tolerancia adquirida.

Trabajos más recientes indican que hay dos niveles de tolerancia para polisacárido neumocócico.[60, 61] El número de células secretorias de anticuerpo en el ratón, estimado como células formadoras de placas, es máximo después de inyectar 2 a 5 μg de antígeno, pero los valores séricos de anticuerpo 10 días después de la inyección de antígeno son bajos con inyecciones de 2 μg, imposibles de descubrir con inyecciones de 5 μg, medidos por hemaglutinación pasiva. La observación prolongada de títulos de anticuerpo sérico durante un periodo de aproximadamente cuatro meses demostró que puede descubrirse en cantidad muy pequeña más tarde en los ratones que recibieron 5 μg de antígeno. Se ha logrado una tolerancia completa, medida por células formadoras de placa, y por anticuerpo sérico, con inyecciones de 250 μg. La ausencia de anticuerpo sérico demostrable, junto con la presencia de varias células secretorias de anticuerpo con las dosis menores de antígeno (estado denominado de seudoparálisis), se atribuye a la neutralización continua o repetida de anticuerpo por antígeno persistente no desintegrable; mientras que la ausencia de células secretorias de anticuerpo y de anticuerpo sérico con dosis más altas se considera inhibición central de linfocitos B sensibles al antígeno. Las respuestas inmunes, como las respuestas que crean tolerancia para polisacárido neumocócico (antígeno independiente del timo) se atribuyen solamente a los linfocitos B, sin cooperación de linfocitos T.

Empleando una técnica de roseta modificada, las células esplénicas de ratón que llevan anticuerpo para polisacárido antineumocócico pueden descubrirse por la adherencia a eritrocitos revestidos del antígeno neumocócico. Con esta técnica se demuestran valores elevados de células formadoras de roseta, probablemente de origen en linfocitos B, en ratones tanto inmunes como paralizados. No conocemos la significación de estas células en ratones paralizados.[60] Otro hecho anómalo es la información de anticuerpos específicos hemolíticos en ratones paralizados según los criterios usuales, o sea falta de protección contra la infección neumocócica y falta de anticuerpo hemaglutinante. Queda la posibilidad de que el desarrollo de una respuesta inmune pueda tener lugar simultáneamente con la parálisis de otro.[54]

Con antígenos proteínicos también suele haber, en general, dos zonas de dosis que crean tolerancia: zona baja de tolerancia, o inducción de tolerancia con dosis pequeña de antígeno, y zona alta de tolerancia, inducción de tolerancia con dosis tres a cuatro veces mayores que la correspondiente a la zona de tolerancia baja.[116] La dosis baja de tolerancia es eficaz con antígenos dependientes del timo, sugiriendo un efecto sobre los linfocitos T. Se necesitan dosis mucho mayores de antígeno para lograr que no se obtenga respuesta de linfocitos B.[77, 114]

La tolerancia suele desarrollarse si al animal se le presenta el antígeno en un momento en que la respuesta de anticuerpo no puede funcionar, por ejemplo en animales fetales o neonatales, o en animales adultos tratados con rayos X, drogas inmunosupresoras o suero antilinfocítico. Depende del estado y la naturaleza del antígeno; mediante manipulaciones adecuadas, un antígeno proteínico puede transformarse desde ser inmunógeno (que estimula una respuesta) hasta ser creador de tolerancia (que provoca falta de respuesta contra él).[113] La centrifugación a gran velocidad de soluciones de proteína separa productos que provocan tolerancia en los animales. Un ejemplo es la globulina gamma humana. Cuando se aglomera con calor, es netamente inmunógena para el ratón; cuando se desagrega, crea tolerancia. Los antígenos desintegrados tienen menos probabilidad de ser fagocitados por macrófagos, y se ha sugerido que el antígeno no elaborado por los macrófagos, sino más bien que establece directamente contacto con los linfocitos, es el que provoca tolerancia.[116]

En la tolerancia para la globulina gamma humana (antígeno dependiente del timo) ambas células T y B dejan de responder, aunque la falta de respuesta en un solo tipo celular basta para establecer el estado de tolerancia.

La tolerancia para antígenos no vivos suele disminuir con el tiempo, pero puede prolongarse con inyecciones repetidas de antígeno. En el caso de antígenos vivos, como las quimeras de glóbulos sanguíneos por trasplantes de piel extraña en los animales vueltos tolerantes in utero o cuando son neonatos, el estado de tolerancia puede ser permanente. La tolerancia para antígenos no vivos puede suprimirse inyectando antígenos de reacción cruzada. Por ejemplo, en el conejo el estado tolerante para la albúmina sérica bovina puede suprimirse inmunizándolo con albúmina sérica bovina acoplada al derivado diazómico de ácido sulfanílico, o con seroalbúmina humana que comparte determinantes antigénicos con la seroalbúmina bovina.[114]

ONTOGENIA [50, 83, 101]

Antes se creía que los animales fetales y neonatales eran incapaces de producir inmunoglobulinas. Esto ya no puede sostenerse, por los estudios efectuados con fetos. El comienzo de la síntesis de inmunoglobulina guarda relación con la diferenciación morfológica de órganos linfoides, y el momento en el curso del desarrollo en el cual se alcanza un grado razonable de competencia inmunológica, o sea aquel en el cual puede demostrarse una respuesta de anticuerpo, varía según las especies y según el tipo de antígeno. El anticuerpo para leptospira puede descubrirse en terneras fetales inmunizadas por inyección intraplacentaria a los 132 días de gestación y examinadas 32 días más tarde. En el feto de cordero el anticuerpo para bacteriófago se produce después de 35 a 40 días de gestación; la reacción de homoinjerto aparece a los 85 días, pero no se forma antitoxina diftérica ni seis semanas después del nacimiento.[98, 99] La competencia inmunológica parece desarrollarse más rápidamente en marsupiales como el didelfo (opossum). Los didelfos nacen 12 a 13 días después de la concepción, y a los 20 a 22 días (del octavo al undécimo día en la bolsa) pueden sintetizar anticuerpo para bacteriófago o *Salmonella typhi*.[50] Entonces solo hay timo y ganglios linfáticos muy iniciales, en la zarigüeya se comparan por su desarrollo con el feto humano de ocho semanas.[2] La presencia de anticuerpo de clase IgM para rubéola, citomegalovirus o toxoplasma, en la sangre del cordón de recién nacidos después de infección in utero con estos agentes, demuestra su capacidad de sintetizar anticuerpo en edad temprana. Como el anticuerpo es de la clase IgM no puede ser de origen materno, ya que IgM no atraviesa la placenta.[18] Aunque puede demostrarse la síntesis de anticuerpo en animales fetales y neonatales, existe en valores bajos, y en el caso de niños humanos no alcanza niveles de adulto hasta la edad de unos cuatro años.

Hay otros dos factores a considerar, además de la necesidad del desarrollo y la diferenciación linfoide: el efecto supresor del anticuerpo transferido pasivamente a través de la placenta y recibido por el feto, y la falta de estimulación antigénica en condiciones fetales normales en ausencia de infección. Después de nacer, cuando la concentración

sérica de anticuerpo materno no disminuye en el recién nacido, la producción de su propio IgG aumenta. En un suero de lactante, el anticuerpo IgG descubierto a los seis meses aproximadamente de edad es sintetizado por el propio lactante.

Los animales en los cuales no hay transferencia placentaria de anticuerpo, como por ejemplo el cerdo, proporcionan buenos modelos experimentales para estudio de síntesis de anticuerpo en ausencia de toda inmunoglobulina circulante. Los cerdos muy jóvenes, obtenidos por histerectomía tres a cinco días antes de término, y privados de toda estimulación antigénica por la comida, son inmunológicamente competentes, como lo indica la excelente respuesta de anticuerpo al actinófago.[66] El fago fue inoculado a los cerditos cinco horas después de la histerectomía, y el título sérico de anticuerpo se midió 48 horas más tarde. Los títulos de anticuerpo también eran altos en cerditos inyectados con fago inmediatamente después de la histerectomía y antes de alimentarlos (con una dieta sin calostro), en comparación con los que recibían una dieta similar y se inyectaron con fago siete o 33 días después de la histerectomía. Los resultados indican que los animales "inmunológicamente vírgenes" dan una respuesta de anticuerpo más intensa que los previamente expuestos a los antígenos o inmunoglobulinas.

MECANISMO DE PRODUCCION DE LOS DIVERSOS ANTICUERPOS
(Teorías de formación de anticuerpo)

El mecanismo por virtud del cual se genera, la especificidad de moléculas de anticuerpo para determinantes antigénicos diversos, y al parecer en número infinito, ha preocupado mucho y ha puesto a contribución la ingeniosidad de inmunólogos desde que se descubrieron los primeros anticuerpos. Una de las primeras teorías es la de Ehrlich, propuesta en 1898, que tiene mucho en común con lo que pensamos ahora, tres cuartos de siglo más tarde. La teoría de la cadena lateral suponía la presencia en la superficie celular de receptores cuyo fin era fijar nutrientes, actuar sobre ellos y modificarlos antes de incorporarlos al protoplasma de la célula. Material extraño (antígeno), fuera cual fuera su naturaleza, podía también unirse a los receptores celulares. El antígeno, al no ser utilizado por la célula, perturbaba la función normal de los receptores, y estos quedaban inactivos. La célula, estimulada por el trastorno de su conducta normal, producía más receptores del mismo tipo y, como ocurre con muchas reacciones fisiológicas, reaccionaba en exceso, produciendo receptores superfluos, que quedaban libres en el líquido vecino. Estos constituían los anticuerpos específicos.

Para explicar la fijación específica Ehrlich daba a sus receptores la categoría de un grupo químico especial, el grupo haptóforo, que se unía químicamente con el grupo correspondiente del antígeno. Para permitir la fijación de complemento suponía la existencia de algunos receptores con dos grupos haptóforos, uno para el antígeno y el otro para el complemento. Ambos grupos se consideraban completamente específicos por sus afinidades químicas. El grupo haptóforo con afinidad por antígeno se denominaba grupo citófilo; el del complemento, grupo complementófilo. La similitud con los receptores de nuestros días de tipo inmunoglobulínico a nivel de las células sensibles a los antígenos es notable; la diferencia principal es la idea de Ehrlich de que la función principal de los receptores era la de captación y elaboración del nutriente. El grupo haptóforo citófilo de Ehrlich tiene su contrapartida moderna en el lugar de fijación para antígeno de la porción Fab de la molécula del anticuerpo; el grupo complementófilo, en el lugar de fijación de complemento en la porción Fc.

La teoría de Ehrlich fue abandonada cuando Landsteiner descubrió el poder antigénico de grupos químicos simples unidos a moléculas portadoras.[68] Se consideró imposible que pudiera existir una diversidad suficiente de grupos haptóforos para explicar todas las posibles configuraciones químicas, o que pudiera haber una función celular que requiriera receptores para productos químicos como, por ejemplo, el ácido arsanílico.

La teoría de formación de anticuerpos a base de cadenas laterales fue seguida por la teoría de la plantilla propuesta por Breinl y Haurowitz, y por Mudd, alrededor de 1930. Desde entonces ha sufrido varias modificaciones. En esencia, esta teoría sostiene que el antígeno, probablemente como determinante antigénico, persiste. Por su presencia provoca diferenciación de células productoras de anticuerpo, y brinda información directa para la formación del lugar de combinación del anticuerpo, bien sea dirigiendo el plegamiento de las cadenas polipéptidas completadas [86] o bien controlando el orden de los aminoácidos interfiriendo en la formación normal de globulina.[57] En este último caso se admite que los determinantes antigénicos están unidos a ribosomas o bien al RNA mensajero. Esto puede afectar al mecanismo biosintético en las siguientes formas. Fuerzas nacidas de la plantilla inducen una pequeña porción de la cadena peptídica en crecimiento para que se frunza sobre los determinantes, y en esta forma produce una imagen complementaria. Al paso que la mayor parte de la cadena peptídica está dictada por el RNA mensajero, la porción de la cadena que contiene el lugar de combinación de anticuerpo está controlado por el determinante antigénico. Permite la introducción de solo aquellos residuos aminoacílicos que permiten a la cadena peptídica que se está formando fruncirse sobre el determinante antigénico. Los residuos aminoacílicos inadecuados son rechazados.

Esta teoría atribuye un papel instructivo al antígeno, en contraste con la teoría de las cadenas laterales, que le atribuye una función selectiva.

Una teoría más reciente es la teoría de la selección clonal [22] nacida de la teoría de Jerne.[63] Admite que cualquier posible tipo necesario para reacción con un antígeno determinado está representado en una población de anticuerpos naturales que existe en todas las especies animales. Los tipos reactivos con lo "propio" son eliminados por absorción a nivel de los tejidos corporales. El antígeno que penetra, selecciona, de la población de anticuerpos, los complementarios para sus propios determinantes, y el complejo antígeno-anticuerpo así formado es captado luego por las células fagocíticas. El papel del antígeno termina en este momento, y es el anticuerpo el que actúa sobre la célula para que produzca copias similares, que son liberadas en forma de anticuerpo.

La teoría de la selección clonal [22, 23] es una extensión de la teoría de Jerne, y atribuye a las células el papel que la teoría de Jerne atribuía al anticuerpo circulante.[17, 63] A diferencia de la teoría de Jerne, afirma que la globulina gamma del plasma está formada por gran número de moléculas de anticuerpo con configuraciones para reaccionar con cualquier antígeno imaginable. Estos anticuerpos son producidos por clonos de células, que han nacido por mutación o por otros cambios hereditarios. Las células, probablemente durante la vida embrionaria, desarrollan lugares de reacción en la membrana, equivalentes a la globulina que producen. El antígeno se fija a las células que tienen lugares complementarios, estimula las células para proliferar, y produce copias similares de anticuerpo. Por lo tanto, hay una proliferación selectiva de células programadas para producir un anticuerpo específico. En la vida embrionaria, todo clono de células con lugares específicos para constituyentes corporales, ha sido eliminado.

Con el tiempo, la teoría de la selección clonal, como todas las teorías, ha sufrido modificaciones y cambios. Cuando se determinó el orden de los aminoácidos en las cadenas de polipéptidos de inmunoglobulina resultó manifiesto que cada cadena estaba formada por una región única variable (V) para cada anticuerpo y una región constante (C) común a todos los miembros de una clase. La región V de las cadenas ligera (V_L) y pesada (V_H) está formada por aproximadamente 115 aminoácidos, y la porción C de la cadena ligera (C_L) es de la misma longitud. La porción C de la cadena pesada (C_H) está formada por tres segmentos, cada uno de longitud igual a la región V, o sea aproximadamente una suma de 345 aminoácidos. Las regiones V y C de las cadenas ligeras κ y λ se denominan V_κ C_κ y V_λ C_λ y los de la cadena pesada V_H y $C_H 1$, $C_H 2$, $C_H 3$, este último identificando las diversas regiones C. Si se necesita aclaramiento en cuanto a la clase de cadena pesada, pueden añadirse los símbolos de cadena pesada (μ, γ, ...), o sea V_γ C_γ.[7] Cada uno de estos segmentos o dominios está relacionado con funciones definidas de la molécula de anticuerpo en la forma antes indicada; o sea que la porción de Fab que contiene el segmento V tiene el lugar de combinación de anticuerpo, y la porción Fc que contiene los segmentos C tiene funciones efectoras generales, como fijación de complemento, transferencia placentaria, y otras.

Aunque la teoría clonal está ganando partidarios, el mecanismo de introducción de diversidad en los codones de DNA especificando la región V, y los medios para unir los segmentos V y C en una sola cadena polipéptida, todavía no están bien explicados.[59, 89] Las dos posibilidades para codificar la región V son la teoría de la línea germinativa y la de mutación somática. La primera afirma que la información para codificar reside en genes múltiples establecidos por mutación y selección en la célula germinativa durante la evolución, o sea que para cada anticuerpo específico que el individuo puede sintetizar hay un gen especial en el genoma de la célula. La última teoría sugiere que la codificación tiene lugar por modificación, durante la vida del individuo, de uno o de unos cuantos genes básicos de anticuerpo. Esto se produce por mutación del gen o genes de anticuerpo en el curso de la diferenciación de células somáticas. Zonas hipermutables en el gen facilitan los cambios en el orden de las bases necesarias para codificar el número inmenso de moléculas de anticuerpo. Los defensores de la teoría de la línea germinativa aducen que esto no es posible; se necesitarían demasiadas substituciones, y supresiones de bases en posiciones idénticas para explicar las diferencias y las similitudes conocidas en la región V de diversas cadenas ligeras.

La pregunta siguiente se refiere al mecanismo de unión de las regiones V y C: ¿Son producto de una codificación genética para ambos, o de dos genes, uno para V y el otro para la región C? Actualmente se piensa que es más probable lo último, descrito como el concepto de "dos genes, una cadena polipéptida".[59] Esto parece confirmado por la aparición de varias regiones V diferentes conectadas a una sola región invariable C en las cadenas ligeras. Por ejemplo, se comprueban diversas regiones V en cadenas ligeras κ humanas; sin embargo, todas las regiones humanas C_κ son idénticas, excepto por una sola substitución de aminoácidos. Una confirmación de esta teoría proviene del estudio reciente de un paciente con mieloma que sintetizaba dos clases de inmunoglobulinas diferentes, IgG e IgM.[112] Los datos preliminares indican que tienen cadenas ligeras idénticas y regiones V_H idénticas. Por lo tanto, esto pudiera ser un ejemplo de una unión del mismo gen V_H a dos genes C_H diferentes, o sea C_γ y C_μ. Se supone que células diferentes del mismo clono sintetizan IgG o

IgM, y que los genes L y los genes V_H son idénticos dentro del clono. Además, se supone que existe un desplazamiento hacia la síntesis de inmunoglobulina dentro de una o más células, de la síntesis de IgM a la de IgG; el gen C_μ sería activado primeramente, y luego reprimido al activarse el gen C_γ. Se acepta que generalmente la primera inmunoglobulina producida en respuesta a un antígeno es IgM, y más tarde se cambia por IgG. Sin embargo, no hay acuerdo para saber si esto ocurra dentro de una misma célula o en células diferentes. Con raras excepciones, suele comprobarse que hay una, pero no ambas clases de inmunoglobulina, dentro de una sola célula.

BIBLIOGRAFIA

1. Abdou, N. I., and M. Richter, 1970. The role of bone marrow in the immune response. Adv. Immunol. 12:201–270.
2. Abramoff, P., and M. F. LaVia (Eds.). 1970. Biology of the Immune Response. McGraw-Hill, New York.
3. Ada, G. L., G. J. V. Nossal, and J. Pye, 1964. Antigens in immunity. III. Distribution of iodinated antigens following injection into rats via the hind footpads. Aust. J. Exp. Bio. Med. Sci. 42:295–310.
4. Adler, F. L. 1964. Competition of antigens. Prog. Allergy 8:41–57.
5. Amkraut, A. A., J. S. Garvey, and D. H. Campbell. 1966. Competition of haptens. J. Exp. Med. 124:293–306.
6. Anderson, D., et al. 1951. The use of skin grafting to distinguish between monozygotic and dizygotic twins in cattle. Heredity 5:379–397.
7. Asofski, R., et al. 1970. An extension of the nomenclature for immunoglobulins. Immunochemistry 7:497–500.
8. Bach, F., and K. Hirschhorn. 1964. Lymphocyte interactions: a potential histocompatibility test in vitro. Science 143:813–814.
9. Ball, W. D., and R. Auerbach. 1960. In vitro formation of lymphocytes from embryonic thymus. Exp. Cell Res. 20:245–247.
10. Barr, M., and M. Llewellyn-Jones. 1955. Some factors influencing the response to immunization with single and combined prophylactics. Brit. J. Exp. Pathol. 36:147–154.
11. Basten, A. J., et al. 1971. Specific inactivation of thymus-derived (T) and non-thymus derived (B) lymphocytes by ^{125}I labeled antigen. Nature 231:104–106.
12. Benacerraf, B., and W. E. Paul. 1971. Cellular organization of the immune system. In S. Cohen, G. Cudkowicz, and R. T. McCluskey (Eds.): Cellular Interactions in the Immune Response. Karger, Basel.
13. Benacerraf, B., W. E. Paul and I. Green. 1970. Hapten-carrier relationships. Ann. N.Y. Acad. Sci. 169:93–104.
14. Billingham, R. E., L. Brent, and P. B. Medawar. 1953. Actively acquired tolerance of foreign cells. Nature 172:603–606.
15. Biozzi, G. C., et al. 1966. Étude du phénomène de l'immuno cyto-adhérence au cours de l'immunisation. Ann. Inst. Pasteur 110 (suppl. 3):7–32.
16. Bishop, D. C., and A. A. Gottlieb. 1970. Macrophages, RNAs and immune response. Curr. Topics Microbiol. Immunol. 51:1–26.
17. Boyden, S. V. 1963. Cytophilic antibody in cell-bound antibodies. In B. Amos and H. Koprowski (Eds.): Cell-Bound Antibodies. Wistar Institute Press, Philadelphia.
18. Brambell, F. W. R. 1970. The Transmission of Passive Immunity from Mother to Young. American Elsevier, New York.
19. Brody, N. I., and G. W. Siskind. 1969. Studies on antigenic competition. J. Exp. Med. 130:821–832.

20. Brody, N. I., J. G. Walker, and G. W. Siskind. 1967. Studies on the control of antibody synthesis. Interaction of antigenic competition and suppression of antibody formation by passive antibody on the immune response. J. Exp. Med. **126**:81–91.

21. Bryt, P., and G. L. Ada. 1969. An *in vitro* reaction between labelled flagellin or haemocyanin and lymphocyte-like cells from normal animals. Immunology **17**:503–516.

22. Burnet, F. M. 1957. A modification of Jerne's theory of antibody production using the concept of clonal selection. Aust. J. Sci. **20**:67–69.

23. Burnet, F. M. 1959. The Clonal Selection Theory of Acquired Immunity. Vanderbilt University Press, Nashville, Tenn.

24. Burnet, F. M., and F. Fenner, 1949. The Production of Antibodies. 2nd ed. Macmillan, Melbourne.

25. Bystryn, J. C., I. Schenkein, and J. W. Uhr. 1971. A model for the regulation of antibody synthesis by serum antibody. pp. 628–636. *In* B. Amos (Ed.): Progress in Immunology. Academic Press, New York.

26. Campbell, D. H., and J. S. Garvey. 1963. Nature of retained antigen and its role in immune mechanisms. Adv. Immunol. **3**:261–313.

27. Carstairs, K. 1961. Transformation of the small lymphocyte in culture. Lancet **ii**:984.

28. Chen, B. L., *et al.* 1956. Studies on diphtheria-pertussis-tetanus immunity. J. Immunol. **77**:144–155.

29. Cohen, S., G. Cudkowicz, and R. T. McCluskey (Eds.). 1971. Cellular Interactions in the Immune Response. S. Karger, New York.

30. Conference on antilymphocyte serum. 1970. Fed. Proc. **29**:95–229.

31. Coombs, R. R. A., *et al.* 1970. Immunoglobulin determinants of the lymphocytes of normal rabbits. I. Demonstration by the mixed anti-globulin reaction of determinants recognized by anti-gamma, anti-mu, anti-Fab, and anti-allotype sera, anti-As4 and anti-As6. Immunology **18**:417.

32. Coons, A. H., E. H. Leduc, and J. M. Connolly. 1955. Studies on antibody production; method for histochemical demonstration of specific antibody and its application to study of hyperimmune rabbit. J. Exp. Med. **102**:49–60.

33. Cottier, H., *et al.* (Eds.). 1967. Germinal Centers in Immune Responses. Springer-Verlag, New York.

34. Cunningham, A. J., J. B. Smith, and E. H. Mercer. 1966. Antibody formation by single cells from lymph nodes and efferent lymph of sheep. J. Exp. Med. **124**:701–714.

35. Davenport, F. H., A. V. Hennessy, and T. Francis Jr. 1953. Epidemiologic and immunologic significance of age distribution of antibody to antigenic variants of influenza virus. J. Exp. Med. **98**:641–656.

36. Davis, B. D., *et al.* 1968. Microbiology. p. 467. Hoeber Medical Division, Harper & Row, New York.

37. Dixon, F. J., D. W. Talmage, and P. H. Maurer. 1952. Radio sensitive and radio resistant phases in antibody response. J. Immunol. **68**:693–700.

38. Duchaine, J. 1971. Dosage and risks of long-term corticosterioid medication. *In* U. Serafini, *et al.* (Eds.): New Concepts in Allergy and Clinical Immunology. Excerpta Medica, London.

39. Fahey, J. L., and A. G. Robinson. 1963. Factors controlling serum globulin concentration. J. Exp. Med. **118**:845–868.

40. Fahey, J. L., and S. Sell. 1965. The immunoglobulins of mice. V. The metabolic (catabolic) properties of five immunoglobulin classes. J. Exp. Med. **122**:41–58.

41. Fauci, A. S., and J. S. Johnson. 1971. Antigenic competition at the cellular level: response of rabbit lymph node cells to trinitrophenyl and p-arsanilic haptens. J. Immunol. **106**:1396–1398.

42. Felton, L. D. 1949. The significance of antigen in animal tissues. J. Immunol. **61**:107–117.

43. Fishman, M. 1961. Antibody formation *in vitro*. J. Exp. Med. **114**:837–855.

44. Fishman, M., and F. L. Adler. 1963. Antibody formation initiated *in vitro*. II. Antibody synthesis in x-irradiated recipients of diffusion chambers containing nucleic acid derived from macrophages incubated with antigen. J. Exp. Med. **117**:595–602.

45. Fliedner, T. M. 1967. On the origin of tingible bodies in germinal centers. pp. 218–224. *In* H. Cottier, *et al.* (Eds.): Germinal Centers in Immune Responses. Springer-Verlag, New York.

46. Freda, V. J. 1971. The control of Rh disease. *In* R. A. Good and D. W. Fisher (Eds.): Immunobiology. Sinauer Associates, Stamford, Conn.

47. Froland, S. S., and J. B. Natvig. 1971. Classes and subclasses of surface bound immunoglobulins on peripheral blood lymphocytes in man. pp. 107–110. *In* B. Amos (Ed.): Progress in Immunology, Academic Press, New York.

48. Good, R. A. 1971. Disorders of the immune system. *In* R. A. Good, and D. W. Fisher (Eds.): Immunobiology. Sinauer Associates, Stamford, Conn.

49. Good, R. A., and A. E. Gabrielsen (Eds.). 1964. The Thymus in Immunobiology. Harper & Row, New York.

50. Good, R. A., and B. W. Papermaster. 1964. Ontogeny and phylogeny of adoptive immunity. Adv. Immunol. **4**:1–115.

51. Gowans, J. L. 1962. The fate of parental strain small lymphocytes in F_1 hybrid rats. Ann. N.Y. Acad. Sci. **99**:432–455.

52. Gräsbeck, R., C. Nordman, and A. de la Chapelle. 1963. Mitogenic action of antileucocyte immune serum on peripheral leucocytes *in vitro*. Lancet **ii**:385–386.

53. Greaves, M. F., and N. M. Hogg. 1971. Immunoglobulin determinants on the surface of antigen binding T and B lymphocytes in mice. pp. 111–126. *In* B. Amos (Ed.): Progress in Immunology, Academic Press, New York.

54. Halliday, W. J. 1971. Immunological paralysis of mice with pneumococcal polysaccharide antigens. Bacteriol. Rev. **35**:267–289.

55. Halpern, B. 1971. Immunosuppressive substances and their mechanism of action. *In* U. Serafini, *et al.* (Eds.): New Concepts in Allergy and Clinical Immunology. Excerpta Medica, London.

56. Harris, T. N., K. Hummeler, and S. Harris. 1966. Electron microscopic observations on antibody-producing lymph node cells. J. Exp. Med. **123**:161–172.

57. Haurowitz, F. 1965. Antibody formation and the coding problem. Nature **205**:847–851.

58. Holub, M. 1967. The lymphocyte and the immune response. Mod. Trends Immunol. **2**:119–150.

59. Hood, L. E. 1972. Two genes, one polypeptide chain – fact or fiction? Fed. Proc. **31**:177–187.

60. Howard, J. G. 1971. Treadmill neutralization of antibody and central inhibition: separate components of pneumococcal polysaccharide paralysis. Ann. N.Y. Acad. Sci. **181**:18–33.

61. Howard, J. G., G. H. Christie, and B. M. Courtenay. 1971. Studies on immunological paralysis. IV. The relative contributions of continuous antibody neutralization and central inhibition to paralysis with type III pneumococcal polysaccharide. Proc. Roy. Soc. Ser. B, **178**:417–438.

62. Humphrey, J. H., and H. U. Keller. 1970. Some evidence for specific interaction between immunologically competent cells and antigens. pp. 485–502. *In* J. Sterzl and I. Riha (Eds.): Developmental Aspects of Antibody Formation and Structure. Academic Press, New York.

63. Jerne, N. K. 1960. Immunological speculations. Ann. Rev. Microbiol. **14**:341–358.

64. Jerne, N. K., A. A. Nordin, and C. Henry. 1963. The agar plaque technique for recognizing antibody-producing cells. pp. 109–125. *In* B. Amos and H. Koprowski (Eds.): Cell-Bound Antibodies. Wistar Institute Press, Philadelphia.

65. Katz, D. H., *et al.* 1970. Carrier function in antihapten immune response. I. Enhancement of primary and secondary antihapten responses by carrier preimmunization. J. Exp. Med. **132**:261–282.

66. Kim, Y. B., S. G. Bradley, and D. W. Watson. 1966. Ontogeny of the immune response. I. Development of im-

munoglobulins in germfree and conventional colostrum-deprived piglets. J. Immunol. **197**:52–63.

67. Lance, E. M., and P. B. Medawar. 1971. Antilymphocytic serum. Its properties and potential. *In* R. A. Good and D. W. Fisher (Eds.): Immunobiology. Sinauer Associates, Stamford, Conn.

68. Landsteiner, K. 1945. The Specificity of Serological Reactions. Harvard University Press, Cambridge, Mass.

69. Landy, M., and W. Braun (Eds.). 1969. Immunological Tolerance. Academic Press, New York.

70. Lepow, I. H. 1971. Biologically active fragments of complement. pp. 579–593. *In* B. Amos (Ed.): Progress in Immunology. Academic Press, New York.

71. Lerner, K. G., B. Glick, and F. C. McDuffie. 1971. Role of the bursa of Fabricius in IgG and IgM production in the chicken. Evidence for the role of a non-bursal site in the development of humoral immunity. J. Immunol. **107**: 493–503.

72. Mäkela, O., and G. J. V. Nossal. 1961. Bacterial adherence: A method for detecting antibody production by single cells. J. Immunol. **87**:447–456.

73. Marshall, W. H., and K. B. Roberts. 1963. The growth and mitosis of human small lymphocytes after incubation with a phytohaemagglutinin. Quart. J. Exp. Physiol. **48**:146–155.

74. Metzger, H. 1970. The antigen receptor problem. Ann. Rev. Biochem. **39**:889–928.

75. Miller, J. F. A. P., and G. F. Mitchell. 1969. Thymus and antigen-reactive cells. Transplant Rev. **1**:3–42.

76. Mitchell, G. F., R. I. Mishell, and L. A. Herzenberg. 1971. Studies on the influence of T cells in antibody production. pp. 324–335. *In* B. Amos (Ed.): Progress in Immunology, Academic Press, New York.

77. Mitchison, N. A. 1971. The ability of T and B lymphocytes to see protein antigens. *In* A. Cross (Ed.): Third Sigrid Juselius Foundation Symposium on Cell Cooperation in the Immune Response. Academic Press, New York.

78. Mitchison, N. A., K. Rajewsky, and R. B. Taylor. 1971. Cooperation of antigenic determinants and of cells in the induction of antibodies. *In* J. Sterzl and I. Rhia (Eds.): Developmental Aspects of Antibody Formation and Structure. Academic Press, New York.

79. Nelson, D. S. 1969. Macrophages and Immunity. North Holland Publishing Co., London.

80. Nossal, G. J. V. 1958. Antibody production by single cells. Brit. J. Exp. Pathol. **39**:544–551.

81. Nossal, G. J. V., G.L. Ada, and C. M. Austen. 1964. Antigens in immunity. IV. Cellular localization of ^{125}I and ^{131}I labelled flagella in lymph nodes. Australian J. Exp. Biol. Med. Sci. **42**:311–330.

82. Nossal, G. J. V., *et al.* 1966. Antigens in immunity. XII. Antigen trapping in the spleen. Int. Arch. Allergy Appl. Immunol. **29**:368–383.

83. Osoba, D. 1968. The regulatory role of the thymus in immunogenesis. *In* B. Cinader (Ed.): Regulation of the Immune Response. Charles C Thomas, Springfield, Ill.

84. Owen, R. D. 1945. Immunogenetic consequences of vascular anastomoses between bovine twins. Science **102**:400–401.

85. Paul, W. E., and J. M. Davie, 1971. Antigen-binding receptors on lymphoid cells. Nature and specificity of receptors on various types of immunocompetent cells. pp. 637–651. *In* B. Amos (Ed.): Progress in Immunology. Academic Press, New York.

86. Pauling, L. 1940. A theory of the structure and process of formation of antibodies. J. Amer. Chem. Soc. **62**:2643–2657.

87. Pearmain, G. E., R. R. Lycette, and P. H. Fitzgerald. 1963. Tuberculin-induced mitosis in peripheral blood leucocytes. Lancet **i**:637–638.

88. Pernis, B., *et al.* 1971. Immunoglobulins on lymphocyte membranes. pp. 95–106. *In* B. Amos (Ed.): Progress in Immunology. Academic Press, New York.

89. Pink, R., A. C. Wang, and H. H. Fudenberg. 1971. Antibody variability. Ann. Rev. Med. **22**:145–170.

90. Plescia, O. J. 1969. The role of the carrier in antibody formation. Curr. Topics Microbiol. Immunol. **50**:78–106.

91. Rabellino, E. *et al.* 1971. Immunoglobulin on the surface of lymphocytes. I. Distribution and quantitation. J. Exp. Med. **133**:156–167.

92. Riethmüller, G., and E. P. Rieber. 1971. Anti-immunoglobulin antibody as antigen. A functional approach to receptor immunoglobulin on thymus cells. pp. 127–139. *In* B. Amos (Ed.): Progress in Immunology. Academic Press, New York.

93. Roelants, G. E., J. W. Goodman, and H. O. McDevitt. 1971. Binding of a polypeptide antigen to ribonucleic acid from macrophage, HeLa and *Escherichia coli* cells. J. Immunol. **106**:1222–1226.

94. Roitt, I. M., *et al.* 1969. The cellular basis of immunological responses. Lancet **ii**:367–371.

95. Schwartz, R. S. 1971. Immunoregulation by antibody. pp. 1082–1092. *In* B. Amos (Ed.): Progress in Immunology. Academic Press, New York.

96. Sell, S., and J. Fahey. 1964. Relationship between γ-globulin metabolism and low serum γ-globulin in germfree mice. J. Immunol. **93**:81–87.

97. Sell, S., and P. G. H. Gell. 1965. Studies on rabbit lymphocytes in vitro. I. Stimulation of blast transformation with an antiallotype serum. J. Exp. Med. **122**:423–440.

98. Silverstein, A. M. 1964. Ontogeny of the immune response. Science **144**:1423–1428.

99. Silverstein, A. M., C. J. Parshall, and R. A. Prendergast. 1967. *In* R. T. Smith, R. A. Good, and P. A. Miescher (Eds.): Ontogeny of Immunity, University of Florida Press, Gainesville.

100. Sterzl, J., and I. Riha (Eds.). 1970. Developmental Aspects of Antibody Formation and Structure. Academic Press, New York.

101. Sterzl, J., and A. M. Silverstein. 1967. Developmental aspects of immunity. Adv. Immunol. **6**:337–459.

102. Sulitzeanu, D. 1971. Antibody-like receptors on immunocompetent cells. Curr. Topics Microbiol. Immunol. **54**:1–18.

103. Takahashi, T., *et al.* 1971. J. Immunol. **107**:1520–1526.

104. Taliaferro, W. H., L. G. Taliaferro, and B. N. Jaroslow. 1964. Academic Press, New York.

105. Talmage, D. W., J. Radovich, and H. Hemmingsen. 1970. Cell interaction in antibody synthesis. Adv. Immunol **12**:271–282.

106. Turk, J. L. 1970. Pathological effects and mode of action of antilymphocyte serum treatment. Fed. Proc. **29**:136–141.

107. Uhr, J. W. 1968. Charles C Thomas, Springfield, Ill.

108. Uhr, J. W., and M. S. Finkelstein. 1963. IV. Formation of rapidly and slowly sedimenting antibodies and immunologic memory to bacteriophage phi-X174. J. Exp. Med. **117**:457–477.

109. Uhr, J. W., and G. Möller. 1968. Regulatory effect of antibody on the immune response. Adv. Immunol. **8**:81–127.

110. Vitetta, E. S., S. Baur, and J. Uhr, 1971. Cell surface immunoglobulins. II. Isolation and characterization of immunoglobulin from mouse splenic lymphocytes. J. Exp. Med. **134**:242–264.

111. Waldman, T. A., W. Strober, and R. M. Blaese. 1971. Metabolism of immunoglobulins. pp. 891–903. *In* B. Amos (Ed.): Progress in Immunology. Academic Press, New York.

112. Wang, A. C., *et al.* 1970. Proc. Nat. Acad. Sci. **66**:337–343.

113. Weigle, W. 1971. Sinauer Associates, Stamford, Conn.

114. Weigle, W. O., J. M. Chiller, and G. S. Habicht. 1971. Immunological unresponsiveness. Cellular kinetics and interactions. pp. 311–322. *In* B. Amos (Ed.): Progress in Immunology. Academic Press, New York.

115. World Health Organization. 1969. Cell Mediated Immune Responses. Technical Report Series No. 423, Geneva.

116. World Health Organization. 1970. Factors Regulating the Immune Response. Technical Report Series No. 448, Geneva.

CAPITULO 14

INMUNIDAD E HIPERSENSIBILIDAD

DR. NATALIE E. CREMER

Como ya dijimos, la respuesta inmune originalmente era manifiesta como un estado específico refractario para una segunda infección después de lograda la recuperación de la infección inicial por un microorganismo patógeno. Tal inmunidad es adquirida; se distingue de la resistencia, que a veces se denomina inmunidad natural o innata,[34, 39, 45, 54, 59, 76] por su especificidad. La línea de separación a veces es poco neta; por ejemplo, para la especificidad del huésped para microorganismos patógenos muy adaptados, por una parte, y, por la otra, por la presencia del llamado anticuerpo "natural" aparentemente específico para un agente infeccioso determinado, pero que se presenta en ausencia del mismo. Este último probablemente puede atribuirse, sobre todo, a la presencia de antígenos comunes, como entre Brucella y vibrión colérico, resultando de la presencia de anticuerpo vibriocidal en áreas donde no hay cólera, pero hay Brucella, no solo en el hombre sino también en el ganado, que no sufre la infección colérica.

Dentro del amplio contexto de la inmunología moderna, la inmunidad para enfermedades infecciosas solo es una faceta de la respuesta inmune, que en ninguna forma se limita a antígenos de origen microbiano. En sentido amplio, la respuesta inmune puede considerarse que es para cualquier estímulo antigénico, sin referirse al efecto, ventajoso o desventajoso, sobre el individuo afectado. Una sólida inmunidad para enfermedad infecciosa es de la primera categoría, y los diversos tipos de hipersensibilidad y enfermedades autoinmunes, del último. Tampoco aquí puede establecerse siempre una distinción neta, como en la hipersensibilidad para la substancia celular del bacilo tuberculoso. Sin embargo, suele ser útil reservar el término "inmunidad" para procesos protectores, e "hipersensibilidad" para procesos lesivos.

Inmunidad

La respuesta inmune para el complejo antigénico de un microorganismo patógeno, puede ir acompañada de inmunidad específica para la infección y la enfermedad, pero no es obligado. En algunos casos, como en las infecciones gonocócicas, puede demostrarse una respuesta de anticuerpo, pero que guarda poca o ninguna relación con inmunidad para la enfermedad. En otros casos, la eficacia al respecto se acompaña de uno u otro, pero no de todos los agentes microbianos. Así, la inmunidad para difteria o tétanos, es predominantemente función de antitoxina; el anticuerpo para las substancias celulares de dichas bacterias tiene poca calidad protectora, y la del antígeno M de *Streptococcus pyogenes* es protectora, mientras que para otros antígenos estreptocócicos, no lo es.

Así surge el concepto de inmunidad eficaz, funcional en la inmunidad específica para una enfermedad. Sus componentes pueden considerarse reflejo de la virulencia del microorganismo; a su vez, el estudio experimental de los efectos protectores del anticuerpo para diversas partes del complejo antigénico del microorganismo, sugiere los mecanismos patógenos. La relación es neta en la difteria y el tétanos, que son intoxicaciones; las enfermedades resultantes de la acción farmacológica de las toxinas. En otras enfermedades, la relación no está de manifiesto; no sabemos, por ejemplo, por qué motivo el anticuerpo para la lecitinasa toxina alfa de *Clostridium perfringens* es protectora, mientras que el anticuerpo para la colagenasa, más plausible, no lo es.

Y el antígeno estreptocócico M, no solo no es tóxico, sino que no es el único antígeno presente en la superficie de la célula.

INMUNIDAD ADQUIRIDA

Esta inmunidad adquirida eficaz, es de dos tipos generales: inmunidad activa,[8, 25, 27] en la cual el individuo forma su propio anticuerpo en respuesta a un estímulo antigénico, e inmunidad pasiva, en el cual recibe el anticuerpo preformado que existe en el suero de otros individuos, humanos o infrahumanos.

La inmunidad adquirida pasivamente se logra por inyección de anticuerpos, o por transferencia natural de anticuerpos de la madre a la descendencia in utero, o después del nacimiento con el calostro. La inmunidad adquirida activamente, resulta de infección natural o de inmunización (vacunación) con agentes infecciosos vivos o muertos, sus productos, o sus constituyentes antigénicos aislados.

La vacunación es esencialmente un intento para lograr algo a base de nada; o sea, una inmunidad sin la enfermedad, y es de eficacia variable. La inmunidad así lograda para toxoides muy antigénicos, como el toxoide tetánico, dura años sin nueva exposición al antígeno. De manera similar, la inmunidad desencadenada por inmunización con microorganismos vivos, pero atenuados, como el virus de la vacuna y el virus de la fiebre amarilla, también persiste años, debido, se cree, al estímulo antigénico prolongado dependiente de la persistencia del agente en los tejidos. Sin embargo, en la mayor parte de los casos, la inmunización artificial es de eficacia limitada, como por ejemplo la inmunización contra la tifoidea o la influenza; se necesitan inoculaciones repetidas para conservarla en un valor eficaz.

En otros casos, parece ser totalmente ineficaz, como en la gonorrea con los antígenos disponibles hasta aquí.

La inmunidad adquirida activamente, por motivos evidentes, es preferible a la inmunidad pasiva. Suele durar más, y el individuo inmunizado está preparado de manera normal para una respuesta secundaria acelerada si vuelve a quedar expuesto al mismo agente infeccioso.

Inmunidad adquirida pasivamente. La transferencia natural tiene lugar in utero por vías de la placenta, el saco vitelino o el amnios, o después del nacimiento por el calostro o la leche de la madre. In utero, la transferencia tiene lugar en la especie humana, el conejo, el cobayo, el ratón, la rata, el perro y el gato, pero no en ungulados como cerdos, terneras, ovejas y caballos. La falta de transferencia prenatal en los ungulados, se muestra inmediatamente después del nacimiento por la ausencia completa de inmunoglobulina en el cordón y en la sangre circulante si los animales se quedan

privados de calostro. Rápidamente adquieren IgA e IgG después de las primeras tomas de alimento. En especies en las cuales hay transferencia in utero, el anticuerpo transferido es muy peculiar: es únicamente de la clase IgG, y su transferencia depende de la presencia de la porción Fc de la molécula, pues el fragmento $F(ab')_2$ de la molécula IgG no logra la transferencia. El calostro contiene anticuerpos de diversos tipos, y la transferencia posnatal no se limita a la clase IgG de anticuerpos.

Sabemos muy poco acerca de la transferencia de subclases de inmunoglobulinas en el hombre y los animales. En el ratón y en el cobayo, donde se han estudiado, las subclases γ_1 y γ_2 atraviesan ambas la placenta y la mucosa intestinal.[9] La permeabilidad de la mucosa intestinal para inmunoglobulinas en animales recién nacidos, es transitoria; dura unas 24 horas después del nacimiento en el ganado y en los caballos, mientras que en las ratas y ratones, la transmisión por el intestino puede continuar durante 15 a 20 días.[27, 34]

La transferencia prenatal de anticuerpos al feto, y la posnatal al lactante, son importantes brindándoles protección contra algunas enfermedades infecciosas, ya que su propio mecanismo inmune todavía no está suficientemente desarrollado. Algunas enfermedades, como sarampión, varicela, difteria y escarlatina, no suelen presentarse antes de los cuatro a seis meses de edad, mientras que la tos ferina, las infecciones estafilocócicas, y algunas virosis respiratorias, son frecuentes. Si no existen anticuerpos en la circulación materna, como ocurre frecuentemente con la tos ferina, no pueden transmitirse al lactante, o, en ocasiones, el anticuerpo transferido puede no ser protector.

La semidesintegración de anticuerpo transferido pasivamente es de unos 23 días; por lo tanto, la inmunidad pasiva es de breve duración. En algunos casos, la concentración de anticuerpo en la sangre del cordón, es mucho mayor que en la circulación materna; no sabemos exactamente por qué motivo. Cuando el título de anticuerpo transferido pasivamente disminuye, la inmunoglobulina producida por el lactante aumenta, y a los seis meses de edad, cualquier anticuerpo presente ha sido sintetizado principalmente por el lactante.

Como la IgM no atraviesa in utero, la presencia de anticuerpo específico de la clase IgM en la sangre circulante del recién nacido indica síntesis de anticuerpo por el lactante, a consecuencia de una infección intrauterina. Su presencia en la sangre del lactante es importante para diagnóstico de infecciones in utero con virus de rubéola, citomegalovirus o toxoplasma, agentes que pueden provocar defectos congénitos cuando los ha contraído el feto (capítulo 37).

El anticuerpo circulante de origen materno no siempre es beneficioso para el lactante. Los lactantes que han recibido pasivamente anticuerpo para virus sincitial respiratorio, sufren una enfermedad más grave cuando hay infección posnatal, que los lactantes de la misma edad que carecen de anticuerpos.[18] Como el virus sincitial respiratorio se produce localmente en las vías respiratorias, la primera línea de defensa como anticuerpo es de clase IgA. Aparece cuando se lesiona el pulmón. Se comprueba que la lesión pulmonar por virus sincitial respiratorio está aumentada en presencia de anticuerpo sérico, y falta anticuerpo local en la vía respiratoria. El motivo de esta situación anómala, no lo conocemos. Se ha sugerido que puede producirse fijación de componentes del complemento por complejo de antígeno-anticuerpo, en la superficie de la célula infectada. La consecuencia sería una lesión citotóxica directa o una lesión indirecta por quimiotaxis, seguida de lesión por los lisosomas de los leucocitos. El anticuerpo adquirido de la madre es IgG, que fija el complemento, mientras que el anticuerpo producido localmente, estimulado por infección respiratoria es principalmente IgA, incapaz de fijar el complemento, por lo menos en los valores usuales de complemento.

Antes de descubrirse los sulfamídicos y los antibióticos, se empleaba mucho la transferencia artificial de anticuerpos por vía parenteral para infecciones bacterianas fulminantes, en particular difteria e infecciones por neumococos. El anticuerpo solía prepararse en caballos, y los pacientes muchas veces desarrollaban hipersensibilidad para la proteína extraña (ver la sección sobre enfermedad del suero). Actualmente las infecciones bacterianas agudas se controlan por quimioterapia, y con los adelantos técnicos de la inmunización ha disminuido la necesidad de inmunización pasiva. Esta todavía se utiliza cuando la inmunización activa no es posible o no interesa, para reforzar la propia inmunidad del individuo, o para protegerlo hasta que pueda funcionar adecuadamente su propio mecanismo de síntesis de anticuerpo.

Para que sea eficaz, se necesitan grandes cantidades de anticuerpo. Como no es posible producirlos en el ser humano, todavía se utilizan sueros de animales hiperinmunes. Para reducir al mínimo la reacción a la proteína extraña, se aísla la fracción IgG del suero inmune, y se suprimen determinantes antigénicos por tratamiento de pepsina, que rompe la porción Fc de la molécula IgG. Graves mordeduras en la cara o en los dedos por animales rabiosos se tratan inmediatamente con anticuerpo antirrábico, seguido de inmunización activa con vacunas (capítulo 37). La ingestión de alimento que contiene toxina botulina, exige el tratamiento inmediato con antitoxina. La terapéutica con antitoxina tetánica está indicada para el individuo no inmunizado que sufre una herida causada por un instrumento posiblemente contaminado, o cuando la herida se contamina con tierra que alberga el germen tetánico (capítulo 27).

La globulina gamma aislada de sueros reunidos de adultos humanos contiene cantidades importantes de anticuerpo para diversos agentes infecciosos. Algunos dependen de infecciones naturales, otros de inmunización. La globulina gamma humana reunida, posee anticuerpo contra virus como sarampión, rubéola, varicela, herpes simple y antígeno de hepatitis. La administración de globulina gamma humana se emplea en casos especiales, como en pacientes que toman corticosteroides y tienen peligro de varicela por exposición al virus correspondiente, o en casos graves en los cuales no puede lograrse la inmunización, o es incompleta, como para atenuar la hepatitis.[75] Otro empleo es en el tratamiento de niños que sufren hipogammaglobulinemia congénita o adquirida. Estos niños sufren crisis repetidas de neumonía, infecciones de la piel, amigdalitis y otros procesos infecciosos.

La globulina gamma humana administrada pasivamente, y los antibióticos, ayudan a reducir al mínimo las infecciones. Algunos lactantes, por motivos desconocidos, pueden no empezar a producir IgG hasta la edad de 9 a 11 meses. Se produce una hipogammaglobulinemia pasajera entre el momento en que desaparece el anticuerpo materno, y el momento en que el niño fabrica valores útiles de IgG. Está indicado administrar globulina gamma durante este periodo. La globulina gamma suele darse a mujeres embarazadas no inmunizadas para virus de rubéola, si se han expuesto al virus durante los tres primeros meses del embarazo. La infección durante este periodo es muy peligrosa para el feto, que puede presentar deformidades congénitas.

Inmunidad adquirida activamente. Papel del anticuerpo [25] Para las infecciones bacterianas en las cuales la virulencia depende sobre todo de exotoxinas, como difteria, tétanos y gangrena gaseosa, el anticuerpo humoral específico para la toxina (antitoxina), brinda protección al huésped. En algunas infecciones bacterianas agudas, como la neumonía neumocócica, o las infecciones estreptocócicas, la protección la proporciona el anticuerpo específico que trabaja junto con células fagocitarias.[7, 27, 74] La virulencia del neumococo guarda relación con su cápsula polisacárida (capítulo 17) y la virulencia de los estreptococos del grupo A, con la proteína M de superficie en la pared celular, y con la cápsula de ácido hialurónico del germen (capítulo 16). Estos materiales antigénicos son antifagocíticos. En presencia de anticuerpos específicos, revisten la bacteria, y la hacen susceptible de fagocitosis y digestión intracelular.

Evidentemente, la puerta de entrada y la localización del microorganismo infeccioso dentro del huésped, tienen importancia al considerar el papel protector del anticuerpo y las clases de anticuerpos que pudieran participar.[36] Con bacterias confinadas al tubo digestivo, como *Shigella* y *Vibrio cholerae*, cabría pensar que el coproanticuerpo (IgA) desempeñara un papel protector, cosa que no haría el anticuerpo humoral circulante. En forma muy

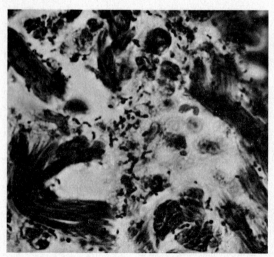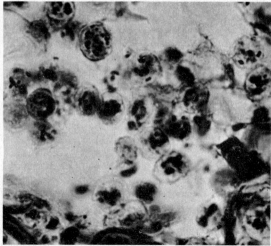

FIG. 14-1. Respuesta celular en el animal inmune. Conejos inyectados por vía subcutánea con neumococos virulentos. *Izquierda.* Animal normal que presenta lesión diseminada característica, con abundantes neumococos extracelulares y fagocitosis mínima de los leucocitos polimorfonucleares. *Derecha,* Animal inmune mostrando fagocitosis intensa con acúmulo intracelular y escasas bacterias extracelulares. Cortes coloreados con el método de Gram; × 1 050. (Cannon.)

similar a como pasa en las infecciones virales, en las cuales la puerta de entrada puede ser la vía respiratoria, el tubo digestivo, o la inoculación parenteral directa, por ejemplo, cuando pica un insecto o un animal rabioso, la línea principal de defensa sería diferente en relación con el anticuerpo. En la vía respiratoria, el foco primario de infección es el epitelio ciliado. Las células infectadas se descaman, y el virus se libera en la superficie de la mucosa; las secreciones sirven como vehículo para su diseminación. En este caso, el anticuerpo IgA producido localmente tendría importancia, pues solo hay anticuerpos IgM e IgC en las secreciones respiratorias en concentración muy baja. El anticuerpo específico IgA probablemente funcione neutralizando el virus antes que establezca contacto con la célula epitelial blanco.

Algunos virus penetran a través del epitelio que cubre los folículos linfoides de la mucosa de tubo digestivo, faringe, e intestino delgado (capítulo 38). Después de producirse un foco primario de multiplicación en el tejido linfático subyacente, se diseminan por todo el cuerpo siguiendo el sistema linfático. Linfocitos infectados siembran otros ganglios linfáticos y el bazo; cuando el virus se libera hacia el torrente vascular, el resultado es una infección generalizada. El primer anticuerpo que encuentran estos virus es una vez más el anticuerpo secretor, el coproanticuerpo IgA. Después que el virus se ha generalizado, el anticuerpo humoral circulante de las clases IgG forma una segunda línea de defensa.

En el caso de la vía parenteral de infección, como ocurre con los arbovirus, el primer foco de infección se halla en el revestimiento endotelial de capilares sanguíneos y ganglios linfáticos. El virus, al penetrar en el torrente vascular, puede establecer contacto con anticuerpo circulante, y entonces el anticuerpo humoral IgG puede desempeñar un importante papel defensivo. El anticuerpo solo es eficaz en infecciones virales cuando el virus es extracelular. No puede impedir la diseminación cuando el virus es intracelular en linfocitos migratorios, o cuando es transferido de célula a célula por puentes protoplasmáticos.

Inmunidad celular adquirida. Brucelois, tuberculosis e infección con Listeria, son enfermedades bacterianas, cuya protección se considera mediada primariamente por células, y en las cuales el anticuerpo humoral desempeña poco o ningún papel protector.[68-70] La tuberculosis es el ejemplo típico de inmunidad celular y de reacciones de hipersensibilidad tardía en el hombre (capítulo 30). Los primeros estudios indicaban que las reacciones de hipersensibilidad cutánea para la tuberculina no eran transferibles mediante el suero, pero fueron transferidas por células,[19] y que el desarrollo del bacilo tuberculoso estaba inhibido en macrófagos de conejos inmunes, pero no de conejos normales, cuando se hacían crecer en la cámara anterior del ojo.[66, 67]

El mecanismo de la inmunidad celular no está claro. Se desarrolla en las infecciones en las cuales el parásito vive y se reproduce dentro de las células, y por lo tanto, está protegido de la acción del anticuerpo extracelular. Metchnikoff defendió firmemente la teoría de la inmunidad celular, atribuyendo este papel al fagocito. Consideró que la resistencia celular adquirida provenía de un aumento del poder digestivo del leucocito.

Estudios experimentales demuestran que los macrófagos de animales infectados destruyen bacterias ingeridas más rápidamente que los animales normales.[70, 78] La destrucción de *Salmonella typhimurium* empieza casi inmediatamente después de la ingestión por macrófagos de ratones infectados, y es completa en plazo de 15 minutos, mientras que en macrófagos de ratones normales la destrucción no empieza hasta después de 9 a 12 minutos de la ingestión, y solo mueren del 50 al 60 por 100 de las bacterias ingeridas. La reacción no es específica, por cuanto estos macrófagos educados muestran un aumento de actividad contra una bacteria independiente, *Listeria monocytogenes*. Las diferencias entre los macrófagos de animales normales y de animales infectados se manifiestan por un aumento de hidrolasas ácidas y de lisosomas en los animales infectados. Hay cierto retraso antes de poderse demostrar el aumento de actividad por una primera infección, y la actividad va desapareciendo a medida que el animal se recupera. Al efectuar la reinfección con el mismo germen, pero no con uno diferente, aparece resistencia más rápidamente, de manera que el impulso repetido para la inmunidad celular resulta inmunológicamente específico.[70]

La inmunidad celular, como la hipersensibilidad retrasada, es transferible por células, pero no por el suero. En casos de infecciones en los cuales la resistencia al microorganismo se atribuye a inmunidad celular, también se produce hipersensibilidad cutánea tardía para antígenos del microorganismo; por ejemplo, la hipersensibilidad cutánea tardía que se desarrolla para derivado proteínico purificado (PPD) del bacilo en la tuberculosis (capítulo 30). No se desarrolla resistencia del huésped si los animales se inmunizan con vacunas muertas que no desencadenan hipersensibilidad tardía. Tanto el desarrollo de la resistencia del huésped, como la hipersensibilidad retrasada, requieren gérmenes vivos, o un método de inmunización que utilice ciertos coadyuvantes, como el coadyuvante completo de Freund.

No está aclarada la relación entre la hipersensibilidad de tipo tardío y la resistencia del macrófago. La hipersensibilidad de tipo tardío se desarrolla en animales infectados alrededor del cuarto día de la inmunización, pero la resistencia del huésped y los cambios celulares no se desarrollan hasta más tarde, y parecen depender del crecimiento de la población bacteriana, hasta un valor crítico.[70]

Además del aumento de la capacidad para matar microbios, los macrófagos inmunes tienen la capacidad de albergarse en el parásito y proliferar. No sabemos cómo tienen lugar estas actividades. Se han sugerido dos posibilidades, una por acción de linfocitos específicamente comprometidos sobre macrófagos; la otra, por la presencia de anticuerpos citófilos en la superficie de la célula de los macrófagos.[15, 114] En el último caso, el anticuerpo de la superficie celular, pudiera hacer que los macrófagos se acumularan a nivel de los microorganismos, y el contacto entre microorganismos y macrófagos

sensibilizados provocara la proliferación celular. En la tuberculosis, la acumulación de células provoca granulomas o tubérculos, que tabican los focos infecciosos de bacilos tuberculosos.

En forma alternativa, los linfocitos comprometidos pueden actuar liberando mediadores químicos con actividad para macrófagos, o pueden estimular metabólicamente a los macrófagos, y, por lo tanto, aumentar su potencial fagocitario.[68, 114]

En la infección con *Listeria monocytogenes* (capítulo 26) hay proliferación de células linfoides en el bazo. La transferencia de células linfoides vivas (pero no de suero) de ratones infectados a ratones normales brinda protección a estos últimos. Marcando las células con ³H timidina, se ha comprobado que las células protectoras o efectoras de inmunidad celular nacen de las células linfoides que están dividiéndose rápidamente. Se desarrollan produciendo pequeños linfocitos, que tienen una vida breve en la circulación.[69] Difieren al respecto de los pequeños linfocitos recirculantes, de vida prolongada, considerados células de memoria para iniciar la formación de anticuerpos. Los linfocitos pequeños, efectores en la inmunidad celular, tienden a penetrar en exudados inflamatorios, cosa que no hacen los linfocitos de vida prolongada. Aunque los pequeños linfocitos de vida breve confieren protección a los ratones normales contra la infección por difteria, no son eficaces en los ratones que han sufrido intensa radiación X.

El hígado de un ratón inoculado por vía subcutánea o intraperitoneal con Listeria, es un punto focal para la infección, con desarrollo de zonas punteadas de necrosis. Hay acumulación de gran número de nuevos macrófagos en estas áreas, resultante de la migración de monocitos hacia ellas. Como la irradiación local del hígado no afecta la capacidad del animal para protegerse contra la infección, se cree que el monocito emigra hacia el hígado procedente de una fuente externa.[69] El tratamiento de un ratón con drogas antimitóticas, que impiden la producción de monocitos, disminuye la resistencia del animal, provoca lesiones que carecen de fagocitos inmigrantes, y deja al animal sin protección, incluso en presencia de linfocitos transferidos. Todos estos estudios, en conjunto, implican la necesidad de la existencia de dos poblaciones de células, los linfocitos comprometidos inmunológicamente y el monocito migratorio.

La inmunidad celular también se considera que es de importancia primordial en la inmunidad adquirida para virus. La clínica parece confirmar esta hipótesis, por cuanto los niños agammaglobulinémicos, que no pueden producir anticuerpos, se recuperan normalmente de infecciones virales. El control de la infección por ectromelia (capítulo 36) en el ratón parece producirse por un mecanismo celular que depende del timo.[10] La inyección de células esplénicas intactas obtenidas de ratón donador inmunizado a ratones infectados 24 horas antes con virus de ectromelia, disminuye considerablemente el título de virus en los hígados y bazos de los ratones receptores, en comparación con los no tratados. La transferencia de células inmunes rotas carece de efecto sobre el curso de la infección. El suero hiperinmune ha protegido ratones infec-

tados en grado menor, pero importante. El tipo celular responsable de la protección se identificó como un linfocito derivado del timo mediante sueros antiteta y anticadena ligera. La incubación de células con estos sueros suprimía el efecto protector.

Hipersensibilidad

Como ya hemos señalado, una respuesta inmune puede ser protectora (brindar inmunidad) o lesiva (causar alergia o hipersensibilidad). Von Pirquet, quien creó el término alergia, originalmente la definió como un estado de reactividad cambiada que incluía ambos tipos de reacciones inmunológicas, benéfica y lesiva. Actualmente, por empleo común, viene a significar casi exclusivamente una reacción inmunológica lesiva para el huésped, y las denominaciones alergia e hipersensibilidad suelen emplearse en forma intercambiable. La inmunidad de tipo hipersensibilidad está mediada por anticuerpo o por células sensibilizadas.

Las hipersensibilidades mediadas por anticuerpos se clasifican como hipersensibilidades inmediatas, e hipersensibilidades por células sensibilizadas constituyendo hipersensibilidades tardías. Los términos inmediato y tardío nacieron de la diferencia de tiempo, que originalmente se consideró intervenía en el desarrollo de las dos reacciones. Sin embargo, a veces, el tiempo necesario para las dos reacciones puede ser más o menos igual; por lo tanto, no sirve como carácter distintivo. Un criterio mejor es el modo por virtud del cual pueden transferirse pasivamente de un individuo alérgico (hipersensible) a una persona normal o a un animal normal. La hipersensibilidad inmediata es transferida pasivamente por el suero, mientras que la hipersensibilidad tardía no es transferible por el suero, pero sí

por células linfoides o, en algunos casos, por extractos celulares.

Las hipersensibilidades aparecen naturalmente por exposición al antígeno en el ambiente, o como consecuencia de una infección; también pueden provocarse artificialmente. El origen de tales antígenos, por lo tanto, es extrínseco o exógeno. Antígenos endógenos (intrínsecos), componentes de los propios tejidos del huésped, en circunstancias especiales pueden provocar un estado de hipersensibilidad, llamado generalmente autoinmunidad, o, más adecuadamente, autoalergia. Un antígeno que provoca un estado hipersensible o alérgico, se denomina alergeno. Los alergenos pueden ser antígenos completos, capaces de provocar y desencadenar una reacción alérgica, o haptenos, que pueden desencadenar, pero no provocan el estado alérgico. El estado de hipersensibilidad provocado por exposición a un antígeno determinado es específico para los determinantes del antígeno inductor.

En el cuadro adjunto se señalan varios ejemplos de trastornos alérgicos.

HIPERSENSIBILIDAD INMEDIATA [6]

La sensibilización de tipo inmediato es la inducción en un animal de un estado alérgico, que puede desencadenarse por un antígeno o por un anticuer-

Ejemplos de hipersensibilidades *

De tipo inmediato	De tipo tardío

Anafilaxia local y general
Reacción de Arthus
Enfermedad del suero
Alergias medicamentosas
Alergias atópicas (por ejemplo, fiebre del heno)
Anemias hemolíticas autoalérgicas
Infecciones por helmintos (ascoris)
 	
Autoalergia
	Alergias causadas por:
	  Algunos microorganismos (bacterias, virus, hongos y parásitos)
	  Productos químicos simples (dermatitis de contacto)
	  Zumaque, ambrosía
	  Proteínas (Jones-Mote)
	  Antígenos de histocompatibilidad (rechazo de injerto homólogo)
	Autoalergias

* Más recientemente, las hipersensibilidades se han clasificado en tipos I a IV, según la vía por la cual se desarrolla la reacción alérgica.[26] La clasificación se basa en los mecanismos fundamentales de la reacción (ver el cuadro siguiente).

Clasificación de reacción alérgica *

Tipo	Vía †
I Anafiláctico, dependiente de reagina	Ag libre que reacciona con células tisulares, sensibilizadas pasivamente por anticuerpo.
II Reacción citotóxica	Anticuerpo libre reaccionando con antígeno asociado a la célula, o con antígeno o hapteno que se fija a la superficie celular. C generalmente, pero no siempre, necesario.
III Complejos tóxicos (tipo Arthus)	Complejos antígeno-anticuerpo-C formados en espacios tisulares o en el torrente vascular, y depositados como microprecipitados en paredes de vasos sanguíneos o en membranas basales, con inflamación local resultante.
IV Reacción tardía (de tipo tuberculínico)	Células sensibilizadas que poseen un factor de reconocimiento para alergeno específico, con el cual reaccionan. No se conoce el mecanismo exacto. No hay necesidad manifiesta de anticuerpo.

* Datos de Coombs y Gell.[26]
† *Abreviaturas:* ag = antígeno; ab = anticuerpo; C = complemento. Las enfermedades alérgicas del hombre pueden incluir una o más de estas vías. Enfermedades de la colágena, como lupus eritematoso generalizado o artritis reumatoide, pueden incluir los tipos III y IV; la enfermedad del suero, los tipos I y III.

po. Puede ser un proceso activo o pasivo. En la sensibilización activa, el individuo, al quedar expuesto al alergeno, sintetiza su propio anticuerpo. En la sensibilización pasiva, anticuerpo procedente de una persona o de un animal alérgico es inyectado al individuo que va a ser sensibilizado. Una variación de la sensibilización pasiva, llamada sensibilización pasiva inversa, puede lograrse inyectando el antígeno, y después inyectando el anticuerpo específico.

Anticuerpos citotróficos. Tanto las capacidades funcionales específicas, como las no específicas, de los anticuerpos, tienen importancia en las reacciones de hipersensibilidad o sea, en la capacidad específica de combinarse con el antígeno y funciones no específicas, como la activación del complemento o la fijación a las células, asociada con la porción Fc de la molécula de anticuerpo. Los anticuerpos con capacidad de fijarse a la piel se llaman anticuerpos citotróficos. Si pueden fijarse a células de las especies en las cuales se originan, o muy relacionadas (como entre el mono y el hombre) se llaman anticuerpos homocitotróficos; si se fijan a células de una especie extraña, pero no a las de su propia especie, se llaman anticuerpos heterocitotróficos. Los anticuerpos citotróficos y los anticuerpos fijadores del complemento (ver la sección sobre complemento) pertenecen a diversas clases de inmunoglobulinas, según la especie de origen. En el ratón, los anticuerpos de clase γ_1 son homocitotróficos y los γ_2, heterocitotróficos; en el cobayo γ_1 y γ_2 (para algunos antígenos) son homocitotróficos, y γ_2 también es heterocitotrófico; en el hombre, IgE, y probablemente IgG2, son homocitotróficos, mientras que IgG1, IgG3 e IgG4 (pero no IgG2) son heterocitotróficos. Los anticuerpos citófilos difieren de los anticuerpos homocitotróficos por el tipo de célula o células con las cuales se combinan; por lo tanto, también según los tipos de reacciones alérgi-cas que pueden desencadenar (ver la sección sobre hipersensibilidad retrasada).[15, 105]

Receptores de complemento en membranas celulares. Algunas células linfoides (denominadas CRL) de mamíferos tienen un receptor para el tercer componente del complemento (C3) en sus membranas. Los complejos de antígeno-anticuerpo-complemento se fijan a las células por los receptores de complemento. Las células CRL se reconocen porque forman rosetas alrededor de glóbulos rojos de ternera sensibilizados con anticuerpo de conejo contra antígeno de Forssman y complemento. Existen en la mayor parte de los tejidos linfoides, bazo, ganglios linfáticos y conducto torácico. No se han identificado en el timo, y no se localizan en las zonas timo dependientes de los ganglios linfáticos. Se consideran linfocitos B.[79]

Los fagocitos mononucleares también tienen un receptor de membrana celular para C3 así como el receptor para el fragmento Fc de anticuerpo citófilo.

Modo de las reacciones de antígeno-anticuerpo. Las reacciones alérgicas de tipo inmediato se describen como adherentes de anticuerpo, adherentes de antígeno o agregados.[6] En las reacciones de adherentes de anticuerpo, el antígeno circulante se combina con el anticuerpo fijado a una célula mediadora blanco, o célula terminal. En reacciones de adherente de antígeno el anticuerpo circulante se combina con antígeno que está fijado a la célula, bien sea formando parte integral de la membrana celular, o en combinación laxa con ella. Las reacciones de agregado resultan de formación de agregados de antígeno-anticuerpo en la sangre circulante, en líquidos corporales extravasculares o en espacios intersticiales.

Mediadores de la reacción alérgica. La liberación, la producción, o ambos de substancias farmacológicamente activas de bajo peso molecular, por vía de activación de sistemas enzimáticos en la sangre o en las células, o lesionando las células, es causa de algunos síntomas alérgicos. Entre ellas están histamina, serotonina (5-hidroxitriptamina), cininas, y la substancia de reacción lenta de la anafilaxia (SRS-A).[6], [81] La histamina y la serotonina existen preformadas en las células, principalmente en células cebadas y plaquetas de algunas especies, y se liberan localmente a consecuencia de reacción antígeno-anticuerpo, o bien a nivel de la superficie celular. La histamina también existe en los leucocitos basófilos de la sangre.

Las cininas se forman en el plasma o los líquidos tisulares por acción de la enzima proteolítica calicreína o cininógeno, una α-globulina plasmática. La bradicinina, un monopéptido, resulta de la acción de la calicreína plasmática, mientras que la calidina, un decapéptido, proviene de la acción de la calicreína tisular. La calidina (lisil-bradicinina) se rompe por acción de una aminopeptidasa plasmática, produciendo bradicinina. La liberación de histamina, serotonina, o las cininas en los tejidos de animales susceptibles provoca contracción de músculo liso, aumento de vasodilatación, y aumento de permeabilidad capilar. Cada producto actúa independientemente del otro, y cada producto puede ser bloqueado o inhibido por agentes específicos.

La substancia SRS-A es un lípido ácido cuya composición química exacta todavía no conocemos. Se libera como consecuencia de la combinación de antígeno y un anticuerpo en diversas especies de mamíferos, incluyendo ratas, cobayos, monos y seres humanos. Provoca aumento de permeabilidad de los vasos y contracción del múculo liso y es particularmente activa sobre el músculo liso bronquiolar del hombre. Conserva su actividad en presencia de antihistamínicos y antiserotonínicos, y no es afectada por las enzimas proteolíticas que inactivan la bradicinina.

También intervienen en algunas reacciones alérgicas mediadores de peso molecular elevada. Entre los más importante están anafilotoxinas, C3a y C5a, productos de desintegración de los componentes tercero (C3) y quinto (C5) del complemento, así como el producto quimiotáctico y molecular $C\overline{567}$, que es liberado durante la activación del sistema del complemento. Las anafilotoxinas provocan liberación de histamina por las células cebadas y actúan sobre los músculos lisos. Enzimas lisosómicas, diversos factores mal definidos de permeabilidad, y proteínas catiónicas liberadas de leucocitos polimorfonucleares también provocan lesión de los tejidos. Algunas de las proteínas catiónicas son quimiotácticas; otras liberan histamina de las células cebadas, o aumentan la permeabilidad en formas diversas. La activación del sistema de complemento desempeña importante papel en algunas reacciones de hipersensibilidad inmediata. La lesión irreversible causada a las membranas de las células blanco, por interacción con anticuerpo citotóxico, incluye la activación de los nueve compo-

nentes del complemento. La adherencia inmune y la fagocitosis de la célula requieren la fijación de los cuatro primeros componentes.

Papel de las células. El papel de las células en las reacciones de hipersensibilidad inmediata puede considerarse en tres aspectos generales: como células finales, como células mediadoras, y como células efectoras.[6] En algunas reacciones alérgicas (reacciones no determinadas por un mediador) se produce lesión directa de las células (llamadas células terminales), por ejemplo en los glóbulos rojos en la anemia hemolítica alérgica, las plaquetas en la púrpura trombocitopénica, y los neutrófilos en la leucopenia alérgica. En otras situaciones, las células (por ejemplo, células cebadas, plaquetas o neutrófilos) actúan como células mediadoras en el sentido de que liberan las substancias farmacológica y fisiológicamente activas que acabamos de considerar. Las células mediadoras pueden liberar estas substancias directamente como resultado de un antígeno y un anticuerpo sobre su superficie celular, o indirectamente por acción de la anafilatoxina sobre ellas. Las células pueden servir también de efectores o células desencadenantes en cooperación con células terminales o células mediadoras. Los macrófagos del hígado y el bazo actúan como células efectoras suprimiendo de la circulación glóbulos rojos sensibilizados con anticuerpo Rh incompleto no fijador del complemento. Los glóbulos rojos de carnero que llevan fijados $C\overline{1423}$ actúan como células efectoras provocando liberación de histamina por las plaquetas del conejo.

TIPOS DE REACCIONES DE HIPERSENSIBILIDAD INMEDIATA

El tipo necesario para la reacción de tipo inmediato depende del mecanismo por virtud del cual es mediada la reacción, y varía entre algunos minutos a varias horas. Cuando la reacción depende de la liberación de mediadores farmacológicamente activos, y las células mediadoras ya están sensibilizadas con anticuerpo citotrófico, la exposición al antígeno provoca reacciones alérgicas en plazo de unos minutos. Cuando intervienen los leucocitos polimorfonucleares, puede ser necesario un tiempo de latencia de varias horas. El tiempo requerido para que los leucocitos se acumulen a nivel de la zona de anticuerpo-antígeno, y la acción más lenta de sus enzimas lisosómicas para lesionar los tejidos, explican el periodo de latencia.

Anafilaxia general. El término anafilaxia fue utilizado primeramente por Richet y Portier en 1902 para describir una reacción mortal en el perro.[91] Comprobaron que perros inyectados con una dosis subletal de una toxina obtenida de anémonas de mar enfermaban gravemente por reinoculación de una segunda pequeña dosis unos días más tarde. A los pocos momentos de la segunda inyección la respiración de los perros era laboriosa; luego presentaban diarrea y vomitaban sangre. La muerte se producía en plazo de unos 25 minutos.

Los síntomas de anafilaxia general observada por Richet y Portier dependen de la acción de mediadores de bajo peso molecular sobre los músculos lisos y las paredes de los vasos del órgano de choque u órgano blanco. Anticuerpos citotróficos, provocados por la primera exposición o inoculación de antígeno, se fijan a las células de los tejidos, principalmente células cebadas, localizadas en el tejido conectivo del órgano blanco. El antígeno circulante de la segunda inyección se une al anticuerpo fijado (reacción de anticuerpo adherente). Se liberan histamina y serotonina, preformadas en las células cebadas, provocando un aumento de la permeabilidad vascular y la contracción de los músculos lisos del órgano blanco.

Para demostrar el choque anafiláctico, la reacción de antígeno-anticuerpo ha de ser rápida, y la segunda dosis chocante de antígeno es más eficaz si se da por vía intravenosa. En el cobayo, el animal de experimentación generalmente empleado que se sensibiliza y cae en choque más fácilmente, la inoculación intraperitoneal de la dosis chocante resulta eficaz, pero la reacción se retrasa y se necesitan dosis mayores. La mayor parte de mamíferos son sensibles al choque anafiláctico, aunque el cobayo suele emplearse para demostrar la reacción, por su extrema sensibilidad. Los síntomas varían algo según las especies, dependiendo del órgano de choque.[96] En el cobayo hay una distensión neta de los pulmones, los bronquiolos sufren intensa constricción, con retención del aire en los alveolos, y la causa inmediata de la muerte es el ahogo. En el conejo, que es menos sensible para el choque anafiláctico, el órgano blanco es el corazón, que en su lado derecho se dilata enormemente por constricción de la arteria pulmonar. La causa de la muerte es la insuficiencia cardiaca derecha. En el perro, los signos más manifiestos son congestión de vísceras y distensión y congestión del hígado. Esto último resulta de la constricción de las venas suprahepáticas y de la trasudación de líquido por células lesionadas del hígado.

Si el choque provocado no causa la muerte, el animal queda por un tiempo refractario (desensibilizado) a nuevas inyecciones de antígeno, pero la hipersensibilidad reaparecerá más tarde. En caso de choque no mortal, los síntomas son pasajeros, duran de 30 minutos a unas horas.

La hipersensibilidad anafiláctica puede transferirse pasivamente del cobayo hembra sensibilizado a sus descendientes. Los descendientes nacidos de hembras sensibilizadas muestran hipersensibilidad al mismo antígeno que afecta a la madre. También se produce sensibilización pasiva inoculando suero de un animal sensibilizado a un animal normal. Tienen que transcurrir varias horas después de la inyección del anticuerpo sensibilizante antes que la inyección del antígeno específico pueda desencadenar la reacción de choque. Probablemente este tiempo sea necesario para fijación del anticuerpo a las células mediadoras. El orden de inyección de antígeno y anticuerpo puede invertirse si el antígeno es una inmunoglobulina de una clase que se fije a las células, por ejemplo IgG de conejo inyectado a cobayos y seguido, después de un periodo de latencia, de la inyección de anti IgG de conejo. Este método para demostrar la anafilaxia pasiva se llama anafilaxia pasiva invertida. Es un ejemplo de una reacción con antígeno adherente, o sea formación de complejos de anticuerpo circulante con antígeno fijado a células tisulares.

Anafilaxia cutánea. La anafilaxia también puede demostrarse como una reacción activa o pasiva de la piel. En la anafilaxia cutánea activa la dosis chocante de antígeno se inyecta en la dermis a un animal sensibilizado previamente con el antígeno. Como en la anafilaxia general, se liberan mediadores de bajo peso molecular, que provocan aumento de la permeabilidad capilar a nivel de la inyección. El resultado es edema y eritema localizados. La reacción puede localizarse mejor si inmediatamente antes de la inyección intradérmica de antígeno se inyecta por vía intravenosa un colorante no tóxico como el azul de Evans. Se produce un color azulado de la piel a nivel de la reacción antígeno-anticuerpo, por extravasación del colorante a través de las paredes hacia los tejidos vecinos.

La anafilaxia cutánea pasiva (PCA) se utiliza ampliamente para estudiar y descubrir anticuerpos.[84,85] Es una prueba muy sensible, que permite descubrir una cantidad tan pequeña como 0.1 μg de proteína de anticuerpo. Al efectuar la prueba de anticuerpo, este se inyecta intradérmicamente a un animal normal, y después de un periodo adecuado de latencia se mezcla antígeno con colorante y se inyectan por vía intravenosa. Se produce coloración de la piel a nivel de la reacción antígeno-anticuerpo; las dimensiones de la zona son una medida de la intensidad de la reacción. En la anafilaxia cutánea, como en la anafilaxia generalizada, puede demostrarse la anafilaxia pasiva invertida (RPCA) si el antígeno es una inmunoglobulina sensibilizante de la piel.

Choque anafiláctico en tejido aislado. El choque anafiláctico, manifiesto por una contracción brusca y aguda, puede provocarse en músculo liso aislado. Esto fue observado por Schultz en 1910 utilizando porciones de intestino, estudiado en detalle por Dale empleando cuerno uterino, y ahora se conoce generalmente como reacción de Schultz-Dale.[95] La tira de útero sensibilizada se suspende en un baño de solución de Ringer, con un extremo fijado y el otro unido a un quimógrafo; se registran las contracciones al añadir antígeno al baño. La reacción es extraordinariamente sensible y muy específica. Todas las características esenciales de la anafilaxia pueden reproducirse in vitro con este método. La tira de útero puede sensibilizarse activa o pasivamente in vivo, o sensibilizarse pasivamente in vitro, y también puede desensibilizarse específicamente.

Enfermedad del suero. El término enfermedad del suero fue utilizado primeramente por Pirquet y Schick para describir la multiplicidad de síntomas que ocurren en el hombre después de administrarle dosis terapéuticas de antitoxina diftérica o tetánica preparada en caballos.[108] Este trastorno alérgico difiere de la anafilaxia por cuanto una sola inyección de antígeno sirve la doble función de provocar y desencadenar la reacción. En la anafilaxia, la dosis sensibilizante de antígeno desaparece del sistema antes que aparezca el anticuerpo en cantidades críticas. Y debe administrarse una segunda dosis chocante de antígeno para desencadenar la reacción alérgica. En la enfermedad del suero la dosis original de antígeno es muy grande. Todavía está circulando en el cuerpo cuando ya hay anticuerpo presente y está libre para combinarse con anticuerpo neoformado y provocar una reacción alérgica. El mismo trastorno puede ocurrir con antígenos que no son el suero. Tales respuestas se describen como reacciones de tipo enfermedad del suero; pueden ocurrir en el hombre sobre todo después de terapéutica con medicamentos como la penicilina.[49]

Los síntomas incluyen exantema urticárico a nivel de la inyección de antígeno, seguido de urticaria generalizada, agrandamiento de los ganglios linfáticos que drenan la zona local de inyección (y que puede extenderse a otros ganglios linfáticos), y edema de tejido laxo de los párpados, labios y partes bajas del cuerpo.[34] Puede también haber articulaciones dolorosas y fiebre. Los síntomas pueden aparecer una a dos semanas después de la inyección de antígeno.

La reacción se ha atribuido a diversos mecanismos:[32] formación de agregados de antígeno-anticuerpo y activación de mediadores lisosómicos de neutrófilos, como ocurre en la reacción de Arthus; reacción entre anticuerpo fijado a las células y antígeno circulante que libera mediadores de bajo peso molecular, y reacción de antígeno-anticuerpo que desencadena algún sistema mediador todavía desconocido.

Alergias medicamentosas.[3, 49, 93] Los medicamentos raramente se eliminan en la misma forma que se tomaron; suelen desintegrarse originando diversos grupos químicos de bajo peso molecular, principalmente por acción de las enzimas microsómicas del hígado. Los metabolitos así producidos pueden eliminarse sin peligro, pueden ser tóxicos y causar lesión tisular no alérgica, o pueden actuar como haptenos conjugándose in vivo con proteínas del huésped para formar un antígeno completo. En este último caso, el antígeno resultante puede iniciar la síntesis de anticuerpo en un huésped inmunológicamente competente. Todas las manifestaciones

alérgicas por medicamentos varían según las especies, y dentro de una misma especie según los individuos, probablemente dependiendo de factores genéticos.[93]

La alergia para la penicilina es la alergia medicamentosa más frecuente; afecta del 1 al 5 por 100 de la población en los países desarrollados. La inyección de penicilina se ha comparado a la administración de un número elevado de antígeno.[30] Se forman anticuerpos contra la propia molécula de penicilina, contra metabolitos hapténicos conjugados a tejidos del huésped, y contra contaminantes como las impurezas proteínicas y aditivos que existen en los preparados de penicilina. Sin embargo, no está claro cuáles de estos componentes son la causa de reacciones alérgicas. La bencilpenicilina origina el antígeno peniciloilo por conjugación de los residuos de lisina proteínica con su producto de desintegración, el ácido bencilpenicilínico. Se han identificado anticuerpos sensibilizantes de la piel y anticuerpos hemaglutinantes (descubiertos por aglutinación de glóbulos rojos tratados con penicilina) en pacientes con alergia a la penicilina. También se ha señalado que la actividad reagínica del suero de pacientes sensibles a la penicilina solo podía suprimirse por anti IgE.[53]

Todavía no disponemos de ningún método seguro y reproducible (con excepción de la penicilina) para diagnosticar hipersensibilidad a una droga. Si se quieren obtener resultados seguros hay que conocer los productos de desintegración in vivo de cada droga, así como la forma en que los metabolitos conjugan la proteína, y las proteínas con las cuales se unen.[3]

Las reacciones a la penicilina son de dos tipos, reacciones bruscas o aceleradas, y reacciones tardías.[49] Las reacciones bruscas pueden producirse al cabo de unos segundos, y hasta una hora después de administrar la penicilina. Van seguidas de recuperación o muerte. Los síntomas se parecen a los de la anafilaxia en animales, y la reacción indica que tiene que haber ya anticuerpos presentes como consecuencia de una exposición previa a la penicilina.

Las reacciones tardías se observan en individuos sin exposición previa a la penicilina. Los síntomas aparecen cinco a 14 días después de iniciar una serie de inyecciones de penicilina, tiempo durante el cual se han formado los anticuerpos contra la penicilina. Los síntomas son los de la enfermedad del suero —urticaria, poliadenopatía, hinchazón y dolor articular, y a veces edema angioneurótico.

Reacción de Arthus. Otro tipo de reactividad local fue señalado por Arthus en 1903.[4] Después de inyecciones subcutáneas repetidas de un antígeno no tóxico en la piel de un conejo, con intervalos de seis días, se produjo una reacción intensa inflamatoria local. Con cada inyección sucesiva la reacción era más intensa. Se desencadenaba incluso seleccionando un lugar nuevo para cada inyección.

El hecho fue confirmado y comprobado en otros mamíferos, incluyendo al hombre. Se observó que la reacción no se limita a la piel, sino que puede desencadenarse en cualquier tejido examinado; por ejemplo, la inhalación del antígeno provocó congestión del pulmón, con un cuadro histológico de neumonía.

La reacción de Arthus ocurre típicamente después de una inyección subcutánea de antígeno a los animales que tienen valores circulantes altos de anticuerpo específico. El antígeno difunde a través del tejido, estableciendo contacto en paredes de vénulas y capilares, donde se forman microprecipitados de antígeno y anticuerpo, que se depositan. En la reacción se activa el sistema del complemento, y con la formación de productos de desintegración quimiotácticos son atraídos los neutrófilos. Los complejos inmunes son fagocitados, y al liberarse los productos lisosómicos por los neutrófilos, provocan lesión tisular.[23, 24] La reacción inicial entre antígeno y anticuerpo, con fijación de complemento, se produce rápidamente; sin embargo, quizá no se vean lesiones externas hasta después de cuatro a ocho horas de inyectado el antígeno al animal sensibilizado. Los cambios vasculares comienzan con constricción de arteriolas, seguida de circulación lenta de la sangre en venas y capilares. Los leucocitos se adhieren a la pared de los vasos, y entre ellos, formando émbolos que bloquean las vías vasculares. La lesión de las paredes capilares permite el escape de plasma y células de la sangre, acabando por producirse destrucción de las paredes vasculares y graves reacciones de necrosis.

La reacción puede transferirse pasivamente por suero de un animal sensibilizado a un animal normal, pero a diferencia de la anafilaxia pasiva, se necesitan grandes cantidades de anticuerpo precipitable. La índole de la reacción también es diferente; en la anafilaxia cutánea hay aumento de permeabilidad capilar, pero no hay inflamación intensa con acumulación de leucocitos polimorfonucleares.

Alergia atópica. "Atopia" significa "fuera de su lugar" o "extranjería". La palabra fue introducida por Coca y Cooke para describir los estados de hipersensibilidad humana en los cuales se sospechaba una base hereditaria.[22] Las alergias atópicas se desarrollan espontáneamente en el 10 por 100 de la población y originan síntomas de asma, fiebre del heno, trastornos gastrointestinales agudos, urticaria, coriza aguda y angioedema. Los antígenos que más frecuentemente intervienen son pólenes de diversos tipos, pelo y caspa de animales, polvo casero y algunos tipos de alimentos, por ejemplo productos lácteos y huevos. El órgano primeramente afectado depende de la puerta de entrada del alergeno. Las alergias, para medicamentos suelen presentarse en forma de síntomas gastrointestinales agudos y exantemas urticáricos; para inhalantes, en forma de asma, edema nasal y espasmo bronquial.

Anticuerpos homocitotróficos de la clase de inmunoglobulinas IgE desencadenan la reacción.[51, 52] Como difieren en diversos aspectos de los anticuerpos usuales de tipo precipitante, los primeros investigadores los llamaron reaginas o anticuerpos reagínicos. Los anticuerpos de la clase IgE no fijan el complemento de la manera usual, pero pueden fijar más tarde componentes por una vía alterna.[52] Son susceptibles de inactivación por reactivos de sulfhidrilo, y por calentamiento a 56°C durante dos a cuatro horas a diferencia de los anticuerpos de la clase IgG, no atraviesan la barrera placentaria. En un tiempo los anticuerpos reagínicos se consideraban univalentes, por la incapacidad de los investigadores iniciales para demostrar reacciones in vitro como la precipitación del anticuerpo reagínico y el antígeno específico. Sin embargo, son bivalentes, y pueden intervenir en reacciones sensibles in vitro, como la hemaglutinación pasiva.[51] Su aparente fracaso para reaccionar en pruebas menos sensibles resulta de su baja concentración en el suero, del orden de 0.1 a 0.4 μg/ml.

Como hasta hace poco no disponíamos de ninguna prueba in vitro para su descubrimiento, se habría adelantado muy poco en el estudio de su naturaleza si no hubiera ocurrido que Prausnitz y Küstner, en 1921, crearon una prueba simple, la prueba P-K. Küstner era sensible a ciertas especies de pescado cocido. Si se inyectaba su suero por vía intracutánea a la piel de Prausnitz, y 24 horas más tarde se le efectuaba una inyección intracutánea de una pequeña cantidad del alergeno del pescado, se producían a las pocas horas eritema y pápula.

La piel había sido sensibilizada por la reagina, y seguía así durante cuatro a seis semanas.

El periodo de latencia de 24 horas después de inyectar el anticuerpo reagínico, antes de inyectar el alergeno, es necesario para permitir la fijación del anticuerpo al tejido. La fijación tiene lugar por la porción Fc de la molécula. La inyección previa del fragmento Fc aislado, obtenido de una proteína IgE de mieloma, e IgE de individuos normales, bloquea la sensibilización pasiva con anticuerpo reagínico tanto en la piel del hombre como en la del mono. La termolabilidad de IgE parece relacionarse con la lesión de la porción Fc de la molécula, pues IgE calentado ya no se fija a la piel, pero conserva su capacidad de combinarse con el alergeno.

Los individuos normales tienen IgE en su suero, y desarrollarán una lesión cutánea localizada si se les inyecta por vía intracutánea anti IgE. La dosis mínima de anti IgE necesaria para desencadenar la reacción es de aproximadamente 10^{-5} N μg. La capacidad de desencadenar la reacción en individuos normales indica que sus tejidos también tienen IgE unido a la membrana.

Los síntomas de alergia atópica son provocados por una reacción de anticuerpo adherente, con liberación de mediadores de bajo peso molecular por células sensibilizadas, en particular histamina y SRS-A. La liberación de histamina se demuestra in vitro si los leucocitos de un individuo alérgico son incubados con el alergeno específico.[65] Los leucocitos de personas normales pueden sensibilizarse pasivamente con suero atópico para liberar histamina en presencia del alergeno específico,[64] y se produce una liberación de histamina de tipo invertido cuando leucocitos sensibilizados reaccionan con anti IgE. La reacción de leucocitos o tejidos a anti IgE marcado con ^{125}I indica que la célula principal con IgE unido a la membrana en suspensiones de leucocitos es el basófilo, y en los tejidos es la célula cebada.[52]

Se han demostrado anticuerpos de tipo IgE en otros animales, en particular ratón, rata, conejo y perro. Como la IgE homocitotrófica del hombre, existen en cantidades muy pequeñas en el suero, son termolábiles, sensibles a reactivos de sulfhidrilos, no fijan complemento en la forma usual, requieren un periodo de latencia de 24 a 60 horas para fijarse a la piel, y persisten largo tiempo en ella. La IgE del hombre y los anticuerpos de tipo IgE de animales inferiores se denominan anticuerpos homocitotróficos de tipo II.[6, 11]

Otro grupo general de anticuerpos homocitotróficos en animales inferiores, que desencadenan la reacción de anafilaxia cutánea pasiva (PCA) antes señalada, se denominan anticuerpos homocitotróficos de tipo I. Se distinguen de las reaginas de tipo IgE por diversos motivos. Son termolábiles, solo necesitan una o pocas horas de latencia para fijación óptima a la piel, quedan fijas a la piel durante pocos días en lugar de semanas, y aparecen en concentración muy elevada en el suero. Se creyó originalmente que la γ_1, pero no los anticuerpos γ_2 de los cobayos tenían estas propiedades.[85] Más recientemente, anticuerpos γ_2, en particular para antígenos de ascaris y hemocianina, han resultado activos en la reacción de PCA.[11, 100, 101] La reacción mediada por γ_1 se presenta en plazo de unos minutos después de la inyección intravenosa de antígeno y colorante, mientras que la reacción de anticuerpo γ_2 aparece entre los 45 minutos y dos horas después de la inyección de antígeno.

Otro anticuerpo homocitotrófico se ha descrito para la rata. Pertenece a la clase IgGa de inmunoglobulinas y puede desencadenar una reacción PCA en dos a cuatro horas, pero no después de 24 horas. Se han descrito asimismo anticuerpos IgG con propiedades de sensibilización de la piel en alergias atópicas del hombre.[11, 71] Los informes sobre estos anticuerpos varían en cuanto a su termolabilidad y su sensibilidad a los reactivos de sulfhidrilo. Aunque en esos estudios no se especifica bien la naturaleza y las características de las reaginas, parece probable que el hombre, como los animales inferiores, puede tener clases heterogéneas de anticuerpos homocitotróficos. Más recientemente se ha descubierto un anticuerpo reagínico termolábil para polen de timotea que pertenece a la clase IgG2 de inmunoglobulinas.

Anticuerpos desensibilizantes y bloqueadores. Si alergenos como los pólenes que acabamos de considerar se inyectan a individuos no atópicos, aparecen anticuerpos circulantes que son principalmente de la clase IgG. Difieren de los anticuerpos reagínicos que se producen en algunos individuos después de la exposición natural alergénica. No son sensibilizantes de la piel; actúan más bien como anticuerpos bloqueadores en la prueba de P-K. Si se inyecta una mezcla de estos anticuerpos y alergenos a una piel sensibilizada con la reagina específica, no se produce reacción.

También se forman anticuerpos bloqueadores por individuos atópicos cuando se inyectan rápidamente pequeñas dosis de alergeno específico. Las dosis han de ser pequeñas y suficientemente separadas para evitar anafilaxia local o general. El método se utiliza para desensibilizar individuos, y en algunos casos da buen resultado clínico. No conocemos la base exacta de la desensibilización, pero puede ser una combinación de producción de anticuerpo bloqueador y neutralización temporal y anticuerpo reagínico por las pequeñas dosis repetidas.

HIPERSENSIBILIDAD TARDIA [20, 106, 113]

La hipersensibilidad tardía está mediada por células de la serie linfocítica, probablemente en cooperación con macrófagos monocíticos. Los primeros estudios que demostraron netamente la necesidad de células sensibilizadas, más bien que de anticuerpos circulantes, se efectuaron transfiriendo la reactividad tuberculínica tardía a cobayos normales mediante glóbulos blancos de cobayos hipersensibles a la tuberculina.[19] La dermatitis de contacto también fue transferida a cobayos normales con leucocitos de cobayos hipersensibles al 2,4 dinitroclorobenceno o al cloruro de picrilo. Experiencias posteriores demostraron la transferencia de hipersensibilidad para tuberculina o estreptococos en el hombre mediante la inyección de glóbulos blancos de personas hipersensibles a individuos normales.

Las reacciones de hipersensibilidad mediadas por células en las pieles de individuos sensibilizados típicamente necesitan 24 a 72 horas para desarrollarse plenamente, en comparación con los 10 a 20 minutos de las reacciones de tipo anafiláctico y las cuatro a ocho horas de la reacción de Arthus. La reacción al derivado proteínico purificado (PPD) de tuberculina, la reacción prototipo, consiste en eritema e induración en el hombre. En otras especies la induración es usual, mientras que el eritema es variable, por lo tanto, se hacen mediciones en estas especies según el aumento del espesor de la piel.[106] En la mayor parte de especies la reacción consiste histológicamente en infiltración perivascular de mononucleares. No hay acuerdo general acerca de las proporciones relativas entre linfocitos y monocitos o macrófagos en los infiltrados. En parte, puede explicarse por diferencias de las condiciones experimentales, y en parte por la dificultad de clasificar las células en cortes de tejidos.[78]

Se obtienen células activas para transferencia de exudados peritoneales, conducto torácico, ganglios linfáticos y sangre de donadores sensibilizados. Si la transferencia de células se efectúa entre animales no endogámicos de la misma especie (animales alogénicos) la transferencia de hipersensibilidad tardía dura poco; las células son rechazadas por el receptor en plazo de cinco a siete días. La transferencia de linfocitos sensibilizados entre animales endogámicos (animales singénicos) es de larga duración.[106] No sabemos qué cosa es un linfocito sensibilizado. Se ha sugerido que se trata de una célula que produce un anticuerpo que persiste asociado con ella. Como las reacciones de hipersensibilidad tardía son específicas para el antígeno inductor, las células deben tener algún tipo de lugar de reconocimiento para el antígeno. El factor de reconocimiento puede ser análogo a los factores transportados por inmunoglobulinas, como se ha señalado antes a propósito de células sensibles a los antígenos.

Los tipos de células que intervienen, y el proceso de reconocimiento del antígeno, parecen ser los mismos en la inmunización celular para microorganismos y en las reacciones de hipersensibilidad tardía que provocan lesión tisular local. La lesión tisular mediada en esta forma interviene en algunas enfermedades autoinmunes,[83] en el rechazo de trasplantes de órgano, en la dermatitis de contacto y en las reacciones de hipersensibilidad tardía para microorganismos. Se liberan substancias farmacológicamente activas, causa de lesión tisular, por linfocitos sensibilizados específicamente en la zona de reacción de células y antígeno. Pueden desencadenarse reacciones de hipersensibilidad cutánea tardía en individuos sensibilizados con algunos de los virus, bacterias y hongos o productos antigénicos solubles provenientes de los mismos (tuberculina, brucelina, tricofitina y otras).

Los linfocitos que intervienen en la hipersensibilidad tardía son de origen tímico. Si el timo se vuelve aplástico durante la vida fetal o neonatal, o si se extirpa quirúrgicamente durante ese tiempo, ya no pueden desencadenarse reacciones de hipersensibilidad tardía en la mayor parte de especies. Al mismo tiempo hay una pérdida de linfocitos pequeños móviles de vida larga. Se logra el mismo efecto drenando por largo tiempo el conducto torácico o empleando tratamiento de suero antilinfocítico. Tienen que transcurrir aproximadamente 96 horas después del primer contacto con el antígeno antes que se manifiesten reacciones de sensibilidad tardía. Durante este periodo, células linfoides en las zonas paracorticales de los ganglios linfáticos que drenan la región (zonas dependientes del timo) sufren rápida proliferación. Cuando la respuesta es máxima, hasta el 20 por 100 de los linfocitos de estas zonas se hallan en etapa de inmunoblasto; algunos de ellos pueden responder en forma no específica al factor mitógeno liberado por linfocitos sensibilizados.

Si los ganglios linfáticos que drenan la región se extirpan antes del cuarto día después de la estimulación antigénica, no se desarrolla la reacción tardía.[106]

Hay datos indicadores de que pueden intervenir dos poblaciones de linfocitos pequeños en las reacciones de hipersensibilidad tardía, una bajo control del timo, que prolifera en el tejido linfoide central, y conserva el estado de sensibilidad; y un linfocito de vida breve, el linfocito efector, que reacciona con el antígeno en la periferia. El linfocito de vida larga transfiere la hipersensibilidad tardía general y el linfocito de vida breve reacciona con antígeno y libera agentes farmacológicamente activos. Los datos en pro de esta hipótesis provienen de estudios con linfocitos de vida breve. Estas células, que no están bajo control tímico, predominan en exudados peritoneales. Tales exudados son más activos para transferir la sensibilidad tardía que los linfocitos de ganglio linfático. También se ha observado con diversos estudios que los linfocitos que no están bajo control tímico, pueden inducirse por complejos de antígeno-anticuerpo, por fitomitógenos, o por interacción de antígeno y otros linfocitos específicamente sensibilizados, para producir mediadores farmacológicos de la hipersensibilidad tardía o retrasada.

Los antígenos que desencadenan la hipersensibilidad tardía tienen que poseer un componente proteínico, pues los polisacáridos no son activos al respecto.[111] En algunos casos pueden actuar como hapteno si se conjugan con proteína. En los antígenos formados por polisacárido y proteína la capacidad antigénica desaparece junto con la porción proteínica. En el caso de productos químicos simples, en alergias de contacto, el producto químico se combina con la proteína de la epidermis para formar el alergeno. Ejemplos de productos químicos que actúan en esta forma son compuestos orgánicos como el 2,4 dinitroclorobenceno, la primulina de la planta *Primulina obconica* y compuestos inorgánicos que contienen grupos metálicos como bicromato potásico, cloruro mercúrico, y sulfato de níquel. Una vez producida la sensibilización, la nueva exposición al producto químico origina una reacción muy similar a la tuberculínica.[113]

Las reacciones cutáneas tardías persisten mientras persiste el antígeno, y desaparecen cuando se suprime el antígeno, por ejemplo, en reacciones al zumaque.

Algunas vías de inoculación, como la intravenosa, no logran inducir hipersensibilidad tardía; con la excepción de microorganismos y contactantes la mayor parte de antígenos requieren el empleo de coadyuvante completo de Freund. La vía intradérmica es la preferida para el desarrollo de sensibilización.

Factor de transferencia.[62, 63] Una vez demostrada en el hombre la transferencia de la hipersensibilidad para tuberculina y estreptococos empleando células viables, se comprobó que las células rotas con lisis de agua también eran eficaces. El principio activo en las células rotas se denomina factor de transferencia. Es dializable, con peso molecular menor de 10 000. El producto es estable en solución, y puede conservarse congelado por tiempo indefinido, o liofilizado. Resiste a la digestión con DNasa, RNasa, y tripsina exógenas, así como nucleasas e hidrolasas lisosómicas activadas endógenas. La sensibilidad transferida por el factor de transferencia es de larga duración (desde unos meses a uno o dos años), y tiene distribución general en la economía. Confiere reactividad para los linfocitos del receptor; extractos de estos, a su vez, sensibilizan un segundo individuo no sensible. Esta observación parece excluir la transferencia pasiva como mecanismo de producción, y permite suponer la réplica del factor de transferencia.[62] Se ha supuesto que el factor de transferencia convierte los linfocitos del receptor creando un estado de sensibilidad al antígeno, con lo cual las células se duplican y proliferan en presencia del antígeno específico.

El antígeno específico, cuando se incuba con células sensibles in vitro, provoca liberación de factor de transferencia hacia el líquido sobrenadante acelular, dejando las células rotas incapaces de causar más transferencia.

El factor de transferencia, preparado de linfocitos de individuos sensibilizados por un homoinjerto de piel, causa rechazo acelerado del homoinjerto de un trasplante cutáneo similar en receptores no sensibles. La especificidad inmunológica del factor de transferencia está dirigida contra antígenos específicos de histocompatibilidad del donador del trasplante.

La incubación in vitro de linfocitos procedente de individuos no sensibles, con factor de transferencia procedente de personas tuberculina-positivas, ha proporcionado capacidad de reacción a un pequeño porcentaje de los linfocitos tratados.[33] Esto se comprobó por transformación de los linfocitos tratados en linfoblastos al añadir tuberculina. Estos datos se consideraron indicadores de que el factor de transferencia puede hacer que un clono de linfocitos no sensibles inicie respuestas inmunes celulares cuando es estimulado por el antígeno adecuado.

CORRELACION IN VITRO DE REACCIONES DE HIPERSENSIBILIDAD TARDIA

Disponemos de cierto número de pruebas in vitro que utilizan linfocitos de animales o personas sensibilizados, y que se considera indican la presencia de reacciones inmunes mediadas por células.[12, 14] No sabemos todavía la importancia de estas actividades in vitro para explicar lo que ocurra in vivo, o para protección del huésped; todo ello es todavía difícil de valorar.

Transformación de linfocitos. Los linfocitos de individuos sensibilizados para antígenos, como alergénicos químicos, PPD, u otros diversos antígenos proteínicos, sufren la formación de célula blasto cuando quedan expuestos in vitro al antígeno sensibilizante. El mismo fenómeno se observa cuando células normales se exponen a agentes no específicos como fitohemaglutinina o concanavalina A, o bien a antisueros como suero antilinfocítico o antiinmunoglobulina. La célula que interviene es un pequeño linfocito, principalmente de origen tímico, que se transforma en una voluminosa célula pironinófila. La transformación puede seguirse incorporando ^{3}H timidina al ácido desoxirribonucleico, y empezando unas 36 horas después de añadir mitógeno, o 40 horas después de exposición al antígeno. Luego se produce la mitosis.[12] La especificidad de la reacción con conjugados de hapteno-proteína está dirigida contra de la proteína portadora.

La utilidad de esta prueba, como indicador de hipersensibilidad tardía, resulta algo dudosa. La transformación en célula blasto puede producirse en presencia o en ausencia de hipersensibilidad tardía. Linfocitos de cobayos con hipersensibilidad tardía para glóbulos rojos de carnero, y de cobayos inmunizados por vía intravenosa con el mismo antígeno, pero carentes de hipersensibilidad tardía, ambos mostraron una intensa formación de blastos cuando quedaban expuestos a glóbulos rojos de carnero in vitro. Los linfocitos de individuos con hipersensibilidad de tipo inmediato, expuestos a antígeno específico, suelen presentar transformación. Los linfocitos de animales preparados para la formación de anticuerpos incorporan ^{3}H timidina, cuando reciben una segunda estimulación antigénica in vitro. En condiciones adecuadas, los linfocitos de animales no inmunizados se transforman e incorporan ^{3}H timidina cuando se exponen a complejos de antígeno-anticuerpo.

Cultivos de leucocitos mezclados (MLC). Los cultivos de leucocitos mezclados se utilizan para descubrir antígenos de histocompatibilidad. La reacción se basa en la transformación de los linfocitos. Solo difiere por cuanto el antígeno estimulante es parte integral de una membrana celular. Los leucocitos periféricos de un individuo se mezclan en cultivo, con leucocitos de una persona diferente (alógena) tratados con mitomicina C. Las células quedan en cultivo durante tres, cuatro o más días entonces se añade al cultivo timidina radiactiva. Las células tratadas con mitomicina C son incapaces de reproducir su DNA, de manera que toda incorporación de la marca depende de proliferación celular de células no tratadas. La estimulación de la síntesis de DNA refleja la capacidad de este último para responder a los antígenos extraños de histocompatibilidad en las células alógenas.

Efecto citotóxico de los linfocitos sobre células blanco.[87]

Los linfocitos pueden directamente lesionar o matar las células blanco en condiciones diversas. Los primeros estudios que dieron resultado demostraron que las células linfoides de un perro que había rechazado un trasplante renal destruían una capa de células obtenidas del otro riñón del mismo donador. Desde entonces, otros estudios han indicado lo siguiente: los linfocitos de individuos donadores sensibilizados pueden ser citotóxicos para células blanco con antígenos de membrana; los linfocitos activados por antígenos solubles o mitógenos, pueden ser citotóxicos en forma no específica para células blanco que no se sabe tengan relación antigénica ninguna con los que causan la activación de linfocitos; en presencia de anticuerpos específicos contra célula blanco, las células linfoides normales pueden ser citotóxicas para la célula blanco; y las células blanco recubiertas de componentes de complemento pueden sufrir lisis por leucocitos normales.

Los antígenos de membrana contra los cuales está sensibilizado el linfocito pueden ser parte integral de la membrana, como ocurre con los antígenos de trasplante, antígenos de tumores y antígenos específicos de órganos, o pueden ser antígenos solubles unidos artificialmente a células blanco, por ejemplo, glóbulos rojos. Los linfocitos de bazo, ganglio linfático, sangre periférica o conducto torácico, son activos en pruebas citotóxicas. Es necesario el contacto directo entre la célula blanco y el linfocito, pues el linfocito se fija a la célula blanco a través de su urópodo saliente. El linfocito ha de estar vivo y metabólicamente activo para ser citotóxico. Los agentes que suprimen la síntesis de RNA y de proteína bloquean la citotoxicidad. La reacción es específica para el agente sensibilizante. En cultivo de células mezcladas, que contienen varias líneas celulares con antígenos diversos de histocompatibilidad, los linfocitos sensibilizados a un antígeno de histocompatibilidad determinado solo matarán las células que llevan dicha especificidad.

En contraste con el alto grado de especificidad de la citotoxicidad del linfocito para células que tienen antígenos de membrana, no se ha demostrado especificidad para linfocitos estimulados para formación de blasto mediante antígeno o fitohemaglutinina. Una vez que los linfocitos son activados, matan antigénicamente células blanco que no guardan relación ninguna con los antígenos inductores. En ambos sistemas, para lograr el estado citotóxico se requiere la actividad metabólica, pero no la síntesis de DNA por parte de los linfocitos.

En muchas ocasiones hay buena correlación entre la citotoxicidad directa y la inmunidad celular. Sin embargo, a veces la presencia de anticuerpo circulante no puede excluirse, sobre todo en relación con el anticuerpo 19 S, y, según ya mencionamos, las células blanco pueden sufrir lisis por linfocitos normales en ausencia de complemento si se revisten de pequeñas cantidades de anticuerpo en concentración netamente menor que la necesaria para el anticuerpo citotóxico.

Prueba de inhibición de macrófago.

Ya en 1932 se observó que la migración de células del bazo a explantes de ganglio linfático obtenidos de cobayos tuberculosos era inhibida cuando se añadía tuberculina al líquido de cultivo.[90] Una adición similar de tuberculina a células normales carecía de efecto. La prueba desde entonces se ha perfeccionado, y se han identificado las células que reaccionan.[13, 28, 29] Cuando se colocan macrófagos normales viables en tubos capilares, en líquido de cultivo emigran y forman un amplio halo de células alrededor de la punta del tubo capilar. Si se añaden linfocitos sensibilizados de un individuo tuberculina positivo, junto con tuberculina o PPD, los macrófagos quedan inmovilizados y ya no emigran, sino que quedan dentro del tubo. El linfocito posee la información inmunológica, y el macrófago actúa como célula indicadora para la reacción. Un número tan pequeño como el 1 por 100 de linfocitos sensibilizados basta para evitar la emigración de los macrófagos normales no sensibilizados. La reacción puede demostrarse con cualquier antígeno capaz de provocar hipersensibilidad tardía en el huésped donador de los linfocitos sensibilizados. En el caso de antígenos conjugados de hapteno-proteína, la especificidad de la reacción está dirigida contra la proteína portadora.

AGENTES FARMACOLOGICAMENTE ACTIVOS LIBERADOS POR LINFOCITOS

Pueden demostrarse factores solubles en un medio acelular obtenido de cultivos de leucocitos. El factor blastógeno provoca mitosis de los linfocitos; el factor potenciador aumenta la respuesta mitótica de linfocitos al antígeno; la linfotoxina y el factor de inhibición matan los fibroblatos y otras células; el factor inhibidor de migración impide la migración in vitro de macrófagos; y el factor de transferencia ya descrito transfiere sensibilidad específica a linfocitos no sensibles.

Otros factores liberados por linfocitos estimulados por un antígeno, incluyen factor quimiotáctico, interferón[50, 72, 103, 110] y anticuerpos citófilos.

Factor inhibidor de migración.[13]

Cuando se añade antígeno específico a cultivos de linfocitos sensibilizados, se libera un factor soluble que inhibe la migración de macrófagos normales no sensibilizados. El material activo se denomina factor inhibidor de la migración o MIF. Existe en líquidos de cultivo en fase tan temprana como seis horas después de mezclados en cultivo linfocitos sensibilizados y antígeno específico; sigue produciéndose durante un periodo de cuatro a cinco días. MIF es producido solamente por linfocitos sensibilizados de animales con hipersensibilidad tardía; los linfocitos de animales inmunizados para producir solamente anticuerpo no producen MIF. La mitomicina C y la puromicina impiden la producción de MIF indicando la necesidad de síntesis de proteína de RNA para la producción de MIF. En cultivo, las células sensibilizadas solo requieren un breve contacto con el antígeno específico. Después de una breve exposición, las células pueden lavarse intensamente y siguen produciendo MIF durante cuatro a cinco días. Durante este tiempo, muchas de las células sensibilizadas sufren transformación de blastos. Si el antígeno es un conjugado de hapteno-proteína, la especificidad, tanto in vitro como in vivo, se ejerce contra la proteína portadora.[29] En estudios con diversas DNP-oligolisinas, se comprobó que solamente los péptidos que eran inmunógenos y desencadenaban reacciones de hipersensibilidad tardía in vivo eran activos para desencadenar la inhibición de la migración in vitro de células de exudado sensibilizadas. Las células que pueden producir MIF incluyen: linfocitos peritoneales, linfocitos de ganglio linfático, linfocitos de sangre periférica o linfocitos de bazo.

La MIF no parece ser ninguna de las inmunoglobulinas conocidas. Es menor, con peso molecular parecido al de la albúmina o más bajo todavía. En el cobayo puede haber dos formas moleculares, una de 50 000 a 67 000 daltones, y otra de 12 000 a 25 000 daltones. Después de electroforesis en gel de acrilamida, MIF se separa por elución de geles de pH 9.1 en la fracción de prealbúmina. MIF suele resistir la acción de tripsina, pepsina y quimiotripsina, pero es sensible a la neuraminidasa. En el caso del cobayo, las dos formas de MIF parecen ser glucoproteínas.[12]

Linfotoxina. Según ya mencionamos, los linfocitos estimulados por antígeno y los estimulados por fitohemaglutinina tienen acción citotóxica sobre otras células completamente extrañas. En la reacción se libera un factor soluble, la linfotoxina, hacia el medio de cultivo. El suero antilinfocítico y el mitógeno de fitolaca también provocan liberación del factor. La actividad de la linfotoxina se estima según su capacidad de inhibir la incorporación de aminoácidos marcados en la proteína de células blanco susceptibles. Esto guarda correlación con la pérdida de capacidad de tinción de las células blanco.

En ocasiones, la síntesis proteínica es inhibida sin lisis concomitante de las células blanco. Esto se comprobó marcando previamente las células blanco con ^{51}Cr. Después de tratamiento con los líquidos que contenían linfotoxina, la incorporación de aminoácidos marcados era inhibida, pero no había liberación de ^{51}Cr.

Factor mitógeno. La transformación del linfocito en cultivos de leucocitos mezclados, o en cultivos de linfocitos sensibilizados estimulados por antígenos, es mediada por un material acelular soluble, el factor mitógeno, liberado por los linfocitos sensibilizados. El material activo recibe nombres diversos, como factor mitógeno, factor blastógeno, o factor de transformación de linfocito. Su actividad puede medirse por su capacidad de causar transformación morfológica e incorporar timidina en el DNA de otros linfocitos humanos. Su naturaleza química todavía es desconocida.

Factor quimiotáctico. Uno de los tipos celulares que se descubren en abundancia a nivel de una reacción de hipersensibilidad tardía, es el macrófago. No sabemos lo que pueda atraerlo a este lugar, pero puede ser un factor similar al observado en líquido acelular que sobrenada de cultivo de linfocitos sensibilizados estimulados por antígeno. Si se ponen macrófagos normales en un lado de un microfiltro y el líquido de cultivo en el otro, algunos macrófagos emigran a través del filtro, probablemente atraídos por una substancia quimiotáctica existente en el líquido de cultivo. Tales cultivos también contienen MIF. Los dos factores pueden separarse con electroforesis de gel de poliacrilamida; el factor quimiotáctico emigra con la globulina α_2 y la albúmina; MIF emigra como una prealbúmina.

Anticuerpo citófilo. Los intentos de transferir la hipersensibilidad tardía empleando anticuerpo sérico no han dado resultado, o, cuando lo han dado, no se han podido reproducir. Más recientemente, se ha dirigido atención hacia la posibilidad de que un anticuerpo unido a la célula pudiera intervenir en la reacción. Un probable candidato para tal anticuerpo es el anticuerpo citófilo.[15, 78]

Los anticuerpos citófilos, cuando se observaron originalmente, se definieron como componentes globulínicos del antisuero que se adhieren a ciertas células, permitiéndoles adsorber específicamente el antígeno. Actualmente la definición se ha modificado algo, por cuanto tales anticuerpos pueden existir en sueros de animales no inmunizados para el antígeno particular que se está estudiando. Además, la reactividad para el antígeno, conferida a la célula por el anticuerpo citófilo, puede no manifestarse por la capacidad de absorber una cantidad mensurable de antígeno, sino por algún otro tipo de reactividad.

La existencia de anticuerpo citófilo fue reconocida al comprobar que el antisuero de conejo para albúmina sérica humana confería a las células de bazo la capacidad de fijar específicamente albúmina sérica humana marcada con ^{131}I. Hay una diversidad de tipos celulares en las suspensiones esplénicas; trabajos posteriores han indicado que hay anticuerpo específicamente citófilos para macrófagos. Desde entonces ha entrado en uso común el término "anticuerpo citófilo" para definirse a los macrófagos. La prueba de la roseta suele emplearse para demostrar anticuerpo citófilo en el suero. Capas muy delgadas de macrófagos cultivados después de reacción con antisuero, se limpian y se hacen reaccionar con antígeno específico en forma de partícula. El antígeno se adhiere al anticuerpo citófilo que está adherido al macrófago, y forma un anillo (formación de roseta) alrededor del macrófago. El antígeno puede ser eritrocito, bacteria o una célula nucleada. También pueden resultar utilizables antígenos solubles conjugándolos con eritrocitos.

En el cobayo y en el ratón, en quienes más se ha estudiado el anticuerpo citófilo, la inmunización con antígeno incorporado en coadyuvante completo de Freund, produce valores más altos de anticuerpo citófilo que en ausencia de coadyuvante. En el cobayo, la fracción globulínica γ_2 7 S contiene la mayor parte del anticuerpo citófilo. En el ratón, pueden descubrirse anticuerpos citófilos en las inmunoglobulinas γ_2 7 S e IgM, y en las globulinas α_1, poco caracterizadas.

Los anticuerpos citófilos in vivo se descubren libres en el torrente vascular, o están fijados a células.[105] Se ha sugerido que los libres en circulación (anticuerpos citófilos séricos) tienen relativamente poca afinidad por macrófagos, mientras que los que tienen gran avidez están unidos a células. No conocemos la función biológica de los anticuerpos citófilos séricos, pero algunos por su capacidad de fijarse a los macrófagos, quizá pudieran actuar como anticuerpos opsónicos. No parecen intervenir en la reacción cutánea tardía.[105] La reacción de hipersensibilidad tardía para glóbulos rojos de carnero puede provocarse en los cobayos en ausencia de anticuerpos citófilos que puedan demostrarse en el suero, y las cutirreacciones tardías no son estimuladas por inyección local de macrófagos o macrófagos sensibilizados in vitro por anticuerpo citófilosérico. Tampoco son desencadenadas por inyección local a nivel del lugar del antígeno suero que contenga anticuerpos citófilos.[44]

En otro informe se ha logrado la transferencia local pasiva de reactividad cutánea tardía para eritrocitos de carnero mediante células peritoneales normales sensibilizadas in vitro con anticuerpo citófilo.[47]

Sin embargo, la transferencia no ha dado resultado en este sistema empleando otros antígenos que no sean los glóbulos rojos de carnero.[78]

Poseemos algunos datos más sobre acción del anticuerpo citófilo fijado a la célula en las reacciones de hipersensibilidad tardía, por lo menos en algunos sistemas. Los macrófagos peritoneales de ratones endogámicos, sensibilizados a células I de sarcoma, de otra cepa endogámica de ratones destruyeron las células I de sarcoma al establecer contacto. El material citófilo en el macrófago quedaba

suprimido a 56°C y era citotóxico para las células I de sarcoma en presencia de complemento.[40]

Mecanismo de la hipersensibilidad tardía. La teoría según la cual MIF es un medidor de hipersensibilidad tardía in vivo considera los linfocitos provenientes del timo como receptores específicos para cualquier antígeno. Los receptores quizá sean de naturaleza de inmunoglobulina. Estos linfocitos circulan en el torrente sanguíneo y están en los tejidos. Al establecer contacto con antígeno en los tejidos, empieza la producción localmente de MIF. Los monocitos o macrófagos, provenientes de la médula ósea, emigran hacia el lugar, posiblemente por quimiotaxis. Son inmovilizados a ese nivel, y se acumulan. Los macrófagos activados destruyen tejido vecino, produciendo el cuadro histológico clásico de la hipersensibilidad tardía.

La teoría según la cual el factor de transferencia es el participante primario de la hipersensibilidad tardía, sugiere que individuos normales producen un nuevo factor específico de transferencia para los antígenos bacterianos virales, micóticos o de histocompatibilidad, que se reconocen como extraños, no propios (self).[62] La población especial de linfocitos circulantes con esta propiedad se manifiesta al introducir el antígeno específico. Las pocas células desencadenadas por el antígeno se transforman en linfoblastos y sufren divisiones celulares repetidas, creando seriadamente la respuesta inflamatoria. Las células adicionales son reclutadas por acción de productos linfocíticos extracelulares liberados, actuando como mediadores de inmunidad celular.

Sea cual sea el mecanismo de la hipersensibilidad tardía, evidentemente no es sencillo, y su explicación solo se logrará después de futuras investigaciones en este campo complicado de las interacciones celulares.

REACCIONES DE HIPERSENSIBILIDAD TARDIA

Reacciones a proteínas (fenómeno de Jones-Mote).[20] En las primeras investigaciones se observó que la inyección diaria de pequeñas cantidades de antígenos proteínicos, como blanco de huevo, en la piel de cobayos provocaba una reacción tardía ligera a la tercera o cuarta inyección.[31] La reacción desaparecía al aparecer anticuerpos en el suero. Histológicamente la lesión se caracterizaba por infiltración de monocitos. Se observaron resultados similares en el hombre.[55] La reacción se interpretó como una reacción de hipersensibilidad tardía pasajera, que se convertía en reacción de Arthus. Más recientemente se han empleado inyecciones de cantidades muy pequeñas de proteína, 1 a 3 μg. El anticuerpo no resulta mensurable durante unos 10 a 12 días. En este tiempo, la nueva inyección de proteína origina un tipo tardío de reacción, seguido de una respuesta de anticuerpo anamnéstica. La inyección intradérmica de precipitados de proteína con anticuerpo específico proporciona la respuesta de anticuerpo después de un largo periodo de latencia. Antes de empezar la producción de anticuerpo, puede demostrarse ya la hipersensibilidad tardía.

Rechazo de homoinjertos. Los autoinjertos son injertos de tejido de una a otra parte del mismo individuo; los isoinjertos son entre animales endogámicos o gemelos monocigóticos; los homoinjertos o aloinjertos son injertos entre individuos genéticamente diferentes de la misma especie; los heteroinjertos o xenoinjertos se efectúan entre individuos de especies diferentes. El cuadro que acompaña da la terminología utilizada en estudios de trasplante. En el caso de los autoinjertos e isoinjertos, estos son aceptados como propios (self). Los homoinjertos y los heteroinjertos son rechazados después de un tiempo variable, según el grado de su alejamiento con relación al receptor. Los homoinjertos son aceptados por breve tiempo, curan, y logran un riesgo sanguíneo adecuado. Al cabo de 10 ó 12 días de haber injertado piel en animales alógenos, aparecen signos de inflamación. Alrededor del injerto se acumulan células mononucleares, principalmente linfocitos y macrófagos, infiltrando la región y provocando esfacelo del injerto. Un segundo injerto de la misma especificidad, en el mismo lugar, es rechazado más rápidamente (unos seis días), indicando que se ha producido una respuesta anamnéstica. Esta reacción se denomina "fenómeno de segunda etapa" o "reacción de segunda etapa". La capacidad de rechazar es general, pues repetir el injerto en un lugar lejano del primero no aumenta la supervivencia.

El mecanismo de rechazo del injerto es de tipo celular. Los ganglios linfáticos regionales que drenan la zona del injerto son el origen principal de las células sensibilizadas. La implantación de cámaras de difusión de poros de diferentes calibres, que contienen tejidos blanco homólogos, en la cavidad peritoneal de huéspedes sensibilizados específicamente ha demostrado el papel de células en el rechazo de homoinjertos. Solo cuando el calibre de los poros en las cámaras permitía el paso de células del huésped hacia la cámara se destruían los tejidos

blanco.[2] La infusión de grandes cantidades de suero de animales que rechazan un injerto no estimula el rechazo de un injerto de la misma especificidad en animales normales. En ocasiones, los injertos, en lugar de ser rechazados más rápidamente, sobreviven por mayor tiempo, fenómeno considerado como estimulación inmunológica.[57] El rechazo acelerado del injerto por un huésped normal no sensibilizado se logra por inmunidad adoptiva; o sea por transferencia de células singénicas de un donador previamente sensibilizado.

El rechazo o la aceptación dependerán de la similitud de los antígenos de histocompatibilidad (H) a nivel de las membranas celulares,[56] cuya producción se halla bajo control genético de los genes H. Los genes H existen en el cromosoma en lugares denominados loci H. No todos los antígenos H tienen igual potencia para desencadenar una respuesta celular. Los controlados por loci H mayores provocan el rechazo de injerto a los 10 ó 12 días; los controlados por loci H menores, solo originan una débil respuesta, y el injerto persiste por mayor tiempo, hasta 100 días antes de terminar por ser rechazado.

La terminología para los loci mayores y menores se basa en la rapidez con la cual los antígenos que están bajo su control provocan el rechazo del injerto. El locus mayor H en el ratón es el locus H_2, en los pollos locus B, y en las ratas el locus Ag-B. Los híbridos F_1 de cruces entre padres de cepas isógenas diferentes, aceptarán los injertos de cualquiera de los progenitores, indicando que los genes H son heredados como codominantes, y que ambos se expresan en el heterocigoto.

Mediante programas especiales de endogamia, se producen cepas de ratones que difieren en su genotipo por un solo gen H. Tales cepas se llaman coisogénicas o congénitas. Los ratones de cepas congénicas que difieren entre sí no aceptarán injertos unas de otras.

Reacción de injerto-contra-huésped.[1, 88, 112, 113] En el rechazo de los homoinjertos, el mecanismo inmune del huésped responde a los antígenos H ajenos en el injerto, y lo destruye. También es posible el proceso inverso; el injerto responde a los antígenos extraños del huésped, y destruye al hués-

---

Nomenclatura en la inmunidad de trasplantes

Fondo genético	*Adjetivo descriptivo*	*Denominación de injerto*
El mismo individuo	Autóctono (autólogo)	Autoinjerto
Individuos genéticamente idénticos, pero diferentes, o sea, hermanos gemelos idénticos o una cepa de animales endogámicos	Singénicos, isógenos (isólogos)	Isoinjerto
Individuos genéticamente diferentes de la misma especie	Alógeno (homólogo)	Aloinjerto (homoinjerto)
Individuos de especies diferentes	Xenógeno (heterólogo)	Xenoinjerto (heteroinjerto)
Cepas endogámicas que difieren en uno o solamente unos pocos loci	Coisógenos (congénicos)	

ed. Las reacciones de injerto-contra-huésped (GVH, graft-versus-host), se observan si el injerto contiene células linfoides inmunológicamente competentes, el injerto y el huésped son histoincompatibles, y cuando el huésped temporal o permanentemente es incapaz de desencadenar una respuesta inmune contra los antígenos del injerto. Las reacciones GVH se producirán en animales inmunológicamente inmaduros, o bien si la capacidad inmune del huésped ha sido suprimida con rayos X, suero antilinfocítico, u otros métodos de inmunosupresión.

En animales no maduros que reciben un homoinjerto, no se logra el desarrollo normal y se presenta una enfermedad consuntiva mortal, denominada desmedro (en inglés runt), homóloga o de trasplante. Las lesiones típicas del GVH, consistentes en nódulos necróticos primariamente de células del huésped, se presentan prácticamente en todos los órganos, y son particularmente numerosas en el bazo aumentado de volumen. Puede producirse también un grave exantema cutáneo. Las reacciones GVH tienen importancia clínica en individuos con el sistema inmunológico deprimido que recibe trasplantes de médula ósea o un número muy elevado de células linfoides, por ejemplo, pacientes leucémicos que reciben radioterapia o en lactantes y niños con estado de deficiencia de origen celular.[88] Las reacciones GVH están todas mediadas por células; el anticuerpo desempeña poco o ningún papel en la patogenia. Estudios con diferentes poblaciones celulares indican la cooperación de dos tipos de células, ambas dependientes del timo, para desencadenar reacciones intensas GVH. Las mezclas de células tímicas con células de ganglios linfáticos, bazos o sangre periférica, actúan sinérgicamente provocando reacciones mayores que las resultantes de cada población celular aisladamente.[5] Se empleó un método de mortalidad o de peso cuantitativo del bazo, como medida de la reacción. Ratones adultos de dos cepas diferentes servían como donadores, y los descendientes neonatales F_1 del cruce de las dos cepas, como receptores.

Dermatitis de contacto. La dermatitis de contacto alérgico se clasifica como reacción de hipersensibilidad tardía, aunque también puede acompañarse de hipersensibilidad inmediata. Se provoca principalmente por un proceso de absorción percutánea de productos químicos de bajo peso molecular, que entran en contacto con la piel. Los compuestos químicos que se descubren sistemáticamente en algunos trabajos, como los cromatos usados en la industria del cuero, el formol, y el ácido pícrico, usados como fijadores, y las resinas sintéticas y trementinas, son alergenos frecuentes. Los productos de belleza, la parafenilendiamina (colorante del pelo), el níquel de los relojes y pulseras, y una substancia fenólica de las plantas primavera y zumaque, son también agentes comunes.

La lesión tisular se presenta en la dermis y en la epidermis.[26] En la dermis, vasos pequeños y linfáticos se dilatan; linfocitos pequeños y grandes, a veces leucocitos polimorfonucleares y eosinófilos, exudan y emigran hacia el tejido, invadiendo la epidermis. Se produce edema focal y rotura de las células epiteliales hinchadas, con formación de vesículas. Las células inflamatorias inmigradas se hallan en las vesículas, que al romperse exudan suero. Los síntomas son enrojecimiento, hinchazón, pápulas, vesículas o pústulas, escamas, exudado serocelular y costras.

Se utiliza la prueba del parche para identificar el alergeno. Los materiales de prueba colocados sobre porciones de tela se aplican directamente a la piel. Los parches se quitan y se efectúa la lectura al cabo de 48 y 96 horas de la aplicación. Los individuos sensibles a un producto químico pueden mostrar a veces sensibilidad a un alergeno similar. Se ha señalado la sensibilización cruzada de pacientes entre junquillo y narciso, y entre zumaque, ambrosía y el árbol de la laca japonés. Según ya vimos, solo los productos químicos que pueden establecer complejo con proteínas de la piel son alergénicos, y han de tener la capacidad de difundir a través de la piel intacta. La sensibilización no se limita a la zona de piel expuesta; más bien está sensibilizado todo el individuo. Las diferentes personas tienen tendencia variable y diversa para desarrollar hipersensibilidad de contacto. La mayor parte de individuos pueden sensibilizarse a ciertas substancias, como la planta primavera japonesa *(Primula obconica)* si se exponen a concentraciones elevadas de extracto de la planta un número de veces suficiente. En algunos individuos, basta con una sola aplicación; otros necesitan varias. Al parecer, el fondo genético del individuo es el que establece estas diferencias.

AUTOINMUNIDAD

En circunstancias normales, un individuo tolera sus propios antígenos tisulares. La incapacidad de un individuo para reaccionar contra él mismo, y la necesidad de que no se produzca tal respuesta, fue reconocida ya en los primeros días de la inmunología por Ehrlich, quien describía este dogma con el término "horror autotoxicus". En circunstancias que todavía no conocemos bien, la tolerancia para uno mismo puede desaparecer, y se forman anticuerpos o células sensibilizadas, que luchan contra los propios tejidos del huésped.

En la lista de enfermedades humanas que se consideran de etiología autoinmune, están primeramente trastornos del tejido conectivo, artritis reumatoide, lupus eritematoso generalizado y enfermedad de Sjögren. En la artritis reumatoide la sinovial se inflama. Histológicamente, a nivel de la inflamación hay acumulación focal de linfocitos, infiltraciones difusas de células plasmáticas y, a veces, folículos linfoides completos con centros germinativos.[37] El cuadro es muy similar al observado en el bazo o en un ganglio linfático después de estimulación antigénica, y demuestra que se trata de un fenómeno autoinmune.

Las células plasmáticas están produciendo inmunoglobulinas, según se demuestra por la técnica de anticuerpo fluorescente, y seguirán haciéndolo por un tiempo después de la explantación in vitro. En los sueros de pacientes con artritis reumatoide se descubren nuevas globulinas séricas, los factores reumatoides.[92, 109] Se trata de anticuerpos con especificidad para inmunoglobulina, y aunque algunos reaccionan con inmunoglobulinas nativas, los factores más comunes reaccionan de preferencia con con inmunoglobulina desnaturalizada de la clase IgG. Este factor reumatoide es un anticuerpo IgM que fija el complemento humano, pero no el del cobayo, en presencia de su antígeno, la globulina gamma.[115] Los valores de complemento son más bajos en las articulaciones reumatoides, en comparación con derrames de otras articulaciones. Los valores de estas últimas se acercan a los que hay en el suero. Los datos existentes indican que la presencia de complejos inmunes, constituidos por factor reumatoide IgM, IgG desnaturalizada, y complemento, pueden tener importancia en la patogenia de la enfermedad.[102] La fijación del complemento en la articulación quizá liberaría factores leucotácticos y otros que causan inflamación, ya señalados.

Experimentalmente se ha producido una enfermedad similar en el conejo, inyectando fibrina o antígenos de proteína sérica en la articulación, junto con coadyuvante completo de Freund. Al volver a estimular con el solo antígeno, se produce una artritis aguda, que se atribuye a una reacción de Arthus. La enfermedad más tarde se transforma en un proceso crónico. Se supone que la índole crónica de la enfermedad puede depender de valores no descubiertos del antígeno original, o que un antígeno nuevo derivado del tejido lesionado del huésped, está proporcionando una estimulación sostenida. Aplicando estas ideas a la artritis reumatoide humana, un agente infeccioso prepararía la articulación para la fase aguda de la enfermedad, y el estado crónico se produciría cuando se desarrolla la autoinmunidad.

La patogenia del lupus eritematoso generalizado (SLE), como la de la artritis reumatoide, guarda estrecha relación con la formación de complejos inmunes.[94, 102] Se trata de una enfermedad que afecta varios tejidos y origina una amplia gama de síntomas: exantemas, poliartritis, nefrosis, anemia hemolítica, derrame pleural, y anomalías del sistema nervioso central. Puede manifestarse como una enfermedad general de evolución rápida, o como un proceso indolente y recidivante. Los pacientes con SLE forman gran cantidad de anticuerpo antinuclear.[73] El anticuerpo no muestra especificidad por ningún ácido nucleico determinado, sino que reacciona con ácido nucleico de diversas especies. Se observan tipos diferentes de tinción nuclear de células tisulares con la prueba de anticuerpo fluorescente indirecta, empleando suero de pacientes de SLE como reagente intermedio.[107] La tinción de los bordes de los núcleos se observa en presencia de anticuerpo anti DNA; la intensa coloración de los núcleos, con anticuerpo para nucleoproteína; y la tinción nuclear en manchas dispersas, cuando hay anticuerpo, para un antígeno que puede extraerse mediante solución salina de fosfatos.

El origen de la estimulación antigénica para estos anticuerpos es desconocido, pero dos fuentes supuestas serían autoantígenos resultantes de destrucción de tejidos, o antígenos virales de origen infeccioso. Los pacientes que desarrollan nefritis glomerular aguda tienen complejos de antígeno-anticuerpo, de DNA-anti-DNA, depositados en los glomérulos renales. El depósito de inmunoglobulina y complemento tiene lugar también en paredes vasculares de órganos afectados. Además, se han formado autoanticuerpos citotóxicos que reaccionan con antígenos de superficie existentes en eritrocitos, plaquetas y leucocitos.

Entre otras enfermedades que se consideran con base autoinmune están la gastritis atrófica de la anemia perniciosa addisoniana, la gastritis atrófica simple,[97] la colitis ulcerosa, una enfermedad crónica que afecta al intestino grueso,[86] y la tiroiditis crónica (enfermedad de Hashimoto).[98]

Los antígenos tiroideos están formados por un grupo de antígenos solubles y fijados a la membrana, el mayor de los cuales es la tiroglobulina 19 S. Este autoantígeno potente, puede activarse experimental o espontáneamente. La activación suele originar la producción de autoanticuerpo y de tiroiditis, en el hombre y en animales inferiores. En forma esperimental, el antígeno debe modificarse ligeramente de alguna manera, por empleo de coadyuvantes o químicamente, para suprimir la tolerancia en el animal inoculado. Probablemente unos pocos determinantes antigénicos necesitan alterarse para que el antígeno resulte autoinmunógeno. Se supone que en la patogenia de la tiroiditis intervienen mecanismos humorales y mecanismos inmunes celulares, dominando unos u otros. Esto depende de varios factores, como especie del animal, naturaleza y estado del antígeno, factores genéticos especiales, y otros.[98]

Inmunidad tumoral

En la filogenia mecanismos celulares de inmunidad aparecen antes que la capacidad de producir inmunoglobulinas, que intervienen en la hipersensibilidad inmediata. Se ha supuesto que durante la evolución no se desarrollan mecanismos celulares para proteger de infecciones microbianas, sino permitiendo a los animales multicelulares reconocer el crecimiento de células mutantes como extrañas, y rechazarlas como si fueran un homoinjerto.[104] Burnet ha propuesto el término "vigilancia inmunológica" para describir esta protección del huésped contra células mutantes malignas.[16, 17]

Los casos de regresión espontánea de tumores humanos, y la observación de cuando en cuando de tumores de crecimiento lento, sugieren que una respuesta inmunológica activa puede estar frenando el crecimiento del tumor.[21, 80, 89] Otros datos indicadores de la importancia de una respuesta inmune íntegra, provienen de pacientes con enfermedades por deficiencia inmunológica. Hay un aumento de frecuencia de leucemias y linfomas en pacientes con agammaglobulinemia de tipo Bruton recesiva ligada al sexo, ataxia-telangectasia, síndrome de Wiskott-Aldrich, e hipogammaglobulinemia adquirida de aparición tardía. El empleo de terapéutica inmunosupresora para evitar el rechazo de trasplantes puede acompañarse de un aumento de frecuencia de neoplasias.[48] En unos pocos casos de trasplantes renales, se introdujeron inadvertidamente células tumorales junto con el injerto del riñón. Las células de tumor trasplantadas crecieron en estos pacientes, pero, una vez descubiertas y extirpadas quirúrgicamente, al interrumpir la terapéutica inmunosupresora, los tumores no volvieron a presentarse.[89] También se ha señalado un aumento de frecuencia de tumores primarios de origen linforreticular en pacientes que toman drogas inmunosupresoras, en particular suero antilinfocítico.

Para que el mecanismo inmune del huésped sea puesto en guardia contra el crecimiento de un clono de células neoplásicas, el tumor ha de poseer antígenos específicos. Durante años se discutió sobre el poder antigénico de células tumorales humanas en el huésped autóctono. Empleando cepas endogámicas de animales, se comprobó netamente que las células tumorales singénicas poseen antígenos nuevos y específicos. Más recientemente se han demostrado antígenos específicos en algunos tumores humanos, como el linfoma de Burkitt, el carcinoma de colon, el melanoma, el neuroblastoma, y el sarcoma.[21, 80]

Trasplantes tumorales alógenicos. Los primeros estudios demostraron que las células tumorales nacidas espontáneamente o provocadas químicamente en el ratón, eran rechazadas en plazo de 10 a 20 días cuando se trasplantaban a receptores alógenos, principalmente porque eran reconocidos antígenos de histocompatibilidad.[61, 99] El mismo mecanismo inmunológico que explica el rechazo de trasplantes de tejidos normales, parecía ser la causa del fenómeno. Mediante la técnica de anticuerpo fluorescente, se localizaron los antígenos responsables de trasplante, encima o a nivel de la membrana de las células tumorales. Adémas de la inmunidad celular, intervenía activamente un auticuerpo citotóxico, junto con complemento, sobre todo cuando los antígenos de trasplante eran potentes. También era posible el proceso inverso. Antisuero producido en los conejos contra tejido tumoral liofilizado, si se inyectaba a ratones alógenos al mismo tiempo que el tejido tumoral viable, permitía que las células tumorales inoculadas crecieran sin dificultad. El fenómeno recibió el nombre de estimulación inmunológica.[57, 58]

Se han propuesto varias explicaciones del fenómeno. El anticuerpo se combina con antígeno específico del tumor, e impide su reconocimiento por las células del ganglio linfático, o del bazo (bloqueo aferente); el anticuerpo reacciona directamente al reconocer las células, con lo cual evita la inducción primaria; el anticuerpo establece complejo con antígenos de trasplante específicos del tumor que existen en la membrana de la célula tumoral, impidiendo el acceso a linfocitos citotóxicos sensibilizados. O bien el anticuerpo, combinándose con antígenos tumorales unidos a la membrana, ejerce un efecto mitógeno o estimulante del crecimiento sobre las células tumorales.

Antígenos específicos de tumor. Para probar la existencia de antígenos de trasplante específicos de tumor, no tiene que haber diferencias de histocompatibilidad entre las células del donador del tumor, y las del receptor.[56, 60, 61, 99] Esta condición se logró con animales singénicos y en animales autóctonos; estos últimos constituyendo un sistema mejor por cuanto quedan eliminados en ellos la heterocigosidad residual de las cepas endogámicas. Los tumores provocados por metilcolantreno, extraídos de los animales e inyectados nuevamente a los donadores autóctonos, o bien a los animales singénicos previamente sensibilizados, fueron rechazados. La reacción era inmunológicamente específica, pues otros tumores singénicos provocados por metilcolantreno crecían sin control en estos animales. Por lo tanto, tumores singénicos morfológicamente similares, y provocados por el mismo producto químico, poseen cada uno sus antígenos de trasplante distintivos.

No conocemos el motivo de la peculiaridad antigénica; probablemente dependa de los cambios antigénicos originales en la célula progenitora del clono neoplásico.

Los tumores provocados por virus oncógenos de DNA, por otra parte, tienen antígenos de trasplante distintivos que existen en todos los tumores provocados por dicho virus particular, sea cual sea su tipo morfológico. El virus de polioma debe su nombre a los tipos morfológicos diversos que desencadena en los animales, pero todos estos tumores se caracterizan por el mismo antígeno tumoral de trasplante específico de virus. En forma similar, los tumores provocados por virus SV40 (virus de simio 40) y adenovirus, cada uno tiene sus propios antígenos de trasplante específico de virus, aunque ambos provocan sarcoma en el animal. La inmunidad antiviral específica protege a los animales contra el crecimiento de trasplantes singénicos de tumores provocados por este virus particular.

Después de transformarse las células, in vitro o in vivo, por acción de virus de DNA, las células ya no contienen virus infeccioso, pero tienen, además de los antígenos de trasplante unidos a la membrana, antígenos fijadores del complemento específico de virus en su citoplasma, así como neoantígenos nucleares o citoplásmicos o antígenos tu-

morales (T) que pueden demostrarse por la técnica de anticuerpo fluorescente empleando sueros de animales con tumores. Los antígenos específicos de trasplante, así como algunos antígenos fijadores de complemento, y los neoantígenos, no constituyen una parte estructural del virus infeccioso sino que parecen deber su presencia a la persistencia del genoma viral en las células "sin virus". La demostración de la persistencia del genoma viral en un estado no infeccioso proviene de estudios de recuperación de virus, en los cuales, empleando técnicas especiales de inducción viral, puede obtenerse virus infeccioso de cierta proporción de las células tumorales.

Los antígenos fijadores de complemento, y los antígenos T, también se descubren en cultivos celulares durante las primeras etapas de la infección lítica por estos virus. La denominación de antígeno "tumoral" o "T" para estos antígenos particulares, por lo tanto, no es buena. Sin embargo, su presencia en las células después de la inducción de un tumor, y después que el virus infeccioso ha desaparecido, permite emplear una prueba serológica diag-

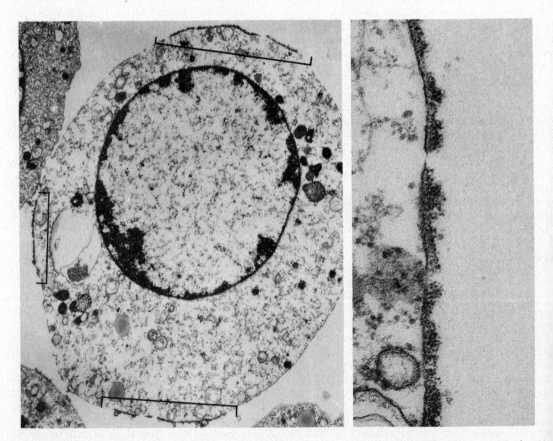

FIG. 14-2. Célula linfoide transformada, infectada crónicamente con virus de leucemia felina (FLV). *Izquierda,* Célula que se hizo reaccionar con anti FLV marcada con ferritina. La localización de la ferritina indica las zonas (marcadas con las líneas) de la membrana plásmatica que habían sido alteradas antigénicamente. × 9 000. *Derecha,* Aumento mayor de una de las zonas marcadas con ferritina. × 76 000. (Cortesía de L. S. Oshiro.)

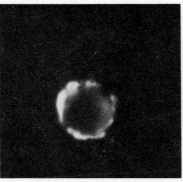
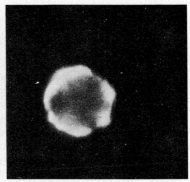

FIG. 14-3. Células linfoides transformadas, infectadas crónicamente con virus de leucemia felina y teñidas por el método de anticuerpo fluorescente indirecto en busca de fluorescencia de membrana. La intensidad de la tinción indica la densidad de los antígenos de membrana inducidos específicamente por el virus. X 1 850. (Cortesía de J. L. Riggs.)

nóstica para el virus causal, y puede usarse en la búsqueda de estos virus particulares como agentes causales de neoplasias humanas.

Los antígenos de trasplante específico de tumor pueden demostrarse en membranas de las células tumorales provocadas por ciertos virus oncógenos RNA (virus del sarcoma de Rous, cepa Schmidt-Ruppin, y virus del sarcoma de Moloney), en los cuales las células tumorales no son productoras; esto es, no liberan virus infecciosos. En otros casos de virus oncógenos RNA, sobre todo en virus de leucemia de tipo C, que proliferan proviniendo de la membrana plasmática el virus es liberado continuamente. En presencia de virus que proliferan a nivel de la membrana celular, resulta difícil obtener la prueba definitiva de antígenos de trasplante específicos de tumor, aparte de los antígenos estructurales del virus.

Antígenos tumorales humanos. Se han descubierto cierto número de antígenos asociados con tumores humanos.[21, 80, 89] Entre ellos está el complejo de antígenos que existe en células del linfoma de Burkitt. También se descubren acompañando al carcinoma nasofaríngeo y la mononucleosis infecciosa, donde parecen producidos por el virus de Epstein-Barr (capítulo 36).

El antígeno carcinoembrionario existe en adenocarcinomas del tubo digestivo, páncreas e hígado del hombre, sobre todo en el carcinoma del colon. Puede producirse un anticuerpo específico en el conejo, provocando tolerancia, en conejos recién nacidos, para tejido cólico humano normal, e inmunizándolos más tarde con tejido de colon tumoral. El donador de ambos, tejido normal y tejido tumoral, es la misma persona. El anticuerpo reacciona con el antígeno de tumor cólico y con antígenos fetales humanos descubiertos en intestino, hígado y páncreas entre el segundo y el sexto mes de embarazo, pero no reacciona con extractos de tejido cólico de adulto normal.[38] El antígeno es una glucoproteína, y por el método de la fluorescencia de membrana

se comprueba que está en la superficie de la célula tumoral.

La reaparición del antígeno fetal, al iniciarse el cáncer, parece estimular la síntesis de anticuerpo para él. El anticuerpo para el antígeno carcinoembrionario, se ha observado en el suero de mujeres embarazadas y en pacientes con cáncer no metastático del tubo digestivo, pero desaparece después de diseminarse las metástasis.

El curso clínico en algunos pacientes con melanoma maligno localizado sugiere que puede intervenir una respuesta inmune. Algunos pacientes tienen supervivencia prolongada, y en algunos casos se logra la regresión espontánea, incluso después de diseminación del tumor.[80] Recientemente se han descubierto diversos antígenos asociados con la célula maligna en pruebas de sueros humanos, empleando células malignas cultivadas.[60] La fluorescencia de membrana y la fluorescencia intracelular por la técnica del anticuerpo fluorescente indirecta, así como estudios de citotoxicidad, indicaban la presencia de anticuerpos reactivos con antígenos de células de melanoma existentes en el suero de pacientes con esta enfermedad. El 20 por 100, aproximadamente, de los sueros normales o sueros de pacientes con otras neoplasias malignas, también reaccionaban. Los sueros positivos no reaccionaban con piel normal de individuos caucásicos o negroides, indicando que el antígeno descubierto no guardaba relación directa con la pigmentación. En un estudio se indagó la presencia o ausencia de anticuerpo relacionándola con el curso de la enfermedad. La presencia de anticuerpo sérico se observó en la mayor parte de pacientes con melanoma localizado; la disminución del anticuerpo sérico era paralela a la diseminación de la enfermedad.

Respuesta del huésped a los antígenos tumorales. El problema importante para la inmunidad del cáncer es saber hasta qué punto el huésped puede responder a los antígenos de su tumor en crecimiento. Según ya hemos dicho, pueden descubrirse anticuerpos humorales para antígenos de células malignas en el hombre y en animales inferiores que llevan tumores, algunos de los cuales son citotóxicos para células blanco in vitro. Para que el anticuerpo sea citotóxico, es necesario el contacto íntimo entre la célula blanco, el complemento y el anticuerpo; en el caso de tumores sólidos, la masa tumoral presenta un obstáculo a la penetración. La eficacia del anticuerpo citotóxico in vivo contra células de aloinjertos, en el ratón, depende de la fuerza antigénica de las diferencias de histocompatibilidad entre dador y receptor. Cuando los antígenos de trasplante son muy diferentes, el anticuerpo inmune es fuertemente citotóxico in vitro e in vivo. Cuando las diferencias son pequeñas, el anticuerpo conserva la citotoxicidad in vitro pero tiene poco efecto in vivo.

Se observan acontecimientos similares en relación con el anticuerpo citotóxico en el linfoma del ratón provocado por virus de leucemia Moloney. Cuando la densidad antigénica es alta en la superficie de las células del linfoma, el anticuerpo citotóxico es activo in vivo; cuando la densidad antigénica es baja, lo cual ocurre naturalmente en algunos tumores o después de selección por pasos repetidos a través de huésped inmune, el anticuerpo citotóxico tiene poco efecto in vivo, aunque sigue siendo activo in vitro.[99] La estimulación del crecimiento tumoral por el anticuerpo sérico, según ya describimos, también es un fenómeno de gran importancia, que hay que tener en cuenta al estimar la protección brindada de una respuesta de anticuerpo humoral.

En tumores provocados por virus en animales inferiores, se logra protección contra la inducción del tumor inmunizando previamente al animal con el virus, o por administración pasiva de anticuerpo neutralizante, antes de inocular el virus oncógeno o al mismo tiempo.

Por lo que se refiere a la inmunidad celular, el rechazo de células tumorales se considera otro caso de reacción de homoinjerto, que aquí depende de estimulación por antígenos de trasplantes específicos del tumor. Estudios experimentales confirman esta idea. Las células tumorales no crecen en ratones singénicos irradiados si se inoculan simultáneamente con células de ganglio linfático procedente de ratones que previamente habían rechazado el tumor. El efecto citotóxico de los linfocitos inmunes sobre las células tumorales puede demostrarse también in vitro cuando los linfocitos se fijan específicamente en las células blanco para provocar su destrucción. El problema de lograr contacto entre el linfocito y célula blanco en una masa tumoral sólida in vivo no parece ser muy grande, pues está comprobada en la infiltración de linfocitos en diversos tumores humanos, y guarda buena correlación con la duración de la supervivencia de los pacientes. Probablemente moléculas efectoras liberadas por los linfocitos inmunes proporcionan un factor de amplificación adicional.

Se han demostrado netamente los papeles conflictivos de anticuerpo humoral y linfocitos inmunes en las neoplasias malignas, en una serie reciente de experimentos.[41-43] Ratones de menos de siete días de vida, inyectados con virus de sarcoma Moloney, desarrollaron tumores que crecían rápidamente y acababan matando al huésped. La inoculación a los 21 días lograba la formación de tumores, algunos de los cuales evolucionaban y otros involucionaban. La inoculación a los 30 días provocaba tumores que acababan siempre involucionando. Así se distinguían dos grupos de animales, denominados progresores y regresores. Las células de ganglios linfáticos de los dos grupos se estudiaron entonces determinando la actividad citotóxica según la prueba de inhibición de colonias.

En la prueba de inhibición de colonias, las células tumorales se explantan in vitro, y 24 horas más tarde se añaden a los cultivos células de ganglio linfático. Si se añaden linfocitos no sensibilizados, las células tumorales crecen y forman un número determinado de colonias en plazo de tres o cuatro días. Si se añaden linfocitos sensibilizados, la formación de colonias es inhibida en un grado que mide la actividad del linfocito.

Células de ganglio linfático de ratones progresores y de ratones regresores, inoculados junto con el virus a la edad de 21 días o mayor, inhibían la formación de colonias, mientras que las procedentes de ratones inoculados a los siete días, o antes, eran inactivos. Los sueros del grupo progresor de ratones bloqueaban la actividad citotóxica de los linfocitos activos y el efecto podía suprimirse incubando los sueros con globulina gamma antirratón. Los anticuerpos bloqueantes no existían en los sueros del grupo regresor. Estos resultados del estudio in vitro son similares al fenómeno previamente descrito de la estimulación inmunológica in vivo, y muestran que anticuerpos séricos pueden bloquear bien la actividad de linfocitos inmunes, permitiendo que el tumor crezca sin limitación.

Los sueros regresores tenían dos efectos biológicos en la prueba de inhibición de colonias. En presencia de complemento inhibían el crecimiento de células tumorales; contenían anticuerpos citotóxicos, que si se añadían a sueros progresores contrarrestaban el efecto bloqueador de los sueros progresores sobre los linfocitos inmunes.[41] El mecanismo de producción de este último fenómeno no está claro.

Estos estudios se extendieron a tumores humanos, con resultados similares.[43] En su sangre periférica los pacientes con tumores tenían linfocitos citotóxicos para las células de su propio tumor en explante, y para las células de otros pacientes con tumores malignos similares. Había reacciones cruzadas dentro de grupos similares de neoplasias malignas, pero no entre grupos morfológicamente diferentes. Por ejemplo, se comprobaron reacciones cruzadas dentro del grupo melanoma, dentro de grupo del carcinoma cólico y dentro del grupo de cáncer de mama, pero no entre cualquiera de estos grupos. En la mayor parte de los casos, los sueros de pacientes con tumores que crecían progresivamente impedían el efecto citotóxico de los linfocitos inmunes para células blanco específicas, y, en algunos pocos casos, podía eluirse actividad bloqueadora de tejido tumoral humano.

BIBLIOGRAFIA

1. Abramoff, P., and M. LaVia. 1970. Biology of the Immune Response. McGraw-Hill, New York.
2. Algire, G. H., J. M. Weaver, and R. T. Prehn, 1957. Studies on tissue homotransplantation in mice using diffusion chamber methods. Ann. N.Y. Acad. Sci. **64**:1009–1013.
3. Arbesman, C. E. 1971. Advances in the diagnosis of drug reactions. *In* U. Serafini *et al.* (Eds.): New Concepts in Allergy and Clinical Immunology. Excerpta Medica, London.
4. Arthus, M. 1903. Injections répétées de serum de cheval chez le lapin. C. R. Soc. Biol. **55**:817–820.
5. Asofsky, R., H. Cantor, and R. E. Tigelaar. 1971. Cell interactions in the graft-versus-host response. pp. 369–381. *In* B. Amos (Ed.): Progress in Immunology. Academic Press, New York.
6. Becker, E. L. 1971. Nature and classification of immediate-type allergic reactions. Adv. Immunol. **13**:267–313.
7. Benacerraf, B., *et al.* 1957. Physiology of phagocytosis of particles by the reticuloendothelial system. pp. 52–77. *In* B. N. Halpern, B. Benacerraf, and J. F. Delaresnaye (Eds.): Physiopathology of the Reticuloendothelial System. Blackwell, Oxford.
8. Beveridge, W. I. 1963. Acquired immunity: viral infections. Mod. Trends Immunol. **1**:130–144.
9. Binaghi, R. A. 1971. Biological activities of IgG in mammals. pp. 849–858. *In* B. Amos (Ed.): Progress in Immunology. Academic Press, New York.
10. Blanden, R. V. 1971. Mechanisms of recovery from a generalized viral infection: mousepox. J. Exp. Med. **133**:1074–1089.
11. Bloch, K. J. 1969. The antibody in anaphylaxis. *In* H. Z. Movat (Ed.): Cellular and Humoral Mechanisms in Anaphylaxis and Allergy. Karger, New York.
12. Bloom, B. R. 1971. In vitro approaches to the mechanism of cell-mediated immune reactions. Adv. Immunol. **13**:101–208.
13. Bloom, B. R., and B. Bennett. 1970. Relation of the migration inhibitory factor (MIF) to delayed-type hypersensitivity reactions. Ann. N.Y. Acad. Sci. **169**:258–265.
14. Bloom, B. R., and P. R. Glade. 1971. In Vitro Methods in Cell-Mediated Immunity. Academic Press, New York.
15. Boyden, S. V. 1963. Cytophilic antibody. *In* B. Amos and H. Koprowski (Eds.): Cell-Bound Antibodies. Wistar Institute Press, Philadelphia.
16. Burnet, F. M. 1967. Immunological aspects of malignant disease. Lancet **i**:1171–1174.
17. Burnet, F. M. 1970. Immunological Surveillance. Pergamon Press, New York.
18. Chanock, R. M., *et al.* 1968. Possible role of immunological factors in pathogenesis of RS virus lower respiratory tract disease. Virus induced immunopathology. Persp. Virol. **6**:125–139.
19. Chase, M. W. 1945. The cellular transfer of cutaneous hypersensitivity to tuberculin. Proc. Soc. Exp. Biol. Med. **59**:134–135.
20. Chase, M. W. 1965. Delayed sensitivity. Med. Clin. N. Amer. **49**:1613–1646.
21. Cinader, B. 1972. The future of tumor immunology. Med. Clin. N. Amer. **56**:801–836.
22. Coca, A. F., and R. A. Cooke. 1923. Classification of phenomena of hypersensitiveness. J. Immunol. **8**:163–182.
23. Cochrane, C. G. 1967. Mediators of the Arthus and related reactions. Progr. Allerg. **11**:1–35.
24. Cochrane, C. G. 1968. Immunological tissue injury mediated by neutrophilic leukocytes. Adv. Immunol. **9**:97–162.
25. Collins, F. M. 1971. Mechanisms in anti-microbial immunity. J. Reticuloendothel. Soc. **10**:58–99.
26. Coombs, R. R. A., and P. G. H. Gell. 1968. Classification of allergic reactions responsible for clinical hypersensitivity and disease. pp. 575–596. *In* P. G. H. Gell and R. R. A. Coombs (Eds.): Clinical Aspects of Immunology. F. A. Davis Co., Philadelphia.
27. Curickshank, R. 1963. Acquired immunity: bacterial infections. Mod. Trends Immunol. **1**:107–129.
28. David, J. R. 1968. Macrophage migration. *In vitro* correlates of delayed hypersensitivity. Fed. Proc. **27**:6–12.
29. David, J. R., *et al.* 1964. Delayed hypersensitivity *in vitro*. The specificity of inhibition of cells migration by antigens. J. Immunol. **93**:264–273.
30. DeWeck, A. L. 1971. Immunochemical mechanisms of hypersensitivity to antibiotics. Solutions to the penicillin allergy problem. *In* U. Serafini *et al.* (Eds.): New Concepts in Allergy and Clinical Immunology. Excerpta Medica, London.
31. Dienes, L. 1930. Proc. Soc. Exp. Biol. Med. **28**:75–76.
32. Dixon, F. J. 1965. Experimental serum sickness. *In* M. Samter (Ed.): Immunologic Diseases. Little, Brown & Co., Boston.
33. Fireman, P., *et al.* 1968. *In vitro* passive transfer of tuberculin reactivity. Fed. Proc. **27**:29–30.
34. Florey, H. 1970. General Pathology. 4th ed. W. B. Saunders Co., Philadelphia.
35. Frei, P. C., *et al.* 1965. Phagocytosis of the antigen, a crucial step in the induction of the primary response. Proc. Nat. Acad. Sci. Wash. **53**:20–23.
36. Gard, S. 1968. Virus vaccines—perspectives for the future. Nat./Cancer Inst. Monogr. **29**:575–582.
37. Glynn, L. E. 1971. Autoimmunity and connective tissue disease. *In* U. Serafini *et al.* (Eds.): New Concepts in Allergy and Clinical Immunology. Excerpa Medica, London.
38. Gold, P., and S. O. Freedman. 1965. Demonstration of tumor-specific antigens in human colonic carcinomata by immunologic tolerance and absorption techniques. J. Exp. Med. **121**:439–462.
39. Goodman, G. T., and H. Koprowski. 1962. Study of the mechanism of innate resistance to virus infection. J. Cell. Comp. Physiol. **59**:333–373.
40. Granger, G. A., and R. S. Weiser. 1964. Homograft target cells specific destruction *in vitro* by contact interaction with immune macrophages. Science **145**:1427–1429.
41. Hellström, I., and K. E. Hellström. 1970. Colony inhibition studies on blocking and non-blocking serum effects on cellular immunity to Moloney sarcomas. Int. J. Cancer **5**:195–201.
42. Hellström, K. E., and I. Hellström. 1970. Immunological enhancement as studied by cell culture techniques. Ann. Rev. Microbiol. **24**:373–398.
43. Hellström, K. E., *et al.* 1971. Cell-mediated immunity to human tumor antigens. pp. 940–949. *In* B. Amos (Ed.): Progress in Immunology. Academic Press, New York.
44. Holtzer, J. D., and K. C. Winkler. 1967. Experimental delayed type allergy without demonstrable antibodies. Absence of cytophilic antibodies. Immunology **12**:701–712.
45. Howard, J. G. 1963. Natural Immunity. Mod. Trends Immunol. **1**:86–106.
46. Huebner, R. J., and G. J. Todaro. 1969. Oncogenes of RNA tumor viruses as determinants of cancer. Proc. Nat. Acad. Sci. **64**:1087–1094.
47. Hulliger, L., A. A. Blazkovec, and E. Sorkin. 1968. A study of the passive cellular transfer of local cutaneous hypersensitivity. IV. Transfer of hypersensitivity to sheep erythrocytes with peritoneal exudate cells passively coated with antibody. Int. Arch. Allerg. **33**:281–291.

48. Hume, D. M. 1971. Organ transplants and immunity. *In* R. A. Good, and D. W. Fisher (Eds.): Immunobiology. Sinauer Associates, Stamford, Conn.

49. Idsøe, O., *et al.* 1968. Nature and extent of penicillin sidereactions with particular reference to fatalities from anaphylactic shock. Bull. Wld. Hlth. Org. **38**:159–188.

50. Isaacs, A., and J. Lindenmann. 1957. Virus interference. I. The interferon. Proc. Roy. Soc. Ser. B, **147**:258–267.

51. Ishizaka, K. 1969. Characterization of human reaginic antibodies and immunoglobulin E. *In* H. Z. Movat (Ed.): Cellular and Humoral Mechanisms in Anaphylaxis and Allergy. S. Karger, New York.

52. Ishizaka, K., and T. Ishizaka. 1971. Immunoglobulin E and homocytotropic properties. pp. 859–874. *In* B. Amos (Ed.): Progress in Immunology. Academic Press, New York.

53. Ito, K., K. Wicher, and C. E. Arbesman. 1969. Insoluble immunoabsorbents containing anti IgE: Removal of reaginic activity and subsequent elution. J. Immunol. **103**:622–624.

54. Johnson, R. T. 1964. The pathogenesis of herpes virus encephalitis. II. A cellular basis for the development of resistance with age. J. Exp. Med. **120**:359–373.

55. Jones, T. D., and J. R. Mote. 1934. Phases of foreign protein sensitization in human beings. New Eng. J. Med. **210**:120–123.

56. Kahan, B. D., and R. A. Reisfeld. 1969. Transplantation antigens. Science **164**:514–521.

57. Kaliss, N. 1958. Immunological enhancement of tumor homografts in mice: review. Cancer Res. **18**:992–1003.

58. Kaliss, N., and N. Molomut. 1952. Effect of prior injections of tissue antiserums on survival of cancer homografts in mice. Cancer Res. **12**:110–112.

59. Kantoch, M., A. Warwick, and F. B. Bang. 1963. The cellular nature of genetic susceptibility to a virus. J. Exp. Med. **117**:781–789.

60. Klein, G., and H. F. Oettgen. 1969. Immunologic factors involved in the growth of primary tumors in human or animal hosts. Cancer Res. **29**:1741–1746.

61. Law, L. W. 1969. Studies of the significance of tumor antigens in induction and repression of neoplastic diseases: Presidential address. Cancer Res. **29**:1–21.

62. Lawrence, H. S. 1970. Transfer factor and cellular immune deficiency disease. New Eng. J. Med. **283**:411–419.

63. Lawrence, H. S., and M. Landy. 1969. Mediators of Cellular Immunity. Academic Press. New York.

64. Levy, D. A., and A. G. Osler. 1966. Studies on the mechanisms of hypersensitivity phenomena. XIV. Passive sensitization in vitro of human leukocytes to ragweed pollen antigen. J. Immunol. **97**:203–212.

65. Lichtenstein, L. M., and A. G. Osler. 1964. Studies on the mechanisms of hypersensitivity phenomena. IX. Histamine release from human leukocytes by ragweed pollen antigen. J. Exp. Med. **120**:507–530.

66. Lurie, M. B. 1942. Studies on mechanism of immunity in tuberculosis; fate of tubercle bacilli ingested by mononuclear phagocytes derived from normal and immunized animals. J. Exp. Med. **75**:247–268.

67. Lurie, M. B. 1964. Resistance of Tuberculosis: Experimental Studies on Native and Acquired Defensive Mechanisms. Harvard University Press, Cambridge.

68. Mackaness, G. B. 1971. Delayed hypersensitivity and the mechanism of cellular resistance to infection. pp. 413–424. *In* B. Amos (Ed.): Progress in Immunology. Academic Press, New York.

69. Mackaness, G. B. 1971. Resistance to intracellular infection. J. Infect. Dis. **123**:439–445.

70. Mackaness, G. B., and Blanden, R. V. 1967. Cellular Immunity. Progr. Allerg. **11**:89–140.

71. Malley, A., *et al.* 1971. The isolation of reagin and blocking antibody by means of an immunoadsorbent. J. Allerg. **47**:131–135.

72. Merigan, T. C. 1971. Interferon and interferon inducers: The clinical outlook. *In* R. A. Good and D. W. Fisher (Eds.): Immunobiology. Sinauer Associates, Stamford, Conn.

73. Miescher, P. A. 1971. Immune complexes of systemic lupus erythematosus (SLE). *In* U. Serafini *et al.* (Eds.): New Concepts in Allergy and Clinical Immunology. Excerpta Medica, London.

74. Miler, I. 1970. Specific and non-specific opsonins. Curr. Topics Microbiol. Immunol. **51**:63–78.

75. Miller, M. E. 1971. Uses and abuses of gamma globulin. *In* R. A. Good and D. W. Fisher (Eds.): Immunobiology. Sinauer Associates, Stamford, Conn.

76. Miller, T. E., and Watson, D. W. 1965. Innate Immunity. Med. Clin. N. Amer. **49**:1489–1504.

77. Morton, D. L. 1971. Immunological studies with human neoplasms. J. Reticuloendothel. Soc. **10**:137–160.

78. Nelson, D. S. 1969. Macrophages and Immunity. North Holland Publishing Co., London.

79. Nussenzweig, V., *et al.* 1971. Receptors of C3 on B lymphocytes: Possible role in the immune response. pp. 73–82. *In* B. Amos (Ed.): Progress in Immunology. Academic Press, New York.

80. Oettgen, H. F., L. J. Old, and E. A. Boyse. 1971. Human tumor immunology. Med. Clin. N. Amer. **55**:761–785.

81. Orange, R. P., and K. F. Austen. 1969. Slow reacting substance of anaphylaxis. Adv. Immunol. **10**:105–144.

82. Orange, R. P., and K. F. Austen. 1971. Chemical mediators of immediate hypersensitivity. *In* R. A. Good and D. W. Fisher (Eds.): Immunobiology. Sinauer Associates, Stamford, Conn.

83. Osoba, D. 1972. Thymic function, immunologic deficiency and autoimmunity. Med. Clin. N. Amer. **56**:319–335.

84. Ovary, Z. 1964. Passive cutaneous anaphylaxis. *In* J. F. Ackroyd (Ed.): Immunological Methods. Blackwell, Oxford.

85. Ovary, Z., B. Benzcerraf, and K. J. Block. 1963. Properties of guinea pig 7S antibodies. II. Identification of antibodies involved in passive cutaneous and systemic anaphylaxis, J. Exp. Med. **117**:951–964.

86. Perlmann, P., S. Hammarström, and R. Lagercrantz. 1971. Ulcerative colitis. *In* U. Serafini *et al.* (Eds.): New Concepts in Allergy and Clinical Immunology. Excerpta Medica, London.

87. Perlmann, P., and G. Holm 1969. Cytotoxic effects of lymphoid cells *in vitro.* Adv. Immunol. **11**:117–193.

88. Phillips, R. A., and D. H. Cowan. 1972. Human bone marrow transplantation. Med. Clin. N. Amer. **56**:433–451.

89. Piessens, W. F. 1970. Evidence for human cancer immunity. Cancer **26**:1212–1220.

90. Rich, A. R., and M. R. Lewis. 1932. The nature of allergy in tuberculosis as revealed by tissue culture studies. Bull. Johns Hopkins Hosp. **50**:115–131.

91. Richet, C. 1913. Anaphylaxis. (Translated by J. M. Bligh.) Liverpool University Press, London.

92. Rose, H. M., *et al.* 1948. Differential agglutination of normal sensitized sheep erythrocytes by sera of patients with rheumatoid arthritis. Proc. Soc. Exp. Biol. Med. **68**:1–6.

93. Samter, M. 1971. The pathogenesis of reactions to drugs. *In* U. Serafini *et al.* (Eds.): New Concepts in Allergy and Clinical Immunology. Excerpta Medica, London.

94. Samter, M., and H. L. Alexander. 1965. Immunological Diseases. Little, Brown & Co., Boston.

95. Schultz, W. H. 1910. Physiological studies in anaphylaxis. I. The reaction of smooth muscle of the guinea pig sensitized with horse serum. J. Pharm. Exp. Therapy **1**:549–567.

96. Seegal, B. C. 1949. Experimental anaphylaxis in lower animals. Ann. N.Y. Acad. Sci. **50**:681–691.

97. Serafini, U., C. Masala, and A. M. Pala. 1971. Studies on gastric autoimmunity. *In* U. Serafini *et al.* (Eds.): New Concepts in Allergy and Clinical Immunology. Excerpta Medica, London.

98. Shulman, S. 1971. Thyroid antigens and autoimmunity. Adv. Immunol. **14**:85–185.

99. Smith, R. T. 1968. Tumor-specific immune mechanisms. New Eng. J. Med. **278**:1207–1214, 1268–1275, 1326–1331.

100. Strejan, G., and D. H. Campbell. 1967. Hypersensitivity to ascaris antigen. II. Skin sensitizing properties of 7S γ₂

antibody from sensitized guinea pigs as tested in guinea pigs. J. Immunol. **99**:347–356.

101. Strejan, G., and D. H. Campbell. 1968. Skin sensitizing properties of guinea pig antibodies to keyhole limpet hemocyanin. J. Immunol. **100**:1245–1254.

102. Symposium. 1971. Immune complexes and disease. Proceedings of a symposium sponsored by the New York Heart Association. J. Exp. Med. **134**:7–336.

103. Tamm, I., and H. J. Eggers. 1965. Selective inhibition of viral reproduction. pp. 328–331. *In* F. L. Horsfall and I. Tamm (Eds.): Viral and Rickettsial Infections of Man. J. B. Lippincott Co., Philadelphia.

104. Thomas, L. 1959. Reactions to homologous tissue antigens in relation to hypersensitivity. pp. 529–532. *In* H. S. Lawrence (Ed.): Cellular and Humoral Aspects of the Hypersensitive States. Hoeber Medical Division. Harper & Row, New York.

105. Tizard, I. R. 1971. Macrophage-cytophilic antibodies and the functions of macrophage-bound immunoglobulins. Bacteriol. Rev. **35**:365–378.

106. Turk, J. L. 1971. Cell-mediated immunity. *In* U. Serafini *et al.* (Eds.): New Concepts in Allergy and Clinical Immunology. Excerpta Medica, London.

107. Vaughan, J. H., E. V. Barnett, and J. P. Leddy. 1966. Autosensitivity diseases. New Eng. J. Med. **275**:1426–1432.

108. von Pirquet, C., and B. Schick. 1905. Die Serumkrankheit. Leipzig. English translation: 1951. Serum Sickness. Williams & Wilkins, Baltimore.

109. Waaler, E. 1940. On the occurrence of a factor in human serum activating the specific agglutination of sheep blood corpuscles. Acta Pathol. Microbiol. Scand. **17**:172–188.

110. Wagner, R. R. 1963. The interferons: cellular inhibitors of viral infection. Ann. Rev. Microbiol. **17**:285–296.

111. Waksman, B. H. 1971. Delayed hypersensitivity: Immunologic and Clinical Aspects. *In* R. A. Good and D. W. Fisher (Eds.): Immunobiology. Sinauer Associates, Stamford, Conn.

112. Wilson, D. B., and R. E. Billingham. 1967. Lymphocytes and transplantation immunity. Adv. Immunol. **7**:189–273.

113. World Health Organization. 1969. Cell mediated immune responses. Technical Report Series No. 423. Geneva.

114. Youmans, G. P. 1971. The role of lymphocytes and other factors in antimicrobial cellular immunity. J. Reticuloendøthel. Soc. **10**:100–119.

115. Zvaifler, N. J. 1969. Ann. N.Y. Acad. Sci. **168**:146–160.

CAPITULO 15

ESTAFILOCOCOS

Los estafilococos son microorganismos patógenos que se encuentran en todas partes y la causa más común de infecciones localizadas supuradas. Bacterias patógenas identificadas desde hace mucho tiempo, se describieron al comenzar la década de 1880, en gran parte por los trabajos que efectuó Rosenbach. No obstante, todavía son algo enigmáticos y menos conocidos que la mayor parte de bacterias.[30, 85]

Morfología y tinción. La forma de cocos tiende a ser de tamaño mucho más uniforme que los otros tipos morfológicos de bacterias, y los estafilococos tienen constantemente poco menos de 1 μ de diámetro; típicamente son casi perfectos en su forma esférica, más que muchos cocos. Su característica morfológica más obvia es la notable tendencia a presentarse como masas de células. Ello es consecuencia de una división celular en tres planos, junto con la tendencia de las células hijas a permanecer en estrecha proximidad para crear el aspecto característico. Estos grumos irregulares son tridimensionales, hecho manifiesto al

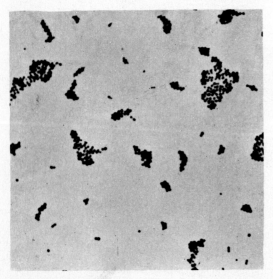

FIG. 15-1. *Staphylococcus aureus* de un cultivo puro. Obsérvense los acúmulos que caracterizan a los cocos. Fucsina; $\times$ 1 050.

examinar preparaciones frescas, pero en los frotis teñidos usuales los grumos están aplanados creando el aspecto de láminas irregulares de células. Aunque algunas células pueden encontrarse aisladas, a pares, o incluso en cadenas muy cortas, dicha morfología característica sirve para identificar los estafilococos, excepto en circunstancias especiales; por ejemplo, será extremadamente difícil diferenciar estafilococos y diversos estreptococos mezclados en un frotis.

Estas bacterias se tiñen fácil e intensamente con los colorantes básicos usuales de tinción simple, y son fuertemente grampositivas, aunque se observa alguna forma gramnegativa. No forman esporas; no parecen tener cápsulas, excepto en el caso de las variedades mucoides raras; aunque se han descrito formas móviles, son casi invariablemente inmóviles.

Crecen abundamente en medios de agar, y las colonias son opacas, lisas y de aspecto brillante. Algunos estafilococos forman pigmentos de lipocromo que dan a las colonias color amarillo oro o limón; otros no lo forman y son blancas. Aunque la pigmentación es una característica variable es constante en cultivos puros primarios y ha asumido gran importancia práctica. Las formas pigmentadas en oro son *Staphylococcus aureus* (*Staphylococcus pyogenes* var. *aureus*, *Micrococcus pyogenes* var. *aureus*), que predominan casi hasta excluir otras formas en los procesos patológicos. Las de color amarillo limón son *Staph. citreus*, al parecer en gran parte saprófitas. Las formas blancas se conocen como *Staph. albus*, que se ha intentado diferenciar en las variedades que se encuentran en la piel formando parte de la flora normal como *Staph. epidermidis* y *Staph. pyogenes* variedad *albus* como estafilococo blanco que se encuentra ocasionalmente en procesos infecciosos; es dudosa la validez o utilidad de tal diferenciación.

Cuando se cultivan sobre placas de agar y sangre, algunos estafilococos son β-hemolíticos y otros no lo son; con los estafilococos al parecer no se produce hemólisis α o verde. Hay cierta relación entre actividad hemolítica y formación de pigmento dorado; la forma patógena típica es *Staph. aureus* hemolítico, aunque las formas no pigmentada, no hemolítica, o con ambas características, se encuentran ocasionalmente en relación aparentemente causal con procesos patológicos. A la inversa, las pigmentadas doradas no van asociadas exclusivamente con enfermedades; algunas saprófitas, en ocasiones tienen una pigmentación similar.

Fisiología. Los estafilococos son relativamente más resistentes al calor, y, hasta cierto grado, a desinfectantes, que las formas vegetativas de la mayor parte de bacterias. Mientras casi todas las bacterias mueren en 30 minutos a 60°C, los estafilococos a menudo necesitan temperaturas mayores por más tiempo, como 80°C por una hora. Este hecho tiene importancia práctica en la preparación de autovacunas que se usan algunas veces para tratar infecciones estafilocócicas persistentes en los tejidos superficiales. También son resistentes a la desecación, y pueden conservarse infecciosos por periodos prolongados y capaces de crecer en presencia de concentraciones relativamente altas de cloruro de sodio. Esto último es importante en la conservación de alimentos con sal, porque los estafilococos pueden crecer y formar enterotoxinas (véase luego) en alimentos que contengan sal suficiente para actuar como conservador. Esta propiedad también puede aprovecharse en la preparación de medios selectivos para aislar estafilococos.

Como todos los microorganismos fuertemente grampositivos los estafilococos son sensibles a la actividad bacteriostática del trifenilmetano y otros colorantes, y son característicamente sensibles a los antibióticos eficaces para bacterias grampositivas, incluyendo penicilina, y los de amplio espectro como tetraciclinas, pero son sumamente sensibles a los antibióticos como la estreptomicina, cuya actividad antibacteriana se limita a las formas gramnegativas. Son especialmente propensos a desarrollar resistencia a medicamentos (véase luego); con frecuencia, algunas de estas generalizaciones no son aplicables a cultivos puros de estafilococos recién aislados.

Medios selectivos. La mayor parte de estafilococos patógenos coagulasa positivos (véase luego) son capaces de crecer en presencia de telurita, reduciéndola para dar colonias de color gris negro en medios que contienen telurita. Los cultivos de garganta sobre esos medios pueden confundirse con bacilos diftéricos que también son resistentes a la telurita y capaces de reducirla (capítulo 29). Los medios de telurita tienden a ser selectivos y han sido útiles para aislar estafilococos de material muy contaminado, como muestras fecales. Estos estafilococos producen una lipasa, o factor de la yema de huevo (EYF)[81] que causa una zona opaca en el medio alrededor de la colonia cuando contiene yema de huevo; esta característica se ha combinado con la reducción de telurita para desarrollar medios selectivos de aislamiento.[2, 51] Con propósitos diferenciales, aunque no selectivos, pueden incorporarse manitol (véase luego) y un indicador acidobásico como el rojo de fenol; los medios

de aislamiento pueden hacerse selectivos incluyéndoles cloruro de sodio al 10 por 100.[14]

Necesidades nutritivas. Los estafilococos no son muy difíciles en sus necesidades nutritivas, y crecen fácilmente en los medios usuales de extracto de carne y peptona, pero lo hacen más profusamente en agar-sangre que se usa por lo común para aislar formas patógenas. En medios semisintéticos que contienen hidrolizado de caseína, se necesita por lo general ácido nicotínico y tiamina, y el crecimiento puede aumentarse incluyendo además vitaminas para bacterias, como la biotina, en este medio y en otros simples. En medios químicamente definidos, las cepas recién aisladas necesitan un número considerable de aminoácidos, generalmente cistina, leucina, prolina, valina, glicina, ácido aspártico, fenilalanina y arginina, pero las necesidades precisas varían según las cepas. Las bacterias pueden "entrenarse" mediante pasos en medios sucesivamente simples para que crezcan en ausencia de la mayor parte, o todos, los aminoácidos necesarios para la cepa original.[40] En general, las cepas recién aisladas de *Staph. aureus* son las más exigentes en sus necesidades alimenticias, los viejos cultivos de laboratorio y *Staph. albus* lo son menos.

Características de cultivo. El ácido láctico es el producto final predominante de la fermentación de glucosa; también se forman pequeñas cantidades de etanol y bióxido de carbono. La fermentación de los azúcares usuales y alcoholes polihídricos es irregular y para la mayor parte, no tiene importancia diferencial. Suelen fermentar la lactosa, sacarosa, maltosa, glicerol, manosa, fructosa y eritritol; la fermentación de rafinosa, inulina y salicina es variable; y el inositol, dulcitol, L-xilosa, ramnosa, L-arabinosa, adonitol D-sorbitol, celobiosa y dextrina no fermentan; el almidón no se hidroliza. Se considera que la fermentación de manitol tiene significación diferencial porque lo hacen fermentar la mayor parte de las cepas coagulasa positivas. De las demás reacciones bioquímicas corrientes, no se produce indol del triptófano, la licuación de la gelatina es variable, como lo es la reducción de nitrato. En suma, las reacciones bioquímicas de los estafilococos, con la posible excepción de la fermentación de manitol, no proporcionan una base para su diferenciación.

Estructura antigénica.[74] La estructura antigénica de los estafilococos de origen humano se ha estudiado en diversas formas, sobre todo por aglutinación, pero también por la actividad serológica de extractos solubles en reacciones de precipitina, difusión en gel y hemaglutinación pasiva. Los estudios de aglutinación se complican por los efectos de antígenos bloqueadores, pero estos se reducen al mínimo usando cultivos muy jóvenes, de cuatro a seis horas. La aplicación de la técnica corriente de análisis antigénico ha demostrado la presencia de 30 antígenos, designados arbitrariamente por letras minúsculas, algunos termostables y otros termolá-

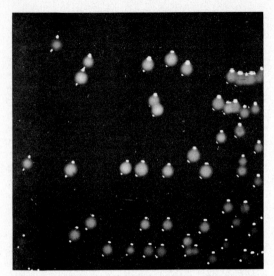

Fig. 15-2. Colonias de *Staphylococcus aureus* en agar nutritivo. Cultivo de 24 horas; × 3.

biles. La tipificación es relativamente difícil, y la prueba de aglutinación en portaobjetos se considera mucho más fidedigna que la titulación en tubos.[48]

Los estafilococos se separaron en dos grupos serológicos, denominados A y B por Julianelle y Weighard en 1935 basándose en la especificidad del antígeno soluble que contiene carbohidratos preparado al extraer la bacteria con ácido diluido caliente; el tipo A se consideró que representaba las cepas virulentas. Trabajos posteriores sobre antígenos solubles de la pared de la célula estafilocócica han indicado que el antígeno carbohidrato serológicamente es idéntico al ácido teicoico de la pared celular, un polímero de fosfato de D-ribitol unido a residuos de N-acetilglucosamina y alanina.[66] Se describió una proteína de la pared celular por Verway en 1940; Jensen, 20 años más tarde, lo estudió y denominó proteína A. Se cree por algunos autores que la proteína A puede representar la porción péptida del antígeno polisacárido de Julianelle y Weighard. Tiene la propiedad peculiar de combinarse con la porción Fc de la molécula de globulina γ humana, lo cual ha permitido su valoración cuantitativa.[59] Se ha comprobado que inhibe la fagocitosis de estafilococos que la contiene,[26] y parece hallarse principalmente, hasta en el 98.9 por 100, en cepas coagulasa positivas, pero solo en forma muy dispersa en el 2 por 100 de cepas coagulasa negativas.[36]

Clasificación con bacteriófago.[10, 88] La especificidad de huésped de los virus bacterianos, descrita en otra parte (capítulo 3), proporciona medios adicionales para caracterizar a las bacterias extendiéndose a diferencias de cepas. Este método de diferenciación se aplicó por primera vez al bacilo tífico (capítulo 20), permitiendo la caracterización dentro de un solo serotipo, y ha sido extremadamente útil para fines epidemiológicos. La aplicación de la clasificación de bacteriófago, o tipo de fago, a los estafilococos se debe en gran parte a los trabajos de Blair y ha sido muy útil para proporcionar medios de identificación cuando los métodos bioquímicos y serológicos corrientes hasta ahora han fracasado.

En resumen, la clasificación del bacteriófago se basa en reunir un grupo de fagos de diversa especificidad pero que en el conglomerado lisarán la gran mayoría de cepas de bacterias encontradas; estos bacteriófagos se numeran arbitrariamente. En tanto que la conservación de esos bacteriófagos clasificadores estándar requieren gran precisión técnica, y las condiciones de la prueba han de ser definidas, el procedimiento de tipificación es sencillo. Se lleva a cabo dispersando los bacteriófagos en dilución apropiada, por lo general en dos concentraciones, sobre un cultivo en caja de Petri de la bacteria inoculada, para dar una película uniforme de crecimiento. La sensibilidad al bacteriófago queda indicada por las zonas claras de lisis confluente, semejantes a placas, pero no de naturaleza de clono. Cuando la bacteria no se infecta con el bacteriófago probado, la película de crecimiento es uniforme.

Los bacteriófagos específicos de cepas se encuentran, pero son raros, y la clasificación con bacteriófagos se basa en una especie de espectro o tipo de actividad definida para los bacteriófagos estándar, contra cepas de bacterias de prueba estándar. El número de esos tipos es muy grande, por lo tanto poco práctico; se recomienda para trabajos sistemáticos emplear un juego de cuando menos 21 bacteriófagos básicos que se agrupan en la forma siguiente:

Grupo   I: 29, 52, 52A, 79, 80
Grupo II: 3A, 3B, 3C, 55, 71
Grupo III: 6, 7, 42E, 47, 53, 54, 75, 77
Grupo IV: 42D
Diversos: 81, 187.

Por lo tanto, es posible caracterizar una cepa de estafilococo como perteneciendo a uno u otro de estos grupos y tipos de fago. Inevitablemente en algunas cepas no puede establecerse el tipo con el espectro de fagos actualmente disponible; para algunos autores, representarían variantes de grupo III.[8]

Esta clasificación por tipos parece arbitraria en el estado actual de conocimientos; la naturaleza de la susceptibilidad de una bacteria a la infección con un virus bacteriano todavía no se ha definido con precisión. Entre los bacilos entéricos, el receptor del bacteriófago en la célula bacteriana puede guardar relación con el complejo antigénico O, pero, como indicamos antes, una relación similar del antígeno contenido en los estafilococos es bastante incierta.

Toxinas. Desde los primeros estudios se observó que los filtrados de cultivos libres de células de estafilococos son tóxicos por vía parenteral, y que se forman una o más toxinas extracelulares en gran cantidad. Los efectos más claros en animales de experimentación, por lo común el conejo, se han atribuido a una toxina necrótica o dermonecrótica (dermonecrotoxina) y a una toxina mortal. En el caso de la primera, la inoculación intradérmica produce una reacción inflamatoria intensa, el centro de la lesión se edematiza, y se necrosa unos tres días después de la inoculación. La característica histológica sobresaliente es la necrosis de los vasos, y la lesión producida en esta forma cicatriza lentamente. Esta actividad parece ser muy similar en todas las cepas de estafilococos, como lo indica la protección mediante antisueros heterólogos.

El efecto mortal de la toxicidad en el conejo después de la inoculación intravenosa puede ser espectacular. El periodo de incubación es proporcional a la dosis, y varía desde dos minutos hasta 24 horas con dosis muy pequeñas. La toxicidad afecta directamente el corazón y también el riego vascular de los pulmones, causando insuficiencia aguda del corazón derecho, causa inmediata de la muerte. Con inoculación intracerebral o intratecal, la toxicidad se manifiesta en las células nerviosas, y la muerte llega a ocurrir rápidamente por insuficiencia respiratoria. Estos efectos tóxicos, y las actividades de la α-hemosilina y la leucocidina de Neisser-Wechsberg (véase luego) desaparecen por tratamiento con formaldehido que produce un toxoide.

Además de estas, hay algunas otras actividades tóxicas. Entre las más importantes se encuentran las hemolisinas estafilocócicas o estafilolisinas, la enterotoxina, las leucocidinas y las actividades enzimáticas o cinasas, coagulasa, hialuronidasa y fibrinolisina o estafilocinasa. Todavía pueden observarse ocasionalmente otras toxicidades; por ejemplo, la formación de una toxina de tipo escarlatina o similar, que se ha observado produce una escarlatina de origen estafilocócico.[33]

Estafilolisinas. Los estafilococos piógenos casi invariablemente son hemolíticos, y en cultivos puros primarios sobre agar-sangre las colonias están rodeadas de una zona clara de β hemólisis, según ya describimos. La actividad hemolítica también se observa en filtrados de cultivos libres de células, y depende de varias hemolisinas diferentes, o estafilolisinas.

Las primeras que se diferenciaron fueron las lisinas α y β. Difieren inmunológicamente, según las especies de hematíes lisados, y por ciertas otras características. La lisina α lisa hematíes de carnero y conejo, pero no humanos, de cobayo o de caballo. Necesita iones de magnesio o manganeso, y la inhiben los agentes quelantes.[20]

La lisina β actúa sobre hematíes de carnero pero no de conejo, y solo tiene ligera actividad sobre las células humanas. La producen estafilococos de origen animal en su mayor parte; es rara en cepas humanas. Se distingue también de la lisina α en que es de calor y frío; no lisa hematíes cuando se incuban a 37°C, excepto en concentraciones muy elevadas, pero al enfriarlas después de la incubación los hematíes se lisan. También necesita iones de magnesio, y la actividad que desaparece al tratarla con agentes quelantes, se recupera añadiéndolos. Se ha comprobado que era una fosfolipasa C, hidrolizante de esfingomielina y lisofosfatidilcolina;[25] la primera es un constituyente frecuente de las membranas celulares. En la fase de calor de la incubación, la lisina β potencia la lisis de células de carnero por otras hemolisinas: las del grupo de estreptococos B *(Str. agalactiae)* y la estafilolisina δ.

Una tercera hemolisina, la δ, difiere inmunológicamente de las lisinas α y β, y, a diferencia de ellas lisa eritrocitos de hombre, mono, caballo, rata, ratón y cobayo, así como de carnero y conejo. También difiere en que alcanza un máximo de titulación en cultivos de 48 horas, en lugar de las 96 horas de incubación como en el caso de las lisinas α y β. La δ-lisina es una fosfolipasa como la β-lisina, pero difiere de ella en que no cataliza la desintegración de la esfingomielina; el substrato más susceptible es la fosfatidilserina.[90]

Se han descrito otras dos hemolisinas; la lisina γ que se parece mucho a la lisina α pero difiere inmunológicamente, y cuya existencia se ha discutido; y la lisina ε que se ha observado ocurre exclusivamente en estafilococos no patógenos.

Las estafilolisinas no solo son hemolíticas sino que poseen también otras actividades tóxicas. La lisina alfa se ha preparado en forma muy purificada;[6, 63] las reacciones hemolítica, dermonecrótica, mortal y leucocídica, parecen ser propiedades de una sola substancia.[60] Se ha comprobado que la lisina δ también es dermonecrótica, y mortal en preparaciones purificadas. La lisina β muestra cierta toxicidad cuando se inocula por vía intravenosa al conejo pero es mucho menos tóxica que las lisinas α y δ.

De estas estafilolisinas, la α y la δ predominan en cepas patógenas para el hombre, y guardan gran correlación con la formación de coagulasa (véase luego); más del 95 por 100 de esas cepas coagulasa positivas forman una u otra, y 82 por 100 forman ambas. También hay una frecuencia semejante muy alta de estas lisinas en cepas coagulasa positivas encontradas en la piel; las cepas coagulasa negativas de la misma fuente no forman las lisinas α y δ, pero el 95 por 100 forman lisina ε. En contraste, las lisinas α y δ, son menos comunes en cepas patógenas de origen animal, observándose juntas en ausencia de otras lisinas en el 10 por 100 de las cepas solamente pero la lisina β se encuentra en el 88 por 100 de esas cepas, y en combinación con las lisinas α y δ en el 59 por 100. Elek y Levy[31] han resumido la frecuencia de estas hemolisinas.

Leucocidinas.[40] El efecto tóxico de los productos de los estafilococos en heterófilos se observó antes de comienzos de siglo. La valoración de esta actividad se hizo cuantitativa mediante el método bioscópico de Neisser y Wechsberg usando células de conejo y midiendo el efecto tóxico por la incapacidad de la células para reducir azul de metileno intracelularmente; esto es, por inhibición de la respiración. Los heterófilos de hombre, ratón y cobayo son relativamente resistentes a esta toxicidad, y los de la rana resisten casi completamente.

Panton y Valentine usaron heterófilos humanos y comprobaron que la actividad estafilocócica inhibe la fagocitosis. La leucocidina de Neisser-Wechsberg parece ser idéntica a la lisina α, y, para todos los fines prácticos, solo afecta células de conejo. En contraste, la leucocidina de Panton-Valentine (P-V), activa tanto sobre células humanas como de conejo, también es antigénicamente diferente, y la forman tanto cepas de estafilococos que no producen lisina α como otras que sí la producen, o sea que sucede independientemente. Alcanza su título máximo dentro de las 24 horas de incubación, es oxígeno-lábil y disminuye de concentración a medida que continúa la incubación. Puede separarse por cromatografía de intercambio iónico[92] en dos componentes, F y S que actúan sinérgicamente; ambos componentes son antigénicos[41] y pueden transformarse en toxoide con formaldehído.[39]

Estas dos leucocidinas difieren en sus efectos sobre los heterófilos. La lisina α produce aglutinación y muerte de leucocitos según lo indica su tinción con azul de metileno, pero las células no se lisan. La leucocidina P-V produce hinchazón de las células hasta alcanzar forma esférica, con gránulos dispuestos en la periferia de la célula; finalmente, esta revienta y se liberan los gránulos.

Se ha descrito una tercera leucocidina, designada leucolisina, que difiere de la P-V en que es termostable, activa sobre heterófilos de todas las especies probadas excepto el carnero, y la inhibe el colesterol. Produce hinchazón del núcleo en los heterófilos afectados que son lisados, cuando hay grandes concentraciones de la actividad. Está muy relacionada, si no es idéntica, con la lisina δ cuya actividad de leucocitosis se describió.[53]

Enterotoxina. La relación de los estafilococos con la intoxicación alimenticia descrita en otra parte (capítulo 11) la señalaron varias observaciones, especialmente la de Barber, en 1914, en brotes gastrointestinales agudos asociados con ingestión de leche de una vaca con mastitis estafilocócica. Pero fue solo en 1930 cuando Dack y colaboradores demostraron que esa enfermedad se produce por ingerir cultivos de cepas de estafilococos que forman enterotoxina, sin células.

La actividad es relativamente termostable y sin relación con otras toxicidades de los estafilococos. Parece estar formada solamente por estafilococos coagulasa positivos, pero no por todas las cepas de este tipo. Las cepas enterotóxicas son casi siempre (el 81 por 100 de las estudiadas en cuanto a tipo) de tipos de fagos 6/47 ó 42D, pero no todas las cepas de estos tipos fágicos son enterotóxicas; la primera es uno de los tipos más frecuentemente presentes en los portadores nasales; la última es causa frecuente de mastitis en los bovinos. El 10 por 100, aproximadamente, de las cepas en los hospitales se ha comprobado en un estudio que eran enterotoxígenas.[46] No parece que exista relación entre las propiedades bioquímicas comunes de los estafilococos y la producción de enterotoxina.

La susceptibilidad a la enterotoxina parece limitarse al hombre y ciertos monos. En el hombre, el comienzo de un brote gastrointestinal agudo después de ingerir la toxina se observa a las dos o tres horas, y se caracteriza por vómitos bruscos e intensos y diarrea. Los síntomas remiten después de algunas horas, y la recuperación es total.

Después de inoculación intragástrica, algunos monos del Nuevo Mundo son susceptibles y desarrollan diarrea y malestar, aunque por lo general no hay vómitos. El mono macaco, *Macaca mulatta,* es el animal que suele usarse experimentalmente. No todos los monos responden, y los animales susceptibles pueden dejar de responder después de varias o incluso de una sola de esas inoculaciones.[56] Se ha observado que los chimpancés son mucho más sensibles.[91] La dosis eficaz para el hombre parece ser de 1 a 4 μg. La toxina purificada tiene efecto emético sobre el gato, probablemente por acción central,[18] pero el valor de la prueba del gatito para descubrir enterotoxinas en filtrados de cultivo es dudoso, ya que las soluciones de peptona tienen también un efecto emético similar.

La enterotoxina se forma en grandes cantidades en caldo de agar semisólido de cerebro-corazón[15] y ha sido preparada como proteína homogénea con peso molecular de 35 000 a 40 000. Es antigénica y el antisuero específico[16] reacciona en la prueba de difusión de gel con una cantidad tan pequeña como 1 μg por mililitro de toxina purificada. La enterotoxina se presenta en cuatro tipos inmunológicamente diferentes denominados A, B, C y D.[17] Los métodos inmunológicos son suficientemente sensibles para poderse emplear en el descubrimiento de enterotoxina, no solamente en filtrados de cultivo sino que también en extractos adecuados de alimentos.[45]

Coagulasa. En otra parte hemos descrito (capítulo 8) la capacidad de ciertas bacterias, y en particular los estafilococos, de coagular el plasma. La estafilocoagulasa ha sido de interés especial por su alta correlación con la virulencia de cepas de estafilococos de origen humano y animal, y por efectos, como protección de las bacterias contra la fagocitosis, antagonismo de la actividad bactericida normal del suero, etc., que se relacionen con la virulencia microbiana.

La actividad es independiente de otras toxinas estafilocócicas aunque se asocia con actividades como las lisinas α y δ que también caracterizan a las cepas virulentas. Puede obtenerse libre de células, aunque los resultados son algo irregulares; las incompatibilidades dependen de que hay coagulasa ligada y no ligada.[76] La coagulasa sin células [32, 64] puede purificarse por precipitación salina y fragmentación con etanol.[12] Parece ser de naturaleza proteínica, conteniendo poco o nada de hidrato de carbono; las enzimas proteolíticas la inactivan fácilmente. Es relativamente resistente a calor, 60°C por 30 minutos; en el mismo tiempo solo se inactiva parcialmente a 100°C. Es antigénica y los estudios serológicos [28] han demostrado cuando menos cuatro tipos antigénicos, que se designan A, B, C y D. Las diversas coagulasas se han denominado en conjunto isocoagulasas.[69] Puede prepararse el toxoide, que es plenamente antigénico [47] pero hasta aquí ha sido de utilidad dudosa.

La actividad de la coagulasa in vitro suele valorarse en una u otra de las dos formas siguientes: una consiste en mezclar el cultivo de bacterias con plasma, humano o de conejo, y observar la coagulación. El calcio no interviene; puede usarse plasma citratado u oxalatado. Puede hacerse más precisa usando fibrinógeno purificado junto con activador sérico. La prueba de aglutinación del plasma se usa con fines cualitativos y sistemáticos; las bacterias se suspenden en una gota de plasma y las cepas coagulasa positivas se aglutinan rápidamente, creando el aspecto de una prueba de aglutinación en portaobjetos. La acumulación de fibrina sobre la superficie de las células da por resultado la aglutinación, pero la prueba no es exactamente paralela a la prueba del tubo. La presencia de mertiolato al 1:10 000, o la inactivación del plasma, interfieren en la prueba del tubo pero no en la del portaobjetos. Se ha sugerido que la prueba del tubo mide coagulasa libre, y la de aglutinación de plasma mide esta o la ligada. La formación de coagulasa también puede demostrarse como una aureola de opacidad alrededor de las colonias en estafilococos coagulasa positivos que crecen en un medio de agar conteniendo fibrinógeno.[24]

La coagulasa inhibe notablemente la actividad bactericida del suero normal para los estafilococos,[29] pero el mecanismo del efecto es incierto; al parecer, no guarda relación con el metabolismo respiratorio de las bacterias.[93] La coagulasa no es muy tóxica en inoculación parenteral, pero en dosis suficientes produce una caída rápida del fibrinógeno y coagulación intravenosa extensa, especialmente en los pulmones, causando la muerte rápidamente.[11, 82]

Hialuronidasa.[60, 78] Esta actividad enzimática que despolimeriza la substancia fundamental de los tejidos, el ácido hialurónico (capítulo 8), la crean la mayor parte de estafilococos patógenos, y por lo tanto está asociada con otros caracteres, como la formación de lisinas α y δ, producción de coagulasa, etc. Su actividad enzimática parece ser igual a la de las hialuronidasas de otras fuentes. En tanto que las de diferente origen son serológicamente distintas, incluso entre grupos de estreptococos, la estafilocócica parece ser antigénicamente homogénea.

Estafilocinasa.[61] La actividad fibrinolítica se ha estudiado más ampliamente con estreptococos que con estafilococos, pero gran parte de los estafilococos que se aíslan en portadores humanos y tejidos enfermos disolverán los coágulos de fibrina. El mecanismo de la fibrinólisis estafilocócica es similar al de los estreptococos descrito con anterioridad (capítulo 8), pues el producto bacteriano es una cinasa que activa una proteasa sérica o plasmática para dar la actividad lítica. Difiere de la estreptocinasa en que actúa en el plasma de especies animales que no son el hombre, incluyendo perro, cobayo y conejo, pero no en la vaca, y necesita un periodo de incubación mayor. Se diferencia fácilmente de la estafilocoagulasa en que es termolábil. Una observación curiosa de algunos investigadores es que las cepas de estafilococos que producen lisina β no forman estafilocinasa.

Variación. Como otras bacterias, los estafilococos sufren la disociación S-R. Estas variantes no se han estudiado completamente con respecto a las diversas toxinas descritas antes, y la información disponible es limitada. Se han descrito pequeñas colonias relativamente avirulentas, variantes, que siguen formando coagulasa y β-lisina, pero no α-lisina ni estafilocinasa. Todos los caracteres que se usan para diferenciar los estafilococos, a saber, pigmentación, toxigenicidad en sentido amplio, y actividad bioquímica están sujetos a variación, y se consideran en relación con la clasificación (véase luego).

Resistencia a los medicamentos. La variación de los estafilococos que tiene, con mucho, mayor importancia práctica, es la susceptibilidad a la actividad antimicrobiana de los antibióticos, y se ha expuesto en otra parte (capítulo 6) como ejemplo notable de resistencia adquirida. Los estafilococos se hacen resistentes a los medicamentos con mayor facilidad que la mayor parte de bacterias. Pueden hacerse resistentes a los antibióticos cultivados en presencia de concentraciones sucesivas crecientes de estas substancias, y se hacen resistentes en condiciones naturales. La aparición de resistencia a los medicamentos en cepas aisladas de procesos patológicos ha sido consecutiva a la introducción de diversos antibióticos en la práctica general, y la proporción de cepas resistentes encontradas ha ido en aumento continuamente.

La penicilina fue el primer antibiótico que se usó, y la resistencia a ella se observó poco después de introducida, seguida de la resistencia a tetraciclinas, eritromicina, etc. También ocurrió resistencia al cloramfenicol, pero en menor grado, probablemente porque este antibiótico se ha usado menos frecuentemente ya que puede causar daño a los tejidos hemopoyéticos y anemia aplástica después de administración prolongada. La resistencia a medicamentos ha tomado la forma de resistencia múltiple de cepas individuales de estafilococos, y ahora es más la regla que la excepción ver cepas resistentes a más de un antibiótico. De hecho, la frecuencia de resistencia a los medicamentos por los estafilococos ha alcanzado un punto en que el tratamiento y control de infecciones estafilocócicas ha retrocedido esencialmente, en opinión de muchos, al de la era anterior a los medicamentos. Esto tiene particular importancia dado el aumento de frecuencia y mortalidad de estas infecciones.

Las infecciones estafilocócicas tienden a adquirirse en hospitales, y la proporción de cepas resistentes a medicamentos que se encuentran en portadores es mucho mayor entre el personal hospitalario que en la población general.[34, 83] Las cifras precisas varían según las zonas, y con el tiempo cambian en un mismo hospital, pero en general el 65 a 90 por 100 de las cepas son resistentes a la penicilina, tal vez 50 por 100 a las tetraciclinas, 20 por 100 a la eritromicina, etc., en los hospitales, mientras que las proporciones son mucho menores (posiblemente 5 a 15 por 100 son penicilinorresistentes) en la población general.[72]

Se ha usado ampliamente la clasificación con el bacteriófago intentando descubrir las fuentes de infección en hospitales. El tipo bacteriófago 80/81 parece ser el que con mayor frecuencia resiste a la penicilina, pero también es un tipo virulento muy generalizado (véase luego). Los estudios retrospectivos, con determinación subsecuente del tipo de bacteriófago de cultivos puros iniciales, de cepas aisladas durante los años 1927 a 1947,[9] han demostrado que en este periodo predominaba el tipo 80/81 (descrito en 1955), pero que había una frecuencia relativamente baja de los tipos de bacteriófago de grupo III, que aumentaron después de introducirse los antibióticos. Subsecuentemente se incrementaron las cepas del grupo I, en gran parte a expensas del III.[87] Ha aparecido un nuevo tipo, 83A,[54] que ha alcanzado difusión epidémica en algunas áreas;[27, 80] tiende a ser imposible de clasificar en cuanto a tipo por el efecto de interferencia de fagos lisógenos.[1]

Experimentalmente, y al parecer también en condiciones naturales, las cepas resistentes de estafilococos tienden a volverse sensibles nuevamente, basándose en el último caso en la disminución de frecuencia de cultivos puros resistentes. Esta tendencia permite abordar eficazmente los problemas que plantea la aparición de cepas resistentes, por ejemplo controlando los tipos de antibióticos que se usan con fines terapéuticos. El ejemplo de que ese control puede tener consecuencias prácticas, es la experiencia con poblaciones hospitalarias donde mejoró la eficacia terapéutica usando los antibióticos indicados según la frecuencia de cepas resistentes.[5]

La resistencia de los estafilococos a la penicilina es de dos clases. La inducida por procedimientos de laboratorio suele acompañarse de cambios morfológicos, notablemente pérdida de la positividad al gram, acompañada de las alteraciones en el metabolismo del ácido glutámico ya descritas (capítulo 6), y es de carácter temporal porque la reversión ocurre con cierta facilidad. Pero estafilococos que no han recibido penicilina, aislados de infecciones no suelen mostrar cambios morfológicos y producen penicilinasa. La importancia de esta producción, o sea la resistencia por virtud de destruir el medicamento antimicrobiano, está subrayada por la sensibilidad de cepas penicilinorresistentes de estafilococos a la 2,6-dimetoxifenil penicilina (Staphcillin, Celbenin, Methicillin, BRL 1241), que no es desintegrada por la penicilinasa en ácido penicilinoico compuesto inactivo. Sin embargo, están empezando a descubrirse cepas [43] que son resistentes a tales penicilinas "sintéticas" pero el mecanismo de resistencia todavía no está aclarado. Las penicilinas también son descompuestas por la acilasa de penicilina (capítulo 6) de origen bacteriano, pero esta enzima no parece desempeñar parte importante en la resistencia in vivo, en parte por lo menos por su pH óptimo elevado.

Diferenciación.[23] La diferenciación de especies o tipos de estafilococos se ha centrado en gran parte en definir la virulencia de estas bacterias según características acompañantes. La virulencia se determina en dos formas: la fuente de la cepa de bacterias, si es de proceso patológico o no, por lo general supurado, en el que parece ser el agente etiológico primario; y la patogenicidad para animales experimentales (véase luego). *Staph. aureus* y *Staph. albus* parecen constituir los extremos en una serie continua de tipos, que varían de las formas virulentas, pigmentadas, toxígenas, bioquímicamente activas a las débilmente patógenas, casi saprófitas, no pigmentadas y bioquímicamente inactivas.

La correlación entre la actividad de coagulasa y la virulencia es muy alta, y los términos virulento y coagulasa positivo se han hecho casi intercambiables. Los estafilococos coagulasa positivos casi invariablemente son pigmentados; por ejemplo, *Staph. aureus* suele fermentar el manitol en condiciones aerobias y anaerobias, y la dextrosa, maltosa y glicerol, y licuar la gelatina. Algunos consideran que la fermentación del manitol tiene importancia diferencial porque está muy relacionada con la coagulasa; se ha observado que alrededor del 1 por 100 de las cepas coagulasa positivas son negativas al manitol, y cerca del 8 por 100 de las cepas positivas al manitol son coagulasa negativas.[57] Las cepas coagulasa positivas son en realidad invariablemente hemolíticas en agar-sangre, y parece haber gran correlación entre la formación de lisinas α y δ y la coagulasa. En un estudio, de 532 cepas coagulasa positivas aisladas de portadores, todas las cepas positivas a la lisina α también eran coagulasa positivas, y solo 4 por 100 de estas cepas coagulasa positivas eran negativas a esa lisina; las 100 cepas aisladas de infecciones supuradas en el hombre eran positivas a la lisina α. De 200 cepas coagulasa positivas aisladas del hombre y valoradas por el método de difusión en gel, 82 por 100 producían lisinas α y δ, 11 por 100 α, β y δ, 3 por 100 solo α y 4 por 100 solo δ. En total, por lo tanto, 96 por 100 producían lisina α, y 97 por 100 lisina δ. Debemos recordar que la lisina α es también una leucocidina, y la δ es dermonecrótica y mortal.

En contraste, de 77 cepas coagulasa negativas, ninguna producía lisinas α, β o δ, pero 95 por 100 formaban lisina ε, y las restantes no eran hemolíticas. Por lo tanto, basándose en observaciones como la anterior, cabe admitir provisionalmente que un estafilococo virulento es coagulasa positivo y produce lisinas α, δ, o ambas.

Clasificación.[3, 4] La clasificación formal de los estafilococos, como la de muchas otras bacterias, no es muy satisfactoria. La mayoría de los investigadores aceptan tres grupos generales de estos microorganismos: 1) la serie *Staph. aureus-Staph. albus* de cepas o tipos con especies de los dos extremos, *Staph. aureus* virulento y *Staph. albus* relativamente avirulento de la flora normal de la piel humana, boca y vías respiratorias superiores; 2) un grupo de estafilococos saprófitos que se encuentran en el aire, leche, etc., e incluyen *Staph. citreus* pigmentado de amarillo limón, variedades que forman pigmentos del rosa al rojo café, y formas incoloras que semejan *Staph. albus;* 3) un grupo de estafilococos anaerobios precisos que están entre la flora normal de las cavidades del cuerpo humano, y uno de los cuales, *Staph. aerogenes,* en ocasiones causa infección puerperal.

Patogenicidad. Excepto en el caso de neumonías estafilocócicas, estos microorganismos penetran en el cuerpo a través de la piel íntegra o cuando se rompe esta barrera por un traumatismo. Al parecer la vía de infección en la piel íntegra serían los folículos pilosos o conductos de glándulas sodoríparas. Las infecciones estafilocócicas suelen asumir forma localizada, con un foco de infección purulenta parcial o totalmente aislado de los tejidos circundantes. Este puede limitarse o diseminarse por vía sanguínea para causar focos secundarios de infección en cualquier tejido u órgano donde puedan alojarse las bacterias. En ocasiones, la infección puede asumir una forma bacteriémica fulminante.

El carácter de estas infecciones es atribuible, en parte cuando menos, a las propiedades de los productos tóxicos del microorganismo. La estrecha relación entre virulencia y formación de lisinas α y δ permite explicar parcialmente la patogenia de las infecciones producidas. Probablemente la tendencia del foco de infección a aislarse pueda atribuirse a la acción de la coagulasa, y el carácter purulento de la lesión a la actividad necrosante y muerte de

los leucocitos movilizados localmente por aquellas lisinas,[53] aunque se ha puesto en duda la relación entre lisina α y virulencia, en condiciones experimentales.[37] La acumulación de fibrina sobre la superficie de las bacterias parece interferir la fagocitosis; incluso después de esta los estafilococos coagulasa positivos tienden a persistir en forma viable.[19, 67] El desarrollo de abscesos metastáticos de infecciones focales, como las de hueso que causan osteomielitis estafilocócica, es consecuencia de la diseminación hematógena de la infección en forma de trombos y fagocitos que contienen microorganismos viables.

Patogenicidad para el hombre.[68, 77] Los estafilococos se encuentran siempre en la piel y vías respiratorias superiores. Los estafilococos blancos relativamente avirulentos forman parte de la flora normal de la piel; de aquí el nombre *Staph. epidermis,* pero la piel es también albergue principal de *Staph. aureus,* que probablemente derive sobre todo de secreciones nasales. La bacteria se dispersa desde la piel, por contacto directo, o como infección de origen aerógeno, que explica en gran parte la infección por "cepas de hospital".

Portadores. Los portadores nasales probablemente sean el reservorio aislado más importante de infección estafilocócica en el hombre.[89] La proporción de portadores nasales alcanza un 70 a 90 por 100 de los lactantes en los hospitales a la segunda semana de la vida, y disminuye al 10 a 20 por 100 al final del primer año. Se eleva de 35 a 50 por 100 en adultos jóvenes, y disminuye a 20 y 30 por 100 en los más viejos. Los pacientes de los hospitales muestran estado de portador cada vez más frecuente, hasta el 60 a 75 por 100 al final de la sexta semana de internamiento. La importancia cada vez mayor de la infección con estafilococos resistentes a los antibióticos ha hecho resurgir el interés por los portadores y el control de infecciones diseminadas por ellos.[65] La diseminación de la infección, transmitida por el aire o por contacto, es de particular interés en salas de cirugía y de maternidad. La primera es una fuente prolífica de infección estafilocócica de heridas,[13] y en la segunda el recién nacido se infecta desde los primeros días de vida. La frecuencia de infección en los hospitales de Estados Unidos de Norteamérica se ha comprobado que era del 9 al 13 por 10 000 enfermodías.[38] El examen de los datos disponibles de los países escandinavos, de la Comunidad Británica y de Estados Unidos de Norteamérica en el periodo de 1937 a 1959,[71] ha demostrado una amplia fluctuación en la proporción de portadores, de 20 a 60 por 100 aproximadamente, como reflejo de la introducción de la penicilina en la práctica general en los cuarentas, y ninguna tendencia general a disminuir; por ejemplo, en 1959 se registran proporciones de 40 a 50 por 100.

Infecciones supuradas. Una disminución pasajera de la resistencia puede bastar para permitir una invasión local y el establecimiento de un foco de infección, tal vez acné [79] o un simple furúnculo, pénfigo, o impétigo del recién nacido, o puede desarrollarse un estado de ántrax más o menos extenso seguido posiblemente de la aparición de abscesos metastáticos o bacteriemia. El que un foco de infección se establezca inicialmente después de atravesar la barrera mecánica, y el curso de los acontecimientos una vez establecido, son función del balance entre la virulencia del microorganismo y la inmunidad natural del huésped. Por lo tanto, diversas lesiones y enfermedades de la piel son de etiología estafilocócica, como una gran mayoría de los casos de osteomielitis y periostitis, muchos de otitis media y sinusitis y, mucho menos frecuentemente, infecciones de vías urinarias y la relativamente rara meningitis estafilocócica. En general, la inflamación supurada, en cualquier parte del cuerpo, suele acompañarse de la presencia de estafilococos en cultivo puro o mezclado. Cuando se observan en infecciones mixtas, los estafilococos pueden corresponder a invasión primaria o secundaria; a menudo es imposible determinar la sucesión de acontecimientos.

Enteritis.[49] La enteritis estafilocócica se hizo más prominente con el uso general de los antibióticos, especialmente de los de amplio espectro administrados por la boca. Esta terapéutica, o profilaxia, favorece el desarrollo de estafilococos resistentes en el intestino a expensas de la flora normal; los estafilococos se encuentran con frecuencia en el intestino y se descubren fácilmente en el 10 a 15 por 100 de las personas, sin afecciones intestinales. La enfermedad se observa más comúnmente en pacientes quirúrgicos a quienes se administran antibióticos profilácticamente. La gravedad de enteritis depende mucho del número de estafilococos que se encuentre, y, en casos graves, la flora intestinal, según se observa en los frotis fecales puede ser bastante anormal, careciendo casi por completo de bacterias gramnegativas y formada en gran parte de grandes cantidades de estafilococos mezclados con células de pus. En la necropsia, la enteritis que suele encontrarse es de tipo seudomembranoso. No se ha aclarado el papel que desempeñan en la patogenia de la enfermedad las toxinas estafilocócicas, como la enterotoxina y estafilolisina, o si los estafilococos tienen algún papel en la colitis ulcerosa. Este tipo de enteritis debe distinguirse de la intoxicación alimenticia por estafilococos (capítulo 11) aunque es probable que las enterotoxinas desempeñen cierto papel en su patogenia.

Neumonía.[35, 44] Las neumonías de causa estafilocócica, aunque no son frecuentes, parecen estar aumentando y desplazando las neumonías de neumococos y las estreptocócicas en la mortalidad por neumonía,[21] probablemente a consecuencia de la susceptibilidad continuada de los dos últimos a los antibióticos, y la frecuencia netamente aumentada de estafilococos resistentes. Las neumonías causadas por estafilococos no son comunes, y probablemente

casi siempre secundarias, a menudo a la influenza; parece que el edema alveolar de este padecimiento favorece la infección estafilocócica. Se identifican dos tipos generales. Uno es una neumonía cavitante de desarrollo gradual, en la que la lesión inicial es un moteado pulmonar difuso que se une para crear una consolidación y formar una cavidad. El otro es una neumonía hemorrágica fulminante, con toxemia profunda, acompañada a menudo de bacteriemia. Este cuadro con frecuencia es secundario a influenza, y sucede en lactantes. Las bacterias pueden encontrarse muchas veces en cultivo casi puro en el esputo, líquido de empiema, o exudado del pulmón obtenido por punción, y en la sangre cuando hay bacteriemia. Se ha observado que la inoculación intratraqueal o intrabronquial de conejos con filtrados libres de células produce consolidación, zonas peribronquiales de congestión hemorrágica y necrosis, y lesión de los vasos sanguíneos, resultando en isquemia de grandes áreas de pulmón; es un cuadro que se considera semejante al que se encuentra en casos tempranos de neumonía estafilocócica en el hombre.

Frecuencia. Las infecciones estafilocócicas han aumentado de frecuencia y mortalidad, desplazando de hecho a los neumococos como agentes etiológicos inmediatos en la infección terminal; estas, junto con la tuberculosis y las infecciones entéricas, se han constituido en las infecciones bacterianas predominantes en Estados Unidos. Los estudios epidemiológicos han demostrado que hay una notable asociación entre tipos particulares de bacteriófago y la virulencia, según se deduce del origen de la cepa.[7] Una gran parte de cepas virulentas, hasta el 40 a 90 por 100 en un determinado hospital, pertenecen al complejo 80/81 que incluye cepas lisadas por bacteriófagos 52 y 52A; puede decirse que el complejo incluye 80, 81, 80/81, 80/81/52/52A, y 80/52/52A.[73] No está demostrado que los estafilococos se volvieran más virulentos; por ello, la frecuencia de la osteomielitis hematógena primaria ha disminuido. Es más probable que estas infecciones hayan aumentado a expensas de otras más susceptibles a la quimioterapia, y es posible también que factores como las punciones cutáneas con fines diagnósticos y el uso más generalizado de rayos X y cortisona hayan contribuido a disminuir la resistencia a la infección con estos microorganismos.

Patogenicidad para animales.[22, 70] Mientras que el hombre es considerablemente más susceptible a infecciones con estafilococos que los animales inferiores, las infecciones endémicas que ocurren naturalmente en animales domésticos son bien conocidas, y se pueden infectar animales de experimentación. En caballos y reses, *Staph. aureus* acompaña a procesos patológicos similares a los que produce en el hombre. No es rara la mastitis por estafilococos en las reses; el ganado a menudo lo infecta el hombre, o el ordeñador lleva la infección de una vaca a otra, y el ganado infectado constituye una fuente menor de infección humana. La infección estafilocócica de carneros depende de mordidas de garrapata y asume forma aguda o crónica; la primera es una bacteriemia con muerte en 24 horas, la segunda se caracteriza por el desarrollo de abscesos metastáticos. También se han aislado estafilococos de abscesos que aparecen espontáneamente en pájaros.

De los animales de experimentación, el conejo es uno de los más susceptibles.[42, 55] La inoculación intravenosa de 0.1 ml de un caldo de cultivo de 24 horas produce infección mortal en cuatro a ocho días; en la necropsia se encuentran abscesos en diversos órganos, sobre todo en corteza de riñón y paredes del corazón. Por lo general, las infecciones no se observan en médula ósea o periostio, pero se ha informado que puede producirse osteomielitis en animales jóvenes. Si se fractura el hueso o se lesiona el periostio antes de la inoculación, se producen una serie de hechos muy semejantes a los de la osteomielitis humana. Pueden producirse infecciones oculares, pero la intraperitoneal es relativamente rara de lograr. El ratón también es resistente a ella, pero después de inocular por vía venosa con 40 millones de microorganismos aproximadamente, muere alrededor del 85 por 100 de los animales, y en la necropsia el hallazgo característico son los abscesos de riñón. De los otros animales de experimentación comunes, el cobayo es relativamente resistente a infección con estafilococos, y la rata y paloma son muy resistentes. En general, no parece haber una buena prueba en animales para la virulencia de estafilococos.

Diagnóstico bacteriológico. No suele ser difícil aislar estafilococos. El medio de elección para obtenerlos de muestras purulentas es el agar-sangre; con 24 horas de incubación *Staph. aureus* da buen crecimiento de colonias cremosas, muy pigmentadas, rodeadas de las zonas claras de hemólisis β. Los estafilococos son capaces de crecer en presencia de cloruro de sodio al 7.5 por 100, que inhibe muchas bacterias, y se han usado medios selectivos que contienen sal junto con manitol y, a veces, rojo de fenol como indicador acidobásico, para aislar estafilococos de muestras muy contaminadas con otras bacterias.[50, 86]

El examen de un frotis de colonias típicas con coloración de Gram muestra la morfología que los caracteriza, y la prueba de coagulasa se realiza sistemáticamente, por lo general en portaobjetos, donde las bacterias están suspendidas en el plasma y se observan al microscopio para ver la aglutinación. Las reacciones bioquímicas, con excepción de la fermentación de manitol y formación de gelatinasa, no son útiles. La diferenciación de lisinas solo se lleva a cabo con fines especiales, simplemente incluyendo antisueros apropiados en un medio de agar-sangre. La presencia de enterotoxina en alimentos culpados de epidemia, o la capacidad de producir enterotoxi-

nas de cepas aisladas, pueden demostrarse inmunológicamente aplicando la prueba de difusión de gel y los antisueros específicos, en la forma antes descrita.

Inmunidad. La inmunidad adquirida para infecciones con estafilococos suele ser baja. Tanto esta como la natural parecen ser principalmente de naturaleza celular, observándose como factor más importante la fagocitosis de los microorganismos. Como señalamos antes, la estrecha relación entre la coagulasa y la virulencia sugiere que esta actividad es un elemento importante en la patogenicidad del microorganismo, pero es un antígeno pobre, que solo estimula una respuesta inmunitaria irregular y de bajo grado. Las estafilolisinas son buenos antígenos, y la respuesta de inmunidad a ellos y a la leucocidina P-V puede explicar las observaciones de que la antileucocidina es parte importante de la eficacia de la inmunidad adquirida. Además, la naturaleza del proceso infeccioso es tal que reduce al mínimo el contacto de los antígenos estafilocócicos con las células formadoras de anticuerpos y el anticuerpo circulante. Los microorganismos presentes en los abscesos producidos por estas bacterias están realmente separados de la sangre; es bien sabido, por ejemplo, que la osteomielitis estafilocócica, incluso de larga duración, no da por resultado una respuesta inmunitaria eficaz, y, a la inversa, esas lesiones no se afectan en grado apreciable por anticuerpos o medicamentos circulantes. Incluso en la diseminación hematógena de la infección, con formación de abscesos secundarios, muchos de los estafilococos viables están protegidos hasta cierto grado del anticuerpo que pueda existir en la sangre, porque se hallan dentro de los leucocitos o de masas de fibrina.

Los procedimientos de inmunización activa, que utilizan vacunas, a menudo autógenas, o filtrados libres de células que contienen estafilolisinas transformadas en toxoides por tratamiento con formol, suelen usarse con fines terapéuticos más que profilácticos. Las infecciones de la piel, como acné pustular, con frecuencia son difíciles de tratar, y la inmunización activa ha sido interesante como medida terapéutica. En general, se han obtenido resultados alentadores, aunque no sorprendentes, pero quizá no aparezcan por algunos meses.

El uso de antisueros ha dado resultados terapéuticos desalentadores.

Quimioterapia. Las cepas sensibles de estafilococos son susceptibles a la acción antibacteriana de sulfonamidas, penicilina, tetraciclinas, cloranfenicol, eritromicina y otros antibióticos activos en bacterias grampositivas. El índice de mortalidad del 80 por 100 en septicemias estafilocócicas disminuyó en cerca de 30 por 100 al emplear penicilina, pero el desarrollo subsecuente de cepas resistentes ha aumentado la cifra total a 50 por 100 o más. El problema de la quimioterapia de las infecciones estafilocócicas se ha complicado por la frecuencia de

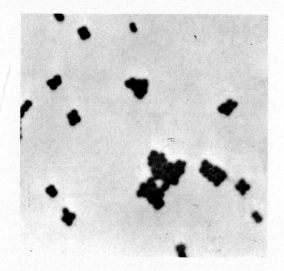

FIG. 15-3. *Micrococcus tetragenus;* frotis de un cultivo puro teñido con fucsina. Obsérvese el tamaño relativamente grande de las células y la típica disposición en tétradas con los grupos irregulares que tienden a estar formados de estas. $\times$ 1 800.

cepas resistentes y de resistencia múltiple, y la resistencia a nuevos antibióticos se desarrolla rápidamente a medida que se usan. Por eso, es esencial que en las cepas que se aíslan de procesos patológicos se determine la sensibilidad a diversos agentes potencialmente eficaces, como parte de los procedimientos sistemáticos de diagnóstico, de tal forma que pueda contarse con una base para una quimioterapia eficaz.

Cuando la cepa es sensible a un agente quimioterapéutico, el tratamiento de la bacteriemia estafilocócica tiene éxito notable, algo menos el de infecciones localizadas en forma de abscesos, y el de la osteomielitis es inútil sin la cirugía apropiada. Naturalmente, en los dos últimos los microorganismos están parcial o completamente protegidos del medicamento.

OTROS MICROCOCOS [84]

Se han descrito diversos micrococos, pigmentados y de otros tipos; la mayor parte son formas saprófitas que se encuentran en el agua y otras partes en la naturaleza. Un exponente bien conocido de este grupo es ,*Sarcina lutea,* coco que produce un pigmento amarilla brillante que deriva su nombre genérico de la tendencia a formar paquetes cúbicos de ocho células.

Micrococcus tetragenus (Gaffkya tetragena) es un coco parásito que se encuentra con frecuencia en las mucosas de las vías respiratorias superiores. Lo describió Gaffky, en 1881, en las cavidades pulmonares en la tisis y se ha encontrado en cultivo puro en abscesos de animales y el hombre, y a menudo

se observa en la boca normal. No rara vez se encuentra en supuraciones de boca y cuello. También se encuentra en el empiema consecutivo a neumonía y en la supuración de heridas de guerra. Este microorganismo probablemente sea de poca virulencia y, en general, incapaz de invadir tejidos humanos excepto cuando disminuye la resistencia por alguna causa, especialmente del tipo originado por la invasión de alguna otra bacteria. El ratón blanco inoculado con *M. tetragenus* muere de septicemia de evolución rápida. Los cobayos y conejos suelen mostrar solo afección local. Los ratones y ratas de casa son relativamente resistentes.

Morfológicamente, *M. tetragenus* se distingue por presentarse en tétradas o grupos de cuatro pequeños cocos ovales. Es grampositivo. En cultivos no siempre se ve la disposición en hoja, pero en el organismo animal se observan uniformemente las tablas planas, y los cuatro rodeados de una cápsula bastante gruesa. En agar se produce un crecimiento rugoso confluente, blanco y elevado. La gelatina no se licua; coagula la leche. El crecimiento es lento y ocurre a 20 y a 37°C, aunque es mejor a esta última temperatura.

BIBLIOGRAFIA

1. Asheshov, E. H., and K. C. Winkler. 1966. *Staphylococcus aureus* strains in the '52, 52A, 80, 81 complex.' Nature **209**:638–639.
2. Baird-Parker, A. C. 1962. An improved diagnostic and selective medium for isolating coagulase positive staphylococci. J. Appl. Bacteriol. **25**:12–19.
3. Baird-Parker, A. C. 1963. A classification of micrococci and staphylococci based on physiological and biochemical tests. J. Gen. Microbiol. **30**:409–427.
4. Baird-Parker, A. C. 1965. The classification of staphylococci and micrococci from world-wide sources. J. Gen. Microbiol. **38**:363–387.
5. Barber, M., *et al.* 1960. Reversal of antibiotic resistance in hospital staphylococcal infections. Brit. Med. J. **i**:11–17.
6. Bernheimer, A. W., and L. L. Schwartz. 1963. Isolation and composition of staphylococcal alpha toxin. J. Gen. Microbiol. **30** 455–468.
7. Blair, J. E. 1956. Epidemiological implications of staphylococcal phage typing. Ann. N.Y. Acad. Sci. **65**:152–159.
8. Blair, J. E. 1966. Untypable staphylococci: their identification and possible origin. Hlth. Lab. Sci. **3**:229–234.
9. Blair, J. E., and M. Carr. 1960. Distribution of phage groups of *Staphylococcus aureus* in the years 1927 through 1947. Science **132**:1247-1248.
10. Blair, J. E., and R. E. O. Williams. 1961. Phage typing of staphylococci. Bull. Wld. Hlth. Org. **24**:771–784.
11. Blobel, H., and D. T. Berman. 1961. Further studies on the in vivo activity of staphylocoagulase. J. Infect. Dis. **108**:63–67.
12. Blobel, H., D. T. Berman, and J. Simon. 1960. Purification of staphylococcal coagulase. J. Bacteriol. **79**:804–815.
13. Calia, F. M., *et al.* 1969. Importance of the carrier state as a source of *Staphylococcus aureus* in wound sepsis. J. Hyg. **67**:49–57.
14. Caratonis, L. M., and M. S. Spink. 1963. A selective salt egg agar medium for pathogenic staphylococci. J. Pathol. Bacteriol. **86**:217–230.
15. Casman, E. P., and R. W. Bennett. 1963. Culture medium for the production of staphylococcal enterotoxin A. J. Bacteriol. **86**:18–23.

16. Casman, E. P., and R. W. Bennett. 1964. Production of antiserum for staphylococcal enterotoxin. Appl. Microbiol. **12**:363–367.

17. Casman, E. P., *et al.* 1967. Identification of a fourth staphylococcal enterotoxin, enterotoxin D. J. Bacteriol. **94**:1875–1882.

18. Clark, W. G., G. F. Venderhooft, and H. L. Borison. 1962. Emetic effect of purified staphylococcal enterotoxin in cats. Proc. Soc. Exp. Biol. Med. **111**:205–207.

19. Cohn, Z. A., and S. I. Morse. 1959. Interactions between rabbit polymorphonuclear leucocytes and staphylococci. J. Exp. Med. **110**:419–443.

20. Coulter, J. R. 1966. Production, purification, and composition of staphylococcal α toxin. J. Bacteriol. **92**:1655–1662.

21. Councell, C. E. 1963. Recent trends for pneumonia mortality. Pub. Hlth. Repts. **78**:178–182.

22. Courter, R. D., and M. M. Galton. 1962. Animal staphylococcal infections and their public health significance. Amer. J. Pub. Hlth. **54**:1818–1927.

23. Cowan, S. T., and K. J. Steel. 1964. Comparison of differentiating criteria for staphylococci and micrococci. J. Bacteriol. **88**:804–805.

24. Deneke, A., and H. Blobel. 1962. Fibrinogen media for studies on staphylococci. J. Bacteriol. **83**:533–537.

25. Doery, H. M., *et al.* 1965. The properties of phospholipase enzymes in staphylococcal toxins. J. Gen. Microbiol. **40**:283–296.

26. Dossett, J. H., *et al.* 1969. Antiphagocytic effects of staphylococcal protein A. J. Immunol. **103**:1405–1410.

27. Duncan, I. B. R., and R. D. Comtois. 1966. Hospital infections caused by a group of recently recognized strains of *Staphylococcus aureus*. Can. Med. Assn. J. **94**:879–885.

28. Duthie, E. S. 1952. Variation in the antigenic composition of staphylococcal coagulase. J. Gen. Microbiol. **7**:320–326.

29. Eksted, R. D. 1956. Further studies on the antibacterial activity of human serum on *Micrococcus pyogenes* and its inhibition by coagulase. J. Bacteriol. **72**:157–161.

30. Elek, S. D. 1959. Staphylococcus Pyogenes and Its Relation to Disease. Williams & Wilkins, Baltimore.

31. Elek, S. D., and E. Levy. 1950. Distribution of hemolysins in pathogenic and non-pathogenic staphylococci. J. Pathol. Bacteriol. **62**:541–554.

32. Fahlberg, W. J., and J. Marston. 1960. Coagulase production by Staphylococcus aureus. Factors affecting coagulase production. J. Infect. Dis. **106**:111–115.

33. Feldman, C. A. 1962. Staphylococcal scarlet fever. New Eng. J. Med. **267**:877–878.

34. Finland M. 1955. Emergence of antibiotic-resistant bacteria. New Eng. J. Med. **253**:909–922, 969–979, 1019–1028.

35. Fisher, A. M., *et al.* 1958. Staphylococcal pneumonia. A review of 21 cases in adults. New Eng. J. Med. **258**:919–928.

36. Forsgren, A. 1970. Significance of protein A production by staphylococci. Infect. Immun. **2**:672–673.

37. Foster, W. D. 1963. The role of alpha-hemolysin in the pathogenicity of *Staphylococcus aureus*. J. Pathol. Bacteriol. **86** 535–541.

38. Frohman, L. A., *et al.* 1964. Surveillance of staphylococcal infections in Bellevue Hospital, New York. Amer. J. Hyg. **79**:336–348.

39. Gladstone, G. P. 1965. Staphylococcal leucocidin toxoid. Brit. J. Exp. Pathol. **46**:292–307.

40. Gladstone, G. P., and W. E. van Heyningen. 1957. Staphylococcal leucocidins. Brit. J. Exp. Pathol. **38**:123–137.

41. Gladstone, G. P., *et al.* 1962. The assay of anti-staphylococcal leucocidal components (F and S) in human serum. Brit. J. Exp. Pathol. **43**:295–312.

42. Goshi, K., *et al.* 1961. Studies on the pathogenesis of staphylococcal infection. II. The effect of nonspecific inflammation. III. The effect of tissue necrosis and antitoxic immunity. J. Exp. Med. **113**:249–257, 259–270.

43. Gravenkemper, C. F., J. L. Brodie, and W. M. M. Kirby. 1965. Resistance of coagulase-positive staphylococci to Methicillin and Oxacillin. J. Bacteriol. **89**:1005–1010.

44. Gresham, G. A. 1958. Staphylococcal pneumonia. Brit. J. Clin. Practice **12**:247–252.

45. Hall, H. E., R. Angelotti, and K. H. Lewis. 1965. Detection of staphylococcal enterotoxin in food. Pub. Hlth. Lab. Sci. **2**:179–191.

46. Hallander, H. O. 1965. Production of large quantities of enterotoxin B and other staphylococcal toxins on solid media. Acta Pathol. Microbiol. **63**:299–305.

47. Harrison, K. J. 1963. The preparation and properties of staphylocoagulase toxoid. J. Pathol. Bacteriol. **85**:341–348.

48. Haukenes, G. 1967. Serological typing of *Staphylococcus aureus*. 7. Technical aspects. Acta Pathol. Microbiol. Scand. **70**:590–600.

49. Hinton, N. A., J. G. Taggart, and J. H. Orr. 1960. The significance of the isolation of coagulase-positive staphylococci from stool. With special reference to the diagnosis of staphylococcal enteritis. Amer. J. Clin. Pathol. **33**:505–510.

50. Hinton, N. A., J. G. Taggart, and J. H. Orr. 1960. Diagnosis of staphylococcal enteritis. Can. Med. Assn. J. **83**:700–704.

51. Innes, A. G. 1960. Tellurite-egg agar, a selective and differential medium for the isolation of coagulase-positive staphylococci. J. Appl. Bacteriol. **23**:108–113.

52. Ivler, D. 1970. Staphylococcus. pp. 61–64. *In* Blair, J. E., E. H. Lennette, and J. P. Truant (Eds.): Manual of Clinical Microbiology. American Society for Microbiology, Bethesda.

53. Jackson, A. W., and R. M. Little. 1957. Leucocidal effect of staphylococcal δ-toxin. Can. J. Microbiol. **3**:101–102.

54. Jevons, M. P., and M. T. Parker. 1964. The evolution of new hospital strains of *Staphylococcus aureus*. J. Clin. Pathol. **17**:243–250.

55. Johnson, J. E., L. E. Cluff, and K. Goshi. 1961. Studies on the pathogenesis of staphylococcal infection. I. The effect of repeated skin infections. J. Exp. Med. **113**:235–248.

56. Kent, T. H. 1966. Staphylococcal enterotoxin gastroenteritis in rhesus monkeys. Amer. J. Pathol. **48**:387–407.

57. Kimler, A. 1962. Some clinical laboratory briefs on staphylococci. J. Bacteriol. **83**:207–208.

58. Kreger, A. S. 1971. Purification and properties of staphylococcal delta hemolysin. Infect. Immun. **3**:449–465.

59. Kronvall, G., P. G. Quie, and R. C. Williams. 1970. Quantitation of staphylococcal protein A; determination of equilibrium constant and number of protein A residues on bacteria. J. Immunol. **104**:273–278.

60. Kumar, S., *et al.* 1962. The characterization of staphylococcal toxins. II. The isolation of homogeneous staphylococcal protein possessing alpha hemolytic, dermonecrotic, lethal, and leucocidal activities. J. Exp. Med. **115**:1107–1115.

61. Lack, C. H. 1948. Staphylokinase: An activator of plasma protease. Nature **161**:559–560.

62. Lack, C. H. 1956. Biological characteristics of staphylococci recovered from pathologic materials. Ann. N.Y. Acad. Sci. **65**:103–108.

63. Madoff, M. A., and L. Weinstein. 1962. Purification of staphylococcal alpha-hemolysin. J. Bacteriol. **83**:914–918.

64. Marston, J., and W. J. Fahlberg. 1960. Coagulase production by *Staphylococcus aureus*. II. Growth and coagulase production in complex and chemically defined mediums—comparison of chemically defined mediums. J. Infect. Dis. **106**:116–122.

65. Martin, W. J., D. R. Nichols, and E. D. Henderson. 1960. The problem of management of nasal carriers of staphylococci. Proc. Staff Meet. Mayo Clin. **35**:282–292.

66. McCarty, M., and S. I. Morse. 1964. Cell wall antigens of gram-positive bacteria. Adv. Immunol. **4**:249–286.

67. Melly, M. A., J. B. Thomison, and D. E. Rogers. 1960. Fate of staphylococci within human leukocytes. J. Exp. Med. **112**:1121–1130.

68. Meyer, W. 1962. Die Staphylokokkenerkrankungen des Menschen. Probleme ihrer Pathogenese, Bakteriologie, Epidemiologie und Prophylaxe. Johann Ambrosius Barth Verlay, Leipzig.

69. Miale, J. B., A. R. Winningham, and J. W. Kent. 1963. Staphylococcal isocoagulases. Nature **197**:392.

70. Morrison, S. M., J. F. Fair, and K. K. Kennedy. 1961. *Staphylococcus aureus* in domestic animals. Pub. Hlth. Repts. **76**:673–677.

71. Munch-Peterson, E. 1961. Staphylococcal carriage in man: An attempt at a quantitative survey. Bull Wld. Hlth. Org. **24**:761–770.

72. Munch-Petersen, E., and C. Boundy. 1962. Yearly incidence of penicillin-resistant staphylococci in man since 1942. Bull. Wld. Hlth. Org. **26**:241–252.

73. Nahmias, A., *et al.* 1961. The staphylococcus "80/81 complex" epidemiological and laboratory observations. J. Infect. Dis. **109**:211–222.

74. Oeding, P. 1965. Antigenic properties of staphylococci. Ann. N.Y. Acad. Sci. **128**:183–190.

75. Quie, P. G. 1969. Microcolonies (G-variants) of *Staphylococcus aureus.* Yale J. Biol. Med. **41**:394–403.

76. Rammelkamp, C. H., Jr., and J. L. Lebovitz. 1956. The role of coagulase in staphylococcal infections. Ann. N.Y. Acad. Sci. **65**:144–151.

77. Rogers, D. E. 1956. Current problems of Staphylococcal infections. Ann. Intern. Med. **45**: 748–781.

78. Rogers, D. E. 1956. The blood stream clearance of staphylococci in rabbits. Ann. N.Y. Acad. Sci. **65**:73–84.

79. Rosenberg, E. W. 1969. Bacteriology of acne. Ann. Rev. Med. **20**:201–206.

80. Rosendal, K., and O. Jessen. 1964. Epidemic spread of *Staphylococcus aureus* phage-type 83A. Acta Pathol. Microbiol. Scand. **60**:571–576.

81. Shah, D. B., and J. B. Wilson. 1963. Egg yolk factor of *Staphylococcus aureus.* I. Nature of the substrate and enzyme involved in the egg yolk opacity reaction. J. Bacteriol. **85**:516–521.

82. Smith, D. D., and J. M. Johnstone. 1958. Coagulase activity in vivo. Brit. J. Exp. Pathol. **39**:165–170.

83. Symposium. 1960. Symposium on carriers of penicillin-resistant staphylococci outside hospital. Proc. Roy. Soc. Med. **53**:253–260.

84. Symposium. 1962. Symposium on staphylococci and micrococci. J. Appl. Bacteriol. **25**:309–455.

85. Symposium. 1965. The staphylococci: ecological perspectus. Ann. N.Y. Acad. Sci. **128**:1–456.

86. Vogel, R. A., and M. Johnson. 1960. Modification of the tellurite-glycine medium for use in the identification of *Staphylococcus aureus.* Pub. Hlth. Lab. **18**:131–133.

87. Wallmark, G., and M. Finland. 1961. Phage types and antibiotic susceptibility of pathogenic staphylococci. Results at Boston City Hospital 1959–1960 and comparison with strains of previous years. J. Amer. Med. Assn. **175**:886–897.

88. Wentworth, B. B. 1963. Bacteriophage typing of the staphylococci. Bacteriol. Rev. **27**:253–272.

89. Williams, R. E. O. 1963. Healthy carriage of *Staphylococcus aureus*: its prevalence and importance. Bacteriol. Rev. **27**:56–71.

90. Wiseman, G. M., and J. D. Caird. 1968. Phospholipase activity of the delta hemolysin of *Staphylococcus aureus.* Proc. Soc. Exp. Biol. Med. **128**:428–430.

91. Wilson, J. B. 1959. Comparative susceptibility of chimpanzees and *Macaca mulatta* monkeys to oral administration of partially purified staphylococcal enterotoxin. J. Bacteriol. **78**:240–242.

92. Woodin, A. M. 1960. Purification of the two components of leucocidin from Staphylococcus aureus. Biochem. J. **75**:158–165.

93. Yotis, W. W., and R. D. Ekstedt. 1959. Studies on staphylococcus. I. Effect of serum and coagulase on the metabolism of coagulase positive and coagulase negative strains. J. Bacteriol. **78**:567–574.

CAPITULO 16

ESTREPTOCOCOS

Los estreptococos constituyen un grupo relativamente abundante de cocos piógenos caracterizados por disponerse en cadenas. Producen muchas enfermedades en el hombre y en algunos animales inferiores; otros son saprófitos de la leche y productos lácteos. Inicialmente se observaron en el pus formado en procesos inflamatorios supurativos y su frecuencia y significación patológica fueron subrayados primero por Ogston, Fehleisen y Rosenbach, al iniciarse la década de 1880. Actualmente se sabe con certeza que, además de las formas patógenas más virulentas, hay con más o menos constancia estreptococos parásitos relativamente innocuos en la faringe y tubo intestinal del hombre, que solo en circunstancias de disminución importante de la resistencia normal adquieren papel patógeno, y que en la práctica deben considerarse como parte de la flora normal del organismo del hombre.

Morfología y coloración. Al igual que los estafilococos, los estreptococos aislados son esféricos, con diámetro de 0.8 a 1.0 micras. La índole del medio de cultivo ocasiona algunas variaciones en el tamaño; frecuentemente las células aisladas son bastante menores cuando los cultivos crecen en condiciones anaerobias. Las variedades menores que se han descrito tienen 0.4 a 0.8 micras de diámetro, siendo su tamaño una característica que parece constante. El estreptococo característico se divide en un solo plano y la tendencia de las células a permanecer unidas ocasiona la formación de las cadenas peculiares que dan al microorganismo su nombre genérico. Esta tendencia parece más pronunciada entre las células hijas de la primera división celular, y frecuentemente las cadenas tienen aspecto de eslabones de diplococos con mayor proximidad de los que forman los pares que con los pares adyacentes. La firmeza de la unión es en cierto grado característica de especie; algunas especies aparecen como cadenas relativamente largas, otras muestran poco más de dos pares de diplococos.

Los primeros investigadores concedieron alguna importancia a la longitud de las cadenas y diferenciaron *Streptococcus longus* supuestamente más virulento, y *Str. brevis*, menos virulento. Esta diferencia tiene poca significación, a pesar de que los estreptococos recién aislados de procesos patológicos suelen formar cadenas de más de ocho células, en tanto que los normalmente existentes en boca y faringe por lo general producen cadenas cortas. Se han descrito colonias variantes opacas [52] que se presentan en forma de cadenas muy largas durante el desarrollo en medios líquidos, generalmente se forman cadenas largas; *Str. lactis* que existe normalmente en la leche forma cadenas muy largas, y con frecuencia de procesos patológicos se aíslan estreptococos de cadena corta. Sin embargo, la formación de cadenas celulares en ningún sentido es absoluta, y el examen microscópico de un frotis de estreptococos característicos muestra células aisladas, pares de células y, en ocasiones, conglomerados que semejan estafilococos.

En condiciones ordinarias de observación, los estreptococos no son móviles, pero esporádicamente se han descrito formas móviles.[30] La mayor parte de cepas son encapsuladas, y en algunas el material de la cápsula es ácido hialurónico, substrato de la hialuronidasa. Que se sepa, estas bacterias no forman esporas, y la formación de pigmento es relativamente rara.

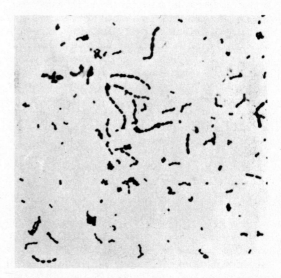

FIG. 16-1. *Streptococcus pyogenes.* Cepa de escarlatina recién aislada. Obsérvese la tendencia a la disposición en diplococos en las cadenas. Fucsina; $\times$ 1 050.

La tinción es fácil mediante los colorantes bacterianos comunes. Casi todas las cepas aisladas de procesos patológicos en el hombre son grampositivas, pero hay estreptococos gramnegativos, más frecuentes en procesos supurativos de animales inferiores que en el hombre.

Las colonias de estreptococos en medios de agar generalmente son bastante pequeñas, translúcidas, convexas, enteras y ligeramente granulosas. La colonia llamada mate, de superficie como vidrio esmerilado, más que lustrosa o brillante, es la forma virulenta del estreptococo β-hemolítico, encontrado frecuentemente por aislamiento primario del proceso infeccioso, pero también se encuentran variantes (ver luego).

Fisiología. Como grupo, los estreptococos crecen a temperatura relativamente alta, 10° a 42°C. Los del grupo piógeno, constituidos por parásitos del hombre y de los animales, tienen temperatura óptima de 37°C con viariación relativamente limitada; los del grupo lácteo se desarrollan entre 10° y 37°C; los del grupo viridans de 37° a 42°C e incluyen una especie termófila que crece a 50°C. La mayor parte de estreptococos son anaerobios facultativos, pero hay algunas pocas variedades anaerobias obligadas.

Los estreptococos se encuentran entre las bacterias más exigentes en cuanto a necesidades nutritivas. Generalmente no pueden desarrollarse en medios de extracto de carne, y su desarrollo suele ser pobre incluso en caldo, pero puede ser mejorado en parte por adición de amortiguador de fosfato en pequeña cantidad, y posiblemente con 0.1 por 100 de glucosa. Para la mayor parte se emplean medios de caldo enriquecidos agregando 10 por 100 de sangre desfibrinada, líquido de ascitis y substancias semejantes, y para el cultivo ordinario de las formas patógenas es adecuado un medio como agarsangre. Muchas cepas son hemolíticas en agar-sangre, algunas muestran zonas claras de hemólisis β, otras una zona de coloración verdosa o hemólisis α, imposible de distinguir de la producida por el neumococo. Cuando crecen en agar-suero de caballo viejo, los estreptococos β-hemolíticos forman una lipoproteasa, cuyo substrato es α-lipoproteína, y que origina una zona de opacidad alrededor de las colonias.[28, 82] También crecen en la leche, que es coagulada por algunas especies al fermentar la lactosa.

Los cultivos de estreptococo pueden conservarse en caldo de suero, en agar o sembrados en infusión de gelatina, en el refrigerador.

Las necesidades nutritivas, relativamente complejas, de estas bacterias, han sido definidas en grado considerable. La mayor parte de cepas requieren glutamina, riboflavina, ácido pantoténico, piridoxina, ácido nicotínico y biotina junto con 13 ó 14 aminoácidos. Los estreptococos de grupo A también necesitan derivados del ácido nucleico. Algunas cepas se han cultivado en medios con hidroli-

zados de albúmina o caseína, complementados con varios aminoácidos y vitaminas; otras, en medios químicamente definidos.[54]

Fermentan varios azúcares e hidrolizan muchos polisacáridos. El principal producto de la glucosa es el ácido láctico, formándose pequeñas cantidades de ácidos fórmico y acético, y alcohol etílico. La hidrólisis del hipurato de sodio y polímeros como la inulina, almidón y dextrina, tienen cierta significación diagnóstica, junto con la fermentación de lactosa, sorbitol, glicerol, manitol, maltosa, sacarosa y rafinosa. Algunas cepas liberan cantidades relativamente abundantes de amoniaco, a partir de peptona, característica que también tiene cierto valor diagnóstico. Salvo raras excepciones, la inulina no es fermentada, y ni la bilis de buey ni la solución de sales biliares al 10 por 100 disuelven los estreptococos; estas características tienen importancia práctica considerable, ya que sirven para diferenciar los estreptococos de hemólisis α, o verde, de los neumococos.

Formación de substancias tóxicas. Los estreptococos hemolíticos producen varias substancias tóxicas. Algunas parecen ser intracelulares y se encuentran en lisados sónicos de bacterias; otras se difunden de las células encontrándose en filtrados sin ellas. En el primer grupo se forma una hemolisina, demostrable en lisados sónicos, diferente de las estreptolisinas extracelulares (ver luego) y mortal para el ratón.[70] Se han estudiado extensamente las substancias intracelulares que son piógenas y producen exantema y lesiones nodulares en el tejido conectivo dérmico del conejo.[89] Estas acciones parecen guardar relación con la pared celular y contienen polisacárido activo,[68] pero se diferencian de las endotoxinas de los bacilos gramnegativos.[10]

Las toxinas extracelulares incluyen estreptolisinas o hemolisinas, estreptocinasa, hialuronidasa, toxina eritrógena o escarlatinosa, leucocidina que mata los heterófilos que ingieren las bacterias y, posiblemente, en algunos estreptococos α-hemolíticos que producen intoxicación alimenticia por una enterotoxina.

Estreptolisinas. Todd diferenció dos clases de hemolisinas filtrables producidas por estreptococos. Difieren en que una, llamada estreptolisina S, es sensible al calor o el ácido, y la otra, denominada estreptolisina O, es inactivada por el oxígeno, es decir, es inactiva en estado oxidado y su actividad puede recuperarse mediante agentes reductores débiles como el sulfito. La actividad hemolítica se relaciona con grupos sulfhidrilos y desaparece en forma irreversible por tratamiento con yodacetamida o peryodato.[15] Ambas hemolisinas son extremadamente lábiles a 37°C y desaparecen rápidamente después de las primeras horas de incubación.

La estreptolisina O parece ser mucho más importante para la virulencia de los estreptococos hemolíticos, y tiene una acción cardiotóxica específica descrita por Bernheimer y colaboradores. La inoculación de la toxina libera un inhibidor de natura leza lipoproteínica, del músculo cardiaco de la rana, que produce sensibilización para la cardiotoxina, también es liberada, encontrándose en la fracción seroalbúmina; in vitro, inhibe la hemólisis.[67] También hay datos indicadores de que la estreptolisina O tiene acción leucocidínica. Esta toxina es antigénica y su anticuerpo se forma ordinariamente en las infecciones estreptocócicas; la dosificación del anticuerpo ya está estandarizada.[23, 77]

Estreptocinasa. Los estreptococos hemolíticos de los grupos A, C y G (ver luego) producen estreptocinasa, activador plasmático que inicia la disolución fibrinolítica de los coágulos de fibrina (capítulo 8). Es producida más activamente por cepas del grupo C, solo irregularmente y en cantidad escasa por cepas del grupo G. La producción de esta toxina parece no requerir condiciones especiales de cultivo. Hay cierta especificidad de especie, pues los plasminógenos del hombre, el perro y el conejo son activados fácilmente, pero los del cerdo, el caballo y la vaca se activan con menor facilidad y los del cobayo y el cordero no se activan por las concentraciones usuales de estreptocinasa. La toxina es antigénica y, al parecer, el anticuerpo se produce irregularmente en las personas infectadas. La dosificación del anticuerpo se complica por la variabilidad en las concentraciones de antiproteasa y de factor lítico en el plasma analizado y, lo que es más importante, la estreptocinasa no es homogénea desde el punto de vista inmunológico; la producida por diferentes cepas de estreptococo muchas veces es antigénicamente diferente. En la práctica, la determinación de los niveles de este anticuerpo tiene poco valor.

Los estreptococos hemolíticos también producen estreptodornasa, una desoxirribonucleasa sin relación aparente con la virulencia. Incluso en una cepa estreptocócica única, no es homogénea, y se ha separado electroforéticamente en tres componentes: A, B y C; la última es inhibida por el citrato, y las tres son agentes quelantes.[88] La estreptocinasa y la estreptodornasa pueden adquirirse en el comercio (Varidasa) para aplicación clínica en la desbridación enzimática de tejido necrótico y disolución de exudados fibrinosos.[3]

Hialuronidasa. La mayor parte de estreptococos hemolíticos producen hialuronidasa, cuya acción enzimática despolimeriza la substancia fundamental de los tejidos. Las cepas aisladas de faringes normales producen tanta hialuronidasa como las de infecciones graves o benignas. La substancia capsular de cepas encapsuladas de estreptococos hemolíticos de los grupos A y C está formada por ácido hialurónico, y tales cepas no producen hialuronidasa, a pesar de que generalmente son virulentas. Cabe suponer que la producción de esta toxina pueda tener relación causal con la capacidad de los estreptococos virulentos para diseminarse en los tejidos; en efecto, la producción de hialuronidasa aumenta en presencia del substrato. La virulencia de las cepas

encapsuladas y la falta de datos experimentales parecería invalidar esa afirmación. Por el contrario, la producción de ácido hialurónico, o sea de cápsulas, aparentemente sin importancia para la infección experimental por vía intraperitoneal, parece ser esencial para la infección por inhalación.[12, 33]

Toxina eritrógena. La toxina eritrógena es una substancia que ocasiona eritema local intenso inoculada por vía intradérmica al hombre, y que en cantidades elevadas produce exantema eritematoso generalizado. En el conejo puede producir una reacción dérmica, pero, en general, los animales de laboratorio son intensa o absolutamente resistentes a ella. La dosis mortal para el conejo es muy elevada, 5 a 10 ml de filtrado no concentrado. Esta toxina produce el exantema de la escarlatina y se conoce como "toxina escarlatinosa" o "toxina de Dick" según su descubridor. Difiere de las exotoxinas corrientes en que es relativamente resistente al calor; aún después de ebullición durante 30 minutos, conserva cierta toxicidad. Es antigénica y estimula la producción de antitoxina específica, pero a concentraciones no tan elevadas como las que se obtienen fácilmente para las antitoxinas diftérica y tetánica.

La formación de estas substancias por el estreptococo es más característica de grupo que de todas las cepas de estreptococo patógeno. Así, no todos los estreptococos del grupo A producen toxina eritrógena, y los que no la producen son incapaces de ocasionar escarlatina. En general, se relacionan con la virulencia, ya que las cepas no virulentas frecuentemente no son hemolíticas, fibrinolíticas, etc., en tanto que las encontradas en procesos patológicos y que en condiciones experimentales muestran gran virulencia son hemolíticas, fibrinolíticas, etcétera.

Hipersensibilidad. Otro factor relacionado con la capacidad patológica del estreptococo es el desarrollo de hipersensibilidad a la substancia celular de estas bacterias, durante la infección y después de esta. Por lo tanto las infecciones subsecuentes causan fenómenos alérgicos, que pueden tener mucha importancia en la enfermedad producida. Parece probable que la hipersensibilidad tenga participación en la enfermedad reumatoide y en las artritis de etiología estreptocócica (ver luego).

Variación. Las alteraciones en la morfología de los estreptococos aislados se observan frecuentemente en cultivos viejos que muestran células aumentadas de volumen varias veces su tamaño normal. Algunos investigadores han interpretado estos y otros cambios en cultivos viejos como indicio de un ciclo vital complejo, pero es más probable que esa morfología aberrante corresponda a formas involutivas, es decir, que sea de naturaleza degenerativa. En condiciones adecuadas, los estreptococos pueden presentarse como formas L y protoplastos.[21] Estos, a la vez, se presentan tanto en el grupo C como en el grupo A de estreptococos hemolíticos.

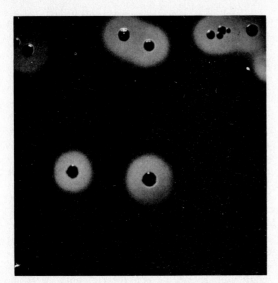

FIG. 16-2. *Streptococcus pyogenes.* Cultivo puro en agar-sangre; véase la hemólisis β. × 5.

Los cambios disociativos en la morfología de las colonias son bien conocidos. La forma llamada mate es la forma virulenta, diferente de las variedades comunes de colonias, lisa y rugosa. Se ha descrito una variedad mucoide de colonia que es más diferente todavía. Por lo tanto, hay cuatro variedades de colonias reconocidas: lisa (lustrosa), rugosa, mucoide y mate. La transformación de mucoide o mate a rugosa o lisa corresponde al cambio disociado ordinario S → R. El antígeno M se encuentra en la variedad mate, derivando su nombre de esta relación, pero es escaso en la variedad lisa lustrosa. Las excepciones son frecuentes, y la morfología de las colonias parece depender fundamentalmente de la formación de cápsula; es decir, las colonias mucoide o mate están constituidas por estreptococos encapsulados, y la colonia lisa lustrosa por cepas que no la forman; el antígeno M se relaciona más con la formación de cápsula que lo que contribuye a diferenciar la variedad de colonia. Puede también presentarse,[93] otra variación inmunológica, sin relación con la forma de colonia, pues parece que las variedades aglutinantes en ocasiones son inestables, y a veces puede perderse el polisacárido específico de grupo (ver luego).

Frecuentemente se señala variación de la hemólisis, en la que las cepas β-hemolíticas originan variantes no hemolíticas o α-hemolíticas. La alteración en la hemólisis depende en cierto grado del medio ambiente, ya que variantes no hemolíticas pueden ser hemolíticas en condiciones anaerobias, sugiriendo inactivación de la hemolisina sensible al oxígeno más que incapacidad de producción; de manera semejante, variantes α-hemolíticas pueden convertirse en β-hemolíticas agregando catalasa al medio o suprimiendo el azúcar reductor, ya que este último parece inhibir la producción de hemo-

lisina por algunas cepas de estreptococos. La estreptolisina O generalmente se considera responsable de hemólisis en placas de sangre, pero se han observado variantes no hemolíticas de cepas β-hemolíticas que continúan formando estreptolisina O en cultivo líquido.

Resistencia medicamentosa. Los estreptococos hemolíticos β inicialmente eran relativamente uniformes en sus cepas por su sensibilidad a los sulfamídicos, la penicilina y las tetraciclinas. El desarrollo de resistencia a los sulfamídicos ha sido apreciable, quizá como consecuencia de su utilización ocasional en la profilaxia de grandes masas no solo de enfermedades estreptocócicas sino también de infecciones por meningococos, pues el efecto sobre el estreptococo resulta coincidencia en este último caso. La resistencia a la tetraciclina apareció muy poco después de introducir este antibiótico en el comercio, y se calcula que, en la actualidad, del 40 al 60 por 100 de las cepas son resistentes. Aunque a veces pueden descubrirse cepas penicilinorresistentes, en su mayor parte los estreptococos β-hemolíticos siguen sensibles a este antibiótico.

En general, los estreptococos α-hemolíticos varían mucho en su sensibilidad a los diversos quimioterápicos, pero los grados variables de resistencia observados parecen ser diferencias de cepa más bien que resistencia adquirida.

Clasificación.[71, 72] La diferenciación e identificación de los estreptococos tiene mucha importancia práctica debido a su relación etiológica con muchas enfermedades difundidas ampliamente en el hombre y animales domésticos, y de igual importancia teórica. Ha sido y continúa siendo un aspecto particularmente difícil, ya que ni los métodos fisiológicos ni los inmunológicos han resultado satisfactorios. En consecuencia, hay desacuerdo básico entre los investigadores de este campo respecto a lo que constituya una especie o una variedad, y sobre qué fundamentos debe hacerse la diferenciación. Se han empleado tres criterios generales, a saber: hemólisis de cultivo en placa de agar-sangre, propiedades biológicas, y carácter inmunológico, indicado por reacciones de aglutinación y precipitación. Los relativos a estreptococos patógenos hacen una separación preliminar provisional según la hemólisis, y definen especies y variedades con base inmunológica. Investigadores con intereses más generales tienden a basarse principalmente en los caracteres fisiológicos, y este es el fundamento de la clasificación de Bergey.

Hemólisis. El empleo de la hemólisis en placa de agar-sangre fue introducido por Schottmüller en 1903, y resulta especialmente adecuado, pues el agar-sangre es el medio de elección para aislamiento inicial. Sobre esta base, pueden distinguirse tres tipos de estreptococos:

1) Estreptococos β-hemolíticos que producen una zona de hemólisis clara, en el medio rojo opaco, rodeando inmediatamente a la colonia.

2) Estreptococos verdes o α-hemolíticos, que producen una zona de coloración verdosa alrededor de la colonia, bastante menor que la zona clara de hemólisis beta.

3) Estreptococos no hemolíticos, indiferentes, o γ, que no producen cambios en el medio.

Estas diferencias tienen valor en cuanto los estreptococos muy virulentos aislados de procesos patológicos son casi siempre de la variedad β-hemolítica. En literatura más antigua, se agrupan como especie única, con el nombre de *Str. hemolyticus,* y algunos investigadores los diferenciaron según la enfermedad con que se relacionaba la cepa, v. gr.: *Str. scarlatinae* (escarlatina), *Str. epidermicus* (faringitis séptica epidémica), *Str. erysipelatis* (erisipela), etc. Actualmente está comprobado que estas diferenciaciones no son válidas, ya que estreptococos idénticos pueden originar más de una entidad clínica, y la misma enfermedad puede ser causada por distintos estreptococos. Al mismo tiempo, variedades antigénicas de estreptococos pueden relacionarse con distintas manifestaciones de infección estreptocócica, como sucede en la relación de la variedad 12 con la glomerulonefritis; no está definido si tales relaciones son algo más que fortuitas.

Pero los estreptococos β-hemolíticos relacionados con enfermedades de animales inferiores, muestran un elevado grado de especificidad, en el caso de *Str. equi* para provocar crup del caballo y *Str. agalactiae* ocasionando mastitis del ganado, pero no en el microorganismo conocido como *Str. zooepidemicus,* que causa una amplia variedad de enfermedades supurativas en animales, incluyendo la mastitis del ganado.

Los estreptococos β-hemolíticos de las enfermedades del hombre no suelen encontrarse en animales inferiores, pero en ocasiones pueden infectar las ubres de la vaca, originando infección estreptocócica de la leche. Inversamente, los de origen animal ordinariamente no infectan al hombre, aunque las infecciones del hombre con *Str. zooepidemicus,* si no frecuentes, lo son algo más de lo que frecuentemente se cree. Que algunas formas no patógenas sean también β-hemolíticas es indicio de una heterogeneidad aun mayor en el grupo. Desde luego, no se justifica la inclusión de todas estas formas en la especie única *St. hemolyticus.*

Una situación algo parecida priva con los estreptococos verdes o α-hemolíticos que se han agrupado en la especie única *Str. viridans.* El grupo verde abarca formas como los estreptococos fecales o el grupo enterococo, los que normalmente habitan boca y garganta, y las formas no patógenas. Algunas formas α-hemolíticas, especialmente las que habitan faringe e intestino son capaces de ocasionar procesos patológicos si disminuye la resistencia local, produciendo infección localizada de raíces dentales, válvulas cardíacas en la endocarditis bacteriana, y también con otras localizaciones. Estas formas patógenas difieren más radicalmente de los estreptococos β-hemolíticos pero, una vez más, el grupo

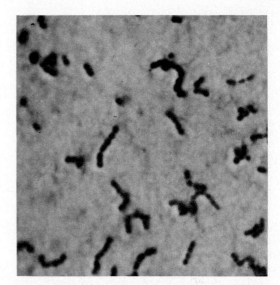

FIG. 16-3. Estreptococos de grupo C teñidos con azul de metileno para observar las cápsulas. Frotis de caldo con suero. × 2.400.

total es demasiado heterogéneo para justificar su inclusión en una especie única.

Los estreptococos no hemolíticos o indiferentes son casi todos formas saprófitas que se encuentran en la leche y muchos otros productos comunes. La única enfermedad con la que indudablemente se relacionan es la endocarditis bacteriana subaguda,[66] en la que se han encontrado en una pequeña minoría de casos. Incluye varias clases fisiológicamente diferentes en un grupo único, como los restantes, basado en la hemólisis y que es demasiado heterogéneo para permitir reunirlos en una especie única, *Str. anhemolyticus.*

Diferenciación inmunológica. El patrón de la estructura antigénica del estreptococo β-hemolítico ha sido ampliamente definido en los trabajos de Lancefield y colaboradores, pero las formas viridans y las no hemolíticas son serológicamente diferentes, de manera que este enfoque no ha sido útil. Lancefield, mediante extracción de antígenos solubles y aplicando la prueba de precipitina ha demostrado la presencia de antígenos específicos de grupo y específicos de especie en los estreptococos hemolíticos. El antígeno específico de grupo o substancia C es un polisacárido integrante de la célula bacteriana,[73, 74] más que del material capsular, y se ha señalado que en un estado adecuado de dispersión es tóxico.[69] Estreptococos de grupo A contienen otros antígenos de pared celular, un polímero de glucosa-glucosamina conocido como polisacárido G, y un antígeno que contiene un ácido teicoico.[49] La especificidad de tipo de antígeno de grupo B parece depender en parte de su contenido en β-D-galactopiranósido.[20, 42] Originalmente, basándose en la especificidad de este antígeno, se describieron cinco grupos, designados A, B, etc.;

Frecuencia de estreptococos de grupo A y grupo C en infecciones del hombre

Clase de infección	Número de cepas	Grupo A		Grupo C	
		Número	Porcentaje	Número	Porcentaje
Escarlatina	232	229	98.7	3	1.3
Amigdalitis y faringitis séptica	52	52	100.0	0	0
Fiebre reumática y artritis reumática	19	19	100.0	0	0
Sepsis puerperal	55	51	92.7	4	7.3
Erisipela	51	48	94.1	3	5.9
Varios	143	136	95.1	7	4.9
Total	552	535	96.9	17	3.1

desde entonces se han encontrado grupos adicionales, llegando hasta el grupo N. El significado biológico de estos grupos es indicado por el origen de las cepas que los constituyen, a saber:

Grupo A —fundamentalmente patógenos para el hombre

Grupo B —encontrados casi exclusivamente en mastitis del ganado

Grupo C —fundamentalmente patógenos de animales inferiores

Grupo D —encontrados en el queso

Grupo E —encontrados en la leche.

Sin embargo, esta relación entre origen y grupo inmunológico no es absoluta. En ocasiones, estreptococos del grupo A se encuentran en animales inferiores produciendo, por ejemplo, mastitis del ganado, en tanto que los del grupo C se encuentran con cierta frecuencia en el hombre, como indica el cuadro adjunto.

La especificidad de tipo entre los estreptococos también fue indicada en el trabajo de Griffith, quien separó los estreptococos β-hemolíticos aislados de las enfermedades del hombre en 27 tipos por aglutinación en placa, y, posteriormente, agregó otros tres tipos. A estos, arbitrariamente se les

dieron los números arábigos, a saber, tipo 1, tipo 2, etc. Después de definidos los grupos serológicos de Lancefield, se encontró que estos tipos estaban distribuidos en todos los grupos; del grupo A incluía la mayor parte, 23 en total; los tipos 7, 20 y 21 quedaban dentro del grupo C, y el tipo 16 en el grupo D.[13]

Lancefield ha demostrado que los tipos en el grupo A están determinados por dos antígenos específicos de tipo. Uno de ellos, el antígeno "M", es una nucleoproteína, con localización al parecer muy superficial en la pared celular.[25] Es destruido por enzimas proteolíticas y puede ser digerido por una proteasa soluble, producida por el estreptococo, ocasionando que algunas cepas no puedan clasificarse mediante antisueros "M". Ha sido purificado hasta resultar electroforéticamente homogéneo, pero aún contiene antígeno proteínico de tipo inespecífico.[41]

El otro antígeno específico de tipo, llamado antígeno "T", no está tan bien conocido bioquímicamente; resiste las enzimas proteolíticas, pero trabajos recientes sugieren que también es de naturaleza proteínica. Los antígenos M y T son independientes y pueden presentarse en varias combi-

Antígenos de Streptococos pyogenes *

Antígeno	Actividad serológica	Química	
		Naturaleza	Propiedades
C	Específica de grupo	Polisacárido	Polímero de N-acetilglucosamina y ramnosa; presente en la pared celular
M	Específica de variedad	Proteína	Soluble en alcohol; resistente al calor en ácido diluido; se destruye por enzimas proteolíticas; se relaciona con la virulencia y su anticuerpo es protector
T	Ocurre en diversas variedades pero puede ser específica de tipo	Proteína	Resistente a enzimas proteolíticas; inestable al calor en ácido diluido, pero resistente en solución ligeramente alcalina
R	Ocurre en las variedades 2, 3, 28 y 48, y en cepas de los grupos B, C y G	Proteína	Es destruido por digestión péptica, pero no por digestión tríptica; inestable al calor en ácido diluido, pero estable a calor en álcali diluido.

* Modificado de Lancefield: *Streptococcal Infections*. Columbia University Press, 1954, páginas 3-18.

Distribución de antígenos específicos
de tipo de Streptococcus pyogenes *

Variedad	Antígenos M	Antígenos T
1	M 1	T 1 (puede estar ausente)
2	M 2	T 2 (puede estar ausente)
3	M 3	T 3, T 1 (alguno puede estar ausente o ambos)
15	M 15	
17	M 17	Un antígeno T común
23	M 23	Un antígeno T común
19	M 19	Un antígeno T común
30	M 30	
47	M 47	T 10, T 12, o ambos (pueden estar ausentes)
12	M 12	

* Ligeramente modificado de Lancefield: *Streptococcal Infections*. Columbia University Press, 1954, págs. 3-18.

naciones, así, los tipos 10 y 12 contienen el mismo antígeno M pero diferentes antígenos T, en tanto que los tipos 15, 17, 19, 23 y 30 contienen antígenos T estrechamente relacionados, pero diferentes antígenos M. Además, hay cepas en las que falta el antígeno T, y en otras falta o hay carencia aparente de antígeno M. Un antígeno adicional, llamado antígeno "R", semejante al antígeno M, excepto en que es resistente a la digestión tríptica y que sus antisueros no son protectores, se encontró primero en la variedad 28. Posteriormente se ha descubierto, mediante pruebas bactericidas indirectas, en los tipos 2, 3 y 48

La naturaleza y la distribución de estos antígenos de los estreptococos β-hemolíticos del grupo A, es decir, *Str. pyogenes* se indican en los cuadros adjuntos.

En tanto que la separación de los estreptococos del grupo A es difícil, la clasificación en tipos se ha aplicado más generalmente, en parte, debido a su importancia para las relaciones, posiblemente filogénicas, de los estreptococos, y en parte, debido a que es muy útil en estudios epidemiológicos.[66] Muchos investigadores piensan que la aglutinación en portaobjetos no es completamente satisfactoria y prefieren la reacción de precipitinas; se ha desarrollado un método para efectuar la prueba de precipitina en tubos capilares, que es fácil y conserva el suero.

El contenido de antígeno M varía, y parece relacionado con la virulencia de la cepa, en tanto que el antígeno T generalmente es constante en una cepa determinada. Como el tipo depende mucho del antígeno M, una cepa que tiene cantidades pequeñas de este antígeno, o que lo ha perdido temporalmente, puede ser difícil de clasificar, pero en ocasiones la variedad puede ser deducida mediante el antígeno T. Puede perderse progresivamente durante la infección, coincidiendo con aumento de la susceptibilidad al anticuerpo, o puede presentarse más de un antígeno M, como sucede en las cepas de tipo 14,[91] que contienen un nuevo

antígeno M, designado 51, y en el tipo combinado, como sucede en el 14/51 entre los neumococos hay una especificidad de tipo múltiple semejante (capítulo 17). Rara vez, el polisacárido C específico de grupo puede estar aparentemente perdido y ser reemplazado por otro polisacárido, denominado V, que difiere en el cambio de la relación ramnosa-acetilglucosamina de 1.6 del polisacárido C, a 4.5. El cambio puede ser químicamente superficial.[51]

Los estreptococos de otros grupos de Lancefield, basados en la especificidad de la substancia "C", también son divisibles en tipos. En el grupo B, se han diferenciado los estreptococos de la mastitis bovina en cuatro variedades principales y en muchas subvariedades. En este grupo, no hay más que un antígeno específico de tipo, de naturaleza polisacárida. Además de los tres tipos de Griffith antes mencionados, el grupo C contiene 10 variedades adicionales: cinco cepas encontradas en el hombre y cinco cepas del caballo, con un total de trece. También hay un solo antígeno específico de tipo, de naturaleza proteínica. En varios otros grupos, como el D, se han diferenciado tipos basándose en antígeno específico de tipo, de naturaleza polisacárida.

En tanto la estructura antigénica descrita es principalmente la de estreptococos β-hemolíticos, la hemólisis β no está relacionada invariablemente con el carácter inmunológico de estos grupos, y se ha encontrado que algunos enterococos, por ejemplo, tienen estos antígenos. Sin embargo, en general, esta estructura antigénica no llega más allá del grupo β-hemolítico y, como antes se indicó, los métodos inmunológicos han sido útiles solo en este grupo.

Diferenciación fisiológica. Existe correlación entre los grupos inmunológicos de estreptococos hemolíticos y sus características fisiológicas. El grupo A es bastante homogéneo desde el punto de vista bioquímico. Todos producen hemólisis β, en agar-sangre y forman hemolisinas solubles, no hidrolizan el hipurato de sodio, fermentan la trehalosa pero no el sorbitol, no reducen el azul de metileno y rara vez desarrollan en agar-bilis al 40 por 100. El grupo B es también más o menos homogéneo, difiriendo del grupo A en que hidroliza el hipurato de sodio y crece en agar-bilis al 40 por 100, pero se parece a este grupo en la reducción del azul de metileno y en la fermentación de la trehalosa y el sorbitol.

Los estreptococos del grupo C son mucho más diversos y se parecen al grupo A en que no hidrolizan el hipurato de sodio. Dentro del grupo, existe cierta relación entre el hábitat y las propiedades fisiológicas. Así, las cepas aisladas del crup del caballo son sorbitol —trehalosa—, y lactosa negativas, en tanto que las cepas patógenas para el hombre suelen fermentar el sorbitol pero no la trehalosa.

Las características fisiológicas se han empleado exclusivamente en la clasificación de Bergey (1957) para los estreptococos, diferenciando las especies según las bases indicadas en la clave resumida de la siguiente página.

Generalmente se acepta la mayor parte de las especies y, según lo expuesto, es obvio que todos los miembros del grupo A se conocen como _Str. pyogenes,_ siendo las variedades inmunológicas del grupo tipos de _Str. pyogenes._ En el grupo C se incluyen dos especies. El nombre de _Str. zooepidemicus_ es nuevo; fue introducido en la clasificación de Bergey (1948); no reemplaza otro nombre, sino que confiere categoría de especies a los patógenos de los animales de este grupo, antes llamados "piógenos animales" que rara vez o nunca se presentan en el hombre. La otra especie, _Str. equisimilis,_ incluye los estreptococos antes conocidos como "C" del hombre" y que no son frecuentes en animales inferiores. De los estreptococos β-hemolíticos encontrados en el hombre, el 95 por 100 o más son del grupo A y, por lo tanto, _Str. pyogenes_ y los restantes del grupo C son _Str. equisimilis,_ diferenciándose mediante la prueba de precipitina, empleando antisueros específicos de grupo. De los estreptococos verdes encontrados en el hombre, los más frecuentes son _Str. faecalis_ del grupo del enterococo y _Str. mitis_ y _Str. salivarius_ del grupo viridans. Respecto a la etiología de las infecciones estreptocócicas del hombre, esta diferenciación,[90] y la de _Str. faecalis_ y _Str. faecium_ carecen de importancia. La identificación de estreptococos que no caen dentro de los grupos de Lancefield requiere estudio bioquímico detallado.

Patogenicidad para los animales. Como antes se indicó, algunos estreptococos producen enfermedades específicas de los animales domésticos. _Str. equi_ ocasiona el crup de los caballos, infección supurativa de las vías respiratorias superiores, caracterizada por formación de abscesos en faringe y región submaxilar. Esta especie no parece ser patógena para el hombre. Otras cepas del grupo C infectan al caballo ocasionando catarro respiratorio y lesiones supurativas en diversas regiones del organismo.

En la vaca, la causa más frecuente de mastitis estreptocócica es _Str. agalactiae_ que produce una infección crónica, más frecuente en el ganado viejo. Probablemente en la mayor parte de casos, la infección es transmitida por las manos de los ordeñadores. _Str. pyogenes_ también puede ocasionar mastitis y provocar diseminación estreptocócica con la leche, en el hombre; es probable que la vía de infección sea el hombre y que _Str. pyogenes_ no se presente en la vaca en forma natural.

Varias otras enfermedades supurativas que a menudo infectan el tejido linfático en animales como el perro y el cordero son de etiología estreptocócica. Algunas son infecciones con estreptococos del grupo A, como en las epizootias que se han observado en roedores salvajes[6] y ratones de laboratorio,[29] pero generalmente son estreptococos β-hemolíticos de grupos que no son el A; hay pocos informes de infección espontánea en animales inferiores con estreptococo verde.

Str. pyogenes es patógeno para la mayor parte de animales de laboratorio, incluyendo ratón, cobayo y conejo, pero las diferentes cepas varían ampliamente en cuanto a virulencia para diversos animales; desde luego, puede aumentarse mediante pasos sucesivos en animales. La inoculación intravenosa de cepas virulentas ocasiona septicemia mortal; la inoculación intraperitoneal produce peritonitis purulenta que causa septicemia, y la inoculación subcutánea produce absceso, desde el cual la infección puede diseminarse. En la rata puede producirse neumonía por inoculación intrabronquial de bacterias suspendidas en mucina. _Str. agalactiae_ es poco virulento para los animales de experimentación y _Str. equi_ solo es muy virulento para el ratón. El estreptococo verde también es relativamente avirulento para los animales de laboratorio, pero puede ocasionar infecciones locales inoculado por vía intravenosa después de producir una lesión; estas técnicas se han empleado para producir lesiones artríticas experimentales en el conejo.

Patogenicidad para el hombre.[50] Los estreptococos producen una amplia gama de enfermedades en el hombre, posiblemente mayor que cualquier otra bacteria; además de ser causa primaria de enfermedad, tienen gran tendencia a presentarse en infecciones secundarias o mixtas, con otras bacterias patógenas. En general, las infecciones estreptocócicas se caracterizan por lesiones supurativas, y muy a menudo manifestaciones de toxemia; estas últimas adoptan la forma de las llamadas complicaciones no supurativas de la infección, incluyendo fiebre, artritis, carditis y nefritis. Según la porción corporal afectada, varían desde infecciones locales, como abscesos de diversos tejidos como mucosas, articulaciones y serosas, infección muscular o celulitis que semejan gangrena gaseosa, procesos supurantes en cualquier clase de heridas, hasta las que se generaliza ocasionando piemia o septicemia. Algunas infecciones estreptocócicas carecen de manifestaciones clínicas que las distingan; por lo tanto, un absceso causado por estreptococo no puede distinguirse del causado por estafilococos. Sin embargo, otras, como la erisipela, la faringitis estreptocócica, la escarlatina, etc., tienen en mayor o menor grado algún carácter clínico particular.

Hay diferencias apreciables en el carácter de la infección estreptocócica del niño y el adulto, y los grupos de menor edad en proporción son los más susceptibles. En el lactante, la infección tiende a ser prolongada, benigna y con complicaciones supurativas frecuentes, pero rara vez va seguida de fiebre reumática o nefritis. En niños mayores y en adultos, la infección tiende a ser aguda y cura espontáneamente, sin complicaciones supurativas.

I. Anaerobios facultativos
   A) Grupo piógeno
      1. No hidrolizan el hipurato de sodio
         a) Fermentan la lactosa
            i. Sorbitol —, trehalosa +

                                      Grupo A de Lancefield

              Streptococcus pyogenes
            ii. Sorbitol +, trehalosa —

                                      Grupo C de Lancefield
                                      (piógeno de los animales)

              Streptococcus zooepidemicus
         b) Fermentación de la lactosa variable
            i. Trehalosa —
                Streptococcus equi
            ii. Trehalosa +
                Streptococcus equisimilis
      2. Hidrolizan el hipurato de sodio

                                      Grupo B de Lancefield
         Streptococcus agalactiae (mastitidis)

   B) Grupo viridans
      1. Fermentan la lactosa
         a) No crecen a 50°C
            i. No hidrolizan el almidón, no toleran la bilis
                Streptococcus salivarius
                Streptococcus mitis
            ii. Hidrolizan el almidón, toleran la bilis
                Streptococcus bovis
         b) Crecen a 50°C
                Streptococcus thermophilus
      2. No fermentan la lactosa
              Streptococcus equinus

   C) Grupo láctico
      1. Maltosa +, dextrina +, produce amoniaco a partir de peptona
              Streptococcus lactis
      2. Maltosa —, dextrina — (generalmente), no produce amoniaco a partir de
      peptona
              Streptococcus cremoris

   D) Grupo enterococo

                                      Grupo D de Lancefield

      1. No β-hemolíticos
         a) No hidrolizan la gelatina
                Streptococcus faecalis
         b) Hidrolizan la gelatina
                Streptococcus liquefaciens
      2. β-Hemolíticos
         a) Manitol +, sorbitol +
                Streptococcus zymogenes
         b) Manitol —, sorbitol —
                Streptococcus durans

II. Microaerófilos o anaerobios obligados
              Streptococcus anaerobius
              Streptococcus foetidus
              Streptococcus putridus
              Streptococcus lanceolatus
              Streptococcus micros
              Streptococcus parvulus
              Streptococcus intermedius
              Streptococcus evolutus

Los estreptococos β-hemolíticos son con mucho los más virulentos y, como antes se indicó, la mayor parte de los infecciosos para el hombre pertenecen al grupo A, *Str. pyogenes.* La pequeña proporción de infecciones con estreptococos del grupo C no puede distinguirse de las del grupo A, excepto mediante aislamiento y clasificación inmunológica del agente causal. La infección humana con estreptococos de grupo B se describe a veces,[18] y se han descubierto estreptococos de grupo G también como causa de enfermedad en el hombre.[27]

La patogenicidad de estas bacterias se debe en grado considerable a la producción de substancias tóxicas solubles.[4] El ejemplo más claro es la relación entre toxina eritrógena y escarlatina, pero es probable que otras substancias tóxicas también intervengan en el desarrollo de la enfermedad.

La relación de la fibrinolisina con la virulencia parece neta, tanto que algunos investigadores la han llamado invasina.

El papel de las estreptolisinas en la patología de las infecciones estreptocócicas no está muy claro. La estreptolisina S y la estreptolisina O son tóxicas para animales de laboratorio, la primera produce la muerte por hemólisis intravascular. El mecanismo de la acción mortal de la estreptolisina O se desconoce; posiblemente esté relacionado con la acción cardiotóxica de esta substancia, descrita por Bernheimer. Está justificado pensar que el efecto destructor de los filtrados estreptocócicos sobre los leucocitos polimorfonucleares, atribuido a la presencia de una leucocidina, sea muy parecido o idéntico al de la estreptolisina O, pero, de cualquier manera, esta lisina puede constituir una parte importante en las propiedades patógenas e invasora de los estreptococos. El antígeno M específico de tipo se relaciona con la virulencia, y su anticuerpo es protector, en tanto que el anticuerpo para el antígeno T, específico de tipo, no lo es. Las cápsulas de ácido hialurónico parecen ser un componente menor en la virulencia del grupo A, pero en el grupo C quizá sean más importantes en este aspecto.

Por lo tanto, mientras el conocimiento de la acción patógena del estreptococo β-hemolítico dista de ser completa, hay muchos datos que indican que la producción de enfermedad se debe, en parte al menos, a la acción de varias substancias tóxicas formadas por la bacteria. Como previamente se indicó, las cepas de estreptococo difieren en la naturaleza de tales substancias y en la cantidad en que las producen, y esta diferencia explica en parte las variaciones en la enfermedad que pueden producir. Así, pues, tanto la cepas productoras de toxina eritrógena como las que no la producen pueden ocasionar faringitis, pero solo las primeras pueden causar también escarlatina. Desde luego, estos no son los únicos factores; también son importantes la vía de infección y la inmunidad del huésped; por ejemplo, la herida infectada y la faringitis estreptocócica tienen vías de infección diferentes, y en el individuo inmune la toxina eritrógena puede producir faringitis, pero no escarlatina.

Los estreptococos que no son de variedad β-hemolíticos son mucho menos virulentos.[16] Las formas α-hemolíticas son parte de la flora bacteriana normal de boca, vías respiratorias superiores e intestino. Probablemente rara vez inicien la infección de tejidos sanos, pero cuando disminuye la resistencia natural, pueden desencadenar infecciones benignas, principalmente localizadas, como abscesos focales en dientes y encías. Son la causa más frecuente de endocarditis bacteriana subaguda, pero aunque la enfermedad es grave, la infección tiene poco o ninguna tendencia a diseminarse en el organismo, a pesar de la frecuencia con que hay estreptococos en el torrente sanguíneo.

Se presentan de cuando en cuando neumonías de etiología α-estreptocócica. La enfermedad tiende a comportarse como crónica, recidivante, con pleuritis e infiltración pulmonar frecuentemente bilaterales. Superficialmente semejan neumonías virales, pero difieren en que hay leucocitosis intensa. Se han comunicado unos pocos casos de meningitis estreptocócica α-hemolítica, que es rara.

Estreptococo MG. Los estreptococos no hemolíticos o anhemolíticos son principalmente formas saprófitas, que a menudo se encuentran en la leche o productos lácteos; solo se han relacionado con enfermedad en casos raros de endocarditis bacteriana subaguda. En ocasiones se aíslan de neumonías atípicas, que casi siempre son de etiología viral diversa; no parecen tener relación causal con la enfermedad. La cepa designada estreptococo MG ha sido aislada del esputo, en una serie de casos de neumonía atípica primaria, y se ha demostrado que es homogénea antigénica y bioquímicamente.[56] Alrededor de la mitad de los casos de esta enfermedad desarrollan aglutininas específicas para esta cepa, que se conocen como aglutininas MG. Esta respuesta inmunitaria es diferente a la hemaglutinina fría, también presente en la neumonía atípica primaria; ambos anticuerpos tienen utilidad diagnóstica empírica, pero hasta donde se conoce, no intervienen en la etiología de la enfermedad (capítulo 26).

Epidemiología de la enfermedad estreptocócica. La fuente principal de estreptococos patógenos es el hombre que los transporta en las vías respiratorias superiores y el individuo es fuente de infección durante dos o tres semanas. La infección puede no ocasionar síntomas en el 20 al 40 por 100 de los casos; los portadores varían, en niños escolares, desde el 4 al 25 por 100, hasta el 40 al 60 por 100, habiéndose comunicado porcentaje acumulativos tan altos como 75 a 90 por 100.[6] Se calcula que se producen infecciones manifiestamente estreptocócicas en todos los individuos de cuando en cuando, con intervalos de quizá de a cinco años, pero la frecuencia de infecciones subclínicas solo se conoce en grupos limitados. Los casos con síntomas manifiestos de enfermedad como amigdalitis, faringitis, sinusitis y escarlatina son fuentes prolíficas de infección.

En tanto los estreptococos pueden encontrarse en la saliva y en la faringe, y ser expulsados por el estornudo o la tos contaminando las manos, el portador nasal es bastante más peligroso, ya que aporta cantidades elevadas de estreptococos al medio ambiente. El portador no es la única fuente de infección, y la enfermedad estreptocócica tiene varias formas clínicas. Por ejemplo, en una epidemia de escarlatina los casos de faringitis y rinitis son tan importantes como los de escarlatina manifiesta, sea con exantema, para la diseminación de la infección; en una epidemia se acostumbra registrar la frecuencia de exantema escarlatinoso más que diferenciar la escarlatina de otras infecciones estreptocócicas de las vías respiratorias superiores.

La transmisión de estreptococos de la persona infectada al individuo susceptible se debe en parte a contacto directo, y en parte a la contaminación del ambiente.[45] El contacto directo puede incluir inhalación de gotas infectadas, expelidas por la nariz y la boca, contacto mano-mano, etc., en tanto que la contaminación del ambiente se debe a invasión del aire con gotas demasiado pequeñas para sedimentarse y a la contaminación del polvo con gotas infectadas. Sin duda, el contacto directo de las manos interviene en la infección de heridas, en la fiebre puerperal, en la infección de las ubres con *Str. pyogenes* produciendo mastitis y enfermedad estreptocócica de origen láctico, y, posiblemente, en cierto grado, en la infección de las vías respiratorias superiores. La mayor parte de infecciones de vías respiratorias superiores son aerógenas, directamente o con polvo infectado y resuspendido. La importancia de este último es mucha, y las medidas para suprimir el polvo, como la lubricación de frazadas en el hospital, reduce bastante la frecuencia de infecciones estreptocócicas.

Aunque algunas enfermedades estreptocócicas son de manifestación obligatoria, la frecuencia de la infección por estreptococos solo puede suponerse en forma aproximada; probablemente en Estados Unidos de Norteamérica ocurran unos siete millones de infecciones al año.

Inmunidad para la infección estreptocócica. Los anticuerpos para la substancia celular estreptocócica y para los productos antigénicos solubles de estos organismos se forman por inmunización o infección. En *Str. pyogenes*, la primera incluye los antígenos T y M específicos de tipo, así como la substancia C específica de grupo. En el segundo grupo intervienen la toxina eritrógena, las estreptolisinas S y O, la hialuronidasa y la fibrinolisina. La formación de anticuerpos no tiene utilidad diagnóstica en las infecciones estreptocócicas agudas, en parte debido a que durante el curso de la enfermedad no hay tiempo suficiente para la formación de anticuerpo, por lo menos durante su etapa inicial, y en parte debido a que el aislamiento y, si se desea, la identificación de tipo del microorganismo infectante son relativamente simples. La dosificación de anticuerpo es útil para el diagnóstico retrospectivo, es decir, para establecer relación entre estreptococos y enfermedades como la fiebre reumática y la artritis, y para determinar la susceptibilidad a la escarlatina, según el anticuerpo de la toxina eritrógena.

El animal inmunizado responde a los antígenos celulares del estreptococo produciendo anticuerpos precipitantes y aglutinantes, y el empleo de esos antisueros permite la clasificación y agrupación inmunológicas. La respuesta inmunológica del hombre a estos antígenos durante la infección parece adoptar sobre todo la forma de una hipersensibilidad, especialmente en las enfermedades reumáticas, y la respuesta inmunitaria puede medirse mediante inoculación intradérmica de antígenos estreptocócicos solubles. Más frecuentemente, se dosifican anticuerpos para estreptolisinas o fibrinolisinas en el suero por métodos in vitro. Suele efectuarse la titulación de antiestreptolisina O, a ASO, pero puede requerir interpretación cuidadosa, ya que en algunas enfermedades, especialmente en la hepatitis, el suero del hombre puede tener una acción inhibidora relacionada con el contenido de lípidos y no con el anticuerpo.

Aparte de la etiología de tales enfermedades, la presencia de esos anticuerpos en el hombre es frecuente, como corresponde a la frecuencia de la infección estreptocócica. En ocasiones, se afirma que el 70 a 80 por 100 de las personas que tienen enfermedades estreptocócicas muestran aumentos importantes de antiestreptolisina O, de antiestreptocinasa y antihialuronidasa. La toxina eritrógena también estimula la formación de antitoxina específica, a consecuencia de escarlatina o inmunización con la toxina; y, como en el caso de la antitoxina diftérica, su frecuencia aumenta con la edad, indicando que la inmunización ocurre sin escarlatina clínica. La inoculación intradérmica de toxina eritrógena da una reacción dérmica semejante a la prueba de Schick de la difteria, que permite estimar la inmunidad del individuo a la toxina. El anticuerpo de toxina eritrógena no puede dosificarse bien in vitro o en animales de experimentación, debido a la relativa falta de sensibilidad a su acción.

La respuesta inmune, en sentido técnico de formación de anticuerpos, debe diferenciarse de la inmunidad eficaz que evita o modifica la enfermedad, la infección, o ambas. La única forma de inmunidad a la enfermedad estreptocócica que sin duda es eficaz es la correspondiente a la toxina eritrógena, que se manifiesta como inmunidad a la entidad clínica, escarlatina. En general, la inmunidad a las infecciones estreptocócicas es poca, y siemp~e transitoria. La recuperación de una infección, y su eliminación en la enfermedad que ocurre en forma natural, indican que puede lograrse cierto grado de inmunidad eficaz a determinada variedad de estreptococo, y hay datos experimentales que demuestran la existencia de inmunidad eficaz. Por ejemplo, se ha comprobado que el estado de portador nasofaríngeo producido en monos provoca un aumento en la estreptolisina O del suero, y que la resistencia a la reimplantación de la misma cepa persistió durante meses.

Por desgracia, tal inmunidad parece ser específica de tipo y, como antes se dijo, se relaciona con el antígeno M, existiendo solo un pequeño grado de inmunidad cruzada. Debido a que el antígeno M parece localizarse fundamental o exclusivamente en la pared celular, alguien ha deducido que su relación con la virulencia es semejante a la de la cápsula del neumococo, en cuanto a que interfiere con la fagocitosis. Por lo tanto, debiera concluirse que la respuesta inmunitaria eficaz es opsónica, ya que estudios mediante el índice fagocitario y criterios semejantes demuestran relación entre la inmunidad eficaz y los anticuerpos humorales. Debido a la multiplicidad de tipos en la especie *Str. pyogenes*, la inmunidad eficaz para la infección estreptocócica parece ser una finalidad prácticamente difícil.

Quimioterapia. La eficacia quimioterápica de las sulfamidas fue observada primero en infecciones experimentales con *Str. pyogenes*. Estos compuestos siguen siendo quimioterápicos eficaces en infecciones estreptocócicas, pero han sido desplazados en grado importante por los antibióticos, especialmente la penicilina. Este antibiótico ha merecido interés especial en la profilaxia en masa de la infección estreptocócica epidémica, y para disminuir el número de portadores en la población militar. In vitro, los estreptococos hemolíticos son más susceptibles a estos fármacos que los estafilococos. La sensibilidad de los estreptococos verdes, en general, es la misma que la de los estafilococos, pero varía tan ampliamente de una cepa a otra que las pruebas de sensibilidad de antibióticos son prácticamente obligatorias. La endocarditis bacteriana de etiología estreptocócica α-hemolítica es la enfermedad más importante que producen estos estreptococos y la susceptibilidad de la cepa causal suele ser tal que generalmente la terapéutica masiva es eficaz.

La eficacia relativa de la quimioterapia depende de la enfermedad producida por el estreptococo. Por ejemplo, la fiebre puerperal, la faringitis estreptocócica, la neumonía y la erisipela suelen responder satisfactoriamente, pero el exantema de la escarlatina no se modifica satisfactoriamente, como tampoco la fiebre reumática aguda. La quimioterapia elimina el foco infeccioso de la escarlatina y disminuye la frecuencia de complicaciones supurativas. La falta de respuesta en la terapéutica antimicrobiana de la fiebre reumática se debe al retra-

so de los síntomas respecto a la infección real, y a la posible intervención de hipersensibilidad (ver luego). La profilaxia de la enfermedad estreptocócica recidivante en individuos afectados es muy importante y la penicilina de acción prolongada es una medida profiláctica eficaz.[78] Si no puede emplearse penicilina, la eritromicina es de segunda elección. No hay que usar tetraciclinas, en parte por la elevada frecuencia de cepas resistentes. Los sulfamídicos son eficaces para controlar infecciones supuradas, pero carecen de efecto sobre el desarrollo de la fiebre reumática.

Como en otras infecciones, el empleo oportuno de quimioterápicos eficaces, especialmente penicilina, inhibe la respuesta inmune en comparación con lo que ocurre con la infección no tratada, probablemente porque disminuye el estímulo antigénico total.

Diagnóstico bacteriológico de la infección estreptocócica.[57, 92] Generalmente, el aislamiento de estreptococos en muestras de material patológico no es difícil. Se requiere un medio enriquecido; el agar-sangre es el de elección para observar la hemólisis α y la hemólisis β. La contaminación con Proteus en los cultivos de algunas muestras puede evitarse agregando acida sódica al 0.02 por 100 al medio. La mayor parte de las muestras, como escobillados de faringe y el pus, pueden sembrarse directamente en agar-sangre, pero el enriquecimiento del medio, como el caldo de ternera con 0.1 por 100 de glucosa y 0.1 por 100 de amortiguadora en fosfato, debe hacerse con sangre tomada para hemocultivo, incubando 24 horas, y sembrando luego en agar-sangre. Si se sospecha que la muestra contenga sulfamídico, su acción bacteriostática debe neutralizarse agregando cinco miligramos de ácido p-aminobenzoico por 100 ml de medio.

La morfología de las colonias es característica en el estreptococo β-hemolítico; pueden encontrarse las peculiares cadenas de cocos en frotis teñidos con Gram. Los estreptococos verdes del esputo y muestras semejantes deben diferenciarse de los neumococos según la fermentación de la inulina y la solubilidad en la bilis. Los estreptococos hemolíticos deben clasificarse en tipos por aglutinación con los antisueros específicos de tipo y mediante la prueba de precipitina. Para esta última, el sedimento bacteriano de 250 ml de caldo de cultivo se suspende en 10 ml de solución M/10 de HCl en solución salina, hervirse durante 10 minutos, enfriarse en agua caliente, extraer el material insoluble y producir un sobrenadante para usarlo como antígeno. Puede economizarse reactivo haciendo la prueba de precipitina como reacción de anillo en pipetas capilares; el precipitado en la interfase suero-antígeno puede observarse con una lupa.

Ha despertado cierto interés el empleo de la técnica de anticuerpo fluorescente para identificar estreptococos de grupo A,[40] pero el método se ha considerado de poco valor aplicado a frotis directos de garganta.[61]

INFECCION ESTREPTOCOCICA DE PIEL Y TEJIDOS SUBCUTANEOS

Erisipela. La capacidad del estreptococo para infectar la piel y tejidos adyacentes se ilustra adecuadamente en la erisipela, enfermedad inflamatoria de la piel ocasionada por *Str. pyogenes.* Hay algunos datos indicando que el ataque de la enfermedad va precedido de infección estreptocócica de la faringe o cualquier otro sitio de las vías respiratoria superiores, y se ha encontrado que algunos individuos tienen el mismo tipo inmunológico de estreptococo en la faringe que en las lesiones dérmicas. No está claro si la piel es invadida directamente o si el microorganismo llega a la región por vía interna, pero lo último solo es probable y no está demostrado. La relación etiológica de *Str. pyogenes* con la enfermedad queda indicada por su presencia en las lesiones, frecuentemente en cantidades enormes, por producción de enfermedades erisipelatoides en el conejo al inocular estreptococos, y mediante experimentos de inoculación en pacientes cancerosos que han demostrado que cultivos puros de estreptococos pueden ocasionar erisipela. Es probable que la hipersensibilidad intervenga en la patogenia de la enfermedad.[5]

Los estreptococos no se encuentran en la porción central de la zona inflamada sino en la periferia, y pueden aislarse más fácilmente cortando fragmentos de tejido; otros métodos rara vez tienen éxito. En la piel principalmente se encuentran en los espacios linfáticos, que a menudo están llenos de ellos, y pueden obtenerse por punción dérmica hasta 3 cm más allá del borde invasor de la lesión, donde no hay señales macroscópicas de inflamación. La hipótesis de que la reacción inflamatoria se debe, en parte por lo menos, a la toxina eritrógena fue atractiva, pero parece establecido que no existe tal relación; por ejemplo, la inmunización con toxina eritrógena no previene ni disminuye la reacción inflamatoria de la erisipela.

La enfermedad, y especialmente la erisipela experimental del conejo han sido muy interesantes en relación con la inmunidad local y tisular. Se ha comprobado que un episodio de la enfermedad no confiere protección contra ataques subsecuentes, y muchos autores opinan que algunas personas tienen predisposición a la enfermedad, pues sufren ataques repetidos durante toda su vida, incluso en las mismas regiones. Sin embargo, en la enfermedad experimental del conejo, muchos investigadores han comunicado que inoculaciones sucesivas aumentan la resistencia a la inoculación posterior en la misma región, y que con inmunización continuada dicha zona aumenta de tamaño lentamente. La inmunidad no es muy específica, y la inoculación de caldo estéril también aumenta la resistencia a la infección. Según esto, al mezclar suero inmune con estreptococos e inocularlo intradérmicamente parece lograrse cierto efecto protector. Sin embargo, la seroterapia de las enfermedades del hombre parece producir muy poco efecto favorable, posiblemente débil sobre el siguiente ataque, pero ninguno sobre las recidivas y complicaciones, como la formación de abscesos.

Infección de heridas.[60] El estreptococo verde rara vez existe en heridas infectadas, pero cuando hay *Str. pyogenes* produce infección supurativa, sobre todo tardíamente. Este organismo normalmente no se encuentra en la piel, ya que la piel normal tiene acción bactericida para él. La relativa rareza de heridas infectadas por estas bacterias concuerda con ello; en la mayor parte de los casos se produce por contaminación posterior, debida a contacto directo más que a infección primaria. *Str. pyogenes* puede presentarse solo o en infecciones mixtas con otras bacterias piógenas, por ejemplo, estafilococos.

Celulitis.[47] La invasión traumática de piel y tejidos subcutáneos puede no permanecer localizada sino provocar una diseminación infecciosa aguda del tejido subcutáneo, con invasión del músculo originando miositis gangrenosa. La infección del tejido subcutáneo puede causar pocos o ningún signo de localización; se caracteriza por formación de exudado seropurulento. Tiende a diseminarse rápidamente por el tejido linfático, y generalizarse produciendo septicemia. Esta infección estreptocócica se denomina celulitis, y puede ser ocasionada por *Str. pyogenes* solo o, más a menudo, cuando hay proceso gangrenoso, por infección mixta con estreptococos anaerobios. En la segunda guerra mundial se observó esta clase de heridas infectadas.

INFECCION ESTREPTOCOCICA DE VIAS RESPIRATORIAS SUPERIORES [9]

Como antes se indicó, los estreptococos β-hemolíticos se presentan con mayor frecuencia como parásitos y patógenos de las vías respiratorias superiores. Con mucho, la mayor proporción de enfermedades ocasionadas por *Str. pyogenes* eran infecciones de las vías respiratorias superiores y regiones adyacentes; los síntomas dependen no solo del proceso infeccioso agudo sino también de sus complicaciones. El carácter clínico de la enfermedad depende de la importancia relativa de las diversas consecuencias de la infección; aunque siendo en apariencia diferentes, en esencia son la misma enfermedad. Así, la faringitis estreptocócica o faringitis séptica se transforma en escarlatina cuando la cepa infectante de *Str. pyogenes* produce toxina eritrógena; frecuentemente la infección se extiende a las amígdalas, o puede localizarse primariamente en ellas ocasionando amigdalitis clínica; puede extenderse a los senos craneales o al oído medio produciendo sinusitis u otitis media estreptocócicas, respectivamente, y, por extensión al pulmón, producir bronconeumonía estreptocócica. Las complicaciones tardías no supurativas de la infección estreptocócica incluyen carditis, nefritis y artritis. Aunque la separación de la infección estreptocócica β-hemolítica en varias entidades clínicas tiene cierto valor práctico, en esencia el proceso infeccioso básico es el mismo.

Los estreptococos verdes también habitan las vías respiratorias superiores, como antes se indicó, y son tan constantes y de poder patógeno tan restringido que forman parte de la flora bacteriana normal. La infección de encías y dientes, indudablemente parte de esta región, y probablemente las bacterias que llegan al torrente circulatorio produciendo infecciones locales en cualquier sitio del organismo provienen de las vías respiratorias superiores. En ocasiones, se encuentra en bronconeumonía.[76, 81]

Faringitis estreptocócica (faringitis séptica). Los estreptococos β-hemolíticos producen la infección aguda de la faringe conocida comúnmente como faringitis estreptocócica o séptica. Durante la primera década de este siglo ocurrieron epidemias de esta enfermedad en Estados Unidos de Norteamérica y en Inglaterra. Los síntomas de estas epidemias y otras posteriores han sido muy semejantes; incluyen hiperemia local intensa, con exudado grisáceo o sin él, aumento de volumen de los ganglios linfáticos cervicales y, generalmente, fiebre. La infección puede extenderse hacia los pulmones produciendo neumonía estreptocócica [31] que termine en septicemia mortal; también la peritonitis ha sido causa de muerte. La enfermedad, generalmente en forma benigna, es frecuente.

Las secuelas de la faringitis estreptocócica incluyen las causadas por extensión de la infección o regiones adyacentes, senos y oído medio; a menudo se presentan infecciones semicrónicas supurativas. Frecuentemente los estreptococos persisten también en las criptas amigdalinas, infección crónica que periódicamente sufre brotes agudos. Por lo tanto, la amigdalitis, la sinusitis y la otitis media estreptocócica son parte de la infección estreptocócica hemolítica de la faringe. Además de estas extensiones, los efectos de la toxemia en otro sitio del organismo se manifiestan como carditis, nefritis y procesos artríticos. Como en el caso del exantema escarlatinoso antes mencionado, las epidemias a menudo se registran, según la frecuencia de estas secuelas, en porcentajes.

El carácter clínico especial y la diseminación epidémica de la enfermedad hizo creer a los primeros investigadores que era ocasionada por una clase especial de estreptococo, que se denominó *Str. epidemicus*. Actualmente se sabe que diversas variedades inmunológicas de *Str. pyogenes* son responsables de la mayor parte de casos, y que una pequeña porción son infecciones de estreptococos de grupo C, ahora agrupados como *Str. equisimilis*. Por otra parte, hay motivos para pensar que las llamadas "cepas epidémicas" de virulencia y capacidad infecciosa elevadas, de estreptococos y de otras bacterias, frecuentemente se asocian con la enfermedad epidémica.

Es probable que la infección sea principalmente diseminada por gotitas y por el aire, incluyendo el polvo, pero es indudable que en muchos casos el contacto directo es muy importante. También puede transmitirse con alimentos y leche; frecuentemente la infección estreptocócica es de origen lácteo. Anteriormente se pensó que la contaminación era directa, a partir del hombre, pero se han acumulado datos indicando que la mastitis por *Str. pyogenes* puede ser la fuente inmediata de la infección de la leche.

ESCARLATINA

La escarlatina es una entidad clínica por el exantema que provoca la toxina eritrógena; en otros aspectos no difiere en forma importante de las demás infecciones estreptocócicas de las vías respiratorias superiores, y sus secuelas son esencialmente las mismas.

En tanto la escarlatina ha disminuido de frecuencia y gravedad desde principio del siglo, después de un periodo de elevada frecuencia durante el siglo XIX, durante las dos décadas últimas se ha comportado diversamente en distintas partes del mundo. Después de la segunda guerra mundial aumentó en Europa continental y continuó con frecuencia elevada, en tanto que en Inglaterra y Gales conservó un nivel bastante constante, y durante el mismo periodo disminuyó bruscamente en Estados Unidos de Norteamérica y Canadá.[59]

La relación del estreptococo β-hemolítico con la enfermedad fue demostrada por Dick y Dick en 1923, al reproducir la escarlatina característica en voluntarios inoculados con cultivos puros, y demostrar la existencia de la toxina eritrógena. Debido al contraste entre la inmunidad, relativamente duradera para la escarlatina después de recuperarse de un episodio de la enfermedad, y la inmunidad transitoria para otras infecciones estreptocócicas se necesitaba una demostración definitiva. Los Dick y otros han sostenido, basándose principalmente en los primeros estudios de aglutinación que el estreptococo de la escarlatina constituye un grupo homogéneo de estreptococos β-hemolíticos que deben llamarse *Str. scarlatinae*. En tanto los estreptococos encontrados en la escarlatina son miembros del grupo A, es decir *Str. pyogenes*, la capacidad para formar toxina eritrógena no se limita a ningún tipo particular dentro de este grupo, pero en algunas variedades ocurre más frecuentemente que en otras, y no puede decirse que los estreptococos de la escarlatina sean inmunológicamente homogéneos.[19, 26] Tampoco son bioquímicamente homogéneos, y en los primeros experimentos de Dick la fermentación del manitol fue variable en las cepas productoras de escarlatina. Por lo tanto, los estreptococos de la escarlatina incluyen cepas de *Str. pyogenes* que tienen en común la capacidad para formar toxina eritrógena, pero esas cepas se encuentran en otras enfermedades que no son escarlatinas, como en la erisipela.

Toxina eritrógena. Generalmente se está de acuerdo en que la toxina escarlatinosa es de naturaleza polisacárida, pero algunos investigadores han comunicado que es termostable y otros que es termolábil. Sin embargo, está comprobado que la termolabilidad depende de los métodos de preparación. Las preparaciones puras logradas por fraccionamiento con etanol frío y sulfato de amonio contienen 11 250 Lf/mg de N ó 2 100 Lf/mg de proteína (Lf equivale a dosis límite de floculación). Por electroforesis se han demostrado cuatro componentes; la toxicidad se relacionó con el más lento, que separado contenía 10^8 dosis de prueba cutánea (STD) por mg. Cualquiera que sea su naturaleza, necesariamente se puede medir por la prueba cutánea, y la proteína se mide en dosis de prueba cutánea (STD), la cantidad menor que puede producir la respuesta eritrógena característica. Es antigénica y flocula con sueros antitóxicos pero en zonas múltiples, y controlando cuidadosamente la titulación de la floculación.[32]

Antitoxina escarlatinosa. El empleo terapéutico de sueros antiestreptocócicos fue investigado por Moser en 1902, con resultados alentadores; Dochez y otros comunicaron observaciones semejantes en 1924. Los Dick prepararon sueros antitóxicos específicos inmunizando caballos con filtrados de cultivos estériles. Los resultados terapéuticos de la antitoxina de Dick son, en conjunto, favorables, pero la benignidad de la variedad frecuente de escarlatina hace difícil asegurar que cualquier estadística extensa sea tan convincente como la de la difteria. Sin embargo, en casos aislados la administración de antitoxina disminuye la duración del exantema, cambia el carácter y la extensión de la descamación, y reduce las complicaciones; hay acuerdo general en cuanto a la eficacia del suero antitóxico, del suero preparado y administrado adecuadamente. Algunos clínicos restringen el empleo de la antitoxina escarlatinosa a los casos graves o con toxemia. La unidad de antitoxina se define como la cantidad capaz de neutralizar 50 dosis dermorreactivas de la toxina.[63]

En cierto sentido, la inmunidad a la escarlatina es inmunidad clínica, ya que actúa principalmente contra la toxina eritrógena, más que contra el estreptococo. Puede demostrarse, mediante la prueba cutánea de Dick, semejante a la de Schick en la difteria; es decir, el eritema local se debe a la acción de la toxina y desaparece en presencia de antitoxina de origen exógeno o del individuo inmune.

Por lo tanto, la prueba de Dick puede emplearse para saber si un individuo es inmune a la escarlatina o no lo es; o, más precisamente, para saber si tiene antitoxina circulante. Al respecto, es interesante que Schultz y Charlton observaran inicialmente que cuando a un paciente escarlatinoso con exantema rojo claro se inyectaba con 1 ml de suero de convaleciente, después de unas seis horas el exantema empezaba a extinguirse, y pronto desaparecía completamente. En ese momento no se reconoció la importancia del fenómeno, fenómeno de la desaparición del exantema de Schultz-Charlton.

Como otras infecciones estreptocócicas, la escarlatina se trata eficazmente con penicilina, para reducir el periodo de enfermedad y las complicaciones. La quimioterapia oportuna parece interferir con la respuesta inmunitaria, según indican las cifras de estreptolisina y el hecho de que la cifra de recaídas no disminuye.

Inoculación profiláctica.[65] No suele recordarse que después de los trabajos de Jenner en la vacunación para la viruela, se intentó la inmunización contra la escarlatina por procedimientos semejantes de inoculación. Desde 1906, bacteriólogos rusos practicaron la inoculación profiláctica con cultivos que contenían estreptococos muertos.

Se producían síntomas benignos semejantes a los de la escarlatina. La inyección única no bastaba para producir inmunidad, se necesitaban dos o tres inoculaciones. Se creyó que mediante este procedimiento podía producirse un grado importante de inmunidad.

El descubrimiento de la toxina escarlatinosa ofreció oportunidad para lograr la inmunización protectora, semejante a la utilizada con éxito en la difteria. Son preferibles toxinas con potencia no menor de 40 000 STD por ml, inyectando diluciones adecuadas con intervalos de una semana. Se recomendaron cinco inyecciones empezando con 500 STD y aumentando gradualmente hasta alrededor de 100 000 STD. La inmunización de personas susceptibles (Dick positivos) en esta forma produce 98 por 100 o más de Dick negativos. En ocasiones, las inyecciones se acompañan de exantema escarlatiniforme y otros síntomas benignos de escarlatina. En consecuencia, algunos investigadores han aconsejado emplear toxina destoxicada tratada con formalina. Debe subrayarse que la inmunidad a la escarlatina actúa en la escarlatina clínica y no en la infección estreptocócica, y que desde un punto de vista epidemiológico los individuos Dick positivos y Dick negativos deben considerarse como escarlatinosos, siendo la única diferencia la clínica del desarrollo de exantema.

Como en la difteria, la inmunidad a la escarlatina puede adquirirse por infección inadvertida. La frecuencia de pruebas Dick positivas es baja en el recién nacido (indicando inmunidad pasiva de origen materno); después, aumenta hasta su máximo en edades de uno a cinco años, para caer luego gradualmente; en las personas mayores de 30 años es relativamente baja, posiblemente de 15 por 100.

FIEBRE REUMATICA [75, 84, 85]

Como antes se indicó, las secuelas de la infección por estreptococo beta-hemolítico, bastante frecuentes, incluyen carditis y artritis. En la patología y en la sintomatología de la enfermedad inflamatoria posestreptocócica no supurativa, llamada fiebre reumática, reumatismo agudo o enfermedad cardiaca reumática, estas secuelas se ponen de relieve ocurriendo aproximadamente en el 3 por 100 de los casos en poblaciones cerradas, pero en proporción menor, del 0.1 al 0.3 por 100, en la población general. La lesión fundamental de la fiebre reumática es la carditis, que puede acompañarse de fiebre y artritis. La carditis incluye degeneración del tejido conectivo, característica de las válvulas cardiacas enfermas, y lesiones miocárdicas inflamatorias específicas, caracterizadas histológicamente por agrupamientos nodulares de células, descritos por Aschoff y conocidos como nódulos de Aschoff. La fiebre reumática, como enfermedad infecciosa, ocupa el tercer lugar en Estados Unidos de Norteamérica, superada solamente por la tuberculosis y la sífilis.

Existe una relación muy estrecha entre la infección por estreptococo beta-hemolítico y la fiebre reumática, y hay motivos para creer que esta relación es etiológica, aunque no se ha probado definitiva y completamente. La relación epidemiológica entre infecciones estreptocócicas, amigdalitis, fiebre puerperal, escarlatina y otras, ha sido reconocida desde hace mucho tiempo y reforzada por la demostración casi invariable de la respuesta inmunológica en forma de antiestreptolisina O a la infección estreptocócica con reumatismo; un título de ASO de 200 o mayor suele considerarse que indica infección reciente.

La carditis reumática se presenta en algunos individuos; la lesión consiste en inflamación no purulenta de las valvas y de los anillos, con formación de verrugosidades en los bordes, que con el tiempo son substituidas por tejido cicatrizal. Frecuentemente se presenta también miocarditis reumática, caracterizada histológicamente por granulomas perivasculares llamados nódulos o cuerpos de Aschoff.[87] Algunas observaciones sugieren que hay tendencia individual a la afección valvular, y que cuando no ocurre en el primer ataque es menos probable en los subsiguientes.[17]

El principio de la enfermedad no coincide necesariamente con enfermedad estreptocócica aguda, y solo rara vez ha sido posible cultivar estreptococo β-hemolítico de la sangre. Los trabajos de Coburn,[7] iniciados en 1931, han resuelto adecuadamente estas discrepancias y han indicado claramente la relación etiológica del estreptococo β-hemolítico.

Coburn distingue tres etapas en la enfermedad: primero, infección estreptocócica aguda de la nasofaringe; segundo, un periodo de reposo durante el cual el estreptococo persiste en la faringe; y tercero, la fase en que aparecen trastornos electrocardiográficos y síntomas de fiebre reumática aguda. Durante el tercer periodo, los estreptococos pueden demostrarse o no; el complejo sintomático parece ser debido a hipersensibilidad para los antígenos estreptocócicos (ver luego). El tiempo que transcurre entre los periodos primero y tercero varió de una a cinco semanas, en los pacientes en quienes se ha estudiado. Un dato práctico es que la fiebre reumática clínica no es resultado directo de la actividad estreptocócica, por lo cual la quimioterapia no resulta eficaz.

En las reinfecciones con estreptococo ocurren ataques subsecuentes, en ocasiones después de episodios inespecíficos, y el control de la enfermedad depende de la quimioprofilaxia.[64] Como ya hemos señalado, la profilaxia química, en forma de producto de acción prolongada, es el medio de elección; sulfamídicos y tetraciclinas no dan buen resultado. El tiempo que debe continuarse la profilaxia se ignora, pero algunos datos sugieren que las recaídas disminuyen drásticamente después de los 18 años.[34]

El mecanismo por el cual los estreptococos producen fiebre reumática dista de ser claro. La respuesta inmunitaria a la infección inicial es retardada, ya que las cifras máximas de antiestreptolisina O, anticuerpo fijador de complemento y precipitinas específicas de tipo y de grupo ocurren en el tercer periodo de la enfermedad, no antes, en tanto que la antiestreptolisina S disminuye durante la tercera fase, especialmente en los casos con recaídas. Es razonable creer que existe hipersensibilidad al estreptococo o sus productos; por ejemplo, a menudo se producen artralgias en pacientes reumáticos mediante inoculación de filtrados estériles de cultivos de estreptococos y se han producido después de inmunización con antígeno purificado de proteína M.[48] Parece que para estas consecuencias de dicha infección se requiere una respuesta inmunitaria, pero no está definido si es una respuesta inmunitaria corriente, una hipersensibilidad, o ambas. Según la primera, hay razón para sospechar que es una respuesta autoinmunitaria,[38] que colocaría la fiebre reumática y sus secuelas entre las enfermedades de la colágena; por ejemplo, se ha demostrado la fijación de globulina gamma al tejido cardiaco. La sensibilización puede ser al antígeno estreptocócico, y en este caso sería una capacidad antigénica ampliamente distribuida en varios tipos de *Str. pyogenes* o debida a un complejo de poderes antigénicos estreptocócicos y tisulares.[39]

También es bastante probable que la participación del huésped sea muy importante. Hay datos de susceptibilidad hereditaria a la fiebre reumática,[94] e indicios de predisposición general; la enfermedad ocurre más frecuentemente en hipertiroideos, hay datos que sugieren la participación probable del metabolismo lípido, y es más frecuente entre los cinco y los 15 años que en personas mayores.

Ha sido interesante que muchas de estas lesiones características de la fiebre reumática pueden producirse en el conejo [58] mediante inoculación con estreptococos β-hemolíticos, y con lisados sónicos acelulares de estreptococos en el ratón.[11] Incluyen miocarditis no supurativa (sin embargo, no presentan los característicos nódulos de Aschoff), endocarditis y artritis benignas o graves, con trastornos que llegan hasta el hueso.[22] Puede decirse que esta patología no es idéntica en todos sentidos a la de la fiebre reumática del hombre, pero el poder producir experimentalmente estas lesiones mediante inoculación de estreptococos debe considerarse contundente para sostener con firmeza que estas bacterias pueden tener relación etiológica con la fiebre reumática del hombre.

Por lo tanto, parece bastante clara la existencia de una relación etiológica estrecha entre *Str. pyogenes* y la fiebre reumática pero la patogenia de la enfermedad dista mucho de ser conocida.

GLOMERULONEFRITIS AGUDA

Durante muchos años se ha conocido la relación entre glomerulonefritis aguda hemorrágica e infección estreptocócica, empezando realmente con la descripción de Bright de la enfermedad, relacionada con la escarlatina, desde 1836. La relación causal entre la infección estreptocócica y esta enfermedad parece definitivamente aclarada por la aplicación de métodos de clasificación de tipo, que indican una relación estrecha entre esta nefritis y ciertos tipos de estreptococos.[35]

En contraste con la fiebre reumática, que ocurre como complicación de infección con *Str. pyogenes* de todos los tipos serológicos, en cifra más o menos constante alrededor del 3 por 100, la de glomerulonefritis relacionada con infección estreptocócica es muy variable, observándose extremos de 0.03 y 18 por 100. La enfermedad puede presentarse en forma semiepidémica, especialmente en escolares. Esto puede sugerir que, a diferencia de la fiebre reumática, la glomerulonefritis quizá refleje la distribución variable en tiempo y espacio de las cepas nefritógenas de *Str. pyogenes*. El tipo 12 ha sido el que más frecuentemente se ha acompañado de glomerulonefritis en Estados Unidos de Norteamérica, Inglaterra y Canadá; el tipo 4 se ha culpado de cuando en cuando. Un serotipo nuevo, denominado inicialmente como cepa Red Lake, y ahora conocido como tipo 49, fue descrito en 1955 como causa de nefritis epidémica, en una reserva india de Minnesota. Durante un tiempo no volvió a observarse, pero reapareció unos 10 años más

tarde en la misma localidad.[1, 2, 37] Otro tipo nuevo, la cepa Baker, se ha descrito como nefritógena, y provisionalmente se ha denominado tipo 56.[36] No es en modo alguno seguro que todas las cepas de tipo 12, por ejemplo, sean nefritógenas; las cepas, al parecer, difieren entre ellas al respecto. Por lo tanto, la glomerulonefritis de etiología estreptocócica difiere de la fiebre reumática por cuanto no resulta de infección de todos los serotipos. Esta complicación no es invariablemente secuela de infección con cepas nefritógenas; se calcula que la proporción de ataques varía de 1 a 10 por 100 de las infecciones. Aparte de esta asociación con serotipo, las cepas nefritógenas de *Str. pyogenes* no pueden distinguirse de las que no guardan relación con enfermedad renal.

La glomerulonefritis también difiere de la fiebre reumática en que no tiende a recidivar en el individuo recuperado; se supone que se conserva inmunidad eficaz al antígeno M específico de tipo y que la hipersensibilidad no interviene en la enfermedad. Generalmente la recuperación parece ser completa, y no está demostrado que la nefritis crónica guarde relación etiológica con infección estreptocócica anterior. Sin embargo, la respuesta inmunológica desempeña cierto papel en cuanto parece cada vez más demostrado que la lesión renal resulta del depósito de complejos de antígeno M-anticuerpo en los glomérulos, probablemente a nivel de la membrana basal. El antígeno se ha demostrado, por ejemplo, empleando la tinción de anticuerpo fluorescente en material de biopsia humana,[83] y se han recuperado anticuerpos unidos a los glomérulos en la enfermedad experimental de la rata.[46]

La enfermedad ha sido reproducida en conejos y monos, mediante inoculación con cepas de tipo 12 nefritógenas de *Str. pyogenes*, y con productos bacterianos administrados repetidamente; en el ratón, con productos estreptocócicos solubles, en cámaras de difusión in vivo.[80] También se han producido lesiones renales en animales de experimentación inoculando complejos antígeno-anticuerpo solubles[55] y en animales en parabiosis.[44] Los datos indican que la patología renal es ocasionada por la reacción antígeno-anticuerpo consecutiva a inmunización con anticuerpo estreptocócico, y que es consecuencia indirecta, más que directa, de la infección primaria.

ENDOCARDITIS BACTERIANA SUBAGUDA

La infección del endocardio con producción de lesiones ulcerosas puede ocurrir con muchas bacterias.[86] Con mucho, la más frecuente es la de estreptococo α-hemolítico, pero el estafilococo, el estreptococo β-hemolítico y, en mucho menor grado, neumococos, gonococos, meningococos, Hemophilus, Brucella, Salmonella, etc., pueden producirla. Con las bacterias más virulentas, la infección es aguda, pero la enfermedad llamada endocarditis bacteriana subaguda, que es igualmente mortal, casi siempre es ocasionada por estreptococo α-hemolítico, aunque en muchos casos se han identificado estreptococos no hemolíticos.

La infección de las válvulas cardiacas puede ser primaria o secundaria a un foco infeccioso de cualquier parte del organismo y es casi indispensable un factor predisponente, alguna anomalía congénita o lesión previa, como infección reumática de las válvulas cardiacas. Frecuentemente la fuente de infección son las amígdalas o infecciones dentales periapicales o infección benigna de las encías. Parece haber una diseminación ocasional de estreptococos desde estas fuentes hacia la sangre, y cualquier trastorno de las regiones infectadas, como extracción dental, amigdalectomía o exploración de un cuello uterino infectado, producen bacteriemia transitoria. Las bacterias son eliminadas rápidamente de la sangre por células fagocíticas del hígado, bazo, médula ósea y de cualquier parte del organismo, pero la infección valvular puede ocurrir en presencia de cualquier anormalidad. Puede ser, por ejemplo, a consecuencia de lesión cardiaca durante un episodio de fiebre reumática.

Probablemente la infección del endocardio sea directa, más que por embolias en los vasos pequeños de la unión de endocardio y tejidos subendocárdicos. Según Grant, Wood y Jones,[24] las bacterias se acumulan en pequeños trombos de plaquetas sobre las superficies valvulares, pero McNeal, Spence y Slavkin,[53] en las endocarditis experimentales del conejo comprobaron que las bacterias circulantes son fagocitadas por las células endoteliales de las válvulas cardiacas, como en cualquier otro sitio, sin matarlas, produciendo lesión local que queda cubierta por un depósito de fibrina; esta favorece la proliferación de estreptococos y la infección local. De todas maneras, durante el curso de la enfermedad los estreptococos van pasando a la sangre, y pueden demostrarse por hemocultivos. Es importante, especialmente para la quimioterapia, que la lesión no sea un trombo superficial, sino prácticamente un absceso del tejido valvular.

Las especies de estreptococos verdes, de los grupos viridans y enterococo, causan esta enfermedad. En un estudio se comprobó que prácticamente el total de 200 cultivos de estreptococo verde de origen clínico, incluyendo casos de endocarditis bacteriana subaguda, fueron *Str. salivarius* o *Str. faecalis;* en otro estudio, la especie más frecuente fue *Str. mitis,* luego *Str. salivarius,* y, menos frecuente, *Str. faecalis.* Sin embargo, la enfermedad es esencialmente la misma, sea cual sea la especie de estreptococo α-hemolítico que la ocasione.

FIEBRE PUERPERAL

Fiebre puerperal es término vago que indica que con frecuencia, inmediatamente después del parto, aparece fiebre. Probablemente la respuesta febril definida en la mayor parte de casos se relacione con infección bacteriana, pero en casos benignos los microorganismos son relativamente avirulentos.

Las infecciones muy graves dependen casi siempre de estreptococos, la mayor parte *Str. pyogenes.* Hay infecciones con otros estreptococos β-hemolíticos, pero cuando no pertenecen al grupo A la infección suele ser benigna. Los estreptococos anaerobios siguen en importancia a *Str. pyogenes,* siendo la causa posiblemente del 20 a 25 por 100 de los casos graves de fiebre puerperal; la enfermedad causada por estas formas no es tan fulminante como la causada por *Str. pyogenes,* pero la mortalidad es alta, posiblemente del 40 por 100. En casos mortales de fiebre puerperal, la infección se generaliza en septicemia mortal y es bastante probable que la gran capacidad invasora del estreptococo sea, en estas circunstancias, la responsable directa de su virulencia.

La fuente de los estreptococos que producen fiebre puerperal tiene gran interés. Parece comprobado que *Str. pyogenes* se encuentra rara vez en el aparato genital femenino, y en muy pocas ocasiones se encuentra antes del parto o durante un puerperio apirético. Por ejemplo, Lancefield y Hare [43] comunicaron los datos de una serie de 855 cultivos vaginales de parturientas, encontrando una cepa de *Str. pyogenes* entre 65 cepas aisladas durante un puerperio afebril, y ninguna en 13 cepas aisladas antes del parto. Este y otros estudios indican que la vía de infección con *Str. pyogenes* es exógena más que endógena. El desarrollo de la clasificación de estreptococos por tipos y la definición más precisa de las variedades inmunológicas han permitido demostrar el probable origen de los microorganismos infectantes. En un estudio, poco más del 50 por 100 de los estreptococos de la paciente eran idénticos a los de las fosas nasales y faringe de quienes atendieron el parto; y en poco menos del 25 por 100 idénticos a los de las fosas nasales y faringe de la paciente. Colebrook [8] comunicó resultados semejantes, con valores de 58 y 38, respectivamente. Datos como estos demuestran que la fuente de infección es extraña a las vías genitales; más probablemente provienen de fosas nasales y faringe de las personas que atienden a la paciente, o de la misma enferma, en el 75 por 100 o más de los casos. La infección puede ser aerógena o por el polvo, pero parece probable que las manos desempeñen papel importante en la transmisión de la enfermedad.

Por otra parte, los estreptococos anaerobios son habitantes normales de la vagina de la mujer.[79] Sin métodos inmunológicos precisos para su identificación, puede concluirse provisionalmente que en la fiebre puerperal la infección con estos organismos podría ser endógena en la mayor parte de casos.

BIBLIOGRAFIA

1. Anthony, B. F., *et al.* 1967. Epidemic acute nephritis with reappearance of type 49 *Streptococcus.* Lancet **ii**:787–790.
2. Anthony, B. F., *et al.* 1969. Attack rates of acute nephritis after type 49 streptococcal infection of the skin and of the respiratory tract. J. Clin. Invest. **48**:1967–1704.
3. Bangham, D. R., and P. L. Walton. 1965. The international standard for streptokinase-streptodornase. Bull. Wld. Hlth. Org. **33**:235–242.
4. Barkulis, S. S. 1960. Biochemical properties of a virulent and an avirulent strain of group A hemolytic streptococcus. Ann. N.Y. Acad. Sci. **88**:1034–1053.
5. Bartels, E. D., and N. Riskaer. 1944. The bacteriology of erysipelas in clinical light. Acta Med. Scand. **118**:489–505.
6. Bell, J. F., C. R. Owen, and W. L. Jellison. 1958. Group A streptococcus infections in wild rodents. J. Infect. Dis. **103**:196–203.
7. Coburn, A. F. 1945. The rheumatic fever problem. Amer. J. Dis. Child. **70**:339–347, 348–358.
8. Colebrook, D. C. 1935. The source of infection in puerperal fever due to haemolytic streptococci. Special Report Series No. 205. Medical Research Council, Great Britain.
9. Commission on Acute Respiratory Diseases. 1947. The role of Lancefield groups of beta-hemolytic streptococci in respiratory infections. New Eng. J. Med. **236**:157–166.
10. Cremer, N., and D. W. Watson. 1960. Host-parasite factors in group A streptococcal infections. A comparative study of streptococcal pyrogenic toxins and gram-negative bacterial endotoxin. J. Exp. Med. **112**:1037–1053.
11. Cromartie, W. J., and J. G. Craddock. 1966. Rheumatic-like cardiac lesions in mice. Science **154**:285–287.
12. Custod, J. T., *et al.* 1960. Interdependence of hyaluronic acid and M protein in streptococcal aerosol infections in mice. Proc. Soc. Exp. Biol. Med. **103**:751–753.
13. Deibel, R. H. 1964. The group D streptococci. Bacteriol. Rev. **28**:330–366.
14. Elliott, S. D. 1960. Type and group polysaccharides of group D streptococci. J. Exp. Med. **111**:621–630.
15. Epps, D. E. van, and B. R. Andersen. 1971. Streptolysin O. II. Relationship of sulfhydryl groups to activity. Infect. Immun. **3**:648–652.
16. Evans, A. C., and A. L. Chinn. 1947. The enterococci: With special reference to their association with human diseases. J. Bacteriol. **54**:495–512.
17. Feinstein, A. R., and M. Spagnuolo. 1960. Mimetic features of rheumatic-fever recurrences. New Eng. J. Med. **262**:533–540.
18. Finn, P. D. 1970. Observations and comments concerning the isolation of group B β-hemolytic streptococci from human sources. Can. Med. Assn. J. **103**:249–252.
19. Foley, G. E., W. L. Aycock, and R. D. Cox. 1945. Serologic types of hemolytic streptococci in scarlet fever in Massachesetts. New Eng. J. Med. **233**:761–765.
20. Freimer, E. H. 1967. Type-specific polysaccharide antigens of group B streptococci. II. The chemical basis for serological specificity of the type II HCl antigen. J. Exp. Med. **125**:381–392.
21. Freimer, E. H., R. M. Krause, and M. McCarty. 1959. Studies of L forms and protoplasts of group A streptococci. I. Isolation, growth and bacteriologic characteristics. J. Exp. Med. **110**:853–874.
22. Ginsburg, I., and R. Trost. 1971. Localization of group A streptococci and particles of titanium dioxide in arthritic lesions in the rabbit. J. Infect. Dis. **123**:292–296.
23. Gooder, H. 1961. Antistreptolysin-O: its interaction with streptolysin-O, its titration and a comparison of some standard preparations. Bull. Wld. Hlth. Org. **25**:173–183.
24. Grant, R. T., J. E. Wood, Jr., and T. D. Jones. 1928. Heart valve irregularities in relation to subacute bacterial endocarditis. Heart **14**:247–261.
25. Hahn, J. J., and R. M. Cole. 1963. Streptococcal M antigen location and synthesis, studied by immunofluorescence. J. Exp. Med. **118**:659–666.
26. Hamburger, M., Jr., *et al.* 1944. Ability of different types of hemolytic streptococci to produce scarlet fever. J. Amer. Med. Assn. **124**:564–566.
27. Hill, H. R., *et al.* 1969. Epidemic of pharyngitis due to streptococci of Lancefield group G. Lancet **ii**:371–374.
28. Hill, M. J., and L. W. Wannamaker. 1968. The serum opacity reaction of *Streptococcus pyogenes:* general properties of the streptococcal factor and of the reaction in aged serum. J. Hyg. **66**:37–47.
29. Hook, E. W., R. R. Wagner, and R. C. Lancefield. 1960. An epizootic in Swiss mice caused by a group A streptococcus, newly designated type 50. Amer. J. Hyg. **72**:111–119.
30. Hugh, R. 1959. Motile streptococci isolated from the oropharyngeal region. Can. J. Microbiol. **5**:351–354.
31. Iversen, K. 1948. Acta Med. Scand. **131**:200–208.
32. Jennings, R. K. 1953. Antigens in scarlatinal erythrogenic toxin demonstrable by the Oudin technic. J. Immunol. **70**:181–186.
33. Johnson, B. H., and W. Furrier. 1958. Hyaluronic acid: A required component of beta hemolytic streptococci for infecting mice by aerosol. J. Infect. Dis. **103**:135–141.
34. Johnson, E. E., *et al.* 1960. Streptococcal infections in adolescents and adults after prolonged freedom from rheumatic fever. I. Results of the first three years of the study. New Eng. J. Med. **263**:105–111.
35. Johnson, J. C., and G. H. Stollerman. 1969. Nephritigenic streptococci. Ann. Rev. Med. **20**:315–322.
36. Johnson, J. C., *et al.* 1968. Virulence of skin strains of nephritigenic group A streptococci: new M protein serotypes. J. Immunol. **101**:187–191.
37. Kaplan, E. L., *et al.* 1970. Epidemic acute glomerulonephritis associated with type 49 streptococcal pyoderma. I. Clinical and laboratory findings. II. Correlative study of light, immunofluorescent and electron microscope findings. Amer. J. Med. **48**:9–27, 28–39.
38. Kaplan, M. 1960. The concept of autoantibodies in rheumatic fever and in the postcommissurotomy state. Ann. N.Y. Acad. Sci. **86**:947–991.
39. Kaplan, M. H., M. L. Suchy, and K. H. Svec. 1964. Immunologic relation of streptococcal and tissue antigens. II. Cross-reaction of antisera with mammalian heart tissue with a cell wall constituent of certain strains of group A streptococci. III. Presence in human sera of streptococcal antibody cross-reactive with heart tissue. J. Exp. Med. **119**:643–650, 651–666.
40. Karakawa, W. W., E. K. Borman, and C. R. McFarland. 1964. Typing of group A streptococci by immunofluorescence. I. Preparation and properties of type 1 fluorescein-labeled antibody. J. Bacteriol. **87**:1377–1382.
41. Lancefield, R. C. 1962. Current knowledge of type-specific M antigens of group A streptococci. J. Immunol. **89**:307–313.
42. Lancefield, R. C., and E. H. Freimer. 1966. Type-specific polysaccharide antigens of group B streptococci. J. Hyg. **64**:191–203.
43. Lancefield, R. C., and D. Hare. 1935. The serological differentiation of pathogenic and non-pathogenic strains of hemolytic streptococci from parturient women. J. Exp. Med. **61**:335–349.
44. Lange, K., M. Wachstein, and S. E. McPherson. 1961. Immunologic mechanism of transmission of experimental glomerulonephritis in parabiosed rats. Proc. Soc. Exp. Biol. Med. **106**:13–16.
45. Levine, J. L., *et al.* 1966. Studies on the transmission within families of group A hemolytic streptococci. J. Lab. Clin. Med. **67**:483–494.
46. Lindberg, L. H., and K. L. Vosti. 1969. Elution of glomerular bound antibodies in experimental streptococcal glomerulonephritis. Science **166**:1032–1033.
47. MacLennan, J. D. 1943. Streptococcal infection of muscle. Lancet **11**:582–584.
48. Massell, B. F., L. H. Honikman, and J. Amezcua. 1969. Rheumatic fever following streptococcal vaccination. J. Amer. Med. Assn. **207**:1115–1119.
49. Matsuno, T., and H. D. Slade. 1971. Group A streptococcal polysaccharide antigens. Infect. Immun. **3**:385–389.
50. McCarty, M. 1954. Streptococcal Infections. Columbia University Press, New York.
51. McCarty, M. 1956. Variation in group-specific carbohydrate of group A streptococci. II. Studies on the chemical

basis for serological specificity of the carbohydrates. J. Exp. Med. **104**:629–643.

52. McCarty, M. 1966. The nature of the opaque colony variation in group A streptococci. J. Hyg. **64**:185–190.

53. McNeal, W. J., M. J. Spence, and A. E. Slavkin. 1944. Progressive experimental endocarditis lenta. Amer. J. Pathol. **20**:95–105.

54. Mickelson, M. N. 1964. Chemically defined medium for growth of *Streptococcus pyogenes*. J. Bacteriol. **88**:158–164.

55. Miller, F., *et al.* 1960. Production of acute glomerulonephritis in mice with soluble antigen-antibody complexes prepared from homologous antibody. Proc. Soc. Exp. Biol. Med. **104**:706–709.

56. Mirick, G. S., *et al.* 1944. Studies on a nonhemolytic streptococcus isolated from the respiratory tract of human beings. I. Biological characteristics of Streptococcus MG. II. Immunological characteristics of Streptococcus MG. J. Exp. Med. **80**:391–406, 407–430.

57. Moody, M. D. 1970. Streptococcus. pp. 65–68. *In* J. E. Blair, E. H. Lennette, and J. P. Truant (Eds.): Manual of Clinical Microbiology. American Society for Microbiology, Bethesda.

58. Morse, S. I., *et al.* 1955. Cardiac lesions in rabbits after pharyngeal infections with group A streptococci. Proc. Soc. Exp. Biol. Med. **89**:613–616.

59. Paul, H. 1955. Deaths from scarlet fever in the twentieth century. Can.-J. Pub. Hlth. **46**:363–367.

60. Pulvertaft, R. J. V. 1943. Bacteriology of war wounds. Lancet **ii**:1–2.

61. Rauch, H. C., and L. A. Rantz. 1963. Immunofluorescent identification of group A streptococci in direct throat smears. J. Lab. Clin. Med. **61**:529–536.

62. Quinn, R. W., F. W. Denny, and H. D. Riley. 1957. Natural occurrence of hemolytic streptococci in normal school children. Amer. J. Pub. Hlth. **47**:995–1008.

63. Rao, S., and P. J. Moloney. 1950. Estimation of potency of scarlatinal antitoxin by a combined flocculation and rabbit skin test method. J. Immunol. **64**:57–64.

64. Report. 1966. WHO Expert Committee on the prevention of rheumatic fever. Technical Report Series No. 342. World Health Organization, Geneva.

65. Rhoads, P. S. 1949. Present status of immunization to and treatment of scarlet fever. Amer. J. Dis. Child. **77**:244–252.

66. Rosebury, T. 1944. The aerobic non-hemolytic streptococci. A critical review of their characteristics and pathogenicity with special reference to the human mouth and to subacute bacterial endocarditis. Medicine **23**:249–280.

67. Rowen, R., and A. W. Bernheimer. 1956. The toxic action of preparations containing the oxygen-labile hemolysin of *Streptococcus pyogenes*. V. Mechanism of refractoriness to the lethal effect of the toxin. J. Immunol. **77**:72–79.

68. Schwab, J. H., W. J. Cromartie, and B. S. Roberson, 1959. Identification of a toxic cellular component of group A streptococci as a complex of group-specific C polysaccharide and a protein. J. Exp. Med. **109**:43–54.

69. Schwab, J. H., H. Gooder, and W. R. Maxted. 1962. Further studies on toxic C polysaccharide complexes of the β-hemolytic streptococci. Brit. J. Exp. Pathol. **43**:181–188.

70. Sharpless, E. A., and J. H. Schwab. 1960. An intracellular hemolysin of group A streptococci. IV. Lethal activity in mice. J. Bacteriol. **79**:496–501.

71. Sherman, J. M. 1937. Bacteriol. Rev. **1**:1–97.

72. Sherman, J. M. 1938. The enterococci and related streptococci. J. Bacteriol. **35**:81–93.

73. Slade, H. D. 1965. Extraction of cell-wall polysaccharide antigen from streptococci. J. Bacteriol. **90**:667–672.

74. Slade, H. D., and W. C. Slamp. 1962. Cell-wall composition and the grouping antigens of streptococci. J. Bacteriol. **84**:345–351.

75. Smyth, C. J., *et al.* 1960. Rheumatism and arthritis: Review of American and English literature of recent years. Ann. Intern. Med. **53**:1–365.

76. Soloman, S., and M. Kalkstein. 1943. Pneumonia due to the *Streptococcus viridans*. Amer. J. Med. Sci. **205**:765–770.

77. Spaum, J., *et al.* 1961. International standard for antistreptolysin O. Bull. Wld. Hlth. Org. **24**:271–279.

78. Stollermann, G. H., J. H. Rusoff, and I. Hirschfeld. 1955. Prophylaxis against group A streptococci in rheumatic fever. The use of single monthly injections of benzathine penicillin G. New Eng. J. Med. **252**:787–792.

79. Stone, M. I. 1941. Bacteriologic characteristics of anaerobic streptococci recovered from post-partum patients. Amer. J. Obstet. Gynecol. **42**:68–74.

80. Tan, E. M., D. B. Hackel, and M. H. Kaplan. 1961. Renal tubular lesions in mice produced by group A streptococci grown in intraperitoneal diffusion chambers. J. Infect. Dis. **108**:107–112.

81. Thomas, H. M., Jr. 1943. The role of alpha hemolytic streptococcus in pneumonia. Bull. Johns Hopkins Hosp. **72**:228–231.

82. Top, F. H., Jr., and L. W. Wannamaker. 1968. The serum opacity reaction of *Streptococcus pyogenes*. Frequency of production of streptococcal lipoproteinase by strains of different serological types and the relationship to M protein production. The demonstration of multiple, strain-specific lipoproteinase antigens. J. Exp. Med. **127**:49–58, 1013–1034.

83. Treser, G., *et al.* 1969. Antigenic streptococcal components in acute glomerulonephritis. Science **163**:676–677.

84. Uhr, J. W. (Ed.). 1964. The Streptococcus, Rheumatic Fever and Glomerulonephritis. Williams & Wilkins, Baltimore.

85. United States Department of Health, Education and Welfare. 1968. Selected references on rheumatic fever, glomerulonephritis, and streptococcal infections. United States Public Health Service Publication No. 1060, Suppl. 5.

86. Uwaydah, M. M., and A. N. Weinberg. 1965. Bacterial endocarditis—a changing pattern. New Eng. J. Med. **273**:1231–1235.

87. Wagner, B. M. 1960. Studies in rheumatic fever. III. Histochemical reactivity of the Aschoff body. Ann. N.Y. Acad. Sci. **86**:992–1008.

88. Wannamaker, L. W. 1958. The differentiation of three distinct deoxyribonucleases of group A streptococci. J. Exp. Med. **107**:797–812.

89. Watson, D. W. 1960. Host-parasite factors in group A streptococcal infections. Pyrogenic and other effects of immunologic distinct exotoxins related to scarlet fever toxins. J. Exp. Med. **111**:255–284.

90. Whittenbury, R. 1965. The differentiation of *Streptococcus faecalis* and *S. faecium*. J. Gen. Microbiol. **38**:279–287.

91. Wiley, G. G., and A. T. Wilson. 1961. The occurrence of two M antigens in certain group A streptococci related to type 14. J. Exp. Med. **113**:451–465.

92. Williams, R. E. O. 1958. Laboratory diagnosis of streptococcal infection. Bull. Wld. Hlth. Org. **19**:163–176.

93. Wilson, A. T. 1959. The relative importance of the capsule and the M-antigen in determining colony form of group A streptococci. J. Exp. Med. **109**:257–270.

94. Wilson, M. G. 1956. Hereditary susceptibility in rheumatic fever. Eugenics Quart. **3**:38–44.

CAPITULO 17

NEUMOCOCOS [48]

La bacteria más frecuente en la neumonía humana es un pequeño micrococo lanceolado que ha recibido diversos nombres: *Micrococcus pneumoniae, M. lanceolatus, Streptococcus pneumoniae* o, más brevemente, neumococo o neumococo de *Fränkel*. El nombre formal más aceptado en la actualidad es el de *Diplococcus pneumoniae*.

Entre las variedades anatomopatológicas de neumonía, lobar o aguda, bronconeumonía, neumonía lobular, bronquitis o bronquiolitis capilar, la neumonía lobar es producida casi siempre por el neumococo, aunque a veces por otras bacterias. Tal vez los mejores datos cuantitativos sean los reunidos por Rumreich y colaboradores [43] en un estudio de seis años en seis estados de Estados Unidos de Norteamérica, dando cifras de neumonía altas y bajas. Quedan resumidos en el cuadro adjunto. Es manifiesto que el neumococo es la causa más frecuente de neumonía. En la bronconeumonía se encuentran muchos microorganismos, que probablemente provengan casi siempre de nasofaringe.[44]

El neumococo fue descubierto independientemente en 1881 por Pasteur, en Francia (inoculó conejos con saliva de un niño muerto de rabia), y Sternberg, en Estados Unidos de Norteamérica, pero no se supo que producía enfermedad en el hombre hasta los amplios estudios de Fränkel y Weichselbaum, quienes demostraron sin lugar a duda la relación etiológica entre esta bacteria y la neumonía en el hombre.

Morfología y tinciones. El neumococo típico es un coco pequeño, ligeramente alargado, puntiagudo o lanceolado. Estos cocos suelen presentarse a pares (diplococos), pero varían a menudo de tipo de agrupamiento, tamaño o forma de los gérmenes aislados. Es frecuente la formación de cadenas, especialmente en medios artificiales, aunque dichas cadenas suelen ser más cortas que las de *Str. pyogenes*. A veces se encuentran formas bacilares, ovales o alargadas. El neumococo no es móvil, ni forma esporas. En los exudados de animales, los neumococos están rodeados de una cápsula muy clara, difícil de demostrar en los cultivos, salvo con algunas tinciones o en algunos medios; puede haberla en los cultivos, en leche o en medios a base de sangre y suero.

El neumococo se tiñe fácilmente con colorantes de anilina, y suele ser grampositivo, a pesar de cierta tendencia a volverse gramnegativo en los cultivos viejos; algunas cepas resultan gramnegativas. En las preparaciones teñidas, la cápsula a menudo se ve como un halo pálido alrededor de los gérmenes; puede teñirse con métodos especiales.

En infusión de agar o en agar-sangre, las colonias de neumococos son pequeñas, húmedas, translúcidas y granulosas, con límites bien definidos.

Frecuencia de los agentes etiológicos de la neumonía *

Microorganismo responsable	Neumonía lobar	Bronco-neumonía	No especificada	Todas las neumonías
Neumococo	82.48	65.79	77.48	77.71
Estreptococo hemolítico	2.00	3.33	3.99	2.65
Otros estreptococos	1.30	2.99	1.33	1.70
Estafilococos	0.82	2.00	1.38	1.19
Bacilo de Friedländer	0.15	0.13	0.28	0.17
Bacilo de la influenza	0.06	0.25	0.11	0.15
Bacilo de la tuberculosis	....	0.08	....	0.02
Hongos	....	0.02	....	....
Virus	....	....	0.07	0.01
No se encontraron microorganismos	13.19	25.41	15.38	16.44
Número de casos	15 420	6 092	4 290	25 802

* En seis estados de la Unión Norteamericana en un periodo de dos años; datos de Rumreich y col.[43]

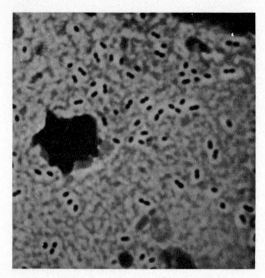 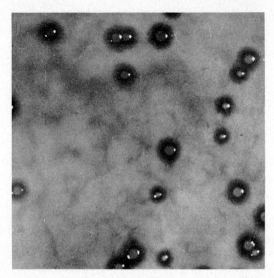

FIG. 17-1. *Izquierda,* Neumococos en el líquido peritoneal de un ratón. Obsérvense las cápsulas. Fucsina. $\times$ 2 000. *Derecha,* Colonias de neumococos en agar-sangre. Las zonas de hemólisis verde se han destacado en esta fotografía. $\times$ 3.

Estas bacterias son α-hemolíticas en agar-sangre, y las colonias quedan rodeadas de una zona de color verdusco, que recuerda las colonias de estreptococos "verdes", hasta el punto de no poderse establecer diferencia entre ambos microbios.

Fisiología. Algunos neumococos se desarrollan en medios ordinarios (extracto de carne), pero otros no; de cualquier manera, el desarrollo no es abundante. Las necesidades nutritivas son complejas. Se han creado varios medios semisintéticos basados en hidrolizados de gelatina o caseína, y enriquecidos con vitaminas y otras substancias accesorias del desarrollo, así como aminoácidos.[1] En los distintos tipos serológicos es bastante uniforme la necesidad de añadir al medio colina y ácidos nicotínico y pantoténico; algunas cepas requieren biotina y ácido ascórbico. A veces, el desarrollo queda notablemente estimulado añadiendo purinas y pirimidinas, pero estas bases no parecen indispensables. Las necesidades de aminoácidos son complejas, y varían de una cepa a otra. Entre los tipos serológicos más frecuentes, el 3 parece ser más exigente, pero las diferencias entre cepas pueden ser tan grandes como las existentes entre tipos serológicos, o mayores.

En los medios de infusión, en particular los enriquecidos con sangre completa, hay desarrollo a 37°C. La leche tornasolada se acidifica pronto, a menudo, pero no siempre también coagula. Los límites de temperatura dentro de los cuales pueden cultivarse estas bacterias son relativamente estrechos (de 25 a 42°C); los neumococos son sensibles a cambios de pH; la cifra óptima es 7.8, y los límites alto y bajo son 6.5 y 8.3, respectivamente. El neumococo es anaerobio facultativo, aunque algunas otras especies de diplococos son anaerobios estrictos.

En general, estos gérmenes fermentan los azúcares produciendo mucho ácido láctico, algunos ácidos volátiles y alcohol etílico. Las fermentaciones diferenciales no tienen valor especial en la clasificación de estos microorganismos, salvo en el caso de la inulina, que permite reconocer los neumococos de los estreptococos verdes.

Los neumococos son microorganismos muy frágiles y sufren autólisis mucho más fácilmente que otras bacterias en general. Durante la autólisis, hay pruebas de que son hidrolizadas las proteínas, y el proceso parece ser consecuencia de la actividad de fermentos intracelulares.[41] Tal vez la destrucción de los neumococos por la bilis y las sales biliares tenga relación con este proceso autolítico. La llamada solubilidad en bilis de los neumococos es una característica prácticamente constante, aunque varía de intensidad según la cepa, así como la tendencia a la autólisis. Puede emplearse bilis de buey o de conejo, que se añaden a un caldo de cultivo reciente en proporción de 10 a 20 por 100. Las soluciones de sales biliares puras (taurocolato de sodio) son preferibles a la bilis de buey, pues pueden esterilizarse, y es posible controlar su concentración (10 por 100). Los neumococos muertos por el calor no son solubles en bilis. El laurilsulfato sódico y detergentes del mismo tipo producen también lisis de los neumococos.[9, 20]

Por lo tanto, podemos distinguir los neumococos de los estreptococos mediante su solubilidad en bilis y, en forma menos satisfactoria, por su capacidad de fermentar la inulina, además de su mayor poder patógeno para el ratón y de las características de las colonias sobre agar.

En los cultivos de neumococos incubados durante largo tiempo se encuentran grandes cantidades de peróxido, pues estos microorganismos carecen de catalasa. Este hecho, unido a la sensibilidad del germen al peróxido, tiene por resultado la autoesterilización de los cultivos al cabo de varios días en la estufa. Sin embargo, los cultivos en caldo de sangre siguen vivos durante varias semanas en el refrigerador, y la bacteria puede conservarse durante meses en un ambiente frío, en bazos desecados al vacío de ratones infectados. En piezas patológicas estas bacterias siguen viables por largo tiempo en el refrigerador, dos semanas en el líquido cefalorraquídeo y el pus, y cuatro semanas en el esputo; pueden identificarse después de largo tiempo por la reacción Quellung (ver luego).[34]

Los neumococos son más sensibles a la actividad bactericida de los antisépticos ordinarios que otras muchas bacterias. Los jabones (ricinoleato y oleato) matan los neumococos en diluciones relativamente altas (0.04 y 0.004 por 100, respectivamente); también resultan de gran eficacia para destruir estas bacterias otras substancias como el fenol y el cloruro mercúrico. La quinina y algunos de sus derivados tienen actividad antineumocócica, pero no inhiben los estreptococos α-hemolíticos; se encuentran en el comercio discos a base de optoquina, semejantes a discos de antibióticos, que permiten diferenciar el neumococo del estreptococo verde.

Toxinas. Las intoxicaciones graves que se encuentran en la infección del hombre por el neumococo hacen pensar que esta bacteria produzca toxinas. El hecho nunca ha sido demostrado, y el neumococo no produce una toxina análoga a las del bacilo diftérico o tetánico.

Este microorganismo produce otras substancias tóxicas. Ya hemos visto que había α-hemólisis en las placas de sangre; además, existe una hemolisina filtrable que actúa sobre los eritrocitos de carnero, cobayo y hombre.[37] La hemolisina concentrada parece tener propiedades letales y dermotóxicas. El neumococo produce también una leucocidina[39] y una substancia necrosante semejante a la que elaboran algunos estafilococos. Muchas cepas producen hialuronidasa, en especial cuando se cultivan en medios a base de ácido hialurónico.[27] Distintos investigadores han descrito una substancia productora de púrpura, que no es antigénica, y parece ser un producto de desdoblamiento de una proteína del neumococo. Cuando se inyectan al ratón blanco extractos de neumococos, aparece un cuadro de púrpura que se traduce por color azul obscuro de la piel en las patas, cola, orejas, hocico y genitales.[28] Se ha observado también que las cepas virulentas podían utilizar productos extracelulares de desdoblamientos de ácidos nucleicos, las cuales, por lo tanto, estimulaban la respiración y la síntesis de DNA.[16]

Aunque los preparados que presentan estas actividades parecen aumentar la virulencia de cepas de neumococos relativamente avirulentas cuando se inyectan simultáneamente con una bacteria, dicha virulencia depende directamente, no tanto de la forma-

ción de substancias tóxicas, como de la producción de substancia soluble específica y de encapsulación.

Clasificación. Los neumococos están estrechamente relacionados con los estreptococos, pero dicha relación todavía no está bien estudiada. Algunos investigadores los consideran una especie de estreptococos y los llaman *Str. pneumoniae.* En general, sin embargo, se puede considerar el neumococo como un género distinto, si se toman en cuenta la suma de las características propias del neumococo y los aspectos clínicos y epidemiológicos de las neumonías. Según la clasificación de Bergey, la tribu Streptococceae incluye tres géneros: 1) diplococos, entre los cuales la especie típica es el neumococo, *D. pneumoniae;* 2) estreptococos, con *Str. pyogenes* como especie tipo, y 3) Leuconostoc, grupo de cocos que forman cadenas y producen gases, y se encuentran en la leche y los vegetales y las soluciones de azúcares en fermentación.

El género diplococo comprende en total seis especies, de las cuales las cinco que no son neumococos viven en anaerobiosis estricta. *D. paleopneumoniae* se parece mucho al neumococo, salvo por su vida anaerobia; se presenta normalmente en la cavidad bucofaríngea y parece ser muy patógena. *D. plagarumbelli* se ha encontrado en heridas contaminadas, y los demás, *D. magnus, D. constellatus* y *D. morbillorum,* son huéspedes normales de la boca y el tubo digestivo y se han encontrado en tejido linfoide como amígdalas y apéndice.

Tipos de neumococos. Un aspecto más interesante que la situación taxonómica exacta de los neumococos es la subdivisión de estas bacterias en varios tipos. Los neumococos contienen dos variedades de antígeno; uno de ellos, el llamado antígeno somático, es componente de la substancia celular propiamente dicha y resulta inmunológicamente idéntico en todos los neumococos. El otro es un haptено de polisacárido, o substancia soluble específica (SSS, iniciales correspondientes a la ortografía inglesa: specific soluble substance) es característico de cada tipo y permite diferenciar unos de otros los tipos inmunológicos de neumococos. El polisacárido de tipo 3 ha sido el mejor estudiado químicamente; los tipos 1, 2, 5 y 6 lo han sido también pero menos.[22, 30] Se han aislado de casi todos los demás tipos substancias análogas. La presencia de SSS enmascara el antígeno somático, y los antisueros para neumococos encapsulados son notablemente específicos de los tipos correspondientes. Estos tipos inmunológicos se designan con números, y dicha numeración de tipos, aunque perfectamente arbitraria, es una convención aceptada en general.

Los estudios de Dochez y Gillespie, en 1913, demostraron que los neumococos encontrados en casos de neumonía lobar podían dividirse en cuatro grupos llamados tipos 1, 2, 3 y grupo IV, sobre la base de pruebas específicas de aglutinación y protección. Los tipos 1, 2 y 3, que se encuentran en la mayor parte de enfermos de neumonía, y producen las infecciones más graves, tienen características inmunológicas específicas, en tanto que el grupo IV es inmunológicamente heterogéneo y está formado por todos los neumococos que no pertenecen a los tres primeros tipos.

Los tipos que integran el grupo IV fueron estudiados más tarde por Cooper y colaboradores en Estados Unidos de Norteamérica, y por científicos daneses; se encontraron así otros muchos tipos serológico de neumococos. Hay dos nomenclaturas distintas para los tipos de neumococos: [31, 32] el sistema dinamarqués, que es una ampliación del sistema de Cooper en el cual se agrupan tipos serológicamente relacionados para formar subtipos, y el sistema preparado por Eddy [11] bajo los auspicios del Servicio de Sanidad Pública de Estados Unidos de Norteamérica y la Asociación Norteamericana de Sanidad Pública, en el cual los tipos diferenciables reciben números seriados cualesquiera que sean sus relaciones antigénicas. Se conocen 80 tipos distintos, pero algunos tienen características antigénicas comunes; por ejemplo, hay reacción cruzada parcial entre los tipos 2 y 5, 3 y 8, 7 y 18 y 15 y 30. En raras ocasiones se encuentran tipos mixtos con antígenos característicos de varios tipos diferenciables.[17] Se han producido artificialmente tipos mixtos mediante reacciones de transformación [7] (véase adelante); estos tipos parecen poseer dos genomas capsulares, uno normal y uno que sufrió mutación, cuya interacción da lugar a la expresión fenotípica antes observada.[8]

Diplococcus mucosus. Estos tipos inmunológicos no pueden distinguirse por cultivo con excepción del tipo 3 que difiere bastante de los demás neumococos, por dar lugar a un desarrollo mucoide considerable con gran formación de cápsulas. Algunos consideran que se trata de una especie distinta y la llaman *D. mucosus.* Muchos cultivos tienden a formar cadenas, y la línea divisoria entre *D. mucosus* y *"Str. mucosus"*, es incierta, tal vez inexistente. Estas bacterias cocoides, con grandes cápsulas, suelen fermentar la inulina y disolverse en bilis, de modo que hay tendencia a agruparlas con los neumococos y no con los estreptococos. Algunas cepas mucoides resultan insolubles en bilis y no fermentan la inulina.

Tipos de neumococos. Puede establecerse de distintas maneras el tipo a que pertenece un neumococo, pero no es un procedimiento diagnóstico usual. Los métodos que se han ideado son fundamentalmente inmunológicos, pero difieren en sus detalles técnicos. Hay tres clases de técnicas inmunológicas: 1) aglutinación de los neumococos con antisuero específico de tipo; 2) precipitación de substancia soluble específica con antisuero específico de tipo; 3) reacción Quellung. La aglutinación puede llevarse a cabo en tubos, y se ha descrito una técnica de microtitulación.[29] La reacción

de precipitina suele ser una prueba de anillo, generalmente para conservar las pequeñas cantidades de antígeno disponible.

El fenómeno Quellung fue descrito por Neufeld en 1902; desde entonces se ha vuelto de aplicación general. Sobre un porta o cubreobjetos se mezcla una suspensión de neumococos con antisuero sin diluir (se preferirá el suero de conejo al de caballo); se añade una pequeña cantidad de azul de metileno alcalino de Löffler para facilitar la observación, y se examina al microscopio. En presencia de suero inmune homólogo se hincha netamente la cápsula, sin cambio manifiesto del tamaño de la bacteria misma; con sueros heterólogos no se ha llegado a observar hinchamiento. La reacción es rápida y la hinchazón se manifiesta en unos minutos.

El empleo de sueros mezclados facilita mucho el estudio, en especial la identificación de tipos evaluados. La frecuencia de los distintos tipos establece la combinación más ventajosa de antisueros. En Estados Unidos de Norteamérica se emplean a menudo las siguientes combinaciones:

a) 1, 2, 7;
b) 3, 4, 5, 6, 8;
c) 9, 12, 14, 15, 17;
d) 10, 11, 13, 20, 22, 24;
e) 16, 18, 19, 21, 28;
f) 23, 25, 27, 29, 31, 32.

También se requieren antisueros monoespecíficos. El neumococo problema se estudia con cada mezcla y luego con cada antisuero de la mezcla que da reacción positiva. En esta forma un neumococo puede identificarse en menos de 12 ensayos.[12, 13, 14]

Variación. Las variantes lisa y rugosa que se han encontrado en muchas bacterias se observan también en el neumococo. Igual que para otros microorganismos, existen colonias intermedias entre estos extremos, y el neumococo resulta virulento en la forma lisa, casi completamente innocuo en la forma rugosa.[10] El cambio de liso a rugoso, en la morfología microscópica de los microbios, se traduce por pérdida de la cápsula. Según Austrian,[3] los tipos de colonia suponen la formación de filamentos de neumococos además de cápsulas; la cepa virulenta típica es la forma capsulada, no filamentosa. Estos factores varían independientemente, como puede verse por las reacciones de transformación, hasta dar todas las combinaciones posibles, incluyendo un tipo no capsulado, filamentoso, identificado recientemente.

Como la especificidad de tipo depende de la SSS, vemos que el cambio de liso a rugoso se acompaña de pérdida completa de dicha especificidad de tipo; el antígeno somático predomina, y, cualquiera que sea el tipo original, los neumococos se vuelven idénticos inmunológicamente. El cambio disociativo puede invertirse, aunque difícilmente, mediante el paso por animales o cultivando la forma rugosa en presencia de suero inmune anti R o de gérmenes de una cepa lisa muertos por el calor.

Transformación de tipos. En el capítulo 6 se describió la transformación mutua experimental de los tipos de neumococos por transducción directa, empleando una variedad R de neumococo y ácido desoxirribonucleico polimerizado, preparado a partir de un tipo heterólogo, así como los cambios de tipo serológico y otras características en la transducción por fagos. Estos fenómenos se han estudiado ampliamente en el caso del neumococo, pero se ignora si pueden tener lugar en la naturaleza.

Poder patógeno para el hombre.[21] Como hemos dicho antes, la neumonía lobar es la infección neumocócica más importante en el hombre. Las bacterias no quedan localizadas en el pulmón, pues pueden emigrar por las vías nasales, o distribuirse por el sistema vascular a distintas regiones del organismo hasta crear otros focos de infección. La neumococemia es bastante frecuente; en una serie de casos estudiados en un periodo de 14 años,[47] se encontró bacteriemia en 22.8 por 100, y los promedios anuales oscilaron entre 16.4 y 49 por 100. Varios investigadores insisten en el valor pronóstico del hemocultivo, y en casi todos los casos la mortalidad y la frecuencia de complicaciones purulentas resultan mucho mayores cuando hay neumococos en la corriente sanguínea.[6]

Entre los procesos patológicos que pueden presentarse como complicaciones y secuelas de la neumonía por neumococos (o también como infecciones independientes y primarias), se cuentan inflamaciones de pleura, pericardio y meninges. La meningitis sigue siendo un problema grave, pues su mortalidad es muy alta, y no responde tan bien a la quimioterapia como otras infecciones por neumococos.[2, 42, 46] Son frecuentes la meningitis y la otitis media secundarias a neumonía y la relación entre inflamación del oído medio e infección meníngea se ha observado a menudo.[38]

Todos los órganos o tejidos, o casi todos, pueden ser atacados por el germen en determinadas circunstancias. Los neumococos pueden producir sinusitis, parotiditis, conjuntivitis, peritonitis, etc. En general, las infecciones neumocócicas de este género son más benignas que infecciones similares por estreptococos o estafilococos.

En gran parte, la resistencia a la infección neumocócica es cosa de predisposición individual, y la simple presencia de neumococos en las vías respiratorias superiores no es suficiente para poder producir infección pulmonar.

La inmunidad específica es de poco valor en la resistencia, pero el complejo de factores que acompañan al estado de salud tiene enorme importancia. Una disminución previa de la resistencia por otras infecciones, exposición intensa o brusca al frío, cansancio, y otros factores predisponentes son condiciones preliminares casi invariables de la infección por neumococo. Por ejemplo, es bien conocido el papel de la neumonía por neumococos en el desenlace mortal de muchas enfermedades.

Poder patógeno de los tipos de neumococos. La mortalidad de neumonía por neumococos es relativamente alta, y demuestra el gran poder patógeno de esta bacteria cuando llega a los pulmones. Los tipos de neumococos difieren unos de otros al respecto; en las infecciones por tipo 1 la mortalidad es de 25 a 30 por 100; para el tipo 2, vecina de 40 por 100; para el tipo 3, de 40 a 60 por 100; en las infecciones por el grupo IV, tal vez sea de 15 a 20 por 100. En vista de la indi-

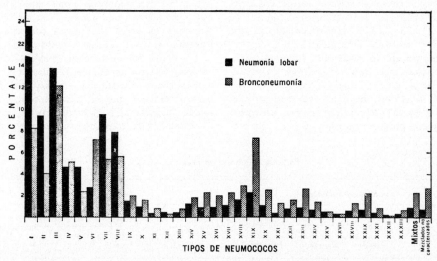

FIG. 17-2. Frecuencia de los tipos de neumococos en la neumonía lobar y en la bronconeumonía; estudios de dos años en los estados de California, Colorado, Illinois, Louisiana, Nueva Jersey y Misurí, de Estados Unidos de Norteámerica; se clasificaron los neumococos de 12 447 neumonías lobares y 3 847 bronconeumonías. A veces se observa predominio relativo del tipo 3 sobre el 2. Nótese la mayor frecuencia de los tipos altos en la bronconeumonía, la frecuencia relativa de los tipos mixtos (que reaccionan con más de un antisuero) y la frecuencia de tipos distintos de los primeros 33. (Datos de Rumreich y col.)

vidualización relativamente reciente de los tipos que forman el grupo IV, se dispone todavía de pocos datos acerca de la mortalidad que producen. La frecuencia de los distintos tipos de neumococos en la neumonía lobar y la bronconeumonía se indica en la figura adjunta. Los 10 tipos principales son: 1, 2, 3, 4, 5, 6, 7, 8, 14 y 19. En algunas series el tipo 2 es más frecuente que el 3, pero en otras es al revés. En un estudio ulterior de la frecuencia de tipos entre 1952 y 1957, los más comunes fueron los 3, 7 y 1, en este orden; el tipo 2 fue de los más raros.[4]

Portadores de neumococos. Siendo un parásito estricto, el neumococo se encuentra en el hombre, y no en su medio ambiente. Son frecuentes los portadores sanos; de 40 a 60 por 100 de las personas examinadas albergaban neumococos en las vías respiratorias superiores. Esta proporción es variable, y aumenta durante los meses fríos del año, siendo mayor también entre los grupos de contacto. El estado de portador no es permanente, sino esporádico e intermitente; muchas personas pueden llevar esta bacteria en algún momento, por ejemplo, cuando padezcan resfriados y otras infecciones de vías respiratorias superiores, en tanto que otras pueden ser portadores por mayor tiempo. También hay una variación según la estación, pues los portadores son más en el invierno.

La mayor parte de neumococos encontrados en portadores son de los tipos relativamente menos virulentos del grupo IV. Los tipos 1, 2 y 3 son menos frecuentes, pero una parte importante de la población puede presentar estos tipos patógenos en un momento dado (véase cuadro). En el estudio de Smillie, Calderone y Onslow,[44] se encontraron prácticamente todos los tipos de neumococos; muchos sujetos albergaban al mismo tiempo dos tipos o más. Las variedades más frecuentes fueron los tipos 3, 7, 21, 25 y 11, en este orden. No se sabe si el portador desarrolla inmunidad o no.

Epidemiología de la neumonía por neumococos.[15] Los neumococos son transmitidos principalmente por secreciones y líquidos de boca y vías respiratorias superiores, mediante contacto directo. Sin lugar a duda, la infección por gotitas desempeña papel importante en la transmisión de estos microorganismos, y tal vez explique la frecuencia estacional de la enfermedad y la mayor frecuencia del estado de portador en los meses fríos del año.

Es evidente que la infección por neumococos es siempre exógena en último análisis, pero en la práctica puede considerarse endógena en gran parte de los enfermos. Siendo frecuente el estado de portador, los neumococos a menudo se encuentran en sujetos normales, y pueden desencadenar una infección si la resistencia baja lo suficiente. La elevada frecuencia de neumococos de tipos 1 y 2 en los enfermos, y su rareza en los portadores, así como la existencia de pequeñas "epidemias" de neumonía por neumococos, llevaron a algunos autores a defender la teoría de la infección exógena. Sin embargo, es más probable que la mayor virulencia de algunos tipos de neumococos actúe como factor selectivo que modifique la distribución de probabilidad de los tipos en la neumonía por neumococos. Por ejemplo, se sabe que las infecciones respiratorias leves pueden ser frecuentes o epidémicas en pequeños grupos, digamos una familia. Si un cierto tipo de neumococo de gran virulencia invade el grupo y se disemina en él, de modo que gran parte de los individuos se vuelven portadores, la intervención de los factores que reducen la resistencia en el grupo puede llevar uno o varios miembros del mismo a contraer neumonía, en función del tipo de bacteria presente. Estos acontecimientos se observaron en un grupo de niños en una guardería.[45] El grupo fue atacado por un neumococo virulento de tipo 14 que no produjo ninguna enfermedad. Pero en los sujetos que padecieron infección respiratoria aguda, los neumococos latentes invadieron oído medio, conjuntivas y pulmones. Estos niños llevaron el neumococo a la sala del hospital y contaminaron a casi todos los niños que había ahí. En este nuevo caso, también fue desencadenada la enfermedad (a veces con graves consecuencias) por infección respiratoria. En circunstancias apropiadas la neumonía por neumococos puede revestir aspecto epidémico. Una de estas epidemias entre miembros del ejército fue estudiada con bastante detalle,[24] y mostró también que el factor fundamental era el estado de portador, y el predisponente, la frecuencia de enfemedades respiratorias no bacterianas.

Portadores de neumococos *

	Personas examinadas			Frecuencia de portadores				
		Casos encontrados			Porcentaje de frecuencia de tipos			
	Total	Número	Porcentaje	Total †	1	2	3	Grupo IV
No contactos	2 332	1 000	42.9	1 027	0.5	0.9	8.4	34.2
Contactos	1 782	977	54.8	1 018	3.3	2.7	10.0	41.0

* Modificado de Heffron.[21]

† La frecuencia de tipos es mayor que la de portadores, pues en algunos de estos se encontraron varios tipos a la vez.

Otras características epidemiológicas de la neumonía por neumococos incluyen la frecuencia estacional, que corresponde aproximadamente al estado de portador; la frecuencia por edades, caracterizada por morbilidad y mortalidad elevadas en niños y ancianos; la mayor frecuencia en hombres que en mujeres, y la mayor sensibilidad de raza negra en comparación con la blanca.

Diagnóstico bacteriológico de las infecciones por neumococos.[5, 33]

El neumococo puede aislarse por cultivo o inoculación de animales, a partir de muestras como esputo, exudado pleural, sangre, líquido cefalorraquídeo y pus. El medio de elección es el agar-sangre, en el cual la bacteria se desarrolla en 24 horas y forma pequeñas colonias rodeadas de una zona de hemólisis verde. No es posible distinguir estas colonias de las de estreptococo α-hemolítico macro o microscópicamente, pero puede hacerse buscando la fermentación de la inulina y la solubilidad en bilis del neumococo, así como reacciones inmunológicas. Las muestras de sangre se cultivan en caldo glucosado amortiguado de carne de ternera (más 5 mg de ácido p-aminobenzoico por 100 ml si el sujeto está bajo terapéutica con sulfamidas). Puede inocularse en el peritoneo del ratón blanco una parte de esputo lavada tres veces con suero fisiológico estéril y suspendida en el mismo. Con cepas virulentas, el animal muestra signos de enfermedad en cinco a ocho horas, y el examen microscópico de frotis de exudado peritoneal permite encontrar muchos diplococos encapsulados.

El neumococo se reconoce e identifica con antisueros, generalmente mediante la reacción Quellung, aunque pueden emplearse también pruebas de aglutinación y precipitación. Cuando el esputo contiene muchas bacterias, el estudio puede hacerse directamente, sin cultivo ni inoculación al ratón; pero en vista de que la reacción Quellung es inhibida en presencia de grandes cantidades de SSS, las reacciones negativas carecen de valor. La identificación es fácil, según se dijo antes, en el caso de los neumococos presentes en el exudado peritoneal del ratón o en los cultivos; pero ya no suele realizarse, salvo propósitos especiales, pues la terapéutica con suero específico de tipo ha sido actualmente desplazada por la quimioterapia.

Quimioterapia.

Todos los neumococos son sensibles a las sulfamidas y los antibióticos de empleo común. Son muy pocas las cepas naturalmente resistentes a los medicamentos, y para la quimioterapia de estas infecciones todavía no es necesario investigar la sensibilidad a los antibióticos. In vitro, los neumococos son casi tan sensibles a estos medicamentos como *Str. pyogenes*. En las meningitis por neumococos se han obtenido mejores resultados combinando sulfamidas y penicilinas que con cada agente aisladamente; se ha dicho que la sulfamida reducía la mortalidad a 73 por 100, la penicilina, a 50 por 100, y ambos medicamentos juntos, a 29 por 100. En términos generales, los neumococos resistentes a los fármacos no han sido problema práctico, aunque se ha descrito resistencia a la penicilina[19] y la tetraciclina.[18]

Poder patógeno para animales inferiores.

La sensibilidad de los animales de laboratorio a la infección por neumococos es variable; muy alta en el ratón y el conejo, es bajísima en el gato, el perro, el pollo y la paloma, e intermedia en el cobayo. Se han señalado casos raros de infecciones naturales en los animales de laboratorio; por ejemplo, se han descrito epizootias de infección por neumococo de tipo 19 en el cobayo,[26] y otra por neumococo de tipo 2 en ratas.[36] Los experimentos con neumococos en animales son un ejemplo de la ley general de que la sensibilidad se caracteriza por infección septicémica general, y la resistencia por procesos localizados. El ratón y el conejo[40] presentan una septicemia rápidamente mortal, y en estos animales las lesiones pulmonares, o faltan por completo, o son ligeras y no pasan de la variedad bronconeumónica. Es posible producir neumonía lobar típica en el conejo midiendo cuidadosamente la sensibilidad del animal y la virulencia de la bacteria, empleando cepas atenuadas o aplicando antes inmunización parcial.

Los animales resistentes, como el perro, se aproximan al tipo de infección neumocócica que se observa en el hombre; puede producirse neumonía lobar en monos mediante inoculación en la tráquea. Las lesiones en los monos se consideran idénticas a las de la neumonía lobar del hombre. Se han encontrado neumococos en la sangre seis horas después de ser introducidos en la tráquea, y antes de aparecer signos de neumonía; esto hace pensar en un origen broncógeno de la infección, y no hematógeno.

Por lo tanto, el hombre puede considerarse como un animal de resistencia bastante alta. Sin embargo, esta resistencia puede disminuir al punto de que aparezcan manifestaciones localizadas, que en sujetos todavía más sensibles pueden llegar a septicemia mortal. En algunos casos, la muerte se debe a las grandes dificultades respiratorias producidas por las lesiones pulmonares; en otros, a toxemia general.

Inmunidad.

Los animales de laboratorio pueden ser inmunizados activamente contra la infección por neumococo mediante inyección de vacunas de cepas virulentas lisas, pero esta inmunidad no es muy duradera, y no pasa de unos cuantos meses. El desarrollo de estado inmune se acompaña de aparición de anticuerpo, precipitinas, aglutininas, etcétera, así como el desarrollo de un poder protector en el suero sanguíneo. En el hombre, la situación no es muy clara; seguramente hay íntima relación entre la curación y la aparición de anticuerpos humorales, pero la inmunidad que sigue a la infección es ligera y transitoria, y un ataque puede suceder a otro con breve intervalo. Sin embargo, la inmunidad activa en los animales de experimentación es específica de tipo, y no sería raro que en condiciones naturales puedan intervenir en ataques sucesivos tipos inmunológicos distintos.

El tema de la inmunización activa del hombre contra infecciones por neumococos es de gran interés. Los resultados de los estudios de vacunación en masa realizados en 1918-1919 en Estados Unidos de Norteamérica hacen pensar que dicha inmunización activa tiene cierto valor. Se ha demostrado [23] que la inoculación de polisacárido específico de tipo producía una respuesta de anticuerpos que alcanzaba su máximo en seis semanas y duraba unos seis meses; las inyecciones de refuerzo, durante los 18 meses siguientes, no podían volver a aumentar los títulos que iban disminuyendo. También se encontró [35] que esta inmunización reducía considerablemente la frecuencia del estado de portador y de las infecciones con los tipos de neumococos empleados en la preparación de la vacuna, aunque la frecuencia por otros tipos no se modificaba. En conjunto, pues, estos datos sugieren que las vacunaciones pueden producir cierto grado de inmunidad.

Los resultados de la terapéutica con antisueros son variables, excelentes para algunos tipos de neumococos, pero no para otros. La seroterapia, antes de gran importancia práctica, se dejó de emplear al aparecer los agentes quimioterápicos modernos.

BIBLIOGRAFIA

1. Adams, M. H., and A. S. Rose. 1945. A partially defined medium for cultivation of pneumococcus. J. Bacteriol. **49**:401–409.
2. Alexander, J. D., Jr., H. F. Flippin, and G. M. Eisenberg. 1953. Pneumococcic meningitis. Study of one hundred two cases. Arch Intern. Med. **91**:440–447.
3. Austrian, R. 1953. Morphologic variation in pneumococcus. I. An analysis of the bases for morphological variation in pneumococcus and description of a hitherto undefined morphologic variant. II. Control of pneumococcal morphology through transformation reactions. J. Exp. Med. **98**:21–34, 35–40.
4. Austrian, R. 1959. The prevalence of pneumococcal types and the continuing importance of pneumococcal infection. Amer. J. Med. Sci. **238**:133–139.
5. Austrian, R. 1970. *Diplococcus pneumoniae* (pneumococcus). pp. 69–75. *In* J. E. Blair, E. H. Lennette, and J. P. Truant (Eds.): Manual of Clinical Microbiology. American Society for Microbiology, Bethesda.
6. Austrian, R., and J. Gold. 1964. Pneumococcal bacteremia with especial reference to bacteremic pneumococcal pneumonia. Ann. Intern. Med. **60**:759–776.
7. Austrian, R., *et al.* 1959. Simultaneous production of two capsular polysaccharides by pneumococcus. I. Properties of a pneumococcus manifesting binary capsulation. J. Exp. Med. **110**:571–584.
8. Austrian, R., *et al.* 1959. Simultaneous production of two capsular polysaccharides by pneumococcus. II. The genetic and biochemical bases of binary capsulation. J. Exp. Med. **110**:585–602.
9. Bayliss, M. 1943. A sodium lauryl sulfate solubility test for the identification of pneumococci. J. Lab. Clin. Med. **28**:748–751.
10. Carta, G., and W. Firshein. 1962. Population changes in *Diplococcus pneumoniae*. J. Bacteriol. **84**:473–477.
11. Eddy, B. E. 1944. Nomenclature of pneumococcic types. Pub. Hlth. Repts. **59**:449–451.
12. Eddy, B. E. 1944. A study of cross reactions among the pneumococcic types and their application to the identification of types. Pub. Hlth. Repts. **59**:451–468.
13. Eddy, B. E. 1944. Cross reactions between the several pneumococcic types and their significance in the preparation of polyvalent antiserum. Pub. Hlth. Repts. **59**:485–499.
14. Eddy, B. E. 1944. A simplified procedure for detecting cross reactions in diagnostic antipneumococcic serum. Pub. Hlth. Repts. **59**:1041–1045.
15. Finland, M. 1942. Recent advances in epidemiology of pneumonococcal infections. Medicine **21**:307–344.
16. Firshein, W. 1960. DNA synthesis, respiration and virulence in pneumococci. Ann. N.Y. Acad. Sci. **88**:1054–1074.
17. Forster, G. F., and H. J. Shaughnessy. 1940. Occurrence of strains of pneumococci which react with more than one type-specific antipneumococcal serum. Proc. Soc. Exp. Biol. Med. **44**:306–309.
18. Hansman, D., and G. Andrews. 1967. Hospital infection with pneumococci resistant to tetracycline. Med. J. Aust. **1**:498–501.
19. Hansman, D., *et al.* 1971. Increased resistance to penicillin of pneumococci isolated from man. New Eng. J. Med. **284**:175–177.
20. Harris, A. H., and G. Y. McClure. 1942. The use of a detergent in solubility tests for the identification of pneumococci. J. Lab. Clin. Med. **27**:1591–1592.
21. Heffron, R. 1938. Pneumonia. With Special Reference to Pneumococcus Lobar Pneumonia. Commonwealth Fund, New York.
22. Heidelberger, M., and P. A. Rebers. 1960. Immunochemistry of the pneumococcal types II, V, and VI. I. The relation of type VI to type II and other correlations between chemical constituion and precipitation in antisera to type VI. J. Bacteriol. **80**:145–153.
23. Heidelberger, M., *et al.* 1946. Antibody formation in volunteers following injection of pneumococci or their type-specific polysaccharide. J. Exp. Med. **83**:303–320.
24. Hodges, R. G., and C. Mc MacLeod. 1946. Epidemic pneumococcal pneumonia. V. Final consideration of the factors underlying the epidemic. Amer. J. Hyg. **44**:237–243.
25. Holt, L. B. 1962. The culture of *Streptococcus pneumoniae*. J. Gen. Microbiol. **27**:327–330.
26. Homburger, F., *et al.* 1946. An epizootic of pneumococcus type 19 infections in guinea pigs. Science **102**:449–450.
27. Humphrey, J. H. 1944. Hyaluronidase production by pneumococci. J. Pathol. Bacteriol. **56**:273–275.
28. Julianelle, L. A., and H. A. Reimann. 1927. The production of purpura by derivatives of pneumococcus. I. General considerations of the reaction. J. Exp. Med. **43**:87–95.
29. Kirkman, J. B., Jr., J. Fischer, and J. S. Pagano. 1970. A microtiter plate technique for the agglutination typing of *Diplococcus pneumoniae*. J. Infect. Dis. **121**:217–221.
30. Koenig, V. L., and J. D. Perrings. 1955. Sedimentation and viscosity studies on the capsular and somatic polysaccharides of pneumococcus type III. J. Biophys. Biochem. Cytol. **1**:93–98.
31. Lund, E. 1950. Four new pneumococcus types. Acta. Pathol. Microbiol. Scand. **27**:720–725.
32. Lund, E. 1957. The present status of the pneumococci, including three new pneumococcus types. Acta Pathol. Microbiol. Scand. **40**:425–435.
33. Lund, E. 1960. Laboratory diagnosis of pneumococcus infections. Bull. Wld. Hlth. Org. **23**:5–13.
34. Lund, E. 1967. Resistance of pneumococci in pathological specimens. Acta Pathol. Microbiol. Scand. **71**:132–134.
35. MacLeod, C. M., *et al.* 1945. Prevention of pneumococcal pneumonia by immunization with specific capsular polysaccharides. J. Exp. Med. **82**:445–465.
36. Mirick, G. S., *et al.* 1950. An epizootic due to pneumococcus type II of laboratory rats. Amer. J. Hyg. **52**:48–53.
37. Mørch, E. 1946. Pneumococcal hemolysin. Acta. Pathol. Microbiol. **23**:555–575.
38. Olsson, R. A., J. C. Kirby, and M. J. Romansky. 1961. Pneumococcal meningitis in the adult. Ann. Intern. Med. **55**:545–549.

39. Oram, F. 1934. J. Immunol. **26**:233–246.
40. Perry, J. E., and L. E. Cluff. 1963. Manifestations of fatal pneumococcal infection in rabbits. J. Lab. Clin. Med. **62**:549–558.
41. Pochon, J. 1942. Recherches sur les enzymes protéolytiques du pneumocoque. Ann. Inst. Pasteur **68**:81–83.
42. Ruegsegger, J. M. 1949. Pneumococcal meningitis. A review. U.S. Naval Med. Bull. **49**:1159–1168.
43. Rumreich, A. S., *et al.* 1943. A nation-wide study of the bacterial etiology of the pneumonias. Pub. Hlth. Repts. **58**:121–135.
44. Smillie, W. G., and D. R. Duerschner. 1947. The epidemiology of terminal bronchopneumonia. I. The significance of postmortem cultures in determination of the etiology of terminal pneumonia. II. The selectivity of nasopharyngeal bacteria in invasion of the lungs. Amer. J. Hyg. **45**:1–12, 13–18.
45. Smillie, W. G., and O. F. Jewett. 1942. The epidemiology of pneumonia. The role of type 14 pneumococci in producing illness. Amer. J. Pub. Hlth. **32**:987–995.
46. Spink, W. W., and C. K. Su. 1960. Persistent menace of pneumococcal meningitis. J. Amer. Med. Assn. **173**:1545–1548.
47. Thompson, R. T., *et al.* 1951. Primary pneumococcic pneumonia at the Cincinnati General Hospital 1936–1950. J. Lab. Clin. Med. **37**:73–87.
48. White, W. B., Jr., M. R. Smith, and B. Watson. 1938. The Biology of Pneumococcus: The Bacteriological, Biochemical and Immunological Characters and Activities of *Diplococcus Pneumoniae*. Commonwealth Fund, New York.

CAPITULO 18

COCOS PATOGENOS GRAMNEGATIVOS (NEISSERIA)

Gonococo y meningococo

El gonococo y el meningococo son los principales representantes de un pequeño grupo de bacterias muy parecidas; los demás miembros de estos grupos son parásitos no patógenos de la boca y vías respiratorias superiores del hombre. Se pueden separar dos grupos de especies, según el pigmento que producen, y se logra una diferenciación aún mejor con reacciones de fermentación. Las variedades pigmentadas se encuentran a menudo en la nasofaringe (*Neisseria flava* I, II, II).

Gonococo

Neisser fue quien primero llamó la atención, en 1879, hacia la presencia constante de un coco particular en el pus de la gonorrea. En los casos recientes, era el único microorganismo que se encontraba; no solo lo había en las secreciones uretrales y vaginales de la gonorrea ordinaria, sino también en el exudado conjuntival de la infección gonorreica. En 1885, Bumm logró cultivos puros de este microorganismo y pudo demostrar su relación etiológica con la gonorrea mediante inoculación a voluntarios humanos. Esta bacteria, llamada generalmente gonococo, se ha denominado *Micrococcus gonorrhoeae* y *Diplococcus gonorrhoeae;* pero el género Neisseria es actualmente aceptado por casi todos, y el nombre correcto del germen es *N. gonorrhoeae.*

Morfología y tinción. En las preparaciones de pus gonorreico, el gonococo se presenta a pares, y los cocos están en contacto por sus caras planas; en las preparaciones teñidas, la imagen recuerda la de un grano de café. En cultivos puros, los cocos son ovales o esféricos, y a menudo se agregan en masas irregulares, faltando la disposición típica en diplococos. En los frotis de pus el gonococo es casi exclusivamente intracelular; con frecuencia pueden encontrarse muchísimos gérmenes dentro de un solo leucocito. En las primeras fases de la infección hay gonococos fuera de las células, igual que en las gonorreas de larga duración. El gonococo no es móvil ni forma esporas.

Las colonias de gonococos son pequeñas, translúcidas, granulosas, finas, con bordes lobulados, y de color blanco grisáceo con opalescencia perlina cuando se observan por luz transmitida. En medios especiales se obtienen colonias mayores. Sin embargo, el aspecto de las colonias no es fijo (véase luego).

A diferencia de otros cocos piógenos, el gonococo y los gérmenes semejantes son gramnegativos, característica de tinción de gran valor diagnóstico, pues permite diferenciar el gonococo de otros cocos existentes en uretra, vulva o vagina. A veces pueden encontrarse otros cocos gramnegativos, algunos dentro de los leucocitos, pero es raro. La tendencia a perder el colorante de Gram es variable. Algunas cepas son más negativas que otras, y los gonococos que se encuentran dentro de masas de pus pueden conservar la tinción; por lo tanto, es necesario preparar frotis delgados y uniformes. El gonococo se tiñe con colorantes de anilina, pero son preferibles los policromos, por ejemplo la tinción de Pappenheim. En las preparaciones teñidas pueden encontrarse gránulos intracelulares, pero en general los gonococos de cultivos jóvenes se tiñen uniformemente, en tanto que los de cultivos viejos (24 horas o más) contienen grandes formas de involución hinchadas que se tiñen mal.

Fisiología. Las necesidades nutritivas del gonococo hacen de él una bacteria muy exigente, en particular para aislamiento primario; se requiere para cultivo un medio enriquecido. En un principio, los medios se enriquecían añadiéndoles líquido de ascitis o hidrocele. El medio más empleado ha sido el agar-chocolate (sangre calentada), y el medio fundamental puede enriquecerse con plasma de caballo y hemoglobina, añadiendo a veces azul A de Nilo.

Las necesidades nutritivas del gonococo son complejas, aunque algunas cepas pueden desarrollarse sobre agar-glucosa digerido por tripsina, que además contenga cistina; se han preparado medios sintéticos relativamente complejos para estos cultivos.[23] Las cepas tipo suelen ser menos exigentes que las recién aisladas, y es probable que las necesidades de desarrollo queden reflejadas con mayor exactitud por los medios necesarios para el aislamiento o cultivo iniciales. Estas cepas parecen necesitar la adición de glutamina y carboxilasa, pues no pueden fosforilar tiamina; ciertas cepas necesitan glutatión.

Es fundamental cierto grado de humedad; debe haber agua de condensación sobre los tubos o las placas, y la atmósfera de la estufa debe saturarse de agua. El desarrollo mejora mucho si se incuba en una atmósfera que contenga aproximadamente 10 por 100 de CO_2; esta medida es fundamental para el aislamiento primario.[68]

En caso de cultivo prolongado en medios de laboratorio, el gonococo pierde algunas de sus exigencias, y finalmente algunas cepas pueden llegar a desarrollarse sobre los medios ordinarios de caldo. Sin embargo, es difícil conservar los cultivos, pues los gonococos mueren en dos a tres días a temperatura ambiente, y en seis a ocho días a 37°C; pero viven más tiempo si se conservan en ambiente frío. Aun con resiembras continuas, los gonococos mueren y es frecuente que los cultivos se pierdan. La temperatura óptima para el desarrollo es 37°C; no hay cultivo por debajo de 30°C, y las tem-

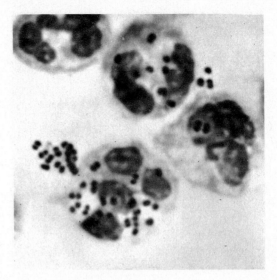

FIG. 18-2. Frotis uretral en un caso de gonorrea. Tinción de Gram. Nótese la situación intra y extracelular de los gonococos y sus formas típicas en grano de café, así como la disposición a pares. × 2 400.

peraturas de 40 a 41°C son claramente perjudiciales. El gonococo se desarrolla en anaerobiosis, pero fundamentalmente es un germen aerobio.

El gonococo resulta ser germen muy frágil. Muere fácilmente por el calor, según se dijo antes, y por efecto de antisépticos diluidos; por ejemplo, el fenol al 1 por 100 mata el germen en uno a tres minutos. El gonococo es notablemente sensible a algunos colorantes de flavina, y las sales de plata lo destruyen pronto.

También es sensible a la desecación; en condiciones ordinarias, puede resistir poco tiempo a la exposición al aire —de una a dos horas— aunque en masas de pus desecado puede llegar a vivir seis a siete semanas. A diferencia de la mayor parte de las bacterias gramnegativas, es sensible tanto a la penicilina como a la estreptomicina y las tetraciclinas.

El gonococo no es muy activo bioquímicamente. Fermenta la glucosa, produciendo principalmente ácido láctico, pero respeta muchos otros azúcares; no produce indol, ni reduce nitratos; ni altera la leche tornasolada. Puede distinguirse de otras Neisserias no pigmentadas por fermentar la glucosa, pero no la maltosa; las reacciones de fermentación son fidedignas y se utilizan para identificación, pero el medio basal empleado debe ser tal que asegure el crecimiento del microorganismo.[71] Produce catalasa y una característica que se ha empleado en el diagnóstico diferencial es la formación de oxidasa de indofenol. La muestra se cultiva sobre agar con 10 por 100 de sangre calentada (agar-chocolate), en una atmósfera que contenga 8 por 100 de bióxido de carbono; luego se incuba 24 horas al aire. Se vierte en la caja de Petri y se vuelve a sacar in-

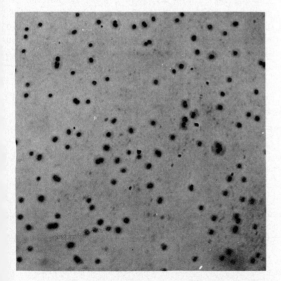

FIG. 18-1. Gonococo en cultivo puro. Fucsina; × 1 050.

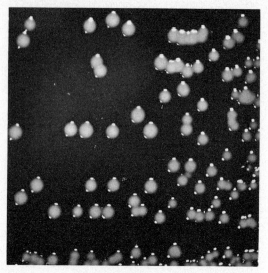

FIG. 18-3. Colonias de gonococos en agar-sangre. × 6.

mediatamente, o se aplica con un nebulizador, una solución al 1 por 100 de tetrametil-*p*-fenilendiamina. Las colonias de bacterias que producen oxidasa de indofenol toman color púrpura brillante. Las bacterias no mueren de inmediato y pueden resembrarse antes de media hora. Esta reacción de la oxidasa, en unión con el examen de frotis en busca de diplococos gramnegativos intracelulares, suele permitir el diagnóstico de laboratorio de la gonorrea.

Toxinas. Con excepción de una hemolisina débil, los gonococos no forman substancias tóxicas extracelulares; pero la substancia misma del germen resulta tóxica para los animales de experimentación que la reciben por vía parenteral; se ha dicho que producía también supuración al instilarla en la uretra humana. Esta toxicidad puede extraerse con álcalis diluidos como "nucleoproteína", y de este material o de la bacteria completa mediante ácido tricloracético o dietilenglicol; en el último caso se comporta como antígeno de Boivin, o sea la endotoxina de los bacilos gramnegativos. Más tarde se vio que la extracción en fenol mediante el método de Westphal daba lugar a un lipopolisacárido tóxico que podía purificarse por precipitación fraccionada con acetona. Esta substancia es semejante a las endotoxinas de los bacilos gramnegativos, por ejemplo la del colibacilo, pero su análisis ha mostrado que difería mucho de la misma, por carecer de ácido diaminopimélico y glicina, y tener menores cantidades de otros compuestos aminados.[64] El carbohidrato de esta substancia está formado por D-glucosamina, glucosa y galactosa; es probable que los aminoácidos unan los componentes azúcar y lípido en la molécula completa. La actividad farmacológica de la endotoxina del gonococo parece ser inespecífica, al igual que para otras endotoxinas. Su papel en la patogenia de las infecciones gonocócicas se desconoce todavía.

Variaciones. Muchos investigadores han señalado que las características de cultivo del gonococo podían cambiar considerablemente. Se ha visto que podían encontrarse dos tipos de colonias, relacionadas con el tipo inmunológico. Las primeras, designadas como T1, son grandes, irregulares, aplanadas, translúcidas, de color obscuro por luz transmitida oblicua.[32] Las colonias del otro tipo, T2, son menores, redondas, elevadas, con una superficie desigual ligeramente convexa, y opacas. Ambos han demostrado ser virulentos inoculados a voluntarios humanos; T1 tiende a convertirse en T2 in vivo, y T2 en T1.[31, 33] Otros dos tipos de colonias, denominadas T3 y T4, se distinguen por formar colonias mayores, más planas y menos coloreadas, y son avirulentas.

Resistencia a los medicamentos. La resistencia de los gonococos a las sulfamidas y antibióticos se adquiere con facilidad en condiciones experimentales; en la naturaleza aparecen cepas resistentes en caso de aplicación general de agentes quimioterápicos. Cuando las sulfamidas pasaron a ser de empleo general, en 1936-1937, curaban de 80 a 90 por 100 de las infecciones por gonococo. En tres o cuatro años se hizo notable el aumento de la proporción de infecciones refractarias; en 1942-1943 ocurrió un aumento brusco de 25-35 por 100 a 50 por

Reacciones de fermentación de los diplococos gramnegativos

Especies no pigmentadas	Glucosa	Maltosa	Sacarosa	Levulosa	Manitol
N. *gonorrhoeae* (gonococo)	+	—	—	—	—
N. *intracellularis* (meningococo)	+	+	—	—	—
N. *catarrhalis*					
N. *sicca*	+	+	+	+	—
Especies pigmentadas					
N. *Perflava* (flava I)	+	+	+	+	+
N. *flava* (flava II)	+	+	—	+	—
N. *subflava* (flava III)	+	+	—	—	—
N. *flavescens*					

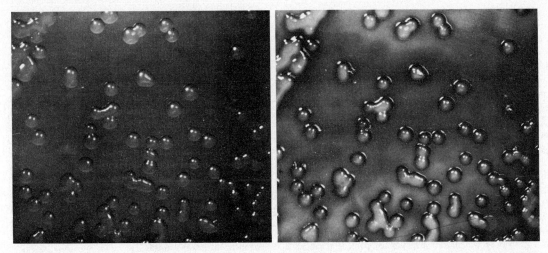

FIG. 18-4. Prueba de la oxidasa para identificar colonias de gonococo. Cultivo puro en agar-sangre. *Izquierda,* Colonias de gonococos antes de aplicar solución de tetrametil-*p*-fenilendiamina. *Derecha.* Las mismas colonias después de aplicar el reactivo. Nótese la mayor intensidad de color en los bordes de las colonias después de aplicar la substancia, y coloración del medio. × 5.

100; un poco antes de 1940 había zonas en las cuales solo respondían a las sulfamidas el 15 por 100 de las infecciones. Las cepas de gonococo aisladas en caso de infecciones resistentes suelen ser también resistentes in vitro; muchas de ellas producen cantidades excesivas de ácido *p*-aminobenzoico, pero no todas.

Entretanto, apareció la penicilina en la década de 1940 a 1950; se empleó mucho, generalmente como penicilina de acción retardada, salvo en Francia donde se prefirió la estreptomicina para no enmascarar posibles infecciones sifilíticas concomitantes. Más tarde, se descubrieron otros antibióticos útiles para tratar la gonorrea (tetraciclinas, eritromicina, cloramfenicol, etc.), pero no se han usado mucho hasta la fecha. Se necesitaron unos 10 años para que aparecieran cepas de gonococo resistentes a la penicilina, pero poco antes de 1950 era manifiesto que más de 20 por 100 de las cepas aisladas en muchas zonas eran resistentes a concentraciones elevadas de penicilina (20 veces o más las dosis eficaces iniciales) no suelen alcanzarse estos niveles sanguíneos. La proporción de cepas resistentes ha seguido aumentando muy rápidamente en Estados Unidos de Norteamérica.[39] Un método provisional y eficaz ha sido el empleo de mayores dosis de antibiótico. Al mismo tiempo, aumentaron en Francia las cepas de gonococo resistentes a la estreptomicina; se encontró que 75 por 100 de las cepas resistían a 50 μg/ml o más, y que más de 20 por 100 resistían a 1 000 μg/ml, cifra notablemente más alta de la dosis eficaz inicial, que oscilaba entre 5 y 10 μg por mililitro.[18, 56] El aumento de la proporción de cepas resistentes coincide con el empleo del agente quimioterápico. No parece haber aumentado mucho el número ro de cepas de gonococos resistentes a la penicilina

en Francia; tampoco aumentaron las cepas resistentes a la estreptomicina en otros países europeos ni en Estados Unidos de Norteamérica, donde se empleó penicilina. Al interrumpir el empleo general de un quimioterápico, la frecuencia de cepas resistentes tiende a disminuir, en la forma señalada, por ejemplo, por la reducción de cepas resistentes a los sulfamídicos cuando estos fueron substituidos en gran parte por la penicilina.

La resistencia clínica a la terapéutica por penicilina no siempre es consecuencia de una infección con cepa resistente de gonococos. Además, algunos casos pueden ser refractarios porque el antibiótico no afecte a los gonococos fagocitados, pues se ha demostrado experimentalmente que estos gérmenes resistían a aumentos considerables de la concentración de penicilina a partir de las concentraciones inhibidoras mínimas.[66] Además, el cuadro de la eficacia relativa de la quimioterapia puede enturbiarse por la aparición relativamente frecuente de uretritis no gonorreicas [27, 46, 47] que pueden no ser afectadas por los quimioterápicos en uso.

Antígenos. Es difícil establecer las estructuras antigénicas de los gonococos por métodos ordinarios de análisis de antígenos.[51] Algunos antígenos son termostables, y se conocen también antígenos parciales termostables y termolábiles; de estos, algunos pueden actuar como antígenos de bloqueo; el poder antigénico es compartido hasta cierto punto con el meningococo y algunas cepas de Pasteurella. Las cepas de gonococo difieren entre sí no solo en el momento de aislarlas sino también por cuanto sus antígenos se modifican durante las resiembras sucesivas. Los estudios con antígenos solubles preparados por extracción con álcalis diluidos y precipitación con etanol a partir de una solución neutra, en la reacción pasiva de hemólisis, han dado resultados más constantes. Esta técnica permite obtener dos antígenos principales, uno relacionado con las colonias de tipo I, común al gonococo y al meningococo, y el otro relacionado con las colonias de tipo II. La naturaleza doble del poder antígeno queda indicada también por la diferencia entre la capacidad antigénica para sensibilizar glóbulos rojos a lisis inmune en presencia de antisuero, y la de fijar el complemento. La relación entre este poder antigénico y la endotoxina lipopolisacárida todavía no se ha descrito, pero la substancia responsable es termostable y probablemente sea un polisacárido. El antisuero para la endotoxina extraída con álcalis que hemos descrito protege al ratón.

Otros estudios han mostrado que el complejo antigénico termostable contiene cuando menos seis antígenos, comunes a este germen y al meningococo, y que se presentan en varias combinaciones;[77] además, las cepas recién aisladas de gonococo muchas veces no pueden ser aglutinadas por antisueros de estos antígenos.[76] Este último punto ha servido de base para pensar que los cultivos recientes podían contener un antígeno de tipo K, lábil en el sentido de que desaparece fácilmente, y que tiene funciones como antígeno de bloqueo. La existencia de este tipo de antígeno se ha demostrado con la técnica de anticuerpos fluorescentes.[16]

Aunque no es posible asociar componentes antigénicos del gonococo con el efecto protector de sus anticuerpos, por la falta de un modelo animal de la enfermedad, más recientemente se han relacionado antígenos con la respuesta inmune de la afección natural en el hombre. Para este fin se han utilizado pruebas de floculación,[59] de fijación de complemento y de difusión en gel,[14, 35] con el fin de demostrar el anticuerpo para antígenos contenidos en células. Todavía no es posible valorar tales observaciones en cuanto a inmunidad eficaz para la infección.

Poder patógeno para el hombre.[26] Pocas enfermedades resultan tan ampliamente difundidas en todas las clases de la sociedad como la gonorrea. No se dispone de información segura acerca de la frecuencia del padecimiento. Se calcula que en Estados Unidos de Norteamérica no se denuncian más del 10 a 20 por 100 de los casos, a pesar de lo cual la gonorrea es la tercera infección en orden de frecuencia (después del sarampión y las infecciones por estreptococo).[25] En 1944 se predijo que al disponer de penicilina era de esperar la erradicación completa de la gonorrea. En aquel año se denunciaron 301 000 casos, cifra que pasó a 401 000 en 1947, para luego descender algo y estabilizarse desde 1952 alrededor de 220 000 casos por año, y empezó a aumentar nuevamente al final de la década de 1950; el número de casos fue más del doble en 1970, con 573 200 señalados por encima del máximo de 1947.[9] Los informes son incompletos; se calcula que hubo aproximadamente 2 000 000 de infecciones nuevas en 1970. De hecho, la gono-

rrea ha adoptado proporciones casi epidémicas tanto en Europa como en Estados Unidos de Norteamérica, y el control eficaz ha resultado ser extraordinariamente difícil.[75]

El gonococo suele entrar en los tejidos después de ser depositado sobre ellos, atravesando el epitelio superficial, entre las células, y llegando al tejido conectivo subepitelial, desde donde se extiende por continuidad directa o por los vasos linfáticos o sanguíneos. El epitelio plano estratificado es más resistente a esta penetración que el epitelio cilíndrico. La reacción tisular característica es una infiltración densa de leucocitos polimorfonucleares y células plasmáticas y basófilas, que finalmente son substituidas por tejido fibroso. En el hombre, aparecen epididimitis, uretritis crónica y constricción, y otras alteraciones inflamatorias; en la mujer, pueden estar afectadas todas las vías genitourinarias, y con frecuencia se encuentra la infección en trompas de Falopio, ovario y peritoneo. El gonococo también puede invadir la corriente sanguínea a partir de lesiones locales y ser llevado a distintas partes del organismo donde cause diversas lesiones extragenitales. El germen muestra una predilección especial por las sinoviales articulares, donde causa el llamado reumatismo gonorreico, y por las válvulas cardiacas, dando lugar a endocarditis. Hay complicaciones locales y generales tal vez en el 30 por 100 de los casos. Se conocen meningitis por gonococos, tal vez más frecuentes de lo que se pensaba en un tiempo. Ha habido la opinión general de que la frecuencia de complicaciones (epididimitis, prostatitis, salpingitis y artritis) disminuyó desde la introducción de quimioterapia eficaz, pero no hay pruebas de ello.[21]

Cuando se instala una infección por gonococo, persiste largo tiempo en ausencia de tratamiento; se conocen casos de cinco a quince años de duración. Es difícil excluir la posibilidad de reinfección, pero se ha observado y comprobado una infección de siete años sin reinfección. Puede haber infección subclínica con síntomas transitorios o sin ellos, y los individuos infectados en esa forma pueden actuar como portadores. La enfermedad clínica muchas veces no es tan manifiesta en la mujer, y las mujeres infectadas con promiscuidad importante constituyen una reserva importante de infección.[29, 74]

Epidemiología.[34] Existe una vulvovaginitis gonorreica epidémica en niñas pequeñas; en estos casos la infección es transmitida por ropas de cama, toallas, bañeras comunes, etcétera.

Las complicaciones más frecuentes son uretritis, proctitis y cervicitis. Estas epidemias resultan muchas veces dificilísimas de combatir y constituyen grave problema en muchas instituciones, por ejemplo las salas de pediatría de los hospitales.[12, 63]

La oftalmía gonorreica del recién nacido es una consecuencia bien conocida de infección materna; la infección no se produce in utero sino durante el parto. Aunque no es posible tener información exacta, se calcula que 10 por 100 de todos los casos de ceguera se deben a este padecimiento y que en Estados Unidos de Norteamérica hay tal vez 12 000 niños ciegos por esta causa. La infección puede evitarse con instilación profiláctica en la conjuntiva de sales de plata, por ejemplo nitrato de plata. Algunos antibióticos,[41] en especial la penicilina, también son muy eficaces y también pueden aplicarse por vía intramuscular.[15]

Con excepción de la vulvovaginitis de las niñas, la gonorrea se transmite por contacto directo, generalmente sexual. Un individuo infectado puede ser peligroso para los demás durante mucho tiempo, y es posible encontrar gonococos en las infecciones genitourinarias años después de lo que parecía una curación completa; aun cuando no se les encuentre por examen bacteriológico, cabe la posibilidad de transmitir la infección.

Diagnóstico bacteriológico de la infección gonocócica.[52, 53, 65] Solo se establece el diagnóstico de gonorrea con seguridad aislando e identificando el microorganismo causante. Esto último tiene importancia dadas las observaciones como las de Johnston,[30] quien comprobó que 35 de 43 cultivos eran Neisseria que no eran precisamente gonococo, y la frecuencia de 1.5 a 3.4 por 100 de Neisseria que no son gonococos señalada por Wilkinson.[73] De hecho, la uretritis no gonocócica puede ser más frecuente en determinadas condiciones que la infección gonocócica; el proceso se asocia con Mycoplasma.

Aunque algunos investigadores han dicho que era "primitiva" la demostración de los diplococos intracelulares gramnegativos en frotis directos permite el diagnóstico probable, pero no seguro, de gonorrea. La validez de tal diagnóstico aumenta con el método de tinción de anticuerpo fluorescente en los frotis.[72] El diagnóstico a base de frotis teñidos es menos seguro en la mujer que en el varón; igual ocurre con los cultivos.

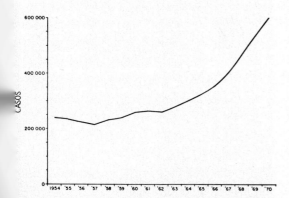

FIG. 18-5. Aumento creciente de la gonorrea en Estados Unidos de Norteamérica durante el periodo de 1954-1970, manifiesto por el número de casos declarados. (Morbidity and Mortality Weekly Report, Annual Supplement, vol. .9, 1970. Center for Disease Control, U. S. Public Health .ervice.)

Todo el mundo está de acuerdo en que los cultivos de gonococo dan más resultados positivos que el frotis directo solamente; además, permiten identificar los gonococos cultivados. Es de importancia el tema de la supervivencia de esta bacteria relativamente frágil durante el transporte de las muestras. Con mucho, la solución más satisfactoria parece ser el medio de transporte de Stuart.[62] Para cultivo, el medio de elección es una infusión de agar-chocolate o algunas modificaciones de la misma, se inocula directamente con la muestra, o el sedimento en caso de trabajar con orina o líquido cefalorraquídeo. En la práctica, se añaden antibióticos a los cuales el gonococo no es sensible, para hacer el medio selectivo; por ejemplo, una combinación de polimixina B (25 UI/ml) y ristocetina (10 μg/ml). El cultivo debe incubarse con 10 por 100 de CO_2; esta atmósfera se logra poniendo las placas en un frasco con una vela encendida, y cerrándolo herméticamente, o poniendo en el frasco que contiene los cultivos un puñado de semillas de avena humedecidas. O puede liberarse bióxido de carbono de H_2SO_4 y un exceso de bicarbonato; la cantidad del primero dependerá del volumen del frasco que lo contiene, en concentración de 8 a 10 por 100. La prueba de la oxidasa, efectuada de preferencia pulverizando las placas con el reactivo mediante un atomizador o recubriéndolas por un momento, sirve para distinguir las colonias oxidasa positivas y, si se toman inmediatamente, pueden prepararse subcultivos. La identificación se basa en las fermentaciones de azúcares en suero o caldo o suero y agar que contenga un indicador. La tinción de anticuerpo fluorescente puede aplicarse a los frotis de cultivos puros así aislados, como a los frotis directos en la forma antes indicada.[61]

Quimioterapia. Como hemos dicho, la producción de cepas resistentes a sulfamidas y antibióticos afecta notablemente los resultados de la quimioterapia. Si no se toma en cuenta esta posibilidad, puede decirse que los gonococos son sensibles a sulfamidas (generalmente sulfadiacina) y antibióticos (penicilina, eritromicina, tetraciclinas, cloranfenicol, carbomicina, estreptomicina, neomicina y bacitracina, en este orden según la actividad por unidad de peso). Como la estreptomicina, que se encuentra al final de la lista, a menudo es eficaz en una dosis única, vemos que se dispone de una gran variedad de agentes quimioterápicos.

Poder patógeno para animales inferiores. El gonococo no es patógeno para animales inferiores, salvo por la toxicidad de la substancia celular de que hablamos antes; nunca pudo reproducirse la enfermedad en animales de laboratorio, ni monos antropoides. Miller y colaboradores [17, 45] describieron infección experimental de la cámara anterior del ojo del conejo, donde los gonococos se multiplican para luego invadir los tejidos intraoculares, en especial el cuerpo ciliar y el cristalino, dando lugar a infección crónica en aproximadamente la tercera parte de los animales. Esta infección ha sido empleada para estudiar la eficacia de los medicamentos.

Inmunidad. La infección produce poca o ninguna inmunidad; pueden sumarse a una primera infección una segunda y una tercera, o sea aparecer infecciones agudas en un infectado crónico. Por lo tanto, como era de esperar, el empleo terapéutico de vacunas y distintos tipos de antisueros carece de eficacia. Se desconoce, aún, el significado de la extensa fagocitosis de gonococos que puede ser observada en los leucocitos polimorfonucleares.

Sin embargo, hay cierto grado de respuesta in-munológica. Suelen encontrarse anticuerpos de fijación del complemento, y los pacientes pueden dar una reacción cutánea intensa con suspensiones de gonococos muertos. Se ha querido utilizar esta respuesta para diagnóstico inmunológico de la gonorrea. La prueba de fijación del complemento resultó prometedora, pero se empleó poco. La reacción cutánea parece ser demasiado variable para que tenga valor práctico. También se ha visto que las secreciones por inflamación gonorreica daban una reacción de precipitina con suero antigonococo, pero esta reacción de floculación todavía no tiene valor diagnóstico.

Meningococo [7]

Distintos microorganismos pueden producir inflamación de las meninges, membranas que cubren el cerebro y la médula espinal (piaracnoides o leptomeninge); el proceso puede presentarse como afección primaria o secundaria durante una infección iniciada en otro lugar. Una forma de meningitis, que se caracteriza especialmente por ser epidémica, y suele llamarse meningitis cerebrospinal epidémica, fiebre manchada, o fiebre cerebrospinal, es causada por un microorganismo específico, el meningococo.

Esta bacteria fue descrita por Marchiafava y Celli en el exudado meníngeo, en 1884; pero el primer trabajo importante sobre ella fue el de Weichselbaum, quien, en 1887, logró el cultivo puro del germen y lo describió en detalle, como micrococo característico encontrado en seis casos de meningitis cerebrospinal aguda. Estos trabajos fueron confirmados por los de Jäger, a pesar de algunos defectos de observación.

El meningococo ha recibido muchos nombres: *Micrococcus meningitidis, M. intracellularis meningitidis, Neisseria intracellularis* y, según Bergey, *N. meningitidis.* Este último es el generalmente aceptado.

Morfología y tinción. En los frotis de exudado meníngeo, el meningococo se parece mucho al gonococo y se presenta a pares o tétradas, dentro de los leucocitos y fuera de ellos. Los diplococos están aplanados en su unión, igual que los gonococos, y puede variar mucho el tamaño de los distintos gérmenes en un mismo frotis. En los cultivos, el meningococo suele medir algo menos de una micra de diámetro y presentarse en pares; a veces hay cadenas cortas. El tamaño variable observado en el exudado meníngeo también se ve en los cultivos, en particular los de más de 24 horas. Son frecuentes las formas de involución y es probable que las células mayores sean de tipo degenerativo. Generalmente no son manifiestas las cápsulas, pero se hinchan en presencia de suero inmune específico

—reacción Quellung. El meningococo no es móvil ni forma esporas.

Las colonias de meningococo en agar-sangre son húmedas, elevadas, lisas, de tinte gris azulado. No producen color verde ni hemólisis, y se distinguen fácilmente de las colonias de neumococos o de estreptococos hemolíticos o viridans. Las colonias no son tan blancas ni opacas como las de estafilococo.

El meningococo se tiñe fácilmente con los colorantes ordinarios de anilina, y, al igual que el gonococo, es gramnegativo. Las formas de involución que se encuentran en los cultivos presentan tinción irregular, pero aun células jóvenes pueden mostrar gránulos metacromáticos cuando se tiñe con azul de metileno alcalino de Löffler y otros colorantes; esta característica es más notable en el meningococo que en el gonococo. No es posible distinguir con

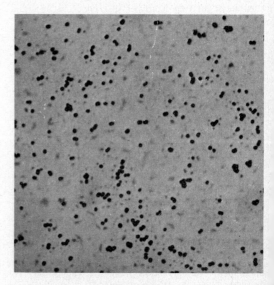

FIG. 18-6. Meningococo en cultivo puro. Nótese la disposición típica en diplococos. Fucsina; × 1 050.

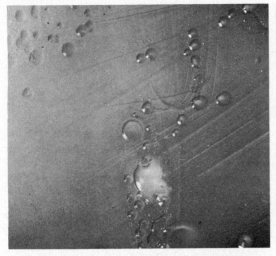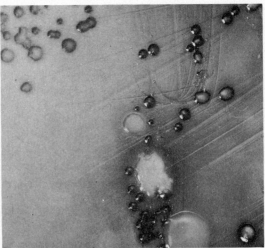

FIG. 18-7. Prueba de la oxidasa para identificar colonias de meningococo. Cultivo mixto en agar-sangre. *Izquierda*, Colonias de meningococos y colonias contaminantes antes de aplicar la solución de tetrametil-*p*-fenilendiamina. *Derecha*, Las mismas colonias después de aplicar el reactivo. Nótese que las colonias de meningococos muestran el color en sus límites, y que existe cierta coloración difusa del medio. × 5.

seguridad el meningococo del gonococo por su morfología; la identificación de gonococos en la meningitis gonocócica depende del cultivo y las fermentaciones diferenciales.

Fisiología. Las cepas de meningococo varían muchísimo en cuanto a posibilidad de cultivo; algunas cepas se desarrollan, aunque no muy abundantemente, en medios nutritivos y caldos; pero, en general, se requieren medios ricos que contengan suero o sangre completa. El agar-chocolate y el agar-sangre son los medios más útiles. Las necesidades nutritivas del meningococo son semejantes a las del gonococo, pero algunas cepas al parecer no requieren cistina. Se han cultivado cepas patrón en medios sintéticos con ácido glutámico y cistina, o ácido glutámico y lactato o glucosa; a veces, algunas cepas de aislamiento reciente se desarrollan en estos medios.[58]

Al aislar el meningococo, es necesario que el medio de cultivo esté caliente en el momento de la inoculación y se conserve a esta temperatura hasta ponerlo en la estufa. La incubación en una atmósfera de 10 por 100 de bióxido de carbono facilita el desarrollo, sobre todo en caso de aislamiento primario. El meningococo se desarrolla entre límites de temperatura de 25° a 42°C, con óptimo a 37°C. Aunque hay escaso desarrollo en anaerobiosis, el meningococo resulta en la práctica un germen aerobio.

El cultivo continuo en medios de laboratorio produce un desarrollo más abundante, y la bacteria probablemente reduzca sus exigencias nutritivas. Sin embargo, es difícil conservar cultivos de meningococos, pues tienden a perecer. En casi todos los medios estas bacterias mueren en pocos días si no se resiembran, pero la vitalidad puede conservarse va-

rias semanas en cultivos por inoculación profunda en agar-almidón (1 por 100 de almidón de maíz en agar nutritivo); el cultivo debe conservarse en la estufa.

La aparición relativamente pronta de formas de involución en los cultivos de meningococo, así como la poca viabilidad en caso de no hacerse resiembras, tal vez puedan atribuirse a la formación de una autolisina activa; en suspensión salina en la estufa, puede haber autólisis en pocas horas. La autolisina es termolábil, pues se destruye a 65°C en 30 minutos, y esta es la forma como deben inactivarse las suspensiones preparadas para estudios de aglutinación.

Al igual que el gonococo, el meningococo es un microorganismo frágil que resiste mal las influencias nocivas. Muere en poco tiempo por desecación o exposición a desinfectantes diluidos. Es particularmente sensible al calor y al frío; a diferencia de muchas bacterias, muere en pocos días a 0°C.

El meningococo tiene poca actividad fermentativa. A partir de glucosa y maltosa, forma grandes cantidades de ácido, probablemente láctico en su mayor parte. La fermentación de la maltosa permite distinguir el meningococo del gonococo. Tampoco posee gran actividad proteolítica, pues no licua el suero coagulado.

Toxinas. La meningitis por meningococos en el hombre, y la producida en animales de experimentación, suelen acompañarse de profunda toxemia. Sin embargo, el meningococo no forma toxina soluble, aunque la substancia celular resulte tóxica para animales de laboratorio, y se ha comprobado que es de tipo lipopolisacárido.[43] Este poder tóxico no es afectado por el calor (100°C durante 30 minutos) y la velocidad con que desaparece sugiere que la endotoxina está formada por dos substancias, la una más termostable que la otra.

Variaciones. Se han descrito colonias de meningococo de tipo liso y rugoso. Las cepas de aislamiento reciente suelen ser lisas, en tanto que los cultivos antiguos son rugosos. Se observan colonias mucoides. El cambio de liso a rugoso se acompaña de pérdida parcial de la especificidad inmunológica.

Clasificación. Los meningococos están muy relacionados con los gonococos, no solo morfológica y fisiológicamente, sino también inmunológicamente, en el sentido de que algunas substancias antigénicas parecen ser comunes a ambos, como se dijo antes.[77]

Los meningococos contienen un antígeno específico de género que incluye carbohidrato,[19, 37] y pueden separarse en serotipos, cuya especificidad depende también de antígenos polisacáridos,[2, 55, 70] por diversas reacciones serológicas, incluyendo aglutinación, reacción Quellung, fijación de complemento, y hemaglutinación pasiva. También existe un antígeno de proteína tóxica denominado substancia P; todavía no conocemos su relación con la endotoxina lipopolisacárida.

Desde 1914 se han descrito serotipos diferenciales, por diversos investigadores, utilizando variados sistemas de nomenclatura. La confusión resultante se ha aclarado gracias a una recomendación aceptada internacionalmente, en la cual los serotipos se denominan por letras mayúsculas, como tipo A, tipo B, etc.[8] Las relaciones entre los diversos sistemas de nomenclatura se indican en el cuadro adjunto. Prosiguiendo el estudio de las cepas sin tipo, se han caracterizado serotipos adicionales, uno denominado tipo E,[69] y tres serotipos denominados tipos Slaterus, descritos por los autores holandeses como tipos X, Y y Z.[28] Por lo menos el tipo C, y quizá otros serotipos también, pueden separarse en diversos subtipos empleando la reacción inmune bactericida.[22]

Aunque no vale la pena establecer en el trabajo ordinario el tipo de los meningococos, estos estudios han sido útiles en epidemiología (distribución de tipos en portadores sanos y en enfermos). También ha adquirido importancia dado el actual interés por el desarrollo de antígenos inmunizantes, ya que el anticuerpo protector resulta ser específico de tipo.

Poder patógeno para el hombre.[38] La resistencia del hombre a la infección por meningococo es relativamente alta; la frecuencia de portadores sanos es siempre mucho mayor que la de casos de enfermedad. Es probable que factores predisponentes desempeñen un papel fundamental para establecer si habrá o no habrá infección; al parecer, la falta de ropa, ventilación inadecuada, exposición al mal tiempo y fatiga pueden aumentar la sensibilidad.

Inicialmente, el meningococo se encuentra en nasofaringe, de donde pasa al sistema nervioso central. Se ignora por qué vía tiene lugar esta diseminación; algunos piensan que la bacteria sigue los espacios perineurales de los nervios olfatorios o desencadenan primero una sinusitis, para luego llegar al cerebro por los linfáticos o por extensión directa a través de los huesos. Otros creen que los meningococos llegan al sistema nervioso central por la corriente sanguínea, mediante bacteriemia previa. No hay datos unívocos acerca del medio por el cual los meningococos llegan al sistema nervioso central a partir de nasofaringe, pero la vía más probable es la hematógena. A veces, la infección de la nasofaringe puede alcanzar zonas vecinas, dando lugar a conjuntivitis, neumonía u otras infecciones.[50]

En el portador sano la infección no pasa de la nasofaringe; en este caso, es de breve duración y produce pocos o ningún síntoma.[24] Cuando la co-

Nomenclatura de los tipos de meningococos *

Dopter y Pauron, 1914	Woolstein, 1914	Gordon y Murray, 1915	Griffith y Scott, 1916	Pullon, 1917	Nicolle, de Bains y Jouan, 1918	Evans, 1920	Terminología más frecuente desde 1940	Terminología recomendada †
Meningococos	Normal	I		C	A	R	I	A
	Irregular	III	I	A				
Parameningococos α, β, γ	Parameningococos	II	II	B	B	S	II	B
		IV	II		B	Z	IV	D
					C		IIα	C
					D‡			

* De Branham.8

† Del subcomité sobre taxonomía y nomenclatura de Neisseria del Comité de Nomenclatura de la Asociación Internacional de Microbiólogos.

‡ Se desconoce la relación entre este tipo y los demás.

rriente sanguínea es invadida en las primeras etapas, suelen producirse hemorragias cutáneas y petequias, especialmente en muñecas y tobillos, o en mucosas y serosas. Estas alteraciones aparecen 24 horas después de la invasión y desaparecen en pocos días. La erupción es muy distinta de otras erupciones purpúricas; las manchas tienen formas geométricas y son de tamaño muy variable. Pueden encontrarse meningococos en frotis de material tomado de estas lesiones. Entre otras cosas, hay inicio brusco, escalofrío, fiebre, síntomas meníngeos como cefalea y embotamiento. Es frecuente el dolor en brazos y piernas. La invasión de la corriente sanguínea puede presentarse como meningococemia fulminante (síndrome de Waterhouse-Friderichsen) e insuficiencia suprarrenal aguda como causa inmediata de muerte y hemorragia bilateral masiva de las suprarrenales como principal hallazgo anatomopatológico.[40] Esta forma de enfermedad menigocócica es rara (se conocen poco más de 200 casos) y suele presentarse en niños, pero no en adultos. Su carácter brusco y violento, con desenlace mortal rápido, ha hecho que las muertes por este mecanismo se clasifiquen como sospechosas. La bacteriemia también puede ser más crónica y dar lugar a sinovitis purulenta o a artritis meningocócica.[13]

Cuado llega al sistema nervioso central, el meningococo produce una lesión supurada de las meninges, sobre la superficie de la médula espinal, base del cerebro y corteza. Las lesiones en médula espinal son de dos tipos principales durante la fase aguda; por un lado, hay mielitis transversa aguda, por otro, alteraciones poliomielíticas. Más tarde, se presenta una aracnoiditis difusa que comprime la médula y modifica su riego sanguíneo pudiendo tener como resultado alteraciones intramedulares extensas. Siempre hay microorganismos en el líquido cefalorraquídeo, con enturbamiento variable. Se encuentran bacterias (a veces en gran número) libres o dentro de los leucocitos, en los frotis de líquido cefalorraquídeo. La mortalidad es variable, pero bastante alta; varía entre 35 y 80 por 100, y puede reducirse a 16 por 100 mediante buenos métodos de tratamiento, incluyendo la quimioterapia.

No todos están de acuerdo acerca de la naturaleza y extensión de las secuelas de la meningitis por meningococos; en todo caso, incluyen sordera, la más frecuente, ceguera, y dolor y debilidad en cuello, brazos y piernas. En una buena serie de casos, por ejemplo, 7 a 8 por 100 de los pacientes mostraron secuelas que duraron de nueve a 30 meses después de la curación.

Epidemiología.[6] Como todas las infecciones respiratorias, la meningitis por meningococos se disemina por contacto directo e infección por gotitas de secreciones de boca, nariz y garganta. La infección es transmitida hasta cierto punto por pacientes y convalecientes, pero son de importancia fundamental en el proceso los portadores sanos.[48, 49] Algunas

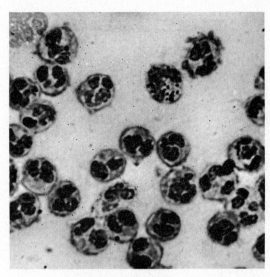

FIG. 18-8. Meningococos en líquido cefalorraquídeo; nótese la fagocitosis de los microorganismos. Tinción de Gram; $\times$ 1 050.

personas son portadores transitorios, mientras que otras, los crónicos, eliminan meningococos más o menos continuamente o en forma esporádica. En un grupo de 10 portadores, la mitad resultó de tipo crónico, llevando la misma cepa del microorganismo durante más de dos años. Los exámenes semanales pueden ser negativos durante un periodo, que en un caso llegó a cuatro meses y medio, volviendo a aparecer después el mismo tipo de meningococo. En un estudio continuo[44] en un periodo de 17 meses en personal hospitalario, se alcanzó una cifra máxima de portadores (17 por 100) en los meses de abril y mayo. De las 90 cepas de portadores que se aislaron, 20 no correspondían a los tipos conocidos, y 70 sí. En este último grupo, había 16 cepas de tipo I, 26 de tipo II y siete de tipo IIα. Otros estudios de portadores han dado resultados similares.[60] Rara vez resultan portadores los cónyuges de los portadores; cuando es el caso, pueden presentar un tipo de meningococo diferente, lo que hace pensar que las cepas de los portadores tienen poco poder infectante.

El estado de portador es mucho más frecuente que los casos de enfermedad; tuvo mucho interés la idea de que la enfermedad fuera función de la frecuencia de portadores. Los estudios llevados a cabo durante la primera guerra mundial hicieron pensar en una relación directa entre ambos procesos, pues cuando la frecuencia de portadores pasaba de 20 a 30 por 100 empezaban a aparecer casos clínicos. Esta correspondencia relativamente precisa no se ha vuelto a observar; los estudios extensos de Aycock y Mueller,[5] llevados a cabo durante la segunda guerra mundial, mostraron que si bien en general la frecuencia de meningitis podía atribuirse a una mayor frecuencia de portadores de tipo I, no

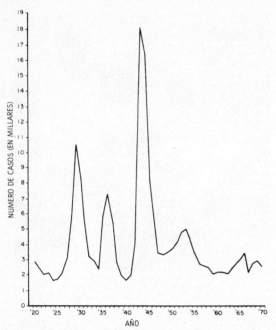

FIG. 18-9. Frecuencia de las infecciones meningocócicas en Estados Unidos de Norteamérica durante el periodo 1920-1970. Obsérvese la periodicidad epidémica. (*Morbidity and Mortality Weekly Report*, Annual Supplement, vol. 19, 1970. Center for Disease Control, U. S. Public Health Service.)

eran paralelas las variaciones del estado de portador y de la frecuencia de casos de invierno a verano, de población militar a civil, de reclutas recientes a soldados de carrera.

Ocurren con facilidad epidemias de meningitis por meningococos en los ejércitos; la fiebre cerebrospinal epidémica fue, con la influenza, una de las enfermedades más importantes en los ejércitos de ·la primera guerra mundial. La influencia de factores predisponentes que causan una mayor sensibilidad es especialmente importante en la vida militar; es muy probable que la fatiga, la exposición al mal tiempo y factores semejantes reduzcan la resistencia normal de los nuevos reclutas. Esta baja resistencia, en general, unida a las posibilidades de diseminación de los microorganismos por la vida en común de los cuarteles, es sin lugar a duda factor importante en la producción de estas epidemias. Las epidemias en la población civil difieren de las mencionadas en el sentido de que suelen afectar niños (mayores de tres meses) y adolescentes. La sensibilidad parece ser mayor en los niños menores de 10 años, menor en adolescentes, y baja después.

En las poblaciones civiles o militares, las epidemias de meningitis por meningococo presentan ciertas características diferenciales. La frecuencia relativamente alta del estado de portador y la baja morbilidad (que se calcula en 0.01 a 0.3 por 100 de la población expuesta) demuestran un alto grado de resistencia normal, en tanto que la mortalidad

elevada es prueba de que la infección, cuando se declara, sigue un curso grave. La falta relativa de sensibilidad de la población general explica también el carácter localizado de los brotes de enfermedad; algunos grupos íntimamente relacionados con el foco de infección escapan a la enfermedad, en tanto que otros, aparentemente aislados, son víctimas de ella. No es frecuente la transmisión directa de un caso a otro. En general, los portadores constituyen el enlace entre enfermos. Además, las epidemias consisten frecuentemente en una serie de brotes recurrentes, en lugar de la ola epidémica única y neta que suele producirse en otras enfermedades. En Estados Unidos de Norteamérica, durante las cinco últimas décadas las meningitis por meningococos se han presentado en epidemias a intervalos de seis a 12 años. Desde 1925 hubo tres grandes epidemias, alrededor de 1929, 1935 y 1943. Después de 1943 disminuyó continuamente el número de casos y de muertes, hasta 1951, en que volvieron a aumentar ligeramente, haciendo pensar que podía estar gestándose otro periodo de frecuencia alta. De hecho, esta frecuencia volvió a aumentar en Estados Unidos hasta un máximo de 5 077 casos en 1953, para después volver a bajar hasta 2 150 casos en 1962. Más tarde el número de casos declarados aumentó hasta un máximo de 9 718 en 1967, y después declinó, para llegar provisionalmente a 2 531 en 1971. Estas tendencias se indican en la figura que acompaña.

La variación estacional es notable en los climas templados. El varón enferma más a menudo que la mujer, aunque esto pueda corresponder a exposición y no a diferencias de resistencias según el sexo. Los estudios llevados a cabo en el ejército hablan de diferencias raciales de sensibilidad, pues la morbilidad y la mortalidad resultaron dos veces más elevadas en los soldados de raza negra que en los de raza blanca.

Quimioterapia. Entre los medicamentos disponibles en la actualidad, los productos de elección son las sulfamidas, en especial la sulfadiacina. El meningococo se parece al gonococo en cuanto a sensibilidad a antibióticos in vitro, pero estas substancias suelen difundir mal y llegan con dificultad al sistema nervioso central; puede darse penicilina por vía intrarraquídea, pero no parece tener ventaja sobre las sulfamidas.

En ciertas circunstancias, por ejemplo, para proteger reclutas en el ejército, la sulfadiacina constituye también una buena profilaxia, que disminuye tanto el estado de portador como la frecuencia de la enfermedad. Desde 1963 tal profilaxia ha resultado cada vez menos eficaz debido al aumento creciente de cepas resistentes a la sulfadiacina; otras drogas incluyendo diversos antibióticos, no han sido eficaces para controlar el estado de portador.[3, 10]

Los meningococos de tipo A han sido una minoría entre las cepas de tipo establecido en el National Center for Disease Control desde que inició l clasificación en 1964; y raramente se ha descubierto que fueran resistentes a la sulfadiacina. Sin embargo, recientemente se ha descrito un tipo epidémico de meningitis meningocócica de tipo A en Estados Unidos de Norteamérica,[1] y hay epidemias de cepas de tipo A resistentes a la sulfadiacina en África. El tipo B, que predomina en Estados Unidos de Norteamérica desde 1966, del cual la mitad aproximadamente de las cepas eran resistentes a la sulfadiacina, ahora ha sido superado por el tipo C, y la frecuencia de cepas resistentes a la sulfadiacina de este último tipo ha aumentado de 15 por 100 en 1966 hasta aproximadamente 90 por 100 en los años 1968 y 1969. Los problemas no solo de profilaxia medicamentosa —por tratamientos de grandes núcleos o por contactos de casos— sino también de quimioterapia eficaz de la meningitis meningocócica, hoy por hoy no están plenamente resueltos.

Diagnóstico bacteriológico de las infecciones por meningococos.[11] En la meningitis, se encuentran grandes cantidades de meningococos en el líquido cefalorraquídeo; el hallazgo de diplococos característicos, gramnegativos, intracelulares, en los frotis teñidos de sedimento de líquido cefalorraquídeo centrifugado, basta para establecer un diagnóstico de presunción. Puede hacerse cultivo por inoculación directa en agar-chocolate o agar-sangre de sedimento de líquido cefalorraquídeo o torundas de exudado nasofaríngeo (para reconocer el estado de portadores). El hemocultivo es útil en las primeras etapas y en los casos que no muestran síntomas meníngeos. En los portadores asintomáticos se encuentran meningococos en la nasofaringe, y la muestra se recoge de esta zona con una torunda. De cualquier forma, es fundamental que la muestra no se enfríe por debajo de la temperatura corporal antes de inocularse en el medio caliente. Igual que el gonococo, el meningococo da una prueba de oxidasa positiva, que resulta especialmente útil en los cultivos nasofaríngeos. Los meningococos pueden identificarse por pruebas de fermentación y aglutinación utilizando antisuero polivalente. Es posible establecer el tipo de meningococo mediante aglutinación; en los años últimos ha sido útil la reacción de hinchazón de cápsulas o reacción Quellung, descrita al tratar de los neumococos. Muchos investigadores consideran el antisuero de pollo superior al de conejo.

Poder patógeno para animales inferiores. Los animales usuales de laboratorio suelen ser resistentes al meningococo cuando este se inocula por vía intraperitoneal o intravenosa. El ratón blanco es más sensible que otros animales, y la inyección de cantidades suficientes de meningococos lo mata. Lo mismo puede decirse del conejo. Deben inyectarse muchísimas bacterias, y no es muy seguro

que se desencadene una verdadera infección; los meningococos muertos resultan al respecto tan activos como los vivos, y es probable que los resultados observados sean fundamentalmente tóxicos. La virulencia del meningococo para el ratón puede aumentar mucho si se suspende el inóculo en mucina; pero, igual que en otros casos en que se emplea mucina, la relación entre la infección artificial y la natural no se ha establecido.

Flexner pudo infectar monos rhesus mediante inoculación intrarraquídea de grandes cantidades de cultivos de meningococos; la enfermedad resultó más aguda que en el hombre. Branham y sus colaboradores han podido reproducir la meningitis por meningococos en conejos y cobayos mediante inyección de gérmenes virulentos en la cisterna magna. Igual que en el hombre, la enfermedad experimental consiste en alteraciones meníngeas locales, con meningitis purulenta y toxemia general. Según Branham, es más fácil producir meningitis en cobayos que en conejos. En la misma forma, se obtiene meningoencefalitis mortal en el ratón mediante inoculación intracerebral, pero no por otras vías. Es interesante notar que el embrión de pollo en desarrollo puede infectarse con meningococos; los embriones de 12 días presentan septicemia y lesiones hemorrágicas que recuerdan la septicemia fulminante por meningococos en el hombre.[67]

Inmunidad. El problema de una inmunización profiláctica eficaz contra la infección meningocócica ha merecido interés renovado con el fracaso de la quimioterapia y la quimioprofilaxia, a consecuencia de aumentar la frecuencia de cepas resistentes del microorganismo.[20, 57] El empleo, con buen resultado, de antisuero terapéutico para disminuir aproximadamente en 50 por 100 la mortalidad antes de la introducción de los sulfamídicos, puede tomarse como demostración de que, en contraste con infección gonocócica, puede lograrse una inmunidad eficaz. Los primeros estudios sobre inmunización profiláctica con vacunas a base de suspensiones meningocócicas son difíciles de estimar, por cuanto no se ha presentado la demostración inequívoca de un grado importante de protección. Estudios más recientes, utilizando antígenos muy purificados de polisacáridos de tipo específico han dado resultados muy alentadores.[23] Tales preparados se ha comprobado que carecían de toxicidad, y desencadenaban en el hombre anticuerpos bactericidas y opsonizantes.[54] La inmunidad así producida es específica de tipo, y en una serie de reclutas del ejército de Estados Unidos de Norteamérica inmunizados con antígeno de tipo C se logró efecto protector en 87 por 100 contra la infección asintomática y contra la meningitis meningocócica de tipo homólogo.[4]

Otros diplococos gramnegativos

Las formas no pigmentadas. Además del gonococo y el meningococo, se conocen otras dos especies de micrococos gramnegativos no pigmentados.

Neisseria catarrhalis suele encontrarse en la nasofaringe de sujetos sanos, y de personas que sufren catarros y otras infecciones respiratorias. En general, estos gérmenes son algo menores que el meningococo. Crecen en agar nutritivo ordinario con mucha mayor facilidad que el menigococo; las colonias suelen ser más gruesas y opacas. Este germen no fermenta la glucosa ni otros azúcares. Las distintas cepas tienen poder patógeno diferente para los animales, pero muchas de ellas son tan nocivas como el meningococo para el ratón blanco. En el hombre, es posible que den lugar a inflamaciones catarrales, y hay algunos casos publicados de neumonías y meningitis. En algunos lugares, estos cuadros resultaron bastante frecuentes durante la epidemia de influenza de 1918.

Neisseria sicca es un pequeño coco gramnegativo que se encuentra en la mucosa de las vías respiratorias. Se desarrolla a temperatura ambiente y a 37°C, formando colonias blancas, firmes, secas, adherentes, y fermenta la sacarosa, la lactosa y la maltosa. Aunque no suele considerarse patógeno, se ha descubierto como posible agente etiológico en un caso de infección renal, y pudo cultivarse de la corriente sanguínea de pacientes con endocarditis clínica. Esta especie, como algunas formas pigmentadas, se encuentra en una proporción relativamente alta de uretritis no gonocócica,[30] pero su poder patógeno en estas circunstancias no se ha establecido.

Formas pigmentadas. En las vías respiratorias superiores del hombre pueden encontrarse diplococos gramnegativos que forman un pigmento amarillo verdusco pálido que se observa mejor con luz transmitida. Aunque generalmente se consideran no patógenos, se han encontrado en algunas enfermedades, por ejemplo, *N. perflava* y *N. flava* en meningitis[36] y endocarditis.[42] Estas formas pigmentadas se distinguen una de otra por sus actividades fermentativas.

Especies anaerobias. Los cocos gramnegativos anaerobios estrictos son menores que Neisseria (de 0.3 a 0.4 μ de diámetro) y se presentan en masas, cadenas cortas y pares. Estas variedades no parecen ser patógenas, sino que se presentan como parásitos de boca, vías respiratorias, tubo digestivo y vías genitourinarias. Constituyen un género separado, el Veillonella, que se divide en dos grupos principales según la producción de gas en medios de cultivo. El grupo que forma gas comprende *V. parvula, V. alkalescens* y *V. discoides;* el que no lo forma, *V. reniformis, V. orbiculus* y *V. vulvovaginitidis.*

BIBLIOGRAFIA

1. Alexander, C. E., *et al.* 1968. Sulfadiazine-resistant group A Neisseria Meningitidis. Science **162**:1019.
2. Apicella, M. A., and J. A. Robinson. 1970. Physicochemical properties of *Neisseria meningitidis* group C and Y polysaccharide antigens. Infect. Immun. **2**:392–397.

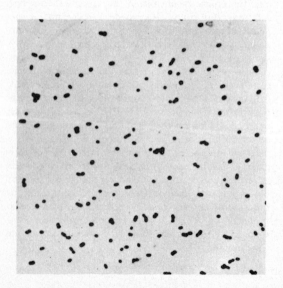 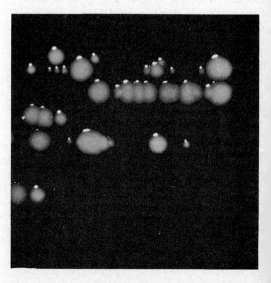

FIG. 18-10. *Neisseria catarrhalis. Izquierda,* Frotis de un cultivo puro. Obsérvense los diplococos y las formas alargadas que todavía no se han dividido. Fucsina; $\times$ 1 050. *Derecha,* Cultivo de 24 horas en agar-sangre. $\times$ 5.

3. Artenstein, M. S., T. H. Lamson, and J. R. Evans. 1967. Attempted prophylaxis against meningococcal infection using intramuscular penicillin. Milit. Med. **132**:1009–1011.

4. Artenstein, M. S., *et al.* 1970. Prevention of meningococcal disease by group C polysaccharide vaccine. New Eng. J. Med. **282**:417–420.

5. Aycock, W. L., and J. H. Mueller. 1950. Meningococcus carrier rates and meningitis incidence. Bacteriol. Rev. **14**:115–160.

6. Bennett, J. V., and L. S. Young. 1969. Trends in meningococcal disease. J. Infect. Dis. **120**:634–636.

7. Branham, S. E. 1940. The meningococcus. Bacteriol. Rev. **4**:59–96.

8. Branham, S. E. 1953. Serological relationships among meningococci. Bacteriol. Rev. **17**:175–188.

9. Brown, W. J. 1971. Trends and status of gonorrhea in the United States. J. Infect. Dis. **123**:682–687.

10. Cataldo, J. R., *et al.* 1968. Sulfadiazine and sulfadizinepenicillin in mass prophylaxis of meningococcal carriers. Milit. Med. **133**:453–457.

11. Catlin, B. W. 1970. *Neisseria meningitis* (meningococcus). pp. 76–81. *In* J. E. Blair, E. H. Lennette, and J. P. Truant (Eds.): Manual of Clinical Microbiology. American Society for Microbiology, Bethesda.

12. Cohn, A., A. Steer, and E. L. Adler. 1940. Gonococcal vaginitis—a preliminary report on one year's work. Vener. Dis. Inform. **21**:208–220.

13. Daniels, W. B. 1948. Meningococcic bacteremia. Arch. Intern. Med. **81**:145–161.

14. Danielsson, D. G., *et al.* 1969. Antigens of *Neisseria gonorrhoeae*: complement fixation, and agar-gel diffusion of antigens of gonococcal protoplasm. J. Bacteriol. **97**:1012–1017.

15. Davidson, H. H., J. H. Hill, and N. J. Eastman. 1951. Penicillin in the prophylaxis of ophthalmia neonatorum. J. Amer. Med. Assn. **145**:1052–1055.

16. Deacon, W. E. 1961. Fluorescent antibody methods for *Neisseria gonorrhoeae* identification. Bull. Wld. Hlth. Org. **24**:349–355.

17. Drell, M. J., *et al.* 1945. Experimental gonococcal infection of the rabbit's eye. II. Course of the disease and its pathology. J. Infect. Dis. **77**:201–215.

18. Durel, P., V. Roiron, and L. Delouche. 1961. Problèmes posés par l'emploi de la streptomycine dans le traitement de la gonococcie. Bull Wld. Hlth. Org. **24**:343–348.

19. Edwards, E. A., and L. F. Devine. 1968. A genus specific complement fixation antigen from *Neisseria meningitidis*. Proc. Soc. Exp. Biol. Med. **128**:1168–1173.

20. Finland, M. 1970. Revival of antibacterial immunization: meningococcal vaccines prove promising. J. Infect. Dis. **121**:445–448.

21. Gisslen, L., L. Hellgren, and V. Starck. 1961. Incidence, age distribution and complications of gonorrhoea in Sweden. Bull. Wld. Hlth. Org. **24**:367–372.

22. Gold, R., and F. A. Wyle. 1970. New classification of *Neisseria meningitidis* by means of bactericidal reactions. Infect. Immun. **1**:479–484.

23. Goldschneider, I., *et al.* 1969. Human immunity to the meningococcus. I. The role of humoral antibodies. II. Development of natural immunity. III. Preparation and immunochemical properties of the group A, group B, and group C meningococcal polysaccharides. IV. Immunogenicity of group A and group C meningococcal polysaccharides in human volunteers. V. The effect of immunization with meningococcal group C. polysaccharide on the carrier state. J. Exp. Med. **129**:1307–1326, 1327–1348, 1349–1365, 1367–1384, 1385–1395.

24. Greenfield, S., P. R. Sheehe, and H. A. Feldman. 1971. Meningococcal carriage in a population of "normal" families. J. Infect. Dis. **123**:67–73.

25. Guthe, T. 1961. Failure to control gonorrhoea. Bull Wld. Hlth. Org. **24**:297–306.

26. Harkness, A. H. 1948. The pathology of gonorrhoea. Brit. J. Vener. Dis. **24**:137–147.

27. Harkness, A. H. 1954. Non-gonococcal urethritis. Pub. Hlth. **68**:10.

28. Hollis, D. G., G. L. Wiggins, and J. H. Schubert. 1968. Serological studies of ungroupable *Neisseria meningitidis*. J. Bacteriol. **95**:1–4.

29. Johnson, D. W., *et al.* 1969. An evaluation of gonorrhea case finding in the chronically infected female. Amer. J. Epidemiol. **90**:438–448.

30. Johnston, J. 1951. Nongonococcal Neisserian strains isolated from the genitourinary tract. Amer. J. Syph. **35**:79–82.

31. Kellogg, D. S., Jr., and J. D. Thayer. 1969. Virulence of gonococci. Ann. Rev. Med. **20**:323–328.

32. Kellogg, D. S., Jr., *et al.* 1963. *Neisseria gonorrhoeae*. I. Virulence genetically linked to clonal variation. J. Bacteriol. **85**:1274–1279.

33. Kellogg, D. S., Jr., *et al.* 1968. *Neisseria gonorrhoeae*. II. Colonial variation and pathogenicity during 35 months *in vitro*. J. Bacteriol. **96**:596–605.

34. Laird, S. M. 1963. Some current aspects of the epidemiology of gonorrhoea. Brit. J. Vener. Dis. **39**:101–104.

35. Lee, L., and J. D. Schmale. 1970. Identification of a gonococcal antigen important in the human immune response. Infect. Immun. **1**:207–208.

36. Lewin, R. A., and W. T. Hughes. 1966. *Neisseria subflava* as a cause of meningitis and septicemia in children. Report of five cases. J. Amer. Med. Assn. **195**:821–823.

37. Lytle, R. I., E. A. Edwards, and A. Waggoner. 1970. Carbohydrate-containing group-specific antigens of *Neisseria meningitidis*. Proc. Soc. Exp. Biol. Med. **133**:264–268.

38. Macrae, J. 1955. Meningococcal meningitis. Postgrad. Med. J. **31**:92–96.

39. Martin, E., Jr., *et al.* 1970. Comparative study of gonococcal susceptibility to penicillin in the United States, 1955–1969. J. Infect. Dis. **122**:459–463.

40. Martland, H. S. 1944. Fulminating meningococcic infection with bilateral massive adrenal hemorrhage (the Waterhouse-Friderichsen syndrome). With special reference to the pathology, the medicolegal aspects and the incidence in adults. Arch. Pathol. **37**:147–158.

41. Mathieu, P. L., Jr. 1958. Comparison study: Silver nitrate and oxytetracycline in newborn eyes. A comparison of the incidence of conjunctivitis following instillation of silver nitrate or oxytetracycline in the eyes of newborn infants. J. Dis. Child. **95**:609–611,

42. Matlage, W. T., P. E. Harrison, and J. A. Greene. 1950. *Neisseria flava* endocarditis: With report of a case. Ann. Intern. Med. **33**:1494–1498.

43. Mergenhagen, S. E., G. R. Martin, and E. Schiffmann. 1963. Studies on an endotoxin of a group C *Neisseria meningitidis*. J. Immunol. **90**:312–317.

44. Miller, C. P., *et al.* 1944. A survey of chronic meningococcus carriers in a semi-permanent population. J. Infect. Dis. **74**:212–224.

45. Miller, C. P., *et al.* 1945. Experimental gonococcal infection of the rabbit's eye. I. Method of production. J. Infect. Dis. **77**:193–200.

46. Nicol, C. S. 1954. Non-specific urethritis. Pub. Hlth. **68**:10–11.

47. Parrino, P. S. 1954. Nongonococcic urethritis in the male. U.S. Armed Forces Med. J. **5**:1249–1266.

48. Phair, J. J., and E. B. Schoenbach. 1945. The transmission and control of meningococcal infections. Amer. J. Med. Sci. **209**:69–74.

49. Phair, J. J., E. B. Schoenbach, and C. M. Root. 1944. Meningococcal carrier studies. Amer. J. Pub. Hlth. **34**:148–154.

50. Putsch, R. W., J. H. Hamilton, and E. Wolinsky. 1970. *Neisseria meningitidis*, a respiratory pathogen? J. Infect. Dis. **121**:48–54.

51. Reyn, A. 1949. Serological studies on gonococci. III. Thermostability and biochemical nature of the gonococcus antigens. Durability of the factor sera. Discussion. Acta Pathol. Microbiol. Scand. **26**:252–268.

52. Reyn, A. 1965. Bull. Wld. Hlth. Org. **32**:449–469.

53. Reyn, A. 1969. Recent developments in the laboratory diagnosis of gonococcal infections. Bull. Wld. Hlth. Org. **40**:245–255.

54. Roberts, R. B. 1970. The relationship between group A and group C meningococcal polysaccharides and serum opsonins in man. J. Exp. Med. **131**:499–513.

55. Robinson, J. A., and M. A. Apicella. 1970. Isolation and characterization of *Neisseria meningitidis* groups A, C, X, and Y polysaccharide antigens. Infect. Immun. **1**:8–14.

56. Roiron, V., G. Rasetti-Nicod, and P. Durel. 1961. Étude de la sensibilité actuelle du gonocoque aux principaux antibiotiques. Ann. Inst. Pasteur **100**:445–462.

57. Sander, E., and W. B. Deal. 1970. Prevention of meningococcal infections. J. Infect. Dis. **121**:449–451.

58. Scherp, H. W., and C. Fitting. 1949. The growth of *Neisseria meningitidis* in simple chemically defined media. J. Bacteriol. **58**:1–9.

59. Schmale, J. D., *et al.* 1969. Isolation of an antigen of *Neisseria gonorrhoeae* involved in the human immune response to gonococcal infection. J. Bacteriol. **99**:469–471.

60. Slaterus, K. W., A. C. Ruys, and I. G. Sieberg. 1963. Types of meningococci isolated from carriers and patients in a non-epidemic period in the Netherlands. Antonie van Leeuwenhoek: J. Microbiol. Serol. **29**:265–271.

61. Sommerville, R. G. 1968. An improved method for the direct immunofluorescent identification of *Neisseria gonorrhoeae*. Bull. Wld. Hlth. Org. **39**:942–943.

62. Stuart, R. D. 1959. Transport medium for specimens in public health bacteriology. Pub. Hlth. Repts. **74**:431–438.

63. Symposium 1938. The clinical and administrative aspects of vulvo-vaginitis. Med. Officer **59**:191–195, 203–206.

64. Tauber, H., and H. Russell. 1961. Biochemistry of *Neisseria gonorrhoeae* endotoxin. Bull. Wld. Hlth. Org. **24**:385–386.

65. Thayer, J. D. 1970. *Neisseria gonorrhoeae* (gonococcus). pp. 82–87. *In* J. E. Blair, E. H. Lennette, and J. P. Truant (Eds.): Manual of Clinical Microbiology. American Society for Microbiology, Bethesda.

66. Thayer, J. D., *et al.* 1957. Failure of penicillin to kill phagocytized *Neisseria gonorrhoeae* in tissue culture. Antibiot. Chemotherap. **7**:311–314.

67. Ueda, K., *et al.* 1969. The chick embryo neutralization test in the assay of meningococcal antibody. 1. Infection of the embryo with *Neisseria meningitidis*. 2. Response of the embryo to meningococcal endoxin and to infection. Bull. Wld. Hlth. Org. **40**:235–240, 241–244.

68. United States Department of Health, Education, and Welfare. 1962 (Revised). Gonococcus – procedures for isolation and identification. Publ. 499. U.S. Public Health Service.

69. Vedros, N. A., J. Ng, and G. Culver. 1968. A new serological group (E) of *Neisseria meningitidis*. J. Bacteriol. **95**:1300–1304.

70. Weiss, E., and J. L. Long. 1969. Simplified method for the production of carbohydrate antigen from *Neisseria meningitidis*. Appl. Microbiol. **18**:843–847.

71. White, L. A., and D. S. Kellogg. Jr. 1965. An improved fermentation medium for *Neisseria gonorrhoeae* and other *Neisseria*. Hlth. Lab. Sci. **2**:238–241.

72. White, L. A., and D. S. Kellogg, Jr. 1965. *Neisseria gonorrhoeae* identification in direct smears by fluorescent antibody-counterstain method. Appl. Microbiol. **13**:171–174.

73. Wilkinson, A. E. 1952. Occurrence of *Neisseria* other than the gonococcus in the genital tract. Brit. J. Vener. Dis. **28**:24–27.

74. Willcox, R. R. 1965. Importance of "feedback" in gonorrhoea control. Brit. J. Vener. Dis. **41**:287–291.

75. Willcox, R. R. 1971. J. Clin. Pract. **25**:215–222.

76. Wilson, J. F. 1954. A serological study of *Neisseria gonorrhoeae*. J. Pathol. Bacteriol. **68**:495–510.

77. Wilson, J. F. 1956. A serological study of the meningococcus. J. Pathol. Bacteriol. **72**:111–119.

CAPITULO 19

BACILOS ENTERICOS

Bacterias coliformes, bacilo de Friedländer (neumobacilo) y Proteus

Los bacilos gramnegativos que no forman esporas constituyen un gran grupo de bacterias que comprende comensales intestinales como los bacilos del colon y Proteus; patógenos entéricos como los de la tifoidea, paratifoidea y disentería; ciertas formas saprófitas y patógenas de plantas y, aunque de manera más lejana, las bacterias hemófilas (Hemophilus); el llamado grupo de la septicemia hemorrágica (Pasteurella), y los microbios causantes de la fiebre ondulante (Brucella).

El más amplio de estos grupos, tema de este y de los próximos capítulos, es el de los bacilos entéricos o enterobacteriáceas. Se encuentran en el intestino del hombre, y otros animales homeotermos, como comensales de potencialidad patógena limitada, y se asocian con enfermedades diarreicas o, con mucha menor frecuencia, con infecciones de los tejidos. Hay otros bacilos gramnegativos, más o menos relacionados con los entéricos, pero pueden distinguirse.

Los del género Serratia [25] forman parte de las enterobacteriáceas por sus similitudes de cultivo, pero en su mayor parte son saprófitos de vida libre. Eventualmente se encuentran asociados, y posiblemente en relación causal, con fenómeno patológico.[28, 70] El más familiar de estos microbios es *Serratia marcescens*, o *Chromobacterium prodigiosum* de color rojo. El pigmento no aparece en cultivos incubados a 37°C, pero las colonias muestran color rosado rojizo brillante a temperaturas inferiores.

La mayor parte de Serratia no son pigmentados y, en general, su actividad bioquímica es algo menor que la de muchos bacilos entéricos.

Los bacilos gramnegativos del grupo Aeromonas [22, 27] se parecen superficialmente a los bacilos entéricos; de hecho, ciertas cepas, originalmente denominadas bacilos paracólicos C27, contienen antígenos que también se encuentran en el bacilo Sonne de la disentería. También se parecen a Proteus, por

tener flagelos polares, y algunos de ellos, como ciertas cepas de Proteus, son patógenos de animales poiquilotermos. Se han descrito muchas especies, pero todas pueden incluirse en una de estas tres: *Aeromonas hydrophila*, que produce enfermedad de patas rojas de las ranas; *A. salmonicida*, que provoca enfermedades de truchas y otros peces; y *A. shigelloides*, en relación antigénica con los bacilos de la disentería. Por lo regular nunca se encuentran Aeromonas asociadas con padecimientos de animales homeotermos, incluyendo al hombre.[35]

Hay otras bacterias, muy relacionadas con los bacilos entéricos, que a veces no pueden distinguirse de ellos con certeza. Pero tienen diferencias de hábitat; por ejemplo, el bacilo de Friedländer es huésped frecuente de vías respiratorias superiores, y agente causal de una pequeña proporción de neumonías; los patógenos del género Erwinia atacan plantas, produciendo descomposición blanda de vegetales; asimismo, los miembros de los géneros Proteus y Pseudomonas pueden ser saprófitos con vida libre, igual que comensales intestinales de eventual importancia patógena.

CLASIFICACION DE LOS BACILOS ENTERICOS

La diferenciación y caracterización de los bacilos entéricos o enterobacteriáceas, se basan en una variedad de reacciones bioquímicas y de cultivo, así como en la estructura antigénica; estas bacterias son mejor conocidas según estos criterios convencionales que cualquier otro grupo de microbios. Cuando las más importantes de ellas, los bacilos de la tifoidea y paratifoidea, los del colon y de la disentería, fueron descritos y estudiados por primera vez, no resultó difícil caracterizarlos con precisión y fueron agrupados en géneros y especies en el sentido limitado en que estos conceptos parecen aplicables a los microbios.

Al progresar los conocimientos, se ha comprobado que los bacilos entéricos constituyen una serie continua de formas que muestran casi todas las combinaciones concebibles de características diferenciales, y en algunos casos, combinaciones no encontradas en la naturaleza han sido creadas en el laboratorio por recombinación y transducción, con grupos de fertilidad demostrable cruzando las líneas de "género" (capítulo 6). No es posible hacer distinciones más precisas, ya que las diferentes clases de bacilos entéricos cambian imperceptiblemente entre sí. Lo inadecuado de los criterios diferenciales corrientes, como bases para una clasificación formal, a partir de una clave diferencial, resulta evidente en este grupo de bacterias.

En efecto, de hecho cada vez se acepta más que la subdivisión de la familia Enterobacteriaceae en las tribus, especies y géneros convencionales, solo puede hacerse según bases genéticas, que aún no existen, y que no resulta aplicable el concepto de especie en el sentido de Linneo. Cuando mucho, los bacilos entéricos pueden separarse para fines prácticos [41] en grupos, subgrupos, y serotipos; por lo tanto, resulta útil elaborar una clasificación ambiciosa y complicada de estos microbios y, por inferencia, posiblemente de otros.

La nomenclatura es otro problema, pues resulta indispensable un sistema de trabajo.[16, 52] Ciertos nombres originalmente introducidos como genéricos, incluyendo Salmonella, Klebsiella, Escherichia, Shigella y Serratia, han alcanzado aceptación general, en tanto que otros no, especialmente algunas denominaciones de especie. Una base práctica de nomenclatura es el uso, y por tanto, la familiaridad, más que la prioridad, demandada por los puristas, ya que esto último a menudo ha provocado la creación de géneros y especies nuevos y raros, que no corresponden con la práctica internacional corriente ni con la masa de literatura de investigación pasada y actual. La nomenclatura que se presenta a continuación, sobre el controvertido tema de los bacilos entéricos, se basa en el uso, y los nombres solo se consideran herramientas útiles, sin importancia filogénica ni taxonómica.

Diferenciación bioquímica.[11, 17] Una diferenciación primaria útil puede basarse en la fermentación de lactosa, que se relaciona de manera aproximada con la patogenicidad. Las bacterias coliformes fermentan este carbohidrato con rapidez, formando ácido y gas en 24 horas, en tanto que las bacterias de otros grupos, fundamentalmente patógenos (Shigella y Salmonella) no lo fermentan. La distinción, por supuesto, no es absoluta, ya que los bacilos paracólicos, y algunos de disentería, fermentan lentamente la lactosa, pero tiene valor práctico considerable.

Asimismo, los bacilos de la disentería o Shigella, se dividen en dos grupos, según la fermentación de manitol y son anaerógenos, o sea, no producen gas por fermentación de carbohidratos. En tanto que el grupo Salmonella produce, en general, fermentaciones gaseosas, el bacilo de la tifoidea y *Salmonella gallinarum*, son típicamente anaerógenos, y eventualmente se encuentran otras cepas de este tipo entre las salmonelas. Los grupos bioquímicos generales se indican en el cuadro precedente de reacciones bioquímicas.

Las formas que se presentan en muestras de procesos patológicos del hombre son separables por aplicación sistemática de estos caracteres bioquímicos, tanto en la composición de los medios que se hacen selectivos por inclusión de sales biliares, y diferenciales por azúcares e indicadores, como mediante pruebas bioquímicas específicas. La aplicación práctica de estos métodos diferenciales se ilustra en el esquema de la página 418.

Grupos y subgrupos de Enterobacteriaceae [5, 20]

Salmonella-Arizona	Salmonella (bacilos de tifoidea y paratifoidea)
	Arizona (bacilos paracólicos, similares a Salmonella)
Citrobacter, Bethesda-Ballerup	Citrobacter (tipo intermedio de bacilos de colon)
	Bethesda-Ballerup (Citrobacter que fermenta lentamente la lactosa, o bacilos paracólicos similares a Salmonella)
Shigella-Escherichia	Shigella (bacilos de la disentería) Escherichia (bacilo cólico clásico y bacilos alkalescens y dispar de la disentería)
Klebsiella-Aerobacter-Serratia	Klebsiella (neumobacilo de Friedländer)
	Aerobacter (bacilos aerogenes clásicos), Hafnia, Serratia
Proteus-Providence	Proteus
	Grupo Providence de bacilos paracólicos

Reacciones bioquímicas del bacilo entérico

	Medios de Kligler: Inclinado	Profundidad	H₂S	Dextrosa	Lactosa	Sacarosa	Manitol	Sorbitol	Rafinosa	Leche	Gelatina	Motilidad	Ureasa	Oxidasa	Indol	Rojo de metilo	Voges-Proskauer	Citrato	Descarboxilasa de lisina	Desaminasa de lisina	Descarboxilasa de ornitina	Dihidrolasa de arginina
Escherichia coli	A	G	—	G	V	V	+	+	V	A(C)	—	+	—	—	+	+	—	—	V	—	V	V
Aerobacter aerogenes	A	G	—	G	V	+	+	+	+	A(CP)	—	+	—	—	—	—	+	+	+	—	+	—
Aerobacter cloacae	A	G	—	G	+	+	+	+	+	A(CP)	+	+	—	—	—	—	+	+	—	—	+	+
Klebsiella pneumoniac	A	G	—	G	+	+	+	+	+	A(C)	—	—	—	—	—	—	+	+	+	—	—	+
Aeromonas hydrophila (la mayor parte típicamente a 30°C)	K	G	—	G	—	+	+	+			+	+	—	+	+	—	+	+	—	—	+	
Serratia marcescens	V	A	—	A	V	+	+	+	—	AP	+	+	—	—	—	—	+	+	+	—	+	—
Citrobacter	V	G	+	G	V	V	+	+		A(—)	—	+	—	—	—	+	—	+	—	—	V	V
Arizona	V	G	+	G	V	—	+	+	—	A	L	+	—	—	—	+	—	+	+	—	+	L
Hafnia (reacciones a 37°C)	V	g	w	g	V	V	+	—	—	ak	—	V	—	—	—	+	V	V	+	—	+	—
Edwardsiella (Asakusa, Bartholomew)	K	G	+	G	—	—	—				—	+	—	—	+	+	—	—	+	—		
Salmonella typhi	K	A	+	A	—	—	+	+	+	ak	—	+	—	—	—	+	—	—	+	—	—	+L
Salmonella paratyphi A	K	G	—	G	—	—	+	+	—	ak	—	+	—	—	—	+	—	—	—	—	+	+L
Salmonella paratyphi B (*S. schottmülleri*)	K	G	+	G	—	—	+	+	V	ak	—	+	—	—	—	+	—	+	+	—	+	+L
Salmonella paratyphi C (*S. hirschfeldii*)	K	G	+	G	—	—	+	+	—	ak	—	+	—	—	—	+	—	+	+	—	+	+L
Salmonella typhimurium	K	G	+	G	—	—	+	+	—	ak	—	+	—	—	—	+	—	—	+	—	+	+L
Shigella dysenteriae Grupo serológico A	K	A	—	A	—	—	—	V	—	—		—	—	—	—	V	—	—	—			
Shigella flexneri Grupo serológico B	K	A	—	A	—	—	+	V	V	—		—	—	—	—	V	+	—	—			
Shigella boydii Grupo serológico C	K	A	—	A	—	—	+	V	—	—		—	—	—	—	V	+	—	—			—L
Shigella sonnei Grupo serológico D	K	A	—	A	—	—	+	—	V	—		—	—	—	—	—	+	—	—	—	+	—
Vibrio comma	K	A	—	A	—	+	+				+	+	—	+	+	+		+	+	—		
Proteus vulgaris	K	g	+	g	—	+	—			KP	+	+	+	—	+	+	—	V	—	+	—	—
Proteus mirabilis	K	g	+	g	—	L	—			KP	+	+	+	—	—	+	—	V	—	+	+	—
Proteus morgani	K	g	—	g	—	—	—			ak	—	+	+	—	+	+	—	—	—	+	+	—
Proteus rettgeri	K	A	—	A	—	L	+			ak	—	+	+	—	+	+	—	+	—	+	—	—
Proteus inconstans (Providence)	K	g	—	g	—	L	—			ak	—	+	—	w	+	+	—	+	—	+	—	—
Pseudomonas aeruginosa	K	—	—	a	—	—	—			K	+	+	—	+	—	—	—	+	—	—		
Mima polymorpha	K	—	—	—	—	—	—			—	V	—	—	V	—	—	—	+				
Herellea	K	a	—	A	—	—	—			V	V	—	—	—	—	—	—	+				
Especies de Moraxella	K	—	—	—	—	—	—			(P)	+	—	—	+	—	—	—	+				

Las reacciones pueden variar según el medio las técnicas y temperaturas de incubación, y según las cepas.

A = ácido
a = ácido débil
ak = ácido cambiando a alcalino
C = coagulación
G = ácido y gas

g = ácido y gas ligero o irregular
K = alcalina
L = tardía
P = peptonización
V = variable

w = débil
+ = fermentación u otra reacción positiva
— = sin reacción

Diferenciación fisiológica de los bacilos gramnegativos *

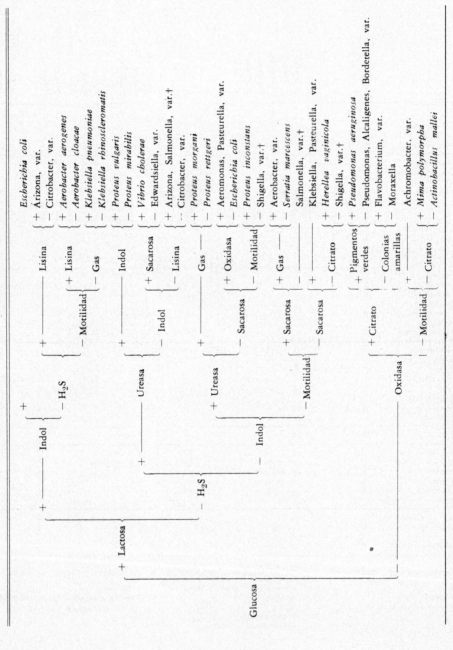

* Preparado por Dr. R. S. Benham y Miss Isabelle Havens.
† Diferenciados inmunológicamente.

Bacilos coliformes

Fueron descritos por Escherich en 1886 como *Bacterium coli commune* y *Bact. lactis aerogenes*. Pronto fue evidente que el primero se presenta en dos tipos fermentativos, *Bact. coli communior*, que fermenta la sacarosa, y *Bact. coli communis* (o *commune*) que no lo hace. Hay otro tipo, *Bact. coli anaerogenes*, que fermenta azúcares sin producir gas. El tipo caracterizado por rápida mutación con respecto a β-galactosidasa, *Bact. coli mutabile*, ya ha sido tratado (capítulo 6). Ahora se usan, en general, los nombres genéricos Escherichia, Aerobacter, etc. (ver luego). El microbio descrito por Friedländer en 1883 como agente causal de neumonía, y conocido como bacilo de Friedländer está muy relacionado con los bacilos coliformes pero se ha separado como género especial, *Klebsiella pneumoniae*. Además de estos, los bacilos coliformes caracterizados por fermentación tardía de lactosa (cinco a ocho días), ocuparon durante mucho tiempo una posición anómala, y finalmente quedaron entre los bacilos paracólicos.

Estas formas están ampliamente distribuidas, ya que se encuentran universalmente en el intestino del hombre y de muchos animales superiores. Algunas variedades parecen estar libres en la naturaleza, pero es probable que representen contaminaciones, posiblemente distantes, y sean, también, parásitos primordialmente de animales.

Morfología y tinción. Los bacilos coliformes muestran considerables variaciones de morfología. Las dimensiones comúnmente observadas en preparaciones teñidas de cultivos en agar nutritivo o gelatina, varían de 2 a 4 micras de longitud, por 0.4 a 0.7 micras de anchura. Frecuentemente se encuentran formas muy cortas, ovales parecidas a cocos; suelen predominar cuando se observa el bacilo directamente en el animal normal. Eventualmente hay bacilos en pares o cadenas cortas. Algunas variedades son encapsuladas, sobre todo las que se encuentran en procesos patológicos. La motilidad es variable, aunque las cepas más típicas son móviles por flagelos peritricos. No forman esporas.

Las colonias en gelatina nutritiva son más consistentes y de aspecto característico que las de agar. Son opacas o parcialmente transparentes, lisas, húmedas y de consistencia homogénea, con bordes enteros u ondulantes y aspecto de hoja de arce, común a muchas de las bacterias entéricas. La morfología de las colonias es algo variable en agar. Las colonias típicas son opacas y blanco grisáceas, pudiendo haber tendencia a tomar color pardo amarillento al continuar la incubación. Eventualmente se observan variedades pigmentadas. En ciertos medios diferenciales, las colonias de bacilos coliformes pueden presentar otras características típicas, en circunstancias especiales. Por ejemplo, en medio de Endo, las colonias son, por supuesto, rojas, pero, además tienen un brillo metálico curioso, muy característico cuando se observan con luz reflejada. Algunas variedades son β-hemolíticas en agar-sangre y se presentan con mucha mayor frecuencia en procesos patológicos que en el intestino normal.

Los bacilos coliformes se tiñen fácilmente con los colorantes ordinarios de anilina y son gramnegativos. Con métodos especiales de tinción, pueden demostrarse flagelos.

Fisiología. Los bacilos coliformes son anaerobios facultativos, crecen igualmente bien en condiciones aerobias o de anaerobiosis completa, y lo hacen profusamente en los medios nutritivos ordinarios, pudiendo cultivarse en soluciones sintéticas conteniendo una sal de amonio y una fuente orgánica de carbono, como la glucosa. El crecimiento tiene lugar en límites de temperatura de 10° a 46°C, es satisfactorio entre 20° y 40°C, y óptimo a 37°C.

Generalmente la leche cuaja, con reacción ácida, en 48 horas. La licuefacción de la gelatina, producción de sulfuro de hidrógeno y formación de indol varían de un tipo de bacilo coliforme a otro, y tienen valor diferencial.

Diversos azúcares son fermentados activamente con producción de ácido y gas. La capacidad para fermentar una gran variedad de azúcares y otros alcoholes polihídricos es variable y algunas de las fermentaciones se usan para diferenciar las diversas clases de bacilos coliformes. La mayor parte del ácido producido es láctico, pero se forman cantidades menores de fórmico y acético, junto con alcohol etílico. También se encuentra ácido succínico en cantidades variables, pero pequeñas.

Los bacilos coliformes suelen ser resistentes a las influencias nocivas; en general, ni tanto como los estafilococos, ni tan susceptibles como las bacterias más delicadas. La mayor parte de cepas son destruidas por exposición a 60°C durante 30 minutos, pero eventualmente se encuentran variedades más resistentes. Como otras bacterias gramnegativas, son mucho menos susceptibles a la acción bacteriostática de los colorantes que los microbios grampositivos, y los medios selectivos que contienen colorantes son útiles para aislamiento primario de las bacterias entéricas. La capacidad de los bacilos coliformes para crecer en presencia de bilis también se usa en medios selectivos (caldo de MacConkey) para examen bacteriológico del agua.

Variación. La existencia de dos tipos de colonias de bacilos coliformes se conoce desde hace mucho; una es la forma plana, como hoja de arce; la otra es el tipo menor, prominente, redondo y húmedo. El colibacilo se disocia en colonias de tipo liso y de tipo rugoso; la forma S da lugar a colonias lisas redondas, brillantes, translúcidas, en tanto que el tipo R se caracteriza por superficie irregular, mate, bordes dentados y opacas. Se ha sugerido que la forma R es más virulenta.

No solo se han encontrado casi todos los tipos de variación microbiana entre los bacilos coliformes, sino que son, con mucho, las bacterias más usadas para estos fines experimentales. La cepa K12, por ejemplo, se empleó en los primeros experimentos de recombinación, las cepas *mutabile* constituyeron uno de los primeros y más cuidadosamente estudiados ejemplos de mutación, y en estas bacterias se ha realizado buena parte de los estudios sobre adaptación enzimática.

Toxinas. Como grupo, las bacterias coliformes producen varias toxinas, que eventualmente pueden relacionarse con enfermedad cuando las cepas son patógenas.

Endotoxinas. Como en muchas otras bacterias gramnegativas, la substancia celular es tóxica para animales de experimentación por inoculación parenteral. Esta endotoxina, probablemente un complejo lípido-polisacárido-polipéptido, es separable como lipopolisacárido tóxico y se considera prototipo de endotoxina bacteriana (capítulo 8). Un antígeno común, presente quizá en todas las enterobacteriáceas, tiene propiedades de antígeno O, pero, al parecer, tiene poca o ninguna actividad de endotoxina.[42]

Enterotoxinas. Hace relativamente poco se ha comprobado que las cepas enteropatogénicas de *E. coli*, o sea las que se acompañan de enfermedad diarreica, producen una enterotoxina que media en el desplazamiento de agua y de iones desde los tejidos hacia la luz del intestino, para producir una secreción neta que se manifiesta en diarrea. Las cepas enteropatógenas de origen porcino producen dos de tales toxinas, una termostable [60] y otra termolábil.[37] Esta última produce en el conejo y en el cerdo [49] una reacción de asa ileal que no puede distinguirse de la producida por la enterotoxina del vibrión colérico.[48] Cepas aisladas de casos humanos de enfermedad de tipo colérico también producen una enterotoxina termolábil.[57]

Hemolisinas. Cierto número de cepas son hemolíticas, según señalamos antes. Se han descubierto dos tipos de hemolisinas.[45, 59] Una, denominada hemolisina α, se halla en el sobrenadante de cultivos líquidos, puede separarse de las células por filtración y es termolábil y mortal para animales de experimentación. La otra, hemolisina β, guarda estrecha asociación con las células. Ambas lisan gran variedad de eritrocitos. Estas hemolisinas no parecen guardar relación con la patogenia de infecciones por cepas hemolíticas.[62]

DIFERENCIACION FISIOLOGICA DE BACILOS COLIFORMES

Estos bacilos se separan en tres grupos, con base en cuatro reacciones bioquímicas, y uno de ellos todavía se fragmenta según datos de motilidad y licuación de gelatina. Las cuatro reacciones bioquímicas son la formación de indol a partir de triptófano, la prueba del rojo de metilo, la reacción de Voges-Proskauer (V-P),[9] y la capacidad de utilizar citrato como fuente única de carbono.

La prueba del rojo de metilo es una determinación de pH de caldo de cultivo de glucosa, después de incubación por dos a cuatro días. Se añade el indicador el cultivo incubado y se dice que la prueba es positiva cuando la acidez acumulada es suficiente para vivir el indicador al rojo, y negativa cuando el indicador permanece amarillo.

La reacción de Voges-Proskauer es una prueba cualitativa de la presencia de acetilmetilcarbinol entre los productos finales de la fermentación de la glucosa (cap. 4). Después de dos a cuatro días de desarrollo en medio acuoso de glucosa-peptona, se añaden 5 ml de una solución de KOH al 10 por 100. Al quedar en presencia de álcali, el acetilmetilcarbinol se oxida a diacetil que a su vez reacciona con algún constituyente de la peptona dando color rosado. Cuando se produce acetilmetilcarbinol, la cepa bacteriana es V-P positiva, y cuando no, es V-P negativa.

Estas cuatro pruebas se citan en orden, con el término mnemotécnico "Imvic" o "IMViC" y se conocen como las reacciones de imvic. Si bien hay 16 combinaciones posibles de estas reacciones, y, de hecho, se han encontrado cepas coliformes que las dan todas, se distinguen tres grupos, según se indica en el cuadro adjunto. El colibacilo clásico, *Escherichia coli*, es + + − −, y el grupo Aerobacter (Cloaca)-Klebsiella es − − + +. Solo se reconoce un grupo intermedio, − + − +; las bacterias de este han sido llamadas *E. freundii* y ahora se denominan *Citrobacter freundii*.[18] Las cepas que muestran esta combinación de reacciones imvic, también son llamadas cepas intermedias o *E. coli intermedium*, que no tiene sitio formal, igual que otras combinaciones designadas como "irregulares". La distribución relativa de estos tipos coliformes se indica en el cuadro adjunto. Se describieron tipos coliformes parecidos a Escherichia, pero bioquímicamente casi inactivos en Japón como "grupo Asakusa", y en Estados Unidos de Norteamérica como "grupo Bartholomew" y "bacterium 1483-59". Estos difieren lo suficiente de Esche-

Porcentaje de distribución de tipos coliformes *

Origen	Coli	Aer.	Int.	Irr.	Total
Leche	28.8	49.5	20.3	1.4	2 224
Agua	51.6	28.6	18.5	1.3	9 496
Suelo	23.8	54.3	18.8	3.1	1 330
Granos	17.9	73.8	7.3	1.0	587
Heces	87.9	5.2	6.8	0.1	3 974

* Según datos de varios autores. En muchos casos, las cepas estudiadas no fueron aisladas al azar; los porcentajes, pues, son relativos, y no puede concedérseles gran importancia.

richia para haberse incluido en un género nuevo, y denominarse *Edwardsiella tarda.*[30]

Hay otras pruebas de actividad bioquímica, útiles para diferenciar los coliformes entre sí y de otros bacilos entéricos. Son la capacidad para desarrollarse en presencia de KCN 1:13 000, desaminación de la fenilalanina a ácido fenilpirúvico, utilización de malonato sódico, y la actividad de descarboxilasa con respecto a arginina, lisina y ornitina.[23] La utilidad de estas pruebas varía de un grupo a otro; por ejemplo, la utilización de malonato sirve para diferenciar dentro del grupo Klebsiella-Aerobacter-Serratia, y las reacciones de descarboxilasa, en los grupos Aerobacter, Proteus y Providence, como en los bacilos entéricos distintos de los coliformes. La utilización de los isómeros de ácido tartárico, empleado en la caracterización de especies de Salmonella antes que se desarrollaran las técnicas de tipificación serológica, ha sido introducida de nuevo[40] y aplicada más ampliamente. El carácter fisiológico de los coliformes ha sido recopilado y resumido.[51]

El grupo Aerobacter o Cloaca, como ya se indicó, se divide en dos partes, Aerobacter (Cloaca) y Klebsiella. El primero se conoce más como *Aerobacter aerogenes,* correspondiendo a *Bact. lactis aerogenes,* de Escherich. Por definición, *A. aerogenes* es móvil y no licua la gelatina, en tanto que Klebsiella no es móvil y la licua lentamente. La combinación de propiedades, representada por *A. aerogenes,* es de hecho muy rara, y la mayor parte de las cepas móviles también licuan la gelatina y son, también por definición, *A. (Cloaca) cloacae,* en la antigua literatura *Bact. Cloacae.* Así, el término *A. aerogenes,* ampliamente usado para cepas coliformes en estudios genéticos y fisiológicos, y en bacteriología del agua (cap. 10), tiende a desaparecer. Se ha sugerido[38] que esta situación se resuelva creando un género Enterobacter, para incluir Aerobacter como dos clases diferenciales, cloacae y aerogenes, dejando Klebsiella para incluir las formas inmóviles.

En resumen, los bacilos coliformes se separan en las siguientes clases: *Escherichia coli, Citrobacter (Escherichia) freundii,* la forma rara *Aerobacter aerogenes, Aerobacter (Cloaca) cloacae,* y *Klebsiella pneumoniae,* el bacilo de Friedländer.

RELACIONES INMUNOLOGICAS DE LOS BACILOS COLIFORMES

La estructura antigénica de los bacilos del colon ha sido en buena parte aclarada, y pueden identificarse en serotipos con alto grado de precisión.[19] Parece haber tres clases de antígenos:

1) Antígenos O termostables, de los cuales se han descrito más de 100; 25 ocurren con bastante frecuencia para ser útiles en el diagnóstico de la mayor parte de cepas coliformes.

2) Antígenos somáticos superficiales, llamados antígenos "de cubierta" o antígenos K. Funcionan como "antígenos bloqueadores" porque su presencia interfiere la aglutinación con antisueros O. Se han descrito tres clases de antígenos K:

   a) Los llamados antígenos L son termolábiles, y las suspensiones bacterianas recuperan su aglutinabilidad O mediante ebullición. Los antisueros L pueden prepararse por absorción de sueros LO con el antígeno homólogo O, o sea bacterias hervidas. Las colonias de cepas que contienen antígenos L son un poco más opacas que las que no los contienen. Se han descrito unos 24 antígenos L.

   b) El componente A del antígeno K se presenta en los bacilos coliformes encapsulados; es un polisacárido específico, y las bacterias que lo contienen dan una reacción Quellung con antisuero. Difiere del antígeno L en que es termostable. Las llamadas variantes N, que carecen del antígeno, se encuentran en zonas translúcidas en los bordes de colonias densas, grandes y relativamente opacas. Se han descrito unos 20 antígenos A.

   c) Un componente antigénico del complejo K, llamado antígeno B, es termolábil, pero difiere del antígeno L en que al calentarlo puede absorber anticuerpos, aunque las suspensiones calentadas no aglutinen en antisuero B monoespecífico. El antígeno B parece ser relativamente raro.

3) Los antígenos H o flagelares de los bacilos coliformes, a menudo poco desarrollados. Se han encontrado unos 22 componentes, de los cuales 20 se usan para fines de identificación.

Kauffmann ha creado una clasificación serológica de bacilos coliformes, basada principalmente en la distribución de los antígenos O, K y H. En general, un 80 por 100 de las cepas con antígenos K contienen antígenos L, el otro 20 por 100 contiene antígeno A o B. Las cepas con antígeno K parecen, en términos generales, ser más tóxicas y resistentes a la fagocitosis y acción bactericida de los anticuerpos y se encuentran con mayor frecuencia en material patológico que en heces.

Algunas de las bacterias coliformes guardan relación inmunológica con otros bacilos grammnegativos, como patógenos de plantas, bacilo de Friedländer, Salmonella, Shigella,[26] y Pseudomonas,[69] en tanto que otros parecen relacionarse con algunos tipos de neumococos.

Se ha hecho la interesante observación[58] de que la mayor parte de los bacilos cólicos albergados por un individuo pueden ser inmunológicamente idénticos, o casi, pero se presentan en sucesión de tipos, predominando cada uno por semanas o meses, y luego siendo substituido por otro tipo o serotipos que pueden persistir largo tiempo. Tales cambios no parecen guardar relación con la respuesta de anticuerpo del huésped.[54] También se ha notado que tipos inmunológicamente idénticos a veces son bioquímicamente distintos.

Poder patógeno para el hombre. Aunque de ordinario constituyendo comensales como parte de la flora intestinal normal, las bacterias coliformes son potencialmente patógenas en cualquier parte del cuerpo, donde pueden producir infecciones piógenas, y algunas cepas son enteropatógenas. Por lo tanto, pueden distinguirse dos tipos generales de enfermedad de etiología coliforme, o sea aquellos en los cuales pueden estar infectados varios tejidos del cuerpo, y la enfermedad diarreica.

Infección piógena. Probablemente las infecciones coliformes más frecuentes de este tipo son infecciones de vías urinarias, y la mayor parte de los casos de cistitis son de etiología coliforme. En tales infecciones, las bacterias suelen existir en la orina en número de 100 000 o más por mililitro; la cifra de 20 000, o menos, se considera que representa contaminación. El colesterol es precipitado por estos microorganismos, y es posible que desempeñen cierto papel en la formación de cálculos biliares cuando está infectada la vesícula. Ambas localizaciones pueden infectarse experimentalmente en animales si se obstruye la uretra o el conducto biliar. Otras infecciones locales, como abscesos y conjuntivitis, son mucho menos frecuentes. *E. coli* raramente produce septicemia, pero puede causarla como invasión en fase agónica de un proceso infeccioso agudo, o poco después de la muerte. En ocasiones, se produce una septicemia hemorrágica en recién nacidos, que se conoce con el nombre de enfermedad de Winckel.

Los gérmenes coliformes pueden ser la flora predominante en la garganta de personas tratadas con antibióticos, y a veces se han culpado de faringitis. Existe la impresión clínica, sin comprobación definitiva, de que infecciones con bacilos gramnegativos, incluyendo coliformes, se han vuelto más frecuentes desde que se emplean en general antibióticos que suprimen la flora grampositiva.

Diarrea coliforme. La enfermedad diarreica puede guardar relación con infección del intestino por ciertas cepas de bacterias coliformes, denominadas cepas enteropatógenas. La acción enteropatógena puede demostrarse experimentalmente infectando un asa ligada de intestino delgado de conejo en la prueba descrita por De, utilizada simplemente como modelo animal de cólera. De y colaboradores [7] han comprobado que tales cepas de bacilos coliformes producirán una salida de líquido hacia la luz del asa ligada, y esto se ha aplicado a las cepas coliformes aisladas de enfermedad diarreica.[64] Se ha sugerido [8] que la enfermedad diarreica coliforme es de dos tipos: infecciones en las cuales las bacterias pueden atravesar al epitelio intestinal para originar una enfermedad similar a la shigelosis, y las infecciones por coliformes enterotoxígenas, en las cuales las diarreas resultan de la actividad de la enterotoxina antes señalada. El estudio de las diarreas coliformes todavía no ha sido suficientemente amplio para valorar esta hipótesis.

Tales enfermedades diarreicas se presentan en lactantes en brotes de instituciones —por ejemplo, en casas de cuna— que pueden asumir proporciones epidémicas. La diarrea infantil de etiología coliforme se acompaña de serotipos [15, 24] de microorganismos, pero un serotipo determinado no es invariablemente patógeno. Dos de ellos se diferenciaron

relativamente pronto y se les han dado diversas denominaciones. Uno ha sido llamado *Bact. coli neapolitanum, E. coli* D433, *E. coli* tipo α, *Bact. coli* Bray o BGT y *E. coli* O grupo 111. El otro es *E. coli* tipo β o *E. coli* O grupo 55. Estos grupos serológicos O, generalmente denominados O55 y O111, son los numerados arbitrariamente por Kauffman, y suministran identificación precisa. *E. coli* O55 guarda relación inmunológica con los bacilos paracólicos patógenos del grupo Arizona, y *E. coli* O111 con el antígeno XXXV de Salmonella.

Actualmente se han relacionado muchos otros serotipos O con enfermedades diarreicas, incluyendo O26, O44, O86, O112, O119, O124, O125, O126, O127 y O128. La recopilación de los datos disponibles ha mostrado que los serotipos, más precisamente definidos por inclusión de antígenos adicionales a menudo asociados con enfermedades diarreicas en Estados Unidos de Norteamérica, son: O55:B5:-;O55:B5:H6; O55:B5;H7; O111:B4-; O111:B4:H2; O111:B4:H12, y O127:B8:-.

La presencia de estos serotipos no se asocia necesariamente a diarrea; o sea que no resultan invariablemente patógenos. En un estudio [61] de niños entre cero y dos años, por ejemplo, la proporción de portadores asintomáticos fue de 5.6 por 100. Entre los infectados, el 41 por 100 no presentaban síntomas, y la proporción aumentaba con la edad.

Los agentes causales de la diarrea del lactante difieren en diversas partes del mundo y generalmente reflejan condiciones económicas y de salud pública. En países atrasados, con elevada mortalidad de lactantes por enfermedades diarreicas, los microbios causales son con mayor frecuencia los bacilos de Flexner y de Shiga de la disentería (cap. 21), causas comunes de disentería en adultos. En países avanzados, los bacilos de disentería, y en proporción considerable Salmonella, son causas menos frecuentes de diarrea de lactantes, substituidos por coliformes.[55] En Estados Unidos de Norteamérica el cuadro es similar, por ejemplo, al observado en Inglaterra [63] y Francia.[44]

Diagnóstico de laboratorio. El de enfermedades diarreicas por coliformes ha sido sistematizado,[56] y comprende serotipificación detallada. La identificación rápida con carácter de probabilidad, de coliformes enteropatógenos en preparaciones de raspados rectales, usando la técnica de fluorescencia de anticuerpos, ha sido estudiada con detalle,[4, 66] y parece muy prometedora. La determinación del poder enteropatógeno mediante la prueba del asa ileal del conejo constituye una técnica de investigación poco práctica para el diagnóstico corriente de laboratorio.

Poder patógeno para animales inferiores. La infección piógena que se produce naturalmente en animales inferiores con bacilos coliformes es rara, aunque se han señalado algunos casos, por ejemplo de mastitis. Esto corresponde al bajo poder patógeno de los coliformes en animales de experimentación inoculados por vía parenteral.

La enfermedad diarreica de etiología coliforme en animales domésticos recién nacidos parece ser más frecuente. La diarrea de las terneras recién nacidas, parece ser una infección coliforme,[32] y la infección coliforme se considera que interviene en la diarrea de potros jóvenes y pichones. Una diarrea de los cerditos, que puede alcanzar proporciones epidémicas, se ha comprobado que es de etiología de bacilo coliforme, y puede producirse experimentalmente en animales intactos [47] en el asa intestinal ligada del cerdo recién nacido.[46] Se ha comprobado, según señalamos antes, que los microorganismos causales eran enterotoxígenos; la toxina sin células es activa en el asa ligada del conejo y del cerdito, aunque el asa del conejo parece ser relativamente resistente a la infección.

Bacilo de Friedländer (Klebsiella pneumoniae)

El microbio descrito por Friedländer como agente causal de la neumonía es, como ya se indicó, inmóvil, y generalmente se encuentra muy encapsulado en las vías respiratorias. Sin embargo, en estas neumonías se presentan cepas movibles y, estrictamente hablando, no se trata de *Klebsiella pneumoniae*, pero la distinción no importa con relación a la enfermedad producida. Eventualmente las cepas son pleomórficas en cultivo. El bacilo de Friedländer es fácil de aislar del esputo en casos de neumonía y se cultiva en agar-sangre. El desarrollo es profuso y denso y las colonias grandes. Para fines prácticos, este tipo de desarrollo y demostración de bacilos gramnegativos gruesos, ovoides, a menudo dispuestos a pares, es suficiente para identificación.

Como ya se indicó, estas bacterias están muy relacionadas con el tipo aerogenes de coliformes. La diferenciación puede ser extraordinariamente difícil,[31] o prácticamente imposible, y carece de importancia para el diagnóstico bacteriológico de neumonía. El examen detallado de las cepas permite diferenciar *K. pneumoniae, K. ozaenae* y *K. rhi-*

noscleromatis; las dos últimas se asocian con un tipo de infección crónica de vías respiratorias altas, junto con otros tipos.[6]

Tipos inmunológicos. Este grupo de bacterias, que incluye formas movibles e inmóviles, tiene tres clases de antígenos, denominados O, A y K, análogos a los de *E. coli*. Las bacterias se tipifican según el antígeno capsular y se han descrito 57 tipos de estos.[12] La substancia capsular es de índole polisacárida, contiene hexosas y ácidos urónicos, y también puede contener ácido pirúvico.[33] La reacción de Quellung no se presenta en antisuero específico, pero hay una reacción de precipitación en la periferia de la cápsula, que hace el borde muy refringente. No parece haber variación en la virulencia, en relación con el tipo capsular.

Patogenicidad. Los microbios de este grupo se asocian con diversas enfermedades de vías respiratorias en el hombre; en la mayor parte de los casos probablemente sean invasores secundarios, como en la nasofaringe de personas con sinusitis o infecciones pulmonares crónicas del tipo de las bronquiectasias.

La neumonía por bacilo de Friedländer constituye 0.5 a 4.0 por 100 de todas las neumonías, pero la mortalidad es alta, de 90 por 100 o más en pacientes no tratados. El microbio tiene mayor tendencia que el neumococo a producir lesiones necróticas, y la infección contrasta con la neumonía neumocócica, pues aunque en etapas muy tempranas es similar, con una zona de difusión de edema infectado alrededor de un área más antigua de exudado denso, al progresar la infección las paredes alveolares se afectan y desintegran, y las áreas múltiples de exudado purulento se tornan necróticas. Así, pues, la expresión anatomopatológica es la necrosis del parénquima pulmonar, con subsecuente cicatrización y fibrosis, acompañadas con frecuencia de formación de abscesos, cavitación y bronquiectasia. Las sulfamidas y antibióticos de amplio espectro son útiles, pero no la penicilina; según algunos autores, lo son más en combinación.

Probablemente la institución temprana de tratamiento antimicrobiano permita una recuperación completa, pero el individuo infectado no suele hospitalizarse hasta el segundo día, y se pierde otro más con tratamiento a base de penicilina. En la

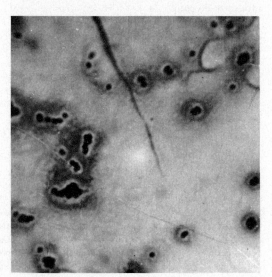

FIG. 19-1. *Klebsiella pneumoniae* (bacilo de Friedländer) en cultivo puro de agar-sangre, mostrando cápsulas. Cristal violeta; × 1 200.

FIG. 19-2. Colonias de bacilo de Friedländer en agar-sangre. Nótense el gran tamaño y el aspecto mucoide. × 3.

infección detenida por fármacos, las áreas afectadas presentan una o más cavidades, revestidas de material necrótico y unidas a bronquios lesionados; la quimioterapia transforma el padecimiento agudo, a menudo mortal, en una infección subaguda o crónica.

A pesar de la quimioterapia, la lesión pulmonar residual requiere con frecuencia drenaje quirúrgico y resección pulmonar ulterior. Durante la operación hay cierta posibilidad de infectar el pulmón contralateral por persistencia del microbio infectante y resistencia a los fármacos.[39, 71]

También se ha asociado Klebsiella con lesiones supurativas en diversas partes del cuerpo, como abscesos hepáticos y meningitis;[65] raramente se ha encontrado en la sangre, con producción de septicemia. También puede haber infección espontánea en animales inferiores, y se han encontrado estas bacterias como agentes causales de infecciones respiratorias epidémicas en ratones, una infección paralítica del alce y metritis de la yegua.

Bacilos paracólicos

Se aplica este término a los bacilos entéricos similares a los del grupo de coli-aerogenes, pero distintos de ellos por fermentar con retraso la lactosa (cinco a 21 días). Con base en las reacciones IMViC, estos gérmenes van desde los coli típicos hasta los aerógenos típicos. Ciertos tipos bioquímicos de bacilos paracólicos se parecen mucho a Salmonella y, especialmente cuando la fermentación de lactosa se retrasa mucho, puede ser difícil identificarlos con cierta rapidez.

El estudio del carácter serológico de algunos de estos microbios, especialmente los que tienen relación serológica evidente con enfermedades entéricas, ha demostrado que, por una parte, se parecen a los bacilos coliformes; por otra, a Salmonella, y comparten algunos componentes antigénicos con ciertos bacilos de la disentería. Otros están más relacionados con Proteus. Esta división en grupos es más una comodidad para fines de estudio que una identificación de diferencias precisas entre ellos. Generalmente se reconocen varios grupos;[10, 67] en el cuadro siguiente se muestra una aproximación de las relaciones entre estos microbios y otros bacilos entéricos, elaborada simplemente prescindiendo de algunas semejanzas menores.

Grupo Bethesda-Ballerup.[68] Los bacilos paracólicos de este grupo se parecen mucho a Salmonella en las características bioquímicas corrientes, exceptuando que de ordinario fermentan lactosa y sacarosa, y a menudo salicina en incubación prolongada. Originalmente fueron considerados dos tipos separados, uno de los cuales se describió como *Salmonella ballerup*, aunque solo se relacionaba inmu-

nológicamente con otros tipos de Salmonella por su contenido de antígeno Vi.

El primero del grupo Bethesda de bacilos paracólicos fue aislado originalmente en Bethesda, Maryland, pero se ha identificado después de manera dispersa en todo Estados Unidos de Norteamérica. Muchas de las cepas Ballerup fermentan tardíamente lactosa, sacarosa, o ambas; ahora se consideran paracólicos y se incluyen en el grupo Bethesda por sus relaciones antigénicas. Se han identificado 32 antígenos de grupo O y 74 H, en diversas combinaciones, de manera que dan tipos serológicos múltiples. Estas bacterias han sido aisladas con cierta frecuencia en enfermedades intestinales, y por lo menos algunas cepas son posibles patógenos. A menudo se encuentran en estudios diagnósticos y no son fácilmente separables de Salmonella por pruebas bioquímicas; los antisueros polivalentes y mixtos facilitan su identificación.

Grupo Arizona.[13, 21] Estas bacterias fueron descritas originalmente como Salmonella de reptiles; solo difieren de estas en que la mayor parte de las cepas fermentan la lactosa en dos semanas. Están estrechamente relacionadas, desde el punto de vista serológico, con Salmonella; muchos antígenos O son idénticos, y los H muy parecidos. Estas bacterias constituyen 76 grupos O, y se han descrito 75 tipos serológicos. Parece definitivamente establecido que este grupo de bacilos paracólicos es patógeno no solo para poiquilotermos, sino también para aves y hombres; en los últimos, por lo menos, produce infecciones tan graves y mortales como las de Salmonella.

Relaciones aproximadas entre los bacilos entéricos

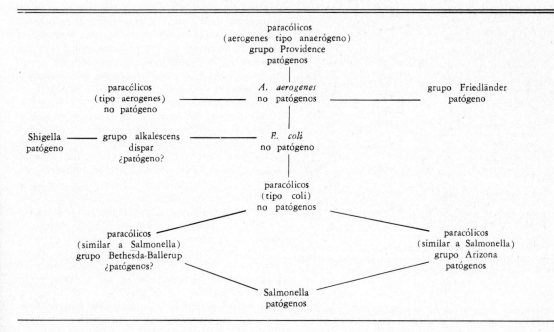

Grupo Providence.[14, 58] Este grupo está compuesto por bacilos paracólicos de tipo aerógeno (citrato-positivos) que son anaerógenos, o sea que producen un poco o nada de gas a partir de glucosa.

Fueron descritos como grupo 29 911, pero ahora se conocen como grupo Providence.* Están muy relacionados con Proteus, de manera que se ha sugerido que se les considere una especie de Proteus, *Pr. inconstans.* Se han encontrado asociados a brotes hospitalarios de diarrea en lactantes, y pueden considerarse como posibles patógenos. Sus características serológicas no están completamente estudiadas, y esto ha dificultado su identificación en padecimientos intestinales.

Proteus [14]

Estos microbios fueron descritos inicialmente por Hauser, como género independiente que incluye tres especies: *Pr. vulgaris, Pr. mirabilis* y *Pr. zenkeri.* Se acepta ahora generalmente que este último no guarda relación estrecha con los miembros típicos del grupo (es grampositivo), y se le coloca en un género separado, como *Kurthia zenkeri.* Según ya se indicó, Proteus queda comprendido en las enterobacteriáceas, y está relacionado con los otros bacilos entéricos, aunque difiere de ellos. Se encuentra con cierta frecuencia en heces normales y a menudo aumenta durante ataques de diarrea causados por otros microbios o inmediatamente después. Es una de las bacterias más comunes en suelos y aguas que contienen desechos de materia orgánica de origen animal y suelen abundar en agua de albañal; probablemente deba identificarse con la "bacteria de putrefacción" o *Bact. termo* de los autores antiguos. Como los patógenos intestinales, no fermenta la lactosa, y se parece a ellos en su desarrollo en medios diferenciales y selectivos. Puede confundirse con Salmonella por su motilidad y formación de gas durante la fermentación de carbohidratos, pero se distingue por su capacidad de hidrolizar la urea.

Morfología y tinción. En general, estas bacterias parecen bacilos rectos o ligeramente curvos, de 1 a 2.5 μ de largo por 0.4 a 0.6 μ de ancho, frecuentemente a pares unidos por sus extremos y en cadenas cortas. Son comunes las formas ovoides, y en cultivos predominan las células curvas, filamentosas. Proteus debe su movilidad activa a flagelos peritricos, y no forma cápsulas ni esporas.

El fenómeno de "swarming" que muestran estos bacilos es consecuencia de tal motilidad activa. En la superficie de medios de agar, las colonias no

* Fueron originalmente descritos y han sido estudiados con mayor amplitud por Stuart y colaboradores, en la Universidad Brown de Providence, Rhode Island.

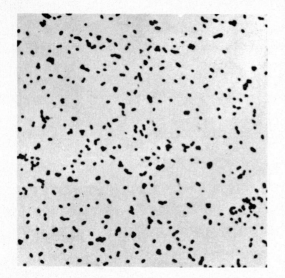

FIG. 19-3. *Proteus vulgaris*. Frotis de un cultivo puro. Nótese la forma cocobacilar. La aparición de células apareadas es resultado de multiplicación activa. Fucsina; $\times$ 1 050.

permanecen compactas y separadas, sino que el desarrollo difunde rápidamente sobre toda la superficie, formando una película delgada, azulada, difícilmente visible. La observación microscópica muestra que los bacilos se desprenden del borde de la zona de desarrollo y emigran o "dispersan" sobre la superficie del medio produciendo la película de desarrollo. Esta propiedad causa muchos inconvenientes para aislar Proteus de otras bacterias en cultivos mixtos; la inclusión de acida de sodio al 0.01 por 100 inhibe el desarrollo de estos y otros bacilos gramnegativos, pero permite el de estreptococos.

Estos bacilos se tiñen fácilmente con los colorantes comunes de anilina y son gramnegativos.

Fisiología. Las necesidades nutritivas de Proteus son sencillas, y los bacilos crecen fácilmente en los medios ordinarios de laboratorio. Pueden ser cultivados en soluciones sintéticas que contengan lactato de amonio, pero debe añadirse ácido nicotínico. La temperatura óptima de desarrollo es de 30° a 37°C, aunque es satisfactorio a 20°C. Son anaerobios facultativos, pero el desarrollo en anaerobiosis suele ser escaso.

Licuan la gelatina más o menos rápidamente, a menudo con formación de colonias características con filamentos radiales, que se extienden a grandes distancias en el medio circundante. Las colonias típicas de Proteus se forman mejor cuando la gelatina es blanda, como sucede al mantenerla a temperatura no muy abajo del punto de fusión, o cuando la gelatina está al 5 y no al 10 por 100. La glucosa es fermentada, con producción de ácido y gas; algunas cepas fermentan sacarosa y maltosa; *Pr. vulgaris* típico nunca fermenta lactosa, rafinosa ni manitol. La reacción de Voges-Proskauer es negativa y la prueba del rojo de metilo es positiva.

Reducen los nitratos. Tornan al principio la leche ligeramente ácida, y luego la cuajan con reacción alcalina (en unos tres días), y queda más o menos lentamente peptonizada. Aunque algunas especies de Proteus, distintas de *Pr. morgani*, son proteolíticas activas es evidente que no participan en forma importante en la descomposición anaerobia de proteínas o putrefacción, como se supuso en un tiempo. En condiciones aerobias, la proteólisis es rápida, p. ej., la proteólisis sin putrefacción.

Actualmente las bacterias incluidas en el género Proteus se clasifican estrictamente por su bioquímica.[29] Como ya se indicó, el grupo se distingue por su capacidad de hidrolizar la urea. Se han identificado cuatro especies: *Pr. vulgaris*, *Pr. mirabilis*, *Pr. rettgeri* y *pr. morgani;* este último se conoce en la literatura antigua como bacilo de Morgan (véase luego). Se distinguen entre sí por la fermentación de manitol, maltosa y sacarosa, y la formación de indol.

Estructura antigénica. Proteus contiene antígenos H y O, cuando es móvil, y las cepas inmóviles solo contienen antígeno O. Se han observado tres tipos de colonias,[1] y el análisis de los antígenos O y H ha permitido identificar 18 grupos O en 44 cepas, con recurrencias y cruzamientos de antígenos H, y ciertos indicios de variación de fase.[2] Se ha comprobado que las ureasas de *Pr. vulgaris*, *Pr. mirabilis* y *Pr. rettgeri* serológicamente no podían distinguirse entre sí, pero la de *Pr. morgani* es antigénicamente distinta.[36]

Ciertas cepas son aglutinadas por el suero de pacientes con tifus. Las llamadas cepas X contienen un antígeno común a las rickettsias del tifus, y la aglutinación de estas (la reacción de Weil-Felix) es de valor diagnóstico en dicha enfermedad. En las cepas de Proteus, el antígeno es parte del O, y su especificidad depende de un hapteno, un carbohidrato álcali estable que también se encuentra en *Rickettsia prowazeki*. Las cepas X suelen fermentar la maltosa.

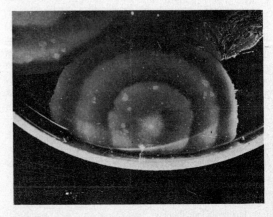

FIG. 19-4. Colonia de *Proteus vulgaris* en agar-sangre. Nótese la dispersión como ondas sucesivas de desarrollo (Dack).

Patogenicidad. Proteus, en cultivos puros o mixtos se ha encontrado asociado con diversas enfermedades. Entre ellas se cuentan infecciones de ojo y oído, pleuritis y peritonitis, así como abscesos en muchas partes del cuerpo. Como causa de cistitis y pielonefritis, viene inmediatamente después de *E. coli*. En infecciones experimentales de riñón de ratón, se ha comprobado que Proteus era mucho más virulento que Pseudomonas o Escherichia.[34] Hay pruebas [3] de que la ureasa de Proteus es nefrotóxica, favoreciendo la infección intracelular del epitelio tubular, y creando alcalinidad en el riñón, que provoca necrosis del epitelio tubular con precipitación de $MgHPO_4$ y formación de cálculos. Además de su patogenicidad independiente, se asocia con mucha frecuencia a otros microbios en heridas purulentas de guerra y enfermedades similares.

En ciertas afecciones de vías digestivas con frecuencia Proteus es el agente causal. En diarreas, especialmente de lactantes, a menudo se ha encontrado, y muchos autores lo consideran causa de estas diarreas. Pero la relación real de Proteus con infección intestinal, aún es obscura. Se le han atribuido ciertas intoxicaciones por alimentos.

La inoculación de animales muestra que hay grandes variaciones en la virulencia de cultivos de Proteus. Las cepas recién aisladas de lesiones, pueden provocarlas, en forma de abscesos, esplenomegalia y diarreas. El agente causal de la enfermedad de enrojecimiento de las patas de ranas, úlcera de truchas de río, y úlcera roja, se ha identificado como un bacilo muy similar a los del grupo Proteus, clasificado como *Pr. hydrophilus*,[43, 50] que no debe confundirse con especies de Aeromonas, causa de enfermedades semejantes en poiquilotermos. El material celular de estas bacterias es tóxico inyectado por vía parenteral; en el caso de las formas entéricas, parece ser un glucolípido. No hay diferencia evidente de toxicidad entre cepas de orígenes patógeno y no patógeno.

Bacilo de Morgan. Fue aislado por este autor en 1906 de heces de lactantes afectados por diarrea de verano. Aunque se denominó originalmente Morgan número 1, las otras variedades de bacilo de Morgan han perdido interés, de manera que se aplica el nombre de bacilo de Morgan al número 1. Guarda relación estrecha con el grupo Proteus y se clasifica como *Pr. morgani*. Parece tener relación con muchos brotes de diarrea de verano en lactantes, y se ha aislado en fiebres de tipo de paratifoidea. También se ha demostrado que provoca epidemias espontáneas de enteritis en el ratón. Inyectándoselo por vía intraperitoneal produce una infección rápidamente mortal.

BIBLIOGRAFIA

1. Belyavin, G. 1951. Cultural and serological phases of *Proteus vulgaris*. J. Gen. Microbiol. 5:197–207.
2. Belyavin, G., E. M. Miles, and A. A. Miles. 1951. The serology of fifty strains of *Proteus vulgaris*. J. Gen. Microbiol. 5:178–196.
3. Braude, A. I., and J. Siemienski. 1960. Role of bacterial urease in experimental pyelonephritis. J. Bacteriol. 80:171–179.
4. Cherry, W. B., *et al.* 1961. Rapid presumptive identification of enteropathogenic *Escherichia coli* in faecal smears by means of fluorescent antibody. 3. Field evaluation. Bull. Wld. Hlth. Org. 25:159–171.
5. Cowan, S. T. 1956. Taxonomic rank of Enterobacteriaceae 'groups.' J. Gen. Microbiol. 15:345–358.
6. Cowan, S. T., *et al.* 1960. J. Gen. Microbiol. 23:601–612.
7. De, S. N., K. Bhattacharya, and J. K. Sarkar. 1956. A study of the pathogenicity of strains of *Bacterium coli* from acute and chronic enteritis. J. Pathol. Bacteriol. 71:201–209.
8. DuPont, H. L., *et al.* 1971. Pathogenesis of *Escherichia coli* diarrhea. New Eng. J. Med. 285:1–9.
9. Eddy, B. P. 1961. The Voges-Proskauer reaction and its significance: A review. J. Appl. Bacteriol. 24:27–41.
10. Edwards, P. R., and W. H. Ewing. 1952. Status of serologic typing in the family Enterobacteriaceae. Amer. J. Pub. Hlth. 42:665–671.
11. Edwards, P. R., and W. H. Ewing. 1962. Identification of Enterobacteriaceae. 2nd ed. Burgess, Minneapolis, Minn.
12. Edwards, P. R., and M. A. Fife. 1955. Studies on the *Klebsiella-aerobacter* group of bacteria. J. Bacteriol. 70:382–390.
13. Edwards, P. R., M. A. Fife, and W. H. Ewing. 1965. Antigenic schema for the genus *Arizona*. U.S. Public Health Service, Center for Disease Control, Atlanta, Ga.
14. Ewing, W. H. 1958. The nomenclature and taxonomy of the Proteus and Providence groups. Int. Bull. Bacteriol. Nomen. Taxonom. 8:17–23.
15. Ewing, W. H. 1963. Isolation and identification of *Escherichia coli* serotypes associated with diarrheal disease. U.S. Public Health Service, Center for Disease Control, Atlanta, Ga.
16. Ewing, W. H. 1963. An outline of nomenclature for the family Enterobacteriaceae. Int. Bull. Bacteriol. Nomen. Taxonom. 13:95–110.
17. Ewing, W. H. 1968. Differentiation of Enterobacteriaceae by biochemical reactions. U.S. Public Health Service, Center for Disease Control, Atlanta, Ga.
18. Ewing, W. H. 1971. Biochemical characterization. *Citrobacter freundii* and *Citrobacter diversus* U.S. Public Health Service, Center for Disease Control, Atlanta, Ga.
19. Ewing, W. H., and B. R. Davis. 1961. The O antigen groups of *Escherichia coli* cultures from various sources. U.S. Public Health Service, Center for Disease Control, Atlanta, Ga.
20. Ewing, W. H., and P. R. Edwards. 1960. The principal divisions and groups of Enterobacteriaceae and their differentiation. Int. Bull. Bacteriol. Nomen. Taxonom. 10:1–12.
21. Ewing, W. H., and M. A. Fife. 1966. A summary of the biochemical reactions of *Arizona arizonae*. Int. J. Syst. Bacteriol. 16:427–433.
22. Ewing, W. H., and J. G. Johnson. 1960. The differentiation of Aeromonas and C27 cultures from Enterobacteriaceae. Int. Bull. Bacteriol. Nomen. Taxonom. 10:223–230.
23. Ewing, W. H., B. R. Davis, and P. R. Edwards. 1960. The decarboxylase reactions of Enterobacteriaceae and their value in taxonomy. Pub. Hlth. Lab. 18:77–83.
24. Ewing, W. H., B. R. Davis, and T. S. Montague. 1963. Studies on the occurrence of *Escherichia coli* serotypes associated with diarrheal disease. U.S. Public Health Service, Center for Disease Control, Atlanta, Ga.
25. Ewing, W. H., B. R. Davis, and R. W. Reavis. 1959. Studies on the Serratia group. U.S. Public Health Service, Center for Disease Control, Atlanta, Ga.
26. Ewing, W. H., M. C. Hucks, and M. W. Taylor. 1952. Interrelationship of certain Shigella and Escherichia cultures. J. Bacteriol. 63:319–325.
27. Ewing, W. H., R. Hugh, and J. G. Johnson. 1961. Studies on the Aeromonas group. U.S. Public Health Service, Center for Disease Control, Atlanta, Ga.
28. Ewing, W. H., J. G. Johnson, and B. R. Davis. 1962. The occurrence of *Serratia marcescens* in nosocomial infections. U.S. Public Health Service, Center for Disease Control, Atlanta, Ga.

29. Ewing, W. H., I. Suassuna, and I. R. Suassuna. 1960. The biochemical reactions of members of the genus Proteus. U.S. Public Health Service, Center for Disease Control, Atlanta, Ga.

30. Ewing, W. H., et al. 1965. Edwardsiella, a new genus of Enterobacteriaceae based on a new species, E. tarda. Int. Bull. Bacteriol. Nomen. Taxonom. 15:33–38.

31. Fife, M. A., W. H. Ewing, and B. R. Davis. 1965. The biochemical reactions of the tribe Klebsielleae. U.S. Public Health Service, Center for Disease Control, Atlanta, Ga.

32. Gay, E. E. 1965. Escherichia coli and neonatal disease of calves. Bacteriol. Rev. 29:75–101.

33. Gormus, B. J., and R. W. Wheat. 1971. Polysaccharides of type 6 Klebsiella. J. Bacteriol. 108:1304–1309.

34. Gorrill, R. H. 1965. The fate of Pseudomonas aeruginosa, Proteus mirabilis and Escherichia coli in the mouse kidney. J. Pathol. Bacteriol. 89:81–88.

35. Graevenitz, A. von, and A. H. Mensch. 1968. The genus Aeromonas in human bacteriology. Report of 30 cases and review of the literature. New Eng. J. Med. 278:545–549.

36. Guo, M. M. S., and P. V. Liu. 1965. Serological specificities of ureases of Proteus species. J. Gen. Microbiol. 38:417–422.

37. Gyles, C. L., and D. A. Barnum. 1969. A heat-labile enterotoxin from strains of Escherichia coli enteropathogenic for pigs. J. Infect. Dis. 120:419–426.

38. Hormaeche, E., and P. R. Edwards. 1960. A proposed genus Enterobacter. Int. Bull. Bacteriol. Nomen. Taxonom. 10:71–74.

39. Jervey, L. P., and M. Hamburger. 1957. The treatment of acute Friedländer's bacillus pneumonia. A continuing problem. Arch. Intern. Med. 99:1–7.

40. Kaufmann, F., and A. Petersen. 1956. The biochemical group and type differentiation of Enterobacteriaceae by organic acids. Acta Pathol. Microbiol. Scand. 38:481–491.

41. Kauffmann, F., P. R. Edwards, and W. H. Ewing. 1956. The principles of group differentiation with the Enterobacteriaceae by chemical methods. Int. Bull. Bacteriol. Nomen. Taxonom. 6:29–33.

42. Kessel, R. W. I., E. Neter, and W. Braun. 1966. Biological activities of the common antigen of the Enterobacteriaceae. J. Bacteriol. 91:465–466.

43. Kulp, W. L., and D. G. Borden. 1942. Further studies on Proteus hydrophilus, the etiological agent in "red leg" disease of frogs. J. Bacteriol. 44:673–685.

44. Le Minor, S., N. P. Le Minor, and R. Buttiaux. 1954. Études sur les Escherichia coli isolés au cours des gastro-entérites infantiles. I. Propriétés biochimiques et antigéniques. Ann. Inst. Pasteur 86:204–226.

45. McGeachie, J. 1966. Hemolysis of urinary Escherichia coli. Amer. J. Clin. Pathol. 45:222–224.

46. Moon, H. W., D. K. Sorenson, and J. H. Sautter. 1966. Escherichia coli infection of the ligated intestinal loop of the newborn pig. Amer. J. Vet. Res. 27:1317–1325.

47. Moon, H. W., D. K. Sorenson, and J. H. Sautter. 1968. Experimental enteric colibacillosis in piglets. Can. J. Comp. Med. 32: 493–497.

48. Moon, H. W., S. C. Whipp, and A. L. Baetz. 1971. Comparative effects of enterotoxins from Escherichia coli and Vibrio cholerae on rabbit and swine small intestine. Lab. Invest. 25:133–140.

49. Moon, H. W., et al. 1970. Response of the rabbit ileal loop to cell-free products from Escherichia coli enteropathogenic for swine. J. Infect. Dis. 121:182–187.

50. Reed, G. B., and G. C. Toner. 1942. Proteus hydrophilus infections of pike, trout and frogs. Can. J. Res. Sec. C, 20:161–166.

51. Report. 1958. Report of the Enterobacteriaceae Subcommittee of the Nomenclature Committee of the International Association of Microbiological Societies. Int. Bull. Bacteriol. Nomen. Taxonom. 8:25–70.

52. Report. 1963. Report of the Subcommittee on Taxonomy of the Enterobacteriaceae. Int. Bull. Bacteriol. Nomen. Taxonom. 13:69–93.

53. Richard, C. 1966. Caractères biochimiques des biotypes de Providencia; leurs rapports avec le genre Rettgerella. Ann. Inst. Pasteur 110:105–114.

54. Robinet, H. G. 1962. Relationship of host antibody to fluctuations of Escherichia coli serotypes in the human intestine. J. Bacteriol. 84:896–901.

55. Rodriguez-Leiva, M. 1960. Escherichia coli studies. VII. Incidence of enteropathogenic Escherichia coli in the acute diarrhea of infants in Santiago, Chile. Amer. J. Hyg. 72:162–168.

56. Rogers, K. B., and J. Taylor. 1961. Laboratory diagnosis of gastro-enteritis due to Escherichia coli. Bull. Wld. Hlth. Org. 24:59–72.

57. Sack, R. B., et al. 1971. Enterotoxigenic Escherichia coli isolated from patients with severe cholera-like disease. J. Infect. Dis. 123:378–385.

58. Sears, H. J., et al. 1956. Persistence of individual strains of Escherichia coli in man and dog under varying conditions. J. Bacteriol. 71:370–372.

59. Smith, H. W. 1963. The haemolysins of Escherichia coli. J. Pathol. Bacteriol. 85:197–211.

60. Smith, H. W., and S. Halls. 1967. Studies on Escherichia coli enterotoxin. J. Pathol. Bacteriol. 93:531–543.

61. Solomon, P., L. Weinstein, and S. M. Joress. 1961. Studies of the incidence of carriers of enteropathogenic Escherichia coli in a pediatric population. J. Pediat. 58:716–721.

62. Snyder, I. S., and N. A. Koch. 1966. Production and characteristics of hemolysins of Escherichia coli. J. Bacteriol. 91:763–767.

63. Taylor, J. 1960. The diarrhoeal diseases in England and Wales with special reference to those caused by Salmonella, Escherichia and Shigella. Bull. Wld. Hlth. Org. 23:763–779.

64. Taylor, J., M. P. Wilkins, and J. M. Payne. 1961. Relation of rabbit gut reaction to enteropathogenic Escherichia coli. Brit. J. Exp. Pathol. 42:43–52.

65. Thompson, A. J., et al. 1952. Klebsiella pneumoniae meningitis. Review of the literature and report of a case with bacteremia and pneumonia, with recovery. Arch. Intern. Med. 89:405–420.

66. Thomason, B. M., et al. 1961. Rapid presumptive identification of enteropathogenic Escherichia coli in faecal smears by means of fluorescent antibody. I. Preparation and testing of reagents. II. Use of various types of swabs for collection and preservation of faecal specimens. Bull. Wld. Hlth. Org. 25:137–152, 153–158.

67. Traub, W. H., E. A. Raymond, and J. Linehan. 1970. Identification of Enterobacteriaceae in the clinical microbiology laboratory. Appl. Microbiol. 20:303–308.

68. West, M. G., and P. R. Edwards. 1954. The Bethesda-Ballerup group of paracolon bacteria. U.S. Public Health Service, Center for Disease Control, Atlanta, Ga.

69. Wiedermann, G., and H. Flamm. 1961. Antigengemeinschaft zwischen Pseudomonas und Escherichia. Zentralbl. Bakteriol. I abt., Orig. 182:67–70.

70. Wilfert, J. N., F. F. Barrett, and E. H. Kass. 1968. Bacteremia due to Serratia marcescens. New Eng. J. Med. 279:286–289.

71. Wylie, R. H., and P. A. Korschner. 1950. Friedländer's pneumonia. Amer. Rev. Tuberc. 61:465–473.

CAPITULO 20

BACILOS ENTERICOS

Grupo Salmonella

Los bacilos entéricos comprenden el gran grupo Salmonella, todos patógenos en mayor o menor grado, y el bacilo de la tifoidea, los de la paratifoidea y gran variedad de formas cuyos huéspedes naturales son animales inferiores, especialmente roedores y aves.

La naturaleza infecciosa de la fiebre tifoidea fue descrita por William Budd en 1856; este autor, con base en datos epidemiológicos sugirió que el padecimiento era transmitido por agua contaminada con desechos, y que la fuente del agente infeccioso eran las heces humanas. El bacilo de la tifoidea fue identificado por Eberth en 1880 en los ganglios mesentéricos y el bazo de personas muertas de fiebre tifoidea; fue cultivado por Gaffky en 1884.

El patógeno de roedores, *Salmonella enteritidis*, fue descrito en 1888 por Gärtner, quien lo aisló de reses infectadas, responsables de un brote de gastroenteritis; en la literatura antigua este microorganismo se conocía como bacilo de Gärtner.

Durante muchos años fueron relativamente pocas las clases de microbios que constituían el "grupo tifoidea-paratifoidea" y solo se consideraban los diferenciables por reacciones de cultivo. Con el desarrollo de las técnicas de análisis antigénico, y su aplicación a estos microbios en la década de 1920, se describieron, y aún se siguen describiendo, muchos cientos de tipos serológicamente diferenciables, que constituyen actualmente el grupo Salmonella.[35]

Morfología y tinción. Son bacilos gramnegativos, muy parecidos a las bacterias coliformes. Se tiñen fácilmente con los colorantes ordinarios, como azul de metileno y fenol-fucsina. El examen microscópico no demuestra una disposición particular de las células. Todas las especies, exceptuando *Sal. pullorum* y *Sal. gallinarum*, tienen motilidad activa, mediante flagelos peritricos. No forman cápsulas ni esporas.

Fisiología. Las bacterias de este grupo tienen necesidades nutritivas simples, desarrollándose con facilidad en los medios comunes. En medios sintéticos, una sal de amonio y glucosa, piruvato, lactato, etc., son fuentes adecuadas de nitrógeno y carbono. La gran mayoría de cepas no requieren vitaminas bacterianas ni aminoácidos, pero algunas cepas de bacilos de la tifoidea sí requieren la adición de triptófano. La temperatura óptima es de 37°C, pero hay desarrollo considerable a temperatura del laboratorio. Son anaerobios facultativos, desarrollándose igualmente en condiciones aerobias o anaerobias; algunas especies desarrollan tendencia reductora relativamente enérgica.

El grupo se caracteriza bioquímicamente por no fermentar lactosa ni salicina, y por no licuar gelatina ni producir indol. Sin embargo, estas dos últimas características tienen excepciones: *Sal. eastbourne* y algunas cepas de *Sal. enteritidis* y *Sal. panama* producen indol, y *Sal. daressalaam* licua la gelatina. La fermentación de azúcares generalmente se acompaña de producción de gas, aunque se han descrito cepas anaerógenas de *Sal. enteritidis*, *Sal. typhimurium* y *Sal. paratyphi* C. La fermentación de azúcares sin producción de gases es una característica de *Sal. typhi*

Para caracterizar fisiológicamente las bacterias de este grupo [17] han sido útiles gran variedad de reacciones de cultivo, no solo las fermentaciones usuales de azúcares, formación de indol a partir de triptófano, etc., sino también diversas pruebas especializadas, como utilización de ácidos tartárico y malonato, actividad de descarboxilasa de aminoácidos, etc.

Toxinas. Como los demás bacilos entéricos, Salmonella no forma exotoxinas, pero contiene endotoxinas, que son complejos polisacárido-polipéptido-lípido que pueden extraerse de las células intactas con ácido tricloracético o glicoles, y salen como lipopolisacáridos tóxicos en fenol al 50 por 100. Parecen estar principalmente en la membrana de la bacteria. Estas endotoxinas, junto con las de los bacilos coliformes, han sido tomadas como prototipos, y la mayor parte de la información disponible sobre endotoxinas (capítulo 8) deriva de ellas.

La toxicidad es inespecífica, en el sentido de que las endotoxinas de cualquier origen producen las mismas reacciones inoculadas por vía parenteral. Las respuestas más evidentes son fiebre y alteraciones de

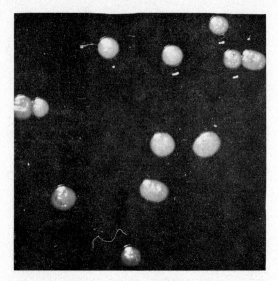

FIG. 20-1. Colonias de *Salmonella typhimurium (aertryke)* sobre agar nutritivo. Cultivo de 24 horas. $\times$ 3.

la permeabilidad capilar; la primera probablemente contribuya a los síntomas del padecimiento. Las endotoxinas son antigénicas, estimulando la formación de anticuerpos aglutinantes, precipitantes y protectores, pero de actividad antitóxica baja. La especificidad es la del polisacárido que contienen, y, evidentemente, las endotoxinas son idénticas a los complejos antigénicos somáticos termostables de las bacterias.[43]

Se ha encontrado otra substancia tóxica, extraída con alcohol y llamada substancia Q, en los bacilos de la tifoidea y otros entéricos, pero su relación con la endotoxina aún es obscura.

Diferenciación inmunológica. Como ya se indicó, las técnicas de análisis antigénico han sido desarrolladas en el estudio del grupo Salmonella, y la composición antigénica de estas bacterias es quizá mejor conocida que la de ningún otro grupo bacteriano. Muchos miembros de este grupo son inmunológicamente complejos, quizá porque realmente lo sean, o solo porque se conocen mejor al respecto que otras bacterias.

Antígenos flagenar y somático. Hay dos tipos de antígenos en las bacterias del grupo Salmonella, uno asociado con la substancia celular y otro con los flagelos. Fueron descritos por Smith y Reagh en 1903; el primero fue denominado antígeno somático, el segundo antígeno flagelar. Después, los observaron Weil y Felix, quienes los llamaron respectivamente antígenos O y H. Los O fueron arbitrariamente designados por números romanos.

Estos dos tipos de antígenos, cada uno de los cuales puede estar, y frecuentemente está, representado en una sola cepa bacteriana por más de un componente, difieren entre sí en varios aspectos. El antígeno flagelar es el más inestable; es destruido por ebullición y exposición al alcohol o ácido

débil; el antígeno somático resiste la ebullición, el alcohol y los ácidos. El antígeno somático tipo puede prepararse en cantidad para fines de inmunización, calentado a 100°C, y luego tratando con alcohol y desecando con acetona.[16] Los cultivos en agar-fenol (0.1 por 100) de bacterias que contienen normalmente antígenos H y O solo contienen antígenos O; la formación de antígeno flagelar ha sido suprimida; el H reaparece inmediatamente al cultivar en agar nutritivo. En la reacción de aglutinación, las bacterias que carecen de antígenos flagelares precipitan de manera característica, finamente granular (aglutinación O), en tanto que las bacterias que contienen antígenos flagelares se aglutinan formando un precipitado floculento y grueso (aglutinación H).

El título de aglutinación H y O de un antisuero puede determinarse usando estos antígenos en la prueba de aglutinación. El H se prepara comúnmente añadiendo un volumen igual de formol (0.6 por 100) salino a caldo de cultivo de 18 a 24 horas. En la preparación del antígeno somático se destruye el componente flagelar por tratamiento con alcohol; el desarrollo en cultivo de agar de 18 a 24 horas se emulsiona en 1 a 2 ml de alcohol absoluto, calentando a 60°C durante una hora, y se centrifuga y se suspende el sedimento en 0.5 a 1 ml de solución salina. Puede usarse para aglutinación en laminilla o apropiadamente diluido para titulaciones macroscópicas de aglutinina.

Estos dos tipos de antígeno son inmunológicamente independientes; la inmunización de un animal con un microbio que contiene ambos antígenos provoca la formación de anticuerpos para ellos. Sin embargo, hay grandes diferencias en título, ya que el de anticuerpo O suele ser mucho menor que el de anticuerpo H.

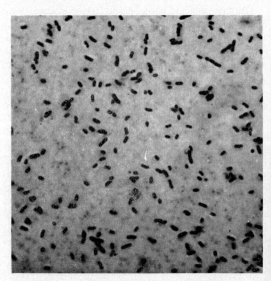

FIG. 20-2. *Salmonella typhi.* Frotis de un cultivo puro cepa Sommersby. Nótese la variación en tamaño de formas cocoides a bacilares. Fucsina; $\times$ 1 050.

Antígenos flagelares específicos y no específicos. El antígeno flagelar es, a su vez, de naturaleza dual. Un tipo, llamado antígeno flagelar específico, es peculiar y contribuye en proporción no pequeña a la identidad inmunológica de una especie dada de Salmonella. El otro, llamado antígeno flagelar inespecífico, está compuesto por un número limitado de componentes, frecuentemente compartidos con las diversas Salmonella, de ahí que contribuya a las relaciones inmunológicas entre las especies de estas bacterias. Los antígenos flagelares específicos se denominan arbitrariamente con las últimas letras del alfabeto (la elección fue desafortunada ya que los antígenos más recientemente descritos se denominan Z_1, Z_2, Z_3, etc.), y los inespecíficos con números arábigos. Las cepas que contienen ambas clases de antígenos H se llaman difásicas, y las que contienen solo una, monofásicas.

Antígenos Vi. Un antígeno somático muy parecido al complejo antigénico O, denominado antígeno Vi, se presenta en *Sal. typhi, Sal. paratyphi A, Sal. paratyphi C,* y cepas Ballerup de bacilos paracólicos.[3] Se parece a los antígenos O en que se presenta en la substancia celular de los microbios y puede extraerse con ácido tricloracético, pero es más sensible al calor en presencia de agua, y al tratamiento con álcali diluido. Se descubre prácticamente en todas las cepas de bacilo de la tifoidea aisladas primariamente, pero solo en algunas de para A y para C, y tiene la misma especificidad inmunológica en todos los microbios en que se presenta. Fue denominado antígeno Vi, o "antígeno de virulencia" porque se supuso relacionado con esta y porque el anticuerpo para él es de carácter protector.[21]

Estructura antigénica. Los componentes de los mosaicos antigénicos somático y flagelar de las bacterias de este grupo han sido estudiados detalladamente aplicando los métodos de análisis antigénico, o sea las absorción recíproca de aglutinina. Cada uno de los tipos serológicos de Salmonella puede definirse en términos inmunológicos con fórmulas antigénicas, algunas de las cuales se indican en el cuadro adjunto.

Esta ordenación se conoce como esquema de Kaufmann-White.[33] Hay cierta asociación entre las entidades antigénicas, ya que tienden a aparecer en

Grupos de antígenos O

Grupo A	1, 2, 12
Grupo B	(1), 4, (10), 12
Grupo C_1	6, 7
Grupo C_2	6, 8
Grupo D	(1), 9, 12
Grupo E_1	3, 10
Grupo E_2	3, 10
Grupo E_3	3, 19
Grupo F	11
Grupo G	(1), 13, 23
Grupo H	(1), 6, 14, 25
Grupo I	16

combinaciones recurrentes, y esto sugiere que ciertas actividades, inmunológicamente separables, por ejemplo, absorción de anticuerpos, pueden estar muy unidas, o representar especificidades diferentes contenidas en la misma molécula de antígeno. Incluso con estas asociaciones para limitar las combinaciones posibles de antígeno en la misma bacteria, cabe un gran número de serotipos. Continuamente se están describiendo nuevos, y de tiempo en tiempo se agregan datos importantes. La combinación de antígenos, o sea de serotipos, puede producirse en el laboratorio (véase luego), y su presencia natural es quizá consecuencia de conjugación y transducción, así como de variaciones perdidas. De cualquier manera, la relativa fluidez de las estructuras antigénicas provoca cierto escepticismo en cuanto al estado de los serotipos en la clasificación (véase luego), aun cuando son muy útiles en la práctica.[65]

Tales estructuras antigénicas tienen una precisión ilusoria, puesto que también se encuentran los otros componentes antigénicos, solo que no se tienen presentes para fines prácticos, y también porque un solo antígeno, denominado con un símbolo, puede en realidad ser un complejo, con pequeñas variaciones, como ocurre en diferentes microbios. Estas diferencias, como las semejanzas, son demostrables en antígeno O, que tiene especificidades de polisacáridos como diferencias químicas,[43] y también en algunos antígenos flagelares.

Tipificación de Salmonella. La identificación parcial o completa de estos serotipos se logra con anticuerpo apropiado; los antisueros monoespecíficos pueden prepararse por absorción, para que contengan anticuerpo para un solo componente antigénico. La identificación serológica de las cepas de Salmonella así realizada, se conoce como tipificación de Salmonella.

El antígeno somático constituye la base de la separación primaria de estos serotipos en el grupo. En total, hay 13 de estos grupos, los dos primeros constituidos por serotipos con antígenos O comunes e identificables; el último, por los serotipos que no se ajustan en los demás.

Así, pues, es un problema relativamente sencillo incluir una cepa en uno u otro de estos grupos, mediante el uso de antisueros apropiados, y la iden-

Fórmulas antigénicas representativas

Grupo O	Especie	Fórmula antigénica
D	*Sal. typhi*	9, 12, (Vi) : d : —
A	*Sal. paratyphi A*	1, 2, 12 : a : —
B	*Sal. paratyphi B*	1, 4, 5, 12 b : 1, 2
C_1	*Sal. paratyphi C*	6, 7 (Vi) : c : 1,5
C_1	*Sal. cholerae-suis*	6, 7 : c : 1, 5
B	*Sal. typhimurium*	1, 4, 5, 12 : i : 1,2
D	*Sal. enteritidis*	1, 9, 12 : g, m : —

tificación puede precisarse considerablemente más, con relativamente pocos antisueros, para los antígenos H. Los antígenos usados para preparar los antisueros comunes en la tipificación se indican en el cuadro adjunto. El análisis completo de la estructura antigénica de una cepa, o la identificación de una pequeña parte de los gérmenes aislados que quedan fuera de estos grupos somáticos comunes, constituyen una técnica especializada.

Cerca del 98 por 100 de las cepas de Salmonella aisladas quedan en los primeros ocho grupos, A a E₃ inclusive, y los antígenos identificantes de estos grupos se indican arriba, en tanto que los antígenos que están en unos, pero no en todos los serotipos o cepas del grupo, se muestran entre paréntesis.

Clasificación. El grupo Salmonella es relativamente homogéneo, ya que sus componentes se parecen entre sí, más que a otros bacilos entéricos, aunque los grupos Arizona y Bethesda-Ballerup de bacilos paracólicos son "similares a Salmonella", y constituyen la unión entre Salmonella y bacilos coliformes. Es poco más que una definición arbitraria determinar si un grupo de Salmonella debe hacerse mayor y complejo por inclusión en él, por ejemplo, del grupo Arizona de bacilos paracólicos.

La nomenclatura dentro del grupo es otra cosa. Ciertos tipos bien establecidos, diferenciados por métodos fisiológicos antes de aplicar el análisis antigénico, como los que se identifican según fórmulas antigénicas representativas tienen nombres como *Sal. typhi* y *Sal. enteritidis*. Como se han descrito serotipos nuevos, se ha hecho costumbre darles nombres del lugar e implicar el estado de la especie, por ejemplo, *Sal. newport*, *Sal. montevideo*, *Sal. panama*, etc. Una alternativa en el uso de muchos de estos nombres es darles uno solo, como *Sal. enterica*, ulteriormente identificada por grupo o fórmula antigénica. Esto no ha encontrado aceptación general y la multiplicidad de serotipos continúa siendo conocida por gran variedad de nombres. El uso de estos nombres no debe tomarse como indicador de que los serotipos sean especies en el sentido de Linneo.

Variación. Probablemente porque la estructura antigénica del grupo Salmonella se conoce en detalle, pueden diferenciarse tres tipos generales de variación. Uno es un tipo de fluctuación, inmunológica completamente irreversible, conocida como variación de fase; la segunda, variación inducida, y la última, disociación S-R, conocida prácticamente en todas las bacterias.

Variación de fase. Los antígenos H de ciertos tipos de Salmonella pueden separarse en componentes relativamente estables. Esto se demuestra simplemente sacando del cultivo un tipo, y efectuando aglutinaciones en laminillas de colonias individuales con antisuero monoespecífico. Más o menos la mitad de las colonias contienen un tipo de antígeno, la otra mitad, el otro. Al parecer, las células bacterianas no contienen ambos tipos de antígeno H, pero son de dos clases en este sentido. Este carácter inmunológico es válido solo en forma limitada; si una colonia es subcultivada en caldo, al sacar muestras y pasarlas a caldos de cultivo muestran inversión rápida en relación 50:50 en pocas transferencias. Esto se considera como un proceso de mutación-retromutación, que ocurre con frecuencia relativamente alta (del orden de 10^{-3} a 10^{-4}).[40] Este tipo de variación inmunológica se llama variación de fase, y los tipos transitorios inmunológicos fueron llamados originalmente de fase específica, o sea caracterizados por la presencia de antígenos flagelares específicos y de fase inespecífica, o sea en los cuales hay antígenos no específicos. Se ha observado la variación de fase en una sola dirección, dando lugar a una cepa monofásica o mutante.[66] Esta división no es tan precisa como se pensó originalmente; en la actualidad, estas fases se describen comúnmente como fase 1 y fase 2, respectivamente. Los tipos Salmonella que existen en dos fases inmunológicas se llaman difásicos; los que existen en una sola, que puede ser fase 1 o fase 2, se llaman monofásicos. A veces se ven tres fases.[41]

Tipos de variación de fase. Esta variación es algo más compleja, y se han descrito tres tipos. El primero es la variación específica-inespecífica de fase, en la cual un antígeno específico en fase 1 se asocia con antígenos inespecíficos en fase 2. El segundo es la llamada variación α-β de fase, en la cual un antígeno en fase 1 se une con antígenos e, n, +, en fase 2. Se han descrito cinco tipos de va-

Sueros para tipificar Salmonella

| Grupo | Antisueros O | | | Antisueros H | |
	Antisuero	Antígeno	Antisuero	Antígeno
A	1, 2, 12	*Sal. paratyphi A*	a	*Sal. paratyphi A*
B	4, 5, 12	*Sal. paratyphi B*	b	*Sal. paratyphi B*, fase 1
C₁	6, 7	*Sal. thompson*	c	*Sal. cholerae-suis*, fase 1
C₂	8	*Sal. virginia*	d	*Sal. typhi*
D	9, 12	*Sal. gallinarum*	i	*Sal. typhimurium*, fase 1
E	3, 10, 15	*Sal. anatum* y	1, 2, 3, 5	*Sal. thompson*, fase 2
		Sal. newington		y *Sal. newport*, fase 2

riación α-β de fase. Finalmente, hay un tipo de variación de fase que no ha sido mencionado, en el cual los antígenos de ambas fases se encuentran comúnmente en fase 1.

Variación de antígeno O. No está claro aún si este tipo de variación inmunológica ocurre generalmente con respecto a antígenos somáticos, pero hay una variación similar, llamada variación de forma. De los tres componentes de 12, denominados 12_1, 12_2 y 12_3, es 12_2 el que varía en su desarrollo, enérgico o débil. El antígeno 6 se subdivide en 6_1 y 6_2 y en el primero ocurre variación de forma.

Variación VW. La variación en el contenido de antígeno Vi del bacilo de la tifoidea se presenta en cepas recién aisladas, que contienen antígeno Vi y tienden a perderlo en pocos trasplantes en medios de cultivo. Las cepas que parecen contener antígeno Vi en cantidad máxima no son aglutinables en antisuero O; el antígeno parece tener efecto de enmascaramiento, y se conocen como cepas V. En cultivo, la forma V llega a ser aglutinable por O, pero aún contiene antígeno Vi y absorbe anticuerpo Vi del suero, y se llama cepa VW. Entonces esta forma pierde totalmente su antígeno Vi y se convierte en forma W. Es evidente que el antígeno Vi resulta independiente de los otros componentes antigénicos del bacilo de la tifoidea o de otras bacterias en las que se presenta y el que se encuentre, o no, carece de relación con la naturaleza de los complejos antigénicos O y H.

Debe insistirse en que los cambios inmunológicos asociados con la variación de fase, hasta donde sepamos, son normales, verosímilmente existiendo la cepa bacteriana en equilibrio inmunológico. Estas variaciones y la pérdida completa, pero transitoria, de antígeno flagelar por cultivo en agar-fenol, evidentemente no guarda relación con la disociación S-R aunque, como se indicó, pueden ser inducidas por un método que provoque disociación, o sea cultivo en antisuero específico.

Variación inducida. Pueden provocarse cambios en los antígenos H de muchas especies de Salmonella, por cultivo en presencia de sueros apropiados. Se ha demostrado que *Salmonella paratyphi A*, un tipo monofásico estable en fase 1, puede inducirse a formar antígenos en fase 2, por cultivo en antisuero específico para antígenos en fase 1. Por el contrario, los tipos difásicos pueden estabilizarse en una sola fase por cultivo en presencia del antisuero contra los antígenos de la otra fase. De esta manera, las "especies" de Salmonella pueden transformarse, por ejemplo, *Sal. simsbury* en *Sal. senftenberg*. Además, pueden crearse "nuevas" especies a partir de tipos monofásicos, suprimiendo el antígeno flagelar por cultivo en presencia de antisuero monoespecífico con aparición de una fase flagelar hasta ese momento desconocida. Se ha encontrado que muchos de estos antígenos inducidos existen en la naturaleza.

La especificidad de antígeno O está alterada en la disociación S-R como luego se indicará, pero esto probablemente no guarde relación con cambios análogos a los inducidos en el antígeno H por cultivo en presencia de antisuero en medios semisólidos. De esta manera, se han logrado cambios en el antígeno O solo dentro de los grupos; *Sal. anatum* ha sido cambiada a *Sal. newington,* y este cambio se ha invertido.

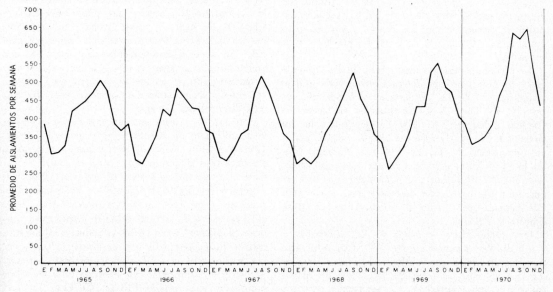

FIG. 20-3. Frecuencia de infección humana por Salmonella en Estados Unidos de Norteamérica, según los aislamientos denunciados durante el programa de vigilancia de 1965-1970. Obsérvese la frecuencia según las estaciones. (Morbidity and Mortality Weekly Report, Annual Supplement, Vol. 19, 1970. Center for Disease Control, U. S. Public Health Service.)

Disociación. La disociación S-R, similar en todos aspectos a la conocida en otras bacterias, se presenta en cultivos de estos bacilos. La disociación de liso a rugoso se manifiesta como alteración en la morfología de la colonia y pérdida de la virulencia. El cambio se refleja inmunológicamente como pérdida de especificidad de antígenos somáticos; las formas rugosas siguen siendo móviles. La especificidad de estos antígenos evidentemente depende de un hapteno polisacárido, y con la desaparición de este, la bacteria adquiere un carácter inmunológico nuevo y común en los antígenos somáticos, en tanto que los flagelares siguen igual. Algunos autores han descrito una fase mucoide o M en la morfología de la colonia, que parece guardar relación con el desarrollo de una especificidad inmunológica.

Tipificación de fagos. Las cepas de Salmonella del mismo serotipo, imposibles de distinguir por pruebas serológicas de protección o bioquímicas, pueden subdividirse en tipos de fago, según su susceptibilidad a la lisis por diferentes tipos de bacteriófago.

Esta diferenciación es muy útil para fines epidemiológicos, cuando la fuente primaria de la infección es el portador humano.

La tipificación de fagos en cepas que contienen Vi de *Sal. typhi* se aplica en escala internacional; *Sal. paratyphi* A y *Sal. paratyphi* B también son tipificadas, pero en menor proporción. Los tipos de fago del bacilo de la tifoidea son denominados arbitrariamente A, B, etc., y con algunos subtipos, hasta el tipo T, y hay nueve tipos más numerados o catalogados con un nombre, dando un total de 33. El tipo E_1 es el más frecuente en el mundo, y el tipo A viene luego. En Estados Unidos de Norteamérica, el más frecuente es E_1, seguido, en orden de frecuencia, por los tipos C, A y F_1, pero cerca de un 10 por 100 de cepas no pueden ser tipificadas.

La predominancia de uno u otro de los tipos de fago de *Sal. typhi* puede caracterizar una región geográfica.[9, 19, 48] En el hemisferio occidental, los tipos C, E_1, D_1 y A se presentan en ese orden en Canadá, y los tipos A, T y E_1 en Venezuela. En Inglaterra, los más frecuentes son E_1, A, C y D_1; en Dinamarca, A, F_1, E_1 y C; en Portugal, B_3, A, E_1, T y D, etc. Otros tipos de fagos presentan distribución discontinua; por ejemplo, en Asia se encuentra el tipo M, que de hecho es el más común en Vietnam, pero también se encuentra en Irán, Francia y Polonia.

Hay cuatro tipos de fagos de *Sal. paratyphi* A y 10 de *Sal. paratyphi* B [51, 58, 61] designados con números en ambas series. Han sido menos estudiados que los tipos de fagos de *Sal. typhi*; en ambos grupos, el tipo 1 parece ser el más común en todos los lugares estudiados. Otros serotipos de Salmonella han sido estudiados con menor detalle en relación con estos tipos de fago, exceptuando *Sal. typhimu-* *rium* [11, 20] en el cual se pueden distinguir 80 tipos de fagos.

Ecología.[49, 54, 56] Como ya dijimos, las bacterias del grupo Salmonella parecen ser parásitos obligados, y no se encuentran fuera de los huéspedes animales. *Sal. typhi*, *Sal. paratyphi* A, y generalmente *Sal. paratyphi* B son parásitos obligados del hombre, al que pueden causar enfermedades o que se transforma en portador. El resto de este gran grupo son parásitos de animales inferiores, especialmente roedores y aves, aunque eventualmente se encuentran en reptiles. El huésped natural de *Sal. enteritidis*, por ejemplo, parece ser la rata, y *Sal. typhimurium* el llamado bacilo de la tifoidea del ratón tiene a este animal por huésped. Las aves se infectan con frecuencia, incluyendo pollos, pavos y patos, y pueden constituir el mayor depósito de la infección para el hombre; de otros animales domésticos, el cerdo es el que se infecta más frecuentemente, sobre todo con variedad de *Sal. cholerae suis* que, sin embargo, no es el agente etiológico del cólera del cerdo, enfermedad viral.

En Estados Unidos de Norteamérica se encuentra gran variedad de serotipos de Salmonella,[45] de los cuales los más comunes parecen ser *Sal. paratyphi* B y *Sal. typhimurium*. La frecuencia de infección humana por Salmonella en Estados Unidos de Norteamérica se indica en la figura 20-3.

Diagnóstico bacteriológico de infección por Salmonella.[44] La diferenciación entre fiebre tifoidea y paratifoidea, y la determinación de la etiología de la gastroenteritis causada por Salmonella, dependen necesariamente de aislar e identificar el microbio causal. Para el primer propósito deben usarse medios enriquecidos de cultivo y siembra directa en placas; hay que inocular simultáneamente los caldos enriquecidos y las placas diferenciales selectivas de agar; si estas últimas son negativas, pueden inocularse otras frescas del cultivo enriquecido. Se observa comúnmente que no basta con medio simple de agar, ya que pueden aislarse muy pocas bacterias, en un medio, pero no en los otros; así, pues, deben usarse dos, o mejor aún, tres medios diferenciales de agar.

Son dos los medios enriquecidos que más se emplean. El caldo de selenito-F, que contiene 0.4 por 100 de selenito ácido de sodio, tóxico para todos los microbios gramnegativos, pero se destoxica bastante en presencia de fosfato de sodio al 1 por 100 y permite el desarrollo rápido de patógenos entéricos, en tanto que inhibe transitoriamente (ocho a 12 horas) a *E. coli*. El caldo de tetrationato contiene tiosulfato, tetrationato y yoduro; el tetrationato se forma por oxidación de tiosulfato con yodo. Los medios selectivos diferenciales de agar contienen lactosa y un indicador (a menudo rojo neutro), junto con bilis o sales biliares. De estos los más comúnmente usados son agar en desoxicolato-citrato (D-C), agar Shigella-Salmonella (S-S) y agar Mac-Conkey. En estos medios, las bacterias que no fermentan lactosa forman colonias incoloras, opacas o translúcidas, fácilmente diferenciables de las colonias rojas de las que sí fermentan.

El medio de bismuto-sulfito de Wilson-Blair es especialmente útil para aislar *Sal. typhi*. Las colonias parecen negras, como las de *Sal. paratyphi B* y *Sal. enteritidis*. El medio es muy inhibidor, y debe ser inoculado intensamente; en consecuencia, las colonias pueden no ser cultivos puros.

Las colonias típicas son recogidas y subcultivadas en agar férrico de Kligler o agar férrico con azúcar triple. Estos medios indican formación de ácido, o ácido y gas, a partir de los azúcares, y también formación de sulfuro de hidrógeno. Después de incubación por 24 horas, se hace el subcultivo en medio de urea, de citrato, medio de motilidad, gelatina, y caldos de lactosa, sacarosa y manitol. Los caldos de cultivo con lactosa deben ser conservados no menos de dos semanas, para eliminar la fermentación lenta. La fermentación positiva de lactosa, sacarosa o ambas, hidrólisis de urea o formación de indol, excluyen Salmonella.

La identificación ulterior es serológica, por aglutinación en portaobjetos, al principio con antisuero polivalente, que, sin embargo, no elimina algunos de los bacilos de la disentería (Flexner tipos 1 y 2) o paracólicos del grupo Arizona serológicamente relacionados. La identificación serológica se hace más precisa tipificando con sueros monoespecíficos, según ya se indicó, en forma aproximada o en detalle.

Patogenicidad para animales inferiores. Es muy frecuente la infección de roedores por Salmonella; *Sal. enteritidis* y *Sal. Typhimurium* infectan ratas y ratones, y estos animales pueden quedar como portadores sanos de los bacilos, lo cual tiene importancia en relación con la epidemiología de brotes de intoxicación por alimentos. La infección por *Sal. typhimurium* es, con mucho, la más frecuente en Estados Unidos de Norteamérica, y la de *Sal. enteritidis*, menos de lo que se supone en general. Los preparados de "virus de rata" o "Ratina" consiste en estas bacterias y se supone que inician una enfermedad epidémica entre las ratas, destruyéndolas. No todas las ratas son destruidas y muchas de las supervivientes son portadores sanos.

En contra de lo que se había supuesto, el perro puede ser infectado con Salmonella; se ha observado una frecuencia hasta del 15 por 100, y si bien parece poco probable que sea un depósito importante de la infección humana, sí la transmite al hombre.[12]

La infección del caballo por Salmonella también es muy frecuente. El aborto infeccioso de la yegua es causado por un microbio específico, *Sal. abortus equi*, que no se ha encontrado en otros animales. El hombre rara vez es infectado. *Sal. typhimurium* ha sido descrita eventualmente en caballos. El aborto de las ovejas se ha atribuido a un miembro del grupo Salmonella, *Sal. abortus ovis*. De manera ocasional se observa Salmonella en otros animales.

Las aves se infectan mucho con miembros del grupo Salmonella. Las epidemias debidas a *Sal. typhimurium* causan a veces gran destrucción entre canarios y otras aves canoras. Las infecciones de pavos por Salmonella pueden ser de tal magnitud que alcanzan gran importancia económica y sanitaria. Dos enfermedades de granjas, de gran importancia económica, se deben a tipos específicos de Salmonella: la diarrea blanca bacilar de pollos causada por *Sal. pullorum*, y la tifoidea de gallinas, causada por *Sal. gallinarum. Sal. pullorum* puede sobrevivir en los ovarios de las gallinas que se recuperan de la infección, y de los huevos infectados nacen pollos que comunican la enfermedad a miembros inicialmente sanos del gallinero. Se han descrito casos raros de infección humana por *Sal. pullorum*, y se ha asociado con la gastroenteritis epidémica por alimentos.

Es bien sabido que los animales de sangre fría pueden estar infectados con Salmonella. De ordinario, tales reservorios de infección no guardan relación con infección humana, pero más recientemente se han adquirido cierto número de infecciones humanas de pequeñas tortugas infectadas.[34] Estas pueden adquirir la infección por penetración del huevo de tortuga por Salmonella,[18] así como de otras tortugas, o de agua infectada. Los peces también pueden adquirir la infección de agua infectada; hay también la demostración serológica de infección natural por Salmonella y otros en los peces,[32] pero no de que los peces sean una fuente importante de salmonelosis humana.

Infecciones experimentales producidas por inoculación intragástrica con Salmonella que no son bacilo de la tifoidea, pueden simular estrechamente la enfermedad natural. La virulencia se define como la capacidad de producir enteritis, invadir el torrente vascular, y producir focos metastáticos de infección.[38] Tal enteritis puede producirse en el mono rhesus[37] y en el cobayo cuando la inoculación se combina con tratamiento de opio para disminuir la motilidad intestinal.[36]

Bacilo de la tifoidea. En contraste con la mayor parte de miembros del grupo Salmonella, casi no es patógeno para animales inferiores, excepto el chimpancé, en el cual se produce por inoculación bucal una enfermedad muy parecida a la fiebre tifoidea.[15] Se han producido diversas infecciones accidentales de laboratorio en el hombre y, al comprobarse que el cloramfenicol era un quimioterápico eficaz, la enfermedad ha sido reproducida en voluntarios humanos. La dosis infectante para el hombre en este último tipo de experiencias se ha comprobado que era de 10^6 a 10^7 bacilos.

La dosis letal para el ratón, por vía intraperitoneal, es del orden de muchos millones de bacilos, y se aproxima a la toxicidad de las bacterias muertas. La virulencia para el ratón puede aumentar grandemente por suspensión de los bacilos en mucina al 5 por 100, y la DL_{50} por vía intraperitoneal puede ser del orden de 10^3 bacterias. La enfermedad producida es una bacteriemia fulminante, que suele matar en 48 horas. Este tipo de infección experimental ha tenido gran aplicación en el ensayo de la potencia inmunógena de las vacunas y el estudio de la importancia inmunológica relativa del antígeno Vi y las fracciones del complejo antigénico O.

La inoculación intracerebral al ratón de números relativamente pequeños de bacilos puede producir una infección mortal,[39] que se disemina en el sistema nervioso central, produciendo meningoencefalitis purulenta aguda, con edema secundario. Los cobayos pueden infectarse por inoculación directa de la vesícula biliar; algunos de estos animales llegan a convertirse en portadores crónicos.[28] Este tipo de infección, descrito originalmente por Bingel con el bacilo de la disentería, ha sido usada como criterio de patogenicidad para muchas enterobacteriáceas.[63]

Infecciones por Salmonella

Casi siempre se adquieren por ingestión de los microbios, generalmente con agua, leche o alimentos contaminados. Eventualmente ocurren infecciones dobles, simultáneas con más de un tipo de Salmonella.[60] Hay dos tipos de enfermedad, una gastroenteritis aguda, caracterizada por vómito y diarrea, y en la cual una pequeña parte de los pacientes se hacen septicémicos, encontrándose las bacterias en sangre en relativa abundancia. La otra es la tifoidea o fiebre continua, en la cual la bacteriemia ocurre en etapa inicial y los síntomas son más generales. *Sal. typhi, Sal. paratyphi A,* generalmente *Sal. paratyphi B,* eventualmente *Sal. paratyphi C* y formas similares, y excepcionalmente cualquier otro serotipo de Salmonella, son causantes de las fiebres continuas. Por otra parte, la gastroenteritis aguda rara vez o nunca es provocada por *Sal. typhi* o *Sal. paratyphi A,* y una pequeña parte de los casos con *Sal. paratyphi B* son de este tipo, pero la inmensa mayoría de gastroenteritis por Salmonella se deben a infección con los muchos otros serotipos de estas bacterias, principalmente *Sal. typhimurium, Sal. enteritidis, Sal. cholerae suis,* etc. Así, pues, no cabe establecer una división precisa entre los agentes etiológicos de estos dos tipos de enfermedad, hay una asociación general.

Además de estos tipos principales, hay muchas enfermedades que pueden ocasionalmente asociarse con infección por Salmonella.[7] Estos microbios tienen predilección por la médula ósea, y no son raras las infecciones de huesos, junto con otro tipo de infecciones localizadas, de sistema nervioso central, etc. En el hombre se presenta un estado de portador, generalmente transitorio excepto en casos crónicos por *Sal. typhi* (véase luego), y hay descarga de microorganismos con las heces. La infección puede ser adquirida de estos portadores, y no debe permitírseles que manipulen alimentos; pero probablemente la mayor parte de las infecciones humanas son por animales inferiores, o sea contaminación de alimentos con heces de roedores, contaminación de huevos íntegros y desecados por gallinas infectadas, etc.

GASTROENTERITIS POR SALMONELLA

Se caracteriza por un breve periodo de incubación, hasta de 12 horas en algunos casos, vómitos y diarrea agudos, con ligera hipertermia y recuperación rápida, por lo común en pocos días. Eventualmente este tipo de enfermedad evoluciona hasta septicemia más grave; esto es más frecuente cuando el agente infeccioso es *Sal. cholerae suis* y formas relacionadas del "grupo para C". Suele adquirirse por ingestión de alimentos contaminados y se llama intoxicación por alimentos con Salmonella, pero se trata más bien de una infección que de una intoxicación, como la que ocurre por estafilococos en alimentos. La intoxicación por alimentos con Salmonella parece relativamente más frecuente que la dependiente de alimentos con estafilococos en Inglaterra; en Estados Unidos de Norteamérica sucede lo contrario, pero no está aclarado que exista una verdadera diferencia.[53, 73] Indudablemente algunas, probablemente muchas de las descripciones de cólera indígena y cólera nostra, en las obras antiguas, se referían a este tipo de enfermedad.

La evolución general de la infección por Salmonella está ilustrada en un estudio de 7 779 cepas de Salmonella, aisladas entre 1937 y 1955.[57] En este grupo, hubo gastroenteritis en 68 por 100 de los casos, notablemente más intensa en lactantes y personas de más de 50 años, y en el 8.8 por 100 hubo un cuadro tifóidico o, septicémico. La mortalidad global fue de 4.1 por 100, correspondiendo más de la mitad a infecciones por *Sal. typhimurium* y *Sal. cholerae suis;* en esta última, que tendía a septicemia, fue de 20.3 por 100. En infecciones por *Sal. enteritidis* la mortalidad fue de 5.8 por 100 para todas las edades, pero después de los 50 años fue de 15 por 100.

Salmonella typhimurium *(Salmonella aertryke, Bacterium aertrycke, Bacterium typhimurium).* Esta bacteria, aislada con mayor frecuencia en brotes de intoxicación por alimentos en Estados Unidos de Norteamérica y Gran Bretaña, se parece mucho a *Sal. paratyphi B* por sus características de cultivo, pero puede distinguirse de ella por su capacidad para producir ácido en medio de tartrato. Antes de crearse las pruebas diferenciales se confundían frecuentemente *Sal. paratyphi B* y *Sal. typhimurium*, llamándolas a las dos "para B". *Sal. typhimurium* se encuentra comúnmente en diversas infecciones en el laboratorio, animales domésticos y en aves, y tanto *"B. pestis caviae"* de algunos autores, como *"B. psittacosis"* de Nocard, son de hecho *Sal. typhimurium*. La mayor parte de los cultivos de laboratorio denominados "virus Danysz" o "bacilo de la tifoidea del ratón" son de tipo typhimurium, pero algunos son *Sal. enteritidis*.

Salmonella enteritidis *(Bacterium enteritidis)*. Aunque se encuentra con frecuencia en brotes de intoxicación por alimentos, esta bacteria es menos común que *Sal. typhimurium*, a la cual se parece mucho por sus características de cultivo, pero difiere en que no fermenta el inositol. Sin embargo, esta diferencia a menudo no es clara; a veces se nota disminución del pH, pero no en grado suficiente para afirmar que hay fermentación.

Salmonella cholerae suis *(Bacterium suipestifer, Bacterium cholerae suis*, bacilo del cólera del cerdo, suipestifer americano). Es miembro de un grupo de bacterias muy relacionadas, llamado grupo suipestifer, que también comprende *Sal. paratyphi C* o tipo oriental, como ya se indicó; *Sal. cholerae suis* var. *Kunzendorf* o tipo europeo, y el tipo Glässer-Voldagsen, que comprende dos especies, *Sal. typhi suis* y *Sal. typhi suis* var. *voldagsen*. Estas especies pueden diferenciarse entre sí por una combinación de métodos de cultivo y serológicos. *Sal. cholerae suis* predominó originalmente en Estados Unidos de Norteamérica, pero ahora abunda más la variedad Kunzendorf. Esta especie ha sido implicada en la gastroenteritis paratifóidica, aunque en mucho menor proporción que *Sal. typhimurium* o *Sal. enteritidis*. *Sal. typhi suis* parece ser patógena de animales (cerdo), pero se han descrito en Estados Unidos de Norteamérica varios casos de infección humana con la variedad Voldagsen. La mortalidad en infecciones por *cholerae suis es de* 20 a 25 por 100, en contraste con el 5 por 100, o quizá menos, en infecciones por otras variedades de Salmonella.

Otras especies de Salmonella aparecen menos en infecciones humanas. *Sal. thompson* y *Sal. newport*, ambas relacionadas inmunológicamente con el grupo suipestifer, han sido observadas pocas veces, y otras especies una sola; de hecho, muchas de las nuevas especies de Salmonella descritas en años recientes han sido aisladas de alimentos implicados en brotes de enteritis.

FIEBRES TIFOIDEA Y PARATIFOIDEA

La infección por Salmonella provoca el tipo continuo de fiebre que caracteriza a la tifoidea por *Sal. typhi*. Como ya se indicó, la naturaleza infecciosa de la tifoidea se sospechó desde mitad del siglo pasado, y el agente causal está entre las primeras bacterias patógenas descritas. En pocos años se distinguió de la fiebre paratifoidea. Achard y Bensaude aislaron un microbio parecido, pero no idéntico al de la tifoidea, en una enfermedad similar a la tifoidea, en 1896, y dos años después, Gwyn aisló un microbio muy semejante a *Sal. enteritidis* en circunstancias similares. Desde entonces muchos investigadores en diferentes partes del mundo han aislado bacterias parecidas en la sangre de pacientes que sufren una enfermedad sintomáticamente idéntica a la tifoidea.

Fiebre paratifoidea. Muchos casos siguen un curso relativamente leve, de comienzo brusco con escalofríos, pero en lo demás son muy similares a las infecciones por el bacilo de la tifoidea. Cierta proporción de las pruebas negativas de aglutinación en fiebres tifoideas son probablemente resultado de paratifoideas. El único método para distinguir tifoidea de paratifoidea es el aislamiento e identificación del microbio causal.

Se han observado muchos casos aislados de fiebre paratifoidea, y se han descrito epidemias más o menos amplias, por leche y otros alimentos, contacto con portadores humanos, agua contaminada y factores similares. La infección probablemente se adquiera más de portadores; los bacilos pueden ser excretados durante algunas semanas por los convalecientes; también los casos subclínicos y no diagnosticados constituyen fuentes de infección. En general, el modo de diseminación de la paratifoidea es prácticamente idéntico al de la tifoidea.

La frecuencia del padecimiento, en comparación con la tifoidea, varía en diferentes localidades, pero la mayor parte de los datos de hospital dan una proporción de menos de 1:10. En algunas regiones, la proporción de paratifoideas a tifoideas puede ser hasta de 1:4 o mayor. Durante la primera guerra mundial, la proporción de paratifoideas a tifoideas alcanzó un punto elevado. En los ejércitos británicos en Francia, entre 1915 y 1918, las fiebres paratifoideas diagnosticadas superaron a los casos de tifoidea en 2:1. En la población civil de muchos países, la fiebre paratifoidea probablemente explica 5, 10 hasta 50 por 100, o más, de todos los casos entéricos *plenamente diagnosticados*. Los individuos muy jóvenes parecen ser los más susceptibles a la infección por Salmonella, y una elevada proporción, quizá el 20 por 100 de los cultivos, proviene de niños pequeños.

Salmonella paratyphi A *(Bacillus paratyphosus A, Bacterium paratyphosum A, Salmonella paratyphi)*. Esta bacteria difiere en cultivo, en la mayor parte de especies de Salmonella, por su incapacidad para fermentar xilosa, y también serológicamente. Se han descrito algunos brotes causados por este microbio en abastecimientos de aguas y alimentos contaminados por portadores humanos. La paratifoidea por *Sal. paratyphi A* suele ser muy leve;

FIG. 20-4. Colonias de bacilos de tifoidea en agar nutritivo. Nótese el característico borde irregular "en hoja de arce" y la superficie brillante ligeramente áspera. × 6.

de 300 casos en un regimiento de infantería, no hubo una sola muerte.

Salmonella paratyphi B *(Bacillus paratyphosus B, Bacterium paratyphosum B, Salmonella schottmülleri).* Se diferencia fácilmente de *Sal. paratyphi A,* pero tiene relaciones confusas, de cultivo y serológicas, con ciertas cepas de Salmonella de los tipos que contaminan alimentos. Como en las especies ya estudiadas, los orígenes y mecanismos de transmisión son similares a los de la fiebre tifoidea. Las bacterias generalmente provienen del portador humano, pero se ha señalado que los perros pueden causar pequeñas epidemias; en otro caso, el padecimiento fue provocado por una vaca. En el norte de Estados Unidos de Norteamérica y de Europa, la infección con esta especie parece mucho más frecuente que con *Salmonella paratyphi A.*

Salmonella paratyphi C *(Sal. hirschfeldii).* Se ha comprobado en fiebres intestinales en regiones de Asia, Africa y Europa sudoriental, describiéndose también como causa importante de enfermedad y muerte en la Guayana Británica. Se han descrito casos de endocarditis por esta y otras especies suipestifer. Aunque el tipo de enfermedad es similar al de otras formas entéricas, se sabe poco sobre su epidemiología. Esta especie guarda relación biológica estrecha con las cepas de cholerae suis o de cólera de cerdo, ya descritas.

En ocasiones se han encontrado otras especies: *Sal. barielly,* aislada de casos de pirexia ligera en la India; *Sal. enteritidis* var. *moscow,* aislada en casos de paratifoidea en Rusia y descrita por los bacteriólogos rusos como "Paratyphus N2"; *Sal. sendai,* aislada en fiebres paratifoideas en Japón; y *Sal. eastbourne,* de un caso de paratifoidea en Eastbourne, Inglaterra. En Estados Unidos de Norteamérica se han descubierto *Sal. typhimurium, Sal. saint paul, Sal. oranienburg, Sal. hartford, Sal. sendai, Sal. panama,* y otras, en relación con fiebres intestinales.

Fiebre tifoidea.[30] Durante mucho tiempo fue la más diseminada e importante de todas las enfermedades bacterianas. En Estados Unidos de Norteamérica hubo, en 1900, 35 379 muertes declaradas por este padecimiento; indudablemente es una cifra baja, y es posible que hubiera 350 000 casos de tifoidea en una población de 76 000 000, y en el curso de una década, quizá una persona por cada 20 ó 25 contrajera el padecimiento. La frecuencia de la tifoidea ha disminuido mucho en los últimos años, y buena parte de este descenso ha ocurrido en las grandes ciudades. Sin embargo, aún persiste y hay epidemias de tiempo en tiempo, sobre todo en poblados pequeños y zonas rurales. En otros países se observa una situación similar, por ejemplo, en Gran Bretaña.

Considerada a veces como infección intestinal primaria, el padecimiento es de hecho una invasión general del cuerpo, en particular del sistema linfático. El aparato digestivo es la vía de entrada para los bacilos. Estudios de la enfermedad experimental en chimpancés, han demostrado que el epitelio intestinal está invadido en etapa temprana, pero rápidamente desaparecen en él los bacilos, que se multiplican en los folículos linfáticos del intestino y ganglios mesentéricos que los drenan.[24] Las bacterias llegan al torrente vascular siguiendo la linfa torácica, y las lesiones características de fiebre tifoidea se encuentran en el tejido linfoide de la pared intestinal y de los ganglios linfáticos mesentéricos. Desde hace tiempo se sabe, que los síntomas generales de la enfermedad pueden atribuirse a la actividad de endotoxina liberada durante la bacteriólisis intravascular, pero estudios de la enfermedad en voluntarios humanos han reducido al mínimo el papel de la endotoxina en su patogenia.[25]

El bacilo de la tifoidea puede obtenerse por cultivo durante los 10 primeros días en la mayor parte de casos, bien sea de una muestra de sangre, o del coágulo de muestras mandadas a un laboratorio para pruebas de aglutinación. Sin embargo, la presencia de bacilo de la tifoidea en sangre no constituye prueba de septicemia; de hecho, es escasa o nula su multiplicación. También hay bacilos de la médula ósea al principio de la enfermedad, y algunos autores aconsejan la punción esternal para facilitar el diagnóstico. Durante la segunda semana, y después, los bacilos de la tifoidea pueden encontrarse con frecuencia progresiva en las heces, y la proporción de hemocultivos positivos cae. Los bacilos también son excretados con la orina, quizá en un 25 por 100 de los casos.

Puede haber muchas complicaciones. Eventualmente se observa úlcera laríngea. A menudo se infecta la vesícula biliar, y a veces hay cistitis. Puede aparecer procesos supurativos e inflamatorios en otras partes del cuerpo. El sistema óseo sufre especialmente el ataque; afecciones de periostio, médula ósea y articulaciones han sido atribuidas a infección por *Sal. typhi*. Llega a desarrollarse osteomielitis hasta seis o siete años después de recuperado el paciente de fiebre tifoidea, indicando que el bacilo puede permanecer en contacto con tejidos humanos durante años sin perder su virulencia. Otras partes del cuerpo son más raramente invadidas durante la fiebre tifoidea, pero casi cualquier órgano puede ser atacado.

Quimioterapia. Este bacilo es relativamente resistente a la penicilina in vitro, pero aunque es susceptible en estas condiciones a otros antibióticos corrientes, cloramfenicol parece ser el único bastante eficaz in vivo. Así, pues, este es el agente quimioterápico de elección, que ha dado resultados muy prometedores. Se describen recurrencias del padecimiento a menos que el fármaco se administre por dos a cuatro semanas. Se han hecho algunos intentos para curar a portadores sanos con quimioterapia, con buenos resultados en algunos casos y malos en otros.[72]

Portadores.[42] Una tercera parte de los individuos que han tenido tifoidea eliminan bacilos tres semanas después del comienzo de la enfermedad, y un 10 por 100, durante ocho a diez semanas; estos se conocen como portadores convalecientes. Algunos continúan eliminando bacilos tíficos seis meses o más, y en muchos casos, varios años o toda la vida.

El estado de portador fecal, suele ser consecuencia de la persistencia de infección en la vesícula. En circunstancias adecuadas, el hígado puede infectarse; estos portadores hepáticos se han descubierto en Hong Kong, donde la frecuencia general de infección hepática por duelas puede haber contribuido a su desarrollo.[46] La persistencia de infección en la vejiga urinaria, produce portadores que eliminan bacilos con la orina. El estado de portador urinario es mucho menos frecuente que el de portador fecal, con algunas excepciones, como en Egipto, donde el desarrollo puede favorecerse por un trastorno patológico de las vías urinarias que acompaña a la esquistosomiasis.[26]

No se sabe por qué las mujeres son más frecuentemente portadoras que los hombres. En la serie estudiada por Ames y Robins,[1] 2.1 por 100 de los varones llegaban a ser portadores crónicos, en comparación con 3.8 por 100 de mujeres. La edad también es factor importante; según los mismos autores, el porcentaje de casos que llegaban a portadores fue de 0.3 entre los 0 a 9 años, y los 10 a 19, pero llegó a 10.1 en el grupo de 50 a 59 años. Los cálculos usuales para todos los grupos de edad varían entre 0.5 y 11.6 por 100.

No se excreta continuamente el bacilo de la tifoidea; de hecho, es común su aparición intermitente, y puede haber semanas con cultivos negativos antes que reaparezcan los bacilos.[8] Es evidente, pues, la necesidad de exámenes repetidos. El número de bacilos puede variar ampliamente, de 500 000 a 450 000 000 por gramo de heces en un estudio.[68] La mayoría de los portadores dan la reacción de Widal, y en la mayor parte de los casos el índice opsónico es anormalmente alto. Se encuentra anticuerpo para antígeno Vi en la gran mayoría de portadores, pero solo de modo transitorio en personas inoculadas; la prueba de aglutinación Vi para identificar portadores ha dado buenos resultados.[59] El aislamiento de los bacilos por cultivo, o su demostración directa por microscopio de fluorescencia, es más definitivo; este último tiene la ventaja de ser más rápido.[67] Los intentos de curar a los portadores de tifoidea

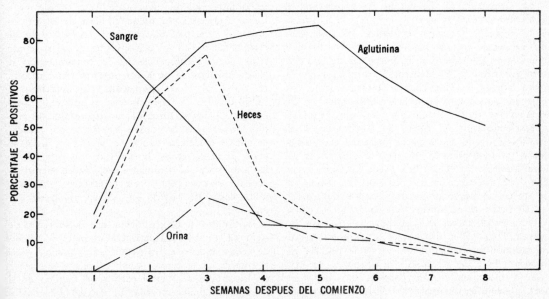

FIG. 20-5. Frecuencia aproximada de cultivos positivos de sangre, heces y orina, así como respuesta de aglutininas en la fiebre tifoidea.

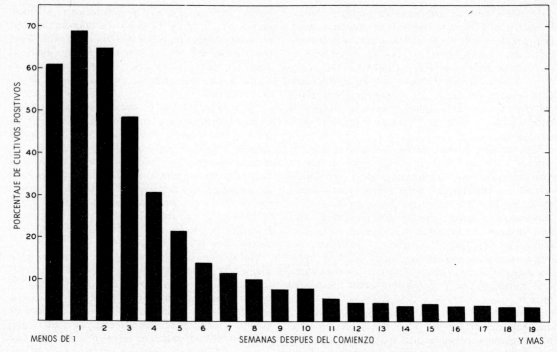

FIG. 20-6. Persistencia de infección por bacilo tífico, según el porcentaje de cultivos fecales positivos semanales después de iniciada la enfermedad. (Datos de 374 casos en el Estado de Nueva York, según Ames y Robin.48)

con métodos no quirúrgicos, como quimioterapia, vacunoterapia, o bacteriófago, en general no han dado buenos resultados, y ya no se recomienda. En los portadores fecales, muy frecuentemente es eficaz extirpar la vesícula, en condiciones adecuadas; la eficacia que se acepta, más comúnmente, es en promedio de 70 por 100.

La proporción de portadores de tifoidea en la población general es desconocida, debido a dificultades prácticas y técnicas evidentes. Probablemente difiera mucho de una localidad a otra, y sin duda depende en gran parte de la frecuencia de la infección por tifoidea. El número de portadores en Estados Unidos de Norteamérica probablemente esté bajando, puesto que ya no hay tantos como en los tiempos en que era frecuente la fiebre tifoidea.

Epidemiología. El bacilo de la tifoidea es un parásito obligado del hombre. Fuera del cuerpo humano, la multiplicación, si llega a ocurrir, es insignificante, y en la práctica puede ignorarse como factor de diseminación del padecimiento. Según ya se indicó, el bacilo de la tifoidea sale del cuerpo en las heces, o, con menor frecuencia, en la orina, y entra en el nuevos huésped por vía digestiva. La epidemiología de la tifoidea, pues, se estudia según la conexión entre vías digestivas de la persona infectada y boca del susceptible; los factores que causan la diseminación del padecimiento dependen esencialmente de interrelaciones de individuos o grupos de ellos, que comprenden la población de huéspedes. La amplitud de difusión de la tifoidea depende también de la naturaleza de las relaciones entre individuos, y pueden distinguirse dos tipos epidemiológicos de la enfermedad, la tifoidea epidémica, y la endémica o residual.

Tifoidea epidémica. Los brotes amplios de tifoidea necesariamente comprenden una relación que abarque mucha gente; con mucho, los vectores más importantes son el agua y la leche. Como ya se indicó (cap. 9), la fiebre tifoidea de origen hídrico, al principio muy frecuente, pero hoy en día relativamente rara en comunidades grandes, se presenta como consecuencia de la contaminación de abastecimientos de agua con materia fecal infectante, como tal o de alcantarilla. Las epidemias de fiebre tifoidea de origen hídrico se presentan donde no hay cloración, filtración, u otra técnica de purificación de agua, y pueden ser fácilmente prevenidas. Estas epidemias tienden a ocurrir en los meses fríos, particularmente en invierno y al principio de la primavera; la frecuencia del padecimiento no depende de edad, sexo o estado económico. Todavía se producen de cuando en cuando, como en Zermatt en 1963.[6]

La tifoidea de origen lácteo, que a principios del siglo XX, estaba inmediatamente después de tifoidea de origen hídrico en extensión e importancia, sigue la ruta de los lecheros y como es lógico, se presenta en los grupos de menor edad y en familias de situación económica elevada. El empleo generalizado de la pasterización prácticamente ha acabado con las tifoideas de origen lácteo.

La tifoidea por alimentos alcanza proporciones epidémicas en algunos casos. Por ejemplo, hubo una epidemia causada por carne enlatada, en Aberdeen, Escocia, en 1964.[29] Las ostras y otros mariscos han alcanzado mala reputación al respecto, ya que se ha encontrado en Gran Bretaña y Estados Unidos de Norteamérica que muchas epidemias son provocadas por la ingestión de ostras cultivadas cerca de desembocaduras de aguas de desecho o colocadas para "engordar" en aguas contaminadas de estuarios o arroyos. Los berros, lechugas, rábanos y otros vegetales o frutas que puedan ponerse en contacto con agua contaminada, o que se rieguen con excremento humano, llegan a provocar pequeñas epidemias de tifoidea.

Tifoidea endémica. Aunque la forma epidémica se elimina en una comunidad dada por control sanitario adecuado de los abastecimientos de agua, leche y alimentos susceptibles de aplicación de medidas efectivas de control, el padecimiento aún persiste en forma endémica, que se manifiesta por casos eventuales o pequeños grupos de casos. La frecuencia por estaciones es muy diferente que la de la tifoidea de origen hídrico; durante algunos años hubo un punto máximo en el verano, pero al continuar la reducción en la aparición del padecimiento, este ha tendido a desaparecer, dando una distribución relativamente homogénea todo el año.

Por supuesto, la fuente de infección es el portador sano, ambulante. Indudablemente, los casos de infección por contacto directo son más frecuentes de lo que se reconoce generalmente, y la diseminación del bacilo de la tifoidea a partir de individuos infectados causa la mayor parte de los casos de tifoidea residual. Los portadores tienen importancia particular, ya que constituyen focos semipermanentes de infección; cuando manipulan alimentos, pueden ser causa de pequeñas epidemias. El caso más notorio fue el de Mary Mallon, "Mary tifoidea", causa desconocida de unos 26 casos de tifoidea en siete diferentes familias. En circunstancias especiales, como sucede en medios militares, la infección por contacto puede alcanzar proporciones epidémicas.

La reducción en la frecuencia de la tifoidea en las últimas décadas es atribuible casi totalmente a la eliminación de las epidemias de origen hídrico y lácteo. Aún hay epidemias, que podrían evitarse con los conocimientos existentes. Sin embargo, la tifoidea residual es mucho más difícil de controlar; la identificación y control de todos los portadores, y su exclusión de actividades en que manejen alimentos, es prácticamente imposible. Hay razón para suponer que al continuar el control de la fiebre tifoidea epidémica, la reducción de los portadores se reflejará en una disminución de la frecuencia del padecimiento en forma endémica.

Inmunidad. Un ataque de fiebre tifoidea confiere cierto grado de inmunidad, aunque se conocen casos de dos o más ataques en el mismo individuo.[22] En la epidemia de Aberdeen, antes que la inmunización modificara la enfermedad, casi la mitad de los casos en personas previamente inmunizadas, fueron leves, en contraste con el 20 por 100, o menos, de infecciones leves en personas no inmunizadas.[55] Los experimentos en animales han demostrado que es posible obtener alto grado de inmunidad en conejos y cobayos contra la inoculación peritoneal. En el chimpancé, la recuperación de la infección entérica experimental también se asocia con inmunidad a la inoculación ulterior por vía bucal, 18 meses después de la infección primaria.[23] La inmunidad se asocia con el desarrollo de anticuerpos humorales como aglutininas, precipitinas y similares. También se produce lisina, y, como el vibrión del cólera, el bacilo de la tifoidea se disuelve visiblemente y se desintegra en la cavidad peritoneal del animal inmune.

En el hombre, la recuperación de una fiebre tifoidea también se acompaña de aparición de anticuerpos demostrables. En la mayor parte de los casos aparecen aglutininas durante el curso del padecimiento, a veces tan pronto como al quinto día (en el 90 por 100 hacia la cuarta semana), y su presencia es la base de la prueba de Widal, empleada para diagnóstico.

Prueba de Widal.[31] En su forma original, fue una aglutinación en laminilla, y se consideraba positiva la aglutinación de bacilos de la tifoidea por el suero del paciente en dilución de 1:50 ó mayor. El progreso de conocimientos sobre estructura antigénica de los bacilos de tifoidea y paratifoidea en años recientes ha permitido comprender mejor el valor y las limitaciones de la prueba de aglutinación para diagnóstico de la tifoidea. Actualmente esta prueba es macroscópica y se lleva a cabo con antígenos H y O.

Así, resulta difícil establecer con límites arbitrarios; en la mayor parte de los casos, títulos de 1:100 de O y de 1:200 de H, pueden considerarse significativos.

La interpretación de la prueba de Widal en personas inmunes a menudo es difícil, ya que tanto las aglutininas H como las O se forman en respuesta a la vacuna. Los títulos caen después de la inmunización, pero pueden persistir en niveles moderados por muchos meses. Además, el título de aglutininas llega a ascender en la respuesta anamnésica de un estado febril. El grado en que esto ocurre no se conoce en forma precisa; algunos datos sugieren que es significativo, otros indican lo contrario. Esta reacción anamnésica ocurre con particular facilidad en el tifus y se han observado títulos de aglutinina para la tifoidea hasta de 1:800. Hay pruebas de que la "curva de aglutinina", obtenida por titulaciones periódicas, tiene valor diagnóstico, ya que continúa ascendiendo en la fiebre tifoidea y no lo hace en la reacción anamnésica.

Inoculación profiláctica.[4] La vacuna contra la tifoidea se utiliza desde años para producir una

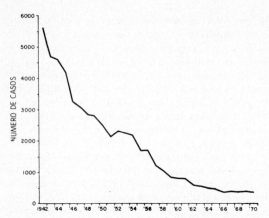

FIG. 20-7 Frecuencia de fiebre tifoidea en Estados Unidos de Norteamérica durante el periodo de 1942-1970, según el número de casos denunciados. (Morbidity and Mortality Weekly Report, Annual Supplement, vol. 19, 1970. Center for Disease Control, U. S. Public Health Service.)

inmunidad profiláctica activa, pero no se habían llevado a cabo ensayos controlados sobre su eficacia hasta hace poco tiempo. Tal inmunización se acompañó primero de neta disminución de la frecuencia de la enfermedad después de inmunización en masa de personal militar. La experiencia del ejército de Estados Unidos de Norteamérica es ilustrativa. En tiempo de la guerra hispanonorteamericana de 1898, hubo 4 422 casos de fiebre tifoidea y 248 muertes en una división de 10 759 hombres. La inmunización contra la tifoidea ha sido obligatoria en el ejército de Estados Unidos de Norteamérica desde 1911, y ha logrado prácticamente la desaparición de la enfermedad.[10] La inmunidad así producida puede ser superada, y se ha observado de vez en cuando fiebre tifoidea en personal militar inmunizado,[64] pero el hecho es raro.

Vacunas. Las vacunas profilácticas han sido suspensiones de bacilos tíficos muertos en solución salina; generalmente contenían 1 000 millones de bacilos por mililitro. La llamada vacuna triple, conocida también como TAB, contiene bacilos de tifoidea, para A, y para B, en proporción de 2:1:1 para constituir el mismo número total de microorganismos. Los bacilos pueden matarse con calor y conservarse con fenol, o bien desecarse con acetona o con alcohol.

Algunas vacunas experimentales se han fortificado con lipopolisacárido.

El poder inmunógeno se mide con la prueba de protección del ratón, o sea la inmunización activa de ratones, seguida de inyección intraperitoneal de bacilos suspendidos en mucina gástrica. En el método utilizado en Estados Unidos de Norteamérica, se inmunizan grupos de 30 ratones con 0.5 ml de una dilución al 1:10 de la vacuna administrada por vía intraperitoneal, y, en grupos de 10, se inyectan dos semanas más tarde con 1 000, 10 000 y

100 000 LD$_{50}$ en la infección potenciada por mucina. La mitad, por lo menos, de los ratones deben quedar protegidos contra no menos de 10 000 LD$_{50}$.[5] Se ha estudiado la inyección intracerebral, pero no ha alcanzado empleo general. Pueden utilizarse pruebas de protección pasiva, efectuadas en forma similar, para valorar el anticuerpo protector en el hombre y en otros sueros.

La virulencia de los bacilos de la tifoidea para el chimpancé se relaciona con el antígeno Vi; [70] las cepas Vi negativas solo producen enfermedad muy ligera; los resultados de las pruebas de protección del ratón también han indicado una mayor potencia inmunógena de la vacuna conteniendo Vi. Basándose en la prueba del ratón [69] y la infección del chimpancé [71] está comprobado que el anticuerpo para el complejo antigénico O-Vi es protector, mientras que el anticuerpo para los antígenos H no lo es.

Se han efectuado una serie de ensayos en el campo en Guinea Británica, Polonia, Yugoslavia y la URSS, bajo los auspicios de la Organización Mundial de la Salud, pruebas en las cuales se utilizaron vacunas muertas por el calor y conservadas con fenol, vacunas tratadas con alcohol, y vacunas muertas con acetona.[27] Las vacunas de la URSS también incluían un antígeno lipopolisacárido y coadyuvante. En general, las vacunas muertas por el calor, que contenían antígeno H-O, fueron superiores a las que contenían solamente antígeno O, observación que contrasta con los resultados de sus valoraciones de potencia inmunógena de protección del ratón.[50, 62] La protección observada en ensayos controlados ha sido del orden de 70 a 90 por 100.

Inmunización por vía bucal. Durante las últimas dos décadas, ha aumentado el interés por la inmu-

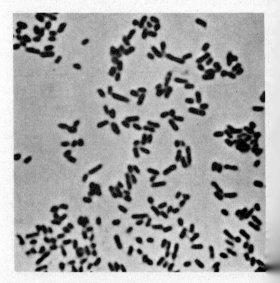

FIG. 20-8. *Alcaligenes faecalis.* Frotis de un cultivo pur Fucsina; × 2 100.

nidad local en tubo digestivo, mediante la demostración de coproanticuerpo, en parte por lo menos como IgA secretorio en la luz del intestino. Observada primero en el cólera experimental, tal inmunidad para infecciones entéricas ha sido eficaz contra ciertas enfermedades como la poliomielitis. Ha dado resultados alentadores una vacuna viva preparada con bacilos de tifoidea dependientes de estreptomicina, probados en chimpancés, y más tarde ensayados junto con bacilos tíficos por vía bucal.[13] Un estudio similar, utilizando vacuna de bacilo tífico muerto (TAB) administrada en forma de tabletas entéricas revestidas a voluntarios humanos, también ha demostrado protección contra la infección.[14] Sin embargo, no está comprobado que las vacunas por vía bucal contra la tifoidea sean iguales o superiores a las vacunas administradas por vía parenteral.

Inmunización pasiva. El uso de suero antitifóidico para fines terapéuticos ha sido recomendado por muchos investigadores, pero aún no hay datos concluyentes acerca de su valor. Aún no se ha establecido si los sueros "antiendotóxicos" u otros antitifóidicos, confieren o no inmunidad pasiva contra la tifoidea en el hombre.

ALCALIGENES FAECALIS

Alcaligenes faecalis o *Bacterium faecalis alcaligenos* se parece mucho al bacilo de la tifoidea, morfológicamente, en cultivos, e incluso por su desarrollo en medios de Endo, Conradi-Drigalski y verde malaquita. Se ha encontrado en heces y agua; difiere del bacilo de la tifoidea por poseer uno o más flagelos polares, en vez de muchos peritricos, y por producir álcali en manitol y leche tornasolada, pero no produce ácido a partir de glucosa y otros carbohidratos. Se ha sugerido que *Bact. alcaligenes* es una forma de *Bact. fluorescens non-liquefaciens*, que ha perdido la función de pigmentación y tiene afinidades con ciertos patógenos de plantas y bacterias del suelo. Su posición taxonómica ha sido examinada críticamente por Conn, quien ha propuesto un nuevo género, *Agrobacterium,* para incluir este bacilo, junto con *Bact. radicicola* y la bacteria de la enfermedad de las raíces fibrosas. Se han descrito otras especies en las vías intestinales, *A. metalcaligenes, A. bookeri* y *A. recti,* pero de ordinario no son diferenciadas de *A. faecalis.* En productos lácteos se encuentran otras variedades, *A. viscosus* y *A. marshallii,* que producen alcalinidad y viscosidad de la leche.

Si bien *A. faecalis* solo es levemente patógeno, se ha encontrado en casos de bacteriemia, meningitis, infección de vesícula biliar y vías urinarias, ojo, ganglios linfáticos y apéndice.[74] También se ha descrito como agente etiológico de una enfermedad muy parecida a la de "patas rojas" (producida por *Proteus*) en ranas arbóreas.[47]

BIBLIOGRAFIA

1. Ames, W. R., and M. Robins. 1943. Age and sex as factors in the development of the typhoid carrier state, and a method for estimating carrier prevalence. Amer. J. Pub. Hlth. **33**:221–230.
2. Ashcroft, M. T., *et al.* 1967. A seven-year field trial of two typhoid vaccines in Guyana. Lancet **ii**:1056–1059.
3. Baker, E. E., *et al.* 1959. The Vi antigens of the Enterobacteriaceae. I. Purification and chemical properties. J. Immunol. **83**:680–686.
4. Batson, H. C. 1949. Typhoid fever prophylaxis by active immunization. Pub. Hlth. Repts. Suppl. 212.
5. Batson, H. C., M. Brown, and M. Oberstein. 951. Mouse-protective potency assay of typhoid vaccine. As performed at the Army Medical Service Graduate School. Pub. Hlth. Repts. **66**:789–805.
6. Bernard, R. P. 1965. The Zermatt typhoid outbreak in 1963. J. Hyg. **63**:537–563.
7. Black, P. H., L. J. Kunz, and M. N. Swartz. 1960. Salmonellosis—a review of some unusual aspects. New Eng. J. Med. **262**:811–817, 864–870, 921–927.
8. Bokkenheuser, V. 1964. Detection of typhoid carriers. Amer. J. Pub. Hlth. **54**:477–486.
9. Brandis, H., *et al.* 1966. Die Verteilung der Lysotypen von *S. typhi* and *S. paratyphi* B in der Bundesrepublik Deutschland in den Jahren 1958 bis 1961. Arch. Hyg. Bakteriol. **150**:140–152.
10. Callender, G. R., and G. F. Luippold. 1943. The effectiveness of typhoid vaccine prepared by the U.S. Army. J. Amer. Med. Assn. **123**:319–321.
11. Callow, B. R. 1959. A new phage-typing scheme for *Salmonella typhimurium.* J. Hyg. **57**:346–359.
12. Carter, H. S., and I. B. L. Wier. 1952. A dog as a probable source of human infection with *Salmonella paratyphi-B.* J. Pathol. Bacteriol. **64**:230–232.
13. Cvjetanovic, B., D. M. Mel, and O. Felsenfeld. 1970. Study of live typhoid vaccine in chimpanzees. Bull. Wld. Hlth. Org. **42**:499–507.
14. DuPont, H. L., *et al.* 1971. Studies of immunity in typhoid fever. Protection induced by killed oral antigens or by primary infection. Bull. Wld. Hlth. Org. **44**:667–672.
15. Edsall, G., *et al.* 1960. Studies on infection and immunity in experimental typhoid fever. I. Typhoid fever in chimpanzees orally infected with *Salmonella typhosa.* J. Exp. Med. **112**:143–166.
16. Edwards, P. R. 1951. Preparation of antisera for detection of the somatic antigens of Salmonella cultures. Pub. Hlth. Repts. **66**:837–839.
17. Ewing, W. H., and M. M. Ball. 1966. The biochemical reactions of members of the genus *Salmonella.* U.S. Public Health Service, Center for Disease Control, Atlanta, Ga.
18. Feeley, J. C., and M. D. Treger. 1969. Penetration of turtle eggs by *Salmonella braenderup.* Pub. Hlth. Repts. **84**:156–158.
19. Felix, A. 1955. World survey of typhoid and paratyphoid-B phage types. Bull. Wld. Hlth. Org. **13**:109–170.
20. Felix, A. 1956. Phage typing of *Salmonella typhimurium:* its place in epidemiological and epizootiological investigations. J. Gen. Microbiol. **14**:208–222.
21. Felix, A., and R. M. Pitt. 1951. The pathogenic and immunogenic activities of *Salmonella typhi* in relation to its antigenic constituents. J. Hyg. **49**:92–110.
22. Frank, W. P., A. G. Bower, and J. Chudnoff. 1951. Typhoid. Report of a case with three attacks in one year. J. Amer. Med. Assn. **147**:1137–1138.
23. Gaines, S., J. G. Tully, and W. D. Tigertt. 1960. Studies on infection and immunity in experimental typhoid fever. II. Susceptibility of recovered animals to re-exposure. J. Exp. Med. **112**:1023–1036.
24. Gaines, S., *et al.* 1968. Studies on infection and immunity in experimental typhoid fever. VII. The distribution of *Salmonella typhi* in chimpanzee tissue following oral challenge, and the relationship between the numbers of bacilli and morphologic lesions. J. Infect. Dis. **118**:293–306.
25. Greisman, S. E., *et al.* 1969. The role of endotoxin during typhoid fever and tularemia in man. IV. The integrity of

the endotoxin tolerance mechanisms during infections. J. Clin. Invest. **48**:613–629.

26. Hathout, S. E. D., *et al.* 1966. Relation between urinary schistosomiasis and chronic enteric urinary carrier state among Egyptians. Amer. J. Trop. Med. Hyg. **15**:156–161.

27. Hejfec, L. B., *et al.* 1966. A controlled field trial and laboratory study of five typhoid vaccines in the USSR. Bull. Wld. Hlth. Org. **34**:321–339.

28. Henneberg, G. 1953. Meerschweinchen als Typhusbakterienausscheider. "Guineapigs as typhoid carriers." Z. Hyg. Infekt. **136**:383–391.

29. Howie, J. W. 1968. Typhoid in Aberdeen, 1964. J. Appl. Microbiol. **31**:171–178.

30. Huckstep, R. L. 1962. Typhoid Fever and Other Salmonella Infections. E. & S. Livingstone, Edinburgh.

31. Hunter, C. A., and R. Burdorff. 1962. Serologic tests for typhoid fever. Amer. J. Clin. Pathol. **37**:162–167.

32. Janssen, W. A., and C. D. Meyers. 1968. Fish: serologic evidence of infection with human pathogens. Science **159**:547–548.

33. Kauffmann, F., and P. R. Edwards. 1957. A revised, simplified Kauffmann-White schema. Acta Pathol. Microbiol. Scand. **41**:242–246.

34. Kaufmann, A. F., J. C. Feeley, and W. E. DeWitt. 1967. *Salmonella* excretion by turtles. Pub. Hlth. Repts. **82**:840–842.

35. Kelterborn, E. 1967. Salmonella Species. First Isolations, Names, and Occurrence. Dr. W. Junk, The Hague, Netherlands.

36. Kent, T. H., S. B. Formal, and E. H. LaBrec. 1966. Acute enteritis due to *Salmonella typhimurium* in opium-treated guinea pigs. Arch. Pathol. **81**:501–508.

37. Kent, T. H., S. B. Formal, and E. H. LaBrec. 1966. *Salmonella* gastroenteritis in rhesus monkeys. Arch. Pathol. **82**:272–279.

38. Kent, T. H., S. B. Formal, and E. H. LaBrec. 1967. Salmonella virulence testing. Arch. Pathol. **84**:300–303.

39. Landy, M., S. Gaines, and H. Sprinz. 1957. Studies on intracerebral typhoid infection in mice. I. Characteristics of the infection. Brit. J. Exp. Pathol. **38**:15–24.

40. Lederberg, J., and T. Iino. 1956. Phase variation in Salmonella. Genetics **41**:743–757.

41. Le Minor, L., and P. R. Edwards. 1960. Présence de trois phages de l'antigène flagellaire chez des bactéries du groupe Salmonella. Ann. Inst. Pasteur **99**:469–474.

42. Littman, A., *et al.* 1948. The chronic typhoid carrier. I. The natural course of the carrier state. Amer. J. Pub. Hlth. **38**:1675–1679.

43. Lüderitz, O., A. M. Staub, and O. Westphal. 1966. Immunochemistry of O and R antigens of *Salmonella*. and related *Enterobacteriaceae*. Bacteriol. Rev. **30**:192–255.

44. Martin, W. J. 1970. Enterobacteriaceae. pp. 151–174. *In* J. E. Blair, E. H. Lennette, and J. P. Truant (Eds.): Manual of Clinical Microbiology. American Society for Microbiology, Bethesda.

45. Martin, W. J., and W. H. Ewing. 1969. Prevalence of serotypes of *Salmonella*. Appl. Microbiol. **17**:111–117.

46. McFadzean, A. J. S. 1966. Intrahepatic typhoid carriers. Brit. Med. J. **i**:1567–1571.

47. Miles, E. M. 1950. Red-leg in tree frogs caused by *Bacterium alkaligenes*. J. Gen. Microbiol. **4**:434–436.

48. Nicolle, P., and J. Prunet. 1965. Les lysotypes exotiques du bacille typhique. Bull. Soc. Pathol. Exot. **58**:695–714.

49. Oye, E. van. (Ed.). 1964. The World Problem of Salmonellosis. Dr. W. Junk, The Hague, Netherlands.

50. Pittman, M., and H. J. Bohner. 1966. Laboratory assays of different types of field trial typhoid vaccines and relationship to efficacy in man. J. Bacteriol. **91**:1713–1723.

51. Pöhn, H. P., *et al.* 1960. Zur Lystotypie von Typhus- und

Paratyphus-B-Erregern in Deutschland in den Jahren 1953–1957. Arch. Hyg. Bakteriol. **144**:505–518.

52. Polish Typhoid Committee. 1966. Controlled field trials and laboratory studies on the effectiveness of typhoid vaccines in Poland, 1961–64. Bull. Wld. Hlth. Org. **34**:211–222.

53. Reimann, H. (Ed.) 1969. Food-borne Infections and Intoxications. Academic Press, New York.

54. Report. 1969. An evaluation of the Salmonella problem. U.S. National Academy of Sciences, Committee on Salmonella, Washington, D.C.

55. Russell, E. M., A. Sutherland, and W. Walker. 1968. The Aberdeen typhoid epidemic. Lancet **i**:423–424.

56. Sanders, E., *et al.* 1965. Salmonellosis in the United States. Results of nationwide surveillance. Amer. J. Epidemiol. **81**:370–384.

57. Saphra, I., and J. W. Winter. 1957. Clinical manifestations of Salmonellosis in man. An evaluation of 7779 human infections identified at the New York Salmonella Center. New Eng. J. Med. **256**:1128–1134.

58. Scholtens, R. T. 1960. De faagtypering van Salmonella paratyphi B in Nederland. Ned. Tijdschr. Geneesk. **104**:1029–1038.

59. Schubert, J. H., P. R. Edwards, and C. H. Ramsey. 1959. Detection of typhoid carriers by agglutination tests. J. Bacteriol. **77**:648–654.

60. Shaw, A. B., and H. A. F. Mackay. 1951. Double enteric infection ("la fièvre typhoïde intriguée"). An account of an epidemic. J. Hyg. **49**:299–314.

61. Sloan, R. S., H. D. Wilson, and H. A. Wright. 1960. The detection of a carrier of multiple phage-types of *Salmonella paratyphi B*. J. Hyg. **58**:193–200.

62. Spaun, J., and K. Uemura. 1964. International reference preparations of typhoid vaccine. A report on international collaborative laboratory studies. Bull. Wld. Hlth. Org. **31**:761–791.

63. Stenzel, W. 1960. Untersuchungen über die Harnblasenpathogenität einiger Enterobacteriaceen-Gruppen im Bingelschen Versuch. Z. Hyg. Infekt. **147**:123–132.

64. Syverton, J. T., *et al.* 1946. Typhoid and paratyphoid A in immunized personnel. J. Amer. Med. Assn. **131**:507–514.

65. Taylor, J. 1959. Why christen a Salmonella? Int. Bull. Bacteriol. Nomen. Taxonom. **9**:159–164.

66. Taylor, J., *et al.* 1960. A new type of flagellar variation associated with new antigens in the Salmonella group. J. Gen. Microbiol. **23**:583–588.

67. Thomason, B. M., and A. C. McWhorter. 1965. Rapid detection of typhoid carriers by means of fluorescent antibody techniques. Bull. Wld. Hlth. Org. **33**:681–685.

68. Thomas, S., 1954. The number of bacilli harboured by enteric carriers. J. Hyg. **52**:67–70.

69. Tully, J. G., and S. Gaines. 1961. H antigen of *Salmonella typhosa*. J. Bacteriol. **81**:924–932.

70. Tully, J. G., S. Gaines, and W. D. Tigertt. 1962. Attempts to induce typhoid fever in chimpanzees with non-Vi strains of *Salmonella typhosa*. J. Infect. Dis. **110**:47–54.

71. Tully, J. G., S. Gaines, and W. D. Tigertt. 1963. Studies on infection and immunity in experimental typhoid fever. IV. The role of H antigen in protection. J. Infect. Dis. **112**:118–124.

72. Tynes, B. S., and J. P. Utz. 1962. Factors influencing the cure of *Salmonella* carriers. Ann. Intern. Med. **57**:871–882.

73. Vernon. E. 1970. Food poisoning and Salmonella infections in England and Wales, 1968. Pub. Hlth. **84**:239–260.

74. Weinstein, L., and E. Wasserman. 1951. *Bacterium alcaligens (Alcaligenes faecalis)* infections in man. New Eng. J. Med. **244**:662–665.

CAPITULO **21**

BACILOS INTESTINALES

Bacilos disentéricos

La disentería es una entidad clínica más que etiológica y sus síntomas característicos, diarrea, dolor abdominal y sangre en evacuaciones, pueden presentarse solos o como parte de diversas enfermedades. En el primer caso, la disentería puede ser causada por bacterias o por protozoarios; además, hay pruebas de que la disentería del hombre puede ser provocada por un agente filtrable, posiblemente un virus. Algunos miembros del grupo Salmonella pueden producir una infección similar a disentería, pero lo común es que sean otras bacterias, los bacilos disentéricos, los que la causen.

Dichos bacilos son gramnegativos, no forman esporas y están relacionados con otras bacterias intestinales. Algunos se parecen a los bacilos coliformes anaerógenos y al bacilo de la tifoidea, en que fermentan carbohidratos con producción de ácido y no de gas. Otros se parecen a los coliformes y paracólicos. Ninguno de los bacilos disentéricos es móvil, de ahí que no contengan los dos tipos de antígenos que se encuentran en los bacilos de la paratifoidea. Como grupo, difieren entre sí por sus caracteres bioquímicos e inmunológicos. Su relación incierta con los otros bacilos intestinales y de su propia heterogeneidad, dificultan su clasificación.

Los bacilos disentéricos son anaerobios facultativos, y su temperatura óptima de desarrollo es de 37°C. Sus requerimientos nutritivos no son complejos ya que crecen en medios ordinarios (extracto de carne de res). En soluciones sintéticas, algunas cepas requieren ácido nicotínico. Fermentan la glucosa hasta llevarla a los mismos productos finales que otras formas entéricas, o sea, ácido láctico junto con cantidades menores de ácidos fórmico y acético, y alcohol etílico. Como otros bacilos gramnegativos, son relativamente resistentes a la acción bacteriostática de los colorantes, y pueden incorporar estas substancias en medios diferenciales para aislamiento.

Comúnmente se usa agar con eosina y azul de metileno.

Clasificación. Los bacilos disentéricos se dividen en dos grupos, con base en la fermentación de manitol; entre los que no lo fermentan, está el bacilo de Shiga. Esta distinción aún tiene importancia en regiones tropicales, o dondequiera que se encuentre el bacilo de Shiga, ya que la disentería que este produce es mucho más intensa y con mayor frecuencia mortal que las demás disenterías bacilares, pero en países como Estados Unidos de Norteamérica, donde este microbio no es problema la distinción carece de importancia. Además del bacilo de Shiga, el grupo también comprende los bacilos parashiga y el bacilo de Schmitz. El grupo de los que fomentan el manitol se subdivide con base en la fermentación lenta (cuatro a siete días) de lactosa y la fermentación de dulcitol y sorbitol.

Antiguamente, la nomenclatura de los bacilos disentéricos era un poco casual, y se aplicaron nombres informales como bacilo de Shiga, bacilo de Flexner, bacilo de Strong y bacilo Y de Hiss-Russell, pero la nomenclatura se ha venido complicando, especialmente dentro del grupo Flexner, por varias denominaciones individuales y vacilaciones de los diversos sistemas formales de clasificación. El nombre de Shigella para el género ha alcanzado amplia aceptación, y los bacilos de la disentería se consideran especies de este género. Finalmente, se ha llegado a un acuerdo internacional, basado en nombres de especies y serotipos, para introducir orden y estabilidad.

Shigella está constituido por cuatro grupos de bacilos disentéricos, llamados A, B, C y D; y cada uno comprende un solo nombre de especie, con los serotipos apropiados:

1) Bacilos que no fermentan el manitol:
 Grupo A. *Shigella dysenteriae*. Incluyendo el bacilo de Shiga de la disentería, bacilo de Schmitz y el grupo Large — Sachs de bacilos parashiga, como serotipos inmunológicamente independientes.
2) Bacilos que fermentan el manitol:
 a) Grupo B. *Shigella flexneri*. Bacilos Flexner de la disentería, que dan reacciones características en cultivo y tienen antígenos en común, o sea antígenos de grupo, pero diferenciables en serotipos.
 b) Grupo C. *Shigella boydii*. Similar en cultivo al bacilo de Flexner, pero difiere serológicamente, y es diferenciable en serotipos independientes, que incluyen los bacilos Newcastle-Manchester.

Grupo A de Shigella
Shigella dysenteriae

Tipo inter- nacional	Nomenclatura antigua		Nomenclatura rusa *	
			Nombre	Serotipo
1	Sh. shigae. bacilo de Shiga-Kruse		Grigorjeff-Shiga	
2	Bacilo de Schmitz Sh. ambigua		Stutzer-Schmitz	
3	Q 771		Bact. dysenteriae (Novgorodskaja-Semenova)	Roman
4	Q 1167	Grupo	Bact. dysenteriae (Novgorodskaja-Semenova)	1618
5	Q 1030	Large-Sachs	Bact. dysenteriae (Novgorodskaja-Semenova)	819
6	Q 454		Bact. dysenteriae (Novgorodskaja-Semenova)	Tjacht
7	Q 902		Bact. dysenteriae (Novgorodskaja-Semenova)	2435
8				
9	58			
10	2050-52			

* Según Ewing y Trabulsi.[14]

c) Grupo D. *Shigella sonnei*. Bacilos de la disentería, que fermentan lentamente la lactosa, o bacilos de Sonne-Duval, que incluyen los originalmente conocidos como *Sh. ceylonensis A*.

Estos grupos no comprenden muchos otros bacilos que se encuentran asociados con enfermedades diarreicas y que fueron descritos como bacilos de la disentería, por ejemplo, *Sh. alkalescens* y *Sh. dispar*, que se consideran coliformes, o bacilos como *Sh. arabinotarda*, tipos A y B, idénticos a los serotipos del grupo A.

La nomenclatura usada por los autores rusos difiere de la anterior, lo cual tiene cierta importancia práctica, pero Ewing y col.[16] la han utilizado en yuxtaposición con el esquema internacional.

SHIGELLA DYSENTERIAE
(Grupo A)

Los bacilos disentéricos que constituyen este grupo se colocan aparte por su incapacidad de fermentar el manitol. *Sh. dysenteriae* es inmunológicamente heterogénea, constituida por 10 serotipos bien separables denominados arbitrariamente con números. Parecen no estar relacionados antigénicamente, excepto por reacciones cruzadas unilaterales entre algunas cepas de tipos 2 y 6 y 3 y 5. Dos de los serotipos, 2 y 10, se relacionan serológicamente con *Sh. boydii* tipo 1 (véase luego) compartiendo dos o más factores, y el tipo 8 es subdivisible en 8a y 8b.[13]

Shigella dysenteriae de tipo 1 (*Bacterium dysenteriae*, *Shigella dysenteriae*, *Shigella shigae*). Fue el primer bacilo de la disentería que se describió, identificado por el bacteriólogo japonés Shiga como el agente etiológico de la disentería epidémica de Japón en 1898; fue también encontrado por Kruse, en Alemania, dos años después y durante un tiempo se conoció como bacilo de Shiga-Kruse. Ulteriormente se supo que este bacilo había sido aislado 10

años antes por Chantemesse y Widal, quienes lo encontraron en cultivos post mortem de contenido intestinal y ganglios linfáticos mesentéricos, pero ha venido a conocérsele como bacilo de Shiga.

Toxinas. El bacilo de Shiga parece ser único entre los bacilos disentéricos, por cuanto forma no solo una endotoxina, un complejo de polisacárido-lípido-polipéptido similar a las endotoxinas de otros bacilos entéricos,[56] sino también una exotoxina. Como se sabe desde hace años, la exotoxina es una neurotoxina que afecta el sistema nervioso central causando parálisis. Solo se produce en cantidades muy pequeñas, pero es muy activa, y se parece a la toxina diftérica en diversos aspectos.[39] Se produce más abundantemente en cultivos aireados y su formación es afectada por la concentración de hierro en el medio; se suprime cuando dicha concentración es de 0.01 M y es apreciablemente inhibida con 0.000001 M. La han preparado en forma muy purificada y ha resultado ser similar a la toxina diftérica, en potencia y probablemente en mecanismos de acción. La exotoxina puede ser inactivada por formaldehído, y el toxoide usarse como agente inmunizador.

Recientemente se ha comprobado que por lo menos una cepa de bacilo Shiga produce una enterotoxina muy parecida a las enterotoxinas del cólera y coliformes por sus propiedades y actividad tóxica.[45] Aunque parcialmente purificada, no se ha separado de la neurotoxina, y no sabemos con seguridad si su actividad enterotóxica es la de la neurotoxina, o si las dos son productos muy similares pero diferentes.

Se han observado infecciones por bacilo Shiga sobre todo en India, Japón, China, y otras partes de Asia. Hace relativamente poco se ha observado la disentería Shiga en forma explosiva en América Central,[35, 52] y la infección ha sido importada por turistas, a Estados Unidos de Norteamérica, donde de lo contrario es relativamente rara.

Shigella dysenteriae de tipo 2 (bacilo de Schmitz, *Bacterium schmitzii, Shigella schmitzi, Shigella ambigua*). Este serotipo fue descrito por Schmitz en 1917, como causa de disentería en un campo de prisión en Rumania. No fermenta el manitol, pero se distingue por producir indol y fermentar el sorbitol y la ramnosa. La especie es inmunológicamente homogénea, excepto que las cepas recién aisladas contienen dos antígenos; uno se pierde al continuar el cultivo, y los antisueros de cepas almacenadas pueden no aglutinar cepas frescas. Hay cierta reacción cruzada, quizá con título de una cuarta parte con el bacilo de Shiga, pero las aglutininas no son absorbidas recíprocamente. El bacilo de Schmitz se parece serológicamente a *E. coli* O112. *Sh. dysenteriae* de tipo 2 ha sido encontrado en Europa, India, Sudán, y otros lugares. En Estados Unidos de Norteamérica no es tan frecuente como otros bacilos de la disentería, pero se encuentra en brotes hospitalarios o de otro tipo de disentería,[46] y es causa importante de este padecimiento en chimpancés en cautiverio.[34]

Otros serotipos. Dudgeon y Urquhart, en Macedonia, en 1919, encontraron cepas de bacilos de la disentería, idénticas en cultivo a *Sh. dysenteriae* tipo 1, pero inmunológicamente distintas, y las denominaron *Bact. parashigae* (—), en contraste con el bacilo de Schmitz, al que llamaron *Bact. parashigae* (+). Estos bacilos han sido observados de cuando en cuando en diversas partes del mundo, incluyendo Estados Unidos de Norteamérica, en relación con enfermedades diarreicas. Fueron estudiados con cierto detalle por Large y Sachs, y a veces se conocen como grupo Large-Sachs, o grupo Sachs de bacilos disentéricos. Este autor distinguió ocho tipos inmunológicos, pero tres resultaron bacilos paracólicos, quedando válidos cinco tipos, que son Q771, Q1167, Q1030, Q454 y Q902; ahora se llaman *Sh. dysenteriae*, tipos 3, 4, 5, 6 y 7.

Se han descrito otros bacilos de la disentería que no fermentan el manitol, y que difieren inmunológicamente del tipo 1. De ellos, el microbio llamado *Sh. arabinotarda* de tipo A y cepa Gober y Stacy 8524, ha resultado idéntico a Q771, y *Sh. arabinotarda* de tipo B, idéntico a Q1167. Otro más, *Sh. wakefield*, es un bacilo paracólico.

SHIGELLA FLEXNERI
(Grupo B)

Poco después del descubrimiento de Shiga, Flexner, trabajando en Filipinas, encontró otro bacilo de la disentería, que durante algún tiempo no fue claramente diferenciado. El bacilo de Flexner, y los descritos por Strong y Musgrave en 1900, difieren de *Sh. dysenteriae* tanto desde el punto de vista serológico como en la fermentación del manitol. No han tenido éxito los intentos de subdividir los bacilos del grupo Flexner por métodos bioquími-

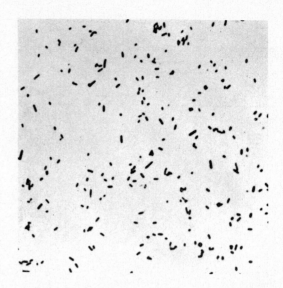

FIG. 21-1. *Shigella flexneri*. Frotis de un cultivo puro. Fucsina: × 1 050.

cos; pueden separarse muchas variedades a base de la fermentación de sacarosa, dulcitol, sorbitol, maltosa, rafinosa, arabinosa, inositol y salicina, y según la formación de indol, pero dichas variedades no tienen relación con el tipo inmunológico, y su valor práctico ha sido escaso.

Shigella flexneri (*Bacterium paradysenteriae*, bacilo de la seudodisentería, *Shigella paradysenteriae*, bacilo de Flexner, bacilo Y de Hiss y Russell, bacilo de Strong).

Sh. flexneri está constituida por un grupo de tipos inmunológicos distintos, pero relacionados entre sí. Andrewes e Inman distinguieron cinco tipos inmunológicos, según la distribución de cuatro antígenos, V, W, X y Z, que denominaron tipos V, W, X, Y y Z. Ulteriormente Boyd publicó pruebas de la presencia de antígenos específicos de tipo o de grupo en estas formas y en otras más, sugiriendo que los tipos numerados substituyeran a los de Andrewes e Inman.

Estudios ulteriores [12] han apoyado esta opinión y los tipos serológicos corrientemente aceptados de *Sh. flexneri* son los que se indican en el cuadro adjunto. La nomenclatura de estos tipos se ha hecho confusa, ya que en diversos países los autores han usado denominaciones diferentes. Los sinónimos corrientes se muestran en el cuadro adjunto, los tipos están indicados con números arábigos, según la recomendación de la Comisión Shigella, para evitar confusión de números romanos con letras mayúsculas. Como en el caso de *Sh. dysenteriae*, la nomenclatura rusa difiere del esquema internacional; las correlaciones se muestran en el cuadro.

Conviene mencionar que ciertos bacilos de la disentería, que no fermentan el manitol, guardan estrecha relación con el grupo *Sh. flexneri*, según

Shigella flexneri y Shigella boydii

Esquema internacional			Otra nomenclatura					
Nombre de especie	Serotipo	Fórmula antigénica	Wheeler	Boyd	Andrewes-Inman	Alemania	Rusia	Otras
Sh. flexneri	1a	I: 3, 4, (7, 8)	I	V	V	B, C	f(f₂)	Flexner
	1b	I: (3, 4), 6	I		VZ	A	f(f₁)	
	2a	II: 3, 4	IIa	W	W	D	c	
	2b	II: 7, 8	IIb		WX	DX	b	
	3a	III: 6, 7, 8	III		Z	H	e	
	3b	III: (3, 4), 6, 7, 8						
	3c	III: (3, 4), 6					d	
	4a	IV: 3, 4	IV	103		F	a(a²); a(a¹)	
	4b	IV: (3, 4), 6	IV	103Z		J	a(a³)	
	5	V: 7	V	P119		G	g(g₁); g(g₂)	
	6	VI: (3, 4)	VI	88		L	Newcastle	*Sh. newcastle* Bacilos Newcastle-Manchester
Variante X		—: 7, 8	X					
Variante Y		—: 3, 4	Y				Y1, Y2	Hiss-Russell
Sh. boydii	1			170			I	
	2			P288			V	
	3			D1				
	4			P274		R	III	
	5			P143			VII	
	6			D19				
	7					N, P	II	Lavington tipo T, *Sh. etousae* tipo 1296/7
	8							
	9						IV	
	10							
	11							
	12						VI	
	13							
	14							
	15							

la serología, y por lo tanto están incluidos en él. Los bacilos Rio y Rabaul son *Sh. flexneri* tipo 4, pero difieren ligeramente en antígenos de grupo. Los tipos originales de Andrewes e Inman están incluidos en los grupos 1, 2 y 3, y los 4 y 5 son nuevos, descritos por Boyd y llamados originalmente 103 y P119, respectivamente. El tipo 6, o Boyd 88, no es nuevo, sino una variedad del bacilo Newcastle-Manchester, aislada originalmente en casos de disentería en 1929. Los tipos X y Y representan problemas todavía no resueltos; fueron llamados así por Andrewes e Inman, y evidentemente, carecen de antígeno específico. Con frecuencia, los cultivos resultan ser de tipo 2 y, en otros casos, la aglutinación específica puede ser enmascarada por antígenos de colonias rugosas.

La tipificación serológica se realiza fácilmente, en tanto que la tipificación por fagos, útil sobre todo con estafilococos y salmonelas, no ha despertado interés. Se ha descrito [36] que la investigación preliminar de sensibilidad a fagos, ha indicado relación estrecha con los grupos serológicos.

La morfología de la colonia acentuada por luz oblicua transmitida, parece guardar relación con la virulencia y el contenido antigénico.[6] Los tipos de colonia muy virulentos contienen un complemento íntegro de antígenos, en tanto que las formas avirulentas, morfológicamente distintas, no contienen antígenos específicos y, evidentemente, parecen de transición entre lisas y rugosas.

Sh. flexneri se halla en todo el mundo y ha sido el bacilo disentérico más frecuentemente descubierto, constituyendo más de la mitad de los aislados. Durante la última década *Sh. sonnei*, ha tendido a substituirlo en Estados Unidos de Norteamérica, Europa y Lejano Oriente. En Estados Unidos de Norteamérica, por ejemplo, ha habido un desplazamiento del 62.1 por 100 de todos los aislamientos en 1964 a 44.3 por 100 en 1968.

Sh. flexneri contiene una endotoxina. Ha sido estudiada en detalle por Goebel y colaboradores,[37] quienes han comprobado que el antígeno somático que contiene la toxicidad está formado por un componente lípido, un componente proteínico, dos componentes carbohidratos uno de los cuales contiene grupos acetilo lábiles, y un componente tóxico, que Goebel considera es una substancia distinta y posiblemente asociada con una substancia de tipo purina o pirimidina. La endotoxina está en la pared celular y representa el antígeno O.[61] En general, no ha sido posible destoxicar la endotoxina sin destruir su antigenicidad. Produce mucinasa, aunque con títulos menores que los de *Vibrio cholerae*,[21] y aún no está claro si dicha actividad contribuye al poder patógeno de estos microbios.

SHIGELLA BOYDII
(Grupo C)

Son otros bacilos de la disentería que fermentan manitol y se parecen mucho a *Shigella flexneri* en sus características bioquímicas, pero no están relacionadas serológicamente con el grupo Flexner ni entre sí. Como tipos de *Sh. boydii*, se consideran los seis tipos inmunológicos descritos por Boyd como 170, P288, D1, D19, P143, y P274, y el bacilo descrito como *Sh. etousae* o Lavington I de la zona del Mediterráneo durante la segunda guerra mundial. En el cuadro anterior quedan como *Sh. boydii*, tipos 1 a 7, pero se han descrito más. Algunos se relacionan con los bacilos coliformes, y con algunos otros tipos Boyd; específicamente, los tipos 10 y 11 están relacionados con *E. coli* O105 y con *Sh. boydii* de tipo 4.

Su poder patógeno parece muy similar al de *Sh. flexneri,* y su distribución parece ser ubicua. Sin embargo, no han sido estudiados con detalle en forma igual por ejemplo, al bacilo de Flexner, respecto a la caracterización química de su endotoxina y sus antígenos somáticos, inmunidad efectiva, etc.

Escherichia alkalescens. Fue descrita por Andrewes en 1918. A diferencia de otros bacilos disentéricos fermentan el dulcitol. Durante algún tiempo se consideró con poder patógeno incierto, pero se han acumulado pruebas que indican su relación con estado patológico. También se ha encontrado asociado con brotes esporádicos de enteropatía y se han descrito pequeñas epidemias.[19] En los últimos años se ha descrito *E. alkalescens* cada vez con mayor frecuencia en Estados Unidos de Norteamérica, y parece ser más frecuente de lo que se había supuesto.

También es patógena para animales de experimentación.

Las cepas de *E. alkalescens* han sido consideradas bioquímicamente independientes e inmunológicamente homogéneas; sin embargo, Stuart y col., han descrito que la especie está constituida por una serie graduada de tipos bioquímicos. También han demostrado la presencia de cinco antígenos, dos principales llamados A y B, y tres menores, C, D, y E. A, B y C están presentes en todas las cepas típicas, en tanto que D y E aparecen solos o en combinación, dando cuatro subtipos. Están relacionados inmunológicamente con los bacilos del colon, mediante el grupo paracólico y Boyd P274. Se han descrito dos tipos sin relación inmunológica [62] llamados tipos II y III, para distinguirlos del tipo original o I. Se ha sugerido que el tipo II sea *Sh. tieté*. Ambos tipos incluyen cepas que fermentan la lactosa.

Ha habido cierta tendencia a colocar *E. alkalescens* junto con *E. dispar* (véase después) formando un grupo alkalescens-dispar de bacilos entéricos diferente de las otras shigelas, y más relacionado con los bacilos coliformes.[15]

SHIGELLA SONNEI
(Grupo D)

Los bacilos disentéricos que fermentan la lactosa, descritos por Duval en 1904, han sido redescubiertos por muchos observadores. Por el uso de estas bacterias han venido a ser conocidas como tipo Sonne y llamadas *Sh. sonnei* (bacilo Sonne-Duval, bacilo de Duval, grupo Sonne III). Este bacilo fermenta el manitol y no produce indol. Serológicamente es independiente y homogéneo. Hay dos tipos inmunológicos de *Sh. sonnei*, llamados I y II. El tipo I contiene predominantemente un antígeno, en tanto que el II contiene ambos en iguales cantidades.[51] La diferencia en títulos de aglutinación tiene importancia práctica, y el de elección es el antisuero tipo II. Ambos antígenos difieren por sus propiedades bioquímicas; el de tipo I es extraído de los bacilos en glicerol al 50 por 100, en tanto que el de tipo II solo se extrae con urea 7 M. La forma rugosa parece ser una variante del tipo II, pero no se ha aclarado si hay una sucesión de tipo I → tipo IIs → tipo IIr.[59] El tipo I tiende a predominar en la enfermedad aguda y es virulento para el ratón, en tanto que el tipo II se presenta principalmente en portadores y no es virulento para este animal.

La fermentación de lactosa es lenta y puede retrasarse una semana, o diez días, y las cepas de este tipo fueron confundidas sin duda con los bacilos de Flexner por los investigadores antiguos. La fermentación lenta de la lactosa parece relacionar *Sh. sonnei* con miembros del grupo colon, y en particular los llamados bacilos paracólicos, pero su homogeneidad inmunológica tiende a colocarlos aparte. Actualmente ha pasado a ser la especie más frecuente de Shigella en Estados Unidos de Norteamérica; constituye hasta el 54 por 100 de los aislados en 1968.

Escherichia dispar. Otro bacilo de disentería, que fermenta lactosa, fue denominado *Bact. dispar* por Andrewes. Algunas de estas cepas eran *Sh. sonnei,* pero el tipo ahora llamado dispar difiere del tipo Sonne en que fermenta el sorbitol y forma indol.

E. dispar es serológicamente heterogéneo y no está relacionado con *Sh. sonnei,* sino con ciertas cepas Flexner. Se ha comprobado que un grupo de 37 cepas podía separarse en tres tipos inmunológicos, dos relacionados entre sí y el tercero independiente. *E. dispar* puede dividirse en dos variedades, *E. dispar* var. *ceylonensis,* que fermenta el dulcitol, y *E. dispar* var. *madampensis,* que no lo hace.

DISENTERIA BACILAR

Es una enfermedad relativamente frecuente en el hombre, sobre todo en climas cálidos, y tiende a asociarse con las condiciones que favorecen la diseminación de los reservorios humanos. Predomina en países atrasados, especialmente en trópicos y subtrópicos. Es un grave problema en operaciones militares, ciertamente menos que en la época prebacteriológica; por ejemplo, durante la guerra civil de Estados Unidos de Norteamérica murieron más hombres por diarrea que en el campo de batalla. Como enfermedad incapacitante, con tendencia a la forma epidémica, continuó siendo problema en la primera guerra mundial; por ejemplo, jugó importante papel en la batalla de Gallipoli. Durante la segunda guerra mundial, especialmente en áreas del Pacífico Sur y Mediterráneo, y ulteriormente, en problemas como el desembarco de tropas norteamericanas en Líbano, al final de la década de 1950. Si bien la proporción de infección por bacilo de Shiga ha disminuido notablemente, reduciéndose la mortalidad, la disentería bacilar sigue siendo una enfermedad incapacitante.

Poder patógeno para el hombre. La dosis infectante de *Sh. flexneri* se ha comprobado por estudios en voluntarios humanos que es del orden de 10^4 a 10^8 microorganismos,[7] y que la de otras especies puede ser del mismo orden general. El periodo de incubación de la disentería bacilar generalmente es corto, de unas 48 horas, y el padecimiento puede ser agudo o tender a hacerse crónico. Aparte de las lesiones inflamatorias, a veces ulcerosas o diftéricas en el intestino (colitis ulcerosa), el cuadro anatómico que se presenta en la disentería es poco característico. Los abscesos hepáticos que se encuentran de ordinario en la disentería amibiana no aparecen en las enfermedades bacterianas. Se ha descrito una serie de 1 130 casos de disentería bacilar sin un solo absceso. Los bacilos se encuentran a veces en cantidades enormes en las heces, a menudo en cultivo casi puro. Pueden encontrarse en la autopsia en los ganglios mesentéricos; de ordinario, no los hay en bazo ni en otros órganos internos, tampoco en sangre u orina. La patogenia de la enfermedad en animales de experimentación (ver luego) —penetración inicial de las células epiteliales, y desarrollo de focos infecciosos en la lámina propia— puede remedar estrechamente el proceso patológico en el hombre. Así, pues, la

disentería bacilar no es una septicemia sino una infección localizada de vías digestivas, pareciéndose en este aspecto más al cólera que a la fiebre tifoidea. La diarrea recurrente puede ser causada por bacilos de la disentería, lo que indica que estos llegan a persistir en el intestino, probablemente en las capas superficiales del epitelio, por periodos largos.[10, 20]

En la gran serie de casos estudiados en Dinamarca, causados por los tipos Sonne y Flexner, la mortalidad fue de 2 por 100. El bacilo Shiga de la disentería en los trópicos causa mortalidad mayor (20 por 100). La enfermedad es mucho más grave en infecciones por Shiga que por Flexner, y las complicaciones, como artritis, se asocian casi invariablemente con el primer tipo.

La infección por Shigella tiende a producirse en personas de poca edad. En una serie de 9 142 aislados publicada por el Centro de Control de Enfermedades en Estados Unidos de Norteamérica desde el último cuarto de 1963 hasta el segundo cuarto de 1966 inclusive, el 9.8 por 100 era de personas de menos de un año de edad, 37.3 por 100 de uno a cuatro años de edad, 21.3 por 100 de cinco a nueve años, y seguía disminuyendo hasta 4.5 por 100 en personas de 50 o más años de edad.[9]

Una parte, al parecer creciente, de diarreas infantiles está causada por bacilo disentérico. Algunos tipos de disentería bacilar, especialmente infecciones por *Sh. sonnei,* se han hecho más frecuentes, y la epidemiología de la enfermedad ha cambiado, de manera que esta enfermedad parece irse transformando del "azote de los ejércitos", a la "ruina de las casas cuna",[63] donde puede adoptar un aspecto fulminante rápidamente mortal.[43] Algunos investigadores han aislado bacilos de la disentería en heces, particularmente en los casos en que contienen moco. Los casos que se asocian con estos bacilos, no parecen diferir clínicamente de aquellos en que no se encuentran, y aún no sabemos la proporción de casos de diarrea de lactantes causada por bacilos disentéricos.

Portadores. Es probable que la infección por bacilos de disentería sea muy frecuente, pero que muchos casos no sean reconocidos por lo leve de los síntomas. Las personas con tales infecciones son, por supuesto, portadores convalecientes que continúan expulsando bacilos por un tiempo medio de tres a cinco semanas. No se sabe si hay un estado crónico permanente de portador, análogo al portador crónico de bacilo de la tifoidea, pero muchos convalecientes continúan eliminando bacilos de disentería por largo tiempo, y no es rara la infección inadvertida. De cualquier manera, es el portador casual y los grupos de estos portadores o de casos ambulantes, los que tienen importancia primordial en el mantenimiento y diseminación de la enfermedad que persiste en forma solapada endémica.[40, 41]

Poder patógeno para animales inferiores. La aparición de disentería bacilar en chimpancés en cautividad ya ha sido señalada antes, y otros monos suelen estar infectados, generalmente con *Sh. flexneri*. Probablemente tales infecciones se adquieran desde el hombre y no representen una infección natural en estado salvaje. La infección tiende a ser latente, con aparición ocasional de síntomas, sobre todo cuando los animales se someten a situaciones de alarma.

Se han descrito diversas infecciones experimentales que pueden variar en su parecido con la enfermedad humana. La bacteriemia fulminante mortal producida por inoculación intraperitoneal en diversos animales de experimentación, como el ratón, en el mejor de los casos solo guarda una relación lejana con la enfermedad del hombre. Puede producirse infección de la vejiga urinaria del cobayo por instilación directa de bacilos disentéricos y otros bacilos entéricos,[2] pero esta infección no queda localizada. La técnica de inoculación de un asa ligada de intestino delgado de conejo, creada por De y ampliamente utilizada como modelo experimental para el cólera (capítulo 22) proporciona reacciones positivas, o sea acumulación intraluminal del líquido y multiplicación bacteriana, con bacilos disentéricos que se consideran virulentos, pero no con cepas avirulentas, por ejemplo, Sonne II.[1, 65] Puede producirse una queratoconjuntivitis en el ojo del cobayo instilando bacilos; anatomopatológicamente esta infección se parece mucho a la que se observa en infecciones entéricas experimentales.[3, 49]

Las infecciones entéricas, producidas por administración bucal de bacilos disentéricos, han sido estudiadas en el ratón [53] y se han producido en el cobayo con bacilos resistentes a la estreptomicina administradas en un inóculo que contenía estreptomicina, eventualmente después de un tratamiento con el antibiótico,[33] o después de inoculación parenteral de tetracloruro de carbono.[23, 24] La producción de tales infecciones también requiere desnutrición e inhibición del peristaltismo con láudano o morfina. La infección entérica experimental que más se parece a la enfermedad humana es la del mono, generalmente rhesus, que, como acabamos de indicar, también es adquirida naturalmente del hombre y no requiere tratamiento previo para disminuir la resistencia.

Patogenia. Durante los últimos años se ha aclarado la patogenia de la disentería bacilar y la naturaleza de la virulencia en los bacilos disentéricos por estudios de Formal, LaBrec y colaboradores. En esencia, hay dos etapas en la primera: efracción de la barrera epitelial por penetración directa de las células epiteliales y hacia la lámina propia, y multiplicación en esta, constituyendo un foco de infección. La desintegración subsiguiente de tejido, con formación de úlcera, depende de la endotoxina producida in situ más que de la absorción de esta u de otra toxina desde la luz del intestino. La penetración de la barrera epitelial y el desarrollo de focos de infección en los tejidos más profundos se ha demostrado por la técnica de tinción de anti-

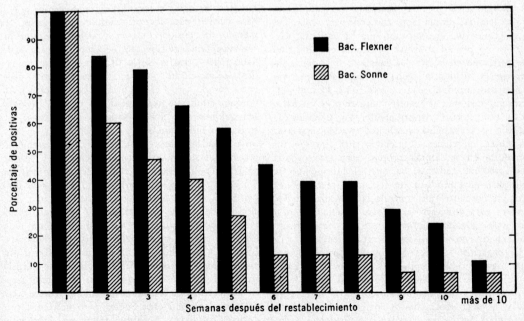

FIG. 21-2. Persistencia de bacilos de la disentería en heces de convalecientes. (Preparado según datos de Watt, Hardy y DeCapito.[69])

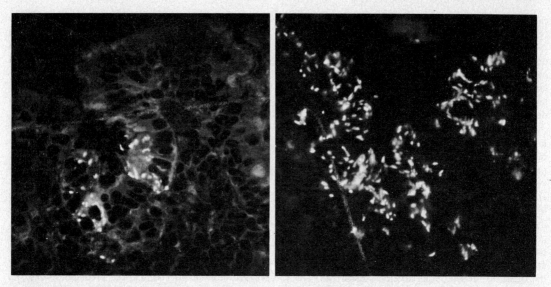

FIG. 21-3. Patogenia de la disentería bacilar. *Izquierda*, Penetración del epitelio del íleon en el cobayo, al cabo de 12 horas, por *Sh. flexneri* 2a; pueden observarse bacilos en las células epiteliales y algunos en la lámina propia. *Derecha*, Pequeñas úlceras microscópicas en el epitelio cólico del mono 24 horas después de la infección; hay bacilos en las células epiteliales y en la lámina propia de las glándulas tubulares del colon. (LaBrec.) (La figura de la derecha, por cortesía de Journal of Bacteriology.)

cuerpo fluorescente en el cobayo,[47] y en el mono.[48] Esto ocurre en el colon del mono; en el cobayo, primero en el intestino delgado a consecuencia de la estasis provocada con opio, más tarde en el intestino grueso.[25]

En una serie de elegantes experiencias fundadas en la base genética de la virulencia, y en la homología genética entre los bacilos disentéricos y *E. coli* K-12, se ha comprobado que la penetración de las células epiteliales y la capacidad de multiplicarse en la lámina propia son componentes separables de la virulencia. Se comprobó que las variantes avirulentas no podían atravesar la barrera epitelial sino que persistían en la luz del intestino;[22] podía restablecerse la virulencia plena de algunas cepas variantes conjugándolas con *E. coli* K-12, lo cual permitía suponer que el fenotipo virulento es un fenómeno poligénico.[26] Inversamente, los híbridos de Shigella y Escherichia virulentos pueden atravesar las células epiteliales, originando una reacción inflamatoria en la lámina propia, pero esto origina una infección abortiva, ya que el híbrido no se multiplica para producir un foco de infección.[27] El locus cromosómico que controla la capacidad de *Sh. flexneri* para atravesar las células epiteliales y desencadenar queratoconjuntivitis, se ha determinado por experimentos similares de cruzamiento.[31]

La capacidad de los bacilos Flexner virulentos para invadir células epiteliales, puede demostrarse en cultivo de tejido empleando células HeLa;[57] el proceso estriba en fijarse los bacilos a la membrana celular, y luego son incluidos por pinocitosis.[58] Aunque ambos bacilos de Flexner, los virulentos y los avirulentos, son fagocitados rápidamente por los macrófagos en cultivos, los virulentos matan las células, y los últimos mueren, observación que puede dar alguna luz sobre la multiplicación de microorganismos virulentos en tejido mucoso.[71]

Diagnóstico bacteriológico.[44, 50] Como ya se indicó, la disentería es una entidad clínica, más que etiológica, y el microbio causal debe ser aislado e identificado, antes de hacer el diagnóstico de disentería bacilar. Los bacilos llegan a encontrarse en muestras de heces y raspados rectales, de los que se hace cultivo para identificación de portadores. Los métodos de enriquecimiento y siembra directa son fundamentalmente los que se emplean para aislar Salmonella y bacilo de la tifoidea. Los medios con desoxicolato-citrato y agar S-S son los más útiles entre los de agar; el de bismuto-sulfito no es útil porque inhibe especies distintas de *Sh. flexneri*. Las colonias son subcultivadas e identificadas por reacciones bioquímicas[17] y de aglutinación en laminilla. Pueden usarse para identificación serológica provisional sueros polivalentes, incluyendo: 1) suero Shiga polivalente, 2) suero Flexner polivalente, 3) suero *Sh. boydii* polivalente, 4) *Sh. soneii* tipos I y II, 5) *E. dispar*, y 6) *E. alkalescens*. La reacción cruzada entre estos grupos de antisueros puede evitarse por absorción de aglutininas.[11] Para identificación precisa se requieren antisueros monoespecíficos. La posibilidad de un rápido diagnóstico provisional identificando los cuatro grupos de Shigella en frotis fecales directos teñidos con anticuerpo fluorescente ha merecido mucho interés. Parece tener valor en las infecciones Sonne, pero tienden a producirse reacciones positivas falsas en infecciones Flexner.[66]

Quimioterapia. Los sulfamídicos son agentes quimioterápicos muy eficaces contra la disentería bacilar; han sido ampliamente utilizados tanto para tratamiento como para profilaxia. Los compuestos solubles, como la sulfadiacina, son más eficaces que los compuestos no absorbibles. La estreptomicina y los antibióticos de amplio espectro, tetraciclina y cloramfenicol, también son eficaces, como lo es la furazolidona (Furoxona); todos ellos han tenido valor como agentes quimioprofilácticos.

Con el empleo general de sulfamídicos, las cepas sulfamidorresistentes de bacilos disentéricos han sido cada vez más frecuentes, resultando en un empleo cada vez mayor, de otros agentes antimicrobianos, con la consecuencia de observarse más y más cepas de resistencia múltiples.[70] En 1960 se comprobó en el Japón[67] que la resistencia múltiple (contra sulfamida-estreptomicina-tetraciclina-cloramfenicol) adquirida por cepas sensibles de Shigella, como de otros bacilos entéricos, está mediada por episomas y se transmite *in toto*. El episoma se denomina factor R (capítulo 6) y este tipo de resistencia medicamentosa adquirida se ha comprobado que ocurre en todo el mundo. Los bacilos Shiga recientemente descubiertos en América Central también muestran resistencias medicamentosas diversas.[18] Por lo tanto, la quimioterapia eficaz de la disentería bacilar sigue planteando dificultades prácticas.

Epidemiología.[60] Probablemente las infecciones causadas por los bacilos de la disentería sean más frecuentes de lo que se acepta generalmente. Los ataques graves del padecimiento se acompañan de otros ligeros y casi triviales de simple diarrea. Hay varios ataques típicos de intoxicación por alimentos, atribuidos al bacilo de Sonne. En localidades donde se han hecho estudios bacteriológicos cuidadosos, se han encontrado bacilos de la disentería ampliamente distribuidos en pacientes con alteraciones gastrointestinales y en la población general. Probablemente el reservorio más importante de la infección sea el portador humano, convaleciente o con infección inadvertida. La importancia de este estado de portadores solo ha sido apreciada en años recientes. En un estudio de infección por bacilo de la disentería en población normal, Watt y Hardy[68] encontraron *Sh. flexneri* en el 11 por 100 de la población de Nuevo México, 4 por 100 en Puerto Rico, 3 por 100 en Georgia, y 0.1 por 100 en la Ciudad de Nueva York, con morbilidad anual calculada en 60 por 100 en Puerto Rico, 48 por 100 en Nuevo México y 20 por 100 en Georgia, y una relación total de convalecientes o portadores pasivos, respecto a los casos, de 9:1. Las infecciones disentéricas parecen ser más frecuentes en países cálidos, y en los meses de verano en los climas templados, aunque pueden ocurrir en cualquier estación del año. El padecimiento diarreico agudo que ocurre en países tropicales y que se conoce localmente con nombres diversos frecuentemente es disentería bacilar y los tipos Flexner y Boyd parecen ser los más comunes donde se han realizado estudios.[32] La diseminación del padecimiento se debe al paso más o menos directo del bacilo específico del intestino infectado a las vías digestivas de un individuo susceptible. El agua contaminada puede participar en algunos brotes, pero, evidentemente, no es factor tan importante en la disentería como en la fiebre tifoidea. La eliminación inadecuada de excreta, que permite la diseminación por moscas y la contaminación de alimentos por portadores crónicos y convalecientes, parece ser el factor más importante en la diseminación de la disentería bacilar. Se ha demostrado la participación de insectos, especialmente moscas; probablemente sea importante y guarde relación con la aparición estacional de la disentería bacilar. En la epidemia descrita por Kuhns y Anderson, fueron atrapadas moscas infectadas en cocinas y letrinas; no son raras publicaciones similares. La disminución de la diarrea y enteritis, y la variación de proporción de agentes etiológicos en las últimas décadas, reflejan muy probablemente el mejoramiento general de las condiciones sanitarias.[64]

Actualmente, en climas templados florece la disentería, especialmente en hospitales para enfermos mentales y otras grandes instituciones, donde la falta de higiene personal entre los internados favorece la diseminación del padecimiento. La frecuencia de casos en instituciones mentales de Estados Unidos de Norteamérica en 1967, por ejemplo, fue de 1 350 por 100 000 pacientes, en contraste con

Separación bioquímica de los basilos disentéricos

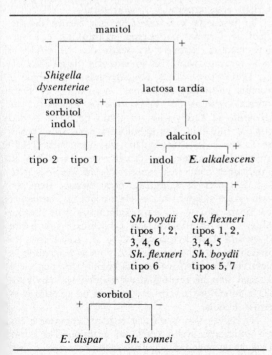

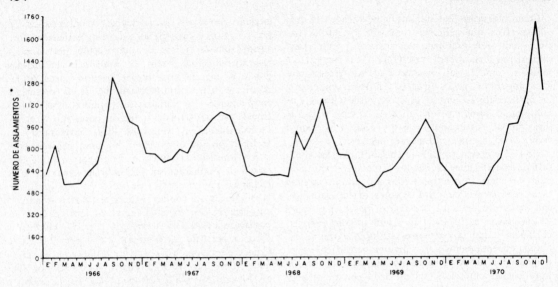

* AJUSTADO A MAS DE CUATRO SEMANAS

FIG. 21-4. Aislamientos humanos señalados de Shigella en Estados Unidos de Norteamérica durante el periodo de vigilancia de 1966-1970. (Morbidity and Mortality Weekly Report. Annual Suplement, Vol. 19, 1970. Center for Disease Control, U. S. Public Health Service.)

una frecuencia de 5.9 casos por 100 000 en la población general.

Siempre que se presenta en estas instituciones, parece ser mantenida por portadores crónicos, y llega a ser problema difícil. El examen bacteriológico semanal en un hospital demostró que más del 50 por 100 de los pacientes disentéricos continuaban excretando bacilos por largo tiempo, en un caso, más de cuatro años y medio. En Estados Unidos de Norteamérica, la disentería bacilar, tiende a predominar en reservaciones de indios. En 1968 la cifra de 211.3 por 100 000 personas en reservaciones contrastaba con 4.6 por 100 000 para todo el país. La disentería bacilar epidémica es también enfermedad de ejércitos en campaña, donde son muy grandes las oportunidades para la diseminación y resultan frecuentes los brotes amplios.

Aunque en pequeños brotes puede encontrarse un solo tipo de bacilo disentérico, en los grandes brotes suele haber más de uno. Los tipos más comúnmente obtenidos son los de Flexner (generalmente tipo 2a) y los bacilos Sonne. La proporción difiere según los lugares y las estaciones. Desde el último cuarto de 1965 hasta el segundo cuarto de 1966 incluido, *Sh. sonnei* predominó en la mitad norte del país; le correspondían del 51.2 al 68.4 por 100 de los aislados en la parte oriental y occidental, respectivamente, mientras que *Sh. flexneri* predominaba en el sur, donde 70.7 por 100 de los aislados eran en la parte oriental, y el 80 por 100 en la parte occidental. De los .serotipos de *Sh. flexneri* el tipo 2 era el más frecuente. El aumento estacional al final del verano y comienzo del otoño depende en gran parte de los

aumentos en el número de infecciones por bacilos Flexner.

Inmunidad. El desarrollo de cierta inmunidad se manifiesta por la resistencia relativa de los residentes en un área endémica, a la enfermedad aguda que afecta a los recién llegados, o sea, "diarrea de aclimatación".[32] Este fenómeno es bien conocido por los residentes de climas templados que visitan áreas tropicales y subtropicales.

En respuesta a la infección con bacilos disentéricos se forman anticuerpos, aglutininas, que suelen aparecer después del sexto día. El título es relativamente bajo. La importancia diagnóstica de las aglutininas es poca, fundamentalmente porque es común encontrar aglutininas "normales". El suero normal agluting *Sh. dysenteriae* de variedad 1 en dilución de 1:20; solo un título de 1:40 o más sugiere infección. Las aglutininas para *Sh. flexneri* se presentan en título mucho más alto, hasta 1:150 en el suero normal, y frecuentemente aumenta en infecciones con otras especies de bacilos disentéricos. Entonces la aglutinina para Flexner tiene escaso valor diagnóstico, a menos que se encuentre en título alto, y no haya aglutininas para bacilos Shiga y de la tifoidea. Las aglutininas para bacilo *Newcastle*, *Sh. dysenteriae* 2, y *E. alkalescens*, se presentan en títulos bajos. *Sh. sonneii* a menudo es aglutinada en títulos tan altos como 1:50 por suero normal, aunque eventualmente pueden ser muy altos en la infección; a veces la respuesta de aglutinina es escasa o nula.

No parece que exista una relación importante entre anticuerpo sérico como tal e inmunidad eficaz para la enfermedad adquirida naturalmente.[4, 5] Esto quizá era de esperar, pues la infección persiste localizada en el intestino, y una inmunidad local puede ser independiente de la respuesta sérica de anticuerpo.

Inmunización. Una inmunización profiláctica eficaz provocada artificialmente sería un medio útil para controlar la disentería bacilar, no solo por las múltiples resistencias microbianas de los microorganismos, sino también porque pudiera aplicarse en situaciones en que la enfermedad es difícil de controlar, por ejemplo en instituciones mentales, reservas de indios, personal militar en el campo, etc. Tal posibilidad ha merecido mucho interés, pero solo hace poco que se han logrado resultados alentadores.

Las vacunas administradas por vía parenteral, a base de suspensiones de bacilos muertos, son relativamente tóxicas y han dado, en conjunto, resultados negativos.[38, 42] Más recientemente, el interés se ha dirigido a provocar inmunidad local en el intestino por administración de vacuna bucal. Las vacunas muertas administradas por la boca han dado resultados equívocos, pero las vacunas vivas parecen más prometedoras.

Las vacunas vivas son de dos tipos, una constituida por cepas dependientes de estreptomicina (SmD) y la otra, por mutantes avirulentos o híbridos. Se han llevado a cabo estudios experimentales con cepas SmD, administradas por vía bucal y seguidas de infección bucal con bacilos virulentos, en monos [54] y en voluntarios humanos.[8] En ambos estudios, se obtuvo un grado apreciable de protección. Además, los ensayos en el campo con vacuna SmD efectuados en personal militar en Yugoslavia, han dado una protección específica de serotipo siete veces mayor, pero no han modificado el estado de portador.[55]

Las vacunas preparadas con bacilos modificados genéticamente han sido de dos tipos: un mutante avirulento caracterizado por incapacidad de atravesar la barrera epitelial, y el otro, una cepa híbrida capaz de penetrar en las células epiteliales, pero incapaz de sostenerse ella sola para producir focos de infección en la lámina propia. Ensayadas en monos, ambos tipos de vacuna han resultado muy eficaces para evitar la enfermedad en respuesta a la infección por vía bucal con cepas similares virulentas. En tales animales inmunizados, la cepa virulenta fue incapaz de penetrar la barrera epitelial, y quedó dentro de la luz del intestino.[30] Las vacunas polivalentes de cepas híbridas de *Sh. flexneri* 1b, 2a y 3, y *Sh. sonnei* I administradas en dos dosis por vía bucal, produjeron una inmunidad muy eficaz contra la infección con cepas virulentas del mismo tipo, pero no contra *Sh. flexneri* 6, una cepa no incluida en la vacuna.[29] En contraste, la inmunización de voluntarios humanos con una cepa híbrida aviruleta, solo dio protección dudosa o nula.[8]

La especificidad de tipo de la inmunidad producida por tales vacunas parece que sería un factor limitante para su empleo, dada la multiplicidad de bacilos disentéricos. Sin embargo, casi invariablemente la disentería bacilar que ocurre en una región está producida por dos o tres tipos de bacilos, generalmente *Sh. flexneri* y *Sh. sonnei*. Por lo tanto, en la práctica la inmunización contra dos o tres tipos de bacilos disentéricos debe bastar para dominar una proporción muy elevada de las infecciones adquiridas naturalmente.

BIBLIOGRAFIA

1. Arm, H. G., *et al.* 1965. Use of ligated segments of rabbit small intestine in experimental Shigellosis. J. Bacteriol. **89**:803–809.
2. Bingel, K. F. 1944. Tierexperimentelle Beiträge zur Pathogenesis der Ruhr. Z. Hyg. Infekt. **125**:610–650.
3. Cooper, G. N., and J. A. Pillow. 1959. Experimental shigellosis in mice. I. Chronic infection with *Shigella dysenteriae* type 2. II. Immunological responses to *Shigella dysenteriae* type 2 infection. Aust. J. Exp. Biol. Med. Sci. **37**:193–200, 201–209.
4. Cooper, M. L., and H. M. Keller. 1948. Studies in dysentery vaccination. I. The passive mouse protection test. J. Immunol. **58**:349–356.
5. Cooper, M. L., and H. M. Keller. 1948. Studies in dysentery vaccination. II. Humoral antibody content of sera from children convalescent from dysentery. J. Immunol. **58**:357–360.
6. Cooper, M. L., H. M. Keller, and E. W. Walters. 1957. Microscopic characteristics of colonies of *Shigella flexneri* 2a and 2b and their relation to antigenic composition, mouse virulence and immunogenicity. J. Immunol. **78**:160–171.
7. DuPont, H. L., *et al.* 1969. The response of man to virulent *Shigella flexneri* 2a. J. Infect. Dis. **119**:296–299.
8. DuPont, H. L., *et al.* 1972. Immunity in shigellosis. II. Protection induced by oral live vaccine or primary infection. J. Infect. Dis. **125**:12–16.
9. Eichner, E. R., E. J. Gangarosa, and J. B. Goldsby. 1968. Current status of shigellosis in the United States. Amer. J. Pub. Hlth. **58**:753–763.
10. El Ghaffar, Y. A., and M. A. El Ghaffar. 1955. Atypical chronic intestinal shigellosis. Amer. J. Trop. Med. Hyg. **4**:301–309.
11. Ewing, W. H. 1950. Shigella grouping antiserums. J. Lab. Clin. Med. **36**:471–472.
12. Ewing, W. H., and K. P. Carpenter. 1966. Recommended designations for the subserotypes of *Shigella flexneri*. Int. J. Syst. Bacteriol. **16**:145–149.
13. Ewing, W. H., and J. G. Johnson. 1961. Intersubgroup and intrasubgroup antigenic relationships within the genus Shigella: Subgroup A. Can. J. Microbiol. **7**:303–308.
14. Ewing, W. H., and L. R. Trabulsi. 1962. Further studies with cultures of Shigella classified according to the method used in the USSR. Int. Bull. Bacteriol. Nomen. Taxonom. **12**:1–8.
15. Ewing, W. H., M. C. Taylor, and M. W. Hucks. 1950. The alkalescens-dispar group. Pub. Hlth. Repts. **65**:1474–1480.
16. Ewing, W. H., J. G. Johnson, and B. R. Davis. 1959. A comparison of the Shigella classification used in the USSR with the international Shigella schema. Int. Bull. Bacteriol. Nomen. Taxonom. **9**:177–181.
17. Ewing, W. H., *et al.* 1971. Biochemical reactions of *Shigella*. DHEW Publication No. (HSM) 72-8081. U.S. Public Health Service, Center for Disease Control, Atlanta, Ga.
18. Farrar, W. E., Jr., and Eidson, M. 1971. R factors in strains of *Shigella dysenteriae* type 1 in the Western Hemisphere during 1969–1970. J. Infect. Dis. **124**:327–329.
19. Felsen, J., and W. Wolarsky. 1952. Bacillary dysentery due to *Shigella alkalescens*. Arch Intern. Med. **89**:428–430.
20. Felsen, J., and W. Wolarsky. 1953. Acute and chronic bacillary dysentery and chronic ulcerative colitis. J. Amer. Med. Assn. **153**:1069–1072.

21. Formal, S. B., and J. P. Lowenthal. 1956. Distribution of mucinolytic activity in strains of Shigella. Proc. Soc. Exp. Biol. Med. **92**:10–12.

22. Formal, S. B., E. H. LaBrec, and H. Schneider. 1965. Pathogenesis of bacillary dysentery in laboratory animals. Fed. Proc. **24**:29–34.

23. Formal, S. B., et al. 1958. Experimental shigella infections: Characteristics of a fatal infection produced in guinea pigs. J. Bacteriol. **75**:604–610.

24. Formal, S. B., et al. 1959. Experimental shigella infections. II. Characteristics of a fatal infection in guinea pigs following the subcutaneous inoculation of carbon tetrachloride. J. Bacteriol. **78**:800–804.

25. Formal, S. B., et al. 1963. Experimental Shigella infections. VI. Role of the small intestine in an experimental infection in guinea pigs. J. Bacteriol. **85**:119–125.

26. Formal, S. B., et al. 1965. Restoration of virulence to a strain of Shigella flexneri by mating with Escherichia coli. J. Bacteriol. **89**:835–838.

27. Formal, S. B., et al. 1965. Abortive intestinal infection with an Escherichia coli–Shigella flexneri hybrid strain. J. Bacteriol. **89**:1374–1382.

28. Formal, S. B., et al. 1965. Protection of monkeys against experimental shigellosis with attenuated vaccines. J. Bacteriol. **90**:63–68.

29. Formal, S. B., et al. 1966. Protection of monkeys against experimental challenge with a living attenuated oral polyvalent dysentery vaccine. J. Bacteriol. **9**:17–22.

30. Formal, S. B., et al. 1966. Fluorescent antibody and histological study of vaccinated and control monkeys challenged with Shigella flexneri. J. Bacteriol. **91**:2368–2376.

31. Formal, S. B., et al. 1971. A chromosomal locus which controls the ability of Shigella flexneri to evoke keratoconjunctivitis. Infect. Immun. **3**:73–79.

32. Floyd, T. M. 1956. A study of the etiology of "acclimatization diarrhea" among Americans in Egypt. Amer. J. Trop. Med. Hyg. **5**:516–520.

33. Freter, R. 1956. Experimental enteric Shigella and Vibrio infections in mice and guinea pigs. J. Exp. Med. **104**:411–418.

34. Galton, M. M., et al. 1948. Enteric infections in chimpanzees and spider monkeys with special reference to a sulfadiazine resistant Shigella. J. Infect. Dis. **83**:147–154.

35. Gangarosa, E. J., et al. 1970. Epidemic Shiga bacillus dysentery in Central America. II. Epidemiologic studies in 1969. J. Infect. Dis. **122**:181–190.

36. Gaspar, G. 1958. Correlations between the antigenic structure and phage sensitivity of types of group Shigella flexneri. Acta Microbiol. **5**:243–251.

37. Goebel, W. F., F. Binkley, and E. Perlman. 1945. Studies on the Flexner group of dysentery bacilli. I. The specific antigens of Shigella paradysenteriae. J. Exp. Med. **81**:315–330.

38. Hardy, A. V., and S. P. Halbert. 1948. Studies of the acute diarrheal diseases. XIX. Immunization in shigellosis. Pub. Hlth. Repts. **63**:685–688.

39. Heyningen, W. E. van. 1971. The exotoxin of Shigella dysenteriae. Vol. IIA, pp. 255–270. In S. Kadis, T. C. Montie, and S. J. Ajl (Eds.): Microbial Toxins. Academic Press, New York.

40. Higgins, A. R., and T. M. Floyd. 1955. Studies in shigellosis. I. General considerations, locale of studies, and methods. Amer. J. Trop. Med. Hyg. **4**:263–270.

41. Higgins, A. R., T. M. Floyd, and M. A. Kader. 1955. Studies in shigellosis . II. Observations on incidence and etiology of diarrheal disease in Egyptian village children. Amer. J. Trop. Med. Hyg. **4**:271–280.

42. Higgins, A. R., T. M. Floyd, and M. A. Kader. 1955. Studies in shigellosis. III. A controlled evaluation of a monovalent Shigella vaccine in a highly endemic environment. Amer. J. Trop. Med. Hyg. **4**:281–288.

43. Hoefnagel, D. 1958. Fulminating, rapidly fatal shigellosis in children. New Eng. J. Med. **258**:1256–1257.

44. Hormaeche, E., and C. A. Peluffo. 1959. Laboratory diagnosis of Shigella and Salmonella infections. Bull. Wld. Hlth. Org. **21**:247–277.

45. Keusch, G. T., L. J. Mata, and G. F. Grady. 1970. Shigella enterotoxin: isolation and characterization. Clin. Res. **18**:442.

46. King, W. E., and E. L. French. 1947. An outbreak of dysentery caused by Shigella schmitzi. Med. J. Aust. **2**:136–138.

47. LaBrec, E. H., and S. B. Formal. 1961. Experimental Shigella infections. IV. Fluorescent antibody studies of an infection in guinea pigs. J. Immunol. **87**:562–572.

48. LaBrec, E. H., et al. 1964. J. Bacteriol. **88**:1503–1518.

49. Mackel, D. C., L. F. Langley, and L. A. Venice. 1961. Amer. J. Hyg. **73**:219–223.

50. Martin, W. J. 1970. Enterobacteriaceae. pp. 151–174. In J. E. Blair, E. H. Lennette, and J. P. Truant, (Eds.): Manual of Clinical Microbiology. American Society for Microbiology, Bethesda.

51. Martin, W. J., W. E. Mock, and W. H. Ewing. 1968. Antigenic analysis of Shigella sonnei by gel diffusion technics. Can. J. Microbiol. **14**:737–743.

52. Mata, L. J., et al. 1970 Epidemic Shiga bacillus dysentery in Central America. I. Etiologic investigations in Guatemala, 1969. J. Infect. Dis. **122**:170–180.

53. McGuire, C. D., and T. M. Floyd. 1958. Studies on experimental shigellosis. I. Shigella infections of normal mice. II. Effect of fasting and fatigue on Shigella flexneri 3 infections in mice. J. Exp. Med. **108**:269–276, 277–282.

54. Mel, D. M., B. Cvjetanovic, and O. Felsenfeld. 1970. Studies on vaccination against bacillary dysentery. 5. Studies in Erythrocebus patas. Bull. Wld. Hlth. Org. **43**:431–437.

55. Mel, D. M., et al. 1968. Studies on vaccination against bacillary dysentery. 4. Oral immunization with live monotypic and combined vaccines. Bull. Wld. Hlth. Org. **39**:375–380.

56. Morgan, W. T. J., and S. M. Partridge. 1941. Studies in immuno-chemistry. 6. The use of phenol and alkali in the degradation of antigenic material isolated from Bact. dysenteriae (Shiga). Biochem. J. **35**:1140–1163.

57. Ogawa, H., et al. 1967. Jap. J. Med. Sci. Biol. **20**:329–339.

58. Ogawa, H., A. Nakamura, and R. Nakaya. 1968. Cinemicrographic studies of tissue cell cultures infected with Shigella flexneri. Japan. J. Med. Sci. Biol. **21**:259–273.

59. Rauss, K., et al. 1961. Acta Microbiol. Hung. **8**:53–63.

60. Reller, L. B., E. J. Gangarosa, and P. S. Brachman. 1970. Shigellosis in the United States: five-year review of nationwide surveillance, 1964–1968. Amer. J. Epidemiol. **91**:161–169.

61. Simmons, D. A. R. 1971. Immunochemistry of Shigella flexneri O-antigens: a study of structural and genetic aspects of the biosynthesis of cell-surface antigens. Bacteriol. Rev. **35**:117–148.

62. Stuart, C. A., et al. 1943. J. Immunol. **47**:425–437.

63. Taylor, I. 1957. The changing epidemiology of Sonne dysentery. Proc. Roy. Soc. Med. **50**:31–36.

64. Taylor, J. 1960. The diarrhoeal diseases in England and Wales with special reference to those caused by Salmonella, Escherichia and Shigella. Bull. Wld. Hlth. Org. **23**:763–779.

65. Taylor, J., and M. P. Wilkins. 1961. The effect of Salmonella and Shigella on ligated loops of rabbit gut. Ind. J. Med. Res. **49**:544–549.

66. Thomason, B. M., G. S. Cowart, and W. B. Cherry. 1965. Current status of immunofluorescence techniques for rapid detection of shigellae in fecal specimens. Appl. Microbiol. **13**:605–613.

67. Watanabe, T. 1963. Bacteriol. Rev. **27**:87–115.

68. Watt, J., and A. V. Hardy. 1945. Studies of the acute diarrheal diseases. X. Cultural survey of normal population groups. Pub. Hlth. Repts. **60**:261–273.

69. Watt, J., A. V. Hardy, and T. De Capito. 1942. Studies of the acute diarrheal diseases. VII. Carriers of Shigella dysenteriae. Pub. Hlth. Repts. **57**:524–529.

70. Williams, R. B., and W. H. Ewing. 1964. The susceptibility of Shigella and Escherichia to antimicrobial agents. U.S. Public Heatlh Service, Center for Disease Control, Atlanta, Ga.

71. Yee, R. B., and C. L. Buffenmyer. 1970. Infection of cultures of mouse macrophages with Shigella flexneri. Infect. Immun. **1**:459–463.

CAPITULO 22

VIBRION DEL COLERA
Y FORMAS RELACIONADAS

Aunque indudablemente el cólera asiático ha existido como endemia en parte de la India durante muchos siglos, el año 1817 marcó su primera extensión considerable más allá de las fronteras del país.

Europa fue invadida por vez primera en 1831, y desde entonces una serie de grandes epidemias llevaron la enfermedad a gran parte del mundo civilizado. Los inmigrantes irlandeses trajeron el padecimiento a Nueva York, durante la pandemia de 1832-33, y la de 1846-62 invadió Estados Unidos de Norteamérica por Nueva Orleans (1848) y se difundió por el valle de Misisipí. La cuarta gran pandemia, de 1864-75, afectó Asia, Africa, Europa y América.[95] La quinta pandemia cubrió el periodo de 1881-1896; la sexta, el de 1898-1923. Hubo casos esporádicos en 1924 y 1925; la enfermedad apareció en Rusia durante la segunda guerra mundial junto con pequeños brotes, en la zona sur del Pacífico, y hubo una epidemia en Egipto en 1947 después de la evacuación británica de la India.

Una séptima pandemia empezó en 1960-1961 en Macao y Hong Kong, que más tarde se difundió a Medio Oriente, Rusia, Africa y península Ibérica, con casos en toda Europa (ver luego).

El agente causal del padecimiento, vibrión del cólera, fue descubierto en 1883 por Koch, en evacuaciones de pacientes con cólera. Microbios similares fueron descritos ulteriormente en aguas contaminadas y en otras partes; actualmente se conocen muchas especies. Sin embargo, esos otros vibriones en general no son patógenos, y han sido estudiados por su relación con el del cólera, y, por lo tanto, no se conocen particularmente bien. De lo que es ahora un grupo perfectamente establecido, solo unas especies son patógenas: el microbio descubierto por Koch, llamado en forma diversa *Spirillum cholerae asiaticae* (Koch), *B. cholerae*, *Vibrio cholerae*, bacilo en forma de coma, y *V. comma* (Bergey); algunos vibriones El Tor; *Vibrio fetus* que infecta animales domésticos; y un vibrión patógeno para pichones y cobayos, *Vibrio metchnikovii*.

Vibrio cholerae[33, 91]

Morfología y tinción. Es un bacilo corto, ligeramente curvo y enrollado; mide 1.5 por 3 μ de longitud y 0.4 a 0.6 μ de anchura. Puede presentarse aisladamente o en cadenas, con aspecto de espirales cortas en forma de S (dos células). Los filamentos rectos o en espiral, formados en la película de cultivos de gelatina líquida, se consideran generalmente formas de involución. Los cultivos que han sido mantenidos por mucho tiempo en agar, pierden a menudo la forma curva y aparecen como bacilos rectos, pero regresan a su forma característica al pasar por varios animales. Los vibriones tienen motilidad activa mediante un solo flagelo polar, más corto que los flagelos de la mayor parte de bacterias. No forman esporas. Se tiñen fácilmente con los colorantes ordinarios de anilina y son gramnegativos.

Las colonias en agar son similares a las de otros bacilos entéricos, pero pueden distinguirse de las *Escherichia coli* por su aspecto delgado, opalescente, a las 24 horas; se vuelven más voluminosos y granulosos al persistir la incubación, según puede observarse en la figura 22-2. Tienen 1 a 2 mm de diámetro y son bajas, convexas, de color grisáceo amarillento, de consistencia finamente granular, que se nota más con poco aumento. Algunas cepas son hemolíticas en agar-sangre, otras no lo son (véase luego).

Fisiología. El vibrión del cólera es fuertemente anaerobio, y su desarrollo es muy escaso en anaerobiosis, y, por tanto, en incubación prolongada. Crece entre límites de temperatura de 16° a 42°C, siendo la óptima 37°C. Es indispensable la reacción alcalina para su desarrollo. El pH va de 6.4 a 9.6;

FIG. 22-1. Micrografía electrónica de sombra de *V. cholerae*, Inaba 569B. × 12 800. (Felsenfeld.)

generalmente se cultivan en cifras alcalinas, de pH 7.8 a 8.0. Esta gran tolerancia para álcalis resulta ventajosa al preparar medios selectivos para aislar el vibrión del cólera. No plantean problemas de nutrición, y pueden desarrollarse en agua peptonada. Muchas cepas crecen en medios sintéticos simples que contienen sulfato de amonio como fuente de nitrógeno; otros también requieren purinas.

La resistencia relativa del vibrión del cólera, como forma entérica gramnegativa, a las substancias inhibidoras, como sales biliares, bismuto-sulfito y

telurita, se utiliza en la preparación de diversos medios selectivos, líquidos para enriquecimiento, sólidos para aislamiento (véase luego). Las reacciones de fermentación son variables, comprendiendo diversos carbohidratos como dextrosa, levulosa, galactosa, maltosa, sacarosa y manitol, con producción de ácido pero no de gas. No atacan la lactosa, la inulina ni el dulcitol. Heiberg estudió las reacciones de fermentación de los vibriones y estableció seis tipos de fermentación de sacarosa, arabinosa y manosa, que se conocen como tipos Heiberg. El I se caracteriza por fermentación de sacarosa y manosa pero no de arabinosa; incluye todos los vibriones del cólera y algunas variedades que no producen el padecimiento. Hidrolizan el almidón.

Licuan tanto el suero coagulado como la gelatina. Los cultivos por punción en gelatina a menudo producen en la superficie una zona pequeña de licuefacción, con forma de nabo, y por evaporación del líquido queda una depresión en forma de burbuja. Sin embargo, otros vibriones también producen este tipo de licuefacción. El desarrollo en leche no produce ningún cambio visible durante cierto tiempo, pero al continuar la incubación aparece peptonización lenta, sin coagulación. Se producen hidrógeno sulfurado e indol, y los nitratos se reducen a nitritos. La adición de ácido sulfúrico a un cultivo de *Vibrio cholerae* en caldo con nitrato y peptona provoca un color rojo, la llamada reacción roja de cólera, que se debe a reacción nitroso-indol y es dada por cualquier bacteria, por ejemplo, bacilos del colon, que reduzca nitratos y produzca indol. Otros vibriones también dan esta reacción.

La resistencia del vibrión del cólera a diversas influencias nocivas, es poca. Es destruido por temperaturas moderadamente altas (10 minutos a 55°C) y rápidamente por desinfectantes químicos. Es particularmente sensible a la desecación; si se seca una gota de caldo de cultivo sobre una laminilla, todos los vibriones mueren en unas dos horas. No

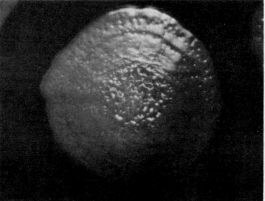

FIG. 22-2. Morfología de las colonias de *V. cholerae* crecido en agar peptonado alcalino. *Izquierda,* Después de 24 horas de incubación; *derecha,* después de siete días de incubación. × 5. (Felsenfeld.)

sobreviven mucho asociados con los bacilos saprófitos ordinarios de suelo y agua; no está demostrado
que sean capaces de multiplicarse fuera del cuerpo,
en agua sucia. Sobre la superficie de vegetales y
frutas conservados en lugares fríos y húmedos, los
vibriones pueden ser viables por cuatro a siete
días.[31, 84] La escasa resistencia del vibrión del cólera,
y especialmente su sensibilidad a la desecación, explican la rápida y completa desaparición del cólera
en localidades que han sido infectadas, y también
la circunstancia de que el padecimiento raramente
o nunca es diseminado por el aire.

Biotipos de vibriones coléricos. La descripción
que precede es la del vibrión colérico "clásico"
aislado por Koch, y que hasta hace relativamente
poco era la causa predominante, quizá exclusiva, del
cólera. Particularmente durante la última década,
se ha comprobado que, si bien el carácter general
de los vibriones coléricos en la forma antes descrita
sigue siendo el mismo, estos vibriones se presentan
en diversos biotipos diferenciables.

A comienzos del siglo se aislaron vibriones de
personas que atravesaban la estación de cuarentena
de El Tor, algunos de los cuales inmunológicamente
no podían distinguirse de *V. cholerae* (ver luego),
pero diferían por producir una hemolisina soluble.
La hemolisina extracelular está producida en cultivos en caldo y se demuestra por la hemólisis que
produce, después de un periodo de incubación,
cuando el caldo se mezcla con glóbulos rojos de
carnero. Esta prueba, o prueba de Greig, debe efectuarse en condiciones estándar para obtener resultados uniformes.[30] Hay que establecer la diferencia
entre hemólisis en agar-sangre y formación de hemolisina soluble, pues la primera puede depender
de hemodigestión; [64] cepas de vibrión que muestran
hemólisis en agar-sangre pueden ser negativas para
la prueba de Greig.

Estos llamados vibriones El Tor se estudiaron
de nuevo intensamente en 1930 y 1931 por Dooren-
bos. El problema práctico de la cuarentena por entonces se resolvió admitiendo, en general, que no
tenía poder patógeno. El problema del poder patógeno de estos vibriones se planteó nuevamente al
aparecer una epidemia de cólera en Sulawesi (Célebes) en 1937-1938 causada por un grupo hemolítico O grupo I de vibriones, que se conoció con
el nombre de vibrión Célebes. La enfermedad se difundió primero por el Pacífico sudoccidental en for-

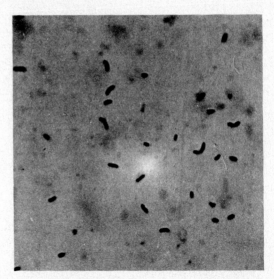

FIG. 22-3. *Vibrio cholerae;* cultivo puro en agua peptonada.
Tinción de Gram; × 1 200.

ma de pequeñas epidemias esporádicas, luego en
forma pandémica desde Macao y Hong Kong
en 1960-1961, para originar la séptima pandemia
de cólera.

Dado su indudable poder patógeno, estos vibriones hemolíticos del grupo O I (ver luego) se
consideran ahora como un biotipo de *V. cholerae*,
y el vibrión clásico del cólera, desde este punto
de vista, también es un biotipo. Se han creado
diversas pruebas para distinguir estos dos biotipos;
las más utilizadas son la sensibilidad al fago de
tipo IV, aglutinación de glóbulos de pollo, la
reacción de Voges-Proskauer (formación de acetilmetilcarbinol), y sensibilidad polimixina B medida
en placas de agar con discos de 50 unidades del
antibiótico.

Como cabía prever, con la aplicación de diversas
pruebas diferenciales se descubrieron formas intermedias, que también pueden considerarse biotipos.
Tales observaciones han sido sistematizadas por
Feeley,[28] quien las ha identificado por números,
según se indica en el cuadro de pág. 460. El valor
epidemiológico, y quizá práctico, de tales biotipos
depende de la estabilidad de las características diferenciales. La aparición de diversos biotipos en una
sola epidemia de cólera [101] sugiere la posibilidad
de tal variación. Al parecer, el más lábil de estos
caracteres es la actividad hemolítica, que ha tendido
a desaparecer al producirse la difusión pandémica
de la infección; la mayor parte de cepas ahora son
"El Tor no hemolíticas", o sea el tipo 3 de Feeley
se ha transformado en tipo 4. En la práctica, solo
se hace referencia a dos biotipos, el vibrión clásico
del cólera, y el vibrión El Tor; este último incluyendo cepas que no son las del biotipo clásico, más
bien solamente de tipo 3.

Tipos Heiberg de fermentación de vibriones

	Tipo					
Azúcar	I	II	III	IV	V	VI
Sacarosa	+	+	+	+	–	–
Manosa	+	–	+	–	+	–
Arabinosa	–	–	+	+	–	–

Biotipos de Vibrio cholerae (Feeley)

Tipo	Hemólisis		Sensibilidad fago IV	Aglutinación glóbulos de pollo	Voges-Proskauer
	Tubo	Placa			
1*	−	−	+	−	±
2	−	−	+	+	−
3†	+	+	−	+	+
4	−	+	−	+	+
5	−	−	−	+	+

* *Vibrio cholerae* "clásico"
† Vibrio El Tor.

Toxinas.[13, 21] Los vibriones coléricos contienen una endotoxina termostable que puede extraerse con ácido tricloracético, como antígeno de tipo Boivin, formada por porciones de lipopolisacárido y proteína, o de polipéptido. El polisacárido determina la especificidad antigénica O (ver luego) y el complejo se halla en la pared celular de los microorganismos. Se ha descrito una toxina proteínica mortal para los ratones que se considera representa la porción proteínica del complejo de Boivin. No sabemos si dicha actividad tóxica contribuye a la patogenia de la enfermedad.

Enterotoxina. El vibrión colérico fue el primer patógeno entérico que se observó formaba una enterotoxina extracelular termolábil. Cuando existe en la luz del intestino delgado, en diversos modelos animales de la enfermedad (ver luego), y probablemente también en el hombre, media el transporte de agua y de iones desde los tejidos a la luz del intestino, para originar una secreción neta, y produce la diarrea intensa característica de la enfermedad. Su papel predominante en la patogenia del cólera se ha comprobado en el modelo del asa ileal de conejo, con el cual se vio, que no solo una toxina sin célula produce una reacción que no puede distinguirse de la que causa la infección, sino también que la enterotoxina de la infección existía en cantidades más elevadas que las necesarias para producir la reacción observada. Se han creado métodos cuantitativos para titular la toxina y la antitoxina que neutraliza su actividad. La toxina parece presentarse con un complejo, del cual la actividad puede disociarse y purificarse. Parece tratarse de una proteína que se distingue por su carga positiva relativamente fuerte.

La naturaleza de la actividad tóxica no se conoce, en gran parte por la falta de conocimientos del mecanismo de control secretor homeostático, que probablemente afecte. En condiciones experimentales, la acumulación de líquido intraluminal queda disminuida por el inhibidor de la anhidrasa carbónica acetazolamida (Diamox),[71] ácido etacrínico,[17] o cicloheximida,[59] y la concentración de adenosinmonofosfato cíclico (cAMP) en la mucosa intestinal está aumentada después del tratamiento con toxina colérica,[87, 100, 102] pero la interpretación de tales observaciones todavía no está clara. La inactivación de la actividad tóxica por gangliósidos probablemente guarde relación con los receptores tisulares de la toxina.[60] La fisiopatología del cólera, aunque muy sencilla, resulta compleja por el número de mecanismos que intervienen.[70, 72]

Factor de permeabilidad vascular (PF). Se observó por investigadores de la India que la inoculación intradérmica de conejos o cobayos con preparados sin células de cultivos coléricos, y con heces coléricas de agua de arroz, produce una intensa hinchazón dura, con eritema moderado a nivel de la inoculación. La permeabilidad localmente aumentada de los pequeños vasos sanguíneos de la piel, permite la difusión del colorante intravenoso, como el Azul Pontamine, para colorear la lesión.

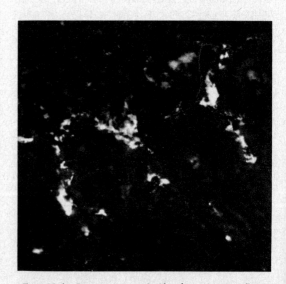

FIG. 22-4. Corte por congelación de anticuerpo fluorescente teñido del intestino delgado del cobayo infectado de cólera. Los vibriones son manifiestos en la luz, pegados a las células epiteliales en las puntas de las vellosidades, extendiéndose a las zonas de las criptas, y llenando las indentaciones del epitelio. Es evidente que no atraviesan el epitelio. (LaBrec.)

Este fenómeno ha sido estudiado en detalle por Craig, quien ha calificado la toxina cutánea de factor de permeabilidad vascular o PF.

La reacción cutánea a dosis crecientes de toxina es suficientemente lineal para permitir la interpolación de una dosis mediana, o dosis de azuleado (blueing dose, BD) que da una reacción de 8 mm de diámetro. La reacción se neutraliza por antisuero, y se determina la dosis límite de azuleado (Lb) de toxina, por inoculación de cantidades progresivamente crecientes de toxina, con antisuero neutralizante estándar, y la interpolación de una lesión de 4 mm de diámetro.

El PF parece guardar estrecha relación con la enterotoxina, compartiendo propiedades de termolabilidad y de falta de capacidad de diálisis, y acompaña a la actividad enterotóxica en diversas técnicas de purificación. Además, los títulos de anticuerpo neutralizante para las dos actividades tóxicas, tienden a ser paralelos. Se cree por algunos, que una misma y única substancia es la causa de ambos tipos de actividad, en analogía con las reacciones cutáneas de Schick y Dick para toxinas de difteria y escarlatina. Aunque las dos actividades se han podido separar por cromatografía de columna,[55, 74] lo cual parece que sería una prueba definitiva de su independencia, y en preparados sucesivos de toxina bruta no vienen necesariamente asociados, o sea que puede faltar una de las actividades en presencia de la otra,[12] todavía no está resuelto el problema de la posible identidad. En forma similar, la relación de una, de otra, o de ambas actividades con el factor que produce el edema de la pata de la rata[37] y la activación de la lipasa en las células grasas de la rata,[57] no es segura.

La relación entre actividad PF y patogenia del cólera todavía es problemática, aunque en la enfermedad se produce una reacción edematosa en la lámina propia. Sin embargo, parece que la actividad PF no es un elemento especial en el movimiento de agua y de iones hacia la luz del intestino, pues la enterotoxina de bacterias coliformes enteropatógenas (capítulo 19) produce una reacción que en condiciones experimentales parece idéntica, aunque no contienen actividad que pueda descubrirse de PF.

Inhibición de la bomba de sodio. El material fácilmente dializable, termostable, de cultivos de vibrión colérico, se ha comprobado que inhibe el transporte activo de sodio in vitro en epitelio de anuro,[42, 62] y en el intestino de conejo in vivo.[73] La hipótesis de que tal inhibición de la bomba de sodio sea la causa de la diarrea del cólera es atractiva y ha sido muy defendida.[85] Sin embargo, se ha comprobado que material sin células en forma de dializado, y libre de enterotoxina, no provoca los cambios requeridos de agua y de iones en modelos experimentales,[16] observación que niega un papel primario de inhibición de bomba de sodio en la patogenia del cólera. Además, se ha comprobado[56] que el amoniaco existente en preparados activos como NH_4^0 es el agente inhibidor, y parece probable que una toxina colérica que afecte directamente el transporte del sodio puede ser un artefacto; los datos disponibles sugieren que la alteración en el desplazamiento de iones puede ser un efecto secundario,[80] probablemente de la enterotoxina.

Citotoxina. La lesión primaria en el cólera parece ser una alteración de la función del epitelio intestinal, con poca o ninguna manifestación morfológica.[83] Sin embargo, se han comprobado los efectos citotóxicos de la toxina colérica sobre células cultivadas. Preparados tóxicos brutos inhiben la captación de timidina tritiada, y la reproducción de células L en cultivo;[92] los preparados muy purificados, impiden la adherencia mutua y la multiplicación de células HeLa.[63]

Hemolisina. La hemolisina producida por algunos biotipos de *V. cholerae* se presenta, junto con otras toxinas, en el sobrenadante del cultivo líquido.[110] Se ha estudiado en forma muy purificada[111] y puede ser una lecitinasa.[77] Al parecer, no guarda relación ninguna con la patogenia de la enfermedad producida por estos microorganismos,[112] pero la aparición de antihemolisina en los sueros de los pacientes puede ser un método serológico útil para diagnóstico retrospectivo.[34]

Mucinasa. El vibrión del cólera, y microbios relacionados, también producen actividad de mucinasa, que descama el epitelio intestinal del cobayo in vitro y puede ser titulado contra ovomucina.[20] *V. cholerae* produce más de un tipo de mucinasa serológicamente distinta, y los vibriones que no provocan el cólera también producen potentes mucinasas, de manera que la relación entre estas y la patogenia del padecimiento es dudosa.[40]

Estructura antigénica. La primera demostración de aglutinación bacteriana por suero inmune homólogo fue hecha por Gruber y Durham, en 1896, mediante la aglutinación del vibrión del cólera y el bacilo de la tifoidea. Pronto quedó comprobado que la reacción de aglutinación era específica, y ha sido usada para identificar el vibrión del cólera. La estructura antigénica de este y otros similares ha tenido considerable interés en relación con la diferenciación de *V. cholerae*.

Los vibriones contienen antígenos O somáticos, termostables, y H flagelares termolábiles. Los antígenos específicos de tipo son O, y se han establecido diversos grupos serológicos; el vibrión del cólera y algunos El Tor (véase luego) se encuentran en O de grupo I.

Originalmente autores japoneses demostraron que podían diferenciarse tres tipos de vibrión del cólera, según la especificidad de los antígenos termostables O. Son: el "original", J o tipo Inaba; el tipo Hikojima, "medio" o "intermedio"; y el tipo Ogawa, "variante", F. Durante muchos años, en la India solo se encontró el tipo Inaba, pero ahora se observa con frecuencia el Ogawa. El tipo Hikojima parece existir primordialmente en China, junto con los tipos Ogawa e Inaba.

El análisis detallado de la estructura antigénica O y H de los vibriones del cólera y similares ha demostrado que un antígeno O, específico del grupo, llamado A, es compartido por todos los vibriones del grupo I, y que los tipos japoneses dependen de antígenos O subsidiarios, B y C, designados arbitrariamente como específicos de tipo. Se ha sugerido que los tipos japoneses se identifiquen por sus fórmulas antigénicas; por ejemplo, Inaba como tipo AC, Ogawa como tipo AB, e Hikojima como tipo ABC. Hay vibriones que contienen antígenos de grupo, pero carecen de estos antígenos específicos de tipo; constituyen un nuevo tipo. Se han descrito otros antígenos, que constituyen una variedad de serotipos.[15, 43, 109] La presencia de ciertos tipos antigénicos ha sido puesta en duda, pero los bajos títulos de antisueros utilizados impiden su demostración; por ejemplo, el tipo A se ha observado en cepas aisladas en Bangkok en 1958-59. Antígenos distintos de los específicos de tipo y de grupo son también demostrables aplicando otros métodos de ensayo como difusión en gel.[52] Los antígenos H, designados con números arábigos, y otros componentes del antígeno O, son compartidos por los vibriones O de grupo I y los de otros grupos O.

Los antígenos distintos de los demostrables por el método corriente de aglutinación, y absorción de aglutinina, para análisis antigénico, fueron descritos originalmente como dando lugar a anticuerpos protectores efectivos en el ensayo de infección intestinal en ratón y cobayo, y produciendo anticuerpos demostrables en la reacción pasiva de hemaglutinación y por fijación de complemento.[14] Gallut[45] separó este complejo antigénico como un antígeno precipitante, por extracción con fenol de antígenos específicos que contienen polisacárido.

Respecto a la aglutinación, ha ido introduciéndose en la literatura una curiosa terminología; se dice que una cepa que es aglutinada por antisuero específico es aglutinable en tanto que los vibriones que no son aglutinados por el antisuero del cólera son llamados "inaglutinables", a pesar de que aglutinen fácilmente con antisuero homólogo. Son denominados vibriones no aglutinantes o NAG.

Los vibriones del cólera están serológicamente relacionados con Brucella,[29] y esto ha dado lugar a pruebas positivas de aglutinación de Brucella en personas no infectadas con este microbio, pero que han sido inmunizadas con vacuna contra el cólera. Gallut[44] ha demostrado que los antígenos comunes son C y D del complejo antigénico O del cólera.

Variación. Es bien conocida la tendencia del vibrión del cólera a producir formas caprichosas de involución, que se encuentran no solo en cultivos viejos, o desarrollados en condiciones adversas (como aumento de concentraciones de sales) sino también logradas por inclusión de substancias como glicina o alanina en el medio. Estos cambios en la morfología también se asocian con el tipo usual de disociación S-R, que ocurre fácilmente por influencia de bacteriófago, cloruro de litio, etc., las variantes rugosas muestran carácter distintivo de colonias, aglutinación espontánea en solución salina, etcétera.

Los cambios inmunológicos asociados con la disociación S-R han sido estudiados con cierto detalle por White,[113] quien ha encontrado cuatro grupos de variantes rugosas separables inmunológicamente; su grupo A parece corresponder al grupo I de Gardner y Venkatraman. La degeneración ulterior a las llamadas variantes ρ provoca pérdida del antígeno específico O. Puede producirse un tipo independiente de variación de rugosa a no rugosa, y las cepas rugosas de S, R, y las variantes ρ, contienen antígeno O común a ambos miembros del grupo A y vibriones de otros grupos. White ha aislado un antígeno somático proteínico, común a todas las variantes conocidas, que muestra ampliamente reacciones de precipitación cruzada en todo el grupo de vibriones, aunque no parece participar en la reacción de aglutinación.

Variación de serotipo. Aunque en una epidemia de cólera suele observarse un solo serotipo de vibrión, puede descubrirse más de uno, incluso en el mismo individuo.[51] Esto se ha interpretado como indicando infecciones mixtas, o bien inestabilidad del serotipo. El serotipo puede alterarse en cultivo, generalmente un cambio de Ogawa a Inaba;[11] este último se considera una variante perdida del primero. La demostración de la presencia de alteración en el serotipo in vivo depende del cambio de Ogawa a Inaba en ratones estériles infectados, y en

---

Tipos serológicos de vibriones de cólera y paracólera

Tipos japoneses		*Tipo inmunológico*
Nombre	*Sinónimos*	
Ninguno	Ninguno	Tipo A
Inaba	"J" Japonica 1911, "original", "tipo final"	Tipo AC
Ogawa	"F" Formosicana 1911, "variante", tipo final"	Tipo AB
Hikojima	"Tipo medio"	Tipo ABC

una infección accidental de laboratorio, con una cepa Ogawa en Estados Unidos de Norteamérica, excluyendo la posibilidad de infección mixta, seguida de aislamiento del serotipo Inaba.[103]

Clasificación. Aunque el vibrión colérico taxonómicamente se separa de las enterobacteriáceas como un género de la tribu Spirillaceae, muchas veces, quizá en forma subconsciente, se estudia junta con los bacilos entéricos. Indudablemente, esto puede atribuirse sobre todo al tipo de enfermedad que produce, pero el vibrión colérico se parece a los bacilos entéricos anaerógenos como Shigella por su fermentación de la glucosa siguiendo la vía glucolítica, por tener homologías suficientes para compartir el factor R con los bacilos entéricos,[69] etc.

La clasificación a este nivel no ha preocupado mucho; han intervenido consideraciones tanto prácticas como teóricas en la caracterización y la nomenclatura de los vibriones coléricos. El nombre *Vibrio comma* de la clasificación de Bergey nunca ha tenido gran aceptación. El nombre *Vibrio cholerae* es el utilizado casi universalmente, y en la actualidad aceptado internacionalmente.[93]

Patogenicidad para el hombre.[24] La relación causal entre el cólera y el microbio descubierto por Koch, ha sido demostrada por gran número de accidentes de laboratorio. Uno de los primeros ocurrió en el del propio Koch, y también se han descrito otras infecciones por deglución accidental de cultivo de vibrión del cólera. En un caso, la deglución fue deliberada; Pettenkofer y Emmerich ingirieron voluntariamente una pequeña cantidad de caldo de cultivo de "vibrión de Koch" y, en consecuencia, desarrollaron el cólera.

Como se indicó antes, una enfermedad clínica prácticamente idéntica es producida por los diversos tipos de *V. cholerae*. Además, otros vibriones independientes también guardan relación con enfermedades diarreicas.[79] Tales vibriones dan una reacción positiva en el conejo recién nacido; otros, incluyendo algunos vibriones del agua, inicialmente incapaces de infectar al conejo recién nacido, lo hacen después de pasar por los animales.[27]

Tanto los casos de cólera de laboratorio, como los ocurridos espontáneamente en el curso de epidemias, presentan grandes diferencias en la susceptibilidad de los individuos. Han tenido interés al respecto la posible relación del síndrome de malabsorción, con imágenes de las vellosidades en hoja más que digitiformes, la cantidad de ácido clorhídrico en el estómago, la dieta y otros factores similares, pero hasta aquí ninguno se ha asociado seguramente con sensibilidad a la infección.

El periodo de incubación es corto; suele ser de tres a cinco días, pero puede ser tan breve como 24 horas. El orden de acontecimientos parece ser el siguiente: los vibriones atraviesan la barrera de la acidez gástrica en número suficiente para crear un foco de infección en el intestino delgado. Se elabora toxina, probablemente la enterotoxina antes

descrita, y líquido y electrólitos se pierden rápidamente con la intensa diarrea resultante.[86] Esta reacción inicial a veces se denomina primera etapa de la enfermedad. Las heces de agua de arroz no tienen olor ni aspecto especiales; son de tipo trasudado, consistente en plasma sanguíneo menos proteína; y contienen estrías de moco, células epiteliales descamadas y un número enorme de vibriones. Al persistir la pérdida de agua y bicarbonato, lo más notable es la deshidratación y la acidosis metabólica, de manera que la persona afectada cae en un estado de colapso. Esto es lo que se llama la segunda parte de la enfermedad, caracterizada por insuficiencia circulatoria, temperatura subnormal y anuria. En contraste con lo que ocurre en la disentería bacilar, la mucosa del intestino se conserva intacta.[105] En raros casos la infección no produce diarrea, pero origina la forma designada cólera seco, cuadro que es señal de intoxicación generalizada.

El tratamiento es sintomático; consiste en la substitución de agua y electrólitos. Generalmente hay acidosis, y los pacientes literalmente pocos minutos antes de morir pueden salvarse por la administración intravenosa (hasta un litro en 10 minutos) de solución isotónica de bicarbonato sódico. Después el paciente se rehidrata con alcalinos, bicarbonato, lactato, o solución salina, y se conserva en equilibrio de líquidos por vía venosa compensando la pérdida hasta que la diarrea se interrumpe y se reinicia la función renal. Generalmente se necesitan de 20 a 25 litros, pero en casos excepcionales se han inyectado hasta 70 litros. La pérdida de potasio puede ser suficiente para causar dificultades cardiacas, y muchas veces se necesita substituir el potasio con el líquido de rehidratación o por la boca en forma de agua de coco, más frecuentemente en el cólera de los niños que en el de los adultos.[76] La substitución de líquido por vía bucal o nasogástrica, ha dado resultados alentadores.[18, 81]

La quimioterapia ocupa una posición anómala, por cuanto, si es eficaz disminuye netamente las necesidades de líquido de rehidratación, al reducir la duración de la diarrea, y disminuye quizá a la mitad el periodo durante el cual se eliminan los vibriones, pero no parece afectar las cifras de mortalidad.[68, 75] Los sulfamídicos son casi totalmente ineficaces. De los antibióticos, la tetraciclina y el cloramfenicol son los más eficaces, pero el último no se recomienda por sus efectos secundarios, y la estreptomicina no es eficaz. Se ha comprobado que la furazolidona es tan eficaz como la tetraciclina.

La mortalidad en casos sin tratamiento es del 50 ó 60 por 100, aunque puede ser menor en algunas epidemias, quizá del 10 al 20 por 100 en personas tratadas; puede reducirse al 1 por 100 o menos en las condiciones ideales de tratamiento.

Portadores. El estado de portador convaleciente es de duración limitada, y en la inmensa mayoría de los casos puede terminar al cabo de una semana la eliminación de vibriones en número que permita su descubrimiento, aunque en raras ocasiones persiste la excreción hasta por cuatro o cinco semanas. Sin embargo, la infección puede persistir mayor tiempo, según lo demuestra la recuperación de vibriones de individuos negativos después de una purga.[50] El examen de líquido duodenal después de estimular el curso de la bilis, ha dado una proporción elevada de cultivos positivos.[88] Hay motivos para creer que las infecciones persistentes son infecciones de vesícula biliar;[54] se ha comprobado que las lesiones vesiculares favorecen la eliminación prolongada de vibriones en monos infectados experimentalmente.[58] Algunos individuos, quizá más de los conocidos, pueden transformarse en portadores, en el sentido de seguir excretando vibriones durante años. Consideraciones prácticas impiden una vigilancia extensa para descubrir tales portadores, pero algunos casos son bien conocidos,[2] y en un estudio [89] el 3.7 por 100 de los casos recuperados se volvieron portadores.

El estado de portador casual, por breve tiempo y asintomático o casi asintomático, se descubre en zonas endémicas; sirve para perpetuar la infección en periodos interepidémicos. En Bengala occidental, la proporción de portadores es de 7.3 y 1.5 por 100 en contactos y en no contactos, respectivamente de personas infectadas asintomáticas,[104] y el 20 por 100 en contactos con casos de la enfermedad.[94] En las Filipinas las cifras son de 21.7, y 8.4 por 100 para contactos y no contactos.[25] El periodo observado de eliminación en este estudio fue de 5 a 19 días, con un promedio de 7.8 días. La proporción de infecciones inadvertidas a casos de cólera puede ser muy alta en zonas fuertemente endémicas.[78] Se ha observado generalmente, que el individuo infectado asintomático elimina 10^2 a 10^3 vibriones por gramo de heces, en contraste con las heces de agua de arroz de los enfermos, que contienen 10^8 vibriones por gramo.

Diagnóstico bacteriológico.[4, 6] El diagnóstico bacteriológico del cólera es esencial para establecer la identidad de la enfermedad, sobre todo en casos esporádicos, y en etapas tempranas de una epidemia, porque es frecuente la enfermedad diarreica aguda de otra etiología en la mayor parte de lugares donde hay cólera.

Los vibriones están en número muy elevado en las heces de agua de arroz, y se observan en frotis teñidos con Gram. Se han identificado por tinción de anticuerpo fluorescente,[36] y por su inmovilización en presencia de antisuero específico, observando en el microscopio de campo obscuro.[8] De los dos métodos, el último es el más fácil de aplicar en el campo. Esta identificación solo es provisional.

Se mandan muestras de heces en caldo de taurocolato-telurito de pH 9.2, o en agua peptonada alcalina (pH 8.2). Ambos medios sirven de nutrientes; el primero es selectivo para incubación. Este material se cultiva repetidamente desde que se reci-

be y después de la incubación, o sea las 24 horas en caso del medio de taurocolato, y a las ocho horas para el agua peptonada alcalina, en uno u otro de los medios de aislamiento selectivos, como agar con sales biliares, agar nutritivo (pH 8.2) que contenga 0.5 por 100 de taurocolato sódico; el agar alcalino (pH 9.2) de taurocolato-telurito-gelatina de Monsur; y el agar preparado en el Japón de tiosulfato-citrato-azul de boromotimol-sacarosa (TCBS). La selección de colonias típicas se facilita utilizando luz transmitida oblicua con microscopio de pocos diámetros, de preferencia con un microscopio binocular de disección.

Estas colonias se cultivan de nuevo en agar con hierro de Kligler (KIA) y se utilizan para aglutinación en portaobjetos con antisuero de grupo O I. Una reacción típica en KIA, el cultivo en medio inclinado rojo amarillo, sin gas, y una segunda aglutinación en portaobjetos, confirman la presencia de vibriones de grupo O I.

Estudios más detallados, como la diferenciación de Aeromonas, Pseudomonas y Commamonas por pruebas de oxidación-fermentación y oxidasa; establecimiento de tipo con antisueros monoespecíficos Ogawa e Inaba; y determinación de Heiberg y biotipo suelen efectuarse en un laboratorio de control.

Epidemiología.[32, 65] Como otras infecciones intestinales, el cólera se disemina por las heces infectadas, ingeridas por personas susceptibles. En consecuencia, la enfermedad suele ser transmitida por el agua o cualquier alimento ordinariamente consumido crudo. Se ignora la importancia cuantitativa de la infección por contacto. El cólera difiere de otras enfermedades orgánicas por el carácter altamente explosivo de sus brotes, atribuibles al breve periodo de incubación, la elevada mortalidad, y la rápida y permanente desaparición una vez que ha cedido el brote. En cierta forma, el cólera es una de las enfermedades contagiosas más fáciles de controlar, ya que no se puede diseminar cuando hay buenas facilidades sanitarias, por ejemplo, tratamiento de aguas de albañal, abastecimientos de agua, etc. Un ejemplo palpable de ello se describió en la guerra de los Balcanes en 1913, en la cual se difundió la infección en el ejército búlgaro en Sofía; pero los casos en la capital fueron principalmente de origen externo, y la enfermedad se diseminó poco; Sofía fue controlada eficazmente y tuvo un excelente abastecimiento de agua.

Focos endémicos. El colera persiste en los periodos interepidémicos en focos de infección endémica. Las áreas endémicas son adyacentes a ríos, en zonas bajas con población densa. En dichas áreas, los tanques y otros depósitos de agua contienen a menudo vibriones del cólera y similares. La infección persiste en un pequeño número de casos humanos, entre las epidemias.

El foco clásico de infección endémica está en Bengala, extendiéndose de los deltas del Ganges y

Brahmaputra hasta Assam y Bihar. También hay un foco de infección en Burma, en el delta de Irrawaddy, y posiblemente también en partes del delta de Salween. El cólera también se ha producido en Nepal durante años, y se sospecha que esta zona geográfica es un foco endémico. La enfermedad ocurre en China, pero no tenemos información acerca de su frecuencia y su posible carácter endémico. Después de la difusión de los tipos llamados El Tor, la infección ha persistido en forma endémica en diversas zonas invadidas del sudeste asiático, Filipinas y Medio Oriente, pero es demasiado pronto para saber si tales áreas han pasado a ser focos permanentes de infección.

Diseminación de la epidemia. Cada año se presenta la enfermedad en forma epidémica, primero en zonas endémicas como Bengala, comenzando en febrero; alcanza el máximo en abril y mayo, inmediatamente antes de comenzar la época de los monzones, y hay una notable correlación entre humedad relativa y frecuencia de cólera. En Bengala ocurre un pequeño brote secundario en diciembre; la frecuencia del padecimiento por estaciones en esa zona se muestra en la figura 22-6.

La enfermedad se extiende desde estos focos cada año, alcanzando el máximo en Punjab en julio y agosto, y en Uttar Pradesh en primavera, diseminándose por India central, Madras y Bombay.

Su difusión fuera de estas áreas, hacia Europa y el hemisferio occidental, se ha producido en una serie de pandemias, descritas al comienzo de este capítulo. Las estaciones de cuarentena de El Tor y Basra funcionan para evitar la difusión de la infección hacia el Medio Oriente, aunque el cólera se presentó en forma epidémica en Egipto en 1947, coincidiendo con la evacuación de la India por los británicos. La vía tradicional de difusión hacia el oeste ha sido por Afganistán hacia el Medio Oriente y Europa Oriental; esta difusión es difícil de controlar debido a la existencia continua de contrabando y formas similares de tráfico ilegal.

La séptima pandemia.[46] La séptima pandemia de cólera ha sido causada por el biotipo El Tor de vibrión colérico, que apareció en Indonesia en 1937-1938, como antes señalamos. La enfermedad persistió relativamente inactiva, con pequeños brotes localizados, hasta que adquirió forma epidémica en Hong Kong en 1960, difundiéndose desde ahí por todo el Pacífico sudoccidental, en particular Filipinas e Indochina, al año siguiente, y al norte, hacia Corea, en 1963. Desde esta zona siguió el camino clásico de pandemias previas alcanzando el Medio Oriente para producir epidemia en Irán en 1964 y en Irak en 1965. En 1970-1971 se había difundido hacia Rusia por el norte de Africa, desde Kenia en el este, a la costa Atlántica en el oeste, y en dirección sur hasta Nigeria y Camerún. En 1971 se difundió a España y Portugal, con algunos casos en Francia. Este tipo de difusión se indica en la figura 22-7.

A pesar de esta distribución geográfica, o sea que aumenta el número de países que anuncian casos de la enfermedad, el número de casos declarados en el mundo no ha aumentado durante los últimos años. El número preciso de casos no puede determinarse; representa un mínimo, en parte porque resulta imposible una estimación total precisa en zonas primitivas, y también porque hay una neta resistencia de muchos gobiernos a admitir oficialmente la presencia de la enfermedad.

FIG. 22-5. Forma de las colonias de *Vibrio cholerae* en agar con sales biliares, en cultivo mixto con bacilos coliformes. Las colonias pequeñas translúcidas y prominentes de vibrión del cólera, contrastan con el aspecto rugoso de las colonias de bacilo coliforme en presencia de taurocolato. × 10.

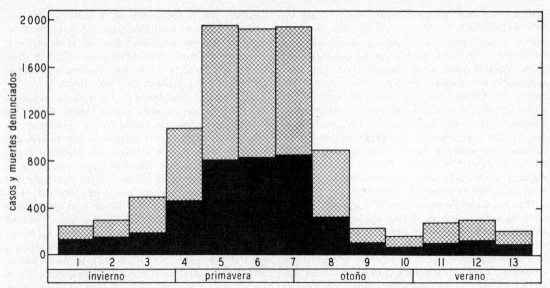

FIG. 22-6. Frecuencia del cólera en Bengala occidental, mostrada por las cifras medias de casos y muertes, por periodos de cuatro semanas. (Datos de Epidemiological and Vital Statistics Reports, World Health Organization.)

Aunque no puede asegurarse con certeza completa que pandemias anteriores de cólera fueran exclusivamente del biotipo clásico, es posible que la difusión pandémica del biotipo El Tor no se produjera en las pandemias quinta y sexta. Coincidiendo con la difusión de la enfermedad, el biotipo El Tor entró en la India para substituir al biotipo clásico. Quizá tenga importancia el hecho de que en cultivo mixto el biotipo El Tor tiende a substituir al biotipo clásico.[47]

Aunque la enfermedad causada por el biotipo El Tor clínicamente es idéntica a la producida por el biotipo clásico, hay esencialmente una protección cruzada entre los dos biotipos en la prueba de protección de El Tor, y el cólera causado por El Tor sigue el mismo cuadro epidemiológico que el cólera del biotipo clásico, con algunas diferencias aparentes. Estas pueden resumirse así: ambos biotipos producen enfermedad clínica igualmente grave; pero en el biotipo El Tor los casos graves suelen ser menos, las infecciones ligeras y asintomáticas son más frecuentes y hay menos casos secundarios en familias afectadas. No solo es más frecuente el estado de portador, sino que hay más portadores clínicos del biotipo de El Tor, al paso que no se han observado portadores crónicos del biotipo clásico. Finalmente, el biotipo El Tor parece ser más resistente y sobrevive mayor tiempo en el ambiente que el biotipo clásico.

Control del cólera epidémico. En ausencia de control epidémico de aprovisionamiento de agua, tratamiento de las aguas negras y alimentos, con estándares de vida relativamente altos, el control del cólera resulta difícil.[26] La cuarentena internacional no ha dado buen resultado sobre todo en la séptima pandemia, y la rapidez del viaje aéreo ha creado, por ejemplo, un caso de cólera en un turista americano que adquirió la infección en Bombay y enfermó al llegar a Australia.[82] La inmunización en masa es de valor dudoso, y la relativa eficacia de las vacunas actualmente existentes (ver luego) es tal que ya no se necesita inmunización para personas que entran a Estados Unidos de Norteamérica procedentes de zonas infectadas.

Inmunidad. La recuperación de una crisis de cólera brinda inmunidad para la infección subsiguiente, pero la calidad de la inmunidad no está muy aclarada. Parece ser de duración limitada, quizá de seis meses a un año y se han documentado cierto número de reinfecciones.[114] Hay un aumento de anticuerpo sérico, de aglutininas, de anticuerpo vibriomicida y de antitoxina. Según los estudios más recientes, la aglutinina alcanza un máximo de quizá 1:1 280 y el anticuerpo vibriomicida de 1:50 000 a 1:70 000 al cabo de 10 a 12 días de iniciado el proceso,[97] y las antitoxinas de unas 2 000 unidades por ml a las dos semanas.[67] También se produce coproanticuerpo, pero a veces no en forma parelela con el anticuerpo sérico.[41]

Vacunas. Las vacunas actualmente en uso para inmunización profiláctica consisten en suspensiones salinas de vibriones muertos, que contienen no menos de 8 000 millones por ml, y suelen ser divalentes, con números iguales de los serotipos Inaba y Ogawa. Una vacuna se presenta en forma liofilizada. La potencia inmunógena se valora según la prueba de protección activa del ratón; ratones inmunizados se ponen en contacto con vibriones de mucina por vía intraperitoneal (ver luego).[90] La inmunización del hombre suele lograrse con dos dosis de 1 ml cada una, separadas por una semana y por vía subcutánea; la inoculación estimulante necesaria, con intervalos de seis meses según las regulaciones internacionales, es de 1 ml por vía subcutánea, o 0.1 ml por vía intradérmica.

Las pruebas de campo sobre eficacia profiláctica de las vacunas se han efectuado bajo los auspicios de la Organización Mundial de la Salud en las islas Filipinas [1] y en Calcuta,[22] y por el Cholera Research Laboratory de Paquistán-SEATO en el Paquistán oriental.[9] En este último se comprobó protección en el 75 por 100, pero, en general, se obtiene una protección de aproximadamente 50 por 100.[5] El análisis de los costos y de los beneficios ha demostrado que, con eficacia tan limitada, la inmunización en masa solo es práctica cuando el ritmo de ataque es de 8 por 1 000 habitantes o más (documento no publicado de la WHO). Las vacunas vivas preparadas con vibriones avirulentos [99] o dependientes de la estreptomicina,[35] se hallan en etapa experimental.

Poder patógeno para animales inferiores. El vibrión colérico parece ser parásito exclusivo del hombre; no se han descrito infecciones que ocurran espontáneamente, a diferencia de la contaminación de los crustáceos. Las infecciones experimentales han tenido importancia en relación con la valoración del poder inmunógeno de las vacunas, y como modelos para simular en grado mayor o menor la enfermedad humana.

La infección entérica experimental del cobayo fue descrita por Koch, quien dio a los animales por la boca cultivos de vibriones de caldo, como parte de la demostración de la relación causal entre el vi-

brión y la enfermedad. La infección puede ser asintomática, pero cabe la producción de una infección mortal con vibriones resistentes a la estreptomicina en animales tratados con el antibiótico.[39] El conejo recién nacido puede infectarse por vía bucal, según lo demostró Metchnikoff a comienzos de siglo; esta infección fue estudiada en detalle por Sanarelli en la década de 1920. El cobayo puede infectarse por inoculación intraperitoneal, y en el ratón puede producirse una bacteriemia fulminante mortal por inoculación intraperitoneal de los vibriones en mucina. Esta última prueba se utiliza mucho para valorar la potencia inmunógena de las vacunas, en la forma antes indicada. Puede producirse una infección mortal en el huevo embrionado.[48, 49]

Modelos animales. Las infecciones bacteriémicas, como las producidas por inoculación parenteral, se parecen muy poco a la infección estrictamente localizada de la enfermedad natural en el hombre; por lo tanto, solo tienen utilidad limitada. Las enfermedades entéricas experimentales, desarrolladas y aplicadas desde el final de la década de 1950, puede lograrse que remeden en mayor o menor grado la enfermedad humana. Además, la enfermedad puede reproducirse en estos modelos animales con material sin células, y ha permitido estudiar y demostrar la enterotoxina colérica.

Conejo muy joven. El modelo del conejo muy joven, al cual se administran por vía bucal, intragástrica, o directamente en la luz del intestino, vibriones o material sin células, fue estudiado de

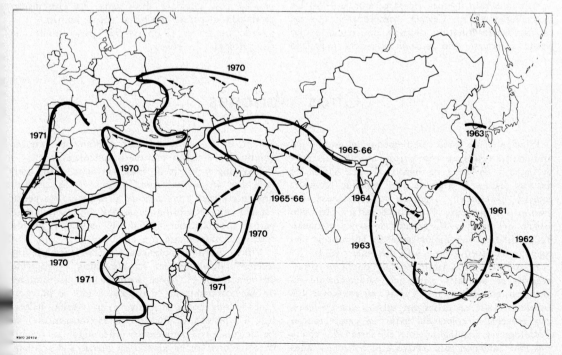

Fig. 22-7. Difusión mundial del cólera durante la séptima pandemia, 1961-1971. (Organización Mundial de la Salud.)

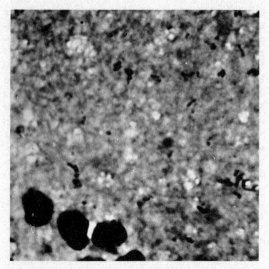

FIG. 22-8. *Vibrio cholerae* en exudado peritoneal de un cobayo. Nótense las formas hinchadas y aberrantes. Tinción de Gram; × 1 250.

nuevo en el Instituto Haffkine por Dutta y colaboradores, y se perfeccionó; ha sido ampliamente utilizado, sobre todo en estudios de enterotoxina. Aunque se han descrito diversos grados de reacción, este modelo animal es útil esencialmente para estudios cualitativos, y tiene el inconveniente de que no puede aplicarse a la investigación de la respuesta inmune activa.

Asa intestinal ligada. En la década de 1950 De y colaboradores, en Calcuta, comprobaron que un asa ligada de intestino delgado de conejo adulto puede infectarse con vibrión colérico inoculado

dentro de la luz. La respuesta es la acumulación de líquido en el asa, con multiplicación de los vibriones, a tal grado que el asa se distiende intensamente. Se produce prácticamente la misma reacción empleando preparados que contienen enterotoxina sin células, pero cura espontáneamente y el grado de acumulación de líquido es función de la dosis. Por lo tanto, en este modelo la reacción es cuantitativa y se mide como mililitros de líquido intraluminal por centímetro de intestino. También puede adaptarse para titulación de antitoxina contra una toxina estándar, y puede modificarse para reacción de interferencia en la titulación de antígeno no tóxico. Puede producirse una reacción similar en ratas y pollos; un estudio amplio, utilizando diversos animales, ha sugerido que la reacción a la infección colérica y a la enterotoxina sin células puede ser una propiedad generalizada del íleon de varias especies de vertebrados.[7] Sin embargo, el modelo conejo adulto, ha sido el único ampliamente utilizado. Este tiene las ventajas de permitir estudios cuantitativos en la forma antes señalada, y también puede aplicarse al estudio de la respuesta inmune.

Modelo canino. La infección colérica del perro, descrita hace tiempo, fue estudiada por Sack y colaboradores en la Universidad Johns Hopkins; observaron que el modelo canino también respondía a la enterotoxina sin células. Este modelo se utiliza de dos maneras: como infección o como intoxicación del animal intacto per os, o bien por inoculación intraluminal del intestino delgado; la otra manera es utilizando fístulas de Thiry-Vella preparadas con secciones de yeyuno. La enfermedad producida se parece mucho al cólera humano, y el modelo canino es el de elección para estudios de fisiopatología del cólera.

Otros vibriones

Principalmente como complemento del estudio del vibrión del cólera, se han aislado muchos vibriones del agua y en heces de individuos que sufren de diarreas ligeras.[19] Algunos han recibido nombres como *V. danubicus*, *V. ghinda* y *V. massauah*. Un vibrión fosforescente, *V. phosphorescens*, ha sido aislado del agua, y *V. proteus* de heces humanas. Todos difieren inmunológicamente del vibrión del cólera; pertenecen a grupos O diferentes del I.

Se conocen otros vibriones que producen enfermedades en animales, pero que evidentemente no lo hacen en el hombre. *Vibrio metchnikovii* fue aislado en 1888 en gallos que sufrían una epidemia muy parecida al cólera del gallo. Se parece mucho morfológica y fisiológicamente al vibrión del cólera y es muy patógeno para cobayo y pichones, en tanto que el vibrión del cólera no ataca a estos últimos.

Difiere de *V. cholerae* inmunológicamente y no es aglutinado ni lisado por suero anticólera.

Hay una vibriosis de peces de agua salada causada por *V. anguillarum*.[61] David[23] ha descrito una enfermedad epidémica de la carpa y otros peces, causada por un vibrión llamado *V. piscium*, que se parece morfológicamente al del cólera y guarda relación inmunológica con él.

Vibrio parahaemolyticus.[115] Una forma de infección transmitida por los alimentos, y frecuente en verano, en el Japón, acompañando al consumo de mariscos (shirasu) y pescado crudo, se ha comprobado que podía atribuirse a un vibrión halofílico, *V. parahaemolyticus*. Este microorganismo se ha descubierto ampliamente distribuido en América del Norte; se ha aislado en mariscos del Atlántico Canadiense,[107] camarones de la Costa del Golfo,[108] medios marinos en el Pacífico Noroccidental,[13] y cangrejos de mar en la Bahía de Chesapeake; [38] también se ha obtenido en los Países Bajos; [66] y en el Mar Adriático.[53]

En cultivo de agua peptonada, los vibriones forman protoplastos y crecen bien en solución de cloruro sódico al 7 por 100, pero no en solución al 10 por 100. Se separan en dos grupos, 1 y 2, según bases fisiológicas, y contienen un número de antígenos O diferenciables. Los vibriones de grupo 1 parecen ser patógenos, mientras que los de grupo 2 no lo son. Se descubren en mariscos hasta en el 30 por 100, de las muestras en los meses de verano, y en individuos sanos, así como en el 30 por 100, aproximadamente, de los casos de gastroenteritis aguda. Estos microorganismos no guardan relación ninguna con los vibriones coléricos.

Vibrio fetus. Un microbio llamado *Vibrio fetus,* infecta reses, ovejas y cabras, produciendo aborto en hembras preñadas y una infección fundamentalmente asintomática en los machos. El vibrión difiere netamente de los del cólera y paracólera, en que requiere medios enriquecidos para desarrollarse, y carece relativamente de actividad bioquímica, también es antigénicamente distinto, teniendo algunos serotipos.[10] La enfermedad natural se reproduce en el cobayo hembra preñado. La infección es transmitida por contacto, en reses y cabras, pero no en ovejas, el macho infectado actúa como portador, diseminando la infección en la cópula. En la hembra se presentan anticuerpos aglutinantes en las secreciones cervicovaginales, en títulos importantes que se consideran con valor diagnóstico, en contraste con lo irregular de la aglutinina del suero. Se han descrito algunas infecciones humanas que parecen brucelosis; la infección es generalizada y se encuentran vibriones en sangre.

Hay otras dos especies más de vibriones que causan enfermedad diarreica entre distintos animales domésticos. *Vibrio jejuni* infecta terneras; difiere de *V. fetus* en sus caracteres serológicos y de cultivo, y en que no es patógeno para el cobayo. *Vibrio coli* es el agente causal de la disentería del cerdo.

Bdellovibriones.[106] Los bdellovibriones son pequeños microorganismos bacilares o incurvados de 1 a 2 μ de longitud y 0.35 μ de anchura. Son muy móviles mediante un solo flagelo polar, y parásitos obligados de diversas bacterias grompositivas, incluyendo Pseudomonas y Salmonella y gérmenes coliformes. Descubiertos en suelos y medios marinos, fueron observados primeramente por Stolp en 1962 como productores de zonas de lisis en un cultivo en placa de Pseudomonas. Netamente diferentes de otras bacterias, se dio al género el nombre de Bdellovibrio, y el primer aislado se denominó *Bdellovibrio bacteriovorus*. Desde entonces se han aislado muchas otras cepas y se han estudiado; pueden distinguirse unas de otras, pero no sabemos todavía si deben considerarse como cepas o especies separadas.

La reproducción tiene lugar al penetrar a través de la pared celular de la bacteria huésped para quedar entre la pared bacteriana y la membrana plasmática. Allí la célula crece alargándose hasta formar una espiral fina que acaba constriñéndose y se segmenta dando células hijas. Durante el crecimiento del Bdellovibrio el citoplasma de la célula huésped se desorganiza y acaba transformándose en una célula fantasma, de la cual escapan los bdellovibriones. Las cepas independientes de huésped, o sea de vida libre, se han aislado de cepas naturales dependientes de huésped mediante cultivo de suspensiones concentradas de microorganismos en agar extracto de levadura y peptona. Estas formas son activamente proteolíticas pero, al parecer, incapaces de metabolizar los hidratos de carbono. Las cepas dependientes del huésped pueden aislarse de tales cepas independientes de huésped.

Estos microorganismos estructuralmente se parecen mucho a otras bacterias, o sea en relación con las paredes celulares y el contenido de ácido nucleicos y ribosomas. Se consideran relacionados con los vibriones en diversos aspectos, incluyendo sensibilidades a los antibióticos y composición de bases de DNA.

BIBLIOGRAFIA

1. Azurin, J. C., *et al.* 1967. A controlled field trial of the effectiveness of cholera and cholera El Tor vaccines in the Philippines. Bull. Wld. Hlth. Org. **37**:703–727.
2. Azurin, J. C., *et al.* 1967. A long-term carrier of cholera: cholera Dolores. Bull. Wld. Hlth. Org. **37**:745–749.
3. Baross, J., and J. Liston. 1970. Occurrence of *Vibrio parahaemolyticus* and related hemolytic vibrios in marine environments of Washington State. Appl. Microbiol. **20**:179–186.
4. Barua, D. 1970. Laboratory diagnosis of cholera cases and carriers. pp. 47–52. *In* D. Barua, W. Burrows, and J. Gallut (Eds.): Principles and Practice of Cholera Control. Public Health Paper No. 40. World Health Organization, Geneva.
5. Barua, D. 1971. Aspects actuels de la vaccination anticholérique. Med. Trop. **31**:117–123.
6. Barua, D., W. Burrows, and J. Gallut. 1970. Supplement: Laboratory diagnosis. pp. 128–139. *In* D. Barua, W. Burrows, and J. Gallut (Eds.): Principles and Practice of Cholera Control. Public Health Paper No. 40. World Health Organization, Geneva.
7. Basu, S., and M. J. Pickett. 1969. Reaction of *Vibrio cholerae* and choleragenic toxin in ileal loop of laboratory animals. J. Bacteriol. **100**:1142–1143.
8. Benenson, A. S., M. R. Islam, and W. B. Greenough III. 1964. Rapid identification of *Vibrio cholerae* by darkfield microscopy. Bull. Wld. Hlth. Org. **30**:827–831.
9. Benenson, A. S., *et al.* 1968. Cholera vaccine field trials in East Pakistan. 2. Effectiveness in the field. Bull. Wld. Hlth. Org. **38**:359–372.
10. Berg, R. L., J. W. Jutila, and B. D. Firehammer, 1971. A revised classification of *Vibrio fetus*. Amer. J. Vet. Res. **32**:11–22.
11. Bhaskaran, K., and R. H. Gorrill. 1957. A study of antigenic variation in *Vibrio cholerae*. J. Gen. Microbiol. **16**:721–729.
12. Bhatia, R. Y. P., A. L. Bhatia, and A. K. Thomas. 1969. Isolation and concentration of *V. cholerae* toxin and study of its effect on skin permeability in guinea-pigs. Ind. J. Med. Res. **57**:2018–2029.

13. Burrows, W. 1968. Cholera toxins. Ann. Rev. Microbiol. **22**:245–268.
14. Burrows, W., G. M. Musteikis, and C. Danziger. 1961. Studies on immunity to Asiatic cholera. XI. The distribution of complement-fixing antigen in electrophoretic fractions of heat-stable cell wall and intracellular substance of *Vibrio cholerae* serotypes. J. Infect. Dis. **109**:172–182.
15. Burrows, W., *et al.* 1946. Studies on immunity to Asiatic cholera. II. The O and H antigenic structure of the cholera and related vibrios. J. Infect. Dis. **79**:168–197.
16. Burrows, W., *et al.* 1965. Cholera toxins: Quantitation of the frog skin reaction and its relation to experimental enteric toxicity. J. Infect. Dis. **115**:1–8.
17. Carpenter, C. C. J., G. T. Curlin, and W. B. Greenough. 1969. Response of Thirty-Vella jejunal loops to cholera exotoxin and its modification by ethacrynic acid. J. Infect. Dis. **120**:332–338.
18. Cash, R. A. 1970. Rapid correction of acidosis and dehydration of cholera with oral electrolyte and glucose solution. Lancet **ii**:549–550.
19. Chatterjee, B. D., S. L. Gorbach, and K. N. Neogy. 1970. Characteristics of non cholera vibrios isolated from patients with diarrhea. J. Med. Microbiol. **3**:677–682.
20. Chugh, M. L., K. E. Jensen, and P. L. Kendrick. 1956. Antigenic relationships and toxicity of mucinolytic preparations from *Vibrio comma* and related vibrios. J. Bacteriol. **71**:522–527.
21. Craig, J. P. 1971. Cholera toxins. Vol. 11A, pp. 189–254. *In* S. Kadis, T. C. Montie, and S. J. Ajl (Eds.): Microbial Toxins. Academic Press, New York.
22. Das Gupta, A., *et al.* 1967. Controlled field trial of the effectiveness of cholera and cholera El Tor vaccines in Calcutta. Bull. Wld. Hlth. Org. **37**:371–385.
23. David, H. 1927. Über eine durch choleraähnliche Vibrionen hervorgerufene Fischseuche. Zentralbl. Bakteriol., I Abt., Orig. **102**:46–60.
24. De, S. N. 1961. Cholera: Its Pathology and Pathogenesis. Oliver and Boyd, Edinburgh.
25. Dizon, J. J., *et al.* 1967. Studies on cholera carriers. Bull. Wld. Hlth. Org. **37**:737–743.
26. Dorolle, P. 1971. Surveillance épidémiologique du choléra à l'échelon international. Med. Trop. **31**:149–156.
27. Dutta, N. K., M. V. Panse, and H. I. Jhala. 1963. Choleragenic property of certain strains of El Tor, non-agglutinable, and water vibrios confirmed experimentally. Brit. Med. J. **i**:1200–1203.
28. Feeley, J. C. 1965. Classification of *Vibrio cholerae (Vibrio comma)*, including El Tor vibrios, by infrasubspecific characteristics. J. Bacteriol. **89**:665–670.
29. Feeley, J. C. 1969. Somatic O antigen relationship of *Brucella* and *Vibrio cholerae*. J. Bacteriol. **99**:645–649.
30. Feeley, J. C., and M. Pittman. 1963. Studies on the haemolytic activity of El Tor vibrios. Bull. Wld. Hlth. Org. **28**:347–356.
31. Felsenfeld, O. 1965. Notes on food, beverages and fomites contaminated with *Vibrio cholerae*. Bull. Wld. Hlth. Org. **33**:725–734.
32. Felsenfeld, O. 1966. The Epidemiology of Tropical Diseases. Charles C Thomas, Springfield, Ill.
33. Felsenfeld, O. 1966. A review of recent trends in cholera research and control: With an annex on the isolation and identification of cholera vibrios. Bull. Wld. Hlth. Org. **34**:161–195.
34. Felsenfeld, O., *et al.* 1964. Agglutinating, lethal toxin, and El Tor hemolysin neutralizing potency of sera in cholera. Bull. Wld. Hlth. Org. **30**:833–844.
35. Felsenfeld, O., *et al.* 1970. In vitro and in vivo studies of streptomycin dependent cholera vibrios. Appl. Microbiol. **19**:463–469.
36. Finkelstein, R. A., and C. Z. Gomez. 1963. Comparison of methods for the rapid recognition of cholera vibrios. Bull. Wld. Hlth. Org. **28**:327–332.
37. Finkelstein, R. A., J. J. Jehl, and A. Goth. 1969. Pathogenesis of experimental cholera: choleragen-induced rat foot edema; a method of screening anticholera drugs. Proc. Exp. Biol. Med. **132**:835–840.
38. Fishbein, M., I. J. Mehlman, and J. Pitcher. 1970. Isola-
tion of *Vibrio parahaemolyticus* from the processed meat of Chesapeake Bay blue crabs. Appl. Microbiol. **20**:176–178.
39. Freter, R. 1955. The fatal enteric cholera infection in the guinea pig, achieved by inhibition of normal enteric flora. J. Infect. Dis. **97**:57–65.
40. Freter, R. 1955. The serologic character of cholera vibrio mucinase. J. Infect. Dis. **97**:238–245.
41. Freter, R., *et al.* 1965. Coproantibody and serum antibody in cholera patients. J. Infect. Dis. **115**:83–87.
42. Fuhrman, G. J., and F. A. Fuhrman. 1960. Inhibition of active sodium transport by cholera toxin. Nature **188**:71–72.
43. Gallut, J. 1946. Contribution à l'étude de l'antigène thermostable du vibrion cholérique. Applications practiques de l'analyse antigénique O. Ann. Inst. Pasteur **76**:122–136.
44. Gallut, J. 1950. Relations antigéniques entre vibrion cholérique et brucelles. Ann. Inst. Pasteur **79**:335–338.
45. Gallut, J. 1960. Contribution a l'étude du complexe antigénique "O" des vibrions. Relations immunologiques entre *V. cholerae* et vibrions dits innaglutinables (NAG). Ann. Inst. Pasteur **99**:28–55.
46. Gallut, J. 1968. Actualité du choléra. Evolution des problèmes épidémiologiques et bactériologiques. Bull. Inst. Pasteur **66**:219–248.
47. Gallut, J., and J. Quiniou. 1970. Interactions de *Vibrio cholerae* classique, *V. cholerae* biotype El Tor et vibrions NAG. Bull. Wld. Hlth. Org. **42**:464–466.
48. Gardner, E. W., S. T. Lyles, and C. E. Lankford. 1964. A comparison of virulence of *Vibrio cholerae* strains for the embryonated egg. J. Infect. Dis. **114**:412–416.
49. Gardner, E. W., *et al.* 1963. *Vibrio cholerae* infection in the embryonated egg. J. Infect. Dis. **112**:264–272.
50. Gangarosa, E. J., *et al.* 1966. Detection of *Vibrio cholerae* biotype El Tor by purging. Bull. Wld. Hlth. Org. **34**:363–369.
51. Gangarosa, E. J., *et al.* 1967. Multiple serotypes of *Vibrio cholerae* isolated from a case of cholera. Evidence suggesting *in vivo* mutation. Lancet **i**:646–648.
52. Ghosh, S. N., and S. Mukerjee. 1960. Studies on antigens of *Vibrio cholerae* by gel diffusion technique. Part I. Observations on the antigenic make-up of soluble Vibrio material. Ann. Biochem. Exp. Med. **20**:31–36.
53. Ginanelli, F., *et al.* 1970. Isolamento di batteri correlati a *Vibrio parahaemolyticus* dalle acque del mare Adriatico. Ig. Mod. **63**:264–282.
54. Gorbach, S. L., *et al.* 1970. Intestinal microflora in a chronic carrier of *Vibrio cholerae*. J. Infect. Dis. **121**:383–390.
55. Grady, G. F., and M. C. Chang. 1970. Cholera enterotoxin free from permeability factor? J. Infect. Dis. **121**(suppl.):S92–S95.
56. Grady, G. F., *et al.* 1968. Sodium transport inhibition by cholera toxin: the role of non-ionic diffusion of ammonia. J. Infect. Dis. **118**:263–270.
57. Greenough, W. B., N. F. Pierce, and M. Vaughn. 1970. Titration of cholera exotoxin and antitoxin in isolated fat cells. J. Infect. Dis. **121**(suppl.):S111–S113.
58. Greer, W. E., Z. Jiricka, and O. Felsenfeld. 1968. Gallbladder damage and prolonged excretion of cholera vibrios in *Erythrocebus patas*. Proc. Soc. Exp. Biol. Med. **127**:551–555.
59. Harper, D. T., Jr., J. H. Yardley, and T. R. Hendrix. 1970. Reversal of cholera exotoxin induced jejunal secretion by cycloheximide. Johns Hopkins Med. J. **126**:258–262.
60. Heyningen, W. E. van, *et al.* 1971. Inactivation of cholera toxin by ganglioside. J. Infect. Dis. **124**:415–418.
61. Holt, G. 1970. Vibriosis (*Vibrio anguillarum*) as an epizootic disease in rainbow trout (*Salmo gairdneri*). Acta Vet Scand. **11**:600–603.
62. Huber, G. S., and R. A. Phillips. 1960. Cholera and the sodium pump. Research Report MR 005.09–1040.1.7 Bureau of Medicine and Surgery, Department of th Navy, Washington, D.C.
63. Inwood, J., and D. A. Tyrrell. 1970. A cytotoxic factor i cholera toxin. Brit. J. Exp. Pathol. **51**:597–603.

64. Kalsow, C. M., and F. S. Newman. 1968. Characterization of hemolysin and hemodigestive enzyme produced by strains of *Vibrio cholerae* and *Vibrio cholerae* Type El Tor. Texas Rep. Biol. Med., **36**:493–506.

65. Kamal, A. M. 1963. Bull. Wld. Hlth. Org. **28**:277–287.

66. Kampelmacher, E. D., *et al*. 1970. A survey on the occurrence of *Vibrio parahaemolyticus* on fish and shellfish, marketed in the Netherlands. J. Hyg. **68**:189–196.

67. Kasai, G. J., and W. Burrows. 1966. The titration of cholera toxin and antitoxin in the rabbit ileal loop. J. Infect. Dis. **116**:606–614.

68. Kobari, K., C. Uylangco, and J. Vasco. 1967. Evaluation of various antimicrobial drugs for the treatment of cholera. Bull. Wld. Hlth. Org. **37**:810–811.

69. Kuwabara, S., *et al*. 1963. Transmission of multiple drug-resistance from *Shigella flexneri* to *Vibrio comma* through conjugation. Japanese J. Microbiol. **7**:61–67.

70. Leitch, G. J. 1971. The pathophysiology of cholera, a review. J. Med. Assn. Thai. **54**:34–45.

71. Leitch, G. J., and W. Burrows. 1968. Experimental cholera in the rabbit ligated intestine: ion and water accumulation in the duodenum, ileum and colon. J. Infect. Dis. **118**:349–359.

72. Leitch, G. J., and T. Glinsukon. 1969. Intestinal mucosal epithelial cell electrophoretic mobility and brush border chemistry during experimental cholera. Exp. Mol. Pathol. **11**:153–162.

73. Leitch, G. J., W. Burrows, and L. C. Stolle. 1967. Experimental cholera in the rabbit intestinal loop: fluid accumulation and sodium pump inhibition. J. Infect. Dis. **117**:197–202.

74. Lewis, A. C., and B. A. Freeman. 1969. Separation of type 2 toxins of Vibrio cholerae. Science **165**:808–809.

75. Lindenbaum, J., W. B. Greenough, and M. R. Islam. 1967. Antibiotic therapy of cholera. Bull. Wld. Hlth. Org. **36**:871–883.

76. Lindenbaum, J., *et al*. 1966. Cholera in children. Lancet **i**:1066–1068.

77. Magnusson, B., and J. Gulasekharam. 1965. A lecithin-hydrolysing enzyme which correlates with haemolytic activity in El Tor vibrio supernates. Nature **206**:728

78. McCormack, W. M., *et al*. 1969. A community study of inapparent cholera infections. Amer. J. Epidemiol. **89**:658–664.

79. McIntyre, O. R., and J. C. Feeley. 1965. Characteristics of non-cholera vibrios isolated from cases of human diarrhoea. Bull. Wld. Hlth. Org. **32**:627–632.

80. Moore, W. J., Jr., *et al*. 1971. Ion transport during cholera-induced ileal secretion in the dog. J. Clin. Invest. **50**:312–318.

81. Nalin, D. R., R. A. Cash, and M. Rahman. 1970. Oral (or nasogastric) maintenance therapy for cholera patients in all age groups. Bull. Wld. Hlth. Org. **43**:361–363.

82. Newton, J. H. F., *et al*. 1971. Cholera: an imported case in Australia. Med. J. Aust. **1**:135–138.

83. Norris, H. T., and G. Majno. 1968. On the role of the ileal epithelium in the pathogenesis of experimental cholera. Amer. J. Pathol. **53**:263–279.

84. Pesigan, T. P., J. Plantilla, and M. Rolda. 1967. Applied studies on the viability of El Tor vibrios. Bull. Wld. Hlth. Org. **37**:779–786.

85. Phillips, R. A. 1963. The patho-physiology of cholera. Bull. Wld. Hlth. Org. **28**:297–305.

86. Phillips, R. A. 1964. Water and electrolyte losses in cholera. Fed. Proc. **23**:705–712.

87. Pierce, N. F., W. B. Greenough, and C. C. J. Carpenter. 1971. *Vibrio cholerae* enterotoxin and its mode of action. Bacteriol. Rev. **35**:1–13.

88. Pierce, N. F., *et al*. 1969. Bacteriological studies of convalescent carriers of cholera vibrios. Ind. J. Med. Res. **57**:706–712.

89. Pierce, N. F., *et al*. 1970. Convalescent carriers of *Vibrio cholerae*. Detection and detailed investigation. Ann. Intern. Med. **72**:357–364.

90. Pittman, M., and J. C. Feeley. 1965. Laboratory assay of cholera vaccine potency. pp. 163–167. Proceedings Cholera Research Symposium (Honolulu). Public Health Service, U.S. Department of Health, Education and Welfare.

91. Pollitzer, R. 1959. Cholera. Monograph Series No. 43. World Health Organization, Geneva.

92. Read, J. K. 1965. The effects of cholera toxin on mammalian cells in culture. pp. 151–153. Proceedings Cholera Research Symposium (Honolulu). Public Health Service, U.S. Department of Health, Education and Welfare.

93. Report. 1966. Minutes of IAMS Subcommittee on Taxonomy of Vibrios. Int. J. Syst. Bacteriol. **16**:135–142.

94. Report. 1970. Cholera studies in Calcutta, 1968. Bull. Wld. Hlth. Org. **43**:379–387.

95. Rosenberg, C. E. 1962. The Cholera Years. University of Chicago Press, Chicago.

96. Sack, R. B., and C. E. Miller. 1969. Progressive changes of vibrio serotypes in germ-free mice infected with *Vibrio cholerae*. J. Bacteriol. **99**:688–695.

97. Sack, R. B., *et al*. 1966. Vibriocidal and agglutinating antibody patterns in cholera patients. J. Infect. Dis. **116**:630–640.

98. Sack, R. B., *et al*. 1969. Experimental canine cholera. I. Development of the model. II. Production by cell-free culture filtrates of *Vibrio cholerae*. J. Infect. Dis. **119**:138–149, 150–157.

99. Sanyal, S. C., and S. Mukerjee. 1969. Live oral cholera vaccine: report of a trial on human volunteer subjects. Bull. Wld. Hlth. Org. **40**:503–511.

100. Schafer, D. E., *et al*. 1971. Studies on the possible role of cyclic AMP in some actions of cholera toxin. Ann. N.Y. Acad. Sci. **185**:376–385.

101. Sen, R. 1970. The epidemiology of cholera in Calcutta as noted by biotyping the isolates. Trop. Geogr. Med. **22**:115–118.

102. Sharp, G. W. G., and S. Hynie, 1971. Stimulation of intestinal adenyl cyclase by cholera toxin. Nature **229**:266–269.

103. Sheehy, T. W., *et al*. 1966. Laboratory *Vibrio cholerae* infection in the United States. J. Amer. Med. Assn. **197**:321–326.

104. Sinha, R., *et al*. 1968. Role of carriers in the epidemiology of cholera in Calcutta. Ind. J. Med. Res. **56**:964–978.

105. Sprinz, H. 1962. Morphological response of intestinal mucosa to enteric bacteria and its implication for sprue and Asiatic cholera. Fed. Proc. **21**:57–64.

106. Starr, M. P., and R. J. Seidler. 1971. The Bdellovibrios. Ann. Rev. Microbiol. **25**:649–678.

107. Thomson, W. K., and D. A. Trenholm. 1971. The isolation of *Vibrio parahaemolyticus* and related halophilic bacteria from Canadian Atlantic shellfish. Can. J. Microbiol. **17**:545–549.

108. Vanderzant, C., R. Nickelson, and J. C. Parker. 1970. Isolation of *Vibrio parahaemolyticus* from Gulf Coast shrimp. J. Milk Food Technol. **33**:161–162.

109. Wahba, A. 1951. Les facteurs antigéniques du vibrion cholérique et leur détermination par agglutination microscopique. Ann. Inst. Pasteur **80**:639–643.

110. Watanabe, Y., and O. Felsenfeld. 1963. Serological analysis of supernatant liquids of cultures of El Tor vibrios. J. Bacteriol. **85**:31–36.

111. Watanabe, Y., and G. R. Seaman. 1962. Purification and properties of the hemolysin from El Tor vibrio. Arch. Biochem. **97**:393–398.

112. Watanabe, Y., and W. F. Verwey. 1966. The biological characterization of the hemolysin from the El Tor variety of *Vibrio cholerae*. J. Infect. Dis. **116**:363–371.

113. White, P. B. 1935. The serological grouping of rough vibrios. J. Hyg. **35**:347–353.

114. Woodward, W. E. 1971. Cholera reinfection in man. J. Infect. Dis. **123**:61–66.

115. Zen-Yoji, H., *et al*. 1965. Epidemiology, enteropathogenicity, and classification of *Vibrio parahaemolyticus*. J. Infect. Dis. **115**:436–444.

CAPITULO 23

BRUCELLA

Fiebre ondulante; aborto contagioso del ganado

DR. BOB A. FREEMAN

En 1887, Bruce, estudiando la enfermedad humana conocida como fiebre de Malta, mediterránea u ondulante, descubrió en el bazo de los sujetos muertos un microorganismo que llamó *Micrococcus melitensis*. Esta enfermedad, característica de las cabras y transmisible al hombre, es frecuente no solo en la isla de Malta, donde las guarniciones inglesas a menudo han sufrido epidemias graves, sino también en las islas vecinas y en las riberas del Mediterráneo; ha sido señalada repetidas veces en la India, Africa del Sur, Filipinas y Antillas. Los estudios al respecto en Estados Unidos de Norteamérica se iniciaron en 1911.

En 1897, Bang, en Dinamarca, aisló el microorganismo responsable del aborto contagioso en el ganado, afección llamada actualmente enfermedad de Bang, y lo llamó *Bacillus abortus*. El aislamiento y cultivo de esta bacteria en Estados Unidos de Norteamérica fue obra de MacNeal y Kerr en 1910.

Estas dos enfermedades, la una en cabras primariamente y secundariamente en el hombre, y la otra propia del ganado, se estudiaron independientemente durante mucho tiempo, y no se estableció relación entre ambas hasta el trabajo de Evans en 1918. Esta investigadora demostró el notable parecido de estas bacterias en cuanto a morfología, cultivos y propiedades serológicas; actualmente, ambas se consideran íntimamente relacionadas.

En 1914, Traum aisló una bacteria de fetos expulsados prematuramente de las marranas; se sabe ahora que está muy relacionada con el bacilo de Bang y el de la fiebre ondulante. Tratándose de tres especies diferentes, estos gérmenes recibieron el nombre genérico de Brucella y se conocen como *Brucella melitensis*, *Br. abortus* y *Br. suis*. La infección con estas bacterias se llama brucelosis.[3]

Morfología y tinción. Las brucelas son pequeños bacilos cortos o cocoides de 0.4 a 2.0 μ de largo por 0.4 a 0.8 μ de ancho. Presentan variaciones morfológicas, y pueden encontrarse al mismo tiempo formas bacilares y cocoides. Hay mayor tendencia a la forma cocobacilar en *Br. melitensis* que en *Br. suis*, en tanto que *Br. abortus* ocupa posición intermedia; pero no puede hacerse ninguna distinción basándose en la morfología. Los microorganismos suelen presentarse aislados o a pares, y forman pequeñas cadenas en los cultivos. Las formas lisas están encapsuladas, pero no hay esporas y los gérmenes no son móviles.

En medios semisólidos, las colonias son pequeñas, circulares, convexas, amorfas, lisas, brillantes y translúcidas. No forman pigmento, pero las colonias de *Br. melitensis* se vuelven pardas en los cultivos viejos, color que difunde en el medio. Este color pardo también se encuentra en algunas cepas de *Br. abortus*.

Las brucelas pueden teñirse con los colorantes ordinarios de anilina, pero la tinción suele ser irregular, a veces bipolar. Los gérmenes son gramnegativos.

Fisiología. Las necesidades nutritivas de estas bacterias son relativamente complejas, y se obtiene mejor desarrollo en medios enriquecidos, como caldo o agar a base de infusión de hígado. Se han cultivado las brucelas en medios sintéticos de ácidos aminados; algunas cepas requieren nicotinamida, tiamina y ácido pantoténico, en tanto que otras necesitan, además, biotina. Se han preparado otros medios sintéticos, o bien conocidos químicamente para el desarrollo de brucelas; uno de los más sencillos es el de Gerhardt y Wilson[26] que contiene lactato, glicerina, asparagina (o ácido glutámico e histidina), tiamina, ácido nicotínico, ácido pantoténico y biotina, así como sales inorgánicas. No hay desarrollo en 6°C ni a 45°C, y la temperatura óptima es de 37°C. En los medios a base de carbo hidratos no se producen ácido ni gas, aunque puede demostrarse que se utiliza glucosa en pequeña cantidad, y que la adición de esta substancia suele mejorar el desarrollo. La bacteria reduce los nitratos y el desarrollo en leche solo produce aumento lento de la alcalinidad. No licua la gelatina ni forma indol. *Br. suis* hidroliza la urea, pero no *Br. abortus* ni *Br. melitensis*. El pH óptimo está entre 7.0 y 7.2.

Hidrógeno sulfurado. Las tres especies producen hidrógeno sulfurado, pero *Br. suis* produce grandes cantidades de este gas; *Br. abortus* produce menos y *Br. melitensis* casi nada. Puede notarse que *Br. melitensis* produce más amoniaco que las otras dos especies.

Bióxido de carbono. Estas bacterias son aerobias, y *Br. melitensis* y *Br. suis* pueden cultivarse (aislamiento primario) en condiciones aerobias ordinarias. Sin embargo, el aislamiento primario de *Br. abortus* exige una atmósfera que contenga 10 por 100 de bióxido de carbono. Las resiembras ulteriores deben incubarse en bióxido de carbono al 10 por 100, pero al cabo de unos cuantos pasos *Br. abortus* se adapta al desarrollo aerobio ordinario.

Colorantes. Las especies de Brucella muestran distinta sensibilidad a los colorantes. Pueden añadirse tionina o fucsina básica al agar de infusión de hígado en diluciones de 1:50 000 y 1:25 000 respectivamente. *Br. melitensis* y *Br. abortus* se desarrollan en presencia de fucsina básica, pero no *Br. suis*, en tanto *Br. melitensis* y *Br. suis* se desarrollan en presencia de tionina, pero no *Br. abortus*. El cristal violeta y la pironina dan las mismas reacciones que la fucsina básica, y se han podido emplear también azur A y safranina O. El desarrollo de *Br. metilensis* también es inhibido por el dietilditiocarbamato de sodio, pero no el de las otras dos

FIG. 23-2. Morfología de las colonias de *Brucella melitensis* en agar con infusión de hígado. El aspecto ligeramente granuloso es muy neto aquí, y las colonias son lisas, aplanadas y de color pardo ligero. × 4.

especies. Este fenómeno se demuestra empleando comprimidos de colorantes análogos a los discos de antibióticos de las pruebas de sensibilidad, pero se requieren concentraciones más altas que cuando el colorante se añade al medio de cultivo; una zona de inhibición de desarrollo de 4 mm de diámetro, o más, significa sensibilidad. La distinción fisiológica de las especies de brucelas ha sido muy bien estudiada [53] y algunas de las reacciones correspondientes se resumen en el cuadro de pág. 474. La investigación de los esquemas metabólicos en las especies de brucelas, por ejemplo los metabolismos de ácidos aminados, carbohidratos y productos intermedios del ciclo de Krebs en respirómetros, han mostrado que dichos esquemas dependían de las especies; sobre esta base cabe separar completamente *Br. suis* de las otras dos especies, pero también se puede distinguir *Br. melitensis* de *Br. abortus*.[48, 49] Con estos métodos, cada una de las tres especies clásicas pueden diferenciarse en varios biotipos. En Rusia fue aislado un fago activo contra *Br. abortus,* pero no contra las otras dos especies.[8, 14, 36] Se ha comprobado que la sensibilidad al fago también guarda correlación con características metabólicas oxidativas.[45]

Ya parece establecido el estado de estos tipos fisiológicamente diferentes, y su estabilidad, confirmados por diferencias correspondientes de poder antigénico (véase luego) para las especies del género Brucela.[71] El estado preciso probablemente no tenga mucha importancia, pues las brucelas, como otras especies de microorganismos, solo tienen el estado característico de especie, y el elemento significativo es una nomenclatura aceptada por todos.

Las brucelas muestran la sensibilidad ordinaria a calor y desinfectantes. Un aspecto de importancia

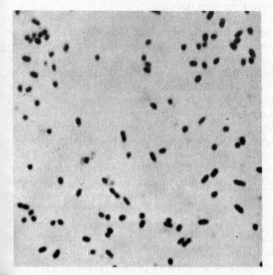

FIG. 23-1. *Brucella melitensis* en cultivo puro. Nótese la forma cocobacilar. Fucsina; × 1 050.

Identificación de las especies de brucelas

Reacciones diferenciales	Br. melitensis	Br. abortus	Br. suis
Sensibilidad a tionina			
1:800	−	+	−
fucsina básica			
1:200	−	−	+
cristal violeta			
1:400	−	−	+
pironina			
1:8 000	−	−	+
necesidad de CO₂	−	+*	−
hidrólisis de la urea	− (lenta)	− (lenta)	+ (rápida)
formación de H₂S	±	+	++
lisis por fago	−	+	−

* Para aislamiento primario.

práctica es la muerte rápida de estos gérmenes a temperaturas de pasterización; tanto *Br. abortus* como *Br. suis* mueren entre 62 y 63°C. Resisten en el suelo, el agua y el polvo uno o dos meses, pero mueren en diez días en la leche, tal vez en parte por la presencia de ácidos formados por otras bacterias. Al respecto, es interesante notar que estos gérmenes pueden resistir dos o más horas en leche mezclada con jugo gástrico, y sobreviven varias semanas en algunos quesos.

Antígenos. Cada una de las tres especies de brucelas contiene dos antígenos termostables llamados A y M. *Br. melitensis* posee relativamente mucho antígeno M, y poco antígeno A; en cambio *Br. abortus* y *Br. suis* tienen mucho antígeno A y poco antígeno M. La proporción entre A y M parece ser de 20 a 1 para *Br. abortus* y de 1 a 20 para *Br. melitensis*. Por lo tanto, es posible distinguir *Br. melitensis* mediante estudios serológicos; pero *Br. abortus* y *Br. suis* no pueden reconocerse una de otra con estas técnicas. En la práctica deben emplearse sueros monoespecíficos, o sea sueros adsorbidos para privarlos de la pequeña cantidad de anticuerpo común a otros tipos inmunológicos. El análisis inmunoelectroforético de extractos de células de Brucella ha demostrado una gran variedad de componentes antigénicos solubles, algunos de los cuales son netamente antígenos de superficie.[12, 23, 30, 43] No conocemos su relación exacta con los antígenos clásicos A y M. Las brucelas también comparten un antígeno O con *Vibrio cholerae*.[18]

Toxina y virulencia. Estas bacterias no forman exotoxinas, pero la substancia celular de Brucella es tóxica, y se ha comprobado que la toxina es un componente de la pared celular.[19, 40] Esta toxina, análoga a las endotoxinas de las enterobacterianas,

puede separarse de extractos fenólicos de células de Brucella desecadas como un complejo de proteína-lipopolisacárido-ácido 2-ceto-3-desoxioctulosónico. Este material tiene un valor de LD₅₀ para el ratón de 0.25 a 0.3 mg y provoca aglutininas en el conejo;[39] se ha fraccionado por cromatografía.[44] La endotoxina parece ser prácticamente la misma, tanto en naturaleza como en cantidad, en las cepas lisas virulentas como en las avirulentas. Se piensa que interviene en la patogenia de la enfermedad,[69] por lo que se considera un elemento de la virulencia; pero las cepas virulentas se multiplican dentro de las células, cosa que no hacen las cepas avirulentas rugosas.[6, 31] Hay datos indicando que el fracaso de cepas avirulentas para sobrevivir guarda relación con la destrucción de células huéspedes.[20, 21, 22] No conocemos la naturaleza precisa de la virulencia.[58, 77]

Variaciones. La especie de Brucella se disocia con bastante facilidad dando lugar a la forma rugosa. Los factores del ambiente que afectan al proceso de disociación han sido estudiados en detalle por Braun.[5] La transformación S → R (de cepas lisa a rugosa) se acompaña, además de aparición de colonias rugosas, de disminución de la virulencia y cambios de especificidad inmunológica. Tiene particular interés la relación entre la alanina y la transformación S → R; la alanina producida por las cepas S se acumula en el cultivo hasta alcanzar concentraciones tóxicas, en cuyo momento la forma S queda substituida por una forma R resistente a la alanina. Intervienen en el proceso otros factores del ambiente, como la tensión de oxígeno.[2, 62] La alteración antigénica empieza a producirse antes de los cambios morfológicos, lo cual constituyó una gran dificultad para el estudio serológico de estas bacterias. Por lo tanto, es fundamental emplear solamente cultivos lisos para la diferenciación serológica de estas bacterias.

Se han propuesto distintas pruebas para reconocer las variaciones de antígeno. Naturalmente, las formas rugosas aglutinan espontáneamente en suero fisiológico. Las cepas ligeramente rugosas pueden reconocerse por aglutinación al hervirlas en suero fisiológico durante dos horas (prueba de termoaglutinación), o por aglutinación en portaobjetos con acriflavina. Las colonias lisas pueden reconocerse morfológicamente por cultivo en agar glucosado-glicerina durante 96 horas, cubriendo luego la placa con cristal violeta al 1:2 000 en agua y examinándola a los 15 segundos mediante luz transmitida oblicua; las colonias lisas tienen color azul verde claro, en tanto que las demás van del rojo al azul rojo o violeta rojo.[75]

Poder patógeno para animales inferiores.[34, 6] La brucelosis es fundamentalmente enfermedad d animales domésticos que solo atacan al hombre po transmisión secundaria; los principales animales re servorios son las cabras, el ganado vacuno y lo cerdos. Es interesante hacer notar que ha tenid lugar cierta especialización de los gérmenes en función de sus huéspedes, lo que dio lugar el desarrollo de las tres especies de brucelas.

Cabras.[72] Las cabras pueden infectarse experimentalmente con *Br. melitensis* prácticamente por cualquier vía; es probable que en condiciones naturales la secreción vaginal en el momento del aborto y poco después desempeñe papel importante en la diseminación de la infección. Los bacilos se eliminan con la leche y la orina de los animales infectados. Se producen aglutininas en la sangre de cabras preñadas al tercer o cuarto día de la inoculación artificial, y el título aumenta rápidamente hasta alcanzar 1:1 000 en 48 horas, y un máximo de 1:2 000 más o menos al cabo de unos 12 días. Inmediatamente antes de alcanzar el título máximo de aglutininas, se presenta una bacteriemia que dura un mes aproximadamente. Esta infección generalizada aguda se localiza durante el segundo mes después del final de la preñez en que se infectó al animal. En casi todos los casos, las bacterias desaparecen de la ubre y el útero al quinto mes después del parto. Como regla, la preñez siguiente no produce exacerbación de la enfermedad, pero en algunos casos la infección puede seguir localizada en las vías genitales durante años.

El síntoma más evidente de infección es el aborto, pero no siempre acontece. Hay fiebre a los dos días de iniciada la infección general, a veces diarrea ligera. No se retiene la placenta, pero se observa frecuentemente una gran secreción vaginal durante las dos o tres semanas que siguen al alumbramiento. En las cabras que alimentan a sus críos, la leche puede presentar modificaciones físicas, y en los casos extremos volverse un líquido transparente con coágulos.

Las cabras inmaduras son muy resistentes a la infección, y los cabritos que nacen de cabras infectadas pueden no padecer la enfermedad, muchas veces a pesar de ingerir enormes cantidades de brucelas con la leche. Las cabras maduras no preñadas también resisten la infección, y responden a la inoculación artificial con un título bajo y transitorio de aglutininas en el suero sanguíneo.

Aunque son más resistentes que las cabras, las terneras pueden infectarse con brucela; sin embargo, el aborto es raro.

Ganado. En el ganado, la brucelosis, llamada frecuentemente enfermedad de Bang o aborto contagioso, puede ser una infección por *Br. abortus*, aunque también la hay por *Br. melitensis* y *Br. suis*. El microorganismo puede penetrar por distintas vías, incluyendo inoculación directa en la vagina, paso por la conjuntiva, piel sana o tubo digestivo. El primer síntoma es el aborto de las vacas preñadas. El tiempo que pasa entre la infección inicial y el aborto es de tres semanas a cuatro meses, y el periodo de la gestación en el cual se produce el aborto puede ser desde el segundo mes hasta el noveno. Sin embargo, las vacas solo abortan si han sido infectadas durante la preñez; incluso entonces, no todas lo hacen (tal vez 30 por 100), o el ganado puede volverse estéril. Las preñeces ulteriores pueden seguir un curso normal a pesar de infección persistente; es raro un segundo aborto, y más todavía un tercero.

Se encuentran bacilos en la sangre en el 10 por 100 de los casos cuando menos, y casi siempre durante la infección aguda. Al principio de la infección las bacterias se encuentran en ganglios linfáticos cefálicos e intestinales, pero al final del primer mes han invadido todo el organismo; al final del tercero se han localizado en glándulas mamarias y solo se encuentran en la urbe. La invasión de este órgano produce inflamación aguda o crónica con lesiones de los alveolos y tejido conectivo interalveolar; cuando están afectados los ganglios linfáticos, se presenta linfadenitis crónica. La infección crónica que la ubre puede durar indefinidamente sin que se altere gran cosa la calidad de la leche, y los bacilos pueden excretarse por mucho tiempo, tal vez toda la vida. Por otro lado, el útero se libra relativamente pronto del germen, y las secreciones vaginales solo contienen dicho germen un corto periodo.

Los animales infectados durante la preñez muestran un título de aglutininas que va de 1:200 a 1:1 000 y baja lentamente en uno a seis meses. El ganado que sigue excretando bacilos con la leche suele presentar títulos persistentes de aglutininas de 1:200 o más, aunque un título de 1:50 ya tiene significación diagnóstica. También hay aglutininas en la leche, y es posible encontrarlas en el suero después de coagularla con rennina. Los animales infectados se vuelven sensibles a la substancia bacilar, y es posible provocar reacciones cutáneas por inyección intradérmica de un preparado de proteína de brucelas llamado *abortina* o *brucelergeno*. Como en el caso de las cabras jóvenes, las terneras son relativamente resistentes a la infección.

Cerdo.[35] La brucelosis del cerdo parece provenir siempre de *Br. suis*, aunque estos animales pueden infectarse experimentalmente con *Br. abortus*. La infección es común en machos, y el aborto de hembras infectadas es menos frecuente que en las vacas; alrededor de la mitad de los abortos en el cerdo son de causa desconocida, y no corresponden a brucelosis. Los síntomas clínicos pueden ser leves o faltar por completo, y en muchos casos no ha habido dato alguno de la enfermedad en la piara infectada, pero la proporción de animales infectados llega al 20 por 100 en algunas localidades. En condiciones naturales, la infección puede tener lugar por el tubo digestivo. En el macho, la infección testicular es sin lugar a duda un elemento importante en la diseminación de la infección. Los bacilos se eliminan por fetos abortados y secreciones vaginales, orina, semen y leche.

Perros. Desde hace tiempo se sabe que los perros pueden infectarse naturalmente con brucela; sobre todo los que están en contacto con ganado y cerdos infectados. La mayor parte de tales infecciones no causan signos clínicos, aunque los animales desarrollan en su suero aglutininas para brucela. En 1968 se señalaron una serie de abortos caninos infecciosos en colonias de perros, y se comprobó que dependían de un germen similar a Brusella.[9] Más tarde la enfermedad se descubrió como muy frecuente en perros, principalmente en sabuesos jóvenes de 38 estados.[10] La enfermedad se caracteriza por linfadenitis generalizada y esplenitis; en muchas hembras hay muertes tempranas fetales o abortos alrededor del día quincuagésimo de la gestación, seguidos de exudado vaginal prolongado. En machos infectados hay epididimitis, dermatitis escrotal y atrofia testicular como signos prominentes. Aunque existe bacteriemia persistente, en la mayor parte de animales infectados hay pocos signos clínicos. Unas cuantas infecciones humanas causadas por este germen se han reconocido, con aspecto de infecciones virales de vías respiratorias altas.[68]

El agente causal, que se ha denominado *Br. canis* por algunos autores, da colonias rugosas, aglutina en antisuero brucelas rugosas pero no lisas, y no posee actividad endotóxica.[37] Estos gérmenes presentan ciertas características que definen e identifican *Br. suis*[47] y, según Meyer, probablemente debieran denominarse *Br. suis* de biotipo 5.

Otros animales. Se ha encontrado infección natural con Brucella en otros animales. Hay pruebas de que la enfermedad de los caballos llamada fístula de la cruz o mal de la nuca es una infección por brucelas; en casos de esta enfermedad se han encontrado tanto *Br. abortus* como *Br. suis*. Stone[72] halló que 9.5 por 100 de los caballos estudiados en la ciudad de Nueva York daban reacciones serológicas positivas. En Alaska se sabe que los renos están infectados naturalmente y pueden servir como reservorio; el hombre parece infectarse por consumo de carne de caribú.[7] Se ha señalado infección brucelósica de las gallinas; en un caso se encontró *Br. suis* en varias aves con infección natural, pero la enfermedad probablemente sea rara. Se logra la infección experimental de ratas salvajes, y se ha encontrado *Br. abortus* en una rata portadora de infección natural. También hay casos de infección natural de conejos con *Br. melitensis.* Entre los animales de laboratorio más empleados, para estudios experimentales suele elegirse el cobayo. Utilizando la técnica de la mucina,[13] se logra infección mortal en el ratón; el huevo embrionado es infectado con facilidad.[25, 41]

Poder patógeno para el hombre.[27, 64] El hombre puede infectarse con estas tres especies de brucelas, pero las infecciones por *Br. melitensis* y *Br. suis* suelen ser más graves que las producidas por *Br. abortus.* El periodo de incubación de la fiebre ondulante en el hombre varía mucho y es relativamente largo; puede ir de una semana a cuatro meses. La mortalidad es baja, de 2 a 3 por 100. Pue-

den presentarse manifestaciones clínicas variables, y se conocen cinco tipos:

1) Tipo intermitente con reumatismo articular migratorio, debilidad, sudores nocturnos y temperatura casi normal en la mañana, pero que sube hasta 38.5 ó 40°C en la tarde; en este cuadro el paciente permanece en cama durante la segunda parte del día
2) Tipo ambulatorio con síntomas muy semejantes, pero más leves
3) Tipo ondulante (infecciones generalizadas por melitensis) caracterizado por aumentos progresivos de la temperatura de un día a otro hasta un máximo, y al cabo de algún tiempo descenso gradual de la misma; pueden repetirse varias veces estos fenómenos
4) Tipo maligno (casi siempre infecciones por *Br. melitensis*) en el cual la temperatura es alta y sostenida, con hiperpirexia muy intensa antes de la muerte
5) Un tipo crónico atípico que puede tomar la forma de rigidez muscular, trastornos gástricos y síntomas neurológicos diversos.

En general, la fiebre ondulante es enfermedad relativamente larga, de uno a cuatro meses, y no son raras las recaídas durante la convalecencia. La variedad crónica puede ser difícil de diagnosticar; también la puede haber subclínica, como lo demuestra el aislamiento de brucelas de personas aparentemente sanas. Un grupo de infecciones de laboratorio suministró una oportunidad única para estudiar la evolución de la enfermedad en el hombre;[73] un hecho interesante fue la aparición de neurosis y trastornos emocionales en la convalecencia.

En el hombre, la brucelosis suele ser infección generalizada, en tanto que en animales inferiores, sobre todo el ganado, es localizada. En el hombre, el hemocultivo es positivo[24] y la aparición de aglutininas constituye un medio diagnóstico. El hombre también se sensibiliza a la substancia celular de la bacteria, y esta hipersensibilidad se manifiesta a veces como erupciones cutáneas, maculosas o recordando las manchas rosadas de la fiebre tifoidea. Sin embargo, puede haber localización, y las meningitis y meningoencefalitis tal vez no sean tan raras como se pensó en un tiempo; se han señalado también orquitis, colecistitis, endocarditis y otras manifestaciones locales. Se encuentran a veces lesiones pulmonares con infiltración de los ganglios linfáticos del hilio o del tejido pulmonar propiamente dicho. La infección pulmonar llevó a muchos investigadores a pensar en una infección por inhalación, y Elberg y Henderson[16] han demostrado que el cobayo podía infectarse experimentalmente con aerosoles; se necesitaban alrededor de 36 microorganismos para producir la enfermedad. La infección brucelósica puede acompañarse de aborto y mastitis en algunas enfermas. Como hemos dicho, la endotoxina parece explicar gran parte de la patogenia de la enfermedad, tanto directa[1] como indirectamente a través de hipersensibilidad.[65]

Epidemiología.[29, 57] En el hombre, es probable que la brucelosis se adquiera siempre de animales domésticos infectados; la transmisión de persona a persona es posible, pero ocurre rara vez o nunca

Las vías más frecuentes de infección en Estados Unidos de Norteamérica son la ingestión de leche cruda de ganado infectado y el contacto directo con carne de animales infectados, tanto reses como cerdos. Según hemos dicho, los animales se infectan fácilmente por el tubo digestivo, y no es difícil suponer que el hombre también se infecte por esta vía. La eliminación de *Br. abortus* con la leche de las vacas infectadas brinda, pues, una posibilidad de infección cuando dicha leche se ingiere cruda; en muchos casos este es el modo de transmisión de la fiebre ondulante. En muchos lugares se ha encontrado *Br. abortus* en leche certificada. Naturalmente, la pasterización protege contra estos accidentes.

La penetración de brucelas a través de la piel sana ha sido mencionada antes. Un hombre puede infectarse manipulando tejidos de animales enfermos o poniéndose en estrecho contacto con otro material infectante; tal vez los bacilos penetren por pequeñas abrasiones de la piel o incluso por la piel intacta. Naturalmente, los empleados de matadores, los veterinarios, quienes preparan embutidos y los carniceros están muy expuestos a estas infecciones y la frecuencia de brucelosis en este grupo es anormalmente elevada, existiendo la tendencia a considerarla enfermedad profesional. Es probable que casi todas las enfermedades por *Br. suis* se adquieren de esta manera, aunque algunas vacas están infectadas por esta especie y el hombre puede adquirir infección por *Br. suis* a través de leche cruda.

La epidemiología de la brucelosis ha sufrido ciertos cambios durante las últimas décadas. Difiere algo según las localidades y depende de la frecuencia y tipo de infecciones animales. En diversas zonas de Estados Unidos de Norteamérica, el consumo de leche cruda en un tiempo era fuente importante de infección. Sin embargo, en 1970 solo hubo seis casos en Estados Unidos de Norteamérica que pudieron atribuirse directamente a la leche. En los estados del medio occidente, donde ahora se producen diversos casos de brucelosis y donde la frecuencia de infección porcina con *Br. suis* es relativamente alta, las infecciones humanas son frecuentes sobre todo en trabajadores de empacadoras y trabajadores varones de los ranchos. En general, la brucelosis es más frecuente en el varón que en la mujer, probablemente reflejando contacto más estrecho del primero con los animales infectados. La frecuencia de brucelosis humana ha disminuido espectacularmente al irse suprimiendo los reservorios animales infectados.

Son muy frecuentes las infecciones de laboratorio con brucelas, y los técnicos más experimentados pueden contraer fiebre ondulante al trabajar con estos cultivos. Estas infecciones resultan con toda probabilidad de manipular material infectante y penetración de los microorganismos por la piel.

La fiebre ondulante también puede adquirirse al beber leche cruda de cabra, pero parece que las infecciones de este tipo (*Br. melitensis*) son relativamente raras en Estados Unidos de Norteamérica. Se han encontrado casos en los estados de Carolina del Norte, Kansas y Texas, y se sabe que existen otros en los estados del sudoeste donde se consume relativamente más leche de cabra. En el estado de Arizona, la frecuencia de infecciones por *Br. melitensis* está directamente relacionada con la población de cabras, y disminuyó al menguar dicha población; en cambio, las infecciones por *Br. abortus* siguen siendo frecuentes.

Se ha demostrado experimentalmente que la brucelosis podía transmitirse por mosquitos y moscas hematófagas; pero no parece que este modo de transmisión sea de importancia en la naturaleza. El agua no parece ser vehículo de transmisión; el único brote señalado por consumo de agua infectada puede considerarse un accidente de laboratorio.[50]

No se conoce con seguridad la casuística de la brucelosis humana. La frecuencia señalada de brucelosis alcanzó su máximo en 1947, con 6 321 casos; disminuyó a 262 en 1965, y ha seguido desde entonces bastante estable; el número de casos denunciados tiende a reflejar el interés general o la poca tendencia a la declaración. Los estados del medio oeste, como Iowa, Minnesota y Wisconsin, representaron el 25 por 100 de todos los casos en el periodo de diez años entre 1942 y 1951, y 50 por 100 de los casos encontrados en 1951. En 1970 le correspondía a Iowa solamente el 28 por 100 de los casos de Estados Unidos de Norteamérica, y tenía la frecuencia máxima de todos los estados. La enfermedad se observaba en zonas rurales casi siempre; la frecuencia en zonas urbanas es muy baja. La frecuencia es alta en los estados occidentales, y por su distribución geográfica tiende a ser paralela a la extensión de la industria de cría de cerdos. La frecuencia de brucelosis animal ha disminuido constantemente a consecuencia de las medidas de control federal tomadas en todo el país.

Diagnóstico bacteriológico.[28] El diagnóstico de laboratorio de la brucelosis requiere demostrar los microorganismos causales y los anticuerpos específicos correspondientes. Cuando pueda aislarse e identificarse la bacteria, el diagnóstico es seguro, pero la presencia de anticuerpos solo indica respuesta inmune a lo que pudo haber sido infección pasada y no presente; por lo tanto, no es sino un dato de presunción.

Las brucelas se encuentran con frecuencia en la sangre del hombre, en particular durante el periodo de hipertermia, pero no siempre pueden cultivarse. Se añaden a caldo de triptosa de 2 a 5 ml de sangre o sangre coagulada, y se incuba en una atmósfera que contenga 25 por 100 de CO_2. El medio enriquecido debe resembrarse con intervalos de cuatro días; si las resiembras son negativas, se continuará el cultivo durante tres semanas cuando menos. Para las resiembras, se preferirán placas de agar con infusión de hígado o agar-triptosa. La bacteria

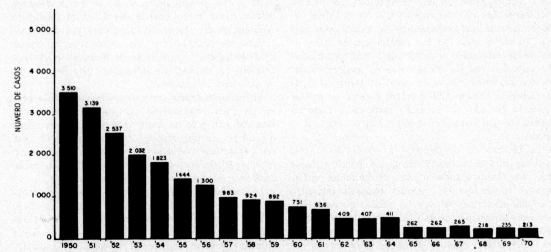

FIG. 23-3. Número de casos de brucelosis declarados en Estados Unidos de Norteamérica durante el periodo 1950-1970. (Morbidity and Mortality Weekly Report, Annual Suplement, vol. 19, 1970. Center for Disease Control, U. S. Public Health Service.)

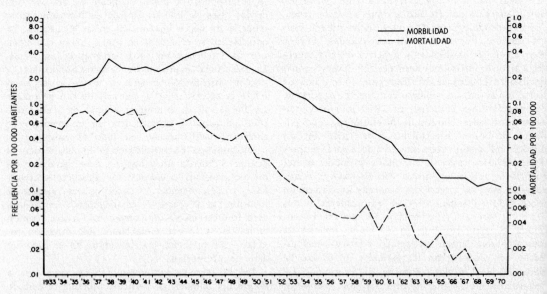

FIG. 23-4. Frecuencia de brucelosis en Estados Unidos de Norteamérica durante el periodo de 1933-1970, según los datos de morbilidad y mortalidad por 100 000 habitantes. (Morbility and Mortality Weekly, Anual Suplement Vol. 19, 1970. Center for Disease Control, U. S. Public Health Service.)

puede identificarse por aglutinación con antisuero o con la técnica de tinción de anticuerpo fluorescente; [46] puede distinguirse *Br. melitensis* de *Br. abortus* y *Br. suis* mediante aglutinación con antisueros específicos de tipo; también se buscará en el cultivo producción de H_2S, y desarrollo en presencia de tionina y fucsina básica.

El diagnóstico de presunción establecido clínicamente puede confirmarse en forma parcial, pero no absoluta, si se encuentra un título de aglutininas de 1:320 o superior, o un título de anticuerpos en aumento durante la evolución del cuadro. Por desgracia, los títulos de aglutininas varían de un laboratorio a otro, y hay necesidad urgente de preparar un antígeno de aglutinación patrón y un proceso de estudio uniforme.[70]

Hay anticuerpos bloqueadores que alteran la titulación directa de aglutininas. Ha despertado mucho interés el empleo diagnóstico de la titulación de anticuerpos incompletos o bloqueadores con el método de la antiglobulina.[63, 74] Aunque la significación de dichos títulos no es muy segura, parece que las aglutininas que se presentan en etapa temprana de la enfermedad son de tipo IgG y tipo IgM, mientras que los anticuerpos incompletos que aparecen tardíamente, y por lo tanto caracterizan las enfermedades crónicas, son principalmente de las fracciones IgG e IgA.[11, 38, 76]

La interpretación de la respuesta de aglutininas también se complica en algunos casos cuando el individuo ha recibido vacuna contra el cólera, pues las brucelas y los vibriones coléricos tienen antígenos comunes. La respuesta alérgica a la substancia celular de las brucelas, que puede demostrarse como reacción cutánea de tipo tardío, se considera poco fiel para el diagnóstico.

La prueba de aglutinación se emplea mucho en el diagnóstico de la brucelosis del ganado. Se han creado diversas pruebas simplificadas para estudios en el campo. La prueba de la tarjeta, en la cual plasma fresco se mezcla sobre una tarjeta con antígeno de brucela parece ser equivalente a la prueba estándar de tubo de ensayo.[51] Como las aglutininas de brucela en el ganado también se eliminan con la leche, suele utilizarse una "prueba de anillo" (Abortus Bang Ringprobe o ABR). Se efectúa mezclando una gota de bacterias teñidas con 1 ml de leche, e incubando durante una hora a 37°C; las bacterias aglutinadas pasan a la superficie, constituyendo glóbulos de grasa que forman un anillo coloreado.

Quimioterapia.[17, 61, 66] La quimioterapia de la brucelosis ha sido algo desalentadora; la enfermedad responde irregularmente y de manera temporal a regímenes ordinarios de tratamiento antibiótico. Los fracasos terapéuticos probablemente dependan, en parte, de la índole intracelular de la infección, ya que puede comprobarse que las bacterias intracelulares no son destruidas fácilmente por los antibióticos.[59] Las tetraciclinas se consideran los antibióticos de elección y pueden acabar episodios clínicos

agudos. Su empleo debe continuarse por un mínimo de 21 días y puede repetirse, a veces en combinación con estreptomicina en casos graves o rebeldes; de todas maneras, pueden producirse recaídas hasta en el 50 por 100 de los casos. También se ha observado que el tratamiento antibiótico puede provocar choque de endotoxina; este puede ser potenciado en individuos hipersensibles.

Inmunidad.[33] La resistencia de terneras y vacas no preñadas a la brucelosis clínica es una expresión de inmunidad natural, aunque los animales más viejos responden al microorganismo produciendo anticuerpos y desarrollando mayor resistencia a infecciones subsecuentes. El hombre también parece poseer un alto grado de resistencia, y es probable que las infecciones sean mucho más frecuentes que los casos clínicos de brucelosis. En la serie estudiada por Huddleson y Munger, en la cual se conocía la exposición a la infección, solo la mitad, más o menos, de los individuos que mostraban datos de infección (respuesta inmune) tenían enfermedad clínicamente manifiesta.

En el hombre, la respuesta inmune se traduce por la aparición de aglutininas, opsoninas, anticuerpos bactericidas [4] e hipersensibilidad a preparados de substancia celular del germen. Sin embargo, no está demostrado que tal respuesta se acompañe de mayor resistencia a la infección, que se trate de una inmunidad eficaz. Los datos disponibles hacen pensar que la inmunidad eficaz es sobre todo de tipo celular.[32] Como la infección por brucela provoca hipersensibilidad tardía, la inmunidad puede ser análoga, en parte, a la observada en la tuberculosis, con la activación de macrófagos que limitan la multiplicación intracelular de brucelas; [55] esta restricción del crecimiento se potencia con suero inmune. Según esta idea, el empleo terapéutico de antisueros en la brucelosis humana ha dado resultados muy malos, probablemente porque los macrófagos no son activados.

Vacunas.[56] La posibilidad de producir una inmunidad profiláctica eficaz, no solo en el hombre sino también en los animales, merece gran interés. Las vacunas a base de suspensiones de bacterias muertas provocan una respuesta sérica de anticuerpo, que se demuestra como aglutininas, etc., pero no producen inmunidad para la enfermedad.

Una variante avirulenta de *Br. abortus*, la cepa BA 19, se ha estudiado ampliamente como posible agente inmunizante. Difiere de las cepas virulentas de *Br. abortus* por cuanto no necesita bióxido de carbono, es relativamente avirulenta para el cobayo, y es inhibida por el azul de tionina. Utilizada en terneras, no impide la infección, pero modifica la enfermedad, según lo demuestra una gran reducción de los abortos y la eliminación de bacterias virulentas. No es totalmente inofensiva para el hombre, y se han señalado cierto número de infecciones accidentales. En el hombre no produce enfermedad crónica, pero provoca cierto grado de hipersensibilidad, de manera que el contacto ulterior con antígeno de Brucella origina reacciones intensos.[67] Se ha administrado al hombre en Rusia; parece que hasta en 11 millones de personas, y se afirma que disminuye la frecuencia de la brucelosis hasta la décima parte.[54]

Se ha estudiado un mutante avirulento de *Br. melitensis*, denominado Rev 1 por Elberg y colaboradores. Su conducta en el cobayo es como la de un germen virulento hasta que se ha establecido la infección; parece tener poco poder patógeno como parásito intracelular, y las lesiones desaparecen.[42] Se han obtenido resultados similares con monos utilizando solo unos centenares de células como inóculo para producir una inmunidad eficaz contra contactos subsiguientes con bacilos virulentos.[15] Su empleo en el hombre no es posible ya que provoca reacciones febriles y sintomáticas.[52]

BIBLIOGRAFIA

1. Abernathy, R. S., and W. W. Spink. 1958. Studies with Brucella endotoxin in humans: the significance of susceptibility to endotoxin in the pathogenesis of brucellosis. J. Clin. Invest. **37**:219–231.
2. Altenbern, R. A., *et. al.* 1957. Metabolism and population changes in *Brucella abortus*. I. Roles of alanine and pantothenate in population changes. II. Terminal oxidation and oxygen tension in population changes. J. Bacteriol. **73**:691–696, 697–702.
3. Biberstein, E. L., and H. S. Cameron. 1961. The family Brucellaceae in veterinary research. Ann. Rev. Microbiol. **15**:93–118.
4. Bienvenu, R. J., Jr., L. J. Rode, and V. T. Schuhardt. 1961. Microcolony brucellacidal test. J. Bacteriol. **81**:684–687.
5. Braun, W., *et al.* 1951. The effects of metabolites upon interactions between variants in mixed *Brucella abortus* populations. J. Bacteriol. **62**:45–52.
6. Braun, W., A. Pomales-Lebron, and W. R. Stinebring. 1958. Interactions between mononuclear phagocytes and *Brucella abortus* strains of different virulence. Proc. Soc. Exp. Biol. Med. **97**:393–397.
7. Brody, J. A., *et al.* 1966. Studies of human brucellosis in Alaska. J. Infect. Dis. **116**:263–269.
8. Calderone, J. G., and M. J. Pickett. 1965. Characterization of brucellaphages. J. Gen. Microbiol. **39**:1–10.
9. Carmichael, L. E., and D. W. Bruner. 1968. Characteristics of a newly recognized species of Brucella responsible for infectious canine abortions. Cornell Vet. **58**:579–592.
10. Carmichael, L. E., and R. M. Kenney. 1968. Canine abortion caused by *Brucella canis*. J. Amer. Vet. Med. Assn. **152**:605–616.
11. Coghlan, J. D., and D. M. Weir. 1967. Antibodies in human brucellosis. Brit. Med. J. **ii**:269–271.
12. Diaz, R., *et al.* 1968. Surface antigens of smooth brucellae. J. Bacteriol. **96**:893–901.
13. Dishon, T., and L. Olitski. 1949. Lethal Brucella infections in white mice produced with the aid of the mucin technic. Proc. Soc. Exp. Biol. Med. **71**:698–700.
14. Drimmelen, G. C. van. 1960. "Species" of Brucella characterized by phage lysis. Bull. Wld. Hlth. Org. **23**:127–130.
15. Elberg, S. S., and W. K. Faunce, Jr. 1964. Immunization against *Brucella* infection. 10. The relative immunogenicity of *Brucella abortus* strain 19-BA and *Brucella melitensis* strain Rev. I in *Cynomolgus philippinensis*. Bull. Wld. Hlth. Org. **30**:693–699.
16. Elberg, S. S., and D. W. Henderson. 1948. Respiratory pathogenicity of *Brucella*. J. Infect. Dis. **82**:302–306.
17. Farid, Z., *et al.* 1961. Antibiotic treatment of acute brucellosis caused by *Brucella melitensis*. J. Trop. Med. Hyg. **64**:157–163.
18. Feeley, J. C. 1969. Somatic O antigen relationship of *Brucella* and *Vibrio cholerae*. J. Bacteriol. **99**:645–649.
19. Foster, J. W., and E. Ribi. 1962. Immunological role of *Brucella abortus* cell walls. J. Bacteriol. **84**:258–268.
20. Freeman, B. A., and L. R. Vana. 1958. Host-parasite relationships in brucellosis. I. Infection of normal guinea pig macrophages in tissue culture. J. Infect. Dis. **102**:258–267.
21. Freeman, B. A., D. J. Kross, and R. Circo. 1961. Host-parasite relationships in brucellosis. II. Destruction of macrophage cultures of *Brucella* of different virulence. J. Infect. Dis. **108**:333–338.
22. Freeman, B. A., G. R. Pearson, and W. D. Hines. 1964. Host-parasite relationships in brucellosis. III. Behavior of avirulent Brucella in tissue culture monocytes. J. Infect. Dis. **114**:441–449.
23. Freeman, B. A., *et al.* 1970. Some physical chemical and taxonomic features of the soluble antigens of the *Brucellae*. J. Infect. Dis. **121**:522–527.
24. Ganado, W., and W. Bannister. 1960. Bacteraemia in human brucellosis. Brit. Med. J. **i**:601–603.
25. Gay, K., and S. R. Damon. 1950. Use of the chick embryo for isolation of *Brucella*. Multiplication of the organism in the yolk sac and selection of the embryo age optimal for isolation from blood. Pub. Hlth. Rep. **65**:1187–1194.
26. Gerhardt, P. 1958. The nutrition of brucellae. Bacteriol. Rev. **22**:81–98.
27. Harris, H. J. 1950. Brucellosis (Undulant Fever): Clinical and Subclinical. 2nd ed. P. B. Hoeber, New York.
28. Hausler, W. J., Jr., and F. P. Koontz. 1970. Brucella. pp. 199–204. *In* J. E. Blair, E. H. Lennette, and J. P. Truant (Eds.): Manual of Clinical Microbiology. American Society for Microbiology, Bethesda.
29. Hendricks, S. L. 1955. Epidemiology of human brucellosis in Iowa. Amer. J. Pub. Hlth. **45**:1282–1288.
30. Hinsdill, R. D., and D. T. Berman. 1967. Antigens of *Brucella abortus*. I. Chemical and immunoelectrophoretic characterization. J. Bacteriol. **93**:544–549.
31. Holland, J. J., and M. J. Pickett. 1956. Intracellular behavior of Brucella variants in chick embryo cells in tissue culture. Proc. Soc. Exp. Biol. Med. **93**:476–479.
32. Holland, J. J., and M. J. Pickett. 1958. A cellular basis of immunity in experimental brucella infection. J. Exp. Med. **108**:343–360.
33. Huddleson, I. F. 1942. Immunity in brucellosis. Bacteriol. Rev. **6**:111–142.
34. Huddleson, I. F. 1943. Brucellosis in Man and Animals. Revised ed. Commonwealth Fund, New York.
35. Hutchings, L. M. 1950. Swine brucellosis. pp. 188–197. *In* Brucellosis. American Association for the Advancement of Science, Washington, D.C.
36. Jones, L. M. 1960. Comparison of phage typing with standard methods of species differentiation in Brucellae. Bull. Wld. Hlth. Org. **23**:130–133.
37. Jones, L. M., *et al.* 1968. Taxonomic position in the genus *Brucella* of the causative agent of canine abortion. J. Bacteriol. **95** 625–630.
38. Kerr, W. R., *et al.* 1968. Techniques and interpretations in the serological diagnosis of brucellosis in man. J. Med. Microbiol. **1**:181–193.
39. Leong, D., *et al.* 1970. Some structural and biological properties of *Brucella* endotoxin. Infect. Immun. **1**:174–182.
40. Markenson, J., D. Sulitzeanu, and A. L. Olitski. 1962. Immunogenic activity of *Brucella* cell wall. Brit. J. Exp. Pathol. **43**:67–76.
41. Martin, W. J., *et al.* 1960. Brucellosis. Proc. Staff Meet. Mayo Clinic **35**:717–727.
42. McCamish, J., and S. S. Elberg. 1962. Immunization against *Brucella* infection. IX. The response of the guinea pig to the immunizing strain (Rev. 1) of *Brucella melitensis*. Amer. J. Pathol. **40**:77–93.
43. McGhee, J. R., and B. A. Freeman. 1970. Separation of soluble Brucella antigens by gel-filtration chromatography. Infect. Immun. **2**:48–53.
44. McGhee, J. R., and B. A. Freeman. 1970. Fractionation of phenol extracts from *Brucella suis*. Infect. Immun. **2**:244–249.

45. Meyer, M. E. 1961. Metabolic characterization of the genus *Brucella*. IV. Correlation of oxidative metabolic patterns and susceptibility to *Brucella* bacteriophage, type *abortus*, strain 3. J. Bacteriol. **82**:950–953.
46. Meyer, M. E. 1966. Identification of *Brucella* organisms by immunofluorescence. Amer. J. Vet. Res. **27**:424–429.
47. Meyer, M. E. 1969. Amer. J. Vet. Res. **30**:1751–1756.
48. Meyer, M. E., and H. S. Cameron. 1961. Metabolic characterization of the genus *Brucella*. I. Statistical evaluation of the oxidative rates by which type I of each species can be identified. II. Oxidative metabolic patterns of the described biotypes. III. Oxidative metabolism of strains that show anomalous characteristics by conventional determinative methods. J. Bacteriol. **82**:387–395, 396–400, 401–410.
49. Meyer, M. E., and W. J. B. Morgan. 1962. Metabolic characterization of *Brucella* strains that show conflicting identity by biochemical and serological methods. Bull. Wld. Hlth. Org. **26**:823–827.
50. Newitt, A. W., T. M. Koppa, and D. W. Gudakunst. 1939. Water-borne outbreak of *Brucella melitensis* infection. Amer. J. Pub. Hlth. **29**:739–743.
51. Nicoletti, P. 1967. Utilization of the card test in brucellosis eradication. J. Amer. Vet. Med. Assn. **151**:1778–1783.
52. Pappagianis, D., *et al.* 1966. Immunization against Brucella infections. Effects of graded doses of viable attenuated *Brucella melitensis* in humans. Amer. J. Epidemiol. **84**:21–31.
53. Pickett, M. J., E. L. Nelson, and J. D. Liberman. 1953. Speciation within the genus Brucella. II. Evaluation of differential dye, biochemical and serological tests. J. Bacteriol. **66**:210–219.
54. Poberezkin, M. N. 1960. Features of the course of brucellosis in vaccinated persons. (Translated from the Russian.) J. Microbiol. Epidemiol. Immunobiol. **31**:305–310.
55. Ralston, D. J., and S. S. Elberg. 1971. Sensitization and recall of anti-*Brucella* immunity in guinea pig macrophages by attenuated and virulent *Brucella*. Infect. Immun. **3**:200–208.
56. Report. 1962. Les vaccinations contre les brucelloses. Ann. Inst. Pasteur **102**:771–826.
57. Report. 1971. Joint FAO/WHO Expert Committee on Brucellosis. Fifth Report. Technical Report Series No. 464. World Health Organization, Geneva.
58. Roux, J. 1961. Virulence et toxicité des Brucella. Rev. d'Immunol. **25**:32–45.
59. Roux, J., *et al.* 1969. Action de la chlortétracycline sur les Brucella intracellulaires. Ann. Inst. Pasteur **116**:49–62.
60. Ruiz-Castañeda, M. 1950. Brucellosis. Ann. Rev. Microbiol. **4**:331–342.
61. Ruiz-Castañeda, M. 1957. Chemotherapy of brucellosis. Bull. Wld. Hlth. Org. **16**:443–446.
62. Sanders, E., and I. F. Huddleson. 1956. The influence of environmental conditions on the growth and dissociation of *Brucella abortus*. Amer. J. Vet. Res. **17**:324–330.
63. Schassan, H. H. 1968. Die Bedeutung des Antihumanglobulin-Tests in der Serodiagnostik der humanen Brucellose. Z. Immunitätsforsch. **134**:424–435.
64. Spink, W. W. 1956. The Nature of Brucellosis. University of Minnesota Press, Minneapolis.
65. Spink, W. W. 1957. The significance of bacterial hypersensitivity in human brucellosis: Studies on infection due to strain 19 *Brucella abortus*. Ann. Intern. Med. **47**:861–874.
66. Spink, W. W. 1960. Current status of therapy of brucellosis in human beings. J. Amer. Med. Assn. **172**:697–698.
67. Spink, W. W. 1964. Host-parasite relationship in brucellosis. Lancet **ii**:161–164.
68. Spink, W. W. 1969. Present status of brucellosis in man. Clinical and diagnostic problems. J. Amer. Vet. Med. Assn. **155**:2091–2093.
69. Spink, W. W., and D. Anderson. 1954. Experimental studies on the significance of endotoxin in the pathogenesis of brucellosis. J. Clin. Invest. **33**:540–548.
70. Spink, W. W., *et al.* 1954. A standardized antigen and agglutination technic for human brucellosis. Report No. 3 of the National Research Council, Committee on Public Health Aspects of Brucellosis. Amer. J. Clin. Pathol. **24**:496–498.
71. Stableforth, A. W., and L. M. Jones. 1963. Report of the Subcommittee on the Taxonomy of the Genus *Brucella*. Speciation in the genus *Brucella*. Int. Bull. Bacteriol. Nomencl. Taxonom. **13**:145–158.
72. Stone, W. S. 1941. Brucellosis in horses and goats. J. Amer. Vet. Med. Assn. **99**:118–120.
73. Trever, R. W., *et al.* 1959. Brucellosis. I. Laboratory-acquired acute infection. Arch. Intern. Med. **103**:381–397.
74. Wagner, B. M., and D. M. Kuhns. 1953. Coombs type of antibodies (antigolobulin) in brucellosis. Amer. J. Clin. Pathol. **23**:185–189.
75. White, P. G., and J. B. Wilson. 1951. Differentiation of smooth and nonsmooth colonies of Brucellae. J. Bacteriol. **61**:239–240.
76. Wilkinson, P. C. 1966. Immunoglobulin patterns of antibodies against *Brucella* in man and animals. J. Immunol. **96**:457–463.
77. Wilson, J. B., and B. L. Dasinger. 1960. Biochemical properties of virulent and avirulent strains of Brucellae. Ann. N.Y. Acad. Sci. **88**:1155–1166.

CAPITULO 24

PASTEURELLA Y ACTINOBACILLUS

Septicemia hemorrágica; peste; tularemia; muermo; actinobacilosis

Dr. Bob A. Freeman

Pasteurella

El género Pasteurella comprende bacilos gramnegativos, no móviles, bioquímicamente inactivos, que a menudo muestran tinción bipolar. El grupo es relativamente homogéneo, con excepción del bacilo de la tularemia, que se singulariza por sus grandes exigencias nutritivas y algunas otras características y puede reconocerse según sus propiedades fisiológicas, como se observará en el cuadro adjunto. Estas bacterias son primariamente patógenas para los animales inferiores.[10] El agente causal del cólera de las gallinas fue uno de los primeros descritos y el empleado por Pasteur en sus primeros estudios sobre inmunidad.

Pasteurella multocida (*Pasteurella septica*). El grupo de enfermedades de animales designadas en conjunto como septicemias hemorrágicas, caracterizadas por zonas hemorrágicas grandes y pequeñas en tejido subcutáneo, serosas, músculos, ganglios linfáticos y órganos internos, parece causado por una sola especie, *Past. multocida* o *Past. septica*. Las cepas pueden diferir mucho en virulencia y tienen cierto grado de especificidad de huésped; durante muchos años recibieron nombres correspondientes a estas particularidades: *Past. aviseptica* o *Past. avicida*, que causa el cólera de las gallinas y es patógeno para mamíferos también; *Past. muriseptica* o *Past. muricida*, patógena para roedores, pero no para las gallinas; *Past. leptiseptica* o *Past. cuniculicida*, que produce el catarro nasal contagioso o "romadizo" de los conejos; *Past. suiseptica* o *Past. suilla*, bacilo de la peste de los cerdos, que ataca a mamíferos y aves; y *Past. boviseptica* o *Past. bollingeri*, que se encuentra solamente en animales domésticos.

Estas bacterias pueden cultivarse en los medios ordinarios de agar nutritivo y no producen hemólisis del agar-sangre, aunque las colonias pueden obscurecerse. Se presentan como colonias bien limitadas, lisas, mucoides y rugosas. Las formas lisas son iridiscentes por observación con luz transmitida oblicua. Elberg y Ho[37] describieron tres tipos, siendo el más virulento el verde o dorado, no tanto el rojo y el azul; el tipo mucoide sin iridiscencia no es virulento.

Estos gérmenes, según las fermentaciones de arabinosa, xilosa y dulcitol, pueden dividirse en cuatro grupos vecinos de los tipos inmunológicos, pero no forzosamente coincidentes; la división en tipos se hace sobre bases inmunológicas, no bioquímicas. Roberts encontró cuatro tipos serológicos que llamó I, II, III, y IV; Carter[21] continuó sus estudios y llamó B, A, C y D los tipos descritos por Roberts. La individualidad inmunológica puede atribuirse a un polisacárido específico y puede demostrarse mediante reacciones de precipitación, hinchamiento de cápsulas y hemaglutinación pasiva; la inmunidad eficaz es específica de tipo. Se ha aislado un lipopolisacárido[99] que es inmunógeno y tóxico. Hay relación entre la morfología de las colonias y las características antigénicas;[22] la especificidad es propia de la forma lisa; y las cepas mucoides a menudo no pueden clasificarse.

El poder patógeno de *Past. multocida* se pone en duda muchas veces, por la frecuencia relativamente elevada de este germen en animales normales. Sin embargo, las cepas tomadas al azar tienen virulencias muy variables, y las que se encuentran en animales normales suelen ser de la forma mucoide avirulenta. La virulencia guarda relación con el tipo serológico, al punto de que el tipo B (I) que se encuentra casi únicamente en el sudeste de Asia es el agente causal de la septicemia hemorrágica clásica que ataca al ganado y otros animales domésticos. Los demás tipos son el cólera de las ga

Identificación de las especies de Pasteurella

Especies	Motilidad (cultivo a 18-22°C)	Desarrollo * en agar de McConkey	Indol	H₂S	Fermentación de la maltosa †
Past. septica	−	−	+	+	+
Past. hemolytica	−	−	−	+	+
Past. pseudotuberculosis	+	+	−	+	+
Past. pestis	−	+	−	−	+

* Escaso; desaparece al cabo de dos o tres días de incubación.
† Se produce ácido y no gas.

llinas y las neumonías bovina y porcina en Estados Unidos de Norteamérica y en Europa.

Se han señalado cierto número de infecciones humanas. Suelen adoptar la forma de infecciones de heridas, y muchas veces se presentan después de mordeduras y arañazos de gatos y perros.[49, 55, 56] Para tratarlos, el producto de elección es la penicilina, pero incluso con terapéutica intensiva la recuperación es lenta. Los serotipos A y D tienden a predominar, confirmando la idea de los animales domésticos como fuente de infección humana.[23]

Pasteurella hemolytica. Esta bacteria se parece mucho a *Past. multocida*, pero puede distinguirse de ella porque forma indol y no fermenta la maltosa; además, resulta inmunológicamente diferente. Es la causa, o cuando menos una causa común, de la "fiebre de transporte" del ganado,[24] pero solo parece capaz de producir enfermedad si la resistencia de los animales se reduce por las condiciones duras a que se someten. También produce mastitis ovina, y se ha llamado *Past. mastitidis*.

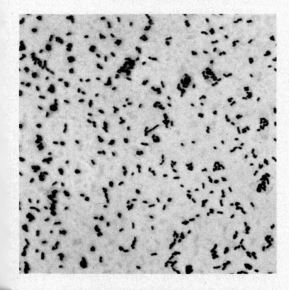

FIG. 24-1. *Pasteurella multocida*. Frotis de un cultivo puro. Fucsina; × 1 050.

PASTEURELLA PESTIS —BACILO DE LA PESTE [47, 52, 67, 96, 97]

La peste es una enfermedad muy antigua, que proviene de Asia Central, Africa Central, o ambas. No se sabe si la peste bíblica de los filisteos, en 1320 antes de Cristo, era producida por Pasteurella, o una epidemia de disentería y hemorroides (lo cual resulta bastante difícil de creer) como dicen algunos; pero la gran pendemia que coincidió con el reino del Emperador Justiniano en 542 antes de Cristo fue con toda seguridad de peste.

La peste se extendió por toda Europa en la Edad Media. Se calcula que murieron 25 000 000 de personas (un cuarto de la población total de Europa) en la "gran epidemia" o "peste negra" del siglo XIV (1348-1349). Pocas enfermedades llegaron a dejar huella tan profunda en la literatura general. En el *Decameron* de Boccaccio se encuentra una de las descripciones más vivas de la peste que se hayan escrito jamás; el *Diario del año de la peste*, "inventado" por Defoe,* da un cuadro muy impresionante de los estragos de un brote de peste negra en Londres en 1665, durante el cual murieron 70 000 personas.

Por razones sobre las cuales solo caben conjeturas, la peste ha tenido periodos irregulares de aplacamiento y recrudescencia. Europa Occidental se ha visto prácticamente libre de peste desde la mitad del siglo XVIII, y la enfermedad presentó su primera gran extensión de los tiempos modernos al aparecer en 1893 en Hong Kong y en 1896 en Bombay. La peste causó muchísimas muertes en la India; las estadísticas oficiales indican que de 1896 a 1918 la enfermedad produjo más de 10 000 000 de muertes. En octubre de 1899 se encontró un caso en Santos, en Brasil; parece ser el primero de peste en el hemisferio occidental. La peste hizo su aparición en Estados Unidos de Norteamérica en San Francisco; se piensa que fue introducida por ratas infectadas de oriente. La infección parece haber atacado a las ardillas terrestres y otros roedores silvestres en la parte occidental de Estados Unidos de Norteamérica.

* Defoe solo tenía cuatro años cuando hubo la gran epidemia.

La peste sigue disminuyendo, pero esto parece representar una continuación del descenso desde las epidemias más recientes, más que indicio de que la enfermedad vaya a desaparecer. De hecho, la infección está más firmemente establecida en los focos endémicos que en cualquier época pasada, y puede constituir una enfermedad del futuro, no solo del pasado.[3]

El bacilo de la peste, *Past. pestis,* fue descubierto casi simultáneamente por Yersin y Kitasato en 1894. Aunque incluidos por Bergey en el género Pasteurella, muchos autores prefieren clasificar el bacilo de la peste y el germen similar *Past. pseutuberculosis* en un nuevo género denominado Yersinia.

Morfología y tinción. El bacilo de la peste es un bastoncillo corto, grueso, ovoide, de 0.3 por 1.25 μ. En los líquidos corporales los bacilos pueden presentarse a pares, pero las cadenas largas son raras, y, en general, no hay agrupaciones características. Los bacilos no son móviles y poseen una capa superficial de naturaleza polipeptídica. La presencia de este material, en forma de cubierta o cápsula, se acompaña de resistencia de los bacilos a la fagocitosis.[61] Son frecuentes las formas de involución, especialmente en cultivos viejos, y pueden encontrarse cocos, bastones grandes y formas gigantes hinchadas. La tendencia del bacilo de la peste a adoptar morfologías aberrantes se acentúa al cultivarlo en medios que contengan de 3 a 4 por 100 de cloruro de sodio; algunos han considerado la aparición de formas de involución en 24 horas en medios a base de sal como una característica de valor diferencial.

En agar o gelatina, las colonias tienen aspecto delicado, como de gota, con un centro redondo y granuloso y un borde delgado, granuloso y desigual. En sangre u otros medios a base de hemina, las colonias toman color pardo obscuro; su pigmentación proviene de absorción de hemina del substrato.[59]

El bacilo de la peste siempre es gramnegativo y muestra gran tendencia a la coloración polar; presenta zonas muy teñidas en sus extremos, separadas por una franja más pálida. Para una buena tinción bipolar, el frotis debe secarse al aire y fijarse con alcohol. Son satisfactorios los colorantes ordinarios de anilina como el azul de metileno. El bacilo de la peste se encuentra con facilidad en los cortes de tejidos con tinción policroma.

Fisiología. *Past. pestis* no tiene grandes exigencias de nutrición, y se desarrolla en todos los medios ordinarios de cultivo, aunque no mucho en agua peptonada. Las cepas no seleccionadas requieren aminoácidos como fuentes de nitrógeno, y ciertos aminoácidos resultan esenciales para algunas;[51, 102] no se requieren vitaminas bacterianas. Se ha empleado el hidrolizado de caseína como base de medios líquidos para la producción de vacuna en el Instituto Haffkine durante muchos años,

y más recientemente en los estudios de toxinas y otros productos antigénicos;[107] pero para obtener desarrollo en su superficie de los medios sólidos se requiere hematina, sangre, o tal vez agentes reductores. A diferencia de lo que ocurre con casi todas las bacterias patógenas para el hombre, la temperatura de 25° a 30°C es preferible al de 37°C, y las temperaturas límites para el desarrollo son —2°C y 45°C. De cualquier manera, en medios sólidos las colonias crecen lentamente y nunca alcanzan gran tamaño. El bacilo de la peste es aerobio, facultativamente anaerobio.

Las fermentaciones de azúcares son variables, incluyendo la de la glicerina, y se produce una corta cantidad de ácido, pero nada de gas. No son licuados el suero coagulado ni la gelatina; no se produce indol. Los nitratos pueden reducirse a nitritos, y se forma un poco de hidrógeno sulfurado. Sobre patatas y en leche, el desarrollo es lento y escaso; la leche se vuelve ligeramente ácida, pero no se cuaja.

Devignat postula la existencia de tres variedades fisiológicas del bacilo de la peste.[31, 95] *Past. pestis* var. *orientalis,* no fermenta la glicerina pero reduce el nitrato; *Past. pestis* var. *antigua,* fermenta la glicerina y reduce el nitrato; *Past. pestis* var. *mediaevalis,* fermenta la glicerina y no reduce el nitrato. Este último fermenta la melibiosa, cosa que no hace el primero, lo cual constituye otro carácter diferencial.[86]

Los focos primarios de infección por la variedad *orientalis* se encuentran en India, Birmania y sur de China; la variedad *orientalis* fue causa de la peste oriental que produjo la epidemia de 1894, y es responsable también de la peste selvática o de roedores silvestres en el occidente de Estados Unidos de Norteamérica. La variedad *antigua,* que parece ser la más remota, procede de la región del lago Baikal, Mongolia y Manchuria, en Asia Central, y se desplazó hacia el occidente con las invasiones arias, siguió el valle del Nilo y llegó a Africa Central, donde persisten actualmente focos de endemia. También invadió el Mediterráneo en el siglo VI y parece haber producido la plaga justiniana que atacó al imperio romano. Desde entonces, desapareció de Europa y quedó limitada a algunas regiones de Africa. La variedad *mediaevalis,* que puede representar una transformación lenta de la variedad *antigua,* se originó en el mar Caspio e invadió toda Europa, produciendo la peste negra y estableciéndose en focos endémicos.

El bacilo de la peste resiste poco a los factores nocivos. La exposición a la desecación, en particular en las temperaturas elevadas del verano, lo mata en corto tiempo. El bacilo es muy sensible a la acción de la luz solar y desinfectantes químicos; por ejemplo, muere en 10 a 15 minutos por contacto con fenol al 0.5 por 100, y aproximadamente en igual tiempo por calor de 55°C. Sin embargo, los cultivos conservados en refrigerador viven más. *Past. pestis* no sobrevive mucho fuera del organismo animal y desaparece rápidamente del suelo, el agua y los cadáveres enterrados, puede persistir en algunas tierras mayor tiempo de lo que se había sospechado.[67]

Toxinas.[87] Los bacilos de la peste producen por lo menos dos clases de toxinas. La primera es una endotoxina, similar por su acción farmacológica a las producidas por bacilos entéricos; puede extraerse en frío de células de *Past. pestis* mediante agua fenolada.[1] Esta toxina es un lipopolisacárido, antigénico, tóxico para animales de laboratorio; desencadena una respuesta pirógena en el conejo, provoca tolerancia para endotoxina de Salmonella y produce reacción localizada y generalizada de Shwartzman en el conejo. En forma purificada, la endotoxina tiene LD_{50} de 1 mg; se ha calculado que pueden producirse cantidades suficientes de endotoxina in vivo para contribuir a la muerte de animales de experimentación infectados, o producirla.

Hay un segundo grupo de toxinas, que parecen compartir ciertas propiedades de ambas, endotoxinas y exotoxinas. La toxicidad no se asocia con complejos somáticos de glucolípido-polisacárido, como en las endotoxinas; pero como son de naturaleza proteínica, no parece difundir libremente hacia el medio vecino como las exotoxinas clásicas; solo se liberan después de rotura o lisis de la célula bacteriana. Estas toxinas, denominadas toxinas murinas, son activas en ratas y ratones, pero no son tóxicas para cobayos, conejos o chimpancés.

La inoculación local de la toxina produce edema, a menudo seguido de necrosis, y el efecto general se ejerce en gran parte sobre el sistema vascular periférico y el hígado, produciendo un choque que resulta irreversible cuando se administra una dosis mortal. No parece haber acción selectiva sobre corazón ni sistema nervioso central. En los animales sensibles a la toxina —ratones y ratas— la anatomía patológica se parece mucho a la que se encuentra en el hombre, pero no se ha visto este parecido en otros animales.[104]

La toxina murina se ha preparado en forma muy purificada mediante fraccionamiento de sulfato amónico y electroforesis de extractos de bacilos desecados con acetona. La toxicidad está contenida en dos componentes proteínicos que pueden separarse por electroforesis de gel de acrilamida y se denominan toxinas A y B; las dos tienen LD_{50} para el ratón de 0.5 a 1.0 μg. La toxina A tiene peso molecular de 240 000, mientras que la B lo tiene de 120 000; la mayor parte de datos indican que A es un dímero de B. Ambas toxinas pueden disociarse en subunidades de peso molecular bajo, que conservan la mayor parte de la actividad del preparado original. La toxina murina es antigénica en el conejo, y se han descubierto títulos altos de toxinas específicas en el suero de enfermos de peste. Tiene interés señalar que la toxina murina es producida por *Past. pestis* tanto avirulentos como virulentos. Esto quizá no deba sorprender si se recuerda que la virulencia refleja no solo la capacidad de lesionar al huésped, sino también la capacidad de establecerse dentro del mismo.

No está definido el papel exacto de las toxinas de peste en la patogenia de la enfermedad, sobre todo en el hombre; parece comprobado que, de hecho, son contribuyentes importantes al proceso patológico.

Virulencia.[17, 109] El problema de la virulencia y sus determinantes en el bacilo de la peste todavía no está resuelto. El interés por variaciones, toxina y estructura antigénica, se ha centrado principal-

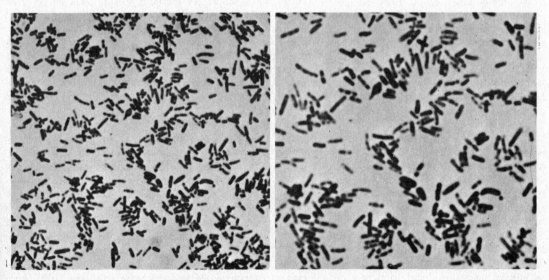

FIG. 24-2. Bacilo de la peste. Frotis de un cultivo puro fijado en alcohol metílico y teñido con azul de metileno para observar la tinción bipolar. Nótense las formas de involución que se encuentran aun después de 24 horas de incubación. *Izquierda*, $\times$ 1 500; *derecha*, $\times$ 2 100.

mente alrededor del tema de la virulencia. Se produce la disociación usual S-R, pero la morfología de las colonias y las propiedades de cada una no guardan relación con la virulencia, pues ambas formas, S y R, pueden ser virulentas o avirulentas.[36] De manera similar, el bacilo de la peste es antigénicamente homogéneo, por cuanto no se observan serotipos en el sentido usual de la palabra, pero la estructura antigénica es compleja; hasta aquí en los bacilos se han descrito 16 o más antígenos.[27] Aparte de los antígenos V y W y de la fracción 1 del antígeno de cubierta que luego estudiaremos, ninguno de estos componentes antigénicos parece guardar relación directamente con la virulencia. La virulencia en la práctica puede medirse por el número de células bacterianas necesarias para infectar y matar animales de experimentación; así, cepas muy virulentas de *Past. pestis* pueden tener LD_{50} para el ratón o cobayo menor de 10 bacilos.

Recientemente se han aclarado algunos factores relacionados con la virulencia. Un componente de proteínas y polisacárido que constituye la cubierta o cápsula de la célula, denominada fracción 1, guarda relación con la resistencia de los bacilos para la fagocitosis. Aunque suele existir en los bacilos virulentos y no en los avirulentos, hay duda acerca de si es o no es indispensable para la virulencia, por el hecho de la existencia de cepas virulentas que carecen de fracción 1, o solo la tienen en pequeñas cantidades; tales cepas se han aislado en el laboratorio como mutantes, y en la infección natural mortal del hombre.[119] La duda aumenta al comprobar que los bacilos pueden conservarse viables dentro de los neutrófilos y los macrófagos después de la fagocitosis.[60]

Se han descrito dos antígenos, denominados V y W, demostrables en difusión en gel,[19, 75] que parecen invariablemente relacionados con la virulencia; no se presentan por separado, pero pueden variar en cantidades relativas. Al paso que los antígenos V y W pueden contribuir a la resistencia a la fagocitosis, es más probable que guarden relación con la capacidad para supervivencia intracelular y multiplicación intracelular después de la fagocitosis.[61]

Cepas virulentas de bacilos de peste producen una substancia de tipo bacteriocina que se ha denominado pesticina I;[13, 18] dichas cepas también muestran actividad de coagulasa y fibrinolítica. Estos caracteres siempre van juntos, y se admite que están genéticamente ligados; la acción de coagulasa y la fibrinolítica se creen importantes para la capacidad de invadir al huésped.

La pigmentación de *Past. pestis* virulentos en medios que contienen hemina se conoce desde hace tiempo; tales cepas también muestran pigmentación en medios ordinarios que contienen el colorante rojo Congo.[111] La pérdida por mutación de la capacidad de absorber hemina o colorante tiene por consecuencia pérdida de virulencia, pero dichas cepas pueden recuperar plena virulencia en el ratón siempre que se inocule al mismo tiempo hierro ferroso.

Finalmente, bacilos de la peste que conservan todos los determinantes antes señalados de la virulencia, pero que por mutación han perdido la capacidad de sintetizar purinas, en consecuencia han perdido su virulencia. Brubaker[12] ha demostrado que el bloqueo eficaz es la pérdida de la sintetasa de monofosfato de guanosina. Cuando se administran dichas purinas con estos mutantes nutricionales, se restablece la virulencia.[16]

En resumen, una cepa virulenta de *Past. pestis* puede definirse como una cepa que contiene la fracción I de cubierta y el complejo de antígeno VW, produciendo pesticina I, con la correspondiente actividad de coagulasa y fibrinolítica, formando colonias pigmentadas en medios adecuados, y capaz de sintetizar purinas *de novo*. La conservación de virulencia en cultivo está netamente influida por factores ambientales.[89]

Poder patógeno para el hombre.[96] En el hombre, la peste suele adoptar dos formas, la bubónica o ganglionar, y la neumónica. En el tipo bubónico, el complejo sintomático es característico, y relativamente sencillo para diagnóstico clínico. Después de la exposición, generalmente por picadura de un insecto vector infectado, hay un periodo de incubación de dos a cinco días, seguido de un brusco comienzo, caracterizado por fiebre alta y síntomas de septicemia generalizada. Los ganglios linfáticos regionales rápidamente se vuelven dolorosos y aparecen los bubones típicos. Desde los bubones, que pueden ser primarios o secundarios, los bacilos pueden pasar a la sangre; en casos mortales la bacteria muchas veces se multiplica ampliamente en la sangre. La mortalidad es de 60 a 90 por 100, y la muerte, cuando ocurre, suele producirse en plazo de 10 días desde el comienzo de la infección. A veces se producen hemorragias subcutáneas. Durante las epidemias de peste de la Edad Media, estas hemorragias parecen haber sido más frecuentes que actualmente, y las manchas obscuras que causaban fue causa del nombre popular de "peste negra".

La peste neumónica[83] es secundaria a la infección de los ganglios, o puede ser transmitida, dando lugar a peste neumónica primaria. La peste neumónica suele ser mortal en casos no tratados. En esta variedad, el esputo puede contener cantidades enormes de bacilos de la peste, y la infección se transmite de persona a persona por gotitas. Gracias a este contagio directo, la peste neumónica es, con mucho, el tipo más peligroso. La gran epidemia de peste neumónica en Manchuria entre 1910 y 1912 parece haber producido unas 60 000 muertes, con mortalidad de prácticamente 100 por 100. Aunque no tan catastróficos, se producen brotes menores de peste, como en la década 1960 en Vietnam, donde se declararon más de 13 000 casos en un período de cinco años.[26] Tanto la peste bubónica como la neumónica han podido reproducirse experimentalmente; producen en el mono enfermedades muy parecidas a las del hombre.[41, 54, 108]

A veces se presenta infección primaria de la piel por el bacilo de la peste (peste cutánea), pero el caso es raro. Se conocen también casos de "peste leve", llamada "pestis minor", en algunas epidemias. No existen portadores probablemente en el sentido clásico de la palabra, pero se han demostrado un número reducido de contactos asintomáticos de peste que llevan los bacilos en su garganta.[26]

Epidemiología.[67] La peste es una enfermedad de los roedores que se presenta también en el hombre en casos esporádicos y en forma epidémica. Los roedores sensibles se dividen en domésticos (ratas) y silvestres. Entre los primeros, *Rattus rattus*, rata negra de las casas y los barcos, y *R. norvegicus*, rata gris de las alcantarillas, menos sensible, son los vectores más frecuentes; también puede estar infectada la rata egipcia, *R. alexandrinus*. Aunque pueden encontrarse bacilos de la peste en heces y orina de ratas infectadas, y estas pueden haber adquirido la enfermedad alimentándose de cadáveres de congéneres muertos de peste, la infección suele transmitirse por pulgas. La pulga de la rata de la India, *Xenopsylla cheopis*, es vector frecuente, tal vez el de mayor importancia; pero también puede transmitir la enfermedad la pulga de ratas de Norteamérica y Europa, *Cerathophyllus fasciatus*. Se

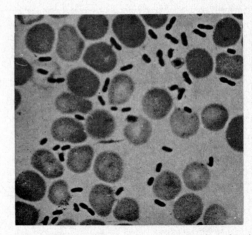

FIG. 24-3. Bacilo de la peste en sangre de ratón infectado; × 2 000. (Douglas y Wheeler.)

encuentran bacilos de la peste en la sangre durante la enfermedad aguda, hasta 100 millones por ml, y la pulga se infecta al ingerir sangre de rata enferma.

Cuando los bacilos de la peste llegan al estómago de la pulga se multiplican, pero no invaden otros lugares del cuerpo, y bajo el microscopio pueden encontrarse grandes masas de bacilos en el insecto infectado. A veces los bacilos se multiplican con tal rapidez que la masa bacteriana obstruye mecánicamente el proventrículo, impidiendo el paso de ali-

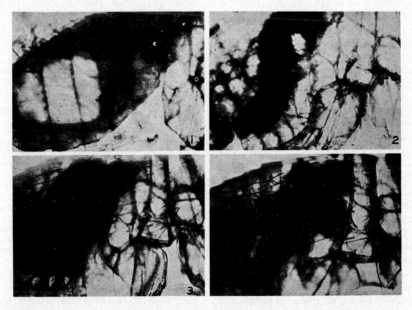

FIG. 24-4. Bacilo de la peste en pulga infectada; cortes teñidos con azul de metileno. Los bacilos se presentan como masas obscuras. *1*, Pulga en el noveno día de la infección. *2*, Decimoctavo día de la infección; nótense los bacilos que llenan estómago y proventrículo. *3*, Vigésimo segundo día de la infección; hay una gran masa de bacilos y el proventrículo está hinchado. *4*, Vigésimo tercer día de la infección; el proventrículo ha crecido todavía más. (Douglas y Wheeler.)

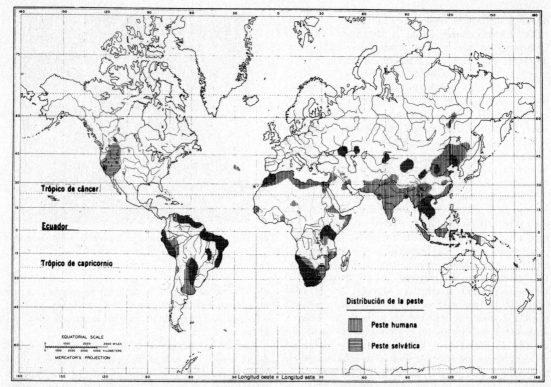

FIG. 24-5. Distribución de la peste humana y selvática en el mundo. Reproducido del mapa preparado para el Servicio Médico del Ejército de Estados Unidos de Norteamérica. (Basado en *Base Map* No. 201M de Goode. Con autorización de la Imprenta de la Universidad de Chicago.)

mento. En el esfuerzo para ingerir más sangre, los bacilos de la peste se mezclan con la sangre del huésped, y son regurgitados en la picadura. Los gérmenes también pueden eliminarse con las heces, produciéndose la infección por contaminación de la picadura con materia fecal.

Varios roedores silvestres pueden infectarse con bacilo de la peste; esta enfermedad de los roedores, mal llamada peste selvática, constituye el reservorio de la infección. En Estados Unidos de Norteamérica, la peste de roedores silvestres se encontró por primera vez en California en 1908; se extendió lentamente hacia el este, alcanzando los estados de Texas, Arizona, Nuevo México, Oklahoma y Kansas. Constituye ahora uno de los focos más grandes de peste salvaje. La infección se encuentra en roedores como perros de pradera, ardillas de tierra (Citellus), ratas de madera (Neotoma) y ratones (Microtus y Peromyscus); [38, 66, 67] hay pruebas de que en algunas zonas los conejos también pueden estar infectados.[65] La enfermedad ataca a distintos roedores,[100] la ardilla (*Citellus pygmaeus*) al noroeste del mar Caspio, varias especies de Meriones en Curdistán, el jerbo de India (*Tatera indica*), el ratón campestre (*R. exulans*) en Java, etc. También está comprobado que pueden conservarse focos naturales en pulgas; pulgas infectadas pueden vivir un año, a veces hasta cuatro años, en las madrigueras de roedores.[101]

Es bien sabido que la peste se presenta en dos tipos de centros endémicos, los temporales y los permanentes; no está establecido el papel de las ratas domésticas como fuente de infección. En la misma forma, el posible papel de la pulga de la rata en las epidemias de peste se ha puesto en duda, pues se conocen algunas en ausencia de ratas y sus pulgas. Recientemente la epidemiología de la enfermedad ha adelantado mucho. Estudios extensos iniciados en Curdistán han demostrado:

1) que los reservorios permanentes de la enfermedad son roedores silvestres relativamente resistentes;
2) que los focos de peste en roedores silvestres tienden a desaparecer cuando los animales son sensibles a la enfermedad;
3) que la rata doméstica solo es un "enlace" entre roedores silvestres y hombres,
4) que si bien la infección llega inicialmente al hombre a través de los ectoparásitos del roedor, la peste bubónica epidémica en el hombre se transmite sobre todo de persona a persona por medio de ectoparásitos, notablemente la pulga humana, *Pulex irritans*.

La epidemiología de la peste corresponde a lo dicho anteriormente. Por ejemplo, en Curdistán el reservorio de la infección incluye cuatro especies de roedores silvestres: *Meriones libycus* y *M. persicus* son muy resistentes a la enfermedad, y *M. tristrami* y *M. vinogradovi* son muy sensibles. La persistencia de la peste es consecuencia del equilibrio entre estas especies, y de la vida sedentaria de las especies resistentes cuyas madrigueras constituyen reservorios de pulgas infectadas. A veces, el hombre puede adquirir la infección a partir de esta fuente, dando origen en los poblados a peste humana que se transmite por pulgas del hombre.[8] Cuando los poblados son pequeños y están diseminados, con pocas comunicaciones, la epidemia es limitada y desaparece espontáneamente. En estas zonas de endemia, por ejemplo, en Rusia sudoriental, la infección persiste en muchos pequeños focos permanentes donde hay varias especies de jerbos. En Java, la rata del campo es resistente, y la peste persiste en focos permanentes; la rata doméstica es relativamente rara en las zonas rurales, no puede explicar la diseminación de la enfermedad, y es demasiado sensible para conservarla mucho tiempo.[5] Por consiguiente, la peste de Java es típicamente esporádica, breve y limitada a pequeños poblados. En Estados Unidos de Norteamérica, *Microtus* y *Peromyscus* son resistentes a la enfermedad, por lo que parecen constituir un reservorio de infección más importante que la ardilla terrestre, animal más sensible. La mayor parte de infecciones en Estados Unidos de Norteamérica guardan relación con roedores salvajes y conejos o sus pulgas.

En cambio, en Mesopotamia la enfermedad es temporal y se presenta en roedores sensibles en lugar de resistentes; tendería a desaparecer, de no ser por la reactivación periódica dependiente de importación de la infección.[6] En la misma forma, en India el jerbo resiste bastante a la peste, pero no lo suficiente para dar lugar a zonas endémicas de enfermedad; en India la peste es epidemiológicamente inestable y probablemente desaparecería si no fuera por introducción continua de la infección.[4] Solo puede ser introducida la enfermedad en una zona sana si en ella hay *R. rattus;* la epizootia es breve si no existe *R. norvegicus,* más resistente, y estas ratas domésticas son las que infectan la población de roedores silvestres.

El papel fundamental del piojo del cuerpo del hombre en la peste epidémica subraya la importancia de la desinfestación como medida de control, junto con la profilaxia medicamentosa en las epidemias. A largo plazo, el control de las ratas impedirá la introducción de nuevas infecciones, y reducirá la probabilidad de infecciones humanas que puedan iniciar epidemias. Es muy difícil controlar la peste en roedores silvestres, pero se han obtenido buenos resultados en Rusia.[40]

Diagnóstico bacteriológico.[7] En el hombre, los bacilos se encuentran en el material aspirado de los bubones, en cultivos o frotis de órganos internos, en especial el bazo, y en caso de peste neumónica, en el esputo. Es muy sospechoso hallar bacilos ovoides gramnegativos de tinción bipolar. Los cultivos sanguíneos tomados en etapa tardía de la enfermedad deben sembrarse primero en caldo. Las demás muestras pueden sembrarse en agar-sangre

o en agar glicerinado. Se ha preparado un medio selectivo de antibiótico-colorante enriquecido con acida para aislar los bacilos de material fuertemente contaminado como la tierra.[72] Los cultivos se identifican por características de cultivo y bioquímicas, y por aglutinación con anticuerpos antipestosos. Los bacilos tienen cierta tendencia a la aglutinación espontánea, y la prueba de aglutinación en portaobjetos no es satisfactoria. Las cepas pueden estudiarse buscando la presencia de factores de virulencia según los métodos recientemente creados, relativamente simples.[112] Como la peste se caracteriza por comienzo rápido y curso breve, el diagnóstico de laboratorio muchas veces es retrospectivo. El diagnóstico post mortem puede hacerse mediante punción de hígado, pulmones y bubones, si los hay, con una jeringa. El líquido seroso se emplea para preparar frotis; después de diluirlo con suero fisiológico, se inocula a cobayos. El examen microscópico de los frotis muchas veces suministra un diagnóstico casi seguro; la tinción de anticuerpo fluorescente puede ser útil cuando las muestras están demasiado contaminadas para cultivo o inoculación al animal.[58] Pero siempre que sea posible debe hacerse inoculación al animal.

Los cobayos pueden inocularse por vía subcutánea o, si las muestras presentan gran contaminación y descomposición, frotando el material sobre el abdomen recién afeitado; los bacilos de la peste penetran por las pequeñas abrasiones, en tanto que los microbios contaminantes no pueden hacerlo. Los animales mueren en dos a cinco días; los hallazgos de necropsia son característicos; incluyen congestión subcutánea esplénica y general, hígado granuloso y derrame pleural. Pueden encontrarse bacilos (frotis y cultivos) en bazo y otros órganos. Es importante eliminar los ectoparásitos del animal antes de la inoculación. En los roedores, la peste puede diagnosticarse por hallazgos de necropsia semejantes a los mencionados para el cobayo; se buscan los bacilos por estudio microscópico, cultivos, e inoculación al cobayo. Entre las reacciones serológicas, la hemaglutinación pasiva parece ser la más sensible,[29] pero tiene empleo limitado como técnica diagnóstica, porque solo se alcanzan títulos elevados después de dos a tres semanas de iniciado el proceso.[76, 79]

Quimioterapia.[101] El tratamiento temprano de la peste es esencial; dada la rapidez del curso clínico, debe establecerse sin esperar la confirmación del diagnóstico por el laboratorio. La terapéutica específica en la peste neumónica, si se empieza en plazo de 15 horas, suele dar buen resultado. Los productos de elección son tetraciclinas, generalmente en grandes dosis. La estreptomicina puede utilizarse junto con otros productos, pero en casos avanzados no deben darse en dosis elevadas por el peligro de choque de endotoxina como consecuencia de la rápida destrucción de un número elevado de bacilos. Los sulfamídicos son eficaces, pero por sus efectos secundarios y sus complicaciones solo se emplearán cuando no se dispone de otros quimioterápicos o estén contraindicados. La penicilina carece de efecto sobre el bacilo de la peste. Los individuos que se sabe han quedado expuestos, como en accidentes de laboratorio, pueden recibir antibióticos profilácticamente.

Inmunidad.[82, 84] La curación de la peste deja inmunidad muy firme contra infecciones ulteriores. La fagocitosis parece ser de importancia fundamental, realizándose a base de opsonización para contrarrestar las propiedades antifagocíticas de la envoltura o cápsula del bacilo. Es probable que desempeñe importante papel en la inmunidad el anticuerpo contra el antígeno de envoltura (fracción 1); el complejo antigénico VW también parece tener cierto valor. La inmunidad antitóxica no contribuye gran cosa al resultado final, y los sueros antitóxicos no confieren protección. La inmunización artificial en el hombre, empleando vacunas vivas atenuadas, o muertas, no ha sido muy eficaz.[101] El empleo de tales vacunas puede reducir la frecuencia y la mortalidad de la forma bubónica, pero probablemente no de la forma neumónica de la peste; y la inmunidad parece ser solamente temporal.

Si bien se prefieren las cepas virulentas para preparar vacunas muertas, las vacunas preparadas con cepas avirulentas pueden también producir cierta inmunidad, igual que algunas vacunas vivas de cepas avirulentas. Varios preparados solubles [28, 68, 106] producen inmunidad en condiciones experimentales, como lo indican las pruebas de protección en monos,[33] ratones [14] o cobayos, pero la inmunidad quizá no sea muy grande. Las distintas respuestas según la especie animal explican, en parte, la dificultad inherente al estudio de la potencia inmunógena; por ejemplo, un preparado que produce inmunidad en el ratón puede no lograrla en el cobayo.

Se ha inmunizado el hombre con vacunas preparadas con suspensiones de bacilos muertos y atenuados, o con antígeno de cultivo completo. La vacuna empleada por el ejército de Estados Unidos de Norteamérica durante la segunda guerra mundial era una suspensión de 2 000 millones de bacilos virulentos de la peste, muertos con formol, por mililitro; se administraban dos dosis de 0.5 y 1.0 ml, con siete o 10 días de intervalo. La vacuna del instituto Haffkine es un antígeno de cultivo completo. Los bacilos de la peste se cultivan en un medio no antigénico de hidrolizado de caseína, coloreado con carbón, que contiene Tween 80 para facilitar el desarrollo difuso. Los valores patrón se refieren a poder inmunógeno y no a número de bacilos.

La inoculación de bacilos vivos atenuados produce inmunidad duradera en animales de experimentación. El empleo de estas vacunas en el hombre se ha estudiado en África del Sur, donde dio resultados alentadores; se ha aplicado una vacuna similar en Indonesia, en más de 10 millones de

casos, sin resultados desfavorables. Estas vacunas también han tenido interés particular en Rusia.[73] Más recientemente, sin embargo, parece observarse que muchas de estas vacunas vivas en realidad originan reacciones molestas locales y generales en el hombre.[84]

PASTEURELLA PSEUDOTUBERCULOSIS

Past. pseudotuberculosis (B. pseudotuberculosis rodentium) se parece mucho al bacilo de la peste,[110] pero produce una enfermedad de los roedores, en particular del cobayo. Difiere del bacilo de la peste por su movilidad a 18-22°C (cultivo por picadura en agar blando), por producir ureasa, y por fermentar la ramnosa y la glicerina.[32, 46] Se ha dicho que se desarrollaba muchísimo formando grandes colonias opacas en agar-desoxicolato y citrato; en cambio, *Past. pestis* se desarrolla poco en este medio y forma colonias puntiformes rojizas.[114] Esta bacteria es menos virulenta para el cobayo que el bacilo de la peste, y produce una toxina que difiere de la de *Past. pestis* por su poder antigénico y por afectar no solo ratas y ratones sino también conejos y cobayos.[105] *Past. pseudotuberculosis* puede separarse en cinco grupos serológicamente, y nueve serotipos, según su posesión de antígeno de ambos tipos, somático y flagelar.[113] Algunos de los antígenos somáticos guardan relación con antígenos de Salmonella y los tipos II y IV son aglutinados por sueros de personas infectadas con Salmonella. Por lo tanto, las reacciones de aglutinación diagnóstica deben interpretarse con precaución y los sueros deben absorberse con antígeno de Salmonella. Muchos de los componentes antigénicos son compartidos por *Past. pestis* incluyendo el complejo VW.[20]

La infección natural parece adquirirse por el tubo digestivo. La inoculación subcutánea en cobayos produce la muerte en dos a tres semanas, con tumores caseosos y nódulos ("seudotubérculos", que por desgracia han dado su nombre al bacilo) en varios órganos. *Past. pseudotuberculosis* se ha encontrado en animales distintos del cobayo, pero pocas veces. La infección humana es rara y se ha considerado casi siempre mortal; pero se observan enfermedades menos graves, generalmente del tejido linfoide, que suelen simular apendicitis aguda cuando la adenitis es mesentérica.[30, 53, 57]

PASTEURELLA TULARENSIS [43]

La tularemia es enfermedad de los roedores, en particular los conejos, transmitida al hombre directamente, al manipular carne de animales infectados, o indirectamente, por un insecto vector. *Past. tularensis (Bacterium tularense)* fue descubierto por McCoy y Chapin en 1912 en una enfermedad de la ardilla terrestre de California parecida a la peste.

Sin embargo, la tularemia del hombre proviene en su mayor parte del conejo, y en 1919 Francis demostró que la enfermedad conocida como fiebre por mosca del venado del Estado de Utah era la tularemia, transmitida de conejos infectados al hombre por picadura de la mosca *Chrysops discalis*. Francis demostró, además, que *Past. tularensis* existía también en conejos vendidos en los mercados de Washington, Distrito de Columbia, y que no era rara, entre quienes manejaban estos animales, una enfermedad llamada fiebre del conejo. Se han observado casos humanos en todos los Estados de la Unión Americana.

Morfología y tinción.[50] En los cultivos, *Past. tularensis* es un pequeño bacilo gramnegativo pleomórfico de 0.2 μ de ancho por 0.3 a 0.7 μ de largo; la forma cocoide predomina en los cultivos jóvenes, la bacilar en los antiguos. En los frotis de bazos de ratones o cobayos infectados, la bacteria se presenta como formas cocoides en acúmulos bien definidos. Hay cápsulas en el organismo, no se forman esporas, y los microorganismos carecen de movilidad. El germen se reproduce de distintas maneras, incluyendo fisión binaria, gemación, formación de filamentos, etc. Parece estar muy relacionado con los microorganismos del grupo de la pleuroneumonía (cap. 26). Algunos piensan que se parece más a las brucelas que a las pasteurelas; de hecho, los investigadores británicos lo llaman *Brucella tularensis;* también se ha dicho que podía ponerse aparte y se ha querido crear un nuevo género, el de Francisella.[93]

En medios sólidos, *Past. tularensis* forma pequeñas colonias transparentes, en forma de gota, de consistencia mucoide, con las que es fácil preparar emulsiones. Las variantes de las colonias, incluyendo las que corresponden a la virulencia, se observan mejor por luz transmitida oblicua.[34, 35]

Esta bacteria es difícil de teñir; el azul de metileno no da buenas coloraciones, pero pueden emplearse la fucsina fenicada o el violeta de genciana de anilina. A veces se encuentra tinción bipolar.

Fisiología. *Past. tularensis* difiere netamente de los demás miembros de su género por no desarrollarse en medios ordinarios. Puede cultivarse en un medio de yema de huevo coagulado o en agarsangre con cistina y glucosa. Se desarrolla en medios líquidos de hidrolizado de caseína o gelatina enriquecidos con biotina, extractos de glóbulos rojos y extracto de hígado; también se obtiene buen cultivo en un medio de inclusión de corazón, glucosa, cistina y hemoglobina. Se han empleado los productos de digestión péptica de la hemoglobina para preparar un medio transparente, más que opaco.[45] El germen ha podido cultivarse, además, en medios bien conocidos químicamente;[78, 120] se requiere espermina, y el pH no debe pasar de 7.5 (este valor es crítico). Es aerobio, y anaerobio facultativo; su temperatura óptima es de 37°C. Fermenta la glucosa, maltosa y manosa, pero no el manitol, galactosa, xilosa, trealosa, salicina, arabinosa, adonita, sacarosa, lactosa, amigdalina, dulcitol, eritritol, inositol, inulina, rafinosa, sorbitol y ramnosa; la fermentación de la glicerina, levulosa y dextrina es irregular. Las fermentaciones diferenciales carecen de valor. El germen muere por exposición a 56°C durante 10 minutos. Se ha señalado que este bacilo poseía una endotoxina, y quizá también una toxina termolábil.[74]

Poder patógeno. Se conocen dos variedades clínicas de tularemia, el tipo glandular o ulceroglandular, el más frecuente, y el tifóidico. En el primer caso, la fase aguda de la enfermedad se caracteriza por cefalea, dolores y fiebre, y aparece una pápula, muchas veces sobre un dedo, en el sitio que probablemente fue la puerta de entrada del bacilo; esta pápula forma luego una úlcera. Los ganglios axilares y epitrocleares se vuelven dolorosos y se hipertrofian; pueden abrirse y dejar salir substancia purulenta. En los sujetos infectados por la conjuntiva, se forman úlceras en la superficie interna de los párpados y los ganglios cervicales y preauriculares pueden hincharse y volverse dolorosos. En la variedad tifóidica, no hay síntomas locales. Se ha descrito una variedad pleuropulmonar que se confunde fácilmente con otros tipos de enfermedades de los pulmones.[2, 85]

Durante la primera semana de la enfermedad los bacilos pueden encontrarse en la sangre; se han logrado cultivos positivos, aunque en general los cultivos preparados directamente del hombre no tienen éxito; para aislar el bacilo es preferible la inoculación al cobayo y el cultivo a partir de los focos necróticos de hígado, bazo y pulmones encontrados durante la necropsia. El hemocultivo directo rara vez es positivo, pero se ha logrado algunas veces; se ha dicho que durante la primera semana de la enfermedad podía tener lugar una bacteriemia que, en los casos fulminantes, se transformaba en septicemia. Es raro encontrar bacilos en frotis de casos humanos. En la enfermedad experimental, los hay en espacios linfáticos y células fagocíticas de tejidos infectados; algunos investigadores, a la vista del enorme número de gérmenes en las células, han pensado en una proliferación intracelular, igual que en el caso de las rickettsias. El organismo, en realidad, se ha hecho crecer en macrófagos alveolares en cultivos de tejidos.[88] Hay aglutininas en la sangre desde la segunda semana de la enfermedad, situación que puede persistir hasta 18 años después de la curación, disminuyendo lentamente el título. La duración media de la enfermedad es de dos a cuatro semanas. La mortalidad es baja (4.8 por 100) y se conoce mal la anatomía patológica en el hombre.[80]

Se ha observado la infección natural en distintos animales inferiores, además de ardillas de tierra y conejos: ratas y ratones silvestres, marmotas, zarigüeyas, castores, coyotes, venados, zorras, ratas almizcleras, cerdos, mofetas, perros, gatos y corderos. En

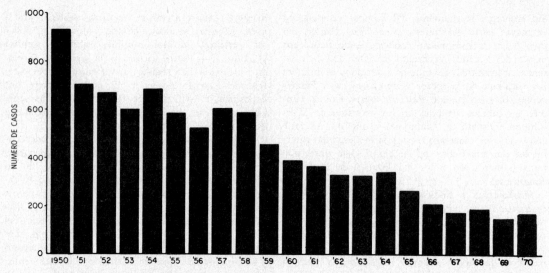

FIG. 24-6. Frecuencia de tularemia en Estados Unidos de Norteamérica durante el periodo de 1950-1970 según el número de casos declarados. (Morbidity and Mortality Weekly Report, Annual Supplement, Vol. 19, 1970. Center for Disease Control, U. S. Public Health Service.)

el occidente de Estados Unidos de Norteamérica la infección humana proviene de los carneros en los cuales la mortalidad puede ser de 10 por 100.[62] Hay infección natural en algunas aves como perdiz de California, guacos y codonices.

Entre los animales de laboratorio, la sensibilidad es alta en el ratón, mediana en el cobayo y baja en el conejo. Parece que existen dos variedades geográficas de *Past. tularensis* en relación con su virulencia para el conejo: la variedad norteamericana, que es más virulenta, y la variedad europeoasiática, que es menos virulenta; la primera fermenta en glicerol, cosa que no hace la última.[90] La DL_{50} de una cepa muy virulenta es de 10 o menos en estos animales; pero la disminución de la virulencia se manifiesta primero en el conejo, luego en el cobayo, y finalmente en el ratón.[9]

Epidemiología. Como hemos dicho, el hombre adquiere la tularemia directa o indirectamente de animales inferiores. Los bacilos pueden atravesar la piel sana del cobayo, lo que tal vez sea cierto también para el hombre al cuidar conejos y otros animales infectados; también es posible que los gérmenes penetren por pequeñas lesiones de la piel de las manos. En el ratón, la DL_{50} por la piel es de dos a cinco veces mayor que por la boca y una 10^7 veces mayor que la dosis parenteral.[98] Se conocen infecciones oculares; de hecho, fueron las primeras infecciones humanas en que se encontró el bacilo. Más del 90 por 100 de los casos humanos en Estados Unidos de Norteamérica proceden de conejos, y se calcula que alrededor de 1 por 100 de los conejos silvestres están infectados. Jellison y Parker[63] han señalado que el conejo Sylvilagus, en particular *S. floridanus* es, con mucho, la fuente más importante de infección en Estados Unidos de Nor-

teamérica, y explica los casos humanos en América del Norte. Sin embargo, hubo un brote reciente en Vermont, que se atribuyó a ratas almizcleras infectadas.[121] La frecuencia de infecciones humanas puede ser mayor de lo que se pensaba, según demuestran las cutirreacciones positivas de personas que viven en zonas endémicas, y no señalan haber sufrido infección.[25, 94] Muchos animales silvestres presentan infección natural, y Burroughs y col.[15] han preparado una lista de 48 vertebrados con infección natural. La infección de laboratorio no es rara; en 1940 se señalaron 56 casos adquiridos en las disecciones. También se ha encontrado *Past. tularensis* en arroyos, hecho que tal vez pueda relacionarse con las epizootias observadas a veces en castores. Investigaciones recientes muestran que los peces no son sensibles a *Past. tularensis* y probablemente no intervienen en la infección del agua. Se han producido epidemias debidas al agua en Rusia y Turquía. En Estados Unidos de Norteamérica la infección de ríos y lagos es relativamente frecuente en el noroeste, y se conoce bien la infección natural en castores y ratas almizcleras. En el agua y el lodo, las bacterias pueden vivir meses, y los datos disponibles indican que los gérmenes también pueden multiplicarse.[92] Además, la infección se transmite por ingestión de tejido infectado,[116] lo que también puede intervenir en la persistencia del reservorio infeccioso en animales carnívoros.

Es frecuente la transmisión de la tularemia por insectos vectores. Además del tábano *C. discalis,* son posibles vectores *Dermacentor andersoni, D. variabilis, D. occidentalis, Haemaphysalis leporis palustris, H. cinnabarina* e *Ixodes ricinus californicus.* Las garrapatas de los bosques diseminan la infección en la población animal, y es de interés notar que la infección pasa del adulto al huevo, resultando infectantes tanto las larvas como las ninfas. Por lo tanto, la tularemia puede persistir en gran parte en los propios insectos. Por ejemplo, en el estado de Arkansas la enfermedad se debe principalmente a picaduras de garrapatas, y es enfermedad profesional en granjeros. Se encontró tularemia en todo Estados Unidos de Norteamérica, en Japón, donde también se llama yato-byo o enfermedad de O'Hara, y en Europa central; se han producido grandes epidemias en Rusia. A partir de la segunda guerra mundial la infección se ha difundido desde el sudeste de Rusia y Escandinavia en dirección occidental hacia el Atlántico y el sur de Asia menor; ahora se descubre en casi toda Europa.[71]

Diagnóstico bacteriológico.[117] Como hemos dicho, *Past. tularensis* es difícil de cultivar a partir del material infectado. Las muestras deben sembrarse en la superficie de agar-sangre con glucosa y cistina. En tres a cinco días pueden aparecer pequeñas colonias características con forma de gota, pero no debe darse como negativo el cultivo antes de tres semanas. El método de elección es inyectar en el peritoneo del cobayo una emulsión de la muestra en suero fisiológico. Se requieren cantidades relativamente grandes, en general de 4 a 8 ml, o una emulsión bastante densa. El animal muere en cinco a 10 días. La anatomía patológica característica incluye edema hemorrágico sin pus en el foco de inoculación, crecimiento de los ganglios linfáticos cervicales, axilares e inguinales, que contienen substancia caseosa seca, y pequeñas zonas necróticas blancas en hígado y bazo. Pueden prepararse frotis y cultivos, pero a menudo no se encuentra el bacilo y los cultivos son negativos. En estos casos, el diagnóstico se basa en la anatomía patológica.

Cuando se logran cultivos, pueden identificarse por aglutinación específica. También pueden buscarse aglutininas en el suero del paciente; un título de 1:80 o superior suele considerarse diagnóstico si no hay aglutininas contra brucelas. Si también se encuentran dichas aglutininas, la aglutinación de *Past. tularensis* es más rápida, y alcanza un título mucho más alto. Para identificación de los gérmenes puede emplearse también la tinción de anticuerpo fluorescente[44] en productos aislados o cortes de tejido.[118]

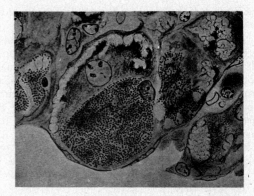

FIG. 24-7. *Pasteurella tularensis* en hepatocitos de ratón. (Francis.)

Quimioterapia. El antibiótico más eficaz para la tularemia, la estreptomicina, disminuye netamente la mortalidad;[11] sin embargo, la quimioterapia se complica por rápida adquisición de resistencia a la estreptomicina. Las tetraciclinas también son eficaces, pero el cloramfenicol tiene actividad ligera. Los sulfamídicos son totalmente ineficaces.

Inmunidad. Un ataque de tularemia confiere inmunidad efectiva, pero no tan duradera como se pensaba al principio. Green y Eigelsbach[48] han presentado dos casos muy bien estudiados de reinfección en trabajadores de laboratorio. Ambas personas habían sido inmunizadas por vacunación; una de ellas padeció dos infecciones clínicas en tres años, la otra, dos infecciones en seis años. Otros investigadores[81] han observado los mismos fenómenos. La relación entre la respuesta de anticuerpos y la inmunidad efectiva no se conoce bien; de cualquier manera, no parece que la aglutinina guarde mucha relación con el anticuerpo protector. Los anticuerpos (aglutininas) contra *Past. tularensis* muestran cierta reacción mutua con *Br. melitensis* y *Br. abortus*.

La vacunación no da resultados en animales de laboratorio pues no protege contra la inyección de cepas virulentas. Pero las vacunas vivas por vía bucal se ha señalado que brindan cierta protección en el mono.[115] Hay datos indicando que la profilaxia por vacunación en el hombre confiere un grado útil de protección.[39, 64, 103]

Actinobacillus

Los microorganismos que forman el género Actinobacillus, igual que Mycobacterium y Corynebacterium se parecen mucho a los hongos. Sin embargo, se clasifican con las bacterias verdaderas, en la familia Brucellaceae, junto con Brucella, Pasteurella, Hemophilus y Bordetella. Los actinobacilos tienden a separarse algo de otros miembros de la familia, e incluyen formas que muchas veces se descubren asociadas con Actynomices en diversas infecciones actinomicóticas, causando enfermedades que se parecen mucho a las micosis, y que globalmente se denominan actinobacilosis.

Actinobacillus lignieresi. En 1902 Ligniers y Spitz aislaron un bacilo gramnegativo no móvil, que no se ramificaba y no era acidoalcoholrresistente, de las lesiones de una enfermedad del ganado muy parecida a la actinomicosis, que a menudo se confunde con ella. El germen se llama *A. lignieresi* y la enfermedad actinobacilosis. El cuadro se descubrió en Argentina, pero parece ser bastante común y se ha encontrado en Europa y Estados Unidos de Norteamérica.

En el pus espeso de las lesiones se encuentran gránulos muy parecidos a los "gránulos de azufre" de la actinomicosis, pero menores y en gran número. Estos gránulos o colonias contienen pequeñas mazas dispuestas radialmente alrededor de un centro compuesto de restos y bacilos gramnegativos. El germen es pleomórfico en los cultivos; en los frotis de cultivos en medios líquidos se encuentran diplococos y bacilos delgados, en tanto que las colonias profundas en agar presentan formas largas y curvas. Los bacilos miden 0.4 μ de diámetro por 1 a 15 μ de largo.

En los medios de laboratorio, las colonias superficiales son pequeñas (de 0.5 a 1 mm de diámetro), lisas, brillantes, convexas, blancas azuladas y de aspecto frágil. En medios líquidos como el caldo glucosado con suero, el desarrollo origina pequeños gránulos grisáceos adheridos a las paredes del tubo, que se desprenden fácilmente al agitar; el caldo no se enturbia. Estos microorganismos son parásitos estrictos y se desarrollan poco o nada en medios que carezcan de suero o sangre completa. Son aerobios estrictos, aunque los cultivos primarios se logran a veces mejor en medios líquidos o cultivos profundos en agar glucosado con suero, en especial si se incuban con una atmósfera de 10 por 100 de bióxido de carbono. Los cultivos se desarrollan en 24 horas a 37°C; a 20°C, el desarrollo es escaso. El germen fermenta la glucosa, lactosa, sacarosa, maltosa, rafinosa y manitol; la fermentación de la xilosa es irregular. No hay fermentación de arabinosa, dulcitol, salicina e inulina. Se producen pequeñas cantidades de indol, el suero coagulado no es licuado, y la leche tornasolada generalmente no cambia, aunque a veces se vuelve ligeramente ácida.*

Como hemos dicho, la enfermedad del ganado es muy parecido a la actinomicosis, y solo difiere de ella porque los huesos rara vez son invadidos; las lesiones corresponden a tejidos blandos; es frecuente que los linfáticos de la región estén afectados; los tumores subcutáneos terminan rompiéndose y forman abscesos. Las lesiones subcutáneas responden a la cirugía, pero la infección de la lengua ("lengua de madera") a menudo resulta mortal. Se ha observado la enfermedad en epizootias y en forma esporádica. Se reproduce fácilmente por inoculación al ganado, pero el microorganismo no es muy patógeno para los animales ordinarios de laboratorio; la inoculación intraperitoneal masiva en el cobayo produce una reacción escrotal semejante a la de Straus. Se han señalado unos cuantos casos de probable infección humana.[42]

Actinobacillus actinoides.[69] Este microorganismo se encontró por primera vez en los pulmones de becerros que sufrían neumonía crónica, y más tarde en enfermedades similares de ratas blancas. No es patógeno para otros animales de laboratorio

y ni siquiera está demostrado su papel etiológico en las enfermedades observadas.

Actinobacillus actinomycetemcomitans. Este bacilo se ha encontrado y aislado de casos humanos de infección por *Actinomyces bovis;* el primero en hacerlo fue Kligler, en Alemania, en 1912; le siguieron Comstock en Inglaterra, en 1920, y Bayne-Jones, en 1925, en Estados Unidos de Norteamérica. En los últimos años se han declarado cierto número de infecciones,[91] muchas de las cuales se acompañaban de endocarditis. El germen se presenta como acúmulos de cocobacilos gramnegativos, que se distinguen fácilmente del micelio grampositivo del actinomiceto en el interior de los granos de azufre. Nunca se ha señalado en la actinomicosis bovina, y se ignora su significado.

BIBLIOGRAFIA

1. Albizo, J. M., and M. J. Surgalla. 1970. Isolation and biological characterization of *Pasteurella pestis* endotoxin. Infect. Immun. **2**:229–236.
2. Avery, F. W., and T. B. Barnett. 1967. Pulmonary tularemia. A report of five cases and consideration of pathogenesis and terminology. Amer. Rev. Resp. Dis. **95**:584–591.
3. Baltazard, M. 1960. Déclin et destin d'une maladie infectieuse: la peste. Bull. Wld. Hlth. Org. **23**:247–262.
4. Baltazard, M., and M. Bahmanyar. 1960. Recherches sur la peste en Inde. Bull. Wld. Hlth. Org. **23**:169–215.
5. Baltazard, M., and M. Bahmanyar. 1960. Recherches sur la peste à Java. Bull. Wld. Hlth. Org. **23**:217–246.
6. Baltazard, M., and B. Seydian. 1960. Enquête sur les conditions de la peste au Moyen-Orient. Bull. Wld. Hlth. Org. **23**:157–167.
7. Baltazard, M., *et al.* 1956. Recommended laboratory methods for the diagnosis of plague. Bull. Wld. Hlth. Org. **14**:457–509.
8. Baltazard, M., *et al.* 1960. Recherches sur la peste en Iran. Bull. Wld. Hlth. Org. **23**:141–155.
9. Bell, J. F., C. R. Owen, and C. L. Larson. 1955. Virulence of *Bacterium tularense.* I. A study of the virulence of *Bacterium tularense* in mice, guinea pigs and rabbits. J. Infect. Dis. **97**:162–166.
10. Biberstein, E. L., and H. S. Cameron. 1961. The family Brucellaceae in veterinary research. Ann. Rev. Microbiol. **15**:93–118.
11. Brooks, G. F., and T. M. Buchanan. 1970. Tularemia in the United States: epidemiological aspects in the 1960's and follow-up of the outbreak of tularemia in Vermont. J. Infect. Dis. **121**:357–359.
12. Brubaker, R. R. 1970. Interconversion of purine mononucleotides in *Pasteurella pestis.* Infect. Immun. **1**:446–454.
13. Brubaker, R. R., E. D. Beesley, and M. J. Surgalla. 1965. *Pasteurella pestis:* role of pesticin I and iron in experimental plague. Science **149**:422–424.
14. Buckland, F. E., and R. H. Treadwell. 1961. A comparison of plague vaccines by the mouse protection test. J. Hyg. **59**:49–56.
15. Burroughs, A. L., *et al.* 1945. A field study of latent tularemia in rodents with a list of all known naturally infected vertebrates. J. Infect. Dis. **76**:115–119.
16. Burrows, T. W. 1955. The basis of virulence for mice of *Pasteurella pestis.* Soc. Gen. Microbiol. Symp. **5**:151–175.
17. Burrows, T. W. 1963. Virulence of *Pasteurella pestis* and immunity to plague. Ergeb. Mikrobiol. Immunitätsforsch. **37**:59–113.
18. Burrows, T. W. 1965. A possible role for pesticin in virulence of *Pasteurella pestis.* Zentralbl. Bakteriol. I Abt. Orig. **196**:315–317.
19. Burrows, T. W., and G. A. Bacon. 1958. The effects of loss of different virulence determinants on the virulence and immunogenicity of strains of *Pasteurella pestis.* Brit. J. Exp. Pathol. **39**:278–291.

* En la literatura hay ciertas discrepancias al respecto.

20. Burrows, T. W., and G. A. Bacon. 1960. V and W antigens in strains of *Pasteurella pseudotuberculosis*. Brit. J. Exp. Pathol. **41**:38–44.

21. Carter, G. R. 1955. Studies on *Pasteurella multocida*. I. A hemagglutination test for the identification of serological types. Amer. J. Vet. Res. **16**:481–484.

22. Carter, G. R. 1957. Studies on *Pasteurella multocida*. II. Identification of antigenic characteristics and colonial variants. Amer. J. Vet. Res. **18**:210–213.

23. Carter, G. R. 1962. Animal serotypes of *Pasteurella multocida* from human infections. Can. J. Pub. Hlth. **53**:158–161.

24. Carter, G. R., and B. J. McSherry. 1955. Further observations of shipping fever in Canada. Can. J. Comp. Med. Vet. Sci. **19**:177–181.

25. Casper, E. A., and R. N. Philip. 1969. A skin test survey of tularemia in a Montana sheep-raising county. Pub. Hlth. Rep. **84**:611–615.

26. Cavanaugh, D. C., *et al.* 1968. Some observations on the current plague outbreak in the Republic of Vietnam. Amer. J. Pub. Hlth. **58**:742–752.

27. Chen, T. H. 1965. The antigenic structure of *Pasteurella pestis* and its relationship to virulence and immunity. Acta Trop. **22**:97–117.

28. Chen, T. H., L. E. Foster, and K. F. Meyer. 1961. Experimental comparison of the immunogenicity of antigens in the residue of ultrasonated avirulent *Pasteurella pestis* with a vaccine prepared with killed virulent whole organisms. J. Immunol. **87**:64–71.

29. Chen, T. H., and K. F. Meyer. 1966. An evaluation of *Pasteurella pestis* Fraction-I-specific antibody for the confirmation of plague infections. Bull. Wld. Hlth. Org. **34**:911–918.

30. Daniels, J. J. H. M. 1961. Enteral infection with *Pasteurella pseudotuberculosis*. Isolation of the organism from human faeces. Brit. Med. J. **ii**:997.

31. Devignat, R. 1951. Variétés de l'espèce *Pasteurella pestis*. Nouvelle hypothèse. Bull. Wld. Hlth. Org. **4**:247–263.

32. Devignat, R. 1954. Comportement biologique et biochimique de *P. pestis* et de *P. pseudotuberculosis*. Bull. Wld. Hlth. Org. **10**:463–494.

33. Ehrenkranz, N. J., and K. F. Meyer. 1955. Studies on immunization against plague. VIII. Study of three immunizing preparations in protecting primates against pneumonic plague. J. Infect. Dis. **96**:138–144.

34. Eigelsbach, H. T., W. Braun, and R. D. Herring. 1951. Studies on the variation of *Bacterium tularense*. J. Bacteriol. **61**:557–569.

35. Eigelsbach, H. T., W. Braun, and R. D. Herring. 1952. Studies on the immunogenic properties of *Bacterium tularense* variants. J. Infect. Dis. **91**:86–91.

36. Eisler, D. M., G. Kubick, and H. Preston. 1958. Dissociation in *Pasteurella pestis*: interrelations of smooth and nonsmooth variants. J. Bacteriol. **76**:597–606.

37. Elberg, S. S., and C. L. Ho. 1950. Studies on dissociation in *Pasteurella multocida*. J. Comp. Pathol. Therap. **60**:41–50.

38. Eskey, C. R., and V. H. Haas. 1940. Plague in the western part of the United States. pp. 1–83. Public Health Bulletin No. 254. U.S. Public Health Service.

39. Evans, L. R. 1965. Experiences with tularemia vaccine. Amer. J. Med. Sci. **249**:548–550.

40. Fenyuk, B. K. 1960. Experience in the eradication of enzootic plague in the north-west part of the Caspian region of the USSR. Bull. Wld. Hlth. Org. **23**:263–273.

41. Finegold, M. J. 1969. Pneumonic plague in monkeys. An electron microscopic study. Amer. J. Pathol. **54**:167–185.

42. Flamm, H., and G. Wiedermann. 1962. Infektionen durch den Actinobacillus lignieresi beim Menschen. Z. Hyg. Infekt. **148**:368–374.

43. Foshay, L. 1950. Tularemia. Ann. Rev. Microbiol. **4**:313–330.

44. Franek, J., *et al.* 1971. The use of immunofluorescence in grouping of streptococci and in diagnosis of tularemia. Ann. N.Y. Acad. Sci. **177**:12–22.

45. Gaspar, A. J., and J. E. Faber, Jr. 1962. A transparent solid medium for growth enhancement of *Pasteurella tularensis*. Appl. Microbiol. **10**:90–92.

46. Girard, G. 1953. Méthodes permettant de differencier *P. pestis* de *P. pseudotuberculosis*. Possibilité d'uniformiser ces méthodes. Bull. Wld. Hlth. Org. **9**:645–653.

47. Girard, G. 1955. Plague. Ann. Rev. Microbiol. **9**:253–276.

48. Green, T. W., and H. T. Eigelsbach. 1950. Immunity in tularemia. Report of two cases of proved reinfection. Arch. Intern. Med. **85**:777–782.

49. Henderson, A. 1963. *Pasteurella multocida* infection in man: a review of the literature. Antonie van Leeuwenhoek. J. Microbiol. Serol. **29**:359–367.

50. Hesselbrock, W., and L. Foshay. 1945. The morphology of *Bacterium tularense*. J. Bacteriol. **49**:209–231.

51. Higuchi, K., and C. E. Carlin. 1958. Studies on the nutrition and physiology of *Pasteurella pestis*. II. A defined medium for the growth of *Pasteurella pestis*. J. Bacteriol. **75**:409–413.

52. Hirst, L. F. 1953. The Conquest of Plague. A Study of the Evolution of Epidemiology. Oxford University Press, London.

53. Hnatko, S. I., and A. E. Rodin. 1963. *Pasteurella pseudotuberculosis* infection in man. Can. Med. Assn. J. **88**:1108–1112.

54. Hoessly, G. F., *et al.* 1955. Experimental bubonic plague in monkeys. I. Study of the development of the disease and the peripheral circulatory failure. Acta Trop. **12**:240–251.

55. Holloway, W. J., E. G. Scott, and Y. B. Adams. 1969. *Pasteurella multocida* infection in man. Report of 21 cases. Amer. J. Clin. Pathol. **51**:705–708.

56. Holmes, M. A., and G. Brandon. 1965. *Pasteurella multocida* infections in 16 persons in Oregon. Pub. Hlth. Rep. **80**:1107–1112.

57. Hubbert, W. T. 1965. Human pasteurellosis. New Eng. J. Med. **273**:285.

58. Hudson, B. W., S. F. Quan, and L. Kartman. 1962. Efficacy of fluorescent antibody methods for detection of *Pasteurella pestis* in carcasses of albino laboratory mice stored for various periods. J. Hyg. **60**:443–450.

59. Jackson, S., and T. W. Burrows. 1956. The pigmentation of *Pasteurella pestis* on a defined medium containing haemin. Brit. J. Exp. Pathol. **37**:570–576.

60. Janssen, W. A., and M. J. Surgalla. 1969. Plague bacillus. Survival within host phagocytes. Science **163**:950–952.

61. Janssen, W. A., *et al.* 1963. The pathogenesis of plague. I. A study of the correlation between virulence and relative phagocytosis resistance of some strains of *Pasteurella pestis*. J. Infect. Dis. **113**:139–143.

62. Jellison, W. L., and G. M. Kohls. 1955. Tularemia in sheep and in sheep industry workers in western United States. Public Health Service Publication No. 421. Public Health Monograph No. 28. U.S. Department of Health, Education and Welfare.

63. Jellison, W. L., and R. R. Parker. 1945. Rodents, rabbits and tularemia in North America: some zoological and epidemiological considerations. Amer. J. Trop. Med. **25**:349–362.

64. Kadull, P. J., *et al.* 1950. Studies on tularemia. V. Immunization of man. J. Immunol. **65**:425–435.

65. Kartman, L. 1960. The role of rabbits in sylvatic plague epidemiology, with special attention to human cases in New Mexico and use of the fluorescent antibody technic for detection of *Pasteurella pestis* in field specimens. Zoonos. Res. **1**:1–27.

66. Kartman, L., S. F. Quan, and H. E. Stark. 1962. Ecological studies of wild rodent plague in the San Francisco Bay area of California. VII. Effects of plague in nature on *Microtus californicus* and other wild rodents. Zoonos. Res. **1**:99–119.

67. Kartman, L., *et al.* 1966. Recent observations on the epidemiology of plague in the United States. Amer. J. Pub. Hlth. **56**:1554–1569.

68. Keppie, J., E. C. Cocking, and H. Smith. 1958. A nontoxic complex from *Pasteurella pestis* which immunises both guinea pigs and mice. Lancet **i**:246–247.

69. King, E. O., and H. W. Tatum. 1962. *Actinobacillus actinomycetemcomitans* and *Hemophilus aphrophilus*. J. Infect. Dis. **111**:85–94.

70. Knapp, W. 1965. Neuere experimentelle Unter-

suchungen mit *Pasteurella pseudotuberculosis (Yersinia pseu-dotuberculosis)*. Arch. Hyg. Bakteriol. **149**:715–731.

71. Kneidel, H. 1963. Die Tularemie in Deutschland. Zentralbl. Armed. Arbschutz. **13**:214–218.

72. Knisely, R. F., L. M. Swaney, and H. Friedlander. 1964. Selective media for the isolation of *Pasteurella pestis*. J. Bacteriol. **88**:491–496.

73. Korobkova, E. I. 1957. Concerning the methods of increasing the immunogenic properties of various strains of plague vaccines and their stabilization. (Translated from the Russian.) J. Microbiol. Epidemiol. Immunobiol. **28**:985–989.

74. Landay, M. E., *et al.* 1968. Toxicity of *Pasteurella tularensis* killed by ionizing radiation. J. Bacteriol. **96**:804–810.

75. Lawton, W. D., R. L. Erdman, and M. J. Surgalla. 1963. Biosynthesis and purification of V and W antigen in *Pasteurella pestis*. J. Immunol. **91**:179–184.

76. Legters, L. J., *et al.* 1969. Comparison of serological and bacteriological methods in the confirmation of plague infections. Bull. Wld. Hlth. Org. **41**:859–863.

77. Link, V. B. 1951. Plague. Amer. J. Trop. Med. **31**:452–457.

78. Mager, J., A. Traub, and N. Grossowicz. 1954. Cultivation of *Pasteurella tularensis* in chemically defined media: effect of buffers and spermine. Nature **174**:747–748.

79. Marshall, J. D., Jr., *et al.* 1967. Early serological nonresponse in human plague infections. Bull. Wld. Hlth. Org. **37**:495–497.

80. Mathews, W. R. 1938. Fatal tularemia with postmortem examination. New Orleans Med. Surg. J. **90**:479–488.

81. Metre, T. E. van, Jr., and P. J. Kadull. 1959. Laboratory acquired tularemia in vaccinated individuals: a report of 62 cases. Ann. Intern. Med. **50**:621–632.

82. Meyer, K. F. 1950. Immunity in plague: a critical consideration of some recent studies. J. Immunol. **64**:139–163.

83. Meyer, K. F. 1961. Pneumonic plague. Bacteriol. Rev. **25**:249–261.

84. Meyer, K. F. 1970. Effectiveness of live or killed plague vaccines in man. Bull. Wld. Hlth. Org. **42**:653–666.

85. Miller, R. P., and J. H. Bates. 1969. Pleuropulmonary tularemia. A review of 29 patients. Amer. Rev. Resp. Dis. **99**:31–41.

86. Mollaret, H. H., and C. Mollaret. 1965. La fermentation du mélibiose dans le genre *Yersinia* et son intérêt pour le diagnostic de variétés de *Y. pestis*. Bull. Soc. Pathol. Exot. **58**:154–156.

87. Montie, T. C., and S. J. Ajl. 1970. Nature and synthesis of murine toxins of *Pasteurella pestis*. Vol. III, pp. 1–37. *In* T. C. Montie, S. Kadis, and S. J. Ajl (Eds.): Microbial Toxins. Academic Press, New York.

88. Nutter, J. E., and Q. N. Myrvik. 1966. In vitro interactions between rabbit alveolar macrophages and *Pasteurella tularensis*. J. Bacteriol. **92**:645–651.

89. Ogg, J. E., *et al.* 1958. Factors influencing the loss of virulence in *Pasteurella pestis*. J. Bacteriol. **76**:185–191.

90. Olsufjev, N. G., and O. S. Emelyanova. 1963. Immunological relationships between Old and New World varieties of tularaemic bacteria. J. Hyg. Epidemiol. Microbiol. Immunol. **7**:178–187.

91. Page, M. I., and E. O. King. 1966. Infection due to *Actinobacillus actinomycetemcomitans* and *Haemophilus aphrophilus*. New Eng. J. Med. **275**:181–188.

92. Parker, R. R., *et al.* 1951. Contamination of natural waters and mud with *Pasteurella tularensis* and tularemia in beavers and muskrats in the northwestern United States. pp. 1–61. National Institutes of Health Bulletin No. 193. National Institute of Health, Bethesda.

93. Philip, C. B., and Cora R. Owen. 1961. Comments on the nomenclature of the caustive agent of tularemia. Int. Bull. Bacteriol. Nomencl. Taxonom. **11**:67–72.

94. Philip, R. N., *et al.* 1967. The skin test in an epidemiologic study of tularemia in Montana trappers. J. Infect. Dis. **117**:393–402.

95. Pollitzer, R. 1953. Classification de la peste par des méthodes biochimiques. État des connaissances et orientation des recherches futures. Bull. Wld. Hlth. Org. **9**:655–664.

96. Pollitzer, R. 1954. Plague. Monograph Series No. 22. World Health Organization, Geneva.

97. Pollitzer, R. 1960. A review of recent literature on plague. Bull. Wld. Hlth. Org. **23**:313–400.

98. Quan, S. F., A. G. McManus, and H. von Fintel. 1956. Infectivity of tularemia applied to intact skin and ingested in drinking water. Science **123**:942–943.

99. Rebers, P. A., *et al.* 1967. Isolation from *Pasteurella multocida* of a lipopolysaccharide antigen with immunizing and toxic properties. J. Bacteriol. **93**:7–14.

100. Report. 1959. WHO Expert Committee on Plague. Third Report. Technical Report Series No. 165. World Health Organization, Geneva.

101. Report. 1970. WHO Expert Committee on Plague. Fourth Report. Technical Report Series No. 447. World Health Organization, Geneva.

102. Rockenmacher, M., H. A. James, and S. S. Elberg. 1952. Studies on the nutrition and physiology of *Pasteurella pestis*. I. A chemically defined culture medium for *Pasteurella pestis*. J. Bacteriol. **63**:785–794.

103. Saslaw, S., *et al.* 1961. Tularemia vaccine study. I. Intracutaneous challenge. II. Respiratory challenge. Arch. Intern. Med. **107**:689–701, 702–714.

104. Schär, M., and K. F. Meyer. 1956. Studies on immunization against plague. XV. The pathophysiologic action of the toxin of *Pasteurella pestis* in experimental animals. Schweiz. Z. Allg. Pathol. Bakteriol. **19**:51–70.

105. Schär, M., and E. Thal. 1955. Comparitive studies on toxins of *Pasteurella pestis* and *Pasteurella pseudotuberculosis*. Proc. Soc. Exp. Biol. Med. **88**:39–42.

106. Silverman, M. S., *et al.* 1952. Studies on immunization against plague. III. Quantitative serological studies on an immunizing antigen of *Pasteurella pestis*. J. Immunol. **68**:609–620.

107. Sokhey, S. S., M. K. Habbu, and K. H. Bharucha. 1950. Hydrolysate of casein for the preparation of plague and cholera vaccines. Bull. Wld. Hlth. Org. **3**:25–31.

108. Speck, R. S., and H. Wolochow. 1957. Studies on the experimental epidemiology of respiratory infections. VIII. Experimental pneumonic plague in *Macacus rhesus*. J. Infect. Dis. **100**:58–69.

109. Surgalla, M. J. 1960. Properties of virulent and avirulent strains of *Pasteurella pestis*. Ann. N.Y. Acad. Sci. **88**:1136–1145.

110. Surgalla, M. J. 1965. *Pasteurella pseudotuberculosis* information as background for understanding plague. Pub. Hlth. Rep. **80**:825–828.

111. Surgalla, M. J., and E. D. Beesley. 1969. Congo-red agar plating medium for detecting pigmentation in *Pasteurella pestis*. Appl. Microbiol. **18**:834–837.

112. Surgalla, M. J., E. D. Beesley, and J. M. Albizo. 1970. Practical application of new laboratory methods for plague investigations. Bull. Wld. Hlth. Org. **42**:993–997.

113. Thal, E. 1966. Weitere Untersuchungen ueber die thermolabilen Antigene der *Yersinia pseudotuberculosis* (Syn. *Pasteurella pseudotuberculosis*). Zentralbl. Bakteriol. I. Abt. Orig. **200**:56–65.

114. Thal, E., and T. H. Chen. 1955. Two simple tests for the differentiation of plague and pseudotuberculosis bacilli. J. Bacteriol. **69**:103–104.

115. Tulis, J. J., *et al.* 1969. Oral vaccination against tularemia in the monkey. Proc. Soc. Exp. Biol. Med. **132**:893–897.

116. Vest, E. D., and N. J. Marchette. 1958. Transmission of *Pasteurella tularensis* among desert rodents through infective carcasses. Science **128**:363–364.

117. Ward, M. K. 1970. *Francisella tularensis*. pp. 210–212. *In* J. E. Blair, E. H. Lennette, and J. P. Truant (Eds.): Manual of Clinical Microbiology. American Society for Microbiology, Bethesda.

118. White, J. D., and M. H. McGavran. 1965. Identification of *Pasteurella tularensis* by immunofluorescence. J. Amer. Med. Assn. **194**:294–296.

119. Winter, C. C., W. B. Cherry, and M. D. Moody. 1960. An unusual strain of *Pasteurella pestis* isolated from a fatal human case of plague. Bull. Wld. Hlth. Org. **23**:408–409.

120. Won, W. D. 1958. New medium for the cultivation of *Pasteurella tularensis*. J. Bacteriol. **75**:237–239.

121. Young, L. S., *et al.* 1969. Tularemia epidemic: Vermont. 1968. Forty-seven cases linked to contact with muskrats. New Eng. J. Med. **280**:1253–1260.

CAPITULO 25

LAS BACTERIAS HEMOFILAS Y OTRAS CON ELLAS RELACIONADAS

Hemophilus y Bordetella

DR. BOB A. FREEMAN

Las bacterias hemófilas se caracterizan por requerir para su nutrición algunos de los constituyentes de la sangre fresca, sobre todo hemoglobina y algunos compuestos asociados con ella, o el factor X, y del factor V, que es termolábil; este último factor puede necesitarse además de los otros compuestos o solo, y puede ser substituido por NAD o NADP. El término "bacterias hemófilas" se refiere a los microorganismos que taxonómicamente se sitúan en los géneros Hemophilus y Bordetella. No todas las bacterias hemófilas tienen necesidad nutritiva absoluta de sangre fresca, en particular Bordetella, el bacilo de Morax-Axenfeld y el bacilo de Ducrey, pero su crecimiento es netamente estimulado por medios que contienen sangre y, por lo demás, son similares. La estimulación del crecimiento, probablemente refleje una capacidad sintética limitada para estos factores de la sangre, o sus productos.

Grupo Hemophilus

Especie	Necesidades nutritivas		Hemó-lisis
	Factor X	Factor V	
H. influenzae	+	+	−
H. hemolyticus	+	+	+
H. parainfluenzae	−	+	±
H. suis (influenzae suis)	+	+	−
H. canis (hemoglobinophilus)	+	−	−
H. aegyptius (Koch-Weeks)	+	+	−
H. duplex (Morax-Axenfeld)	−	−	±
H. ducreyi	−	−	+
H. vaginalis	±	−	±
H. aphrophilus	±	−	−
B. pertussis	−	−	+
B. parapertussis	−	−	±
B. bronchiseptica	−	−	+

HEMOPHILUS INFLUENZAE (BACILO DE PFEIFFER)

Hemophilus influenzae fue aislado por Pfeiffer en 1892, pero solo a principios de 1930 fue considerado el agente etiológico de la influenza epidémica. Sin embargo, se ha demostrado que el agente causal de la influenza es un virus filtrable, y *H. influenzae* ahora se considera invasor secundario; el nombre influenza no tiene significación etiológica.

Morfología y tinción. El bacilo de Pfeiffer es una de las bacterias patógenas más pequeñas, rara vez mayor de 1.5 μ de largo y de 0.3 μ de grueso. Los extremos de la célula son redondeados; no suelen observarse cápsulas (pero están presentes en las colonias lisas), no forman esporas, y el bacilo es inmóvil. Tiene gran tendencia a adoptar unas formas filamentosas y otras anómalas en los cultivos, que hasta cierto punto son características de las cepas. Algunos han tratado de diferenciar variedades, basándose en la morfología, pero hay series continuas de tipos, que abarcan desde las formas predominantemente cocobacilares, hasta las bacilares más largas y filamentosas, y no es posible hacer una distinción clara. Cepas aisladas de procesos patológicos suelen ser de la forma cocobacilar; la mayor parte de investigadores las consideran "típicas" y formas filamentosas y alargadas, las consideran "atípicas". Con agar-sangre de conejo, colonias de *H. influenzae* son muy pequeñas, redondeadas, discretas y transparentes, y pueden alcanzar las dimensiones de una cabeza de alfiler. En medio de Levinthal, que contiene extracto de sangre, las colonias son algo más voluminosas, opacas y aplanadas; si se observan con luz oblicua, se ven iridiscentes. Cuando el agar-sangre está contaminado con otros microorganismos, especialmente estafilococos, las colonias de *H. influenzae* en la vecindad del contaminan-

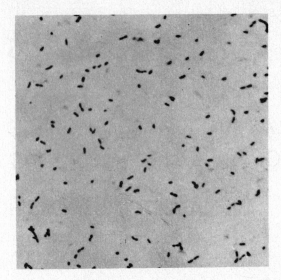

FIG. 25-1. Cultivo puro de *Hemophilus influenzae*. Obsérvense la variación de la forma cocoide a la bacilar, y la presencia de filamentos más largos. Fucsina; $\times$ 1 050.

te son mucho mayores, más opacas y de un color blanco grisáceo, fenómeno denominado "satelitismo".

Estos bacilos son más difíciles de teñir que las otras bacterias; el azul de metileno de Löffler durante cinco minutos, o la fucsina fenicada (1:10) durante diez minutos dan resultados satisfactorios. Son gramnegativos.

Fisiología. *H. influenzae* es una de las bacterias más delicadas, que requiere, como vimos antes, sangre en el medio de cultivo. Se ha comprobado que dos substancias presentes en la sangre son necesarias para el crecimiento del germen; uno, designado "factor X", es termostable y está ligado a la hemoglobina; el otro, el "factor V", es termolábil y se encuentra en la levadura y en varios extractos vegetales, además de la sangre íntegra. El fenómeno satélite del cual se trató antes, se debe a la formación de este factor por otras bacterias, que difunde desde la colonia hacia el medio deficiente en factor V.

El factor X de la sangre puede substituirse por hemoglobina o hematina. La protoporfirina con hierro, puede substituirse por algunas otras porfirinas ferruginosas, pero no por porfirinas sin hierro que carecen de cadenas laterales vinílicas. Estas últimas inhiben en forma competitiva el crecimiento en medios con protoporfirinas ferruginosas.[28, 29] Se ha comprobado que estos, u otros compuestos similares, son necesarios para la síntesis de enzimas que intervienen en la respiración aerobia; por lo tanto, algunas cepas no necesitan factor para crecimiento anaerobio. Se ha sugerido que la hematina es necesaria para la síntesis de catalasa; se puede substituir la hematina por cisteína, que reduciría el peróxido haciendo a la catalasa innecesaria.[25]

El factor V puede substituirse por NAD o NADP, pero no por ácido nicotínico o su amida. Al pare-

cer, debe proporcionarse toda la molécula completa de coenzima, y se admite que esta es la substancia termolábil representada por el factor V. Otras necesidades de crecimiento incluyendo ácido pantoténico, tiamina y uracilo; algunas cepas también necesitan purina.[32] Se han creado diversos medios definidos que sostienen el crecimiento de *H. influenzae* y cepas de *H. parainfluenzae*.[9, 32, 74]

Se han preparado cierto número de medios, además de la sangre-agar, para cultivar estos bacilos. Entre los mejores para aislamiento primario están los de Levinthal y Fildes. El medio de Levinthal, como dijimos antes, contiene un extracto de sangre y sostiene un buen crecimiento; tiene la ventaja de ser transparente. El medio de Fildes, una infusión de agar enriquecida con producto de digestión péptica de sangre, se emplea especialmente por investigadores británicos. El agar-sangre, cuando se prepara con sangre de conejo, da buen resultado, pero la sangre de ternera y la sangre humana, inhiben estos bacilos, y no pueden recomendarse. El bacilo de la influenza crece en forma lujuriante en agar-chocolate, preparado añadiendo sangre fresca a la infusión de agar caliente ($90°C$); así puede obtenerse un crecimiento intenso para aglutinación y otros fines. Sin embargo, este medio no permite la diferenciación, y, por lo tanto, no es muy adecuado para el aislamiento primario. La temperatura óptima para el crecimiento es de $37°C$. Este se logra mejor en condiciones aerobias, pero el germen es anaerobio facultativamente; algunas cepas no necesitan factor X para crecimiento anaerobio. No crece sobre gelatina. Algunas cepas alcalinizan la leche con sangre. Se reduce el nitrato a nitrito. Algunas cepas —alrededor del 50 por 100— forman indol. Las reacciones de fermentación son variables; algunas cepas son inactivas, otras fermentan la glucosa y otras carbohidratos. Algunas cepas son hemolíticas, mientras que otras no lo son. Las cepas hemolíticas de *H. influenzae* no parecen tener otra diferenciación clara de las no hemolíticas, ya que la producción de indol y la fermentación de carbohidratos se presenta en ambos grupos.

El bacilo de la influenza muestra poca resistencia a las condiciones externas. Muere rápidamente por desecación y generalmente no vive más de 48 horas en el esputo seco. Se destruye rápidamente por calentamiento a $55°C$ durante media hora, y con desinfectantes. Incluso en condiciones favorables, los cultivos de laboratorio mueren muy pronto; la viabilidad solo puede conservarse por subcultivos frecuentes. También pueden conservarse por liofilización o almacenamiento en el congelador. El agar-chocolate es adecuado para conservar cultivos madres.

Variedades. Varios investigadores han hecho subdivisiones de *H. influenzae*; sin embargo, es dudoso que dichas variedades merezcan el calificativo de especies. Las formas morfológicamente "típicas" y "atípicas" han sido consideradas antes, pero no se consideran especies separadas. Resumiremo brevemente otras distinciones hechas basándonos en fenómenos de hemólisis y necesidades nutritivas.

1) Variedades hemolíticas y no hemolíticas. La forma no hemolítica se denomina *H. influenzae* por Bergey, y la forma hemolítica *H. hemolyticus*. Las dos necesitan los factores nutritivos V y X. Generalmente se consideran una sola especie, *H. influenzae*.

2) El bacilo de la influenza de los cerdos, *H. influenzae suis* o *H. suis*, se parece mucho al bacilo de Pfeiffer, pero tiene poca actividad bioquímica y presenta diferencias inmunológicas. Esta bacteria asociada a un virus guarda relación con la influenza de los puercos. Requiere para su crecimiento los factores V y X.

3) Los bacilos de la parainfluenza, *H. parainfluenzae*, se parecen mucho a *H. influenzae*, pero solo requieren el factor V para su desarrollo, y se pueden cultivar en gelosa que contenga suero o líquido ascítico. Aunque estas bacterias se definen como no hemolíticas, hay tipos hemolíticos con las mismas necesidades nutritivas.

4) *H. canis (H. hemoglobinophilus, H. hemoglobinophilus canis)*, que se encuentra en las secreciones del prepucio del perro. Se parece mucho a *H. influenzae*, pero solo requiere factor X para su crecimiento.

5) *H. aphrophilus*, bacilo que a veces se obtiene en raros casos de endocarditis y abscesos cerebrales. Aunque su posición taxonómica no está muy clara, algunas cepas requieren factor X para crecimiento aerobio.[65]

Variaciones y estructura antigénica. Como se ha comprobado mediante las pruebas directas de aglutinación, *H. influenzae* tiene una actividad antigénica heterogénea, y se encuentran tanto formas lisas como rugosas; la forma lisa está encapsulada. Por medio de pruebas de aglutinación, se ha encontrado que hay seis tipos inmunológicos de bacilos encapsulados, que se designan a, b, c, d, e y f; los antígenos son polisacáridos específicos.[42] Uno de ellos, la substancia específica del tipo b, es un polímero del fosfato de ribosa con estructura análoga a la de los ácidos nucleicos de cinco azúcares, en los cuales las porciones púrica e irimidínica han sido substituidas por una segunda cadena de fosfato de polirribosa mediante una unión glucosídica 1:1'.[75] Se pueden observar dos subtipos de tipo e. El tipo e puede presentarse en dos subtipos; algunas cepas recién aisladas, pueden contener dos de los antígenos complejos de e (e1 y e2), mientras que las cepas madres viejas pueden contener solamente e1.[73] Pueden prepararse antisueros de gran utilidad diagnóstica para cada uno de los tipos de *H. influenzae*.[1] El establecimiento del tipo antigénico de estas cepas encapsuladas puede lograrse por aglutinación, por la hinchazón capsular específica en presencia de anticuerpo homólogo, o por reacción de precipitina empleando polisacáridos extraídos de la célula igual que el antígeno.[41] Es interesante señalar que la mayoría de infecciones son causadas por cepas de tipo b. Se extraen proteínas antigénicas de substancia celular de bacilos de la influenza. Se encontró que uno de estos antígenos, la fracción M, es común a la mayor parte de cepas de *H. influenzae*, indicando la existencia de una homogeneidad inmunológica, demostrable con pruebas de precipitación, empleando antígenos correctamente preparados. Aún no se conoce completamente la estructura antigénica de *H. influenzae*.

Parece que los bacilos de la influenza guardan relación inmunológica con ciertos tipos de neumococos; el tipo a, presenta reacciones cruzadas con el neumococo de tipo 6b, y el tipo b reacciona con el neumococo de tipo 6 y de tipo 29.

La disociación en S y R es hasta cierto grado reversible creciendo en presencia de suero inmune anti R. Se desconoce la relación que existe entre la virulencia y esta diferenciación.

Toxinas. Igual que muchas otras bacterias, el cuerpo de los bacilos de la influenza es tóxico para los animales de experimentación, sobre todo para los ratones, inyectado por vía parenteral. En los medios de cultivo líquidos se producen substancias tóxicas filtrables; pueden aparecer en cantidades considerables después de seis a ocho horas de incubación. Se necesitan cantidades relativamente grandes de filtrado (2 a 4 ml) para matar al conejo; es probable que no se forme una verdadera exotoxina.

Poder patógeno para el hombre. El poder patógeno del bacilo de Pfeiffer para el hombre está comprobado por la presencia de casos de meningitis mortal, que se presentan sobre todo en lactantes. *H. influenzae* parece ser el único invasor y se encuentra en cultivo puro en el líquido cefalorraquídeo. Los gérmenes persisten en portadores nasofaríngeos, con una frecuencia de quizá 2 a 5 por 100. Como en las infecciones meningocócicas, la proporción de portadores es mucho mayor cuando hay enfermedad, como por ejemplo, en medios caseros infectados o en grupos de niños que viven juntos.[46, 69] La meningitis por *H. influenzae* es una de las formas más frecuentes de meningitis purulenta; se observa sobre todo en el segundo semestre de la vida, y la mortalidad en casos no tratados se halla entre 90 y 100 por 100. La rareza de infecciones en lactantes de menos de seis meses parece guardar relación con anticuerpos maternos transferidos.[10] En una serie de 758 casos de meningitis que se presentaron entre 1930 y 1953, el agente causal en 128 fue *H. influenzae*.[36] Algunos casos de otitis media, apendicitis, sinusitis, y otras infecciones localizadas, son causadas por esta bacteria. Las secuelas a largo plazo de meningitis por *H. influenzae* son graves. En un estudio de 40 niños, el 12 por 100 de los supervivientes parecían tener pronóstico desesperado, o sea que necesitaban algún tipo de custodia constante, y otro tercio tenía invalideces definidas diversas, incluyendo sordera, dificultad para hablar y problemas de conducta.[61]

Los bacilos de la influenza se observan muchas veces en infecciones de vías respiratorias, y se descubren en la autopsia de lesiones neumónicas, en condiciones en las cuales está netamente indicada su capacidad patógena. Se han relacionado con enfermedades respiratorias en prematuros,[17] y se ha insistido en su posible papel en la bronquitis crónica.[4, 26] No sabemos si existe como germen primario o como invasor secundario en estos últimos casos. Su presencia acompañando a enfermedades como sarampión, tos ferina, tuberculosis, y diversas variedades de neumonía, sugieren que su establecimiento en tejidos de las vías respiratorias es favorecido por la presencia de otros agentes infectantes. Probablemente *H. influenzae* pocas veces sea el agente primario en infecciones respiratorias.

Aunque *H. influenzae* se aisló primeramente de casos de influenza, y durante años se observó en un número elevado de estos pacientes, su relación con la enfermedad es probablemente de tipo de invasor secundario para una infección inicialmente viral. En infecciones dobles de embrión de pollo con virus de influenza, aumenta el poder patógeno de *H. influenzae,* aunque el del virus no se modifique.[8] En forma similar, las infecciones duales de ratones con virus de parainfluenza, se caracterizan por una mortalidad mucho mayor que cuando dependen de uno solo de los agentes aisladamente.[14] Como hemos dicho, el bacilo de la influenza existe muchas veces en casos de influenza, y, claro está, en ausencia de esta. La influenza porcina es una enfermedad con etiología dual comprobada; *H. suis,* junto con el virus, son la causa de la misma.

Quimioterapia. Ha sido de gran interés la quimioterapia para tratar la meningitis por *H. influenzae,* que en los casos sin tratar casi siempre es mortal. La penicilina no es eficaz pero sulfamidas, estreptomicina, y clortetraciclina, algunas veces en combinación con el antisuero, pueden ser muy eficaces.[7, 13, 44] Por ejemplo, en una serie de casos[36] tratados únicamente con sulfamida, la supervivencia fue del 15 por 100, y con combinación de antisuero del 83 por 100. En el 20 por 100 de los casos hubo complicaciones, como retraso mental, ceguera, hidrocefalia, y convulsiones. El aumento en el número de recuperados por tratamiento más eficaz ha ido seguido de un aumento en el número de casos con complicaciones; es decir, que las complicaciones se presentan en pacientes que de otra manera habrían muerto. Una combinación de sulfamida, estreptomicina y antisuero dio mortalidad de 7.4 por 100, y la de clortetraciclina con sulfamida de 4.3 por 100. El tratamiento con sulfamida, estreptomicina y oxitetraciclina, a veces reforzado con cloramfenicol, redujo la mortalidad a 3.2 por 100, y la frecuencia de las complicaciones en los supervivientes a 5 por 100. *H. influenzae* no es sensible a la penicilina; el primer uso que se dio a este antibiótico fue el de agente selectivo, incorporado a medio para aislamiento.

Poder patógeno para animales inferiores. *Hemophilus influenzae,* probablemente no sea un patógeno natural de animales inferiores, pero por inoculación peritoneal a dichos animales de laboratorio —ratones, cobayos y conejos— dosis elevadas de estas bacterias producen la muerte en plazo de uno a dos días. No sabemos si se trata de una invasión o de una toxemia; los bacilos pueden descubrirse en el exudado peritoneal, y pueden observarse hemorragias petequiales dispersas por el peritoneo y, a veces, la pleura. Es poco probable que se produzca septicemia. Algunas cepas producen una infección mortal en el ratón por inoculación intracerebral. Como lo demuestra la inoculación intraperitoneal, la virulencia de *H. influenzae* varía mucho según las cepas; las encapsuladas suelen ser cepas más virulentas que las no capsuladas. Por lo tanto, las cepas virulentas se hallan en minoría y las cepas de meningitis por influenza suelen hallarse entre las más virulentas.

Otras bacterias hemófilas se han descrito relacionadas con enfermedades de animales inferiores. Ya hemos señalado la relación etiológica entre *H. suis* y la influenza del cerdo. Aunque se ha descubierto *H. canis* en asociación con la inflamación del prepucio, al parecer es inofensivo y se considera no patógeno. Otros bacilos hemófilos, como *H. bovis, H. gallinarum, H. muris* y *H. ovis,* han sido aislados de animales inferiores, pero no está muy clara su relación con *H. influenzae* y otras especies más conocidas.

BORDETELLA PERTUSSIS
(HEMOPHILUS PERTUSSIS)

Los primeros investigadores señalaron la existencia de bacilos parecidos a *H. influenzae* en un gran porcentaje de pacientes con tos ferina. Aun cuando hay diferencias en las descripciones de estos organismos según los investigadores, los caracteres morfológicos y de cultivo son en esencia los mismos, y no cabe la menor duda de que Spengler, Jochmann y Krauss, Wollstein y Davis descubrieron el mismo bacilo. Bordet y Gengou obtuvieron resultados más importantes en 1908; encontraron en el exudado bronquial de los pacientes con tos ferina un bacilo corto, ovoide, que crecía muy débilmente en un medio especial que prepararon. Antes llamado *Bacillus pertussis,* y más tarde *Hemophilus pertussis,* este bacilo se conoce hoy en día como *Bordetella pertussis,* o, menos formalmente, como el bacilo de *Bordet-Gengou.*

Morfología y tinción. El bacilo de Bordet-Gengou es un pequeño bastón ovoide de 1.0 a 1.5 μ de largo y 0.3 a 0.5 μ de ancho. La mayor parte de bacterias se encuentran aisladas, aunque ocasionalmente se pueden ver a pares, unidas por sus extremos; en los frotis de los exudados bronquiales no se encuentran cadenas, pero se pueden observar cadenas cortas en los medios de cultivo líquidos. Esta morfología es relativamente constante, sin tendencia a formar filamentos u otras formas aberrantes como en el caso del bacilo de la influenza. *B. pertussis* es inmóvil y no forma esporas; la forma lisa está encapsulada. La forma lisa es encapsulada, pero se necesitan tinciones especiales para demostrarla. Se han observado formas L, y pueden producirse esferoplastos en medios especiales.[43]

En el medio de Bordet-Gengou las colonias son lisas, elevadas y brillantes, con un lustre metálico o de perla, más grandes y opacas que las del bacilo de la influenza; se requieren de 48 a 72 horas de incubación para su aparición y desarrollo. Con incubación más prolongada adquieren ligero color café. El cultivo produce una abundante substancia mucoide, y las colonias son pegajosas y tenaces. En agar-sangre las colonias están rodeadas por una zona estrecha de hemólisis incompleta.

Aunque los bacilos son gramnegativos, se tiñen con cierta dificultad. Como en el caso del bacilo de la influenza, pueden teñirse con azul de metileno o fucsina fenicada diluida, aplicada durante 5 a 10 minutos. Se ha recomendado el azul de toluidina-fenol que tiñe los bacilos de color lila. Hay cierta tendencia a la tinción bipolar.

Fisiología. *B. pertussis* es difícil de cultivar en aislamiento primario; crece fácilmente en el medio de Bordet-Gengou, que contiene glicerol, extracto de patata y hasta 50 por 100 de sangre desfibrinada. Por pasos repetidos en medios que contienen cantidades progresivamente menores de sangre, puede aclimatarse, y a veces crecer en forma dispersa, en agar nutritivo ordinario. Sin embargo, tales cultivos suelen ser avirulentos. Por lo tanto, no requiere de los factores V y X, esenciales para el desarrollo de las bacterias hemófilas. La temperatura óptima es de 37°C, y el bacilo es aerobio o anaerobio facultativo.

El cultivo de *B. pertussis* en condiciones que conserven su potencia inmunógena para producir vacunas, es de gran interés práctico. Se han creado diversos medios a base de hidrolizado de caseína, adecuados para este fin.[38, 70, 71] El carbón animal, el almidón, o ambos, suelen incorporarse a dichos medios.

B. pertussis no tiene actividad bioquímica. No produce indol, no reduce los nitritos y no fermenta ningún azúcar. Tiene poca resistencia, parecida a la del bacilo de la influenza. Lo mata la exposición durante 30 minutos a 55°C.

Toxinas.[47, 55] Como en el caso del bacilo de Pfeiffer, la substancia somática de *B. pertussis* es tóxica para los animales de experimentación inyectada por vía parenteral. Hay por lo menos dos componentes separados de la célula, a los cuales corresponde la toxicidad observada. Uno, la endotoxina, existe en la célula bacteriana, y puede extraerse con diversas técnicas, incluyendo la extracción de fenol. La endotoxina es termostable y comparte diversas propiedades farmacológicas y químicas con las endotoxinas clásicas de otras bacterias gramnegativas (capítulo 8). La otra es una proteína rápidamente destruida por el calor, que se ha denominado la toxina termolábil. La toxina termolábil es termonecrótica en conejos y cobayos, y mata a los ratones. Parece formarse en el protoplasma de la célula[37] y puede ser liberada por rotura de la célula o por extracción con solución salina. Se ha purificado por cromatografía de intercambio de iones[5] y por electroforesis.[50] Ni la endotoxina, ni la toxina termolábil, desencadenan respuesta protectora en animales a los cuales se inyecta *B. pertussis;* de hecho, la toxina termolábil pierde su poder antigénico al separarse de otros componentes celulares.[72] Todavía no se aclara el papel preciso, si existe para estas toxinas, en la patogenia de la tos ferina.

La inoculación intratraqueal de *B. pertussis* al conejo, produce una reacción edematosa, seguida de infiltración linfocitaria alrededor de los vasos sanguíneos y bronquios, que se considera similar a los cambios producidos en el pulmón de la tos ferina. Se ha intentado separar el factor causal de esta reacción de cultivos de *B. pertussis.*[51]

Variación y estructura antigénica. A diferencia del bacilo de la influenza, *B. pertussis* suele obtenerse en estado liso cuando se aísla de casos de tos ferina en medio óptimo; tales cepas se conducen como si antigénicamente fueran homogéneas. Estas cepas virulentas recién aisladas se denominan fase I, y se consideran encapsuladas. Aunque *B. pertussis* comparte un antígeno O termostable con otros Bordetella, los antígenos de superficie responsables de la aglutinación por antisueros específicos, son antígenos K termolábiles,[2, 21] y se denominan con números arábigos. Todas las cepas de fase I de *B. pertussis* poseen antígeno I en esta serie; por lo tanto, muestran reacciones de aglutinación cruzada. Con fines epidemiológicos, pueden separarse en diversos serotipos por la presencia de antígenos 2 a 6. En cultivo artificial, incluso en agar-sangre, parece producirse una pérdida progresiva de estos antígenos de superficie, y tales cepas se han denominado II, III y IV; estas fases probablemente representen etapas tempranas en la transformación S-R. Aunque no manifiestamente rugosas, las cepas de fase III y IV son algo más rugosas por su aspecto, y menos estables en solución salina, que los bacilos de fase I. Estos cambios S-R alcanzan el estado manifiestamente rugoso, con las consiguientes alteraciones de la morfología de las colonias y la pérdida de virulencia.

Se han aislado bacilos atípicos de una pequeña proporción de casos de tos ferina y se han denominado *Bordetella parapertussis.* Difieren de *B. pertussis* por cuanto crecen fácilmente en agar nutritivo después de aislados, y producen alcalinidad en leche tornasolada después de tres a cuatro días. Inmunológicamente guardan relación con *B. pertussis* por virtud del antígeno O común, y también probablemente comparten un antígeno capsular (antígeno 7).[21]

Patogenicidad para el hombre.[33, 67] La tos ferina está diseminada por todo el mundo; se calcula que el 95 por 100 de la población la padece, en forma típica o atípica, en alguna época de la vida. La enfermedad típica es más común en los

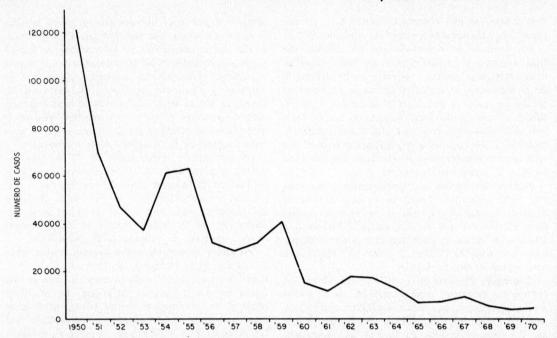

FIG. 25-2. Frecuencia de tos ferina en Estados Unidos de Norteamérica según los casos denunciados durante el periodo 1950-1970. (Morbidity and Mortality Weekly Report, Annual Supplement, vol. 19, 1970. Center for Disease Control, U. S. Public Health Service.)

grupos de menor edad, y más grave en niños que en adultos. Aunque la mortalidad ha disminuido constantemente, su importancia como causa de muerte en niños de menos de cinco años ha aumentado progresivamente.

Después de un periodo de incubación de aproximadamente una semana, la enfermedad se desarrolla en tres etapas. La etapa catarral, que dura unas dos semanas, empieza con tos ligera y síntomas de infección respiratoria ordinaria. Aumenta su intensidad hasta la etapa paroxística, de cuatro a seis semanas de duración, caracterizada por toses consecutivas rápidas y el sibilante inspiratorio profundo. En la etapa de convalecencia, el número y la frecuencia de paroxismos disminuyen gradualmente; la recuperación se logra sin incidentes, solo que pueden presentarse neumonías bronquiales y lobares y otitis media con cierta frecuencia como complicaciones, especialmente en niños. Son frecuentes las infecciones concurrentes. En un estudio, más del 50 por 100 de casos de tos ferina, tenían infección con otras bacterias, principalmente neumococos, y en estos pacientes la enfermedad tendía a ser más grave.[64] En la fase catarral, que es la más contagiosa, se encuentran muchos bacilos en las vías respiratorias; disminuyen gradualmente, hasta que casi no se encuentran después de la cuarta semana.

Aunque ciertos aspectos de la tos ferina se pueden reproducir en los animales de experimentación, el mecanismo por el cual los microorganismos producen la enfermedad en el hombre no está com-

pletamente claro. La linfocitosis característica y el exudado leucocítico de la tráquea son considerados como señal de la actividad de las endotoxinas. Los bacilos se encuentran presentes en grandes números, sobre todo en la etapa catarral, entre los cilios, y posiblemente causen una interferencia mecánica a la actividad ciliar. Sin embargo, la localización de las bacterias y la persistencia de la tos paroxística después que ya no se encuentran presentes las bacterias, tienden a diferenciar a la tos ferina de otras infecciones bacterias de las vías respiratorias. La observación de que en el ratón tanto la inoculación parenteral de la vacuna como la infección intranasal producen aumento importante de la sensibilidad a la histamina (véase luego) sugiere que una forma de sensibilidad de los tejidos, de la cual el aumento de sensibilidad a la histamina puede ser una manifestación, desempeña importante papel en la patogenia de la enfermedad.

Patogenicidad para animales.[55] No hay infecciones naturales de los animales inferiores por *B. pertussis* y, en general, tiene virulencia baja y variable para los animales de experimentación. Se puede infectar al embrión de pollo en desarrollo reproduciendo la infiltración celular y necrosis de los bronquios que se observan en la autopsia de los casos mortales de la enfermedad en el hombre,[60] y se pueden cultivar los bacilos en cultivo de tejidos.[11] Tanto la rata como el ratón pueden ser infectados por inoculación intranasal para reproducir neumonía intersticial con infiltración leucocítica alrededor de los vasos sanguíneos y de los bronquiolos, además de la secreción mucosa del epitelio bronquial.[62] Se puede infectar al ratón por inoculación intracerebral; las variedades lisas son las más virulentas, que tienen una DL_{50} de 100 a 1 000 bacilos por esta vía. En Estados Unidos de Norteamérica se emplea la inoculación cerebral en el ratón sistemáticamente para estandarizar la potencia inmunológica de las vacunas. Aunque esta infección puede parecer totalmente independiente de la enfermedad humana, Pittman[55] ha señalado que la localización en el cerebro es similar a la localización observada en los bronquios y tráquea de la infección humana. También parece existir bastante correlación entre la virulencia medida con este método, y por inoculación intranasal en el ratón.[54]

Diagnóstico bacteriológico.[20, 39] Se puede aislar al bacilo con el método de la placa de tos, es decir, que la placa abierta se sostiene a 10 ó 12 cm de la boca del paciente, y se expone a uno o varios golpes de los explosivos. Los cultivos de frotis nasofaríngeos tienen un mayor porcentaje de cultivos positivos que el método de la tos, y el método pernasal mayor que el del hisopo retronasal.[45] El hisopo de alambre de cobre delgado y flexible se pasa por la narina, hasta llegar a la nasofaringe, y se deja allí durante dos o tres golpes de tos antes de extraerlo; el frotis se hace sobre el medio de Bordet-Gengou. El cultivo del esputo no es satisfactorio. Las colonias de *B. pertussis* son pequeñas, elevadas, relucientes, de color blanco grisáceo, y muchas veces descritas como recordando una perla cortada a mitad. Son más voluminosas y más opacas que las de *H. influenzae* y pueden diferenciarse por hemólisis en agar-sangre y crecimiento en ausencia de factores X y V. Los bacilos presentes en exudado o por cultivo, pueden identificarse por tinción de anticuerpo fluorescente, empleando antisuero conjugado para *B. pertussis*. Aunque por sí sola no es definitiva, la técnica de anticuerpo fluorescente puede ser un buen complemento de los métodos de cultivo.

Quimioterapia.[31, 57, 63] La quimioterapia de la tos ferina no da tan buen resultado como la de otras infecciones bacterianas, pues la eliminación del germen patógeno no siempre logra una rápida mejoría clínica. Los antibióticos de amplio espectro, cloramfenicol, ampicilina y tetraciclinas, pueden erradicar ambos, *B. pertussis* y muchos de los invasores secundarios que se encuentran en el aparato respiratorio. Las sulfamidas y las penicilinas son ineficaces.

Epidemiología.[27] Como enfermedad de vías respiratorias altas muy contagiosa, la tos ferina se transmite de casos infectados por gotitas, por fomites contaminados con secreciones nasales y bucales, y por contacto directo. El control se complica por el hecho de que la contagiosidad es máxima cuando hay bacilos en número mayor en las vías respira-

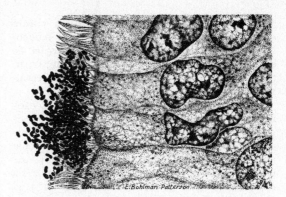

FIG. 25-3. Tos ferina. Bacilos diminutos en masas entre los cilios de dos células del epitelio de revestimiento de la tráquea; × unos 1 500.

torias altas, o sea durante las etapas catarral y paroxística temprana, cuando la enfermedad no suele haberse reconocido todavía. Por lo tanto, los casos atípicos y los no diagnosticados desempeñan importante papel en la diseminación de la enfermedad. La frecuencia según edades es neta; casi todas las muertes tienen lugar en niños de menos de cinco años de edad, y es indudable que la tos ferina es una de las enfermedades mortales más importantes de la infancia.

Parece haber una diferencia racial en cuanto a susceptibilidad, ya que la mortalidad de los negros es mayor que la de los blancos. En contraste con la mayor parte de las otras enfermedades, la frecuencia en las mujeres es más alta que en los varones y en los niños de niveles económicos más altos. La frecuencia por épocas disminuye durante el final del verano y principios del otoño, con un máximo prolongado al final del invierno y en la primavera. Esta enfermedad tiende a aparecer en olas epidémicas periódicas, posiblemente como consecuencia de la acumulación de nuevos individuos susceptibles.

Inmunidad.[55] La recuperación de la tos ferina se acompaña del desarrollo de inmunidad. Rara vez ocurre un segundo ataque en los niños, y, si llega a suceder, es muy leve; en personas mayores los segundos ataques son más graves. Se forman anticuerpos humorales específicos, pero no aparecen hasta la tercera o cuarta semana de la enfermedad, y, por lo tanto, tienen poco valor diagnóstico.

En condiciones experimentales hay tres clases de respuesta al bacilo. Hay un desarrollo muy rápido, generalmente en unas cuantas horas, de un estado refractario, durante el cual los animales son alta y específicamente resistentes a una inoculación de pruebas, y que persiste una semana o más;[22, 23] se considera que esto es debe a algo de la misma naturaleza del fenómeno de interferencia. Segundo, como consecuencia de la inoculación de una vacuna, o de una infección, los ratones se vuelven hipersensibles a la acción de la histamina, y presentan gran susceptibilidad para anafilaxia y para endotoxina.[34, 35] Finalmente la respuesta inmunológica en tales animales incluye la producción de anticuerpos aglutinantes y fijadores del complemento, protección para la infección provocada e hipersensibilidad tardía.

El antígeno protector puede separarse de las toxinas y de los aglutinógenos o antígenos K. El antígeno protector se ha preparado en forma soluble empleando lisados de células,[6, 53] y se ha purificado por electroforesis en bloque de almidón, y por precipitación con sulfato amónico y cromatografía en medio de gel.[48, 53] El antígeno protector y el factor sensibilizante a la histamina tienen una conducta similar en diversos métodos de preparación; la mayor parte de investigadores consideran que son idénticas; sin embargo, se ha señalado la separación de los dos.[16, 49]

Inoculación profiláctica.[55] Los primeros intentos para usar las vacunas de *B. pertussis* no tuvieron todos el mismo éxito. Madsen y otros bacteriólogos daneses obtuvieron resultados más satisfactorios en las islas Faroe. Sauer y colaboradores han preparado en Estados Unidos de Norteamérica vacunas de cepas virulentas de cultivos recientes, que parecen ser eficaces para reducir la gravedad y la frecuencia de la enfermedad. Es de importancia primaria que las vacunas sean de los bacilos lisos de fase I; los primeros informes sobre ineficacia de la inmunización activa probablemente se puedan atribuir, en parte, a que no se empleó la forma lisa del microorganismo. La potencia inmunológica de las vacunas requiere valoración y control constantes; en Estados Unidos de Norteamérica se emplea una prueba estándar utilizando la inoculación intracerebral en el ratón; otros emplean métodos de control parecidos. También parece ser eficaz la vacuna precipitada con alumbre, pero no se sabe si es mejor que la vacuna simple.

Se puede combinar con buenos resultados la vacuna de tos ferina con toxoide diftérico, para obtener una inmunización simultánea contra las dos enfermedades; los datos disponibles indican que la respuesta inmunológica es igual a la que se obtiene con los antígenos por separado. En vacunas cuádruples que contienen antígeno inactivado de poliomielitis, la potencia inmunógena del componente pertussis se desvanece, probablemente a consecuencia de la presencia de una proteasa procedente del tejido renal de mono utilizado en la producción del componente de poliovirus. Se admite generalmente que la enfermedad es más leve en los niños inmunizados.

EL BACILO DE KOCH-WEEKS
(HEMOPHILUS AEGYPTIUS)

Un bacilo pequeño observado primeramente por Koch en 1883, en una serie de inflamaciones oculares en Egipto, después cultivado por Weeks en Nueva York en 1887, es reconocido ahora como el agente causal de una conjuntivitis muy contagiosa, que se encuentra en todo el mundo, a veces conocida como ojo de color de rosa. La enfermedad se observa con mayor frecuencia en climas subtropicales y tropicales, y puede ser epidémica.[68]

El bacilo es gramnegativo, inmóvil, no encapsulado, y muestra algunas veces tinción bipolar. Es facultativamente aerobio y requiere ambos factores X y V para crecimiento. No provoca hemólisis en agar-sangre y las colonias son pequeñas y translúcidas, con tinte azul en la luz transmitida.

El bacilo está íntimamente relacionado con *H. influenzae,* y muchos lo han considerado idéntico. Sin embargo, Pittman y Davis [56] han encontrado que algunas cepas de este organismo forman un grupo serológico íntimamente relacionado, pero no homólogo, distinto del grupo heterólogo de *H. influenzae* no específico de tipo, y lo diferencian como *H. aegyptius.* Sin embargo, comparte compuestos antigénicos con *H. influenzae,* demostrables por el método de difusión en gel.[52]

Produce conjuntivitis en el hombre, no en los animales de laboratorio. Tiene poca virulencia para los ratones cuando se inocula en una suspensión de mucina, gran virulencia para el embrión de pollo de ocho días, pero ninguna para el de 12 días.

DIPLOBACILOS DE MORAX-AXENFELD
(HEMOPHILUS DUPLEX)

Un pequeño bacilo, descrito independientemente por Morax y por Axenfeld en 1896 y 1897, causa infecciones de conjuntiva y córnea en el hombre y se conoce como bacilo de Morax-Axenfeld o *Moraxella lacunata* (debido a la laguna de licuefacción que produce el crecimiento sobre suero coagulado). Se ha agrupado con las bacterias hemófilas con el nombre de *H. duplex.*

Los pequeños bastones, de 1 μ por 2 a 3 μ, aparecen frecuentemente en pares unidos por los extremos o en cadenas cortas. Son inmóviles, no gramnegativos y no forman esporas. No crecen en los medios nutritivos comunes de patata, leche o gelatina; requieren la presencia de sueros, líquido ascítico, o sangre en los medios de cultivo. Si fermentan carbohidratos, son muy pocos, y no forman indol. Licuan el suero coagulado. Mueren en uno o dos días a temperatura ambiente, pero pueden sobrevivir varias semanas en cultivo dentro de la estufa. Se ha señalado que hay formas hemolíticas y no hemolíticas, que se pueden diferenciar inmunológicamente.

Parece que este microorganismo solo es patógeno para el ojo humano. La inoculación de animales de experimentación no da resultado, pero la instilación del bacilo en el saco conjuntival del hombre produce una blefaroconjuntivitis, aguda o crónica, y puede causar grave inflamación de la córnea. El tratamiento con solución de sulfato de cinc al 0.25

por 100 es específico y produce rápida curación; las sales de plata carecen de efecto. Se ha señalado que la pomada al 1 por 100 de clortetraciclina es muy eficaz, igual que la estreptomicina. La enfermedad está ampliamente diseminada; se ha señalado su existencia en Europa, Africa y Norteamérica.

BACILO DE DUCREY
(HEMOPHILUS DUCREYI)

El chancro blando o chancroide es una enfermedad venérea transmitida por contacto directo. Las lesiones, que están en genitales o zonas adyacentes, son úlceras irregulares que difieren del chancro duro o de Hunter —lesión primaria de la sífilis— en que no son induradas. Al contrario de la sífilis, la infección permanece localizada, no invade más allá de los ganglios linfáticos vecinos, que se pueden hinchar para producir una linfangitis secundaria en la ingle.[3]

Ducrey descubrió el bacilo en 1890 en el exudado purulento de la lesión, y mediante inoculación en la piel del antebrazo pudo transmitir la enfermedad a través de 15 generaciones. En el mismo año, Besançon, Griffon y le Sourd obtuvieron el microorganismo en cultivo puro.

El bacilo de Ducrey es un bacilo corto, de 1 a 1.5 μ de largo y 0.6 μ de ancho. En los cultivos suele ser ovoide, y tiene tendencia a presentarse en pares unidos por sus extremos o en cadenas cortas; en cultivos de caldo se pueden encontrar cadenas más largas. No forma esporas y es inmóvil. El bacilo suele teñirse irregularmente y se puede observar tinción bipolar.

Toma los colorantes usuales de la anilina y es gramnegativo.

El bacilo no crece en los medios de cultivo ordinarios; requiere la adición de suero o, mejor, de sangre.[58] Los factores X y V por sí solos no son suficientes, necesitan factores adicionales presentes en el suero o en los eritrocitos. Aparecen en agarsangre a las 24 horas pequeñas colonias grisáceas, brillantes, que después de incubación de dos o tres días muestran una zona estrecha de hemólisis. Se

puede cultivar el bacilo sembrando tubos de sangre fresca (de no más de tres a cinco días de edad) de conejo; la muestra se toma del chancro. Después de 24 a 48 horas de incubación, se pueden observar en estos cultivos las cadenas entrecruzadas características de bacilos gramnegativos. Estas bacterias no se pueden identificar en los frotis tomados directamente del chancro, debido a la tendencia que tienen a adoptar una morfología extraña. Los bacilos pueden ser aislados y cultivados en la membrana corioalantoidea del embrión de pollo en desarrollo; parecen ser poco patógenos para el embrión de pollo. Se pueden infectar monos y conejos por inoculación intradérmica de cultivos puros, pero las inoculaciones subcutánea, intraperitoneal e intravenosa carecen de efecto.

Los animales infectados desarrollan hipersensibilidad, pero no inmunidad.[15]

Hay muy poca o ninguna inmunidad. El chancro suele ser múltiple y autoinoculable. Se desarrolla hipersensibilidad, que se puede demostrar por la reacción que desencadena la inoculación intradérmica de bacilos muertos; persiste muchos años. La enfermedad se puede tratar con éxito con las drogas usuales, con excepción de la penicilina; muchos consideran que la clortetraciclina es la de elección; la estreptomicina ha dado también muy buenos resultados.

Hemophilus vaginalis. Se ha descrito otro microorganismo hemófilo que se presenta asociado con vaginitis humana, y posiblemente sea su agente causal.[12, 24, 66] Como los demás miembros del grupo, *H. vaginalis* es bacilo pequeño, no encapsulado, inmóvil y gramnegativo. Es más delicado que las otras especies de hemófilos en cuanto a requerimientos nutritivos, tiene poca actividad bioquímica, y se facilita el crecimiento con cierta tensión de bióxido de carbono.[19, 59] Los bacilos pueden observarse en frotis teñidos de Papanicolaou con secreciones vaginales.[40] Se puede incorporar penicilina al medio (10 μ/ml) para aislamiento primario a partir de las muestras contaminadas. Se ha señalado que se puede distinguir fácilmente por medios serológicos, por sus requerimientos nutritivos y por las características del cultivo.[18]

BORDETELLA BRONCHISEPTICA

Este microorganismo es similar a *B. pertussis;* se parecen morfológicamente, por los cultivos y por la estructura antigénica. Sin embargo, *B. bronchiseptica* es móvil y crece en forma dispersa en el agar nutritivo. También comparte antígeno con ciertas Brucella. Aislado inicialmente de perros con moquillo no se cree, en general, que guarde relación con esa enfermedad. Sin embargo, muchas veces se descubre como causa de bronconeumonía en cobayos y otros roedores, en cerdos y en primates inferiores.[30]

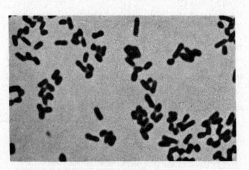

FIG. 25-4. *Hemophilus duplex* (bacilo de Morax-Axenfeld); cultivo puro. Tinción de Gram; $\times$ 2 400.

BIBLIOGRAFIA

1. Alexander, H. E., G. Leidy, and C. MacPherson. 1946. Production of types A, B, C, D, E and F. *H. influenzae* antibody for diagnostic and therapeutic purposes. J. Immunol. **54**:207–211.
2. Anderson, E.K. 1953. Serological studies on *H. pertussis, H. parapertussis* and *H. bronchisepticus.* Acta Pathol. Microbiol. Scand. **33**:202–224.
3. Asin, J. 1952. Chancroid. A report of 1,402 cases. Amer. J. Syph. **36**:483–487.
4. Austrian, R. 1968. The bacterial flora of the respiratory tract. Some knowns and unknowns. Yale J. Biol. Med. **40**:400–413.
5. Banerjea, A., and J. Munoz. 1962. Antigens of *Bordetella pertussis.* II. Purification of heat-labile toxin. J. Bacteriol. **84**:269–274.
6. Barta, G. 1963. Soluble protective antigen from *Bordetella pertussis* prepared with sodium desoxycholate. J. Immunol. **90**:72–80.
7. Brøchner-Mortensen, K., H. C. Engbaek, and K. Schmith. 1948. Specific serum treatment for Pfeiffer's meningitis. Acta Med. Scand. **131**:129–145.
8. Buddingh, G. J. 1956. Experimental combined viral and bacterial infection (influenza C and *Hemophilus influenzae,* type B) in embryonated eggs. J. Exp. Med. **104**:947–958.
9. Butler, L. O. 1962. A defined medium for *Haemophilus influenzae* and *Haemophilus parainfluenzae.* J. Gen. Microbiol. **27**:51–60.
10. Collier, A. M., J. D. Connor, and W. L. Nyhan. 1967. Systemic infection with *Hemophilus influenzae* in very young infants. J. Pediat. **70**:539–547.
11. Crawford, J. G., and C. W. Fishel. 1959. Growth of *Bordetella pertussis* in tissue culture. J. Bacteriol. **77**:465–474.
12. Criswell, B. S., *et al.* 1969. *Haemophilus vaginalis:* Vaginitis by inoculation from culture. Obstet. Gynecol. **33**:195–199.
13. Crook, W. G., B. R. Clanton, and H. L. Hodes. 1949. *Hemophilus influenzae* meningitis. Observations on the treatment of 110 cases. Pediatrics **4**:643–659.
14. Degré, M., and L. A. Glasgow. 1968. Synergistic effect in viral-bacterial infection: I. Combined infection of the respiratory tract in mice with parainfluenza virus and *Hemophilus influenza.* J. Infect. Dis. **118**:449–462.
15. Dienst, R. B. 1948. Virulence and antigenicity of *Hemophilus ducreyi.* Amer. J. Syph. **32**:289–291.
16. Dolby, J. M. 1958. The separation of the histamine-sensitizing factor from the protective antigens of *Bordetella pertussis.* Immunology **1**:328–337.
17. Donald, W. D., and J. W. Coker. 1957. The role of *Hemophilus influenzae* in respiratory infections of premature infants. J. Dis. Child. **94**:272–276.
18. Dukes, C. D., and H. L. Gardner. 1961. Identification of *Haemophilus vaginalis.* J. Bacteriol. **81**:277–283.
19. Edmunds, P. N. 1960. The growth requirements of *Haemophilus vaginalis.* J. Pathol. Bacteriol. **80**:325–335.
20. Eldering, G. 1970. Bordetella. pp. 213–215. *In* J. E. Blair, E. H. Lennette, and J. P. Truant (Eds.): Manual of Clinical Microbiology, American Society for Microbiology, Bethesda.
21. Eldering, G., C. Hornbeck, and J. Baker. 1957. Serological study of *Bordetella pertussis* and related species. J. Bacteriol. **74**:133–136.
22. Evans, D. G., and F. T. Perkins. 1954. The ability of pertussis vaccine to produce in mice specific immunity of a type not associated with antibody production. Brit. J. Exp. Pathol. **35**:322–330.
23. Evans, D. G., and F. T. Perkins. 1955. The production of both interference and antibody immunity by pertussis vaccine to pertussis infection in mice. Brit. J. Exp. Pathol. **36**:391–401.
24. Gardner, H. L., and C. D. Dukes. 1955. *Haemophilus vaginalis* vaginitis. A newly defined specific infection previously classified "nonspecific" vaginitis. Amer. J. Obstet. Gynecol. **69**:962–976.
25. Gilder, H., and S. Granick. 1947. Studies on the Hemophilus group of organisms. Quantitative aspects of growth on various porphyrin compounds. J. Gen. Physiol. **31**:103–117.
26. Glynn, A. A. 1959. Antibodies to *Haemophilus influenzae* in chronic bronchitis. Brit. Med. J. **ii**:911–914.
27. Gordon, J. E., and R. I. Hood. 1951. Whooping cough and its epidemiological anomalies. Amer. J. Med. Sci. **222**:333–361.
28. Granick, S., and H. Gilder. 1945. The structure, function and inhibitory action of porphyrins. Science **101**:540.
29. Granick, S., and H. Gilder. 1946. The porphyrin requirements of *Haemophilus influenzae* and some functions of the vinyl and propionic acid side chains of heme. J. Gen. Physiol. **30**:1–13.
30. Graves, I. L. 1970. Agglutinating antibodies for *Bordetella bronchiseptica* in sera before, during, and after an epizootic of pneumonia in caged monkeys. Lab. Anim. Care **20**:246–250.
31. Hazen, L. N., *et al.* 1951. Antibiotic treatment of pertussis. Comparison of penicillin, Aureomycin, chloramphenicol and Terramycin in 150 cases. J. Pediat. **39**:1–15.
32. Holt, L. B. 1962. The growth-factor requirements of *Haemophilus influenzae.* J. Gen. Microbiol. **27**:317–322.
33. Kaufman, S., and H. B. Bruyn. 1960. Pertussis. A clinical study. J. Dis. Child. **99**:417–422.
34. Kind, L. S. 1958. The altered reactivity of mice after inoculation with *Bordetella pertussis* vaccine. Bacteriol. Rev. **22**:173–182.
35. Kind, L. S., and W. W. Richards. 1964. Local and systemic anaphylaxis in the pertussis-inoculated mouse. Nature **202**:309–310.
36. Koch, R., and M. J. Carson. 1955. Management of *Hemophilus influenzae* type b meningitis. Analysis of 128 cases. J. Pediat. **46**:18–29.
37. Lane, A. G. 1968. Appearance of mouse-lethal toxin in liquid cultures of *Bordetella pertussis.* Appl. Microbiol.
38. Lane, A. G. 1970. Use of glutamic acid to supplement fluid medium for cultivation of *Bordetella pertussis.* Appl. Microbiol. **19**:512–520.
39. Lautrop, H. 1960. Laboratory diagnosis of whooping-cough or Bordetella infections. Bull. Wld. Hlth. Org. **23**:15–31.
40. Lewis, J. F., and S. O'Brien. 1969. Diagnosis of *Haemophilus vaginalis* by Papanicolaou smears. Amer. J. Clin. Pathol. **51**:412–415.
41. MacPherson, C. F. C. 1948. A method of typing *Hemophilus influenzae* by the precipitin reaction. Can. J. Res. Sec. E, **26**:197–199.
42. MacPherson, C. F. C., *et al.* 1946. The specific polysaccharides of types a, b, c, d, and f *Hemophilus influenzae.* J. Immunol. **52**:207–219.
43. Mason, M. A. 1966. The spheroplasts of *Bordetella pertussis.* Can. J. Microbiol. **12**:539–545.
44. McCrumb, F. R., Jr., *et al.* 1951. Treatment of *Hemophilus influenzae* meningitis with chloramphenicol and other antibiotics. J. Amer. Med. Assn. **145**:469–474.
45. Miller, J. J., *et al.* 1943. Comparison of the nasopharyngeal swab and the cough plate in the diagnosis of whooping cough and *Hemophilus pertussis* carriers. Amer. J. Pub. Hlth. **33**:839–843.
46. Mpairwe, Y. 1970. Observations on the nasopharyngeal carriage of *Haemophilus influenzae* type b in children in Kampala, Uganda. J. Hyg. **68**:337–341.
47. Munoz, J. 1971. Protein toxins from *Bordetella pertussis.* Vol. IIA, pp. 271–300. *In* S. Kadis, T. C. Montie, and S. J. Ajl (Eds.): Microbial Toxins. Academic Press, New York.
48. Munoz, J., and B. M. Hestekin. 1963. Antigens of *Bordetella pertussis.* III. The protective antigen Proc. Soc. Exp. Biol. Med. **112**:799–805.
49. Nagel, J. 1967. Isolation from *Bordetella pertussis* of protective antigen free from toxic activity and histamine sensitizing factor. Nature **214**:96–97.
50. Nakase, Y., *et al.* 1969. Heat-labile toxin of *Bordetella pertussis* purified by preparative acrylamide gel electrophoresis. Japan J. Microbiol. **13**:359–366.
51. Okuyama, S., *et al.* 1970. Attempts at isolation of lymphocytosis-producing factor from supernatant fluids of *Bordetella pertussis* cultures. Proc. Soc. Exp. Biol. Med. **133**:723–727.

52. Olitzki, A. L., and A. Sulitzeanu. 1959. Antigenic structures of *Haemophilus aegyptius* and *Haemophilus influenzae* demonstrated by the gel precipitation technique. J. Bacteriol. **77**:264–269.

53. Pieroni, R. E., E. J. Broderick, and L. Levine. 1965. The soluble protective antigen and the histamine-sensitizing factor of *Bordetella pertussis.* J. Immunol. **95**:643–650.

54. Pittman, M. 1951. Sensitivity of mice to histamine during respiratory infection by *Hemophilus pertussis.* Proc. Soc. Exp. Biol. Med. **77**:70–74.

55. Pittman, M. 1970. *Bordetella pertussis* – Bacterial and host factors in the pathogenesis and prevention of whooping cough. pp. 239–270. *In* S. Mudd (Ed.): Infectious Agents and Host Reactions. W. B. Saunders Co., Philadelphia.

56. Pittman, M., and D. J. Davis. 1950. Identification of the Koch-Weeks bacillus (*Hemophilus aegyptius*). J. Bacteriol. **59**:413–426.

57. Report. 1953. Treatment of whooping-cough with antibiotics. Lancet **i**:1109–1112.

58. Reymann, F. 1947. A study of the growth conditions of *Haemophilus ducreyi.* Acta Pathol. Microbiol. Scand. **24**:208–212.

59. Ritzerfeld, W., and J. Kümmel. 1960. Untersuchungen zur bakteriologischen Diagnostik von "*Haemophilus vaginalis.*" Zentralbl. Bakteriol. I Abt. Orig. **180**:334–342.

60. Shaffer, M. F., and L. S. Shaffer. 1946. Infectivity of *Hemophilus pertussis* for the chick embryo. Proc. Soc. Exp. Biol. Med. **62**:244–245.

61. Sproles, E. T., III, *et al.* 1969. Meningitis due to *Hemophilus influenzae*: Long-term sequelae. J. Pediat. **75**:782–788.

62. Standfast, A. F. B. 1951. The virulence of *Haemophilus pertussis* for mice by the intranasal route. J. Gen. Microbiol. **5**:250–266.

63. Strangert, K. 1969. Comparison between the effect of chloramphenicol and ampicillin in whooping cough. Scand. J. Infect. Dis. **1**:67–70.

64. Strangert, K. 1970. Clinical course and prognosis of whooping-cough in Swedish children during the first six months of life: A study of hospitalized patients 1958–67. Scand. J. Infect. Dis. **2**:45–48.

65. Sutter, V. L., and S. M. Finegold. 1970. *Haemophilus aphrophilus* infections: Clinical and bacteriological studies. Ann. N.Y. Acad. Sci. **174**:468–487.

66. Teokharov, B. A. 1969. Non-gonococcal infections of the female genitalia. Brit. J. Vener. Dis. **45**:334–340.

67. Thomson, D. 1953. Whooping-cough – a review. Month. Bull. Min. Hlth. Pub. Hlth. Lab. Serv. **12**:92–102.

68. Toulant, P., A. Larmande, and M. Toulant. 1951. Les conjonctivités purulentes endémo-épidémiques des pays chauds. Bull. Soc. Pathol. Exot. **44**:549–553.

69. Turk, D. C. 1963. Naso-pharyngeal carriage of *Haemophilus influenzae* type b. J. Hyg. **61**:247–256.

70. Ungar, J., *et al.* 1950. The cultivation of *Haemophilus pertussis* in partially defined liquid media. J. Gen. Microbiol. **4**:345–359.

71. Verwey, W. F., *et al.* 1949. A simplified liquid culture medium for the growth of *Hemophilus pertussis.* J. Bacteriol. **58**:127–134.

72. Verwey, W. F., and E. H. Thiele. 1949. Studies on the antigenicity of toxic extracts of *Hemophilus pertussis.* J. Immunol. **61**:27–33.

73. Williamson, G. M., and K. Zinnemann. 1951. The occurrence of two distinct capsular antigens in *H. influenzae* type e strains. J. Pathol. Bacteriol. **63**:695–698.

74. Wolin, H. L. 1963. J. Bacteriol. **85**:253–254.

75. Zamenhof, S., *et al.* 1953. Polyribophosphate, the type specific substance of *Hemophilus influenzae*, type b. J. Biol. Chem. **203**:695–704

PSEUDOMONAS; LACTOBACILLUS; LISTERIA; ERYSIPELOTHRIX; BACTEROIDES; STREPTOBACILLUS; BARTONELLA; MYCOPLASMA; DONOVANIA

Pseudomonas

El género Pseudomonas [9] incluye unas 30 especies que en su mayor parte se encuentran en el agua, la suciedad y en cualquier sitio donde haya materia orgánica en descomposición. Las bacterias fluorescentes son miembros de este género; *Pseudomonas fluorescens* es la forma que licua la gelatina y *Ps. nonliquefaciens* la forma no licuante. La elaboración de pigmento azul por *Ps. syncyanea* produce "leche azul". La especie *Ps. septica* ocasiona la enfermedad de las orugas; otra, *Ps. reptilivorus* produce enfermedad en ciertos reptiles. Más recientemente, los bacilos del muermo y el de melioidosis, después de una historia taxonómica variada y haberse atribuido a los géneros Actinomyces, Pfeifferella, Actinobacillus, Leofflerella y Malleomyces, se consideran ahora especies de Pseudomonas.

PSEUDOMONAS AERUGINOSA (PYOCYANEA)

Pero la especie de Pseudomonas mejor conocida, y la única patógena para el hombre, es *Ps. aeruginosa* que comúnmente se denomina *Ps. pyocyanea*. Los pigmentos azul o azul verdoso que en ocasiones aparecen en los apósitos quirúrgicos, desde hace mucho tiempo llamaron la atención; Fordos estudió el pigmento en 1860, antes de descubrirse su causa. En 1882, Gessard encontró que el pigmento era producido por un microorganismo específico, *Ps. aeruginosa*, que aisló en cultivo puro.

Morfología y tinción. Las células de *Ps. aeruginosa* varían considerablemente de tamaño y proporciones, pero generalmente aparecen como bastones delgados, pequeños, de 1.5 a 3 μ de largo y 0.5 μ de ancho, frecuentemente unidos a pares y en cadena corta. Tienen uno a tres flagelos polares; la bacteria tiene movimientos muy activos, no forma cápsula ni esporas. Las colonias son grandes y diseminadas, de bordes irregulares y consistencia grasosa. Estos bacilos se tiñen fácilmente con los colorantes analíticos usuales; son gramnegativos.

Fisiología. *Ps. aeruginosa* se desarrolla fácilmente en todos los medios de cultivo ordinarios, más rápidamente a temperatura de 30° a 37°C. Requiere condiciones aerobias; no obstante, en medios anaerobios hay cierto desarrollo. Licua rápidamente la gelatina, produce sulfuro de hidrógeno, no forma indol (en ocasiones, da reacciones positivas falsas con reactivo de Ehrlich, pero no con el Kovacs). Su capacidad fermentativa es limitada; produce ácido a partir de glucosa, pero no ataca otros carbohidratos. En leche tornasolada produce reacción alcalina; forma un coágulo blando, seguido de peptonización rápida y reducción del indicador.

Una de las características más especiales de *Ps. aeruginosa* es la producción de pigmento soluble, verde azulado que no tiñe las colonias u otras masas en desarrollo, sino que se difunde en el medio. En realidad, se forman dos pigmentos: uno, la *piocianina*, de color azul obscuro, puede extraerse de la solución acuosa mediante cloroformo; el otro es un pigmento verde amarillento, fluorescente, soluble en agua pero no en cloroformo. Ambos son productos de oxidación de precursores incoloros. La piocianina solo es formada por *Ps. aeruginosa*; el pigmento fluorescente es formado por muchas otras especies de Pseudomonas.[31] Los pigmentos pueden presentarse aislados o juntos. La piocianina resulta interesante por ser un pigmento fenacínico.

Durante muchos años estuvo en duda el carácter serológico de Pseudomonas, especialmente de *Ps. aeruginosa*. Actualmente está comprobado que entre las especies existe diferencia antigénica, respecto a los antígenos H y O; se pueden diferenciar diez grupos O que, en combinación con los diez antígenos H, han permitido la diferenciación de 29 serovariedades aglutinantes.[93] Parecen no ser antígenos específicos de especies, pero el antígeno O de *Ps. aeruginosa* no parece encontrarse en otras especies de Pseudomonas. Pueden separarse las cepas en varios tipos de fago [65, 76] pero tal tipificación todavía no ha merecido gran aplicación práctica.

Patogenicidad. Durante algún tiempo después de su descubrimiento, *Ps. aeruginosa* se consideró generalmente como saprófito innocuo o, a lo más, microorganismos de poco poder patógeno. Posteriormente se aclaró que en el hombre la bacteria guardaba relación causal con una amplia variedad de afecciones supurativas y de otra naturaleza. Se encuentra en cultivo puro de abscesos de diferentes partes del cuerpo, especialmente de oído medio. También ocurre en casos de endocarditis, neumonía y meningitis, aunque raros, y en los cuales *Ps. aeruginosa* parece ser el único microorganismo causal. Existe una forma de infección piociánica generalizada y mortal; se ha encontrado el bacilo en la sangre durante la vida.[7] *Ps. aeruginosa* se ha relacionado quizá etiológicamente con enfermedades diarreicas de origen hídrico.[39] En relación con esto último, tiene interés el hecho de que cepas virulentas para el ratón dan una reacción positiva con el asa ileal de conejo, lo cual sugiere la formación de una enterotoxina termolábil.[44]

Más recientemente las infecciones por Pseudomonas han ganado importancia, posiblemente como consecuencia del tratamiento, o la profilaxia, de otras infecciones con antibióticos para los cuales estos microorganismos son resistentes. Pueden producirse infecciones después de cirugía [80] y tienen importancia especial en quemaduras, donde tales infecciones son la causa más frecuente de muerte. Las infecciones por Pseudomonas son difíciles de tratar, por la resistencia de los microorganismos a los anticuerpos. De ordinario, las cepas muestran resistencia múltiple, a tres o más antibióticos, y está comprobado que tal resistencia puede transferirse desde otras bacterias entéricas.[37] De los antibióticos, la polimixina es la más frecuentemente eficaz, pero no son raras las cepas resistentes a ella. La inmunización con vacunas ha dado resultados alentadores para proteger animales de experimentación contra la infección de quemaduras.[49]

La inyección intraperitoneal de 0.25 ml de cultivo de una cepa virulenta puede matar al cobayo, con síntomas agudos, en 24 horas. Cantidades menores también son mortales, pero menos rápidamente. La inoculación subcutánea produce reacción local intensa. El complejo sintomático no tiene nada especialmente característico. El conejo no es tan susceptible como el cobayo; el ratón y la paloma son menos susceptibles que el conejo. Puede lograrse inmunidad mediante dosis pequeñas no mortales.

PSEUDOMONAS MALLEI (BACILO DEL MUERMO)

El muermo es una enfermedad que por lo regular se encuentra únicamente en los solípedos (caballo, mula, asno); pero a veces es transmitida a otros animales domésticos, animales salvajes, y al hombre. En un principio, muchos investigadores pensaron que se trataba de una enfermedad espontánea, no infecciosa; pero en 1837 Rayer demostró que el muermo era transmisible, al infectar un caballo inoculándole material de un caso de muermo humano. El bacilo responsable fue descubierto en 1882 por Löffler y Schütz, cuyo trabajo fue confirmado y ampliado por Kitt, Weichselbaum y otros.

Morfología y tinción. El bacilo del muermo es un bastoncillo recto o ligeramente curvo, generalmente con extremos redondeados, a menudo de forma irregular. Varía mucho en tamaño; la longitud media es de 2 a 5 μ y la anchura de 0.5 a 1 μ. En los cultivos los bacilos tienden a ser más cortos y de tamaño más uniforme que en los frotis de pus. En estos últimos, no es raro encontrarlos en los leucocitos, pero las más veces son extracelulares. No hay disposición especial en dichos frotis, pero en los cultivos los bacilos pueden presentarse a pares; en los cultivos antiguos producen filamentos con extremos abultados en los cuales se observa verdadera ramificación. Los gérmenes no son móviles, no tienen cápsulas, y no forman esporas.

En agar, las colonias son pequeñas, redondas, convexas y amorfas. Son translúcidas y de color amarillento, y cuando envejecen (de ocho a 10 días) se vuelven opacas, apareciendo un color pardo claro en el centro. En la patata, el desarrollo es característico; se presentan colonias claras, de

Fig. 26-1. Colonias de *Pseudomonas fluorescens* en medio de agar; cultivo de 24 horas. $\times$ 3.

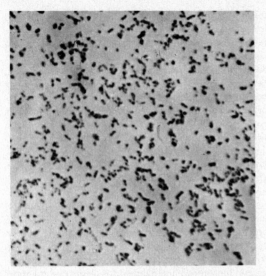

FIG. 26-2. *Pseudomonas mallei* en cultivo puro. Se observará la mala tinción y la bipolaridad en algunos gérmenes. Azul de metileno; × 1 250.

color ámbar, parecidas a miel, que pueden unirse; muchas veces la patata alrededor de la colonia adquiere un color verdusco que puede compararse con el producido por *Pseudomonas pyocyanea.* En agar-sangre de caballo las colonias son verde grisáceas y el medio se obscurece, pero no hay hemólisis.

El bacilo del muermo puede teñirse con los colorantes ordinarios acuosos de anilina, pero con dificultad. Se obtienen mejores resultados con colorantes que contengan álcalis o un mordiente como el fenol (azul de metileno alcalino de Löffler, fucsina fenicada de Ziehl). Los bacilos no son acidorresistentes, pero sí gramnegativos. Los gérmenes de los cultivos jóvenes toman uniformemente el colorante, pero los de cultivos viejos presentan tinción irregular, con tendencia a la bipolaridad. Dentro de la bacteria se tiñen mejor algunos gránulos y cuerpos en forma de copo, lo que da al bacilo aspecto punteado en las preparaciones teñidas. La tinción irregular se debe a la presencia de gránulos de grasa que no se tiñen con los colorantes ordinarios pero pueden demostrarse con negro B de Sudán o fucsina yodada.

Fisiología. El bacilo se desarrolla en medios ordinarios, pero el aislamiento primario da un cultivo escaso, de crecimiento lento. Suelen necesitarse 48 horas de incubación para que aparezcan colonias de 0.5 a 1 mm de diámetro en medios sólidos. El desarrollo resulta facilitado por la presencia de glicerina, pero la glucosa carece de efecto al respecto. Una reacción ligeramente ácida es favorable, y la temperatura óptima es de 37°C, aunque puede haber desarrollo entre 22° y 44°C. En medios enriquecidos, como el medio de Löffler a base de suero, o el agar-sangre de caballo, el desarrollo no es mucho mejor que en agar glicerinado.[52]

El bacilo del muermo es muy poco activo bioquímicamente. Con excepción de la glucosa, no ataca los carbohidratos usuales; incluso la fermentación de la glucosa es irregular y variable de una cepa a otra. El suero coagulado no es digerido, pero el germen puede licuar la gelatina en circunstancias apropiadas, cuando menos algunas cepas. A las temperaturas en que la gelatina es sólida, el desarrollo es escaso y no hay licuefacción; pero si los cultivos se incuban a 37°C durante 26 a 40 días, la gelatina ya no se solidifica al enfriar. No hay producción de indol ni reducción de nitratos a nitritos; pueden formarse pequeñas cantidades de hidrógeno sulfurado. A veces se produce un poco de ácido en la leche, que coagula al décimo día de incubación, en tanto que el indicador de la parte baja del tubo cambia de color.

El bacilo resiste muy mal los agentes físicos y químicos; muere en 10 minutos a 55°C y por efecto de productos químicos bactericidas. Los desinfectantes más eficaces son los hipocloritos, el yodo y el cloruro mercúrico. Los experimentos de desecación han dado resultados contradictorios; parece que los cultivos desecados en filamentos conservan su vitalidad durante tres a cuatro semanas. Los cultivos puros parecen ser más resistentes a la desecación que los bacilos en secreciones nasales de animales enfermos, pues las secreciones infectadas suelen volverse estériles en pocos días. Los cultivos mueren en cuatro a seis semanas pero pueden conservarse por resiembra en agar glicerinado.

Poder patógeno para animales inferiores. En condiciones naturales el animal más afectado es el caballo; pero se observan a veces casos en carnívoros (gatos, perros, animales de zoológico) y cabras y borregos. El cerdo y la paloma son muy sensibles. El ganado y las ratas domésticas son inmunes. Los conejos y cobayos son ligeramente sensibles a la inoculación experimental, en tanto que el criceto y el hurón son los animales de laboratorio más sensibles de todos.[53]

Se ignora la vía de penetración usual del bacilo del muermo en el cuerpo del caballo. Puede ser por la mucosa de la nariz, especialmente si hay en ella pequeñas abrasiones; la conjuntiva sana puede infectarse por contacto con material infectante en dos a cuatro horas, a veces en 30 minutos. La infección por inhalación debe ser rara, a juzgar por los experimentos con animales. Según Nocard, en la mayor parte de casos la infección tiene lugar por el tubo digestivo.

El muermo adopta formas aguda y crónica, que pueden transformarse una en otra; la forma crónica termina muchas veces como ataque agudo. La forma aguda suele anunciarse por escalofrío y temperatura alta, antes de cualquier manifestación local. En pocos días, la mucosa de la nariz se inflama y se llena de nódulos, el sistema linfático se altera ampliamente, y aparece edema en varias partes del cuerpo. Los síntomas generales se vuelvan más graves y la muerte sobreviene en ocho a 30 días. La mula, y en especial el asno, presentan a menudo la enfermedad aguda. La forma crónica es más frecuente en el caballo (90 por 100 de los casos). En este animal se han encontrado gran variedad de síntomas y lesiones, y la enfermedad presenta evoluciones diversas según los individuos. Muy frecuentemente, está afectada la mucosa nasal y existe una secreción catarral abundante e infectante. El muermo cutáneo es llamado "farcinosis" por los veterinarios, que denominan "botones" o "cordones" de farcinosis las alteraciones linfáticas superficiales. En todas las variedades de muermo hay tendencia a la producción de nódulos, que se ablandan y transforman en úlceras.

La inoculación experimental con cultivos puros ha dado resultados positivos no solo en el caballo, el cual manifiesta las características clásicas de la enfermedad, sino también en cobayos, ratones campestres y otros roedores pequeños. El cobayo es el animal que suele utilizarse para diagnóstico. Tanto en la infección natural como en la experimental, las bacterias se encuentran principalmente en las secreciones nasales y en el contenido de los nódulos recientes.

Poder patógeno para el hombre. Los veterinarios y otras personas que atienden caballos están muy expuestos al muermo. Los cultivos de aislamiento reciente son muy virulentos, y se han producido varias infecciones mortales en trabajadores de laboratorio. La forma aguda de la enfermedad es más frecuente en el hombre, y casi todos los casos terminan con la muerte en dos a tres semanas, a veces en pocos días. Igual que en el caballo, la mucosa de la nariz es afectada con frecuencia, aunque no siempre. A veces puede instalarse la forma crónica y persistir meses o años, con úlceras invasoras y otras características muy parecidas a las que se encuentran en el caballo. En el muermo crónico puede lograrse la curación, a menos de que la enfermedad pase a fase aguda.[51]

En el hombre, con seguridad el tubo digestivo no es la vía de entrada ordinaria; se ha ingerido la sangre de animales enfermos de muermo sin que se produjera la infección. El germen entra probablemente por abrasiones de la piel.

Diagnóstico de laboratorio. *Ps. mallei* no crece tan fácilmente por aislamiento primario como otras especies de Pseudomonas; el diagnóstico casi siempre se logra inoculando cobayos y demostrando la hipersensibilidad del animal enfermo a la maleína, un cultivo en caldo glicerinado concentrado de los bacilos del muermo preparado de la misma manera que la tuberculina (OT). En el primer caso, se inocula el cobayo macho por vía intraperitoneal con tejido enfermo, o exudado nasal del animal afectado. Al segundo o tercer día, después de la inoculación, los testículos se ponen rojos e hinchados; la orquitis se denomina reacción de Straus. En unos cuantos días aparecen más síntomas generales,

y en la autopsia pueden observarse nódulos grisáceos en el bazo y en otros órganos internos. Esta reacción la dan otros microorganismos; no es específica del muermo.

El animal enfermo se estudia buscando la hipersensibilidad por inoculación subcutánea de maleína, o inoculación en el saco conjuntival. Una reacción positiva es similar a la reacción tuberculínica, incluyendo una respuesta local y general (fiebre). Las pruebas corrientes serológicas, de aglutinación y de fijación de complemento, dan resultados equívocos que, junto con los títulos relativamente elevados que proporcionan animales normales, hacen que tales pruebas no sean de fiar.[5]

Quimioterapia. El muermo es tan raro que se sabe poco de su quimioterapia. Se ha dicho que dos casos crónicos y seis infecciones de laboratorio habían cedido a la sulfadiacina.

Inmunidad y profilaxia. Ni los ataques de la enfermedad, ni las vacunas permiten obtener inmunidad permanente contra el muermo. Nocard alimentó con material infectante tres caballos que habían padecido la enfermedad y habían sanado, y vio que estos animales no eran más resistentes que los testigos; Lobel, Schaar y Roza no pudieron producir inmunidad en caballos o cobayos inoculando bacilos avirulentos atenuados con bilis. El muermo crónico puede durar años, y no hay ninguna garantía contra la aparición brusca de un ataque agudo.

PSEUDOMONAS PSEUDOMALLEI [38] (BACILO DE WHITMORE)

La melioidosis, enfermedad de los roedores que se parece algo al muermo, es producida por *Actinobacillus whitmore, A. pseudomallei*, y, más recientemente, *Pseudomonas pseudomallei*. La enfermedad se observa en el área del sudoeste del Pacífico, por ejemplo en Birmania, Thailandia, Vietnam e Indonesia, y en Australia como enfermedad de carneros, terneras, cerdos y caballos. Ocurre en el hombre en estas mismas áreas y parece ser adquirido localmente en el hemisferio occidental.

El bacilo de Whitmore difiere de *Ps. mallei* por cuanto es móvil, licua la gelatina y fermenta activamente los carbohidratos. Como *Ps. mallei*, puede ser difícil de aislar en cultivo primario. Un medio selectivo, el agar de MacConkey, que contiene colistina-S (polimixina E), se ha descrito [16] para su aislamiento del suelo y del agua; también pueden inocularse cricetos por vía intraperitoneal con el cultivo de las bacterias obtenidas por autopsia.[15] Crece mucho muy rápidamente, y sus colonias en agar glicerinado manifiestan una superficie ondulada, muy diferente de aspecto de las colonias de *Ps. mallei*. Sin embargo, puede producirse un segundo tipo de colonias muy similar a las colonias del bacilo del muermo. Algunos autores consideran que guarda estrecha relación con *Ps. aeruginosa* en varios aspectos, y se ha señalado que algunas cepas producen piocianina.

Se ha dicho que el germen producía dos exotoxinas termolábiles, una mortal y necrosante, la otra mortal solamente.[4, 32] Se ha descrito además una toxina termostable muy parecida a las de los bacilos entéricos, que da la reacción de Shwartzman.[69] Los lisados sónicos del germen presentan actividad de agresina, probablemente producida por polipéptidos; aunque carezca de poder tóxico por sí mismo, aumenta la mortalidad si se administra juntamente con el inóculo de prueba.[47]

La melioidosis en el hombre [63, 87] puede adoptar tres formas generales: un proceso septicémico agudo con diarrea, una forma tifóidica subaguda con síntomas pulmonares y formación local de abscesos, y una forma crónica que puede localizarse en cualquier tejido, incluyendo hueso para producir osteomielitis, así como pequeños nódulos caseosos que pueden establecer coalescencia. Se creía antes que la mortalidad en el hombre era muy alta, del 95 por 100 o mayor, pero esta cifra parece ser aplicable solamente a la forma aguda sin tratamiento. Estudios serológicos más recientes [56, 84] indican que la infección puede ser mucho más frecuente y mucho más leve de lo que se había supuesto.

Entre los agentes quimioterápicos estudiados in vitro,[14] las tetraciclinas parecen ser los más eficaces, pero la enfermedad experimental en ratones responde mejor al cloramfenicol o las sulfamidas; con las tetraciclinas se requieren tratamientos prolongados para lograr 70 o más por 100 de curaciones en ratones infectados experimentalmente.[34]

Se ha señalado transmisión de la infección entre cobayos por medio de insectos hematófagos, mosquitos y pulgas. Los roedores suelen morir rápidamente por septicemia y las lesiones se presentan como pequeños nódulos parecidos a tubérculos. Los cobayos y conejos son muy sensibles a la inoculación, y se produce también la reacción de Straus.

Lactobacillus y bacterias relacionadas

LACTOBACILLUS

Los microorganismos que comprenden este género, agrupado algo elásticamente, producen cantidades importantes de ácido láctico a partir de carbohidratos más simples, y mantienen cierto grado de acidez, generalmente mortal para las bacterias no esporuladas. La tolerancia a la acidez de estas bacterias, que son denominadas acidúricas, es muy útil para el aislamiento de cultivos como para la diferenciación del grupo.

Morfológicamente, algunos bacilos son bastones delgados y largos; otros son algo parecidos al colibacilo, pero, al contrario de este, todos son grampositivos. Casi todos son inmóviles, pero se han señalado excepciones. Muchos cultivos muestran una forma diplobacilar característica, a menudo reniforme. Frecuentemente los cultivos viejos muestran considerable pleomorfismo.

Fisiología. Por aislamiento primario, los lactobacilos son microaerófilos o anaerobios, pero después de cultivo continuo algunas cepas pueden desarrollarse en presencia de aire. Sus necesidades nutritivas son complejas, y la mayor parte de cepas no pueden cultivarse en los medios nutritivos ordinarios, a menos que se enriquezcan con glucosa o suero. Las necesidades individuales de aminoácidos varían de dos a 15; en general, se requieren piridoxina, tiamina, riboflavina, biotina, ácido fólico y ácido nicotínico, variando las necesidades en cada caso. Estos requerimientos nutritivos variados tienen aplicación práctica en técnicas de dosificación microbiológica de vitaminas y de algunos aminoácidos, para los cuales son más sensibles que los métodos químicos disponibles. En concentración adecuada, hay cierta relación definida, incluso lineal, entre la concentración de vitamina en un medio de cultivo adecuado, pero exento de vitamina, y el desarrollo o la cantidad de ácido producidos.

Algunos lactobacilos forman parte de la flora intestinal normal y pueden predominar en lactantes e individuos con ingestión elevada de azúcares, especialmente lactosa. Se supuso que la flora intestinal de lactobacilo era preferible a una flora proteolítica de coliformes, ya que tendía a inhibir los trastornos degenerativos aumentando la vitalidad en personas de edad avanzada, y que esa flora podía establecerse consumiendo leches fermentadas o leches búlgaras y acidófilos. De esta manera puede alterarse la composición de la flora intestinal, y también mediante el consumo de cantidades equivalentes de leche azucarada, pero el cambio es pasajero, y no está demostrado que esa flora intestinal por sí misma favorezca la salud.

Aunque se han encontrado raros casos de relación de lactobacilos con procesos patológicos como endocarditis y enfermedad febril, estas bacterias esencialmente no son patógenas, excepto las raras veces en que pueden relacionarse con caries dentales (ver luego). Son fundamentalmente interesantes en las industrias de derivados lácteos y de fermentación, donde tienen importancia considerable.

Clasificación. La clasificación de los lactobacilos se ha basado en la fuente de donde se aislaron. Tal base no es satisfactoria, excepto, posiblemente, en ciertas bacterias parásitos obligados que tienen especificidad de huésped muy pronunciada. Ningún otro medio de diferenciación y caracterización ha sido completamente satisfactorio; aunque las propiedades fisiológicas varían ampliamente de una cepa a otra, en la actualidad las especies de lactobacilos se separan según bases fisiológicas, que consisten en emplear temperaturas óptimas de desarrollo, anaerobiosis y fermentaciones de azúcares.

Los lactobacilos, según los productos de fermentación de azúcar, se dividen en dos grupos. El grupo homofermentativo es el mayor y convierte casi completamente el azúcar fermentada en ácido láctico; el grupo heterofermentativo está constituido por formas que producen cantidades importantes de otros productos de fermentación, incluyendo bióxido de carbono, etanol y ácido acético. Según la clasificación de Bergey, estos dos grupos se dividen en especies de la manera siguiente.

I. Lactobacilos homofermentativos:
  A) Con temperatura óptima de 37ºC a 60ºC o más
    1) Que producen ácido a partir de lactosa
      a) Que tienen temperatura óptima de 37ºC a 45ºC
        i) Que producen ácido *l*-láctico
          Lactobacillus caucasicus
          Lactobacillus lactis
        ii) Microaerófilos que producen ácido *d* o *dl*-láctico
          Lactobacillus helveticus
          Lactobacillus acidophilus
        iii) Anaerobios en cultivos recién aislados
          Lactobacillus bifidus
      b) Con temperatura óptima de 45ºC a 62ºC
        Lactobacillus bulgaricus
        Lactobacillus termophilus
    2) Que no producen ácido a partir de lactosa
        Lactobacillus delbrueckii
  B) Con temperatura óptima entre 28ºC y 32ºC
    1) Que producen ácido láctico con actividad óptima
      a) Que producen ácido *d*-láctico
        Lactobacillus casei
      b) Que producen ácido *l*-láctico
        Lactobacillus leichmannii
    2) Que producen ácido láctico sin actividad óptica
      Lactobacillus plantarum
II. Lactobacilos heterofermentativos:
  A) Con temperatura óptima entre 28ºC y 32ºC
    1) Que fermentan rafinosa, sacarosa y lactosa
      Lactobacillus pastorianus
      Lactobacillus buchneri
    2) Que no fermentan la rafinosa, y frecuentemente tampoco la sacarosa ni la lactosa
      Labtobacillus brevis
  B) Con temperatura óptima de 35ºC a 40ºC o más
    Lactobacillus fermenti

Se han efectuado muchos estudios sobre relaciones serológicas entre los lactobacilos, empleando polisacáridos extraídos de las bacterias como antígenos, y por los métodos comunes de absorción de aglutinina-aglutinina. En el primer caso, se separaron cuatro variedades serológicas, pero parecieron ser algo inestables, relacionándose cambios antigénicos con cambios en las reacciones de fermentación.[28] En tanto el estudio de aglutinógenos es complicado, por la neta tendencia de lactobacilo a la aglutinación espontánea en solución salina, entre los lactobacilos heterofermentativos son demostrables diez diferentes agluti-

nógenos, junto con algunos antígenos menores compartidos con la especie Leuconostoc.[57, 97, 98]

De las especies de lactobacilos diferenciables por reacciones fisiológicas, solo tres mencionamos.

Lactobacillus acidophilus. Este organismo, cultivado por vez primera por Moro en 1900, a partir de heces de lactantes, ha sido aislado del intestino de casi todos los mamíferos, muchos otros vertebrados y algunos invertebrados. Su cantidad aumenta en el intestino cuando aumenta el contenido de carbohidratos de la dieta; pueden ser predominantes cuando se ingiere una dieta láctea. Estos bacilos, bastante gruesos y de longitud variable, se disponen aislados, a pares frecuentemente algo flexionados en la unión, y en empalizadas. Las cadenas largas, las formas filamentosas y las formas en maza no son raras. Los cultivos jóvenes se tiñen uniformemente, grampositivos; los cultivos viejos a menudo muestran coloración listada o bipolar y pueden decolorarse fácilmente. Las colonias, generalmente pequeñas, pueden variar en su forma: de la opaca, redonda y lisa, a la aplanada, translúcida e irregular, frecuentemente con aspecto de cristal. Las reacciones de fermentación son variables, pero la mayor parte de cepas producen ácido pero no gas, a partir de glucosa, lactosa, maltosa y sacarosa y coagulan la leche en 48 horas. El bacilo de Döderlein (1892), miembro común de la flora vaginal, que se cree ayuda a las defensas naturales contra la infección por contribuir a la acidez de las secreciones vaginales, parece ser idéntico a *L. acidophilus.*

Lactobacillus bifidus. *Lactobacillus bifidus,* en relación aparentemente muy estrecha con *Lactobacillus acidophilus* y a menudo difícil de distinguir de él, es un bastón más delgado con extremos algo más ahusados y generalmente bifurcados cuando es recién

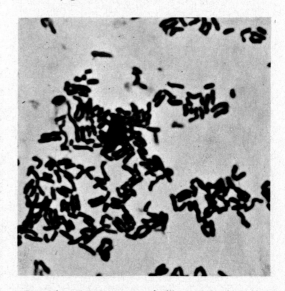

Fig. 26-3. Especie de *Lactobacillus* aislada de la boca. Morfología idéntica a la de *L. acidophilus.* Nótense la forma diplobacilar y la distribución de las células en empalizada; × 2 500. (Harrison.)

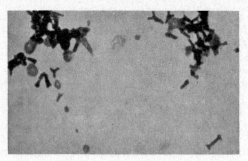

FIG. 26-4. *Lactobacillus bifidus.* Nótense las formas en Y. (Dack.)

aislado. Lo obtuvo Tissier de heces de lactantes alimentados al pecho, en 1900. Aunque es común en el intestino de lactantes alimentados al pecho, formando a veces más de 90 por 100 de la flora intestinal total, es menos abundante en los niños con alimentación artificial. A veces se encuentra también en las heces de animales adultos, incluyendo al hombre. Como *Lactobacillus acidophilus,* produce ácido, principalmente láctico, a partir de muchos azúcares, pero también fermenta la insulina. Obtenido de aislamiento primario, es anaerobio, y algunas cepas nunca se desarrollan adecuadamente en condiciones aerobias. El desarrollo aumenta con cistina. En parte debido a sus necesidades aerobias, se ha clasificado con Bacteroides.

Lactobacillus bulgaricus. Este nombre se asignó a un organismo aislado por Grigoroff, en 1905, de leche búlgara fermentada. Ganó importancia por los trabajos de Metchnikoff, quien, como antes se dijo, creía que la putrefacción intestinal podía reprimirse bebiendo leche fermentada por este microorganismo. Cuando más tarde se demostró que *L. bulgaricus* no se implantaba en el intestino, su empleo en terapéutica experimental se inclinó en favor de *L. acidophilus.* Es más difícil de cultivar que este, ligeramente más voluminoso y algo diferente en la

fermentación de azúcares; sin embargo, se relacionan estrechamente. Se ha señalado que *L. bulgaricus* rara vez se desarrolla a 15°C, muere en cultivos repetidos en caldo de lactosa-peptona-levadura, es incapaz de desarrollarse en medios que contengan 2.5 por 100 de cloruro de sodio y no crece en caldo a pH de 7.8, en tanto que *L. acidophilus* puede crecer en todas estas condiciones. El bacilo de Boas-Oppler, visto por primera vez en 1895 en el jugo gástrico de pacientes con carcinoma gástrico, es miembro de este grupo, semejante, si no idéntico, a *L. bulgaricus.*

Caries dental.[86] La descalcificación de los dientes, parte importante en la caries dental, puede producirse por ácidos orgánicos de origen microbiano. La formación de ácido tiene lugar rápidamente en placas dentales (ver luego), según mediciones con microelectrodos, después de lavarse la boca con solución de glucosa, alcanzando concentraciones suficientes para causar descalcificación in vitro. Los lactobacilos no solo existen constantemente en la boca y producen rápida conversión de carbohidratos en ácido láctico, sino que su índole ácida permite que persistan en tales valores de acidez. Por lo tanto, se ha sospechado que puede guardar relación causal con el proceso de la caries.

La boca contiene una amplia variedad de bacterias, como estreptococos, formas filamentosas, bacteroides y espiroquetas, además de lactobacilos. La composición de la flora es afectada por la naturaleza de la dieta, incluyendo deficiencias alimenticias y otros factores, como la terapéutica con antibióticos que a menudo produce predominio de flora coliforme. También se altera significativamente cuando en la boca hay determinadas enfermedades; se cree que tales alteraciones pueden reflejar la porción afectada, especialmente las formas que aumentan durante la enfermedad.

En general, la gingivitis y la enfermedad periodóntica se relacionan con predominio de la flora proteolítica. La participación de los bordes de las encías puede variar, desde la afección ligera de los

FIG. 26-5. *Izquierda,* Corte de esmalte dentario de hombre mostrando una placa de desarrollo bacteriano, no coloreada, en la superficie. Véanse los bastones de esmalte y las bacterias filamentosas; × 1 200. *Derecha,* Corte de una lesión de caries reciente en esmalte dentario de hombre, coloreado con violeta de genciana. Nótese el contacto íntimo de la placa bacteriana con la superficie de erosión; × 500. (Blayney.)

bordes bucales y linguales y de las papilas interdentales hasta la gingivitis ulceromembranosa, aguda o crónica, conocido con el nombre de enfermedad de Vincent. El cuadro microscópico clásico de las espiroquetas y bacilos fusiformes diagnósticos de la angina de Vincent (capítulo 32) es incompleto, por cuanto pueden descubrirse muchas otras formas en las masas de bacterias que crecen a lo largo del borde gingival.

La lesión de la caries suele iniciarse por debajo de una placa dental, en forma de una masa afelpada en la superficie del diente, constituida por microorganismos filamentosos, en los cuales están incluidos diversos tipos de bacterias. Las formas predominantes son estreptococos hemolíticos alfa, diplococos grampositivos, bacilos difteroides y bacilos fusiformes anaerobios, junto con números menores de lactobacilos, Neisseria y otros cocos gramnegativos. Se ha comprobado, en general, aunque no siempre, que el número de lactobacilos existentes en la saliva aumenta durante la caries activa, y que tanto el desarrollo de la caries como el aumento del número de lactobacilos se interrumpen suprimiendo totalmente los azúcares de la dieta. Tales observaciones parecen indicar cierto papel de la flora de lactobacilos en la descalcificación de la caries, y parece seguro que las bacterias intervienen en forma causal, ya que no se produce caries experimental en animales libres de gérmenes.[58]

Datos más recientes, basados en estudios con animales sin gérmenes y animales en los cuales se ha inhibido parte de la flora bacteriana con antibióticos, han puesto en duda el papel que pudieran desempeñar los lactobacilos en la iniciación de las caries; estos estudios parecen culpar a ciertos grupos o cepas de estreptococos. Recordemos que los estreptococos, como los lactobacilos, se distinguen por la fermentación de glucosa primariamente hasta ácido láctico, y los gérmenes Streptococceae y Lactobacilleae son las dos tribus que constituyen la familia Lactobacilleae. Además, los estreptococos también son proteolíticos, y la proteólisis interviene asimismo en el desarrollo de la caries. Tanto si existe una etiología específica para la caries dental como si esta resulta

de la actividad de diversos tipos de gérmenes, según parece ocurrir en el caso de la enfermedad periodóntica, todavía no está comprobado, pero parece probable que algunos estreptococos, y posiblemente también lactobacilos, por su naturaleza ácida sean elementos de importancia.

BACTERIAS RELACIONADAS

Microbacterium. En el género Microbacterium se agrupan formas estrechamente relacionadas con los lactobacilos que producen ácido láctico sin gas en fermentación de carbohidratos, pero que son aerobios y se clasifican formalmente junto con Listeria y Erysipelothrix como Corynebacteriaceae. Se reconocen dos especies, *Microbacterium lacticum* y *Microbacterium flavum*. El primero se encuentra en el intestino, el segundo predomina en productos lácteos. En este último, es importante la resistencia al calor, relativamente alta.

Bacterias del ácido propiónico. Con el nombre de bacterias del ácido propiónico se conoce un grupo de bacterias estrechamente relacionado con los lactobacilos, pero caracterizado por la producción de ácido propiónico y ácido acético en la fermentación de carbohidratos y alcoholes polihídricos. La única especie original, *Bacterium acidi propionici*, se ha dividido en varias especies según bases fisiológicas y bajo el nombre genérico de Propionibacterium. De las 11 especies conocidas por Bergey, todas menos una son anaerobias o microaerófilas.

Son bacilos inmóviles, no esporulados, gramnegativos, algo parecidos a los difteroides por su morfología microscópica, ya que contienen gránulos metacromáticos, y a menudo las células tienen forma de maza y muestran ramificación. El desarrollo es relativamente lento y sus necesidades nutritivas son complejas, ya que necesitan medios de extracto de levadura, con lactato o monosacáridos para mantener el desarrollo. Estas bacterias tienen cierta importancia industrial y se han empleado extensamente para estudiar el mecanismo de la fermentación bacteriana de azúcares. Parecen carecer completamente de poder patógeno.

Listeria monocytogenes[26, 74]

El microorganismo actualmente conocido como *Listeria monocytogenes* indudablemente se aisló de animales inferiores y hombres enfermos antes de 1926, pero sin caracterización suficientemente precisa para permitir la identificación. En ese año, fue descrito por Murray, Webb y Swann como agente causal de una epizootia en conejos y cobayos de laboratorio, que en parte se caracterizaba por monocitosis; se le llamó *Bacterium monocytogenes*. Al año siguiente, Pirie aisló del jerbil *(Tatera lo-*

bengulae) en Sudáfrica, lo que resultó ser el mismo microorganismo, y que denominó *Listerella hepatolytica* debido a las lesiones hepáticas de los animales infectados experimentalmente. Cuando se estableció la identidad de los microorganismos aislados, se le dio el nombre de *Listerella monocytogenes*. Después de la objeción de los sistemáticos respecto a que el nombre genérico Listerella había sido prejuzgado, el nombre cambió a *Listeria monocytogenes* con el que continúa conociéndose a pesar de posteriores

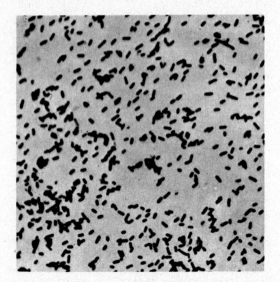

FIG. 26-6. *Listeria monocytogenes.* Frotis de un cultivo
puro. Fucsina; × 1 050.

objeciones de sistemáticos de que ese nombre genérico también había sido prejuzgado. Desde entonces
se ha aislado, pero sin caracterización definitiva y
en la literatura aparecen diferentes nombres, como
Corynebacterium infantisepticum y *Corynebacterium
parvulum.*

Morfología y tinción. Este microorganismo es
un bastón no encapsulado, no esporulado, con extremos ligeramente afilados. En cultivos muy recientes,
se encuentra en forma bacilar, pero después es predominantemente cocoide, de 0.5 μ × 1 a 2 μ. En
cultivos antiguos, o cultivos de la forma *rugosa,* se
presenta en filamentos de 6 a 20 μ de largo. La
disposición de las células no es característica; pueden encontrarse aisladas, a pares, algunas veces
formando ángulo agudo y en cadenas cortas.

En cultivos recientes los bacilos son invariablemente grampositivos, pero conforme el cultivo envejece la reacción de Gram se torna irregular. Con
la decoloración parcial, como se observa en cultivos más viejos, la porción central de la célula pierde primero el color, sugiriendo una tinción bipolar
pero sin los ángulos metacromáticos y el aspecto en
bandas característico de Corynebacteria. Algunos
de los colorantes usuales simples, como el azul de
metileno, no son satisfactorios; hay que usar colorante de Gram o de Giemsa, especialmente para
cortes tisulares.

Estas bacterias son móviles, característica que,
entre otras, las distingue de Erysipelothrix (con
las que son clasificadas por los investigadores
británicos como *Erysipelothrix monocytogenes*) y
la mortalidad es demostrable por diseminación
en cultivo de agar blando a 20°C, así como
por observación directa. Cuando se desarrollan a
temperatura ambiente presentan cuatro flagelos peri-

tricos, o menos; cuando se cultivan a 37°C generalmente solo es demostrable un flagelo polar único.

En medios líquidos, el desarrollo es difuso, excepto en caso de cepas rugosas; en medios sólidos,
es decir, de triptosa, agar-sangre o agar-suero, en
24-48 horas aparecen colonias opacas diminutas que
aumentan de tamaño, con bordes elevados al continuar la incubación. Hay una pequeña zona de hemólisis β; en algunas cepas muestran mucha mayor
actividad hemolítica en agar-sangre de carnero, que
se relaciona con la lecitinasa de la cepa. Se observan
dos variedades principales, la primera más translúcida y menos hemolítica, aglutinable en solución
salina, pero que conserva su poder antigénico; la
otra, típicamente rugosa.

Fisiología. Estas bacterias se desarrollan mejor,
especialmente en el primer aislamiento, en medios
relativamente ricos y con tensión de CO_2 aumentada. El desarrollo ocurre en reacciones neutras o ligeramente alcalinas, y son excepcionales en su capacidad de crecer adecuadamente a pH tan alto como
9.6, y en presencia de NaCl al 10 por 100, o más.
En medios líquidos, el crecimiento es relativamente
lento en ausencia de carbohidratos fermentescibles,
y puede retrasarse una o dos semanas, o no lograrse,
cuando el inóculo es pequeño; esto puede explicar
algunos fracasos intentando aislar Listeria de material patógeno. Cuando en el medio se incluye un
carbohidrato fermentescible, por ejemplo glucosa, el
crecimiento es mucho más rápido, pero a medida
que el pH cae a 5.6 o menos, las bacterias mueren
en uno o dos días. El enriquecimiento ocurre cuando se conserva la muestra en refrigerador durante
uno a tres meses, posiblemente por la capacidad de
estas bacterias de crecer lentamente a temperaturas
bajas, y posteriormente puede tener éxito el recultivo
cuando el cultivo inmediato no lo tuvo. Pueden crecer en medios definidos que contienen un cierto
número de aminoácidos.[19]

Bioquímicamente, estas bacterias son relativamente inactivas; es decir, no son proteolíticas, no producen indol o H_2S y no hidrolizan la urea ni reducen
los nitratos. Casi invariablemente fermentan glucosa,
maltosa, levulosa, salicina y trehalosa, pero sin formación de gas; irregularmente, y solo algunas cepas,
fermentan sacarosa, lactosa, glicerol, xilosa y ramnosa; no fermentan manitol, dulcitol, arabinosa, inositol
ni rafinosa. No ha resultado útil la división de Listeria en tipos fermentativos.

Con excepción de la acción hemolítica aumentada, relacionada con la lecitinasa y la fermentación
irregular de algunos carbohidratos, *Listeria monocytogenes* es bastante uniforme, independientemente
de su origen. Por lo tanto, hay acuerdo general de
que es una sola especie, y los nombres originados
por la pretendida especificidad para el huésped,
como *List. ovis, List. cuniculi, List. bovina, List.
gerbilli* y *List. gallinarum* no han perdurado.

Estructura antigénica. Los estudios iniciales sobre la especificidad antigénica de *List. monocytoge-*

Estructura antigénica de *Listeria monocytogenes* *

Serotipo	Antígenos	
	O (*termostable*)	H (*termolábil*)
1a	I, II, (III)	A, B,
1b	I, II, (III)	A, B, C
2	I, II, (III)	B, D,
3a	II, (III), IV	A, B,
3b	II, (III), IV	A, B, C
4a	(III), (V), VII, IX	A, B, C
4b	(III), V, VI,	A, B, C
4ab	(III), V, VI, VII, IX	A, B, C
4c	(III), V, VII	A, B, C
4d	(III), VI, VIII	A, B, C
4e	(III), V, VI, VIII, IX	A, B, C

* Modificado de Gray y Killinger.

nes indicaron que estos microorganismos correspondían a dos tipos serológicos generales, 1 y 4. Uno de ellos parece presentarse en roedores, el otro en rumiantes; ambas en el hombre. Estudios más precisos basados en análisis antigénicos detallados han demostrado que hay antígenos somáticos termostables, y flagelares termolábiles. Esto permite diferenciar cuatro serotipos principales, designados 1, 2, 3 y 4, y la subdivisión en subtipos, de los cuales 4a y 4b parecen ser los más importantes. La estructura antigénica de estos serotipos se indica en el cuadro adjunto. En tanto *Listeria monocytogenes* puede identificarse y clasificarse mediante antisueros adecuados, se ha encontrado que ocurren reacciones cruzadas con varias otras bacterias, incluyendo cepas de *Str. faecalis, Staph. aureus, E. coli*, y varias especies de Corynebacterium. Por lo tanto, el serodiagnóstico de infección por Listeria empleando sueros seriados de pacientes no es útil, pues en infecciones con otros microorganismos pueden aumentar el título de antígeno para Listeria.

Toxinas. Indudablemente, la monocitosis característica, hasta de 30 por 100 del total de leucocitos al cuarto día de infección experimental en el conejo, se debe, en su mayor parte por lo menos, a la presencia de un agente monocitógeno en los microorganismos.[36] Al parecer, es una substancia lípida, liberada por rotura mecánica de las células, que puede extraerse mediante solventes orgánicos como cloroformo, éter, o éter de petróleo. La toxina se relaciona con la virulencia; en cepas virulentas recién aisladas es abundante, disminuye rápidamente coincidiendo con la disminución de la virulencia en cultivos seriados en medios de laboratorio, y puede recuperarse con pasos en animales. El material parcialmente purificado produce un efecto sobre el sistema hemopoyético substancialmente idéntico al que ocurre en infección experimental, pero no parece ser tóxico en otra forma. No se ha establecido si las fracciones polisacáridas son tóxicas como se ha supuesto. Se ha comunicado que una substancia pro-

teínica aislable de células rotas mecánicamente y precipitable mediante sulfato de amonio, aumenta la virulencia.[60] Se produce una hemolisina sensible al oxígeno que tiene intensa actividad cardiotóxica, y puede desempeñar un papel predominante en la intoxicación observada de listeriosis.[85] Estas bacterias no parecen tener endotoxina en el sentido usual de la palabra.

Patogenicidad. La infección de animales inferiores y del hombre, o listeriosis, que ocurre espontáneamente, parece tener distribución mundial, no obstante que la mayor parte de los casos comunicados han sido de Estados Unidos de Norteamérica,[2] y Europa Occidental. Ha habido varios miles de infecciones confirmadas en animales inferiores, especialmente en animales domésticos, y en el hombre se han registrado más de 700 casos confirmados. Es probable que muchos se omitan debido a que la enfermedad no puede diagnosticarse con certeza por la clínica, al fracaso para aislar o reconocer el microorganismo, o por ambas causas.

En animales inferiores, la enfermedad es esporádica, generalmente epizoótica; adopta forma septicémica generalizada en roedores y animales jóvenes, con desarrollo de focos necróticos en el hígado. En animales más viejos, tiene tendencia a afectar el sistema nervioso central, produciendo encefalitis o encefalomielitis. La infección también tiende a localizarse en los órganos reproductores, causando abortos en animales grávidos. Entre los animales domésticos, el cordero parece ser el más susceptible; la enfermedad adquiere en él forma fulminante con mortalidad elevada, tomando en ocasiones considerable importancia económica; en estos animales, se conoce como "enfermedad en círculos" pero no siempre hay síntomas importantes de infección del sistema nervioso central. También el ganado se infecta, los cerdos menos frecuentemente; rara vez se infecta el caballo. En colonias de animales productores de piel, como zorras y chinchillas, han ocurrido epizootias.

De los animales de experimentación comunes,[41] el ratón y el conejo parecen ser los más susceptibles; fácilmente se produce en ellos infección mortal mediante inoculación intraperitoneal o intravenosa. El cobayo es menos susceptible y no puede infectarse de muerte con regularidad. Las cepas lisas recién aisladas de *Listeria monocytogenes* parecen ser casi invariablemente muy virulentas y la prueba de virulencia es un elemento importante para su clasificación; pero debido a que la virulencia se pierde fácilmente en cultivo en medios de laboratorio, al probar cepas cultivadas parece variar ampliamente de una cepa a otra.

En el hombre,[50] la listeriosis puede ser una infección localizada de mucosas o de piel, de gravedad variable, dando síntomas respiratorios, angina, afección de los linfáticos regionales y, en ocasiones, conjuntivitis. La monocitosis es frecuente en esta clase de infección. Puede adoptar la forma de septicemia generalizada, o progresar hasta ella, infectando el aparato reproductor con transmisión transplacentaria hacia el feto, infección puerperal en la mujer embarazada, o afección del sistema nervioso central produciendo encefalitis. Las lesiones histológicas son granulomas y necrosis focales. El diagnóstico no puede fundarse en la sintomatología; la forma séptica con angina y monocitosis no puede distinguirse de la mononucleosis infecciosa de etiología viral u otra (capítulo 36); la encefalitis, en la cual la monocitosis no es un hecho constante, no difiere significativamente de la encefalitis de otra etiología, bacteriana, viral, etc. El promedio de mortalidad es alto, posiblemente del 70 por 100. También ocurren infecciones abortivas o asintomáticas, cuya frecuencia relativa no se conoce. Las tetraciclinas y las sulfamidas se consideran agentes quimioterápicos bastante eficaces cuando se administran oportunamente; la penicilina no parece ser constantemente eficaz. El microorganismo puede aislarse de la sangre o de la médula ósea mediante punción esternal, al principio de la enfermedad, del material purulento de los ganglios linfáticos y de las le-

siones cutáneas, o muestras de escobillado de las mucosas, y del líquido cefalorraquídeo cuando el sistema nervioso central está afectado.

Epidemiología.[25] La epidemiología de la listeriosis dista mucho de ser clara. Se considera primariamente enfermedad de los animales inferiores, posiblemente teniendo como reservorio de la infección a roedores, según sugiere el aislamiento del microorganismo en tales animales en estado salvaje. Sin embargo, solo en relativamente pocos casos de infección confirmada se ha podido encontrar la fuente de infección. Entre los animales domésticos, varios investigadores han encontrado relación con ciertos alimentos, especialmente en los silos, y *Listeria monocytogenes* ha sido aislado directamente de los silos.[19] La fuente de contaminación de los silos es otro tema; no puede descartarse una etapa saprófita en la historia del microorganismo. Es probable que el hombre adquiera la infección de animales inferiores por contacto directo o indirecto. Exceptuando infección transplacentaria del feto, o infección neonatal adquirida al nacer, la enfermedad no parece transmitirse de una persona a otra.

Erysipelothrix rhusiopathiae[99]

Se ha comprobado que microorganismos estrechamente relacionados con los actinomicetos son agentes causales de la erisipela porcina y una variedad de septicemia del ratón; también infectan al hombre produciendo una enfermedad llamada erisipeloide, para distinguirla de la erisipela de etiología estreptocócica. Durante algún tiempo se pensó que el organismo de la septicemia del ratón aislado por Koch, el aislado del cerdo por Pasteur y Thuillier, y por Löffler y el encontrado por Rosenbach en la erisipeloide del hombre, eran especies diferentes de un género llamado *Erysipelothrix* y se denominaron *Erysipelothrix muriseptica*, *Ery. rhusiopathiae* y *Ery. erysipeloides*, respectivamente. El primero, a veces llamado *Bact. murisepticum*, no debe confundirse con *Pasteurella muriseptica*, que también tiene el mismo sinónimo. Otros nombres que se han usado son *Ery. rhusiopathiae suis*, *Ery. porci*, *Bacillus erysipelatis suis*, *Actinomyces rhusiopathiae* y bacilo del cerdo *rotlauf*. Actualmente hay acuerdo en que estos organismos son variedades idénticas, o por lo menos estrechamente relacionadas, de la misma especie, ya que si su morfología es variable, son inmunológicamene idénticos y se reconocen como especie única, *Ery. rhusiopathiae*. Algunos investigadores consideran estos microorganismos relacionados con *L. monocytogenes*.

Morfología y fisiología.[81] *Ery. rhusiopathiae* se presenta en dos tipos morfológicos bastante definidos, generalmente denominados liso y rugoso, aun-

que su relación con las variantes S y R de disociación bacteriana no está clara. La variedad lisa aparece como un bastón recto grampositivo, no esporulado, inmóvil, pequeño, a veces ligeramente curvado. En los frotis de la forma rugosa, algunas veces se encuentran largas cadenas de bacilos y filamentos, eventualmente en rosario y mostrando zonas hinchadas. Ambos se colorean fácilmente y algunas veces en forma irregular con gránulos teñidos intensamente. Las colonias de forma lisa en medios sólidos son redondas, convexas, amorfas, claras como el agua y pequeñas, posiblemente de 0.1 mm de diámetro; los caldos de cultivo son uniformemente turbios. La forma rugosa produce colonias mayores con aspecto granular, ensortijada como el de las colonias muy pequeñas de bacilos del carbunco, en tanto que el desarrollo en medios líquidos se hace en forma de masas velludas con poca turbiedad o sin ella. El desarrollo más característico se logra en cultivos de gelatina; aparecen colonias globuliformes a lo largo de la línea de inoculación, de la cual parte una prolongación filamentosa lateral a modo de escobillón de tubo de ensayo.

El microorganismo es microaerófilo, pero puede crecer en condiciones aerobias o anaerobias; se desarrolla en caldos usuales con 24 horas de incubación a temperatura óptima de 30°C. No crece en patata. Las reacciones de fermentación son variables según la cepa, pero la mayor parte fermentan glucosa, lactosa y levulosa.[96] Reducen el nitrato produciendo sulfuro de hidrógeno, pero sin formar indol, y no cambian la leche tornasolada o solo la acidifican ligeramente.

Ery. rhusiopathiae es algo más resistente de lo ordinario a la desecación y a varios procesos de conservación como el ahumado, adobado y salado; sobrevive durante periodos relativamente largos en carne putrefacta y agua. Probablemente en las regiones infectadas se presentan recidivas de la enfermedad año con año debido a la supervivencia de los microorganismos en la suciedad.

Patogenicidad para animales inferiores. En el cerdo, se encuentran cuatro variedades clínicas de la enfermedad. En la forma septicémica aguda, con lesiones de vísceras y de los órganos internos, la mortalidad es alta, posiblemente de 80 por 100, con muerte en tres a cinco días. La forma urticárica, llamada de "rombos" debido a la presencia de bloqueos romboidales rojizos o purpúricos en la piel, puede presentarse con afección visceral o sin ella, y rara vez es mortal. La forma crónica es una endocarditis vegetante con erosión sobre todo de las válvulas mitrales; la muerte siempre se produce con el tiempo. Las otras variedades clínicas pueden complicarse de artritis u ocurrir independientemente. Generalmente no es mortal, pero detiene el crecimiento. Los microorganismos se excretan en cantidades abundantes con las heces y generalmente se cree que la infección natural se hace por vía bucal, no obstante que la ingestión experimental ha dado resultados irregulares. La infección se disemina en parte mediante portadores sanos y por animales enfermos; la alimentación de cerdos con desperdicios probablemente influya en casos aislados. La erisipela porcina es de mucha importancia económica en Europa, especialmente en Alemania, donde se llama *Schweinerotlauf;* en años recientes se ha comprobado que es más importante en Estados Unidos, por lo menos en algunas regiones, de lo que se creyó inicialmente.

En ocasiones, los carneros se infectan con *Ery. rhusiopathiae* y desarrollan una forma poliartrítica de la enfermedad. El microorganismo también es patógeno para diversas aves, y en Estados Unidos de Norteamérica los pavos son afectados de gravedad; la cianosis es signo clínico importante y manifiesto en la "cresta azul". También se ha encontrado en ratas campestres que posiblemente deban considerarse reservorio de infección, y tal vez, fuente de la enfermedad del hombre.

La enfermedad puede reproducirse mediante inoculación del cerdo, pero con resultados irregulares. De los animales de laboratorio usuales, el ratón blanco y la paloma son muy susceptibles, muriendo en uno a cuatro días después de la inoculación subcutánea, empleándose frecuentemente para el diagnóstico. El conejo no es muy susceptible, y el cobayo es bastante resistente. En general, la virulencia del microorganismo varía ampliamente.

Patogenicidad para el hombre.[42, 67] La infección del hombre con *Ery. rhusiopathiae* es bien conocida. La variedad septicémica con eritema difuso es rara; solo se han señalado muy pocos casos. La forma crónica con endocarditis y poliartritis también es muy rara. La variedad usual de infección es una lesión eritematoedematosa, desarrollándose comúnmente la lesión local en los dedos de la mano, a partir de una herida por la que penetra la infección. La lesión, no obstante su diseminación, nunca rebasa la muñeca. Hay cierta inflamación y eritema extenso de la lesión; algunas veces, artritis local y adenitis regional. Generalmente, la enfermedad cura espontáneamente en un mes. El microorganismo puede cultivarse a partir de un fragmento de piel lesionada.

En el hombre, la infección casi invariablemente puede investigarse en su origen por contacto con animales y sus productos, como carne, pieles, huesos, estiércol o pescado y mariscos; por lo tanto, la enfermedad se relaciona con ciertas ocupaciones. Por ejemplo, más de la mitad de los casos se han observado en Filadelfia, en trabajadores de mataderos. Se ha visto asimismo en obreros de una fábrica de botones de hueso que emplean huesos de cerdo y de bovinos, y con bastante frecuencia en individuos que manipulan pescado. También ocurre en personas que trabajan en cocinas con carnes y pescados crudos. En Estados Unidos de Norteamérica la principal fuente de infección parece ser el contacto con peces y crustáceos vivos. Hettche señaló haber encontrado *Ery. rhusiopathiae* en 10 de 30 muestras de agua de drenaje en Königsberg, Prusia, y en cinco de 52 muestras en Munich; al parecer, la fuente fueron rastros donde se mataban animales enfermos. En condiciones experimentales, los microorganismos no solo sobreviven varios días en el agua, sino que el pez desarrolla una infección latente cuando ingiere carne infectada; el

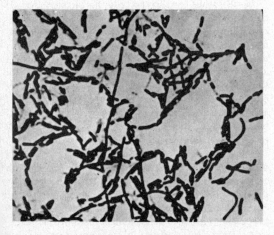

FIG. 26-7. *Erysipelothrix rhusiopathiae.* Cultivo puro. Nótese la semejanza de este microorganismo con los actinomicetos; × 1 000. (Kral.)

microorganismo puede aislarse en la mayor parte de los órganos, incluyendo el riñón, y se excreta en cantidades abundantes contaminando el agua.

Inmunidad. En cerdos infectados, hay una respuesta inmunitaria definida, demostrable por la formación de aglutininas, que tiene valor diagnóstico. Inmunológicamente, *Ery. rhusiopathiae* es relativamente homogéneo, pero mediante absorción recíproca pueden distinguirse grupos serológicos.[40, 95] El antisuero tiene utilidad terapéutica; en el hombre se da por vía intramuscular o infiltrándolo alrededor de la lesión local. La inmunización pasiva del cerdo es un medio profiláctico eficaz, pero la inmunidad no dura más de dos semanas. Los animales pueden inmunizarse activamente con la vacuna desarrollada por Pasteur y Thuillier, quienes atenuaron el microorganismo mediante pasos en conejo. Sin embargo, la erisipela vacunal ocurre con cierta frecuencia, y el método ha sido reemplazado por la inoculación simultánea de cultivo virulento y antisuero. Como la vacuna conserva y disemina la infección en rebaños, el Departamento de Industrias Animales ha permitido solamente su empleo limitado en Estados Unidos de Norteamérica, en regiones donde la enfermedad ha llegado a ser predominante. Ambos métodos protegen adecuadamente durante ocho a 12 meses; para la crianza de ganado se requiere reinmunización periódica.

Bacilos anaerobios no esporulados (bacteroides)

Hay un amplio grupo de bacilos anaerobios no esporulados que generalmente son gramnegativos. Normalmente habitan en las vías respiratorias superiores, los genitales y el colon, donde pueden tener mayor importancia que la flora aerobia;[101] con frecuencia los microorganismos se relacionan con procesos ulcerosos de las mucosas y, en circunstancias favorables, invaden los tejidos produciendo abscesos o llegan al torrente circulatorio originando septicemia.[91] Generalmente estas bacterias son omitidas en los exámenes bacteriológicos ordinarios; pueden encontrarse en el "pus estéril" obtenido al abrir quirúrgicamente abscesos y afecciones semejantes, en los que no se encuentran bacterias mediante los métodos comunes de cultivo. Dack[8] los encontró en 200 de 5 180 muestras del Departamento de Cirugía de la Universidad de Chicago, enviados para examen bacteriológico ordinario, con frecuencia de alrededor del 4 por 100.

La relación de estos microorganismos con otras bacterias es incierta. Probablemente como grupo constituya varios géneros, y no pueden considerarse como especies de un género único, si no es en forma provisional. Morfológicamente, son heterogéneos, variando desde las formas de bastón recto que pueden adelgazarse en sus extremos produciendo los llamados bacilos fusiformes, hasta las formas filamentosas y ramificadas características de los hongos más evolucionados. El alto grado de pleomorfismo característico de estas formas se debe principalmente a la forma de reproducción, en la cual se producen cuerpos redondos y voluminosos de los que se separan las células hijas. Estas suelen parecerse a las células bacilares progenitoras, pero a veces se presentan como elementos mucho menores, en la llamada variedad L.[80]

La especie única ha recibido varios nombres genéricos, incluyendo Bacillus, Bacterium, Necrobacillus, Bacteroides, Corynebacterium, Streptothrix y Actinomyces. Las descripciones de estas bacterias han sido recopiladas, y Prevot[66] ha sugerido una clasificación más o menos elaborada.

La clasificación de Bergey separa estas formas en dos familias y ocho géneros (excluyendo los estreptobacilos), con bases morfológicas, a saber:

Bacteroidaceae
    Bacteroides (cabos redondeados)
    Fusobacterium (cabos afilados)
    Dialister (diminuto, diámetro de 150 nm o menos)
    Sphaerophorus (pleomórficos)
Lactobacillaceae
    Lactobacilleae
        Eubacterium (sin filamentos)
        Cantenabacterium (sin filamentos)
        Ramibacterium (ramificación falsa)
        Cillobacterium (móvil)

La dificultad estriba en que la característica de no formar esporas y el requerir condiciones anaerobias para el desarrollo incluyen lo que en otra forma sería un grupo heterogéneo de microorganismos, y no solo estos sino también estreptococos anaerobios, Viellonella, etc., la mayor parte de los cuales se conocen poco, tanto en su relación mutua como en otros microorganismos. Por lo tanto, y para nuestros propósitos, se describirán bajo el nombre único de Bacteroides sin implicación genérica en sentido taxonómico.

Estas formas, abundantes en las heces normales, pueden crecer en medios usuales de laboratorio. Sin embargo, las que se relacionan con enfermedades del hombre son exigentes para su nutrición y requieren caldos enriquecidos con sangre, levadura o extractos vegetales y substancias semejantes, además de glucosa y cisteína. En algunos casos pueden aislarse en infusión de agar-sangre de ternera o de res. Algunas cepas crecen en medios de aminoáci-

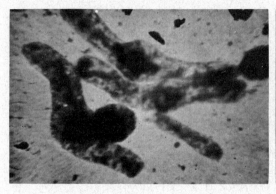
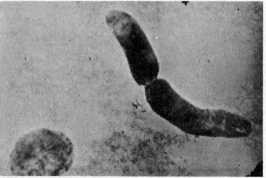

FIG. 26-8. *Bacteroides funduliformis.* Micrografías electrónicas. *Derecha,* Un par de células producto de división simple, fijado en formol; ✕ 3 300. *Izquierda,* Células hinchadas mostrando material granular, especialmente en las zonas hinchadas, fijado en formol; ✕ 4 900. (Smith, Mudd y Hillier.[80])

dos complementados con todas las vitaminas bacterianas conocidas; el ácido pirúvico parece ser muy importante para la nutrición de estos organismos. El pH óptimo es de 6.3 a 7.0, y la mejor temperatura de desarrollo de 37ºC. Las condiciones absolutamente anaerobias son esenciales y el desarrollo se favorece con bióxido de carbono.[35] In vitro, son sensibles a la tetraciclina y al cloramfenicol, pero resisten a la estreptomicina y la penicilina.[83] Describiremos brevemente las bacterias mejor conocidas de este grupo.

Bacteroides fusiformis (*Bacillus fusiformis, Fusiformis fusiformis, Fusobacterium plauti-vincenti*). Estos bacilos fusiformes se encuentran en estomatitis ulcerosa (boca de trinchera) y en la angina de Vincent. Su relación con las espiroquetas con las cuales generalmente se asocia, se considera en una sección anterior y cap. 32. Son bacilos delgados rectilíneos o curvados, frecuentemente de forma filamentosa. Son gramnegativos y tienden a teñirse irregularmente con los colorantes analínicos comunes. Producen ácido a partir de glucosa, levulosa, sacarosa, y algunas veces lactosa, pero no producen gas. Pueden aislarse en agar-sangre, incubado en anaerobiosis; las colonias son pequeñas, rodeadas por una zona de hemólisis verde. *Bacteroides fusiformis* no es patógeno para los animales de experimentación en cultivo puro, pero en cultivos mixtos produce abscesos.

Bacteroides fragilis (*Bacillus fragilis, Fusiformis fragilis*). Esta bacteria fue encontrada por Veillon y Zuber en 22 casos de apendicitis, y desde entonces se ha encontrado en abscesos hepáticos, pélvicos y pulmonares, en septicemias con abscesos metastáticos, y en infecciones de las vías urinarias. Las células son pequeñas en forma de bastón delgado, a veces ligeramente curvado. Son gramnegativos e inmóviles. *Bact. fragilis* es difícil de aislar, pero puede desarrollarse en los medios usuales de laboratorio. Las colonias son pequeñas (menos de 1 mm) y transparentes. En agar-sangre no se manifiesta la hemólisis. Existe neta tendencia a la autólisis con aparente resorción de las colonias, y los cultivos en caldo no son viables después de siete a ocho días de incubación. Fermenta varios azúcares, produciendo ácidos y gas. La patogenicidad de esta bacteria en el animal de experimentación es incierta.

Bacteroides funduliformis (*Actinomyces necrophorus, Fusiformis necrophorus, Streptothrix necrophorus, Bacillus necrophorus, Corynebacterium necrophorum,* bacilo de Schmorl). Estos bacilos se han encontrado en abscesos de hígado, pulmón y otras partes del cuerpo, en colitis ulcerosas crónicas y en el torrente circulatorio. Las infecciones con estos microorganismos probablemente sean más frecuentes de lo que generalmente se cree. *Bact. funduliformis* se ha encontrado tanto en animales inferiores como en abscesos hepáticos de bovinos. Los bacilos son altamente pleomórficos; pueden encontrarse bastones delgados rectos, y curvados con for-

FIG. 26-9. Bacilos fusiformes en un frotis teñido de cultivo anaerobio en agar-sangre. ✕ 1 800. (Hemmens.)

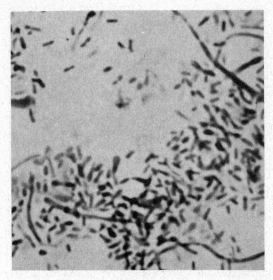

FIG. 26-10. *Bacteroides funduliformis.* Las formas hinchadas y filamentosas y débilmente teñidas, "células fantasma", son características de los frotis teñidos en la forma usual. × 1 000. (Dack.)

mas filamentosas e hinchadas, y "células fantasmas" que frecuentemente no se colorean. Hay gran tendencia a la tinción irregular, y los bacilos son gramnegativos. Las colonias en agar-sangre son de tamaño variable de una placa a otra y rodeados de una zona de hemólisis verde que puede aclararse con exposición prolongada de aire. Fermentan glucosa, maltosa y levulosa produciendo ácido; no hay datos de acción proteolítica en gelatina o en cultivos de clara de huevo coagulada. Algunas cepas originan lesiones necróticas diseminadas inyectadas subcutáneamente al conejo, que generalmente son mortales; otras solo producen lesión localizada. Los cobayos son relativamente resistentes.

Bacteroides ramosus *(Fusiformis ramosus, Ramibacterium ramosum, Bacillus ramosus.* No debe confundirse con *Bacillus ramosus,* nombre algunas veces aplicando a *Bacillus mycoides).* Estas bacterias se encuentran frecuentemente en pus de apendicitis y casos de gangrena pulmonar. Son bastones delgados, pequeños, que a menudo muestran formas

en Y, ramificadas y seudofilamentosas. Son grampositivos. *Bact. ramosus* es patógeno para animales de experimentación, produciendo abscesos al inyectarse subcutáneamente al conejo o el cobayo; la inoculación intravenosa causa infecciones mortales.

Bacteroides melaninogenicus *(Ristella melaninogenica).* Este microorganismo se ha encontrado en boca, amígdalas, heridas abdominales infectadas, infecciones fecales renales, heces de pacientes con disentería crónica y en casos de sepsis puerperal. Se describe como un microbacilo gramnegativo, muy pequeño. En agar-sangre sus colonias son negras, debido a la formación lenta (cuatro a cinco días) de pigmento melánico. *Bact. melaninogenicus* se desarrolla bien en cultivo mixto, pero en forma dispersa en cultivo puro. En difícil de obtener en cultivo puro; cuando en una colonia se mezcla con otras bacterias, la ennegrece toda. Forma ácido a partir de glucosa, levulosa, lactosa, maltosa, sacarosa y manitol.

Es bastante proteolítica y digiere rápidamente el suero coagulado y otras proteínas naturales. Su poder patógeno como invasor primario es dudoso.

Bacteroides pneumosintes *(Dialister pneumosintes).* *Bact. pneumosintes* fue descrito por Olitsky y Gates como agente causal de la influenza. Ahora sabemos que no tiene relación con esta enfermedad. Su patogenicidad para el hombre es dudosa. Puede cultivarse a partir de lavados nasofaríngeos, en medio de Smith-Noguchi (líquido de ascitis humana conteniendo un fragmento estéril de riñón de conejo, y cubierto con una capa oclusora de vaselina) y después de pocas resiembras puede desarrollarse en condiciones anaerobias, en agar-sangre, agarchocolate y medio de Bodet. Estas bacterias son cuerpos diminutos dispuestos aisladamente, a pares o en cadenas cortas; son inmóviles y gramnegativos. Gracias a su pequeño tamaño pasan los filtros de Berkefeld V y N. Producen ácido a partir de glucosa, pero no producen gas; no fermentan otros azúcares. Si se inyectan al conejo por vía intratecal masas de cultivo, hay aumento de temperatura, algunas veces conjuntivitis y leucopenia mononuclear, con recuperación en dos a tres días. Si se sacrifica al animal, se encuentran pulmones edematosos con hemorragias en la superficie. *Bact. pneumosintes* no es patógeno para el mono.

Streptobacillus moniliformis (fiebre por mordedura de rata, fiebre de Haverhill)

El microorganismo conocido indistintamente como *Streptothrix muris-ratti,* *Haverhillia multiformis,* *Streptobacillus moniliformis,* *Actinomyces muris* y *A. muris-ratti* causa una enfermedad febril aguda

que en ocasiones ha recibido el nombre descriptivo de eritema multiforme. También se llama fiebre por mordedura de rata debido a que puede adquirirse por mordedura de ratas infectadas.

Durante bastantes años, la causa de la enfermedad conocida como fiebre por mordedura de rata fue atribuida por Schottmüller, Blake y otros a un hongo aislado de la sangre de pacientes, que recibió el nombre de *Streptothrix muris-ratti;* la investigación japonesa indicó que una enfermedad semejante, conocida en Japón como *sodokú,* era causada por una espiroqueta. En 1925, en Haverhill, Massachusetts, ocurrió una enfermedad epidémica producida por la leche, con caracteres clínicos característicos y desusados, a la que Place, Sutton y Willner [64] dieron el nombre descriptivo de *eritema artrítico epidémico* o fiebre de Haverhill. El microorganismo causal fue aislado por Parker y Hudson,[59] resultando ser una actinomicetácea, dándole el nombre provisional de *Haverhillia multiformis.* En el mismo año, Levaditi,[46] independientemente, estudió un microorganismo análogo, de un caso clínicamente semejante a la fiebre de Haverhill, y lo llamó *Streptobacillus moniliformis.* Otra investigación logró resultados semejantes. La investigación japonesa también ha sido ampliamente confirmada, y actualmente se sabe que hay dos variedades de fiebre por mordedura de rata, de etiología completamente diferente.

Como los demás actinomicetos, el microorganismo es pleomórfico en cultivo, con filamentos ramificados, encontrándose en los frotis teñidos formas bacilares y cocobacilares. La tinción puede ser irregular, encontrándose células en forma de maza e hinchadas. Se ha sugerido que este organismo se relacionaba con los del grupo de la pleuroneumonía. No es acidorresistente y es gramnegativo. Requiere para su desarrollo medios enriquecidos. Parker y Hudson comprobaron que la sangre total de conejo, coagulada y después inactivada, y el caldo con suero o líquido de ascitis, eran medios líquidos excelentes, y que el extracto de patata glicerinada mezclado con caldo y enriquecido con yema de huevo y coagulado por condensación era el mejor medio sólido. El medio de suero de Löffler no es particularmente satisfactorio. El desarrollo es netamente mejor en condiciones anaerobias, y en presencia de bióxido de carbono, que en aire.

Cuando la enfermedad del hombre se adquiere por mordedura de rata, la herida inicial sana, pero después de una semana o 10 días se inflama y duele. Aparece adenitis seguida de síntomas de intoxicación que son el primer dato de la enfermedad adquirida por la leche. Incluyen cefalea, escalofríos, vómitos y malestar general. Aparece una erupción morbiliforme, especialmente en las extremidades, y hay artritis múltiple, a menudo grave. El parecido clínico con la fiebre por mordedura de rata causada por espiroquetas es muy estrecho. El microorganismo causal puede aislarse mediante hemocultivo y se ha encontrado en el líquido de articulaciones afectadas. Se forman aglutininas, que según Brown y Nunemaker [1] son de considerable valor diagnóstico.

Se ha comprobado que *S. moniliformis* es un parásito normal de la rata y el ratón y se halla en la nasofaringe. Puede volverse patógeno para el huésped roedor y producir enfermedades epidémica o esporádica de variedad septicémica aguda o poliartrítica crónica. En Australia se observó una epizootia de la última variedad. El microorganismo también se ha encontrado en la bronconeumonía de la rata. A pesar de su baja virulencia en inoculación artificial para la rata, se ha producido infección experimental con una cepa que produce osteoartritis.[45] Está comprobado que el hombre puede adquirir la enfermedad por mordedura de rata normal, y probablemente casi todos los casos esporádicos se originen en esta forma. Brown y Nunemaker opinan que en Estados Unidos de Norteamérica la mordedura de rata produce infección estreptobacilar mucho más frecuentemente que espiroquetósica. El número de casos sin diagnóstico, y la proporción de casos previamente comunicados de fiebre por mordedura de rata que fueron infecciones por *S. moniliformis* es desconocido. Como antes se dijo, la infección de Haverhill fue transmitida por la leche; otro brote producido por la leche, que afectó 86 personas, fue comunicado en 1934. Parker y Hudson hallaron datos interesantes que sugerían que la leche de Haverhill estaba contaminada por una vaca infectada, lo cual, sin embargo, no pudo probarse; otros han sugerido, como posibilidad, la contaminación de la leche, producida por ratas.

Bartonella y microorganismos relacionados

BARTONELLA BACILIFORMIS

La fiebre de Oroya, una anemia infecciosa, y la verruga peruana, enfermedad caracterizada por erupciones nodulares o miliares, han existido durante siglos en ciertos distritos de Perú y recientemente se han observado en Colombia y Ecuador. Carrión demostró, inoculándose él mismo el proceso que le

costó la vida, que ambas son periodos o manifestaciones de una sola enfermedad que comúnmente se denomina *enfermedad de Carrión.*[73] El agente causal es un bacilo pleomórfico pequeño, observado por Barton, en 1905, y llamado *Bartonella bacilliformis* por Strong, Tyzzer y Sellards.

Morfología y tinción.[52] *Bart. bacilliformis* es un bacilo pequeño, móvil, aerobio, gramnegativo, de

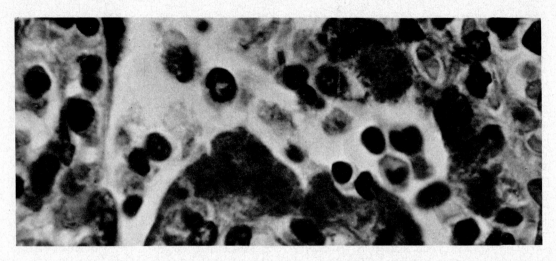

FIG. 26-11. *Bartonella bacilliformis* en bazo humano. Nótese la enorme cantidad de microorganismos acumulados en las células de revestimiento. Giemsa; × 1 450. (Humphreys.)

0.2 a 0.5 μ de diámetro y de 1 a 2 μ de longitud, que se presenta como un bastón ligeramente curvo, aislado, en pares unidos por los extremos y en cadenas cortas. También se observa una forma ovoide, redondeada, de 0.3 a 1 micra de diámetro, aislada, en pares y en grupos. Se tiñe de color rojizo o violeta con el Giemsa, mostrando a veces un gránulo rojizo purpúrico en el extremo de un bastón azulado.

Fisiología. Este microorganismo fue cultivado primero en medio semisólido para leptospiras, después en cultivo de tejido y en embrión de pollo en desarrollo; pero en el último no pudo transportarse en pasos seriados. En cisteína-glucosa-agar-sangre, hay crecimiento diseminado, y aparentemente se requiere factor X, no así el factor V. Gieman [20] ha preparado un medio triptonosérico en forma sólida o líquida que logra un excelente crecimiento. Se conoce poco de sus procesos fisiológicos.

Patogenicidad para el hombre.[72] Como antes se indicó, la enfermedad se presenta en dos formas: la generalizada, en la cual se infectan los eritrocitos, y la forma cutánea histoide. Ambas pueden ser independientes, coexistir u ocurrir separadamente, pero el curso usual es la forma generalizada seguida de la forma cutánea, si la primera no es mortal, o la forma cutánea aislada. La primera es una anemia febril, grave, a menudo mortal. El periodo de incubación es de unas tres semanas. Con frecuencia la anemia es intensa, y la pérdida de eritrocitos puede ser de 200 000 a 300 000 por milímetro cúbico y por día hasta llegar a un número total de un millón o menos. Se cree que la anemia depende de acción directa del microorganismo sobre los eritrocitos, incluyendo hemólisis y hasta hemorragias tisulares.[71] La fiebre es de tipo remitente y regular, y son comunes el dolor óseo y articular, y la cefalea. La mortalidad es de 20 a 40 por 100; la muerte ocurre dos a tres semanas después del principio. Al recuperarse, aparece la fase eruptiva de la enfermedad, que persiste dos a tres meses. Tanto si este periodo sigue a la forma generalizada como si es la primera manifestación clínica de la infección, se caracteriza por una erupción miliar o nodular; la primera es, con mucho, la más frecuente. La erupción miliar es más frecuente en la cara y los miembros; aparece como una mácula que se hace nodular y con el tiempo desaparece sin dejar cicatriz. La variedad de erupción nodular evoluciona más lentamente; los nódulos pueden llegar a dos o tres centímetros de diámetro con tendencia a estrangularse. Se forman por proliferación de las células endoteliales de los vasos, que se obstruyen con exudado inflamatorio de células plasmáticas y fibroblastos, con gran tendencia a la hemorragia.

En la fiebre de Oroya las células bartonelósicas son abundantes dentro de los eritrocitos y pueden demostrarse en frotis de sangre teñidos con Giemsa. En ambas formas de la enfermedad se encuentran en los tejidos macrófagos, especialmente en las células endoteliales vasculares de linfáticos, bazo e hígado, a menudo en racimos voluminosos dentro de las células individuales. Frecuentemente la infección se complica con salmonelosis, y la mortalidad es elevada.[6] Se ha señalado que los hemocultivos frecuentemente son positivos en la infección generalizada, pero no está definido si este es un método de diagnóstico seguro. La enfermedad se ha tratado con éxito mediante cloramfenicol y tetraciclina.[92, 100]

Epidemiología. La bartonelosis tiene limitación geográfica estricta; hasta donde se sabe es americana y tropical, ocurriendo en los Andes entre las latitudes 2° N y 13° S. Es transmitida por *Phlebotomus verrucarum* y *P. noguchii*, en Perú; no se sabe si otras especies de flebotomo u otros artrópodos, como el *Dermacentor*, son vectores naturales. Las ardillas campestres del Perú *(Citellus tridecemlineatus)* se han infectado experimentalmente,[33] y junto con otros animales domésticos, incluyendo pollos, cobayos y ratones de campo, quizá puedan infectarse en forma natural. No se sabe si hay reservorios animales de la infección o si la enfermedad se conserva solo por infecciones del hombre.

Inmunidad. Generalmente se admite que la recuperación de un ataque de cualquier forma de la enfermedad confiere inmunidad sólida para ambas. Mediante el cultivo de *Bart. bacilliformis* ha sido posible estudiar la frecuencia de anticuerpos circulantes, aglutininas e investigar las posibilidades de inoculación profiláctica. Durante las primeras etapas de la enfermedad pueden demostrarse aglutininas pero, a pesar de la inmunidad duradera, casi siempre desaparecen al ceder los síntomas clínicos. Todavía se desconoce su valor diagnóstico.

Patogenicidad para los animales. En general, los animales de experimentación parecen muy resistentes a la infección con *Bart. bacilliformis*. Las formas eruptiva y generalizada de la enfermedad han sido reproducidas en el mono rhesus; la última, en animales esplenectomizados.

MICROORGANISMOS RELACIONADOS

Bartonelosis de animales. La forma natural de la bartonelosis se ha encontrado en muchos animales, incluyendo perros, reses y varios roedores. La enfermedad adopta la forma generalizada más que la eruptiva, y generalmente es latente, pero se activa al disminuir la resistencia del huésped, por ejemplo con esplenectomía. Los organismos de tipo bartonelósico de los animales inferiores se han separado en tres géneros: Haemobartonella, Grahamella que incluye una sola especie *(Grahamella talpae)* que di-

fiere de la Haemobartonella en que la infección no se erradica con arsenicales, y Eperythrozoon, más pleomórfico que los dos primeros grupos y que se encuentra en el plasma y en los eritrocitos. Ninguna de estas formas se ha cultivado y ninguna parece ser patógena para el hombre.

La encontrada más frecuentemente es *Haemobartonella muris* que infecta ratas y es transmitida por el piojo de la rata, *Haematopinus*, y la pulga de la rata, *Xenopsylla cheopis*. La infección es muy frecuente; la mayor parte de ratas de laboratorio están infectadas. La infección es latente y puede desencadenarse en forma aguda mediante la esplenectomía, apareciendo eritrocitos parasitados en la sangre circulante. Con propósitos experimentales, se mantienen cepas de ratas libres de bartonelas. *H. canis* causa una anemia infecciosa del perro y es transmitida por la pulga del perro, Ctenocephalus. *H. tyzzeri* se presenta en cobayos. *H. microtii* en el ratón campestre, *H. bovis* en el ganado, y otras especies en ratones, musarañas y ardillas.

La eperitrozoonosis también ocurre como infección latente que es activada por esplenectomía. *Eperythrozoon coccoides* es un parásito del ratón blanco, y otras especies se presentan en ratones de campo. La enfermedad ocurre también en corderos y reses; los microorganismos causales son *E. ovis* y *E. wenyonii*, respectivamente.

Posición sistemática de Bartonella. Las relaciones de estos microorganismos con bacterias, por una parte, y con rickettsias y virus, por otra, tienen cierto interés. Entre las bacterias, la tendencia a parasitar células del huésped y a aparecer como racimos intracelulares de microorganismos es más ostensible en *Past. tularensis*, que frecuentemente es intracelular. Bartonella muestra una preferencia mucho mayor por el parasitismo intracelular y ambas, en este aspecto y en cuanto a su morfología, parecen estrechamente relacionadas con las rickettsias. Sin embargo, hay acuerdo general en que la relación no es suficientemente estrecha para justificar su clasificación como rickettsias, y pueden considerarse situadas entre estas y las bacterias.

Mycoplasma; microorganismos del tipo de pleuroneumonía (PPLO)[13, 79]

El primer microorganismo filtrable descrito de un grupo aparentemente homogéneo, muy pleomórfico, es el agente causal de la pleuroneumonía bovina. Posteriormente se han encontrado muchas formas semejantes, parásitas o saprófitas. Se han denominado grupo de la pleuroneumonía u organismos del tipo de pleuroneumonía, pero ninguno de los restantes produce pleuroneumonía en el ganado. Quedan situados bastante aparte de otros mi-

croorganismos, y se consideran dentro de un género único, Mycoplasma; el organismo de la pleuroneumonía bovina se toma como especie tipo, *Mycoplasma mycoides*.

Morfología y tinción.[12, 70, 94] Muy probablemente hay poco o ningún microorganismo tan pleomórfico como este. Preparaciones por impresión de colonias muestran gránulos de varios tamaños, filamentos que pueden ser ramificados y contener

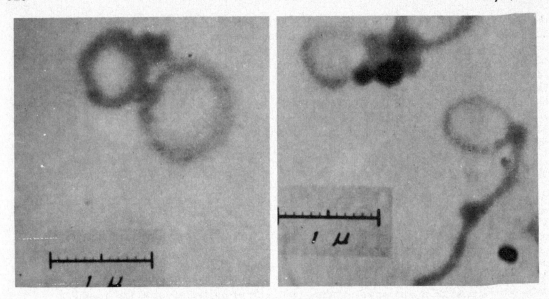

FIG. 26-12. Micrografías electrónicas de las formas anulares de organismos del tipo de la pleuroneumonía. (Laboratorios de Investigación Lilly.)

protoplasma circulante, estructuras discoides o en globo, formas en estrella, en maza o en anillo y estructuras amiboides. Los filamentos son más numerosos en los cultivos recientemente aislados y tienden a no formarse en cultivos antiguos. La morfología microscópica de estas formas se ilustra en las figuras adjuntas. El pleomorfismo intenso se debe en parte a la fragilidad de los microorganismos, muchos de los cuales se encuentran aislados en los frotis, o como sucede con *Bact. funduliformis,* en parte es consecuencia de la forma de reproducción diferente de la fisión binaria; es decir, el desarrollo de cuerpos redondeados que se transforman en nodulares que los segmentan en células hijas. Este proceso ha sido estudiado detalladamente por medio de micrografías electrónicas. Las estructuras viables varían ampliamente en tamaño e incluyen elementos ultramicroscópicos que son filtrables. Se han descrito experimentos con filtración a través de membranas de gradocol, en las cuales la concentración de microorganismos en una emulsión se redujo de 10^8 a 10^5 por paso a través de una membrana de APD 0.8 micras. Esta proporción disminuye progresivamente con membranas de poros de tamaño decreciente, pero la retención no fue completa hasta que se empleó la membrana de 0.33 micras. En contraste, el punto final suele ser preciso en la filtración de virus. Basándose en estas observaciones, se estimó que el diámetro de los elementos viables menores era de 165 a 247 nm. Estimaciones semejantes varían algo para otras cepas; por ejemplo, el agente de la pleuroneumonía tiene 125 a 175 nm. Estas formas no pueden encontrarse en los tejidos con ningún método de tinción. No son demostrables coloreando con anili-

nicos suaves, pero se tiñen mediante ciertos métodos policrómicos, el Giemsa y el colorante para rickettsias de Castaneda. Las películas gruesas, preparadas de sedimento de cultivos centrifugados, son gramnegativas.

Obtenidos por aislamiento primario, o por cambio a un medio de cultivo ligeramente diferente, algunas veces, los cultivos en caldo no muestran señales de crecimiento y pueden transportarse mediante "pasos ciegos" con varias transferencias antes de aparecer. Algunas cepas muestran opalescencia uniforme, otras una variedad granular de crecimiento. La característica de algunas cepas de crecer en colonias pequeñas, apareciendo como hojuelas pegadas a los lados del tubo, tiene cierto valor diferencial. En todo caso, los signos visibles de crecimiento son muy ligeros, y casi todos los investigadores de estos microorganismos han necesitado tener preparado un tubo de medio no inoculado, para comparación.

Generalmente las colonias sobre superficie de agar no son demostrables hasta después de dos o tres días de incubación. Se observan más fácilmente en preparaciones coloreadas de agar. Se corta un cuadrado de agar de una superficie sospechosa y se coloca en una laminilla. Se tapa con cubreobjetos sobre el cual se ha secado una solución alcohólica de azul de metileno y azur, llenando con parafina fundida el espacio entre la laminilla y el cubreobjetos. El tamaño medio de la colonia de diferentes cepas varía de 0.01 a 0.6 mm, rara vez más. Generalmente las colonias tienen un centro obscuro con borde claro y pueden aparecer con granulaciones gruesas o finas. Con mayor amplificación puede observarse una estructura esponjosa compuesta por formas globulares. En las colonias de algunas cepas pueden observarse gotas de aceite; se han encontrado, por lo menos en algunos casos, constituidas principalmente por colesterol ya presente en el medio. Posiblemente, las seudocolonias que han sido observadas en agar-suero no sembrado son de naturaleza semejante; observadores experimentados las diferencian fácilmente de las colonias verdaderas.

Fisiología.[78] Estos microorganismos requieren medios de infusión o digeridos, enriquecidos mediante suero o líquido de ascitis en cantidades relativamente grandes. Morton y colaboradores [54] han estudiado sus requerimientos de desarrollo, especialmente en el primer aislamiento. Han demostrado que estos microorganismos son cultivables con regularidad en medio de caldo de corazón de res a pH 7.8 conteniendo peptona Bacto o peptona bacteriológica de Parke-Davis, y enriquecido con un factor termostable presente en el líquido de ascitis y en el suero. En algunos casos, estos microorganismos toleran una variación de pH relativamente amplia, pero otros mueren en pH de 7.0 o menos, y requieren pH de 7.8 a 8.0 para crecer. Las variedades saprófitas pueden crecer a 22°C, con temperatura óptima de 30°C, pero las parasitarias requieren 37°C. El crecimiento ocurre en anaerobiosis o en aerobiosis, pero en la mayor parte de cepas es menos abundante en condiciones anaerobias.

Para aislamiento primario se requieren inóculos bastante abundantes, 0.1 a 0.2 ml de tejido desmenuzado, resiembra de cantidades semejantes de caldo de cultivo, y para la resiembra de cultivos en agar se corta una pequeña sección del medio y se deja caer en medios líquidos o se raya en la otra placa. Hecho curioso, su aislamiento primario por lo general se logra más fácilmente que su conservación. Estos gérmenes también pueden cultivarse en membrana corioalantoidea de huevo de gallina en desarrollo. Pueden hacerse cultivos en los de tejidos, pero no tienen efecto citopático; su presencia en cultivos de tejidos, inadvertida macroscópicamente, puede complicar el uso de dichos substratos para cultivar virus animales.[17, 82] Como parásitos muy adaptados, se presentan no solo en vertebrados, donde pueden causar enfermedad o no producirla,[88] sino también como agentes de enfermedad en insectos y plantas.[48]

Fermenta algunos azúcares, especialmente la glucosa, pero el pH rara vez cae abajo de 7.0 por la muerte del organismo en este punto; la adición de otros azúcares puede inhibir el desarrollo. En general, las fermentaciones y otras características bioquímicas carecen de valor diferencial. La resistencia al calor de algunas cepas es semejante a la de la mayor parte de bacterias; otras parecen más susceptibles y mueren a 45°C en 15 minutos. Los cultivos se conservan mejor a temperatura de incubadora en medios sin azúcar; cuando se sella con

vaselina, el microorganismo puede conservarse viable durante un mes o más.

Variedades, cepas o especies. Las cepas de estos organismos han sido aisladas de varias fuentes. Las parasitarias están netamente separadas de las variedades saprófitas, y la diferenciación e identificación dentro de estos grupos se ha hecho, en parte, basada en su origen y patogenicidad, y en parte, sobre bases inmunológicas (aglutinación).

Con el estudio de protoplastos bacterianos y sus semejanzas con las formas L de las bacterias y los organismos de tipo pleuroneumónico (PPLO) y la relación de los dos últimos (ver luego), la existencia del PPLO como grupo de entidades independientes se vuelve dudosa. Algunos investigadores, especialmente Dienes, han subrayado que el PPLO representa una etapa en la historia vital de microorganismos mejor conocidos en otras formas. Aunque no hay datos convincentes de que ocurra transformación cíclica ordenada en este sentido de las variedades morfológicas entre las bacterias (capítulo 6), es muy sugestiva la posibilidad de que el PPLO se presente naturalmente como protoplastos difiriendo del microorganismo antecesor solo en la falta de una estructura parietal celular.[29] Por lo tanto, mientras los PPLO se consideran entidades independientes y se les da el nombre genérico de Mycoplasma en un orden separado de Mycoplasmatales, cualquier intento que no sea descriptivo de estas formas, de su origen y de las enfermedades con las que se han relacionado, parece prematuro.

Pleuroneumonía bovina. Como antes se indicó, el organismo causal de la pleuroneumonía en el ganado fue la primera de estas formas en ser aislada y estudiada. La enfermedad se encuentra diseminada en todo el mundo, excepto en la India, Europa Occidental y Estados Unidos de Norteamérica; en este último país, ha sido importado varias veces, pero finalmente erradicado el sacrificio de animales infectados, y desde 1892 no se ha presentado.

En el ganado, la enfermedad natural se caracteriza por extensa condensación y derrame subpleural en uno o en ambos pulmones, y el microorganismo se encuentra en abundantes cantidades en el exudado seroso. Se disemina lentamente en los rebaños y puede adoptar una forma aguda con muerte en una semana, o una forma crónica con encapsulación de los focos de infección. Ocasionalmente hay afección articular en animales jóvenes. La enfermedad natural no ha sido producida en el ganado mediante inoculación de exudado seroso, infeccioso o de cultivos, pero se produce un edema extenso y se disemina desde el sitio de inoculación; además hay reacción febril y, algunas veces, muerte.

Al parecer, el organismo carece de poder patógeno para los animales de experimentación usuales y para el hombre; se ha comunicado que cultivos en sueros de caballo o cordero son infecciosos para el cordero y para las cabras, en tanto que los medios de suero bovino no lo son.

El nombre *Asterococcus mycoides* fue dado al organismo por Borrel y Dujardin-Beaumetz, pero no se ha generalizado. De cualquier manera, las cepas obtenidas en diferentes lugares y en diferentes épocas parecen ser semejantes, si no idénticas.

Agalactia contagiosa del cordero y la cabra. No obstante su nombre, esta enfermedad es una infección generalizada que afecta tanto a los machos como a las hembras. Se presenta solo en regiones del sur de Europa y en Noráfrica; la agalactia o mastitis de estos animales en Estados Unidos de Norteamérica es de otra etiología.

La lesión se presenta en las articulaciones, los ojos y las glándulas mamarias de las hembras. El microorganismo se encuentra tempranamente en la sangre; posteriormente puede aislarse de regiones afectadas y de las secreciones mamarias. El segundo miembro del grupo en estudiarse fue aislado por Bridré y Donatien, en 1923. Morfológica y bioquímicamente es muy semejante al organismo de la pleuroneumonía y a otros miembros del grupo, pero es diferente imunológicamente y en su patogenicidad característica. La enfermedad se reproduce fácilmente por inoculación de corderos y cabras mediante cultivos.

Variedad canina. Los organismos del grupo de la pleuroneumonía también se han encontrado en perros. En 1934, Shoetensak comunicó haber cultivado un organismo de esta variedad a partir de secreción nasal purulenta en perros con distermias, que llamó *Asterococcus canis*. En estudios posteriores se encontraron otros organismos; parece haber dos variedades inmunológicamente diferentes, que llamó variedad 1 y variedad 2, respectivamente. Sus relaciones etiológicas postuladas con la distermia, generalmente considerada como una enfermedad viral, no están establecidas.

Variedades de la rata. Klieneberger-Nobel y colaboradores han aislado varios organismos de la pleuroneumonía de las vías respiratorias y de otras partes en ratas normales y enfermas. Otros han aislado organismos semejantes de ratas con poliartritis y extremidades inflamadas.[3] Es posible y muy curiosa una asociación similar de infección de micoplasma con diversas formas de artritis en el hombre, pero el hecho todavía no se ha comprobado.[77]

Estas comprenden, con una sola excepción, series "L" de cepas, en las cuales estas se designan con subíndices. Ahora parece haber tres variedades diferentes, biológica e inmunológicamente, a saber, L_1, L_3 y L_4. La cepa L_2 fue aislada de cobayos y estudiada insuficientemente antes de perderse el cultivo al iniciarse la guerra. La cepa descrita como L_5 es inmunológicamente idéntica a la variedad ratón A, descrita más adelante; la L_6 ha sido insuficientemente estudiada, y la L_7 es idéntica a la L_4.

Ha merecido considerable interés la relación aparente de L_1 con *S. moniliformis*. Klieneberger-Nobel ha podido aislar la forma L_1 de muchas cepas y reservas de cultivo de *S. moniliformis*, debiendo subrayarse que este organismo es un parásito natural de la nasofaringe de ratas y ratones. Klieneberger-Nobel sostiene que L_1 y el estreptobacilo coexisten en una simbiosis, pues ha sido capaz de separar ambos basándose en la resistencia diferente al calor y al envejecimiento, observando L_1 de la rata en ausencia de *S. moniliformis* y ha transportado cepas L_1 en muchos trasplantes sin observar su reaparición.

Estas formas L se relacionan etiológicamente, en algunos casos por lo menos, con afecciones crónicas relativamente benignas de ratas, en las cuales la afección articular y la poliartritis no son manifestaciones poco frecuentes. Morfológica y culturalmente semejan estrechamente los demás microorganismos del grupo, formando un subgrupo basado en su patogenicidad y diferenciado inmunológicamente uno de otro.

Variedades del ratón. Sabin divide los organismos del tipo de la pleuroneumonía, encontrados en el ratón, en cinco variedades, designadas A, B, C, D y E. La variedad A se encuentra en el ratón normal, a veces en el cerebro y frecuentemente en ojos, mucosa nasal y pulmones de portadores. La inoculación intracerebral del ratón produce ataxia, caracterizada por giro o bamboleo del cuerpo. Las lesiones cerebrales y los síntomas que ocasionan son atribuibles a la acción de una toxina soluble producida por el microorganismo.[90] Un organismo inmunológicamente idéntico fue aislado, por Findlay y colaboradores, de ratones afectados con "enfermedad de bamboleo" y designado como L_5. La variedad B también se ha encontrado en ratones normales y no solo es inmunológicamente diferente, sino que produce casi exclusivamente una artritis progresiva, cuando se inocula por vía parenteral al ratón. Las variedades C, D y E son semejantes en su patogenicidad, pero inmunológicamente son diferentes; no han sido estudiadas tan extensamente como algunas de las restantes.

Variedades saprófitas. Los organismos del tipo de la pleuroneumonía, posiblemente con existencia saprófita en forma natural, han sido encontrados por Laidlaw y Elford en las aguas negras de Londres. Semejan mucho a las formas parasitarias, tanto morfológicamente cuanto por sus propiedades de cultivo, y caen dentro de los grupos inmunológicos designados variedades A, B, C. Ninguna fue patógena para los animales de experimentación. En Alemania se han encontrado formas semejantes en el estiércol y en otras materias orgánicas en descomposición.

MICOPLASMAS EN EL HOMBRE [30]

Durante los últimos años ha aumentado mucho el interés por los micoplasmas al demostrarse la relación etiológica entre un tipo de estos agentes y la neumonía humana. Diversas especies o cepas muchas de las cuales pueden diferenciarse bien unas de otras, pero no todas, han sido definidas según base inmunológica. Incluyen *M. hominis*, tipos 1 y 2, y *M. fermentans* descubiertos en las vías urinarias; [75] *M. salivarium* y *M. orale* (*M. pharyngis*)[18] en las vías respiratorias altas; y *M. pneumoniae*, el agente productor de la neumonía atípica primaria. Se han aislado otras variedades de las vías urinarias que hasta aquí no están bien caracterizadas, y que, en conjunto, reciben el nombre de cepas T.

Neumonía atípica primaria.[10] Durante la década de 1940 la enfermedad conocida como neumonía atípica primaria o NAP se caracterizó como entidad clínica, pero cada vez resultó más claro que esta entidad en realidad podía tener etiología muy diversa. En algunos casos, el agente causal es el productor de la psitacosis, en otras son adenovirus, y en otras la enfermedad puede depender de microorganismos tan diversos como Histoplasma, Coccidioides o rickettsias de la fiebre Q. Sin embargo, cierto número de los casos de NAP puede separarse por la aparición en el suero de aglutinina de frío, que aglutina glóbulos humanos de tipo O u homólogos a 40°C pero no a 37°C, y una aglutinina para la cepa MG de estreptococo no hemolítico (capítulo 16).

Esta enfermedad fue estudiada por Eaton y colaboradores, quienes establecieron cultivos del agente causal en embrión de pollo y produjeron neumonía en ratas algodoneras y cricetos por inoculación intranasal. El agente causal se consideró que era un virus y recibió el nombre de agente Eaton. Este microorganismo parece ser causa importante de NAP, quizá hasta del 90 por 100 de los casos de la enfermedad que presentan aglutinina de frío. Se ha descubierto repetidamente en todas partes de Estados Unidos de Norteamérica y en otros lugares, y su frecuencia queda indicada por la demostración serológica de infección en los casos de la de vías respiratorias bajas no diagnosticada. Fue solamente en 1957 cuando volvió a estudiarse la cepa original y se aislaron otras cepas adicionales inmunológicamente idénticas. Mediante la técnica de anticuerpo fluorescente se comprobó que, después de inoculado en la cavidad amniótica del huevo embrionado de 13 días, el agente se multiplicaba exclusivamente en el citoplasma de las células epiteliales que revestían los bronquiolos y los sacos aéreos del embrión en desarrollo. Se comprobó también que la enfermedad puede tratarse eficazmente con tetraciclina, pero no con penicilina. En 1962 fue cultivado en medios inorgánicos y se comprobó que era un micoplasma. El microorganismo es inmunológi-

FIG. 26-13. Colonias de una variedad B de organismo del tipo de la pleuroneumonía del ratón. Incubación de tres días; × 100. (Sabin: Bact. Rev.)

camente homogéneo y ha recibido el nombre de *M. pneumoniae*. Quizá era inevitable la sugestión de que *M. pneumoniae* fuera una forma L del estreptococo MG,[61] pero no ha sido muy aceptada; hasta aquí, sabemos que la aparición de aglutinina estreptocócica es fortuita.

M. pneumoniae tiende a separarse de los otros micoplasmas, por cuanto crece en forma relativamente lenta, produciendo colonias granulosas similares a las de *M. fermentans*, y por producir una hemolisina. Crece en presencia de azul de metileno diluido (0.002 por 100) y reduce el trifeniltetrazolio para producir una coloración rosada,[43] características que permiten el desarrollo de medios de aislamientos selectivos.

Otras infecciones. Los micoplasmas se han asociado con otras diversas enfermedades del hombre, especialmente uretritis no gonocócica (capítulo 18) en los cuales se ha descubierto repetidamente el tipo *M. hominis* en gran número. Se han descubierto varias especies en relación con la faringitis exudativa y la amigdalitis; el primer proceso se ha producido en voluntarios humanos con *M. hominis* de tipo 1.[55] Dada la existencia en ratas y ratones de artritis producidas por micoplasma, se ha pensado en una asociación con la artritis del hombre, pero estos microorganismos solo se han descubierto ocasionalmente en líquido sinovial artrítico, y el proceso no es supurado, como ocurre en los roedores. El poder patógeno de los micoplasmas, aparte de *M. pneumoniae*, para el hombre todavía no es seguro, aunque las asociaciones observadas son muy sospechosas.

Donovania granulomatis[68]

El granuloma inguinal (granuloma venéreo) no debe confundirse con el linfogranuloma inguinal, de etiología viral. Se caracteriza por una ulceración lentamente progresiva en la región genital, rara vez

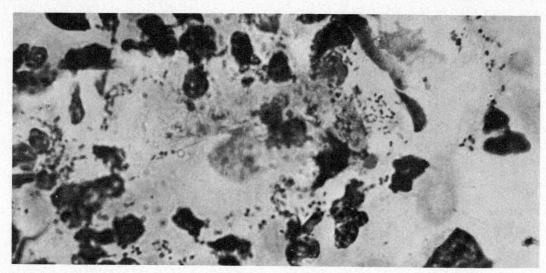

FIG. 26-14. *Donovania granulomatis* en frotis vaginal. Los microorganismos son los cuerpos ovoides, pequeños, tanto dentro de los leucocitos polimorfonucleares como libres. Coloración de Wright; × 1 200.

en otra parte. La lesión inicial es una inflamación, a menudo localizada en la ingle como bubón, que se rompe. Aparecen lesiones hijas, que al principio son discretas, después se diseminan lentamente y confluyen; el proceso con el tiempo puede afectar la piel de la ingle, genitales, regiones glúteas y abdomen inferior, produciendo un olor intensamente fétido. Parece desarrollarse inmunidad poco eficaz, al menos no suficiente para detener apreciablemente el progreso de la infección.

En 1905, Donovan observó cuerpos bacilares teñidos con coloración de Wright en frotis de lesiones o en biopsias; han sido llamados durante mucho tiempo cuerpos de Donovan. También pueden colorearse con pinacianol al 1 por 100 en metanol; las cápsulas toman color rosado purpúreo y el cuerpo celular color azul obscuro. Los cuerpos de Donovan han sido cultivados en saco vitelino, pero no en el corioalantoideo del embrión de pollo en desarrollo, y en medios enriquecidos, como caldo de corazón de res,[27] demostrándose, por lo tanto, que es un microorganismo cultivable al cual se ha dado el nombre de *Donovania granulomatis.*[22, 23] Más recientemente se ha denominado *Calymnatobacterium granulomatis,* nombre taxonómicamente legitimado, pero poco conocido.

Es un bacilo corto, voluminoso, de 1.5 a 4.5 micras de longitud y de 0.8 a 0.4 micras de espesor, gramnegativo, con gránulos polares prominentes. Antes de la división celular, las formas bacilares alargadas tienden a encurvarse y pueden conservarse unidas después de la división, originando cadenas de bacilos, los filamentos espirales observados frecuentemente en preparaciones coloreadas en forma usual. La encapsulación, relativamente densa observada en preparaciones de material de lesión, y el carácter mucoide de los cultivos en saco vitelino

y cultivos iniciales en medios artificiales, disminuyen con cultivos continuados. Además de sus requerimientos para desarrollo muy complicados, *D. granulomatis* semeja estrechamente al bacilo de Friedländer y tiene relación inmunológica íntima con él y otros bacilos coliformes. Hay diferencias antigénicas entre las cepas, complicando el serodiagnóstico como la fijación de complemento.[21, 24]

Antes de aislarse en cultivo puro *D. granulomatis,* su relación causal con el granuloma inguinal solo se sugería por asociación. El material de cultivos de saco vitelino da reacción dérmica en personas con la enfermedad, y una substancia mucoide del saco vitelino infectado, posiblemente un polisacárido, da reacciones de precipitina y fijación de complemento con suero de pacientes. Sin embargo, la especificidad de la reacción es dudosa, ya que personas con ulceración crónica inespecífica dieron fijación de complemento específica, posiblemente atribuible a la relación serológica de *D. granulomatis* con bacilos coliformes. Greenblatt y colaboradores lograron producir la enfermedad en dos voluntarios, uno inoculado por trasplante subcutáneo de material de biopsia, otro por inoculación subcutánea de cultivo de saco vitelino; pero posteriormente fueron incapaces de repetir estos resultados.[10] Como ha sido imposible infectar animales de experimentación, excepto el embrión de pollo, la relación etiológica entre *D. granulomatis* y granuloma inguinal no puede considerarse definitiva. Sin embargo, se ha logrado buen éxito de la quimioterapia con cloramfenicol y tetraciclinas.

La tendencia general a considerar esta enfermedad como venérea se basa, en su mayor parte, en la localización de las lesiones. Hay pocos datos, y no directos, de que se transmita principalmente por

ontacto sexual; su presencia en ambos cónyuges es
>oco frecuente. El periodo de incubación probable,
le una a cuatro semanas, no es excesivamente largo
≯ no debiera enmascarar mayormente el antecedente
le contacto. Se ha sugerido que hay amplia varia-
:ión individual en la susceptibilidad y que la resis-
encia natural suele ser elevada. La enfermedad se
·elaciona con la falta de aseo, y se observa en el
Lejano Oriente, Africa y en ambas Américas. En
Estados Unidos de Norteamérica ocurre principal-
nente en los negros de baja condición económica, en
os estados del sudeste, pero también se presenta
≥n otros lugares. Se ha estimado que en ese país
าay 5 000 a 10 000 casos y constituye el 2 al 3 por
100 de las enfermedades venéreas de los reclutas
าegros. Sin embargo, en general, la epidemiología
del granuloma inguinal todavía se conoce muy poco.

BIBLIOGRAFIA

1. Brown, T. McP., and J. C. Nunemaker. 1942. Rat-bite fever: a review of the American cases with re-evaluation of etiology; report of cases. Bull. Johns Hopkins Hosp. **70**:201–328.
2. Busch, L. A. 1971. Human listeriosis in the United States, 1967–1966. J. Infect. Dis. **123**:328–332.
3. Cole, B. C., *et al.* 1971. Chronic proliferative arthritis of mice induced by *Mycoplasma arthritidis*. I. Induction of disease and histopathological characteristics. Infect. Immun. **4**:344–355.
4. Colling, M., C. Nigg, and R. J. Heckly. 1958. Toxins of *Pseudomonas pseudomallei*. I. Production in vitro. J. Bacteriol. **76**:422–426.
5. Cravitz, L., and W. R. Miller. 1950. Immunologic studies with *M. mallei* and *M. pseudomallei*. II. Agglutination and complement fixation tests in man and laboratory animals. J. Infect. Dis. **86**:52–62.
6. Cuadra, O. M. 1956. Salmonellosis complication in human bartonellosis. Texas Repts. Biol. Med. **14**:97–113.
7. Curtin, J. A., R. G. Petersdorf, and I. L. Bennett, Jr. 1961. Pseudomonas bacteremia: review of ninety-one cases. Ann. Intern. Med. **54**:1077–1107.
8. Dack, G. M. 1940. Non-sporeforming anaerobic bacteria of medical importance. Bacterial. Rev. **4**:227–258.
9. De Ley, J. 1964. *Pseudomonas* and related genera. Ann. Rev. Microbiol. **18**:17–46.
10. Denny, F. W., W. A. Clyde, Jr., and W. P. Glezen. 1971. *Mycoplasma pneumoniae* disease: clinical spectrum, pathophysiology, epidemiology, and control. J. Infect. Dis. **123**:74–92.
11. Dienst, R. B., C. H. Chen, and R. B. Greenblatt. 1949. Experimental studies on the pathogenicity of *Donovania granulomatis*. Amer. J. Syph. **33**:152–157.
12. Domermuch, C. H., *et al.* 1964. Ultrastructure of *Mycoplasma* species. J. Bacteriol. **88**:727–744.
13. Eaton, M. D. 1965. Pleuropneumonia-like organisms and related forms. Ann. Rev. Microbiol. **19**:379–406.
14. Eickhoff, T. C., *et al.* 1970. *Pseudomonas pseudomallei*: Susceptibility to chemotherapeutic agents. J. Infect. Dis. **121**:95–102.
15. Ellison, D. W., H. J. Baker, and M. Mariappan. 1969. Melioidosis in Malaysia. I. A method for isolation of *Pseudomonas pseudomallei* from soil and surface water. Amer. J. Trop. Med. Hyg. **18**:694–697.
16. Farkas-Himsley, H. 1968. Selection and rapid identification of *Pseudomonas pseudomallei* from other gram-negative bacteria. Amer. J. Clin. Pathol. **49**:850–856.
17. Fogh, J., and H. Fogh. 1969. Procedures for control of mycoplasma contamination of tissue cultures. Ann. N.Y. Acad. Sci. **172**:15–30.

18. Fox, H., R. H. Purcell, and R. M. Chanock. 1969. Characterization of a newly identified mycoplasma (*Mycoplasma orale* type 3) from the human oropharynx. J. Bacteriol. **98**:36–43.
19. Friedman, M. E., and W. G. Roessler. 1961. Growth of *Listeria monocytogenes* in defined media. J. Bacteriol. **82**:528–533.
20. Gieman, Q. M. 1941. New media for the growth of *Bartonella bacilliformis*. Proc. Soc. Exp. Biol. Med. **47**:329–332.
21. Goldberg, J. 1954. Studies on granuloma inguinale. III. The antigenic heterogenicity of *Donovania granulomatis*. Amer. J. Syph. **38**:330–335.
22. Goldberg, J. 1959. Studies on granuloma inguinale. IV. Growth requirements of *Donovania granulomatis* and its relationship to the natural habitat of the organism. Brit. J. Vener. Dis. **35**:266–268.
23. Goldberg, J., R. H. Weaver, and H. Packer. 1953. Studies on granuloma inguinale. J. Bacteriologic behavior of *Donovania granulomatis*. Amer. J. Syph. **37**:60–70.
24. Goldberg, J., *et al.* 1953. Studies on granuloma inguinale. II. The complement fixation test in the diagnosis of granuloma inguinale. Amer. J. Syph. **37**:71–76.
25. Gray, M. L. 1963. Epidemiological aspects of listeriosis. Amer. J. Pub. Hlth. **53**:554–563.
26. Gray, M. L., and A. H. Killinger. 1966. *Listeria monocytogenes* and Listeric infections. Bacteriol. Rev. **30**:309–382.
27. Hall, W. K., R. B. Dienst, and C. H. Chen. 1953. A growth factor required by *Donovania granulomatis*. Proc. Soc. Exp. Biol. Med. **84**:370.
28. Harrison, R. W. 1942. Studies on lactobacilli. III. Relationship of immunological specificity and fermentative capacity. J. Infect. Dis. **70**:77–87.
29. Hayflick, L. 1969. The Mycoplasmatales and the L-phase of Bacteria. Appleton-Century-Crofts, New York.
30. Hayflick, L., and R. M. Chanock. 1965. *Mycoplasma* species of man. Bacteriol. Rev. **29**:185–221.
31. Haynes, W. C. 1951. *Pseudomonas aeruginosa*—Its characterization and identification. J. Gen. Microbiol. **5**:939–950.
32. Heckly, J. R., and C. Nigg. 1958. Toxins of *Pseudomonas pseudomallei*. II. Characterization. J. Bacteriol. **76**:427–436.
33. Herrer, A. 1953. Carrión's disease. III. Experimental infection of squirrels. Amer. J. Trop. Med. Hyg. **2**:650–654.
34. Herzbicks, M. M., and C. Nigg. 1958. Chemotherapy of experimental melioidosis in mice. Antibiot. Chemother. **8**:543–560.
35. Holdeman, L. V., and W. E. C. Moore. 1970. Gram-negative nonsporeforming anaerobic bacilli. pp. 286–289. *In* J. E. Blair, E. H. Lennette, and J. P. Truant (Eds.): Manual of Clinical Microbiology. American Society for Microbiology, Bethesda.
36. Holder, I. A., and C. P. Sword. 1969. Characterization and biological activity of the monocytosis-producing agent of *Listeria monocytogenes*. J. Bacteriol. **97**:603–611.
37. Holloway, B. W. 1969. Genetics of *Pseudomonas*. Bacteriol. Rev. **33**:419–443.
38. Howe, C., A. Sampath, and M. Spotnitz. 1971. The Pseudomallei Group: a review. J. Infect. Dis. **124**:598–606.
39. Hunter, C. A., and P. R. Ensign. 1947. An epidemic of diarrhoea in a new-born nursery caused by *Pseudomonas aeruginosa*. Amer. J. Pub. Hlth. **37**:1166–1169.
40. Kalf, G. F., and T. G. White. 1963. The antigenic composition of *Erysipelothrix rhusiopathiae*. II. Purification and chemical characterization of a type-specific antigen. Arch. Biochem. **102**:39–47.
41. Kautter, D. A., *et al.* 1963. Virulence of *Listeria monocytogenes* for experimental animals. J. Infect. Dis. **112**:167–180.
42. Klauder, J. V. 1947. *Erysipelothrix rhusiopathiae* infection in animals and in human beings. Ann. N. Y. Acad. Sci. **48**:535–552.
43. Kraybill, W. H., and Y. E. Crawford. 1965. A selective medium and color test for *Mycoplasma pneumoniae*. Proc. Soc. Exp. Biol. Med. **118**:965–970.
44. Kubota, Y., and P. V. Liu. 1971. An enterotoxin of *Pseudomonas aeruginosa*. J. Infect. Dis. **123**:97–98.
45. Lerner, E. M., II, and E. Silverstein. 1957. Experimental

infection of rats with *Streptobacillus moniliformis*. Science **126**:208–209.

46. Levaditi, C., S. Nicolau, and P. Poincioux. 1926. Recherches sur l'étiologie de l'érythème polymorphe aigu: son agent etiologique: *Streptobacillus moniliformis*. Presse Med. **34**:340–343.

47. Levine, H. B., O. G. Lien, and R. L. Maurer. 1959. Mortality enhancing polypeptide constituents from *Pseudomonas pseudomallei*. J. Immunol. **83**:468–477.

48. Maramorosch, K., R. R. Granados, and H. Hirumi. 1970. Mycoplasma diseases of plants and insects. Adv. Virus Res. **16**:136–195.

49. Markley, K., and E. Smallman. 1968. Protection by vaccination against *Pseudomonas* infection after thermal injury. J. Bacteriol. **96**:867–874.

50. Medoff, G., L. J. Kunz, and A. N. Weinberg. 1971. Listeriosis in humans: an evaluation. J. Infect. Dis. **123**:247–250.

51. Mendelson, R. W. 1950. Glanders. U.S. Armed Forces Med. J. **1**:781–784.

52. Miller, W. R., *et al.* 1948. Studies on certain biological characteristics of *Malleomyces mallei* and *Malleomyces pseudomallei*. I. Morphology, cultivation, viability and isolation from contaminated specimens. J. Bacteriol. **55**:115–126.

53. Miller, W. R., *et al.* 1948. Studies on certain biological characteristics of *M. mallei* and *M. pseudomallei*. II. Virulence and infectivity for animals. J. Bacteriol. **55**:127–135.

54. Morton, H. E., P. F. Smith, and R. Keller. 1952. Prevalence of pleuropneumonia-like organisms and the evaluation of media and methods for their isolation from clinical material. Amer. J. Pub. Hlth. **42**:913–925.

55. Mufson, M. A., *et al.* 1965. Exudative pharyngitis following experimental Mycoplasma hominis type 1 infection. J. Amer. Med. Assn. **192**:1146–1152.

56. Nigg, C. 1963. Serologic studies on subclinical melioidosis. J. Immunol. **91**:18–28.

57. Orland, F. J. 1950. A correlation of antigenic characteristics among certain bacteria of the lactobacillus group. J. Infect. Dis. **86**:63–80.

58. Orland, F. J., *et al.* 1954. Use of germfree animal technic in study of experimental dental caries; basic observations on rats reared free of all microorganisms. J. Dent. Res. **33**:147–174.

59. Parker, F., Jr., and N. P. Hudson. 1926. The etiology of Haverhill fever (erythema arthriticum epidemicum). Amer. J. Pathol. **2**:357–379.

60. Patocka, F., J. Schindler, and M. Mara. 1959. Studies on the pathogenicity of *Listeria monocytogenes*. I. Protein substance isolated from cells of *Listeria monocytogenes* enhancing Listeric infection. Zentralbl. Bakteriol. I. Abt. Orig. **174**:573–585.

61. Pease, P. 1963. Bacterial origin of certain viruses: Identity of the Eaton agent with *Streptococcus MG*. Nature **197**:1132.

62. Peters, D., and R. Wigand. 1955. Bartonellaceae. Bacteriol. Rev. **19**:150–155.

63. Piggott, J. A., and L. Hochholzer. 1970. Human melioidosis. A histopathologic study of acute and chronic melioidosis. Arch. Pathol. **90**:101–111.

64. Place, E. H., L. E. Sutton, and O. Willner. 1926. Erythema arthriticum epidemicum. Boston Med. Surg. J. **194**:285–287.

65. Postic, B., and M. Finland. 1961. Observations on bacteriophage typing of *Pseudomonas aeruginosa*. J. Clin. Invest. **40**:2064–2075.

66. Prevot, A. 1966. Manual for the Classification and Determination of the Anaerobic Bacteria. (Translated by V. Fredette.) Lea & Febiger, Philadelphia.

67. Price, J. E. L., and W. E. J. Bennett. 1951. The erysipeloid of Rosenbach. Brit. Med. J. **ii**:1060–1062.

68. Rajam, R. V., and P. N. Rangiah. 1954. Donovanosis (Granuloma inguinale, granuloma venereum). Monograph Series No. 24. World Health Organization, Geneva.

69. Rapaport, F. T., J. W. Millar, and J. Ruch. 1961. Endotoxic properties of *Pseudomonas pseudomallei*. Arch. Pathol. **71**:429–436.

70. Razin, S. 1969. Structure and function in mycoplasma. Ann. Rev. Microbiol. **23**:317–356.

71. Reynafarje, C., and J. Ramos. 1961. The hemolytic anemia of human Bartonellosis. Blood **17**:562–578.

72. Ricketts, W. E. 1949. Clinical manifestations of Carrión's disease. Arch. Intern. Med. **84**:751–781.

73. Schultz, M. G. 1968. A history of bartonellosis (Carrión's disease). Amer. J. Trop. Med. Hyg. **17**:503–515.

74. Seeliger, H. P. R. 1961. Listeriosis. Hafner, New York.

75. Shepard, M. C. 1970. Non-gonococcal urethritis associated with human strains of "T" mycoplasmas. J. Amer. Med. Assn. **211**:1335–1340.

76. Sjöberg, L., and A. A. Lindberg. 1968. Phage typing of *Pseudomonas aeruginosa*. Acta Pathol. Microbiol. Scand. **74**:61–68.

77. Smith, C. B., and J. R. Ward. 1971. "Chronic infectious arthritis"—role of mycoplasmas. J. Infect. Dis. **123**:313–315.

78. Smith, P. F. 1964. Comparative physiology of pleuropneumonia-like and L-type organisms. Bacteriol. Rev. **28**:97–125.

79. Smith, P. F. 1971. The Biology of Mycoplasmas. Academic Press, New York.

80. Smith, W. E., S. Mudd, and J. Hillier. 1948. L-type variation and bacterial reproduction by large bodies as seen in electron micrograph studies of *Bacteroides funduliformis*. J. Bacteriol. **56**:603–618.

81. Sneath, P. H. A., J. D. Abbott, and A. C. Cunliffe. 1951. The bacteriology of erysipeloid. Brit. Med. J. **ii**:1063–1066.

82. Stanbridge, E. 1971. Mycoplasmas and cell cultures. Bacteriol. Rev. **35**:206–227.

83. Stevens, W. C., and A. P. Harrison. 1958. In vitro antibiotic sensitivities of Bacteriodes and similar forms. Antibiot. Chemother. **8**:192–194.

84. Strauss, J. M., *et al.* 1969. Melioidosis in Malaysia. III. Antibodies to *Pseudomonas pseudomallei* in the human population. Amer. J. Trop. Med. Hyg. **18**:703–707.

85. Sword, C. P., and G. C. Kingdon. 1971. *Listeria monocytogenes* toxin. Vol. IIA, pp. 357–377. In S. Kadis, T. C. Montie, and S. J. Ajl (Eds.): Microbial Toxins. Academic Press, New York.

86. Symposium. 1965. Mechanisms of dental caries. Ann. N.Y. Acad. Sci. **131**:685–930.

87. Thin, R. N. T., *et al.* 1970. Melioidosis: a report of ten cases. Quart. J. Med. **39**:115–127.

88. Thomas, L. 1970. *Mycoplasmas* as infectious agents. Ann. Rev. Med. **21**:179–186.

89. Tinne, J. E., *et al.* 1967. Cross-infection by *Pseudomonas aeruginosa* as a hazard of intensive surgery. Brit. Med. J. **ii**:313–315.

90. Tully, J. C. 1964. Production and biological characteristics of an extracellular neurotoxin from *Mycoplasma neurolyticum*. J. Bacteriol. **88**:381–388.

91. Tynes, B. S., and W. B. Frommeyer, Jr. 1962. Bacteriodes septicemia: Cultural, clinical, and therapeutic features in a series of twenty-five patients. Ann. Intern. Med. **56**:12–26.

92. Urteaga, B. O., and E. H. Payne. 1955. Treatment of the acute febrile phase of Carrión's disease with chloramphenicol. Amer. J. Trop. Med. Hyg. **4**:507–511.

93. Verder, E., and J. Evans. 1961. A proposed antigenic schema for the identification of strains of *Pseudomonas aeruginosa*. J. Infect. Dis. **109**:183–193.

94. Weibull, C., and B. M. Lundin. 1963. Morphology of pleuropneumonia-like organisms and bacterial L forms grown in liquid media. J. Bacteriol. **85**:440–445.

95. White, T. G., and G. F. Kalf. 1961. The antigenic composition of *Erysipelothrix rhusiopathiae*. I. Isolation and serological identification. Arch. Biochem. **95**:458–463.

96. White, T. G., and R. D. Shuman. 1961. Fermentation reactions of *Erysipelothrix rhusiopathiae*. J. Bacteriol. **82**:595–599.

97. Williams, N. B. 1948. Antigenic components of lactobacilli of human oral origin. J. Infect. Dis. **82**:31–41.

98. Williams, N. B., R. F. Norris, and P. György. 1953. Antigenic and cultural relationships of *Lactobacillus bifidus* and *Lactobacillus parabifidus*. J. Infect. Dis. **92**:121–131.

99. Woodbine, M. 1950. *Erysipelothrix rhusiopathiae* bacteriology and chemotherapy. Bacteriol. Rev. **14**:161–178.

100. Zegarra Araujo, N. 1955. Bartonellosis and tetracycline. Antibiot. Med. **1**:201–209.

101. Zubrzycki, L., and E. H. Spaulding. 1962. Studies on the stability of the normal human fecal flora. J. Bacteriol. **83**:968–974.

CAPITULO 27

BACILLUS: LOS AEROBIOS FORMADORES DE ESPORAS

Las bacterias en forma de bastón, formadoras de esporas, se dividen en dos grupos según su relación con el oxígeno atmosférico. El género Bacillus incluye las formas aerobias; los tipos anaerobios se denominan Clostridium. Se han descrito gran número de especies de Bacillus, la mayor parte del suelo y del polvo. Dos especies, *Bacillus alvei* y *B. paraalvei,* causan lo que en inglés se llama foul brood, enfermedad de las abejas que destruye las larvas. *B. subtilis* rara vez infecta al hombre; con esta excepción, *B. anthracis* es el único miembro de este gran grupo que es patógeno para el hombre.

BACILLUS ANTHRACIS

El carbunco, enfermedad original de animales inferiores transmisibles al hombre, tiene un interés histórico particular, porque fue estudiando esta enfermedad como Koch demostró por primera vez la relación causal entre una bacteria específica y una enfermedad infecciosa. Davaine y Rayer, en 1850, y Pollender, en 1855, habían observado los bacilos en la sangre y órganos de animales muertos de carbunco. En 1857, Brauell transmitió la enfermedad inoculando sangre de animales infectados. Sin embargo, la demostración concluyente de la relación causal entre los bacilos y la enfermedad la hizo Koch, quien los cultivó, en 1877, en humor acuoso de ojo de buey, describió su evolución, y reprodujo la enfermedad con un cultivo puro del microorganismo. En otra parte se ha expuesto la importancia de este descubrimiento para el desarrollo de la bacteriología.

Morfología y tinción. El bacilo del carbunco es una de las bacterias patógenas más grandes; varía entre 4.5 y 10 μ de largo, y 1 a 1.25 μ de grueso. Los extremos de los bastones a veces son cóncavos y algo hinchados, de forma que el aspecto de una cadena de bacilos del carbunco se ha comprobado con el de una caña de pescar de bambú nudoso. En el organismo las células se presentan aisladas, en pares unidos por los extremos o en cadenas cortas, pero en cultivos se forman cadenas largas. A diferencia de la mayor parte de bacilos aerobios esporuladores, no son móviles.

En los frotis tomados de un animal infectado se pueden encontrar cápsulas en los bacilos, no así en los cultivos, excepto en medios ricos en proteína animal, como suero agar. La substancia capsular no es polisacárida como en la mayor parte de bacterias, sino un polipéptido de gran peso molecular, compuesto exclusivamente de ácido $d(-)$ glutámico (el estereoisómero "anormal").[27, 49] Este punto es de particular interés, porque es la primera demostración de que este ácido, y un polipéptido compuesto de un solo aminoácido, ocurren en forma natural. Además, en la substancia celular de los bacilos hay un hapteno polisacárido que puede aislarse;[33] al parecer, es el mismo en las cepas virulentas que en las avirulentas, y su función inmunológica no se ha esclarecido.

El bacilo del carbunco difiere también de la mayor parte de otras bacterias patógenas aerobias en que forma esporas visibles como cuerpos refringentes libres o alojados centralmente dentro de la célula. Su diámetro no es mayor que el de la célula vegetativa, y por ello el bastón que la contiene no se deforma. Las esporas se forman más abundantemente entre 32° a 35°C y solo en condiciones aerobias, o sea que no en la sangre circulante de animales infectados. La germinación de la espora suele ser polar, es decir, paralela al eje mayor, pero alguna vez puede ser ecuatorial.

Los bacilos se tiñen con facilidad, a menudo desigualmente, con los colorantes de anilina usuales. La substancia granular que contienen las células está formada por grasa, volutina, o glucógeno. El bacilo es grampositivo. Las esporas se tiñen con dificultad, pero una vez teñidas con fucsina fenicada caliente son igualmente difíciles de decolorar; de aquí que las células vegetativas puedan desteñirse y colorearse con un colorante de contraste.

Las colonias del bacilo del carbunco son irregulares y tienen una disposición ensortijada o como cabello, presentando el aspecto que se llama a veces de "cabeza de medusa". El examen microscópico puede demostrar grandes cadenas de bacilos en es-

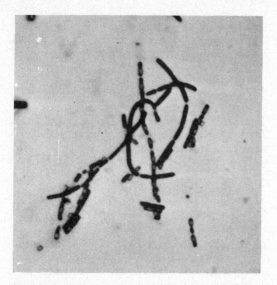

FIG. 27-1. *Bacillus anthracis*, cultivo de 48 horas en agar nutritivo. Las esporas aparecen como zonas sin teñir. Obsérvese la típica disposición de los bacilos en cadenas enroscadas. Tinción con violeta cristal. × 1 200.

pirales enmarañadas. Este aspecto de la colonia lo remedan estrechamente *B. subtilis* y algunos otros bacilos saprófitos aerobios, formadores de esporas, relacionados.

Fisiología. El bacilo del carbunco crece fácilmente sobre todos los medios usuales de laboratorio, y no mejora añadiendo substancias enriquecedoras. Puede cultivarse en medios sintéticos simples; necesita tiamina, magnesio, hierro y calcio, junto con una fuente de energía; el uracilo, la adenina, la guanina y el magnesio estimulan notablemente el crecimiento. Esto ocurre a temperaturas tan altas como 41° a 43°C, siendo el óptimo a 37°C. Este bacilo es aerobio y facultativamente anaerobio. La glucosa y la trehalosa fermenta rápidamente, pero sin formar gas. La sacarosa, la maltosa y algunos otros hidratos de carbono fermentan con menor rapidez; lactosa, galactosa, manitol, dulcitol, ramnosa y xilosa, nada. La gelatina se licua lentamente pero no se forma indol, no se reduce el nitrato y se produce muy poco o nada de sulfuro de hidrógeno. La leche se acidifica débilmente y se coagula por un fermento semejante al cuajo; la caseína se peptoniza lentamente. Sobre la patata se produce un crecimiento gris, como sarro; en este medio se forman esporas con particular abundancia.

El bacilo del carbunco puede diferenciarse fácilmente de otras especies de Bacillus, excepto de la forma saprófita *B. cereus* (véase más adelante la clave diferencial), y un medio selectivo para aislar esporas, que contiene propamidina (0.01 por 100) y polimixina B (20 μg/ml), inhibe el crecimiento de la mayor parte de los bacilos aerobios no esporuladores, excepto Proteus, pero no impide el desarrollo de *B. cereus*.[23] No obstante, este no es una

variedad avirulenta del bacilo del carbunco, y los dos, cuando mucho, solo están relacionados lejanamente. Aun cuando el carácter diferencial más notable de *B. anthracis* es su poder patógeno para el animal, puede identificarse con bastante seguridad por el conjunto de los caracteres fisiológicos y morfológicos.[20]

Las células vegetativas del bacilo del carbunco resisten en grado usual a las influencias nocivas, pero las esporas son relativamente resistentes, aunque no tanto como las de *B. subtilis* y formas similares. Los bacilos se han aislado de suelos infectados naturalmente y almacenados para conservación largo tiempo, hasta 60 años.[44] Las esporas del carbunco suelen destruirse mediante ebullición en diez minutos y con calor seco a 140°C en tres horas. Su resistencia a los desinfectantes es variable; es posible que el cloruro de mercurio al 0.1 por 100 no las destruya en 70 horas, mientras que los desinfectantes oxidantes son mucho más eficaces; el peróxido de hidrógeno al 3 por 100 las mata en una hora, y el permanganato de potasio al 4 por 100 en 15 minutos. En el esqueleto animal las células vegetativas se destruyen durante las alteraciones anaerobias de la putrefacción en 72 horas, pero en esas circunstancias las esporas son viables cuando menos nueve meses. En el suelo, las esporas del carbunco pueden vivir muchos años.[41]

Variación. La forma virulenta de *B. anthracis* que ocurre en forma natural es la variedad rugosa. Pasteur observó muy pronto que el cultivo prolongado de estos bacilos a temperaturas superiores a la óptima, 42.5°C, daba por resultado pérdida de la virulencia y aparición de variedades no asporógenas. Mediante esta forma de cultivo a temperaturas altas o en presencia de antisépticos diluidos se producen

FIG. 27-2. Colonias de *Bacillus anthracis* sobre agar nutritivo. Cultivo de 24 horas. Obsérvese el gran tamaño y textura áspera que sugiere variedades R. × 3.

diferentes tipos de variedades. Se han observado colonias de tipo liso y mucoso, y algunas de estas variedades pueden ser de las que no forman esporas. La virulencia no guarda relación con la capacidad de formar esporas, porque pueden producirse cepas virulentas asporógenas y cepas avirulentas formadoras de esporas.

La virulencia del bacilo del carbunco depende más bien, en parte, de la formación de la cápsula de glutamilpolipéptido. Los bacilos de tipo virulento R aparecen rugosos en el cultivo corriente porque no son encapsulados, pero producen cápsulas in vivo e in vitro cuando los cultivos se incuban aumentando la tensión de bióxido de carbono en medios que contienen bicarbonato, y las colonias son de aspecto mucoso. Las variedades avirulentas R se parecen a la forma virulenta en cultivo en aire, pero las colonias se conservan rugosas y no se producen cápsulas en los cultivos aumentando la tensión de bióxido de carbono.[40] Las cepas avirulentas también pueden ser encapsuladas, produciendo colonias mucosas en los cultivos al aire pero no forman toxina.

Toxinas. En condiciones ordinarias de cultivo el bacilo del carbunco no produce exotoxina; tampoco es tóxica la substancia celular del microorganismo. Las vacunas preparadas con bacilos muertos no dan una inmunidad eficaz, y durante muchos años no se comprendieron la gran virulencia del bacilo del carbunco y la toxemia evidente en las infecciones. Como ya señalamos (capítulo 8), la discrepancia entre la aparente ausencia de toxicidad de un microorganismo y la intoxicación evidente en la enfermedad que produce, puede explicarse en dos formas: el microorganismo puede producir toxicidad solo en las condiciones de desarrollo en los tejidos del animal infectado, o bien originarla el huésped produciéndola los tejidos infectados.[30, 31]

Lo primero parece ser cierto en el carbunco, por cuanto es posible aislar una substancia tóxica del tejido infectado. Este hecho lo demostraron por primera vez Watson y colaboradores en 1947, al aislar una substancia con acción inflamatoria de los tejidos de animales infectados. Subsecuentemente se encontró que la actividad biológica presente en plasma, líquido de edema y exudados, en animales infectados, podía separarse en dos fracciones mediante centrifugación a gran velocidad: una designada fracción I, en el sedimento, la otra, fracción II, en el sobrenadante. Ambas son ligeramente tóxicas, pero en combinación parecen actuar en forma sinérgica, explicando así la gran toxicidad del plasma sin fraccionar.[11, 34]

Esta toxicidad también se produce in vitro en medios que contienen grandes cantidades de suero. El suero solo parece facilitar el paso de una fracción de la toxicidad a través de filtros de vidrio; cuando no se incluye, el filtrado es atóxico. La actividad adsorbida en el filtro de vidrio luego se comprobó que era doble, proporcionando un tercer componente del complejo de la toxina del carbunco.[4, 32] Por lo tanto, en la actualidad dicha toxina parece contener un antígeno protector (PA), un factor edematizante (EF), y un factor letal (LF). Ninguno de ellos es tóxico ensayado aisladamente, pero cuando PA se combina con cualquiera de los otros dos, las mezclas producen la reacción edematosa (local) o mortal, respectivamente.[12] Estos componentes son inmunológicamente distintos, pero no conocemos bien sus relaciones mutuas.

La actividad tóxica todavía no se ha definido con precisión,[29] pero parece depender de una substancia similar a la agresina, que tiene gran acción antifagocítica, y es compatible con el cuadro de la enfermedad del carbunco y el carácter altamente invasor del microorganismo.

Patogenicidad para animales inferiores.[8] En la naturaleza, el carbunco es principalmente una enfermedad de reses y carneros; los caballos y cerdos son susceptibles, pero es menos común que se afecten. Durante 1971 se señalaron dos brotes en animales domésticos, y algunos casos humanos asociados. Uno en Louisiana afectó 700 animales, principalmente ganado y caballos, y dio origen a dos casos humanos. El otro en Misisipí, causó la muerte de 10 terneras y hubo un caso humano. En ambos brotes la fuente de infección fue el suelo. Los venados salvajes y otros herbívoros gregarios están expuestos a brotes ocasionales.

Los roedores pequeños son muy sensibles a la inoculación.[21] Los conejos, cobayos y ratones blancos son susceptibles, en ese orden, y se afectan mortalmente introduciéndoles por vía subcutánea una cantidad muy pequeña de bacilos virulentos. El cobayo se usa a menudo como animal de experimentación.[28] El ratón blanco puede sucumbir a la inoculación con un solo bacilo de una cepa muy virulenta. Los animales carnívoros, aunque más resistentes que los herbívoros, son susceptibles, como lo han demostrado varias epidemias en parques zoológicos que han afectado a leopardos, leones, pumas, osos y otros. Ciertos animales tienen una resistencia natural notable al carbunco. La mayor parte de ratas son bastante resistentes,[38, 39] en especial la rata blanca, estudios comparativos han demostrado que el ritmo de los bacilos en el cobayo y en la rata refleja las diferencias de resistencia natural entre estas especies animales. El perro adulto solo es ligeramente susceptible. Los pájaros, especialmente las palomas, pueden infectarse, pero no con facilidad. Las ranas son completamente resistentes, pero los sapos son muy susceptibles.

La vía de entrada de los bacilos en el organismo influye de manera importante en las infecciones experimentales y naturales. La inoculación por vía subcutánea es el método que se practica más comúnmente en trabajo experimental, y resulta casi uniformemente mortal en los pequeños animales usuales de laboratorio. Los experimentos por vía digestiva han demostrado que la administración de cul-

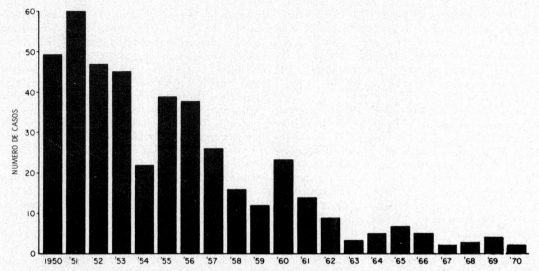

FIG. 27-3. Casos declarados de carbunco humano en Estados Unidos de Norteamérica, 1950-1970. (Morbidity and Mortality Weekly Report, Annual Supplement, Vol. 19. 1970. Center for Disease Control, U. S. Public Health Service.)

tivos libres de esporas, incluso en animales muy susceptibles, no da resultado, debido a que los bacilos son destruidos en el estómago. Por otra parte, la ingestión de esporas causa infección en las especies más susceptibles, aunque no de manera tan segura como la inoculación por vía subcutánea; las especies resistentes, como los cerdos, difícilmente pueden infectarse a través del tubo digestivo. En el animal de experimentación es posible la infección por las vías respiratorias,[2] pero probablemente sea casi desconocida en los animales inferiores en circunstancias naturales.

En animales muy susceptibles la enfermedad es aguda y sigue un curso rápido; la mortalidad en reses y carneros es de alrededor del 80 por 100. Presenta todos los caracteres de la septicemia típica, y las manifestaciones locales pueden faltar casi por completo. En la sangre y órganos internos se multiplican las bacterias en forma tremenda, y los cortes de hígado o bazo muestran los capilares ingurgitados con masas de bacterias. El bazo tiene color rojo obscuro y está muy crecido, de ahí el nombre de fiebre esplénica. Las especies de animales más resistentes no desarrollan esta infección generalizada; las bacterias permanecen localizadas en un absceso o carbunco y no se diseminan por el organismo. Esto sucede en el perro y en algunas formas de infección en el hombre. En condiciones experimentales se ha comprobado que tal resistencia natural era separable en dos componentes, resistencia al establecimiento de una infección, o sea resistencia antibacteriana, y resistencia a la toxina.[18] Este último tal vez se encuentre a mitad de camino en susceptibilidad entre el perro y el carnero.

En condiciones naturales, las reses y carneros se infectan a través del tubo digestivo por tragar esporas mientras consumen pastos infectados. Como

ya dijimos, las esporas son capaces de conservarse viables en el suelo por largo tiempo, y una vez infectadas las pasturas pueden contaminar ganado después de un lapso hasta de 30 años. En Estados Unidos de Norteamérica el alimento contaminado, en especial la harina de hueso, ha sido responsable de la infección de ganado con carbunco. No es raro que las pieles importadas de China y otros países donde la enfermedad es frecuente estén contaminadas con esporas de carbunco; varios brotes de carbunco en las reses en Estados Unidos de Norteamérica han provenido de la inundación de pasturas por corrientes que reciben el drenaje de curtidurías.

El ganado también puede infectarse por contacto directo a través de heridas, abrasiones y otras lesiones de la piel; pero la infección alimenticia es, con mucho, la más común. El carbunco se ha transmitido experimentalmente a animales susceptibles mediante moscas picadoras de diversas especies alimentadas previamente en animales muertos de carbunco. Los bacilos persisten en los insectos por corto tiempo.

Poder patógeno para el hombre.[13] Se conocen tres vías de infección en el hombre: *a)* a través de la piel, *b)* del aparato respiratorio, y *c)* por el tubo digestivo. El bacilo casi siempre es transmitido al hombre por los animales inferiores, más que a través de otros seres humanos. Las personas más comúnmente afectadas son las que están en contacto con ganado y sus productos, como carniceros, pastores y vaqueros, los que manejan pieles, pelo y lanas.[16, 45] En Estados Unidos de Norteamérica hubo un total de 569 casos de carbunco en el periodo de 1945 a 1970 y cuatro casos en 1971.

Durante la primera guerra mundial la desinfección preliminar menos eficaz de pieles y cerdas permitió que se introdujeran artículos contaminados de carbunco de partes de Asia y Sudamérica, y aumentó notablemente el carbunco por el uso de brochas para rasurar —los bacilos se aislaron en algunos casos de brochas compradas en el mercado público. Los bacilos se destruyen en esas brochas sumergiéndolas en formalina al 10 por 100 a 43.3°C por cuatro horas. Se ha empleado el formol en forma de vapores para desinfectar un molino textil contaminado.[48] Se sabe que han ocurrido infecciones en el laboratorio, a veces mortales, con cultivos puros de bacilo del carbunco. La mortalidad por carbunco no tratado en el hombre probablemente sea alrededor de 20 por 100.

Carbunco cutáneo (pústula maligna). La forma más común de carbunco en el ser humano es por infección de la piel; suele tomar la forma de un furúnculo o absceso localizado, que a menudo cicatriza espontáneamente, pero puede evolucionar hasta un estado septicémico a menos que se detenga mediante una incisión u otro procedimiento quirúrgico. Gracias a la resistencia relativamente alta del hombre, la septicemia no es frecuente, especialmente si se abre la pústula y se drena por completo. Pueden producirse lesiones de todos tamaños, desde una pústula minúscula hasta un gran absceso.

Carbunco pulmonar.[1] La forma pulmonar de carbunco por inhalación de los microorganismos es la variedad más peligrosa, aunque no la más común, de la enfermedad en el hombre. Es padecimiento ocupacional entre quienes manipulan y clasifican lanas y vellones, que contraen la infección al inhalar las esporas que flotan en el aire procedentes del material infectado; en Inglaterra el carbunco pulmonar se conoce como "enfermedad de los clasificadores de lana". Se caracteriza por muchos de los síntomas de la neumonía, y a menudo evoluciona hacia la septicemia mortal. En el carbunco respiratorio experimental bastan muy pocas esporas (en el caso de cepas virulentas), entrando en los tejidos desde el alveolo por vía del sistema linfático. Las esporas inhaladas solo producen ligera reacción local excepto porque obstruyen los capilares en la etapa terminal de la enfermedad. Tiene cierto interés que puedan observarse esporas de carbunco en la nariz y garganta de personas sanas expuestas a la infección por inhalación, sin que se desarrolle subsecuentemente la enfermedad,[9] y el estudio serológico posterior a un brote de carbunco pulmonar sugiere que acontece una infección subclínica.[7, 24] No parece haber pruebas de que esas personas jueguen papel importante ninguno en la diseminación de la infección humana, y la presencia de microorganismos quizá solo representa contaminación pasajera.

Carbunco intestinal. Aunque el tubo digestivo es la vía usual de infección en el ganado, es muy raro que lo sea en el hombre. Se conocen algunos casos de carbunco intestinal contraído por alimento contaminado de esporas. Esos casos suceden entre quienes trabajan con productos animales, y se han debido probablemente a falta de precaución al manejar comida con las manos sucias. La carne de animales infectados con carbunco, cocida insuficientemente, también puede ser fuente de carbunco intestinal.

Diagnóstico bacteriológico.[6] Si la pieza es fresca y no está muy contaminada, el bacilo del carbunco suele poderse encontrar en frotis coloreados por Gram, y se cultiva fácilmente en los medios nutritivos usuales. La pieza también puede usarse para inocular cobayos, pero debe tenerse en cuenta que los anaerobios obligados esporulantes matarán tan rápidamente como el bacilo del carbunco. En todo caso, el poder patógeno del cultivo aislado debe probarse mediante inoculación animal. El animal morirá 36 a 48 horas después de inocularle por vía subcutánea una cantidad muy pequeña de cultivo. En el sitio de inoculación se encontrará un infiltrado gelatinoso, y los tejidos contendrán cantidades enormes de bacilos; por ejemplo, los frotis de corte de bazo mostrarán muchos de los grandes bacilos grampositivos. Esta demostración de la patogenicidad es suficiente para identificarlos, ya que ninguno de los bastones aerobios esporuladores parecidos al bacilo del carbunco son patógenos para el cobayo y animales de experimentación semejantes.

A veces se usa una prueba de precipitación, la prueba de Ascoli o de termoprecipitación, para descubrir la contaminación de pieles u otros tejidos con carbunco. La muestra se extrae con agua hirviendo y el extracto se usa como antígeno en una prueba de precipitina en anillo con antisuero para carbunco de título muy alto.

Quimioterapia. Antes de conocerse sulfamidas y antibióticos, el carbunco solo se trataba con éxito parcial mediante una combinación de antisuero y arsenicales. Si bien el número de casos es limitado, por la baja frecuencia de la enfermedad, está comprobado que las sulfamidas son quimioterápicos eficaces, y la penicilina lo es notablemente. En los casos en que los bacilos son penicilinorresistentes, las tetraciclinas son igualmente eficaces.

Inmunidad.[37] La inmunidad natural, o resistencia, de ciertas especies animales es muy alta. Ello es consecuencia, cuando menos en parte, de una actividad carbuncocida presente en los tejidos y asociada con una proteína similar a una histona o polipéptido (capítulo 8).

En el animal susceptible, la recuperación de una infección da por resultado inmunidad sólida, y el suero contiene anticuerpo protector en título alto. No obstante, no ha sido posible producir inmunidad apreciable por inoculación de prueba con vacunas de bacilos del carbunco muertos, y solo se ha obtenido inmunidad eficaz infectando con cepas atenuadas como las usaba Pasteur en sus primeros estudios sobre inmunidad de los carneros para el carbunco, o inoculando con cepas virulentas, o parcialmente virulentas, junto con antisuero protector.

Cromartie y colaboradores, estudiando la actividad inmunológica de los productos del desarrollo in

vivo de bacilos del carbunco, como ya indicamos
en relación con la toxina, comprobaron que el antígeno que logra una respuesta inmunitaria eficaz se
producía in vivo, pero de ordinario no en cultivos
in vitro. Gladstone encontró, en 1946, que el antígeno inmunizante podía producirse en cultivos in
vitro en presencia de líquidos corporales que contuvieran albúmina y una fracción dializable substi-
tuible por carbonato de sodio. La elaboración de
este antígeno en cultivo y su naturaleza se han estudiado subsecuentemente en forma muy amplia.[35]

El antígeno inmunizador se encuentra en filtrados
libres de células de cultivos in vivo o in vitro, y
parece difundir libremente de las células bacterianas.
Es termolábil, algo inestable, pero puede preservarse
mediante liofilización, y es de naturaleza proteínica.
En los cultivos se forma en medios químicamente
definidos, pero complejos, que contengan muchos
aminoácidos, purinas, glutamina, tiamina, bicarbonato
y otras sales.[47] Algunos aminoácidos, el bicarbonato
y el calcio, son necesarios para que se forme el antígeno, pero no para el desarrollo.[25] Puede precipitarse mediante alumbre[46] o con sales y purificarse
por adsorción y elución.[36] En cultivos jóvenes la
actividad se encuentra en cantidad máxima, y hay
razón para creer que tiende a ser destruida por las
polipeptidasas bacterianas.

Este antígeno inmunizante no guarda relación
con la substancia glutamilpolipéptida capsular, aunque ambas son necesarias para la virulencia, y mutantes avirulentos no encapsulados producen antígeno. Está íntimamente relacionado con la toxina
antes descrita, pero todavía no se establece con precisión esta relación.

Aun cuando se logra inmunidad eficaz mediante
inoculación profiláctica con el antígeno inmunizador,
tanto en el hombre como en monos y en otros animales de experimentación, la naturaleza de la inmunidad que se produce en esa forma no se ha aclarado bien.[42] Probablemente incluyen un anticuerpo
contra la actividad antifagocítica similar a la agresina, y es antitóxica, por cuanto la lesión cutánea
producida mediante inoculación intradérmica en el
conejo se inhibe por inmunización; esta inhibición
se ha propuesto como medida de protección contra
la infección.[5]

Inmunización profiláctica. En circunstancias ordinarias, la inmunización activa del hombre para
el carbunco no es cuantitativamente importante,
pero la inmunización eficaz del ganado, carneros y
otros animales domésticos, puede tener considerable
valor.

En Francia se ha usado mucho la inmunización
inoculando bacilos atenuados parcialmente avirulentos (profilácticos de Pasteur) para proteger animales
domésticos aunque puede ocurrir infección (el "carbunco de vacuna"). En Estados Unidos de Norteamérica se ha usado en áreas donde es frecuente
el carbunco un método alternativo, el de Soberheim.
Consiste en inocular simultáneamente una suspensión

de esporas virulentas y suero inmune de animales
curados. Ambos métodos tienden a perpetuar el
carbunco.

La posibilidad de producir una inmunidad eficaz
inoculando preparaciones estériles libres de células,
de antígeno inmunizante o protector descrito con
anterioridad, es de gran importancia práctica. Aunque se ha establecido plenamente que en esa forma
se produce una inmunidad eficaz,[3] a falta de un
método para cuantificar la inmunidad resulta difícil
valorar la eficacia del antígeno. Se han sugerido
la reacción intradérmica antes señalada y la correlación de protección titulando el anticuerpo fijador de
complemento,[22] pero se ha desarrollado un índice
de inmunidad[10] que parece dar mayor información
y guarda buena correlación con el anticuerpo titulado por difusión de gel.[19, 26] Según este último,
está comprobado[17] que un mutante avirulento no
encapsulado usado como vacuna aumentó 10 a 15
veces la inmunidad, el antígeno protector 1 000 veces más, pero la inmunización con antígeno protector seguida de inoculación con vacuna viva dio
un incremento hasta de 10^9 veces sobre el de animales sin inocular. Esos procedimientos de inmunización todavía no se han probado en gran escala
en condiciones naturales.

BACILOS RELACIONADOS

Como indicamos en un principio, hay muchas
especies de bacilos aerobios esporulantes relacionados estrechamente e imposibles de diferenciar del
bacilo del carbunco con cualquier base que no sea
el poder patógeno. La estrecha semejanza morfoló-

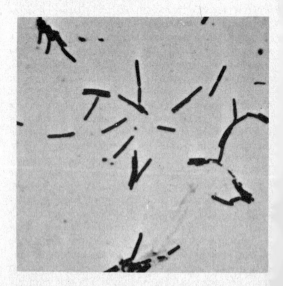

FIG. 27-4. *Bacillus subtilis,* cultivo de 24 horas en agar
nutritivo. No se han formado esporas todavía. Obsérvese
la disposición típica de los bacilos. Tinción con violeta
cristal. × 1 200.

gica condujo a muchos de los investigadores iniciales a describir "bacilos avirulentos del carbunco", "bacilos de seudocarbunco", y "bacilo carbuncoide". Sin embargo, hay poca base para tal diferenciación. Estos bacilos son formas saprófitas del suelo y se encuentran como contaminantes en las placas por la gran profusión de sus esporas en el polvo.

De las formas que se encuentran comúnmente, entre las más familiares están *B. subtilis, B. megaterium* y *B. cereus. B. mycoides,* llamado algunas veces *B. ramosus,* está muy relacionado con *B. cereus,* y se clasifica como una variedad del mismo en vez de especie separada. Hay en total unas treinta especies de Bacillus. La siguiente parte de una guía para el género indica la forma cómo se separan y definen las especies. Es notable la estrecha relación del bacilo del carbunco con las formas saprófitas.

Bacilos aerobios mesófilos, con esporas elipsoides a cilíndricas y centrales a terminales:

I. Diámetro de las células vegetativas, menor de 0.9 µ (variedad de células pequeñas)
  1) Crecen a pH de 6.0; forman acetilmetilcarbinol
    a) Hidrolizan la gelatina
      i) Hidrolizan el almidón; el nitrato se reduce a nitrito
        Bacillus subtilis
      ii) No hidrolizan el almidón; el nitrato se reduce a nitrito
        Bacillus pumilus
    b) No hidrolizan la gelatina
      Bacillus coagulans
  2) No crecen a pH de 6.0; no forman acetilmetilcarbinol
    a) Digieren la caseína; no forman ureasa
      Bacillus firmus
    b) No digieren la caseína; forman ureasa
      Bacillus lentus

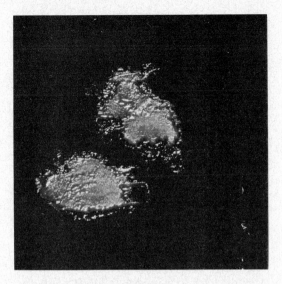

FIG. 27-6. Colonias de *Bacillus mycoides* en agar nutritivo. Cultivo de 24 horas. × 3.

II. Diámetro de las células vegetativas de 0.9 µ o más (variedad de células grandes)
  1) No producen acetilmetilcarbinol
    Bacillus megaterium
  2) Producen acetilmetilcarbinol
    a) Saprófitos, generalmente móviles
      Bacillus cereus
      Bacillus cereus var. *mycoides*
    b) Patógenos, no móviles
      Bacillus anthracis

Estas formas pueden distinguirse entre sí basándose en detalles de la formación de esporas, diferentes fermentaciones y similares, y constituyen tipos estables. La investigación inmunológica también ha confirmado la homogeneidad de estos tipos. Al parecer, la especificidad inmunológica de las esporas es diferente de la substancia celular, y pueden distinguirse cuatro tipos principales del grupo de células pequeñas, aunque la diferenciación del de células grandes, por estos medios, no es tan satisfactoria. En los estudios de especificidad de la substancia celular se han obtenido resultados similares.

La patogenicidad de estas formas, cuando mucho, es ligera, pero *B. subtilis* en ocasiones es responsable de infecciones,[43] en particular del ojo, y rara vez produce septicemia en el animal joven. Ocasionalmente se comprueba que otras bacterias de este grupo tienen poder patógeno débil. Heaslip[14] aisló un bacilo esporulador aerobio que llamó *B. tropicus* inoculando ratones con sangre de personas que sufrían una infección leve en Australia llamada "fiebre costeña". Este bacilo también se ha encontrado ahí como parásito natural de la rata y del bandicut. Parece ser muy semejante al bacilo descrito por Scott muchos años antes como *B. seroficus. B. alvei,* la causa de la muerte de las larvas de las abejas *(foul brood),* no es patógeno para el hombre.

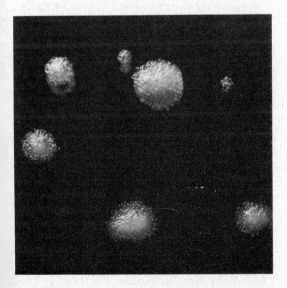

FIG. 27-5. Colonias de *Bacillus subtilis* en agar nutritivo. Cultivo de 24 horas. Obsérvese la semejanza con las colonias de bacilo del carbunco. × 3.

BIBLIOGRAFIA

1. Albrink, W. S. 1961. Pathogenesis of inhalation anthrax. Bacteriol. Rev. **25**:268–273.
2. Albrink, W. S., and R. J. Goodlow. 1959. Experimental inhalation anthrax in the chimpanzee. Amer. J. Pathol. **35**:1055–1065.
3. Auerbach, S., and G. G. Wright. 1955. Studies on immunity to anthrax. VI. Immunizing activity of protective antigen against various strains of *Bacillus anthracis*. J. Immunol. **75**:129–133.
4. Beall, F. A., M. J. Taylor, and C. B. Thorne. 1962. Rapid lethal effect in rats of a third component found upon fractionating the toxin of *Bacillus anthracis*. J. Bacteriol. **83**:1274–1280.
5. Belton, F. C., and D. W. Henderson. 1956. A method for assaying anthrax immunizing antigen and antibody. Brit. J. Exp. Pathol. **37**:156–160.
6. Brachman, P. S., and J. C. Feeley. 1970. Bacillus anthracis. pp. 106–111. *In* J. E. Blair, E. H. Lennette, and J. P. Truant (Eds.): Manual of Clinical Microbiology. American Society for Microbiology, Bethesda.
7. Brachman, P. S., *et al.* 1960. An epidemic of inhalation anthrax: the first in the twentieth century. II. Epidemiology. Amer. J. Hyg. **72**:6–23.
8. Bulletin. 1955. Anthrax. Farmer's Bull. No. 1736. U.S. Department of Agriculture, Washington, D.C.
9. Carr, E. A., Jr., and R. R. Rew. 1957. Recovery of *Bacillus anthracis* from the nose and throat of apparently healthy workers. J. Infect. Dis. **100**:169–171.
10. DeArmon, I. A., Jr., *et al.* 1961. Immunological studies of anthrax. I. An index to determine quantitative immunization. J. Immunol. **87**:233–239.
11. Fish, D. C., and R. E. Lincoln. 1968. In vivo–produced anthrax toxin. J. Bacteriol. **95**:919–924.
12. Fish, D. C., *et al.* 1968. Purification and properties of in vitro–produced anthrax toxin components. J. Bacteriol. **95**:907–918.
13. Gold, H. 1955. Anthrax. A report of one hundred seventeen cases. Arch. Intern. Med. **96**:387–396.
14. Heaslip, W. G. 1941. *Bacillus tropicus*, a new species isolated from man and animals described and compared with other bacilli resembling *Bacillus anthracis*. Med. J. Aust. **2**:536–540.
15. Jones, W. I., *et al.* 1967. In vivo growth and distribution of anthrax bacilli in resistant, susceptible, and immunized hosts. J. Bacteriol. **94**-600–608.
16. Kendall, C. E. 1959. Occupational anthrax in the United States. J. Occup. Med. **1**:174–177.
17. Klein, F., *et al.* 1962. Immunological studies of anthrax. II. Levels of immunity against *Bacillus anthracis* obtained with protective antigen and live vaccine. J. Immunol. **88**:15–19.
18. Klein, F., *et al.* 1963. Dual nature of resistance mechanisms as revealed by studies of anthrax septicemia. J. Bacteriol. **85**:1032–1038.
19. Klein, F., *et al.* 1963. Immunologic studies of anthrax. III. Comparison of antibody titer and immunity index after anthrax immunization. J. Immunol. **91**:431–437.
20. Leise, J. M., *et al.* 1959. Criteria for the identification of *Bacillus anthracis*. J. Bacteriol. **77**:655–660.
21. Marchette, N. J., D. L. Lundgren, and K. Smart. 1957. Intracutaneous anthrax infection in wild rodents. J. Infect. Dis. **101**:148–153.
22. McGann, V. G., R. L. Stearman, and G. G. Wright. 1961. Studies on immunity in anthrax. VIII. Relationship of complement-fixing activity to protective activity of culture filtrates. J. Immunol. **86**:458–464.
23. Morris, E. J. 1955. A selective medium for *Bacillus anthracis*. J. Gen. Microbiol. **13**:456–460.
24. Norman, P. S., *et al.* 1960. Serologic testing for anthrax antibodies in workers in a goat hair processing mill. Amer. J. Hyg. **72**:32–37.
25. Puziss, M., and G. G. Wright. 1954. Studies on immunity in anthrax. IV. Factors influencing elaboration of the protective antigen of *Bacillus anthracis* in chemically defined media. J. Bacteriol. **68**:474–482.
26. Ray, J. G., Jr., and P. J. Kadull. 1964. Agar-gel precipitin technique in anthrax antibody determinations. Appl. Microbiol. **12**:349–354.
27. Record, B. R., and R. G. Wallis. 1956. Physiochemical examination of polyglutamic acid from *Bacillus anthracis* grown in vivo. Biochem. J. **63**:443–447.
28. Ross, J. M. 1955. On the histopathology of experimental anthrax in the guinea-pig. Brit. J. Exp. Pathol. **36**:336–339.
29. Slein, M. W., and G. F. Logan, Jr. 1960. Mechanism of action of the toxin of *Bacillus anthracis*. I. Effect in vivo on some blood serum components. J. Bacteriol. **80**:77–85.
30. Smith, H. 1958. The use of bacteria grown in vivo for studies on the basis of their pathogenicity. Ann. Rev. Microbiol. **12**:77–102.
31. Smith, H. 1960. Studies on organisms grown in vivo to reveal the bases of microbial pathogenicity. Ann. N.Y. Acad. Sci. **88**:1213–1226.
32. Smith, H., and J. L. Stanley. 1962. Purification of the third factor of anthrax toxin. J. Gen. Mierobiol. **29**:517–521.
33. Smith, H., and H. T. Zwartouw. 1956. The polysaccharide from *Bacillus anthracis* grown in vivo. Biochem. J. **63**:447–454.
34. Stanley, J. L., K. Sargeant, and H. Smith. 1960. Purification of factors I and II of the anthrax toxin produced in vivo. J. Gen. Microbiol. **22**:206–218.
35. Strange, R. E., and F. C. Belton. 1954. Studies on a protective antigen produced in vitro from *Bacillus anthracis*: purification and chemistry of the antigen. Brit. J. Exp. Pathol. **35**:153–165.
36. Strange, R. E., and C. B. Thorne. 1958. Further purification studies on the protective antigen of *Bacillus anthracis* produced in vitro. J. Bacteriol. **76**:192–202.
37. Symposium. 1958. Symposium on recent developments in immunization against bacterial disease. The basis of immunity to anthrax. Proc. Roy. Soc. Med. **51**:375–384.
38. Taylor, M. J., G. H. Kennedy, and G. P. Blundell. 1961. Experimental anthrax in the rat. I. The rapid increase of natural resistance observed in young hosts. Amer. J. Pathol. **38**:469–480.
39. Taylor, M. J., J. R. Rooney, and G. P. Blundell. 1961. Experimental anthrax in the rat. II. The relative lack of natural resistance in germ-free (Lobund) hosts. Amer. J. Pathol. **38**:625–638.
40. Thorne, C. B., C. G. Gomez, and R. D. Housewright. 1952. Synthesis of glutamic acid and glutamyl polypeptide by *Bacillus anthracis*. II. The effect of carbon dioxide on peptide production in solid media. J. Bacteriol. **63**:363–368.
41. Van Ness, G. B. 1971. Ecology of anthrax. Science **172**:1303–1307.
42. Ward, M. K., *et al.* 1965. J. Infect. Dis, **115**:59–67.
43. Weinstein, L., and C. G. Colburn. 1950. *Bacillus subtilis* meningitis and bacteremia. Report of a case and review of the literature on "subtilis" infections in man. Arch. Intern. Med. **86**:585–594.
44. Wilson, J. B., and K. E. Russell. 1964. Isolation of *Bacillus anthracis* from soil stored 60 years. J. Bacteriol. **87**:237–238.
45. Wolff, A. H., and H. Heimann. 1951. Industrial anthrax in the United States. An epidemiologic study. Amer. J. Hyg. **53**:80–109.
46. Wright, G. G., T. W. Green, and R. G. Kanode, Jr. 1954. Studies on immunity in anthrax. V. Immunizing activity of alum-precipitated protective antigen. J. Immunol. **73**:387–391.
47. Wright, G. G., M. A. Hedberg, and J. Slein. 1954. Studies on immunity in anthrax. III. Elaboration of protective antigen in a chemically-defined, non-protein medium. J. Immunol. **72**:263–269.
48. Young, L. S., J. C. Feeley, and P. S. Brachman. 1970. Vaporized formaldehyde treatment of a textile mill contaminated with *Bacillus anthracis*. Arch. Envir. Hlth. **20**:400–403.
49. Zwartouw, H. T., and H. Smith. 1956. Polyglutamic acid from *Bacillus anthracis* grown in vivo: Structure and aggressin activity. Biochem. J. **63**:437–442.

CAPITULO 28

CLOSTRIDIUM: LOS ANAEROBIOS FORMADORES DE ESPORAS

El grupo de bacilos anaerobios esporulantes incluye diversas formas.[51] Algunas, las bacterias anaerobias fijadoras de nitrógeno, las formas que producen alcohol butílico y acetona, y otras, se han descrito antes (capítulo 4). Pero otras son patógenas para el hombre y animales inferiores; aquí nos referiremos a los más importantes —*Clostridium tetani, Cl. septicum, Cl. perfringens, Cl. novyi, Cl. histolyticum, Cl. chauvoei, Cl. botulinum,* y a la especie no patógena, pero común, *Cl. sporogenes.*

Hay diversidad de opiniones en cuanto al estado de estas bacterias como parásitos. Se encuentran en el suelo, con particular abundancia en los abonados, y en el intestino del hombre y animales. Por ejemplo, *Cl. perfringens* se presenta de manera uniforme en las heces humanas, y el bacilo del tétanos se encuentra a menudo (hasta en el 40 por 100 de las muestras examinadas) en las de animales domésticos. Algunos autores han supuesto que estos bacilos son parásitos y que su presencia en el suelo es consecuencia de contaminación. Aunque en forma indiscutible aumentan mucho al abonar y mediante otras formas de contaminación, se han encontrado algunas en suelos vírgenes. Tal vez sea mejor considerar las formas del suelo esencialmente saprófitas capaces de conservarse en el intestino grueso.

Ninguna de estas bacterias posee capacidad invasora notable para los tejidos del cuerpo. *Cl. botulinum* parece incapaz de establecer una infección, en tanto que otros, como el bacilo del tétanos, producen infecciones locales cuando les ayuda una lesión traumática de los tejidos, y con frecuencia la presencia de otras bacterias. Otros, como los bacilos que acompañan a la gangrena gaseosa, muestran capacidad invasora notable una vez establecidos, pero la invasión inicial es posible por otros factores, por lo general traumas y presencia de otras bacterias.

La patogenicidad de los bacilos anaerobios es atribuible más bien a su facultad de formar exotoxinas potentes, propiedad curiosamente limitada a estas bacterias, el bacilo de la difteria, y el Shiga disentérico. En el caso de botulismo, la toxina se forma previamente fuera del cuerpo del animal y, como es única en tanto que resistente a las enzimas digestivas, entra en el cuerpo por el tubo digestivo y por absorción hacia los tejidos. En los demás casos se establece un foco de infección, y la toxina formada en ese punto se disemina por todo el cuerpo. En algunos, como la gangrena, ocurre una destrucción local extensa de tejido, pero en general las enfermedades causadas por estos bacilos son esencialmente toxemias.

De las consideraciones anteriores se desprende claramente que las infecciones con anaerobios esporulantes no son comunes en circunstancias ordinarias, ya que en la mayor parte de los casos hay una lesión traumática antes de la infección. Sin embargo, esas lesiones son comunes en el campo de batalla, y el tétanos y la gangrena no son complicaciones raras de heridas de guerra. En la primera guerra mundial fueron notables esas infecciones anaerobias de las heridas, tal vez como consecuencia de las batallas libradas sobre los campos muy estercolados de Francia. La aparición de gangrena gaseosa durante la segunda guerra mundial entre las tropas de Noráfrica, donde el suelo del desierto está relativamente libre de esas formas, sugiere que la indumentaria puede ser una fuente de contaminación más importante de lo que se creía.

Cl. histolyticum es microaerófilo; crecerá en presencia de cantidades pequeñas de oxígeno, pero las restantes formas que hemos considerado aquí son anaerobias obligadas. Pueden aislarse en cultivo puro tomando colonias de un cultivo agitado o de placas incubadas en un frasco anaerobio.[19, 27, 66] Todas son bastones grandes, grampositivos, no encapsulados, con excepción de *Cl. perfringens,* y móviles por flagelos peritricos, con excepción de *Cl. perfringens.* Las esporas suelen tener mayor diámetro que las células vegetativas, y las que contienen esporas son fusiformes o en forma de palillo de tambor. Las esporas del bacilo del tétanos son redondas y terminales y las de los otros bacilos, ovales y subterminales. Pueden distinguirse dos tipos fisiológicos generales de bacilos anaerobios, uno predominantemente fermentativo o sacarolítico, el otro especialmente proteolítico. En el cuadro adjunto se resumen estas propiedades y otras.

Caracteres morfológicos y bioquímicos de los anaerobios patógenos más importantes

	Esporas	Cápsula	Motilidad	Proteólisis	Fermentaciones Glucosa	Lactosa	Sacarosa	Exotoxinas
Cl. tetani	esférica, terminal	—	+	—	—	—	—	+++‡
Cl. septicum		—	+	+lig*	+	+	—	++
Cl. perfringens		+	—	+lig	+	+	+	++
Cl. novyi		—	+	+lig	+	—	—	+++
Cl. histolyticum	oval, sub-	—	+	+	a†	—	—	+
Cl. sporogenes	terminal	—	+	+	+	—	—	—
Cl. chauvoei		—	+	+lig	+	+	+	++
Cl. botulinum		—	+	±	+	±	—	+++

lig*: relativamente ligera.
a†: ácida.
‡: fuerte, moderada y débil.

En la fermentación de hidratos de carbono que producen estos bacilos se forman grandes cantidades de ácidos orgánicos volátiles; en este aspecto difieren de las otras bacterias patógenas que producen ácidos no volátiles, ácido láctico en su mayor parte. Los anaerobios obligados atacan enérgicamente los aminoácidos; algunos son "fermentados" pasando a ácidos orgánicos, otros son oxidados y reducidos.

CLOSTRIDIUM TETANI [1, 22]

El tétanos es una enfermedad del hombre y de los animales que se caracteriza por espasmos de los músculos voluntarios. Con frecuencia son más notables en los músculos maxilares y del cuello, de ahí el nombre de "trismo". Nicolaier describió por primera vez en 1884 el bacilo del tétanos, observándolo en el pus tomado de ratones y otros animales que habían muerto después de inoculados por vía subcutánea con pequeñas cantidades de tierra. Kitasato aisló el microorganismo en cultivo puro en 1889, y demostró su papel causal. También demostró la incapacidad del bacilo del tétanos para invadir el torrente sanguíneo, y que la enfermedad era una intoxicación. En 1890, von Behring y Kitasato sentaron las bases de la terapéutica antitóxica al descubrir las antitoxinas diftérica y tetánica.

Morfología. Los bacilos del tétanos aislados son bastones delgados, móviles (20 a 30 flagelos peritricos), grampositivos esporulantes, con extremos redondeados. Por lo común miden 0.3 a 0.5 μ de ancho y 2 a 5 μ de largo, pero se observan filamentos vegetativos de mucha mayor longitud. Las formas más cortas suelen ser rectas; los filamentos tienden a curvarse en forma ondulante. Puede haber cadenas o bastones cortos. La espora es esférica y terminal, de mayor diámetro que la célula vegetativa; las formas que contienen esporas tienen un aspecto característico en palillo de tambor. Las colonias aisladas en agar glucosado profundo tienen aspecto lanoso y pueden ser floculentas o presentan un centro opaco. Las colonias de superficie son planas, rizoides, incluso plumosas, y con frecuencia pasan de 1 mm de diámetro. Posteriormente los centros se hacen ligeramente realzados. Las colonias en agar sangre muestran hemólisis.

Fisiología. El bacilo del tétanos crece en caldo con glucosa o simple y en los medios de cerebro, carne, agar y gelatina de los que se ha eliminado el aire por calentamiento y se excluye con algún medio de obturación. Si la profundidad de los medios es adecuada, digamos siete a 12 cm, no es necesario cerrarlos en forma especial, sobre todo para los medios más viscosos. El desarrollo ocurre entre 14° y 43°C; la temperatura óptima es de 37° centígrados.

El crecimiento de *Cl. tetani* es influido mucho por la presencia de microorganismos asociados. En medios sin azúcar puede desarrollarse en cultivos mixtos sobre la superficie del medio de cultivo, en contacto con el aire, gracias a que los aerobios asociados absorben el oxígeno. Pero en caldo glucosado es muy probable que se inhiba el crecimiento del bacilo del tétanos en cultivo mixto por formación de ácido debido a las bacterias asociadas. Por lo tanto, para el cultivo inicial de material contaminado son preferibles los medios sin azúcar, como el caldo peptonado de carne, o los profundos de carne o cerebro. A partir de estos cultivos iniciales pueden aislarse cultivos puros mediante los métodos profundos de agar, o cultivo de superficie Se ha supuesto que calentar inicialmente el materia contaminado simplifica el aislamiento del bacilo de tétanos, al destruir las células vegetativas de otro microorganismos que pueden estar presentes; si embargo, este método puede dejar todavía mal mez cladas las esporas del bacilo del tétanos con la de otras bacterias aerobias o anaerobias, algunas d las cuales quizá sean más resistentes que las de tetánico.

En cultivo puro, la glucosa estimula el crecimiento, como en el caso de otros anaerobios, aunque *Cl. tetani* no fermenta la glucosa ni otros hidratos de carbono. Los hidratos de carbono no inhiben la esporulación, como en los anaerobios fermentativos; por lo contrario, la esporulación del bacilo del tétanos se puede acelerar en caldo de glucosa.

El crecimiento por punción en gelatina es lento a 22°C. Los cultivos en gelatina incubados a 37°C por dos a tres días, por lo general no se endurecen en el refrigerador. Las proteínas coaguladas, como el suero sanguíneo o la clara de huevo, se licuan muy lentamente. Los medios profundos de cerebro y carne pueden suavizarse ligeramente, pero nunca se digieren por completo; después de varias semanas se observa un ligero obscurecimiento cerca de la superficie expuesta al aire. El bacilo del tétanos, por lo tanto, solo es débilmente proteolítico. Los aminoácidos se utilizan prontamente, pero no por la combinación de oxidación-reducción; por ejemplo, el ácido glutámico, el aspártico y la serina son atacados directamente con formación de CO_2 NH_3, y ácidos acético y butírico. Tanto los aminoácidos como los compuestos de carbono son deshidrogenados fácilmente. En leche tornasolada se reduce el indicador, y a veces hay una ligera precipitación de la caseína. Los nitratos no se reducen a nitritos, pero se producen sulfuro de hidrógeno e indol.

El bacilo del tétanos se ha desarrollado en medios sintéticos, y sus necesidades de crecimiento son relativamente complejas, incluyendo los aminoácidos arginina, histidina, tirosina, valina, leucina, isoleucina y triptófano; las vitaminas bacterianas ribo-

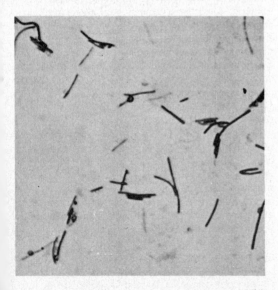

FIG. 28-1. *Clostridium tetani* en cultivo puro. Cultivo joven, en desarrollo activo, que muestra el inicio de formación de esporas. Obsérvense las esporas refringentes, sin teñir, el aspecto en palillo de tambor cuando están unidas a las células, y la tendencia de las células vegetativas a quedar unidas por los extremos. Fucsina; × 1 150.

flavina, ácido pantoténico, tiamina, ácido fólico, biotina, piridoxina y ácido nicotínico; las purinas adenina y uracilo, y ácido oleico. El hierro impide la formación de toxina; se obtienen mejores rendimientos cuando se elimina el medio tanto hierro como sea posible, aunque no hay duda que se necesitan muy pequeñas cantidades.[46] Un medio de caldo de carne conteniendo estómago de cerdo autolisado, o digerido tríptico de caseína, junto con glucosa, carbonato, potasio, magnesio y fosfato, permite que se produzca toxina en título alto.

La formación de esporas comienza en unos dos días a 37°C y en ocho o 10 días a temperatura ambiente. Las esporas son muy resistentes; cuando se protegen de la luz y el calor permanecen viables por años. Theobald Smith encontró algunas cepas que resistieron vapor a 100°C durante 40 a 60 minutos. Parece que el fenol al 5 por 100 destruye las esporas de tétanos en 10 a 12 horas; la adición de 0.5 por 100 de ácido clorhídrico reducirá el tiempo a dos horas.

Estructura antigénica. El bacilo del tétanos antigénicamente es heterogéneo, y se han descrito algunos tipos que se designan con números romanos. En la actualidad se conocen 10 en total. Al parecer, se incluyen antígenos somáticos y flagelares, los primeros de un grupo y los últimos de naturaleza específica. Los organismos de tipo VI no son flagelados y carecen de antígeno específico de tipo; los tipos II, IV, V y IX tienen un antígeno común O que da por resultado reacciones cruzadas en títulos más altos entre estos que entre los demás tipos. En Estados Unidos de Norteamérica, Inglaterra y Francia se han encontrado los tipos I y III más comúnmente, y el tipo V en China. La toxina formada por todos estos tipos es inmunológicamente idéntica.

Toxina tetánica.[41] Como dijimos en otra parte (capítulo 8), la poderosa toxina soluble que produce el bacilo del tétanos es de naturaleza doble; la tetanospasmina es la porción que afecta el tejido nervioso, la tetanolisina es una hemolisina. La primera es, con mucho, la de mayor importancia; pero hay datos indicando que la tetanolisina puede contribuir a la patogenia de la enfermedad.[37] Los cultivos líquidos suelen ser tóxicos; 5×10^{-6} ml pueden ser mortales para un ratón. Aunque la toxina al parecer difunde libremente en medio circundante también se encuentra en células bacterianas y puede extraerse de células lavadas con cloruro de sodio molar.

La toxina es filtrable y puede liberarse de las bacterias por paso a través de filtros Berkefeld, Chamberland y similares. En solución acuosa la toxina es muy inestable al calor y la luz, y debe guardarse en lugar frío y obscuro. Al parecer, es de naturaleza proteínica; cuando menos, todavía no se ha podido separar de las proteínas, y la destruyen las enzimas proteolíticas, de aquí que sea ineficaz cuando se da por la boca. Puede precipitarse con sulfato de amonio, y en estado seco conserva su potencia por mucho tiempo. Es un excelente antígeno y produce sueros antitóxicos de títulos altos.

Como antes dijimos, la toxina tetánica es uno de los venenos más potentes que se conocen; su toxicidad excede con mucho la de los alcaloides y otras substancias que suelen considerarse altamente venenosas. Se ha preparado en forma cristalina precipitándola con metanol en el frío. Estas preparaciones contienen 5 a 7.5 $\times$ 10^{-7} dosis DL$_{50}$ para el ratón por mg de nitrógeno, y se produjo tétanos en ratones con tan poco como 0.000013 γ de toxina cristalina. Por lo general, se interpone un periodo de incubación entre la inoculación y la aparición de síntomas, que no puede disminuirse a menos de ocho horas con el filtrado tóxico usual; más allá de ese punto, el periodo de incubación es inversamente proporcional a la cantidad de toxina inyectada. Con material cristalino es posible dar en el ratón hasta 500 000 DLM, grandes cantidades que producen síntomas en 30 minutos y la muerte en una hora.

La toxina tetánica parece actuar como la estricnina, suprimiendo todos los tipos de inhibición de sinapsis; la causa final de la muerte es asfixia por espasmo de los músculos respiratorios. Este espasmo puede aliviarse usando relajantes musculares y anestésicos. Ese tratamiento sintomático, combinado con antitoxina, curare y substancias similares, succinilcolina, sedación como la de barbitúricos, traqueotomía con respiración de presión positiva, y similares, ha dado algún buen resultado, pero la anestesia prolongada crea problemas inusitados, o sea lesión de médula ósea por la anestesia prolongada con óxido nitroso, etc.

Diseminación de la toxina tetánica en el cuerpo. Hay dos opiniones en relación con la vía por la que llega al sistema nervioso central la toxina tetánica. Según la prueba experimental de Meyer y Ransom, la toxina es absorbida por los órganos terminales de los nervios motores y viaja hasta las células ganglionares del sistema nervioso central siguiendo el cilindroeje de los nervios periféricos. El tiempo que transcurre en este paso representa la mayor parte del periodo de incubación. La toxina puede circular durante algún tiempo en la sangre, pero la única vía hasta el sistema nervioso central es a lo largo de los cilindroejes de las vías nerviosas motoras. Un nervio seccionado capta la toxina muy lentamente, y uno degenerado absolutamente nada. La sección de la médula espinal impide que la toxina llegue al cerebro. Meyer y Ransom pensaron que el ganglio espinal del nervio sensitivo presenta una barrera al avance de la toxina, y que por esta razón los nervios sensitivos son incapaces de conducirla. La notable excitación de las células motoras de la médula espinal que se observa en el tétanos no se acompaña de lesiones características.

Aunque durante mucho tiempo se aceptó en general, Abel y colaboradores objetaron esta opinión, proponiendo la siguiente teoría de acuerdo con sus hallazgos experimentales. La toxina tiene acción central y acción periférica, que pueden demostrarse en forma independiente. El efecto central, que se caracteriza por convulsiones motoras reflejas, se debe a intoxicación de las células nerviosas motoras de médula espinal, bulbo y protuberancia; el efecto periférico, que comprende la rigidez persistente de los músculos voluntarios, resulta de la fijación de la toxina sobre los órganos motores terminales. Después de inyectarla por vía subcutánea o intramuscular, la toxina es absorbida por los linfáticos y se distribuye en el sistema nervioso central por medio de la circulación arterial. Al parecer, es esencial que el tono de los órganos motores terminales sea normal para que se presente rigidez tetánica; la neurotomía da por resultado una depresión inmediata, brusca, del tono de las uniones mioneurales, de ahí que no respondan a la influencia de la toxina tetánica.

Las opiniones de Abel no han tenido aceptación general, a pesar del apoyo de pruebas experimentales convincentes que no pueden revisarse aquí. Se han presentado otros datos para apoyar la teoría de la transmisión siguiendo el cilindroeje, que puede considerarse como establecida.

La toxina tetánica tiene gran afinidad por las células del sistema nervioso central. Cuando se inocula en el sistema nervioso central, se fija rápidamente; el tiempo de fijación es mucho menor que el periodo de latencia, lo que sugiere una acción subsecuente en el tejido nervioso, particularmente del bulbo. Se puede inyectar a un animal una mezcla de toxina y substancia cerebral sin que se produzca efecto tóxico ninguno; al parecer, la toxina se combina firmemente con algún ingrediente de la substancia nerviosa. No solo las células del sistema nervioso central, sino hasta cierto grado también las de otros tejidos, pueden fijar toxina tetánica. Es menos probable que la inoculación por vía subcutánea cause la muerte que la inoculación directa en el tejido nervioso, porque se capta parte de la toxina y se evita que llegue a las células nerviosas muy sensibles.

Patogenicidad. El tétanos es esencialmente una intoxicación. Los bacilos desarrollan una infección local, y la toxina que se forma ahí se disemina por todo el cuerpo y da lugar al complejo sintomático característico de la enfermedad. Sin embargo, muy rara vez puede ocurrir una bacilemia, que se ha producido experimentalmente. Los bacilos suelen entrar en los tejidos por medio de una herida profunda, sucia, quizá relativamente pequeña, tanto que a veces escape a una búsqueda cuidadosa. La profusa diseminación del bacilo del tétanos parecería no corresponder a la relativa rareza de la infección tetánica, pero no basta la sola introducción del bacilo en el cuerpo para que se produzca la enfermedad; los microorganismos deben encontrar condiciones favorables para proliferar en el sitio donde penetran. Experimentalmente, los cultivos puros de células vegetativas o de esporas liberadas de toxina no pueden germinar en tejidos no lesionados, pero la inoculación simultánea de saprófitos comunes o irritantes químicos, como sales de calcio o ácido láctico, permite que los bacilos se desarrollen y formen toxina. Como indicamos en otra parte, se necesita un potencial de oxidorreducción suficientemente bajo para que germinen las esporas tetánicas, y no es difícil que el potencial de los tejidos normales sea bastante alto para permitir la germinación, pero la lesión lo reduce.

Tétanos en el hombre.[10, 11] El tétanos todavía sigue siendo enfermedad muy grave, con mortalidad de cerca del 60 por 100 de los casos de Estados Unidos de Norteamérica; parece que el tratamiento sintomático, como lo describimos antes, disminuye la mortalidad a no más del 20 a 30 por 100. En el periodo de 1950 a 1960 se declaró un promedio de 465 casos por año.[40] En la década siguiente, de 1961 a 1970, hubo una disminución notable; se declararon un total de 2 624 casos durante este periodo, y 120 casos en 1971. En Estados Unidos de Norteamérica el tétanos tiende a presentarse más frecuentemente en la parte sudoriental del país que en el resto; el tétanos de recién nacidos (ver luego) contribuye mucho al número de casos señalados.

En tanto que hasta 1925 el tétanos posoperatorio o quirúrgico era responsable hasta del 10 por 100 de los casos, se ha hecho relativamente raro, aunque todavía suceden brotes en hospitales modernos. Es más común que dependa de esterilización defectuosa de los vendajes, y en ocasiones resulta del uso de catgut contaminado. También puede observarse en circunstancias raras; por ejemplo, el tétanos entre los toxicómanos, por emplear agujas y jeringas sin esterilizar o por drogas contaminadas, y ocurre en grandes ciudades de los Estados Unidos de Norteamérica.[12]

La forma más común de tétanos es, con mucho, la que se observa después de lesiones, incluso heridas aparentemente leves o triviales, con frecuencia en lesiones por punción que facilitan el desarrollo de los bacilos anaerobios. De un grupo de 91 casos tratados en la Clínica Mayo,[72] 29 eran por heridas con clavos o astillas de madera, seis por otros tipos de lesiones punzantes, 34 desgarros y abrasiones, 17 con diversos focos infecciosos, y en cinco casos no había signo físico de lesión. Este tipo de tétanos tiende a ocurrir en varones del campo, en especial niños.

El tétanos del recién nacido o *tetanus neonatorum* es consecuencia de infección del ombligo por falta de asepsia obstétrica. Es especialmente común entre los negros de los estados del sur y en otras razas que viven en condiciones insalubres.

Los espasmos tónicos que caracterizan al tétanos suelen comenzar en el sitio de infección, y los síntomas iniciales pueden incluir cefalea y rigidez del cuello. Los espasmos pueden quedar localizados en las infecciones leves, pero por lo común son gene-

rales e incluyen la totalidad del sistema muscular somático. Los hallazgos de autopsia son insignificantes; con excepción de una congestión moderada, los órganos no muestran alteraciones patológicas y la lesión inicial, naturalmente, puede no ser manifiesta, o ser pequeña.

El periodo de incubación del tétanos es variable, de dos a 50 días. La mortalidad guarda proporción inversa con el tiempo de incubación; puede ser tan alta como 70 a 80 por 100, o tan baja como del 15 a 20 por 100. La muerte, si sucede, acontece relativamente pronto después de aparecer los síntomas; la sentencia de Hipócrates, "esas personas afectadas de tétanos mueren en el curso de cuatro días, o si los pasan se recuperan", todavía es válida. Cuando la enfermedad tiene un periodo de incubación prolongado, aparición menos brusca de los síntomas, y, en consecuencia, un pronóstico más favorable, a veces se llama "crónico".

Animales inferiores. El tétanos no es raro en los caballos, con síntomas y evolución similares a los de la enfermedad en el hombre. El ganado, carneros y cerdos se afectan con menor frecuencia. Experimentalmente puede producirse tétanos en ratones y cobayos inoculándolos con esporas que se introducen con astillas de madera, y también inyectando la toxina. Alimentar animales con bacilos tetánicos, esporas, o toxina carece de efecto. El tétanos difiere de la mayor parte de las otras enfermedades infecciosas en que el animal enfermo no es factor apreciable para la diseminación de la enfermedad. Un caballo normal puede diseminar esporas tetánicas tan profusa y libremente como un caballo enfermo de tétanos.

Inmunidad. Como antes dijimos, la toxina tetánica es un excelente antígeno, y pueden prepararse sueros antitóxicos con títulos altos. Los caballos son buenos productores de antitoxina y se inmunizan mediante mezclas de toxina-antitoxina seguida de toxina sola. En Francia se usa toxoide en las primeras inyecciones. Dada la frecuencia de hipersensibilidad al suero de caballo, ha merecido interés la antitoxina humana, pero las cantidades disponibles son forzosamente limitadas.

Estandarización de la antitoxina. La unidad norteamericana de inmunidad se define como "10 veces la cantidad menor de suero antitetánico necesario para salvar la vida de un cobayo de 350 g durante 96 horas contra la dosis de prueba oficial de una toxina estándar elaborada por el Laboratorio de Higiene del Servicio de Salud Pública y del Hospital de la Marina". La dosis de prueba oficial es alrededor de 100 DLM de cobayo de una toxina estándar precipitada. Debe hacerse notar que se determina el punto final L_0 más que el L_+. Por lo tanto, la unidad antitóxica tetánica tiene algo más de 10 veces el poder protector experimental de la unidad antitóxica diftérica. Excepcionalmente puede conseguirse una unidad antitóxica potente de 900 por ml. Sin embargo, en otros países la práctica ha

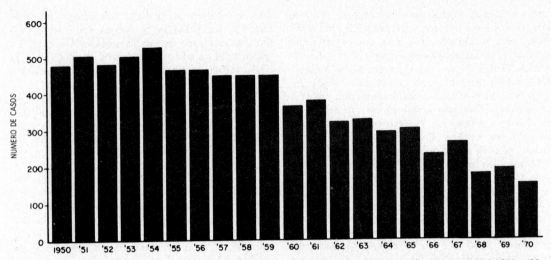

FIG. 28-2. Frecuencia de tétanos en Estados Unidos de Norteamérica, según casos declarados durante 1950-1970. (*Morbidity and Mortality Weekly Report*, Annual Supplement, Vol. 19, 1970. Center for Disease Control, U.S. Public Health Service.)

sido diferente, y el Comité Permanente de Estandarización de la Organización de la Salud de la Liga de las Naciones comprobó que 1 unidad alemana, 66 unidades norteamericanas y 3 750 unidades francesas eran equivalentes. Se ha convenido que la unidad internacional será la mitad de la unidad norteamericana, y hay un estándar internacional.[68]

La aparición de muchas zonas de precipitación ha interferido para que se aplique el método de floculación de Ramon a toxina, toxoide y antitoxina tetánicas. Se ha observado que se presenta una zona de floculación específica con antitoxina refinada tratada con enzimas. También puede titularse la antitoxina por hemaglutinación pasiva —por ejemplo, se sensibilizan glóbulos rojos con toxoide purificado— y se ha señalado una excelente correlación entre tales valores y los obtenidos por valoración biológica.

La antitoxina se altera con el tiempo, y la temperatura a que se almacena es el factor más importante. Durante su almacenamiento por un año en el refrigerador no se pierde potencia; a temperatura ambiente la pérdida es de 7 a 9 por 100, y a 37°C es de 44 a 47 por 100.

Uso profiláctico de antitoxina.[21] En la práctica veterinaria, la antitoxina tetánica se ha usado profilácticamente con gran resultado. Vaillard reunió las estadísticas de 1896 a 1906 de ocho cirujanos veterinarios que inocularon 13 124 animales después de intervenciones o heridas accidentales, sin que ocurriera un solo caso de tétanos. Durante el mismo tiempo, dos cirujanos veterinarios solo vieron 139 casos de tétanos entre animales que no recibieron el tratamiento. Las cifras de Nocard y Labat añadidas a los datos de Vaillard abarcan 16 917 casos de animales que recibieron inyecciones profilácticas; entre ellos, solo un caballo presentó tétanos. En este caso, la antitoxina se dio cinco días después de la lesión y el ataque fue leve.

Es probable que en muchos casos se impida el tétanos en el hombre usando profilácticamente la antitoxina. Aunque no se evita la enfermedad, se retarda el periodo de incubación y la afección puede ser muy ligera o quedar localizada. No disponemos de pruebas estadísticas precisas que incluyan series de controles comparables, pero según la experiencia de la primera guerra mundial, con el uso cada vez mayor de la antitoxina tetánica no solo disminuyó la frecuencia de la enfermedad sino que aumentaron los casos crónicos y los leves. La inmunización pasiva proporciona anticuerpo a la sangre circulante, que se combina con la toxina y la hace inofensiva. Sin embargo, la avidez del sistema nervioso por la toxina tetánica es muy grande y los síntomas pueden aparecer a pesar de haber anticuerpo circulante.

La inmunización pasiva forzosamente es pasajera, ya que la inmunoglobulina extraña es metabolizada por el receptor. La semidesintegración (*"media vida"*) de la globulina de suero de caballo en el hombre se ha calculado en siete a 14 días, mientras que la de la globulina humana, como en la antitoxina de origen humano, sería de unas cuatro semanas.

De cuando en cuando se hacen intentos para proteger pasivamente al recién nacido, inmunizando a la madre durante el embarazo, por medio de anticuerpos transplacentarios. Un ensayo amplio controlado, bajo los auspicios de la Organización Mundial de la Salud, ha demostrado que esta puede ser una técnica muy eficaz, y se ha sugerido que si todas las mujeres de 10 años recibieran una dosis de toxoide, y otra cada cinco años después, desaparecería el *tetanus neonatorum*.[56]

Uso terapéutico de la antitoxina.[75, 78] La antitoxina tetánica solo parece tener valor terapéutico limitado. Naturalmente, es obvio que los síntomas resultan del daño al tejido nervioso, y la administración de antitoxina no reparará ese daño ni eliminará el tejido nervioso más ávido que ya se haya combinado con toxina. Los informes sobre el valor terapéutico de la antitoxina son contradictorios; algunos investigadores sostienen que la administración intratecal, sola o combinada con inyección intramuscular, tiene efecto benéfico. Sin embargo, los registros del Hospital Cook County, de Chicago, muestran que allí el uso terapéutico de antitoxina no ha disminuido la mortalidad por tétanos. Se ha informado que puede disminuirse algo, de 76 por 100 a 49 por 100, usando antitoxina en cantidades muy grandes.[9] La antitoxina suele administrarse por vía intramuscular en el hombre, pero en condiciones experimentales tiene valor terapéutico la antitoxina por vía intracerebral,[65] planteando el problema de la administración intratecal en la terapéutica humana.

Inmunización activa.[30] En los años últimos se ha insistido sobre la inmunización activa contra el tétanos, en particular por investigadores franceses. En un resumen de los resultados de la experiencia de 12 años inmunizando activamente caballos y hombres con toxoide en formol, Ramon[62] afirma que en una unidad de caballería en la que el tétano era endémico se inmunizaron más de 50 000 caballos durante un periodo de 10 años, que el tétanos ha desaparecido prácticamente, y que en un millón y medio de seres humanos inmunizados con toxoide no ha habido un caso de tétanos.

Al iniciarse la segunda guerra mundial se adoptó la inmunización activa contra el tétanos en las fuerzas armadas de Francia, Inglaterra y Estados Unidos de Norteamérica. Se usan toxoide líquido y precipitado con alumbre; en Estados Unidos de Norteamérica el ejército usa el primero y la marina el segundo; al parecer, son igual de eficaces, aunque se necesitan tres dosis de toxoide líquido contra dos del precipitado con alumbre. El ejército de Estados Unidos de Norteamérica especifica que la toxina contiene cuando menos 10 000 DLM de cobayo por ml, y se destoxica con formalina al 0.4 por 100; el preparado final debe ser atóxico para el cobayo en cantidades de 5 ml, y los cerdos que reciben una dosis inmunizante de 1 ml deben soportar 10 DLM de toxina al final de seis semanas. La importancia que tiene hacer más de una inoculación inmunizadora la ilustra la observación de que la titulación media de antitoxina después de dos inoculaciones era de 0.35 UI (Unidades Internacionales), pero con una tercera inoculación 10 meses después subió a 10 UI, y 18 meses después todavía era de 0.37 UI.

El examen más preciso de la potencia inmunogénica de toxoides ha demostrado que puede variar ampliamente según los laboratorios que los preparan, dando una respuesta inmunitaria en unidades de protección que varía de 0 a 1 149 UI por ml de suero.[33] Se ha determinado[32] un estándar internacional que disminuirá esta variabilidad. Para valorar la potencia inmunógena se usa el cobayo, pero algunos han preconizado emplear el ratón.[13]

La respuesta a la inoculación de refuerzo es extremadamente rápida en personas que dan una reacción anamnésica, al grado que la inoculación de refuerzo con toxoide puede substituir a la antitoxina profiláctica en circunstancias en que está indicada la prevención. Durante la segunda guerra mundial se dio al personal militar norteamericano toxoide profiláctico como procedimiento estándar, en tanto que el inglés recibió antitoxina; no hubo diferencia importante en la frecuencia de tétanos entre los dos.

La antitoxina mensurable y la capacidad para responder a la inoculación de refuerzo puede persistir hasta 15 ó 20 años. Una técnica propuesta es una serie de tres inoculaciones de toxoide en la primera infancia, una dosis estimulante 12 meses más tarde, y una quinta dosis al entrar a la escuela.[23] La inmunidad permanente requiere inoculación estimulante con una frecuencia no mayor de cada 10 años, y una inoculación estimulante sistemática de dicho individuo permanente inmune en ocasión de cualquier accidente es no solo inútil sino indeseable, por cuanto puede originar hipersensibilidad.[6]

En la práctica, esta inmunización parece ser altamente eficaz. En el periodo de 1942 a 1945 solo hubo 12 casos de tétanos en el ejército de Estados Unidos de Norteamérica, de los que seis fueron en personas no inmunizadas; cuatro casos ocurrieron en la marina, de los cuales tres fueron en personas no inmunizadas; en contraste, hubo un índice de tétanos de aproximadamente 10 por 100 000 lesionados en el ejército y la marina japoneses los cuales no hicieron inmunización sistemática. La experiencia inglesa en la zona de guerra del Medio Oriente indicó, en forma similar, una respuesta inmunitaria eficaz, aunque en la mayor parte de los casos solo se dieron dos dosis. El buen éxito de la inmunización activa, junto con la baja frecuencia de reacciones indeseables (se ha informado que son 1 en 10 000 inmunizaciones con toxoide mejorado), ha sugerido que se aplique en forma más general en la población civil. En Francia, donde la inmunización activa para el tétanos ha interesado primero y más que en cualquiera otra parte, se ha hecho obligatoria, como la inmunización contra la difteria. Actualmente en Estados Unidos de Norteamérica suele administrarse el toxoide tetánico a los niños combinado con toxoide diftérico y vacuna contra la tos ferina.

Quimioterapia. Las substancias quimioterápicas no son coadyuvantes importantes en el tratamiento del tétanos. Como dijimos antes, la enfermedad es principalmente una toxemia, y los síntomas son consecuencia del daño que causa la toxina en los tejidos. La antitoxina es absolutamente necesaria para neutralizar la toxina no combinada todavía, pero los quimioterápicos no tienen actividad antitóxica. Hay algunos datos indicando que la penicilina y las tetraciclinas protegen parcialmente contra el tétanos experimental cuando se usan profilácticamente, pero la inmunización activa o pasiva resulta mucho más eficaz.

Gangrena gaseosa [49]

La gangrena gaseosa es un síndrome que se observa a menudo después de lesiones sucias, desgarradas, especialmente las acompañadas de fracturas. Es una complicación característica de las heridas de guerra; el conocimiento actual de esta afección se desarrolló en gran parte durante la primera guerra mundial. Pero esta enfermedad no es tan rara en la vida civil como se pensó antiguamente. El número cada vez mayor de lesiones en accidentes automovilísticos es causa de muchos casos de gangrena. Los hombres que se lesionan cerca de vías de ferrocarril, empleados o vagabundos, parecen especialmente propensos a desarrollar gangrena gaseosa si no se atienden pronto y en forma adecuada. Algunas formas de peritonitis, apendicitis, oclusión intestinal, infección puerperal e infecciones posoperatorias (en particular después de laparotomía) están muy relacionadas etiológicamente con ella.

El traumatismo que suele preceder, y que tal vez sea necesario, a la aparición de gangrena crea una zona local de anoxia del tejido, la oxidación anaerobia de los hidratos de carbono continúa, y la intensidad de reducción local cae a niveles que permiten el desarrollo de los anaerobios obligados. En condiciones de acidez cada vez mayor, se activan las enzimas proteolíticas del tejido muscular, y, como consecuencia de la proteólisis, se acumulan aminoácidos libres que proporcionan un excelente medio nutritivo para los microorganismos invasores.

La gangrena suele ser una infección mixta, y de una sola lesión gangrenosa pueden aislarse bacterias aerobias y anaerobias. Las formas aerobias y las anaerobias facultativas, como estreptococos y bacilos coliformes, no están involucrados primariamente en el desarrollo del proceso patológico, pero pueden contribuir indirectamente facilitando el agotamiento del oxígeno local disponible. El proceso gangrenoso es más bien consecuencia de la actividad de los anaerobios esporuladores obligados y las exotoxinas que producen. Es de interés, y no hecho casual, que muchas de estas toxinas sean enzimas; además de la hialuronidasa, se producen lecitinasas, colagenasas y otras que tienen efectos hemolítico, necrosante y mortal sobre el huésped y sus tejidos.[47] En la forma fulminante de gangrena gaseosa el tejido muscular se llena de gas y de un exudado serosanguinolento cuyo carácter depende de las propiedades de los microorganismos asociados.

De las diversas especies de clostridios patógenos, *Cl. perfringens* suele encontrarse con mayor frecuencia, seguido de cerca por *Cl. novyi* y *Cl. septicum*. También se encuentra en una gran proporción de casos *Cl. sporogenes* no patógeno; su contribución a la patología de la gangrena es incierta y parece probable que su presencia común sea reflejo de su distribución generalizada. Se han hecho diversas recopilaciones de frecuencia de las distintas especies de Clostridium que se encuentran en la gangrena, y no difieren significativamente. En el cuadro adjunto, que reúne datos de la segunda guerra mundial según diversos autores, se ilustra la frecuencia con que se obtienen algunas de las especies más comúnmente observadas. Por lo mismo, es evidente que la bacteriología de la gangrena gaseosa es complicada, y aunque hay en efecto una forma típica de gangrena gaseosa, *a)* no siempre es producida por los mismos microorganismos; *b)* con frecuencia es causada por diversos agentes asociados, y *c)* a menudo es el resultado complejo de la acción combinada de estos bacilos anaerobios principales con otras diversas bacterias que juegan un papel accesorio indeterminado.

VIBRION SEPTICO, CLOSTRIDIUM SEPTICUM

Mientras estudiaba el carbunco, Pasteur produjo, en 1877 y 1881, septicemia en conejos y cobayos inoculando sangre podrida de una vaca. La afección pudo comunicarse de individuo a individuo, y se consideró como causa de la septicemia un anaerobio esporulador, móvil, en forma de bastón, que él suponía "uno de los vibriones de la putrefacción" (los bacilos activamente móviles algunas veces parecen curvos); lo denominó "vibrión séptico".

En 1881 Koch describió los efectos patológicos de un microorganismo que declaró idéntico al vibrión séptico de Pasteur. Pero esta bacteria no producía septicemia en el cobayo, y como sus efectos patógenos se limitaban en gran parte al sitio de inoculación, Koch lo llamó "bacilo del edema maligno".

Ni la descripción de Pasteur ni la de Koch bastarían hoy para identificar con certeza el microorganismo en cuestión. Por fortuna, en Francia se ha conservado la cepa original del vibrión séptico de Pasteur, de manera que se conocen bien sus propiedades sobresalientes. La falta de una herencia similar de Koch en Alemania, por la imposibilidad de recuperar los cultivos, ha creado una discusión poco menos que interminable respecto a las propiedades del verdadero bacilo del edema maligno. El vibrión séptico suele conocerse actualmente como *Cl. septicum.*

Morfología. El vibrión séptico es un bacilo fusiforme, o en filamento, grampositivo, esporulante, y móvil en cultivos jóvenes, con muchos flagelos peritricos. Los extremos son ligeramente redondeados y las esporas, que son ovales, suelen estar en medio e hinchan la célula vegetativa dentro del clostridio antes de su liberación. Las esporas solo se forman en medios que no contienen muchos hidratos de carbono fermentescibles. Las cadenas largas y los filamentos de estos microorganismos, que se observan sobre las superficies viscerales de cobayos infectados, tienen gran valor diferencial. Nunca se han observado cápsulas. Las colonias profundas en agar al 1 por 100 son transparentes o semitransparentes. Hay hemólisis sobre agar sangre.

Fisiología. *Cl. septicum* es anaerobio estricto y se desarrolla con facilidad en medios profundos de cerebro o tejido, produciendo gas con bastante abundancia. Estos medios no cambian de color ni en presencia de hierro metálico. La gelatina se licua, pero el suero coagulado y otras proteínas no se digieren ni ennegrecen. Se produce sulfuro de hidrógeno, pero no indol. Glucosa, levulosa, galactosa, maltosa, lactosa y salicina fermentan; los medios que no contienen uno de estos azúcares solo permiten un crecimiento ligero. No fermenta la sacarosa, inulina, manitol ni el dulcitol. La fermentación de la salicina y la no fermentación de la sacarosa permiten la diferenciación química entre *Cl. septicum* y *Cl. chauvoei,* ya que este último no fermenta la salicina pero sí la sacarosa.

Estructura antigénica y toxina. Las cepas de *Cl. septicum* son distintas pero relacionadas inmunológicamente. Se han distinguido seis grupos según dos antígenos O y cinco H.[53] Estos bacilos están relacionados inmunológicamente con *Cl. chauvoei.*

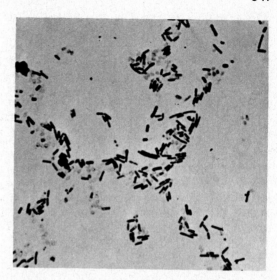

FIG. 28-3. *Clostridium septicum* de un cultivo puro. Se nota la tendencia a formar células vegetativas alargadas. Fucsina; $\times$ 1 050.

Sin embargo, la toxina formada es específica, pero agente mortal relativamente débil. La DLM para el ratón es alrededor de 0.005 ml. Un medio dializable que contiene hidrolizado de caseína, cistina, triptófano, glutamina, biotina, tiamina, ácido nicotínico, piridoxina, glucosa, ácido tioglicólico y sales inorgánicas mantiene el desarrollo de algunas cepas con formación de 400 a 500 dosis ratón de DL_{50} de toxina por ml. Cuando se inyecta a los animales produce un edema gelatinoso y cierta necrosis local de los tejidos. La toxina tiene una acción cardiaca específica en el gato y el conejo; produce caída de la presión sanguínea general y aumento en la venosa; en el gato, constricción específica en las circulaciones pulmonar y coronaria, con edema de los pulmones y pérdida de líquido de la circulación. Esta toxina necrótica mortal, o toxina α, es una hemolisina sensible al oxígeno. La toxina es neutralizada por antitoxina de *Cl. histolyticum,*[34] pero las toxinas tienen mayor afinidad por las antitoxinas homólogas que por las heterólogas.[69] La toxina β es una desoxirribonucleasa que ataca el núcleo de los leucocitos del conejo. También se forma hialuronidasa; a veces se llama toxina γ.[52]

Patogenicidad. *Cl. septicum* no ocurre en la gangrena gaseosa del hombre con tanta frecuencia como algunos de los otros bacilos anaerobios, pero se ha encontrado solo y en cultivos mezclados. Se ha recuperado de infecciones gaseosas en el ganado y puede ser uno de los diversos microorganismos responsables de la pata negra, que suele considerarse enfermedad específica causada por *Cl. chauvoei.* También se ha encontrado en infecciones gaseosas de cerdos y otros animales domésticos. Experimentalmente, el vibrión séptico es muy patógeno para pollos, palomas, conejos, cobayos, ratas y ratones.

Frecuencia de las especies de Clostridium en la gangrena

Organismo	Porcentaje de casos			
	1	2	3	4
Cl. welchii (perfringens)	56	83	80	39
Cl. novyi (oedematiens)	37	47	48	32
Cl. septicum	19	24	4	—
Cl. histolyticum	6	6	—	—
Cl. tetani	13	—	8	4
Cl. bifermentens (sordellii)	4	35	20	54
Cl. sporogenes	37	50	72	54
Cl. tertium	30	59	8	3

1. MacLennan: Lancet, 1943, *i:*63, 94, 123 (146 casos).
2. Ibid., 1944 *2:*203 (17 casos).
3. Stock: Med. Bull. E. T. O., 1944, *2:*159 (25 casos).
4. Smith y George: J. Bact., 1946. *51:*271 (110 casos).

En esos animales las bacterias se desarrollan rápidamente, produciendo gas y un edema rojizo seroso. Invaden los tejidos adyacentes y la circulación, produciendo septicemia, que suele ser mortal en 24 a 48 horas; las dosis submortales no producen ninguna reacción. Los frotis por impresión tomados de los tejidos, y en especial del hígado, suelen mostrar filamentos alargados o cadenas, en contraste con los bacilos aislados que se encuentran en animales muertos por *Cl. chauvoei*.

Pueden prepararse sueros antitóxicos que son profilácticos y, hasta cierto grado, curativos, inyectando toxina de *Cl. septicum* a caballos. Los antisueros no tienen el alto contenido antitóxico que se encuentra en los antitetánicos. Los sueros polivalentes comerciales para uso profiláctico y terapéutico en infecciones de heridas a menudo contienen antitoxina septicum.

CLOSTRIDIUM PERFRINGENS (CLOSTRIDIUM WELCHII)

Achalme cultivó por primera vez, en 1891, *Cl. welchii* y supuso que era la causa del reumatismo articular. En 1892, Welch y Nuttall aislaron este bacilo de los órganos espumosos de un cadáver y lo llamaron *Bacillus aerogenes capsulatus*. Al siguiente año lo encontró Fränkel, llamándolo *B. phlegmonis emphysematosae*, y en 1897 Veillon y Zuber lo denominaron *B. perfringens*. Llamado en Alemania algunas veces bacilo de Fränkel, *Cl. perfringens* en Francia, y *Cl. welchii* en Inglaterra. Bergey lo denomina *Cl. perfringens*.

Morfología. *Cl. perfringens* es un bacilo regordete, inmóvil, grampositivo, de longitud variable, que ocurre en cadenas y aisladamente. En las preparaciones hechas de órganos o líquidos corporales suele haber cápsulas. Las esporas se forman escasamente y solo en ausencia de hidratos de carbono fermentescibles; se localizan en el centro, rara vez son subterminales y no hinchan la célula vegetativa donde se forman. Las colonias aisladas en agar profundo son compactas, opacas, blancas o blanco grisáceas y en forma de disco biconvexo. En agar sangre las colonias redondas, lisas, opacas, bien delimitadas, son relativamente grandes, de 2 a 5 mm de diámetro, y rodeadas por una zona de hemólisis. Se ha preparado un medio selectivo y diferencial muy útil que contiene polimixina B, neomicina y citrato de hierro para producir colonias negras que permite una rápida numeración de los microorganismos.[50]

Fisiología. *Cl. perfringens* es anaerobio estricto y crece fácilmente en medios profundos de cerebro, caldo de carne, agar y gelatina. El desarrollo en medios sin azúcar es limitado. Los medios que contienen hidratos de carbono fermentescibles proporcionan condiciones óptimas, pero esos cultivos a menudo viven poco por no formarse esporas y por la acción destructora de los ácidos que se forman en las células vegetativas. Los medios de cerebro y carne no se ennegrecen normalmente, pero la presencia de hierro metálico produce un cambio de coloración diferente. La gelatina se licua, pero el suero coagulado o el huevo no se digieren. Se produce sulfuro de hidrógeno; suele decirse que el indol es negativo, pero su formación es incierta.

Las necesidades nutritivas son complejas, y los medios semisintéticos que permiten el desarrollo incluyen hidrolizado de caseína o 19 aminoácidos, junto con ácido pantoténico, tiamina, ácido nicotínico, riboflavina, biotina, ácido fólico, piridoxina, adenina, guanina, uracilo, sales inorgánicas (incluyendo las de manganeso y hierro) y glucosa. La producción de toxina α (véase luego) necesita dos substancias adicionales, una que se encuentra en digestiones enzimáticas de ciertas proteínas, la otra, un constituyente del páncreas soluble en alcohol; la glicerilfosfocolina parece ser responsable, en parte, de la actividad de la última.

En glucosa, maltosa, lactosa y sacarosa se producen gas y ácido; no fermentan el manitol ni la salicina; algunas cepas fermentan inulina y otras glicerol. Los cultivos en caldo que contiene azúcares fermentescibles se enturbian notablemente, formándose gas en abundancia, y muchos cultivos, posiblemente todos en ciertas etapas, se hacen correosos y pegajosos. La leche fermenta, con una característica evolución "tormentosa" de gas, seguida de coagulación de la caseína, debido a la formación de ácido, y el cuajo rápidamente se desmenuza por la continua evolución del gas que contiene. El coágulo no se digiere. Esta reacción "típica" se modifica considerablemente por anaerobiosis incompleta; la producción de gas puede ser lenta, y el coágulo sólido no se rompe o solo con lentitud. En condiciones óp-

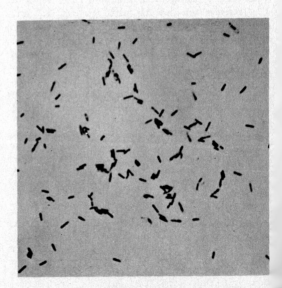

FIG. 28-4. *Clostridium welchii* de un cultivo puro Obsérvense el tamaño relativamente pequeño de estas ba terias y las esporas centrales. Fucsina; $\times$ 1 050.

Toxinas formadas por los tipos de *Clostridium perfringens*

Tipos	Toxinas											
	α	β	γ	δ	ε	θ	η	ι	κ	λ	μ	ν
Tipo A (bacilo de la gangrena gaseosa)	+	−	−	−	−	±	±	−	+	−	±	+
Tipo B (*Bacillus agni*)	+	+	+	+	+	+	?	−	−	+	+	+
Tipo C (*Bacillus paludis*)	+	+	+	+	−	+	?	−	+	−	−	+
Tipo D (*Bacillus ovitoxicus*)	+	−	−	−	+	+	?	−	±	±	±	+
Tipo E (enterotoxemia)	+	−	−	−	−	−	?	+	+	+	−	+
Tipo F (enteritis necrosante)	+	+	+	−	−	−	?	−	−	−	−	+

± significa variable según las cepas.

timas, 3.8 veces el volumen de leche puede transformarse en gas; el hidrógeno es predominante durante las etapas tempranas de la fermentación y el bióxido de carbono en las últimas.

Tipos. Aunque las cepas de *Cl. perfringens* de la gangrena gaseosa forman la misma toxina no son inmunológicamente homogéneas. Los tipos de Wilsdon (véase luego) son homogéneos con respecto al antígeno termostable, con excepción del tipo D, en el que encontró seis clases de antígenos en trece cepas. Se ha comprobado también que pueden distinguirse algunos subtipos de cada tipo de Wilsdon mediante pruebas de aglutinación y precipitación, y algunas reacciones cruzadas entre los tipos. El antígeno común parece ser un polisacárido capsular. Sin embargo, hasta ahora no es práctica la identificación serológica de *Cl. perfringens,* y los estudios en gel de los antígenos solubles de los diversos tipos han demostrado que el grupo tiende a ser heterogéneo, y hay considerable variación de cepas dentro del tipo. Se han sugerido cuatro tipos bioquímicos según las diferencias en la fermentación de glicerol e inulina, pero estas diferencias de fermentación no parecen guardar relación con otras propiedades variables.

Se han aislado de animales inferiores bacilos toxígenos que semejan estrechamente a *Cl. perfringens* y tienen toxinas relacionadas inmunológicamente. Son el bacilo de la disentería del borrego (*B. agni*), un bacilo que causa una enfermedad de los borregos llamada "golpe" (*B. paludis*), y un bacilo responsable de una enterotoxemia del carnero (*B. ovitoxicus*). Wilsdon propuso que se denominaran *Cl. welchii* pero se distinguieron cuatro tipos: *Cl. welchii* tipo A —bacilo de la gangrena gaseosa—; *Cl. welchii* tipo B —bacilo de la disentería del borrego—; *Cl. perfringens* tipo C —el bacilo del "golpe"—, y *Cl. perfringens* tipo D —bacilo de la enterotoxemia del carnero. Subsecuentemente se describieron otros dos tipos diferenciables. El llamado tipo E se ha encontrado que es causa de la enterotoxemia de borregos y terneras y el tipo F se describió como causa de enteritis necrosante, pero de hecho se trata del tipo C.[70] Estos se denominan ahora *Cl. perfringens* tipo A; a menos que se indique algo más, el nombre *Cl. perfringens* se considera que significa tipo A.

Toxinas.[38, 43] Se ha demostrado que, en conjunto, estos bacilos forman algunas toxinas inmunológicamente distintas y que las interrelaciones observadas de las toxinas producidas por los diversos tipos son atribuibles a que se comparten uno o más de estos componentes. Los efectos producidos por estas toxinas son los siguientes:

La toxina α es hemolítica, mortal para el ratón en inyección intravenosa, produce necrosis en cobayos y conejos cuando se inyecta por vía intradérmica. Llamada por Wilsdon factor E y designada por algunos investigadores como toxina ζ.

La toxina β no es hemolítica; inyectada por vía venosa a ratones, desarrollan contracciones espasmódicas y mueren casi de inmediato; produce necrosis de la piel en cobayos y conejos. Llamada por Wilsdon factor Z.

La toxina γ no es hemolítica, no produce necrosis de la piel en cobayos, y es mortal para los ratones.

La toxina δ es hemolítica, pero no mortal para el ratón y no produce necrosis de la piel.

La toxina ε no es hemolítica, pero produce necrosis de la piel en cobayos y conejos y es mortal para el ratón. Llamada por Wilsdon factor X.

La toxina θ es hemolítica y mortal, y probablemente produce necrosis en concentraciones altas. Es sensible al oxígeno y al calor, y tiene propiedades y especificidad inmunológicas muy similares aunque no idénticas a las de la estreptolisina O. Es lo mismo que la toxina de Prigge.

La toxina η solo tiene acción mortal. Unicamente se ha encontrado en una cepa (Lechien) de tipo A examinada hasta ahora, y su presencia o ausencia en los otros tipos no se ha establecido definitivamente.

La toxina κ es una colagenasa, necrosante en inoculación intradérmica, y mortal cuando se inocula por vía venosa al conejo. Una actividad relacionada, pero diferenciable, la toxina λ, no es activa sobre la colágena, pero sí en la colágena alterada como el polvo de cuero.

La toxina ι es mortal, se forma al parecer como una prototoxina y es activada por la acción de una proteasa; solo se encuentra transitoriamente en el cultivo en desarrollo.

La substancia λ no es una toxina sino una enzima proteolítica cuya presencia o ausencia acompaña al tipo.

La toxina μ es el nombre que se da a la hialuronidasa que forman estos bacilos.

La substancia ν es una desoxirribonucleasa que forman todos los tipos de *Cl. perfringens.*

Las condiciones óptimas de pH, tiempo de incubación y composición del medio varían de una toxina a otra, y un tipo que produce más de una toxina solo producirá aquellas para las que son óptimas las condiciones. La distribución entre los tipos Wilsdon de la capacidad para formar estas toxinas se señala en el cuadro adjunto. La terminología de las toxinas ha sido algo confusa según las diferencias en términos que usan diversos investigadores; la usada aquí es aceptada por la generalidad.

De ellas, la toxina α ha sido la de mayor interés ya que se relaciona con la virulencia de los bacilos. Es una lisina de frío o calor, y la hemólisis puede demostrarse por incubación a 37°C durante 30 minutos, seguida de enfriamiento a 2° a 4°C. La hemólisis depende de la presencia de calcio o magnesio (es decir, 0.0025 M de acetato de calcio) y, por lo tanto, la inhibe la fosfatasa. La toxina α también es una lecitinasa. Nagler y Seiffert en 1939 observaron, independientemente, que la adición del filtrado tóxico a suero humano producía una opalescencia, y esto se conoce como reacción de Nagler. La opalescencia se debe a la desintegración de la lipoproteína con liberación de grasa libre; se ha desarrollado como una prueba de valoración cuantitativa de la actividad según el enturbiamiento producido en extracto salino de yema de huevo, "lecitovitelina". La lecitina libre es hidrolizada a fosfocolina y esteariloleilglicérido; como la fosfocolina es soluble en agua, la actividad puede estimarse midiendo el fósforo hidrosoluble liberado en condiciones estándar.[48] La actividad de la lecitinasa ocurre a 37°C y, a diferencia de la hemólisis, no necesita enfriamiento subsecuente. La toxina α se ha purificado por precipitación con metanol en frío y separación de las otras toxinas de *Cl. perfringens;* la actividad de la lecitinasa, la mortal y la hemolítica se conservaron proporcionales, sugiriendo que todas son de la misma substancia, pero las preparaciones fueron electroforéticamente heterogéneas. Existe una curiosa relación inversa entre la capacidad de producir toxina y la resistencia al calor y la potencia esporulante de los bacilos.[76]

La toxina θ puede diferenciarse con precisión de la toxina α por ser una hemolisina lábil al oxígeno, es decir, se inactiva en estado reducido, se absorbe con mayor rapidez en los eritrocitos del carnero en frío que la toxina α, y no necesita calcio o magnesio para la hemólisis y, por lo tanto, es activa en presencia de fosfato.

Además de las toxinas α y θ, la toxina κ destruye músculo, porque disuelve su estructura de colágena y reticulina; la parte que toma en la patología de la infección no está clara. No parece ser tan importante como la toxina α porque aun cuando el antisuero para la toxina α sola protege, la anticolagenasa sola no es protectora.[2] Todos los tipos comparten con el vibrión colérico la producción de enzima destructora de la unión mixovirus-receptor, que en el vibrión colérico y en los mixovirus es la neuraminidasa, pero se ha demostrado que en *Cl. perfringens* no es igual a la neuraminidasa.[14]

Además de estas toxinas, hay una substancia antigénica no tóxica, descrita por Fredette y colaboradores[29] hace unos años, denominada "factor de estallido" *(bursting factor)*. Puede demostrarse provocando infecciones experimentales, y produce inmunidad en ausencia de antitoxinas.

En general, las toxinas formadas por *Cl. perfringens* parecen explicar en gran parte la histopatología observada. Por ejemplo, Robb-Smith,[64] ha comparado la de la infección que ocurre naturalmente en el hombre, en animales infectados experimentalmente, y en músculo humano normal expuesto a la acción de filtrados in vitro, y encontró que las alteraciones histopatológicas eran substancialmente iguales en los tres.

No hay un método simple para tipificar *Cl. perfringens;* debe demostrarse la presencia o ausencia de las diversas toxinas. El procedimiento de tipificar usando antisueros monoespecíficos es el de Oakley y Warrack a que nos referimos antes, pero las cepas no siempre se ajustan con precisión al tipo general,[7] y la neutralización cruzada de las toxinas puede ser incompleta.

Enterotoxina. La relación etiológica entre *Cl. perfringens* y la intoxicación alimenticia (ver luego) dio origen a la aplicación de la reacción del asa ileal de conejo, creada en estudios para enterotoxina colérica, empleando productos acelulares de este microorganismo. Se ha comprobado que cepas de *Cl. perfringens* asociadas con intoxicación alimenticia, producen una exotoxina termolábil activa en forma de producto acelular en el modelo del asa ileal, y originan una reacción muy similar a la del cólera y de las enterotoxinas coliformes enteropatógenas.[20] Las cepas que producen las toxinas son de tipo A, y también capaces de producir gangrena en condiciones experimentales,[39] pero no todas las cepas de tipo A producen enterotoxinas.

Patogenicidad para el hombre. *Cl. perfringens* es, tal vez, la causa más importante de gangrena gaseosa y se encuentra solo o mezclado con otros anaerobios en la mayor parte de casos de esta enfermedad. Es común, tal vez esencial, que el tejido se lesione antes de la infección, pero una vez que los bacilos se han establecido invaden rápidamente los tejidos circundantes. Parecen viajar a lo largo del tejido intersticial del músculo y a menudo se encuentran más allá de la zona gangrenosa. La gran cantidad de hialuronidasa producida parecería relacionada con esta diseminación rápida, pero algunos estudios han indicado que hay poca o ninguna relación entre el poder invasor de *Cl. perfringens* y los títulos de hialuronidasa, cuando menos in vitro.

Aunque es más común encontrarlo en la gangrena, *Cl. perfringens* también se ha observado en abscesos cerrados en infecciones uterinas, y en infecciones de vías digestivas, genitourinarias y biliares. Esta bacteria se descubre en la apendicitis gangrenosa y se ha comprobado que la antitoxina es útil para tratamiento de la apendicitis perforada.

Se ha aislado de la sangre durante la vida, pero la septicemia es mucho menos común en el hombre que en animales experimentales, aunque en el hombre es frecuente que ocurra invasión de la sangre durante el periodo agónico o inmediatamente después de la muerte. El estudio de los "órganos espumosos", observados a veces en la autopsia, ha demostrado que la presencia de gas en los órganos internos poco después de la muerte es atribuible a menudo a invasión por este microorganismo.

Durante los últimos años se ha comprobado que *Cl. perfringens* es causa de gran número de brotes de intoxicación alimenticia.[42] El curso es muy similar al de otros tipos de intoxicación alimenticia de etiología microbiana, con un periodo de incubación de 10 a 12 horas, vómitos y diarreas, y recuperación en plazo de 24 a 48 horas (cap. 11). Las cepas bacterianas responsables son cepas de tipo A que producen la enterotoxina antes descrita, pero no sabemos si la toxina productora de diarrea está preformada o se forma in vivo como consecuencia de infección para producir la enfermedad humana.

En la población de las montañas de Nueva Guinea[54, 55] se observa una yeyunitis necrosante (enteritis necrosante) cuando hacen fiestas comiendo cerdos, por el proceso que se llama pig-bel. Aunque todavía no tenemos la prueba definitiva de ello, es probable que el agente causante sea *Cl. perfringens* de tipo C.[24, 25] La enfermedad humana muestra paralelos interesantes con las enfermedades enterotoxémicas de animales causadas por *Cl. perfringens*.

Cl. perfringens es huésped normal del intestino humano y se encuentra constantemente en pequeñas cantidades; de hecho, en Europa se ha usado en cierto grado como indicador de la contaminación fecal de agua.

Como la infección con *Cl. perfringens* se caracteriza frecuentemente por destrucción notable de la sangre, ictericia y anemia, ha despertado interés una posible relación entre esta bacteria y diversas anemias. En animales de experimentación puede producirse una anemia perniciosa y mortal por inoculación intratibial de cultivo, o una anemia temporal grave inoculando filtrado. Por lo tanto, las infecciones natural y experimental causan anemia grave que se debe probablemente a la liberación continua de la toxina hemolítica.

Patogenicidad para animales. Antes hicimos referencia a infecciones naturales en animales inferiores con tipos de *Cl. perfringens*. Sin embargo, es rara la presencia del bacilo de la gangrena gaseosa; se han observado abscesos locales en perros y conejos después de heridas. Experimentalmente algunas cepas son patógenas para cobayos, palomas y ratones, menos para conejos. Si se mata un conejo o un cobayo unos minutos después de inyectarle por vía venosa *Cl. perfringens*, y se incuba el cuerpo a 37°C, se produce gas por todo el cuerpo en algunas horas y se reproduce el fenómeno del "hí-

gado espumoso". Este fenómeno no es estrictamente específico de *Cl. perfringens;* puede producirse mediante inoculaciones similares con otros anaerobios, aunque los resultados son menos notables. La paloma es susceptible y se usa para valorar la toxina y la antitoxina; se ha establecido un estándar internacional.[26]

La clásica toxina *perfringens,* la toxina α, no es potente; la DLM para el ratón suele ser alrededor de 0.25 ml de cultivo líquido. Pueden producirse antitoxinas con valor profiláctico y terapéutico, y en sueros antitóxicos polivalentes para gangrena gaseosa se incluye *Cl. perfringens*. La antitoxina para la toxina α parecer ser mucho más importante que la de la toxina. Es difícil desarrollar aglutininas para *Cl. perfringens,* y una inmunidad antibacteriana no protege contra la infección.

CLOSTRIDIUM NOVYI
(CLOSTRIDIUM OEDEMATIENS)

El tercer anaerobio importante en la gangrena gaseosa fue descubierto probablemente por Novyi en 1894 en un estudio del "edema maligno" en cobayos, y se llamó *Bacillus oedematis maligni Nr. II.* Migula lo llamó *B. novyi* en 1900. Weinberg y Séguin aislaron varias cepas de este bacilo en 1915, pero primero lo consideraron una nueva especie y lo llamaron *B. oedematiens.* Los investigadores europeos han usado el nombre francés.

Cl. novyi es notable no solo por su importancia en la gangrena gaseosa sino también por su activísima exotoxina, que compite en potencia con la toxina de los bacilos diftérico y tetánico, y contra la cual puede producirse una antitoxina potente.

Morfología. El bacilo de Novy es un bastón grande, relativamente grueso, de 2.5 a 10 μ de largo y 0.8 a 1 μ de ancho, que se presenta aislado y en cadenas. En cultivos se encuentran formas naviculares y curvas; en los trasudados de animales predomina la forma más corta. Sus muchos flagelos espirales, que a menudo se enredan en "ramilletes", se han destacado en casi todas las descripciones publicadas. El bastón no es móvil cuando se examina en condiciones ordinarias, porque los movimientos se inhiben notablemente en presencia de aire. Se producen esporas, generalmente en número reducido, y mejor en medios no fermentescibles. El bacilo es grampositivo.

Las colonias jóvenes profundas en glucosa agar tienen un centro amarillento, opaco, irregular, rodeado por una delicada corona de filamentos cortos. Posteriormente la colonia se aclara, el centro se hace turbio, y en 48 horas está rodeado por una corona de filamentos enredados. Las colonias superficiales son extremadamente delicadas, planas, transparentes, de color azulado, con contornos irregulares, y hay ligera hemólisis en agar sangre.

Fisiología. *Cl. novyi* es anaerobio estricto y crece bien a 37°C en medios ordinarios, con especial

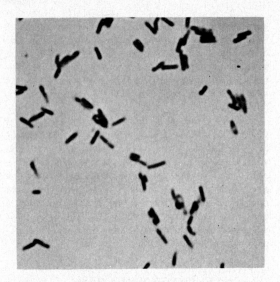

FIG. 28-5. *Clostridium novyi* de un cultivo puro. En algunas de las células vegetativas se nota ligera tendencia al encurvamiento. Obsérvense las esporas subterminales y la ausencia de esporas libres en grandes cantidades. Fucsina; × 1 200.

abundancia en presencia de un azúcar fermentescible. La carne y el cerebro no se obscurecen; la primera puede ponerse ligeramente rosa o pálida. La gelatina se licua, pero el suero coagulado y el huevo no se digieren. No se reducen los nitratos ni se forma indol, pero sí se produce sulfuro de hidrógeno. En leche tornasolada se forma ácido muy lentamente; después de 10 a 30 días de incubación aparece un coágulo floculento fino, que no se digiere. La glucosa fermenta, pero la lactosa no; la última propiedad sirve para diferenciar *Cl. novyi* de *Cl. septicum* y *Cl. chauvoei*. No hay acuerdo general respecto a otras reacciones de fermentación.

Estructura antigénica y toxina. Se han definido tres tipos inmunológicos de *Cl. novyi*, y designados A, B y C. Esto corresponde a tipos basados en la formación de toxina (véase luego). *Cl. hemolyticum*, el agente causal de la icterohemoglobinuria infecciosa del ganado, se considera *Cl. novyi* tipo D, ya que comparte la toxina β con los otros tipos.[59]

La toxina que forma este microorganismo es la más potente de las toxinas de los bacilos de la gangrena gaseosa; en contraste con *Cl. perfringens*, cuyos filtrados contienen 4 a 5 DLM ratón por ml, la dosis mortal de filtrado de *Cl. novyi* para el ratón es alrededor de 0.005 ml. Hay actividades de lecitinasa y hemolisina, y Oakley, Warrack y Clarke[60] han identificado seis componentes. Se designan como toxinas α, β, γ, δ, ε y ζ de las que la clásica mortal es la α. Esta se acompaña de una actividad lipasa responsable de la morfología laminar perlina de la colonia. La actividad de lecitinasa es bioquímicamente similar a la de la toxina α de *Cl. perfringens*, pero las lecitinasas de los tipos A y B

son distintas serológicamente entre sí y de la toxina α de *Cl. perfringens*. La distribución de las toxinas corresponde a los tipos inmunológicos anotados antes y se ilustra en el cuadro adjunto de Oakley y colaboradores.

Patogenicidad para el hombre. Antes hemos dicho la relativa frecuencia con que ocurre *Cl. novyi* en la gangrena gaseosa. La enfermedad es característicamente una toxemia, aunque no es rara la septicemia. Como *Cl. perfringens*, el bacilo de Novy a menudo es invasor terminal. En infecciones puras hay menos destrucción tisular que con *Cl. perfringens* o *Cl. septicum*. Los hallazgos en la autopsia consisten principalmente en edema masivo localizado, sin la extensa producción de gas del primero ni la necrosis sanguínea del último.

Patogenicidad para animales. Se han observado infecciones naturales por *Cl. novyi* en cobayos, ganado, caballos y cerdos. Hay pruebas que sugieren que el tipo B guarda relación causal con la hepatitis infecciosa necrótica (enfermedad negra) del carnero. Los cobayos, conejos, ratas, ratones, gatos, corderos, caballos y palomas son sensibles a pequeñas dosis de cultivo. Las inoculaciones por vía subcutánea, intramuscular e intravenosa reproducen la enfermedad experimentalmente. La toxicidad y la patogenicidad se pierden fácilmente; la cepa original de Novy, que todavía vive en algunos laboratorios, ha perdido desde entonces su capacidad de matar animales de experimentación. Esto es cierto también para cepas aisladas en el curso de cinco a 10 años.

La acción de la toxina liberada de las bacterias es muy similar a la de cultivos totales. Dosis submortales de toxina o cultivo por vía subcutánea producen un edema local gelatinoso peculiar, no hemorrágico, que alcanza el máximo en dos o tres días. Puede ir seguido de hemorragias superficiales pequeñas, después de lo cual se absorbe lentamente, dejando una cicatriz ligeramente esclerótica. Tales lesiones, al parecer, no forman flemones abiertos, como los cultivos de *Cl. perfringens*, y también pueden distinguirse de las del vibrión séptico y *Cl. chauvoei*, que si alguna vez se presentan, siempre

Distribución de las toxinas entre los tipos de Clostridium novyi

Actividad de la toxina	Designación	Tipos de Cl. novyi		
		A	B	C
Mortal, necrosante	α	+	+	−
Lecitinasa, hemolítica, necrosante	β	−	+	−
Lecitinasa hemolítica	γ	+	−	+
Hemolisina oxigeno-lábil	δ	+	−	−
Opalescencia en lecito-vitelina	ε	+	−	−
Hemolisina	ζ	−?	+	−

son mortales. Los cultivos lavados pueden ser inofensivos.

La antitoxina se ha producido en conejos, carneros y caballos mediante dosis sucesivamente crecientes de filtrados tóxicos. La antitoxina tiene valor profiláctico y, hasta cierto grado, terapéutico en condiciones experimentales; actualmente se encuentra en varios sueros polivalentes norteamericanos para infecciones anaerobias.

CLOSTRIDIUM HISTOLYTICUM

Entre las especies de bacterias descubiertas por Weinberg y Séguin en heridas de guerra, ninguna tiene mayor interés que *Cl. histolyticum*, llamado así por su notable acción licuante sobre tejidos vivos. Puede ser algo más común en la gangrena gaseosa de lo que se pensó antes. También se ha recuperado del suelo y heces humanas y de flechas envenenadas.

Morfología. *Cl. histolyticum* es un bastón móvil, grampositivo, de 3 a 5 μ de largo y 0.5 a 0.7 μ de ancho, que forma esporas clostridiales subterminales. En frotis de lesiones suele aparecer en forma de bastones cortos aislados o a pares, con extremos redondeados. Los flagelos, a menudo en número mayor de 20, son peritricos. Las colonias profundas en agar varían, según la consistencia del medio, de glóbulos lobulados compactos en agar al 2 por 100 a bolas esponjosas semitransparentes o incluso algodonosas en concentraciones menores. Las colonias superficiales son diminutas, como gotas de rocío redondas, y hemolíticas en agar sangre.

Fisiología. *Cl. histolyticum*, que originalmente se describió como anaerobio obligado, es capaz de dar un cultivo fino transparente sobre la superficie de agar con caldo de carne, y tal vez deba considerarse mejor como microaerófilo o anaerobio facultativo.

El bacilo es proteolítico activo; no solo licua la gelatina, sino también digiere carne y cerebro, suero coagulado y huevo. En cultivos viejos aparece un precipitado de cristales de tirosina. No reduce los nitratos ni forma indol. No se sabe que fermente hidratos de carbono, a pesar de opiniones contrarias respecto a la glucosa. La acción sobre la leche es lenta, pero al cabo de varios días suele formarse un coágulo suave que después se digiere lentamente, y *Cl. histolyticum* es un tipo proteolítico.

Toxinas.[57] Forma algunas substancias tóxicas, una toxina α mortal y necrosante, y varias enzimas proteolíticas. Una de estas, la toxina β, es una colagenasa; otra, la γ, es una enzima activada por la cisteína que ataca la colágena alterada, es decir, el azocol.[58] Una tercera, denominada toxina δ, es una proteasa serológicamente diferente.

Patogenicidad. La infección con *Cl. histolyticum* solo, probablemente sea rara; al parecer, la regla es que haya cultivos mezclados con otros anaerobios y aerobios en las heridas de guerra y en las infeccio-nes que se observan en los caballos. La mayor parte de cultivos puros de este bacilo son patógenos en condiciones experimentales para conejos, cobayos, ratones y ratas, pero hay una diferencia notable entre las cepas. La inoculación subcutánea de 1 ó 2 ml de un cultivo en caldo de 24 horas suele producir una tumefacción local, seguida en 24 a 48 horas de esfacelo total de la piel suprayacente; después, por regla general hay cicatrización lenta. La inoculación intramuscular causa hinchazón, seguida de lisis muscular progresiva. Si se escoge para la inoculación el músculo glúteo de un cobayo, puede dejar desnudo el hueso en 24 a 48 horas. Los tejidos literalmente escurren, y en algunos casos el miembro se desarticula. En forma curiosa, a menudo hay pocos o ningún signo tóxico en el animal, pero la muerte suele ocurrir por peritonitis al perforarse el peritoneo. En ocasiones hay invasión del torrente circulatorio, por lo general sin septicemia. En esas infecciones puras no se forma gas.

Los filtrados libres de bacterias tienen acción lítica, que puede demostrarse si se inyectan cantidades suficientes (5 ml). El efecto más característico es la formación de un hematoma estéril, acumulación de sangre sin coagular donde los glóbulos rojos están todavía intactos. La inoculación por vía intramuscular profunda produce un edema que desorganiza y separa el tejido, en tanto que las lesiones macroscópicas solo se observan en ocasiones después de la inoculación por vía venosa. Se han diferenciado tres toxinas: una α que es mortal y necrosante, una colagenasa o toxina β, y una γ que actúa sobre la colágena alterada, pero no sobre la intacta.

Se han llegado a producir sueros aglutinantes y antitóxicos.

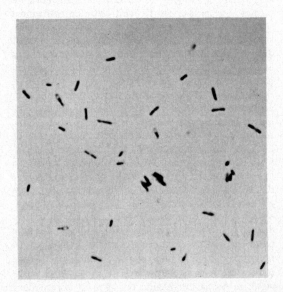

FIG. 28-6. *Clostridium histolyticum* de un cultivo puro. Obsérvense los característicos bastones cortos con extremos redondeados y las esporas subterminales. Fucsina; × 1 050.

CLOSTRIDIUM SPOROGENES

Cl. sporogenes, que en cultivo puro es un saprófito inofensivo, se incluye aquí porque con frecuencia acompaña a los anaerobios patógenos en las infecciones gangrenosas mixtas, muy posiblemente porque se encuentra extensamente distribuido en la naturaleza. Se ha confundido frecuentemente con las formas patógenas; no solo se ha demostrado que cultivos etiquetados con algún otro nombre son *sporogenes,* sino que se ha habido tendencia a considerar las "variantes atóxicas" o "cepas atóxicas" de patógenos como *Cl. sporogenes.* Por otra parte, la presencia de "variantes atóxicas" de especies patógenas puede atribuirse en muchos casos a cultivos mezclados que contienen *sporogenes.* Las esporas de este microorganismo son excepcionalmente resistentes y sobreviven invariablemente con las de los patógenos, o incluso después que los patógenos formadores de esporas han muerto por el calentamiento selectivo preliminar.

Morfología. *Cl. sporogenes* es un bastón activamente móvil, grampositivo, delgado, 3 a 7 μ de largo y 0.6 a 0.8 μ de ancho, con extremos redondeados. Las células se observan individualmente, a pares, en cadenas cortas o filamentos en ocasiones. Las esporas son ovales, excéntricas o subterminales, e hinchan la célula vegetativa. Los flagelos son peritricos. Las colonias profundas en agar tienen aspecto de bolas lanosas con centro espeso y compacto. Las colonias superficiales en agar sangre son hemolíticas, transparentes, y por lo general ramificadas o amiboides, con centro ligeramente elevado; parecen húmedas y al principio pueden semejar pequeñas gotas de rocío.

Cl. sporogenes necesita condiciones estrictamente anaerobias para crecer y se desarrollará en todos los medios ordinarios. Se ha cultivado en soluciones sintéticas que contienen triptófano, leucina, tirosina, arginina y fenilalanina, junto con una substancia desconocida llamada "vitamina de *sporogenes*". La temperatura óptima es a 37°C, pero crecerá a temperaturas tan altas como 50°C.

Este bacilo es activamente proteolítico; ennegrece y digiere los medios de cerebro y carne, huevo coagulado, y suero. Un exceso de azúcar fermentescible retarda o impide esta proteólisis, y la presencia de hierro metálico o de ciertas sales de hierro la aceleran. Los cristales de tirosina no son claros. La gelatina se licua y ennegrece, se produce sulfuro de hidrógeno, pero es dudosa la formación de indol, y los nitratos no se reducen a nitritos. Las observaciones sobre fermentaciones de azúcar son contradictorias. Según Bergey, se forman ácido y gas a partir de glucosa, levulosa, galactosa y maltosa, en tanto que no fermentan lactosa, sacarosa, salicina e inulina. El crecimiento en leche es lento en un principio; se forma un coágulo en 48 a 72 horas, y hay licuación progresiva con formación de gas y ácido hasta que la caseína se peptoniza completamente.

Patogenicidad. No hay ninguna observación auténtica de una infección natural que pueda atribuirse a *Cl. sporogenes* solo. Se ha sostenido que este bacilo interviene en ciertos trastornos intestinales, pero la frecuencia con que se observa en el tubo digestivo de hombres y animales sanos es incompatible con este punto.

En experimentos en animales se necesitan dosis relativamente grandes para producir lesiones; la inyección por vía subcutánea de menos de 5 ml de un cultivo joven en caldo glucosado, en el cobayo, el animal de experimentación más susceptible, suele dar por resultado una reacción local solamente. Unas horas más tarde se cae el pelo situado por encima, la piel se hace gangrenosa y sobresale ligeramente en una zona de digestión de tejido subcutáneo donde aparece una pequeña cantidad de gas. Esos animales no suelen presentar trastornos generales, y la lesión se resuelve en algunos días, dejando cicatriz necrótica que cura lentamente. La reacción a inyección intramuscular solo es ligeramente más intensa.

El efecto más importante, obviamente, de todas las acciones patógenas de *Cl. sporogenes* (y probablemente de otros anaerobios de putrefacción) es el de la aceleración recíproca del metabolismo que sucede durante el crecimiento con patógenos anaerobios, en especial *Cl. perfringens, Cl. septicum* y *Cl. novyi.* En tanto que la presencia de diversos aerobios en cierto grado es estimulante para el crecimiento de anaerobios obligados (debido en parte, como lo sugirió Pasteur, a la absorción de oxígeno, pero también a otros factores), la presencia de anaerobios de putrefacción aumenta mucho la patogenicidad de los gérmenes que no son de putrefacción. Las formas proteolíticas proveen productos del desdoblamiento de proteínas que los tipos fermentadores no son capaces de elaborar tan rápidamente.

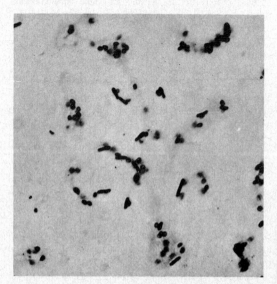

FIG. 28-7. *Clostridium sporogenes* de un cultivo puro. Obsérvese la estrecha semejanza morfológica de esta especie con las formas patógenas. Fucsina; $\times$ 1 050.

Clostridium chauvoei
(Clostridium feseri)

La pata negra, también conocida como cuarto mal y carbunco sintomático (no debe confundirse con el carbunco), es una enfermedad aguda que afecta al ganado. Ocurre dondequiera que se guarda ganado, y es frecuente en todo Estados Unidos, con la posible excepción de los estados del sur, del Atlántico y del Golfo. El nombre de pata negra, como el de gangrena gaseosa, se ha aplicado a afecciones causadas por diversos anaerobios; en algunos casos se encuentra *Cl. septicum* o, rara vez, *Cl. novyi*, pero la causa principal es *Cl. chauvoei (Cl. feseri)*. Así como *Cl. perfringens* (tipo A) nunca provoca infecciones naturales en los animales inferiores, tampoco se ha demostrado que *Cl. chauvoei* sea causa de una infección humana.

Aunque los bacilos se observaron tempranamente y se transmitió la enfermedad inyectando líquido seroso de un animal infectado a otro sano, Arlong, Cornevin y Thomas cultivaron *Cl. chauvoei*, y establecieron su relación causal con la pata negra en 1887.

Morfología. *Cl. chauvoei* es un bastón grampositivo, móvil, esporulador. Su tamaño es variable, de 3 a 8 μ de largo y cerca de 1 μ de ancho. Las células por lo regular se presentan aisladas; en contraste con *Cl. septicum* hay poca tendencia a la formación de cadenas o filamentos. Las esporas son subterminales y ovales, hinchando la célula vegeta-

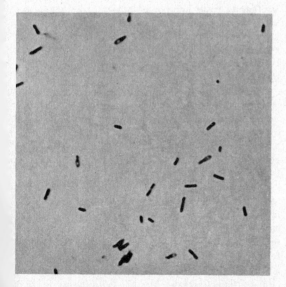

FIG. 28-8. *Clostridium chauvoei* de un cultivo puro. Se ven las esporas ovales subterminales; obsérvese en el extremo derecho la célula hinchada que va a esporular. Fucsina; × 1 050.

tiva donde ocurre. La esporulación con frecuencia va precedida de hinchazón notable de la célula vegetativa. Las colonias profundas en agar son muy pequeñas, compactas y afelpadas. En la superficie de agar sangre las colonias bien separadas son planas, redondas o foliáceas, y hemolíticas.

Fisiología. El bacilo es anaerobio estricto y, como *Cl. sporogenes,* crece a temperaturas tan altas como 50°C, aunque la óptima es de 37°C. Puede crecer en los medios usuales de laboratorio, pero se cultiva mejor en medio de cerebro, o carne. Estos no cambian de color ni se digieren por acción de los cultivos puros, pero pueden reblandecerse ligeramente. La gelatina se licua, no así el suero coagulado ni el huevo. Se produce sulfuro de hidrógeno, pero no se forma indol, y no se reducen los nitratos a nitritos. Fermentan la glucosa, levulosa, galactosa, maltosa, sacarosa y lactosa, con formación de ácido y gas; no fermentan inulina, salicina, manitol, dulcitol ni glicerol. Debe señalarse nuevamente que este microorganismo puede diferenciarse de *Cl. septicum,* muy similar, basándose en la fermentación de la sacarosa y la salicina. Los cultivos en leche tornasolada se acidifican y la caseína se precipita, pero no hay peptonización.

Patogenicidad. Las infecciones naturales por *Cl. chauvoei* suceden principalmente en el ganado. Todavía hay algunas características obscuras en la epidemiología. La enfermedad se presenta en determinadas estaciones del año, está relacionada con ciertas localidades, y se dice que muestra clara predilección por las mejores crías. La vía de entrada es incierta; se desconoce completamente si es a través de pequeñas abrasiones en la piel o por la mucosa gastrointestinal. Experimentalmente, *Cl. chauvoei* es patógeno para el ganado, borregos, cabras, cobayos, y ratones; los caballos, asnos, cerdos, conejos, ratas y palomas son un poco resistentes.

Los síntomas en los animales consisten en hinchazones localizadas crepitantes, que en las infecciones naturales ocurren en muslos, cuello u hombros. Los animales se vuelven apáticos, febriles y anoréxicos. El tratamiento rara vez tiene buen éxito, y los infectados suelen morir en uno o dos días. La enfermedad es una bacteriemia progresiva. Se produce una exotoxina débil.

Inmunización. Se consigue inmunidad eficaz inoculando con una vacuna de cultivo total inactivado con formol, o con bacterias lavadas, inactivadas mediante cloruro de calcio. También se ha usado un toxoide precipitado con alumbre. La inmunidad que se produce en esta forma es limitada, y probablemente sea eficaz por poco más de un año, pero en condiciones naturales de exposición a la infección puede reforzarse para que resulte una inmunidad prolongada. A diferencia de la mayor parte de las otras enfermedades causadas por clostridios, la pata negra responde al tratamiento con antibióticos;

la penicilina es la que se usa con mayor frecuencia. Puede prepararse un suero hiperinmune, que parece tener valor terapéutico, inmunizando caballos con la vacuna.

Clostridium botulinum

El botulismo se observó con precisión por primera vez en Alemania en 1785 y se asoció, y así es, aunque no en forma exclusiva, con la ingestión de embutidos, de donde el nombre poco adecuado de botulismo. Ermengem aisló la bacteria causal en 1896 y la llamó *Bacillus botulinus*. Hoy en día se conoce como *Cl. botulinum*.

Morfología. *Cl. botulinum* es un bastón grande, pleomorfo, grampositivo, móvil y esporulante, que mide 4 a 6 μ de largo y 0.9 a 1.2 μ de ancho. Las células se presentan aisladas, a pares y en cadenas. Hay cuatro a ocho flagelos peritricos. Las cepas son subterminales y ovales; distienden las células vegetativas que las contienen. La formación de esporas es variable de cepa a cepa, algunas las producen en abundancia, otras escasamente, pero, en general, se forman mejor en medios sin azúcar.

Las colonias profundas en agar son transparentes, globulosas y difusas, o planas, y en forma de corazón o de disco, según la consistencia del medio. Las colonias superficiales son relativamente grandes, 5 a 10 mm de diámetro, brillantes, transparentes en los bordes con un centro grueso que tira al color castaño, filamentosas y hemolíticas en agar sangre.

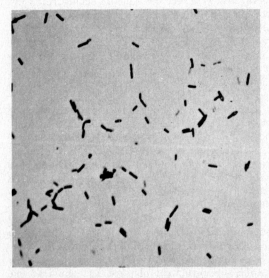

FIG. 28-9. *Clostridium botulinum* de tipo A de un cultivo puro. Obsérvense las esporas subterminales hinchadas, y esporas libres sin teñir mezcladas con las células vegetativas. Fucsina; $\times$ 1 050.

Fisiología. *Cl. botulinum* puede desarrollarse en los medios usuales de laboratorio en condiciones anaerobias estrictas; su cultivo en soluciones sintéticas ha indicado que se necesitan los aminoácidos cistina, leucina, lisina, glicina y prolina. Los aminoácidos se descomponen por reacciones asociadas de oxidorreducción, más que por oxidación directa. Los medios de cerebro, carne y proteína coagulada se ennegrecen y son digeridos; la gelatina se licua. La leche se peptoniza. Se produce sulfuro de hidrógeno, pero los nitratos no se reducen a nitritos, y no se forma indol. Fermentan la glucosa, levulosa y maltosa; para otros azúcares la acción es variable según la cepa y el tipo. Las esporas son muy resistentes y soportan la ebullición de 30 minutos a 22 horas, y la autoclave a 120°C hasta 20 minutos.

Prescindiendo de la presencia de azúcar fermentescible, se producen toxinas solubles potentes que semejan otras toxinas solubles en muchos aspectos. Sin embargo, son excepcionalmente estables al calor; para destruirlas se necesita calentamiento a 80°C por 30 min, o ebullición durante 10 minutos. También son relativamente resistentes a la digestión proteolítica del tubo digestivo, y pueden descomponerse en fragmentos activos susceptibles de facilitar la absorción por el intestino. En todo caso, son únicas entre las exotoxinas bacterianas clásicas por ser activas por vía bucal.[45] Son las toxinas bacterianas más potentes que se conocen; la DLM para cobayo puede ser tan pequeña como 1×10^{-6} ml de cultivo en caldo.

Tipos. *Cl. botulinum* se subdivide en algunos tipos que difieren entre sí en que sus toxinas son inmunológicamente diferentes. Los que mejor se conocen son los tipos A y B, que antes se consideraban los únicos responsables del botulismo en el hombre. Se supone que el cultivo original de van Ermengem, que ya no existe, era de tipo B.

Desde poco después de 1920 se han descrito otros tipos. Un bacilo anaerobio productor de toxina, aislado de larvas de mosca (cuya ingestión se relacionaba con una enfermedad paralítica de los pollos) se ha designado tipo C. Un bacilo estrechamente relacionado se aisló del botulismo de las reses en Australia, y se denominó *B. parabotulinum*. Este bacilo se llama actualmente *Cl. botulinum* de tipo Cβ y el bacilo de las larvas de mosca *Cl. botulinum* de tipo Cα. Las toxinas de estos subtipos del tipo C se relacionan porque la antitoxina Cα protege contra las toxinas Cα y Cβ, pero la antitoxina Cβ protege contra la toxina Cβ, no contra la Cα.

Una cepa sudafricana descrita por primera vez por Theiler y Robinson, que llamaron *Cl. parabotulinum equi*, se estudió más ampliamente y se denominó *Cl. botulinum* tipo D, porque su toxina no la neutralizan las antitoxinas de los tipos A, B o C. En esta nomenclatura hay alguna confusión, porque el tipo de los investigadores franceses designan como D corresponde al C en Estados Unidos de Norteamérica.

Cl. botulinum de tipo E se aisló primeramente en Canadá, de productos de pescado que habían causado botulismo humano; y se han observado brotes de botulismo humano acompañando al consumo de pescado en Estados Unidos de Norteamérica desde 1932, como en Canadá y Japón. Inmunológicamente la toxina es distinta, y no muestra neutralización cruzada por antitoxinas de otros tipos de toxina. En 1958 se describió todavía otro tipo, también distinto, denominado tipo F, en Dinamarca; [18] en Estados Unidos de Norteamérica se ha aislado del salmón en el río Columbia.[15]

Toxinas.[3] Como acabamos de indicar, *Cl. botulinum* produce diversas toxinas inmunológicamente diferentes, y un tipo aislado produce una determinada toxina; las diversas toxinas no se distribuyen entre los tipos, como en el caso de *Cl. perfringens*. Además, la acción farmacológica de las toxinas es esencialmente la misma y la diferenciación solo puede hacerse inmunológicamente, o sea con la prueba de protección pasiva, en la que una serie de animales de experimentación se inmunizan pasivamente, cada uno con una antitoxina, y todos se prueban con la toxina desconocida.

De estas toxinas, la más potente es la de tipo A, de mayor toxicidad que las otras toxinas solubles como la de los bacilos diftérico y tetánico; es la substancia tóxica más potente conocida. Todas las toxinas botulínicas, con excepción de la de tipo F, han sido preparadas en forma muy purificada, o cristalizadas. La DL$_{50}$ de tales preparados de toxinas de tipo A y de tipo B contiene aproximadamente 5 $\times$ 10^{-9} mg de N. Son polímeros con pesos moleculares de quizá 1 $\times$ 10^6, y ahora sabemos que representan agregados de porciones tóxicas con pesos moleculares de 10 000 ó 12 000.[26, 27, 28, 38] Las toxinas del bacilo botulínico bruta y pura pueden destoxicarse con formaldehido para dar toxoide de formol que puede usarse para inmunización activa.[92]

Los tipos de *Cl. botulinum* no son diferenciados bioquímicamente o por cultivos, pero, como grupo, pueden dividirse en dos tipos bioquímicos, uno proteolítico (designado algunas veces ovolítico, pero que digiere otras proteínas que no son la albúmina coagulada del huevo), cuyas propiedades de cultivo hemos descrito antes, y el otro sacarolítico o fermentativo, cuyos miembros no hidrolizan las proteínas naturales coaguladas. El grupo proteolítico incluye el tipo A y algunas cepas del tipo B (la mayoría de las cepas norteamericanas de tipo B son proteolíticas, en tanto que una gran mayoría de las cepas europeas de tipo B no lo son). El grupo no proteolítico incluye algunas cepas del tipo B, y, hasta donde se sabe, todas las cepas de los tipos C, D y E. Se ha sugerido que solo se designen *Cl. botulinum* las variedades no proteolíticas, y que las que sí lo son se llamen *Cl. parabotulinum*.

Patogenicidad para el hombre.[63] El botulismo humano resulta casi invariablemente de comer alimentos en conserva en los que se ha desarrollado el bacilo y ha producido toxina. En Europa la mayor parte de casos se han debido a ingestión de diversas carnes en conserva, como embutidos, jamón, ganso o pato enlatado, en tanto que en Estados Unidos de Norteamérica los alimentos culpables han sido en su mayor parte vegetales enlatados. En Norteamérica hay extrañamente pocos casos de botulismo considerando la distribución, en todas partes, de esporas de *Cl. botulinum* en el suelo —el tipo A se ha encontrado más comúnmente en los estados de las Montañas Rocosas y de la costa del Pacífico, mientras que el tipo B predomina en las regiones de los Grandes Lagos, valle de Misisipí, y estados de la costa atlántica. El tipo A predomina en los suelos ingleses, aunque también puede encontrarse el tipo B. Los brotes de botulismo de tipo E parecen limitados al hemisferio norte; se han observado en Norteamérica, Canadá, Japón, Rusia y países escandinavos. Se ha señalado un total de 1 696 casos de botulismo de todos tipos en Estados Unidos de Norteamérica de 1899 a 1969.[31] La frecuencia suele ser poca, desde valores bajos como 7 en 1967, hasta 46 en 1963.

El botulismo de tipo E se ha relacionado con el consumo de pescado y productos similares. En Japón el vehículo ha sido una preparación de pescado crudo, llamada izushi; se declararon 304 casos en 49 brotes entre 1951 y 1962.[73] Se han producido brotes en Canadá.[17] En Estados Unidos de Norteamérica, un brote en 1963, causado por el consumo de atún enlatado.[44] El pescado ahumado, consumido de preferencia crudo, de los Grandes Lagos también ha producido botulismo humano, y la frecuencia del microorganismo en el contenido intestinal del pescado ha variado entre el 1 por 100 en el Lago Superior a 4 por 100 en el Lago Hurón y 9 por 100 en el Lago Michigan, y 57 por 100 en Green Bay (en el Lago Michigan).[4, 5]

Como en el caso de otros anaerobios esporulantes, la enfermedad producida por *Cl. botulinum* es una intoxicación; en el botulismo, de hecho, no hay invasión de los tejidos, y la toxina se forma previamente fuera del cuerpo. En condiciones experimentales en las que se han inyectado dosis masivas de esporas, es probable que no se haya establecido ninguna infección. Sin embargo, se ha encontrado *Cl. botulinum* en heridas contaminadas, en cultivo mezclado con bacterias anaerobias y aerobias. Por lo tanto, en circunstancias extrañas puede pro-

Tipos de Clostridium botulinum

Tipo	Sinónimo	Carácter bioquímico	Enfermedad	Antitoxina
A		Proteolítico	Botulismo del hombre, cuello blando (*limberneck*) de los pollos	Específica
B		Algunas cepas proteolíticas	Botulismo del hombre, cuello blando de los pollos	Específica
Cα	Bacilo de las larvas de mosca	No proteolítico	Enfermedad paralítica de los pollos, botulismo de patos salvajes	Neutraliza la toxina Cβ
Cβ	*Cl. parabotulinum*	No proteolítico	Envenenamiento por forraje del ganado (Australia)	Específica
D	*Cl. parabotulinum equi*	No proteolítico	Lamziekte del ganado (África)	Específica
E		No proteolítico	Botulismo del hombre	Específica
F		Proteolítico	Botulismo del hombre	Específica

liferar en los tejidos. En un grupo de tres casos no hubo síntomas de botulismo, pero en tres casos mortales en los que se encontró tipo A, había síntomas de botulismo.[16, 35, 36, 74]

El botulismo humano depende más comúnmente de los tipos A y B. La acción farmacológica de estas toxinas parece ser substancialmente idéntica, y su mecanismo de acción ha interesado considerablemente. La acetilcolina produce contracción del músculo envenenado con botulismo, pero no del músculo envenenado con curare. En el animal intoxicado aparentemente no se produce acetilcolina en las placas terminales, y la acción de la toxina es proximal al punto donde se produce. Se ha comprobado que la acción de la toxina es en los filetes nerviosos, ya que se libera acetilcolina después de la estimulación directa del diafragma extirpado del cobayo, pero no después de tetanizar los nervios frénicos. Las pruebas sugieren que la parálisis neuromuscular que se observa en el animal intoxicado resulta de interferencia de la conducción en las ramitas terminales de nervios motores, en los sitios de ramificación final o cerca de ellos, pero proximal al sitio donde se libera acetilcolina.[8, 71] En el hombre se produce parálisis de las placas terminales de los nervios motores en los músculos estriados y en el diafragma, y los síntomas incluyen vómitos, estreñimiento, paresia ocular y parálisis faríngea. La muerte puede ocurrir en el curso del primer día en que aparecen los síntomas o retrasarse hasta una semana. En la autopsia se encuentran congestionados hígado, riñones y meninges, y puede haber trombo-

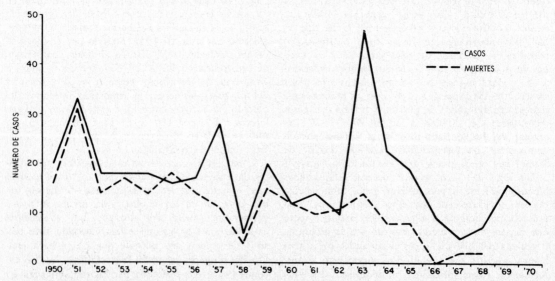

FIG. 28-10. Casos señalados de botulismo humano, y muertes por la enfermedad, en Estados Unidos de Norteamérica durante el periodo 1950-1970. (Morbidity and Mortality Weekly Report, Annual Supplement, Vol. 19, 1970. Center for Disease Control, U.S. Public Health Service.)

sis. La mortalidad es variable; en Estados Unidos de Norteamérica ha sido de 60 a 70 por 100, pero menor en Alemania, tal vez 25 por 100, quizá porque prevalece más el tipo B, algo menos tóxico.

Patogenicidad para animales inferiores. Acompañando a los casos humanos de botulismo ha habido muchos brotes de cuello blando (*limberneck*), enfermedad paralítica de los pollos que comen alimentos que contienen la toxina. En condiciones naturales ocurren otras formas de botulismo en animales inferiores; al parecer se asocian exclusivamente con *Cl. botulinum* de tipos C y D. Ciertas formas de envenenamiento por forraje en reses y caballos en Australia son botulismo, pero no se ha aclarado completamente si los bacilos crecen y forman toxina en la pastura o si la enfermedad resulta de ingerir carroña de conejo. La enfermedad sudafricana del ganado, llamada en alemán e inglés *lamziekte*, es botulismo que resulta de ingerir carroña contaminada. En Estados Unidos de Norteamérica prevalece el botulismo de patos salvajes y otras aves acuáticas debido al tipo Cα, y causa la muerte de miles de patos cada año. Se desconoce la fuente de la toxina que ingieren estas aves.

Experimentalmente los conejos, cobayos, ratones, monos, gatos y perros, son sensibles a la toxina administrada parenteralmente o por la boca. Los síntomas son similares a los de los animales y el hombre infectados naturalmente, y los hallazgos en la autopsia son muy semejantes. La susceptibilidad de los animales de experimentación a las toxinas de los diversos tipos de *Cl. botulinum* varía mucho.

Inmunidad. Puede usarse toxoide formolado como agente inmunizador para producir una inmunidad activa, con antitoxina circulante presente en la sangre. Tal inmunización activa se ha llevado a cabo en animales inferiores cuando ha sido económicamente posible; en Australia el botulismo de ovejas y ganado ha asumido proporciones suficientes para justificar esa inmunización activa, y se ha aplicado en escala limitada.

El hombre también puede inmunizarse con toxoide líquido o precipitado con alumbre de tipo A, de tipo B, o una combinación de ambos. Con un esquema de inmunización de 0-2-10 semanas, se alcanza el nivel de protección, definido arbitrariamente de 0.02 unidades de antitoxina de tipo A y 0.005 unidades de tipo B por ml de sangre circulante en el 50 por 100 de los inoculados a los tres meses, aproximadamente, de iniciada la inmunización. La inoculación de refuerzo al año eleva el título hasta 500 veces el nivel mínimo de protección, y el título alto persiste cuando menos dos años.[28] En circunstancias ordinarias el botulismo que ocurre naturalmente en el hombre es tan raro que no está justificada la inmunización activa.

La toxina botulínica es un antígeno excelente y pueden producirse sueros antitóxicos con títulos altos. Se han descrito estándares internacionales para las antitoxinas.[6] En condiciones experimentales estas antitoxinas tienen valor profiláctico notable, pero su eficacia terapéutica es poca. Cabe señalar que en el botulismo, como en el tétanos, los síntomas son consecuencia de la lesión del tejido nervioso, y la administración de antitoxina solo sirve para neutralizar la toxina circulante. La ausencia casi total de efecto terapéutico de la antitoxina botulínica en el hombre indudablemente debe atribuirse a que su administración siempre resulta muy tardía.

BIBLIOGRAFIA

1. Adams, E. B., D. R. Laurence, and J. W. G. Smith. 1970. Tetanus. Blackwell Scientific Publications, Oxford.
2. Aikat, B. K., and J. H. Dible. 1956. The pathology of *Clostridium welchii* infection. J. Pathol. Bacteriol. **71**:461–478.
3. Boroff, D. A., and B. R. DasGupta. 1971. Botulinum toxin. Vol. IIA, pp. 1–68. *In* S. Kadis, T. C. Montie, and S. J. Ajl (Eds.): Microbial Toxins. Academic Press, New York.
4. Bott, T. L., *et al.* 1966. *Clostridium botulinum* type E in fish from the Great Lakes. J. Bacteriol. **91**:919–924.
5. Bott, T. L., *et al.* 1968. Possible origin of the high incidence of *Clostridium botulinum* type E in an inland bay (Green Bay of Lake Michigan). J. Bacteriol. **95**:1542–1547.
6. Bowmer, E. J. 1963. Preparation and assay of the International Standards for *Clostridium botulinum* types A, B, C, D, and E antitoxins. Bull Wld. Hlth. Org. **29**:701–709.
7. Brooks, M. E., M. Sterne, and G. H. Warrack. 1957. A re-assessment of the criteria used for type differentiation of *Clostridium perfringens*. J. Pathol. Bacteriol. **74**:185–195.
8. Brooks, V. B. 1953. Motor nerve filament block produced by botulinum toxin. Science **117**:334–335.
9. Brown, A., *et al.* 1960. Value of a large dose of antitoxin in clinical tetanus. Lancet **ii**:227–230.
10. Buchanan, T. M., *et al.* 1970. Tetanus in the United States, 1968 and 1969. J. Infect. Dis. **122**:564–567.
11. Bytchenko, B. 1966. Geographical distribution of tetanus in the world, 1951–60. A review of the problem. Bull. Wld. Hlth. Org. **34**:71–104.
12. Cherubin, C. E., *et al.* 1968. Investigations in tetanus in narcotics addicts in New York City. Amer. J. Epidemiol. **88**:215–223.
13. Cohen, H., J. D. van Ramshorst, and A. Tasman. 1959. Consistency in potency assay of tetanus toxoid in mice. Bull. Wld. Hlth. Org. **20**:1133–1150.
14. Collee, J. G. 1965. The relationship of the haemagglutinin of *Clostridium welchii* to the neuraminidase and other soluble products of the organism. J. Pathol. Bacteriol. **90**:13–20.
15. Craig, J. M., and K. S. Pilcher. 1966. Clostridium botulinum type F: Isolation from salmon from the Columbia River. Science **153**:311–312.
16. Davis, J. B., L. H. Mattman, and M. Wiley. 1951. *Clostridium botulinum* in a fatal wound infection. J. Amer. Med. Assn. **146**:646–648.
17. Dolman, C. E., and H. Iida. 1963. Type E botulism: Its epidemiology, prevention and specific treatment. Can. J. Pub. Hlth. **54**:293–308.
18. Dolman, C. E., and L. Murakami. 1961. *Clostridium botulinum* type F with recent observations on other types. J. Infect. Dis. **109**:107–128.
19. Dowell, V. R., Jr., and T. M. Hawkins. 1968. Laboratory Methods in Anerobic Bacteriology. U.S. Public Health Service Publication No. 1803. Center for Disease Control, Atlanta.
20. Duncan, C. L., and D. H. Strong. 1969. Ileal loop fluid accumulation and production of diarrhea in rabbits by cell-free products of *Clostridium perfringens*. J. Bacteriol. **100**:86–94.
21. Eckmann, L. 1963. Tetanus Prophylaxis and Therapy. Grune & Stratton, New York.
22. Eckmann, L. (Ed.) 1967. Principles on Tetanus. Proceedings of the International Conference on Tetanus, Bern, July 15–19, 1966. Hans Huber, Marktgasse, Berne.
23. Edsall, G., *et al.* 1967. Excessive use of tetanus toxoid boosters. J. Amer. Med. Assn. **202**:17–19.

24. Egerton, J. E. 1966. Bacteriology of enteritis necroticans in New Guinea highlanders. Papua New Guin. Med. J. **9**:55–59.

25. Egerton, J. R., and P. D. Walker. 1964. The isolation of *Clostridium perfringens* type C from necrotic enteritis of man in Papua-New Guinea. J. Pathol. Bacteriol. **88**:275–278.

26. Evans, D. G., and F. T. Perkins. 1963. Fifth International Standard for gas-gangrene antitoxin (perfringens) (*Clostridium welchii* type A antitoxin). Bull. Wld. Hlth. Org. **29**:729–735.

27. Finegold, S. M. 1970. Isolation of anaerobic bacteria. pp. 265–279. *In* J. E. Blair, E. H. Lennette, and J. P. Truant (Eds.): Manual of Clinical Microbiology. American Society for Microbiology, Bethesda.

28. Flock, M. A., *et al.* 1962. Studies on immunity to toxins of *Clostridum botulinum.* VIII. Immunological response of man to purified bivalent AB botulinum toxoid. J. Immunol. **88**:277–283.

29. Fredette, V., A. Forget, and G. Vinet. 1962. Production and characterization of *Clostridium perfringens* "bursting factor." J. Bacteriol. **83**:1177–1182.

30. Fuller, R. M., and W. Ellerbeck. 1960. Tetanus prophylaxis. J. Amer. Med. Assn. **174**:1–4.

31. Gangarosa, E. J., *et al.* 1971. Botulism in the United States, 1899–1969. Amer. J. Epidemiol. **93**:93–101.

32. Greenberg, L. 1953. Bull. Wld. Hlth. Org. **9**:837–842.

33. Greenberg, L. 1955. The relative immunizing efficiency of tetanus toxoid preparations. Bull. Wld. Hlth. Org. **12**:761–768.

34. Guillaumie, M., *et al.* 1961. Préparation et propriétés des sérums anti-*septicum.* Caractéristiques de l'exotoxine de *Cl. septicum.* Rev. Immunol. **25**:128–148.

35. Hall, I. C. 1945. The occurrence of *Bacillus botulinus*, types A and B, in accidental wounds. J. Bacteriol. **50**:213–217.

36. Hampson, C. R. 1951. J. Bacteriol. **61**:647.

37. Handegree, M. C., A. E. Palmer, and N. Duffin. 1971. Tetanolysin: *in-vivo* effects in animals. J. Infect. Dis. **123**:51–60.

38. Hauschild, A. H. W. 1971. *Clostridium perfringens* toxins types B, C, D, and E. Vol. IIA, pp. 159–188. *In* S. Kadis, T. C. Montie, and S. J. Ajl (Eds.): Microbial Toxins. Academic Press, New York.

39. Hauschild, A. H. W., and F. S. Thatcher. 1968. Experimental gas gangrene with food-poisoning *Clostridium perfringens* type A. Can. J. Microbiol. **14**:705–709.

40. Heath, C. W., Jr., J. Zusman, and I. L. Sherman. 1964. Tetanus in the United States, 1950–1960. Amer. J. Pub. Hlth. **54**:769–779.

41. Heyningen, W. E. van, and J. Mellanby. 1971. Tetanus toxin. Vol. IIA, pp. 69–108. *In* S. Kadis, T. C. Montie, and S. J. Ajl (Eds.): Microbial Toxins. Academic Press, New York.

42. Hobbs, B. C. 1965. *Clostridium welchii* as a food poisoning organism. J. Appl. Bacteriol. **28**:74–82.

43. Ispolatovskaya, M. V. 1971. Type A *Clostridium perfringens* toxin. Vol. IIA, pp. 109–158. *In* S. Kadis, T. C. Montie and S. J. Ajl (Eds.): Microbial Toxins. Academic Press, New York.

44. Johnston, R. W., J. Feldman, and R. Sullivan. 1963. Botulism from canned tuna fish. Pub. Hlth. Rep. **78**:561–564.

45. Lamanna, C. 1960. Oral poisoning by bacterial exotoxins exemplified in botulism. Ann. N.Y. Acad. Sci. **88**:1109–1114.

46. Latham, W. C., D. F. Bent, and L. Levine. 1962. Tetanus toxin production in the absence of protein. Appl. Microbiol. **10**:146–152.

47. Macfarlane, M. G. 1955. On the biochemical mechanism of action of gas-gangrene toxins. Soc. Gen. Microbiol. Symp. **5**:57–77.

48. Macfarlane, M. G., and B. C. J. G. Knight. 1941. The biochemistry of bacterial toxins. I. The lecithinase activity of *Cl. welchii* toxins. Biochem. J. **35**:884–902.

49. MacLennan, J. D. 1962 The histiotoxic clostridial infections in man. Bacteriol. Rev. **26**:177–274.

50. Marshall, R. S., J. F. Steenbergen, and L. S. McClung. 1965. Rapid technique for the enumeration of *Clostridium perfringens.* Appl. Microbiol. **13**:559–563.

51. McClung, L. S. 1956. The anaerobic bacteria with special reference to the genus Clostridium. Ann. Rev. Microbiol. **10**:173–192.

52. Moussa, R. S. 1958. Complexity of toxins from *Clostridium septicum* and *Clostridium chauvoei.* J. Bacteriol. **76**:538–545.

53. Moussa, R. S. 1959. Antigenic formulae for *Clostridium septicum* and *Clostridium chauvoei.* J. Pathol. Bacteriol. **77**:341–350.

54. Murrel, T. G. C., *et al.* 1966. Pig-bel: Enteritis necroticans. A study in diagnosis and management. Lancet **i**:217–222.

55. Murrel, T. G. C., *et al.* 1966. The ecology and epidemiology of the pig-bel syndrome in man in New Guinea. J. Hyg. **64**:375–396.

56. Newell, K. W., *et al.* 1966. The use of toxoid for the prevention of tetanus neonatorum. Final report of a double-blind controlled field trial. Bull. Wld. Hlth. Org. **35**:863–871.

57. Nishida, S., and M. Imaizumi. 1966. Toxigenicity of *Clostridium histolyticum.* J. Bacteriol. **91**:277–483.

58. Oakley, C. L., and G. H. Warrack. 1950. The alpha, beta, and gamma antigens of *Clostridium histolyticum.* J. Gen. Microbiol. **4**:365–373.

59. Oakley, C. L., and G. H. Warrack. 1959. The soluble antigens of *Clostridium oedematiens* type D (*Cl. haemolyticum*). J. Pathol. **78**:543–551.

60. Oakley, C. L., G. H. Warrack, and P. H. Clarke. 1947. The toxins of *Clostridium oedematiens* (*Cl. novyi*). J. Gen. Microbiol. **1**:91–107.

61. Peebles, T. C., *et al.* 1969. Tetanus-toxoid emergency boosters. A reappraisal. New Eng. J. Med. **280**:575–581.

62. Ramon, G. 1939. L'immunité conferée par l'anatoxine tétanique chez l'homme et chez le cheval. Précisions d'ordre immologique et épidémiologique. Conséquences. Rev. Immunol. **5**:477–490.

63. Review. 1970. Botulism in the United States. Review of Cases, 1899–1967, and Handbook for Epidemiologists, Clinicians, and Laboratory Workers. U.S. Public Health Service, Center for Disease Control, Atlanta.

64. Robb-Smith, A. H. T. 1945. Tissue changes induced by *Cl. welchii* Type A filtrates. Lancet **ii**:362–368.

65. Smith, J. W. G. 1966. Intracerebral antitoxin in experimental tetanus. Brit. J. Exp. Pathol. **47**:17–24.

66. Smith, L. DS. 1970. Clostridia. pp. 280–283. *In* J. E. Blair, E. H. Lennette, and J. P. Truant (Eds.): Manual of Clinical Microbiology. American Society for Microbiology, Bethesda.

67. Smolens, J., *et al.* 1961. J. Pediat. **59**:899–902.

68. Spaun, J., and J. Lyng. 1970. Replacement of the international standard for tetanus antitoxin and the use of the standard flocculation test. Bull. Wld. Hlth. Org. **42**:523–534.

69. Sterne, M., and G. H. Warrack. 1962. The interactions between *Clostridium septicum* and *Clostridium histolyticum* toxins and antitoxins. J. Pathol. Bacteriol. **84**:277–288.

70. Sterne, M., and G. H. Warrack. 1964. The types of *Clostridium perfringens.* J. Pathol. Bacteriol. **88**:279–283.

71. Stover, J. H., Jr., M. Fingerman, and R. H. Forester. 1953. Botulinum toxin and the motor end plate. Proc. Soc. Exp. Biol. Med. **84**:146–147.

72. Symposium. 1957. Symposium on tetanus. Proc. Staff Meet. Mayo Clinic **32**:141–167.

73. Symposium. 1963. Symposium on problems of botulism in Japan. Japanese J. Med. Sci. Biol. **16**:303–312.

74. Thomas, C. G., Jr., M. F. Keleber, and A. P. McKee. 1951. Botulism, a complication of *Clostridium botulinum* wound infection. Arch. Pathol. **51**:623–628.

75. Vaishnava, H., *et al.* 1966. A controlled trial of antiserum in the treatment of tetanus. Lancet **ii**:1371–1374.

76. Weiss, K. F., and D. H. Strong. 1967. Some properties of heat-resistant and heat-sensitive strains of *Clostridium perfringens.* I. Heat resistance and toxigenicity. J. Bacteriol. **93**:21–26.

77. Williams-Walls, N. J. 1968. *Clostridium botulinum* type F isolation from crabs. Science **162**:375–376.

78. Young, L. S., F. M. LaForce, and J. V. Bennett. 1969. An evaluation of serologic and antimicrobial therapy in the treatment of tetanus in the United States. J. Infect. Dis. **120**:153–159.

CAPITULO 29

CORYNEBACTERIUM (BACILO DIFTERICO)

Como entidad clínica, la difteria data de las observaciones de Bretonneau en 1826. El bacilo de la difteria fue observado y descrito por Klebs en 1883, pero su relación etiológica con la enfermedad la sugirieron las investigaciones de Löffler al año siguiente. Löffler aisló el bacilo observado por Klebs en cultivo puro de algunos casos de difteria, pero expresamente rechazó la suposición de que su bacilo era el agente causal de la difteria, en parte porque lo encontró en la garganta de un niño sano, y en parte porque no lo encontró en todos los casos que parecían de difteria clínica. Sin embargo, la significación de los hallazgos de Löffler actualmente es clara, porque se sabe que otras bacterias, como los estreptococos, pueden producir una afección de la garganta muy parecida a la difteria, y que el bacilo diftérico puede hallarse en la garganta y en la nariz de portadores. Las investigaciones adicionales de otros autores indicaron que el bacilo de Klebs-Löffler se encontraba siempre en la típica falsa membrana de la difteria. En 1888, Roux y Yersin demostraron que este bacilo formaba una toxina soluble que reproducía los síntomas y lesiones características de la difteria y esto confirmó su relación etiológica con la enfermedad. El bacilo diftérico es un miembro del género Corynebacterium, que incluye varias especies —formas saprófitas, como formas que producen enfermedad en plantas y animales.[5]

Morfología y tinción.[21] El bacilo de la difteria es un bastón delgado, que varía de 1 a 6 μ de largo y 0.3 a 0.8 μ de ancho. Los bacilos son muy pleomorfos; además de los bastones rectos o ligeramente curvos, no es raro observar formas ramificadas o en maza. Los tabiques en la célula, y la aparición de formas ramificadas se ven fácilmente en la célula viva examinada con microscopio de fase. La presencia de las últimas, que son consecuencia de una verdadera ramificación, indica la íntima relación del bacilo diftérico con algunos hongos superiores. Antes que termine la división celular hay un cambio de posición, y los bacilos pueden quedar unidos entre sí pero en ángulos agudos.

El bacilo diftérico tiene tendencia notable a teñirse en forma irregular. Algunas células se tiñen firmemente, otras toman el colorante con mayor intensidad en bandas transversas adoptando aspecto en barrotes, y en otras se encuentran gránulos metacromáticos o de Babes-Ernst teñidos intensamente. Una sola célula puede contener por lo general de uno a cinco o seis de esos gránulos metacromáticos como máximo; pueden encontrarse en uno o ambos extremos de las células, particularmente las que los tienen hinchados; cuando hay más de dos, los restantes están diseminados dentro de la substancia celular. Esta tinción irregular puede verse con azul de metileno alcalino de Löffler o con azul de toluidina.[12]

En frotis teñidos, el aspecto de los bacilos diftéricos es muy característico. Sin embargo, no deben identificarse solo por su morfología, porque muchos de los bacilos seudodiftéricos o difteroides se tiñen en la misma forma irregular y son asimismo pleomorfos. Antiguamente se pensaba que había cierta relación entre el tipo morfológico y la virulencia. Actualmente se insiste poco sobre la morfología en este aspecto, aunque de una manera general los tipos granulosos parecen predominar en la difteria clínica, y hay, como se verá, cierta relación entre el tipo morfológico y los tipos *mitis* y *gravis*. El bacilo de la difteria es grampositivo, pero se decolora con mayor facilidad que la mayor parte de bacterias grampositivas.

Las colonias superficiales en medio de suero de Löffler o en agar son pequeñas y grises; cuando se ven con poco aumento se encuentran toscamente granulosas y de contorno algo irregular, con bordes rasgados o en fleco. En medios diferenciales que contienen telurito potásico, las colonias de bacilo diftérico son de color gris obscuro o negras porque la telurita se reduce, y se diferencian con facilidad de las colonias de bacterias contaminantes. La reducción del telurito parece producirse dentro de la célula bacteriana. La morfología microscópica quizá no sea típica en frotis tomados de cultivos en medio de telurito.

Fisiología. La temperatura óptima de crecimiento para el bacilo diftérico es de 34º a 36ºC, y crece bien a 37ºC; puede desarrollarse desde 15º a 40ºC. Se necesita reacción alcalina, con pH de 7.8 a 8.0, y es esencial el libre acceso al aire, ya que el crecimiento en condiciones anaerobias es ralo.* El

---

* Se han observado cepas de bacilos diftéricos virulentos que crecen más abundantemente en condiciones anaerobias que en presencia de aire.

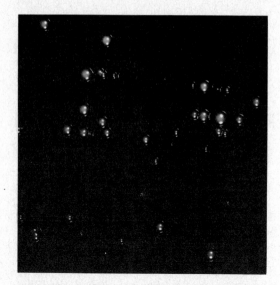

FIG. 29-1. Colonias de *Corynebacterium diphteriae* en agar sangre. Obsérvese el aspecto liso, elevado, transparente y el tamaño relativamente pequeño. × 2.

desarrollo y la producción de toxina ocurren en medio aireado, o sea en cultivo "sumergido" en tanques.[14]

El bacilo diftérico obtenido por aislamiento primario se cultiva mejor en medios enriquecidos. Crece rápidamente en medio de suero de Löffler (tres partes de suero de res o carnero y una parte de caldo glucosado al 1 por 100 coagulado en forma inclinada y espesado), y después de 12 a 24 horas de incubación aparecen colonias minúsculas pero visibles. En los últimos años se han introducido diversos medios diferenciales y selectivos, todos los cuales contienen telurito potásico. Los que mejor se conocen son el de chocolate-agar-telurito, de Anderson y colaboradores, al que han hecho pequeñas modificaciones algunos otros investigadores, como los medios de Neill y de Hoyle que se usan en Inglaterra, y los diversos medios desarrollados por Clauberg, de los cuales el condensado de suero-glicerol-telurita se ha probado ampliamente. Hay acuerdo general en que la proporción de cultivos positivos es algo más elevada con el medio de Clauberg que con el de Löffler; no se ha aclarado si los medios calentados de sangre-telurita son superiores al medio de Löffler. Como ya dijimos, la morfología característica del bacilo de la difteria no siempre se ve en frotis tomados de colonias desarrollados sobre medios de telurito; por lo tanto, en algunos laboratorios se inoculan tanto el medio de Löffler como un medio diferencial de telurito, y el primero se usa para examen microscópico si aparecen colonias típicas sobre el medio diferencial.

Este microorganismo puede cultivarse en medios nutritivos y caldos ordinarios. El desarrollo es algo escaso en los primeros pero bueno en los caldos de carne fresca. Algunas cepas, incluyendo la bien conocida Park 8, pueden cultivarse sobre soluciones sintéticas que contengan algunos aminoácidos, junto con pequeñas cantidades de ácido nicotínico, β-alanina, o ácidos pantoténico y pimélico. Se ha sugerido que las bacterias utilizan este último para la síntesis de biotina, ya que esta estimula el crecimiento en ausencia de ácido pimélico. Cepas aisladas recientemente también necesitan ácido oleico para desarrollarse, en especial si la siembra es pequeña. Las necesidades nutritivas difieren algo de una cepa a otra, y no cabe ninguna afirmación general. El bacilo de la difteria no licua la gelatina ni digiere la proteína coagulada. No forma indol,* los nitratos se reducen a nitritos y produce sulfuro de hidrógeno. Todas las cepas forman ácido, pero no gas a partir de glucosa y levulosa, y algunas cepas fermentan dextrina, glucógeno, almidón, galactosa, maltosa y glicerol. Al parecer, entre estos bacilos no hay grupos bioquímicos bien definidos. La fermentación de la glucosa tiene cierto interés porque se forma ácido propiónico. Otros productos de la fermentación incluyen ácidos láctico, acético, fórmico y succínico, y alcohol etílico.

En medios ordinarios de cultivo el bacilo diftérico puede conservarse vivo durante periodos relativamente largos. Vivirá seis a ocho semanas en agar, cinco a seis meses en suero sanguíneo, 12 a 15 meses en dextrosa del suero sanguíneo, y hasta tres meses en partículas de membrana diftérica Aunque la virulencia suele disminuir por cultivo continuo en medios de laboratorio, algunas cepas se conservan virulentas, o sea toxígenas, en cultivo prolongado. Los bacilos son excepcionalmente susceptibles al calor; una suspensión o un cultivo en caldo muere a 58°C durante diez minutos. En la membrana diftérica son mucho más resistentes.

Estructura antigénica. Aunque la toxina diftérica parece ser inmunológicamente idéntica en todas las cepas (ver luego), los bacilos diftéricos son heterogéneos respecto a antígenos celulares. Tienden a aglutinarse espontáneamente, lo que puede contrarrestarse parcialmente, usando como medio de suspensión una solución salina al 0.5 por 100, pero pueden determinarse tipos aglutinadores. Contienen antígenos somáticos termostables que, al parecer, son de naturaleza polisacárida, y antígenos somáticos proteínicos termolábiles.[23] Los primeros tienen poco valor diferencial; los tipos de aglutinación descritos dependen de los antígenos proteínicos. Hay cierta correlación entre los tipos de aglutinación y el tipo de colonia *mitis-intermedius-gravis*[19] (véase luego), pero tales tipos de aglutinación tienen poca importancia para la enfermedad, aunque algunos consideran que la inmunidad antibacteriana es un elemento posible en la inmunización eficaz (véase luego).

* La prueba con ácido sulfúrico y nitrito de potasio puede ser positiva porque se forma ácido indolacético, pero no se produce color con el reactivo de Ehrlich, el *p*-dimetilamidobenzaldehído.

Toxina. Con excepción del bacilo disentérico de Shiga, el de la difteria es la única bacteria aerobia que produce una exotoxina comparable a las que forman los anaerobios esporuladores. Los filtrados de cultivos en caldo no son tan tóxicos como los de bacilos tetánico y botulínico; los filtrados excepcionalmente potentes pueden contener hasta 1 000 DLM de cobayo por ml. Virulencia es sinónimo de capacidad toxígena, y las diversas pruebas de virulencia son pruebas de formación de toxina.

La producción de toxina por el bacilo diftérico es afecta notablemente por las condiciones ambientales y nutritivas. Es esencial una reacción ligeramente alcalina, de pH 7.8 a 8.0, porque una ácida impide netamente la formación de toxina. También es necesario el libre acceso al aire; para producir toxina, se cultivan los bacilos en capas delgadas de caldo de carnero. Después de siete a diez días de incubación a 36° a 37°C, es cuando hay las cantidades máximas de toxina. La toxicidad es inestable con acidez ligera de pH 6.0 o menos, y es termolábil y de naturaleza proteínica.

En medios químicamente definidos, que contienen aminoácidos apropiados y otros compuestos, pueden producirse toxinas potentes. El factor crítico no es la calidad de la peptona u otra fuente de nitrógeno, sino la concentración de hierro en el medio; la óptima es de 0.14 µg por ml; 5.0 µg por ml inhibe su formación casi completamente. La producción de toxina es más lenta que el crecimiento; comienza a acumularse rápidamente en el medio cuando la población de bacterias ha alcanzado casi máximo nivel, y las concentraciones óptimas de hierro para el

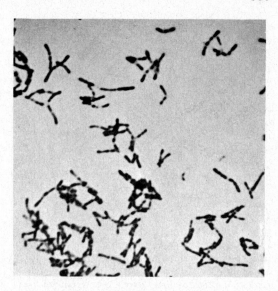

FIG. 29-3. Bacilo diftérico, cepa *intermedius*, en cultivo puro sobre agar sangre. Tinción con azul de metileno. Obsérvese la tinción irregular y el aspecto alistado típico de la variedad *intermedius.* × 1 200.

crecimiento exceden de las óptimas para producir toxina.

La toxina inhibe la síntesis proteínica en células HeLa, rompiendo el dinucleótido de nicotinamida y adenosina (NAD), con transferencia de la porción ribosa del difosfato de adenosina (ADP) a la transferasa II, que cataliza la translocación de la cadena polipeptídica que está creciendo en el ribosoma. La fijación de transferasa II, en esta forma, por un fragmento enzimáticamente activo pero no tóxico para las células, el fragmento A de la toxina diftérica, tiene como consecuencia la inhibición de la síntesis proteínica. Como se necesitan ambos fragmentos, el fragmento B enzimáticamente inactivo, y el fragmento A enzimáticamente activo, para toxicidad contra las células, se ha supuesto que el fragmento B funciona en la combinación de la toxina con la célula por virtud de su terminal COOH. Datos que confirman tal función del fragmento B han sido aportados al aislar una proteína inmunológicamente activa, pero no tóxica, que interfiere con la acción de la toxina sobre células HeLa. El fragmento A de esta proteína es enzimáticamente inactivo, pero el fragmento B, cuando se combina con el fragmento A enzimáticamente activo de la toxina diftérica, origina la formación de la toxina diftérica.[39]

Toxicidad. La toxina diftérica es un veneno potente, aunque no tanto como las toxinas botulínicas; es principalmente una neurotoxina. Los preparados muy purificados tienen un peso molecular de cerca de 62 000 y la dosis mortal para el cobayo es alrededor de 1 µg. Debido a errores infortunados en la preparación de profilácticos para la difteria, se sabe que bastan unas 12 DLM de cobayo para ma-

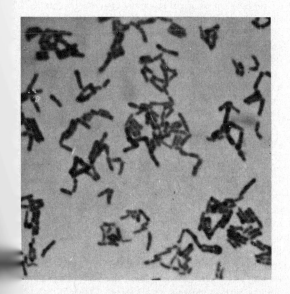

FIG. 29-2. Bacilo diftérico, cepa *gravis*, en cultivo puro sobre agar sangre. Tinción con azul de metileno. Obsérvense la tinción bipolar y las formas en maza. Las células ligeramente teñidas con zonas intensamente coloreadas corresponden a la morfología de *gravis*. × 1 200.

tar a un niño. La curva de respuesta-dosis en el cobayo es muy pendiente, tanto que la determinación de la dosis mortal mínima, adoptada hace muchos años y que persiste hasta hoy, resulta práctica.

La actividad farmacológica de la toxina es característica, y experimentalmente pueden reproducirse las manifestaciones principales de la enfermedad con toxina sola. Produce alteraciones degenerativas en músculo cardiaco, riñones, hígado y nervios periféricos. En el cobayo es manifiesta y típica la anatomía patológica de las suprarrenales. La causa inmediata de la muerte en la enfermedad aguda es la insuficiencia cardiaca; las lesiones en los nervios periféricos explican la parálisis posdiftérica que se observa en el hombre, y en el cobayo que recibe dosis casi mortales de toxina.

La toxina diftérica es un antígeno excelente, que produce sueros antitóxicos con títulos elevados. Como las demás exotoxinas, se convierte en un toxoide inmunológicamente muy activo por tratamiento con formaldehido.

Lisogenicidad y toxigenicidad.[6] Freeman observó en 1951, y ha sido estudiado por algunos investigadores, que los bacilos diftéricos virulentos, o sea toxígenos, son lisógenos (capítulo 3), y que con frecuencia algunos bacilos difteroides no toxígenos podían hacerse toxígenos convirtiéndolos al estado lisógeno. Hewitt[21] encontró que los fagos moderados que producen bacilos diftéricos lisógenos y toxígenos podían ser de origen heterólogo, por ejemplo, de estafilococos, y esta observación importante la han ampliado otros autores. La toxigenicidad no parece ser una propiedad fisiológica que se transmita por transducción mediada por fagos (capítulo 6); posiblemente sea manifestación de un metabolismo alterado, tal vez el de las porfirinas, pero hasta ahora los estudios han sido casi exclusivamente genéticos y no fisiológicos. En todo caso, es interesante que unos 60 años después que aparentemente se estableció por completo la etiología de la difteria, se hizo evidente que interviene más de un microorganismo.

Las consecuencias epidemiológicas son obvias, pero hasta ahora no se han explorado. Por lo tanto, en ocasiones puede ocultarse la diseminación de la enfermedad en el sentido de que quizá dependa en parte de la diseminación del fago apropiado, posiblemente transportado en parte por otras bacterias como estafilococos. En relación con ello se han hecho observaciones que demuestran que puede haber una distribución geográfica de tales fagos.[18]

Variación. Como en otros grupos de bacterias, se han observado variantes lisa y rugosa de bacilo diftérico, y se ha comprobado que el tipo de formación de la colonia guarda relación con la morfología y la virulencia; la variedad lisa es la más virulenta y la forma que se encuentra comúnmente en casos agudos de difteria. Morton[28] ha revisado rigurosamente la variación morfológica y bioquímica que se observa en los bacilos diftéricos.

Tipos.[26] Anderson y otro autores describieron en Inglaterra, en 1931, tipos morfológicos del bacilo diftérico, y desde entonces se han encontrado en diversas partes del mundo. Despertaron interés considerable cuando se observaron por primera vez, porque parecía haber una relación, en especial en Inglaterra, entre el tipo y la gravedad de las manifestaciones clínicas de la enfermedad. Los que se designaron como tipos *gravis* e *intermedius* se encontraron en casos graves de difteria, y el tipo *mitis* en los casos benignos. La relación era menos clara en el continente europeo, y en Estados Unidos de Norteamérica parecía haber poca o ninguna relación; aquí se observa el tipo *mitis* con mucha mayor frecuencia, y tal vez solo el 1 por 100 de las cepas son de tipo *gravis*.

Los sueros antitóxicos ordinarios neutralizan por igual las toxinas que producen los tres tipos, pero las cepas *mitis* producen una toxina algo más activa in vitro que la *gravis* y la *intermedius*. Los tres tipos también parecen ser igualmente virulentos para el cobayo. Por ahora se acepta más o menos generalmente que la diferenciación de estos tipos no guarda relación importante con la gravedad clínica, pero ha sido útil desde un punto de vista epidemiológico.

Estos tipos pueden diferenciarse según la forma de su colonia sobre medios de telurito. El tipo *gravis* produce colonias irregularmente estriadas, de preferencia grises; el tipo *mitis,* colonias pequeñas, redondas, lisas y convexas, predominantemente de color negro y de consistencia más blanda; y la colonia de tipo *intermedius* se halla entre las dos. Las diferencias de las colonias también son manifiestas en algunos otros medios, como agar suero con tripsina, y un medio de extracto de patata-cistina-azul de agua-glicerol desarrollado por Clauberg. En agar sangre fresco el tipo *mitis* suele ser hemolítico, el *intermedius* no hemolítico, y el tipo *gravis* por lo general no hemolítico. Una diferenciación adicional es la fermentación de glucógeno y almidón, que caracteriza al tipo *gravis,* pero otras pruebas bioquímicas no diferencian estos tipos.

Hay cierta relación entre el tipo de colonia y la morfología de las formas bacilares. Las de tipo *gravis* muestran una o dos zonas teñidas intensamente, coloreándose muy ligeramente el resto de la célula; raras vez se observan gránulos metacromáticos. Los bacilos de la variedad *mitis* se tiñen irregularmente y contienen muchos gránulos metacromáticos bien desarrollados. Las formas *intermedius* tienen el aspecto familiar alistado. Mientras que un 80 por 100 de la variedad *intermedius* concuerda con esta morfología, solo el 50 a 60 por 100 de las cepas *gravis* son típicas; las restantes semejan las formas *mitis* e *intermedius*. Además 5 a 20 por 100 de las cepas *mitis* muestran formas en barrotes.

La investigación serológica ha demostrado que estos tres tipos son antigénicamente diferentes entre

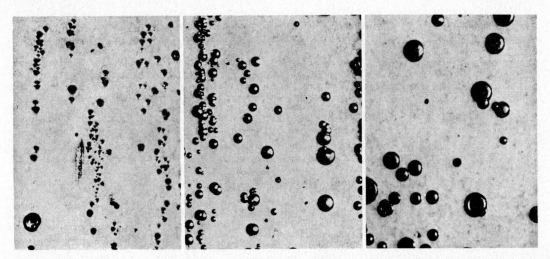

Fig. 29-4. Variedades del bacilo diftérico en agar-chocolate con telurito. *Izquierda,* Tipo *mitis;* obsérvese la típica colonia elevada, negra, pequeña. *Centro,* Tipo *intermedius,* se ven el color más claro, el comienzo de la estriación radial y el pequeño tamaño. *Derecha,* Tipo *gravis;* color gris, tamaño mayor, centro elevado, y estriación radial manifiestos.

sí, pero cada tipo no es necesariamente homogéneo. Las cepas *mitis* son heterogéneas, las *gravis* caen en su mayoría dentro de dos tipos, y las *intermedius* son relativamente homogéneas, con algunas que muestran relación con los tipos *gravis.*

No todas las cepas que muestran los caracteres morfológicos y bioquímicos de estos tipos son virulentas, o sea bacilos diftéricos toxígenos. Como el bacilo diftérico se diferencia según la formación de toxina inmunológicamente específica, es manifiesto que hay tipos *mitis, gravis* e *intermedius* de bacilos difteroides. Además, cierta proporción de cepas toxígenas no pueden situarse dentro de uno u otro de estos tipos. Parece que la proporción de cepas indeterminadas es mayor cuando la difteria es leve.

Patogenicidad para el hombre.[37] La difteria es una enfemedad de la infancia principalmente y la frecuencia de edad expresa la disminución de la inmunidad pasiva de origen materno y la aparición de una inmunidad activa, por una parte, y el riesgo de exposición, por otra. El niño muy pequeño está protegido pasivamente, y no se halla expuesto a un gran riesgo de infección, pero en edad escolar la inmunidad ha desaparecido en gran parte, y el riesgo de exposición a la infección aumenta enormemente al ingresar en la escuela. El adolescente y el adulto han adquirido inmunidad activa como consecuencia de una infección clínica o, más a menudo, inaparente. Por eso la difteria clínica es más común en el grupo de 5 a 14 años, y el estado de portador y la infección inaparente probablemente no lo sean más que en los grupos de mayor edad.

La difteria en el hombre suele ser una infección local de las mucosas. La faringe es la que se afecta con mayor frecuencia, pero no es raro observar infección de laringe, o crup membranoso, y difteria nasal, o rinitis membranosa. Las infecciones diftéricas de la conjuntiva y del oído medio son menos comunes; la cutánea o difteria de las heridas solo se observa ocasionalmente.

La última puede asumir proporciones considerables en determinadas circunstancias.[7] La difteria ulcerosa de la piel, llamada algunas veces llaga del desierto o úlcera tropical, se ha observado en forma epidémica en Haifa, y también se presentaron úlceras de tipo profundo, en sacabocados, en las tropas que vivían en condiciones de combate en las regiones del centro y sur del Pacífico durante la segunda guerra mundial.[2, 22] La infección de las mucosas genitales solo se encuentra rara vez. La invasión de otros sitios es muy poco frecuente. Se han observado infección primaria de los pulmones y meningitis diftérica, así como infecciones de ombligo en el recién nacido.

Se observa en ocasiones septicemia por bacilo diftérico, y la literatura alemana sugiere con frecuencia que la infección generalizada con bacilo diftérico sucede más a menudo de lo que suele creerse.[41] Se han observado algunos casos de endocarditis vegetativa aguda por bacilo diftérico.[31]

La principal consecuencia local de la infección es una degeneración de las células epiteliales, que se extiende a los tejidos subyacentes, acompañada de exudación fibrinosa profusa, y en la superficie se forma la característica membrana diftérica que contiene fibrina, células tisulares muertas, leucocitos y bacterias. La interferencia mecánica de la membrana con la respiración puede llegar a ser importante, y requerir incluso intubación o traqueotomía.

Aunque la toxina diftérica indudablemente interviene en la formación de la membrana, sus efectos

Características de los tipos de bacilo diftérico

	Tipo		*Mitis*	*Intermedius*	*Gravis*
Morfología		Microscópica	Generalmente largos, con muchos gránulos metacromáticos —80 por 100 típicos	Por lo general alistados, comunes las formas en maza —80 por 100 típicos	Cortos, tinción igual —50-60 por 100 típicos
	Colonia	Telurito	Pequeña, redonda, lisa, convexa, negra con periferia grisácea	Pequeña, plana, roma, gris, centro elevado	Grande, irregular, roma, gris, centro elevado, estriación radial
		Chocolate	Lisa, semiopaca, brillante	Plana, seca, opaca, zona ligeramente verdosa	Plana, seca, mate, opaca
		Caldo	Turbiedad uniforme, a veces película blanda ligeramente granulosa	Turbiedad finamente granulosa	Granulosa, hojuelas, película variable
Fisiología	Fermentación de	Glucógeno Almidón	— —	— —	+ +
Inmunología	Hemólisis		+	—	±
			Heterogénea	Relativamente homogénea	Dos tipos principales

generales después de absorberse son con mucho los más importantes, y la difteria, como el tétanos, es esencialmente una toxemia. Los órganos afectados más gravemente son riñones, corazón y nervios. En los riñones pueden encontrarse diversas lesiones, la más frecuente, la nefritis intersticial aguda. Las lesiones en corazón consisten sobre todo en degeneración grasosa de las fibras musculares, que puede ser muy extensa. La miocarditis diftérica, que ocurre como complicación, no suele dejar alteraciones permanentes, pero alguna vez no ocurre así.[8] La degeneración grasa también se observa en la vaina de mielina de los nervios periféricos y en la substancia blanca de cerebro y médula espinal. Estas alteraciones en músculos y nervios explican la debilidad cardiaca grave que se observa con frecuencia en la difteria, y las parálisis más o menos extensas que con tanta frecuencia siguen a un ataque de la enfermedad. Es probable que una pequeña cantidad de toxina pueda causar gran daño en estos tejidos.

Patogenicidad para animales inferiores. La difteria no es enfermedad natural de los animales inferiores. Pueden reproducirse los síntomas locales y generales de la difteria en el hombre mediante inoculación animal. Las inoculaciones de la mucosa sana de la mayor parte de animales adultos no causan alteraciones, pero si se inyectan en la tráquea de animales jóvenes, o si la superficie de la mucosa se lesiona antes de efectuar la inoculación, se produce una falsa membrana característica, histológicamente idéntica a la que se encuentra en el hombre.

La inoculación subcutánea a un cobayo de suficiente cantidad de un caldo de cultivo joven, o de

filtrado tóxico, causará su muerte en uno a cuatro días, según el volumen del inóculo. El animal se enferma claramente 12 a 18 horas después de la inoculación, y con frecuencia se observan síntomas nefríticos, manifestaciones paralíticas y otras características de la difteria humana. Los hallazgos de necropsia incluyen edema, y posiblemente necrosis, en el sitio de inoculación, congestión de los linfáticos regionales y vísceras abdominales, exudado pleural, y, característico de la toxemia diftérica en este animal, aumento de volumen y estado hemorrágico de las suprarrenales. Por regla general, los bacilos permanecen localizados y no se encuentran en grandes cantidades en los órganos internos del animal infectado. Los cobayos que reciben dosis menores y no mueren alrededor del cuarto día pueden desarrollar síntomas paralíticos y caquexia, y mueren posteriormente; es un cuadro claramente diferente de la toxemia aguda.

La susceptibilidad de los animales a la infección varía considerablemente. La rata y el ratón son relativamente refractarios; los conejos son menos susceptibles que los cobayos; los gatos, perros, polluelos jóvenes y palomas son muy susceptibles. Las manifestaciones paralíticas aparecen con mayor frecuencia en perros y palomas que en cobayos o conejos, y pueden producirse en la rata, que es relativamente refractaria.[1]

Valoración de la toxina. La valoración de la toxicidad se lleva a cabo sobre todo en el cobayo [16] y por inoculación intradérmica en el conejo (véase luego); la última es considerablemente más sensible y depende de una respuesta local más que mortal. El polluelo pequeño siempre es susceptible a la toxina, muere en plazo de 24 horas, y muchos investigadores recomiendan su empleo.[9] La toxina también es activa contra varias clases de células en cultivo, que pueden usarse para probar la actividad.[33] Cualquiera de esas pruebas puede utilizarse para valorar virulencia según la toxigenicidad, para titulación de antitoxina, o para ambas.

Diagnóstico bacteriológico.[20] Para establecer el diagnóstico de infección con bacilos diftéricos, en un paciente o en un portador, debe aislarse el bacilo y demostrarse su toxigenicidad. La muestra se toma con un hisopo, simple o previamente humedecido en suero estéril de caballo que se coagula en la superficie girándolo sobre una llama. Es mejor inocular dos medios: suero agar de Löffler y un medio de telurito como el agar chocolate con telurito; si solo es posible usar un medio, debe preferirse el telurito. También debe inocularse una placa de agar sangre para aislar colonias semejantes a las diftéricas y permitir que se desarrolle estreptococo hemolítico que puede estar presente. Después de inocular las placas puede hacerse un frotis haciendo rodar el hisopo sobre un portaobjetos, y coloreando con azul de metileno alcalino; esto servirá para demostrar la presencia de espiroquetas y bacilos fusiformes de angina de Vincent en caso de encontrarse presentes.

Los bacilos diftéricos crecen en 18 a 24 horas de incubación. Si aparecen en telurito las características colonias de color negro o gris, puede hacerse un frotis de esas colonias y del agar inclinado de Löffler para examen microscópico; como ya lo indicamos, la morfología del bacilo diftérico a menudo no es característica. Con frecuencia se dice que solo los bacilos diftéricos crecen en colonias negras sobre el medio de telurito. Esto no es cierto, porque cualquier bacteria que reduzca el telurito produce colonias similares; las bacterias de nariz y garganta que reducen el telurito, aparte de los bacilos diftéricos, suelen ser estafilococos o micrococos, y por lo general sus colonias se parecen a las de la variedad *mitis* del bacilo diftérico, pero son más negras.

Prueba de virulencia. Si se encuentran bacilos morfológicamente típicos, debe determinarse la toxigenicidad mediante inoculación animal. Suele llevarse a cabo en el cobayo por vía subcutánea o intracutánea. En el primer caso la colonia de un tubo inclinado de Löffler se suspende en 10 ml de solución salina y se inyectan dos cobayos con 4 ml cada uno por vía subcutánea; uno ha recibido 24 horas antes, 250 unidades de antitoxina diftérica. El bacilo diftérico matará al cobayo no protegido en tres a cinco días, y la necropsia mostrará edema local y las características suprarrenales crecidas y hemorrágicas, mientras que el animal protegido vivirá. Para la prueba intracutánea el cultivo de un tubo inclinado de Löffler se suspende en 20 ml de solución salina y se inyectan 0.15 ml en la piel rasurada del abdomen a dos cobayos, según se indicó

antes. La toxigenicidad producirá una lesión local infiltrada, con necrosis superficial en dos a tres días, en el cobayo no protegido. Con esta última técnica pueden hacerse varias pruebas en el mismo par de animales.

La prueba de virulencia también puede practicarse en el conejo. El crecimiento de un cultivo inclinado de Löffler se suspende en 2 a 3 ml de caldo estéril, y se inyecta por vía intradérmica 0.1 ml. Cuatro horas después se administran 1 000 unidades de antitoxina por vía intravenosa, e inmediatamente se hace una segunda inoculación por vía intradérmica de 0.1 ml de la suspensión bacteriana, en un sitio vecino de la primera inoculación. Las reacciones deben leerse a las 72 horas. Si la cepa de bacterias es muy toxígena, en el sitio de la primera inoculación se verá una zona central necrótica, por lo general hemorrágica, rodeada de una zona de eritema. La inoculación de antitoxina no afecta la reacción a la primera inoculación, pero lo hace específicamente con la segunda, y el lugar de esta aparece como una pápula pequeña rosada. Pueden hacerse 8 a 10 de estas pruebas de virulencia simultáneamente en el mismo animal.

La toxigenicidad o virulencia, como ya indicamos, también puede valorarse en otros animales, pero esas pruebas se han usado poco. Se ha aplicado extensamente una prueba de virulencia in vitro basada en la técnica de difusión en gel. Consiste esencialmente en el crecimiento de la cepa de bacterias que estamos considerando en una placa de agar donde se ha colocado antitoxina en una depresión o un surco hechos en el agar o en poner sobre la superficie del agar una tira de papel de filtro empapado en antitoxina. La toxina que se difunde del cultivo forma una línea de precipitado específico con la antitoxina que se difunde del receptáculo.[25] Es necesario incluir una cepa que se sabe es toxígena como control.

Inmunidad. La inmunidad para la difteria, que resulta de recuperación de un ataque franco de la enfermedad, infección subclínica o inoculación profiláctica, es esencialmente una inmunidad antitóxica, o sea una inmunidad a la enfermedad más que a la infección. Aunque la toxina tiene importancia esencial, hay pruebas de que pueden contribuir a la patogenia de la enfermedad otras substancias tóxicas formadas por los bacilos diftéricos,[10] y el problema del significado de una inmunidad antibacteriana es de interés constante.[15] Esto último se complica por la heterogeneidad serológica de los bacilos diftéricos, antes señalada. Sin embargo, la inmunidad eficaz suele considerarse de naturaleza antitóxica.

Titulación de la antitoxina. La valoración de la antitoxina consiste en demostrar su reacción específica con una toxina estandarizada. El método clásico de valoración en el cobayo, permite valorar la actividad antitóxica según una unidad definida arbitrariamente. Necesariamente es reflejo de una dosis límite de toxina definida, la dosis L_+, basada en la muerte del cobayo, y la Lr, o reactiva, determinada por titulación intradérmica. Como la toxina consta de toxina y toxoide, debe usarse una antitoxina estándar para definir un reactivo de toxina estándar, y la toxina así entandarizada, a su vez, utilizarse para valorar la antitoxina desconocida en unidades de actividad.

Las proporciones de toxina y toxoide en una preparación determinada no afectan su reacción específica con antitoxina in vitro, y la toxina o la antitoxina pueden titularse contra un estándar por precipitación específica en la prueba de floculación. Consiste en determinar la zona de proporciones óptimas, y en la reacción de floculación llamada de tipo H (capítulo 13) el sistema clásico es el de toxina diftérica-antitoxina de caballo. En la práctica, la floculación, o precipitación, sucede más rápidamente y en mayor cantidad cuando toxina y antitoxina se encuentran en proporciones óptimas, y la prueba de la dosis de floculación, o Lf, se realiza fácilmente. En la estandarización de antitoxina comercial, la titulación de floculación suele llevarse a cabo para facilitar la valoración subsecuente en el cobayo, legalmente obligatoria.

La reacción de floculación no es bastante sensible para medir las cantidades muy pequeñas de antitoxina demostrables mediante el método intradérmico, y ha habido cierto interés por usar la hemaglutinación pasiva como método sensible in vitro. La toxina, al parecer no el toxoide, es adsorbida sobre hematíes tratados con ácido tánico, y estos son aglutinados específicamente en presencia de antitoxina,[34] dando resultados muy similares a los obtenidos con el método intradérmico a nivel de 30 Lr.

Prueba de Schick. La inmunidad para la difteria puede medirse por la cantidad de antitoxina circulante que se encuentra en un determinado individuo. Schick ha creado una prueba cutánea, la prueba de Schick, en la que se inyecta por vía intradérmica una cantidad muy pequeña de toxina diftérica. En el no inmune, la acción irritante de la toxina causa eritema local seguido de necrosis y descamación; se dice que la reacción es positiva. En el inmune, la antitoxina presente neutraliza a la toxina, no aparece la reacción característica y, por lo tanto, es negativa. La cantidad de toxina inyectada suele ser 1/50 de una DLM de cobayo, en un volumen de 0.1 ó 0.2 ml; el Comite Permanente de Estándares de la Liga de las Naciones específica 1/40 de DLM en 0.2 ml y 1/50 en 0.1. ml. Pero la toxina diluida es estable en solución de peptona al 2 por 100, en una de gelatina con borato amortiguador y en una solución de glicerol-gelatina, pero no en solución salina con fenol. Durante muchos años una prueba de Schick negativa se ha considerado que indica la presencia de 1/20 de unidad o más de antitoxina por ml en el suero sanguíneo, y una positiva menos de 1/40

de unidad. Sin embargo, experiencias recientes señalan que el llamado nivel de inmunidad de Schick es mucho menor, cercano a 1/250 a 1/500 de unidad de antitoxina; se han obtenido reacciones negativas en personas con tan poco como 0.0005 de unidad.

Reh ha introducido una prueba de escarificación, llamada prueba de Reh en la cual la toxina diftérica se introduce por escarificación puntiforme más que por inyección intradérmica. Parece que es algo más sencilla de realizar que la prueba de Schick y, cuando se lleva a cabo con toxina potente (con una DLM para cabayo de 2 000 por ml), da resultados paralelos a esta.

El problema de si la prueba de Schick indica un grado de inmunidad tal, que es muy poco probable una infección subsecuente no puede resolverse a priori. Sin embargo, la experiencia ha demostrado que la suposición de que una persona Schick negativa es prácticamente inmune ha resultado cierta.

Inmunización profiláctica.[35] Pronto se observó que los animales de experimentación podían inmunizarse contra la difteria inyectándoles cultivos vivos de los bacilos, después de una dosis protectora de suero antitóxico, o inoculado toxina neutralizada con antitoxina.

Toxina-antitoxina. La mezcla suele contener 0.1 de dosis L_+ de toxina por ml. La toxina está ligeramente subneutralizada (5 ml de la mezcla deben producir parálisis diftérica en 300 g de cobayo), pero su eficacia inmunizadora depende no del ligero exceso de toxina, sino de una disociación lenta del complejo toxina-antitoxina para liberar toxina libre. La toxina-antitoxina, administrada en tres dosis de 1 ml cada una, con intervalos de una a dos semanas, inmuniza el 85 por 100 de los individuos inoculados. La inmunidad se desarrolla lentamente, y pueden ser necesarios uno a seis meses para que se haga negativa la prueba de Schick. Puede haber accidentes consecutivos a la disociación de la mezcla toxina-antitoxina —en un caso la congelación produjo esa disociación—, pero son raros, en particular con la mezcla de 0.1 de dosis L_+. Hay posibilidades de que el individuo inoculado se sensibilice al suero de caballo.

Toxoide. Ramon introdujo en 1923 el uso de toxoide con formol, o anatoxina, como agente inmunizante, que se ha adoptado ampliamente. Como ya señalamos (capítulo 8), la toxina tratada con formaldehido (en este caso una toxina potente, de más de 15 dosis Lf por ml, se incuba con 0.3 a 0.4 por 100 de formalina a 37°C por un mes) pierde su toxicidad, pero retiene su poder antigénico y es un agente inmunizado eficaz. La administración de este material en tres dosis de 0.5, 1.0 y 1.0 ml, con intervalos de dos a tres semanas, hace Schick negativas al 95 por 100 de las personas. En un principio se pensó que el toxoide podía substituir completamente a la toxina-antitoxina como agente inmunizador, pero no se ha comprobado que así sea. Las reacciones a la proteína bacilar, aunque por regla no son muy importantes en niños menores, pueden ser relativamente graves en personas de edad madura y se prefiere restringir su uso a niños menores de 12 años. Puede probarse la reactividad mediante una inyección de toxoide por vía intradérmica, la prueba de Moloney.

En Inglaterra se han usado bastante los flóculos de toxoide-antitoxina (el precipitado que se forma con la proporción óptima entre antígeno y anticuerpo). Se presume que el toxoide se purifica parcialmente por la precipitación con anticuerpo. Otro tipo de preparación que se ha usado en Inglaterra es el toxoide adsorbido sobre fosfato de aluminio. Toxoide diftérico fosfatado o DPT. Este material y los flóculos de toxina-antitoxina, no se han usado mucho en Estados Unidos de Norteamérica. El toxoide de precipitado con protamina parece inmunizar eficazmente sin causar las reacciones indeseables que se observan a veces con el toxoide precipitado con alumbre.

Toxoide precipitado con alumbre. Se ha comprobado que el toxoide precipitado con alumbre potásico (se necesitan pequeñas cantidades, 1 a 2 por 100) es superior como inmunizador al toxoide ordinario con formol. Las preparaciones actuales se tratan con carbón antes de la precipitación con alumbre, para eliminar el color y substancias nitrogenadas extrañas. El precipitado es insoluble (puede redisolverse en citrato o tartrato sódico) y permanece en el tejido subcutáneo por tiempo considerable, proporcionando así un estímulo antigénico prolongado. A pesar de ello, una sola inoculación no basta —puede observarse una conversión de Schick tan pequeña como del 11 por 100, junto con tendencia a la inversión—, pero dos inoculaciones son tan eficaces como tres de toxoide líquido. El toxoide con alumbre tiene tendencia a provocar las mismas reacciones indeseables en personas de edad avanzada que las observadas con toxoide de formol.

Inmunidad pasiva. Los individuos susceptibles, o sea Schick positivos, pueden inmunizarse pasivamente contra la difteria inyectándoles suero antitóxico de caballo o preparados purificados de antitoxina. Esta inmunidad es relativamente breve y no es eficaz por más de dos o tres semanas, cuando mucho.

Uso terapéutico de la antitoxina. La seroterapia tiene mejor éxito en la difteria que en ninguna otra enfermedad, y no hay duda que reduce con eficacia el promedio de mortalidad. Como en el caso del tétanos y el botulismo, la administración terapéutica de antitoxina no puede reparar los tejidos dañados por la toxina. Por lo tanto, es esencial administrarla tempranamente, y el índice de mortalidad aumenta progresivamente con cada día de retraso. No hay límite, fuera del volumen, para la cantidad de unidades que pueden inyectarse sin peligro. La antitoxina suele administrarse por vía intramuscular, pero en casos graves puede usarse por vía intravenosa. Es completamente ineficaz por vía bucal.

Por lo general, el suero de caballo contiene 500 a 700 unidades por ml, excepcionalmente 1 000 a 1 500. Generalmente se concentra la antitoxina por precipitación salina, pues aunque en el proceso se pierde algo de antitoxina, la concentración aumenta, con la disminución correspondiente del volumen a inyectar.

Epidemiología. La epidemiología de la difteria se conoce mucho mejor que la de cualquier otra enfermedad, en parte porque el agente causal puede aislarse con relativa facilidad de individuos infectados, y en parte porque la prueba de Schick permite diferenciar los inmunes de los que no lo son. Como en otras enfermedades respiratorias, el material infectante se elimina con las secreciones de nariz y garganta, se transmite de persona a persona por contacto o por gotitas infecciosas, y entra en el cuerpo por boca y nariz. Además, el bacilo diftérico se disemina no solo por personas enfermas, sino también por intermedio de portadores sanos en quienes no hay signos clínicos de infección. Sin embargo, a diferencia de muchas enfermedades del aparato respiratorio, la difteria es una enfermedad inmunizante, y el contacto prolongado o repetido con el bacilo a menudo da por resultado que se desarrolle inmunidad sólida contra la enfermedad en sus manifestaciones clínicas.

Inmunidad y susceptibilidad. La prueba de Schick indica que si bien la susceptibilidad es baja en los primeros seis meses de vida, por inmunización pasiva con anticuerpo materno, la proporción de Schick positivos aumenta rápidamente y llega al máximo en niños menores de cuatro o cinco años; después disminuye gradualmente en una población no inmunizada. Cuando se practica ampliamente la inmunización de niños, el predominio de concentraciones eficaces de antitoxina disminuye alrededor de la edad de 15 años en algunos grupos de población, pero no en otros, probablemente como consecuecia de una mayor frecuencia del estado de portador en estos últimos.[13]

Portadores. Como ya indicamos, los individuos sanos pueden albergar bacilos diftéricos virulentos en la garganta. Estos portadores no necesitan ser inmunes o convalecientes; en su mayoría son portadores casuales. No se conoce con precisión cuánto dura este estado de portador casual; posiblemente sea de unas dos semanas. Varios investigadores han averiguado la proporción de portadores. Doull y Fales, en un estudio de niños escolares de Baltimore, encontraron una proporción media de portadores de 2.32 por 100 de noviembre a mayo. En consecuencia, Frost ha estimado que la frecuencia de portadores en el grupo de 5 a 14 años en esa ciudad es de 2 538 por 10 000. Con esta proporción, el 75 por 100 de la población se ha infectado cuando menos una vez en cinco años, 95 por 100 en 10 años y más del 99 por 100 en 15

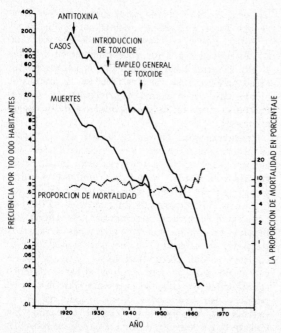

FIG. 29-5. Disminución de la difteria en Estados Unidos de Norteamérica, según demuestran las cifras de morbilidad y mortalidad. Obsérvese la ausencia de efecto por introducción del toxoide sobre la tendencia general, y el aumento pasajero durante la segunda guerra mundial. (Morbidity and Mortality Weekly Report, Annual Supplement, Vol. 14, núm. 53. Center for Disease Control, U.S. Public Health Service.)

años, con una proporción muy considerable de individuos que habrían sufrido infecciones repetidas, en promedio dos y medio por persona en 10 años. Otros han mencionado frecuencias muy superiores de portadores; Dudley ha observado 6.6 por 100 en niños escolares, y estudios con frotis repetidos mostraron que cuando menos el 40 por 100 transportaron bacilo diftérico en una época u otra durante el periodo anual.

Al parecer, hay muchas oportunidades de contacto con bacilos diftéricos virulentos, y está justificado suponer que la proporción creciente de Schick negativos en grupos de edades progresivamente mayores es consecuencia de una respuesta inmunitaria activa a la presencia de esos microorganismos en nariz y garganta.

Control de la difteria. De las consideraciones anteriores se deduce que la difteria está ampliamente diseminada en la población humana y no puede controlarse aislando a los portadores o, excepto en sentido estrictamente limitado, con cuarentena de los casos. El bacilo diftérico es especialmente sensible a la eritromicina, que se ha usado con cierto éxito para tratar portadores.

El control de la difteria es por completo cuestión de inmunización; si se inmuniza una proporción bastante grande de población susceptible, disminuirá la frecuencia de difteria clínica. Godfrey comprobó

que la inmunización de la mitad o más de los niños en edad escolar, 5 a 14 años de edad, no disminuyó la frecuencia de difteria en varias grandes ciudades norteamericanas, pero que cuando se inmunizaban el 30 por 100 o más de los niños en edad preescolar había una disminución precisa de la frecuencia de la difteria, no solo entre estos niños, sino en la población global. Se supone comúnmente que la inmunización del 70 por 100 de los niños basta para controlar la difteria epidémica. Otros factores, desconocidos hasta ahora, también están incluidos, porque la enfermedad persiste con frecuencia relativamente elevada en algunas poblaciones o grupos bien inmunizados.[29]

Es problemático en qué grado han influido en la disminución de la difteria la inoculación profiláctica y el uso terapéutico de antitoxina. Algunos autores creen que la actual disminución es una continuación, en parte, de una tendencia periódica, que se ha acelerado durante las dos últimas décadas.[36]

La enfermedad fue endémica durante la primera mitad del siglo XIX, aunque mostrando tendencia epidémica creciente. Entre los años 1850 y 1860 se desarrolló una gran pandemia, al parecer por un foco en Francia, que se diseminó por todo el mundo. Durante 25 a 30 años persistió una gran mortalidad; alrededor del año 1885 comenzó a disminuir, continuando hasta cerca de 1941. La inmunización no se practicó de manera general hasta cerca de 1920, aunque la terapéutica con antitoxina comenzó algo antes.

A principios de 1941 aumentó en todo el mundo la frecuencia de la difteria. Al parecer, comenzó en Alemania en 1939, posiblemente debido al movimiento en masa de niños hacia los campos sin la inmunización adecuada, aumentando al doble el porcentaje ya alto (285 y 207 en Austria y Alemania) de morbilidad, y la gravedad queda indicada por el incremento en la mortalidad de 3.8 por 100 en 1937-38, a 4.4 por 100 en 1939, y 5.0 por 100 en 1940. La enfermedad se diseminó hacia países vecinos en el noroeste de Europa. En Bélgica el número de casos subió de 2 419 en 1939 a 16 072 en 1943; en Holanda hubo 1 273 casos en 1939, 5 501 en 1941, 19 527 en 1942 y 56 603 en 1943; en Noruega se presentaron 54 casos en 1939 y 22 787 en 1943. La difteria fue la enfermedad en epidémica principal de los años de guerra Europa, y causa importante de muerte en el ejército alemán.[32]

Estas cifras se reflejaron en el personal militar de Estados Unidos de Norteamérica estacionado en Europa; la difteria fue problema grave, con una frecuencia seis veces mayor que en las tropas similares estacionadas en Estados Unidos de Norteamérica. Desde el año de 1946 ha disminuido la frecuencia. El número de casos y muertes en 1945 excedió al de los cinco años previos, pero el porcentaje de mortalidad no se alteró en forma apreciable.[27] En Estados Unidos de Norteamérica hubo ligero aumento en la frecuencia de difteria, pero

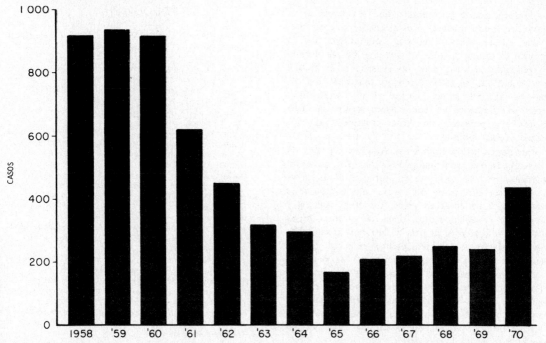

FIG. 29-6. Frecuencia de difteria en Estados Unidos de Norteamérica durante el periodo 1958-1970, según los casos declarados. (Morbidity and Mortality Weekly Report, Annual Supplement, Vol. 19, 1970. Center for Disease Control, U.S. Public Health Service.)

disminuyó subsecuentemente; en 1971 se declararon 171 casos, en contraste con 17 987 en 1941. La disminución ha sido sobre todo en lactantes y niños, pero desde 1940 ha habido un aumento lento pero uniforme en los grupos mayores de 10 años,[38] posiblemente reflejo de no reinmunizar en los grupos de mayor edad. La infección residual tiende a concentrarse en la población no blanca, y al parecer, en parte dependería de inmunizar este grupo para reducirla más.[30]

BACILOS DIFTEROIDES

Son microorganismos morfológicamente muy parecidos al bacilo diftérico, y, con frecuencia difíciles de distinguir de él, que se encuentran en el hombre y animales inferiores; también se han visto formas saprófitas.[40] En el primero se observan comúnmente tres especies. Löffler y con Hofmann-Wellenhof vieron por primera vez una forma que se presenta en la garganta del hombre y se confunde fácilmente al microscopio con el bacilo diftérico; se conoce como *bacilo de Hofmann, Corynebacterium hofmannii* o *C. pseudodiphtheriticum.* Difiere ligeramente del bacilo diftérico en que es algo más corto y grueso, y no fermenta la glucosa. Lo más importante es que no forma una toxina soluble y puede diferenciarse con facilidad de *C. diphtheriae* por la prueba de virulencia. No parece patógeno en absoluto para el hombre y animales de experimentación.

Una segunda especie, *C. xerose,* se ha aislado repetidamente de una forma de conjuntivitis conocida como xerosis, pero su relación causal con la enfermedad es incierta. También se ha encontrado

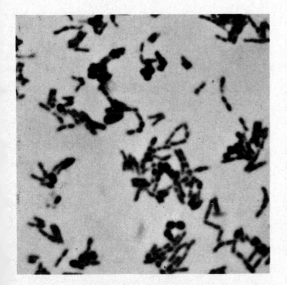

FIG. 29-7. *Corynebacterium pseudodiphtheriticum.* Frotis de cultivo puro coloreado con azul de metileno alcalino. Obsérvese la coloración irregular, formas con maza, y estrecha semejanza con *C. diphtheriae.* × 2 000.

en la piel, donde se presume que sea parte de la flora bacteriana normal, y es probable que su presencia en la xerosis sea por contaminación. No forma una toxina soluble. *C. acnes* se ha encontrado en pústulas de acné, pero no se sabe si es causal. Este organismo se considera algo aparte de los demás bacilos del grupo, porque es microaerófilo y crece profusamente en condiciones anaerobias formando un pigmento de color rosado. Tampoco forma toxina soluble.

Patógenos para animales. Algunas especies de *Corynebacterium* son patógenos para los animales inferiores y rara vez pueden infectar al hombre. *C. pyogenes* es una de las causas más comunes de infecciones purulentas en reses, corderos, puercos y cabras; de él depende una forma de mastitis, algunos casos de aborto, artritis y lesiones granulomatosas en bovinos; también guarda relación con la neumonía de los becerros.[24] Se han observado infecciones en el hombre.[3] Forma una toxina soluble, inmunológicamente distinta y considerablemente más débil que la del bacilo diftérico; es hemolítica para hematíes de conejo, mortal para el ratón, y produce necrosis dérmica en el conejo similar a la causada por la toxina del bacilo diftérico.

Lovell ha estudiado ampliamente esta bacteria y su toxina.

C. ovis (*C. pseudotuberculosis*) o bacilo de Preisz-Nocard también es patógeno para animales domésticos. Produce una linfadenitis caseosa y linfangitis ulcerosa en borregos y caballos que se conoce como seudotuberculosis, y lesiones ulcerosas en otros animales domésticos. Como *C. pyogenes,* forma una exotoxina débil distinta de la diftérica. *C. renale* está muy relacionado serológicamente con *C. ovis* y produce infecciones purulentas de las vías urinarias en reses, borregos, caballos y perros. *C. equi* causa neumonía espontánea en potros y otras infecciones en caballos; esta especie es interesante porque presenta reacciones variables con la coloración acidorresistente: las formas cocoides retienen el colorante mientras que las bacilares toman la coloración de fondo, lo que sugiere una relación con micobacterias y actinomicetos acidorresistentes. Se ha publicado un solo caso de infección humana.[17] *C. enzymicum* se ha aislado del hombre primariamente, pero se ha comprobado que causa una oftalmía epidémica en el borrego. *C. murisepticum* causa la septicemia del ratón y no parece patógeno para otros animales. Este grupo de microorganismos es muy interesante en medicina veterinaria, porque estos y otros bacilos difteroides causan enfermedades en animales domésticos.

Además de los mencionados, una docena o más de especies identificadas de *Corynebacterium* son saprófitas del suelo o patógenas para plantas, produciendo enfermedades en el trigo, alfalfa, patata, el cancro bacteriano del tomate y de poinsettia, el marchitamiento de los granos, y similares.

BIBLIOGRAFIA

1. Agarwal, S. C., and D. M. Pryce. 1959. Experimental diphtheritic paralysis in rats. J. Pathol. Bacteriol. 78:171–177.
2. Bacon, D. F., and M. J. Marples. 1955. Researches in Western Samoa. II. Lesions of the skin and their bacteriology. Trans. Roy. Soc. Trop. Med. Hyg. 49:76–81.
3. Ballard, D. O., A. E. Upsher, and D. D. Seely. 1947. Infection with *Corynebacterium pyogenes* in man. Amer. J. Clin. Pathol. 17:209–215.
4. Barile, M. F., R. W. Kolb, and M. Pittman. 1971. United States standard diphtheria toxin for the Schick test and the erythema potency assay for the Schick test dose. Infect. Immun. 4:295–306.
5. Barksdale, L. 1970. *Corynebacterium diphtheriae* and its relatives. Bacteriol. Rev. 34:378–422.
6. Barksdale, L., L. Garmise, and K. Horibata. 1960. Virulence, toxinogeny, and lysogeny in *Corynebacterium diphtheriae*. Ann. N.Y. Acad. Sci. 88:1093–1108.
7. Belsey, M. A. 1970. Isolation of *Corynebacterium diphtheriae* in the environment of skin carriers. Amer. J. Epidemiol. 91:294–299.
8. Boyer, N. H., and L. Weinstein. 1948. Diphtheritic myocarditis. New Eng. J. Med. 239:913–919.
9. Branham, S. E., M. W. Grabowski, and D. B. Riggs. 1957. Evaluation of the chick as a test animal in the assay of diphtheria toxoids. Appl. Microbiol. 5:286–291.
10. Branham, S. E., *et al.* 1959. Antigens associated with the toxin of the *gravis* type of *Corynebacterium diphtheriae.* J. Immunol. 82:397–408.
11. Brooks, G. F. 1969. Recent trends in diphtheria in the United States. J. Infect. Dis. 120:500–502.
12. Christensen, W. B. 1949. Observations on the staining of *Corynebacterium diphtheriae*. Stain. Technol. 24:165–170.
13. Craig, J. P. 1962. Diphtheria: Prevalence of inapparent infection in a nonepidemic period. Amer. J. Pub. Hlth. 52:1444–1452.
14. Edwards, D. C. 1960. The growth and toxin production of *Corynebacterium diphtheriae* in submerged culture. J. Gen. Microbiol. 22:698–704.
15. Fleck, L., and A. Kunika. 1957. The significance of antibacterial immunity in diphtheria. Texas Rep. Biol. Med. 15:850–860.
16. Gerwing, J., D. A. Long, and M. V. Mussett. 1957. The assay of diphtheria toxin. Bull. Wld. Hlth. Org. 17:537–551.
17. Golub, B., G. Falk, and W. W. Spink. 1967. Lung abscess due to *Corynebacterium equi.* Report of first human infection. Ann. Intern. Med. 66:1174–1177.
18. Hatano, M., K. Nakamura, and M. Kurokawa. 1959. Isolation of a new temperate phage causing the lysogenic conversion in *Corynebacterium diphtheriae.* Japan. J. Microbiol. 3:301–311.
19. Hermann, G. J., and E. I. Parsons. 1955. A study of antigenic relationships in some strains of *Corynebacterium diphtheriae.* Amer. J. Hyg. 61:64–71.
20. Hermann, G. J., and R. E. Weaver. 1970. Corynebacterium. pp. 88–94. *In* J. E. Blair, E. H. Lennette, and J. P. Truant (Eds.): Manual of Clinical Microbiology. American Society for Microbiology, Bethesda.
21. Hewitt, L. F. 1951. Cell structure of *Corynebacterium diphtheriae.* J. Gen. Microbiol. 5:287–292.
22. Hollander, M. H. 1951. Diphtheria of the skin. U.S. Armed Forces Med. J. 2:229–232.
23. Lazar, I. 1968. Serological relationships of Corynebacteria. J. Gen. Microbiol. 52:77–88.
24. Lovell, R. 1945. *Corynebacterium pyogenes* infections domestic animals. Vet. Rec. 57:383–385.
25. Maniar, A. C., and J. G. Fox. 1968. Techniques of an *vitro* method for determining toxigenicity of *Corynebacterium diphtheriae* strains. Can. J. Pub. Hlth. 59:297–30
26. McLeod, J. W. 1943. The types *mitis, intermedius* and *gra* of *Corynebacterium diphtheriae.* Bacteriol. Rev. 7:1–41.
27. Moore, H. A., and G. I. Larsen. 1957. Present distributi of diphtheria in the United States. Pub. Hlth. Rep. 7 537–542.

28. Morton, H. E. 1940. *Corynebacterium diphtheriae:* A correlation of recorded variations within the species. Bacteriol. Rev. **4**:177–226.

29. Murphey, W. J., V. H. Maley, and L. Dick. 1956. Continued high incidence of diphtheria in a well-immunized community. Pub. Hlth. Rep. **71**:481–486.

30. Page, M. I. 1962. The present problem of diphtheria control in the United States. Amer. J. Pub. Hlth. **52**:68–74.

31. Pike, C. 1951. Corynebacterial endocarditis: with report of a case due to toxigenic *Corynebacterium diphtheria.* J. Pathol. Bacteriol. **63**:577–585.

32. Report. 1952. World incidence of diphtheria during recent years. Epidemiol. Vital Stat. Rep. Wld. Hlth. Org. **5**:223–236.

33. Schubert, J. H., G. L. Wiggins, and G. C. Taylor. 1967. Tissue culture method for the titration of diphtheria antitoxin in human sera. Hlth. Lab. Sci. **4**:181–188.

34. Surjan, M., and G. Nyerges. 1962. Diphtheria antitoxin titration of human sera by haemagglutination. Immunitätsforsch. Exp. Therap. **124**:401–410.

35. Tasman, A., and H. P. Lansberg. 1957. Problems concerning the prophylaxis, pathogenesis and therapy of diphtheria. Bull. Wld. Hlth. Org. **16**:939–973.

36. Taylor, I., A. J. H. Tomlinson, and J. R. Davies. 1962. Diphtheria control in the 1960's. Roy. Soc. Hlth. J. **82**:158–164.

37. Tomlinson, A. J. H. 1966. Human pathogenic coryneform bacteria: their differentiation and significance in public health today. J. Appl. Bacteriol. **29**:131–137.

38. Tuuri, A. L., H. L. Johnston, and D. Hartung. 1957. Adapting immunization programs to special groups. Pub. Hlth. Rep. **72**:283–289.

39. Uchida, T., A. M. Pappenheimer, Jr., and A. A. Harper. 1972. Reconstitution of diphtheria toxin from two non-toxic cross-reacting mutant proteins. Science **175**:901–903.

40. Veldkamp, H. 1970. Saprophytic coryneform bacteria. Ann. Rev. Microbiol. **24**:209–240.

41. Wildführ, G. 1949. Zur frage der Bakteriämie im Beginn der Diptherie. Zentralbl. Bakteriol. I Abt. Orig. **54**:14–17.

CAPITULO 30

MYCOBACTERIUM

Este género incluye algunas especies de bacterias relacionadas que será más conveniente considerar en tres grupos. El primero abarca el bacilo tuberculoso de los mamíferos, *Mycobacterium tuberculosis* var. *hominis*, *Myco. tuberculosis* var. *bovis*, y el bacilo tuberculoso de las aves, *Myco. avium*, junto con las micobacterias llamadas "anónimas" o "atípicas". En el segundo grupo se encuentran el bacilo de Hansen o *Myco. leprae* y el bacilo de la lepra de la rata, *Myco. leprae murium*. El tercer grupo está formado por el bacilo de Johne, o *Myco. paratuberculosis*, y ciertos bacilos acidorresistentes aislados de animales de sangre fría, junto con las formas saprófitas acidorresistentes.[75]

BACILOS DE LA TUBERCULOSIS

La tuberculosis es una de las enfermedades más viejas del hombre y todavía de las más difundidas; se estima que en Estados Unidos de Norteamérica más de un millón de personas sufren tuberculosis activa, y alrededor de la mitad están controlados por los departamentos de sanidad. Fracastoro, en la primera mitad del siglo XVI, sospechó su naturaleza infecciosa, y en 1865 Villemin demostró que la enfermedad podía transmitirse inoculando material tuberculoso. En 1882 Koch demostró el bacilo de la tuberculosis mediante métodos de tinción especiales, lo aisló y desarrolló en cultivo puro, y reprodujo la enfermedad inoculando el bacilo.

Morfología y tinción.[39] Los bacilos de la tuberculosis son bastones delgados, algunas veces ligeramente curvos, de 2 a 4 μ de largo y 0.3 a 1.5 μ de ancho. Se presentan aislados, pero a veces se observan en grupos pequeños, en ocasiones como masas compactas donde no pueden distinguirse los bacilos individuales. Los bacilos de la variedad humana tienden a ser algo más largos y delgados que los de tipo bovino, pero la morfología de ambos es variable, y ese carácter no sirve para diferenciarlos. En los tejidos suele conservarse la forma bacilar; en cultivos, algunas veces se observan formas filamentosas más largas con células hinchadas o en forma de maza que semejan el bacilo diftérico. En cultivos de bacilo de la tuberculosis de las aves se encuentran formas ramificadas, pero rara vez en los de bacilos de mamíferos. La observación de formas filamentosas y verdaderamente ramificadas indica la estrecha relación de estos bacilos con los hongos superiores.

El bacilo de la tuberculosis es inmóvil, no forma esporas, y produce una substancia capsular en cultivos artificiales, sobre todo cuando crece en medios con suero. Es notable la estructura granulosa de las células individuales. A menudo se observan vacuolas en abundancia; incluso pueden dar a las células teñidas el aspecto de una cadena de cocos. No se conoce el significado de los pequeños cuerpos, teñidos intensamente, que se observan a veces en el interior de las células; no muestran la gran resistencia característica de las esporas.

Los bacilos de la tuberculosis no pueden teñirse con los métodos usuales eficaces con otras bacterias, porque hay una resistencia notable a la penetración de colorantes, por la presencia de cantidades relativamente grandes de cera no saponificable. Las células pueden teñirse en dos a tres minutos con fucsina fenicada calentada hasta emitir vapores, o en 18 horas con el colorante a la temperatura ambiente. Una vez teñidos, es difícil decolorarlos; resisten a la acción del alcohol y de soluciones diluidas de ácidos minerales; por esta razón se llaman "acidorresistentes". La retención de la fucsina se considera, en parte, un fenómeno de permeabilidad.[63] Pueden demostrarse en los frotis con el método de Ziehl-Neelsen, que los tiñe con fucsina fenicada, se decoloran con alcohol ácido y toman tinción de fondo con un colorante contrastante. El azul de metileno es el que se usa con mayor frecuencia, pero algunos prefieren otros colorantes como el ácido pícrico y el pardo Bismarck. Otras tinciones, como la de Sudan negro B y el rojo neutro, se han utilizado con fines de experimentación. Se ha señalado que los bacilos de pulmones de ratones infectados solo se tiñen con el primero, y los crecidos en medio de cultivo solamente con el último.[99] También pueden teñirse con carbolauramina, colorante que da un amarillo brillante fluorescente con luz ultravioleta débil. Este método se usa pocas veces, solo con fines de selección. En cultivos jóvenes pueden observarse bacilos que no son acidorresistentes.

Much describió en 1907 unos gránulos que llevan su nombre, no acidorresistentes, pero sí grampositivos, que se presentan en el material de abscesos fríos y en otras partes donde no pueden demostrarse bacilos acidorresistentes, pero que, no obstante, resultaron infecciosos. Sin embargo, tiene que haber grandes cantidades de bacilos acidorresistentes, tal vez 100 000 por ml, antes que sea probable encontrarlos en los frotis. Muchos autores creen que estos gránulos son viables y virulentos y dan lugar a los típicos bastones acidorresistentes. Otros los han observado, pero su significación todavía es problemática. Algunos los consideran productos de degeneración o artefactos de tinción.

En cultivos en caldo se forma una capa de crecimiento gruesa, arrugada, que tiende a desparramarse a los lados del frasco; pueden desprenderse masas de bacilos y caer al fondo en forma de sedimento apelmazado. La superficie del cultivo en medios sólidos suele ser seca y granular, con zonas nodulares y prominentes. La variedad humana del bacilo de la tuberculosis suele producir un cultivo amarillo pálido o amarillo anaranjado sobre medios que contienen suero, y de color crema o blanco en ausencia del mismo. La variedad bovina no es pigmentada en medios con suero. Algunas cepas de aves dan un cultivo de color rosa pálido sobre medios con huevo. A menudo los cultivos de estas bacterias producen un olor peculiar similar al de las almendras.

Fisiología. El bacilo de la tuberculosis es aerobio y no crece en condiciones completamente anaerobias. Las variedades de los mamíferos crecen mejor a 37°C y nada por debajo de 30° o arriba de 42°C; pero la temperatura óptima para el tipo de las aves es de 40°C. El desarrollo es relativamente lento, y suelen necesitarse cuatro a seis sema

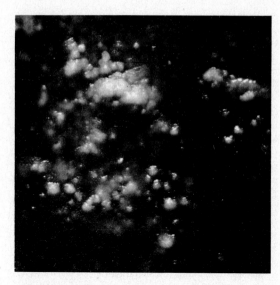

FIG. 30-2. Colonias de la variedad humana del bacilo de la tuberculosis, cepa H-37, en medio de Löwenstein; cinco semanas de incubación. × ·5.

nas para que sea abundante, aunque en 8 a 10 días aparecen colonias minúsculas. La mayor parte de las cepas de tipo aviario se adaptan con facilidad a los cultivos en medios artificiales, y con el tiempo son capaces de crecer con mucha mayor rapidez, pero otras siguen creciendo con lentitud.

Para aislarlos por primera vez se necesitan medios enriquecidos, que por lo general contienen huevo, glicerol y algunas ocasiones colorantes para inhibir el desarrollo de contaminantes. Los medios que suelen usarse son las modificaciones de Jensen al medio de Löwenstein, que contiene huevo, harina de patatas, infusión de medula ósea, citrato, glicerol y asparagina y verde malaquita; el medio de patata con yema de huevo de la Sociedad Norteamericana Trudeau; y la modificación de McNabb o de Frobisher al medio de Petragnani. Los investigadores franceses usan patata glicerolada. El medio de Carper es patata glicerolada, con la modificación de que los trozos de patata se sumergen poco tiempo en una solución de cristal violeta antes de esterilizarlas con la solución de glicerol.

La variedad humana del bacilo de la tuberculosis crece con mayor abundancia en estos medios que la variedad bovina, y por esta razón se denomina "eugónico", y el tipo bovino "disgónico". Estas dos variedades también difieren en que el glicerol favorece notablemente el desarrollo del tipo humano pero no del bovino. No se sabe el motivo de este efecto favorable; los intentos para substituirlo con compuestos similares como alcohol isopropílico, propílico, glicol, trimetilgenglicol e inositol no han tenido éxito. Pero la glucosa actúa en forma muy semejante al glicerol. El metabolismo de una variedad de compuestos del carbono, incluyendo los que actúan en el ciclo de Krebs, ha sido estudiado

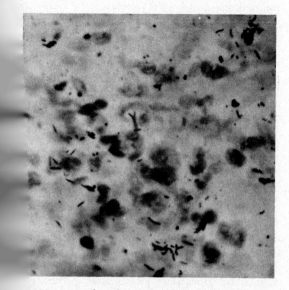

30-1. *Mycobacterium tuberculosis.* Frotis de esputo tuberculoso teñido para acidorresistentes. × 1 050.

detalladamente por Youmans y Youmans.[134] Se ha observado que la yema de huevo contiene un factor lipoide para crecimiento, pero que parece estimular más que ser esencial para el desarrollo. Tiamina, piridoxina y riboflavina son agentes que no lo estimulan.

Después del aislamiento primario, el desarrollo es mucho más fácil y en medios más simples. El bacilo de la tuberculosis humana crece bien sobre agar nutritivo o caldo conteniendo glicerol (2 a 5 por 100) y se ha cultivado en diversas soluciones sintéticas. Una de las que se conocen mejor es el medio sintético de Long que contiene glicerol, asparagina, citrato y sales inorgánicas. Dubos y colaboradores [43] comprobaron que el desarrollo se facilita y sucede difusamente por todo el medio líquido en presencia de ciertos lípidos hidrosolubles. En un medio que contiene asparagina, glucosa, fosfato, citrato, seroalbúmina bovina, sulfato de magnesio y un lípido llamado comercialmente Tween 80 (derivado polioxietilénico del monooleato de sorbitol), aunque inhibe el desarrollo, crecerá visiblemente la variedad humana en plazo de dos semanas. El medio con el tiempo se hace inhibidor debido a la actividad de lipasa que contamina las preparaciones de albúmina de bovino, la cual libera ácido oleico a partir de Tween 80 a concentraciones bacteriostáticas; el efecto puede eliminarse usando seroalbúmina bovina cristalina del comercio, añadiendo 0.01 por 100 de fluoruro de sodio y por otros medios. El tipo bovino crece poco o nada en estos medios y solo se beneficia ligeramente con glicerol. Sin embargo, el tipo de bacilo tuberculoso aviario crece mejor que el humano después de algunos pasos, y puede obtenerse un buen desarrollo en agar nutritivo sin glicerol. Estas diferencias de cultivo de los tres tipos de bacilos tuberculosos son poco importantes para su diferenciación temprana, porque se necesitan varios pasos, durante meses, antes que sean claros.

Las reacciones bioquímicas de los bacilos de la tuberculosis no se han estudiado extensamente. Crecen en leche, pero no producen en ella ningún cambio visible. Parece que no se forma indol. En caldo de glicerol, los cultivos de tipo bovino se tornan alcalinos, mientras que los de tipo humano se hacen ligeramente ácidos. La prueba corriente de fermentación no es fácil de aplicar a los bacilos de la tuberculosis por su crecimiento lento. La incubación necesariamente prolongada tiende a dar resultados contradictorios, posiblemente por la descomposición de ácidos orgánicos, desaminación concurrente, etc. El uso de suspensiones muy espesas de bacilos que no se desarrollan, en medios que contienen hidratos de carbono, indica la posibilidad de una diferenciación útil. Se ha observado [119] que las cepas patógenas para el hombre, pero no para los pollos, fermentan la trealosa pero no la xilosa, mientras que las cepas patógenas para pollos, pero no para el hombre, fermentan la xilosa pero no la trealosa. También se han sugerido como caracteres diferenciales la reducción del nitrato y la descomposición de los nitritos.[130]

Desarrollo en cultivo de células. El crecimiento del bacilo de la tuberculosis y similares en cultivos de células de tejidos animales ha merecido interés desde los primeros estudios de Maximov sobre la patogenia de esas infecciones. Más recientemente se han usado cultivos de tejido de bazo y de hígado,[10] monocitos, y células de la línea HeLa [103] como substratos, sobre todo para la diferenciación de cepas según la virulencia. La infección de las células huéspedes en medios de mantenimiento sucede dentro del primer día o casi, y prosigue rápidamente en medios de crecimiento. Se ha observado que las cepas virulentas crecen más rápidamente, con desarrollo apreciable en tres a cinco días, y destrucción concurrente de las células huéspedes. El método de cultivo de tejidos parece ser menos sensible que el cultivo corriente para aislamiento primario.

Composición química.[91] La composición química de los bacilos de la tuberculosis se ha estudiado más extensamente que la de ninguna otra bacteria. Estos bacilos tienen particular interés en este aspecto por su gran contenido en substancias lipoides, que puede alcanzar en conjunto hasta el 40 por 100 del peso seco.[123] Las proteínas, de las cuales gran parte son nucleoproteínas, constituyen cerca de la mitad del peso seco, y los polisacáridos se encuentran en cantidades relativamente pequeñas.[100]

Anderson y colaboradores han estudiado extensamente los lípidos. Además de la grasa neutra, pueden distinguirse dos tipos generales de substancias:

1. Fosfolípidos, que contienen ácidos grasos saturados e insaturados, incluyendo los bien conocido palmítico, linoleico y linolénico, junto con dos ácidos peculiares del bacilo de la tuberculosis, ácido ftoico, isómero del ácido cerótico, y el ácido tuberculosteárico, isómero del ácido esteárico y ópticamente inactivo.

2. Una cera acidorresistente que contiene polisacáridos que hidrolizan la manosa, arabinosa galactosa; una cera blanda que es un glicérido complejo; y una cera insaponificable (acidorresistente compuesta de alcoholes superiores, incluyendo un ácido hidroximetoxi-saturado, de gran peso molecular llamado ácido micólico; un alcohol superior denominado ftiocerol, y un ácido graso levorrotatorio, el ácido micocerósico. La presencia de ácido micólico se relaciona con la acidorresistencia.

Algunas de estas substancias al parecer son fisiológicamente activas. La cera acidorresistente saponificable parece estimular la multiplicación células de tejido conectivo indiferenciadas, y ácido ftoico produce proliferación de células epitelioides. Una fracción lípida tóxica, que puede traerse con monoclorobenceno, parece contribuir la toxicidad primaria de inoculaciones masivas, su significación patógena es incierta. En la gr neutra se encuentra un pigmento amarillo denominado ftiocol, una hidroxinaftoquinona, que puede reducirse reversiblemente con potencial relativamente bajo. Esta substancia es idéntica a la vitamina K excepto por el grupo hidroxilo del tercer carbono que substituye al radical fitilo.

Se han aislado de bacilos de tuberculosis de mamíferos mezclas de polisacáridos que contienen substancias con actividad inmunológica y sin ella, pero todavía no se conoce su significado. Los componentes proteínicos de la célula parecen ser los más importantes inmunológicamente y se han estudiado en relación con la preparación y actividad de las diversas tuberculinas.

Factor de crecimiento en cordón.[14] Middlebrook, Dubos y Pierce, en 1947, encontraron que la tendencia del bacilo de la tuberculosis a crecer en filamentos o cordones en cultivos líquidos se asociaba con la virulencia de las variedades humana y bovina del microorganismo. Tratándolos con éter de petróleo, se rompen los filamentos y se extrae una substancia que es acidorresistente y tóxica para los leucocitos y el ratón. Bloch la llamó factor de crecimiento en cordón. No se ha aclarado del todo su relación con la virulencia, porque puede aislarse de la cepa BCG atenuada (véase adelante) y de formas no patógenas, como el bacilo del esmegma.

Resistencia. Aunque poseen casi la misma resistencia al calor que las células vegetativas de otras bacterias, los bacilos de la tuberculosis son relativamente resistentes a la desecación, desinfectantes químicos, y otros factores ambientales perjudiciales, muy probablemente como consecuencia de la cera que contienen. Los bacilos pueden seguir viviendo semanas o meses en esputo en putrefacción y en esputo seco conservado en lugar frío y obscuro hasta seis a ocho meses. El esputo completamente seco, de forma que las partículas son capaces de flotar como polvo en el aire, puede ser infeccioso ocho a 10 días. En el esputo seco pueden seguir viviendo a temperaturas de 100°C, por una hora pero mueren en la forma usual con el calor húmedo. El fenol penetra en el bacilo lentamente, y una solución al 5 por 100 necesita 24 horas para matar los bacilos del esputo. La acción de otros desinfectantes es muy similar en lentitud, y los hipocloritos y ciertos detergentes sintéticos casi no tienen efecto sobre estas bacterias. Los bacilos de la tuberculosis mueren fácilmente expuestos al sol; los de los cultivos mueren en dos horas, pero en el esputo pueden sobrevivir 20 a 30 horas a la exposición directa.

Diversas substancias de diferentes clases son bacteriostáticas para el bacilo de la tuberculosis, incluyendo la estreptomicina, el ácido *p*-aminosalicílico (PAS), las sulfonas, tiosemicarbazonas, y ciertos derivados de la pirimidina como la isoniacida. Estas substancias son extremadamente útiles para la quimioterapia (véase luego).

Estructura antigénica. Al ir aumentando la importancia de micobacterias que no son los bacilos de la lepra y la tuberculosis como causa de enfermedad humana (ver luego) ha merecido mayor interés la diferenciación inmunológica. Es bien sabido que entre las micobacterias hay reacciones cruzadas demostrables, frecuentemente en forma de hipersensibilidad. Se ha establecido la estructura antigénica por Jensen y colaboradores [59] utilizando reacciones de precipitina de gel, y se ha comprobado que, además de un antígeno común, hay antígenos específicos de grupo, como otros componentes antigénicos que sirven para relacionar los serotipos, entre sí. Así pueden demostrarse varios serotipos, que también pueden determinarse por aglutinación.[45]

Variación. La variabilidad de los bacilos de la tuberculosis se ha estudiado ampliamente, pero sin resultados concluyentes. Algunos pensaron que la variación de las colonias que se ha observado era análoga a las variantes S y R de otras bacterias; algunos investigadores han sostenido que el tipo S es el más virulento y otros que la virulencia y la morfología de las colonias son independientes. Esta morfología de las colonias del bacilo de la tuberculosis es, en gran parte, una adaptación pasajera a las condiciones ambientales, y se altera pronto al transferirlas a un medio diferente. Por ejemplo, se ha observado que las colonias que crecen en presencia de extracto etéreo de yema de huevo son lisas y notablemente diferentes del tipo usual de colonias, pero el efecto físico es solo temporal. Por lo tanto, el problema de la variación S-R en los bacilos de la tuberculosis de ninguna forma se ha aclarado todavía.[49]

Bacilo de Calmette-Guérin. Calmette obtuvo una cepa de bacilo de tuberculosis bovina completamente avirulenta, cultivándola durante mucho tiempo (230 pasos en 13 años) en un medio de bilis, glicerol y patata. Esta cepa se designa BCG (*Bacilo de Calmette-Guérin*) y ha sido de especial interés para la inmunización activa contra la tuberculosis. Se desconoce totalmente la naturaleza del cambio que originó la pérdida de virulencia. Al parecer, es permanente y no reaparece al transferirla a los medios usuales.

Ciclos vitales. Algunos investigadores han interpretado que las tendencias pleomórficas de los bacilos de la tuberculosis, junto con los bastones no acidorresistentes que se observan en cultivos jóvenes y los elementos granulosos descritos por Much, indican una sucesión cíclica de tipos morfológicos, o ciclo vital, por el que atraviesan estos bacilos.

Formas filtrables. La variación L [71] ocurre cuando se producen los gránulos viables, que tal vez deben considerarse como los de Much. Los fragmentos viables, incluyendo filamentos y gránulos, regresan a la forma bacilar al ser cultivados en los medios corrientes.

Los últimos pueden explicar probablemente diversos informes de formas filtrables, o "ultravirus" de los bacilos de la tuberculosis.

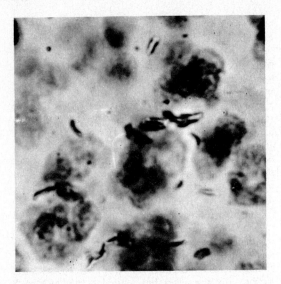

FIG. 30-3. Bacilo de la tuberculosis. Frotis de pus de un absceso hepático en un mono rhesus, teñido para acidorresistentes. × 2.600.

Resistencia a los medicamentos. Como otras bacterias, los bacilos de la tuberculosis pueden hacerse resistentes in vitro e in vivo [3, 28, 84, 102] a los quimioterápicos. La última es más común con estas bacterias que con otras por la naturaleza de la enfermedad y la necesidad de tratamiento prolongado, y porque hay propensión a que ocurra resistencia a algunos de los medicamentos eficaces, en particular estreptomicina e isoniacida. Esta última se acompaña de pérdida de la actividad de catalasa del bacilo de la tuberculosis, pero persiste un poco de ella en micobacterias saprófitas resistentes. Hay pruebas de que estas contienen dos sistemas de catalasa, uno de los cuales no es sensible a la isoniacida.

La importancia práctica de la resistencia a medicamentos depende de la substancia y de su toxicidad. Por ejemplo, puede lograrse un nivel sanguíneo de estreptomicina de 10 a 15 μg por ml y las cepas sensibles se inhiben in vitro con 0.5 μg por ml, las ligeramente resistentes con 2 a 4 μg por ml, las moderadamente resistentes con 200 y 400 μg por ml y se necesitan más de 50 000 μg por ml para inhibir el desarrollo de cepas muy resistentes. Es posible alcanzar niveles sanguíneos de isoniacida de 3 μg por ml, y las cepas sensibles se inhiben con 0.025 μg por ml in vitro. Por lo tanto, ha de haber una resistencia proporcionalmente mayor en el caso de la isoniacida que en el de la estreptomicina para permitir el crecimiento en concentraciones terapéuticas. La determinación de la sensibilidad a los medicamentos se complica por el lento desarrollo de los bacilos;[22, 69] se han creado métodos más rápidos basados en el uso de suspensiones de bacilos e indicadores del metabolismo oxidador, como la resazurina o el tetrazolio.[126]

Es tal la facilidad con la que se desarrolla la resistencia a un solo medicamento, que en la práctica es necesario disminuirla usando combinaciones de substancias. Como describimos en otra parte (capítulo 6), si la resistencia de la cepa es consecuencia de la selección de un mutante casual por el contenido de medicamento en el ambiente, y la resistencia a un medicamento es independiente de la que hay para otro, la probabilidad de que suceda una doble mutación está dada por el producto de las dos cifras de mutación y llega a ser extremadamente pequeña. La aparición de resistencia al medicamento in vivo se inhibe notablemente de hecho, usando dos compuestos en combinación, por lo común estreptomicina y PAS, e isoniacida y PAS, etc. Las cepas resistentes al parecer no difieren notablemente de la cepa original sensible, excepto en el caso de resistencia la isoniacida en que son apreciablemente menos virulentas, aunque capaces aún de producir enfermedad mortal en el hombre.

Poder patógeno para el hombre. La tuberculosis sigue siendo la más importante de las enfermedades específicas transmisibles del mundo; afecta más de 50 millones de personas. En Estados Unidos de Norteamérica se señalaron 53 726 casos con 11 465 muertes en 1961; en 1970 hubo 37 187 casos y 6 292 muertes. Se ha calculado que de 30 000 000 de personas actualmente infectadas, pero sin señales de infección activa, unos dos millones acabarán desarrollando tuberculosis.

Los bacilos de la tuberculosis de mamíferos, en sus variedades humana y bovina, son patógenos para el hombre. El tipo humano prácticamente siempre es el responsable de la tuberculosis pulmonar en el adulto, y suele encontrarse también en niños. La variedad bovina puede observarse ocasionalmente en tuberculosis pulmonares en niños, pero se encuentra con mayor frecuencia en infecciones de otros tejidos. Se han observado infecciones donde se mezclan los dos tipos de bacilos de la tuberculosis, pero son raras.

Se considera en la práctica, que el bacilo de la tuberculosis de las aves no es patógeno para el hombre. Sin embargo, de cuando en cuando [44, 65] se informan casos de infección humana, y algunos estudios han sugerido que puede ser más importante para la enfermedad humana de lo que generalmente se cree. En un estudio hecho en Alemania, 8.5 por 100 de 218 muestras positivas eran bacilos de tuberculosis aviaria.[81] Se parece a ciertas micobacterias anónimas (ver luego), con las cuales puede confundirse.

Vías de infección. El bacilo de la tuberculosis puede entrar en el organismo por vías genitourinarias, conjuntiva, piel, aparatos digestivo y respiratorio. La infección primaria de las vías genitourinarias es posible, pero ocurre rara vez en condiciones naturales. La infección a través de la conjuntiva es fácil en condiciones experimentales; su frecuencia en presencia de factores naturales se desconoce, po que los ganglios linfáticos cervicales, donde aparecería la infección primariamente, se infectan fácilmente por otros conductos. La infección a través de la piel es relativamente rara; se desconoce si los bacilos pueden atravesar la piel íntegra, pero es posible que lo hagan a través de abrasiones u otras lesiones traumáticas. La infección primaria de la piel suele causar la verruga tuberculosa o lupus vulgar.

La infección primaria por el tubo digestivo es consecuencia de la ingestión de bacilos de la tuberculosis con alimentos contaminados, sobre todo la leche, y sucede con gran frecuencia en niños. La infección secundaria puede ocurrir, en niños especialmente, por ingerir material tuberculoso de origen respiratorio. En la parte alta del tubo digestivo los bacilos entran en los tejidos del organismo a través de los folículos linfoides de garganta, faringe y lengua, y afectan primeramente los ganglios linfáticos cervicales superiores y los retrofaríngeos. Las lesiones tuberculosas de las amígdalas no son raras, aunque pocas veces resultan notorias. El estómago rara vez es puerta de entrada, pero los bacilos penetran en la mucosa intestinal a través de las placas de Peyer.

El aparato respiratorio es la vía más frecuente e importante de infección con bacilos de la tuberculosis y la facilidad con que sucede puede demostrarse en condiciones naturales [95] y controladas. Las partículas infecciosas gruesas que van en el aire inspirado se filtran y depositan en las superficies nasal, bucal y faríngea, y los bacilos, al penetrar, establecen infecciones focales en el tejido linfático local. Sin embargo, gotitas o partículas de polvo finas pueden entrar, y lo hacen, con frecuencia, directamente hasta los pulmones (capítulo 9).

Diseminación de la infección en el organismo.
Los bacilos de la tuberculosis se diseminan por todo el organismo a partir del foco primario o secundario de infección siguiendo la linfa, la circulación sanguínea, o directamente por extensión a lo largo de las superficies contiguas. La distribución por vía linfática es más fácil en niños que en adultos, y los bacilos pueden localizarse casi en cualquier punto, pero es más frecuente en los ganglios linfáticos. Los bacilos que se encuentran en el conducto torácico tal vez consigan entrar en el torrente sanguíneo. Este también puede invadirse directamente cuando un foco de infección causa erosión de la pared de un vaso. La sangre transporta los bacilos por todo el cuerpo y producen la tuberculosis miliar aguda o diseminada crónica. Un ejemplo de la patogenia de la diseminación hematógena se observó después de una inoculación personal por vía intravenosa con fines suicidas; [61] la infiltración miliar general por todos los dos pulmones sucedió entre los días 16º y 21º, pero la reacción a la tuberculina no se hizo positiva hasta el día vigésimo sexto.

La diseminación por extensión se observa con mayor frecuencia en la tuberculosis pulmonar ulcerosa, cuando se rompe un foco de infección y hay la presencia consecutiva de bacilos en el esputo. La pleura y el pericardio pueden afectarse directamente a partir de un foco de infección en los pulmones. La infección de esas superficies serosas puede ser localizada y fibrinosa y dar por resultado adherencias, o asumir una forma miliar aguda. La extensión directa también puede observarse en cualquier otra parte, como de los riñones a los uréteres y vejiga, o hacia la cavidad peritoneal y zonas vecinas desde úlceras intestinales. Prácticamente cualquier órgano o tejido del cuerpo puede ser invadido por el bacilo de la tuberculosis.

La forma más común de tuberculosis en el hombre es la pulmonar con invasión primaria de los vértices, y más del 90 por 100 de las muertes por tuberculosis se deben a esta forma. No se ha aclarado si la infección primaria es consecuencia directa de una inhalación, como creía Koch, o si en la mayor parte de casos es de origen hematógeno, consecutiva a infección preliminar del sistema linfático como pretende Calmette, pero en conjunto las pruebas son a favor de la infección por inhalación. Aunque la tuberculosis pulmonar es, con mucho, la forma más frecuente de infección en el adulto, es algo menor en niños, pero no se conoce con precisión cuánto. La infección pulmonar en niños difiere de la del adulto en que están afectados los linfáticos del hilio. En niños es frecuente la invasión de los linfáticos. La distribución anatómica de las lesiones suele tomar una de las dos formas bien definidas; en la primera, las lesiones se encuentran predominantemente en los linfáticos traqueobronquiales, en la otra en los ganglios linfáticos mesentéricos. En general, los niños muestran tendencia a la infección generalizada.

Otros tejidos y órganos se afectan con menor frecuencia. Algunas veces se infectan bazo, hígado y riñones. La tuberculosis de las suprarrenales causa enfermedad de Addison. La infección de la piel o lupus no es rara. La tuberculosis de huesos y articulaciones es más común en niños que en adultos, y la meningitis tuberculosa no es rara en los jóvenes. La infección tuberculosa puede adoptar diversas formas clínicas.

Tubérculo. La lesión causada por el bacilo de la tuberculosis, cualquiera que sea el lugar del organismo donde se encuentre, suele tener, aunque no de manera absoluta, aspecto y estructura histológica característicos. Los nódulos pequeños o tubérculos, fácilmente visibles a simple vista, se observan de manera tan uniforme en infecciones avanzadas por bacilo tuberculoso que de su presencia deriva el nombre de la enfermedad. El tubérculo joven depende probablemente de las células fijas que rodean a los bacilos invasores. Por la proliferación de las células fijas se desarrollan células "epitelioides" que crecen en capas concéntricas más o menos definidas y forman así la substancia del tubérculo. Pronto aparecen las llamadas células gigantes, o células gigantes de cuerpo extraño, en el tubérculo en desarrollo; son masas de protoplasma multinucleares, enormes, que algunos piensan son especialmente características de una verdadera formación tuberculosa, aunque esto es dudoso. Son producidas por fusión de algunos macrófagos o se originan en una célula. Mientras prosigue la formación de células epitelioides y gigantes, los leucocitos, en principio polimorfonucleares y después linfocitos, se agrupan alrededor de la periferia del tubérculo. El tubérculo degenera, la porción central se necrosa, y ello va seguido de caseificación y posteriormente de reblandecimiento de la masa caseosa.

En algunos casos se depositan sales de calcio en el tubérculo (calcificación), convirtiéndolo en un cuerpo duro, seco, friable, que puede encapsularse y aislarse completamente de los tejidos vecinos. Sin embargo, en otros casos no se realiza este proceso de cicatrización, y en lugar de ello hay extensión, con coalescencia y formación de masas confluentes que pueden alcanzar diámetro de 4 ó 5 cm. Es posible la erosión de un vaso, penetrando grandes cantidades de bacilos de la tuberculosis en el torrente sanguíneo, lo que origina difusión general de pequeños tubérculos del tamaño de una semilla de mijo (tuberculosis miliar aguda).

Las etapas tempranas de la formación del tubérculo, caracterizada por proliferación de células e infiltración de leucocitos, probablemente sean respuesta a un estímulo químico o mecánico dependiente de la presencia de los bacilos; las últimas alteraciones, que conducen a la necrosis y caseificación, pueden atribuirse a la acción de productos bacterianos. El huésped se sensibiliza a la substancia bacilar, y la respuesta alérgica de los tejidos es muy amplia.

Factores predisponentes. Pocas enfermedades dependen tanto de factores predisponentes como la tuberculosis. La infección con bacilo tuberculoso es extraordinariamente común, y hay pocos individuos adultos, en particular los que viven en ciudades, que escapan a ella. La proporción de individuos en quienes se hace necropsia que muestran pruebas de infección es muy grande; se ha informado que llega al 97 por 100. Por ejemplo, en una serie de casos se encontró que el 25 por 100 de los de 10 años de edad, 55 por 100 de los de 20, 80 por 100 de los de 30 años y cerca del 90 por 100 de los individuos de más de 50 años mostraban lesiones calcificadas de infección. Por lo tanto, los bacilos se encuentran en la gran mayoría de los adultos y también en muchos niños, pero el desarrollo de tuberculosis clínica queda restringido por la resistencia no específica del huésped. Por ejemplo, en un estudio de niños tuberculino positivos, efectuado antes de aparecer la quimioterapia, el 91 por 100 no mostraban enfermedades clínica a pesar de que había signos radiológicos, pero finalmente se resolvieron; el 5.4 por 100 tuvieron enfermedad clínica y se recuperaron; y el 3.6 por 100 murieron.[79]

Por consiguiente, los factores predisponentes son los que tienden a interferir en el bienestar fisioló-gico normal, incluyendo alimentación insuficiente o inapropiada, exposición prolongada a la humedad, vida sedentaria y fatiga crónica. Durante la primera guerra mundial aumentó la frecuencia de la tuberculosis en Estados Unidos de Norteamérica y en otros lugares; en la segunda nuevamente se observó la misma tendencia en Europa. La tuberculosis, tanto en animales como en el hombre, es enfermedad que depende del confinamiento de los humanos en las casas, y del ganado en los establos. Naturalmente, las oportunidades para que se transmita la infección son mucho mayores en las ciudades.

Hay una predisposición ocupacional notable a la tuberculosis en los oficios existe polvo, y la inhalación constante de casi cualquier clase de polvo aumenta la frecuencia de tuberculosis pulmonar. Sin embargo, los polvos de sílice parecen predisponer casi específicamente a la enfermedad, y la frecuencia de infección en los expuestos constantemente a eson polvos es mucho mayor que en la población general.

Durante mucho tiempo se ha sospechado que hay tendencias familiares o hereditarias a la enfermedad en el hombre. La resistencia a la infección en animales de experimentación está regida genéticamente en buena parte, pero la demostración concluyente de un fenómeno similar en el hombre es difícil, porque se necesita mucho tiempo para la reproducción y es imposible realizar adecuadamente experimentos con líneas de cría. La frecuencia de infección nueva en familias de tuberculosos es considerablemente mayor que en la población general, pero no se sabe si es consecuencia de un mayor riesgo o depende en parte de factores genéticos. De cualquier forma, la enfermedad en sí no es hereditaria, y la tuberculosis congénita es rara.[58]

Un tema de gran interés ha sido la relación entre la infección de la infancia y la tuberculosis del adulto; se ha sugerido que, en muchos casos, la tuberculosis pulmonar del adulto joven puede ser consecuencia de la reactivación de una infección vieja.[117, 118] La tuberculosis del adulto puede ser también consecuencia de reinfección más que de reactivación de lesiones cicatrizadas, total o parcialmente, de una infección de la infancia. Puede transcurrir un periodo considerable, probablemente años en algunos casos, entre la reinfección y la aparición de tuberculosis clínica.

Diagnóstico bacteriológico.[97] Los bacilos de la tuberculosis se eliminan del individuo infectado por esputo y orina, y pueden demostrarse en estos materiales y en agua de lavados gástricos, líquido cefalorraquídeo o tejidos infectados, según la localización de la infección. De las muestras de estos sitios, las obtenidas por lavado gástrico son de particular valor en la tuberculosis respiratoria en niños, que tienden a tragar el esputo; también son útiles en infecciones del adulto. Los resultados deben interpretarse con cuidado por la presencia de bacilos acidorresistentes saprófitos en el tubo digestivo, derivados de la ingestión de alimentos, frutas, en especial, donde se encuentran estas formas; además, hay motivos para pensar que olgunas grasas y aceites pueden impartir propiedades de acidorresistencia a bacterias que se encuentran en el tubo digestivo y de ordinario no son acidorresistentes. La presencia de los bacilos puede demostrarse directamente o después de concentrarlos, por examen de frotis teñidos, el cultivo o la inoculación al cobayo.

Suele convenir algún método de concentración, porque tiene que haber no menos de 100 000 bacilos por ml antes de poderlos descubrir con el microscopio. La resistencia del bacilo de la tuberculosis permite que la muestra se trate con hipoclorito o NaOH para destruir los contaminantes, digerir el esputo viscoso y facilitar, asimismo, la concentración con centrífuga. El sedimento se usa en la preparación de frotis para examen directo e inoculación de medios de cultivo, cobayos o ambos.

Los frotis suelen teñirse con el método de Ziehl-Neelsen. La demostración de bacilos acidorresistentes permite un diagnóstico provisional, pero no indica que sean viables o virulentos. Su presencia, sobre todo en muestras de orina, debe interpretarse con precaución por la frecuencia con que se observa el bacilo de esmegma, que también es acidorresistente.

Los cobayos se inyectan en la ingle o en el músculo del muslo. Si se ha inoculado una cantidad razonable de bacilos, puede observarse crecimiento de los ganglios regionales en dos a tres semanas, el cobayo enflaquece en cuatro a seis semanas y suele morir poco después. Con cantidades mucho menores de bacilos las pruebas de infección se retrasarán dos o tres semanas más. Si el animal no enferma visiblemente o no muere, debe conservarse durante ocho semanas antes de sacrificarlo. En la necropsia se encontrarán crecidos los ganglios linfáticos, llenos de substancia caseosa. Las zonas necróticas en bazo e hígado son características anatomopatológicas macroscópicas en este animal; rara vez se ven tubérculos, los pulmones solo están ligeramente afectados y los riñones casi nunca. Los bacilos de la tuberculosis pueden cultivarse de las lesiones y encontrarse en frotis teñidos para acidorresistentes. Algunos investigadores hacen la prueba de la tuberculina en los animales antes de la inoculación y tres o cuatro semanas después; la aparición de hipersensibilidad indica infección. Si se desea diferenciar las variedades humana y bovina del bacilo, pueden inocularse conejos.

Para cultivo pueden usarse diversos medios que contienen glicerol y huevo; el empleado varía de un laboratorio a otro. Por lo común el cultivo es cerrado, un tubo de cultivo con tapa de rosca o con parafina fundida sobre el tapón de algodón, para reducir al mínimo la desecación, pero es necesario dejar un pequeño orificio para permitir el cambio del aire. Las colonias características de bacilo de la tuberculosis aparecen después de tres semanas de incubación. La incubación más prolongada, hasta cinco meses, puede proporcionar algunos cultivos positivos adicionales. El cultivo no significa identificación; en ocasiones se encuentran bacilos acidorresistentes, que crecen como los de la tuberculosis, en lesiones no tuberculosas.

Quimioterapia. La quimioterapia eficaz de la tuberculosis implica que el medicamento sea difusible hacia el interior del proceso tuberculoso y que tenga actividad antibacteriana específica. Además, la necesidad de administrarlo por periodos relativamente largos aumenta los problemas de toxicidad y la aparición de resistencia del microorganismo a los medicamentos. Antes de 1938 no se conocía ninguna substancia de actividad importante; aunque no se ha encontrado el medicamento ideal para esta enfermedad se dispone hoy en día de algunos bastante eficaces.

Corresponden a dos grupos: los compuestos sintéticos y los antibióticos.

Tuberculostáticos sintéticos. Hay cuatro grupos: sulfonas, ácidos aminohidroxibenzoicos, tiosemicarbazonas, y derivados del ácido pirimidincarboxílico. La observación de que la sulfanilamida afecta la evolución de la tuberculosis experimental originó la preparación y ensayo de compuestos relacionados. De estos, las sulfonas, 4,4'-diaminodifenilsulfona y sus derivados, como Promina, Diasona y Sulfetrona, resultaron quimioterápicos parcialmente eficaces. Todos son tóxicos; el efecto más común es sobre los eritrocitos, y aun cuando puede disminuirse la toxicidad ajustando la dosis, no ha sido posible eliminarla, probablemente porque la actividad de los derivados es consecuencia de su degradación in vivo al compuesto original.

La observación de que los benzoatos y salicilatos estimulaban la respiración del bacilo de la tuberculosis in vitro hizo que se descubriera la actividad quimioterápica del ácido *p*-aminosalicílico, el más activo de los compuestos ensayados. Esta substancia posee baja toxicidad y se absorbe fácilmente en el tubo digestivo. Tiene actividad quimioterápica apreciable cuando se da sola, pero su mayor utilidad es combinada con estreptomicina o isoniacida.

Las tiosemicarbazonas son quimioterápicos más eficaces que las sulfonas o salicilatos; se han usado mucho en Europa, pero no en Estados Unidos de Norteamérica. El compuesto tiosemicarbazona *p*-acetaminobenzaldehido (Tiobina) se ha probado ampliamente, junto con varios derivados. Todas estas substancias son relativamente tóxicas y dan reacciones secundarias graves, no incluyendo anemia y lesión hepática y renal, además de alteraciones gastrointestinales.

Algunos derivados de la pirimidina, la hidracida del ácido isonicotínico (isoniacida) y los compuestos relacionados, como los derivados isopropílicos, pueden conseguirse bajo diferentes marcas comerciales y son quimioterápicos usados ampliamente, eficaces, aunque algo neurotóxicos.

Antibióticos.[48] La estreptomicina fue el primer antibiótico que se usó para tratar la tuberculosis, y sigue siendo el que más se emplea. La mayor parte de los otros antibióticos eficaces para tratar enfermedades infecciosas agudas no son satisfactorios, pero se ha usado mucho la cicloserina (D-4-amino-3-isoazolidina), de amplio espectro, como quimioterápico eficaz.

Como indicamos con anterioridad, los diversos compuestos se usan comúnmente en combinación para tratar la tuberculosis y reducir al mínimo la aparición de variedades resistentes a los medicamentos.[31] Aunque es común darlos separadamente, se han preparado muchos compuestos o complejos de dos medicamentos bajo diversos nombres; se describen en otra parte (capítulo 5).

Actividad antibacteriana in vivo. La valoración de la eficacia quimioterapéutica de los medicamentos tuberculostáticos depende de la naturaleza y etapa de la infección. Por ejemplo, en la temprana, el desarrollo del bacilo es en gran parte intracelular, y la estreptomicina y el PAS no penetran en los macrófagos, en tanto que la isoniacida sí, y afecta los bacilos fagocitados; pero cuando el individuo es alérgico (véase luego), el crecimiento tiende a ser con mayor frecuencia extracelular. En forma similar, en lesiones tuberculosas los bacilos crecen más densamente en la periferia de la zona caseosa, y a medida que la lesión se expande quedan incluidos en el material caseoso y permanecen inactivos. La acción bacteriostática de los medicamentos no afecta apreciablemente a estos bacilos, y la concentración del compuesto en la sangre es más baja que en ese material. Por lo tanto, en un individuo en tratamiento puede persistir un foco de infección y causar una recaída, y la posible infección con bacilos resistentes a los medicamentos cuando se interrumpe la terapéutica. La persistencia intracelular de bacilos viables durante la quimioterapia quizá tenga poca importancia en la tuberculosis pulmonar, pero puede ser muy importante en la meningitis tuberculosa.

Auerbach[4] ha resumido las alteraciones anatómicas que suceden en la lesión tuberculosa durante la quimioterapia, y las agrupa como sigue: 1) mejoría rápida y extensa de la reacción perifocal; 2) notable disminución del grosor de las cápsulas fibrosas alrededor de los focos necróticos; 3) disminuye el grueso de la pared de la cavidad y de la pleura subyacente; 4) disminución de la fibrosis y enfisema pulmonar; 5) se reduce notablemente la propensión a hemorragias pulmonares masivas; 6) diferencia en la forma de cicatrizar las cavidades, y 7) aceleración de la cicatrización del proceso tuberculoso. Esto último es particularmente notable cuando el tratamiento se inicia tempranamente en la enfermedad, y se presenta como desarrollo acelerado de las fibrillas de la colágena y disminución correspondiente de las células y capilares del tejido de granulación alrededor del foco necrótico y las paredes de las cavidades tuberculosas. Las alteraciones varían algo según el quimioterápico.[67]

Inmunidad.[38, 68] La respuesta de inmunidad del cuerpo del animal a la presencia del bacilo tuberculoso está señalada por la aparición de aglutininas, precipitinas, opsoninas y anticuerpos fijadores del complemento en el suero. Sin embargo, esta respuesta no es intensa, porque estos anticuerpos se encuentran solo en título muy bajo. Los eritrocitos sensibilizados con tuberculina se aglutinan pasivamente, pero esta reacción solo parece tener valor diagnóstico o pronóstico limitado.

La respuesta inmunitaria más notable es la aparición de hipersensibilidad de tipo tardío a la substancia de la célula bacilar. Dentro de ciertos límites, esta respuesta alérgica protege contra la infección, como lo demostraron los primeros experimentos de Koch. Este autor comprobó que la inoculación subcutánea del cobayo normal con bacilos tuberculosos no produce una respuesta inmediata, pero que en 10 a 14 días se desarrolla un nódulo que se rompe para formar una úlcera tuberculosa persistente, y los ganglios linfáticos regionales se hinchan y caseifican. En el animal tuberculoso aparece una zona indurada en uno a dos días, y hay ligera necrosis con formación de una úlcera superficial, que cicatriza rápidamente sin desarrollo de tejido tuberculoso macroscópico o invasión de los linfáticos adyacentes por los bacilos. Esto se conoce como fenómeno de Koch.

Esta resistencia a la infección es relativa y no se observa a menos que la infección primaria tenga algunas semanas o se inyecten grandes cantidades de bacilos. Estudios experimentales efectuados con cobayos han demostrado que la inmunización aumenta la dosis infecciosa unas 1 000 veces.[13] Los animales pueden sensibilizarse, no solo infectándolos con bacilos virulentos, sino también inoculándolos con bacilos muertos o atenuados. La sensibilización con preparados de substancia de la célula bacilar es difícil y deben administrarse dosis muy grandes. Raffel[85] ha demostrado que la reacción resulta de inocular con proteína del bacilo de la tuberculosis combinada con una fracción cérea purificada, un éster de polisacáridos y alcoholes superiores con hidroácidos grasos; la proteína sola provoca una respuesta de inmunidad con formación de precipitinas. Se ha comprobado que una fracción proteínica separada por extracción con urea sensibiliza los animales,[37] y Youmans y colaboradores[135] han preparado un compuesto inmunizante eficaz de substancias subcelulares particuladas a partir de cepas virulentas humanas, y también de BCG, pero con mucho menor eficacia inmunizante. Fracciones de la sola pared celular también se ha comprobado que eran inmunógenas.[92]

La hipersensibilidad producida en esa forma es del tipo tardío típico de las alergias infecciosas. No puede traspasarse pasivamente con suero, pero puede pasarse con células de un animal hipersensible.

Tuberculina. El animal sensibilizado reaccionará a la substancia celular soluble del bacilo de la tuberculosis, cuyas preparaciones se han denominado tuberculina. La tuberculina suele prepararse a partir del bacilo del tipo humano, aunque la bovina es prácticamente tan activa como la humana en infecciones con bacilo humano; la tuberculina aviaria, aunque es considerablemente menos activa, también producirá reacción. Se han preparado diversas tuberculinas, de las que aquí solo vamos a describir algunas. La primera fue hecha por Koch; consistía en el filtrado de un cultivo de bacilos en caldo glicerinado concentrado por evaporación en baño maría a casi un décimo de su volumen original (la actividad es termostable). Este material es la tuberculina "original" o "antigua" (TO a TA). En 1897 Koch preparó una tuberculina "nueva" (TR-tuberculina residual) macerando bacilos virulentos vivos, extrayendo la masa con agua, y emulsionando después el residuo. Posteriormente propuso que se usara una emulsión (BE-emulsión bacilar o *Bazillenemulsión*) de todá la substancia de bacilos virulentos jóvenes en 20 por 100 de glicerol; una vacuna realmente. Denys introdujo el uso del filtrado sin alterar de cultivos en caldo (BF-broth filtrante o filtrado de caldo). Sin embargo, ninguno de estos nuevos preparados demostró ser superior a la vieja tuberculina, y la preparación original, o ligeramente modificada, es la usada ampliamente.

El principio activo de la tuberculina es de naturaleza proteínica, y el cultivo del bacilo tuberculoso en soluciones sintéticas de citrato-glicerol-asparagina, logrado por Long y Seibert, ha permitido estudiar el principio activo en preparados purificados. La actividad depende de diversas fracciones proteínicas; Seibert preparó una en forma cristalina. Una preparación más satisfactoria de peso molecular bajo, alrededor de 2 000, también fue aislada por Seibert mediante precipitación con ácido tricloracético. Denominada originalmente SOTT (synthetic medium old tuberculin trichloracetic acid precipitated), se conoce actualmente como PPD (purified protein derivative).[101]

Las cualidades respectivas de TA y PPD han sido tema de una serie de investigaciones. La TA es relativamente inestable en diluciones, mientras que la PPD, un polvo seco, se "diluye en seco" con lactosa y en esta forma se establece indefinidamente. La actividad de los diferentes lotes de TA varía; la de las preparaciones de PPD es relativamente constante. Parece que la PPD es tan satisfactoria como la TA que se usa actualmente y, por su estabilidad y actividad constante, algunos la consideran superior a la TA.

Reacción a la tuberculina. Se pueden obtener tres tipos de reacción en el animal sensibilizado, o sea infectado, al inyectarle tuberculina. Además de una reacción inflamatoria local en el sitio de inoculación, hay una focal que se manifiesta por congestión aguda alrededor del foco tuberculoso que, si es intensa, puede agravar el proceso patológico; y una reacción general en la que se eleva la temperatura a un máximo de 39°C a 40°C y remite en 12 a 18 horas. En el hombre, la reacción general incluye también malestar, dolor en los miembros, quizá vómitos, disnea y otros síntomas. Estas reacciones no aparecen en animales normales. Por lo tanto, la utilidad de la tuberculina es doble; puede usarse con fines diagnósticos y tiene valor terapéutico, aunque el último es muy limitado.

La prueba diagnóstica de tuberculina en el hombre suele ser una prueba cutánea. El método original de Koch consistía en inyectar tuberculina por vía subcutánea. La cutirreacción de von Pirquet consiste en frotar tuberculina sobre la piel escarificada. En la prueba de Mantoux, la que se usa más hoy en día, se inyectan por vía intradérmica dosis graduales de tuberculina, comenzando usualmente con 0.01 mg de TA y aumentando hasta 1.0 mg, incluso 10 mg en raras ocasiones (se supone que 0.1 ml de una dilución al 1:100 de TA contiene 1 mg; la estandarización de nuevos grupos es biológica y se realiza en cobayos infectados con bacilos virulentos). De la PPD se usan cantidades menores, ya que es seca y en forma pura; por lo general, 0.00005 a 0.005 mg. Vollmer ha introducido una "prueba del parche" en la que se fijan cuadros (0.8 cm de lado) de papel de filtro delgado, impregnados con tuberculina unas cuatro veces más fuerte que la tuberculina original y secos, en la piel limpia, sobre el esternón o porción superior del trapecio. La prueba del parche parece ser algo menos sensible que la de Mantoux. Como todas estas pruebas son cutáneas solo se observa reacción inflamatoria local en personas infectadas. Sin embargo, está comprobado que las pruebas de·tuberculina repetidas pueden causar sensibilidad local en personas no infectadas.[42]

En niños menores una prueba de tuberculina positiva debe considerarse indicadora de infección. La reactividad puede disminuir temporalmente en determinadas condiciones, especialmente durante la incubación y las primeras fases del sarampión, o por inmunización contra él.[116] Antiguamente se creía que, una vez establecida, la hipersensibilidad persistía prácticamente toda la vida, y que la reacción a la tuberculina tenía valor limitado en el adulto. Sin embargo, se ha visto que la reversión es más frecuente de lo que se suponía, en particular con disminución de la frecuencia de la enfermedad, y por lo tanto del riesgo de reinfección.[60]

La prueba de la tuberculina es de gran importancia diagnóstica en el ganado y se ha usado ampliamente en Estados Unidos de Norteamérica, algo menos en otras partes. Pueden usarse tres tipos de prueba: la intradérmica; la reacción oftálmica de Calmette, en la que se pone una gota de tuberculina en la conjuntiva y el animal reactivo responde con congestión difusa y edema en seis a ocho horas, que desaparece en 24 a 36 horas, y la reacción general, indicada por un aumento en la temperatura después de inyectar tuberculina. En Estados Unidos de Norteamérica suele practicarse la inoculación por vía intradérmica en la piel del pliegue caudal.

El valor terapéutico de la tuberculina puede observarse directamente en el lupus o infección tuberculosa de la piel. Como ya indicamos, hay una reacción alrededor del foco de infección, manifiesto por congestión aguda y esfacelo del tejido. Cuando se introdujo inicialmente, muchos consideraron que la tuberculina era un agente terapéutico específico muy eficaz para la tuberculosis. Sin embargo, su uso es extremadamente peligroso y, con excepción del lupus, la respuesta de la infección tuberculosa a la inyección de tuberculina ha sido desalentadora.

Mecanismo de inmunidad. La infección con bacilo tuberculoso confiere una protección definitiva contra una reinfección, una "inmunidad para la superinfección" semejante a la que se observa en la sífilis. Todavía no se han aclarado los factores que la originan. Algunos autores consideran que la aparición de estado alérgico indica inmunización eficaz. Es común observar que en individuos con reacción positiva a la tuberculina las células vivas suelen estar libres de bacilos tuberculosos y las bacterias se encuentran en zonas necróticas, separadas por una barrera avascular, mientras que en el individuo infectado con reacción negativa los bacilos se encuentran en grandes cantidades en los tejidos vivos. Los anticuerpos formados al parecer no son importantes, y los antisueros no tienen propiedades protectoras o curativas. Como ya indicamos, la respuesta más clara a la infección es la aparición de hipersensibilidad, y no hay duda de que esta interviene en la resistencia adquirida, como lo indicaron los primeros estudios de Koch. Sin embargo, su relativa importancia no es muy clara, y el mecanismo de lo que parece ser una inmunidad de bajo grado y de poca duración, todavía es tema de especulación.

Inmunización activa. Desde que se descubrió el bacilo tuberculoso ha habido gran interés por inmunizar activamente contra la enfermedad. En general, se han empleado dos tipos de vacunas, suspensiones de bacilos vivos atenuados y las que los contienen muertos.[80]

Se ha considerado que la cepa bovina atenuada de Calmette, BCG, es el agente inmunizador más prometedor, y se ha estudiado ampliamente. Originalmente se administró en Francia en los primeros años de la década 1920 como vacuna por vía bucal. Sin embargo, la combinación de datos estadísticos incorrectos y un incidente en Lübeck, Alemania, en el que se substituyó inadvertidamente la cepa de la vacuna por una virulenta, causando tuberculosis en las personas inoculadas, la desprestigió. Pero la inmunización con BCG se estudió más en los países escandinavos, comenzando en Suecia en 1925, y en Noruega y Dinamarca en 1927. Las vacunas recién preparadas tienen una vida útil relativamente corta, tal vez de siete a 10 días, pero las liofilizadas esta-

bilizadas por adición de dextrán o glutamato, después de perder inicialmente cierta viabilidad, son estables por un año cuando se conservan a 20°C o menos. Se ha preparado una vacuna termostable, que resiste por largo tiempo sin almacenamiento a temperaturas de refrigerador.[125] La vacuna se administra por vía intracutánea en dosis de 0.05 a 0.15 mg, y en seis a diez semanas aparece en más del 90 por 100 de los inoculados una reacción positiva a la tuberculina. La hipersensibilidad dura cerca de cuatro años, aunque en algunas personas hay reversión al año. Basándose en que una reacción positiva a la tuberculina indica inmunidad, se considera que la reversión señala la necesidad de reinocular.

Hay un gran número de pruebas [12] que apoyan la conclusión de que esa inmunización da un grado apreciable de protección contra la tuberculosis de la infancia, pero no se sabe si protege contra una infección en años posteriores. Sin embargo, algunos creen que la inmunización utilizando vacuna viva, cuya virulencia quizá no sea estable, es peligrosa, y que no puede tenerse confianza en la respuesta inmunitaria del recién nacido y el lactante inmaduro; de hecho, ha habido casos mortales de infección con BCG, pero sorprende que no hayan sido más en vista de los muchos millares de inoculaciones que se han llevado a cabo.

La inmunización se ha aplicado con mucha profusión en los países escandinavos (donde es probable que se sobreestime su efecto en la disminución de la tuberculosis) menos en Europa, y solo en forma restringida en Estados Unidos de Norteamérica. En tanto que un programa general de inmunización puede ser útil como medida de control en regiones donde la enfermedad está diseminada y no es práctica la aplicación general de quimioterapia, aislamiento, etc.,[89] su utilidad al parecer es limitada, como en los grupos expuestos a riesgos de infección excepcionales en Estados Unidos de Norteamérica.[88]

Patogenicidad para animales inferiores. La tuberculosis de animales inferiores que viven libres probablemente sea muy rara. Sin embargo, los que viven en cautiverio pueden contraer la infección con cierta facilidad; la tuberculosis no es rara en los animales que viven en zoológicos y en los monos que hay en laboratorios con fines experimentales. Los animales domésticos también pueden afectarse. Es posible infectar experimentalmente diversos animales con cualquiera de los tipos de bacilos de la tuberculosis.

Animales domésticos. Los que se infectan más comúnmente son reses, cerdos y pollos. Las reses se infectan con el bacilo tipo bovino casi exclusivamente; no son totalmente resistentes al tipo humano, como pensó Koch, pero la infección se consigue con alguna dificultad. La proporción de infección aumenta con la edad y, sin medidas de control, puede llegar al 70, 90, y posiblemente al 100 por 100 en animales guardados en establos. La infección común suele ser de naturaleza crónica, lentamente progresiva. Los linfáticos están afectados con gran frecuencia y quizá sean los únicos tejidos que muestran lesiones; también es común que se afecten los pulmones. Las lesiones en la pleura tienen aspecto peculiar característico, la llamada enfermedad *perlsucht*. Hígado, bazo y riñones se invaden con menor frecuencia, no es rara la infección de las glándulas mamarias, y los bacilos de la tuberculosis pueden excretarse con la leche en ausencia de lesiones visibles en las mamas. Con cierta frecuencia se observa en el ganado la tuberculosis congénita. En Estados Unidos de Norteamérica se controla rigurosamente la tuberculosis en el ganado; se examinan anualmente más de nueve millones de reses, y el porcentaje de ganado infectado es de 0.19, con 1.4 a 1.6 de rebaños contaminados.

La tuberculosis en los pollos es muy común, exclusivamente con la variedad de bacilo aviario. Con excepción de los loros y ciertas aves de rapiña, los pájaros son muy resistentes a la infección con las variedades humana y bovina y es probable que la infección natural con estos tipos sea rara, si es que existe. La tuberculosis de los pollos suele ser un proceso crónico, caracterizado por la formación de nódulos en las vísceras abdominales. Los pulmones se afectan con menor frecuencia.

Los cerdos sufren la infección natural con bacilos bovino y aviario que provienen de reses y aves de corral infectados; también son sensibles a la variedad humana. En cerdos jóvenes la infección con bacilos bovinos es generalizada y aguda, con lesiones en tejido linfoide, vísceras abdominales y pulmones. La infección con bacilo humano suele ser localizada, pero el tipo aviario puede producirla generalizada.

Otros animales domésticos padecen tuberculosis en mucho menor grado. Los caballos, perros y gatos se infectan ocasionalmente, y la enfermedad es rara en ovejas y cabras.

Animales de experimentación. La susceptibilidad de los animales de experimentación es variable para los tipos de bacilo de la tuberculosis y por la forma de infección que se produce. El cobayo es muy susceptible a los bacilos humanos y bovinos, y muere después de inyectarle por vía subcutánea dosis pequeñas, en seis a 15 semanas. Ganglios linfáticos, bazo e hígado son los más afectados; los pulmones

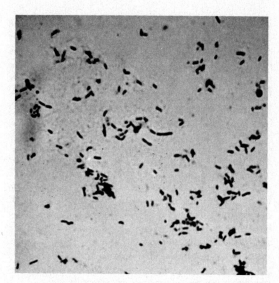

FIG. 30-4. Bacilo de la tuberculosis aviaria. Tinción acidorresistente de un frotis de cultivo puro. × 1 050.

solo ligeramente, los riñones nunca. Las características más notables de las alteraciones anatomopatológicas macroscópicas y peculiares en el cobayo son las zonas necróticas en bazo e hígado. Rara vez se ven verdaderos tubérculos, excepto en etapas muy tempranas de la enfermedad.

Los conejos son muy susceptibles a la infección con bacilos bovinos, un poco menos al bacilo aviario, y resisten bastante a la variedad humana. La inyección de bacilos bovinos produce una infección generalizada, que termina con la muerte en dos o tres meses. En la necropsia pueden encontrarse tubérculos en bazo e hígado, pero las lesiones son más notables en pulmones y riñones, e incluso limitarse a los mismos. Dosis muy grandes de bacilos humanos (10 a 50 mg por vía intraperitoneal) pueden producir una infección progresiva, pero no la enfermedad miliar aguda mortal. El bacilo de la tuberculosis de los mamíferos, que no puede diferenciarse con métodos de cultivo o serológicos, puede diferenciarse con precisión por su patogenicidad para estos dos animales de experimentación.

Ni el conejo ni el cobayo son particularmente sensibles a la infección con bacilo aviario, aunque

Características de las variedades de bacilos de la tuberculosis

	FISIOLOGIA				PATOGENICIDAD		
Variedad	Temp. óptima	Rapidez de crecimiento	Pigmento	Estimulación por glicerol	Cobayo	Conejo	Pollo
Humana	37°C	eugónica	+	+	+ + + +	±	−
Bovina	37°C	disgónica	−	−	+ + + +	+ + + +	−
Aviaria	40-42°C	rápida	+	+	+	+ +	+ + + +

la tuberculosis que este produce puede provocarse en el conejo. El cobayo puede matarse con grandes dosis por vía intraperitoneal, pero en la necropsia no se ven tubérculos macroscópicos, mas los cultivos y frotis de hígado y bazo muestran bacilos. Esta forma de tuberculosis, proliferación de bacilos sin formación de tubérculos macroscópicos, se conoce como tuberculosis de tipo Yersin.

Las infecciones experimentales en el ratón inoculado con la variedad humana de bacilos de la tuberculosis han sido estudiadas en gran parte por Youmans y colaboradores.[137] Estos autores han comprobado que el tiempo de supervivencia medio de los animales infectados es función lineal del logaritmo de la dosis, y que el tiempo de generación del bacilo de la tuberculosis en este animal es de cuatro a seis días in vivo comparado con 14 horas in vitro. Estos estudios precisos han hecho que el ratón sea un animal de experimentación valioso, usado ampliamente en trabajos sobre quimioterápicos.

Epidemiología.[56, 133] La tuberculosis en el hombre es en gran parte una infección de origen aéreo. La diseminación por la leche es hoy en día de menor importancia en Estados Unidos de Norteamérica. La enfermedad es propia de la civilización, porque su transmisión se facilita con las aglomeraciones. La frecuencia de reacciones positivas a la tuberculina se eleva rápidamente desde cero en el recién nacido hasta la pubertad, y muchos adultos han estado infectados en una u otra época. En la mayoría no se ha desarrollado tuberculosis clínica y las lesiones han cicatrizado. Se desconoce la proporción de personas con tuberculosis clínica activa; en algunas investigaciones se ha encontrado que la relación entre casos y muertes se eleva hasta 10:1 ó 12:1, pero la de casos controlados y muertes no es mucho mayor de la mitad de las cifras anteriores. Por lo tanto, no puede definirse con precisión la frecuencia de la tuberculosis. También es apreciable la tuberculosis activa descubierta en autopsias; en 1960 el 4.4 por 100 de los casos de Nueva York, y en 1963 el 10 por 100 de los casos de Baltimore, solo se descubrieron después de la muerte.[110]

Hay notables diferencias raciales en la frecuencia de tuberculosis. El índice de muertes en los negros en Estados Unidos de Norteamérica es considerablemente mayor que en la población blanca, aunque la frecuencia de tuberculosis clínica en las dos razas no sea muy diferente. Ha sido un aspecto muy interesante investigar si este porcentaje mayor de muertes depende de condiciones ambientales o es atribuible en parte a diferencias raciales de susceptibilidad. Al respecto, es particularmente interesante la experiencia en el ejército de Estados Unidos de Norteamérica. En los años de 1922 a 1936 el promedio de morbilidad en blancos era de 2.10 por 1 000 y en negros de 2.56, una relación de 4:5; el índice de muertes en blancos era de 0.24 y en negros de 0.99, una proporción de 1:4; y las proporciones entre muertes y casos era de 8.75 para los

blancos y 2.61 para los negros. En las condiciones de control establecidas, sea examen físico preliminar, edad y selección de sexo, las mismas condiciones de habitación e idénticas facilidades de diagnóstico y tratamiento, parecería que si bien la frecuencia de tuberculosis clínica no es mayor en el negro, sí lo es la mortalidad, y la mayor susceptibilidad señalada sí es consecuencia de factores raciales más que ambientales. Durante la segunda guerra mundial, a la vez que constituyeron cerca del 10 por 100 del ejército de Estados Unidos de Norteamérica, los negros contribuyeron con el 43.4 del total de muertes por tuberculosis. Hay pruebas de que razas de hombres menos bien definidas difieren en su resistencia a la tuberculosis; los judíos e italianos parecen ser más resistentes que los irlandeses.

La tuberculosis ha estado disminuyendo en proporción relativamente rápida y sostenida desde 1850, más o menos, según indica la disminución en el porcentaje de muertes por esta enfermedad.[41] Como sucede con otras, la disminución se inició antes de descubrirse la etiología bacteriana de la enfermedad y desarrollarse medidas preventivas; por lo tanto, no es completamente atribuible a la práctica de la medicina preventiva.

La disminución no ha sido la misma en los diversos grupos de edad como en los dos sexos. El porcentaje de muertes es superior en los grupos de muy poca edad, uno a dos años, cae rápidamente en el de cinco a nueve, y sube hasta un máximo en la vida adulta temprana, 20 a 24, para disminuir, en años recientes, con un pequeño máximo secundario entre los 45 y 54 años (tuberculosis de la vida adulta tardía). La disminución de tuberculosis en el siglo actual ha sido relativamente alta en los muy jóvenes, consecuencia indudable de las medidas de prevención.

La distribución por sexo del porcentaje de muertes por tuberculosis en los diversos grupos de edades es un fenómeno curioso y no explicado. La proporción de muertes en varones en todas las edades es mayor que la de mujeres. En adultos jóvenes, el grupo de 15 a 29 años, la proporción en mujeres es considerablemente mayor que la de varones. En los grupos de mayor edad el porcentaje de muertes en varones aumenta proporcionalmente, y excede al de las mujeres por el resto de la vida. En mujeres en los grupos de mayor edad ha disminuido algo más rápido que la de los hombres. No hay ninguna explicación de la disminución que se ha observado en la mortalidad por tuberculosis. Es probable que una parte importante dependa del aislamiento de los casos activos para disminuir la fuente de infección, junto con mejores condiciones ambientales y nutritivas de vida. Esta disminución suele tomarse como manifestación de la incapacidad de una enfermedad para reproducirse, y hace predecir que desaparecerá. Sin embargo, no debe ser así necesariamente y en Estados Unidos de Norteamérica ha aumentado el número de casos nuevos controlados desde 1940. Por ejemplo, entre los años de 1940 a 1947 el número de muertes disminuyó en un 20 por 100, en tanto que la cifra de nuevos casos informados aumentó de 100 772 en 1940 a 133 837 en 1947, y después disminuyó a 55 494 en 1960.[41]

En Estados Unidos de Norteamérica, en Inglaterra, y en los países escandinavos, parece haber una reserva mínima de tuberculosis activa sin diagnosticar del tipo de vida adulta tardía, concentrada en los grupos de más de 45 años, que está aumentando.[77, 90, 96] Por ejemplo, en la Ciudad de Nueva York la proporción de nuevos casos y muertes en personas de más de 45 años aumentó al doble en el periodo de 20 años anterior a 1950, y el 65 por 100 de todas las muertes fue en personas mayores de 45 años, de las cuales el 85 por 100 eran varones. Si esto representa un remanente de porcentajes mayores en la vida temprana, disminuirá; pero si es consecuencia de supresión de la enfermedad en personas de otra manera susceptibles por factores ambientales, puede aumentar la reserva de tales personas. Esto representa una fuente de infección para una población que se está haciendo cada vez más susceptible a consecuencia de la disminución de infecciones inmunizantes.

MYCOBACTERIUM LEPRAE (BACILO DE HANSEN) [20, 30, 112]

La lepra, como la tuberculosis, es una enfermedad vieja del hombre. La primera descripción precisa de este padecimiento en la India fue en el Sushruta Samhita, cerca de 600 a. C.; [111] se conocía en Egipto en tiempo de los faraones y en China en el siglo V a. C. Quizá más frecuente en la antigüedad, hoy en día es más común en Africa Central, India, Japón, y otros países asiáticos y del sur del Pacífico. La enfermedad predomina en América del Sur, con centros endémicos en Brasil, Colombia y Argentina. Se estima [11] que en Brasil hay 80 000 casos, en México 50 000, en Argentina 16 000, en Colombia 12 000, en Paraguay 10 000, en Cuba 6 000, y 3 400 en Perú. En Europa es relativamente rara, y en Letonia, Estonia, sur y oriente de Rusia y costas del Mediterráneo se observan casos esporádicos. En el mundo hay 2 831 776 pacientes declarados, y se estima en 10 786 000 el total de casos, aunque esta cifra puede ser menor de la real.[6]

La lepra se ha introducido en Estados Unidos de Norteamérica, con diversas consecuencias. En Louisiana, Florida y Texas, los casos importados han establecido focos en los cuales la enfermedad tiene tendencia a perpetuarse, mientras que en California y en el noroeste tiende a desaparecer. En cualquier otra parte del país la transmisión es tan rara que no vale la pena considerarla.[4] Se estima que en ese país hay 500 a 1 000 leprosos, muchos de ellos aislados en el leprosario nacional de Carville, Louisiana; la mayoría de los restantes viven en California y Nueva York.

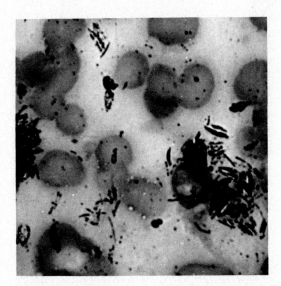

FIG. 30-5. Bacilo de la lepra. Frotis teñido para acidorresistentes, de una lesión en la piel. Obsérvese la tendencia característica de los bacilos a semejar la disposición en paquetes. $\times$ 1 800.

Hansen descubrió los bacilos, en 1872, en las células epitelioides redondas que suelen conocerse como células de la lepra; fue una de las primeras observaciones de una bacteria patógena.

Morfología y tinción.[114] Los bacilos de la lepra semejan morfológicamente los de la tuberculosis. Son bastones largos (6 μ), delgados, por lo general rectos, a veces ligeramente curvos; en ocasiones se observan algunos en forma de maza.[131] Son inmóviles y no forman esporas. Suelen observarse dentro de las células, pero en ocasiones se encuentran libres en los espacios linfáticos. Su disposición dentro de las células es característica; generalmente se agrupan varios bacilos juntándose en manojos como paquetes de cigarros. En las células que se suponen viables hay cápsulas, pero se destruyen usando fucsina fenicada caliente para teñirlos.[54]

La reacción de tinción de estos microorganismos es muy semejante a la de los bacilos de la tuberculosis. Se tiñen algo más fácilmente que estos, e incluso se decoloran más rápidamente con los ácidos, pero la diferencia no es bastante para distinguirlos. En frotis para diagnóstico se descubren ambos tipos de células, teñidas uniformemente y sin uniformidad; solo las primeras se consideran viables según la infección del extremo de la pata del ratón [73] (ver luego). La presencia de grandes números de bacilos dentro de las células, junto con las características clínicas de la enfermedad, permiten sin dificultad la diferenciación. Por su carácter de tinción acidorresistente y su semejanza morfológica con los bacilos de la tuberculosis y bacterias similares, estos bacilos se incluyen con las micobacterias y se denominan *Mycobacterium leprae.*

Cultivo. Durante muchos años los bacteriólogos de todo el mundo intentaron sin éxito cultivar el bacilo de Hansen en medios artificiales. Algunos investigadores han informado resultados positivos. En la mayor parte de casos se han cultivado bacilos acidorresistentes, pero en otros se han encontrado diversos microorganismos, incluyendo difteroides, actinomicetos y bacilos anaerobios. Algunos investigadores han sugerido que los bacilos acidorresistentes que se encuentran en las lesiones leprosas solo representan una etapa de un ciclo de desarrollo, y que fuera del organismo aparecen otras formas. En la actualidad hay algunos cultivos en diversos laboratorios, etiquetados *Myco. leprae.* Parece muy probable que ninguna de estas bacterias sea bacilo de la lepra en cuanto a su relación etiológica con la enfermedad en el hombre. Es muy probable que se agrupen mejor con las formas saprófitas acidorresistentes, como los bacilos del esmegma y del pasto.

Entre los estudios más recientes sobre aislamiento de bacilos de la lepra se encuentran los de Souza-Araujo,[115] quien ha aislado bacilos acidorresistentes que han producido reacciones interesantes inoculados al mono.

Freire[50] ha cultivado bacilos semejantes en cultivos en portaobjetos. Ha habido algunos informes en cultivo, persistencia con algunas divisiones celulares aparentemente, en cultivos de tejidos.[5, 40]

Patogenicidad. Aunque puede estar afectado cualquier órgano o tejido del hombre con diversos resultados, suelen identificarse dos tipos diferentes de lepra —la nodular y la anestésica. La primera, que es la más aguda, se caracteriza por el desarrollo de masas de tejido de granulación, el llamado leproma, que puede aparecer superficialmente en diferentes partes del cuerpo, y por crecimiento y coalescencia produce distorsión y mutilaciones. El tipo anestésico, o lepra nerviosa, evoluciona con mayor lentitud, siendo la duración promedio de los casos casi el doble (18 años) de la de tipo nodular; se conocen algunos en que ha sido de más de 35 a 40 años. Las lesiones nerviosas se acompañan de atrofia muscular y otras alteraciones trópicas.

En ambos tipos de lepra se encuentra siempre bacilo de Hansen; generalmente en grandes cantidades en las lesiones de lepra nodular, con menor abundancia en el tipo anestésico. Se observan muy pocos bacilos fuera del cuerpo celular, y se encuentran en el citoplasma sin invadir el núcleo. Casi cualquier parte del cuerpo puede ser asiento del crecimiento leproso; los riñones suelen estar invadidos, el hígado y bazo siempre. Se han visto bacilos en el sistema nervioso central; en ocasiones se encuentran en la sangre, generalmente en los leucocitos pero a veces libres.

Hay diversas clasificaciones de la enfermedad clínica.[17, 27, 66, 93]

Infecciones experimentales. Hasta hace relativamente poco no fue posible producir lesiones con multiplicación de bacilos leprosos en animales de experimentación inoculándoles material leproso. Se ha comprobado que la inoculación de los extremos

Proporción relativa de los tipos de lepra *

Región	Tipo nervioso (porcentaje)	Tipo lepromatoso (porcentaje)
Africa	90.5	9.5
Filipinas	50.5	50.0
México	40.0	60.0
Java	29.0	71.0

* Datos de Lowe: Proc. Sixth Pacific Sci. Congr., 5: 921, 1942.

de las patas de los ratones logra un aumento en el número de los bacilos después de un tiempo relativamente largo.[87, 104] El tipo lepromatoso de la lepra puede producirse en el extremo de la pata del ratón que ha sufrido inmunosupresión por timectomía e irradiación.[86] La infección es transmisible y se inhibe por inmunización previa con BCG[107] o con medicamentos antituberculosos.[109] Se han producido infecciones similares en cricetos,[35, 129] tanto en las patas como en las orejas, y está comprobado que la temperatura óptima para el crecimiento de los bacilos es más baja que la temperatura corporal.[106] Se ha sugerido que el fracaso que durante tanto tiempo se sufrió intentando producir infección experimental por inoculación de material leproso humano debía atribuirse no solo a temperaturas desfavorables en los tejidos profundos sino también al empleo de material de tipo tuberculoide o lepromatoso de la enfermedad humana. Tal material puede contener gran número de formas bacilares terminales muy maduras, más que bacilos verdaderos como se encuentran en casos límites, más fácilmente adaptables a otro huésped.[34]

Transmisión. Antes de descubrirse la infección en el extremo de la pata del ratón para llenar los postulados de Koch, la etiología de la lepra seguía siendo dudosa. Los datos indirectos que indicaban contagiosidad de la infección no eran muy convincentes, debido, en parte, al periodo prolongado de la enfermedad, y, en parte, a las dificultades prácticas para llevar a cabo estudios controlados en áreas donde la morbilidad es suficientemente elevada. Sin embargo, estudios más recientes efectuados en 4 383 pacientes de Madrás, han demostrado la transmisión de la enfermedad de hombre-a-hombre con la mayor infecciosidad del tipo lepromatoso.[76] En estudios efectuados en Estados Unidos de Norteamérica, donde la enfermedad es suficientemente rara para que no quede duda del origen de la infección en contactos familiares, se han reunido datos suficientes en los hospitales del Servicio de Sanidad Pública de San Francisco y de Carville, Louisiana, para permitir el análisis.[21, 46] La proporción de infecciones en 198 contactos familiares se comprobó que era de 81 por mil, y en Texas, de 20 por mil.

FIG. 30-6. Frecuencia de la lepra en Estados Unidos de Norteamérica, según los casos declarados para por 100 000 habitantes durante el periodo de 1951-1970. (Morbidity and Mortality Weekly Report, Annual Supplement, vol. 19, 1970. Center for Disease Control, U. S. Public Health Service.)

La índole contagiosa de la enfermedad, parece confirmada por el éxito que ha logrado el aislamiento y la segregación de los leprosos. La experiencia noruega demostró que un sistema cuidadoso, pero no excesivamente riguroso, de separación, se acompañó de una disminución del número de casos desde 2 870 en 1 856, a 7 casos en 1946.[127] Hasta donde sepamos, el leproso es el medio más importante de difusión de la enfermedad.

Los bacilos muchas veces pueden descubrirse en las secreciones nasales, a como ocurre con el esputo tuberculoso. Aunque se ha observado cierta tendencia a no culpar al moco nasal como fuente de infección, estudios más recientes indican la importancia de tales secreciones; el número de bacilos leprosos eliminados diariamente resulta muy similar al de bacilos tuberculosos en el esputo.[105] Otro problema es saber si el área nasal representa una zona primaria de infección.[19] Para fines diagnósticos son preferibles no solo los frotis nasales, sino la incisión con raspado de piel de diversas localizaciones para preparar tales frotis,[52, 83] según la técnica de Carville, que puede permitir el diagnóstico de infecciones macroscópicamente inadvertidas.[62]

Quimioterapia.[36, 108] Las semejanzas entre los bacilos acidorresistentes observados en la lepra y el bacilo de la tuberculosis sugirieron inevitablemente el uso de medicamentos eficaces en la tuberculosis para tratar la lepra. De estos, los mejores han sido las sulfonas, que suelen lograr una mejoría clínica rápida y bacteriológica más lenta. Hay cierta tendencia a las recaídas después de suprimir la quimioterapia. Se considera como medicamento de elección la diaminodifenilsulfona (DDS, Dapsona), y la actividad de diversos derivados al parecer puede atribuirse al grado en que se transforman en los compuestos originales in vivo. Las tiosemicarbazonas parecen bastante eficaces, pero menos que las sulfonas, y se consideran útiles como alternativa cuando estas no se toleran. El ácido paraaminosalicílico tiene poca actividad quimioterápica y los estudios preliminares con la hidracida del ácido nicotínico no han sido alentadores. La estreptomicina tiene actividad quimioterápica apreciable, pero resulta que es muy tóxica por el tiempo de administración, necesariamente largo.

Inmunidad.[29] El hombre es muy resistente a la infección con bacilo de la lepra, y, después de establecerse esta, la enfermedad es un proceso especialmente benigno que puede necesitar muchos años para que termine en muerte; de hecho, muchos leprosos mueren por otras causas. Poco se sabe de la respuesta inmunitaria específica. Sin embargo, los leprosos desarrollan hipersensibilidad a la substancia celular de bacilos acidorresistentes como los de la tuberculosis y las diversas especies saprófitas. Muir[78] ha sugerido que los bacilos acidorresistentes existen como serie continua en cuanto al parasitismo, variando de las formas saprófitas, a través de las cromógenas que se encuentran ocasionalmente asociadas con la enfermedad, los bacilos de la tuberculosis con clara especificidad de huésped, al bacilo de la lepra que parece incapaz de vivir fuera del tejido huésped. Quizá sea una consecuencia de las relaciones inmunológicas entre los bacilos acidorresistentes un hecho: parece existir una exclusión mutua entre lepra y tuberculosis.[18, 53] Con la aplicación beneficiosa de BCG contra la tuberculosis, y la sensibilidad común de los leprosos y los tuberculosos a la tuberculina, se planteó el problema de la posibilidad de proteger contra la lepra mediante vacuna BCG. Que esto podía ser bueno, lo indicaba la protección que confería esta vacuna contra la infección del extremo de la pata del ratón,[107] y datos dispersos de informes familiares.[46] Un estudio de tres años de tal vacunación en niños, efectuado en Burma por la Organización Mundial de la Salud,[8] fracasó, pues no demostró una protección manifiesta —ejemplo de resultados negativos al aplicar a la enfermedad humana experimentos en animales.[7]

Puede producirse una respuesta humoral específica de anticuerpo, pero no es intensa, por lo menos con los antígenos preparados necesariamente de material lepromatosc.[2] Las respuestas inmunes observadas son más bien de tipo celular o mediado por células;[124] y, sobre todo en el caso de la lepra lepromatosa, tienden a recordar una respuesta autoinmune.[128] Una respuesta inmune posiblemente no específica, se manifiesta por la reacción positiva de Wassermann y pruebas diagnósticas similares para la sífilis en ausencia manifiesta de esta. No sabemos todavía la significación de la presencia del antígeno Australia, o antígeno asociado con hepatitis (HA) descubierto en la hepatitis[15] (capítulo 38), como tampoco de la frecuente actividad anticomplementaria de los sueros de leprosos.

Lepromina.[55, 122] La hipersensibilidad que desarrolla el leproso puede demostrarse inoculando por vía intradérmica una substancia preparada de nódulos leprosos.[121] Se observan dos reacciones, una temprana que ocurre al cabo de tres o cuatro días, y la reacción tardía que aparece tres o cuatro semanas después de la inoculación. La primera es la reacción de Fernández, la segunda la de Mitsuda. Algunos autores consideran que esta última expresa inmunidad, pero no específica, ya que se presenta en la tuberculosis y la provoca la inmunización con BCG.

MYCOBACTERIUM LEPRAE MURIUM

Stefansky describió, en 1903, una enfermedad natural que se observa en ratas salvajes en Odesa, conocida comúnmente como lepra de las ratas, y caracterizada por grandes cantidades de bacilos acidorresistentes en las lesiones. Dean observó la enfermedad el mismo año, demostrando posteriormente que era transmisible. Desde entonces se ha observado en las ratas salvajes de todo el mundo.[47]

Los bacilos acidorresistentes se parecen estrechamente al de la lepra en tamaño y forma, y se encuentran dentro de las células pero no tan a menudo dispuestos en paquetes de bacilos paralelos.[25] *Myco. leprae murium* no se ha cultivado en medios artificiales[64] pero se ha observado[24, 51] que persiste a través de algunas divisiones celulares en cultivos de tejidos. Se ha señalado también, que se produce

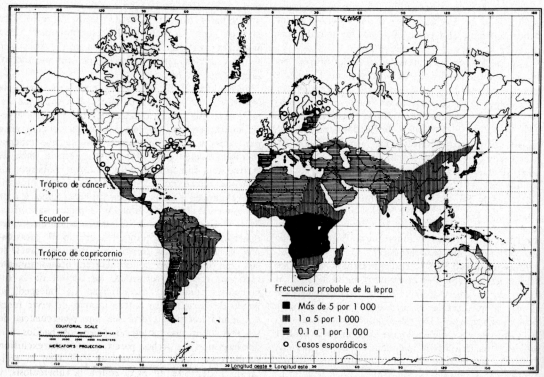

FIG. 30-7. Frecuencia probable de la lepra en el mundo. Basado en Goode *Base Map* No. 201 M. Con permiso de University of Chicago Press. (Según Saunders.)

multiplicación de bacilos de la lepra, en cámaras de difusión impermeable para células introducidas en el ratón, o en cultivos de placa de Petri, en capa delgada, empleado macrófagos peritoneales de ratón, lo cual sugiere que el medio intracelular quizá no sea esencial para el crecimiento.[94] Sin embargo, la enfermedad puede transmitirse a ratas blancas, ratones y cobayos, inoculándose con pedazos de tejido. Los ratones salvajes son muy poco susceptibles, y la inoculación por vía subcutánea solo da por resultado un granuloma pasajero.[82] La infección experimental es proceso relativamente benigno. Después de la inoculación por vía subcutánea aparece una lesión local, circunscrita, que resulta palpable en cuatro a cinco semanas, y se desarrollará en una masa tumoral voluminosa, ulcerada en la superficie, que persistirá toda la vida de la rata. Las lesiones tempranas en otros órganos no aparecen antes de cuatro a seis meses, y el animal muere después de un año o más.[23]

No se conoce la relación entre la lepra de la rata y la humana. Las ratas no son susceptibles a la inoculación con material leproso humano.

OTROS BACILOS ACIDORRESISTENTES

Mycobacterium paratuberculosis. Una enteritis crónica del ganado que suele ser mortal depende de un bacilo acidorresistente muy semejante a la variedad aviaria del bacilo de la tuberculosis. La enfermedad se denomina en ocasiones enfermedad de Johne, y el bacilo de Johne, en honor de su descubridor. La enfermedad semeja poco la infección tuberculosa. Las lesiones en la pared intestinal son proliferativas, y el tejido granulomatoso puede contener células epitelioides, a veces células gigantes, pero no hay caseificación.

La enfermedad parece estar muy diseminada en Estados Unidos de Norteamérica. El ganado infectado se hace hipersensible a la substancia bacilar, y los filtrados de cultivos producen una reacción cutánea semejante a la de la tuberculina, que se llama "reacción de johnin". No se ha observado ningún caso de infección humana con *Myco. paratuberculosis*.

Bacilo del ratón silvestre. Wells descubrió en 1937 un bacilo acidorresistente responsable de una enfermedad epizoótica, crónica del ratón silvestre, *Microtus agrestis*, parecida a la tuberculosis. Semeja muy estrechamente al bacilo de la tuberculosis en cultivos, aunque no forma pigmento y su crecimiento no se estimula con glicerol. Es patógeno para cobayos y conejos, considerablemente más para este, y no es patógeno para las aves de corral. Se ha sugerido que es un tipo distinto de bacilo de la tuberculosis de mamíferos, y debe llamarse *Myco. tuberculosis* var. *muris*. Este microorganismo ha sido de particular interés porque, si bien solo produce una infección localizada y retrogresiva cuando se inocula en pequeñas dosis a cobayos y becerros,

produce sensibilidad a la tuberculina, y los estudios preliminares para usarlo como profiláctico han dado resultados sugerentes.

Micobacterias "anónimas".[26, 57, 136] Se han encontrado otros bacilos acidorresistentes, que no son los de la tuberculosis, acompañando de cuando en cuando a enfermedades del hombre, y se han aislado con frecuencia creciente en los años últimos, y han despertado gran interés. Como no son identificables con especies conocidas, se han designado como micobacterias "anónimas", "atípicas" o "no clasificadas". Algunas, por lo menos, serían formas saprófitas del suelo.[132]

Estas bacterias se encuentran en el hombre en ausencia de enfermedad mezcladas con bacilos de la tuberculosis en esa infección, y en grandes cantidades en cultivo puro en relación etiológica aparente con un padecimiento similar a la tuberculosis. La enfermedad pulmonar[113] remeda estrechamente la tuberculosis, pero parece ser más común la endobronquitis, y hay una inflamación y fibrosis algo menos específica. De manera similar, la anatomía patológica de la infección linfática se parece a la de la tuberculosa, incluyendo la calcificación en etapas tardías, pero los ganglios infectados tienden a presentar con mayor frecuencia carácter necrótico y supurativo.[74] Estas infecciones no son comunes; se ha observado que corresponden al 1 por 100 ó menos de las sospechadas de tuberculosis.

Se conoce bien un tipo granulomatoso de la enfermedad, denominado "granuloma de las albercas o piscinas" y se atribuye a la forma de "sangre fría" de *Myco. balnei*[120] y *Myco. marinum*, la infección, adquirida de pescados tropicales en acuarios, produce una enfermedad similar a la esporotricosis.[1] La relación de este microorganismo con *Myco. fortuitum* del grupo atípico IV (ver luego) no es segura, como lo es la de *Myco. ulcerans*, el agente causal de la úlcera cutánea necrosante conocida como úlcera de Buruli, que se observa en Africa.[33] En forma similar, hay estrechas similitudes entre el bacilo "Battey" del grupo III, y el bacilo tuberculoso aviario.[16, 98]

Estas bacterias se distinguen de los bacilos de la tuberculosis humana por no ser patógenos para el cobayo, relativamente resistentes a los quimioterápicos antituberculosos, crecen con mayor rapidez, y, algunos son pigmentados.[32, 70] Runyon los separa en cuatro grupos, a saber:

Cromógenos:

Grupo I. Fotocromógenos, que producen un pigmento amarillo brillante en presencia de la luz; muchas cepas son patógenas para el hombre y el ratón; incluyen *Myco. kansasii (Myco. luciflavum)*.

Grupo II. Escotocromógenos (scotochromogens), que producen un pigmento rojo anaranjado independientemente de la luz; no suelen ser patógenos para el hombre y el ratón; incluyen *Myco. scrofulaceum*.

No Cromógenos:

Grupo III. Forma filamentosa; posiblemente incluyen algunas cepas de Nocardia; algunas cepas patógenas para el hombre y el ratón; incluyen el bacilo de Battey y *Myco. (Nocardia) intracellularis.*

Grupo IV. Los "que crecen rápidamente", caracterizados por un crecimiento muy rápido (dos a cuatro días); algunas cepas patógenas para el hombre y el ratón; incluyen *Myco. fortuitum.*

Estas bacterias están relacionadas inmunológicamente con los bacilos de la tuberculosis y otras micobacterias.[9, 138]

Micobacterias de "sangre fría". Los bacilos acidorresistentes se han encontrado asociados con procesos patológicos en diversos animales de sangre fría. En algunos casos las afecciones remedan superficialmente las lesiones tuberculosas. *Myco. piscium* se aisló de nódulos y formaciones semejantes a tumores en la carpa; *Myco. marinum* de "tuberculosis" de percas de mar y otros peces de agua salada; *Myco. ranae* se encontró en el hígado de una rana; *Myco. thamnopheos* es un parásito de las serpientes del género Thamnophis; y *Myco. chelonei* es el llamado bacilo de las tortugas.

Bacilos acidorresistentes saprófitos. En esta categoría están incluidos el bien conocido bacilo de los pastos, *Myco. phlei*, que se encuentra en el suelo, hierba y en cualquier otra parte en la naturaleza; el "bacilo de la mantequilla", *Myco. butyricum;* y *Myco. smegmatis*, que se encuentra tanto en el esmegma masculino como femenino. Este bacilo a menudo es difícil de distinguir del de la tuberculosis basándose en su morfología, y la confusión puede tener gran importancia práctica en el diagnóstico de casos sospechosos de infección tuberculosa de las vías urinarias. Debe señalarse que también se encuentra en la orina y puede contaminar muestras fecales. Todos los bacilos saprófitos crecen con mucha mayor rapidez que el de la tuberculosis, y ni ellos ni los bacilos aislados de animales de sangre fría son patógenos para cobayos y conejos, o, cuando más, lo son muy poco.

BIBLIOGRAFIA

1. Adams, R. M., *et al.* 1970. Tropical fish aquariums. A source of *Mycobacterium marinum* infections resembling sporotrichosis. J. Amer. Med. Assn. 211:457–461.
2. Almeida, J. O. 1970. Serology in leprosy. Bull. Wld. Hlth. Org. 42:673–702.
3. Armstrong, A. R. 1966. The prevalence in Canada of drug-resistant tubercle bacilli in newly discovered untreated patients with tuberculosis. Can. Med. Assn. J. 94:420–425.
4. Auerbach, O. 1955. Pulmonary tuberculosis after the prolonged use of chemotherapy. Amer. Rev. Tuberc. 71:165–185.
5. Baylet, R., R. Camain, and A. Basset. 1960. Tentative de culture de bacilles de Hansen sur cellules de rein de singe. Bull. Soc. Pathol. Exot. 53:836–841.
6. Bechelli, L. M., and V. M. Domínguez. 1966. The leprosy problem in the world. Bull. Wld. Hlth. Org. 34:811–826.
7. Bechelli, L. M., and R. S. Guinto. 1970. Some recent laboratory findings on *Mycobacterium leprae*. Implications for the therapy, epidemiology and control of leprosy. Bull. Wld. Hlth. Org. 43:559–569.
8. Bechelli, L. M., *et al.* 1970. BCG vaccination of children against leprosy. Preliminary findings of the WHO-controlled trial in Burma. Bull. Wld. Hlth. Org. 42:235–281.
9. Beck, A. 1961. Serological investigations of atypical acid-fast bacilli. J. Pathol. Bacteriol. 82:45–51.
10. Berthrong, M., and M. A. Hamilton. 1958. Tissue culture studies on resistance in tuberculosis. I. Normal guinea pig monocytes with tubercle bacilli of different virulence. Amer. Rev. Tuberc. 77:436–449.
11. Bica, A. N., J. Roman, and A. C. Sáenz. 1957. El problema de la lepra en las Américas. Bol. Ofic. Sanit. Pan-amer. 42:548–556.
12. Bjartveit, K., and H. Waaler. 1965. Some evidence of the efficacy of mass BCG vaccination. Bull. Wld. Hlth. Org. 33:289–319.
13. Bjerkedal, T. 1964. Host-agent interaction in experimental tuberculosis in guinea pigs, with special reference to the effects of BCG vaccination. Amer. J. Hyg. 79:86–106.
14. Bloch, H. 1960. The biochemical properties of virulent and avirulent strains of *Mycobacterium tuberculosis*. Ann. N.Y. Acad. Sci. 88:1075–1086.
15. Blumberg, B. S., *et al.* 1970. Lepromatous leprosy and Australia antigen with comments on the genetics of leprosy. J. Chron. Dis. 23:507–516.
16. Brosbe, E. A., P. T. Sugihara, and C. R. Smith. 1962. Growth characteristics of *Mycobacterium avium* and group III nonphotochromogenic mycobacteria in HeLa cells. J. Bacteriol. 84:1282–1286.
17. Browne, S. G. 1963. The variegated pattern of leprosy. Lepr. India 35:193–199.
18. Browne, S. G. 1964. Tuberculosis and leprosy. Tubercle 45:56–61.
19. Browne, S. G. 1966. The value of nasal smears in lepromatous leprosy. Int. J. Lepr. 34:23–26.
20. Browne, S. G. 1970. Leprosy. Documenta Geigy, Acta Clinica, No. 11. Geigy, Basle, Switzerland.
21. Brubaker, M. L., and E. B. Johnwick. 1968. Ten-year review of hospital admissions of patients with leprosy. Pub. Hlth. Rep. 83:155–160.
22. Canetti, G., *et al.* 1963. Mycobacteria: Laboratory methods for testing drug sensitivity and resistance. Bull. Wld. Hlth. Org. 29:565–578.
23. Chang, Y. T. 1959. Evolution of murine leprosy. Amer. Rev. Tuberc. 79:805–809.
24. Chang, Y. T., R. N. Anderson, and Z. Vaituzis. 1967. Growth of *Mycobacterium lepraemurium* in cultures of mouse peritoneal macrophages. J. Bacteriol. 93:1119–1131.
25. Chapman, G. B., J. H. Hanks, and J. H. Wallace. 1959. An electron microscope study of the disposition and fine structure of *Mycobacterium leprae-murium* in mouse spleen. J. Bacteriol. 77:205–211.
26. Chapman, J. S. (Ed.). 1960. The Anonymous Mycobacteria in Human Disease. Charles C Thomas, Springfield, Ill.
27. Chaussinand, R. 1961. Classification of leprosy. Lepr. Rev. 32:74–81.
28. Chaves, A. D., *et al.* 1961. The prevalence of drug-resistance among strains of *M. tuberculosis* isolated from ambulatory patients in New York City. The prevalence of drug-resistant strains of *Mycobacterium tuberculosis* isolated from untreated patients in New York City during 1960. Amer. Rev. Resp. Dis. 84:647–656, 744–745.
29. Cochrane, R. G. 1960. Immunity in leprosy. Lepr. India 32:163–166.
30. Cochrane, R. G. (Ed.). 1964. Leprosy in Theory and Practice. 2nd ed. John Wright & Sons, Bristol.
31. Cohn, M. L., G. Middlebrook, and W. F. Russell, Jr. 1959. Combined drug treatment of tuberculosis. I. Prevention of emergence of mutant populations of tubercle bacilli resistant to both streptomycin and isoniazid in vitro. J. Clin. Invest. 38:1349–1355.
32. Collins, C. H. 1966. Revised classification of anonymous mycobacteria. J. Clin. Pathol. 19:433–437.

33. Connor, D. H., and H. F. Lunn. 1966. Buruli ulceration. A clinicopathologic study of 38 Ugandans with *Mycobacterium ulcerans* ulceration. Arch. Pathol. **81**:183–199.

34. Convit, J. 1964. Infections produced in hamsters with the human leprosy bacillus. A critique of recent studies. Int. J. Lepr. **32**:310–321.

35. Convit, J., *et al.* 1964. Experimental inoculation of human leprosy in laboratory animals. III. Int. J. Lepr. **32**:136–149.

36. Convit, J., *et al.* 1970. Therapy of leprosy. Bull. Wld. Hlth. Org. **42**:667–672.

37. Crowle, A. J. 1958. Immunizing constituents of the tubercle bacillus. Bacteriol. Rev. **22**:183–203.

38. Dannenberg, A. M., Jr. 1968. Cellular hypersensitivity and cellular immunity in the pathogenesis of tuberculosis: specificity, systemic and local nature, and associated macrophage enzymes. Bacteriol. Rev. **32**:85–102.

39. Darzins, E. 1958. The Bacteriology of Tuberculosis. University of Minnesota Press, Minneapolis.

40. Devignat, R. 1961. Multiplication of Hansen's bacillus in complex symbiosis in vitro. Nature **190**:832.

41. Doege, T. C. 1965. Tuberculosis mortality in the United States, 1900 to 1960. J. Amer. Med. Assn. **192**:1045–1048.

42. Duboczy, B. O., and B. T. Brown. 1961. Local sensitization to tuberculin. Amer. Rev. Resp. Dis. **84**:69–77.

43. Dubos, R. J., and G. Middlebrook. 1947. Media for tubercle bacilli. Amer. Rev. Tuberc. **56**:334–345.

44. Engbaek, H. C., *et al.* 1968. *Mycobacterium avium.* A bacteriological and epidemiological study of *M. avium* isolated from animals and man in Denmark. Part 2. Strains isolated from man. Acta Pathol. Microbiol. Scand. **72**:295–312.

45. Engel, H. W. B., and L. G. Berwald. 1970. A simplified agglutination test for serologic typing of mycobacteria. Amer. Rev. Resp. Dis. **101**:112–115.

46. Fasal, P., E. Fasal, and L. Levy. 1967. Leprosy prophylaxis. J. Amer. Med. Assn. **199**:905–908.

47. Fielding, J. W. 1945. Rat leprosy: observations and transmission. Med. J. Aust. **32**:473–486.

48. Florey, M. E. 1961. The Clinical Application of Antibiotics, Vol. II. Streptomycin and Other Antibiotics Active against Tuberculosis. Oxford University Press, New York.

49. Fregnan, G. B., and D. S. Smith. 1962. Description of various colony forms of mycobacteria. J. Bacteriol. **83**:819–827.

50. Freire, S. A. 1956. Methods of cultivation of the Hansen bacillus. Slide culture; hemolysis-tube culture; direct inoculation of the liquid medium. Int. J. Lepr. **24**:57–64.

51. Garbutt, E. W., R. J. W. Rees, and Y. M. Barr. 1962. Growth of *Mycobacterium lepraemurium* maintained in cultures of rat fibroblasts. J. Gen. Microbiol. **27**:259–268.

52. Gideon, H., and C. K. Job. 1965. Skin smears in leprosy. Lepr. India **37**:74–86.

53. Grounds, J. G. 1964. Leprosy and tuberculosis: A statistical relationship in South Nyanza, Kenya. J. Trop. Med. Hyg. **67**:13–15.

54. Hanks, J. H. 1961. Demonstration of capsules on *M. leprae* during carbol-fuchsin staining mechanism of the Ziehl-Neelsen stain. Int. J. Lepr. **29**:179–182.

55. Hanks, J. H., *et al.* 1970. Studies towards the standardization of lepromin. Progress and prospects. Bull. Wld. Hlth. Org. **42**:703–709.

56. Heaf, F. 1959. The new epidemiology of tuberculosis. Med. Officer **102**:71–75.

57. Hedvall, E. 1960. Atypical acid-fast bacilli. Acta Tuberc. Scand. **38**:248–260.

58. Imerslund, O., J. Krohn, and J. Ringsted. 1962. Congenital tuberculosis in premature twins. Acta Tuberc. Pneumol. Scand. **42**:45–52.

59. Jensen, K. A., I. Kiaer, and L. Lundberg. 1968. Studies on the antigenic structure of mycobacteria. Report 5. Acta Pathol. Microbiol. Scand. **73**:450–458.

60. Johnston, R. N., R. T. Richie, and I. H. F. Murray. 1963. Declining tuberculin sensitivity with advancing age. Brit. Med. J. **ii**:720–724.

61. Jones, O. R., W. D. Platt, and L. A. Amill. 1949. Miliary tuberculosis caused by intravenous self-injection of tubercle bacilli treated successfully with streptomycin therapy. Amer. Rev. Tuberc. **60**:514–519.

62. Jonquieres, E. D. L., and H. J. Sanchez Caballero. 1961. Importance of the Carville-style bacteriologic examination in the recognition of inapparent diffuse lepromatous leprosy. Int. J. Lepr. **29**:325–328.

63. Kanai, K. 1962. Amer. Rev. Resp. Dis. **85**:442–443.

64. Kato, L., and B. Gozsy. 1963. Attempts to cultivate *Mycobacterium leprae murium.* Ten years work with negative results. Int. J. Lepr. **31**:344–347.

65. Kubin, M., *et al.* 1966. Pulmonary and nonpulmonary disease in humans due to avian mycobacteria. I. Clinical and epidemiologic analysis of nine cases observed in Czechoslovakia. II. Microbiologic analysis of strains isolated. Amer. Rev. Resp. Dis. **94**:20–30, 31–39.

66. Leiker, D. L. 1966. Classification of leprosy. Lepr. Rev. **37**:7–15.

67. Loring, W. E., and H. M. Vandiviere. 1956. The treated pulmonary lesion and its tubercle bacillus. I. Pathology and pathogenesis. Amer. J. Med. Sci. **232**:20–29.

68. Mackaness, G. V. 1968. The immunology of antituberculosis immunity. Amer. Rev. Resp. Dis. **97**:337–344.

69. Marks, J., and J. Taylor. 1969. A rapid drug-sensitivity test for tubercle bacilli. Tubercle **49**:110–113.

70. Marks, J., and D. R. Trollope. 1960. A study of the "anonymous" mycobacteria. III. Problems of classification and diagnosis; practical recommendation. Tubercle **41**:133–142.

71. Mattman, L. H., *et al.* 1960. L variation in mycobacteria. Amer. Rev. Resp. Dis. **82**:202–211.

72. McDermott, W. 1962. The J. Burns Amberson Lecture. The chemotherapy of tuberculosis. Amer. Rev. Resp. Dis. **86**:323–335.

73. McRae, D. H., and C. C. Shepard. 1971. Relationship between the staining quality of *Mycobacterium leprae* and infectivity for mice. Infect. Immun. **3**:116–120.

74. Merckx, J. J., E. H. Soule, and A. G. Karlson. 1964. The histopathology of lesions caused by infection with unclassified acid-fast bacteria in man. Amer. J. Clin. Pathol. **41**:244–255.

75. Middlebrook, G. (Ed.). 1968. Biology of the mycobacterioses. Ann. N.Y. Acad. Sci. **154**:1–243.

76. Mohamed Ali, P., and K. V. N. Prasad. 1966. Contact surveys in leprosy. Lepr. Rev. **37**:173–182.

77. Monk, M. A., and M. Terris. 1958. Increase of tuberculosis mortality in elderly men from 1940 to 1950. Amer. J. Pub. Hlth. **48**:1020–1030.

78. Muir, E. 1957. Relationship of leprosy to tuberculosis. Lepr. Rev. **28**:11–19.

79. Myers, J. A., J. E. Bearman, and H. G. Dixon. 1963. The natural history of tuberculosis in the human body. V. Prognosis among tuberculin-reactor children from birth to five years of age. Amer. Rev. Resp. Dis. **87**:354–369.

80. Nande, R. 1968. B. C. G. Vaccination. Dawsons of Pall Mall, London.

81. Nassal, J. 1961. Die ätiologische and epidemiologische Rolle des bovinen and aviären Erregertyps bei der Tuberkulose des Menschen. Deut. Med. Wochensch. **86**:1855–1890.

82. Nishimura, S. 1960. Susceptibility of wild rodents to the murine leprosy bacillus. J. Lepr. **28**:428–440.

83. Padma, M. N. 1965. Choice of sites for routine smearing. Lepr. India **37**:87–90.

84. Public Health Laboratory Service. 1961. Drug resistance in untreated pulmonary tuberculosis in England and Wales during 1960. A survey. Tubercle **42**:308–313.

85. Raffel, S. 1948. The components of the tubercle bacillus responsible for the delayed type of "infectious" allergy. J. Infect. Dis. **82**:267–293.

86. Rees, R. J. W. 1969. New prospects for the study of leprosy in the laboratory. Bull. Wld. Hlth. Org. **40**:785–800.

87. Rees, R. J. W., and A. G. M. Weddell. 1970. Transmission of human leprosy to the mouse and its clinical implications. Trans. Roy. Soc. Trop. Med. Hyg. **64**:31–42.

88. Report. 1957. Report of ad hoc advisory committee on BCG to the Surgeon General of the United States Public Health Service. Amer. Rev. Tuberc. **76**:726–731.

89. Report. 1959. Review of BCG Vaccination Programmes. Preliminary Report by the Director-General. WHO Official Records, No. 96. World Health Organization, Geneva.

90. Report. 1962. Tuberculosis in the elderly. Brit. J. Dis. Chest **56**:101–116.

91. Ribi, E. 1971. Currents in tuberculosis research. J. Infect. Dis. **123**:562–564.

92. Ribi, E., *et al.* 1966. Effective nonliving vaccine against experimental tuberculosis in mice. J. Bacteriol. **91**:975–983.

93. Ridley, D. S., and W. H. Jopling. 1962. A classification of leprosy for research purposes. Lepr. Rev. **33**:119–128.

94. Rightsel, W. A., and W. C. Wiygul. 1971. Growth of *Mycobacterium lepraemurium* in cell-impermeable diffusion chambers. Infect. Immun. **3**:127–132.

95. Riley, R. L. 1961. Airborne pulmonary tuberculosis. Bacteriol. Rev. **25**:243–248.

96. Robins, A. B. Amer. J. Pub. Hlth. **43**:718–728.

97. Runyon, E. H., *et al.* 1970. Mycobacterium. pp. 112–136. *In* J. E. Blair, E. H. Lennette, and J. P. Truant (Eds.): Manual of Clinical Microbiology. American Society for Microbiology, Bethesda.

98. Scammon, L. A., *et al.* 1963. Nonchromogenic acid-fast bacilli isolated from tuberculous swine. Their relationship to *M. avium* and the "Battey" type of unclassified mycobacteria. Amer. Rev. Resp. Dis. **87**:97–102.

99. Segal, W. 1965. Comparative study of *Mycobacterium* grown *in vivo* and *in vitro*. V. Differences in staining properties. Amer. Rev. Resp. Dis. **91**:285–287.

100. Seibert, F. B. 1941. The chemistry of the proteins of the acid-fast bacilli. Bacteriol. Rev. **5**:69–95.

101. Seibert, F. B. 1941. History of the development of purified protein derivative tuberculin. Amer. Rev. Tuberc. **44**:1–8.

102. Selroos, O., and L. Brander. 1965. Drug sensitivity in pulmonary tuberculosis. Incidence of primary and acquired drug-resistance in 1960–1963. Acta Tuberc. Pneumol. Scand. **46**:197–206.

103. Shepard, C. C. 1958. A study of the growth in HeLa cells of tubercle bacilli from human sputum. Amer. Rev. Tuberc. **77**:423–435.

104. Shepard, C. C. 1960. The experimental disease that follows the injection of human leprosy bacilli into footpads of mice. J. Exp. Med. **112**:445–454.

105. Shepard, C. C. 1962. The nasal excretion of *Mycobacterium leprae* in leprosy. Int. J. Lepr. **30**:10–18.

106. Shepard, C. C. 1965. Temperature optimum of *Mycobacterium leprae* in mice. J. Bacteriol. **90**:1271–1275.

107. Shepard, C. C. 1968. A comparison of the effectiveness of two freeze-dried BCG vaccines against *Mycobacterium leprae* in mice. Bull. Wld. Hlth. Org. **38**:135–140.

108. Shepard, C. C. 1969. Chemotherapy of leprosy. Ann. Rev. Pharmacol. **9**:37–50.

109. Shepard, C. C. 1969. Further experience with the kinetic method for the study of drugs against *Mycobacterium leprae* in mice. Activities of DDS, DFD, ethionamide, capreomycin and PAM 1392. Int. J. Lepr. **37**:389–397.

110. Simpson, S. G. 1965. Tuberculosis first registered at death. Amer. Rev. Resp. Dis. **92**:863–869.

111. Skinsnes, O. K. 1964. Leprosy in society. II. The pattern of concept and reaction to leprosy in Oriental antiquity. Lepr. Rev. **35**:106–122.

112. Skinsnes, O. K., and R. M. Elvove. 1970. Leprosy in society. V. "Leprosy" in occidental literature. Int. J. Lepr. **38**:294–307.

113. Snijder, J. 1965. Histopathology of pulmonary lesions caused by atypical mycobacteria. J. Pathol. Bacteriol. **90**:65–73.

114. Souza-Araujo, H. C. de. 1959. The morphology of *Mycobacterium leprae*. Lepr. Rev. **30**:80–84.

115. Souza-Araujo, H. C. de. 1961. A new culture of acid-fast *Bacillus* isolated from an experimental *Triatoma infestans* infection in a leprosy patient. Lepr. Rev. **32**:259–262.

116. Starr, S., and S. Berkovich. 1964. Effects of measles, gammaglobulin-modified measles and vaccine measles on the tuberculin test. New Eng. J. Med. **270**:386–391.

117. Stead, W. W. 1967. Pathogenesis of a first episode of chronic pulmonary tuberculosis in man: recrudescence of residuals of the primary infection or exogenous reinfection? Amer. Rev. Resp. Dis. **95**:729–745.

118. Stead, W. W. 1967. Pathogenesis of the sporadic case of tuberculosis. New Eng. J. Med. **277**:1008–1012.

119. Sweeney, E. E., and G. J. Jann. 1961. Carbohydrate typing of mycobacteria. Proc. Soc. Exp. Biol. Med. **108**:671–674.

120. Swift, S., and H. Cohen. 1962. Granulomas of the skin due to *Mycobacterium balnei* after abrasions from a fish tank. New Eng. J. Med. **267**:1244–1246.

121. Taylor, C. E. 1963. Contributions from animal experiments to the understanding of sensitivity of *M. leprae*. Int. J. Lepr. **31**:53–67.

122. Taylor, C. E., *et al.* 1960. The antigenic components of lepromin as assayed in guinea-pigs. Int. J. Lepr. **28**:284–299.

123. Tuboly, S. 1968. The lipid composition of pathogenic and saprophytic mycobacteria. Acta Microbiol. Hung. **15**:207–212.

124. Turk, J. L. 1969. Cell-mediated immunological processes in leprosy. Bull. Wld. Hlth. Org. **41**:779–792.

125. Ungar, J., *et al.* 1962. Preparation and properties of a freeze-dried B.C.G. vaccine of increased stability. Brit. Med. J. **ii**:1086–1089.

126. Vandiviere, H. M., *et al.* 1961. A rapid method of testing the susceptibility of mycobacteria to antituberculous drugs. Amer. Rev. Resp. Dis. **84**:399–406.

127. Vogelsang, T. M. 1965. Leprosy in Norway. Med. Hist. **9**:29–35.

128. Wager, O. 1969. Immunological aspects of leprosy with special reference to autoimmune disease. Bull. Wld. Hlth. Org. **41**:793–804.

129. Waters, M. F. R., and J. S. F. Niven. 1966. Experimental infection of the ear and foot pad of the golden hamster with *Mycobacterium leprae*. Brit. J. Exp. Pathol. **47**:86–92.

130. Wayne, L. G., and J. R. Doubek. 1965. Classification and identification of mycobacteria. II. Tests employing nitrate and nitrite as substrate. Amer. Rev. Resp. Dis. **91**:738–745.

131. Wise, M. J. 1963. Club-forms of *Mycobacterium leprae*. Lepr. Rev. **34**:68–72.

132. Wolinsky, E., and T. K. Rynearson. 1968. Mycobacteria in soil and their relation to disease-associated strains. Amer. Rev. Resp. Dis. **97**:1032–1037.

133. Woodruff, C. E. 1957. Remarks on the epidemiology of tuberculosis. A review. Amer. Rev. Tuberc. **75**:975–986.

134. Youmans, A. S., and G. P. Youmans. 1953. Studies on the metabolism of *Mycobacterium tuberculosis* III. The growth of *Mycobacterium tuberculosis* var. *hominis* in the presence of various intermediates of the dissimilation of glucose to pyruvic acid. J. Bacteriol. **65**:100–102.

135. Youmans, A. S., and G. P. Youmans. 1966. Preparation of highly immunogenic ribosomal fractions of *Mycobacterium tuberculosis* by use of sodium dodecyl sulfate. J. Bacteriol. **91**:2139–2145.

136. Youmans, G. P. 1963. The pathogenic "atypical" mycobacteria. Ann. Rev. Microbiol. **17**:473–494.

137. Youmans, G. P., and A. S. Youmans. 1951. The relation between the size of the infecting dose of tubercle bacilli and the survival time of mice. Amer. Rev. Tuberc. **64**:534–540.

138. Youmans, G. P., R. C. Parlet, and A. S. Youmans. 196_ The significance of the response of mice to immunization with viable unclassified mycobacteria. Amer. Rev. Resp. Dis. **83**:903–905.

CAPITULO 31

MICOLOGIA MEDICA: HONGOS Y ACTINOMICETOS PATOGENOS

Dr. John W. Rippon

El descubrimiento de la relación causal de algunos hongos con enfermedades infecciosas precedió en muchos años al primer trabajo de Pasteur y Koch con bacterias patógenas, ya que Schoenlein y Gruby estudiaron en 1839 el hongo causante del favus (*Trichophyton schoenleinii*), y el mismo año Lagenbeck descubrió el microorganismo del algodoncillo (*Candida albicans*) semejante a una levadura. Gruby aisló el hongo de la tiña en rebanadas de patata, las frotó contra la cabeza del niño, y produjo la enfermedad. Así llenó los postulados de Koch, cuarenta años antes de que fueran formulados.[83] Antes, Bassi ya había descrito la muscardina del gusano de seda (causada por *Beauvaria bassiana*). A pesar de su inicio temprano, la micología médica pronto fue aventajada por la bacteriología y nunca ha recibido tanta atención, aunque dentro de las infecciones más comunes del hombre se encuentran algunas producidas por hongos. Esto tal vez puede atribuirse a la naturaleza relativamente benigna de las micosis comunes y la rareza de las más graves, y a la base morfológica de la diferenciación de estas formas estructuralmente complejas.

Incluso una exposición breve de las enfermedades por hongos demuestra claramente que se dividen en dos grupos bien distintos, las micosis superficiales y las profundas. Las primeras son, con mucho, las más frecuentes, causadas en su mayor parte por un grupo de hongos relativamente homogéneo, los dermatófitos; incluyen las diversas formas de tiña que infectan el pelo y folículos pilosos, las infecciones superficiales de las zonas intertriginosas o lisas de la piel sin vello, e infecciones micóticas de las uñas. En general, las lesiones son ligeras, superficiales y limitadas; casi nunca causan la muerte, aunque se ha señalado en Rusia, Japón y Rumania la invasión de cerebro y corazón por *Trichophyton violaceum*. Los microorganismos causales son saprófitos especializados, con la peculiar capacidad de digerir la queratina, que en última instancia tienen su reservorio en el suelo; sin embargo, las infecciones frecuentemente son transmitidas de un huésped a otro. Una levadura, Candida, también produce enfermedad de tipo de dermatófito.

Por otra parte, las micosis profundas son de distribución esporádica, muy frecuente en algunas partes del mundo y desconocidas en otras, y de etiología heterogénea. Incluyen histoplasmosis, esporotricosis, blastomicosis, coccidioidomicosis, criptococosis y paracoccidioidomicosis. Los microorganismos causales son saprófitos habitantes del suelo, con capacidades peculiares de adaptación al medio interno del huésped; de ordinario no se transmiten de un individuo a otro. Sin embargo, la infección por el microorganismo en una zona endémica puede ser muy frecuente. Son muy pocas las infecciones que se desarrollan con intensa difusión profunda, causando enfermedad mortal en algunos individuos.

En los últimos años, debido al empleo excesivo de antibióticos, agentes inmunosupresores, citotoxinas, irradiación X y esteroides, ha adquirido gran importancia una nueva categoría de micosis generalizadas. Se trata de infecciones por hongos oportunistas. Ha habido un aumento rápido de estas enfermedades. El paciente, a consecuencia de la enfermedad fundamental o de manipulaciones médicas, queda privado de sus defensas normales. Esto permite que gérmenes de poca virulencia ataquen al paciente, que ahora se transformó esencialmente en un "medio de cultivo". Tales infecciones incluyen candidiasis generalizada, aspergilosis y mucormicosis. Infecciones bacterianas como septicemias de tipo gramnegativo, nocardiosis, pseudomonas, etc.; infecciones micóticas como *Pneumocystis carinii;* y oportunistas virales, como el citomegalovirus, también atacan a tales pacientes. Son frecuentes las infecciones múltiples con diversos microorganismos.

Un tercer grupo de microorganismos, que estudiaremos también en este capítulo, son los actinomicetos. Se trata de bacterias que producen infecciones de tipo micótico, y que inicialmente se consideraron organismos intermedios. Morfológica, fisiológica y bioquímicamente son bacterias, sensibles a los antibióticos antibacterianos y sin relación ninguna con los hongos.

Dos de las enfermedades estudiadas en este capítulo, actinomicosis y candidiasis están producidas por gérmenes endógenos, o sea especies que forman parte de la flora normal del hombre; todas las demás infecciones por hongos y actinomicetos son de origen exógeno.

El criterio del poder patógeno es uno de los que menos valor tienen entre todos los que pueden utilizarse para diferenciación de los microorganismos, no solo porque es variable y difícil de determinar, sino porque empleando este medio se reúnen microorganismos parásitos que de hecho guardan más estrechas relaciones con algunas formas de vida libre que entre sí. El valor limitado del poder patógeno como característica diferencial, nunca se observa más netamente que en los hongos, las formas patógenas que constituyen el tema de la micología médica forman un grupo heterogéneo que incluye algunos actinomicetos, ciertas levaduras y hongos de tipo levadura, y algunos mohos y gérmenes de tipo de moho. De las casi mil especies de hongos, solo se sabe de unos pocos que sean agentes infecciosos frecuentes del hombre y animales superiores. Con la posible excepción de dos o tres dermatófitos, ninguno de este grupo es parásito obligado; la mayor parte son saprófitos del suelo en situación anormal. Los dermatófitos muchas veces son contagiosos, y el hombre puede seguir diseminando la especie. Sin embargo, la infección por los agentes productores de micosis profundas parece ser accidental, y viene a ser un camino ciego, ya que el parásito muere dentro del huésped. Por lo tanto, desde un punto de vista biológico general, la pato-genicidad de ciertos hongos tiene muy poca importancia; desde la del huésped parasitado, el hombre, tiene considerable interés. Por lo tanto, la capacidad de producir enfermedad en el hombre es un fenómeno accidental, no necesario para la diseminación de las especies de hongos.

Los hongos son estructuralmente complejos, muestran una diversidad de estructuras reproductoras asociadas con procesos sexuales y asexuales, además de elementos vegetativos no reproductores. Su diferenciación en géneros, especies y variedad se hace en gran parte sobre bases morfológicas, en especial por las estructuras reproductoras en contraste con las bacterias, sus caracteres fisiológico e inmunológico suelen no tener importancia, o solo la tienen mínima, para diferenciarlos o identificarlos. La bioquímica de los hongos, y en particular la de los mohos, se ha investigado ampliamente para descubrir las descomposiciones que ocurren en la naturaleza y su aplicación a procesos industriales. El conocimiento actual del mecanismo respiratorio de las células y de la fermentación alcohólica deriva en gran parte de estudios en levaduras.

Las propiedades inmunológicas de los hongos también se han estudiado. Los fenómenos alérgicos que acompañan a la infección por algunos dermatófitos y hongos de tipo de levadura, y la alergia franca, por ejemplo el asma que acompaña a esporas de hongos, han merecido particular interés. La prueba cutánea y la prueba de fijación de complemento, que a veces son útiles para el diagnóstico, han sido objeto de mucha investigación. En general, los hongos no son buenos antígenos, y el papel de las defensas inmunes humorales para la resolución de la micosis no está claro. Parece que las defensas mediadas por células constituyen el mecanismo prin-

Tipos clínicos de enfermedades micóticas

Tipo	Enfermedad	Germen causal
Infecciones superficiales	Pitiriasis versicolor	*Pityrosporum orbiculare*
	Piedra	*Trichosporon cutaneum* (blanca)
		Piedraia hortai (negra)
Infecciones cutáneas	Tiña del cuero cabelludo, piel sin pelo, uñas	Dermatophytes. Microsporum, Trichophyton, Epidermophyton
	Candidiasis de piel, mucosas, uñas; a veces generalizada	*Candida albicans* y formas relacionadas.
Infecciones subcutáneas	Cromomicosis	*Fonsecaea pedrosi* y formas relacionadas
	Micetoma micótico	*Allescheria boydii*, *Madurella mycetomi*, et al.
	Entomoftoromicosis	*Basidiobolus haptosporus*
		Entomophtora coronata
Infecciones generalizadas	Histoplasmosis	*Histoplasma capsulatum*
	Blastomicosis	*Blastomyces dermatitidis*
	Paracoccidioidomicosis	*Paracoccidioides brasiliensis*
	Coccidioidomicosis	*Coccidioides immitis*
	Criptococosis	*Cryptococcus neoformans*
	Esporotricosis	*Sporothrix schenckii*
	Aspergilosis	*Aspergillus fumigatus*, etc.
	Mucormicosis	Mucor sp., Absidia sp., Rhizopus
	Histoplasmosis duboisii	*Histoplasma capsulatum* var. *duboisii*

Reacciones tisulares en infecciones micóticas *

Respuestas patológicas y cuadro histológico	*Micosis y agentes productores*

Inflamación crónica
  Linfocitos, células plasmáticas, neutrófilos y fibroblastos; a veces, células gigantes
	Rhinosporidium seeberi
	  Entomoftoromicosis

Reacción piógena Infiltrado agudo o crónico, supurado neutrófilo (véase también a la derecha)	*Actinomyces israeli:* gránulos de azufre, también histiocitos periféricos cargados de lípidos *Nocardia asteroides* Aspergilosis aguda Candidiasis aguda
Reacción mezclada piógena y granulomatosa Infiltración neutrófila y reacción granulomatosa, linfocitos, células plasmáticas (ver también a la derecha)	*Blastomyces dermatitidis* *Paracoccidioides brasiliensis* *Coccidioides immitis:* neutrófilos, especialmente en esférulas rotas *Sporothrix schenckii:* raramente se observan gérmenes en tejidos Cromomicosis: reacción crónica piógena e inflamatoria, nódulos de células epitelioides y células gigantes Micetoma: además puede haber grandes células gigantes espumosas, similares al xantoma
Hiperplasia seudoepiteliomatosa Después de inflamación crónica de la piel, hiperplasia de células epidérmicas, hiperqueratosis, extensión de los clavos dérmicos	*B. dermatitidis* *P. brasiliensis* Cromomicosis *C. immitis*
Granuloma histiocítico Histiocitos frecuentemente con gérmenes intracelulares, que a veces se vuelven células gigantes multinucleadas	*Histoplasma capsulatum* *C. neoformans* meníngeo
Granuloma con caseificacón Reacción granulomatosa, células gigantes de Langhans (L.G.C), necrosis central	*Histoplasma capsulatum* *Coccidioides immitis* A veces, blastomicosis pulmonar Raramente criptococosis pulmonar
Tipo de granuloma "sarcoide" No necrosante	*Cryptococcus neoformans* A veces, *Histoplasma capsulatum*
Granuloma pulmonar fibrocaseoso; "tuberculoma" (ver también a la derecha)	*H. capsulatum:* pared fibrosa gruesa rodeando células epitelioides y células gigantes en el centro blando, frecuentemente calcificación *C. immitis:* pared fibrosa delgada, a veces calcificada *C. neoformans:* mal definida, pero a veces encapsulada, fibrosada y calcificada
Arteritis trombótica Trombosis, necrosis purulenta de coagulación, invasión de vasos	Aspergilosis Mucormicosis
Fibrosis Fibroblastos proliferantes, depósito de colágena —a modo de queloide	*Loboa loboi* (lobomicosis)
Granuloma esclerosante de cuerpo extraño En senos paranasales o después de infección viral (ver también a la derecha)	*Aspergillus:* hifas raras en células gigantes

* Se utiliza la tinción de Gram para actinomicosis, nocardiosis, micetoma .actinomicótico, y candidiasis; de lo contrario se recomienda la tinción de ácido peryódico de Schiff.

cipal que emplea el huésped para combatir la invasión de hongos.

La respuesta tisular del huésped al agente ofensor varía mucho, y depende del tipo del germen invasor. En las infecciones por dermatófitos, suele producirse eritema en respuesta a la irritación por la presencia de productos metabólicos del microorganismo. A veces, hay inflamación intensa, seguida de tejido cicatrizal, y formación de queloide. Esto resulta de una respuesta inflamatoria intensísima y una reacción alérgica al organismo y sus productos.

Cuando los organismos invaden tejido vivo, como los causantes de enfermedad subcutánea y generalizada, suele haber una respuesta generalmente de tipo piógeno agudo, bastante uniforme. Esto origina diversas respuestas patológicas crónicas, que señalamos en el cuadro de página 599.[15]

Aunque muchas especies de hongos se han considerado patógenas para el hombre y los animales, no todas tienen la misma importancia. Algunos, especialmente entre los dermatófitos, no son verdaderas especies diferentes de las ya conocidas. Además, en muchos casos el hongo descrito probablemente no guardaba relación causal con el proceso patológico a partir del cual se aisló; en otros solo se han observado uno o dos casos de infección. A veces resulta muy difícil decidir si un hongo aislado de material clínico tiene realmente importancia etiológica. La acumulación de gran número de especies de hongos y las minucias de sus diferenciaciones morfológicas hacen que la micología médica sea muy compleja. Se han descrito en la literatura diversos contaminantes de piel, esputo y aire, como gérmenes productores de enfermedad. Por otra parte, el potencial de invasión es frecuente entre los hongos "inofensivos", como lo es entre las bacterias "inofensivas". Hongos peculiares,[183] se han aislado de válvulas cardiacas después de intervención quirúrgica, de la misma manera que bacterias comunes del suelo (*Serratia marcescens*) ha intervenido en meningitis mortales después de terapéutica prolongada con esteroides. Este espectro que va apareciendo de infecciones oportunistas causadas por los denominados microorganismos inofensivos, se ha catalogado con eufemismo de "enfermedades del progreso médico". Aquí solo nos ocuparemos de los hongos más importantes que se sabe guardan relación con enfermedades humanas. Los demás, incluyendo muchos de los oportunistas "nuevos", se relacionan solo con una pequeña fracción de las enfermedades micóticas del hombre. Se estudian en los textos especializados destinados al campo de la micología médica.[14, 27, 46, 150, 157]

Los actinomicetos patógenos

Los actinomicetos humanos patógenos son las llamadas bacterias "elevadas" y se clasifican en el orden Actinomycetales. Este orden incluye algunos organismos productores de enfermedad crónica, como los agentes causales de la tuberculosis y de la enfermedad de Hansen (lepra). Por tradición estos dos microorganismos se han estudiado junto con las bacterias. Sin embargo, se consideró que los demás actinomicetos patógenos eran formas de transición entre bacterias y hongos, y se incluyeron en la esfera de la micología médica. Los agentes causales de la actinomicosis maxilar y el micetoma actinomicótico muestran algunas características de tipo de hongo, como la ramificación del microorganismo en los tejidos, la red de micelios extensa que puede producirse en los cultivos o los tejidos, y la cronicidad de la enfermedad. Sin embargo, el análisis de la pared celular muestra la presencia del ácido murámico, típicamente bacteriano, lo cual, junto con la ausencia de un núcleo estructural, dimensiones bacterianas típicas y sensibilidad a los antibióticos antibacterianos, define estos microorganismos como bacterias y no como hongos. Por lo que se refiere a su papel como "eslabón" filogénico con los hongos, la presencia de núcleos eucarióticos típicos, y las mitocondrias en las células fungosas hace muy poco probable la derivación de los hongos de bacterias procarióticas independientes de otros microorganismos eucarióticos.

Morfología. Los microorganismos crecen en forma de filamentos delgados u ondulados sin tabiques, o de hifas de 0.5 a 0.8 μ de diámetro, que muestran ramificación de ambos tipos, lateral y dicotómica, y pueden crecer fuera del medio formando un micelio aéreo. En medios sólidos, los filamentos constituyen masas enmarañadas, mientras que en medios líquidos hay tendencia a crecimientos en acúmulos o centros. Hay cuatro géneros de interés médico: Actinomyces anaerobios, y Nocardia, Streptomyces y Actinomadura aerobios.[117] La clasificación de especies dentro de los géneros, incluso la separación de los propios géneros, son motivo de discusión.[74] Las características que damos a continuación suelen aceptarse por los investigadores en este campo.

Actinomyces incluyen organismos anaerobios microaerófilos, no acidorresistentes, y en los cuales el micelio vegetativo se rompe en elementos bacilares o cocoides. Nocardia son aerobios, a veces parcialmente acidorresistentes, y se fragmentan en formas bacilares o cocoides, produciendo cadenas de esporas cuadradas de 1 a 2 μ de largo, por simple fragmentación de las ramas de las hifas.[14] Los extremos de otros filamentos pueden hincharse y toma-

Actinomicetos patógenos y enfermedades que producen

Enfermedad	Organismos	Distribución geográfica
Actinomicosis	Actinomyces israeli (hombre) Actinomyces bovis (ganado) Actinomyces eriksonii Actinomyces naeslundi Arachnia propionicus	Ubicuo
Nocardiosis (pulmonar y generalizada)	Nocardia asteroides Nocardia brasiliensis	Ubicuo México, Sudamérica, Africa, India
Micetoma (actinomicótico)	Actinomadura madurae Streptomyces somaliensis Actinomadura pelletierii	Ubicuo Africa, Brasil, México Africa, Sudamérica
Eritrasma Talón fisurado	Corynebacterium minutissimum Nocardia keratolytica (?)	Ubicuo India, Estados Unidos de Norteamérica
Tricomicosis axilar	Corynebacterium tenuis	Ubicuo
Eccema epidémica	Dermatophilis congolense	Australia, Africa, Estados Unidos de Norteamérica

forma en maza. La segmentación de los filamentos se observa en algunas especies tempranamente, a las 24 horas, mientras que en otras tarda tres o más semanas; los filamentos seccionados se rompen para formar cuerpos bacilares de 4 a 6 μ de longitud que no pueden distinguirse morfológicamente de muchas bacterias verdaderas. En la mayor parte de las preparaciones de frotis de las formas patógenas se rompen los filamentos y el aspecto es el de los bacilos corrientes. Las paredes celulares de las bacterias nocardioformes contienen ácido mesodiaminopimélico, arabinosa y galactosa. La propia célula contiene una fracción lípida (LCN) que no se descubre en otros géneros.[136]

En Streptomyces hay más micelio aéreo, no hay fragmentación produciendo formas bacilares o cocoides, ni acidorresistencia; se producen cadenas de esporas redondas u ovales, consecutivamente dentro de un elemento de hifa especializada. La maduración de las hifas que forman esporas se acompaña a menudo de la formación de espirales, que varían desde enroscamientos abiertos escasamente perceptibles, a formas tan apretadas que las vueltas adyacentes están en contacto. Las espirales pueden ser derechas o izquierdas, y dentro de la especie son frecuentes los enroscamientos en ambas direcciones apretados. Las esporas son más resistentes que los filamentos y siguen viviendo a temperatura de 60°C ses horas, pero son menos resistentes que las de las bacterias. Las paredes celulares de especies de Streptomyces contienen ácido LL-diaminopimélico glicina. Un género adicional de importancia médica es el de Actinomadura. Estos gérmenes no contienen ácido mesodiaminopimélico, arabinosa, o LCN, lo cual los separa en un género particular. Todos o casi todos los actinomicetos son grampositivos, y algunas formas patógenas de Nocardia son parcialmente acidorresistentes.

Las esporas y los fragmentos de micelio crecen en subcultivos. En medios sólidos, el crecimiento de las formas aerobias es seco, resistente y como cuero, arrugado algunas veces, adherente y amontonado sobre el medio; en muchos casos parece el de las micobacterias. En algunos, el cultivo se presenta pulverulento o blanquecino por formación de micelio aéreo. En medios líquidos el cultivo se presenta en forma de película seca con superficie arrugada o, con mayor frecuencia, como hojuelas o conglomerados que se adhieren a los lados del frasco, en la superficie, o se sumergen hasta el fondo.

Entre los actinomicetos es común la formación de pigmento, con coloraciones variables en todo el espectro, y suele hacerse la diferenciación entre la pigmentación del micelio vegetativo y el micelio aéreo que forma esporas, así como el pigmento que se difunde en el medio. En medios que contienen proteínas a menudo se observan pigmentos solubles morados y pardos. Los actinomicetos, en especial las formas saprófitas, son fisiológicamente activos, utilizan una diversidad de compuestos de carbono y de nitrógeno, y muchos son proteolíticos. Muchas especies producen un olor a tierra o a rancio similar al de la tierra recién volteada. La temperatura óptima de crecimiento suele ser de 20° a 30°C, aunque algunas especies patógenas crecen a 37°C, y se conocen especies termófilas, análogas a las bacterias termófilas. La gran mayoría de los actinomicetos son aerobios, pero algunas formas patógenas son anaerobias, o cuando menos deben cultivarse con tensión disminuida de oxígeno.

La diferenciación de los actinomicetos entre sí es en parte según una base morfológica, en parte una fisiológica, incluyendo esta última la pigmentación y la actividad proteolítica.[78]

ACTINOMICOSIS

La actinomicosis en un tiempo era enfermedad bastante frecuente del ganado, y a veces del hombre. Actualmente es infección rara, diagnosticada casi siempre en forma retrospectiva. Este cambio depende de la práctica muy extendida de dar antibióticos en forma indiscriminada. Los agentes causales, *Actinomyces israeli*, *A. bovis* y *A. eriksonii*,[69, 70] son muy sensibles a la mayor parte de antibióticos antibacterianos, incluyendo penicilina y sulfamidas. En un tiempo la infección muchas veces acompañaba a la extracción de dientes o la cirugía dental, que creaba tejido traumatizado donde estos organismos endógenos podían crecer. Este peligro ha desaparecido con la administración profiláctica de antibióticos después de intervenciones en la boca pero todavía la mayor parte de casos de actinomicosis guarda relación con la caries dental. Aunque la enfermedad indudablemente se observó tempranamente en el siglo XIX, habiendo descrito Leblanc, en 1826, los tumores actinomicóticos con el nombre de osteosarcoma, fue Bollinger, en 1877, quien primero la identificó como proceso específico causado por parásitos. Por su insistencia, Harz, un botánico, estudió el hongo, lo describió y lo llamó Actinomyces u hongo en rayo, por su estructura semejante a rayos al crecer en los tejidos, pero no lo cultivó. En 1891, Wolff e Israel aislaron un actinomiceto microaerófilo de material patológico mediante cultivo anaerobio, y en el mismo año Bostroem aisló un actinomiceto aerobio de fuentes similares y lo llamó *A. hominis* (denominado algunas veces *A. graminis*). Sin embargo, se demostró que el organismo de Bostroem era un contaminante, y se ha establecido definitivamente que el aislado por Wolff e Israel fue el que observaron Bollinger y Harz, y es causa de la enfermedad. Estas observaciones tempranas se ampliaron en gran parte por los trabajos de Wright y Emmons, reunidos por Erikson.[49, 50]

En la actualidad, la mayor parte de investigadores están de acuerdo en que hay dos especies que se encuentran frecuentemente y que producen la enfermedad "actinomicosis". *A. bovis*, es la causa más corriente de actinomicosis en el ganado, *A. israeli* el germen más frecuente en la infección humana, aunque a veces se descubre también en el ganado. *A. eriksonii*, una nueva especie, se ha descrito recientemente en cinco casos de actinomicosis pulmonar sin formación de gránulos. *A. naeslundi* y *Arachnia* también se han aislado de actinomicosis.

Morfología y tinción. La actinomicosis es esencialmente un proceso supurativo, que se caracteriza por la presencia en el pus de gránulos amarillos ("gránulos de azufre"), los drüsen de los autores alemanes. De hecho, se trata de colonias de hongo; cuando se examinan al microscopio se ve que consisten en rosetones densos de filamentos en forma de maza dispuestos radialmente. Los rosetones individuales suelen ser de 30 a 40 μ de diámetro, pero algunas veces alcanzan 200 μ. Los gránulos amarillos minúsculos, visibles a simple vista, pueden constar de una sola roseta o de varias. La roseta en sí está formada por tres tipos de estructuras: un núcleo central de filamentos ramificados, dispuestos irregularmente, pero con tipo general radial; cuerpos en forma de maza, refringentes, en la periferia, ordenados radialmente; y cuerpos esféricos iguales a los cocos. Los gránulos pueden aplastarse y examinarse en preparaciones frescas en las que se ven claramente las mazas, o usarse un colorante como la eosina que tiñe la vaina de las mazas. Los fila-

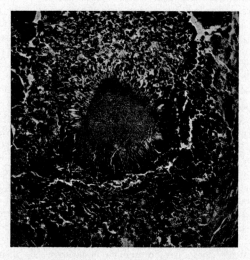

Fig. 31-1. Gránulo de actinomicosis (*A. israeli*) en el pulmón. Obsérvese la disposición radiada de las célu[las] en maza alrededor del gránulo central. $\times$ 300. (Rosebury, Epps y Clark.)

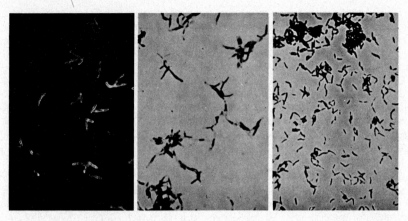

FIG. 31-2. *Actinomyces israeli. Izquierda,* Campo obscuro. × 900. *Centro y derecha,* Tinciones de Gram de cultivos rugoso y liso, respectivamente. × 1 200. (Rosebury, Epps y Clark.)

mentos son grampositivos y el colorante es útil en cortes de tejidos; para estos es bastante satisfactoria la eosina-hematoxilina.

Los filamentos del núcleo central son ramificados, a menudo curvos, a veces espirales, y espesamente entrelazados en una red de micelio. Los filamentos individuales tienen aspecto granuloso y la fragmentación y segmentación son comunes, especialmente en los gránulos viejos, lo que da a los filamentos aspecto de cadenas de coco. Los filamentos individuales en estos gránulos, como los filamentos de la especie Nocardio y los diversos agentes que se descubren en el micetoma actinomicótico, tienen un diámetro medio de 1 μ, o sea aproximadamente el diámetro de *Escherichia coli*. Los filamentos en tejidos de origen micótico y los filamentos en gránulos de micetoma micótico tienen aproximadamente 4 μ de diámetro. Este es un buen método para estimar la enfermedad con la cual se está tratando. Puede establecerse una terapéutica adecuada antibacteriana o antimicótica antes de aislar e identificar la etiología específica.

Los cuerpos en forma de maza en la orilla del gránulo son notorios por su apariencia homogénea, muy refringente y, por lo general, sin estructura. Son hinchazones en forma de pera de las terminaciones de los filamentos y se desprenden de los mismos como transformaciones diferentes. En las colonias jóvenes la substancia hialina de que se componen es blanda y puede disolverse en agua, pero a medida que la colonia envejece su consistencia se hace más firme. La dureza depende del depósito de $Ca_3(PO_4)_3$.[143] Su formación parece depender de la resistencia de los tejidos; cuando es ligera, no existen, solo se encuentran filamentos. Como regla, las mazas son más comunes en lesiones de bovinos que en las humanas.

Los cuerpos como cocos, observados por diversos investigadores, probablemente sean de diversa naturaleza. Esas formas pueden resultar de la fragmentación y segmentación de filamentos; en otros casos

quizá sean los extremos de las mazas que aparecen en el campo del foco del microscopio.

En casos clínicos de actinomicosis se observarán diversos otros microorganismos. Incluyen micrococos aerobios y anaerobios, difteroides, bacilos gramnegativos, y bacilos fusiformes como *Bacterium actinomycetem comitans,* que puede ser un simbionte de algunas cepas de Actinomyces. Es probable que Actinomyces solo quizá no pueda producir un proceso infeccioso sin la flora asociada.

Morfología en cultivo. La morfología de las colonias de *A. bovis, A. israeli* y el saprófito *A. naeslundi,* crecidos en medio sólido anaerobiamente, es lo bastante distintiva para que, con experiencia, y utilizando características fisiológicas seleccionadas, los microorganismos puedan distinguirse de las bacterias contaminantes, y también entre sí.[93] Después de cuatro a seis días de incubación, las colonias muchas veces tienen menos de 1 mm de diámetro. Por entonces, los tres organismos suelen ser opacos o de un color blanco; más raramente tienen tinte gris o amarillo. *A. israeli* suele ser una colonia rugosa (forma R) que empieza como una masa de filamentos ramificados (colonia "en araña" o colonia granular) con un borde a modo de festón, y desarrollándose como colonia lobulillada, reluciente, "de diente molar". La variante S[69] puede ser transparente, de forma regular, y parecerse a *A. bovis*. En el caldo *A. israeli* crece lentamente, formando una colonia dura, granulosa, de bordes vellosos. *A. bovis* suele ser una forma lisa (S) en la cual las colonias al principio aparecen en gota de rocío y más tarde son lisas, convexas, con bordes continuos. La rara variante R puede parecerse a *A. israeli*. En el caldo, *A. bovis* produce un crecimiento blando difuso. El saprófito frecuente de la boca, *A. naeslundi,* suele dar colonias lisas en agar, que crecen rápidamente, con aspecto difuso o turbio en caldo. También crece aerobiamente después del aislamiento inicial; los demás, después del aislamiento inicial son microaerófilos. En pruebas fisiológicas, *A. israeli* suele fermentar la xilosa y el manitol, reduce los nitratos y no hidroliza el almidón; *A. bovis* hidroliza el almidón, no reduce los nitratos y no fermenta la xilosa o el manitol; *A. naeslundi* reduce el nitrato, pero no fermenta la xilosa o el manitol. Los tres organismos se separan de los difteroides anaerobios porque no producen catalasa. Estas técnicas se estudian en otro lugar.[93]

Se han reproducido en cultivos los caracteres esenciales del rosetón o del grano de azufre. Las colonias menores son mazas redondeadas de filamentos ramificados y entrelazados. A medida que los filamentos envejecen tienden a fragmentarse, y las colonias mayores son mazas opacas, densas, de filamentos cortos y formas bacilares. Las mazas no se forman en los medios usuales, solo en presencia de sangre, suero, o líquido de ascitis; incluso ahí, se desarrollan en forma irregular; suele considerarse que la formación en maza en el tejido es en gran parte una respuesta del huésped y probablemente sea una respuesta de antígeno-anticuerpo similar al fenómeno de Splendore-Hoepli. Este último se observa en forma de radiaciones eosinófilas, que aparecen en tejidos infectados con Candida, Sporothrix, huevos de Schistosoma, etc. Los frotis de cultivos, teñidos, muestran sobre todo formas bacilares y algunos fragmentos de filamentos ramificados. Las formas bacilares pueden tener aspecto difteroide, teñirse irregularmente, y algunas tienen hinchazones terminales; las últimas son bastante diferentes de las formaciones periféricas en maza del gránulo del actinomiceto.

Serología. Utilizando el método de la absorción recíproca de aglutininas, y después el de anticuerpo fluorescente, Slack y colaboradores[179] separaron los actinomicetos en cuatro serotipos: A, B, C y D. Kwapinski en una serie de artículos demostró la relación antigénica de *A. bovis* y *A. israeli* con *Mycobacterium tuberculosis* y diversos Streptomyces y especies de Nocardia. Los serotipos no parecen

coincidir con el hábitat, y no conocemos sus relaciones inmunitarias. Georg[70] descubrió *A. israeli* y lo dividió en dos serotipos. La mayor parte de infecciones están provocadas por el serotipo I, de colonia rugosa. Existe un anticuerpo polivalente para tinción fluorescente de *A. israeli* (serotipos I y II) y *A. naeslundi*.[69]

Poder patógeno para animales de experimentación. En general, los intentos de infectar animales de experimentación con *A. israeli* han sido desalentadores, por cuanto solo una pequeña proporción de los animales inoculados desarrollaron la enfermedad, y las lesiones son limitadas y benignas. Se ha tenido cierto éxito traumatizando primero el tejido e incluyendo flora asociada junto con *A. israeli*. Meyer[132] ha logrado la infección experimental en cultivo puro en el ratón, utilizando mucina gástrica de cerdo para estimular la capacidad invasora del microorganismo. Otros autores han utilizado inyecciones repetidas del organismo en conejos y cobayos, con menos éxito.[64] En la enfermedad experimental se observan las características principales de la infección natural, incluyendo formación de nódulos de tipo tuberculoso, y desarrollo de gránulos estructuralmente típicos, con terminaciones en forma de maza.

Poder patógeno para el hombre. La infección con *A. israeli* durante la primera parte de este siglo se diagnosticó mucho más frecuentemente que en la actualidad. Ha habido una brusca disminución en el número de casos declarados en Estados Unidos de Norteamérica, en contraste con el gran aumento de las micosis verdaderas. Probablemente la causa más importante de la disminución de la actinomicosis sea el empleo en gran escala de antibióticos antibacterianos. Nichols y Herrel, en 1948,[138] señalaron el empleo eficaz de penicilina en esta enfermedad, que desde entonces ha sido la terapéutica obligada. En pacientes alérgicos a la penicilina, ha resultado eficaz la lincomicina.[135] Pueden em-

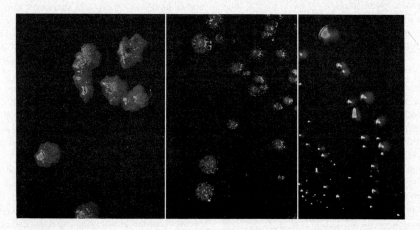

Fig. 31-3. Colonias de *Actinomyces israeli* en caldo agar con cerebro y corazón después de seis días de incub ción. *Izquierda* y *centro*, Tipos rugosos. × 3. Las colonias en la derecha son de tipo liso. × 6. (Rosebury, Epps Clark.)[168]

plearse otros antibióticos como terapéutica complementaria, pero por sí solos estos tienen eficacia dudosa. Otro aspecto importante de la disminución de la infección es el alto nivel de higiene bucal logrado en las naciones más evolucionadas del mundo. No ocurre así en las naciones en desarrollo, según lo demuestra el número elevado y creciente de informes de casos de actinomicosis y enfermedades relacionadas en estas lesiones. Otro factor para explicar el incremento de las micosis verdaderas es una mejor comprensión de su etiología, frecuencia y evolución clínica, y los mejores diagnósticos disponibles (cuando se utilizan).

La enfermedad en el hombre difiere en pocos aspectos de la del ganado. Las infecciones actinomicóticas de los huesos son relativamente menos frecuentes, limitándose la afección en la mayor parte de casos a las partes blandas. Suele producirse menos tejido nuevo, y la extensión y supuración son mayores. La enfermedad se presenta en tres tipos clínicos. Alrededor del 60 por 100 de las infecciones son *cervicofaciales,* tipo que se acompaña a menudo de defectos o accidentes dentales y es crónico, forma localizada relativamente benigna, generalmente susceptible de tratamiento. Un 14 por 100 de los casos son infecciones *torácicas,* y 8 a 18 por 100 son *abdominales,* donde la lesión primaria con frecuencia se encuentra en el apéndice; en estos tipos el pronóstico es malo. En los últimos años, el tipo cervicofacial muchas veces se ha curado antes de establecerse el diagnóstico. Por este motivo, las únicas formas de la enfermedad que llegan al cuidado del clínico son la abdominal y la torácica. Las cavidades de drenaje se encuentran generalmente en todos los tipos, y en la necropsia se ven con frecuencia abscesos en el hígado. En ocasiones se ve la generalización por diseminación hematógena, relativamente más común en el hombre que en el ganado. Se han observado meningitis y endocarditis, infecciones genitales (en ambos sexos) y un síndrome parecido al micetoma. Los gránulos característicos, con las mazas, suelen encontrarse en el pus, pero pueden faltar en las cavidades de drenaje, sobre todo cuando la enfermedad se ha diseminado con rapidez, particularmente en meningitis y empiema. Estas últimas formas de la afección pueden causar la muerte en algunas semanas por infección secundaria o formación de émbolos, o seguir lentamente en forma crónica durante muchos años; se ha observado la cicatrización espontánea. Es probable que los Actinomyces sean flora normal del tubo digestivo y también del área orofaríngea. Esto explicaría los casos observados de enfermedad abdominal (especialmente en el apéndice) en ausencia de otros síntomas.

Inmunidad. En el suero de pacientes con actinomicosis se han demostrado aglutininas, precipitinas y anticuerpos fijadores de complemento. Hay poca o ninguna señal de que intervengan en el combate contra la enfermedad o en la protección del individuo contra ella. La defensa activa contra el microorganismo probablemente tiene lugar a nivel celular; se ha sugerido que el aspecto "en maza" del germen visto en la periferia del gránulo representa una respuesta a la defensa celular del huésped.

Aislamiento y diagnóstico.[93] Como ya dijimos, basta con demostrar el típico rosetón del actinomiceto en tejido o pus de una muestra para establecer el diagnóstico de actinomicosis en el hombre. En el ganado puede confundirse con la actinobacilosis; se diferencian fácilmente examinando un frotis teñido con coloración de Gram en busca de fragmentos grampositivos iguales a difteroides de los filamentos de actinomices, o de actinobacilos gramnegativos. Como puede deducirse de lo dicho, la inoculación animal no es útil como método diagnóstico. El cultivo del hongo a menudo tiene éxito.

Se ha usado ampliamente el procedimiento recomendado por Wright para aislar *A. israeli* en cultivo. Los gránulos, de preferencia de una lesión cerrada, se lavan perfectamente cambiando varias veces el agua o caldo estéril y después se aplastan entre portaobjetos de vidrio estériles. El material se siembra en agar glucosado al 1 por 100 líquido (40°C) en tubos de ensayo llenos, a profundidad de seis a ocho centímetros. Las colonias características se desarrollan después de cuatro a ocho días de incubación a 37°C, en mayor número en una zona cinco a 12 mm por debajo de la superficie. Pueden aislarse del cultivo agitado en la forma usual, lavarse en agua o caldo estéril si hay razón para sospechar contaminación bacteriana, y cultivarlas de nuevo en tubos profundos de agar glucosado. El método, incluso en ausencia de contaminación, no es particularmente satisfactorio; con frecuencia fracasa. En la mayor parte de laboratorios, basta con una placa de BHI-sangre o agar-sangre Columbia, sembrada en estría con material de la lesión e incubada anaerobiamente. Al término de 48 horas deben transferirse las colonias en forma de araña, para obtener cultivos puros.

Rosebury, Epps y Clark [166] han demostrado que hay un crecimiento abundante y característico sobre la superficie de medios de agar enriquecidos que contienen glucosa incubados en condiciones anaerobias en presencia de bióxido de carbono. Recomiendan la infusión de cerebro y corazón conteniendo 2 por 100 de agar. El gránulo, exudado, u otro material, se siembra seriadamente en estrías sobre las placas con el medio usando una varilla de vidrio curva estéril; las placas se incuban cuatro a seis días en condiciones anaerobias en presencia de bióxido de carbono al 5 por 100. Con este método puede aislarse *A. bovis* incluso en presencia de material muy contaminado.

NOCARDIOSIS [2, 197]

Diversas especies de actinomicetos aerobios son capaces de provocar enfermedad en el hombre. Todos estos microorganismos viven en el suelo, y la infección es endógena. Una posible excepción es *Nocardia asteroides,* agente causal de la nocardiosis. El germen se ha aislado frecuentemente del suelo, de infecciones en pequeños animales y en peces, y como flora pasajera de la piel. Hosty y colaboradores,[94] vigilando el esputo de pacientes tuberculosos examinaron más de 85 000 muestras, y descubrieron *N. asteroides* en 175. No pudo establecerse en estos casos un diagnóstico de nocardiosis. Por lo tanto, Nocardia pudiera considerarse como un saprófito o como un invasor secundario menor. Como todos estos pacientes sufrían cierta enfermedad pulmonar, es difícil extrapolar hacia la población normal, ya que los estudios y encuestas no han sido adecuados. Sin embargo, se sugiere que *N. asteroides* puede ser por lo menos un miembro pasajero de la flora pulmonar normal. Aunque una enfermedad pulmonar preexistente puede favorecer la infección franca por el organismo, este no es requisito obligado. *N. asteroides* y *N. brasiliensis* son los agentes causales aceptados de la nocardiosis clínica.

El género Nocardia fue creado por Trevisan en honor de Nocard. En 1889 este autor había descrito antes en el ganado un bacilo aerobio, parcialmente acidorresistente y ramificado, como agente causal de la enfermedad llamada farcinosis o lamparón. Su informe se refería a una epidemia en el ganado en la isla de Guadalupe.[139] Existe cierta confusión acerca del nombre *Nocardia farcinica,* como lo utilizó Trevisan. Gordan y Mihm sugieren que *N. asteroides* se considere la especie típica del género, y que *N. farcinica* quede reducido a sinónimo de la misma. El nombre *N. asteroides* fue utilizado primero por Blanchard en 1895 para referirse a *Cladothrix asteroides* de Eppinger. La primera descripción de enfermedad en el hombre se publicó en 1890 por Eppinger, quien aisló un germen aerobio ramificado, de tipo micótico, de lesiones pulmonares y del sistema nervioso central.

El género Nocardia antes contenía diversas especies aisladas de la entidad clínica micetoma. La mayor parte de estas especies se han incluido por MacKinnon[124] en el género Streptomyces o en el género Actinomadura por Lechevalier[117] y se estudian a propósito del micetoma. La otra especie, *N. brasiliensis,* es causa frecuente de micetoma y se describe junto con los otros productores. Este germen también puede causar nocardiosis generalizada.

Hay un amplio espectro de enfermedades desencadenadas por infección de *N. asteroides.* Con mucho, la enfermedad primaria, que es pulmonar, constituye la manifestación más frecuente de infección, y varía desde las lesiones aisladas y las infiltraciones dispersas hasta las consolidaciones lobares con formación de cavidad. El cuadro clínico se parece al de la tuberculosis, la histoplasmosis u otras infecciones micóticas. La superinfección con *Candida*

albicans pueden ocurrir en estas y otras micosis; es necesario buscar cuidadosamente un agente inadvertido.

La difusión hematógena de la infección puede causar infección secundaria del cerebro. En ocasiones, puede haber infección mínima en el pulmón, y los síntomas de presentación ser extrapulmonares. Pueden estar afectados riñones, bazo, hígado y suprarrenales; sin embargo, en contraste con la infección de *A. israeli,* la participación ósea es rara. Los pocos casos publicados de micetoma por *N. asteroides* son difíciles de valorar, ya que no se establece una diferenciación neta con *N. caviae.*[79, 80] La nocardiosis es uno de los peligros mayores como infección oportunista en pacientes debilitados, especialmente los sometidos a terapéutica esteroide o inmunosupresora.

Serología e inmunidad. Se ha empleado una prueba cutánea usando un extracto de micelio molido, la nocardina, con resultados limitados y diversos. Un preparado anterior, denominado asteroidina, reaccionaba intradérmicamente en animales infectados. Se ha señalado la presencia de anticuerpos circulantes, pero no sabemos cuál sea su papel de la enfermedad. No disponemos todavía de ningún método serológico estándar para diagnóstico de esta enfermedad.

Poder patógeno para animales inferiores. El animal doméstico más frecuentemente afectado es el perro. Se observan tipos similares de anatomía patológica en las infecciones animales y en las humanas. El ganado también está afectado, a veces en forma epidémica. Ha sido objeto de discusión la relación entre la farcinosis del ganado y *N. asteroides.* El microorganismo también infecta peces.

Aislamiento y diagnóstico. Por examen macroscópico la lesión no puede distinguirse de la producida por otras infecciones de bacterias piógenas. La reacción tisular, como la reacción a *A. israeli,* es de tipo piógeno, aguda o crónica supurada, con infiltración de neutrófilos. El microorganismo se ve de preferencia en cortes de tejidos teñidos por el método de Gram, con la modificación de Brown y Breen. La tinción con metenamina de Gomori también es útil. No dan resultado los métodos de PAS y H y E. Se observan finas ramificaciones filamentosas de 1 μ de diámetro atravesando el tejido. No hay aglomeración, ni formación de gránulos, como se observa en la infección con *A. israeli.* Por lo demás, no es posible distinguir los dos, excepto por cultivo.

El microorganismo crece bien, pero lentamente, en todos los medios de laboratorio, y no suele morir con el método digestivo utilizado en el esputo para cultivar bacilos tuberculosos. La colonia clásica es glabra, rugosa, formando pliegues y de color anaranjado brillante. Se han descrito variaciones desde colonias lisas a colonias secas pulverulentas con abundantes micelios aéreos. Los colores pueden ser rosa, lavanda, salmón, blanco, castaño y pardo.[79, 80]

El pronóstico de la enfermedad depende de un diagnóstico y un tratamiento tempranos. Se han observado muchos fracasos en infecciones establecidas, especialmente las que evolucionan con lesiones extrapulmonares. Los medicamentos más empleados son los sulfamídicos, especialmente la sulfadiacina. En un estudio reciente, se comprobó que la sulfadiacina y el ácido nalidíxico eran los quimioterápicos más eficaces, en comparación con formas más nuevas de sulfas y otros agentes antimicrobianos.[16]

OTRAS INFECCIONES POR ACTINOMICETOS

Eritrasma. Esta enfermedad se describió primeramente por Burchardt en 1859; el término eritrasma fue utilizado por Barensprung en 1862. Las escamas cutáneas examinadas por estos autores mostraban filamentos delicados, que se consideraron de origen micótico. Llamaron al microorganismo *Microsporum minutissimum*. En las escamas cutáneas y en cultivos, los gérmenes aparecen como bacilos y filamentos grampositivos, a veces con gránulos. La zona infectada escamosa del paciente, y las colonias del microorganismo, cuando crece el medio de cultivo de tejidos núm. 199 con agar, muestran fluorescencia de color rojo coral, que facilita el diagnóstico. La enfermedad se caracteriza por exantema maculopapular de dimensiones mínimas (punteado) hasta las de la palma de la mano, bien circunscrito en la epidermis. El color varía desde el pardo claro al rojo o pardorrojizo. El borde que adelanta es serpiginoso y eritematoso. La lesión tiene aspecto grasoso y está cubierta por pequeñas escamas furfuráceas. La forma más frecuente es la genitocrural en el varón, aunque pueden estar

afectadas otras zonas de otros grupos. Sarkany, Taplin y Blank [170] comprobaron que la infección de los espacios interdigitales puede ocurrir aproximadamente en la cuarta parte de la población. La eritromicina por vía general, es el medicamento de elección. En la actualidad el microorganismo se denomina *Corynebacterium minutissimum*.

Talón fisurado (queratólisis varoliforme). Esta enfermedad, llamada también keratolysis plantare sulcatum, fue descrita primeramente en la India; recientemente Zaias, Taplin y Rebell [198] han señalado que se observa en todo el mundo. El agente causal sigue siendo obscuro, pero parece ser un actinomiceto, *Nocardia o Micromonospora keratolytica*. La bacteria parece tener acción lítica sobre la capa córnea de la epidermis, y la enfermedad se caracteriza por disolución de la piel gruesa y callosa de la superficie plantar formando fisuras. La piel se resquebraja a lo largo de estas fisuras para formar surcos profundos en el talón, y en la piel húmeda entre los dedos. Estas fisuras se extienden a través del corion hasta los tejidos subcutáneos. Es frecuente la infección secundaria. Puede ocurrir una enfermedad similar, ulcus interdigitale, en los dedos de los pies. El tratamiento es higiene, usar zapatos y lavarlos con solución de formol.

Tricomicosis axilar. Esta enfermedad se caracteriza por pequeñas concreciones de color amarillo (*flava*), rojo (*rubra*) o negro (*nigra*) en el tallo del pelo axilar o pubiano. El sudor en la zona afectada puede estar coloreada en forma similar y teñir la ropa, este es el signo de presentación más frecuente. El paciente no tiene ninguna otra molestia. Recientemente una investigación de 100 casos consecutivos demostró 28 de tipo flava, sin que los pacientes se percataran de la existencia de la infección.[30] La enfermedad puede ser más frecuente de lo que antes se pensó. El microorganismo se ha denominado *Corynebacterium tenuis;* la variedad flava muestra fluorescencia. Probablemente intervienen varios microorganismos, o son capaces de producir estos síntomas. El tratamiento incluye depilación, solución alcohólica de formol al 1 por 100, y pomada de azufre. McBride ha comprobado que el germen absorbe productos coloreados del ambiente y que las diversas variedades probablemente dependan de la dieta del paciente.

Dermatofilosis (eccema epidémico, dermatitis contagiosa, estreptotricosis). Esta enfermedad fue descrita primeramente por Van Saceghem en 1915, como enfermedad de la piel del ganado. Llamó al agente causal *Dermatophilis congolense*. Otros microorganismos aislados de ganado, ovejas, ciervos y caballos, han recibido diferentes nombres, pero Gordon [76] llega a la conclusión de que son variaciones de una misma especie. El microorganismo se señaló por primera vez en Estados Unidos de Norteamérica en 1961 y desde entonces se ha visto en ganado, caballos, ciervos y en el hombre, en Texas, Iowa y Nueva York. Parece comprobado

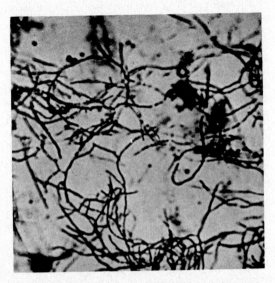

Fig. 31-4. *Nocardia asteroides.* Tinción de Gram; esputo. Obsérvese el micelio largo ramificado. × 900.

que el germen está distribuido por todo el mundo. Roberts [163] cree que la especie es un parásito natural de la epidermis de la oveja.

Dermatophilis congolense crece en cultivo dando una colonia húmeda, amarillenta, en terrones, microscópicamente como masa micelial ramificada en la cual las hifas aumentan y presentan una serie de divisiones longitudinales y transversales para formar una masa cócica movible. La formación de la etapa movible se facilita por temperatura baja, limitación de elementos nutritivos, aireación excesiva y humedad. El microorganismo es un verdadero parásito epidérmico, que normalmente no atraviesa la unión de dermis-epidermis. La enfermedad en la oreja se caracteriza por lesiones eritematosas exudativas y escamosas, que desarrollan en masas piramidales costrosas. El proceso se denomina en inglés a veces *lumpy wool* (lana aterronada). El microorganismo se difunde por contacto y por ectoparásitos, y su crecimiento es favorecido por un medio húmedo.

MICETOMA [1]

El micetoma (tumor fungoso, maduromicosis) es un síndrome clínico que puede tener causa micótica o bacteriana. Aunque el modo de infección, el tipo de reacción tisular y la evolución general de la enfermedad son similares, la elección del tratamiento depende totalmente de saber si una infección es de origen bacteriano o micótico. Los primeros casos de infección se señalaron en el sur de India (1842 y años siguientes) y recibieron el nombre de pie de Madura. Se trata principalmente de una enfermedad de climas tropicales; suele aparecer en personas que no llevan zapatos. La infección se observa frecuentemente en zonas templadas alrededor del Mediterráneo, Africa del Norte, Grecia e Italia. También ocurre regularmente en México, Centro y Sudamérica, e islas del Caribe. Se observan casos esporádicos en Europa y Estados Unidos de Norteamérica. La mayor parte de agentes causales son de distribución mundial, pero algunos son más frecuentes que otros en un área determinada, como *Streptomyces somaliensis* en Africa del Norte, o *Nocardia brasiliensis* en México.

La enfermedad suele afectar el pie, a veces las manos, más raramente otras partes del cuerpo. Hay excepciones, ya que *Nocardia brasiliensis* suele asociarse con infecciones pulmonares creando el síndrome clínico de la nocardiosis. El microorganismo probablemente penetre por implantación traumática en el tejido. Hay datos indicadores de que puede seguir latente por un tiempo, incluso años, y activarse después de producirse una lesión. La parte primeramente afectada, casi siempre la planta del pie, muestra una pequeña hinchazón subcutánea, que lentamente aumenta de volumen y se reblandece para volverse flemonosa. Se rompe la superficie, forma fístulas y el proceso va penetrando

en tejidos más profundos, causando hinchazón y deformación del pie; los huesos a veces están respetados, pero pueden estar intensamente afectados. Se descubren gran número de pequeñas eminencias en sus superficies, cada una de ellas en la abertura de una fístula. El producto de exudación es un líquido viscoso ligeramente purulento, muchas veces de olor pútrido, que contiene partículas granulosas hasta de 1 mm de diámetro. La presencia de estos granos separa los micetomas de los procesos seudomicetomatosos observados en las esporotricosis, el pian, etc. En general, los micetomas actinomicóticos se caracterizan por invasión y destrucción de hueso y un "collar" de hiperplasia de tejido alrededor de la abertura del trayecto fistuloso. Los agentes eumicóticos invaden menos frecuentemente las estructuras óseas.

El examen de los gránulos demostrará si la enfermedad es uno de los dos tipos de micetoma o si se trata de un proceso de aspecto micetomatoso, la botriomicosis, causada por *Staphylococcus aureus* u otras bacterias. Si la enfermedad es micetoma, el examen cuidadoso del gránulo (y la confirmación ulterior por cultivo) demostrarán cuál de los grupos es el agente causal. La diferencia clínica más manifiesta en los micetomas es el color de los granos presentes en el exudado. Estos pueden ser blancos, amarillos, rojos o negros. Los granos o microcolonias están compuestos de filamentos miceliales del microorganismo. Uno de los agentes, *Actinomadura madurae*, se ha comprobado que elabora una colagenasa poderosa que explica su capacidad infecciosa y de causar enfermedad.[158] Si el gránulo está formado de elementos miceliales entretejidos muy delgados (de 1 μ de diámetro) muchas veces con células periféricas en maza, es bacteriano (micetoma actinomicótico); los elementos miceliales de diámetro mayor de 1 μ que muestran células aisladas, tabiques, y generalmente producción de clamidosporas, se descubren en las infecciones micóticas (micetoma micótico). El micetoma actinomicótico se trata con los antibióticos antibacterianos usuales, como penicilina, tetraciclinas, sulfamidas y diaminodifenilsulfona. Se han logrado resultados mucho menos interesantes en el tratamiento del micetoma micótico. Se ha empleado la anfotericina B por vía intravenosa, lográndose a veces remisión de la enfermedad. Los yoduros aún se emplean con bastante buen resultado. No disponemos todavía de tratamiento eficaz para el micetoma micótico. Muchas veces se necesita la amputación como último recurso.

La enfermedad suele ser local; raramente o nunca se ven abscesos secundarios, y los órganos internos probablemente nunca estén afectados. En casos resistentes al tratamiento o con gran destrucción de tejido es necesaria la extirpación quirúrgica de los tejidos infectados, generalmente a base de amputación, con lo cual se logra la curación. En ocasiones, microorganismos que acompañan al micetoma pueden intervenir en diversos procesos infec-

Micetoma actinomicótico

Especie	Grano	Histología (H y E)	Características microscópicas y de colonias	Perfil fisiológico						
				C	T	X	ST	GEL	U	AX
Nocardia asteroides	Raro; blanco, blando, irregular, 1 mm.	Acúmulos homogéneos, poco densos de filamentos; mazas raras	Crecimiento rápido (37°C); lisas, plegadas, prominentes; color amarillo anaranjado, bronceado, etc. Bacilos cortos y cocos; raros filamentos ramificados; acidorresistentes	−	−	−	−†	−	+	−
Nocardia brasiliensis	El grano es blanco o amarillo, blando, lobulado, 1 mm	Igual que arriba; mazas frecuentes	Crecimiento rápido (30°C); colonias y aspecto microscópico como antes; acidorresistentes	+	+	−	−†	+	+	−
Nocardia caviae	Igual que arriba	Igual que arriba	Igual que arriba; acidorresistente	−	−	+	−†	−	+	+
Actinomadura madurae	Blancas, raramente rosas, rosadas, blandas, ovales o lobuladas voluminosas 5 mm	Centro vacío, amorfo; periféricamente manto denso; borde basófilo, rosado, amplio; pestañas sueltas; mazas	Crecimiento rápido (37°C); color blanco cremoso, raramente coágulo rojo; rugosas, sin pelos. Filamentos finos ramificados no fragmentados; artrosporas; sin acidorresistencia	+	+	+	+†	+	−	+
Actinomadura pelletierii	El grano redondo, duro, oval, o lobulado, pequeño, 1 mm	Coloración obscura, redonda, homogénea; banda periférica clara; dura —se fractura fácilmente; sin mazas	Crecimiento lento (37°C); pequeñas, secas, lisas; color claro o granate. Filamentos finos ramificados, que no se fragmentan; sin ácidorresistencia	+	+	−	−†	+	−	−
Streptomyces somaliensis	Amarillo duro, redondo u oval, voluminoso, 2 mm	Dimensiones variables; centro amorfo; placas púrpura claro con manchas rosadas; filamentos obscuros en los bordes, enteros; sin mazas	Crecimiento lento (30°C); de color cremoso a pardo, rugosas, sin pelos. Filamentos delicados, ramificados que no se fragmentan; artrosporas; sin acidorresistencia.	+	+	−	±†	+	−	−

Actinomyces israeli es también causa de micetoma de grano claro. Consultar el capítulo para identificación.

* Abreviaturas: C = caseína; T = tirosina; X = xantina; ST = almidón (amilolítico); Gel = gelatina (proteolítico); U = urea; AX = ácido de arabinosa y xilosa.
† Algunas cepas son positivas.

Micetoma micótico (hongos dimórficos de los tejidos)

Especie	Grano	Histología (H y E)	Características microscópicas y de colonias	ST	GEL	G	GAL	L	M	S
Allescheria boydii	Blanco, blando, oval o lobulado, menor de 2 mm	Hifas hialinas de 5 μ, células enormes hinchadas, de menos de 20 μ; sin cemento; borde rojo; periferia rosada.	Crecimiento rápido (30°—37°C); gris de piel de ratón. Grandes conidios aleuriospóridos unicelulares de 7μ con conidióforo simple. Cleistotequias negras.	+	+	+	0	0	0	0
Madurella grisea	Negro, blando o duro, oval o lobulado, menor de 1 mm	Poco cemento obscuro en el borde; células poligonales en la periferia; micelio hialino central.	Crecimiento muy lento (30°C); de color gris correoso, después vellosa. Pigmento difusible.	+	−	+	+	0	+	+
Madurella mycetomi	Negro, duro o quebradizo, oval o lobulado menor de 2 mm	Tipo compacto con cemento teñido pardo; tipo vesicular con cemento pardo solamente en el borde; células hinchadas, de menos de 15 μ; micelio hialino central.	Crecimiento muy lento (37°C); vellosa, aterciopelada, lisa o rugosa; color crema de durazno a ocre. Pigmento pardo difusible; esclerotias negras, de menos de 2 mm; conidios raros, fiálides.	+	±	+	+	+	+	0
Acremonium kiliense	Blanco, blando, irregular, de menos de 1.5 mm	Sin cemento; hifas hialinas mayores de 4 μ; células hinchadas mayores de 12 μ.	Colonia blanca lisa (30°C); más tarde felpuda. Pigmento violeta difusible; tabicados curvados; conidios dispuestos como cabeza en conidióforos simples.	0	±					
Phialophora jeanselmei	Negro, blando, irregular o vermicular	Helicoide o serpiginosa; centro muchas veces vacío; sin cemento; células vesiculares, menores de 10 μ; hifas pardas.	Crecimiento lento (30°C); húmedas, negras correosas, más tarde vellosas. Negra invertida; células de levadura toruloide, células moliniformes, fiálides tubulares largas.	0	0	+	+	0	+	+
Leptosphoeria senegalensis	Negro, blando, irregular, ~ 1 mm	Hifas negras; cemento en la periferia; centro hialino.	Crecimiento rápido; gris felpudo; pigmento rosa difusible raro—invertida negro; peritequias negras de menos de 300 μ; ascosporas tabicadas de 25 × 10 μ.							

Perfil fisiológico

* Abreviaturas: ST = almidón; GEL = Gelatina; G = Glucosa; GAL = Galactosa; L = Lactosa; M = Maltosa; S = Sacarosa.

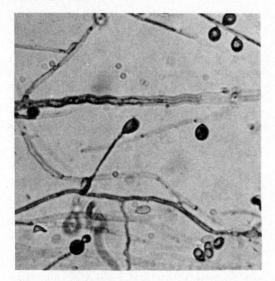

FIG. 31-5. *Allescheria boydii*. Cultivo montado en solución de lactofenol-azul de algodón. Espora aislada sobre un conidióforo alargado. × 400.

ciosos, como Allescheria en las infecciones de próstata [131] y oculares.[51]

Diagnóstico de laboratorio. Como indicamos antes, los micetomas se caracterizan por la presencia de gránulos en el exudado. Los granos pueden ser duros y suelen tratarse con solución de hidróxido sódico concentrada (20 por 100) para disolver el pigmento y los restos y permitir el examen en preparación húmeda (sin teñir) buscando la presencia de filamentos micelianos entretejidos. Pueden observarse mazas en las infecciones actinomicéticas y talosporas (esclerosporas), estructuras homogéneas muy tabicadas, en casos de Madurella y otras infecciones micóticas. Para la diferenciación e identificación es necesario hacer cultivos con medios de carne enriquecidos (agar BHI) para actinomicetos, y agar de Sabouraud en caso de etiología micótica. La serología se ha utilizado poco en los micetomas. No siempre se descubren títulos de anticuerpo, excepto en las infecciones más extensas, como ocurre con la participación general y pulmonar por *N. brasiliensis*.

Hongos patógenos

Los hongos verdaderos o eumicetos, son muy diferentes de las bacterias verdaderas en cuanto a dimensiones, estructura celular, estructura nuclear, y composición química. Las diferencias en la composición de la pared celular, y de la estructura nuclear ya las consideramos en la sección de actinomicetos. Aunque esencialmente se trata de microorganismos monocelulares, en algunas especies de hongos las células pueden mostrar grados diversos de especialización. El aspecto morfológico más sencillo es el de la levadura monocelular en gemación; el alargamiento de la célula sin separación de las células neoformadas origina hifas de aspecto filamentoso; una masa entretejida de hifas se denomina micelio. La masa miceliana se conoce como talo, y en la mayor parte de los hongos que vamos a considerar hay una red laxa de hifas. En algunas formas más elevadas, las hifas están unidas formando cuerpos estructuralmente complejos voluminosos, como las setas y bejines, que pueden pesar más de 25 Kg. Aunque alcanzando tal volumen enorme, todos los hongos siguen siendo organismos primitivos; cada célula aislada de una masa de hongos de 25 Kg de peso puede crecer y volver a formar toda la estructura. Esta capacidad separa los hongos, protozoos y algas, de las formas más altas de estructura como árboles y mamíferos en las cuales la especialización de células en tejidos no es reversible.

Cabe distinguir dos tipos estructurales principales de micelio. En uno de ellos, las células que constituyen las hifas no están separadas por tabiques o paredes transversales, permitiendo el flujo característico de protoplasma a través de la estructura multinuclear. Tal estructura se dice que es no tabicada o cenecítica. Algunas de las algas tienen estructura similar, y los hongos caracterizados así se llaman ficomicetos u hongos de tipo de alga. Sin embargo, en la mayor parte de hongos las hifas están tabicadas con cada célula separada de la otra por paredes transversales. Los tabiques tienen "agujeros", de manera que puede haber un flujo libre de material citoplásmico. Es posible la migración nuclear en los ascomicetos, que tienen un poro voluminoso en los tabiques intracelulares. Una estructura especial, que comprende el doliporo y el parentesoma impide la migración nuclear en los basidiomicetos. Cada célula de basidiomiceto contiene dos núcleos diferentes (dicarión), uno derivado de un progenitor y uno del otro progenitor. El micelio de este último grupo también puede presentar una estructura peculiar en puente, que conecta una célula con la vecina seriadamente. Esta conexión interviene en la transferencia nuclear a una célula de nueva formación. Por lo tanto, estas tres clases principales de hongos pueden distinguirse en parte según la estructura de la hifa madura, no esporulante, aunque esta no es una de las principales características a base de las cuales se hace la diferenciación.

El micelio se diferencia en dos tipos generales, cuya función es diferente. Uno de ellos, el *micelio vegetativo,* consiste en masas de hifas dentro de la colonia, adyacentes y que crecen dentro del substrato; guarda relación con la asimilación de los materiales alimenticios. Los fragmentos de ese micelio se producirán si se transfieren. El otro tipo, o *micelio reproductor,* suele proyectarse al aire para formar un *micelio aéreo* y dar lugar a cuerpos reproductores o esporas. El modo de formarse las esporas, la estructura de las mismas y los elementos que nacen de ellas constituyen las características para identificar, clasificar y diferenciar los hongos.

Además de la esporulación y del crecimiento vegetativo de hifas, muchas especies de hongos se reproducen por separación de células conocidas como *oidias,* de cualquier parte del micelio. Estas formas reproductoras vegetativas pueden dar lugar a nuevos micelios, o reproducirse por brotes como las levaduras, según el medio ambiente donde se encuentren.

Formación de esporas. Deben distinguirse dos clases de esporas, las *esporas sexuales* que se producen por fusión de dos células, que pueden provenir de talos diferentes, y las esporas asexuales, que pueden nacer por diferenciación de las hifas portadoras de esporas, sin fusión. Si se produce una espora sexual, solamente con un núcleo de otro tipo de apareamiento, dícese que el hongo es heterotálico. Si un núcleo del interior del mismo talo sirve para formar esporas sexuales, el hongo es homotálico. Los hongos para los cuales se conocen ambos tipos de formación de esporas, sexual y asexual, se denominan "hongos perfectos" y pueden distinguirse también por las diferencias en el cuerpo que resulta de la fusión sexual. Se utilizan diferencias de tipo, volumen y color de las células sexuales, junto con otras características morfológicas, para clasificar el germen en clases, órdenes, familia, géneros y especies. Las tres clases de hongos, según el método de formación de esporas sexuales, son ficomicetos, ascomicetos y basidiomicetos. Un cuarto grupo es la clase en formación Deuteromicetos u hongos imperfectos, para los cuales no se conoce un estado sexual o "perfecto".

Formación de esporas sexuales. Los ficomicetos más comunes son las especies de Mucor y Rhizopus. Estos mohos producen una espora sexual conocida como cigospora por la fusión de filamentos vecinos de la misma planta o de plantas diferentes. Suele ser dura y negra. Cuando madura, se rompe dando origen a un esporangio y esporangiosporas. Estas son similares al método asexual de reproducción en esta especie. Los ascomicetos incluyen diversos géneros de patógenos vegetales y animales, algunas cepas de Penicillium y Aspergillus, y muchas levaduras forman esporas sexuales que se denominan ascosporas, porque están contenidas en un saco o asco. Su formación es más simple en las levaduras, donde se fusionan dos células contiguas por medio de minúsculas prolongaciones como tubos; los núcleos se unen y el núcleo único resultante se divide varias veces para dar cuatro u ocho núcleos hijos.

Alrededor de cada núcleo se acumula material de reserva, se forma una pared de espora, y la célula que las contiene es el asco. En la mayor parte de ascomicetos el proceso es algo más complejo, y pueden distinguirse las células que se funden y se llaman oogonio y anteridio. La célula que resulta de la fusión da origen a nuevas hifas. Luego sigue un desarrollo estructural complejo con la penúltima célula binucleada. Estos núcleos se funden y luego se dividen para formar ascosporas, o sea que intervienen dos fusiones nucleares en todo el proceso.

Las basidiosporas, unidades reproductoras de los basidiomicetos, también se forman por un proceso complejo que incluye la conexión por virtud de la cual un núcleo de un par que se aparea pasa de una célula a la célula neoformada; el otro núcleo sigue por el "camino central" a través de la parte media de la célula hacia la célula neoformada. Los núcleos finalmente se funden en una estructura a modo de maza denominada basidio, y dan origen a cuatro basidiosporas fijadas en el exterior. Estas, como la mayor parte de las demás esporas de hongos, son haploides. Los basidios revisten las laminillas de los hongos; se encuentran en criptas dentro de los bejines y revisten los poros de los agáricos. Hasta aquí no se ha visto que ningún basidiomiceto sea patógeno. Los ascomicetos incluyen *Piedraia hortai* (piedra negra), *Allescheria boydii* (micetoma) y los dermatófitos (generalmente conocidos por su nombre imperfecto). Los ficomicetos están representados por Mucor, Rhizopus y Basidiobolus. Muchos hongos patógenos no tienen fase sexual conocida y se clasifican como hongos imperfectos.

Hongos imperfectos. Los "hongos imperfectos" o deuteromicetos a veces se llaman hifomicetos; constituyen el cuarto grupo de eumicetos. El grupo necesariamente es provisional; de cuando en cuando se extraen diversas especies de hongos del mismo, al descubrirse sus fases sexuales. La clasificación de los organismos se basa en el tipo asexual de formación de esporas, el color, la forma, la dimensión, etc. Muchas veces un organismo recibe un nombre fundado en sus características asexuales, observadas antes de conocerse su etapa sexual. Cuando se descubre una etapa sexual se le da también un nombre descriptivo y de significación taxonómica. Esto hace que a veces un mismo organismo tenga dos nombres. Al principio, ello se presta a confusión, pero resulta taxonómicamente legal; por ejemplo, la fase de dermatófito de *Microsporum gypseum* y su estado perfecto *Nannizzia gypsea.* Para aumentar la confusión, el microorganismo que llamamos *M. gypseum* es la etapa imperfecta de dos especies de hongos perfectos, *N. gypsea* y *N. incurvata.* Esto pone de relieve que los hongos imperfectos son simplemente un cajón de sastre cómodo para describir aquellas especies para las cuales se está esperando la atribución de categorías que tengan sentido, cuando puedan descubrirse sus mecanismos sexuales.

Examen microscópico. Los métodos que se usan para examen microscópico de los hongos varían según al naturaleza del material y el objeto del examen. En general, los métodos de tinción, tan útiles para el estudio de bacterias, no son aplicables; todos los hongos son grampositivos y pueden encontrarse en frotis teñidos con coloración de Gram, pero su morfología no está clara. Las preparaciones húmedas, poco o nada teñidas, proporcionan más datos.

Muestras. Las lesiones abiertas o que drenan están casi siempre tan contaminadas secundariamente por bacterias que es muy difícil encontrar los hongos; en el material de lesiones abiertas quirúrgicamente suelen demostrarse, aunque no en tanta cantidad como las bacterias en las infecciones bacterianas correspondientes. Un método simple para observar las células de levadura, gránulos de micetoma o unidades micelianas en pus, exudado o esputo, es tratar la muestra con hidróxido potásico (KOH) en la forma que describiremos luego. En las dermatomicosis la infección bacteriana secundaria de ordinario no interfiere para demostrar con el microscopio los elementos fungosos. Los dermatófitos viven exclusivamente en la queratina, y las muestras deben tomarse de raspados de las capas córneas, parte superior de vesículas, raspaduras de la parte plana de las uñas y pelo.

El material debe montarse en hidróxido de sodio fuerte (10 a 20 por 100) caliente. Esto disuelve o hace transparentes los elementos tisulares, y se observan fácilmente los hongos cuando se examina el preparado húmedo sin teñir. En lugar de hidróxido de sodio puede usarse antiformina o lactofenol. Debe tenerse cuidado para distinguir entre esporas y glóbulos de grasa, y entre micelios y bandas de fibrina; en algunas preparaciones, probablemente por el colesterol, puede formarse una estructura igual a la de micelio ("hongo en mosaico"). Solamente con experiencia pueden reconocerse estos y otros artefactos, y distinguirse de los hongos. Los hongos pueden demostrarse en cortes de tejidos, como paredes de abscesos y tejido granulomatoso, con el colorante de la tinción de Hotchkiss-MacManis (ácido peryódico-Schiff), la de Gridley (una PAS modificada) o la de Gomori (plata con metenamina). La tinción de Gomori se recomienda para descubrir los pocos microorganismos en una pieza voluminosa, y la de Gridley para distinguir el detalle de la estructura del hongo. La tinción de Gomori, también tiñe los actinomicetos, pero las demás no lo hacen. La tinción de Gram, modificada por Brown y Breen, también se recomienda para los actinomicetos.

Cultivos. Se toma un poco de la porción de crecimiento de la colonia, se separa en una gota de agua y se examina en preparación húmeda. Pueden verse varias estructuras, pero la disposición de los elementos resulta muy perturbada. Los cultivos en laminillas muestran la estructura y la disposición

del crecimiento y puede montarse en forma permanente. Estos cultivos se preparan añadiendo un poco de crecimiento a una pequeña porción de agar, sobre un portaobjetos. Se coloca encima un cubreobjetos, y se incuba la preparación en una cápsula de Petri húmeda. Después de una semana o más, cuando las esporas son maduras, se quitan con cuidado el cubreobjetos y el medio de cultivo. Se añade una gota de lactofenol y azul de algodón y vuelve a colocarse el cubreobjetos. Algunos de los micelios se habrán adherido al vidrio, y las cabezas de las esporas, los conidióforos, etc., estarán intactos y en su disposición característica. Los cultivos en portaobjetos se recomiendan particularmente para identificar dermatófitos. No se recomienda para Coccidioides, Histoplasma, etc.

Cultivo.[14] La mayor parte de hongos crecen muy rápidamente, pero las formas patógenas suelen hacerlo con mayor lentitud; quizá se necesiten tres a cuatro semanas de incubación. Su morfología se afecta notablemente según el medio donde se desarrollan. En general, no tienen necesidades nutritivas excepcionales y crecen con facilidad sobre todos los medios bacteriológicos usuales, en especial si se añade azúcar. Muchos mohos toleran una gran acidez y pueden cultivarse en agar nutritivo con glucosa y ácido tartárico que inhibe el desarrollo de bacterias. La mayor parte crecen bien en el medio modificado de Czapek-Dox (un medio sintético de glucosa y nitrato) que es reproducible y se ha usado mucho como agar "estándar" con propósitos descriptivos. El medio de Sabouraud, agar con peptona y maltosa, es tal vez el que más se usa en micología médica para aislar y conservar cultivos, especialmente dermatófitos.

En la práctica actual de los laboratorios se añaden antibióticos con el fin de que el medio resulte selectivo para un grupo particular de microorganismos. Para los dermatófitos y la etapa miceliana de los hongos dimórficos térmicos es muy útil el medio de Sabouraud con cloramfenicol (contra las bacterias) y cicloheximida (Actidione) que suprime la mayor parte de hongos de contaminación. Algunos hongos patógenos no crecen en medio de Actidiona, por ejemplo, *Candida tropicalis,* la etapa de levadura de Histoplasma y Blastomyces, y *Cryptococcus neoformans;* todos los actinomicetos son inhibidos por cloramfenicol.[7, 14] Si se sospecha la presencia de estos microorganismos, hay que utilizar otros medios de cultivo.

Clasificación. Los hongos que vamos a estudiar en esta sección se presentarán según la localización clínica de la infección.[90] Las categorías son las siguientes: Micosis superficiales: solo están afectadas las capas más superficiales de la piel, o los pelos, y prácticamente nunca hay reacción del huésped al parásito, como en la piedra y la tiña versicolor.

Micosis cutáneas: la infección se limita a las capas superficiales de la piel, con poca o ninguna invasión de células vivas. Puede haber reacción importante, a veces intensa, del huésped, a la presencia del microorganismo. Se incluyen los dermatófitos y las infecciones cutáneas por Candida.

Micosis subcutáneas: en esta categoría están las enfermedades en las cuales el microorganismo ha invadido el tejido subcutáneo o ha sido implantado en el mismo. De ordinario la infección se limita a la zona de entrada y puede seguir un curso clínico muy prolongado. Son ejemplos los siguientes: cromoblastomicosis, micetoma, ficomicosis subcutánea y esporotricosis.

Micosis generalizadas: en esta categoría están los microorganismos patógenos más peligrosos, muchas veces productores de enfermedad mortal. La penetración en el organismo suele ser por los pulmones y la enfermedad puede difundirse a otras partes del cuerpo. Las enfermedades con organismos dimórficos térmicos (histoplasmosis, blastomicosis), coccidioidomicosis, criptococosis, etc., están incluidas. Se hallan en este grupo también las infecciones oportunistas. Estos gérmenes no son dimórficos como los agentes causales de las enfermedades antes señaladas. Existen en forma de micelio cuando crecen saprófitamente, o cuando invaden huésped debilitado. Tales enfermedades incluyen aspergilosis y mucormicosis. Candida, una levadura, se transforma en un micelio alargado cuando coloniza en un tejido.

Micosis raras: se observan pocas veces y los microorganismos no suelen considerarse patógenos. Pueden ser gérmenes del suelo que responden a un medio anormal, después de implantación accidental o de invasión de un huésped debilitado. Consideraremos enfermedades como penicilosis, cercosporamicosis y cladosporosis.

MICOSIS SUPERFICIALES

PITIRIASIS VERSICOLOR
(Tiña versicolor)

Se trata de una micosis frecuente en todo el mundo, pero particularmente común en zonas tropicales. Se caracteriza por placas amarillas o pardas, o escamas continuas en el tronco, a veces en piernas, cara y cuello. La zona afectada muestra fluorescencia de color amarillo de oro cuando se ilumina con una lámpara de ultravioletas filtrados, la "luz de Wood" (máximo a 3 560 Å). La susceptibilidad probablemente sea genética, y pueda relacionarse con la rapidez del crecimiento y la descamación epidérmicos. También pueden predisponer a esta enfermedad valores altos de corticosteroides, administrados o endógenos.[103] El agente causal se llamó *Malassezia furfur* en la literatura vieja. Está comprobado que el microorganismo es la levadura lipófila *Pityrosporum orbiculare*.[109] No crece en medios ordinarios; suele necesitar algunos aditivos lípidos. El diagnóstico se establece fácilmente examinando las escamas montadas en KOH. Se observan hifas cortas gruesas,

acompañadas de formas redondeadas. El tratamiento con buen resultado utiliza champú de sulfuro de selenio y pomada de Whitfield. La infección suele recidivar.

TIÑA NEGRA

La enfermedad se manifiesta por placas negras en las palmas de las manos, raramente en otras partes del cuerpo. Montado el producto en KOH, el microorganismo se observa como hifas pardas ramificadas, de 2 a 3 μ de diámetro. Aunque particularmente frecuente en los trópicos, se observan algunos casos en Estados Unidos de Norteamérica. Los agentes causales son miembros del género Cladosporium,[110] *C. werneckii* suele descubrirse en Centro y Sudamérica, mientras que *C. mansonii* se encuentra en India, Asia tropical y Africa. Probablemente sean variantes de una misma especie. Las colonias crecen lentamente en agar de cicloheximida, produciendo una colonia húmeda obscura, de color negro verdusco. Microscópicamente se observa gran número de conidios de una y dos celdillas en un micelio obscuro. Pueden utilizarse para tratamiento los fungicidas queratolíticos, como la pomada de Whitfield. La importancia principal de la tiña negra es que se ha diagnosticado equivocadamente de melanoma maligno. Esto ha sido causa de cirugía mutilante innecesaria.

PIEDRA

Es una micosis del pelo, caracterizada por nódulos en la porción distal del tallo. Se observan dos

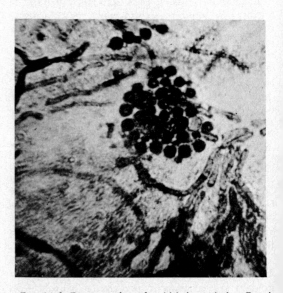

FIG. 31-6. Escama cutánea de pitiriasis versicolor. Permiten el diagnóstico de la enfermedad el micelio corto y ramificado, y la célula pequeña de tipo levadura. Plata con metanamina; × 400.

tipos. La piedra blanca, en la cual se forman nódulos blandos de color claro, que se observa principalmente en zonas templadas. El agente causal, *Trichosporon cutaneum*, es sensible a la ciclohexímida, pero crece en la mayor parte de otros medios. Produce una colonia blanda, cremosa, de crecimiento rápido, que toma color gris amarillento. Microscópicamente está formada por micelios hialinos tabicados, que se fragmentan en artrosporas ovales. *T. cutaneum* se distingue de otros miembros del género porque no fermenta los azúcares ni crece con nitrato de potasio, y por su tipo de asimilación de carbono.

La piedra negra es un nódulo obscuro o negro duro, causado por el ascomiceto *Piedraia hortai*. La enfermedad es principalmente tropical, se observa en América Latina y Africa. Infecta también otros primates. El microorganismo crece lentamente en agar de ciclohexímida, produciendo una colonia verdosa a parda negra, dura y elevada. La colonia está formada por clamidosporas y micelios obscuros. Rara vez se observan ascos en cultivos. El tratamiento estriba en cortar el pelo.

Infecciones cutáneas (Dermatofitosis) [3, 5, 150]

El tipo más común de infección por hongos en el hombre es, con mucho, la dermatofitosis, infección superficial de la epidermis y anexos epidérmicos queratinizados, pelo, vainas del pelo y uñas; su gravedad depende en gran parte de la localización de la lesión y la especie de hongo presente. Aunque otros hongos principalmente Candida, producen enfermedades clínicamente semejantes, los dermatófitos, grupo de hongos más o menos homogéneos, son los responsables en la gran mayoría de los casos. La capacidad de estos microorganismos para invadir y parasitar los tejidos cornificados está íntimamente relacionada, con su carácter fisiológico común de utilizar la queratina, escleroproteína muy insoluble. Esta propiedad es biológicamente rara, y los dermatófitos (familia Gymnoascaceae) la comparten solo con algunas especies de hongos saprófitos (sobre todo de la familia Onygenaceae) y ciertos insectos, incluyendo la polilla de la ropa (Tinea), escarabajos de las alfombras (Dermestes), y el piojo mordedor (Mallophaga).

Aunque las diversas especies de dermatófitos producen infecciones clínicamente características, por una parte una especie puede producir diferentes tipos de enfermedad, por otras infecciones que son muy similares o esencialmente idénticas pueden depender de especies diferentes. Además, otros estados, como dermatitis por productos químicos, neurodermatitis y ciertos tipos de alergia, pueden semejarse mucho a las dermatofitosis, pero, por supuesto, no responden al tratamiento con fungicidas. Por lo tanto, es conveniente demostrar el hongo causante por examen microscópico directo del material patológico, o por aislamiento y cultivo, para establecer el diagnóstico y la terapéutica adecuados.

El antibiótico griseofulvina ha demostrado ser un quimioterápico muy eficaz para tratar las dermatomicosis,[91, 132, 164] pero para curarlas es necesario administrarlo por vía bucal por tiempo prolongado (tres a 10 semanas). Puede haber efectos secundarios por el uso de este medicamento.[168] La acción antimicótica del antibiótico se refleja en cambios morfológicos del hongo infectante, tanto in vitro como in vivo, y parece resultar de interferencia con la síntesis del ácido nucleico. El tolnaftato (Tinactin) ha dado resultados prometedores en la mayor parte de infecciones, excepto las de pelo y uñas. El tiabendazol se ha utilizado mucho en América del Sur para formas resistentes de tiña.[11] Un nuevo agente antimicótico tópico, la haloprogina (Halotex), parece tener la misma amplitud de actividad que el tolnaftato.

Los dermatófitos hasta hace poco se clasificaron como hongos imperfectos. Gracias a los trabajos de Stockdale,[184] Gentles y otros autores, se ha demostrado que varios tienen una etapa sexual (y por lo tanto, un nombre de estado perfecto). Esta observación la efectuó primeramente Nanizzi en 1927, pero pasó inadvertida. En consecuencia, muchos de los microorganismos llevan ahora dos nombres. En dermatología clínica el nombre correspondiente a la vieja etapa imperfecta todavía es de empleo común, y probablemente persista. La mayor parte de

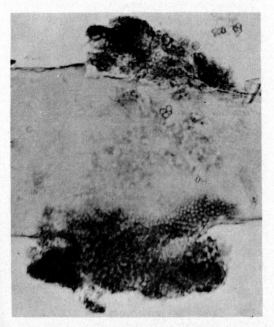

Fig. 31-7. Nódulo de piedra negra en el tallo de un pelo. *Piedraia hortai.* × 100.

Estados ascígeros de dermatófitos y especies relacionadas

Estado imperfecto	Germen usual	Estado perfecto
Microsporum gypseum	Hombre, animales	*Nannizzia gypsea*
		Nannizzia incurvata
Microsporum fulvum	Hombre, animales	*Nannizzia fulva*
Microsporum nanum 6	Cerdos	*Nannizzia obtusa*
Microsporum cookei	Raro; hombre	*Nannizzia cajetana*
Microsporum vanbreuseghemi	Raro; hombre, animales	*Nannizzia grubyia*
Trichophyton ajelloi	Raro; hombre, animales	*Arthroderma uncinatum*
Trichophyton terrestre	Raro; hombre	*Arthroderma quadrifidum*
Trichophyton mentagrophytes	Hombre, animales	*Arthroderma benhameii*

microorganismos que tienen un estado perfecto son heterotálicos, y no muestran la formación de ascos, excepto si crecen con un tipo de apareamiento opuesto. Incluso entonces, solo suelen producirse cleistocarpos en medios donde hay una mezcla de queratina y tierra. En el cuadro adjunto damos una lista de los dermatófitos conocidos y sus etapas perfectas. Muchos gérmenes relacionados se han aislado del suelo, pero hasta aquí nunca o muy raramente se han aislado de materiales de lesión.

Estos dermatófitos difieren de la mayor parte de los otros hongos patógenos por cuanto las células son muy multinucleadas, generalmente conteniendo cuatro a seis núcleos, y la división es amitótica. Las artrosporas, clamidosporas y las células aisladas de las macroaleuriosporas también son multinucleadas, pero estas últimas contienen un solo núcleo. El grupo es homogéneo, tanto inmunológica como morfológica y fisiológicamente. Solo recientemente se han descubierto algunas diferencias fisiológicas entre ellas, que ayudan a la identificación. Nos ocuparemos de ellas más tarde.

Diferenciación de géneros y especies.[150] David Gruby en 1841 describió la causa micótica del favus. Cultivando el hongo de una lesión infectada reprodujo la enfermedad inoculándola en piel normal. Desde entonces se aislaron varios hongos de lesiones similares. Algunos eran los agentes causales, otros eran contaminantes, y prácticamente todos recibieron nombres diferentes, sin tener en cuenta la taxonomía adecuada. Proporcionó cierto orden el trabajo del dermatólogo francés Sabouraud. La clasificación de Sabouraud, presentada en 1910, y algo modificada por él mismo más tarde, es la más generalmente utilizada. El sistema fue ampliamente revisado por Emmons y Conant, quienes redujeron a sinonimia diversas variedades de una misma especie. Actualmente el trabajo en el estado ascígero y las diferencias fisiológicas ayudarán a establecer líneas de especies. Hasta aquí todavía dependemos de diferencias en la morfología microscópica y de las colonias, de la presencia de pigmentos, tipos de esporas, etc.

La morfología de las colonias se modifica fácilmente por cultivo en medios artificiales. En conse-

cuencia, muchos cultivos patrones de dermatófitos son atípicos en mayor o menor grado. Esta variación ocurre con especial facilidad en maltosa agar "probada", y Sabouraud recomienda un medio de conservación, el mismo medio pero sin azúcar, que no permite que se manifiesten los caracteres diferenciales de todas las especies; el desarrollo en él es más lento, pero tiene la ventaja de posponer las alteraciones pleomórficas. Las propiedades diferenciales reaparecen al transferirse al milieu d'épreuve de glucosa, el estándar agar de Sabouraud.

Características diferenciales. Se han descrito muchas diferentes clases de dermatófitos, algunos estiman 200 ó más, pero muchas especies "nuevas" no se han estudiado en forma adecuada, y a menudo constituyen variaciones secundarias de especies establecidas. Se han hecho algunos estudios fisiológicos,[68, 162, 184] encontrándose que ciertas especies o cepas se distinguen por sus necesidades de vitaminas o aminoácidos. Esto pudiera brindar una base para identificación, pero, hasta aquí por lo menos, las características fisiológicas no han sido tan útiles para

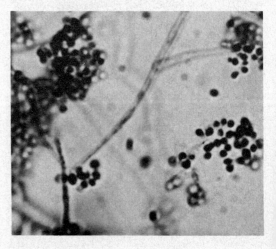

FIG. 31-8. *Trichophyton mentagrophytes.* Las microaleuriosporas globulosas "en racimo" y el micelio espiral identifican este hongo. Las esporas en forma de lápiz son idénticas a las de *T. rubrum.*

Necesidades nutritivas de dermatófitos

Especies	Necesidades
T. *verrucosum*	Inositol y generalmente tiamina
T. *tonsurans*	Tiamina
T. *megninii*	Histidina
T. *equinum*	Acido nicotínico
T. *violaceum*	Tiamina

describir estas formas como suelen serlo para caracterizar bacterias.

Las características establecidas por los trabajos de Georg [68] y que han demostrado su utilidad pueden verse en cuadro adjunto. La prueba se efectúa sembrando el germen en medios deficientes.

Cuando crece en la piel y sus apéndices, el talo se diferencia solamente en hifas y artrosporas; estas últimas, nacidas por fragmentación del micelio. En cierto sentido, esta es su etapa parasitaria, pues los dermatófitos no producen artrosporas cuando crecen saprófitamente en el suelo o en cultivos.[111] La diversidad de estructuras diferenciadas, incluyendo aleuriosporas (microconidias) y esporas fusiformes (macroconidias), estructuras vegetativas como espirales, cuerpos pectinados, órganos nodulares y micelios en raqueta, aparecen en cultivos en medios artificiales. Las diferencias indudablemente son consecuencia del valor nutritivo del substrato, de la existencia semiparásita del huésped, o de ambos factores.

La diferenciación primaria que hay en los tres géneros importantes, Trichophyton, Microsporum, y Epidermophyton, es morfológica, basada en la for-

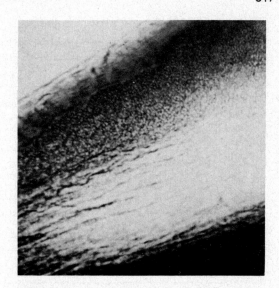

FIG. 31-10. Tiña ectothrix de la cabeza (*Microsporum audouini*). Obsérvese el micelio en el tallo del pelo (izquierda, inferior) con disposición en mosaico de las artrosporas alrededor del tallo del pelo. × 400.

ma de las colonias y el carácter de las macroaleuriosporas. Los dos primeros géneros antes señalados (el tercero no invade el pelo), difieren en cuanto a volumen y disposición de las esporas formadas en los pelos. El género Microsporum incluye la espora de tipo pequeño (3 a 4 μ de diámetro) y el género Trichophyton, el tipo de espora grande (7 a 8 μ de diámetro). Esta distinción no es absoluta, pues la especie más frecuente, *Trichophyton mentagrophytes,* forma esporas pequeñas. Además, las esporas difieren en su disposición. Al paso que el micelio de Microsporum crece dentro de los pelos, solo se forman esporas por fuera del pelo, y se observan en acúmulas irregulares en una especie de disposición en mosaico. Por otra parte, las esporas de Trichophyton, forman cadenas dentro o fuera del pelo.

Otra diferenciación de los microorganismos se logra basándose en la localización de las artrosporas en relación con el pelo. El tipo endothrix (a veces llamada tiña de puntos negros) crece dentro del pelo, y allí se encuentran micelios y cadenas de esporas. El pelo muchas veces se rompe a nivel de su base, y origina una zona de alopecia (generalmente cuboide y acompañada de un querion) puntos negros de pelo corto. El tipo ectothrix forma esporas solamente en la superficie del pelo, aunque el micelio crece en su interior. Se observa un tercer tipo en el favus (*T. schoenleinii*) en el cual el organismo crece en el pelo, pero no produce esporas, solo "burbujas aéreas" en el tallo piloso. El pelo no se rompe, pero pierde el color y lustre, y aparece como una placa de pelo gris.

Claro está que la diferenciación de estos géneros puede intentarse primero por el carácter clínico de

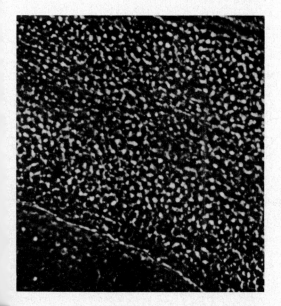

FIG. 31-9. Tiña endothrix de la cabeza (*T. violaceum*). Cadenas de esporas dentro del tallo del pelo. × 100.

Dermatófitos comunes

			Especie	Enfermedad en el hombre	Distribución geográfica
Invaden pelo y folículos pilosos	Variedades de pequeñas esporas		*Microsporum audouini*	Tiña prepuberal del cuero cabelludo; rara vez hay supuración	Más común en Europa, donde produce cerca de 90 por 100 de las infecciones; casi la mitad de las infecciones en EE.UU. de N.A.
			Microsporum canis	Tiña prepuberal del cuero cabelludo y de la piel sin pelo; no es rara la supuración; en ocasiones, querion; de perritos	Rara en Europa; responsable de casi la mitad de las infecciones en EE.UU. de N.A.
			Microsporum gypseum	Tiña prepuberal del cuero cabelludo y piel lampiña; comunes supuración y querion del suelo	Relativamente rara en EE.UU.; de N.A.; común en Sudamérica
			Microsporum fulvum	Tiña similar a la de *M. gypseum*	Igual que el anterior
			Microsporum ferrugeneum	Similar a *M. audouini*	Africa, India, China, Japón
	Variedades de grandes esporas	Tipo Ectothrix	*Trichophyton tonsurans*	Tiña del cuero cabelludo y piel suave; sicosis; onicomicosis; la supuración es común; los folículos pilosos están atrofiados	Común en Europa, Rusia, Polonia, Italia, Cercano Oriente, pero rara en EE.UU. de N.A.
			Trichophyton violaceum	Endothrix de puntos negros en cuero cabelludo y piel lisa; onicomicosis; de ordinario hay supuración, y es frecuente el querion	Frecuente en Europa y Lejano Oriente; raro en EE.UU. de N.A.
			Trichophyton soudanense	Inflamación, cicatrización, tiña de la cabeza	Africa Central y Occidental
			Trichophyton gourvilii	Igual que el anterior	Igual que el anterior
			Trichophyton yaoundi	Igual que el anterior	Igual que el anterior
		Tipo Ectothrix	*Trichophyton mentagrophytes*	La causa más común de dermatofitosis intertriginosa del pie ("pie de atleta"); tiña de la piel lisa, foliculitis supurativa en cuero cabelludo y barba	En todas partes
			Trichophyton verrucosum	Tiña de cuero cabelludo y piel suave; foliculitis supurativa en cuero cabelludo y barba; del ganado	En todas partes
			Trichophyton megninii	La sicosis es la lesión más común; infección de la piel lisa y uñas	Distribución esporádica; Cerdeña, Portugal
	Sin esporas en pelo		*Trichophyton schoenleinii*	Favus en el cuero cabelludo y en la piel lisa; escudo y querion	Europa, Lejano Oriente; raro en EE.UU. de N.A.
No invaden pelo ni folículos pilosos			*Epidermophyton floccosum*	Causa el clásico eccema marginado de la región crural; una minoría de casos de dermatofitosis intertriginosa del pie; no se sabe que infecte pelo o folículos pilosos	En todas partes, pero más común en los trópicos
			Trichophyton rubrum	Lesiones de tipo de psoriasis de la piel lisa; onicomicosis; foliculitis supurativa leve en la barba	Común en el Lejano Oriente, Europa, trópicos y EE.UU. de N.A.
			Trichophyton concentricum	La causa más común de tiña imbricata; la infección de pelo y uñas es dudosa	Común en las islas del sur del Pacífico, Lejano Oriente, India, Ceilán; se ha observado en Sudamérica; no ocurre en EE.UU. de N.A.

la enfermedad y, segundo, por examen microscópico directo de los pelos infectados y depilados, pero la identificación solo es posible por cultivo. En general, las infecciones por Trichophyton muestran tendencia característica a producir reacción inflamatoria con infiltración profunda de la piel, que no suelen producir las infecciones por Microsporum; esta diferencia tiene cierto valor para distinguir entre infecciones de Microsporum e infecciones del cuero cabelludo con *Trichophyton ectothrix* de esporas pequeñas. Sin embargo, las cepas animales de Microsporum, como *Microsporum canis,* también desencadenan reacciones inflamatorias. Una reacción inflamatoria intensa con una masa elevada de tejido, generalmente supurando en varios puntos, es la que se denomina un querion.

La producción excesiva de cicatriz y tejido fibroso después de una infección recibe el nombre de formación queloide.

Epidermophyton invade las capas superficiales de la piel en la tiña del cuerpo y, en las escamas de la epidermis tomadas de la periferia de la lesión, se descubren los hongos como filamentos articulados de micelios que se rompen en cadenas de artrosporas redondas u ovales. No invade el pelo.

Patogenicidad. Hoy en día los dermatófitos se conocen como parásitos, y suele darse por sentado que son parásitos obligados solo del hombre, o del hombre y animales. La mayor parte crecen con facilidad sobre los medios de laboratorio, y también sobre substratos como granos de cereales, cabello desprendido, restos de cuerno, y fragmentos esterilizados de paja en tubos húmedos, y siguen vivos en objetos que contengan esos materiales, durante dos o tres años. Si se protegen de la desecación

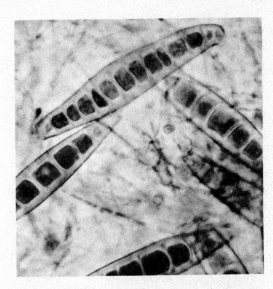

FIG. 31-12. Macroaleuriosporas de *Microsporum canis.* La colonia es blanca algodonosa, con el revés amarillo de cromo. Hay micro y macroaleuriosporas. Lactofenol-azul algodón; × 400.

pueden vivir en los pisos de madera de los cuartos de baño, vestidores, esteras, etc., durante mucho tiempo. Además, se han aislado diversos dermatófitos del suelo y el aire,[58] y es posible que vivan saprófitamente sin que lleguen a ser identificados.

Las dermatofitosis muestran, en muchos casos, una distribución neta según edad y sexo, y hay diferencias en la distribución geográfica de las diversas especies. La tiña común o "placa gris" de (*Microsporum audouini*) en el cuero cabelludo se limita a los jóvenes, observándose con mayor frecuencia en varones, y es rara después de la pubertad. Otros, como las especies Epidermophyton, se observan sobre todo en varones adultos. La distribución de las dermatofitosis intertriginosas de los pies, conocida comúnmente como "pie de atleta", en el varón adulto joven probablemente dependen en gran parte del riesgo. *M. canis* es más común en Estados Unidos de Norteamérica que en Europa, excepto Inglaterra, y a la inversa con *T. schoenleinii,* en tanto que *T. concentricum* se conoce bien en los trópicos y ciertas partes del Lejano Oriente, pero es raro en climas templados.

Algunas especies de dermatófitos parecen estar tan adaptadas al hombre que no son capaces de infectar animales inferiores; la infección humana se transmite por contacto. Estos organismos se denominan dermatófitos antropófilos. Estos incluyen *M. audouini, T. rubrum* y *T. schoenleinii.*

Otros, sin embargo, no solamente producen infecciones en los animales de experimentación, sino que animales como el gato y el perro son huéspedes naturales, y de ellos puede adquirir la infección el hombre. El depósito de los dermatófitos de origen animal tiene mucha importancia epidemiológi-

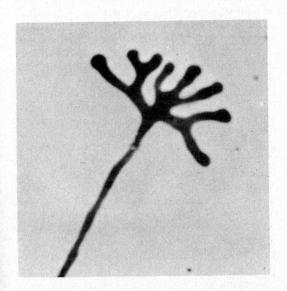

FIG. 31-11. "Candelero fávico" de *Trichophyton schoenleinii.* En este hongo no hay esporas, pero la disposición típica del micelio permite el diagnóstico. Lactofenol-azul de algodón; × 400.

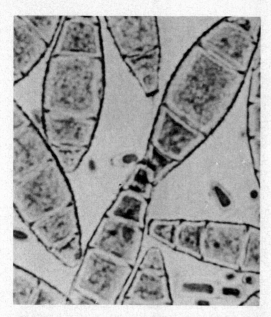

FIG. 31-13. *Microsporum gypseum (Nannizzia incurva'a)*; macroaleuriosporas de la colonia pulverulenta de color canela. Lactofenol-azul de algodón; × 400.

ca;[66, 116] por ejemplo, un estudio demostró que el 37 por 100 de los gatos y el 22 por 100 de los perros examinados al azar en Estados Unidos de Norteamérica estaban infectados. Los microorganismos como *Microsporum nanum*,[6] suelen descubrirse infectando al cerdo pero no al hombre. Todos estos se denominan dermatófitos zoófilos. Algunos se contagian regularmente del suelo, como *Microsporum gypseum*, y reciben el nombre de geófilos[60]

También hay una gran especificidad respecto a los tejidos atacados. Mientras que, como antes dijimos, estos hongos están bien adaptados para parasitar la capa córnea de la epidermis parecen incapaces de invadir e infectar otros órganos. La inyección por vía venosa de esporas de Microsporum o emulsiones de *T. mentagrophytes* no produce infección en los órganos internos de animales susceptibles; los microorganismos introducidos tienden a localizarse en la piel y a desarrollarse donde está lesionada, por ejemplo, por una escarificación. Sin embargo, se ha comprobado que los dermatófitos, como diversos saprófitos, pueden "entrenarse" para alcanzar una fase de tipo de levadura similar a la de los hongos que infectan en profundidad. En este estado pasajero los microorganismos pueden invadir los tejidos profundos de animales de experimentación.[159]

El desarrollo de los hongos en piel y cabellos es más o menos igual en todas direcciones, y la lesión producida tiende a adoptar forma circular. Por esta razón los griegos denominaron esta enfermedad herpes, término que persiste todavía aunque modificado como herpes tonsurans, herpes circinatus, o herpes

desquamans para diferenciar las dermatofitosis de la infección herpética de etiología viral. Los romanos relacionaban las lesiones con los piojos y llamaron a la afección *tiña,* que significaba larva de cualquier insecto pequeño. Este nombre también es de uso común. El inglés *ringworm* es, por supuesto, una combinación de los términos griego y romano.

Los procesos clínicos causados reciben los siguientes nombres: tiña de los pies (pie de atleta); tiña del cuerpo; tiña de la cabeza (tiña del cuero cabelludo); tiña inguinal (causada también muchas veces por Candida); y tiña de las uñas. La onicomicosis, proceso similar, puede estar causada por Candida, Scopulariopsis u otros hongos. Tiña imbricada (un anillo concéntrico especial, causado por *Trichophyton concentricum).*

Con cualquier especie de dermatófito la infección comienza en la capa córnea de la epidermis. Los que infectan folículos pilosos, pelo y uñas invaden rápidamente estas estructuras, produciendo a menudo poco más que una descamación de la epidermis. Los que quedan en la epidermis afectan las partes más secas de la piel, incluyendo las superficies palmar y plantar, o las regiones húmedas en el pliegue inguinocrural y espacios interdigitales. Por lo tanto, puede observarse una gran variedad de tipos clínicos, pero las diferencias son más aparentes que reales, porque las alteraciones anatomopatológicas son fundamentalmente las mismas siempre.

Margarot y Devoze observaron en 1925 que los pelos infectados y los cultivos de hongos presentan fluorescencia con luz ultravioleta.* Esta observación empírica ha resultado de gran valor práctico, especialmente en la tiña Microsporum del cuero cabelludo, aunque los pelos infectados con *M. gypseum* y *M. fulvum* muchas veces no tienen esta propiedad. Se admite, en general, que todos los pelos infectados con Microsporum muestran una fluorescencia verdosa brillante y los infectados con *T. schoenleinii* tienen fluorescencia verdosa pero menos brillante, ambos diferentes del tinte azulado de la piel normal. No parece que haya acuerdo completo en cuanto a infección de Trichophyton; Gregory[33] y Davidson han señalado que en infecciones con algunas especies los pelos presentan fluorescencia, pero en otras no, mientras que Lewis y Hopper[141] afirman que todas las especies de *Trichophyton endothrix* muestran una fluorescencia azulada poco intensa del pelo infectado, pero el pelo infectado con *Trichophyton ectothrix* no presenta fluorescencia. Se ha comprobado que la fluorescencia depende de la presencia en el pelo de una substancia que puede extraerse con agua caliente después de extracción preliminar con éter, o con álcali diluido.[165] No parece producirse en cultivos, aunque algunos

---

* "Luz negra", conocida generalmente como luz de Wood, porque la irradiación se filtra a través de un vidrio con óxido de níquel de Wood, que retiene casi todos los rayos visibles, pero deja pasar los ultravioleta mayores (máximo a 3 560 Å).

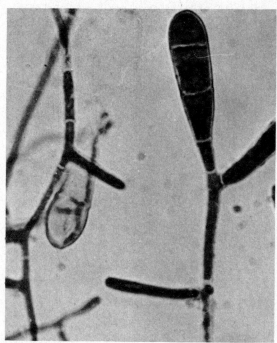

FIG. 31-14. *Epidermophyton floccosum,* con sus macroaleuriosporas piriformes. No hay microaleuriosporas. La colonia es pequeña, granulosa y de color verde pálido.

(*T. tonsurans*) muestran cierto grado de fluorescencia.

Inmunidad. Aunque se ha demostrado en animales de experimentación una inmunidad adquirida a la infección, en el hombre es incierto el estado de inmunidad eficaz. Ha habido algunos informes entusiastas sobre eficacia de la vacunoterapia que están, tal vez, abiertos a debate. Mucho del trabajo sobre inmunidad local parece susceptible de crítica; en muchos casos se han observado resultados notables, pero los inmunólogos no los han considerado elementos que contribuyan a solucionar el problema general de la inmunidad local. Sin embargo, la hipersensibilidad es manifestación común, aunque no invariable, de la respuesta inmunitaria a la infección con dermatófitos, y los métodos de desensibilización parecen tener valor terapéutico definido en ciertos casos. El suero normal parece tener cierta acción inhibidora sobre dermatófitos.[123]

La hipersensibilidad se manifiesta en dos formas. Una de ellas es la aparición de lesiones secundarias, no parasitarias, en parte del cuerpo alejadas de la infección. Se llaman "ides", en sentido general mícides o dermatofítides, y más específicamente microsporides, tricofítides y epidermofítides. Un proceso similar, candídide, puede resultar de infección por Candida. La mícide adopta la forma de una erupción simétrica sobre zonas relativamente grandes, por lo general del tronco, como un exantema. La erupción puede ser vesicular, con contenido estéril, papular, o liquenoide; a veces se localiza en los poros foliculares. Una forma bastante frecuente es una erupción vesicular estéril en las manos,

secundaria a infección de los pies. Se cree generalmente que entran en la sangre esporas o pedacitos de micelio de la lesión de infección y se depositan en la piel, donde provocan la respuesta alérgica local, destruyéndose los elementos fungosos. Esta observación se basa en parte en el buen éxito obtenido en algunos casos para aislar estos hongos del torrente circulatorio durante la infección en animales de laboratorio. No se conoce qué parte toman en el fenómeno substancias solubles liberadas por disolución de los hongos. Pero estos desempeñan un papel importante en la inflamación local que se observa.

La hipersensibilidad también puede demostrarse inyectando o aplicando preparaciones de cultivos de dermatófitos análogos a la tuberculina y llamados tricofitina.[31] Las reacciones local y general que pueden producirse con tricofitina son iguales a las de la tuberculina. La prueba no distingue entre Microsporum y Trichophyton o sus especies, porque todas parecen tener un antígeno común o muy relacionado. La utilidad y seguridad de la prueba de tricofitina para diagnóstico son objeto de discusión. Algunos sostienen que la prueba es auxiliar valioso de otros métodos de diagnóstico cuando se usa con las debidas precauciones; otros la consideran de valor dudoso: por una parte, la infección no siempre resulta en sensibilización, y, por otra, una reacción positiva puede indicar solo una infección pasada sin relación con la actual. Las personas con infecciones crónicas de *T. rubrum* muchas veces muestran una ampolla en respuesta inmediata a la inyección de tricofitina, y esencialmente ninguna respuesta

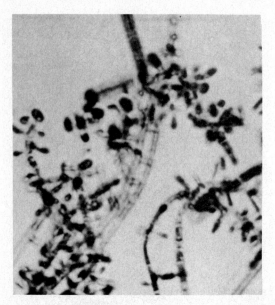

FIG. 31-15. *Trichophyton rubrum*, extraordinariamente rico en esporas. Obsérvense las microaleuriosporas "en lágrima" y el tipo alargado de las microaleuriosporas de Trichophyton. La colonia blanca y algodonosa tiene el revés de color rojo vinoso.

tardía. La relación de esta con la cronicidad de la enfermedad no se conoce, pero cabe especular al respecto. Puede indicar energía específica para los antígenos del germen infectante. Esta energía a veces se descubre también en la candidiasis mucocutánea crónica.

Diagnóstico de laboratorio. Según ya dijimos, la clasificación de los dermatófitos se basa principalmente en el carácter clínico de la infección, la morfología de las colonias en agar de Sabouraud, y en pequeñas diferencias del tipo de esporas. Las estructuras diferenciadas que se desarrollan en cultivo a veces tienen valor complementario. Las reacciones de fermentación, en las cuales insistió Castellani, suelen considerarse de poco o ningún valor diferencial. La inoculación animal tiene poca importancia, a menos que la lesión sea atípica e interese establecer su poder patógeno. Las necesidades de vitaminas y aminoácidos, y el acoplamiento sexual, son los únicos medios nuevos para ayudar a establecer la distinción de especies. Solo tiene valor en unos pocos casos. Por lo tanto, el diagnóstico de laboratorio sigue basándose en el aspecto macroscópico y la morfología microscópica, lo que podríamos llamar un ejercicio de observación contemplativa.

La muestra de material debe elegirse con mucho cuidado y tomarse en abundancia, para examen microscópico y para cultivo. En la tiña de la cabeza pueden tomarse pequeñas masas de pelos depilados y al mismo tiempo hay que tomar escudetes en los favus, y el contenido de los abscesos cuando la infección es supurada. En las infecciones de piel lisa hay que tomar las escamas obtenidas por raspado de

los bordes de las lesiones dirigido hacia la piel normal, y cortar las puntas de las vesículas con pequeñas tijeras en las formas vesiculares, sobre todo de los pies. Puede tomarse epitelio macerado de las infecciones intertriginosas, y raspados de uñas y masas hiperqueratósicas y fungueales de la micomicosis. Los elementos fungosos muchas veces son más difíciles de demostrar microscópicamente.

Para examen microscópico directo, el material se coloca sobre un portaobjetos, se añaden unas gotas de solución concentrada de hidróxido potásico (20 a 40 por 100), se cubre con un cubreobjetos, y se calienta ligeramente la preparación. En tales piezas pueden observarse micelios y esporas. Caben preparaciones teñidas definitivas montando en medio de Amann, solución de ácido láctico-glicerina-fenol, que contiene azul de algodón.

El medio de agar de Sabouraud, que contiene cicloheximida (Actidiona), 0.5 mg/ml y Aureomicina, 0.1 mg/ml (u otro antibiótico) es el medio de elección para aislamiento primario y para determinar el carácter de las colonias. Un buen substitutivo de la Aureomicina es el cloramfenicol, o una combinación penicilina y estreptomicina. La inoculación debe ser relativamente rica, y hay que preparar varias placas. El crecimiento es bastante lento; suele necesitar 10 días a tres semanas, y los dermatófitos crecen bien a 30°C.

Levaduras patógenas

El término levadura, o de tipo levadura, se refiere a un germen unicelular nucleado, que se reproduce por gemación. Tal designación suele considerarse inadecuada. Algunas levaduras se reproducen por fisión, y muchas producen micelio o seudomicelio en condiciones adecuadas; puede haber hifomicetos (hongos miceliales) en una forma unicelular de tipo de levadura que se reproduzcan por gemación, por ejemplo, los oidios descritos en la sección anterior. Basándose en la formación de esporas sexuales, algunas levaduras son ascomicetos, otras probablemente son basidiomicetos (las levaduras balistoesporángicas) y otras no se ha comprobado que tengan una etapa sexual y se agrupan con los hongos imperfectos. Así pues, el término "levadura" tiene significado algo incierto; como se utiliza de ordinario, se refiere a aquellos microorganismos que suelen presentarse siempre o predominantemente en forma de levadura.

Las levaduras pertenecen a tres clases: las levaduras formadoras de basidiosporas o esporobolomicetáceas, en la clase Basidiomycetes, las levaduras formadoras de ascosporas endomicetáceas en la clase Ascomycetes, y las levaduras asporógenas Crypococcaceae en los hongos imperfectos. Este último grupo contiene los patógenos humanos. Las levaduras industriales quizá sean los organismos más familiares. *Saccharomyces cerevisiae*, un miembro del segundo grupo, es la levadura de cerveza. Produce

Clasificación de las levaduras patógenas [1] [2]

Clase: Deuteromycetes (hongos imperfectos)
  Orden: Pseudosaccharomycetales
    Familia: Cryptococcaceae
      Género 1: Cryptococcus
        Células unicelulares en gemación; se reproducen por blastosporas que salen de la célula madre. La mayor parte son ureasa positivos. Células rodeadas de una cápsula, y produciendo una substancia de tipo almidón. Sin pigmento carotenoide. Utilizan inositol.
          Ejemplo: *Cryptococcus neoformans* (meningitis criptocócica)
      Género 2: Torulopsis
        Igual que género 1, pero sin cápsula ni producción de polisacárido de tipo almidón.
          Ejemplo: *Torulopis glabrata* (meningitis y septicemia por torulosis)
      Género 3: Pityrosporum
        Casi todas células aisladas en gemación. Reproducción por blastosporas que se separan de la célula madre por desarrollo de una pared transversal. Las células pueden adherirse formando breves tiras de hifas.
          Ejemplo: *Pityrosporum orbiculare* (tiña versicolor)
      Género 4: Rhodotorula
        Formas unicelulares en gemación, que pueden estar encapsuladas o producir seudomicelio. Presencia de pigmentos carotenoides.
          Ejemplo: *Rhodotorula mucilaginosa* (raramente infecciones generales y pulmonares)
      Género 5: Candida
        Reproducción por blastosporas; puede formar seudomicelio o micelio verdadero. Generalmente ureasa negativa. Ni cápsulas ni pigmento carotenoide. No utilizan inocitol.
          Ejemplo: *Candida albicans* (candidiasis)
      Género 6: Trichosporon
        Reproducción por blastosporas. y artrosporas. Formación de micelio y seudomicelio.
          Ejemplo: *Trichosporum cutaneum* (piedra blanca e infección generalizada).
      Género 7: Geotrichum
        Reproducción solo por artrosporas. Forma un verdadero micelio.
          Ejemplo: *Geotrichum candidum* (Geotricosis pulmonar y gastrointestinal rara)

bióxido de carbono y alcohol en su fermentación, y se presenta en dos tipos: las levaduras altas, que se descubren en la espuma que hay en la superficie de la mezcla que fermenta, y las levaduras bajas, que caen al fondo. Las levaduras del pan suelen ser levaduras altas de *S. cerevisiae.* Otra especie de este género, *S. ellipsoideus* es la levadura común del vino, que espontáneamente se encuentra en las uvas y en el suelo de las viñas; sus variedades son nombres de diversos tipos de vinos que producen. Estos organismos son levaduras "perfectas" en las cuales el cuerpo celular se transforma en un asco durante la unión sexual. Otras levaduras son las que fermentan la lactosa, empleadas en la preparación de bebidas lácteas fermentadas como Kefir y Koumiss, especialmente en el sudeste de Europa y en Asia. Quizá las levaduras más frecuentemente encontradas como contaminantes de cultivos bacterianos, y que se descubren creciendo en los alimentos, sean los asporógenos Rhodotorulae; las formas de color rosado o coral, muchas veces observadas, son *Rhodotorula flava* o *R. glutinis.* Estos a veces se han descubierto como gérmenes infectantes oportunistas aislados de la sangre o del líquido cefalorraquídeo.

Dada la distribución ubicua de las levaduras, no solo en el aire, el polvo y el suelo, sino en la superficie del cuerpo y en la boca, tubo digestivo y vagina, no debe sorprender que estas formas se hayan descubierto en muchos procesos patológicos.

Al respecto, se han descrito gran número de especies, la mayor parte de veces en forma inadecuada. En muchos casos la levadura probablemente no guardaba relación causal con la enfermedad; en otros se ha descrito repetidamente una misma levadura como especie diferente, dando así origen a diversos nombres sinónimos, y se ha acumulado una lista muy grande de levaduras "patógenas".

El examen crítico ha permitido aclarar que solo unas pocas especies de levaduras son realmente patógenas para el hombre y los animales. Las levaduras de importancia médica producen diversas enfermedades; se indican en el cuadro adjunto, con su diferenciación y la clasificación generalmente aceptada.

La candidiasis se estudia a continuación; las demás levaduras patógenas, en otras partes de la obra.

CANDIDIASIS

"Monilia" es un *nombre absurdo* creado en el siglo XIX. Por desgracia, el término todavía se utiliza por los clínicos y por el público. Micológicamente la palabra Monilia se refiere a un crecimiento fungoso de la raíz de la madera, descrito primeramente por Persoon. También es la etapa perfecta de Neurospora y Sclerotinia.

El nombre correcto de la enfermedad sería candidosis (pero también se sigue llamando candidiasis).

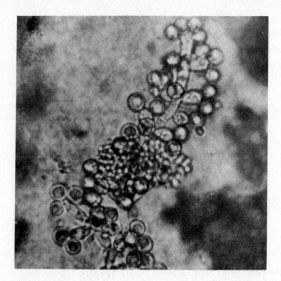

FIG. 31-16. Colonia viva de *Candida albicans* que ha producido una clamidospora de paredes gruesas y pequeñas blastosporas sobre agar de miel de maíz. (S. Macmillan.)

La candidiasis es una de las micosis más frecuentemente observadas. Esto es particularmente cierto en la categoría de infecciones oportunistas. La especie *Candida albicans,* causa de la mayor parte de procesos infecciosos, es endógena en el hombre. Forma parte de la flora normal de la cavidad bucal, intestino grueso y, de la vagina. En circunstancias ordinarias, queda inhibido por las defensas corporales normales y otros elementos de la flora normal. Si este equilibrio se modifica, por debilitación de defensas, dosis excesiva de antibióticos o cambios fisiológicos locales, el microorganismo empieza a proliferar rápidamente y establece una infección. No solo es ubicuo, sino que es el más variable en sus posibles manifestaciones clínicas. La mayor parte de las veces se asocia con una infección intertriginosa, parecida a la de los dermatófitos, así como una onicomicosis, tiña del pie, vaginitis y algodoncillo en la boca. Puede también producir bronquitis, neumonitis y, raras veces, meningitis e infección general. Esta última categoría es particularmente frecuente en infecciones oportunistas. Estas infecciones son cada vez más frecuentes en pacientes después de cirugía cardiaca, trasplante de órganos, terapéutica esteroide prolongada, terapéutica inmunosupresora, e hiperalimentación.[32]

El organismo muestra un tipo de dimorfismo relacionado con la nutrición. En condiciones de crecimiento favorables y en presencia de carbohidrato fermentable, crece como una levadura por gemación.[189, 192] En medios sin carbohidrato fermentable, y en condiciones semianaerobias, o cuando el contenido de nitrógeno es elevado, la levadura se alarga formando un seudomicelio, y un micelio acompañado de la producción de blastosporas y clamidosporas. La formación de seudomicelio y mi-

celio también es un índice de la colonización del tejido. La aparición de formas en levadura solamente, suele significar existencia saprófita. La presencia de ambas, levaduras y micelio, en esputo, sangre, orina y heces, indica colonización. Cuando *C. albicans* se mezcla con albúmina de huevo o suero y se incuba a 37°C, las células de levadura muestran un micelio neto. Este fenómeno de Reynolds-Braude permite un rápido estudio diagnóstico.[115] En los tejidos, suele observarse el alargamiento para formar micelio. En las candidiasis experimentales la conversión a micelio se ha producido en plazo de dos horas en el riñón después de inyectar la forma de levadura de *C. albicans.*[99]

La primera descripción de un hongo de este tipo descubierto, en un enfermo, fue la de Langenbeck, quien en 1839 lo observó en placas de la mucosa de la boca, y en otras partes de cuerpo al efectuar una necropsia. Gruby (1842) confirmó el descubrimiento, y el microorganismo fue denominado, cuatro años más tarde, *Oidium albicans* por Robin. El nombre genérico Candida, fue propuesto por Burkhout en 1923 y ha pasado a ser de uso común.

El organismo causal.[195] Además de *Candida albicans* original, se han descrito gran número de especies de Candida, incluyendo *C. krusei, C. parapsilosis, C. tropicalis* y *C. stellatoidea.* El segundo patógeno más frecuentemente observado es *C. tropicalis.* Puede pasar inadvertido si la muestra se siembra en un medio con ciclohexímida, ya que es sensible a este producto químico. Junto con *C. albicans* se considera virulento y puede provocar enfermedad cuando se inyecta a los animales de experimentación. Las demás cándidas raramente se obtienen de procesos patológicos. A ciertos contaminantes de la piel normal, como *C. parapsilosis,* les corres-

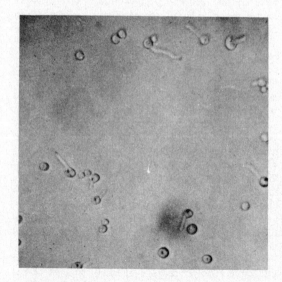

FIG. 31-17. Micelio separado (fenómeno R-B) de *Candida albicans* después de dos horas en clara de huevo a 37°C. × 400.

ponde la mayor parte de válvulas cardiacas afectadas por Candida. De hecho, una proporción elevada de la literatura actual sobre estos microorganismos se destina a su diferenciación, identificación y clasificación.[121, 198] La diferenciación se efectúa basándose en varias características de cultivo, como la formación de película en medios líquidos, la licuación de la gelatina y fermentaciones diferenciales. Este último es el método actual de laboratorio más práctico.

Los tipos de fermentación y de asimilación, como se usan para la clasificación, se descubren en las levaduras por Lodder.[121] La prueba de R-B de huevo antes descrita, es el método más rápido para identificar *C. albicans*.

Estas diversas cepas están inmunológicamente relacionadas entre sí, y muestran reacciones cruzadas netas, pero el grupo no es homogéneo. Un análisis antigénico detallado ha demostrado la identidad esencial de *C. albicans* y *C. tropicalis*, y antígenos comunes con *C. stellatoidea*. Estudios similares de Hasenclever y colaboradores,[87, 88, 89] con *C. albicans*, para quienes la producción de clamidosporas es el criterio usual de identificación, han demostrado que puede separarse en dos tipos antigénicos, denominados grupos A y B. *C. tropicalis* entra en el grupo A, *C. stellatoidea* en el grupo B. Algunas cepas de *C. tropicalis* y *C. stellatoidea*, así como cepas de *C. albicans*, de ambos grupos, son virulentas para el ratón, pero la virulencia de *C. albicans* para el conejo parece ser mayor que la de las otras especies.

Serología. Con la frecuencia creciente de infecciones oportunistas, una prueba serológica para infección general resulta extraordinariamente importante. Así se ha creado la prueba de inmunodifusión.[190] En esta prueba, que usa el jugo de célula (antígeno S) se forman bandas de precipitina en gel solamente en casos de candidiasis generalizada y también de enfermedad mucocutánea crónica de vieja fecha.

Muy raramente es positiva en ausencia de infección, pero puede ser negativa en casos de anergia o de terapéutica inmunosupresora prolongada.

Poder patógeno. Estos hongos frecuentemente se observan en boca, vagina y tubo digestivo de personas normales, y probablemente no sean muy virulentos en cuanto a iniciación de un proceso infeccioso. De hecho, como ocurre con muchas otras micosis, frecuentemente hay el antecedente de un proceso debilitante u otro factor predisponente. Se han observado infecciones de Candida anunciando una diátesis prediabética e hipoparatiroidismo antes que la enfermedad fuera clínicamente manifiesta. En casos en los cuales se asocian con el desarrollo de un proceso patológico, hay cierta duda acerca de su papel causal; en muchas ocasiones es evidente que son invasores primarios y agentes causales de la enfermedad. Diversos investigadores, han demostrado un factor humoral anti Candida. A diferencia de un anticuerpo provocado, se conserva en concentración particular en individuos normales, que es muy baja o no existe en casos de diabetes, linfoblastomas y otras enfermedades. Entre los factores descritos están transferrina, factor de acumulación, etcétera.[52]

Infecciones de las mucosas. La candidiasis de las mucosas se conoce como afta y es infección muy frecuente en lactantes y recién nacidos. En años anteriores se ha presentado en forma epidémica grave en instituciones como asilos, pero hoy en día esas epidemias se ven con menor frecuencia. Ocurre más comúnmente en niños alimentados con biberón que en los que toman el pecho, y no es raro que las lesiones se diseminen por faringe, incluso estómago.

En algunos adultos suele ocurrir al final de las enfermedades debilitantes como tuberculosis y cáncer; la sequedad de la boca, junto con el coma o precoma prolongados parece favorecer bastante la infección.

También ocurre con alguna frecuencia como infección vaginal leve en mujeres embarazadas, que puede asociarse con infección del ano.

El prurito anal, irritación muy molesta del ano por colonización y por los productos de Candida, es una complicación frecuente de la administración de antibióticos de amplio espectro.

En la mayor parte de casos la infección es leve y queda localizada. En ocasiones, puede diseminarse a otras mucosas y a la piel, desarrollándose una erupción cutánea generalizada, lesiones intertriginosas y granuloma por Candida; esos casos a veces son mortales. En la forma cutánea en lactantes debe diferenciarse del eccema infantil y de las hipersensibilidades alérgicas. La enfermedad predisponente

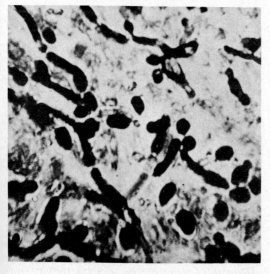

Fig. 31-18. Candidiasis de riñón, mostrando células alargadas para formar seudomicelio y micelio. Coloración de Gram. × 600.

más común para la candidiasis cutánea es la diabetes. Se ha observado diseminación hematógena con formación de metástasis y abscesos en las vísceras. Las lesiones aparecen como placas lisas, blanquecinas, compuestas en gran parte del crecimiento fungoso. Se desprenden con facilidad dejando una superficie erosionada. Hay cierta semejanza con una membrana diftérica, y las lesiones en garganta y amígdalas sin duda se han tomado erróneamente por difteria, pero es mucho más fácil desprender la membrana en la candidiasis. El examen microscópico del material de la membrana en preparación húmeda, el observar una masa enredada de micelio segmentado mezclado con células semejantes a levaduras en gemación, epitelio descamado y leucocitos, establece el diagnóstico. El hongo puede cultivarse en agar de Sabouraud, pero su aislamiento en cultivo puro puede lograrse con mayor facilidad en agar con ciclohexímida.

Los hongos aislados deben diferenciarse de las levaduras.

Dermatocandidiasis. *C. albicans* también causa lesiones eccematosas de la piel húmeda semejantes a las que producen *E. floccosum*. La infección de los pliegues entre los dedos, erosio interdigitalis, es más común que la dermatofitosis de esta región, y se observa con mayor frecuencia en quienes tienen las manos húmedas frecuentemente. La boquera, infección de los ángulos de la boca, es otra forma de intertrigo producida por estos hongos. Dentaduras mal ajustadas pueden causar lesiones debajo de las placas. Las candídides, lesiones vesiculares o exudativas estériles que aparecen sobre las manos secundariamente a un foco de infección en alguna otra parte, son análogas a las tricofítides y resultan de hipersensibilidad.

C. albicans también ataca las uñas, especialmente de las manos, produciendo una oniquia crónica. La afección se diferencia clínicamente de la onicomicosis porque la uña infectada conserva su brillo, y por la falta de coloración conserva su brilla, y por la falta de coloración amarillenta, desmenuzamiento y engrosamiento de los tejidos blandos. La uña muestra arrugas transversas y se engruesa, deforma y toma color pardo; muchas veces hay paroniquia. Como las infecciones interdigitales, la infección se encuentra más comúnmente en los que tienen húmedas las manos con frecuencia.

Examinando al microscopio la uña y raspados de piel aclarados en hidróxido de sodio al 10 por 100, pueden encontrarse hifas junto con las células en gemación semejante a levaduras.

El granuloma por Candida es una infección crónica que produce granulomas voluminosos de la piel. El paciente suele tener cierta disminución de capacidad inmune.[101] La candidiasis mucocutánea crónica también acompaña a diversos defectos inmunes, disfunciones leucocitarias, etc.[17] En algunos de estos pacientes se ha demostrado una IgG específica que inhibe el efecto de acumulación de Can-

dida que tiene el suero normal.[25] La acumulación parece guardar estrecha relación con la fagocitosis del organismo.

Candidiasis pulmonar. Al parecer, la candidiasis de las vías respiratorias que observó Castellani por primera vez en Ceilán era un tipo distinto. Se ha observado en Europa y en Estados Unidos de Norteamérica, pero parece ser más común en los trópicos; su frecuencia como infección primaria es incierta. Según Castellani hay dos tipos de esta enfermedad; la forma leve de bronquitis crónica, que se caracteriza por disnea, y tos afebril, en tanto que la forma grave semeja la tuberculosis y suele ser mortal.

Esta última forma probablemente se presenta en pacientes debilitados. La primera, en casos de neumonitis alérgica.

Los hongos pueden demostrarse mediante examen microscópico directo y por cultivo, pero esos hallazgos deben interpretarse con cautela porque el organismo se encuentra con frecuencia en el esputo en otras enfermedades, en especial en la tuberculosis. Se recomienda limpiar las fauces con gargarismos antes de juntar el esputo, y evitar otras contaminaciones. La presencia de micelios al mismo tiempo que yemas en muestras de esputo fresco, es indicación de colonización del microorganismo. Esto debe considerarse grave, ya que puede indicar un proceso patológico rápidamente mortal. La mayor parte de cepas son patógenas para el conejo y el ratón, produciendo nódulos de tipo tuberculoso a las dos o tres semanas de la inoculación.

Candidiasis generalizada. Esta enfermedad general era rara antes de aparecer los antibióticos, las

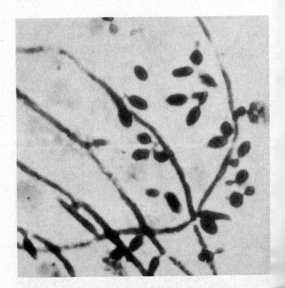

FIG. 31-19. *Candida albicans* en una muestra teñida d esputo. La presencia de hifas, además de las formas d levadura, indica colonización de tejido por el germe Tinción de Gram.

drogas inmunosupresoras y las intervenciones quirúrgicas. La frecuencia de endocarditis después de cirugía del corazón es muy elevada, y en toxicómanos, puede desarrollarse sobre válvulas sanas. La septicemia y la colonización general son secuelas bastante frecuentes por el empleo prolongado de sondas permanentes. La candidiasis es una complicación tan frecuente de la terapéutica de hiperalimentación, que contraindica su empleo en muchos casos.[32] La enfermedad yatrógena en un paciente con defensas celulares normales, puede terminarse suprimiendo la puerta de entrada (agujas, sondas intravenosas, etc.) y empleando dosis muy pequeñas de anfotericina B. La enfermedad general en el paciente afectado requiere dosis completas de anfotericina B.

Los procesos cutáneos, mucocutáneos y vaginales, responden a la nistatina tópica y, a veces, al violeta de genciana.

Micosis subcutáneas

Micosis subcutáneas se refieren a un grupo de enfermedades micóticas en las cuales están afectados tanto la piel como el tejido subcutáneo, pero no se produce diseminación a órganos internos, o es muy rara. Los agentes causales se clasifican entre varios géneros independientes. Tienen las siguientes características en común: *a)* son básicamente saprófitos del suelo, de muy poca virulencia y muy poca capacidad invasora, y *b)* en la mayor parte de infecciones humanas y de animales, entran en la economía a consecuencia de una implantación traumática en el tejido. La lista de gérmenes aislados de tales enfermedades, o considerados causa de las mismas, es amplia y variada. Las algas azulverdosas en simios y perros, *Protothecus segbwema* [34] (un alga) y tizón del apio *(Cercospora apii)* en el hombre, y *Beauvaria* (un hongo de los escarabajos) en el hombre y en la tortuga, son solo unos cuantos de los más interesantes de la lista.[71] Ello indica que muchos organismos, si no todos, tienen la capacidad potencial de crear infecciones locales en determinadas circunstancias, según su adaptabilidad y la respuesta del huésped.

La respuesta tisular a tales agentes varía según el agente causal en cuestión. En la mayor parte de casos la lesión tiende a ser localizada, y las reacciones que se desarrollan son similares a las desencadenadas por un cuerpo extraño.

Más tarde nos ocuparemos en detalle de la respuesta tisular.

Los principales tipos de enfermedad son los siguientes: cromomicosis, esporotricosis, micetoma, lobomicosis y la entomoftoromicosis recientemente descrita y relativamente rara. La infección por agentes de todos los grupos se acompaña de un tipo de dimorfismo. Los organismos sufren una morfogénesis, desde su forma saprófita hacia el interior

de un tejido o estado parasitario. En la cromomicosis y el micetoma la respuesta parece ser a factores tisulares complejos y recibe el nombre de dimorfismo tisular. *Sporotrichum schenckii* puede señalarse como ejemplo de dimorfismo técnico. El micetoma se estudió a propósito de los actinomicetos. Vamos a ocuparnos aquí de los otros organismos.

CROMOMICOSIS

La cromoblastomicosis fue descubierta por Pedroso en 1911, pero sus observaciones no se publicaron hasta 1920; Medlar, desde Boston describió, en 1915, el primer caso que se encuentra en la literatura. Sin embargo la distribución geográfica es amplia, la mayor parte de los casos se encuentran en los trópicos.

El hongo causal está estrechamente relacionado con el grupo de Cladosporium de las dematiáceas (hongos imperfectos). Hay tres agentes comunes de esta enfermedad: *Fonsecaea pedrosoi, F. compacta,* y *Phialophora verrucosa.* A *F. pedrosoi* le corresponde la mayor parte de infecciones. También se han aislado a veces otras especies, como *F. dermatitidis, P. jeanselmei, P. richardsii,* y *Cladosporium carrionii.*

Se observan tres tipos de esporulación variando el tipo predominante según las cepas; esto ha llevado a dividirlas en varios géneros, y el resultado ha sido una confusión considerable. Negroni creó el nuevo género Fonsecaea en 1936, que ha logrado bastante aceptación. Como la capa sexual no se conoce, no pueden establecerse en forma categórica verdaderas líneas específicas. Los agentes etiológicos más frecuentes, y su tipo de esporulación, se indican a continuación.

Tipo de espora	*Especie*
a) Cladosporium	1. *Phialophora verrucosa* (solo *c*)
	2. *Cladosporium carrionii* (solo *a*)
b) Acrothecia	3. *Fonsecaea pedrosoi (a, b, c)*. La espora es más alargada que en *F. compacta;* la esporulación *c* es rara
c) Phialophora	4. *Fonsecaea compacta (a, b, c)*. Las esporas son redondas y están estrechamente aglomeradas.

El tipo de esporulación de cladosporio *a* se caracteriza por cadenas de esporas en gemación, acropétalas parecidas a las de Penicillium; la espora de tipo *b* tiene conidios únicos alrededor de los tabiques del micelio fértil, y el tipo *c* tiene un grupo de esporas que salen de un esterigma.

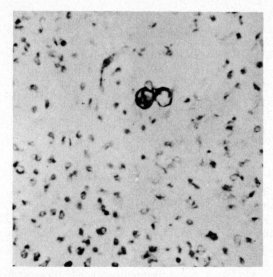

FIG. 31-20. Cromoblastomicosis. Gránulo pardo con células redondeadas que muestran división planar. *Phialophora verrucosa.* Hematoxilina y eosina; × 400.

Todos estos microorganismos tienen en común un crecimiento muy lento de una colonia de color gris a pardo negro, no licuan la gelatina y tienen morfología de fase tisular idéntica. El micelio no se forma en los tejidos, y la fase parasitaria del hongo es una célula esclerótica parda, que se divide por tabicamiento central de la célula de tipo levadura. No hay gemación. El gránulo siempre es pardo, como se observa fácilmente en material sin teñir o en cortes de tejidos teñidos con H y E.

La enfermedad es un granuloma infeccioso de piel y tejidos subcutáneos, que suele aparecer en pies y piernas. De ordinario se inicia con un pequeño crecimiento verrugoso en el pie y se extiende hacia arriba por aparición de lesiones satélites. Casi siempre persiste localizada, las metástasis son muy raras y no hay síntomas generales. La enfermedad se desarrolla muy lentamente; cuando se examina, el caso suele tener 10 a 15 años, y se sabe de algunos que han durado hasta 40. En casos avanzados hay cierta elefantiasis en el miembro afectado, y muchas lesiones. Estas varían algo y pueden ser de cuatro tipos generales: nódulos pigmentados duros, elevados; tumores prominentes grandes, como coliflor; placas escamosas moderadamente elevadas, de color rojo opaco; y crecimientos hiperqueratósicos verrugosos discretos. Las lesiones se traumatizan fácilmente, y la enfermedad puede complicarse de infección bacteriana secundaria y ulceración. Las células escleróticas aparecen como cuerpos esféricos, de unas 12 μ de diámetro, con una membrana gruesa y protoplasma granular; a menudo muestran tabicamiento interno.

Pueden observarse en las biopsias dentro de las células gigantes, o libres en los tejidos, y es posible demostrarlas en los restos epiteliales obtenidos ras-pando las lesiones. El hongo puede cultivarse a partir de esas raspaduras o de tejidos infectados. La quimioterapia no da gran resultado; el yodo en grandes dosis mejora localmente, pero no cura; se recomienda extirpar la lesión papilomatosa temprana. Se ha empleado anfotericina B, 5-fluorocitosina, y tiabendazol, con resultados variables, en casos graves.

No parece demostrado que la infección se disemine de una persona a otra. Como tiene tendencia a ocurrir en piernas y pies de personas descalzas que trabajan en los trópicos al aire libre, probablemente el hongo sea un saprófito que se encuentra normalmente en el suelo o materia orgánica en descomposición, y que cuando se introduce en la piel por una astilla, púa o a través de alguna pequeña raspadura, puede causar enfermedad. Parece comprobada actualmente la difusión linfática y hematógena de la enfermedad en raros casos.[9] También se ha observado la participación de la conjuntiva y del sistema nervioso central, aunque hay cierta confusión en los casos publicados con la cladosporiosis. *F. pedrosoi* se ha aislado de los pulmones, y hay que pensar en la posibilidad de una puerta de entrada pulmonar. Bacquero y colaboradores han logrado preparar un antígeno para prueba cutánea, que provoca reacción en enfermos infectados. Se ha observado cromicosis con células escleróticas en ratas, sapos y ranas.[29, 95]

ESPOROTRICOSIS

Schenck identificó, en 1898, por primera vez en Estados Unidos de Norteamérica la esporotricosis; unos años más tarde, Beurmann y Ramond la observaron en Francia. Desde entonces se ha en-

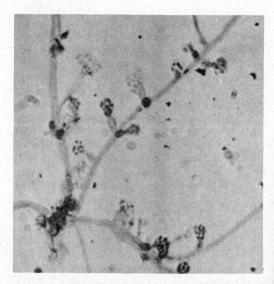

FIG. 31-21. *Phialophora verrucosa* que muestra estigmátides y esporas. Lactofenol-azul de algodón. × 400.

contrado en todo el mundo, aunque la mayor parte de casos observados son en Estados Unidos de Norteamérica, especialmente de los valles del Misisipí y Misurí, en México y América del Sur. Se presenta como enfermedad profesional en trabajadores de alfarería, tejedores de canastas, etc. El origen de la infección es el material de empaque, bejuco y junco. El organismo crece mejor con temperatura moderada y húmeda relativa alta. Se han observado epidemias por crecimiento del organismo en madera de pozos de minas.[38]

Los hongos del género Sporothrix se caracterizan por producir conidios en forma de pera directamente del micelio, que se desprenden lateralmente y de las puntas de los finos esterigmas en un conidióforo. Se describen como "palmas". La disposición característica no puede verse en frotis de cultivos, donde las esporas suelen encontrarse libres, pero se demuestra con facilidad en cultivos en portaobjetos. Las hifas son considerablemente más delgadas, de 2 μ de diámetro, que las de la mayor parte de los mohos. El carácter del desarrollo sobre agar difiere del de otros mohos; la colonia primero tiene consistencia blanda y cremosa, haciéndose más firme a medida que el cultivo envejece, y no hay masa algodonosa de micelio aéreo. El cultivo también se obscurece con el tiempo, siendo primero de color canela brillante que pasa a pardo obscuro, incluso casi negro. Cuando se cultiva sobre agarcistina-sangre, a 37°C, crece como un brote de levadura y es tan "similar a la levadura" como Histoplasma. En los tejidos no forma micelio, y la fase parasitaria del hongo es un cuerpo en forma de cigarro que semeja una célula de levadura alargada, de 1 a 3 μ de grueso y 2 a 10 μ de largo. Estos cuerpos se encuentran dentro

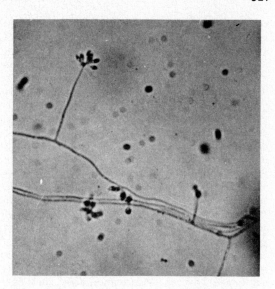

FIG. 31-23. *Sporothrix schenckii* en forma de micelio, con conidióforo delicado y conidios. Lactofenol-azul de algodón; × 400.

de los leucocitos o libres en los tejidos y se reproducen por gemación; rara vez se observan en infecciones humanas. En ocasiones se observan los llamados cuerpos asteroides, formados por una célula fungosa central, con material eosinófilo irradiando de ella, en cortes de tejidos humanos y en material obtenido de testículos de ratas infectadas experimentalmente. Esto probablemente represente un complejo inmune. Como el microorganismo raramente se observa en los tejidos, el diagnóstico depende de lograr su crecimiento. La extirpación quirúrgica está contraindicada, ya que tiende a difundir la infección.

El organismo descrito por Schenck se denominó *Sporotrichum schenckii*. Se supuso que el aislado en Francia era una especie diferente y se conoció como *S. beurmanni*. Las diferencias entre ambos son la pigmentación (*S. schenckii* es el mas claro); forma pocas esporas laterales, y *S. beurmanni* fermenta la sacarosa pero no la lactosa, y a la inversa *S. schenckii*. También parece haber diferencias en el tipo de enfermedad clínica que producen. Sin embargo, estas diferencias no son constantes y están sujetas a modificaciones ambientales; es manifiesto que los dos son la misma especie, *S. schenckii*. Sin embargo, sigue persistiendo en la literatura el nombre *S. beurmanni*, dando la impresión de que hay dos especies reconocidas. El hongo que infecta caballos, *S. equi*, también es idéntico a *S. schenckii*. Al volver a valorar el género Sporotrichum, Carmichael llegó a la conclusión de que el agente causal de la esporotricosis, se hallaba más cerca de otro género, Sporothrix. Ahora se considera que el calificativo adecuado del germen es *Sporothrix schenckii*.[23] Mariat ha señalado la similitud de este germen con la etapa imperfecta de algunas espe-

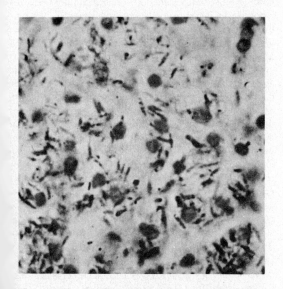

FIG. 31-22. Esporotricosis. Tinción de Gram, de un tejido fuertemente infectado que muestra células alargadas de tipo de levadura.

cies de Ceratocystis. Trabajos posteriores quizá demuestren la etapa perfecta de *S. schenckii* como un ascomiceto del género Ceratocystis.

Patogenicidad para el hombre. La forma más común de esporotricosis en Estados Unidos de Norteamérica es la linfocutánea; la lesión primaria que aparece en el sitio de alguna lesión menor, a menudo sobre un dedo, no cicatriza, se ulcera y va seguida del desarrollo de una serie de abscesos subcutáneos a lo largo del curso de los linfáticos regionales. A menudo pueden seguirse los vasos linfáticos subcutáneos como líneas enrojecidas. En la serie de casos que publicó González Benavides, la enfermedad se observó en la mano en el 37.5 por 100, sobre el antebrazo en el 25 por 100, en el brazo en el 6 por 100 y sobre la pierna en 9 por 100 con extensión linfática en el 37.5 por 100. La enfermedad rara vez se extiende más allá de los ganglios linfáticos regionales. Es frecuente una forma cutánea fija en México y América del Sur. Esta forma de enfermedad puede representar sensibilización previa al germen, como se produce en zonas fuertemente endémicas. Pueden aparecer lesiones metastáticas, sobre todo en articulaciones, hígado o pulmones. Los nódulos duros en la piel sugieren gomas sifilíticos y probablemente algunos casos de esporotricosis se han diagnosticado así. También se observa esporotricosis ocular, pero es bastante rara;[75] se observa asimismo enfermedad pulmonar primaria, sobre todo en alcohólicos urbanos.

Epidemiología. Se ha observado la transmisión directa de hombre a hombre, pero es muy rara. Algunas infecciones humanas se han contraído directamente por mordeduras o indirectamente por contacto con caballos y ratas infectados. Sin embargo, en la gran mayoría de los casos el hongo se introduce en los tejidos desde las plantas a través de alguna raspadura. Se ha visto la enfermedad en floristas y el hongo se ha aislado de musgos esfagnáceos.[65] Se ha observado creciendo libremente en granos, juncos, espinas de rosa, y carne en un refrigerador. El hongo vive una existencia saprófita en la naturaleza; a veces crea infección en el hombre, cuando se introduce mecánicamente en los tejidos. El aislamiento del organismo del suelo ha sido efectuado repetidamente. Sin embargo, muy pocos de estos gérmenes aislados, pueden crecer a 37°C, o son patógenos para los animales de experimentación. Por lo tanto, como ocurre con otras micosis, el hombre actúa como agente selectivo para las cepas "patógenas".

Diagnóstico. El diagnóstico de esporotricosis se establece demostrando el hongo. La célula parásita, en forma de cigarro, es grampositiva, pero rara vez puede encontrarse en frotis de pus teñidos con coloración de Gram. Estas formas son relativamente poco frecuentes en el material humano, y la esporotricosis no debe excluirse por no encontrarlos.[55] El hongo tomado del pus aspirado de lesiones cerradas crece fácilmente sobre medio de Sabouraud. Las ratas son muy propensas a la infección y su inoculación intratesticular tiene gran valor diagnóstico. La inyección intraperitoneal e intratesticular de ratas macho con material obtenido de las lesiones o de cultivo provoca una orquitis intensa y una peritonitis generalizada con pequeños nódulos en toda la superficie del peritoneo. Las células en forma de cigarro abundan en las lesiones de la rata y pueden encontrarse con facilidad en frotis con tinción de Gram.

El tratamiento de elección sigue siendo el yoduro potásico. Cuando fracasa, y, sobre todo, en infecciones generalizadas, pueden emplearse anfotericina B, dihidroestilbamidina, o tiabendazol.

Inmunidad. Hay una respuesta inmunitaria a la infección, que se manifiesta por la aparición de aglutininas (para esporas) y anticuerpos fijadores del complemento.[77] Tienen cierto valor diagnóstico, aunque algo inespecífico, porque los sueros de personas con aftas o actinomicosis pueden dar reacciones positivas, más específica es la difusión en gel. Se han empleado una prueba de anticuerpo fluorescente, útil para el diagnóstico en cortes de tejido.[105]

ENTOMOFTOROMICOSIS

Desde que Lie-Kian-Joe y Emmons[47] describieron primeramente el proceso de ficomicosis subcutánea en 1946, se han diagnosticado varios centenares más de casos, y puede transformarse en una enfermedad importante de medicina tropical.[20, 26, 127] Además, se ha descrito una enfermedad muy rara que afecta el insecto patógeno *Entomophthora coronata.* Ambas enfermedades son subcutáneas. A diferencia de las enfermedades provocadas por miembros de las mucorales, estas enfermedades no parecen ser oportunistas, y ambos agentes están en el orden Entomophtorales. Por estos motivos no se incluyen entre las "ficomicosis"; el término más corriente es el de "entomoftoromicosis". La enfermedad de ficomicosis subcutánea fue primeramente descrita en Indonesia, pero ahora se conoce en diversos países de Africa, Asia sudoriental y en la India. En Africa coincide con la distribución geográfica del sarcoma de Burkitt; se ha postulado la existencia de un insecto vector para ambos procesos. El agente causal se denominó primeramente *Basidiobolus ranarum,* hongo asociado con ranas y escarabajos pero más tarde se vio que era *B. haptosporus.* La enfermedad es un proceso crónico prolongado, muchas veces con hinchazón de brazos, cuello, tórax y tronco. La lesión afecta los tejidos subcutáneos persiste localizada. El corte de tejido muestra hifas anchas (20 μ) rodeadas por una cubierta de material eosinófilo. Este probablemente es un complejo inmune similar al fenómeno de Splendore Hoepli. La lesión es un granuloma compuesto c

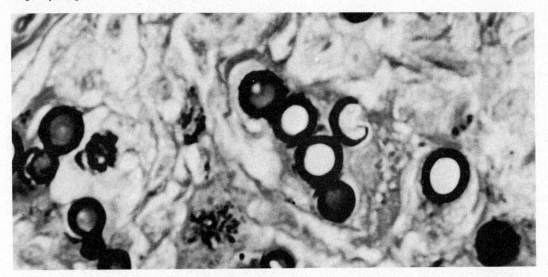

FIG. 31-24. Lobomicosis, que muestra cadenas de células redondas en una biopsia de piel. Obsérvese la disposición distorsionada de la colágena en este queloide provocado por la infección. × 400.

infiltrado inflamatorio crónico, células gigantes de cuerpo extraño, fibroblastos, y capilares de pared gruesa.[194] Muchos de los casos parecen haber curado espontáneamente o han desaparecido para vigilancia. Algunos han mejorado con terapéutica de yoduro potásico. Todavía no hay nada establecido en cuanto a serología.

La rinoentomoftoromicosis es una enfermedad granulomatosa crónica, que hasta aquí solo se ha descubierto en la submucosa nasal. La causa otro miembro de Entomophtorales, el parásito de las arañas *Entomophtora coronata;* también ha sido aislado de pólipos nasales en caballos.[19] En cortes de tejido, la patología tisular y la morfología del organismo son idénticos a los de la ficomicosis subcutánea.

LOBOMICOSIS

Esta enfermedad fue descrita primeramente en 1931 por Jorge Lobo, en Brasil, y se consideró que era una forma de paracoccidioidomicosis. Hoy sabemos que es una enfermedad diferente. Se utilizan a veces los términos blastomicosis queloide o enfermedad de Lobo. En lesiones características, se descubren cadenas de células de levadura de calibre uniforme ($10\ \mu$). La reacción tisular es una hiperplasia fibrosa excesiva, que origina la formación de queloide. En cortes de tejidos, los gérmenes son muy numerosos. La enfermedad se limita al tejido subepidérmico y nunca se vuelve diseminada. Hasta aquí solo se han descubierto casos humanos en la parte norte de Sudamérica, especialmente Brasil y Surinam, y en América Central (unos pocos).[193] También se ha observado frecuentemente en delfines cerca de la costa de Florida.[133] El germen

todavía no se ha cultivado. A falta de identidad específica, se le llama *Loboa loboi.*

MICOSIS GENERALIZADAS

Las micosis generalizadas afectan cualquiera o todos los órganos internos de la economía, así como los sistemas esquelético, cutáneo y subcutáneo. La puerta de entrada más frecuente para los agentes causales es el pulmón, en contraste con otras micosis. Las infecciones son extraordinariamente frecuentes, sobre todo en Estados Unidos de Norteamérica, pero la gran mayoría de casos pasan inadvertidos. En la enfermedad asintomática el diagnóstico suele efectuarse por diversas pruebas. La sensibilización, que muchas veces refleja la presencia actual o pasada del microorganismo, se descubre mediante prueba cutánea u otro método inmunológico. Su existencia puede revelarse por la presencia de lesiones curadas, observadas en radiografías, o en la autopsia después de la muerte por otras causas. Si la infección es sintomática, los signos clínicos pueden ser los de una enfermedad ligera que cura espontáneamente, o puede resultar progresiva con síntomas graves, lesiones tisulares y, muchas veces, la muerte.

Los organismos que intervienen suelen manifestar predilección por un órgano determinado o un tipo determinado de tejido. *Histoplasma capsulatum* es un parásito intracelular del sistema reticuloendotelial; *Cryptococcus neoformans* prefiere el sistema nervioso central; *Blastomyces dermatitidis* suele afectar el tejido subcutáneo y mucocutáneo. Por otra parte, cualquiera de los organismos puede desencadenar el mismo tipo de sintomatología y de respuesta tisular, y pueden remedar muchas otras enfermedades generales o cutáneas.

Hongos dimórficos térmicos

Enfermedad y organismo	Fase saprófita (25°C)	Fase parásita (37°C)
Histoplasmosis *Histoplasma capsulatum*	Micelio tabicado, microaleuriosporas, macroaleuriosporas tuberculadas. Colonias vellosas de color blanco-castaño claro.	Levadura pequeña en gemación, de 1 a 5 μ Levadura mayor (5 a 12 μ) en la histoplasmosis africana *H. duboisii*
Blastomicosis *Blastomyces dermatitidis*	Micelio tabicado, microaleuriosporas, piriformes, globulosas o dobles. Colonias vellosas o lisas de color blanco o castaño-claro.	Pared refringente gruesa, levadura en gemación de 8 a 20 μ. Yemas de base amplia.
Paracoccidioidomicosis *Paracoccidioides brasiliensis*	Similar a *B. dermatitidis*	Células de levadura múltiples, en gemación, de 20 a 60 μ.
Esporotricosis *Sporotrichum schenckii*	Conidias piriformes sobre conidióforos finos. Hifas tabicadas muy delgadas. Colonias verrugosas, blancas, con la parte inferior negra.	En cultivo células fusiformes, ovales, en gemación, 5 a 8 μ. Los cuerpos asteroides en forma de cigarro solamente en los tejidos.

Las micosis generalizadas son de dos categorías. La primera incluye gérmenes que, empleando dosis suficientemente infectantes, afectarán a individuos normales sanos. Todos ellos tienen el común atributo de cambiar su morfología en el curso del proceso infeccioso. Son los hongos térmicos o dimórficos de los tejidos; incluyen histoplasmosis, paracoccidioidomicosis, blastomicosis, y coccidioidomicosis. En la segunda categoría de enfermedades están las infecciones oportunistas. Los hongos con micelios que intervienen en estos procesos, aspergilosis y mucormicosis, no cambian su morfología en la infección y no infectan adultos sanos normales. En cierto modo, todas las micosis son "oportunistas". El adulto normal bien alimentado que entra en contacto con hongos patógenos puede dominarlos (excepto cuando la exposición es enorme), muchas veces en forma asintomática. Una debilidad pasajera o poco intensa puede permitir que el organismo se implante. Esta debilidad varía desde la desnutrición ligera hasta la deficiencia inmune genética, fisiológica, o yatrógena. El germen "oportunista" más frecuente es Candida, que ya hemos estudiado. La criptococosis está en lugar intermedio. Las infecciones acompañan sobre todo a enfermedades subyacentes, pero a veces personas aparentemente normales adquieren la infección.

Hongos dimórficos de afección general

Uno de los fenómenos más notables e interesantes que presentan los hongos que infectan al hombre es su dimorfismo. Los organismos correspondientes existen en forma saprófita o en fase miceliana en la naturaleza, pero sufren un cambio de forma hacia una etapa parásita durante el proceso infeccioso. El cambio parece ser una adaptación a un medio desfavorable y, hasta cierto punto, es inherente a la mayor parte de hongos. Diversos saprófitos y dermatófitos inofensivos se han hecho pasar a una etapa transitoria de tipo de levadura, en la cual son invasores para órganos profundos de animales de experimentación.[155, 161] Los organismos bien conocidos como agentes de enfermedades generales suelen ser especies sin relación entre sí, que parecen compartir una capacidad muy elevada de adaptarse a los tejidos de los mamíferos. La infección, por lo que al organismo se refiere, es esencialmente un

Hongos dimórficos tisulares

Enfermedad y organismo	Fase saprófita	Fase parasitaria
Coccidioidomicosis *Coccidioides immitis*	Micelio vegetativo ramificado que se fragmenta en artrosporas de forma de tonel Colonias húmedas y algodonosas, "comida por la polilla".	Esférulas de 10 a 60 μ con endosporas.
Rinosporidiosis *Rhinosporidium seeberi*	No se conoce en cultivo.	Esférulas de 100 a 300 μ con endosporas.
Adiospiromicosis *Emmonsia parva* y var. *crescens*	Colonia de color de ante, seca, densa, plana, aleuriosporas sobre pedúnculos, 3 a 4 μ.	Esférulas de 40 μ (*E. parva*) 500 μ var. (*crescens*) también provocadas a temperatura alta (40°C). Sin endosporas.

camino ciego, ya que no suele representar ningún beneficio para diseminar la especie. La forma del suelo produce las esporas infecciosas, la transmisión de hombre a hombre prácticamente es desconocida, y el organismo suele morir junto con su huésped.

Los factores que hemos fijado como importantes para lograr la transformación de la forma saprófita a la etapa parásita son varios. Entre otros, se han descrito combinaciones de temperatura, tensión de bióxido de carbono, potenciales de oxidorreducción bajos, grupos sulfhidrílicos libres y medios líquidos como condiciones necesarias.[122, 167, 171] En diversos organismos la transformación se produce en el tejido, o en un medio simulado, sin relación obligada con la temperatura. Los organismos parecen poderse incluir en tres categorías: los hongos dimórficos térmicos, los hongos dimórficos tisulares y el dimorfismo nutritivo (ver la sección de Candida). En los hongos dimórficos térmicos la morfogénesis se dirige a una etapa de tipo de levadura (Y) en gemación, partiendo de una fase miceliana (M) saprófita alargada. Puede haber necesidad de factores accesorios, como ya hemos mencionado, pero la etapa de crecimiento de levadura in vitro e in vivo depende de la temperatura. Esto se ha comprobado inyectando animales poiquilotérmicos con los organismos (en cualquiera de las fases de crecimiento). En animales incubados a 25°C, la infección se produjo con micelio en los tejidos; si se incuban a 37°C, la infección se acompañaba de transformación en etapa de crecimiento de levadura.[172] Se ha supuesto que interviene una vía enzimática sensible a la temperatura. Quizá esto ocurra en la cadena respiratoria terminal, y posiblemente incluya la ubiquinona. Su produc-

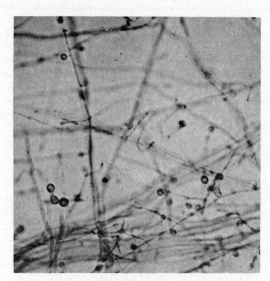

FIG. 31-26. Fase de micelio de *Blastomyces dermatitidis*. Conidio de tipo Chrysosporum. Lactofenol-azul de almidón; × 400.

ción en los hongos responde a la temperatura y a la oxidación-reducción del ambiente. En los hongos dimórficos tisulares, la etapa parasitaria asociada no es de levadura en gemación, sino que adopta diversas formas, incluyendo una esférula en la coccidioidomicosis y la adiospiromicosis; una célula redondeada en división en la cromomicosis, y una esfera deforme de micelios en el micetoma. La inyección de ranas con *Fonsecaea pedrosoi* provoca infección con formación asociada de gránulos a 25°C; en forma similar, los lagartos y las ranas infectados con *Coccidioides immitis* produjeron esférulas a temperatura de la habitación. Los hongos dimórficos térmicos son un grupo bien delineado y se describen en el primero de los dos cuadros que acompañan. Los hongos dimórficos de los tejidos están menos bien definidos; se describen en el segundo cuadro. Los hongos dimórficos tisulares también incluyen los organismos de la cromomicosis y del micetoma micótico, ya estudiados. La mayor parte de estas enfermedades se combaten con anfotericina B.[39, 181, 195]

BLASTOMICOSIS

La enfermedad micótica conocida como blastomicosis norteamericana se observó primeramente en Baltimore en 1894 por Gilchrist,[72] y a veces se denomina enfermedad de Gilchrist. La inmensa mayoría de los casos se han observado en Estados Unidos de Norteamérica,[39, 175] concentrados en los estados del este y del centro norte, de aquí el nombre de blastomicosis norteamericana. La enfermedad se ha observado muchas veces en el estado de Illinois, y a veces se denomina enfermedad

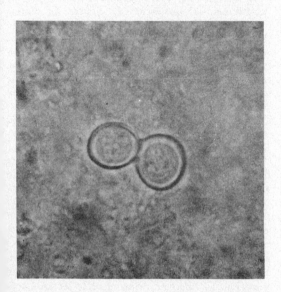

FIG. 31-25. Preparación con hidróxido de potasio de pus, que muestra la fase de levadura de *Blastomyces dermatitidis*. Obsérvense la gemación de base amplia y la pared gruesa. × 400.

de Chicago. Por lo menos cinco casos se han señalado y comprobado en Africa, lo cual extiende considerablemente la amplitud de la endemia.[48] El análisis de casos supuestos y descritos en forma incompleta resulta difícil porque no suele poderse distinguir esta enfermedad de la blastomicosis europea (criptococosis) o la histoplasmosis africana (levadura voluminosa H. *capsulatum* var. *duboisii*). B. *dermatitidis* también puede existir en forma de una pequeña levadura difícil de distinguir en los tejidos del organismo de la histoplasmosis.

Germen causal. Este hongo fue aislado en 1896 por Gilchrist y Stokes de un segundo caso de la enfermedad, y recibió el nombre de *Blastomyces dermatitidis*. El dimórfico, solo se observa como una forma de levadura unicelular en gemación en los tejidos, pero en cultivo a 25°C se observa una forma miceliana. La forma unicelular puede observarse en preparaciones con hidróxido potásico, de pus o esputo. Las células son voluminosas, de 8 a 10 μ de diámetro, redondas u ovales, de doble contorno y multinucleadas, y muestran una yema única de base ancha. El contenido granuloso de las células las distingue de las burbujas aéreas o de las gotitas de grasa; la identificación es prácticamente segura si se encuentran células en gemación. La etapa perfecta ha sido descrita recientemente como *Ajellomyces dermatitidis* y corresponde a la familia Gymnoascaceae.[129] Por lo tanto, el organismo guarda estrecha relación con los dermatófitos.

Morfología de las colonias. Esta morfología unicelular también ocurre en cultivos de agar sangre, donde el examen microscópico muestra células en gemación, con unas pocas hifas rudimentarias. La colonia que se desarrolla a 37°C es arrugada y cérea, y se parece algo por su aspecto a las colonias de bacilo tuberculoso. En cultivo de agar de Sabouraud, a 25°C aparece la forma miceliana. La morfología de la colonia es algo variable; se han distinguido otros tres tipos. El tipo "harinoso" suele observarse en cultivos de aislamiento primario; es similar al crecimiento en agar sangre; microscópicamente el hongo es una forma de transición entre las formas micelianas unicelulares, y micelianas con muchas de las células tendiendo a constituir cadenas articuladas. Después de una o dos transferencias el crecimiento puede presentar una superficie espinosa, con las espículas formadas de filamentos micelianos estrechamente aglomerados que tienden a volverse laxos y algodonosos cuando persiste la incubación. El color es muy variable, blanco, cobrizo o pardo. El tercer tipo, observado a veces en aislamiento primario, y generalmente en cultivos de laboratorio que sufren transferencias frecuentes, se caracteriza por un crecimiento de colonia blanca y micelios aéreos abundantes; en estas colonias la forma unicelular ha desaparecido completamente, y el crecimiento está formado por hifas tabicadas. Las aleuriosporas nacen de aleurióforos laterales. No permiten establecer el diagnóstico por

su aspecto similar al de otras especies de hongos. La forma micelar puede transformarse en un tipo unicelular en infecciones experimentales, o cultivado prácticamente en cualquier medio a 37°C; para diagnóstico, es necesario demostrar el dimorfismo. El organismo se ha obtenido unas pocas veces en la naturaleza;[36] las células de levadura se destruyen en el suelo. Un producto particular de su metabolismo es el etileno.

Poder patógeno para el hombre. Hay tres tipos de procesos patológicos: 1) pulmonar primario, 2) cutáneo, y 3) generalizado. Esencialmente todas las infecciones se adquieren por la vía pulmonar, pero los primeros síntomas suelen ser cutáneos. Puede producirse enfermedad cutánea primaria, pero es muy rara. La lesión cutánea secundaria empieza como una pequeña pápula dura, alrededor de la cual se desarrollan nódulos satélites, que aumentan de volumen por coalescencia. La lesión se desintegra en el centro y se vuelve supurada, exudando pus a través de pequeñas fístulas. La reacción inflamatoria es granulomatosa, con formación de tejido conectivo, proliferación del epitelio (hiperplasia seudoepiteliomatosa), infiltración mononuclear y, a veces, formación de células gigantes. El hongo se descubre en el pus de pequeños abscesos miliares, característicos de la anatomía patológica del proceso. Cuando la enfermedad progresa, se forma una masa voluminosa y elevada de tejido, con una superficie ulcerada irregular, que exuda pus de gran número de pequeñas aberturas al hacer presión. A veces es notable la similitud con el epitelioma o con la úlcera tuberculosa. Las lesiones con intensa proliferación epitelial simulan la tuberculosis verrugosa. El proceso se difunde lentamente a través de tejidos subcutáneos. Hay curación en el centro de las lesiones, con formación de cicatriz. La biopsia para estudio histológico o de cultivo debe tomarse de un borde activo de la lesión. Los organismos son muy raros en estos cortes de tejido. La blastomicosis cutánea primaria de inoculación, muy rara, es una lesión en forma de chancro, que contiene muchos organismos, por lo que produce linfadenopatía local.

La infección primaria de los pulmones muchas veces se parece extraordinariamente a la tuberculosis o la histoplasmosis, con tos, dolor en el tórax, debilidad, a veces hemoptisis y, en etapa avanzada de la enfermedad, esputo productivo. El cuadro anatomopatológico es variable, por cuanto puede haber consolidaciones focales o difusas, y el absceso puede ser miliar, o puede haber nódulos voluminosos. Se forman cavidades, pero limitadas a pequeñas zonas. El cuadro microscópico también se parece a la tuberculosis, y a veces resulta difícil de distinguir, a menos que se descubran las células en gemación. La infección primaria suele ser asintomática —las primeras manifestaciones son de participación cutánea secundaria. Este curso es similar al que se observa en la paracoccidioidomicosis.

Al generalizarse focos primarics de infección, se forman gran número de pequeños abscesos de origen hematógeno en todo el cuerpo. Lo más frecuente es observarlos en los tejidos subcutáneos; difieren de las lesiones cutáneas primarias por cuanto se desarrollan sin dolor ni eritema intenso, son blandos, y evacuan grandes volúmenes de pus cuando se abren. En contraste con las lesiones cutáneas, que casi siempre ocurren en partes expuestas del cuerpo, los abscesos subcutáneos secundarios suelen observarse en zonas cubiertas. Los abscesos secundarios también suelen desarrollarse en huesos, vísceras, músculos, debajo del periostio, y especialmente en la próstata. En raros casos suele estar afectado el ojo.[56] La enfermedad puede ser crónica y durar años, pero en la infección generalizada hay reacción febril séptica, y la mortalidad es elevada. Tienen actividad terapéutica las diamidinas, estilbamidina y 2-hidroxi-estilbamidina, pero no son raras las recaídas. Actualmente la anfotericina B es el producto de elección.[29] Los varones son atacados mucho más frecuentemente que las mujeres, y casi siempre son de raza negra. La frecuencia es mayor en el grupo de 20 a 50 años de edad.

A diferencia de otras micosis generalizadas (histoplasmosis, coccidioidomicosis), una infección con *B. dermatitidis* es una enfermedad progresiva; como la remisión espontánea es rara, siempre debe someterse a tratamiento.

Poder patógeno para animales inferiores. La inoculación de animales de experimentación no siempre tiene éxito, y carece de utilidad diagnóstica.[85] Los ratones son más sensibles que los cobayos; los conejos son casi totalmente resistentes. Se desarrollan pequeños nódulos caseosos en las superficies peritoneales de animales sometidos a inoculación intraperitoneal, y el tipo de reacción tisular varía con la resistencia del animal y la virulencia de la cepa del hongo, desde la formación de absceso franco, a las lesiones de tipo tubérculo. La infección natural se observa en diversos animales; en zonas endémicas, es muy frecuente en el perro. También ocurre con cierta frecuencia en los caballos.

Inmunidad. Parece que existe poca o ninguna inmunidad efectiva en el hombre para evitar la difusión de la infección, pues es frecuente la generalización. Se trata de un proceso crónico prolongado que puede representar una deficiencia adquirida. Se producen anticuerpos fijadores de complemento, y los valores persistentes suelen considerarse signo de mal pronóstico. Por desgracia, hay reacción cruzada con la histoplasmosis (o histoplasmina) y, en menor grado, con la coccidioidomicosis (o coccidioidina). Muchas veces el título de histoplasmina es más elevado que el de blastomicina. La blastomicina frecuentemente es negativa en casos comprobados de blastomicosis. Lo mismo puede decirse de la prueba cutánea. Tal como se efectúan ahora con los antígenos disponibles, estas técnicas no tienen gran sentido. Recientemente se han preparado antígenos específicos para la blastomicosis. Son de jugo celular (S) similares a los antígenos descritos para Candida. Las pruebas de difusión de gel y de fijación de complemento, utilizando estos antígenos, son específicas; no presentan reacción cruzada con otras micosis, y desaparecen con el tratamiento clínico.[160] También se conoce una prueba de anticuerpo fluorescente.

Diagnóstico. Según indicamos, la forma unicelular de tipo de levadura del hongo puede demostrarse por examen microscópico directo de pus o esputo montado en hidróxido potásico. La fijación del complemento y las pruebas cutáneas tienen valor en las infecciones pulmonares y generalizadas. Pero solo puede establecerse el diagnóstico seguro por aislamiento e identificación de *B. dermatitidis*. Esto no suele ser difícil, ya que el hongo crece rápidamente en agar sangre con cicloheximida a temperatura de la habitación. Una vez establecido el crecimiento, es necesario confirmar el diagnóstico observando el dimorfismo a etapa de levadura. Esto se logra tomando micelio de la placa agar sangre con cicloheximida, sembrándolo en agar sangre simple, e incubándolo durante varias semanas a 37°C. Las etapas de levadura de Blastomyces e Histoplasma son sensibles a la cicloheximida.[130]

COCCIDIOIDOMICOSIS

La coccidioidomicosis, se observó primeramente en Argentina en 1892 por Posada y por Wernicke; dos años más tarde fue descrito independientemente en California por Rixford. El germen causal se pensó que era un protozoo y recibió el nombre de *Coccidioides immitis*. En la fase tisular se parecía al grupo coccidio de parásitos protozoos; grupo que incluye *Eimeria coccidiosis* de los pollos y otros patógenos de las aves, como Isospora. Ophuls y Moffitt demostraron por cultivo que es un hongo, pero esto no invalidó el nombre. Su relación con otros hongos no es muy segura. Como en su crecimiento temprano carece más o menos de tabiques, y hay similitud con la producción de esférulas y la formación de esporangios, durante un tiempo se consideró un ficomiceto imperfecto. Otros datos parecen indicar una identidad de ascomiceto. Aunque señalada primeramente en América del Sur, la enfermedad parece ser rara allí. Predomina sobre todo en el Valle de San Joaquín, en California, y en las zonas secas sudoccidentales de Estados Unidos de Norteamérica y norte central de México. Hay informes dispersos aislados procedentes de América del Centro y América del Sur. El organismo guarda relación con un nicho ecológico particular conocido como forma de vida de Baja Sonora; esta zona incluye roedores del desierto, la planta llamada creosota y un suelo muy alcalino, rico en boro. Los informes de raros casos en otras partes del mundo probablemente resultan de transmisión por fómites.

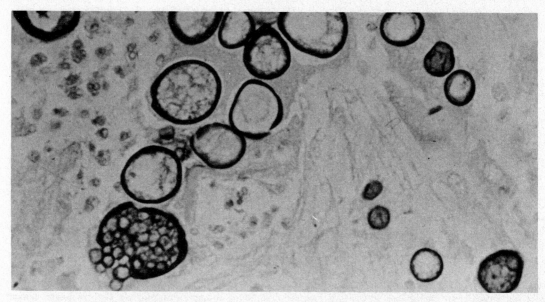

FIG. 31-27. Tejido pulmonar que muestra etapas diferentes del desarrollo de esférulas de *C. immitis*. Algunas son jóvenes y recién liberadas, otras están organizando el citoplasma en planos de despegamiento para la producción de endosporas. Una esférula está rompiéndose y libera endosporas maduras.

En Rusia se ha señalado una enfermedad parecida a la coccidioide, de etiología todavía no bien conocida.

El organismo causal: etapa parasitaria. Este hongo difiere netamente de los hongos de tipo levadura, por cuanto nunca se reproduce por gemación; y de la mayor parte de los demás hongos patógenos por cuanto se reproduce dentro de los tejidos exclusivamente por un proceso de formación de esporas endógenas. Las esporas recién liberadas son pequeñas esferas mononucleares de 1 a 3 μ de diámetro, y aparecen como una masa central intensamente teñida de protoplasma, rodeada por una pared celular de doble contorno. La célula aumenta de volumen, volviéndose pronto multinucleada, y acaba alcanzando el diámetro de 50 a 60 μ. Aparece una vacuola central en etapa temprana, que más tarde ocupa gran parte de la célula; el protoplasma aparece entonces como una capa periférica. El protoplasma periférico se vuelve vacuolado por planos de despegamiento, y un número indefinido de protosporas multinucleadas quedan delimitadas; las protosporas a su vez se subdividen para formar esporas, y toda la célula adopta función similar a la de un esporangio. Al romperse la pared de la célula las esporas maduras son liberadas, y empieza nuevamente el ciclo de desarrollo.[114] Es al romperse cuando los neutrófilos invaden el área, y el antígeno liberado provoca inmunidad eficaz. El anticuerpo eficaz parece dirigido contra endosporas recién liberadas. El mismo tipo de ciclo de esférula-endospora ocurre en la rinosporidiosis. También se observan esférulas en la adiospiromicosis, pero no contienen endosporas. Todas estas formas

pueden observarse en los tejidos y en el pus, aunque las esporas recién diseminadas son difíciles de demostrar. Se han observado formas con hifas en los tejidos, pero son muy raras. La fase morfológica descubierta en los tejidos depende de varios factores ambientales.

Germen causal: etapa saprófita. El hongo crece en diversos medios que contienen azúcar; el de elección es el agar de Sabouraud. Crece de preferencia a 37°C, en condiciones aerobias. En medios de cultivo artificiales el crecimiento es el de un moho. La colonia puede ser lisa y cérea cuando es joven, pero pronto se forma un micelio aéreo y se vuelve de color gris o pardusco. Empieza la fragmentación con la formación de artrosporas, en ramas laterales que distalmente tienen divisiones dobles. Las artrosporas tienen forma de tonel, paredes gruesas, y un espacio vacío entre esporas sucesivas.

Poder patógeno para el hombre.[182] Durante años la infección con *C. immitis* se conoció solamente como granuloma coccidioide, enfermedad grave en la cual la mortalidad se creía era hasta de 90 por 100 o mayor. Sin embargo, la infección con este hongo es mucho más frecuente y menos grave de lo que se había pensado. Se calcula que diez millones de personas en el sudoeste de Estados Unidos de Norteamérica han sufrido o sufren coccidiodomicosis. Se descubren lesiones curadas de granuloma coccidioide en la necropsia de personas muertas por otras causas, y se han producido en ratas blancas lesiones similares inactivas. Además, Dickson en 1937 demostró que la enfermedad puede adoptar una segunda forma (conocida como "fiebre del valle" o "reumatismo del desierto"), infección benigna aguda de las vías respiratorias que cura espontáneamente, además de la enfermedad granulomatosa crónica progresiva. Ha sugerido que estas formas podían denominarse respectivamente coccidioidomicosis primaria y coccidioidomicosis secundaria o progresiva; estos términos ahora están logrando empleo general. Ya sabemos que la enfermedad benigna que cura espontáneamente confiere inmunidad bastante eficaz. La coccidioidomicosis es la más virulenta y la más peligrosa de todas las micosis. Se han producido muchos accidentes de laboratorio, algunos de ellos mortales. Aunque la frecuencia de diseminación es alrededor de 1 por 100, puede ser diez veces mayor en individuos de piel obscura. Cualquier extensión, más allá de la enfermedad benigna que cura espontáneamente, debe considerarse muy peligrosa para el paciente, y tratarse como tal. En Sudamérica la infección se conoce con el nombre de enfermedad de Posada.

Coccidioidomicosis primaria. La infección se adquiere por inhalación de esporas; la enfermedad varía de gravedad en los casos conocidos desde un resfriado corriente hasta los procesos que parecen influenza, con neumonía, producción de cavidades o fiebre alta. En una pequeña proporción de casos, quizá el 5 por 100, se produce un exantema parecido al eritema nudoso o el multiforme, y la enfermedad recibe el nombre de reumatismo del desierto, fiebre del valle, fiebre de San Joaquín, etc. Las personas que muestran esta respuesta alérgica muy raramente desarrollan enfermedad grave progresiva. Sin embargo, muchas infecciones son asintomáticas. En un grupo de 1 351 casos, estudiados por Smith y colaboradores, el 60 por 100 eran asintomáticos, y la diseminación con desarrollo de

enfermedad progresiva ocurrió en el 1 por 100, aproximadamente, de las infecciones clínicamente manifiestas.[182] Los autores también observaron que la diseminación tuvo frecuencia diez veces mayor en individuos negros, mexicanos, portugueses o indios que en los blancos.[100] Pueden producirse "epidemias" menores cuando las personas entran en contacto con zonas muy contaminadas. Una epidemia de este tipo se ha descrito, en la cual siete de 14 personas que pasaron dos días en un campo del desierto, cerca del Valle de San Joaquín, quedaron infectadas. Goldstein y Louie señalaron que de varios miles de soldados expuestos durante el entrenamiento militar en una zona desértica endémica, 75 contrajeron la enfermedad. Todos menos uno mejoraron rápidamente hasta recuperación completa, pero el individuo restante sufrió una infección generalizada, con granuloma coccidioide. Pero en casi todo el personal de la cutirreacción se hizo positiva. Se produjo un incidente similar en un campo de prisioneros de guerra cerca de Florencia, Arizona, y en un albergue denominado Paradise Valley, cerca de Phoenix, Arizona. La enfermedad también es problema importante en el norte de México. De ordinario se logra la curación espontánea. Solo raramente progresa hasta el tipo secundario. Son frecuentes las lesiones pulmonares residuales, muy similares a las lesiones tuberculosas curadas.[90] Difieren de los tuberculomas e histoplasmomas curados por cuanto raramente se calcifican.

Coccidioidomicosis secundaria o progresiva. El tipo progresivo de infección origina lesiones cutáneas, subcutáneas, viscerales, óseas y de sistema nervioso central, así como extensión de lesiones hacia los pulmones. Si la enfermedad está bien establecida en el pulmón, raramente se limita a él. El tipo cutáneo se parece mucho a la blastomicosis, pero constituye una enfermedad mucho más grave, con fiebre y mayor tendencia a la diseminación hematógena. En diversos lugares las lesiones se parecen mucho a las de la tuberculosis; de hecho, la diferenciación con esta enfermedad quizá solo se logre demostrando la presencia del hongo. La participación meníngea casi siempre es mortal. No sabemos si el tipo progresivo de enfermedad resulta de nueva infección o de reactivación de lesiones primarias inactivas; lo más probable es lo primero. Se ha señalado que la anfotericina B es un quimioterápico eficaz para la infección diseminada,[195] pero se necesita mucho un medicamento más eficaz. Como en el tratamiento de todas las micosis generalizadas, la toxicidad, especialmente para los riñones, es un efecto secundario importante. Otros efectos secundarios son fiebre, anemia, flebitis y diversas respuestas alérgicas. Cuando se utiliza dentro de la meninge, puede producir aracnoiditis, con paraplejía como secuela.

Poder patógeno para animales inferiores. La enfermedad ocurre espontáneamente en animales domésticos, incluyendo ganado,[126] ovejas y perros;

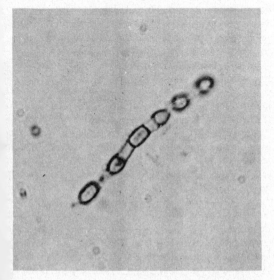

FIG. 31-28. Fase de micelio de *C. immitis*. Artrosporas de forma cilíndrica con células vacías intercaladas. Lactofenol-azul de algodón; × 400.

también en roedores salvajes en áreas endémicas. Estos últimos incluyen tres especies de ratones, *Perognathus baileyi, P. penicillatus* y *P. intermedius;* la rata canguro, *Dipodomys merriani* y el ratón de los prados *Onychomys torridus.* La enfermedad puede diseminarse a una zona nueva desde los cadáveres de animales muertos por ella. Los animales de experimentación se infectan fácilmente; tanto los conejos como los cobayos son sensibles a la inoculación intraperitoneal, y los ratones a la inoculación intracerebral. Se utilizan para estudios de virulencia, ratones inoculados intracerebral [59] o intraperitonealmente. A veces, las esférulas alcanzan volumen de 100 μ o más en el ratón.

Inmunidad. Está comprobado que la infección con *C. immitis* puede seguir un curso leve, después del cual siempre se logra la recuperación espontánea. En muchos casos hay lesiones que dejan de evolucionar. Esto indica que existe una resistencia natural apreciable para la infección; también que la infección inicial curada ha dejado una inmunidad efectiva, pues la enfermedad progresiva es relativamente rara, y la reinfección, casi desconocida.

Esta respuesta se manifiesta en parte por el desarrollo de hipersensibilidad hacia el parásito. La coccidioidina,[149] como la tuberculina (OT), se prepara de cultivos líquidos del parásito, pero hay cierta dificultad para reproducir las potencias. Al parecer, un polisacárido inmunológicamente activo caracteriza cuando menos una parte del principio activo, produciendo reacciones cutáneas y prueba de precipitina. La coccidioidina se inocula por vía intradérmica, apareciendo en 24 a 48 horas reacción positiva. La hipersensibilidad aparece unos días o semanas después de la infección; las infecciones recientes, y las graves, dan reacciones más intensas que las antiguas y las leves, respectivamente. La prueba parece ser altamente específica, aunque todavía hay cierto desacuerdo respecto a su interpretación.

También se forman anticuerpos humorales, y se han desarrollado pruebas específicas de fijación del complemento [141, 180] y de precipitina, usando un autolisado de cultivo como antígeno. En general, el anticuerpo sérico no puede demostrarse antes que se desarrolle sensibilidad cutánea. La precipitina aparece primero y puede demostrarse en la mitad de los casos hacia el fin de la primera semana de enfermedad, y en el 90 por 100 o más por la tercera semana; entonces disminuye gradualmente, hasta que después de siete meses no puede demostrarse ninguna. La reacción de fijación del complemento se hace positiva más lentamente, con cerca del 8 por 100 de positivas hacia el final de la primera semana, e inversión aparente por el segundo mes. Por lo tanto, en general, el anticuerpo precipitante es característico en la etapa primaria de la enfermedad, con cerca del 78 por 100 de reacciones positivas, en comparación con el 55 por 100 de reacciones de fijación del complemento positivas,

mientras que el anticuerpo fijador del complemento se presenta en la etapa secundaria o progresiva en el 98 por 100 de los casos, en contraste con el 36 por 100 de reacciones de precipitina positivas. Por lo tanto, la titulación del anticuerpo fijador del complemento tiene una importancia considerable para el pronóstico; un título que aumenta indica el desarrollo de la forma granulomatosa progresiva de la enfermedad, a menudo antes de que sea evidente clínicamente.[180] Se han preparado vacunas de diversos tipos, pero su eficacia todavía no está comprobada. También se han desarrollado técnicas de difusión en gel, y de anticuerpo fluorescente.[106]

Diagnóstico. El diagnóstico de laboratorio de coccidioidomicosis depende de demostrar el parásito. El valor diagnóstico de una reacción positiva a la coccidioidina es limitado porque persiste mucho tiempo después de la curación. Como indicamos en un principio, puede encontrarse examinando directamente con el microscopio pus, líquido cefalorraquídeo y tejidos, pero quizá sea difícil demostrarlo en el esputo. Es muy útil una preparación con KOH. Pueden usarse para la tinción lactofenol y azul algodón o eosina Mallory, y azul de metileno. Aunque *C. immitis* crece sin dificultad sobre medios que contienen azúcar, se ha cultivado en proporción sorprendentemente pequeña de casos. Hay un riesgo bastante considerable al cultivar el hongo, por la infecciosidad de las esporas, y se necesitan precauciones especiales.[7]

Epidemiología. En las zonas endémicas del sudoeste de Estados Unidos de Norteamérica la proporción de reactores a la prueba de coccidioidina es alta, entre el 46 y el 90 por 100. Por lo tanto, la frecuencia de infección en esas regiones parece ser mucho más alta de lo que se pensó en un principio. Una gran proporción de estos reactores no tiene historia de coccidioidomicosis.[181] Se ha estimado que solo el 5 por 100 de las personas infectadas muestran síntomas clínicos suficientemente netos para que pueda descubrirse y diagnosticarse.

Aunque, como antes dijimos, la enfermedad ocurre en animales domésticos y ciertos roedores salvajes, no hay prueba de que la infección se transmita directamente de los animales al hombre, pero los animales muertos pueden contaminar el suelo donde fueron enterrados. Parece probable que tanto los animales como el hombre se infecten al inhalar las esporas contenidas en el polvo; en casos humanos es frecuente el antecedente de exposición a tormentas de polvo, y el hongo se ha aislado directamente del polvo. *C. immitis* es un saprófito que infecta por casualidad a los animales y al hombre; el depósito de infección parece ser el suelo.[118] Se produce una enfermedad ligera en algunos roedores del desierto. Estos pueden ser portadores del germen desde un lugar a otro, y actuar como vectores para la transmisión. Durante el verano, el sol esteriliza el suelo del desierto suprimiendo *C. immitis*. Pero sobrevive y prolifera en las madrigueras de los roedores.

RINOSPORIDIOSIS

Rhinosporidium seeberi es el nombre que se ha dado al agente productor de una enfermedad granulomatosa crónica caracterizada por la aparición de pólipos u otras manifestaciones de hiperplasia en superficies mucosas. La enfermedad se caracteriza por pólipos friables, muy vascularizados, sésiles o pedunculados, que pueden aparecer en cualquier superficie mucosa. Las más frecuentemente afectadas son las de nariz, nasofaringe, o paladar blando. La conjuntiva y el saco lagrimal también se afectan frecuentemente. Se han descubierto lesiones en laringe, pene, vagina, recto y piel. La enfermedad fue descubierta primero en Argentina por Posada en 1892, y publicada por Seeber en 1900. Se registraron unos 2 000 casos hasta 1964, cuando Karunaratne [108] revisó la literatura mundial. De ellos, el 88 por 100 procedían de India y Ceilán. La rinosporidiosis también se descubre con cierta frecuencia en el Valle del Choco, de Argentina, y en Brasil, Colombia y Venezuela. Se han publicado unos 40 casos en Estados Unidos de Norteamérica. Hay casos dispersos en todo el mundo.

Histológicamente hay un tumor típico formado de epitelio plano o cilíndrico, con estroma de tejido conectivo, capilares y esférulas micóticas. Las esférulas tienen de 10 a 200 μ de diámetro y pueden contener 16 000 a 20 000 endosporas. El ciclo de desarrollo es similar al de la coccidioidomicosis. El organismo nunca se ha podido cultivar. Se ha pretendido haber logrado la multiplicación in vitro, pero estos hechos todavía esperan confirmación. Algunos autores describen un cariosoma de tipo de protozoario, junto con un núcleo. La enfermedad, como la infección por *Pneumocystis carinii,* parece ser de causa micótica, pero quizá se trate de una forma de transición entre hongos y protozoos. El organismo parece asociarse con aguas estancadas; puede ser un parásito natural de los peces o de otros seres de vida acuática.

ADIOSPIROMICOSIS

Se trata de una enfermedad pulmonar descubierta en varias especies de roedores en todo el mundo. En raros casos se ha descrito en el hombre. Las esporas (2 a 4 μ) del hongo del suelo se inhalan y pasan a los pulmones, donde aumentan de volumen formando una esférula gigante. El desarrollo se interrumpe en esta etapa y no se producen ni endosporas ni yemas. El nombre adiospora se refiere al agrandamiento y al paro de una espora micótica. Hay muy poca reacción del huésped. Las adiosporas pueden producirse in vitro por incubación a 40°C.[43] Los hongos que intervienen se describieron como dos especies según Emmons, y se denominaron *Emmonsia parva* (Haplosporangio) y *E. crescens.* *E. parva* produce esférulas hasta de 40 μ; *E. crescens* hasta de 500 μ. Por lo demás, entre ellas no hay diferencia. El organismo es un saprófito del suelo, que crece en medio de cultivo en colonias blancas algodonosas, produciendo pequeños conidios aislados (3 a 7 μ) en un conidióforo. Estos se llaman con precisión, crisosporas, ya que son esporas miceliales de *Blastomyces dermatitidis.*

PARACOCCIDIOIDOMICOSIS

La enfermedad denominada granuloma paracoccidioide, enfermedad de Lutz, o blastomicosis sudamericana, se observa en Brasil y otras partes de Sudamérica y en México. Las zonas endémicas son bosques tropicales húmedos, o subtropicales lluviosos. El germen causal es *Paracoccidioides brasiliensis;* se ha recuperado del suelo.[8] Es un hongo de tipo de levadura, que prolifera por gemación en los tejidos y crece constituyendo una colonia cerebriforme compacta en agar de Sabouraud, donde acaba produciendo un micelio aéreo blanco y conidios simples o dobles, de forma similar a los de *B. dermatitidis.*

Clínicamente, la enfermedad es similar a la coccidioidomicosis y la blastomicosis.[125] La infección primaria, que pasa muchas veces inadvertida, es pulmonar.[154] Entonces el hongo probablemente sea transportado por macrófagos a la mucosa bucal y gingival. En estos lugares produce lesiones granulomatosas ulceradas. Muchas veces estas se difunden

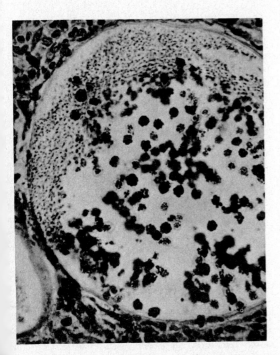

FIG. 31-29. Esférula gigante de rinosporidiosis en un pólipo nasal. Hematoxilina y eosina; $\times$ 400.

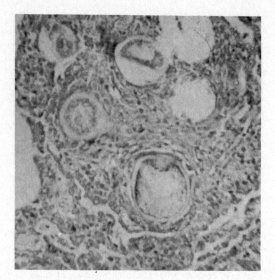

FIG. 31-30. Esférula de Adiospiromicosis en pulmón de rata. Obsérvese la ausencia de endosporas.

a lengua, labios y nariz. La participación linfática es característica de la enfermedad. La infección se propaga siguiendo los linfáticos para producir lesiones en vísceras, y frecuentemente participación pulmonar. Muchas veces es mortal. Los cobayos suelen infectarse por inoculación intratesticular y pueden también hacerlo por inoculación intratraqueal. El hongo crecerá rápidamente en membrana corioalantoidea de huevo de gallina embrionado. Se ha descrito una técnica diagnóstica de anticuerpo fluorescente,[177] una prueba de inmunodifusión, y una prueba cutánea con antígeno.[153, 154] Estas son específicas para la enfermedad. Parece que, como en el caso de la histoplasmosis, la infección inadvertida es más frecuente de lo que se sospechó —solo se han reconocido las formas graves. La sensibilidad en pruebas cutáneas muestra aproximadamente una distribución igual para los dos sexos de reactores dentro de las zonas endémicas. Sin embargo, el 90 por 100 de todos los casos clínicos, se observa en varones. En casi todas las micosis, los varones están más frecuentemente afectados que las mujeres. Se cree que algunas hormonas femeninas son inhibidoras para el crecimiento de hongos.

El diagnóstico se establece por demostración microscópica de múltiples células en gemación (en contraste con las células en gemación aisladas de *B. dermatitidis* en material obtenido de lesiones o por cultivo. El tratamiento consistía antes en dar 4 g de sulfadiacina al día durante toda la vida, pero la anfotericina B permite esperar curaciones clínicas.

HISTOPLASMOSIS [10]

Este organismo fue descubierto en 1906 en Panamá por Darling, quien lo observó en cortes de tejidos tomados en necropsias de tres pacientes que habían muerto de lo que parecía ser una leishmaniasis visceral, y recibió el nombre de *Histoplasma capsulatum.* El primer caso en Estados Unidos de Norteamérica fue publicado en 1926. En 1946 solo se habían registrado unos 70 casos. Todos estos eran de la forma grave de la enfermedad. En 1945, Christie publicó un trabajo importante sobre calcificaciones en pulmones de pacientes, tuberculinonegativos en Tennessee. El año siguiente, Palmer [140] publicó un estudio mayor. Mediante pruebas cutáneas se comprobó que la forma benigna de la enfermedad es extraordinariamente frecuente en zonas endémicas.

Es frecuente observar lesiones curadas de infecciones pulmonares en necropsias de zonas donde la enfermedad es frecuente, y la predominancia de la infección se demuestra por pruebas cutáneas que revelan hipersensibilidad a la substancia del microorganismo. Se cree que en Estados Unidos de Norteamérica hay unos 30 millones de personas que sufren o han sufrido histoplasmosis; la mayor parte en las zonas de los valles de los ríos Ohio y Misisipí. La enfermedad ha sido estudiada sobre todo en Estados Unidos de Norteamérica, pero parece rallarse dispersa por todo el mundo.[40, 139]

Organismo causal. Aparece en los tejidos como una célula pequeña, oval, de tipo de levadura, de 2 a 4 μ de diámetro, con aspecto de una cápsula, aunque no la posee.[37] En tejido teñido con colora-

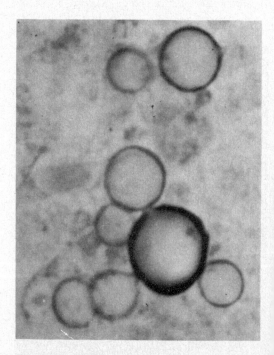

FIG. 31-31. Células gigantes de levadura de *Paracoccidioides brasiliensis,* que muestra yemas múltiples en "forma de Mickey Mouse". A veces las yemas son pequeñas y de dimensiones uniformes. Esta es la forma que Gridley llama "volante de piloto"; $\times$ 400. (P. Graff.)

ción de Giemsa es difícil de distinguir el organismo de los de la leishmaniasis, excepto por la barra cariosómica en los últimos. Se descubren cepas voluminosas, hasta de 15 μ de diámetro, en la histoplasmosis africana [144] *(duboisii)*. En preparaciones teñidas la masa central teñida está rodeada de una zona clara. El organismo suele ser intracelular, dentro de los mononucleares en la sangre periférica y en los macrófagos del resto del cuerpo, especialmente de médula ósea y bazo. A consecuencia de la localización intracelular característica del parásito la enfermedad recibe a veces el nombre de citomicosis reticuloendotelial o, simplemente, citomicosis.[96] La histoplasmosis, frecuente en todo el mundo, está causada por *H. capsulatum*. La forma africana difiere por su aspecto de levadura más voluminosa *(duboisii)*. Esta forma también se ha descubierto en el Japón, y probablemente se aislará en otras partes del mundo. Una segunda especie, *H. farciminosum*, provoca el muermo en caballos, y se descubre a nivel de la zona mediterránea. Difiere de las otras dos por cuanto tiene macroaleuriosporas de paredes lisas en su etapa saprófita. La etapa perfecta de *H. capsulatum*, ya la hemos descrito. Es una Gimnoascaceae heterotálica denominada *Emmonsiella capsulata*.[113] Guarda estrecha relación con los dermatófitos en la etapa perfecta de *Blastomyces dermatitidis*.

El microorganismo puede cultivarse de la sangre o de piezas de biopsia, o aislarse del esputo en las infecciones pulmonares. El suelo o el material patológico procedente de pacientes puede inocularse a los animales. Crece en forma de levadura en los tejidos, en cultivos de agar sangre sellados a 37°C, y en cultivos de tejidos,[95] pero en agar de Sabouraud con cicloheximida se observa una forma mice-

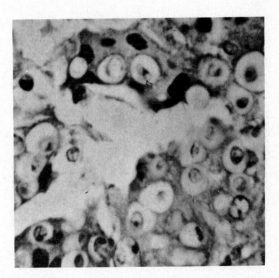

FIG. 31-33. Células gigantes de levadura, de *Histoplasma capsulatum* var. *duboisii*. Histoplasmosis africana. Hematoxilina y eosina; × 800.

liana y las colonias tienen aspecto de moho, son blancas y algodonosas con micelio aéreo cuando se incuban a 25°C. Se forman en abundancia macroaleuriosporas, al principio lisas y filiformes, que cuando maduran aumentan de volumen, alcanzan 7 a 15 μ de longitud, tienen paredes gruesas, y aspecto tubercular con protuberancias digitiformes a veces hasta de 6 μ de largo. También hay microaleuriosporas.

Poder patógeno para el hombre. Suelen admitirse tres tipos de enfermedad.[10] El tipo pulmonar agudo se caracteriza por comienzo brusco con malestar, fiebre, tos, dolor torácico, escalofríos, sudores y disnea y gravedad que va desde el síndrome de una gripe intensa hasta la participación subclínica. En esta forma, la más frecuente, la crisis va seguida de rápida recuperación con inmunidad bastante intensa. Prácticamente es similar a la forma benigna primaria de la coccidioidomicosis. Se produce enfermedad progresiva solamente en 0.1 a 0.2 por 100 de los casos. El granuloma focal se acompaña de linfadenitis de los ganglios linfáticos hiliares que luego curan, muchas veces por calcificación, y deja una lesión radiológica idéntica a las de la tuberculosis.[186] También hay calcificaciones en el bazo. En todas sus formas la histoplasmosis remeda la tuberculosis.

El segundo tipo de enfermedad, la histoplasmosis pulmonar progresiva crónica, puede presentarse como un empeoramiento de los síntomas antes señalados. Generalmente se descubre en varones de mediana edad, y va precedida de una prueba de fijación del complemento persistente. La enfermedad, como la tuberculosis, evoluciona hacia la necrosis, caseificación y formación de cavidades. El curso suele ser muy lento.

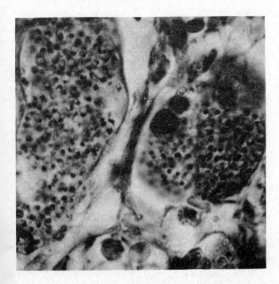

FIG. 31-32. *Histoplasma capsulatum*. Células de tipo de levadura en macrófagos de la médula ósea en la histoplasmosis generalizada. Hematoxilina y eosina; × 1 000. Humphreys.)

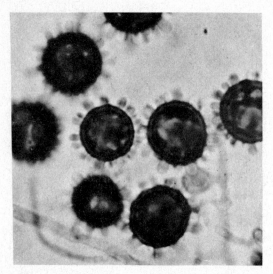

FIG. 31-34. *H. capsulatum.* Etapa de micelio que muestra macroaleuriosporas tuberculadas y microaleuriosporas. Lactofenol-azul de algodón; $\times$ 400.

La tercera forma de la enfermedad es la histoplasmosis diseminada, que puede desarrollarse a cualquier edad, pero suele observarse en lactantes o niños. Tiene un curso rápido, fulminante, que acaba en la muerte. Los niños afectados suelen ser fisiológicamente defectuosos. Esta forma de la enfermedad también se observa en personas de edad avanzada, sobre todo pacientes de mal pronóstico, que pueden sufrir linfoma, enfermedad de Hodgkin, diabetes, etc. El tercer tipo de enfermedad observada es la del paciente con una vieja infección pulmonar que se disemina por extensión o por reinfección. La diseminación puede afectar cualquier órgano, especialmente bazo e hígado.

Los primeros signos clínicos pueden ser lesiones de zonas mucocutáneas.

Aunque algunas veces se sobreentiende que la histoplasmosis siempre es infección generalizada del sistema de los macrófagos, con parásitos especialmente abundantes en tejidos ricos en estas células, como bazo y médula ósea, esto no siempre es cierto. Aunque puede haber amplia diseminación dentro de los fagocitos después de la infección inicial, la mayor parte curan inmediatamente, sin que se establezca un proceso patológico. En la mayor parte de casos hay nódulos o zonas extensas de necrosis en uno o más órganos, pero a veces solo se ha infectado un órgano, como las suprarrenales. Estas lesiones necróticas suelen consistir en una zona central de necrosis, rodeada por tejido de granulación, que contiene gran cantidad de macrófagos y parásitos ingeridos. En algunos casos se ha encontrado que el parásito estaba limitado a esas zonas; en otros está ampliamente distribuido también en el sistema de los macrófagos. La infección del sistema nervioso central es relativamente rara, pero se ha observado.

Schulz ha resumido la distribución estadística de las lesiones de la enfermedad.[174]

Los animales infectados experimentalmente dan una reacción positiva cuando se inoculan por vía intradérmica con una preparación de cultivo líquido de *H. capsulatum* análoga a la tuberculina antigua y a la coccidioidina, y llamada histoplasmina. En regiones donde la enfermedad es endémica, las reacciones positivas guardan relación con la frecuencia de calcificación pulmonar en individuos tuberculinonegativos. La asociación de reacciones positivas a la histoplasmina con nódulos calcificados en los pulmones sugiere que, como en el caso de coccidioidomicosis, la histoplasmosis no es enfermedad rara, de gran mortalidad, sino afección diseminada ampliamente en ciertas regiones geográficas en una forma pulmonar leve. Es difícil demostrar en gran escala que esos reactores están o han estado realmente infectados, pero se ha comprobado la infección en un número suficiente de casos para apoyar fuertemente esa deducción. En etapa temprana de la enfermedad se producen precipitinas, que desaparecen con bastante rapidez.[77, 145] El título de anticuerpo fijador del complemento se eleva algo más tarde, y finalmente desaparece, en general a los cinco a siete meses. Si el título de fijación del complemento persiste o aumenta, el pronóstico es malo. También hay anticuerpos precipitantes, demostrables por la técnica de difusión de gel. Pueden formarse dos líneas: la llamada línea M, cerca del pozo del antígeno, indica experiencia con la enfermedad, y la línea H, más cerca del pozo que contiene el suero, guarda correlación con la enfermedad activa.[173] La técnica de anticuerpo fluorescente es útil para diagnosticar la histoplasmosis.

El tratamiento de elección es la anfotericina B, en el curso usual administrado para enfermedad micótica generalizada, de 1 mg/Kg de peso corporal, hasta un total de 1 a 3 g. La terapéutica de anfotericina B produce algunos efectos secundarios graves.[13, 22]

Patogenicidad para animales. Se ha comprobado que diversos animales se infectan en forma natural, incluyendo perros y gatos, roedores salvajes y otros animales silvestres.[41] Se ha establecido una relación con murciélagos caseros y de cuevas.[42] Se ha aislado el microorganismo del tejido de murciélago,[176] pero queda por determinar el papel de estos animales como reservorios y en la diseminación de la infección. No es probable que esto represente un depósito animal de infección humana; más bien el hongo parece ser una forma saprófita que vive en el suelo, del que se ha aislado con frecuencia, y que infecta tanto al hombre como a los animales. De hecho, los ratones se han infectado experimentalmente exponiéndolos a tierra contaminada con el microorganismo.[92] Los animales de experimentación se infectan con cierta facilidad, produciéndose una lesión localizada a nivel de la inoculación subcutánea en cobayos y conejos, y una infección generalizada en perros y ratas. Tanto la forma semejante a levadura como la de micelio son infecciosas experimentalmente.

Epidemiología. La enfermedad es de origen aéreo y se contrae por inhalación. La infección está relacionada con fuentes precisas, como gallineros, palomares, cuevas infestadas de murciélagos, y estructuras de madera podridas, donde las excreciones y otra materia orgánica en descomposición con gran humedad proporcionan un nido de infección. Esta tiende a presentarse en zonas rurales y en lugares ribereños bajos. Hay una gran zona endémica de infección en Estados Unidos de Norteamérica, incluyendo Misurí, Tennessee, Kentucky, Arkansas y zonas adyacentes en estados vecinos, donde la proporción de reactores positivos a la prueba de la histoplasmina varía entre 50 y 90 por 100. Esto contrasta claramente con las regiones de los Grandes Lagos a la costa del Pacífico, y de Colorado a la frontera de Canadá, donde la proporción de reactores positivos es menor del 2 por 100. Dentro de la zona endémica la proporción de reactores aumenta con la edad, desde el 5 por 100 a los dos años hasta 60 por 100 a los 18 años, y 75 a 90 por 100 después de los 55.

Solo se han señalado algunos casos esporádicos en Europa. En consecuencia, la proporción de reactores es menor del 2 por 100, excepto en algunas zonas aisladas ocasionales, como Birmania y norte de Italia, donde se han señalado frecuencias hasta del 20 por 100. La enfermedad existe en todo el mundo y se ha descubierto en continentes, islas, etc., cuando se ha buscado, y existen las zonas de vida ecológica.

Histoplasmosis duboisii se encuentra en Africa. Se considera una enfermedad de cavernas porque muchas veces se ha contraído en cavernas infestadas por murciélagos. Difiere netamente de la histoplasmosis norteamericana.[137] Esta forma de histoplasmosis también se ha descrito en el Japón. Las manifestaciones son primariamente cutáneas y óseas, aunque el modo de infección primario es la inhalación de esporas. Las levaduras son muy voluminosas en comparación con las levaduras pequeñas de *H. capsulatum*. La levadura voluminosa se denomina *H. capsulatum* var. *duboisii*.

Diagnóstico. La demostración microscópica del hongo es muy sospechosa, pero se necesitan cultivos e identificación para establecer el diagnóstico. *H. capsulatum* ha sido aislado de hemocultivos en infecciones generalizadas, y de piezas de biopsia; la punción esternal puede ser útil. Se aísla bastante fácilmente del esputo en casos de infección pulmonar, utilizando la inoculación intraperitoneal del ratón. La técnica recomendada estriba en poner la muestra en agar sangre con ciclohexímida e incubar a 25°C. El examen en busca de macroaleuriosporas tuberculadas características, y la demostración de dimorfismo a 37°C, establecen la identidad del organismo.

MICOSIS GENERALES OPORTUNISTAS

CRIPTOCOCOSIS [120]

En la literatura médica se ha utilizado en forma poco precisa el término "blastomicosis" para designar por su etiología diversas infecciones en las cuales se descubren en los tejidos células con yemas. La confusión proviene principalmente entre la blastomicosis norteamericana, que ya estudiamos en una sección anterior, y la blastomicosis europea, que se conoce como criptococosis y que vamos a considerar aquí. Aunque la criptococosis puede ocurrir en individuos aparentemente sanos, la enfermedad casi siempre es oportunista. En Europa se denomina "enfermedad señal" ya que indica la presencia de una debilitación subyacente. El agente causal es *Cryptococcus neoformans*. Está diseminado en todo el mundo y existe en las deposiciones de las palomas.

Criptococosis pulmonar y cutánea (blastomicosis europea). El que probablemente fue el primer caso de infección por levadura comprobada fue una enfermedad generalizada mortal observada por Busse [21] y por Buschke en 1893. Publicaron el caso por separado y lo llamaron blastomicosis generalizada; más tarde esta forma de enfermedad y la criptococosis cutánea se han conocido en general en la literatura como blastomicosis europea. Desde úlceras en cara y cuello, la infección difunde a los ganglios linfáticos cervicales; y el germen causal fue aislado primero de un absceso tibial secundario, después de úlceras primarias, y, poco antes de la muerte, del torrente vascular. La infección primaria se sabe que siempre existe en el pulmón. La infección puede pasar inadvertida y manifestarse solamente cuando pasa a otro lugar, como la piel. Aquí se establece un foco de infección que puede difundirse a otras áreas. A veces se descubren granulomas que afectan bazo, riñones, hígado y linfáticos mesentéricos.

Los microorganismos se descubren en exudados y en masas mucoides de material gelatinoso en forma de células redondas u ovales de 5 a 6 μ de diámetro rodeadas por una vaina mucilaginosa. El material gelatinoso en el cual puede estar incluido es propio del hongo y se denomina cápsula. El material capsular se tiñe específicamente por el método del mucicarmín. Se ha señalado que las células pueden teñirse específicamente en cortes de tejido y en frotis, por la técnica de anticuerpo fluorescente.[81] Se cultivan fácilmente en la mayor parte de medios ordinarios, dando una colonia lisa, blanca o de color muy claro de ante, sin características distintivas. El microorganismo no crece en medios que contengan ciclohexímida. Más recientemente, especialmente en Estados Unidos de Norteamérica, la forma de presentación más frecuente de la criptococosis ha sido meníngea.

Cryptococcus meningitis. La infección pulmonar primaria puede pasar inadvertida y ser la menin-

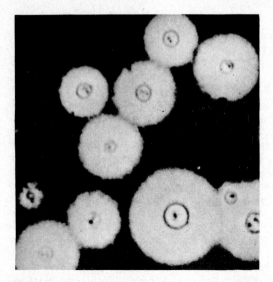

FIG. 31-35. Preparado de *Cryptococcus neoformans* con tinta china. La célula del centro rodeada por cápsula. × 800.

gitis la primera señal del trastorno. Los síntomas son de participación encefálica, en especial de presión intracraneal elevada. Puede simular muy bien el tumor cerebral en algunos casos; la enfermedad se desarrolla lentamente, casi siempre sin reacción febril u otros signos de infección; se ha señalado un caso de 16 años de duración. El cuadro anatomopatológico es el de una leptomeningitis crónica con meninges engrosadas y adherentes a la corteza cerebral, y lesiones granulomatosas focales o difusas. En la mitad, aproximadamente, de los casos está invadida la corteza cerebral; las lesiones a veces son granulomatosas, más frecuentemente quísticas, y hay poca o ninguna reacción inflamatoria. Las lesiones granulomatosas de meninges y cerebro contienen grandes acúmulos de macrófagos que fagocitan el hongo, las lesiones quísticas están formadas por números muy elevados de células de levadura incluidas en una matriz gelatinosa. La levadura suele estar en el líquido cefalorraquídeo en cultivo puro y puede observarse en preparaciones húmedas no teñidas del sedimento de centrifugación, visto con una gota de tinta china. Hay una fuerte asociación de infección criptocócica con enfermedades debilitantes como linfomas y leucemias; tales pacientes están en grave peligro de infección rápidamente mortal. Hay motivos para creer que la infección es más frecuente de lo que se ha supuesto, quizá de 2 000 casos por cada caso comprobado, y que la puerta de entrada es el pulmón. En restos secos de palomas la levadura es pequeña, de 1 μ aproximadamente, y así puede llegar por inhalación a los espacios alveolares. A diferencia de la histoplasmosis, la blastomicosis o la coccidioidomicosis, hay tan poca reacción tisular, que hasta aquí no se ha creado una prueba cutánea. Se estima que

hay aproximadamente 15 000 casos subclínicos o clínicos al año en la sola Ciudad de Nueva York. Las infecciones subclínicas se resuelven espontáneamente, pero la enfermedad clínica, si no se trata, casi siempre causa la muerte; sin embargo, se ha señalado que la terapéutica de anfotericina B era eficaz.[61]

Poder patógeno para animales inferiores. La infección ocurre en animales, sobre todo en pulmones y granulomas nasales de los caballos, y se ha descrito Criptococcus como agente causal de un brote grave de mastitis bovina, pero no hay motivos para creer que los animales inferiores constituyan un reservorio para la infección humana. El organismo se ha aislado del suelo;[4] esta sea la fuente de las infecciones, tanto humanas como de los animales. Hay una estrecha asociación del organismo con las deposiciones de las palomas.[104] En zonas recubiertas de excrementos de pájaros, como marcos de puertas, anaqueles, áticos (pero raramente en el suelo enriquecido) los microorganismos pueden descubrirse fácilmente si se buscan, y están en gran número. Se han documentado los orígenes de infecciones en Nueva York,[119] y Chicago[148] como en muchos otros lugares. El organismo no parece hallarse en el propio cuerpo de la paloma, solo en la suciedad dejada por el pájaro. El microorganismo es virulento para el ratón, con DL_{50} de aproximadamente 1 000 células por inoculación intracerebral; después de inoculación intraperitoneal se produce una infección generalizada, que difunde al sistema nervioso central. También se ha producido infección experimental en titíes *(Leontocebus geoffroyi)* alimentándolos con gran número de microorganismos.[188] Se ha logrado cierto grado de inmunidad en animales de experimentación, pero son muy

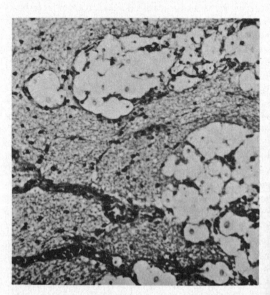

FIG. 31-36. *C. neoformans* en el nervio óptico. Los espacios representan zonas ocupadas por material capsular. Acido peryódico-hematoxilina de Schiff; × 400.

dudosos los anticuerpos eficaces en las infecciones humanas.[62, 63] Las técnicas serológicas ahora merecen confianza. Incluyen una prueba de aglutinación de látex para la presencia de antígeno en líquido cefalorraquídeo y suero, y una técnica de anticuerpo fluorescente. La desaparición del antígeno y la desaparición de anticuerpo (fijador del complemento) es de buen pronóstico. Si el líquido cefalorraquídeo queda libre de antígeno y no pasa lo mismo con el suero, esto puede indicar un foco extracraneal persistente de infección. Se ha señalado la presencia en suero humano de un factor anticriptocócico que no es anticuerpo.[98] Se halla en estudio una prueba cutánea.[169]

El organismo causal. Durante un tiempo no se estableció la relación entre estas infecciones clínicamente diversas, y la levadura de la blastomicosis europea se conoció como *C. hominis,* la de la meningitis por torula como *T. histolytica.* Sin embargo, en 1934 Benham demostró que las cepas de las dos levaduras eran substancialmente idénticas; lo único diferente era el poder patógeno. Otros autores han hecho observaciones similares. Parece, pues, comprobado, que estas enfermedades son causadas por el mismo agente etiológico, además, que solo interviene una especie de levadura.

Asimila en forma característica (sin fermentarlas) glucosa y sacarosa, pero ni lactosa ni melibiosa. Es el único miembro del género patógeno para el ratón. Los miembros de este género en forma característica producen ureasa y asimilan inositol, y esto, junto con la falta de producción de micelio, los separa del género Candida. Una variedad no patógena, *C. neoformans* var. *innocuus,* y algunas otras especies, incluyendo *C. laurentii, C. mucorugosus* y *C. luteolus,* se aceptan como especies válidas que suelen ser saprófitos comunes, pero difieren de *C. neoformans* en las pruebas fisiológicas antes señaladas. Las formas provistas de cápsula resistente son antígenos poco inmunizantes, pero pueden prepararse buenos antisueros en el conejo con formas poco encapsuladas. El organismo da una reacción de Quellung con antisuero homólogo. Hay por lo menos tres tipos inmunológicos, denominados por Evans A, B, y C,[53] según el antígeno polisacárido de la cápsula. Los polisacáridos guardan químicamente estrecha relación, todos contienen xilosa, manosa, galactosa y un ácido urónico.

Torulopsosis. Torulopsis glabrata fue aislada de una infección animal en 1939. Es un parásito intracelular pequeño (3 a 4 μ) y la infección en los tejidos se parece algo a la histoplasmosis. El microorganismo se aísla fácilmente de la orina, y puede intervenir en infecciones como oportunista.[187] Se ha aislado de meningitis no complicadas, como causa de la muerte. El organismo se parece a Cryptococcus, siempre en forma de levadura. Produce una colonia pastosa de color blanco o grisáceo, y solo fermenta la glucosa y la trehalosa. Una especie similar, *T. pintolopesii,* se descubre en las vías digestivas del ratón, y puede causar confusión en la infección experimental por hongos humanos patógenos.

Geotricosis. Es una infección de boca, intestino, bronquios o sistema pulmonar por un organismo muy parecido a una levadura, *Geotrichum candidum.*[28] La sinonimia de nomenclatura y las relaciones, incluso si solo existe una especie, son objeto de gran discusión. La geotricosis parece haber sido diferenciada de la candidiasis en 1842. La geotricosis bronquial es proceso raro, pero bastante bien caracterizado. La sintomatología general es de bronquitis crónica, con expectoración persistente de esputo mucoide y poco o ningún aumento de temperatura. La geotricosis de la boca se parece a la candidiasis bucal, igual que la levadura de cerveza raramente observada (*Saccharomyces cerevisiae*) en infecciones de boca y bronquios. Se han señalado otras zonas de infección, pero el hecho no es seguro, por cuanto el organismo es un contaminante frecuente. Se aísla fácilmente de heces, queso blanco y tomates. La colonia da una artrospora en forma de tonel, blanca algodonosa, similar a la de Coccidioides (pero sin espacio vacío entre las células) y puede observarse con el microscopio.

ASPERGILOSIS

El hongo frecuente de color azul verdoso observado sobre pan húmedo, tocino o la mayor parte de materiales orgánicos, suele ser un miembro del género Aspergillus. El otro hongo frecuente de color azul verdoso es una especie de Penicillium. Juntos estos organismos constituyen los hongos más frecuentes, de distribución ubicua en todo el mundo. Con cada inspiración inhalamos algunas esporas de una o más especies. La mayor parte de las veces estas esporas son suprimidas sin lesión para el huésped. En algunos individuos, y en determinadas condiciones, estos organismos pueden provocar lesión al hombre en una de las dos siguientes formas: respuesta alérgica a la presencia de la espora o, mucho más raramente, invasión del pulmón o de otro tejido.

De los dos grupos, Aspergillus se acompaña más frecuentemente de infección que Penicillium, y una especie, *A. fumigatus,* es muy patógeno para pájaros, a veces también para el hombre. Hay más de 300 especies del género Aspergillus, de las cuales se han descrito una docena o más como causa de infección. De las especies de Penicillium, más de 600, solo unas pocas han sido aisladas en casos de peniciliosis, que son muy raros. Aunque los nombres del género están en la familia Moniliaceae, orden Moniliales de los hongos imperfectos, unos cuantos de cada género tienen una etapa sexual. La espora sexual es un asco; por lo tanto, el grupo corresponde a la clase Ascomicetos, orden Eurotiales.

Poder patógeno para animales inferiores. La aspergilosis de pájaros domésticos, palomas, patos, pingüinos y pollos no es rara y a veces alcanza importancia económica. Son frecuentes tres tipos de infección: la de los sacos aéreos y las formas nodular y neumónica de la infección pulmonar. Se descubre con cierta frecuencia un cuarto tipo, la meningitis aspergilar, en algunos huéspedes, por ejemplo, pingüinos. La infección de los sacos de aire presenta la forma de una infección superficial del revestimiento epitelial, que se engruesa y se cubre con una felpa verde de micelio esporulante. En la forma nodular se forman masas de tejido infiltrado como tubérculo, con el centro necrótico. En la forma neumónica aparece una infiltración difusa y el tejido pulmonar se consolida y adquiere color blanco grisáceo. La enfermedad neumónica en ocasiones reviste forma epidémica en el pollo y se conoce como "neumonía de las cluecas". La fuente de infección suele ser grano o paja con moho. El hongo también puede invadir el huevo durante la incubación, infectando al embrión. El ganado, carneros y en especial los caballos, desarrollan aspergilosis, aunque menos comúnmente que los pájaros; las lesiones son pulmonares, nodulares o neumónicas.

La patogenicidad de las cepas varía mucho cuando se determina inoculando animales de experimentación. En general, las que se aíslan de infecciones son muy virulentas, en tanto que las que se encuentran en el aire y en cualquier otra parte tienen poca virulencia. Con cepas virulentas puede producirse en palomas una neumonía fulminante, rápidamente mortal, por la inhalación de esporas, en tanto que alimentarlas con grano contaminado con el moho produce a menudo una infección de los sacos de aire. La inoculación de palomas por vía intravenosa da por resultado una infección aguda con múltiples abscesos miliares, especialmente en los pulmones, si la dosis no es muy grande. De lo contrario, viene rápidamente la muerte tóxica. Los conejos inoculados por la misma vía con suspensiones de esporas de cepas virulentas, suelen morir en tres a cinco días con formación de múltiples abscesos, en especial en riñón, en tanto que la inoculación por vía subcutánea o intraperitoneal produce lesiones localizadas que pueden ser mortales. El tema del poder patógeno de Aspergillus es uno de los más enigmáticos en el estudio de los hongos. Algunos organismos aislados de una especie pueden inyectarse en gran número y no producen enfermedad; otros aislados de la misma especie son tanto o más virulentos que *Coccidioides immitis.* Varias especies de Aspergillus y Penicillium pueden tener un crecimiento de tipo levadura, similar al de *Blastomyces dermatitidis,* en el cual son muy invasoras para órganos profundos en animales de experimentación.[161]

Poder patógeno para el hombre. Los casos humanos de aspergilosis son sobre todo infecciones del oído externo (otomicosis). La enfermedad varía desde una oclusión del meato externo por una masa de micelio, hasta la ulceración de las paredes, incluso la penetración del oído medio; los casos ligeros son los más frecuentes. Es fascinante observar a través de un otoscopio y ver el conducto auditivo externo recubierto de las cabezas en proliferación, arquitecturalmente muy hermosas, de un Aspergillus. Al paso que *A. fumigatus* es el invasor más frecuente, a veces se descubren *A. nidulans, A. flavus* y *A. niger.*

La aspergilosis, en sentido amplio, es un grupo de enfermedades en las cuales intervienen miembros del género Aspergillus. El mejor ejemplo es la variedad de procesos humanos pulmonares y generalizadas en los cuales intervienen aspergilos. Las dos categorías más amplias de la enfermedad son la alérgica y la infecciosa —y puede haber síntomas de ambas. Se ha establecido una división poco precisa en cuatro formas clínicas.

Asma por Aspergillus. Se presenta como sensibilización en pacientes atópicos que han inhalado esporas del organismo. Raramente hay anticuerpos precipitantes.

Aspergilosis broncopulmonar. En esta enfermedad los hongos crecen en forma de micelio dentro de la luz del bronquiolo. Frecuentemente hay taponamiento, y una imagen radiográfica característica. La enfermedad es una alergia y se produce una reacción de Arthus en la superficie del bronquio. Hay anticuerpos precipitantes. Los dos procesos

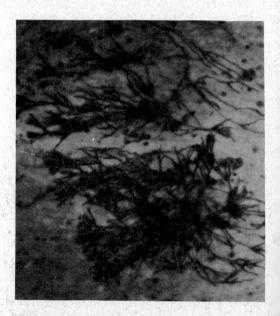

FIG. 31-37. *Aspergillus fumigatus* creciendo en un tapón bronquial gelatinoso de un caso de aspergilosis broncopulmonar. No hay invasión directa de tejido; la enfermedad es una respuesta alérgica a la presencia del germen en desarrollo. Montaje directo, lactofenol-azul de algodón; × 400.

antes mencionados son enfermedades alérgicas, que se tratan con esteroides.

Aspergilosis de colonización. Se presenta casi siempre como una "pelota de hongos" o aspergiloma; el germen hace colonias en una cavidad preformada, como una vieja lesión de origen tuberculoso, sarcoide, quístico u otro. Prácticamente no hay invasión de tejido vivo. Está indicada la extirpación quirúrgica, pues hay el constante peligro de una hemoptisis que desangre al enfermo. Hay anticuerpos IgG que se demuestran por inmunodifusión.

Aspergilosis invasora. Se trata de una infección rara, muchas veces mortal. Elementos miceliales invaden el tejido y pueden difundir rápidamente hasta generalizarse. Se trata de una enfermedad oportunista en pacientes debilitados. Puede desarrollarse una enfermedad crónica primaria, especialmente en personas que sufren exposición frecuente. El micelio puede descubrirse en el esputo; es fácil aislar el hongo por cultivo (no en agar de ciclohexímida), pero hay que excluir todos los otros posibles agentes causales y tener mucha precaución antes de atribuir una infección a contaminantes tan comunes como *Aspergillus*. Se han señalado muchas infecciones pulmonares en personas que manipulaban granos, trabajadores de molinos, y cuidadores de pájaros, especialmente los que cuidan de palomas.

Otras aspergilosis. En raros casos la aspergilosis puede tomar otras formas en el hombre. La aparición de *Aspergillus* en la maduromicosis se ha señalado, y se ha publicado un caso de supuración crónica con exudación de granos. En raros casos puede adaptar una forma diseminada aguda, incluyendo participación del sistema nervioso central.

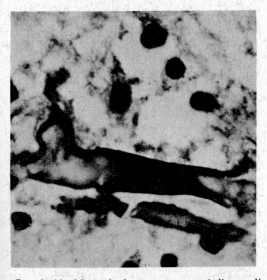

FIG. 31-38. Mucormicosis que muestra micelio amplio no tabicado en el tejido cerebral. Acido peryódico-hematoxilina de Schiff; × 800.

No es raro aislarlo como causa de queratitis y lesión del cristalino después de una herida punzante del ojo.

Digamos una palabra final acerca del peligro constante de aspergilosis y otros hongos comunes del suelo en pacientes debilitados. *A. fumigatus* es un hongo termófilo que crece bien a 37°C y produce una endotoxina potente.[191] Con muchos otros saprófitos invaden fácilmente los pacientes que toman medicamentos citopáticos, mostaza nitrogenada, antimetabolitos o drogas antiinmunes (Imuran), o enfermos con procesos debilitantes, en particular neoplasias, algo menos, diabetes.[84] Muchos fracasos de trasplantes orgánicos han provenido de infección por "saprófitos".[187] El tratamiento de elección es la anfotericina B,[147] pero la mortalidad sigue siendo elevada. En pacientes sometidos a inmunosupresión puede no haber anticuerpo precipitante.

MUCORMICOSIS

La mucormicosis ha sido una infección muy rara, que ocurre en gran parte como complicación micótica de enfermedades debilitantes crónicas, lo más a menudo diabetes no controlada, pero también colitis amibiana y kwashiorkor.[44] Con el uso general de medicamentos como antibióticos, corticosteroides y compuestos antileucémicos, la infección se ha observado con mayor frecuencia, a tal grado que se considera una "nueva enfermedad".

Los hongos, por lo general de la especie *Rhizopus*, parecen tener muy poca virulencia y ser capaces de invadir los tejidos solo cuando la resistencia general disminuye notablemente. En el paciente acidótico, la infección primaria comienza en las vías respiratorias altas, casi siempre en la nariz, donde las esporas germinan y el crecimiento de micelios invade la mucosa y puede extenderse a los senos vecinos, cavidad orbitaria o tejido cerebral.[73] Este tipo de infección casi siempre está causado por *Rhizopus oryzae* y *R. arrhizus*. La infección primaria también puede ocurrir en el pulmón, donde el desarrollo sobre la mucosa bronquial penetra en la pared hasta el tejido del hilio, o puede resultar una neumonía lobar. El hongo parece tener afinidad especial por las arterias, penetrando hacia la luz para producir trombosis e infarto, y puede alcanzar el sistema nervioso central por vía de las arterias oftálmica y carótida interna para producir meningoencefalitis. En los tejidos, el germen aparece como hifas anchas, deformes y sin tabiques. La mayor parte de casos se diagnostican en la necropsia; los tejidos han estado fuertemente impregnados de formaldehído y no pueden obtenerse cultivos. La mayor parte de especies crece fácilmente en medios sin ciclohexímida. Los más frecuentemente aislados han sido miembros de los géneros *Mucor*, *Absidia* y *Rhizopus*. Hay algunos del orden *Muco-*

rales, clase cigomicetos. Se han estudiado otras enfermedades por ficomicetos, y para no confundir los procesos, no se sigue el cambio propuesto de nombre a ficomicosis. Los cuadros clínicos son muy diferentes.[102]

Micosis diversas

Se han descrito otros varios hongos, como productores de enfermedad humana. Aunque se han registrado centenares de especies de hongos en lesiones aisladas, es muy difícil valorar su significación en patología. Si el organismo se aísla más de una vez, y en cantidades elevadas, de lesiones expuestas, o de esputo, y se han excluido todas las demás etiologías, puede considerarse como la causa. Pero si el organismo se aísla de una cavidad corporal cerrada, una lesión o un hemocultivo, debe considerarse muy sospechoso en el proceso patológico. En consecuencia, señalamos algunas micosis observadas raramente, en las cuales se han aislado hongos con frecuencia bastante para establecer su potencial capacidad invasora.

Se han aislado diversos organismos de tales infecciones. Incluyen prototecosis, una infección crónica granulomatosa de la piel causada por las algas incoloras *Prototheca segbwema,* o la infección con algas azulverdosas, hongos, etc. Un oportunista cada vez más frecuente en los pulmones es el germen *Pneumocytis carinii;* parece tratarse de un hongo y tiene en su pared celular quitina. Puede ser muy bien un "eslabón" entre los hongos y los protozoarios.

Peniciliosis. La ubicuidad de especies de Penicillium y su contaminación constante de instrumentos, heridas, orina, esputo, etc., hace que sea muy difícil establecer este diagnóstico. *P. marneffei* se descubre como un patógeno invasor, con aspecto de levadura, en roedores asiáticos, y raramente en el hombre. Se han observado infecciones comprobadas de córnea y oído externo, unos cuantos micetomas y una infección pulmonar muy rara, para diversas especies de Penicillium. El cuadro anatomopatológico es similar al de la aspergilosis. El género vecino Scopulariopsis, especialmente *S. brevicaulis,* es un agente raro de onicomicosis y paroniquia, caracterizado por mucha inflamación y pus.

Cercosporamicosis. *Cercospora apii,*[47] patógeno frecuente de las plantas (líneas negras de la cebolla, tizón del apio), se ha comprobado que era la causa de un proceso verrugoso indurado subcutáneo. Se observa el micelio pardo en los tejidos. Los casos comunicados hasta aquí han sido observados en Indonesia.

Cladosporiosis. Se han aislado varias veces de lesiones pulmonares y cerebrales especies del género cladiosporio, especialmente *C. trichoides.* En varios casos el paciente ha muerto de la enfermedad que recibe el nombre de degeneración negra del cerebro por su aspecto macroscópico. Las lesiones suelen estar localizadas y encapsuladas. En cortes de tejidos se observan hifas deformes, pardas, con muchos tabiques. El organismo (Dematiaceae, hongos imperfectos) crece bien como una colonia negra velluda en medio de ciclohexímida. Es patógeno para animales de experimentación y es neurotrópico.

Infecciones micóticas del ojo.[156] La penetración de esporas de hongos en la córnea, por abrasión, o después de lesiones herpéticas no es rara. El establecimiento de la infección se facilita por el empleo excesivo de esteroides. Los organismos que intervienen suelen ser saprófitos de la tierra, como Aspergillus, Fusarium y Curvularia. La infección suele estar localizada, pero puede destruir la córnea o difundirse al resto del ojo. Se conocen casos de difusión hematógena de los hongos patógenos desde otras zonas a los ojos, pero el fenómeno es muy raro. Un trastorno, la uveítis de histoplasma, es conocido de los oftalmólogos, pero no está todavía comprobada la relación causal con *Histoplasma capsulatum.* El tratamiento de la infección corneal suele efectuarse con lavados de Nystatin o soluciones de anfotericina B. El tratamiento de elección actualmente se cree que es la Pimiricina (Natamycin) en suspensión al 15 por 100.[156]

MICOTOXICOSIS

La ingestión de determinados hongos, o productos elaborados por algunos hongos particulares, a veces causa una serie de trastornos. Las molestias pueden variar desde náuseas *(Russula emetica),*[12] alucinaciones (especies de Psilocybe), y dermatitis intensas (especies de Pithomyces) al carcinoma (Aflatoxina) y la muerte *(Amanita phalloides).* La toxicidad mortal de algunos hongos era bien conocida en tiempos antiguos. Agrippina estaba familiarizada con diversos tóxicos agáricos y las dosis necesarias para causar la muerte. Más recientemente, en la década de 1930, las endotoxinas de Aspergillus fueron investigadas por Henrici. En la actualidad hay interés renovado hacia este tema, por el carcinógeno potencial descubierto en alimentos infectados con *Aspergillus flavus,* y el hábito recreativo de consumir drogas alucinógenas como psilocibina y ácido d-lisérgico (de *Claviceps purpurea).*

Aflatoxina. Una substancia soluble en cloroformo, de bajo peso molecular, elaborada por *Aspergillus flavus* y *A. parasiticus,* conocida como aflatoxina, produce regularmente hepatomas en patitos y ratas.[142] Ha habido epidemias amplias con gran mortalidad en el ganado después de ingerir alimentos enmohecidos, sobre todo maíz, cacahuete y similares. La enfermedad se ha señalado en todas partes del mundo y afecta a gran diversidad de animales; ganado en Africa, enfermedad "X" de los pavos, etc. La toxina tiene por fórmula empírica $C_{17}H_{12}O_6$ y estructuralmente guarda relación con la cumarina sintética, con una substitución de dihidrofurano. Puede descubrirse fácilmente por la fluorescencia característica y por los cambios hepatotóxicos en los patitos. El cultivo en células de tejido pulmonar embrionario puede descubrir cantidades tan pequeñas como 0.01 μg de aflatoxina B.

Intoxicación por setas. Ford en 1923 describió cinco tipos de intoxicaciones por setas, en una forma que todavía parece tener validez.

Micetismo gastrointestinal. La queja principal en esta forma ligera de micotoxicosis es de náuseas, que pueden ir seguidas de vómito y diarrea. Suele lograrse la recuperación espontánea en uno o dos días. Este tipo de "intoxicación" es particularmente frecuente en niños después de ingerir el hongo de color anaranjado *Clitocybe illudens.* Muchas otras especies producen el mismo síndrome, por ejemplo, *Russula emetica, Boletus satanas* y otras setas, *Entoloma lividum* y *Lepiota morgani.* Esta última ha sido causa de unas cuantas muertes.

Micetismo coleriforme. Es el tipo más grave, y muchas veces mortal, de intoxicación. *Amanita phalloides, Amanita verna,* y probablemente otras especies de Amanita, producen cinco hexapéptidos bicíclicos termostables. Una α-amanitina es una de las toxinas más poderosas conocidas. La sintomatología es similar a la de una intoxicación por fósforo, y puede aparecer seis a 18 horas después de la ingestión. Incluye dolor abdominal, vómitos, diarrea, heces sanguinolentas con tiras de moco, proteína y cilindros en orina, malestar y cianosis, que pueden causar la muerte en dos a tres días. También cabe la remisión temporal, y la recaída. El tratamiento incluye evacuación completa de la vía digestiva, opiáceos, glucosa intravenosa en solución salina, y reposo. *Hygrophorus conicus* y *Pholiota autumnalis* también pueden provocar una enfermedad similar —generalmente menos grave.

Micetismo nervioso. La muscarina es un compuesto de amonio cuaternario substituido termostable (parecido a la colina) que excita el sistema parasimpático. Se halla en *Amanita patherina* y *A. muscaria.* Los síntomas aparecen de una a tres horas después de la ingestión, y pueden incluir lagrimeo, sudor, salivación, vómitos, peristaltismo intenso, diarrea, contracción de pupilas y músculos ciliares, excitación aguda, delirio y coma. El tratamiento incluye lavado gástrico y atropina. Estos hongos se han utilizado desde tiempos antiguos en Suecia y Siberia como intoxicantes. *Inocybe infida, I. infelix* y *Clitocybe illudens* causan tipos menos graves de una enfermedad similar.

Micetismo hemático. Se encuentra una hemolisina termostable en *Helvella esculenta* y otras especies de Helvella. Pueden producir hemoglobinuria, molestias abdominales e ictericia. También hay una toxina termostable. Hay hemolisinas en varios hongos; generalmente son destruidas por la digestión o por el calentamiento.

Micetismo cerebral. La intoxicación alucinógena ocurre después de ingerir diversos hongos. El principio activo suele ser una substancia de pequeño peso molecular, relacionada con el indol (como ácido d-lisérgico, psilocibina). Estos hongos psicodélicos o psicotrópicos se han utilizado desde hace siglos en algunas comunidades mexicanas, en ritos religiosos. Recientemente se han popularizado como agentes estimulantes sensoriales o de la percepción, en determinadas capas de la sociedad, que los emplean para intoxicarse. Diversas especies de setas de esporas de color pardo, como Paneolus, Psilocybe, Stropharia y Conocybe, pueden contener en cantidades variables diversos tipos variables de agentes alucinógenos.

Muchas otras intoxicaciones pueden resultar de la ingestión de diversos hongos y sus productos. El cornezuelo de centeno *(Claviceps purpurea)* produce la pierna negra (una enfermedad hemorrágica), ergotismo, confusión y muerte después de ingerirlo con la harina o alimentos. Este germen produce gran número de substancias farmacológicamente activas, incluyendo ácido lisérgico y ergotamina. Se produce grave intoxicación por ingerir pasto enmohecido infectado con *Stachybotrys alterans.* En casos graves la descamación de cubiertas epiteliales, la leucopenia y la fiebre pueden causar la muerte en uno a cinco días. La enfermedad es frecuente en Ucrania. Puede producirse aleucia tóxica alimenticia por el consumo de granos o forraje infectados con *Fusarium sporotrichoides* o *F. roseum.* Los síntomas son similares a los de la toxicosis por Stachybotrys. Una enfermedad de las ovejas, denominada eccema facial, proviene de la ingestión de la hierba *Sporodesmium bakeri* infectada con el hongo *Pithomyces chartarium.* El ingrediente activo es esporidesmina, de fórmula empírica ($C_{19}H_{21}O_6N_3S_2ClCCl_4$). El trébol rojo infectado con *Rhizotonia leguminicola* provoca salivación excesiva en animales que comen forraje. El principio activo es un alcaloide parasimpatomimético. Se han descrito muchas otras toxinas de importancia variable, procedentes de diversas especies de hongos.

ALERGENOS MICOTICOS [112]

Cierto número de hongos no patógenos pueden causar mucha molestia a determinados pacientes. Se expresa en forma de reacciones alérgicas a su presencia más que como infecciones francas. Hay muchos síntomas para el paciente atópico, desde los que corresponden a la fiebre de heno, la rinitis vasomotora y el asma, hasta el grave y debilitante "pulmón de labrador". Los gérmenes que intervienen en el primer proceso son contaminantes corrientes de la atmósfera, como Alternaria, Cladosporium, Aspergillus, Helminthosporium, Penicillium, etc. En fenómenos alérgicos más graves, como la bisinosis (enfermedad del polvo de algodón) y la bagazosis (exposición al bagazo de caña de azúcar) se ha culpado a una flora micótica mixta, además de la neumoconiosis causada por las fibras. La enfermedad de los descortezadores del arce depende de inhalación de esporas de *Coniosporum corticale.*

Una enfermedad alérgica muy importante es el pulmón de labrador.[146] La exposición repetida al heno enmohecido provoca una reacción granulomatosa difusa con fibrosis intersticial. La consecuencia puede ser una fibrosis pulmonar progresiva invalidante, a veces mortal, en el pulmón. Casi siempre se asocia con la inhalación de esporas de los actinomicetos *Micropolyspora faeni* y *Thermoactinomyces vulgaris.* Algunos pacientes pueden quedar expuestos durante años y no son atópicos. Hay un brusco comienzo de los síntomas, con rápida progresión hasta la muerte. No conocemos el mecanismo real de la enfermedad. En zonas urbanas se ha relacionado con acondicionadores de aire enmohecidos.

BIBLIOGRAFIA

1. Abbott, P. 1956. Mycetoma in the Sudan. Trans. Roy. Soc. Trop. Med. Hyg. **50**:11–30.
2. Adams, A. R., *et al.* 1971. Nocardiosis: Diagnosis and management with a report of three cases. Med. J. Aust. **58**:669–674.
3. Ajello, L. 1956. Soil as a natural reservoir for human pathogenic fungi. Science **123**:876–879.
4. Ajello, L. 1958. Occurrence of *Cryptococcus neoformans* in soils. Amer. J. Hyg. **67**:72–77.
5. Ajello, L. 1962. Present day concepts of the dermatophytes. Mycopathologia **17**:315–324.
6. Ajello, L. 1964. *Microsporum nanum:* first recorded isolation from animals in the United States. Science **143**:366–367.
7. Ajello, L., *et al.* 1963. Laboratory Manual for Medical Mycology. Public Health Service Publication No. 994. U.S. Government Printing Office, Washington, D.C.
8. Albornoz, M. B. 1971. Isolation of paracoccidioides from rural soil in Venezuela. Sabouraudia **9**:248–253.
9. Azulay, R. D., and J. Serruya. 1967. Hematogenous dissemination in chromoblastomycosis. Arch. Dermatol. **95**:57–60.
10. Balows, A. (Ed.). 1971. Histoplasmosis. Proceedings of the Second National Conference. Charles C Thomas, Springfield, Ill.
11. Battistini, F. 1972. The use of thiabendazole in various dermatophyte infections. Acta Venez. Derm. In press.
12. Beargie, R. A. 1963. Mushroom poisoning. J. Okla. St. Med. Assn. **56**:513–516.
13. Bell, N. H., *et al.* 1962. On the nephrotoxicity of amphotericin B in man. Amer. J. Med. **33**:64–69.
14. Beneke, E. S., and A. L. Rogers. 1971. Medical Mycology Manual. 3rd ed. Burgess, Minneapolis.
15. Binford, C. H. 1962. Tissue reactions elicited by fungi. pp. 220–238. *In* G. Dalldorf (Ed.): Fungi and Fungous Diseases. Charles C Thomas, Springfield, Ill.
16. Black, W. A., and D. A. McNellis. 1970. Antimicrobial Agents and Chemotherapy. pp. 346–349.
17. Block, M. B., *et al.* 1971. Immunological findings in familial juvenile endocrine deficiency syndrome associated with mucocutaneous candidiasis. Amer. J. Med. Sci. **261**:213–218.
18. Brock, D. W., and L. K. Georg. 1969. Characterization of *Actinomyces israelii* serotypes 1 and 2. J. Bacteriol. **97**:589–593.
19. Bras, G., *et al.* 1965. A case of phycomycosis observed in Jamaica; infection with *Entomophthora coronata.* Amer. J. Trop. Med. Hyg. **14**:141–145.
20. Burkett, D. P., A. M. Wilson, and D. B. Jelliffe. 1964. Subcutaneous phycomycosis. Brit. Med. J. **i**:1669–1672.
21. Busse, O. 1894. Ueber parasitare Zelleinschlusse und ihre Zuchtung. Zentralbl. Bakteriol. **16**:175–180.
22. Butler, W. T., *et al.* 1964. Amphotericin B renal toxicity in the dog. J. Pharmacol. Exp. Therap. **143**:47–56.
23. Carmichael, J. W. 1962. Chrysosporium and some other aleuriosporic hyphomycetes. Can. J. Bot. **40**:1137–1173.
24. Chang, W. W. L., and L. Buerger. 1964. Disseminated geotrichosis. Case report. Arch. Intern. Med. **113**:356–360.
25. Chilaren, R. A., *et al.* 1968. Human serum interactions with *Candida albicans.* J. Immunol. **101**:128–132.
26. Clark, B. M. 1968. The epidemiology of phycomycosis. pp. 179–192. *In* G. E. Wolstenholme and R. Porter (Eds.): Ciba Foundation Symposium on Systemic Mycoses. Little, Brown & Co., Boston.
27. Conant, N. F., *et al.* 1971. Manual of Clinical Mycology. 3rd ed. W. B. Saunders Co., Philadelphia.
28. Converse, J. L., and A. R. Besemer. 1959. Nutrition of the parasitic phase of *Coccidioides immitis* in a chemically defined liquid measure. J. Bacteriol. **78**:231–239.
29. Correa, C., *et al.* 1968. Lesiones micoticas (cromomicosis) observadas en sapos. Antioquia medica **18**:175–185.
30. Crissey, J. T., G. C. Rebell, and J. S. Laskas. 1952. Studies on the causative organism of Trichomycosis axillaris. J. Invest. Dermatol. **19**:187–198.
31. Cruickshank, C. N. D., M. D. Trotter, and S. R. Wood. 1960. Studies on trichophytin sensitivity. J. Invest. Dermatol. **35**:219–223.
32. Curry, C. R., and P. G. Quie. 1971. Fungal septicemia in patients receiving parenteral hyperalimentation. New Eng. J. Med. **285**:1221–1225.
33. Davidson, A. M., and P. H. Gregory. 1932. Note on investigation into fluorescence of hairs infected by certain fungi. Can. J. Res. **7**:378–385.
34. Davies, R. R., and J. L. Wilkinson. 1967. Human prototothecosis. Ann. Trop. Med. Parasitol. **61**:112–115.
35. Darling, S. T. A. 1906. A protozoon general infection producing pseudotubercles in the lungs and focal necroses in liver, spleen, and lymph nodes. J. Amer. Med. Assn. **46**:1283–1285.
36. Denton, J. J., *et al.* 1961. Isolation of *Blastomyces dermatitidis* from soil. Science **133**:1126–1127.
37. Drouhet, E., and J. Schwarz. 1956. Comparative studies with 19 strains of Histoplasma. Morphology in tissues and virulence of African and American strains. J. Lab. Clin. Med. **47**:128–139.
38. DuToit, C. J. 1942. Sporotrichosis in the Witwatersrand. Proc. Transvaal Mine Med. Off. Assn. **22**:111–127.
39. Duttera, M. J., and S. Osterhout. 1969. North American Blastomycosis. A survey of 63 cases. South. Med. J. **62**:295–301.
40. Edwards, P. Q., and J. H. Klaer. 1956. World-wide distribution of histoplasmosis and histoplasmin sensitivity. Amer. J. Trop. Med. Hyg. **6**:325–357.
41. Emmons, C. W. 1955. Histoplasmosis. Proved occurrence of inapparent infection in dogs, cats and other animals. Amer. J. Hyg. **61**:40–44.
42. Emmons, C. W. 1958. Pub. Health Rep. **73**:590–595.
43. Emmons, C. W. 1964. Budding in *Emmonsia crescens.* Mycologia **56**:415–419.
44. Emmons, C. W. 1964. Phycomycosis in man and animals. Riv. Patol. Veg. Ser. 3, **4**:329–337.
45. Emmons, C. W., and W. Piggott. 1959. Amphotericin B and griseofulvin in the treatment of experimental systemic mycoses. Antibiot. Chemo. **9**:550–556.
46. Emmons, C. W., C. H. Binford, and J. P. Utz. 1970. Medical Mycology. 2nd ed. Lea & Febiger, Philadelphia.
47. Emmons, C. W., *et al.* 1957. Basidiobolus and cercospora from human infections. Mycologia **49**:1–10.
48. Emmons, C. W., *et al.* 1964. North American blastomycosis. Two autochthonous cases from Africa. Sabouraudia **3**:306–311.

49. Erikson, D. 1940. Pathogenic anaerobic organisms of the actinomyces group. Medical Research Council Special Report Series No. 240. Medical Research Council, London.

50. Erikson, D. 1949. The morphology, cytology and taxonomy of the actinomycetes. Ann. Rev. Microbiol. **3**:23–54.

51. Ernest, J. T., and J. W. Rippon. 1966. Keratitis due to *Allescheria boydii (Monosporium apiospermum)*. Amer. J. Ophthalmol. **62**:1202–1204.

52. Esterly, N. B., S. R. Brammer, and R. G. Crounse. 1967. The relationship of transferrin and iron to serum inhibition of *Candida albicans*. J. Invest. Dermatol. **49**:437–442.

53. Evans, E. E., and J. F. Kessel. 1951. The antigenic composition of *Cryptococcus neoformans*. II. Serologic studies with the capsular polysaccharide. J. Immunol. **67**:109–114.

54. Fava Netto, C. 1965. The immunology of South American Blastomycosis. Mycopathologia **26**:349–358.

55. Fetter, B. F. 1961. Human cutaneous sporotrichosis due to *Sporotrichum schenckii:* Technique for demonstration of organisms in tissues. Arch. Pathol. **71**:416–419.

56. Font, R. L., A. G. Spaulding, and W. R. Green. 1967. Endogenous mycotic panophthalmitis caused by *Blastomyces dermatitidis*. Arch. Ophthalmol. **77**:217–222.

57. Frey, D. M., and E. B. Durie. 1956. The isolation of keratinophilic fungi, including *Microsporum gypseum*, from Australian soil. Aust. J. Exp. Biol. Med. Sci. **34**:199–204.

58. Friedman, L., *et al.* 1960. The isolation of dermatophytes from the air. J. Invest. Dermatol. **35**:3–5.

59. Friedman, L., C. E. Smith, and L. E. Gordon. 1955. The assay of virulence of Coccidioides in white mice. J. Infect. Dis. **97**:311–316.

60. Fuentes, C. A., Z. E. Bosch, and C. C. Boudet. 1955. The isolation of *Microsporum gypseum* from soil. Arch. Dermatol. **71**:684–687.

61. Furcolow, M. L. 1963. The use of amphotericin B in blastomycosis, cryptococcosis and histoplasmosis. Med. Clin. N. Amer. **47**:1119–1130.

62. Gadebusch, H. H., and A. G. Johnson. 1966. Natural host resistance to infection with *Cryptococcus neoformans*. V. The influence of cationic tissue proteins upon phagocytosis and on circulating antibody synthesis. J. Infect. Dis. **116**:566–572.

63. Gadebusch, H. H., and A. G. Johnson. 1966. Natural host resistance to infection with *Cryptococcus neoformans*. IV. The effect of some cationic proteins on the experimental disease. J. Infect. Dis. **116**:551–565.

64. Gale, D., and C. A. Waldron. 1955. Experimental actinomycosis with *Actinomyces israeli*. The development of visceral actinomycosis. J. Infect. Dis. **97**:251–261.

65. Gastineau, F. M., L. W. Spolyar, and E. Haynes. 1941. Sporotrichosis. Report of six cases among florists. J. Amer. Med. Assn. **117**:1074–1077.

66. Georg, L. K. 1959. Animal ringworm in public health, diagnosis and nature. U.S. Department of Health, Education and Welfare, Public Health Service, Communicable Disease Center, Atlanta.

67. Georg, L. K. 1964. *Curvularia geniculata*, a cause of mycotic keratitis. J. Med. Assn. Alabama **31**:234–245.

68. Georg, L. K., and L. B. Camp. 1957. Routine nutritional tests for the identification of dermatophytes. J. Bacteriol. **74**:113–121.

69. Georg, L. K., G. W. Robertstad, and S. A. Brinkman. 1964. Identification of species of *Actinomyces*. J. Bacteriol. **88**:477–490.

70. Georg, L. K., *et al.* 1965. A new pathogenic anaerobic *Actinomyces* species. J. Infect. Dis. **115**:88–99.

71. Georg, L. K., *et al.* 1962. Mycotic pulmonary disease of captive giant tortoises due to *Beauvaria bassiana* and *Paecilomyces fumoso-roseus*. Sabouraudia **2**:80–86.

72. Gilchrist, T. C. 1896. A case of blastomycetic dermatitis in man. Johns Hopkins Hosp. Rep. **1**:269–298.

73. Ginsberg, J., A. G. Spaulding, and V. O. Laing. 1966. Cerebral phycomycosis (Mucormycosis) with ocular involvement. Amer. J. Ophthalmol. **62**:900–906.

74. Goodfellow, M. 1971. J. Gen. Microbiol. **69**:33–80.

75. Gordon, D. M. 1947. Ocular sporotrichosis: Report of a case. Arch. Ophthalmol. **37**:56–72.

76. Gordon, M. A. 1964. The genus *Dermatophilus*. J. Bacteriol. **88**:509–522.

77. Gordon, M. A. 1970. Practical serology of the systemic mycoses. Int. J. Dermatol. **9**:209–214.

78. Gordon, M. A. 1970. Aerobic pathogenic actinomycetes. pp. 137–150. *In* J. E. Blair, E. H. Lennette and J. P. Truant (Eds.): Manual of Clinical Microbiology. American Society for Microbiology, Bethesda.

79. Gordon, R. E., and J. M. Mihm. 1959. A comparison of *Nocardia asteroides* and *Nocardia brasiliensis*. J. Gen. Microbiol. **20**:129–135.

80. Gordon, R. E., and J. M. Mihm. 1962. The type species of the genus *Nocardia*. J. Gen. Microbiol. **27**:1–10.

81. Goren, M. B., and J. Warren. 1968. Immunofluorescence studies of reactions of the cryptococcal capsule. J. Infect. Dis. **118**:216–229.

82. Greer, D. L. 1970. Phycomycetes. pp. 381–385. *In* J. E. Blair, E. H. Lennette, and J. P. Truant (Eds.): Manual of Clinical Microbiology. American Society for Microbiology, Bethesda.

83. Gruby, D. 1841. Mémoire sur une végétation qui comstitue la vraie teigne. C.R. Acad. Sci. **13**:72–75.

84. Gruhn, J. G., and J. Sanson. 1963. Mycotic infections in leukemic patients at autopsy. Cancer **16**:61–73.

85. Guidry, D. J., and A. J. Bujard. 1964. Comparison of the pathogenicity of the yeast and. mycelial phases of *Blastomyces dermatitidis*. Amer. J. Trop. Med. Hyg. **13**:319–326.

86. Harvey, J. C., J. R. Cantrell, and A. M. Fisher. 1957. Actinomycosis: Its recognition and treatment. Ann. Intern. Med. **46**:868–885.

87. Hasenclever, H. F., and W. O. Mitchell. 1961. Antigenic studies of Candida. I. Observation of two antigenic groups in *Candida albicans*. J. Bacteriol. **82**:570–573.

88. Hasenclever, H. F., W. O. Mitchell, and J. Loewe. 1961. Antigenic studies of Candida. II. Antigenic relation of *Candida albicans* group A and group B to *Candida stellatoidea* and *Candida tropicalis*. J. Bacteriol. **82**:574–577.

89. Hasenclever, H. F., and W. O. Mitchell. 1961. Antigenic studies of Candida. III. Comparative pathogenicity of *Candida albicans* group A, group B and *Candida stellatoidea*. J. Bacteriol. **82**:578–581.

90. Hensler, N. M., and E. A. Cleve. 1956. Chronic benign residuals of coccidioidomycosis. Arch. Intern. Med. **98**:61–70.

91. Hildick-Smith, G., H. Blank, and I. Sarkany. 1964. Fungus Disease and Their Treatment. Little, Brown & Co., Boston.

92. Hinton, A., H. W. Larsh, and S. L. Silberg. 1957. Direct exposure of mice to soils known to contain *Histoplasma capsulatum*. Proc. Soc. Exp. Biol. Med. **94**:176–179.

93. Holdeman, L. V., and W. E. C. Moore. 1970. Gram positive nonsporeforming anaerobic bacilli. pp. 290–295. *In* J. E. Blair, E. H. Lennette, and J. P. Truant (Eds.): Manual of Clinical Microbiology. American Society for Microbiology, Bethesda.

94. Hosty, T. S. 1961. Prevalence of *Nocardia asteroides* in sputa examined by a tuberculosis diagnostic laboratory. J. Lab. Clin. Med. **58**:107–114.

95. Howard, D. H. 1962. The morphogenesis of the parasitic forms of dimorphic fungi. Mycopathologia **18**:127–139.

96. Howard, D. H. 1964. Intracellular behavior of *Histoplasma capsulatum*. J. Bacteriol. **87**:33–38.

97. Howard, D. H. 1967. Effect of temperature on the intracellular growth of *Histoplasma capsulatum*. J. Bacteriol. **93**:438–444.

98. Howard, J. I., and R. P. Bolande. 1966. Humoral defense mechanisms in cryptococcosis: Substances in normal human serum, saliva, and cerebrospinal fluid affecting the growth of *Cryptococcus neoformans*. J. Infect. Dis. **116**:75–83.

99. Hurley, R., and H. I. Winner. 1963. Experimental renal moniliasis in the mouse. J. Pathol. Bacteriol. **86**:75–82.

100. Huntington, R. W., Jr. 1959. Morphology and racial distribution of fatal coccidioidomycosis. Report of a ten-year

autopsy series in an endemic area. J. Amer. Med. Assn. **169**:115–118.

101. Imperato, P. J., C. E. Buckley, and J. L. Callaway. 1965. Candida granuloma. A clinical and immunologic study. Arch. Dermatol. **97**:139–146.

102. Josefiak, E. J., and J. H. Smith-Foushee. 1958. Experimental mucormycosis in the healthy rat. Science **127**:1442.

103. Jung, E. G., and B. Truniger. 1963. Tinea versicolor and Cushing-Syndrome (Pityriasis versicolor and Cushing's syndrome). Dermatologica **127**:18–22.

104. Kao, C. J., and J. Schwarz. 1957. The isolation of *Cryptococcus neoformans* from pigeon nests. With remarks on the identification of virulent cryptococci. Amer. J. Clin. Pathol. **27**:652–663.

105. Kaplan, W., and M. S. Ivens. 1960. Fluorescent antibody staining of *Sporotrichum schenckii* in cultures and clinical materials. J. Invest. Dermatol. **35**:151–159.

106. Kaplan, W., *et al.* 1966. Fluorescent antibody inhibition test for *Coccidioides immitis* antibodies. Sabouraudia **5**:1–6.

107. Karrer, H. E. 1953. Virulence of *Coccidioides immitis* determined by intracerebral inoculation in mice. Proc. Soc. Exp. Biol. Med. **82**:766–768.

108. Karunaratne, W. A. E. 1964. Rhinosporidiosis in Man. The Athlone Press, London.

109. Keddie, F., and S. Shadomy. 1963. Etiological significance of *Pityrosporum orbiculare* in tinea versicolor. Sabouraudia **3**:21–25.

110. Keddie, F. 1964. *Cladosporium werneckii* infection and in vivo culture. Arch. Dermatol. **89**:432–435.

111. Kligman, A. M. 1955. Tinea capitis due to *M. audouini* and *M. Canis.* II. Dynamics of the host-parasite relationship. Arch. Dermatol. **71**:313–337.

112. Kovats, F., and B. Buggi. 1968. Occupational Mycotic Diseases of the Lung. Akademiai Kiado, Budapest.

113. Kwon Chung, K. J. 1972. Sexual stage of *Histoplasma capsulatum.* Science **175**:326.

114. Landay, M. E., *et al.* 1967. Serological comparison of the three morphological phases of *Coccidioides immitis* by the agar gel diffusion method. J. Bacteriol. **93**:1–6.

115. Landau, J. W., N. Dabrowa, and V. D. Newcomer. 1965. The rapid formation in serum of filaments by *Candida albicans.* J. Invest. Dermatol. **44**:171–179.

116. LaTouche, C. J. 1955. The importance of the animal reservoir of infection in the epidemiology of animal type ringworm in man. Vet. Record **67**:666.

117. Lechevalier, H. A., and M. P. Lechevalier. 1970. A critical evaluation of the genera of aerobic actinomycetes. pp. 393–405. *In* H. Prauser (Ed.): The Actinomycotales. Gustaf Fisher, Jena.

118. Levine, H. B. 1964. Isolation of *Coccidioides immitis* from soil. Hlth. Lab. Sci. N.Y. **1**:29–32.

119. Littman, M. L., and S. S. Schneierson. 1959. *Cryptococcus neoformans* in pigeon excreta in New York City. Am. J. Hyg. **69**:49–59.

120. Littman, M. L., and L. E. Zimmerman. 1956. Cryptococcosis. Grune & Stratton, New York.

121. Lodder, J. (Ed.). 1970. The Yeasts. North Holland Publication, Amsterdam.

122. Lones, G. W., and C. L. Peacock. 1960. Role of carbon dioxide in the dimorphism of *Coccidioides immitis.* J. Bacteriol. **79**:308–309.

123. Lorincz, A. L., J. O. Priestley, and P. H. Jacobs. 1958. Evidence for a humoral mechanism which prevents growth of dermatophytes. J. Invest. Dermatol. **31**:15–17.

124. Mackinnon, J. E. 1963. Agentes de maduromicosis en la región neotropical. Revisión bibliográphica. An. Fac. Med. Montev. **48**:453–458.

125. Mackinnon, J. E. 1959. Pathogenesis of South American blastomycosis. Trans. Roy. Soc. Trop. Med. Hyg. **53**:487–494.

126. Maddy, K. T. 1954. Coccidioidomycosis of cattle in the southwestern United States. J. Amer. Vet. Med. Assn. **124**:456–464.

127. Martinson, F. D., and B. M. Clark. 1967. Rhinophycomycosis entomophthora in Nigeria. Amer. J. Trop. Med. Hyg. **16**:40–47.

128. McBride, M., *et al.* 1970. The effects of selenium and tellurium compounds on pigmentation of granules of *Trichomychoses axillaris.* Int. J. Dermatol. **9**:226–231.

129. McDonough, E. S., and A. L. Lewis. 1968. The ascigerous stage of *Blastomyces dermatitidis.* Mycologia **60**:76–83.

130. McDonough, E. S., *et al.* 1960. Growth of dimorphic human pathogenic fungi on media containing cycloheximide and chloramphenicol. Mycopathologia **13**:113–120.

131. Meyer, E., and R. D. Herrold. 1961. *Allescheria boydii* isolated from a patient with chronic prostatitis. Amer. J. Clin. Pathol. **35**:155–159.

132. Meyer, E., and P. Verges. 1950. Mouse pathogenicity as a diagnostic aid in the identification of *Actinomyces bovis.* J. Lab. Clin. Med. **36**:667–674.

133. Migaki, G., *et al.* 1971. Lobo's disease in an Atlantic bottle nosed dolphin. J. Amer. Vet. Med. Assn. **159**:578–582.

134. Mochi, A., and P. Q. Edwards. 1952. Geographical distribution of histoplasmosis and histoplasmin sensitivity. Bull. Wld. Hlth. Org. **5**:259–291.

135. Mohr, J., E. R. Rhoades, and H. G. Muchmore. 1970. Actinomycosis treated with lincomycin. J. Amer. Med. Assn. **212**:2260–2261.

136. Mordarska, H., and M. Mordarski. 1969. Comparative studies on the occurrence of LCN-A diaminopimelic acid and arabinose in Nocardia cells. Arch. Immunol. Ther. Exp. **17**:739–743.

137. Murray, J. F., H. I. Lurie, and F. A. Brandt. 1958. Histoplasmosis in Africa. J. Trop. Med. Hyg. **61**:124–130.

138. Nichols, D. R., and W. E. Herral. 1948. Penicillin in the treatment of Actinomycosis. J. Lab. Clin. Med. **33**:521–525.

139. Nocard, E. 1888. Note sur la maladie des boefs de la Guadeloupe connue sous le nom de farcin. Ann. Inst. Pasteur. **2**:293.

140. Palmer, C. E. 1946. Geographic differences in sensitivity to histoplasmin among student nurses. Pub. Hlth. Rep. **61**:475–487.

141. Pappagianis, D., *et al.* 1965. Antibodies in human coccidioidomycosis: immunoelectrophoretic properties. Proc. Soc. Exp. Biol. Med. **118**:118–122.

142. Parrish, F. W., *et al.* 1966. Production of aflatoxins and kojic acid by species of *Aspergillus* and *Penicillium.* Appl. Microbiol. **14**:139.

143. Pine, L., and J. R. Overman. 1966. Differentiation of capsules and hyphae in clubs of bovine sulphur granules. Sabouraudia **5**:141–143.

144. Pine, L., E. Drouhet, and G. Reynolds. 1964. A comparative morphological study of the yeast phases of *Histoplasma capsulatum* and *Histoplasma duboisii.* Sabouraudia **3**:211–224.

145. Pine, L., C. J. Boone, and D. McLaughlin. 1966. Antigenic properties of the cell wall and other fractions of the yeast form of *Histoplasma capsulatum.* J. Bacteriol. **91**:2158–2168.

146. Pepys, J. *et al.* 1963. Farmer's lung. Thermophillic actinomycetes as a source of "farmer's lung hay" antigen. Lancet **ii**:607–611.

147. Procknow, J. J. 1962. Lab. Invest. **11**:1217–1230.

148. Procknow, J. J., *et al.* 1965. Cryptococcal hepatitis presenting as a surgical emergency. J. Amer. Med. Assn. **191**:269–274.

149. Rapaport, F. T., *et al.* 1960. The immunologic properties of coccidioidin as a skin test reagent in man. J. Immunol. **84**:368–373.

150. Rebell, G., and D. Taplin. 1970. Dermatophytes. Univ. of Miami Press, Miami, Fla.

151. Reiss, F. 1944. Successful inoculations of animals with *Trichophyton purpureum.* Arch. Dermatol. **49**:242–248.

152. Reiss, F., L. Kornbleet, and B. Gordon. 1960. Griseofulvin (Fulvicin) in treatment of fungus infections of the hair, skin and anils with special reference to mycologic changes produced during therapy. J. Invest. Dermatol. **34**:263–269.

153. Restrepo, M. A. 1966. La prueba de immunodiffusion en el diagnostico de la paracoccidioidomicosis. Sabouraudia **4**:223–230.

154. Restrepo M. A., *et al.* 1970. Paracoccidioidomycosis (South American Blastomycosis). A study of 39 cases observed in Medellin, Colombia. Amer. J. Trop. Med. Hyg. **19**:68–76.

155. Rippon, J. W. 1968. Monitored environment system to control cell growth, morphology and metabolic rate in fungi by oxidation-reduction potentials. Appl. Microbiol. **16**:114–121.

156. Rippon, J. W. 1972. Mycotic infections of the eye: their diagnosis and treatment. Opthalmol. Dig. **34**:18–25.

157. Rippon, J. W. Medical Mycology: The Pathogenic Fungi and the Pathogenic Actinomycetes. W. B. Saunders Co., Philadelphia. In press.

158. Rippon, J. W., and G. Peck. 1967. Experimental infection with *Streptomyces madurae* as a function of collagenase. J. Invest. Dermatol. **49**:371–378.

159. Rippon, J. W., and G. H. Scherr. 1959. Induced dimorphism in dermatophytes. Mycologia **51**:902–914.

160. Rippon, J. W., D. N. Anderson, and E. D. Garber. 1972. Blastomycosis: Specificity of antigens reflecting the mating types of *Ajellomyces dermatitidis*. Bacteriol. Proc. **72**:131.

161. Rippon, J. W., T. P. Conway, and A. L. Domes. 1965. Pathogenic potential of *Aspergillus* and *Penicillium* species. J. Infect. Dis. **115**:27–32.

162. Rippon, J. W., and L. J. LeBeau. 1965. Germination and initial growth of *Microsporon audouinii* from infected hairs. Mycopathologia **26**:273–288.

163. Roberts, D. S. 1963. Barriers of Dermatophilus dermatonomus infection on the skin of sheep. Austr. J. Agr. Res. **14**:373–385.

164. Robinson, H. M. Jr., *et al.* 1960. Griseofulvin, clinical and experimental studies. Arch. Dermatol. **81**:66–76.

165. Robinson, H. M., Jr., F. H. J. Figge, and E. S. Bereston. 1953. Fluorescence of *Microsporum audouini*-infected hair. I. Chemical and spectroscopic studies. Arch. Dermatol. Syph. **68**:129–135.

166. Rosebury, T., L. J. Epps, and A. R. Clark. 1944. A study of the isolation, cultivation and pathogenicity of *Actinomyces israeli* recovered from the human mouth and from actinomycosis in man. J. Infect. Dis. **74**:131–149.

167. Rowley, D. A., and L. Pine. 1955. Some nutritional factors influencing growth of yeast cells of *Histoplasma capsulatum* to mycelial colonies. J. Bacteriol. **69**:695–700.

168. Rubin, A. A. 1963. Coronary vascular effects of griseofulvin. J. Amer. Med. Assn. **185**:971–972.

169. Salvin, S. B., and R. F. Smith. 1961. An antigen for detection of hypersensitivity to *Cryptococcus neoformans*. Proc. Soc. Exp. Biol. Med. **108**:498–501.

170. Sarkany, I., D. Taplin, and H. Blank. 1961. The etiology and treatment of erythrasma. J. Invest. Dermatol. **37**:283.

171. Scherr, H. G. 1957. Studies on the dimorphism of *Histoplasma capsulatum*. Exp. Cell. Res. **12**:92–107.

172. Scherr, G. H., and J. W. Rippon. 1959. Experimental histoplasmosis in cold-blooded animals. Mycopathologia **11**:241–249.

173. Schubert, J. H., H. J. Lynch, Jr., and L. Ajello. 1961. Evaluation of the agar-plate precipitin test for histoplasmosis. Amer. Rev. Resp. Dis. **84**:845–849.

174. Schulz, D. M. 1954. Histoplasmosis: a statistical morphologic study. Amer. J. Clin. Pathol. **24**:11–26.

175. Schwartz, J., and L. Goldman. 1955. Epidemiologic study of North American blastomycosis. Arch. Dermatol. **71**:84–88.

176. Shacklette, M. H., F. H. Diercks, and N. B. Gale. 1962. *Histoplasma capsulatum* recovered from bat tissues. Science **135**:1135.

177. Silva, M. E., and W. Kaplan. 1965. Specific fluorescein-labeled antiglobulins for the yeast form of *Paracoccidioides brasiliensis*. Amer. J. Trop. Med. Hyg. **14**:290–294.

178. Skinner, C. E., and D. W. Fletcher. 1960. A review of the genus Candida. Bacteriol. Rev. **24**:397–416.

179. Slack, J. M., and M. A. Gerencser. 1966. Revision of serological group of Actinomyces. J. Bacteriol. **91**:2107.

180. Smith, C. E. 1957. Pub. Hlth. Rep. **72**:888–894.

181. Smith, C. E., and J. H. Matthews. 1960. Treatment of pulmonary mycotic infections with amphotericin B. New Eng. J. Med. **263**:782–784.

182. Smith, C. E., *et al.* 1961. Human coccidioidomycosis. Bacteriol. Rev. **25**:310–320.

183. Speller, D. C. E., and A. G. MacIver. 1971. Endocarditis caused by a Coprinus species: a gungus of the toadstool group. J. Med. Microbiol. **4**:370–374.

184. Stockdale, P. M. 1953. Nutritional requirements of the dermatophytes. Biol. Rev., **28**:84–104.

185. Stockdale, P. M. 1961. *Nannizzia incurvata* gen. nov., sp. nov., a perfect state of *Microsporum gypseum* (Bodin) guiart et Grigorakis. Sabouraudia **1**:41–48.

186. Straub, M., and J. Schwarz. 1955. The healed primary complex in histoplasmosis. Amer. J. Clin. Pathol. **25**:727–741.

187. Symmers, W. St. C. 1965. Opportunistic infections. Proc. Roy. Soc. Med. **58**:341–346.

188. Takos, M. J. 1956. Experimental cryptococcosis produced by the ingestion of virulent organisms. New Eng. J. Med. **254**:598–601.

189. Taschdjian, C. L., and P. J. Kozinn. 1961. Metabolic studies on the tissue phase of *Candida albicans* induced in vitro. Sabouraudia **1**:73–82.

190. Taschdjian, C. L., *et al.* 1972. Serodiagnosis of candidal infections. Amer. J. Clin. Pathol. **57**:195–205.

191. Tilden, E. B., *et al.* 1961. Preparation and properties of the endotoxins of *Aspergillus fumigatus* and *A. flavus*. Mycopathologia **14**:325–346.

192. Widra, A. 1964. Phosphate directed Y–M variation in *Candida albicans*. Mycopathologia **23**:197–202.

193. Wiersema, J. P. and P. L. A. Niemel. 1965. Lobo's disease in Surinam patients. Trop. Geogr. Med. **17**:89–111.

194. Williams A. O. 1969. Pathology of phycomycosis due to Entomophthora and Basidiobolus species. Arch. Pathol. **87**:13–20.

195. Winn, W. A. 1959. The use of amphotericin B in the treatment of coccidioidal disease. Amer. J. Med. **27**:617–635.

196. Winner, H. I. and R. Hurley. 1964. Candida Albicans. Little, Brown & Co., Boston.

197. Young, L. S., *et al.* 1971. Nocardia asteroides infection complicating neoplastic disease. Amer. J. Med. **50**:356–367.

198. Zaias, N., D. Taplin, and G. Rebell. 1965. Pitted keratolysis. Arch. Dermatol. **92**:151–154.

CAPITULO 32

LAS ESPIROQUETAS[24] (SPIROCHAETALES)

DR. OSCAR FELSENFELD

Inicialmente los microorganismos en forma espiral e incurvados se agrupan junto con nombres diversos, como espiroqueta, espirilo y vibrio. Cuando se comprobó que algunas de estas formas, como el vibrión del cólera y gérmenes similares, eran bacterias, las formas espirales se incluyeron en un orden separado, Spirochaetales.

Las espiroquetas, consideradas por algunos como intermedias entre bacterias verdaderas y protozoos, se parecen más a las primeras por la falta de polaridad anteroposterior y el núcleo bien definido, contenido de ácido murámico y sensibilidad a los antibióticos, antibacterianos y la lisozima. Difieren por cuanto de ordinario no tienen una pared celular rígida, y su motilidad es función de las estructuras celulares que no son los flagelos.

Aunque algunas espiroquetas puedan cultivarse en medios artificiales, muchas pueden cultivarse con dificultad o no se logran, y no se les puede aplicar las reacciones bioquímicas y otras de cultivo utilizadas para la diferenciación de bacterias. Su caracterización depende casi totalmente de una base morfológica y se ha facilitado considerablemente gracias al microscopio electrónico.[54, 78, 93] El hábitat saprófito o parásito también tiene valor diferencial.

En su estructura básica,[14] la espiroqueta está formada por un filamento axial central incluido en un cilindro helicoidal de citoplasma. El citoplasma está limitado por una membrana citoplásmica que contiene glucosamina y una capa externa formada de proteína, lípido y polisacárido. Hay fibrillas que son funcionales para la motilidad, rodeando el cilindro citoplásmico entre la membrana interna y la cubierta externa.

Esta estructura general se ilustra esquemáticamente en la figura adjunta.

Varían mucho en longitud, desde 2 μ hasta 500 μ. Algunas de las espiroquetas más pequeñas se han considerado filtrables porque pueden atravesar los filtros de Berkefeld y de membrana, probablemente mediante un movimiento activo que taladra a través de las vías y poros de tales filtros. En conjunto, son extraordinariamente sensibles a la desecación, y mueren por acción de desinfectantes usuales. No forman esporas y mueren con el calor a 60°C durante 30 minutos.

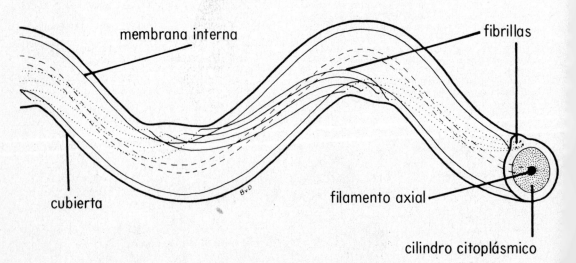

FIG. 32-1. Representación esquemática de la estructura básica general de espiroquetas.

Las Spirochaetales se dividen en dos familias, Spirochaetaceae y Treponemataceae, cada una constituida por tres géneros. La primera incluye formas de vida libre y comensales, y los siguientes géneros: 1) Spirochaeta, característicamente gérmenes voluminosos de vida libre que contienen muchos granos metacromáticos; el prototipo es *Spirochaeta plicatalis;* 2) el género Cristispira, caracterizado por la presencia de un apéndice membranoso, o cresta, que enrollado alrededor de su cuerpo muchas veces se dobla transversalmente durante la división celular. Estas especies son comensales, muchas veces descubiertas en moluscos; el prototipo es *Cristipira balbianii,* que suele vivir en las ostras. 3) El género Saprospira está formado por gérmenes de vida libre con aspecto gelatinoso; el prototipo es *Saprospira grandis.*

La familia Treponemataceae incluye las espiroquetas patógenas para el hombre y los animales. Los géneros que constituyen a esta familia son: 1) Borrelia, agentes causales de la fiebre recurrente y de la espiroquetosis de ganado y pájaros; estos agentes se descubren también en los insectos vectores de las enfermedades, casi siempre garrapatas, pero también en piojos; 2) Treponema, que parece ser un parásito bien adaptado al hombre en su mayor parte, y que incluye los agentes causales de sífilis, frambesia y pinto, junto con formas parasitarias de poder patógeno limitado o nulo, como los que se encuentran en la boca, y 3) Leptospira, las espiroquetas que provocan la enfermedad de Weil o ictericia infecciosa, y diversos trastornos febriles del hombre que suelen provenir de reservorios de animales de infección.

Espiroquetas de las fiebres recurrentes (Borrelia)

Las fiebres recurrentes constituyen un grupo de infecciones íntimamente relacionadas que se caracterizan por un periodo febril inicial de tres a cuatro días de duración, seguido, con intervalos de pocos días, por recaídas sucesivas. Se encuentran ampliamente distribuidas en todos los países del mundo, tal vez con excepción de Australia. Los gérmenes responsables de estas enfermedades son formas espirales, observadas por primera vez por Obermeier en 1873 en la sangre de enfermos con fiebre recurrente europea.

Morfología. La estructura básica de estas espiroquetas se compone de un filamento axial en forma de resorte, sobre el cual se encuentra una capa de protoplasma contráctil, envuelto en un periplasto delicado. Los filamentos terminales tal vez están constituidos por las terminaciones estiradas del periplasto, o las terminaciones no rígidas ni dobladas del filamento axial. Algunas veces se observan cuerpos esféricos adheridos. La célula gira a consecuencia del estiramiento del filamento axial por la presión del protoplasma contráctil. Cuando se producen contracciones o relajaciones rápidas y sucesivas, el microorganismo gira rápidamente, y se traslada en una u otra dirección, según el sentido de la rotación. En estado de relajación, las espirales son regulares y uniformes; cuanto mayor la célula, más grueso es el filamento axial, y más grande la distancia entre las espirales. La regularidad de las espirales se altera por la contracción y relajación del protoplasma, en las células activamente móviles. No es posible distinguir una de otra las diversas especies utilizando exclusivamente una base morfológica. Todas tienen 0.2 a 0.5 μ de ancho por 10 a 20 μ de largo. Se tiñen mejor por el método de Romanowsky, o alguna de sus modificaciones, como el Giemsa; pero, contrariamente a otras espi-

roquetas, las Borrelias pueden teñirse con los colorantes ordinarios de anilina.

Cultivo. Las espiroquetas de la fiebre recurrente se cultivaron por Noguchi en 1912, en un medio de líquido ascítico y tejido fresco, en el cual se forma una red de fibrina. También se ha utilizado medio semisólido de gelosa-suero. En cultivo, las espiroquetas son aerobias; la cubierta de parafina que se utiliza frecuentemente impide la evaporación, más que interferir la difusión del oxígeno. Aunque se ha comunicado la obtención de cultivos, es extremadamente difícil hacer crecer el cultivo inicial de espiroquetas, y no pueden conservarse por pasos en serie; es probable que solo persistan cierto tiempo en estos medios, y nunca han sido verdaderamente cultivadas. Pero pueden crecer en el embrión de pollo en desarrollo, y se han aislado directamente de infecciones humanas en esta forma.[80] Los laboratorios que trabajan con Borreliae muchas veces conservan piojos y garrapatas infectados con estos microorganismos y los transfieren a los animales de experimentación susceptibles, alimentando los vectores respectivos sobre ellos.

Clasificación. Las espiroquetas de las fiebres recurrentes han recibido el nombre genérico de Borrelia. Hasta cierto punto, es discutible la validez de este grado de diferenciación de las espiroquetas que producen la sífilis y el pian, Treponema, y las espiroquetas de las fiebres recurrentes son consideradas por muchos autores como especies de Treponema. Noguchi señaló que las espiroquetas de la fiebre recurrente no difieren más de *Treponema pertenue* (del pian) que esta de *T. pallidum.*

No está claro hasta qué punto pueden dividirse en especies las espiroquetas de las fiebres recurrentes. Es probable que en muchos casos los gérmenes a los que se da el rango de especie, de hecho

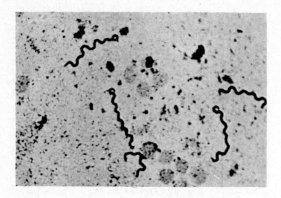

FIG. 32-2. *Borrelia recurrentis* en frotis de sangre de una rata infectada. Coloración de Fontana. × 1 160. (Freeman.)

sean simplemente cepas o variedades. En muchos casos se les ha dado el nombre de los lugares donde se encuentran, o se han bautizado con el nombre de algún investigador, pero la diferenciación ha sido más bien geográfica que biológica. Estas formas son inmunológicamente heterogéneas e inestables, en el sentido de que sus características se modifican por el paso a través de diferentes huéspedes, insectos o mamíferos. En consecuencia, las pruebas de inmunidad cruzada no son útiles. Se ha sugerido que deben diferenciarse por su patogenicidad, o por el insecto huésped, pero no parece haber líneas razonablemente definidas de demarcación basadas en estos caracteres. Así pues, en general las cuestiones de la interrelación y de la formación de especies en estos organismos quedan casi completamente por resolver, pero la mayoría de los autores están de acuerdo en que si bien todas están inmunológicamente relacionadas, la heterogeneidad es demasiada para justificar que se consideren las diversas cepas como simples variedades de una sola especie: *Borrelia recurrentis*.

Patogenicidad. La fiebre recurrente es una enfermedad antigua; una de las primeras epidemias fue descrita por Hipócrates, y ocurrió en la Isla de Thasos hace 2 000 años. Durante muchos siglos no volvió a mencionarse; después hubo tendencia a confundirla con el tifus transmitido por piojos, con el cual puede coexistir. La peste amarilla, que siguió a la pandemia de peste bubónica en tiempos de Justiniano, probablemente fue fiebre recurrente, y en Irlanda el venerable Bede [68] describió una epidemia en 664. En la actualidad, se presenta esporádicamente en diversas partes del mundo.

Como se indicó antes, las fiebres recurrentes constituyen un grupo de enfermedades estrechamente relacionadas. La espiroqueta observada por Obermeier fue la de la fiebre recurrente europea, enfermedad que se conoce desde principios del siglo XVIII, y que de tiempo en tiempo ha prevalecido en extensas porciones de Europa. El microorganismo causal se llama *Borrelia* (o *Treponema*) *recurrentis*. En Africa se presentan cuatro formas de fiebre recurrente: la espiroqueta del Africa Central es *B. duttonii*, que se encuentra también en el Medio Oriente; [1] la del Africa Oriental es *B. kochii;* la del Africa del Norte, [25] Túnez, Argel y Tripolitania, es *B. berbera;* y en Sudán, *B. aegyptica. Borrelia hispanica* se encuentra en España y Noráfrica. La fiebre recurrente existe también en India, donde es causada por *Borrelia carteri.* En Estados Unidos de Norteamérica, la fiebre recurrente es producida por

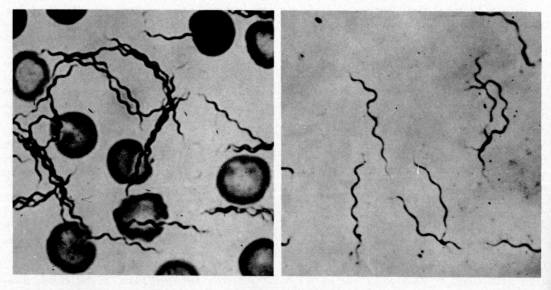

FIG. 32-3. Espiroquetas de las fiebres recurrentes. *A la izquierda, Borrelia duttonii* de la fiebre recurrente de Africa Central; *a la derecha, Borrelia kochii,* de la fiebre recurrente de Africa Oriental. × 2 000. (Kral.)

Borrelias patógenas; sus vectores y distribución geográfica

Borrelia	Vector	Distribución geográfica	Enfermedad humana
B. recurrentis	Pediculus humanus	Etiopía, Sudán, América del Sur; puede ser cosmopolita	Fiebre recurrente epidémica
B. duttonii	Ornithodorus moubata	Africa Oriental y Meridional	Muchas veces fiebre endémica grave de recaídas
B. hispanica	O. erraticus erraticus	Mediterráneo, Medio Oriente, parte norte de Africa	Fiebre recurrente endémica
B. persica	O. tholozani (papillipes)	Medio Oriente, Asia central	Fiebre recurrente endémica
B. latyschewii	O. tartakovskyi	Asia Central	
B. caucasica	O. verrucosus	Zona Caucásica	} Generalmente fiebre recurrente endémica leve
B. venezuelensis	O. rudis (venezuelensis)	América del Sur	Fiebre recurrente endémica
B. dugesii (?)	O. talaje	Parte occidental de las Américas	Fiebre recurrente endémica en Centro y Sudamérica
B. turicatae	O. turicata	Parte occidental de Estados Unidos de Norteamérica, del oeste medio de Estados Unidos de Norteamérica, América Central y Meridional	Generalmente fiebre recurrente endémica ligera
B. parkerii	O. parkeri	Canadá, oeste de Estados Unidos de Norteamérica	Fiebre recurrente endémica
B. hermsii	O. hermsi	Estados Unidos Orientales	Muchas veces fiebre recurrente endémica grave
B. crocidurae	O. erraticus sonrai	Mediano Oriente, Africa	En roedores; raramente enfermedad humana leve
B. theileri	Riphicephalus evertsi (?) Boophilus microplus	Africa Australia	} Espiroquetosis del ganado
B. anserina	Argas persicus y otros	Cosmopolita; actualmente no existe en Estados Unidos de Norteamérica	Espiroquetosis de los pájaros
B. vincentii	Ninguna	Cosmopolita	Lesiones bucales y faríngeas (¿simbiótico?)

otra espiroqueta, *B. novyi;* otras cepas aisladas en ese país han sido llamadas *B. turicatae.* Las cepas sudamericanas han sido denominadas *B. venezuelensis* y *B. neotropicalis.*

Todas las formas de fiebre recurrente son clínicamente idénticas: el principio es brusco, con escalofríos, fiebre y cefalea intensa; con frecuencia se observan dolores musculares y articulares; hay moderada esplenomegalia dolorosa a la presión, y casi siempre ictericia. La fiebre desaparece bruscamente por crisis en tres o cuatro días, pero se producen recaídas sucesivas, con intervalos de dos a 14 días, y la duración de estas recaídas varía desde algunas horas hasta periodos más largos que el ataque inicial. El número de recaídas varía, y las espiroquetas pueden encontrarse en la sangre durante los paroxismos.

La mortalidad no es alta en la fiebre recurrente europea; alcanza tal vez un 4 ó 5 por 100. No hay hallazgos característicos en la autopsia.

Puede transmitirse la infección a la rata y al ratón, pero el conejillo de Indias parece resistente a la mayor parte de las cepas, aunque algunas cepas americanas pueden infectarlo. Los cobayos recién nacidos son más susceptibles, y esta susceptibilidad es diferencial, cuando menos respecto a ciertas cepas.[10] Se ha comunicado que el criceto *(hamster)*

puede infectarse, por lo menos con algunas cepas. Tiene cierta importancia que la sangre para la inoculación se tome al principio y no al final de la recaída. De ordinario la infección no se advierte ni en las ratas ni en los ratones, en el sentido de que no hay síntomas observables, pero dos a cuatro días después de la inoculación empiezan "ataques" sucesivos, demostrables por la aparición de espiroquetas en la sangre. Persisten dos o tres días, desaparecen, y reaparecen tres a cuatro días después, en un segundo "ataque". Generalmente se producen solo dos o tres de estas recaídas; las espiroquetas se hacen más escasas y persisten durante un tiempo más corto en las recaídas sucesivas. La enfermedad experimental también puede producirse en el mono, y su evolución es muy semejante a la del hombre. Hay pruebas de que las tetraciclinas pueden ser útiles como quimioterápicos.

En las regiones de endemia se presenta con cierta frecuencia la infección natural de animales inferiores, y hay muchas pruebas que apoyan la hipótesis de que los pequeños mamíferos, especialmente los roedores, constituyen un reservorio natural de la infección transmitida por garrapatas. Hay gran variedad de animales que pueden infectarse, incluyendo rata, ratón, diversas variedades de ardillas, zarigüeyas, puercos espines, armadillos, erizos, zorras y perros. La susceptibilidad varía considerablemente entre las especies animales, y de una a otra cepa de espiroquetas.

Es probable que persista un reservorio de infección en garrapatas vectoras, con transmisión transovárica de una generación a la siguiente.

En los gansos hay una espiroquetosis por *B. anserina,* microorganismo que muchos consideran idéntico a *B. gallinarum,* que produce septicemia en las gallinas. Otra especie, *B. theileri,* se asocia a una afección benigna del ganado en Sudáfrica, pero no parece tener sino escaso poder patógeno. Espiroquetas morfológicamente semejantes se han encontrado también en la sangre de carneros, caballos y murciélagos, y en el tubo digestivo de peces e insectos, pero no se asocian con ningún trastorno perceptible.

Inmunidad. Después de la infección pueden encontrarse aglutininas y anticuerpos líticos y espiroqueticidas. Generalmente la inmunidad subsecuente a un ataque de fiebre recurrente es de breve duración, pero ocasionalmente puede desarrollarse inmunidad más sólida. Esta última a menudo se atribuye a persistencia de la infección, o sea una inmunidad por superinfección.

La recaída parece ser básicamente fenómeno inmunológico dependiente de la inestabilidad antigénica de la espiroqueta. Se ha demostrado que las espiroquetas pueden permanecer vivas hasta 40 días en la sangre tomada antes de un ataque, pero en la sangre tomada al terminar un periodo febril, o durante la convalecencia, mueren en menos de una hora. En este último caso, la sangre es espiroqueticida, y las espiroquetas muertas son fagocitadas. Esto se ha considerado indicación de que la recaída es consecuencia de la supervivencia de unos cuantos individuos que resisten a la espiroqueticidina específica, y que se multiplican hasta producir una nueva cepa serorresistente. Se ha comprobado que las espiroquetas aisladas después de recaídas sucesivas son serológicamente diferentes de las del primer ataque, y Cunningham diferenció hasta nueve tipos serológicos diferentes de *B. carteri;* después que un tipo particular aparecía en un animal, nunca reaparecía en el mismo durante la evolución ulterior de la enfermedad. Se ha comprobado [35] que las dos variedades norteamericanas, *B. turicatae* y *B. parkerii,* contienen tres componentes antigénicos A, B y C, de los cuales B es compartido e invariable, mientras que A y C son específicos de cepa y de recaída. Otros estudios han demostrado que en la rata de experimentación *B. hermsii* se presenta en cuatro serotipos principales, denominados O, A, B, y C, que se presentaron en este orden con el serotipo O; pero la infección con un serotipo de recaída tendía a volver a ser de serotipo O.[20] Los sueros de pacientes en recaída protegen contra el ataque inicial y las recaídas, mientras que el suero durante el ataque protege durante el ataque pero no contra las cepas de recaída.

Diagnóstico.[51] El diagnóstico de la fiebre recurrente se hace demostrando las espiroquetas en la sangre, al principio de una recaída, por examen microscópico directo o por inoculación a animales. Puede utilizarse el frotis sanguíneo usual o la gota gruesa, como la que se usa para los parásitos del paludismo. Los frotis se secan al aire y se tiñen con Giemsa; la coloración de Wright es buena para frotis delgados. Las espiroquetas también pueden encontrarse en preparaciones frescas, por examen en campo obscuro. Pueden inocularse por vía intraperitoneal ratones, ratas, o ambos, y hacer frotis sanguíneos diariamente durante dos semanas, si no se encuentran espiroquetas; los métodos inmunológicos de diagnóstico no habían resultado satisfactorios.

Epidemiología. Las espiroquetas de las fiebres recurrentes son más bien parásitos de la sangre que de los tejidos, y la infección se transmite por insectos chupadores de sangre, aunque en raros casos es posible la transmisión directa. Pueden distinguirse dos tipos epidemiológicos de la enfermedad: uno, de transmisión por garrapatas, que constituye la transmisión de un reservorio animal de la infección al hombre, y el otro, de transmisión por los piojos, que se disemina de hombre a hombre.

En Estados Unidos de Norteamérica no se reconoció que había una garrapata vectora hasta 1930, pero hoy se sabe que la enfermedad transmitida por garrapatas no es rara, y constituye el único tipo que existe en la actualidad. Los focos endémicos conocidos de infección están en Arizona, California, Colorado, Idaho, Kansas, y Nuevo México, Nevada, Oklahoma, Oregon y Texas, posiblemente también en Montana, Utah y Washington. Se sabe que *Ornithodorus turicata* y *O. hermsi* transmiten la enfermedad, y parece que *O. parkeri* también la transmite, pero no está totalmente comprobado. En América tropical *O. talaje* transmite la infección, pero esto no parece suceder en Estados Unidos de Norteamérica; *O. rudis* se considera como el vector más importante en los trópicos de este hemisferio. El vector tradicional, y el más común en Africa Occidental, es *O. moubata.* No parece haber ninguna relación específica entre alguna especie particular de garrapata y una cepa particular de espiroquetas.

La infección puede persistir largo tiempo en la garrapata; Francis ha señalado su supervivencia en garrapatas mantenidas en ayunas hasta por cinco años; y en las que han vuelto a alimentarse, durante seis años y medio. Además, la infección persiste en el insecto vector, por transmisión transovárica; en circunstancias experimentales, hasta la quinta generación.[38]

Las espiroquetas existen en el líquido coxal, la saliva y las heces de las garrapatas infectadas; los dos primeros parecen ser los más importantes respecto a la transmisión al hombre. Por ejemplo, *O. moubata,* un excelente vector, secreta copiosamente líquido coxal mientras se alimenta, haciendo así

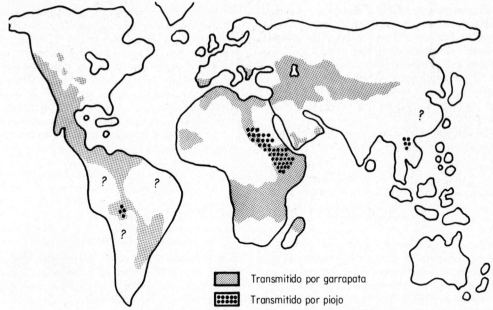

Transmitido por garrapata

Transmitido por piojo

FIG. 32-4. Distribución mundial de la fiebre recurrente.

posible la infección en el sitio de la picadura, mientras que *O. hermsi,* que no se sabe que transmita la infección al hombre, aunque sí la transmite de rata a rata, no produce líquido coxal mientras se alimenta. Tampoco está clara la importancia relativa de la introducción directa de espiroquetas en la picadura por la saliva infectada. Es probable infección ocasional de picadura con heces contaminadas.

La fiebre recurrente europea se transmite de hombre a hombre por el piojo humano del cuerpo,

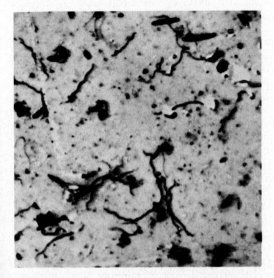

FIG. 32-5. Frotis de una angina de Vincent que muestra la asociación característica de espiroquetas (*Borrelia vincentii*) y bacilos fusiformes. Fucsina. × 1 250. (P. E. Harrison.)

Pediculus vestimenti, y tiene las características epidemiológicas de las enfermedades transmitidas por los piojos. Contrariamente a la infección transmitida por garrapatas, la picadura no se infecta con las secreciones del piojo; el piojo infectado debe ser aplastado sobre la piel, y las espiroquetas que hay en los líquidos de su cuerpo contaminan la picadura.

Los dedos pueden contaminarse por piojos infectados aplastados, y transmitir la infección por rascado. Como el piojo humano por lo general no se alimenta en más animales que primates, no está claro el origen de la fiebre recurrente epidémica que proviene de los piojos. Se cree por algunos autores que la recaída de la fiebre procedente de los piojos se conserva por el ciclo de hombre-piojo-hombre en algunas áreas, principalmente en Abisinia, Sudán, y partes vecinas de Africa; otros autores sugieren la posibilidad de un ciclo de garrapata-hombre-piojo-hombre para la propagación.[33]

La espiroquetosis de las aves de corral es transmitida por una garrapata, *Argas persicus,* que infecta estas aves en las partes más cálidas del mundo; como en la fiebre recurrente humana, la espiroqueta se transmite por el huevo de la garrapata a su descendencia.

ESPIROQUETAS DE LA BOCA

Como se describió en otra parte (capítulo 26), las espiroquetas forman parte de la flora normal de la boca que, junto con otros microorganismos, pueden aumentar cuando hay procesos ulcerosos de las mucosas y enfermedades periodónticas. Estas formas generalmente se consideran especies de treponemas:

T. *microdentium,* etc. En la estomatitis y la angina ulceromembranosa conocidas como enfermedad de Vincent, angina de Vincent, o boca de trinchera, estas formas aumentan en número, junto con bacilos fusiformes del grupo Bacteroides, y predominan en los frotis teñidos hechos en las lesiones necróticas. También hay otras bacterias, cocos y bacilos; el cuadro microscópico típico es el que presenta la figura 32-5.

La espiroqueta que se encuentra en estas preparaciones se conoce como B. *vincentii* o T. *vincentii,*

porque estos dos géneros no pueden separarse únicamente basándose en los caracteres morfológicos (véase luego). Es dudoso que este microorganismo constituya una especie particular de espiroqueta, y que tenga papel especial en el desarrollo del proceso patológico. Parece que las espiroquetas de la boca no son patógenas, en el sentido de constituir causas específicas de enfermedad; pero junto con otros microorganismos pueden actuar sinérgicamente para, en dicha forma, acentuar, si no iniciar, tales infecciones supuradas.

Treponema y treponematosis [46, 104, 110]

Las espiroquetas del género Treponema no pueden distinguirse morfológicamente de Borrelia, pero las formas patógenas se separan de las espiroquetas de la fiebre recurrente por las enfermedades que provocan. Las formas patógenas son *Treponema pallidum,* agente causal de la sífilis; T. *pertenue,* agente etiológico del pian; T. *carateum,* causa del pinto, y *Treponema cuniculi,* agente de la sífilis del conejo. T. *microdentium* y T. *macrodentium* no son patógenos y constituyen parte de la flora bucal normal, como se indicó antes, pero, junto con el bacilo fusiforme, se relacionan con enfermedades ulcerosas de la boca, y esta combinación de microorganismos también se ha encontrado en ciertos tipos de úlceras tropicales.[99]

Las especies patógenas de treponema forman un grupo de microorganismos interrelacionados, que pueden separarse por las diferencias en las enfermedades que producen. A la inversa, las infecciones con estos microorganismos, que se conocen colectivamente como treponematosis, son, al mismo tiempo, semejantes en cuanto a la reacción inmunológica, diferenciables por las características de la enfermedad clínica. Las treponematosis se clasifican en tres o cuatro grupos; la sífilis, que se divide en formas venéreas y no venéreas, el pian o sífilis tropical, y el pinto, frambesia o pian pinto. Algunos autores piensan que el modo de transmisión tiene relación con las diferencias en las enfermedades; por ejemplo, la falta de invasión cardiovascular y neurológica en las formas no venéreas.

El origen de la infección treponémica ha sido tema de apasionamiento y perenne interés.[19, 49, 58, 59, 109] Se ha supuesto que la especie actual de treponema tenía su origen en un microorganismo ancestral, ahora probablemente extinto, que se desarrolló en los monos que vivían en los árboles de Africa tropical. El hombre neolítico se infectó con este microorganismo y apareció la enfermedad, parecida o idéntica a la frambesia. Este treponema pasó por el estrecho de Bering y fue transportado con la migración de primates a las Américas, provocando frambesia o pinto en

su nueva residencia. Cuando las regiones secas se poblaron, se originó otra variante, que recuerda la sífilis no venérea. Más tarde, cuando hubo asentamientos muy grandes y se desarrollaron ciudades en las cuales los habitantes ya se ponían vestidos, el contacto corporal entre los adultos se limitó al contacto venéreo, lo que tuvo por consecuencia la adaptación del treponema a las nuevas condiciones; el resultado fue la sífilis venérea. Aunque esta hipótesis solo es teórica, parece confirmada por observaciones recientes de treponemas patógenos en monos de los bosques de Africa [37, 75] y las reacciones serológicas positivas en primates no humanos del hábitat selvático tanto en Africa [88] como en América del Sur.[34]

Una enfermedad semejante a la sífilis existía en la costa china en la antigüedad, la plaga bíblica de Moab se cree que era sífilis, y la infección sifilítica parece haber ocurrido en Europa Oriental antes del siglo XV. La sífilis venérea o morbus gallicus [57] se presentó en forma epidémica en Europa después que Colón regresó de América, y algunos creen que esta forma de treponematosis provino del hemisferio occidental. Sin embargo, está comprobado que la treponematosis existía en Oriente hace miles de años.[60] Hay argumentos que apoyan la idea de que la infección sifilítica puede persistir en forma no venérea después de epidemias de sífilis venérea. El pian escocés o *sibbens,* que se produjo durante el siglo XVII, después de los tiempos de Cromwell,[67, 79] el "radesyge" de Noruega, y el "spirocolon" de Grecia y Rusia en siglo XIX, parecen ser sífilis no venéreas, producidas en esta forma. Al mejorar las condiciones económicas y sociales, la enfermedad tiende a extinguirse (el último caso de *sibbens,* por ejemplo, se señaló hace más de cien años), pero persiste en la actualidad en el Medio Oriente, en Africa y en Europa Central, y ocurrió en forma epidémica en Chicago en 1949.

Las primeras descripciones de una enfermedad semejante al pian aparecieron en 1558, en Brasil; y la enfermedad, como se conoce en la actualidad, se identificó durante el siglo XVII en las Antillas, y durante el siglo XVIII en Brasil. Actualmente se sabe que existe en casi todas las regiones tropicales. El pinto, identificado más recientemente como treponematosis, ocurre en México, Cuba y regiones adyacentes. La etiología espiroquetósica se estableció en 1938 por investigadores cubanos, basándose en estudios anteriores de Herrejón; anteriormente se creía que era una infección micótica.

Aunque las diferencias entre estas enfermedades hacen que algunos consideren que deben tratarse como entidades diferentes, las diferencias no son mucho mayores que las que existían entre la sífilis venérea de la edad media y la sífilis actual. Muchos piensan que las semejanzas son más notables que las diferencias, y esto, junto con otras consideraciones, ha conducido al punto de vista "unitario" de las infecciones treponémicas, según el cual las diversas manifestaciones clínicas se consideran variaciones de un tema central.

Cultivo. Schereschewsky comunicó haber cultivado *T. pallidum* en 1909, pero sus cultivos parecen haber sido contaminados con otros microorganismos. Más tarde, Noguchi comunicó el crecimiento de varias cepas de treponema en cultivo puro, en condiciones estrictamente anaerobias, en un medio de suero con agua que contenía un fragmento de riñón o testículo frescos estériles de conejo. Se han aislado en forma semejante muchas cepas de espiroquetas, que pueden crecer en caldo de corazón con glucosa, cisteína y filtrado de plasma coagulado. Las más conocidas son las cepas Reiter, Nichols, Kroo y Kazan. En otros casos, las espiroquetas pueden sobrevivir largo tiempo,[107] pero en realidad no se cultivan. La cepa Reiter, aunque útil en estudios serológicos, originalmente era virulenta para el conejo, cuando se aisló por Wassermann y Ficker en 1922; después se hizo completamente avirulenta, pero parece haber conservado su antigenicidad.[106] La cepa Nichols ha conservado su virulencia, para el conejo y para el hombre, como lo demostró la inoculación de volutarios humanos.[69] En este estudio, 57 espiroquetas infectaron a la mitad de los individuos no sifilíticos, y la DI₅₀ para el conejo era de 23 espiroquetas.

Los treponemas son microorganismos extremadamente frágiles, que mueren rápidamente fuera del cuerpo. Son destruidos por el agua y el jabón y por la desecación, y son extremadamente sensibles al calor; las suspensiones de testículo de conejo infectado se esterilizan a 41.5°C en una hora, y en dos horas a 41°C; pero las cepas cultivables pueden conservarse viables en los medios de cultivo a 37°C hasta por un año. La viabilidad de *T. pallidum* tiene interés en relación con la posibilidad de transmitir la sífilis empleando sangre infectada. Aunque ocasionalmente se ha producido la transmisión en esta forma, el peligro no es grande con la sangre de bancos, donde la espiroqueta muere en tres o cuatro días a la temperatura del refrigerador, y muy rápidamente en el plasma liofilizado.

Patogenicidad para los animales. La sífilis puede transmitirse a los antropoides, como chimpancé y gibón, y, en forma menos segura, a los monos, según demostraron Metchnikoff y Roux en 1903. La escarificación de los genitales o de los párpados produce un chancro primario, seguido pocas semanas después por la aparición de lesiones de sífilis secundaria.

Los conejos pueden infectarse por inoculación en la cámara anterior del ojo. La lesión local cicatriza, pero en cuatro a seis semanas se desarrolla congestión peritoneal, seguida de pannus y queratitis, que después ceden y cicatrizan. El proceso íntegro puede tardar varias semanas en completarse. La inoculación e implantación intratesticulares producen orquitis, y la inoculación intraescrotal, un chancro primitivo, a los que siguen lesiones generalizadas características de sífilis secundaria. En los conejos muy jóvenes puede producirse una infección generalizada por inoculación intravenosa. Las espiroquetas persisten vivas indefinidamente en los linfáticos, y pueden obtenerse extirpando un ganglio poplíteo. En ratas y ratones la infección es asintomática, pero las espiroquetas se multiplican en los tejidos y la infección permanece latente. Los cobayos reaccionan en forma semejante, pero pueden desarrollar una reacción local después de la inoculación intracutánea en el pliegue perineal.

El conejo ha constituido el animal experimental de elección, y su reacción a la inoculación intradérmica ha permitido diferenciar cepas de Treponema por su patogenicidad. Un pequeño inóculo basta para infectarlo, y la multiplicación se produce en forma exponencial después de 24 a 48 horas, con producción en masa de microorganismos, y lesión visible. Con una inoculación de 500 espiroquetas, el periodo de incubación es de aproximadamente 17 días; con una inoculación de 5 000 microorganismos, de cuatro a cinco días, y el tiempo de generación se calcula en aproximadamente 30 horas.

En el periodo inicial se produce ácido hialurónico, que parece favorecer la multiplicación de los microorganismos. En el segundo periodo hay infiltración mononuclear; en el tercer periodo, aflujo de leucocitos polinucleares, y la infección puede invadir los linfáticos regionales.

Turner y Hollander [104] han descrito tres clases de reacciones en el conejo, y también en el criceto. Una de ellas, llamada reacción de tipo Sh o tipo sífilis, producida por *T. pallidum* de la sífilis venérea, consiste en una lesión indurada en el sitio de inoculación, con invasión linfática. Las cepas de *T. pertenue* procedentes de Samoa producen únicamente reacción local mínima, sin infección de los linfáticos, llamada reacción Yh. Una reacción intermedia, el tipo Mh, con intensa lesión local e infección linfática, es producida por algunas cepas de pian, y por cepas de espiroquetas aisladas de sífilis endémica o no venérea. Aunque también se ha señalado [66] que el conejo puede infectarse con

T. carateum, tal infección no coincide con estos tipos.

Inmunidad. La reacción inmunológica en las treponematosis es doble; la actividad de tipo de anticuerpo llamada reagina ha tenido una gran utilidad diagnóstica (véase luego), pues reacciona en forma característica en las pruebas de fijación de complemento y de floculación, con cardiolípidos no específicos preparados con tejidos normales, y su título es proporcional al estado de la enfermedad clínica, desapareciendo cuando se logra la curación por quimioterapia. La otra es una reacción de anticuerpos a los antígenos existentes en las espiroquetas, que se demuestra con antígenos espiroquetósicos, como la inmovilización y otros fenómenos (véase luego). Generalmente se admite que hay tres clases de antígenos en las espiroquetas: una proteína termolábil, un polisacárido termostable, y un antígeno lipoide semejante a las substancias que hay en los preparados de cardiolipina.

Sin embargo, no parece haber diferencia inmunológica muy marcada entre las espiroquetas de la sífilis venérea, la no venérea, el pian y el pinto, y todas estas enfermedades dan reacciones positivas con las mismas pruebas serodiagnósticas. Se ha señalado[27] que *T. pallidum* comparte un antígeno común, el antígeno proteínico de Reiter, con el treponema de Reiter, *T. microdentium* y *T. suelzerae;* pero utilizando las técnicas de absorción o de bloqueo y la aplicación de métodos de anticuerpo fluorescente pueden distinguirse unos de otros.

TREPONEMA PALLIDUM (SIFILIS) [96, 110]

La sífilis[61] es, con mucho, la más estudiada de las treponematosis, y se presenta, como se indicó antes, en dos formas; una es la sífilis venérea, la mejor conocida, la otra la sífilis no venérea o endémica. Las dos difieren epidemiológicamente, porque la transmisión es casi siempre sexual en el primer caso, pero en el segundo la infección se transmite tanto por contacto directo, no sexual, como indirectamente por el uso común de utensilios para comer y beber entre niños y adolescentes. En consecuencia, la lesión primaria se encuentra generalmente en los genitales en la sífilis venérea, pero se presenta en forma de placas en la mucosa bucal en la enfermedad infantil.

No se conoce con exactitud la frecuencia de la sífilis. El cálculo de que 10 por 100 de los adultos de Estados Unidos de Norteamérica darían pruebas de Wassermann positivas, probablemente sea bastante aproximado. También se calcula que entre 1 y 2 por 100 de los niños de ese país tienen sífilis congénita. Tampoco se conoce la mortalidad por sífilis. El coeficiente de mortalidad de 13 a 14 por 100 000 es engañoso, porque frecuentemente se deben a la sífilis defunciones que se comunican como debidas a otras causas; todos los casos de pará-

lisis general, ataxia locomotriz, y muchos de apoplejía y aneurisma aórtico, por ejemplo, son debidos a la infección sifilítica, y la enfermedad constituye una causa coadyuvante en muchas defunciones por otras enfermedades. Los estudios sobre frecuencia de la sífilis en autopsias de adultos dan cifras de 2.6 a 29.5 por 100. En 146 761 autopsias realizadas de 1896 a 1938, el promedio encontrado fue de 5.45 por 100. En Estados Unidos de Norteamérica, la frecuencia es mucho mayor en las personas de raza negra que en los blancos; las pruebas realizadas en los primeros dos millones de conscriptos del servicio militar mostraron 2 por 100 en los blancos y 22 por 100 en los negros. Hay una variación considerable en esa proporción según las partes del país.

El número de casos comunicados disminuyó en Estados Unidos de Norteamérica hasta 1955, permaneció estacionario hasta 1958, y ha aumentado a partir de esa fecha, de 113 894 en ese año, hasta un máximo de 126 245 en 1962; desde entonces ha disminuido hasta 91 382 en 1970. Tales datos son relativos, pues muchos casos de sífilis no se declaran.

Se calcula que el reservorio de sífilis no tratada es 1 200 000, y que el aumento anual es de aproximadamente 60 000. Generalmente hay unos 33 000 paralíticos en los manicomios.[12]

La enfermedad en el hombre. La sífilis del hombre es una enfermedad de manifestaciones proteicas, pero que pasa por periodos clínicos relativamente bien definidos. La sífilis congénita se considera una subdivisión aparte.

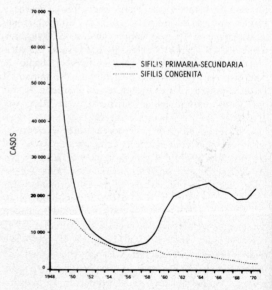

FIG. 32-6. Frecuencia de la sífilis en Estados Unidos de Norteamérica, según los casos civiles declarados durante el periodo de 1948-1970. (Morbidity and Mortality Weekly Report, Annual Supplement, Vol. 19, 1970. Center for Disease Control, U. S. Public Health Service.)

Etapa primaria. Después de penetrar en la piel o en las mucosas *T. pallidum* penetra en los tejidos. La lesión inicial primaria, que clínicamente es una úlcera, aparece entre los 10 y los 30 días que siguen a la infección. Llamada frecuentemente chancro de Hunter, por el autor que la describió primero, también se llama chancro duro. Es indolente, tiene un fondo duro, y es solitario si no se ha producido invasión por treponemas al mismo tiempo en otra localización. Los treponemas pueden demostrarse en el "suero" exprimido del chancro.

Se ha comprobado que *T. pallidum* aparece en los ganglios linfáticos del conejo 30 minutos después de la inoculación en ˙el escroto; se produce también una difusión igualmente rápida en el hombre. Por lo tanto, la etapa primaria quizá parezca una infección localizada, pero *T. pallidum* entonces ya ha progresado en otros órganos, siguiendo los linfáticos y la sangre.

Etapa secundaria. La naturaleza generalizada de la infección sifilítica se manifiesta durante esta fase, que aparece de cuatro a ocho semanas después de la lesión primaria, pero puede retrasarse hasta un año o más, sobre todo en pacientes insuficientemente tratados. Las lesiones cutáneas son de duración y aspecto variables; se presentan lesiones de huesos, articulaciones y ojos; agrandamiento de ganglios linfáticos y otros fenómenos. Los treponemas existen no solo en gran número en las lesiones y las mucosas, sino también en la sangre, donde son difíciles de demostrar.

Etapa terciaria. Esta etapa puede durar varios años; aparecen úlceras cutáneas y lesiones gomosas de las vísceras. Su localización y su extensión establecen la sintomatología clínica, que puede ser poco clara. Hay treponemas en lesiones terciarias,

FIG. 32-7. *Treponema pallidum* en un frotis coloreado (impregnación argéntica). × 3 000 (Kral).

pero solo se han demostrado en pequeño número con métodos de impregnación de plata.

Neurosífilis. Puede desarrollarse durante la tercera, o incluso durante la segunda etapa; sin embargo, en la mayor parte de casos la neurosífilis es manifestación de la sífilis terciaria tardía, y en un tiempo se denominó cuaternaria o enfermedad parasifilítica. Las formas clínicas más frecuentes son la tabes dorsal y la parálisis general. Pueden descubrirse treponemas en el sistema nervioso central.

Sífilis latente.[23] En ocasiones, la lesión primaria no se observa, o se diagnostica equivocadamente; además, pueden pasar inadvertidas las etapas primaria y secundaria. En otros casos el periodo de latencia aparece después de síntomas extraordinariamente intensos primarios y secundarios, que pueden manifestarse más tarde. Estos fenómenos quizá puedan considerarse resultado de un equilibrio biológico sostenido o temporal entre huésped y parásito.

Sífilis congénita. El feto es infectado rápidamente in utero por treponemas a través de la placenta, que alcanzan una etapa de desarrollo en el quinto mes del embarazo en que estos microorganismos pueden transmitirse a través de ella hacia el feto. La sífilis puede causar supresión del desarrollo del feto, nacimiento prematuro de un feto muerto, o puede seguir el embarazo hasta término. La muerte perinatal por sífilis no es rara. Si la criatura sobrevive, puede tener o no tener sífilis manifiesta. La sífilis congénita tardía con manifestaciones, que aparecen hasta 10 a 20 años de edad, no es rara. Sin embargo, en muchos casos el niño nace con sífilis generalizada y lesiones características de la etapa terciaria. En tales casos hay muchos treponemas en los órganos afectados. Se ha señalado una tercera generación de sífilis congénita, pero ello es muy raro.[85]

Inmunidad.[1b, 108] En la actualidad la sífilis humana no es una enfermedad tan grave como era en el siglo XVI. No se sabe si esto constituye expresión de una reacción adaptativa por el hombre, con desarrollo de inmunidad natural de baja intensidad, o una reacción semejante por parte del parásito, que se manifieste por disminución de su virulencia. Es posible que ambas puedan ocurrir.

La reacción inmunológica específica a la infección sifilítica no se ha explicado íntegramente. Hay una falta notoria de susceptibilidad a la infección, que se ilustra por el hecho de que, por reinfección, puede producirse un segundo chancro, antes de que aparezca el primero, pero cuando este ya ha aparecido, la nueva reinfección no produce lesión inicial. Comúnmente se afirma que el hombre, una vez infectado, se hace refractario a la infección, y que la reinfección solo se produce muy raras veces. En otras palabras, hay una inmunidad de infección, o inmunidad a la superinfección, que superficialmente parece semejante a la que se observa en la tuberculosis. Esto parece confirmarse por los estudios de inoculación en voluntarios humanos,[69] a los que nos referimos con anterioridad, en los cuales 100 000 espiroquetas no pudieron infectar individuos que tenían sífilis latente no tratada, ni diez de 26 personas que habían sido tratadas por sífilis latente comprobada o sospechada, mientras que para individuos no sifilíticos la DI_{50} fue de 57 espiroquetas.

Especialmente en las fases tardías de la enfermedad se desarrolla cierto grado de inmunidad. Puede demostrarse un anticuerpo protector; en el conejo, la inmunidad parcial producida por la infección, y la curación de esta con la penicilina después de intervalos variables, inhibe hasta cierto punto la diseminación de la infección subsecuente a una nueva inoculación. Además, las espiroquetas son inmovilizadas y destruidas por el suero sifilítico en presencia de complemento. El papel de antígenos proteínicos, lípidos y polisacáridos en la inmunidad y en las pruebas serológicas todavía no está muy aclarado. Sin embargo parece que anticuerpos que pertenecen a las diversas clases de inmunoglobulinas se desarrollan en el curso de la enfermedad, y su calidad y su cantidad pueden influir en el resultado de las pruebas serológicas.[8, 29] Se ha ideado una prueba de inmovilización in vitro para demostrar esta actividad (véase luego), pero no se sabe hasta qué punto se asocie con una inmunidad efectiva.

Diagnóstico serológico.[52, 92, 95] Como se indicó antes, la reacción inmunológica es de dos clases: la aparición del anticuerpo de Wassermann, o reagina, y la de anticuerpo para las substancias antigénicas que existen en la espiroqueta. El primero se ha utilizado ampliamente con fines diagnósticos; el último es inmunológicamente específico, pero su demostración hasta la actualidad es demasiado compleja para que pueda lograr aplicación general.

Wassermann y colaboradores, en 1906, propusieron una reacción de fijación del complemento, como reacción inmunológicamente específica, utilizando un extracto acuoso de feto sifilítico como antígeno. Sin embargo, pronto se comprobó que los sueros sifilíticos fijan el complemento en presencia de un extracto de tejido normal.

Poco después de haberse desarrollado la prueba de Wassermann, se observó que los sueros sifilíticos producen floculación cuando se mezclan con el antígeno de Wassermann. La substancia reactiva que existe en las preparaciones del antígeno se encuentra en diversos tejidos, pero los extractos de músculo cardiaco (de bovino) son los más ricos. Es soluble en alcohol e insoluble en acetona, y su actividad aumenta considerablemente por adición de colesterol. La actividad de estos extractos es debida a un fosfolípido, la cardiolipina, que se precipita del extracto alcohólico inicial con cloruro de cadmio, se libera de la lecitina, y se fracciona por precipitación del éter con acetona y alcohol. La actividad anticomplementaria de la preparación se suprime añadiendo lecitina, y el complemento solo se fija cuando se agrega colesterol. El papel de la lecitina no resulta claro; puede ser que funcione únicamente como emulsionante. Parece necesaria la estructura completa de la lecitina, que puede substituirse con dimiristoil-lecitina. Según Pangborn, quien describió esta substancia en 1941, es un ácido fosfatídico complejo. Se ha preparado un producto semejante, de origen vegetal (germen de trigo), la sitolipina. La actividad parece ser una propiedad de substancias semejantes, que varían en sus ácidos grasos. Se ha comprobado que contienen ácidos láurico y linoleico, junto con un tercer componente.

Tipos de pruebas. Probablemente ninguna reacción serológica ha sido tan intensamente estudiada como las reacciones de fijación del complemento y de precipitación para la sífilis, y las técnicas se han modificado y refinado por muchos investigadores para aumentar la sensibilidad y la especificidad. En la actualidad se utilizan dos pruebas de fijación del complemento: la de Kolmer y la del "Venereal Disease Research Laboratory", o prueba VDRL, y cuatro pruebas de precipitación: las de Kahn, Kline, Hinton y Eagle. Además, se han ideado pruebas de precipitación más sensibles por Kahn y Kline, que se conocen como Kahn de presunción y Kline de exclusión. Estas pueden dar reacciones positivas falsas, pero algunos trabajadores las consideran de gran utilidad como pruebas de selección previa. Con este fin se utiliza también una prueba de reagina sérica rápida no calentada (unheated serum reagin, USR).

La prueba de fijación del complemento también puede ser cuantitativa; puede titularse la reagina existente en el suero sifilítico. Para el diagnóstico ordinario esto no interesa, puesto que no se sabe si el título de reagina tiene importancia, pero es útil para seguir el tratamiento, y en el diagnóstico de la sífilis congénita del lactante. En este último caso, la reagina se transmite pasivamente desde la circulación materna. Si el niño no está infectado, el título de reagina, por lo tanto, disminuye lentamente; si aumenta progresivamente, entonces indica infección.

Pruebas específicas. Cualquier prueba serológica que utilice antígeno de espiroquetas, y que, en consecuencia, tenga especificidad inmunológica en el sentido corriente del término, debe ser mucho más precisa. Puede prepararse un antígeno de *T. pallidum* haciendo un extracto de tejido testicular de conejo infectado, con citrato, acetona y desoxicolato, para usar en la prueba de fijación del complemento con *T. pallidum,* o prueba TPCF. El antígeno puede obtenerse también por centrifugación diferencial de *T. pallidum* de tejido infectado de conejo, criólisis y precipitación con sulfato de amonio, para dar la prueba de fijación del complemento por criólisis de *T. pallidum.* La cepa Reiter cultivable contiene antígenos comunes con *T. pallidum,* como puede demostrarse por pruebas de absorción, y puede también utilizarse como fuente de antígeno en la fijación de complemento con proteína de fijación de complemento de Kolmer-Reiter o prueba KRP.[42]

Se ha desarrollado una prueba de fijación del treponema (TPI), en la cual las espiroquetas vivas, móviles, se inmovilizan específicamente en presencia de anticuerpo, complemento y tioglicolato (este último para conservar condiciones anaerobias). Se ha experimentado y criticado ampliamente y se ha comprobado que es altamente específica. Tal como se efectuaba originalmente, necesitaba 18 horas, pero se ha comprobado que la adición de lisozima de clara de huevo disminuye el tiempo necesario a seis horas.[73] La técnica de anticuerpo fluorescente también se ha aplicado al serodiagnóstico de la sífilis, utilizando tanto los métodos directos como indirectos [26, 28] para dar prueba de un anticuerpo treponémico fluorescente, o prueba FTA. Esta prueba es muy sensible, y guarda buena correlación con otros métodos serológicos.

Esta amplia variedad de pruebas serodiagnósticas expresa una ininterrumpida investigación en busca de una prueba que brinde seguridad absoluta, pero es posible que ninguna prueba aislada sea suficiente si se tienen en cuenta las complicaciones del tratamiento, las reacciones biológicas positivas y negativas falsas, etc. Pueden necesitarse algunas combinaciones de pruebas, según indiquen las circunstancias (véase luego); una de estas combinaciones que se han sugerido [16] es la de la prueba VDRL en lámina, la RPCF y la TPI.

Efecto del tratamiento. Al cabo de cierto tiempo, la mayoría de las personas que se someten a tratamiento dan negativas las pruebas de la cardiolipina, y esta respuesta se toma generalmente como índice de la eficacia de la terapéutica. El tiempo necesario para alcanzar este resultado negativo es variable; depende del individuo, el periodo de la enfermedad, la manera de conducir el tratamiento, especialmente si fue continuo o intermitente, y la sensibilidad de la prueba serológica utilizada. En consecuencia, no cabe una afirmación general de cierta precisión, pero generalmente se considera que la mayoría de las personas con sífilis primaria o secundaria se hacen negativas después de una o dos series de tratamiento arsenical, o continuo por cinco a siete semanas. Sin embargo, algunas se hacen negativas con solo una o dos inyecciones, mientras que otras pueden persistir positivas durante meses, y algunas quedan positivas indefinidamente. A estos últimos casos se les llama de sífilis Wassermann-resistente, reagina-resistente o serorresistente. Hay poco más de 10 por 100 de las infecciones que caen en este grupo. Generalmente se dan dos explicaciones para la sífilis serorresistente: una, que quedan focos persistentes de la infección; la otra, que la existencia persistente de reagina indica reacción inmunológica definida.

Especificidad y reacciones falsas. Las reacciones negativas falsas en parte son debidas a defectos técnicos: las pruebas serológicas, en general, suelen dar 80 a 90 por 100 de reacciones positivas con sueros positivos, y cualquier prueba que da más de 80 por 100 de resultados positivos se considera satisfactoria. La existencia de una cantidad insuficiente de reagina explica muchas reacciones negativas falsas, y se presenta en diversos periodos de la enfermedad, especialmente en la sífilis primaria inicial (la reacción positiva no suele desarrollarse hasta dos o tres semanas después de la infección), y en la sífilis tardía, cuando es latente o localizada. Los problemas particulares los plantean la neurosífilis [31] y la sífilis ocular [41] cuando son frecuentes las pruebas serológicas negativas a pesar de la presencia de treponemas en los órganos infectados. El examen químico y citológico del líquido cefalorraquídeo también puede dar resultados negativos; [30] solo puede descubrirse un aumento relativo de inmunoglobulina de clase 7 S.[76] Las reacciones negativas también pueden ser resultado de la existencia de anticuerpos para el antígeno de Forssman en el suero analizado, adquiridos, por ejemplo, por una infección anterior con microorganismos que contienen el antígeno, como ciertas cepas de neumococos. Si hay tal anticuerpo en título razonablemente elevado, los hematíes de carnero del sistema indicador son lisados en presencia del complemento. Esto puede evitarse haciendo la absorción preliminar del suero con hematíes de carnero.

Las reacciones positivas falsas pueden resultar de un error técnico, o pueden ser de naturaleza biológica. Cierta proporción de individuos no sifilíticos, que sufren otras infecciones, dan pruebas serológicas positivas para la sífilis. Todos los enfermos de pian dan pruebas de Wassermann positivas, y se ha señalado que 4 a 10 por 100 de los palúdicos dan reacciones positivas. Las brucelosis también han dado reacciones positivas falsas. Enfermedades febriles de diversos tipos producen reacciones positivas aisladas o repetidas. Se cree que muchas reacciones positivas biológicamente falsas a las pruebas de cardiolipina se asocian con enfermedades de la colágena.[62]

Las reacciones falsamente positivas se presentan menos frecuentemente con las pruebas específicas que utilizan antígenos treponémicos; la mayor utilidad de estas es su aplicación a los casos en que las pruebas de precipitación en placa, que se realizan más fácilmente, y otras reacciones no específicas, dan resultados equívocos.[36] Las reacciones treponémicas también son susceptibles de errores, pero estas son de carácter técnico.[86]

La naturaleza de la reacción a la infección por la espiroqueta que provoca la reacción de la reagina no resulta clara. Su falta de especificidad inmunológica parece excluir el tipo usual de respuesta en anticuerpos; pero si se considera un anticuerpo, su fácil desaparición durante el tratamiento, más que la sífilis serorresistente, es lo que necesita explicación. Es posible que la reagina represente un iso-anticuerpo que solo puede revelarse porque se produce más rápidamente de la que se utiliza, por unión con el antígeno.

Quimioterapia. La quimioterapia de la sífilis, como la tuberculosis, ha despertado gran interés durante muchos años. De los medicamentos quimioterápicos disponibles actualmente, las sulfamidas son ineficaces, pero se ha comprobado que la penicilina es muy eficaz. Por ejemplo, en las series de investigación del Servicio de Sanidad Pública de Estados Unidos de Norteamérica, 1 538 enfermos tratados con diversos planes fueron observados durante dos años. En este grupo, 92.3 por 100 de los que tenían sífilis primaria seronegativa, 82.4 por 100 de los que tenían sífilis primaria con serología positiva, y 78.3 por 100 de los que tenían sífilis secundaria, resultaron curados. La eficacia relativa del tratamiento con penicilina y de los adyuvantes utilizados depende del periodo y la naturaleza de la enfermedad.

Los antibióticos de amplio espectro, el cloramfenicol y las tetraciclinas, parecen ser casi tan eficaces como la penicilina para quimioterapia de la sífilis. Hasta hoy, solo un número relativamente pequeño ha sido tratado con ellos y su valor definitivo solo podrá determinarse por estudios realizados en gran número de enfermos durante muchos años. Aunque hasta el momento de frecuencia de las espiroquetas penicilinorresistentes no ha adquirido importancia práctica, la existencia ocasional de cepas resistentes a la penicilina, junto con la sensibilidad individual a este medicamento, indican la utilidad de quimioterápicos capaces de substituirla.

Sífilis no venérea

La sífilis no venérea o endémica se presenta en muchas partes del mundo, en focos donde recibe diversas denominaciones. Esto es lo que ocurre entre los árabes del desierto en el Medio Oriente, donde se le llama bejel; [56] en los pueblos de Karanga en el sur de Rhodesia, donde se conoce como njovera; entre los bantús de Bechuanaland [72] es llamada dichuchwa, y siti en Gambia. Se encuentra también con cierta frecuencia en el sureste de Asia y en Europa Oriental, especialmente en Bosnia, en Yugoslavia.[44] En esta última región, antes del tratamiento en masa emprendido bajo los auspicios de la Organización Mundial de la Salud, la enfermedad afectaba hasta 5 por 100 de la población.

Este padecimiento constituye una entidad más bien epidemiológica que clínica, que se presenta, como indicamos antes, principalmente en niños y dentro de las familias. Parece haber poco motivo, o ninguno, para separar las enfermedades que se presentan en focos muy distantes una de otra, y de la sífilis venérea. Las diferencias clínicas entre la sífilis venérea o no venérea, o sea la relativa rareza

de las lesiones primarias y de las manifestaciones congénitas en la última, parece ser consecuencia del modo de transmisión y de la distribución por edades de la enfermedad, más que de diferencias en la patogenicidad de microorganismo causal.

Las primeras manifestaciones de la infección generalmente son placas mucosas en la boca, y lesiones cutáneas, que incluyen condilomas anogenitales. Estas lesiones demuestran espiroquetas por examen en campo obscuro, igual que las lesiones que se encuentran en los pezones de las madres infectadas por los niños. En la mayor parte de los individuos hay un periodo de latencia después de los periodos iniciales, con desarrollo subsecuente de lesiones tegumentarias, y destrucción gomosa del esqueleto, que es imposible de diferenciar de la provocada por la sífilis venérea. El microorganismo causal es *T. pallidum*, y la enfermedad se trata eficazmente con penicilina de acción prolongada.

TREPONEMA PERTENUE
(Pian o frambesia) [47, 81, 94]

El pian, o frambesia tropical, es una enfermedad que se presenta en los países tropicales, común en el Africa Ecuatorial y las regiones tropicales del Lejano Oriente (aunque rara en la India), las Antillas y América Tropical. La frecuencia puede ser alta, 5 a 20 por 100, y la enfermedad constituye un problema fundamental de sanidad pública en Haití. Su frecuencia es mayor en las áreas rurales que en las urbanas, y se asocia con una baja situación económica; por ejemplo, el uso de vestidos parece tener acción protectora. La infección primaria es más común en niños que en adultos. El agente causal es *T. pertenue,* descrito por Castellani en 1905.

La espiroqueta se encuentra en el exudado seroso de las lesiones cutáneas y en los linfáticos. Puede demostrarse en frotis teñidos con Giemsa, o por examen en campo obscuro de preparaciones frescas, y es imposible distinguirlo morfológicamente de *T. pallidum.*

La enfermedad del hombre se caracteriza por una erupción papulosa. La localización más común de infección, tal vez en 75 por 100 de los casos, es la porción inferior de pierna y piel. La aparición de la lesión inicial, que prácticamente siempre es extragenital, y tiene la forma de una pápula aislada o un grupo de ellas, va precedida por cierto malestar general. La pápula aumenta hasta un diámetro de 3 a 4 mm, la epidermis engrosada se agrieta, y la masa fungoide que se encuentra debajo exuda líquido seropurulento. Las masas aumentan hasta 3 ó 5 cm de diámetro y la lesión se llama tubérculo de la frambesia. Cuando la infección se presenta en la planta de los pies, ocurre la lesión conocida en inglés como "crab yaws". Finalmente se seca, dejando solo una cicatriz. Seis semanas a

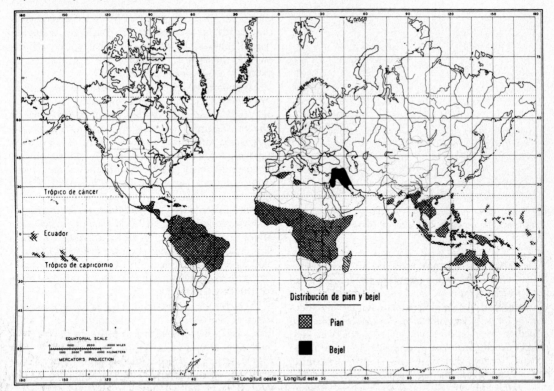

FIG. 32-8 Distribución mundial del pian y el bejel. Reproducido de un mapa preparado por el Servicio de Información Médica del Ejército de Estados Unidos de Norteamérica, basado en el Goode *Base Map*. Núm. 201 M. Con autorización de University of Chicago Press.

tres meses después de aparecer la lesión primaria se produce una erupción secundaria, igualmente precedida por malestar general. Las lesiones tienen el mismo carácter que la lesión primaria, aparecen en las extremidades, cuello y unión de piel, y mucosas en nariz, boca y ano. Las lesiones terciarias, equivalentes a la de la sífilis, se consideran raras, pero las investigaciones recientes sugieren que pueden ser más comunes de lo que se creía. La reacción de Wassermann es positiva, y en ciertos periodos, como en la erupción secundaria, el diagnóstico diferencial puede ser muy difícil.[50]

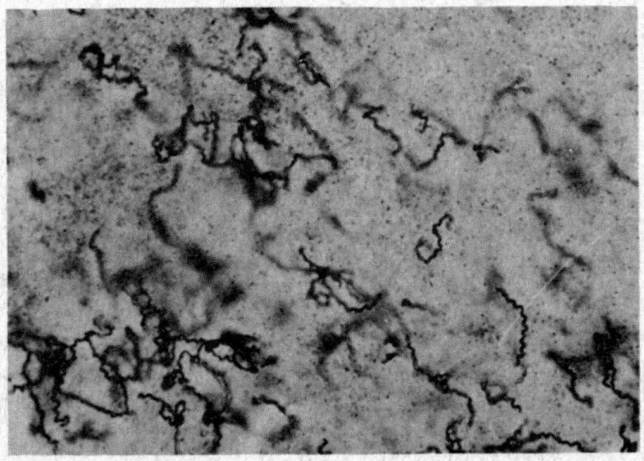

El pian puede inocularse a monos y conejos. La La infección del conejo con *T. pertenue* es semejante a la producida por *T. pallidum*, pero se encuentran relativamente pocas espiroquetas en las lesiones, su multiplicación se detiene pronto, y la reacción inflamatoria es ligera.

La enfermedad raras veces es venérea, y el modo de transmisión más común es el contacto entre individuos.[48] Traumatismos de la piel frecuentemente preceden a la infección, y es dudoso que la espiroqueta sea capaz de penetrar a través de la piel intacta. Las moscas picadoras también pueden transmitir la enfermedad; en Jamaica, la pequeña mosca, *Hippelates pallipes,* se alimenta en gran número sobre el exudado seroso. La espiroqueta sobrevive algunas horas en el divertículo de la mosca, y tal vez sea regurgitada cuando la mosca se alimenta sobre una excoriación de la piel.

El pian puede tratarse con éxito con la penicilina, y hay razones para pensar que el cloramfenicol y las tetraciclinas también pueden ser eficaces. Generalmente, el cambio a una reacción serológica negativa no es tan rápido como en la sífilis, tal vez porque la enfermedad suele ser de mayor duración.

FIG. 32-9. *Treponema pertenue* en una pieza de biopsia. Tinción por impregnación argéntica de Krajian-Erskine.

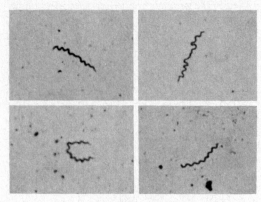

FIG. 32-10. Formas diversas de *Treponema carateum*. Tinción de impregnación argéntica de Krajian-Erskine.

Las relaciones del pian con la sífilis son muy íntimas. Las diferencias consisten en que el pian no se transmite por vía venérea, el tubérculo de la frambesia es diferente del chancro hunteriano indurado, y las lesiones viscerales y terciarias son poco frecuentes. Muchos consideran el pian como un tipo tropical de sífilis, no necesariamente diferente desde el punto de vista cualitativo de la sífilis endémica, pero que se aparta de ella como resultado de factores ambientales.[45] Hay algunas pruebas de que existe inmunidad cruzada entre la sífilis y el pian, en el sentido de que ambas enfermedades tienden a excluirse mutuamente, pero no se ha logrado una prueba irrefutable.

TREPONEMA CARATEUM
(Pinto) [18, 43, 70]

El pinto o pinta, llamado en México mal del pinto y en Colombia carate, clínicamente es una enfermedad de la piel en la cual se producen alteraciones discrómicas en placas, que pueden ser aisladas y pequeñas, o amplias y confluentes, de color gris, gris azulado o rosado, finalmente blanco. Es particularmente frecuente en México, donde 11 por 100 de más de dos millones de personas examinadas sufrían la enfermedad; y en Colombia, donde en ciertos distritos se encuentra afectada hasta 4 por 100 de la población. También existe en Cuba, las Antillas, América Central y parte tropical de América del Sur. También se ha observado en Puerto Rico.[17] Hay duda sobre si las enfermedades de México y de Cuba son la misma.[105] Parece estar limitado al hemisferio Occidental, pero se han comunicado casos en India.[39]

Etiología. La etiología de esta enfermedad permaneció incierta durante muchos años, aunque generalmente se aceptaba que era una infección micótica. Herrejon sugirió, en 1927, que era provocada por una espiroqueta, pero hasta 1938 no se demostró por primera vez, por Armenteros y Triana,

en Cuba. Esta observación ha sido ampliamente confirmada, y actualmente se considera establecido que el pinto es provocado por una espiroqueta que ha sido llamada *T. herrejoni* por los autores cubanos, y *T. carateum* por Brumpt.

La espiroqueta puede encontrarse en los materiales tomados de las lesiones cutáneas iniciales, y del líquido aspirado de los ganglios linfáticos. Se tiñe con Giemsa y con los métodos usuales de impregnación argéntica utilizados para *T. pallidum*, y puede encontrarse por examen en campo obscuro de material fresco. Morfológicamente es muy semejante a la espiroqueta de la sífilis, de la que tal vez sea imposible de distinguir. Aunque no da reacción cruzada con *T. pallidum* en la prueba de inmovilización, las características de la reacción serológica de Kahn son idénticas a las de la sífilis. Los ensayos para cultivarlo han fracasado, pero se han infectado chimpancés.[65] La enfermedad experimental en voluntarios humanos ha sido estudiada con mucho detalle.[77]

La enfermedad humana. En la infección experimental, el periodo de incubación es de 7 a 20 días, y la lesión inicial está constituida por una pápula que aparece a nivel de la inoculación. Esta pápula progresa periféricamente para formar, a las cuatro o cinco semanas, una placa eritematosa escamosa, de 1 cm de diámetro. Sigue progresando, y su aspecto varía considerablemente, pudiendo hacerse liquenoide o psoriasiforme. Hay menos reacción inflamatoria que en la sífilis o el pian.[53] Leon considera esta lesión como el periodo primario. Unos cinco meses después se inicia el periodo secundario, con la aparición de lesiones secundarias alrededor de las iniciales, en cualquier parte del cuerpo. Se produce hiperpigmentación y despigmentación, que dan como resultado diversos matices, durante el periodo terciario. Aparecen también queratosis y atrofodermia. La hiperqueratosis de las superficies plantares se observa en Cuba, rara vez en México. La reacción de Wassermann casi siempre es negativa en periodo primario, positiva en poco más de la mitad de los casos durante el periodo secundario, y prácticamente siempre en periodo terciario. Por lo tanto, la superinfección se produce fácilmente en el primer periodo, pero no en el terciario. Los sifilíticos pueden infectarse sin dificultad. El pinto puede tratarse con éxito empleando penicilina.

Transmisión.[91] Las infecciones experimentales humanas han demostrado que el líquido seroso de las lesiones iniciales es muy infeccioso cuando se deposita sobre una superficie erosionada de piel, y la espiroqueta puede demostrarse en los líquidos que fluyen de las fisuras de la hiperqueratosis plantar. La infección por contacto parece posible, pero la opinión general es que no constituye un método importante de diseminación. Se ha sospechado que algunos simúlidos transmiten la enfermedad, pero todavía no se ha demostrado un insecto vector.

Leptospiras y leptospirosis [5, 6, 97, 101]

La leptospirosis, o infección con leptospira, es enfermedad no muy rara, que se encuentra ampliamente distribuida. Hay varias especies de leptospiras, y las infecciones que provocan difieren un tanto en sus manifestaciones clínicas.

Morfología. Las leptospiras difieren de Treponema y Borrelia en que sus espirales son muy finas y cerradas, una o ambas extremidades de la célula pueden estar incurvadas, y cada célula es pequeña, de no más de 0.3 μ de ancho y generalmente 6 a 10 μ de largo, aunque excepcionalmente pueden observarse formas hasta de 25 a 30 μ. El protoplasma se encuentra arrollado en espiral alrededor de un filamento axial delicado pero firme, elástico y liso, rodeado por una pared celular bien definida, que la micrografía electrónica muestra claramente.[84, 90] Como los más finos flagelos de las bacterias, el filamento axial no se observa en campo obscuro ni en preparaciones teñidas por los métodos ordinarios, pero puede demostrarse por impregnación argéntica. El periplasto es grueso y casi transparente, y aparece en el campo obscuro como una zona o halo claro, estrecho, y en ciertas preparaciones teñidas, como un halo grisáceo o no teñido. El mecanismo de locomoción es más complejo que el de los treponemas: las extremidades encorvadas del filamento axial probablemente participan en él, y cuando el ligamento axial arqueado se estira y relaja por contracciones rítmicas, las espirales protoplásmicas de la célula giran. Su delgadez y motilidad activa permiten la penetración de filtros como el Berkefeld V y de bujías N; la filtración se utiliza mucho para aislamiento primario de materiales contaminados para separarlos de otras bacterias.

Cultivo.[63, 103] Las leptospiras son las espiroquetas que se cultivan más fácilmente. Pueden crecer en un medio líquido compuesto de 1 por 100 de peptona en solución de Ringer amortiguada con fosfato, a la cual se añade suero estéril de conejo hasta dilución final de 1 a 40, o en un medio semisólido compuesto de agar con extracto de carne, enriquecido con suero estéril. Para obtener leptospira de la sangre hay que tomar 0.03 ml de sangre para 15 ml de medio incubado cuando menos 28 días. La sangre probablemente cubra las necesidades de hierro. Uno de los medios líquidos preparados mejores para leptospiras es el de Cox,[21] a base de caldo con 0.2 por 100 de triptosa-fosfato enriquecido con suero normal de conejo al 10 por 100. Algunas cepas se han hecho crecer en medios químicamente definidos.[89] Para aislar leptospiras del agua se debe añadir gelosa y sangre a los filtrados de bujías Berkefeld V y N. Todas las leptospiras son aerobias estrictas. La temperatura óptima para cultivo es de 30°C, pero algunas cepas, aunque

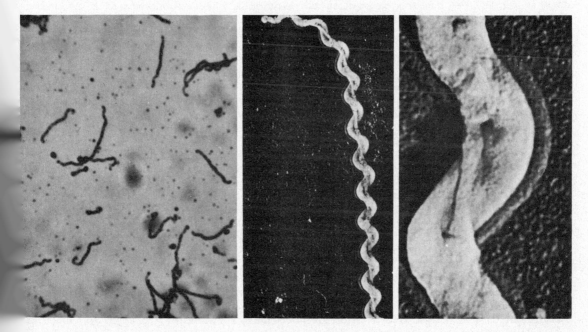

FIG. 32-11. Morfología de una leptospira. *Izquierda,* frotis teñido en la forma usual de *Lept. pomona. Centro y derecha,* micrografías electrónicas de preparaciones de *Lept. icterohemorrhagiae* sombreada con cromio. *Centro,* $\times$ 12 500; *Derecha,* $\times$ 125 000. (Simpson and White.[90])

transmisibles de un animal a otro, no son fáciles de cultivar. Las estudiadas no fermentan azúcares, y son indiferentes a la presencia de carbohidratos en el medio. Diversas propiedades de cultivo permiten el diagnóstico diferencial de la mayor parte de cepas patógenas y no patógenas (ver luego). Las primeras suelen ser hemolíticas, oxidasapositivas, no inhibidas por 5-fluorouracilo y 8-azoguanina. Los dos grupos también difieren por sus necesidades nutritivas, su susceptibilidad para sulfato de cobre, y su capacidad de crecer en aire y en CO_2, y en presencia de colorantes de anilina.

Las colonias de leptospiras en medios sólidos han sido descritas por Cox y Larson [22] en suero de conejo normal con triptosa-fosfato, enriquecido con hemoglobina de conejo y solidificado con gelosa al 1 por 100. Se observaron dos tipos de colonias: una pequeña, opaca, y otra mayor, translúcida, de 1 a 4 mm de diámetro.

Los cultivos se conservan en medio líquido o de agar blando, que puede cubrirse con una capa delgada de aceite de parafina para retardar la evaporación. Se incuban a 28° a 30°C durante una a dos semanas, en las que el crecimiento de leptospiras aparece como una banda turbia, de pocos milímetros, por debajo de la superficie. Estos cultivos se conservan viables cinco a seis meses cuando se almacenan a la temperatura ambiente, y deben sembrarse inoculando 0.5 ml cada tres a cuatro meses. Para las pruebas serológicas, los cultivos deben ser jóvenes, de una a tres semanas.

Estructura antigénica.[83, 102] Las leptospiras constituyen excelentes antígenos, y tanto en el hombre como en los animales inferiores se producen en títulos altos, y persisten anticuerpos aglutinantes, líticos y fijadores del complemento que permiten el diagnóstico de una infección anterior. Las diversas especies o tipos de leptospiras pueden diferenciarse y caracterizarse según datos inmunológicos, se han establecido serotipos, agregándose de cuando en cuando otros nuevos.

A estos serotipos se les han dado nombres de lugares, o descriptivos, que parecen implicar que constituyen especies diferentes, pero no hay una clasificación formal de este grupo firmemente establecida. Se ha sugerido [82] reconocer como válidas solo dos especies, *Lept. interrogans,* incluyendo las formas parasitarias, y *Lept. biflexa,* las cepas saprófitas, sin estado taxonómico para serotipos o grupos de serotipos.

Se han descrito unos 125 serotipos, que pertenecen a 18 serogrupos, de los cuales en estudios epidemiológicos suelen mencionarse *Lept, icterohemorrhagiae, canicola, ballum, pyrogenes, autumnalis, pomona, australis, grippotyphosa, hebdomadis, bataviae, tarassovi, javanica, celledoni, cynopteri, semeranga, shermani* y *panama.* Uno o varios tipos pertenecen a cada serogrupo; por ejemplo, el de *Lept. icterohemorrhagiae* incluye 13 serotipos, el de *Lept. canicola* 10, etc., y constantemente se señalan

varios tipos que se añaden a la lista. En Europa se conserva una colección de serotipos en Amsterdam, y en Estados Unidos de Norteamérica en el Walter Reed Army Institute of Research.

Estos serotipos parecen ser muy estables, aunque pueden producirse alteraciones antigénicas por cultivo en suero inmune. Hay pequeñas reacciones cruzadas con otros microorganismos, incluyendo, entre otros, cepas de Shigella. La inmunidad a la infección experimental es en gran parte específica de tipo, y solo en forma ocasional se llega a producir protección cruzada entre serotipos.

Patogenicidad.[13] Las leptospiras patógenas son parásitos de los animales inferiores, incluyendo roedores silvestres y gran número de animales domésticos, de los cuales el cerdo y el perro, y en algunos lugares el ganado, probablemente sean los más importantes cuantitativamente. Contrariamente a Borrelia, no son primordialmente parásitos sanguíneos, aunque pueden encontrarse en la sangre desde el primer día, y tal vez hasta el decimocuarto de la enfermedad. La infección se localiza en tejidos y órganos, especialmente los riñones, y las leptospiras se excretan por la orina.

La infección humana se adquiere de los animales inferiores, por contacto directo con orina infecciosa o con agua contaminada de orina infectada, o por contacto directo con tejidos infectados. En el primer caso, la fuente de la infección suele estar constituida por roedores, y las leptospiras entran a través de la piel; en el segundo, la constituyen los animales domésticos, especialmente cerdos, que son causa de infección para trabajadores de mataderos, veterinarios y porquerizos, como en la enfermedad de los porcicultores de Suiza.

Las infecciones leptospirósicas del hombre son muy semejantes; se caracterizan por reacción febril e ictericia, que puede ser generalizada o limitarse a la esclerótica y afectar los riñones.[7] El ejemplo clásico de leptospirosis es la enfermedad de Weil, o ictericia infecciosa, conocida desde hace muchos años (ver luego).

Otras infecciones por leptospiras son mucho más frecuentes de lo que se creía. En muchos casos se adquieren por contacto con ratones y otros roedores infectados; como la infección se presenta frecuentemente en relación con el trabajo en campos cultivados y áreas rurales similares, la enfermedad recibe diversas denominaciones, como fiebre de los pantanos, fiebre de las campiñas, fiebre de las cosechas, etcétera. La leptospirosis ha recibido también nombres de lugares, como fiebre de Mossman y fiebre de Pomona pero en muchos casos, quizá en todos, la infección está mucho más difundida de lo que esto indicaría. La etiología de estas enfermedades no es específica; hay poca asociación entre determinada enfermedad y determinado serotipo de leptospira.

La recuperación de la enfermedad se acompaña de aparición de anticuerpos específicos y desarrollo

Las leptospirosis más importantes *

Serotipo	Enfermedad en el hombre	Reservorios animales importantes	Infecciones en otros animales	Distribución geográfica
Icterohemorrhagiae	Enfermedad de Weil	R. norvegicus, otras especies de roedores	Perro, cerdo, ganado, caballo	Mundial
Canícola	Fiebre canícola	Perro	Cerdo, ganado	Mundial
Pomona	Fiebre de Pomona, enfermedad de los porquerizos	Cerdo, ganado, *Mus musculus, Apodemus agrarius*	Perro, caballo, zarigüeya, mapache, zorrillo, gato montés	Mundial
Grippotyphosa	Fiebre de los pantanos, Schlammfieber, fiebre de los campos	*Microtus arvalis, Evotomys glareolus, Cricetus, var., Apodemus sylvaticus*	Ganado, caballo, perro, mapache, cabra	Mundial
Autumnalis (akiyami A)	Fiebre de Hasami, fiebre de Fort Bragg	*Microtus montebelli, Apodemus speciosus, Bandicoota, var.*	Perro, zarigüeya, mapache, ganado	Asia sudoriental, Japón, EE.UU.
Bataviae	Enfermedad de Weil indonésica, fiebre de los arrozales	R. norvegicus, *Micromys minutus,* R. rattus	Perro, gato	Asia sudoriental, Europa, Africa, Japón
Australis A (ballico)	Fiebre de los cañaverales	R. conatus, *Apodemus flavicollis,* R. rattus culmorum	Perro, ganado, zarigüeya mapache, puerco espín	Australia, EE.UU., Europa, Asia sudoriental, Japón
Australis B	Fiebre de los cañaverales	R. rattus, Isoodon, var.	——	Australia, Asia sudoriente, Europa
Sejroe	Feldfieber B	*Mus musculus, Apodemus sylvaticus, Apodemus agrarius, Microtus, var.*	Ganado (?), perro, cerdo	Europa, EE.UU. (?)
Hebdomadis	Nanukayami y Akiyami B, fiebre de los 7 días	*Microtus montebelloi*	Perro, ganado	Japón
Pyrogenes	Leptospirosis febrilis	R. rattus, R. brevicaudatus	——	Asia sudoriental, Japón
Ballum	——	*Mus musculus,* zarigüeya	R. norvegicus, zorrillo, mapache, gato montés, cerdo	EE.UU., Europa, Israel
Hyos (mitis)	Enfermedad de los porquerizos	Cerdo	Ganado	EE.UU., Europa, Australia, América del Sur, Nueva Zelandia

* Compilados por el coronel M. B. Sternes, Walter Army Medical Center.

de inmunidad eficaz. Se han aplicado con resultados alentadores vacunas leptospirósicas a grupos de personas expuestas a la infección.[9]

Diagnóstico de laboratorio.[2, 4] El diagnóstico de laboratorio de la leptospirosis se basa en aislar los microorganismos infectantes, y en la reacción inmunológica a la infección. En el hombre pueden aislarse las bacterias de la sangre al principio de la infección, por cultivo o inoculación animal; para esta última, se utilizan cobayos jóvenes (de 150 g) o cricetos lactantes, de 15 g. La infección experimental puede comprobarse demostrando leptos-

piras en los tejidos, especialmente el riñón, y por cultivo en la autopsia; en general, la inoculación a los animales da una proporción menor de resultados positivos que el cultivo.

La reacción inmunológica puede demostrarse por medio de la aglutinación (observada al microscopio, en campo obscuro), la lisis en presencia de complemento, o la fijación del complemento. Los títulos de aglutinación-lisis varían entre 1 por 400 a 1 por 100 000, y los títulos de fijación del complemento de 1 por 32 a 1 por 256. Cuando el título de anticuerpo aumenta cuatro veces o más en dos investigaciones serológicas, se considera como diagnóstico, pero en una proporción considerable de casos (10 por 100?) no se encuentra anticuerpo demostrable. La reacción inmunológica a la infección generalmente no es suficientemente específica para identificar serológicamente el microorganismo infectante, y para reconocer con precisión la leptospira de que se trata; esta debe cultivarse y determinarse su tipo serológicamente.

Quimioterapia. Penicilina, tetraciclina y eritromicina son algo eficaces en las primeras etapas de infección experimental; las dos últimas y la estreptomicina pueden tener cierto efecto sobre la infección renal. El cloramfenicol parece tener poco o ningún valor. En general, la quimioterapia de las infecciones humanas ha sido desalentadora.

ENFERMEDAD DE WEIL
(Ictericia infecciosa)

El agente causal de la enfermedad de Weil, *Leptospira icterohemorrhagiae,* fue descubierto en 1914 por Inada e Ito en Japón, y al año siguiente Hübener y Reiter, y Uhlenhuth y Fromme lo encontraron en Alemania. Los autores alemanes lo llamaron *Spirochaeta icterogenes.* La enfermedad se ha encontrado en todo el mundo; es muy común en Japón, algo menos en Europa, donde la mayor frecuencia se encuentra en Holanda y Francia, y no es rara en América del Sur. Probablemente no sea tan rara en Estados Unidos de Norteamérica como se ha creído.

La enfermedad en el hombre. El periodo de incubación es de 6 a 12 días, y la elevada fiebre con que se inicia va seguida de náuseas y vómitos, epistaxis, cefalea y dolores musculares; puede haber bronquitis medianamente intensa. No siempre se observa ictericia; la hubo en 40 a 60 por 100 de los casos de Holanda. La convalecencia es lenta, y la debilidad puede persistir meses.

Las leptospiras se encuentran en todo el organismo en la primera semana de la enfermedad, y pueden demostrarse en la sangre, por inoculación al cobayo, pero rara vez en los frotis. Después de la primera semana, aparecen en la orina, y pueden continuar excretándose así durante cuatro o cinco semanas. Hay motivos para pensar que la mortalidad disminuye con el tratamiento de suero específico. En los casos mortales, el fallecimiento suele producirse en la segunda o tercera semana, ocasionalmente desde el final de la primera. La mortalidad es variable: en Japón ha variado entre 4.6 y 32 por 100; en los casos holandeses, ha sido de aproximadamente 10 por 100, y ha alcanzado hasta 25 por 100 en Escocia. En la autopsia se encuentran leptospiras en casi todos los órganos y tejidos de los que fallecen durante el periodo febril inicial; pero si la defunción se produce en la segunda semana o después, rara vez se encuentra fuera de los riñones.

La causa inmediata más común de muerte es la insuficiencia renal aguda.

Inmunidad. El restablecimiento de la enfermedad se acompaña del desarrollo de una inmunidad sólida, y se encuentra en la sangre una lisina específica, que persiste años en cantidades que permiten revelarla. Las aglutininas aparecen en el periodo de convalecencia, a veces a títulos muy altos, pero la relación entre los anticuerpos que pueden demostrarse y la inmunidad efectiva aún está lejos de ser clara. La vacunación profiláctica generalmente ha dado resultados alentadores.

Transmisión. La rata silvestre es el reservorio animal más importante de la infección; Schüffner ha comunicado que 40 por 100 de las ratas domesticadas, criadas con propósitos experimentales, estaban infectadas en Holanda. La infección puede revelarse por examen en campo obscuro de orina y emulsión de riñón, y, mejor aún, inoculando a cobayos jóvenes emulsión de riñón. Larson encontró que se puede producir una infección mortal en el ratón de tres o cuatro semanas de nacido.

La proporción de ratas infectadas varía de una localidad a otra: en Nueva York, aproximadamente 4 por 100 de las ratas se han encontrado infectadas; en el Japón, 40 por 100; en Inglaterra, 30 por 100; en Rotterdam, 7 a 40 por 100, y en Filadelfia, aproximadamente 10 por 100. Las leptospiras son eliminadas con la orina de las ratas infectadas, y se transmiten al hombre por las aguas estancadas contaminadas con orina de rata. La enfermedad de Weil constituye, hasta cierto punto, una enfermedad profesional, que se presenta en los mineros de carbón, los trabajadores de los albañales y otros que laboran en contacto con aguas contaminadas. La mayor parte de los casos holandeses se han presentado en nadadores, barqueros, pescadores y personas que accidental o intencionalmente caen a los canales. En un caso se presentó una epidemia transmitida por el agua; esta probablemente fue contaminada por ratas de una alcantarilla vecina. No se conoce la forma cómo la espiroqueta penetra en el organismo, pero es posible que sea a través de pequeñas incisiones o excoriaciones ocasionadas en la piel, o bien por el tubo digestivo.

LEPTOSPIROSIS CANINA

El papel de los perros en la transmisión de la ictericia infecciosa tiene un considerable interés. Los perros sufren dos formas de leptospirosis: una con ictericia aguda, semejante a la enfermedad de Weil aguda del hombre; otra sin ictericia, conocida como enfermedad de Stuttgart o tifus canino. *Lept. icterohemorrhagiae* puede infectar a los perros, y probablemente sea responsable del primer tipo de enfermedad; el segundo es producido por una leptospira canina, *Lept. canicola.* No se conoce con seguridad la frecuencia relativa de ambas infecciones en el perro; algunos han sugerido que hasta un 50 por 100 de las leptospirosis caninas son infecciones por *icterohemorrhagiae*. La infección del perro por *Lept. Canicola* parece relativamente frecuente en Estados Unidos de Norteamérica; también existe la infección natural con otros serotipos. Las encuestas [2] han demostrado que 13 a 32 por 100 de los perros presentan reacción serológica positiva, y 11 por 100 de los positivos son portadores de la infección. Además de *Lept. canicola* y *Lept. icterohemorrhagiae*, que son las que se encuentran más frecuentemente en Estados Unidos de Norteamérica, los perros de este país también están infectados con *Lept. grippotyphosa*, *Lept. pomona*, *Lept. autumnalis* y *Lept. ballum*.

FIEBRE DE LOS PANTANOS

En Bavaria, Silesia, y en la región del Volga es frecuente durante el verano y principio de otoño una infección leptospirósica que se conoce con los nombres de fiebre de los pantanos, Schlammfieber, fiebre otoñal, del agua, de los campos, fiebre de las cosechas o fiebre del cieno. También se ha comunicado en Holanda. Se encuentra entre los trabajadores del campo, después de inundaciones o en lugares cenagosos, especialmente durante la cosecha del heno. Clínicamente se parece a la enfermedad de Weil, de forma ligera (la mortalidad es menor del 1 por 100), pero no hay ictericia, salvo, excepcionalmente, en las escleróticas. El microorganismo causal, *Lept. grippotyphosa (Spirochaeta grippotyphosa)*, es inmunológicamente diferente de *Lept. icterohemorrhagiae*. El reservorio de la infección es el ratón campestre, *Microtus arvalis;* el ratón de los bosques, *Apodemus sylvaticus*, y el ratón de las riberas fluviales, *Evotomys glareolus*, se encuentran infectados con mucha menor frecuencia. Una enfermedad muy semejante se observa en los arrozales de Italia, pero su etiología parece diferente, porque se han encontrado gran número de especies de leptospiras en situaciones aparentemente idénticas a las del Lejano Oriente.

También hay reservorio de infección con muchos serotipos de leptospiras en animales salvajes, incluyendo mofetas, mapaches, mangostas, zarigüeyas y nutria,[36] según demuestran los datos serológicos y el aislamiento e identificación de leptospiras. La infección humana puede adquirirse de estas fuentes, como en fiebre de Fort Bragg, infección con *Lept. autumnalis,* al parecer adquirida de mapaches.[71]

Los animales domésticos, especialmente cerdos y ganado, además de los perros, según antes describimos, también son fuente de infección humana. La enfermedad de los cuidadores de cerdos (enfermedad de Bouchet-Gsell), observada en Suiza y en otras partes del mundo, muchas veces es una infección con *Lept. pomona*. Se han descubierto diversos serotipos en infecciones de ganado; en algunos casos puede diseminarse en los animales por el agua infectada.[40] La infección humana de este origen tiende a ser enfermedad profesional.[74] En Estados Unidos de Norteamérica la leptospirosis está más difundida de lo que se ha supuesto, tanto en el ganado como en los grandes animales salvajes; por ejemplo, se ha descubierto ganado infectado en todas las regiones de Iowa,[100] y se descubren diversos serotipos en infecciones humanas provenientes de estas y de otras fuentes.[55]

INFECCIONES LEPTOSPIROSICAS DEL LEJANO ORIENTE

En el Lejano Oriente se presentan muchas infecciones leptospirósicas. Son semejantes a la fiebre de los pantanos porque la ictericia es rara, excepto en la esclerótica, y la morbiletalidad es baja. La fiebre japonesa de siete días o nanukayami es frecuente en el Japón en otoño. El agente causal es *Lept. hebdomadis,* y su portador el ratón campestre, *Microtus montebelli*. Esta infección frecuentemente deja como secuela una opacificación del humor vítreo. La fiebre Hasami es enfermedad semejante, también frecuente en el Japón, provocada por *Lept. autumnalis (Lept. akiyami A)*. El reservorio de la infección es el ratón *Apodemus speciosus*, y tal vez otras especies de ratones y ratas de campo.

En Indonesia no son raras las leptospirosis de etiología heterogénea. La enfermedad que se presenta en Sumatra, conocida como *infección de Rachmat*, es provocada por *Lept. autumnalis,* y posiblemente idéntica a la fiebre Hasami del Japón.

Otras infecciones se conocen con diversos nombres, incluyendo la fiebre Andaman A, la infección Salinem, etc.

El organismo que provoca la fiebre de Andaman parece ser *Lept. grippotyphosa*. Al agente causal de la fiebre de Salinem se le ha dado el nombre de *Lept. pyrogenes*. El resto de las leptospirosis parecen ser en gran parte infecciones con *Lept. bataviae*, que se encuentra en la naturaleza en las ratas, incluyendo *Rattus norvegicus* y *R. decumanus* (en el Japón) y ratones de campo, incluyendo *Apodemus sylvaticus, Micromys minutus* y *M. soricinus*.

En Queensland, Australia, son endémicas fiebres benignas de etiología leptospirósica, y se han aislado gran número de variedades de leptospiras inmunológicamente diferentes. La llamada *Lept. pomona* es el agente causal de la afección conocida como fiebre de Pomona, y otras especies denominadas *Lept. australis A* y *Lept. australis B* son responsables de la fiebre de Mossman, la fiebre de la costa y otras. Se han comunicado variedades adicionales, pero aún no se ha aclarado si constituyen especies diferentes.

La clasificación geográfica de las leptospirosis carece de bases sólidas, porque algunos de estos microorganismos se encuentran en regiones muy apartadas. Así, *Lept. grippotyphosa* se encuentra en Indonesia, y *Lept. bataviae* y *Lept. pomona* han sido señaladas como agentes etiológicos de la fiebre de los pantanos en Italia. *Lept. icterohemorrhagiae* y *Lept. canicola* se presentan en seres humanos y perros, y *Lept. pomona* se ha encontrado en infecciones naturales del ganado en Estados Unidos de Norteamérica.

LEPTOSPIRAS SAPROFITAS

Muchos autores han aislado del agua leptospiras muy parecidas a *Lept. icterohemorrhagiae*. Estas formas no patógenas han sido denominadas *Lept. biflexa* en Estados Unidos de Norteamérica e Inglaterra, y *Spirochaeta pseudoicterogenes* por los autores alemanes. Su relación con las leptospiras patógenas es incierta.

Fiebre por mordedura de rata (Spirillum morsus muris)

A consecuencia de la mordedura de una rata pueden desarrollarse dos tipos diferentes de enfermedad, ambas designadas con el nombre de fiebre por mordedura de rata: una es la infección por *Streptobacillus moniliformis,* que se estudia en otra parte (capítulo 26). La otra, llamada sodoku en el Japón, es provocada por un microorganismo de forma espiral, descubierta por Futaki y colaboradores en 1916. La mordedura producida por una rata infectada cicatriza, pero después de un periodo de incubación de 10 a 22 días se pone inflamada y dolorosa, y vienen fiebre, hinchazón de los ganglios linfáticos, erupciones cutáneas y otros síntomas. La fiebre es de tipo recurrente, con paroxismos que se presentan periódicamente con bastante regularidad, generalmente una vez a la semana, y continúan produciéndose durante uno a tres meses, o más. La morbiletalidad varía entre 2 y 10 por 100.

El microorganismo espiral característico se ha encontrado en las lesiones inflamatorias locales de piel y ganglios linfáticos aumentados de volumen, y también, en dos casos, en la sangre circulante. Pueden infectarse cobayos y ratones, inoculándoles sangre o líquido obtenido por expresión de las lesiones locales. El microorganismo se encuentra aproximadamente en 3 por 100 de las ratas caseras

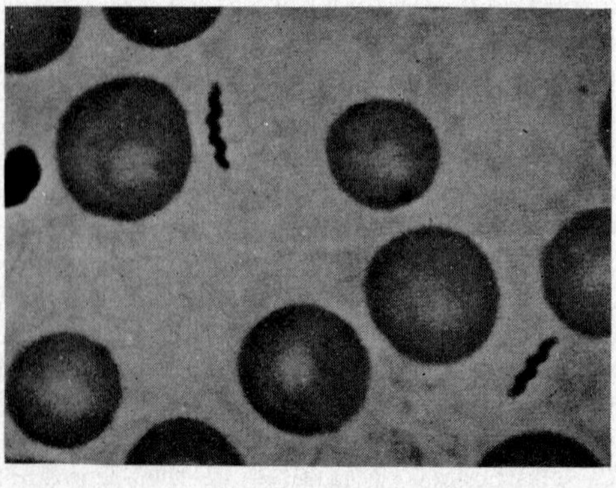

Fig. 32-12. *Spirillum morsus muris* en sangre de un ratón inoculado (Van Sandt).

en Japón. La rata no es el único vector de la infección; se han descrito casos que parecen ser de esta enfermedad, y que se atribuyen a la mordedura de gatos, perros, cerdos, hurones, ardillas y comadrejas.

Esta enfermedad se conoce desde hace mucho tiempo en Japón, y se ha señalado en muchas partes diferentes del mundo. Brown y Nunemaker [17] han encontrado un total de 125 casos comunicados en Estados Unidos de Norteamérica, desde 1916 hasta finales de 1940. Naturalmente, no puede saberse cuál proporción de los primeros casos se debía a infecciones por estreptobacilo. De 40 casos comunicados de 1931 a 1940, el espirilo se demostró por inoculación animal en 17; de estos, 11 fueron resultado de mordedura de rata, los demás tenían una historia de mordedura de ratón, mordedura o arañazo de gato, contacto con perros, o traumatismo sin contacto conocido con animales. La existencia natural de espiroquetas en ratones, ratas y cobayos de laboratorio constituye un factor de error contra el cual hay que estar en guardia para diagnóstico de laboratorio por inoculación animal. Hay poca duda de que la afección sea mucho más común de lo que parece según los casos registrados, pues estos casos se presentan esporádicamente y su verdadera naturaleza a menudo pasa inadvertida.[64] La infección se ha provocado en el hombre por inoculación artificial, para tratamiento de la parálisis general. Según Brown y Nunemaker, hay 104 casos de este tipo en la bibliografía inglesa.

No se sabe gran cosa sobre la reacción inmunológica a la infección, como no sea que se produce un anticuerpo espirilicida, responsable también de inmovilización de los espirilos en el suero inmune. Savoor y Lewthwaite [87] han observado que en los animales de experimentación se produce una reacción de Weil-Felix positiva, de tipo OXK, pero el antígeno que estas cepas comparten con Proteus es diferente del anticuerpo espirilicida.

El microorganismo espiral de la fiebre por mordedura de rata se ha clasificado diversamente como *Spirochaeta morsus muris, Spirillum minus,* etc. Es más corto —tiene 2 a 5 μ de largo— que las espiroquetas aceptadas como tales; es relativamente rígido, y posee mechones de flagelos polares que le otorgan una movilidad muy rápida, diferente de los movimientos flexibles ondulantes, de las espiroquetas. Los síntomas clínicos de la enfermedad son típicos de la espiroquetosis. Anteriormente se utilizaban los arsenicales como quimioterápicos, y este germen es sensible a la penicilina y a los antibióticos de amplio espectro. En un caso, se encontró muy eficaz un tratamiento combinado de penicilina y tetraciclina. Originalmente se dio a este microorganismo el nombre de Spirochaeta, pero se encontró que era idéntico a *Spirillum minus,* descubierto por Carter en la sangre de una rata en la India. Probablemente sea mejor darle el nombre genérico independiente Spirillum y agruparlo con las espiroquetas.

BIBLIOGRAFIA

1. Addamiano, L., and B. Babudieri. 1957. Research on spirochaetal strains isolated in Jordan. Bull. Wld. Hlth. Org. **17**:483–485.
2. Alexander, A. D. 1970. Leptospira. pp. 244–250. *In* J. E. Blair, E. H. Lennette, and J. P. Truant (Eds.): Manual of Clinical Microbiology. American Society for Microbiology, Bethesda.
3. Alexander, A. D., *et al.* 1957. Observations of the prevalence of leptospirosis in canine populations of the United States. Amer. J. Hyg. **65**:43–56.
4. Alexander, A. D., *et al.* 1970. pp. 382–421. *In* H. L. Bodily, *et al.* (Eds.): Diagnostic Procedures for Bacterial, Mycotic and Parasitic Infections. 5th ed. American Public Health Association, New York.
5. Alston, J. M. 1961. Recent developments in leptospirosis. Proc. Roy. Soc. Med. **54**:61–67.
6. Alston, J. M., and J. C. Broom. 1958. Leptospirosis in Man and Animals, Williams & Wilkins, Baltimore.
7. Arean, V. M. 1962. The pathologic anatomy and pathogenesis of fatal human leptospirosis (Weil's disease). Amer. J. Pathol. **40**:393–423.
8. Atwood, W. G., and J. L. Miller. 1969. Fluorescent treponemal antibodies in fractionated syphilitic sera. Arch. Dermatol. **100**:763–769.
9. Babudieri, B. 1957. Schutzimpfung gegen Leptospirosen. Zentralbl. Bakteriol. I Abt. Orig. **168**:280–283.
10. Baltzard, M., M. Bahmanyar, and M. Chamsa. 1954. Sur l'usage du cobaye pour la différenciation des spirochètes récurrents. Individualité du group *B. crocidurae.* Bull. Soc. Pathol. Exot. **47**:864–877.
11. Brown, T. McP., and J. C. Nunemaker. 1942. Rat-bite fever. A review of the American cases with reevaluation of etiology; report of cases. Bull. Johns Hopkins Hosp. **70**:201–327.
12. Brown, W. J. 1960. A current look at veneral diseases. I. Current status of syphilis in the United States. Pub. Hlth. Rep. **75**:990–993.
13. Busch, L. A. 1970. Leptospirosis, 1965–1968. J. Infect. Dis. **121**:458–460.
14. Canale-Parold, E., *et al.* 1968. The classification of free-living spirochetes. Arch. Mikrobiol. **63**:385–397.
15. Cannefax, G. R. 1965. Immunity in syphilis. Brit. J. Vener. Dis. **41**:260–274.
16. Carpenter, C. M., J. N. Miller, and R. A. Boak. 1960. A "triple-test plan" for the serologic diagnosis of syphilis – a modern-day approach. New Eng. J. Med. **263**:1016–1018.
17. Carrión, A. L. 1968. Pinta in Puerto Rico. Bol. Asoc. Méd. P. Rico **60**:456–461.
18. Castellanos, A., and I. González Piñon. 1957. El mal del pinto. Medicina **37**:401–418.
19. Cockburn, T. A. 1961. The origin of the treponematoses. Bull. Wld. Hlth. Org. **24**:221–228.
20. Coffey, E. M., and W. C. Eveland. 1967. Experimental relapsing fever initiated by *Borrelia hermsi.* I. Identification of major serotypes by immunofluorescence. II. Sequential appearance of major serotypes in the rat. J. Infect. Dis. **117**:23–28, 29–34.
21. Cox, C. D. 1955. Hemolysis of sheep erythrocytes sensitized with leptospiral extracts. Proc. Soc. Exp. Biol. Med. **90**:610–615.
22. Cox, C. D., and A. D. Larson. 1957. Colonial growth of leptospirae. J. Bacteriol. **73**:587–589.
23. Curtis, A. C., and D. S. Schuster. 1958. The laboratory diagnosis, biology, and treatment of latent syphilis. J. Amer. Med. Assn. **167**:560–562.
24. Davis, G. E. 1948. The spirochetes. Ann. Rev. Microbiol. **2**:305–334.
25. Davis, G. E., and H. Hoogstraal. 1954. The relapsing fevers: A survey of the tick-borne spirochetes of Egypt. J. Egyptian Pub. Hlth. Assn. **29**:139–143.
26. Deacon, W. E., and E. M. Freeman. 1960. Fluorescent treponemal antibody studies. J. Invest. Dermatol. **34**:249–253.
27. Deacon, W. E., and E. F. Hunter. 1962. Treponemal antigens as related to identification and syphilis serology. Proc. Soc. Exp. Biol. Med. **110**:352–356.
28. Deacon, W. E., E. M. Freeman, and A. Harris. 1960. Fluorescent treponemal antibody test. Modification based on quantitation (FTA-200). Proc. Soc. Exp. Biol. Med. **103**:827–829.
29. Delhanty, J. J., and R. D. Catterall. 1969. Immunoglobulins in syphilis. Lancet **ii**:1099–1103.
30. Dewhurst, K. 1969. The composition of the cerebrospinal fluid in the neurosyphilitic psychoses. Acta Neurol. Scand. **45**:119–123.
31. Dewhurst, K. 1969. The neurosyphilitic psychoses today. Brit. J. Psychiat. **115**:31–38.
32. Felsenfeld, O. 1965. Borreliae, human relapsing fever, and parasite-vector-host relationships. Bacteriol. Rev. **29**:46–74.
33. Felsenfeld, O. 1971. Borrelia. Strains, Vectors, Human and Animal Borreliosis. Warren H. Green, Inc., St. Louis.
34. Felsenfeld, O., and R. H. Wolf. 1971. Serological reactions with treponemal antigens in nonhuman primates and the natural history of treponematosis in man. Folia Primatol. **15**:1–11.
35. Felsenfeld, O., *et al.* 1965. Studies in Borreliae. II. Some immunologic, biochemical, and physical properties of the antigenic components of *Borrelia turicatae.* J. Immunol. **94**:805–817.
36. Fuimara, N. J. 960. Treponemal tests in diagnosis of syphilis and biologic false positive reactors. Pub. Hlth. Rep. **75**:1011–1019.
37. Fribourg-Blanc, A., *et al.* 1963. Note sur quelques aspects immunologiques du cynécephale africain. Bull. Soc. Pathol. Exot. **56**:476–585.
38. Geigy, R., and A. Aeschlimann. 1964. Langfristige Beobachtungen über transovarielle Übertragung von *Borrelia duttoni* durch *Ornithodorus moubata.* Acta Trop. **21**:87–91.
39. Ghosh, R., and S. Ghosh. 1959. A review of literature on pinta – a non-venereal treponematosis: With a note on the study of the disease in Bengal. J. Ind. Med. Assn. **33**:50–55.
40. Gillespie, R. W. H., and J. Ryno. 1963. Epidemiology of leptospirosis. Amer. J. Pub. Hlth. **53**:950–955.
41. Golden, B., and H. S. Thompson. 1969. Implications of spiral forms in the eye. Surv. Ophthalmol. **14**:179–183.
42. Gordon, T., and B. Devine. 1965. Findings on the Serologic Test for Syphilis in Adults, United States, 1960–1962. Public Health Service Publication No. 1000 – Ser. 11, No. 9. U.S. Department of Health, Education and Welfare.
43. Gosset Osuna, J. G. 1969. La endemia pintosa. Situación actual en México. Salud. Públ. Méx. **11**:211–215.

44. Grin, E. I. 1952. Endemic syphilis in Bosnia. World Health Organization Monograph Series No. 11. World Health Organization, Geneva.
45. Grin, E. I. 1956. Endemic syphilis and yaws. Bull. Wld. Hlth. Org. 15:959–973.
46. Guthe, T. 1960. The treponematoses as a world problem. Brit. J. Vener. Dis. 36:67–77.
47. Guthe, T. 1969. Clinical, serological and epidemiological features of Framboesia tripica (yaws) and its control in rural communities. Acta Dermatovener. 49:343–368.
48. Hackett, C. J. 1960. Some epidemiological aspects of yaws eradication. Bull. Wld. Hlth. Org. 23:739–761.
49. Hackett, C. J. 1963. On the origin of the human treponematoses (pinta. yaws, endemic syphilis and venereal syphilis). Bull. Wld. Hlth. Org. 29:7–41.
50. Hackett, C. J., and L. J. A. Loewenthal. 1960. Differential Diagnosis of Yaws. World Health Organization Monograph Series No. 45. World Health Organization, Geneva.
51. Hardy, P. H., Jr. 1970. Borrelia. pp. 236–239. In J. E. Blair, E. H. Lennette, and J. P. Truant (Eds.): Manual of Clinical Microbiology. American Society for Microbiology, Bethesda.
52. Hardy, P. H., Jr. 1970. Treponema. pp. 240–243. In J. E. Blair, E. H. Lennette, and J. P. Truant. (Eds.): Manual of Clinical Microbiology. American Society for Microbiology, Bethesda.
53. Hasselmann, C. M. 1957. Comparative studies on the histopathology of syphilis, yaws and pinta. Brit. J. Vener. Dis. 33:5–12.
54. Holt, S. D., and E. Canale-Parola. 1968. Fine structure of Spirochaeta stenostrepta, a free-living anaerobic spirochete. J. Bacteriol. 96:822–835.
55. Heath, C. W., Jr., A. D. Alexander, and M. M. Galton. 1965. Leptospirosis in the United States. Analysis of 483 cases in man, 1949–1961. New Eng. J. Med. 273:857–864, 915–922.
56. Hudson, E. H. 1958. Non-venereal Syphilis. A Sociological and Medical Study of Bejel. E. & S. Livingstone, Edinburgh.
57. Hudson, E. H. 1961. Historical approach to the terminology of syphilis. Arch. Dermatol. 84:545–562.
58. Hudson, E. H. 1964. Treponematosis and African slavery. Brit. J. Vener. Dis. 40:43–52.
59. Hudson, E. H. 1965. Treponematosis in perspective. Bull. Wld. Hlth. Org. 32:735–748.
60. Hudson, E. H. 1968. Christopher Columbus and the history of syphilis. Acta Trop. 25:1–16.
61. Idsøe, O., and T. Guthe. 1967. The rise and fall of the treponematoses. I. Ecological aspects and international trends in venereal syphilis. Brit. J. Vener. Dis. 43:227–243.
62. Knight, A., and R. D. Wilkinson. 1963. The clinical significance of the biological false positive serologic reactor: A study of 113 cases. Can. Med. Assn. J. 88:1193–1195.
63. Kolochine, B., and M. Mailloux. 1962. Physiologie et Métabolisme des Leptospires. Monographies de l'Institut Pasteur. Masson et Cie., Paris.
64. Kowal, J. 1961. Spirillum fever. Report of a case and review of the literature. New Eng. J. Med. 264:123–128.
65. Kuhn, U. S. G., III, et al. 1970. Inoculation pinta in chimpanzees. Brit. J. Vener. Dis. 46:311–312.
66. Leon y Bianco, F., and A. Oteiza. 1945. The experimental transmission of pinta, mal del pinto, or carate to the rabbit. Science 101:309–311.
67. MacArthur, W. P. 1953. "The sibbens" or "the sivvens"? Trans. Roy. Soc. Trop. Med. Hyg. 47:437–438.
68. MacArthur, W. P. 1957. Historical notes on some epidemic diseases associated with jaundice. Brit. Med. Bull. 13:146–149.
69. Magnuson, H. J., et al. 1965. Inoculation syphilis in human volunteers. Medicine 35:33–82.
70. Marquez, F., C. R. Rein, and O. Arias. 1955. Mal del pinto in Mexico. Bull. Wld. Hlth. Org. 13:299–322.
71. McKeever, S., et al. 1958. The racoon, Procyon lotor, a natural host of Leptospira autumnalis. Amer. J. Hyg. 68:13–14.
72. Merriweather, A. M. 1959. Endemic syphilis—"di-

73. Metzger, M. 1965. A one-day Treponema pallidum immobilization test. Bull. Wld. Hlth. Org. 32:357–362.
74. Miller, N. G. 1961. A serologic investigation of leptospiral infections in dairy farmers and cattle ranchers. Amer. J. Hyg. 74:203–208.
75. Mollaret, H. H., and A. Fribourg-Blanc. 1967. Le singe serait-il réservoir du pian? J. Med. Afr. Noire 14:397–399.
76. Oxelius, V.-A., et al. 1969. Immunoglobulins of cerebrospinal fluid in syphilis. Brit. J. Vener. Dis. 45:121–125.
77. Padilha Goncalves, A. 1966. Mal del pinto experimental. Dermatologia 10:409–417.
78. Pillot, J., and A. Ryter. 1965. Structure des spirochètes. Ann. Inst. Pasteur 108:791–804.
79. Pollock, J. S. McK. 1953. Sibbens or sivvens—the Scottish yaws. Trans. Roy. Soc. Trop. Med. Hyg. 47:431–436.
80. Reiss-Gutfreund, R. J. 1960. Culture de Borrelia recurrentis (souches éthiopiennes) en oeuf fécondé de poule. Ann. Inst. Pasteur 98:131–136.
81. Report. 1963. Bibliography on Yaws, 1905–1962. World Health Organization, Geneva.
82. Report. 1963. Report of a meeting of the Taxonomic Subcommittee on Leptospira, Montreal, 16–17 August 1962. Int. Bull. Bacteriol. Nomen. Taxonom. 13:161–165.
83. Report. 1965. Classification of leptospires and recent advances in leptospirosis. Bull. Wld. Hlth. Org. 32:881–891.
84. Ritchie, A. E., and H. C. Ellinghausen. 1965. Electron microscopy of leptospires. I. Anatomical features of Leptospira pomona. J. Bacteriol. 89:223–233.
85. Rutherford, H. W. 1965. Two cases of third-generation syphilis. Brit. J. Vener. Dis. 41:142–146.
86. Sanders, R. W., et al. 1960. Nonspecific immobilization in the Treponema pallidum immobilization (TPI) test. Amer. J. Clin. Pathol. 33:135–137.
87. Savoor, S. R., and R. Lewthwaite. 1941. The Well-Felix reaction in experimental rat-bite fever. Brit. J. Exp. Pathol. 22:274–292.
88. Sepatjian, M., et al. 1969. Contribution a l'étude du tréponème isolé du singe par A. Fribourg-Blanc. Bull. Wld. Hlth. Org. 40:141–151.
89. Shenberg, E. 1967. Growth of pathogenic Leptospira in chemically defined medium. J. Bacteriol. 93:1598–1606.
90. Simpson, C. F., and F. H. White. 1961. Electron microscope studies and staining reactions of leptospires. J. Infect. Dis. 109:243–250.
91. Sosa-Martinez, J., and S. Peralta. 1961. An epidemiologic study of pinta in Mexico. Amer. J. Trop. Med. Hyg. 10:556–565.
92. Strout, G. W., et al. 1970. Syphilis. pp. 300–353. In H. L. Bodily, et al. (Eds.): Diagnostic Procedures for Bacterial, Mycotic and Parasitic Infections. 5th ed. American Public Health Association, New York.
93. Swain, R. H. A. 1955. Electron microscopic studies of the morphology of pathogenic spirochaetes. J. Pathol. Bacteriol. 69:117–128.
94. Symposium. 1953. Symposium on yaws. Bull. Wld. Hlth. Org. 8:1–418.
95. Symposium. 1956. Serology of syphilis. Bull. Wld. Hlth. Org. 14:187–351.
96. Symposium. 1964. Proceedings of World Forum on Syphilis and other Treponematoses. Washington, D.C. Sept. 4–8, 1962. Public Health Service Publication No. 997. U.S. Department of Health, Education and Welfare.
97. Symposium. 1966. Ann. Soc. Belg. Méd. Trop. 46:1–70.
98. Thiel, P. H. van. 1959. Are spirochaetes bacteria or protozoa? Antonie van Leeuwenhoek: J. Microbiol. Serol. 25:161–168.
99. Thomson, I. G. 1956. The pathogenesis of tropical ulcer amongst the Hausas of Northern Nigeria. Trans. Roy. Soc. Trop. Med. Hyg. 50:485–495.
100. Tjalma, R. A., and M. M. Galton. 1965. Human leptospirosis in Iowa. Amer. J. Trop. Med. Hyg. 14:387–396.
101. Turner, L. H. 1967. Leptospirosis I. Trans. Roy. Soc. Trop. Med. Hyg. 61:842–855.

chuwa"—in the Bechuanaland Protectorate. Centr. African J. Med. 5:181–185.

102. Turner, L. H. 1968. Leptospirosis II. Serology. Trans. Roy. Soc. Trop. Med. Hyg. **62**:880–899.
103. Turner, L. H. 1970. Leptospirosis III. Maintenance, isolation and demonstration of leptospires. Trans. Roy. Soc. Trop. Med. Hyg. **64**:623–646.
104. Turner, T. B., and D. H. Hollander. 1957. Biology of the Treponematoses. World Health Organization Monograph Series No. 35. World Health Organization, Geneva.
105. Villela, E. 1952. Pinto y pinta. Medicina **32**:34–38.
106. Wallace, A. L., and A. Harris. 1967. Reiter treponeme. A review of the literature. Bull. Wld. Hlth. Org. **36**: Suppl. No. 2, 103 pp.
107. Weber, M. M. 1960. Factors influencing the in vitro survival of *Treponema pallidum*. Amer. J. Hyg. **71**:401–417.
108. Wigfield, A. S. 1965. Immunological phenomena of syphilis. Brit. J. Vener. Dis. **41**:275–285.
109. Willcox, R. R. 1960. Brit. J. Vener. Dis. **36**:78–91.
110. Willcox, R. R., and T. Guthe. 1966. Treponema pallidum. A bibliographic review of the morphology, culture and survival of *T. pallidum* and associated organisms. Bull. Wld. Hlth. Org. **35**: suppl.

CAPITULO 33

PARASITOLOGIA MEDICA

DR. ROBERT M. LEWERT

La parte de la microbiología llamada parasitología médica abarca los agentes animales que producen enfermedades en el hombre. Puede parecer incompatible incluir en la "microbiología" organismos como los grandes helmintos, cuyas dimensiones alcanzan metros o litros, como los cestodos Diphyllobothrium y Echinococcus. Sin embargo, hay toda una gama de tamaños de los animales parásitos, incluyendo los protozoarios intracelulares, los cuales solo tienen unas cuantas micras de diámetro.

Dentro del enorme grupo de animales filogénicamente heterogéneos que parasitan al hombre, el paralelismo evolutivo ha provocado en muchos casos una semejanza superficial en la forma y en las relaciones huésped-parásito. Hay interacciones fisiológicas con el huésped, y dependencias de este que comúnmente atribuimos más bien a las bacterias, virus y rickettsias.[7, 98, 149, 202]

Estas semejanzas incluyen la producción de enfermedades tan evidentes como anemias, disenterías, encefalitis y neumonías, y efectos más ocultos, como reacciones de hipersensibilidad y alergia. Pero contrariamente a otros, los parásitos animales filogénicamente relacionados se caracterizan por la variedad y contraste de las enfermedades que provocan, su fisiología, morfología, ciclos vitales y otras características, más que por un principio uniformador.

El conocimiento de los gusanos redondos parásitos de grandes dimensiones, como Ascaris y Dracunculus, y de los grandes cestodos y duelas, se encuentra ya en los escritos más antiguos, y el descubrimiento de muchos ciclos vitales complejos de parásitos, y de medidas adecuadas de control, precedió muchos de nuestros conocimientos detallados sobre otras enfermedades microbianas.[84, 173]

La parasitología descriptiva se ha convertido en una prolífica rama de la zoología, que ha dado origen a una enorme masa de conocimientos sobre los complejos, ciclos vitales y la morfología de estos seres. Esto ha proporcionado el conocimiento de los minúsculos detalles morfológicos, necesarios para identificar los parásitos porque, contrariamente a las bacterias, las características diagnósticas, metabólicas o culturales eran en gran parte imposibles de obtener por los procedimientos.[26, 123, 178] Las investigaciones sobre fisiología de los parásitos se han dificultado por nuestra incapacidad para cultivar la mayor parte de las formas fuera de sus huéspedes. Algunos exigen varios huéspedes, cada uno fisiológicamente necesario para que se desarrolle el ciclo del parásito, y pueden comprenderse las dificultades de su cultivo. Otros, incluso los que tienen una sencillez morfológica y cíclica aparentemente tan grande como las amibas intestinales, también han resistido las investigaciones intensivas que se han realizado para cultivarlos en medios definidos, en ausencia de otras células vivas.[187]

Es por estas razones que se ha retrasado el desarrollo de técnicas de inmunización, quimioterapia eficaz, y medidas prácticas de control, en relación con las que se han desarrollado para combatir otros agentes patógenos. En consecuencia, la frecuencia mundial de infecciones y enfermedades provocadas por los parásitos animales sigue siendo elevada; en ciertos lugares está aumentada. Incluso en el caso del paludismo, que se está atacando a escala mundial, 1.2 billones de individuos están expuestos a la infección, se declaran 200 millones de casos, y un cálculo conservador indica que se producen 1.5 millones de defunciones anualmente.[156, 162] Entre los helmintos, el ejemplo más importante lo constituye el complejo de los esquistosomas, que actualmente parasita aproximadamente 4.5 por 100 de la población mundial, y cuya distribución y frecuencia están aumentando en muchas partes.[126, 154] Los gusanos redondos que parasitan al hombre tienen tanto éxito, que el número de infecciones excede al de la población mundial. Aunque aisladamente muchos de ellos son relativamente benignos, o solo debilitan ligeramente a un huésped por lo demás sano, en muchas partes del mundo las infecciones por varias especies constituyen la regla, y sus efectos son potenciados porque sus huéspedes tienen un estado nutritivo que apenas les permite la supervivencia.

Los parásitos animales tienen tanta importancia en medicina tropical que esto ha dado lugar a error popular de que las enfermedades parasitarias del hombre constituyen un problema exclusivo de los trópicos.[119, 175]

La transmisión de Ascaris y Trichinella en la naturaleza se extiende hasta las regiones árticas, y las áreas clásicas de endemia de la enfermedad hidatídica (Echinococcus) son las de pastoreo de ovejas, incluyendo Islandia.[30, 51, 52, 93]

Hasta hace poco, la región occidental media de Estados Unidos de Norteamérica, y muchas partes de Europa, constituían regiones palúdicas.[75, 162] Aunque mucho más común en las regiones tropicales, la disentería amibiana autóctona sigue creando problemas individuales, y ocasionalmente epidemias en comunidades urbanas septentrionales,[125, 141] y Enterobius e Hymenolepis dependen para su supervivencia más bien de la urbanización creada por el hombre que del clima. Además, debido al aumento en los viajes y a los largos periodos de incubación de muchas enfermedades parasitarias, en todas las principales regiones urbanas septentrionales [118] se diagnostican muchos casos aislados de infecciones con especies exóticas.

Los parásitos patógenos del hombre se pueden encontrar entre los animales unicelulares (protozoarios), gusanos (platelmintos, nematelmintos y acantocéfalos), y artrópodos. Estos últimos incluyen muchas especies de insectos y arácnidos que tienen importancia como parásitos vectores de enfermedades, huéspedes intermediarios, o especies nocivas, debido a sus propiedades tóxicas, químicas, traumáticas o sensibilizantes. En este capítulo se incluirán únicamente aquellos que tienen importancia como huéspedes intermediarios de parásitos. No es posible incluir aquí los artrópodos como agentes de enfermedades; se hace referencia a varios textos sobre el tema, que lo tratan íntegramente.[80, 87] Se han señalado más de 150 parásitos protozoarios y helmintos en el hombre, de los cuales aproximadamente la tercera parte se encuentran con frecuencia. Se han escogido para incluir en este capítulo los más representativos, que sirvan como ejemplos ilustrativos, o por su importancia intrínseca en la producción de enfermedades. Las referencias para un estudio adicional y una revisión más detallada incluyen los textos clínicos clásicos, libros seleccionados y artículos.[30, 51, 52, 93, 122]

Protozoarios

Generalmente se consideran los protozoarios animales unicelulares, análogos a las células individuales que constituyen los animales superiores. Sin embargo, algunos autores prefieren concebirlos como organismos acelulares, no subdivididos funcionalmente en células. Ambos puntos de vista son valiosos, porque los protozoarios muestran propiedades tanto de células aisladas como de organismos completos.

Se han descrito muchos miles de especies de protozoarios, aunque sean menos de 35 las bien definidas que se sabe parasitan al hombre. Constituyen un grupo de organismos extremadamente heterogéneos, cuyo tamaño varía desde el de una bacteria grande hasta varios milímetros de diámetro; y la complejidad de su estructura desde una célula sencilla, sin forma, como *Entamoeba histolytica,* hasta organismos mucho más complicados que algunos metazoarios, y cuyos ciclos vitales van de la fisión binaria de *Trichomonas vaginalis* a la alternancia de huéspedes y de reproducción sexual y asexual que muestran los parásitos del paludismo.[107, 110, 121]

La taxonomía de los protozoarios es compleja [111] y no hay un esquema único de clasificación universalmente aceptable. La división del filo Protozoa en cuatro subfilos y un pequeño grupo de afinidad incierta proporciona un buen método simplificado para incluir las especies que parasitan al hombre.

Subfilo Sarcodina (amibas). Se caracteriza por su capacidad para formar transitoriamente apéndices protoplásmicos digitiformes (seudópodos), destinados a realizar la ingestión de alimentos y la locomoción. Hay muchas especies de vida libre, y también parásitas. Los parásitos tienen la característica de que su aspecto es sencillo, sin organitos complejos, y no se les conoce reproducción sexual. Todos tienen una fase de trofozoíto móvil, durante la cual se multiplican por fisión binaria. Muchas especies también forman un quiste, dentro del cual se realizan dos o más divisiones nucleares, antes de la multiplicación que efectúan cuando los quistes infectan al huésped. Las amibas del hombre viven primordialmente en el tubo digestivo.

Subfilo Ciliophora (ciliados). Poseen gran número de organitos locomotores citoplásmicos cortos, en forma de cerdas, llamados cilios. La mayor parte tienen dos clases de núcleos (macronúcleo y micronúcleo). Se multiplican por fisión binaria, algunas veces por conjugación. Hay muchas especies de vida libre, comensales y simbióticas, pero solo una que se considera con toda propiedad parásita del hombre: *Balantidium coli.*

Subfilo Mastigophora (flagelados). Tienen la característica de que, durante todo su ciclo vital, o en parte de este, poseen apéndices protoplásmicos filamentos que utilizan para la locomoción. Estos flagelos pueden ser únicos o múltiples. Las fases parásitas intracelulares, carentes de flagelos, pueden reconocerse por el cuerpo parabasal, estructura baciliforme asociada al origen del flagelo. Su división se hace por fisión binaria. Se han presentado argumentos en favor de un ciclo sexual en los flagelos sanguíneos, pero no parecen íntegramente aceptables. Hay muchas especies de vida libre, parásitas y comensales. Los flagelados que parasitan al hombre se encuentran en las vías intestinales y genitales, libres en la circulación, y como parásitos intracelulares, especialmente en el sistema linfoide macrofágico.

Subfilo Sporozoa. Constituye un agrupamiento polifilético artificial de parásitos, que se caracterizan por la falta de organitos de locomoción bien definidos, y por una reproducción alternativamente sexual y asexual. Todos los miembros de este grupo son parásitos, y muchos producen estructuras de diversa morfología que han sido llamados esporas, y que contienen uno o varios individuos infectantes, llamados esporozoítos. Los parásitos del paludismo (Plasmodia), y los coccidios del intestino del hombre, pertenecen a este grupo.

Se reconoce también un grupo separado, superficialmente similar a los esporozoarios de afinidades inciertas, para comodidad, en espera de que sus miembros sean suficientemente bien conocidos para poderse clasificar en forma adecuada.110, 111

Hay gran número de textos básicos y estudios taxonómicos que complementan esta clasificación simplificada.107, 121

AMIBAS INTESTINALES
(Sarcodina)

Entamoeba histolytica. Lewis en 1870, y Cunningham en 1871, fueron los primeros que señalaron la existencia de amibas en las heces humanas, probablemente *Entamoeba coli* no patógena. En 1875, Lösch describió lo que parece haber sido *E. histolytica*, en las heces y úlceras intestinales de un enfermo muerto de disentería. Encontró úlceras semejantes, que contenían la amiba, en un perro infectado artificialmente.

Características y ciclo biológico. Las amibas activas, que se ven en las úlceras intestinales en los casos de disentería, están constituidas por una masa citoplásmica granulosa, incolora o de color verdoso pálido, de 15 a 50 (generalmente 20 a 30) μ de diámetro. No tienen forma definida. La locomoción se realiza por la proyección súbita de apéndices claros de protoplasma, los seudópodos, que el resto del cuerpo celular sigue en un movimiento de arrastre. El citoplasma, de aspecto granuloso, contiene frecuentemente eritrocitos o residuos celulares en diversos periodos de digestión· que constituyen el alimento de la amiba. El núcleo puede percibirse en forma de un delicado anillo de gránulos. En este periodo, la reproducción se realiza por fisión binaria: el núcleo sufre una especie de mitosis, y luego se divide el citoplasma para formar dos amibas hijas, semejantes a la original. En los organismos fijados y teñidos con hematoxilina, la estructura nuclear es característica, con una capa periférica delgada de finos gránulos negros, y una pequeña mancha central, el cariosoma. El núcleo completo suele tener 4 a 5 μ de diámetro.

Las personas infectadas que presentan diarrea o disentería eliminan en las heces parásitos amiboides activos. Sin embargo, en la luz intestinal del portador la amiba elimina las partículas alimenticias ingeridas, y se reduce hasta un diámetro de 10 a 20 μ (rara vez menos); se redondea y pierde su movilidad, produciendo solo ocasionalmente algún seudópodo. Esta constituye la fase prequística, alrededor de la cual pronto se secreta una pared clara, transformándose en el quiste, parcialmente

resistente. Durante su paso por el intestino, el quiste sigue evolucionando, desarrolla una vacuola de glucógeno y uno o más bastoncillos ovoides de una substancia que se tiñe de negro, los cuerpos cromatoides. El núcleo se divide en dos, y luego en cuatro, cada uno de los cuales se asemeja al núcleo de la fase amiboide activa, aunque es mucho menor. En el quiste maduro, la vacuna de glucógeno pronto desaparece, y los cuerpos cromatoides persisten, cuando menos durante algunos días.

El quiste constituye la forma infectante, pues todas o la mayor parte de las formas amiboides son destruidas por secreción de jugo gástrico.

El desenquistamiento, según se observa en los cultivos, consiste en la salida de un organismo con cuatro núcleos que, por un complicado proceso de división, produce ocho pequeñas amibas, las formas que iniciarán una nueva infección.

Boeck y Drbohlav cultivaron en 1925 *E. histolytica* en solución de Locke y suero inactivado colocado en tubos con medio inactivado de huevo. Se han introducido diversas modificaciones, de las cuales la más importante ha sido la adición de polvo de almidón de arroz, que las amibas ingieren ávidamente. Cleveland y Collier utilizaron gelosa inclinada con infusión de hígado, cubierta con suero y solución salina. Balamuth ideó un buen medio monofásico compuesto de infusión de yema de huevo amortiguada, con extracto de hígado o sin él.

Estos medios no permiten el cultivo puro, porque las amibas necesitan bacterias vivas para crecer. También se ha utilizado el protozoario *Trypanosoma cruzi* como asociado para cultivar las amibas. Shaffer y Frye obtuvieron crecimiento de amibas en presencia de bacterias inhibidas con antibióticos. Se ha comunicado el cultivo de una cepa de *E. histolytica* en un sistema acelular; se utiliza para preparar antígeno y en estudios histológicos. Esto constituye el primer cultivo artificial verdadero, prolongado, de esta especie, aunque todavía no es aplicable a todas las cepas.42, 187 Un parásito vecino, patógeno para las serpientes, cuyos tejidos coloniza, *E. invadens,* se ha cultivado con éxito en un medio de extracto de hígado sin células. *E. histolytica* es anaerobio estricto, y necesita pH entre 6.5 y 7.0, aproximadamente.124

Amibiasis y disentería amibiana. Las amibas viven normalmente en el intestino grueso. Aunque algunos autores piensan que proliferan exclusivamente en los tejidos, hay argumentos que indican que también pueden multiplicarse en la luz intestinal, viviendo, como en los cultivos, a base de microorganismos.82

En la pared del colon, los parásitos se encuentran en lesiones necróticas, generalmente no inflamatorias, que van desde pequeñas placas erosivas hasta úlceras propagadas por debajo de la submucosa. La abundancia y gravedad de las lesiones es lo que rige el cuadro clínico. La gran mayoría de los in-

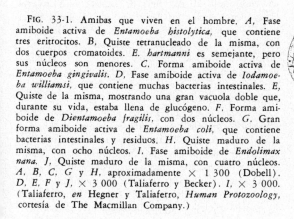

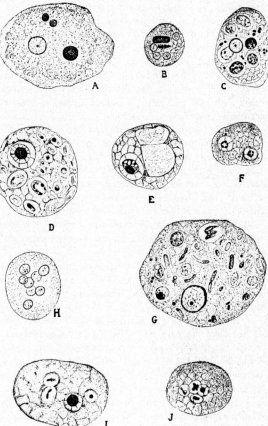

FIG. 33-1. Amibas que viven en el hombre. *A,* Fase amiboide activa de *Entamoeba histolytica,* que contiene tres eritrocitos. *B,* Quiste tetranucleado de la misma, con dos cuerpos cromatoides. *E. hartmanni* es semejante, pero sus núcleos son menores. *C,* Forma amiboide activa de *Entamoeba gingivalis. D,* Fase amiboide activa de *Iodamoeba williamsi,* que contiene muchas bacterias intestinales. *E,* Quiste de la misma, mostrando una gran vacuola doble que, durante su vida, estaba llena de glucógeno. *F,* Forma amiboide de *Dientamoeba fragilis,* con dos núcleos. *G,* Gran forma amiboide activa de *Entamoeba coli,* que contiene bacterias intestinales y residuos. *H,* Quiste maduro de la misma, con ocho núcleos. *I,* Fase amiboide de *Endolimax nana. J,* Quiste maduro de la misma, con cuatro núcleos. *A, B, C, G* y *H,* aproximadamente × 1 300 (Dobell). *D, E, F* y *J,* × 3 000 (Taliaferro y Becker). *I,* × 3 000. (Taliaferro, *en* Hegner y Taliaferro, *Human Protozoology,* cortesía de The Macmillan Company.)

dividuos infectados son portadores que no manifiestan síntomas. Los casos clínicos van desde una diarrea moderada hasta la disentería aguda, con eliminación de sangre y moco, debilidad extrema, y, no rara vez, muerte. Una proporción variable de indivduos con disentería amibiana presentan abscesos necróticos del hígado, o una hepatitis generalizada de etiología amibiana. Inicialmente, los abscesos hepáticos se encuentran libres de bacterias, pero pueden contaminarse secundariamente.[109, 116] Esto también ocurre ocasionalmente en individuos que no tienen en sus antecedentes síntomas de infección intestinal. En un pequeño número de individuos se producen abscesos pulmonares, generalmente por extensión a partir del hígado a través del diafragma, y se ha comunicado la formación de abscesos prácticamente en todos los órganos del cuerpo.

Toda la cuestión de la relación huésped-parásito en la amibiasis, incluyendo la producción de enfermedad, es compleja y sujeta a controversias.[50, 82, 127] También complica el cuadro la falta de acuerdo, incluso sobre las bases morfológicas del diagnóstico de las especies que producen la amibiasis.[20, 25, 153] Las cepas de la especie varían en su morfología y en su patogenicidad para el hombre.[83, 136, 137] Algunas pierden rápidamente su patogenicidad en cul-

tivo, y las patógenas para el hombre pueden no serlo para los animales de laboratorio.[78] Cepas de origen humano, patógenas para animales, han resultado completamente inocuas en voluntarios humanos.[11] Algunos investigadores han presentado argumentos indicando que la patogenicidad de las amibas está directamente relacionada con la de las bacterias que se asocian con ellas; otros lo refutan. La dependencia que la mayor parte de las cepas de amibas en cultivo muestra respecto a las asociaciones bacterianas, y la incapacidad de las amibas para producir lesiones extensas en los cobayos exentos de bacterias, apoyan la idea de que es indispensable una acción bacteriana sinérgica en la amibiasis.[115, 145] Sin embargo, como se mencionó antes, se encuentran abscesos amibianos estériles. Las sugestiones de que variaciones individuales de la resistencia, o factores nutritivos, son de importancia primordial en la gravedad de la enfermedad, tienen defensores, pero también son discutidas.[45, 59] Se han hecho ensayos para relacionar la capacidad invasora de las cepas con la presencia o la ausencia de actividad proteásica o mucopolisacaridásica, con resultados inconstantes.[99, 137]

Inmunidad. No hay pruebas directas de que exista inmunidad adquirida para la infección con *E. histolytica.* Las personas nacidas en regiones de hiperendemia presentan disentería aguda menos frecuentemente que los forasteros, tal vez porque han adquirido inmunidad. La reacción en anticuerpos séricos contra la infección se demuestra por la reacción de fijación del complemento, que es positiva en más del 80 por 100 de los individuos infectados. El suero de las personas infectadas puede inhibir en grado diverso la capacidad de las amibas cultivadas para ingerir eritrocitos, o puede inmovilizarlas.[174] Los anticuerpos de los individuos afectados, marcados con fluoresceína tienen considerable especificidad para las especies infecciosas, y cierto grado de especificidad de cepa.[71, 72] En escala microscópica, también los inmunoprecipitados en sistema de difusión en gel muestran cierta especificidad de especie. Se ha creado también una prueba diagnóstica empleando una técnica indirecta de hemaglutinación, que se utiliza en algunos laboratorios.[106, 129]

Igual que ocurre con sistemas semejantes para las infecciones parasitarias, no es posible en la actualidad relacionar estos fenómenos de diagnóstico serológico con una inmunidad funcional.

Diagnóstico. El diagnóstico de la infección con *E. histolytica* se basa en hallar los organismos característicos en las heces, y en su diferenciación morfológica de las amibas no patógenas que existen también en las deyecciones humanas. Se ha utilizado el cultivo; pero en los cultivos, *E. histolytica* se parece tanto a *E. coli* no patógena, que el diagnóstico diferencial a menudo resulta muy difícil. Las preparaciones directas de heces diarreicas frescas en solución salina tibia pueden revelar las fases amiboides activas. Estas también pueden encontrarse en las muestras tomadas directamente de lesiones del intestino grueso, por medio del proctoscopio. La coloración M.I.F. de Sapero, Lawless y Strome es útil para preparaciones temporales, aunque la mejor diferenciación la proporcionan los frotis permanentes teñidos con hematoxilina férrica. En las evacuaciones formadas pueden encontrarse quistes; se identifican más fácilmente en soluciones yodadas, como la de D'Antoni. El método de concentración con formol-éter de Ritchie (para los quistes) y el M.I.F. de Blagg y col. (tanto para quistes como para trofozoítos), son excelentes para diagnóstico de las infecciones leves, que pueden pasar inadvertidas por examen directo. La técnica de conservación P.V.A. de Brooke y col. permite enviar material para examen a un laboratorio central.[20] *E. histolytica* aparece en forma irregular en las evacuaciones y, sea cual sea la técnica utilizada, a menudo son necesarios exámenes repetidos para establecer el diagnóstico. Debe insistirse en que la demostración del microorganismo solo constituye el primer paso en el diagnóstico de la infección; el definitivo es identificar los parásitos, lo cual requiere gran experiencia. El examen de las microfotografías puede dar una idea de las variaciones individuales que existen.[26, 178] Sin embargo, solo una vasta experiencia puede excluir las formas comensales y otras relacionadas menores, como *E. hartmanni.* La sintomatología diversa, la gravedad y la importancia de la enfermedad amibiana exigen el desarrollo de un método diagnóstico más objetivo que los que existen en la actualidad.

Hay ahora técnicas inmunológicas muy útiles para diagnósticos de la amibiasis invasora. Los métodos son muy específicos, pero de sensibilidad diversa. Como los anticuerpos persisten por periodos variables de tiempo después de terminada la infección, estas técnicas serológicas no son adecuadas para el diagnóstico de la infección activa.[79, 117] Algunos de los métodos, como la prueba de aglutinación del látex, son relativamente sencillos, y se pueden obtener del comercio.[134]

Quimioterapia. La emetina tiene acción favorable sobre los síntomas, pero rara vez elimina la infección del intestino. Hay varios medicamentos que contienen yodo, especialmente quiniofón y Diodoquin, y arsenicales, particularmente carbarsona y Milibis, eficaces para erradicar las amibas.

Hay varios antibióticos útiles para el tratamiento. La clorotetraciclina es moderadamente eficaz, y la oxitetraciclina cura aproximadamente 90 por 100 de los casos. La cloroquina y la camoquina, aunque no son útiles para la amibiasis intestinal, tienen alto valor curativo en infecciones extraintestinales. Recientemente se han utilizado el metronidazol (Flagyl) y el niridazol (Ambilhar), ambos para la disentería y el absceso hepático.[70]

Epidemiología y control. Las formas amiboides activas de *E. histolytica* mueren rápidamente cuando salen del organismo, porque son muy sensibles a la desecación, los cambios de temperatura y de concentración de sales. Como se destruyen por el jugo gástrico, generalmente no resultan infectantes si son ingeridas. En consecuencia, el enfermo con disentería amibiana prácticamente no es peligroso como fuente de infección, puesto que solo presenta formas amiboides en sus evacuaciones. Los quistes eliminados por los portadores, aunque no pueden compararse a las esporas bacterianas por su resistencia, se muestran mucho menos sensibles a las condiciones exteriores que los trofozoítos. Los estudios que utilizan quistes de cultivos, sometidos a prueba de viabilidad por cultivo, indican que pueden subsistir varios meses en el agua a $0°C$; tres días a $30°C$; treinta minutos a $45°C$, y cinco minutos a $50°C$. Los quistes de *E. histolytica* son un poco más resistentes al cloro que las bacterias entéricas. Parece que las concentraciones usuales de cloro residual son incapaces de destruir los quistes de las amibas, pero que la hipercloración es eficaz. En relación con esto, debe recordarse que en el brote de disentería amibiana de Chicago, en 1933, hubo muchas pruebas circunstanciales de que la infección se diseminó por medio de agua que contenía suficiente cloro residual para matar las bacterias intestinales.[125]

En general, la diseminación de *E. histolytica* es semejante a la de las bacterias que provocan infecciones intestinales, y utiliza todos los medios por los cuales la contaminación fecal llega hasta la boca humana. Los más importantes son el agua de bebida, las personas que manipulan alimentos, y las moscas. Las piscinas de natación, aunque no se han incriminado concretamente, constituyen una fuente potencial de infección. Se han encontrado quistes visibles en las deyecciones de las moscas, uno o dos días después que se contaminaron, y se ha atribuido a las moscas por lo menos un brote de alguna importancia.

La epidemia en Chicago de 1933, a la que ya se hizo referencia, fue comprobado que se debía a contaminación local del agua de bebida con aguas de albañal, en dos hoteles. Se descubrieron 1 409 casos, con 98 defunciones; y constituye el mayor brote que se ha producido en una ciudad de zona templada. Dirigió la atención médica hacia un problema que se consideraba importante únicamente en los trópicos. En 1955, se produjo un brote semejante en South Bend, Indiana, donde la fuente fue agua contaminada.[141] Sigue siendo infección frecuente en Estados Unidos de Norteamérica, y sería equivocado considerarla como infección predominantemente exótica.[8, 194]

La distribución de *E. histolytica* es mundial, pero en las regiones templadas su frecuencia generalmente es menor. Las encuestas indican un coeficiente general de infección de 4 a 10 por 100 en Estados Unidos de Norteamérica, aunque en ciertas localidades del sur del país la frecuencia ha llegado a cerca de 40 por 100. Estas cifras incluyen *E. hartmanni* (véase luego), y probablemente es muy alto, a menudo superior al 50 por 100. Los portadores humanos constituyen la única fuente importante de infección, aunque *E. histolytica* existe en la naturaleza en los animales inferiores, especialmente ratas, perros y monos. Los animales de experimentación que se utilizan más ampliamente son perros, gatos, monos, ratas, cobayos, conejos y cricetos.[83]

El control de la diseminación de *E. histolytica* no difiere básicamente del de otras infecciones entéricas humanas. La frecuencia de portadores que no se sabe hayan tenido disentería clínica complica el problema, pero, en última instancia, este se reduce a impedir la llegada de las heces humanas a la boca de las personas susceptibles.

MENINGOENCEFALITIS AMIBIANA PRIMARIA

Desde 1965, se han reconocido casos aislados y pequeñas epidemias de meningoencefalitis mortal, causados en el hombre por amibas de vida libre. Suelen considerarse del grupo Hartmanella (Acanthamoeba)-Naegleria, abundante en todas partes en agua naturales dulces. Los afectados suelen ser niños o adultos jóvenes sanos con antecedentes de

haber nadado en agua dulce durante la semana anterior al comienzo de los síntomas. La muerte viene en tres a cinco días a pesar del tratamiento. La puerta de entrada probablemente sea la mucosa nasal, con invasión del sistema nervioso central, que produce meningitis o encefalitis hemorrágica con signos en cefalorraquídeo de meningitis purulenta aguda. En la autopsia pueden descubrirse muchas amibas en el exudado; se identifican por cultivo.[28, 43, 138]

Otras especies de amibas parásitas del hombre. Hay seis especies de amibas que viven en el intestino humano. Excepto *Dientamoeba fragilis,* no son patógenas; su único interés médico es que deben diferenciarse de *E. histolytica.*

Recientemente se ha demostrado que *E. hartmanni*, que durante largo tiempo se consideró como una raza pequeña de *E. histolytica,* constituye otra especie. Difiere de esta por su tamaño: los quistes son siempre de menos de 10 μ de diámetro y el diámetro de los núcleos mide poco más de la mitad que los de *E. histolytica.* En el trabajo diagnóstico usual generalmente no se distingue de esta, pero en algunas encuestas se ha comprobado que constituye aproximadamente la mitad de las infecciones con tipo histolítica. No es patógena, y resulta difícil de cultivar.

Entamoeba coli, especie muy común, difiere de *E. histolytica* en varias características. El núcleo teñido muestra bloques de cromatina periférica más gruesos, y un cariosoma mayor, generalmente excéntrico. La fase amiboide tiene movilidad perezosa y frecuentemente no progresiva, formando seudópodos cupuliformes, que se expanden lentamente. Ingiere bacterias y otras partículas, pero rara vez eritrocitos. Los quistes esféricos, en promedio son un poco mayores, de 10 a 33 μ de diámetro; cuando están maduros tienen ocho núcleos y pueden contener cuerpos cromatoides con extremos puntiagudos o "astillados".

E. polecki, parásito de cerdos y monos, semejante a *E. coli,* pero que produce quistes uninucleados, se ha encontrado rara vez en el hombre.

Endolimax nana es menor, de 6 a 15 μ de diámetro en fase amiboide. El núcleo teñido no muestra cromatina periférica únicamente un cariosoma central o subcentral muy grande. El movimiento es perezoso, progresivo; ingiere bacterias. Los quistes, esféricos u ovoides, miden 5 a 14 μ de diámetro, y tienen uno a cuatro pequeños núcleos, a veces cuerpos cromatoides esféricos o en forma de bastoncillos.

Iodamoeba bütschlii mide 8 a 20 μ de diámetro en fase de trofozoíto. El núcleo teñido muestra un cariosoma central grande, rodeado por una capa de gránulos. El movimiento y las inclusiones se parecen a los de *E. coli.* El quiste es de forma irregular, de 5 a 20 μ de diámetro, y tiene uno, rara vez dos núcleos. Pueden observarse pequeños gránulos, pero la característica más notable del quiste es una gran masa de glucógeno que se tiñe de color pardo rojizo con el yodo.

Dientamoeba fragilis se encuentra rara vez en la población general, aunque ocasionalmente sea muy común en algunas instituciones. Es una forma muy pequeña, de 5 a 12 μ de diámetro, que generalmente tiene dos núcleos, cada uno con un cariosoma múltiple grande. Se mueve activamente e ingiere bacterias. Se ha encontrado asociado con disentería aguda, y se ha sugerido que puede producir cierta irritación constante de baja intensidad, con alteraciones fibrosas, que provoquen apendicitis.[183] Algunos protozoólogos la consideran más bien flagelado aberrante que amiba verdadera. No se le conoce fase quística, y el trofozoíto binucleado, como su nombre indica, se destruye fácilmente. Una investigación sugiere que *D. fragilis* se transmite por medio del huevecillo del oxiuro humano, *Enterobius vermicularis.*[27] Un antecedente de ello puede encontrarse en el ciclo de *Histomonas meleagridis,* flagelado amiboide patógeno para el pavo, que se transmite por los huevecillos de ascáride.

E. gingivalis, probablemente la primera amiba parásita que se observó, fue encontrada por Gros, en 1849, en el sarro dentario. No tiene fase quística conocida, y parece transmitirse en forma de trofozoíto por contacto directo. Durante cierto tiempo se sospechó que tuviera papel etiológico en la piorrea, pero actualmente se considera innocua.

CILIOPHORA

Balantidium coli es el mayor de los protozoarios parásitos del intestino humano; alcanza dimensiones de 150 × 120 μ. Puede provocar una disentería sanguinolenta aguda, semejante a la de la amibiasis. Frecuentemente penetra en la muscularis mucosa, y ocasionalmente produce perforación del intestino.[5] En el hombre se observan portadores sin síntomas, y la frecuencia mundial se calcula en menos de 0.7 por 100. Los cerdos se encuentran casi mundialmente infectados, y las infecciones humanas generalmente provienen de agua o alimentos contaminados con quistes resistentes, de ese origen. En los demás primates, se producen alteraciones patológicas ligeras o graves, y en la naturaleza hay infecciones en monos rhesus, chimpancés, perros y ratas noruegas. *Balantidium* puede cultivarse en muchos medios. La carbarsona constituye un quimioterápico eficaz, aunque también se han utilizado con éxito en el tratamiento Diodoquin y tetraciclinas.

FLAGELADOS INTESTINALES
(Mastigophora)

Los mastigóforos del tubo digestivo y de los órganos genitales, que se ilustran en la figura adjunta, son ejemplos típicos de parásitos de cavidades. Las especies comunes de flagelados intestinales *Chilomastix mesnili, Trichomonas hominis* y *Giardia lamblia,* tienen especificidad de huésped, aunque se encuentran en el hombre muchas formas menos frecuentes y menos específicamente coprofágicas. Ninguna de ellas se considera patógeno importante, aunque Giardia se asocia frecuentemente con erosión del epitelio duodenal, y también con irritación de vesícula biliar. Está demostrado que en algunos casos Giardia es capaz de invasión profunda de la mucosa. Aunque el significado de ello no está claro, sugiere que probablemente sea un patógeno humano más importante de lo que se había sospechado.[17, 133, 211] Las infecciones intensas en los niños son consideradas por algunos autores capaces de provocar disentería, síndrome celiaco o un padecimiento semejante al esprue.[38] Los parásitos, y los síntomas intestinales asociados desaparecen con tratamiento de Atebrina.

Trichomonas vaginalis es un parásito cosmopolita frecuente en la vagina y vías genitales masculinas. La infección generalmente es asintomática, pero en la mujer puede producir vaginitis intensa, y en el varón puede ocasionalmente asociarse con uretritis.[192] La transmisión se produce fundamentalmente por el coito, pues el parásito no tiene formas de resistencia. Las variaciones en la virulencia se relacionan con la cepa del parásito. Es interesante que los individuos infectados también suelen estarlo con el flagelado bucal no patógeno, *Trichomonas tenax.*[24] El metronidazol (Flagyl) es el producto de elección para tratamiento.

Algunos flagelados emparentados con los anteriores como *Trichomonas foetus,* pueden ser sumamente patógenos. Este, transmitido por el coito, provoca el aborto contagioso del ganado. *Trichomonas gallinae,* parásito común de las palomas

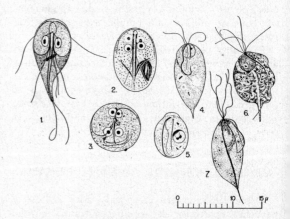

FIG. 33-2. Flagelados del intestino y vías genitales humanas teñidos con hematoxilina. *1*, Trofozoíto de *Giardia lamblia, 2* y *3*, Quistes de *G. lamblia. 4,* Trofozoíto de *Chilomastix mesnili. 5,* Quiste de *C. mesnili. 6, Trichomonas hominis. 7, T. vaginalis.* (Hunter, Frye y Swartzwelder, *A Mannual of Tropical Medicine,* 4a. edición.)

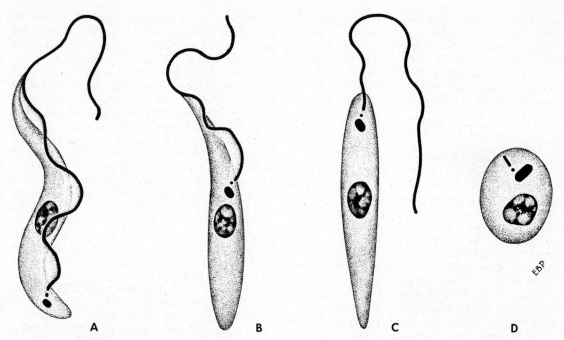

FIG. 33-3. Tipos morfológicos de hemoflagelados. *A*, Fase tripanosómica. *B*, Fase de critidina. *C*, Fase leptomónica. *D*, Fase de leishmania.

domésticas, tiene cepas virulentas que producen lesiones en vías digestivas y estructuras relacionadas. En esta especie, se ha señalado la transformación de cepas avirulentas en virulentas cuando las primeras se tratan con homogeneizados de cepas patógenas.[86]

Chilomastix y Giardia se diseminan por ingestión de material contaminado con heces humanas que contengan quistes. Trichomonas no produce quistes resistentes, pero el trofozoíto puede conservarse viable durante más de una hora en objetos contaminados, aunque se hayan desecado.

HEMOFLAGELADOS
(Mastigophora)

Los protozoarios flagelados que viven en la corriente sanguínea, o como parásitos intracelulares del hombre, se llaman hemoflagelados. Todos son miembros de la familia Trypanosomidae, y hay siete especies que se encuentran en el hombre: *Trypanosoma rhodesiense, T. gambiense, T. cruzi, T. rangeli, Leishmania donovani, Leishmania tropica,* y *L. braziliense*. Probablemente todos han evolucionado a partir de parásitos del tubo digestivo de insectos; y los que parasitan al hombre todavía requieren para su transmisión normal insectos vectores o huéspedes intermediarios que chupen sangre.[63] En sus ciclos vitales, los hemoflagelados muestran varios tipos morfológicos, que se suceden en fases regulares. Como estos tipos se han asocia-

do a determinados géneros, estas fases reciben el nombre de los géneros que remedan. Como se indica en la figura adjunta, estas son las formas tripanosoma, critidia, leptomonas y leishmania. La forma tripanosoma se caracteriza por tener un flagelo que se origina en la parte posterior de la célula, unido a ella por una membrana ondulante que corre a todo lo largo del cuerpo y que termina en la extremidad anterior en forma de flagelo libre. En la forma critidia, el flagelo se origina inmediatamente por delante del núcleo, con la correspondiente reducción en la membrana ondulante. En la forma leptomonas el flagelo se origina cerca de la extremidad anterior del cuerpo, y no tiene membrana; en la fase leishmania, de forma ovoide, no hay flagelo libre. Las estructuras que se encuentran en el sitio de origen del flagelo, el cinetoplasto y el cuerpo parabasal, todavía pueden observarse en las leishmanias, y tienen importancia diagnóstica.

Los hemoflagelados que tienen interés en medicina pertenecen a tres grupos y dos géneros. *Trypanosoma gambiense* y las formas relacionadas se encuentran en forma de tripanosoma en el huésped vertebrado, y en las formas tripanosoma y critidia en el invertebrado. *T. cruzi* tiene las cuatro formas en el huésped vertebrado, y las de tripanosoma y critidia en el invertebrado. Los miembros del género Leishmania tienen en el vertebrado únicamente la forma leishmanoide, y en el invertebrado la de leptomonas.

En todas las formas, la reproducción se hace por fisión binaria. Se dividen el núcleo, el blefaroplasto y el cuerpo parabasal; el blefaroplasto produce un nuevo flagelo, y el citoplasma se divide longitudinalmente para formar dos células hijas. En las especies que nos interesan, las fases leishmaniformes son intracelulares en el huésped vertebrado. Las fases flageladas viven en los líquidos del organismo de los vertebrados, y en el tubo digestivo de los insectos.

Tripanosomas

Tripanosoma gambiense. Ford observó en la sangre de una persona nativa de Gambia un flagelado que había sido descrito por Dutton en 1902 como *T. gambiense.* En 1903, Castellani observó un flagelado semejante en el líquido cefalorraquídeo de un paciente con enfermedad del sueño en Uganda. Bruce y Nabarro, en 1903, transmitieron *T. gambiense* a los monos por medio de una mosca tsetsé, y Kleine, en 1909, demostró que los parásitos pasan por un ciclo de desarrollo en la mosca.

Características y ciclo vital. En la sangre y la linfa de casos incipientes de la enfermedad del sueño africana, *T. gambiense* se presenta como tripanosoma, que en las preparaciones frescas se puede observar agitándose entre los eritrocitos. Mide 15 a 40 μ de largo, y tiene formas cortas y anchas, en las cuales no hay flagelo libre que sobrepase la membrana ondulante, y formas largas y delgadas, con flagelo libre. Como en todos los miembros de esta familia, la reproducción se efectúa por fisión binaria. El insecto transmisor, una mosca tsetsé (Glossina), se infecta ingiriendo los parásitos con la sangre infectada. En el estómago de la mosca, los flagelados que sobreviven se multiplican en forma de tripanosomas y critidias, primero en el proventrículo, estómago e intestino, y después en las glándulas salivales. En este sitio se transforman en parásitos infectantes, que son inyectados por picadura de la mosca, 20 o más días después de que esta hizo la comida infectante.

Los parásitos se multiplican en cantidad limitada en medio NNN, de gelosa sangre concentrada. El cultivo continuo se ha realizado en algunos casos, pero presenta demasiadas dificultades para tener un valor práctico. En la membrana corioalantoidea del embrión de pollo en desarrollo, se produce una multiplicación abundante. En la especie vecina *T. vivax* se ha obtenido el desarrollo hasta una fase infectante, en cultivo de tejido de mosca tsetsé.[191]

La enfermedad del sueño africana. Después de la picadura de una mosca tsetsé infectante, el periodo de incubación varía de dos a tres semanas hasta varios meses. El primer periodo de la enfermedad humana está constituido por una infección general, en la cual los parásitos se encuentran principalmente en la sangre, también en la linfa. Generalmente el primer síntoma es una fiebre irregular. Un poco más tarde, los parásitos empiezan a predominar en los ganglios linfáticos, y estos órganos y el bazo aumentan de volumen, observándose anemia y adelgazamiento. La lesión cardiaca puede constituir una manifestación predominante; a menudo hay edema. Este periodo se continúa gradualmente con el de la enfermedad del sueño, durante el cual los parásitos se encuentran en mayor abundancia en el líquido cefalorraquídeo, menos en la linfa. El sistema nervioso central es el que presenta las lesiones más netas, que se traducen típicamente por somnolencia, apatía y debilidad, menos frecuentemente por excitación maniaca y otras manifestaciones de violencia. El resultado final es el coma y la muerte. La evolución típica dura varios meses, pero en algunas partes de Africa Oriental la enfermedad se desarrolla más rápidamente, la invasión del sistema nervioso central es más temprana, y frecuentemente se produce la muerte por lesión cardiaca antes de llegar al periodo de enfermedad del sueño, típica. En la sangre de los animales de laboratorio infectados a partir de casos de esta región, aproximadamente 5 por 100 de los flagelados son cortos, con el núcleo situado en la parte posterior, lo cual rara vez sucede en parásitos procedentes de otras partes. Debido a estas diferencias en morfología y patogenicidad, ya que la transmisión se hace por diferentes especies de moscas tsetsé, Stephens y Fantham separaron los parásitos del Africa Oriental en una especie diferente, *T. rhodesiense.* La mayor parte de los autores consideran actualmente que esta constituye una raza local de *T. gambiense.*[40]

Inmunidad. Parece que ocasionalmente hay curación espontánea en la enfermedad del sueño africana. Salvo este dato, no se conocen otros que hagan pensar que exista una inmunidad natural o

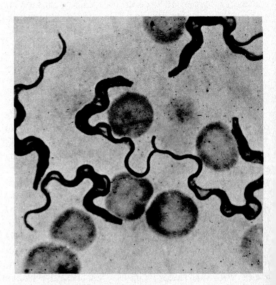

FIG. 33-4. *Trypanosoma gambiense* en frotis de sangre teñida. Aproximadamente $\times$ 2 000.

adquirida en el hombre. En las ratas y ratones, *T. gambiense* y las especies relacionadas producen una parasitemia rápidamente mortal, mientras que los cobayos y otros huéspedes muestran un tipo de infección recurrente característico. Después de un periodo de multiplicación muy acelerada, los organismos son rápidamente destruidos, para reaparecer pocos días después y repetir el ciclo. En el momento de la crisis hay en el suero del cobayo un anticuerpo que destruye los parásitos existentes antes de la crisis, pero los que aparecen después de ella son resistentes a dicho anticuerpo. Este fenómeno se ha observado en animales infectados originalmente con un solo parásito, indicando que la modificación en la estructura antigénica no depende únicamente de la selección, sino que implica una modificación adaptativa del parásito.

Diagnóstico. En la tripanosomiasis africana, pueden observarse varias reacciones séricas, pero no son seguras para diagnóstico, principalmente debido a la labilidad antigénica de los parásitos. El diagnóstico de laboratorio depende de hallazgo e identificación morfológica del agente en sangre, líquido de ganglios linfáticos o líquido cefalorraquídeo. Se usan los frotis secos teñidos con colorantes de sangre, como de Wright, sea de líquido total, como se obtiene, o de muestras centrifugadas. En el caso de la sangre, pueden usarse frotis delgados o gotas gruesas.

Los parásitos suelen ser escasos, y un resultado negativo en cualquier líquido orgánico tiene poca importancia.

Epidemiología y control. En algunos raros casos se ha señalado la probabilidad de una infección venérea. Sin embargo, la transmisión normal de la infección se produce por picadura de moscas tsetsé, como se dijo antes. Las especies que tienen mayor importancia son *glossina palpalis* en África Occidental, y *G. morsitans* en el África Oriental, donde se presenta la forma rhodesiense, más virulenta. Otras especies importantes son *G. tachinoides, G. swynnertoni, G. pallidipes,* y *G. austeni.* Estos insectos son parientes de la mosca doméstica común, pero solo existen en África Tropical y una pequeña parte de Arabia meridional, y la enfermedad humana se limita a su área de distribución. Se parecen a la mosca de las casas por su aspecto, salvo la probóscide larga y estrecha, que conservan recta por delante de la cabeza, y la manera como doblan las alas cuando reposan, descansando sobre la superficie dorsal, una encima de otra. Tanto los machos como las hembras pican, y ambos pueden transmitir la enfermedad. Pican exclusivamente durante el día. Las larvas se desarrollan completamente en el cuerpo de la hembra, se depositan aisladamente en la tierra suelta o en la arena, en sitios sombreados, y rápidamente penetran en el suelo para transformarse en pupas. Después de 4 a 8 semanas, emergen los adultos. *G. palpalis* pulula casi exclusivamente cerca del agua y su distribución local

es más limitada que la de *G. morsitans,* que depende menos de la sombra y la humedad.

Durante mucho tiempo ha sido objeto de discusiones el papel de los animales silvestres en la diseminación de la enfermedad del sueño. Hay varios grandes animales silvestres, especialmente el antílope *sitatunga,* que pueden albergar los flagelados, generalmente sin presentar síntomas, y se ha demostrado que conservan la infección durante largos periodos, en ausencia de reservorio humano. Sin embargo, la mayoría de los autores están de acuerdo en que el hombre constituye la fuente de infección usual. La frecuencia de la infección humana varía ampliamente. En la actualidad, no suele ser mayor del 2 por 100, aunque en lo pasado se observaron aldeas donde los coeficientes de infección llegaban hasta 50 por 100, y ha habido epidemias catastróficas.

La diversidad de los métodos de control que se utilizan indica su relativa ineficacia. Hay varios medicamentos valiosos para tratar la infección humana, cuyo éxito es proporcional a la importancia local del hombre como reservorio de la infección. La triparsamida y otros arsenicales son eficaces en todos los periodos de la enfermedad, aunque menos en la forma rhodesiense, en la cual es más activo el Bayer 205 (suramina). Este medicamento es inútil en fase de enfermedad del sueño, pero es eficaz durante el primer periodo, y tiene la valiosa propiedad de proteger contra la infección por lo menos tres meses después de su administración. Una nueva serie de derivados de la diamidina, de los cuales es representativa la pentamidina, constituyen una verdadera promesa. La pentamidina cura los casos existentes, y protege contra la infección por lo menos seis meses después de administrada. Cientos de miles de nativos han recibido este medicamento en campañas de tratamiento en masa, y la disminución en la frecuencia que ha resultado sugiere que es el método de control más eficaz disponible.

En algunas regiones se ha intentado destruir en masa los animales de caza que constituyen el reservorio, pero es dudoso el éxito de esta medida. Cuando los coeficientes de infección humana y animal son particularmente altos, se ha realizado la movilización en masa de las poblaciones humanas. En algunos distritos se hace el control de los inmigrantes, que constituyen un problema perpetuo en gran parte del África, intentando disminuir la diseminación de la enfermedad.[195]

El ciclo vital y la conducta complicada de las moscas tsetsé hacen sumamente difícil luchar contra ellas. En algunas regiones, la captura a mano o con trampas ha disminuido grandemente la población de moscas. Se ha utilizado la inspección y fumigación de los vehículos para limitar su diseminación. El mejor de los métodos aislados es la destrucción de la selva y las malezas, especialmente a lo largo de las corrientes y alrededor de las aldeas,

Célula de Kupffer infectada

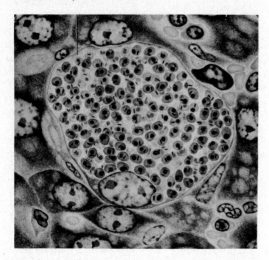

Célula hepática   Cripta epitelial ⟶

FIG. 33-5. Fase leishmania de *Trypanosoma cruzi*, cepa Tulahuén en una célula de Krupffer del hígado (Taliaferro y Pizzi.)

pues esto destruye los sitios de pululación y descanso de las moscas.

Trypanosoma cruzi. En 1909, Chagas descubrió formas intermedias de flagelados en el intestino posterior del hemíptero *Triatoma megista* en Brasil. Demostró que estos flagelados podían infectar a los mamíferos, y más tarde encontró la fase tripanosómica en un niño con una enfermedad característica, que actualmente se conoce como enfermedad de Chagas; describió el organismo, y le dio el nombre de *Schizotrypanum cruzi*, pero actualmente la mayoría de los autores lo llaman *T. cruzi*.

Caracteres y ciclo biológico. Los parásitos que se observan en la sangre de casos recientes de enfermedad de Chagas tienen el tipo tripanosómico, fundamentalmente semejante a *T. gambiense*, pero menores, de unas 20 micras de largo, y con el extremo posterior redondeado. No se reproducen en la sangre.

La fase que predomina en el hombre y en los animales de experimentación está constituida por una forma pequeña, redondeada, no flagelar, de 3 a 5 μ de diámetro, que se presenta en racimos que llenan las células infectadas. Parece que constantemente se producen pequeñas cantidades de formas tripanosómicas, que pasan a la sangre circulante desde los nidos de parásitos intracelulares no flagelados.

Diversos hemípteros de la familia Reduviidae adquieren la infección al ingerir sangre que contenga las formas tripanosómicas. Estas se transforman en critidias en el intestino medio y posterior, donde se multiplican para producir, dos o tres semanas después de la comida infectante, tripanosomas infecciosos, presentes en las heces del insecto,

que infectan al hombre penetrando en la herida producida por la picadura del hemíptero, o pasando a través de una mucosa, especialmente de boca u ojos.

Es relativamente fácil realizar un cultivo continuo de *T. cruzi* en medio NNN y en medios más simples de caldo. Los parásitos se multiplican en forma flagelar, de tripanosomas, y especialmente de critidias. Las fases no flagelares se desarrollan en cultivo de tejidos de macrófagos de animales infectados.

Enfermedad de Chagas. Chagas descubrió la infección en una región donde existía bocio endémico grave, y la mayor parte de sus casos padecían patología tiroidea intensa. Ulteriormente se ha comprobado en otras regiones que las manifestaciones bociosas que describió no forman parte del cuadro de la enfermedad de Chagas. El periodo de incubación es de una a dos semanas. La fase aguda se caracteriza por fiebre irregular y edema, especialmente en los párpados (signo de Romaña), con aumento de volumen de los ganglios linfáticos, bazo e hígado al final de este periodo. La enfermedad aguda es rara, excepto en niños pequeños, en los cuales ocurren casi todas las defunciones atribuidas a la infección. La enfermedad crónica, que se presenta en los adultos, y en los niños después del periodo agudo, tiene una sintomatología variable según la localización de los parásitos; el hecho característico más singular que lo distingue con mayor frecuencia es una miocarditis.[155]

Además de las cepas miotrópicas, en Chile hay una cepa reticulotrópica (Tulahuén). La espleno y hepatomegalia, y la congestión de la médula ósea pueden crear un aspecto patológico que recuerda el de la leishmaniasis visceral. Puede ocurrir la infección transplacentaria, pero es rara, y los procesos de megacolon y megaesófago que se encuentran en Argentina y Chile se atribuyen al parasitismo por esta especie.[56, 172] Esto resulta de la destrucción de células ganglionares que acompaña a la infección.[122]

Inmunidad. En la enfermedad humana no está demostrado que existía inmunidad adquirida, pero los animales de experimentación se hacen inmunes a la reinfección cuando se alivian de la primera. El suero de estos animales protege parcialmente contra la infección experimental. El suero de los casos humanos fija el complemento en presencia de extractos de tejidos infectados, o de cultivos de *T. cruzi*, y la prueba de fijación del complemento (reacción de Machado), o cualquiera de sus modificaciones se utilizan ampliamente para diagnóstico de laboratorio. En los mamíferos silvestres de Maryland,[203] se ha encontrado una cepa relativamente inofensiva de *T. cruzi*.[69] La infección de los ratones con esta cepa produce inmunidad contra la superinfección con cepas más virulentas.[103]

Diagnóstico. Fuera de la reacción de fijación del complemento, los métodos de diagnóstico de laboratorio se basan en la demostración de los parásitos. Durante los periodos iniciales de la enfermedad humana pueden encontrarse tripanosomas en los frotis de sangre teñidos. Ulteriormente, la existencia de los parásitos puede comprobarse indirectamente cultivando la sangre, o por "xenodiagnóstico" (diagnóstico por el huésped), en el cual redúvidos criados en el laboratorio se infectan después de picar un enfermo. El método de los anticuerpos fluorescentes, aunque poco utilizado, también ha demostrado tener valor diagnóstico práctico.

Epidemiología y control. La infección se adquiere normalmente a partir de redúvidos infectados, como se describió antes, aunque ocasionalmente puede adquirirse por contaminación directa de las mucosas, como en la infección congénita de los niños. Los principales vectores son *Triatoma (Mestor) megista,* y *Rhodnius prolixus,* pero se han incriminado cerca de 40 especies de la familia Reduviidae. Estos insectos forman parte del orden Hemiptera, al cual pertenecen la chinche de las camas y otros. Son insectos grandes, de cabeza alargada y forma cónica. La mayor parte de las especies viven como predadores de otros insectos, pero algunos se alimentan con sangre de vertebrados. Habitan en las madrigueras de diversos animales, y pueden encontrarse en las habitaciones humanas mal construidas, donde tanto el macho como la hembra suelen picar a las personas dormidas, en las cercanías de la boca o de los ojos. El ciclo biológico total, incluyendo las fases de huevecillo, larva, ninfa y adulto, dura 6 a 10 meses.

La enfermedad humana se encuentra ampliamente diseminada en América del Sur y Central, pero en la mayor parte de las regiones su frecuencia es baja. Se ha señalado su presencia en todos los países del hemisferio occidental, con excepción de Canadá, Honduras y las Guayanas, como infección selvática. *Trypanosoma cruzi* se ha observado en Arizona, California, Georgia, Luisiana, Maryland, Nuevo México y Texas.[209] Además, se han registrado dos casos indígenas humanos en Texas.[210] La posibilidad de que aparezcan infecciones más extensas que las señaladas queda indicada por un hecho: pacientes en el este de Estados Unidos de Norteamérica sufren una forma de miocarditis difusa y se ha comprobado que reaccionan positivamente con pruebas serológicas a *Trypanosoma cruzi.*[49]

No se ha logrado un control eficaz de la enfermedad de Chagas. Los métodos más prometedores implican destruir los animales domésticos infectados y mejorar la vivienda humana, para excluir insectos y reservorios. No hay un quimioterápico eficaz para la enfermedad de Chagas; los medicamentos útiles para la tripanosomiasis africana son inactivos contra esa infección.

Trypanosoma rangeli. Tejera, en 1920, describió en Venezuela, en un vector de *T. cruzi,* un flagelado que llamó *T. rangeli.* En 1942 se aisló de seres humanos por xenodiagnóstico, y desde entonces se ha encontrado ampliamente en América Central y del Sur, en las regiones en que se encuentra su vector, *Rhodnius prolixus.* El tripanosoma se divide en la circulación periférica del hombre, perro y mono, y no se han demostrado formas de leishmania. No se conocen manifestaciones clínicas, y dos infecciones experimentales del hombre evolucionaron sin síntomas. Contrariamente a *T. cruzi, T. rangeli* se transmite al hombre por la picadura del insecto.

Otras especies de tripanosomas. Hay muchas enfermedades importantes de los animales domésticos provocados por especies de tripanosomas semejantes a *T. gambiense.* La nagana es una enfermedad rápidamente mortal de los equinos, y en menor grado del ganado y de los perros, y se presenta en una amplia región del Africa Oriental. Es producida por *T. brucei,* microorganismo muy semejante a la forma rhodesiense de *T. gambiense.* Muchas otras especies transmitidas por la mosca tsetsé constituyen importantes agentes patógenos para los animales en Africa. *T. evansi* provoca una enfermedad de los caballos, camellos y mulas llamada "surra", muy extendida en Asia, y que llega hasta Rusia, Arabia y Madagascar.

T. lewisi de la rata provoca la formación de un interesante anticuerpo que inhibe la reproducción del parásito, sin matarlo. Este anticuerpo, llamado ablastina, impide la división nuclear y la producción de nucleoproteínas por el parásito.[185, 186]

Leishmanias

Leishmania donovani. Leishman y Donovan describieron, en 1903, en casos de kala-azar en la India, parásitos ovoides en los macrófagos. Se reconoció que eran mastigóforos cuando Rogers demostró que en cultivo desarrollaban flagelados móviles.

Caracteres y ciclo biológico. En la enfermedad humana, el kala-azar, los parásitos se presentan como formas no flageladas, de 3 a 5 μ de largo, dentro de los macrófagos, donde presentan una morfología semejante a las formas no flageladas de *T. cruzi,* como demuestra la figura 33-6. Se multiplican por fisión binaria, hasta que el citoplasma de la célula huésped se encuentra repleto; entonces se liberan para infectar nuevas células.

Aunque los parásitos predominan en los órganos internos, también se encuentran en los macrófagos de la piel, y probablemente es de ellos de donde lo toman los huéspedes intermediarios, dípteros del género Phlebotomus, en los cuales los parásitos se transforman en formas leptomónicas, de 14 a 20 μ de longitud, y se multiplican en el intestino medio y posterior del insecto, que resulta infectante al cabo de una semana o más. Los flagelados, inyectados por la picadura del mosquito a un nuevo huésped, vuelven a establecer la fase

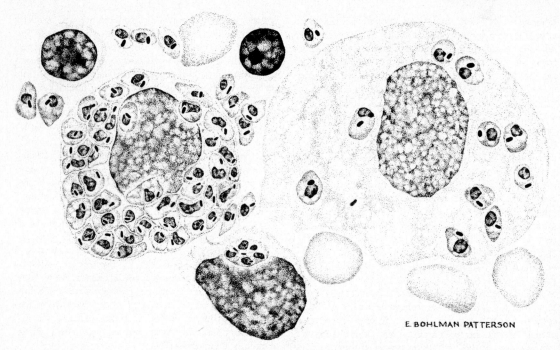

E. BOHLMAN PATTERSON

FIG. 33-6. *Leishmania donovani,* libre y dentro de fagocitos, en un frotis, de impresión de bazo teñido con Giemsa. Cámara clara. Aproximadamente × 2 000.

del ciclo que se desarrolla en el huésped vertebrado. *L. donovani* se cultiva fácilmente en medio NNN y otros, entre 22° y 35°C, multiplicándose en la forma leptomónica, como en el insecto vector. En cultivos de tejidos de bazo de animales infectados, las formas no flageladas se multiplican abundantemente.

Kala-azar. La leishmaniasis visceral, o kala-azar, generalmente es enfermedad crónica.[120] En los casos típicos, después de un periodo de incubación de uno a cuatro meses (a veces mucho mayor), principia con fiebre elevada, luego irregular. Bazo e hígado crecen mucho, con hiperplasia del sistema macrofágico parasitado. Son comunes la caquexia, emaciación y edemas. Las grandes infecciones de la pared intestinal a menudo se traducen por cuadros disentéricos. Típicamente la piel adquiere una tonalidad obscura, de donde el nombre de kala-azar, que significa "fiebre negra". La piel se encuentra infectada con el parásito, pero generalmente no muestra lesiones hasta meses después que se produce la curación general, cuando aparecen áreas despigmentadas, que frecuentemente se transforman en pápulas ligeramente elevadas. Hay anemia y leucopenia características. Se ha comunicado insuficiencia suprarrenal. Los casos no tratados generalmente causan la muerte, la mayoría por infección secundaria.

Inmunidad. Cuando se trata, o cuando cura espontáneamente, el kala-azar parece dejar inmunidad sólida, porque una segunda infección es muy rara.

Sin embargo, las vacunas no han logrado proteger o mejorar la enfermedad.

Diagnóstico y tratamiento. El diagnóstico de certidumbre del kala-azar puede hacerse por hallazgo de los parásitos en biopsias de piel, bazo, hígado o médula ósea. El examen de la médula obtenida por punción esternal constituye un procedimiento seguro y digno de confianza. Los hemocultivos pueden ser positivos. Además, hay un grupo de reacciones serológicas no específicas que han demostrado tener mucho valor, y que dependen de que la euglobulina sérica se encuentra muy aumentada en el kala-azar. En la prueba de la gelificación por el formol (reacción del aldehido de Napier), los sueros positivos forman un gel opaco cuando se les añade formalina. En la prueba de antimonio, una substancia antimonial pentavalente provoca la formación de un precipitado floculento pesado en los sueros de enfermos. Estas pruebas son positivas en más de 80 por 100 de los casos, y solo ocasionalmente dan reacciones positivas falsas en otras enfermedades, especialmente en la esquistosomiasis y el paludismo.

Varios compuestos antimoniales, principalmente el Neostibosan y el Solustibosan, son eficaces en el kala-azar. Cuando el tratamiento tiene éxito, a menudo va seguido de leishmaniasis cutánea, que puede persistir algunos meses. Los medicamentos estilbamidina y pentamidina, que se mencionaron en relación con la enfermedad del sueño africana, también son eficaces contra el kala-azar.

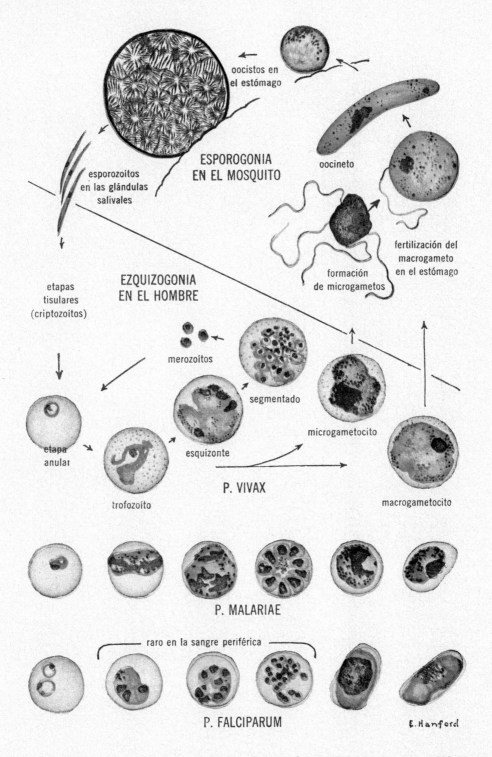

Fig. 33-7. Ciclo vital y morfología comparada de los parásitos palúdicos del hombre. Oocistos × 600; las demás formas × 2 000. (Etapas esquizogónicas reproducidas de Huff, *Manual of Medical Parasitology.*)

Epidemiología y control. Se ha comunicado la existencia de kala-azar en China, India, en sur de Rusia, Mesopotomia, litoral del Mediterráneo sur de Arabia, Africa Ecuatorial y algunas partes de América del Sur y Central. En Asia parece ser enfermedad humana, aunque son susceptibles diversos animales inferiores, especialmente perros, cricetos y ratones. La infección puede ocurrir a cualquier edad; es más frecuente en niños mayores y adultos jóvenes. Sin embargo, en la región del Mediterráneo es primordialmente enfermedad de los niños pequeños; los perros se encuentran frecuentemente infectados y parecen constituir el reservorio, puesto que, al contrario de los niños, muestran gran cantidad de parásitos en la piel.

El parásito del Mediterráneo es llamado por algunos autores *L. infantum,* y la forma sudamericana fue descrita como *L. chagasi,* pero se cree que ambas pertenecen a la especie *donovani.*

Los factores de distribución estacional y geográfica señalaban desde un principio a los flebotomos como probables vectores, y pronto se demostró que eran susceptibles, desarrollando intensas infecciones intestinales cuando se alimentan sobre enfermos. La faringe de estos insectos a menudo queda obstruida con las formas flagelares sencillas y, debido a sus vigorosos esfuerzos para alimentarse, los flebotomos con obstrucción parecen mucho más propensos a inyectar los parásitos.

Los flebotomos vectores pertenecen a la familia de pequeños dípteros Psychodidae. Las especies más importantes son *Phlebotomus argentipes* en la India, *P. chinensis* en China, y *P. major* y *P. perniciosus* en el Mediterráneo. En otras regiones todavía no se conocen los vectores. Los adultos son insectos pequeños, que pican por la noche. Su vuelo es débil y no se trasladan sino a muy cortas distancias, pero atraviesan fácilmente las telas de alambre contra los mosquitos. Las larvas se desarrollan en los suelos flojos y húmedos, o en residuos, en su mayor parte en hendiduras de paredes, rocas, cuevas, etc. Su ciclo vital completo dura uno a dos meses.

La lucha contra los insectos transmisores se hace limpiando los sitios donde pueden pulular o rociándolos con DDT. También se usa mucho para evitar la diseminación del kala-azar el tratamiento de los casos humanos.

Leishmania tropica. *L. tropica* fue descubierta por Wright en Boston, en 1903, en un enfermo armenio. Su morfología y caracteres de cultivo son idénticos a los de *L. donovani,* del cual difiere porque infecta primordialmente la piel, donde prolifera en los macrófagos del tejido subcutáneo. En el hombre, perros y roedores silvestres produce grandes úlceras, únicas o múltiples, generalmente en las partes expuestas, que reciben el nombre de úlcera o botón de Oriente. Estas lesiones aparecen después de un periodo de incubación de diez días a varios meses. Aumentan hasta alcanzar un diámetro de 1 a 3 cm y curan espontáneamente después de varios meses, dejando una cicatriz visible. La infección deja una inmunidad permanente, y durante largo tiempo se ha acostumbrado en el Medio Oriente provocar úlceras en regiones no expuestas del cuerpo, para evitar la aparición de cicatrices antiestéticas en las regiones visibles. La transmisión puede realizarse por contacto directo, fomites y moscas, pero indudablemente la mayor ocurre por medio de flebotomos, igual que el kala-azar. Existe la úlcera de Oriente en la parte sur de Asia, sur de Rusia, Cercano Oriente, Africa Ecuatorial y región del Mediterráneo; los principales vectores son *P. sergenti,* *P. papatasii* y, probablemente, *P. caucasicus.* El diagnóstico de laboratorio se hace identificando los parásitos en frotis teñidos del raspado de las lesiones. Se ha propuesto una prueba intradérmica que constituye un método diagnóstico seguro. Como a menudo es muy difícil descubrir los parásitos en las lesiones, este procedimiento puede ser valioso. La administración de derivados de antimonio, como Neostibosan, sea por vía local o general suele ser eficaz.

Leishmania braziliensis. Morfológicamente esta especie no puede distinguirse de *L. tropica* y *L. donovani,* y su lesión primaria se parece mucho a la de *L. tropica.*[66] Puede causar úlceras superficiales, granulomatosas o húmedas en cualquier parte de la piel. En algunas regiones de endemia, el parásito emigra en forma característica a focos secundarios, especialmente en la unión de mucosa con piel, provocando ulceraciones extensas y destructivas de nasofaringe, laringe y órganos vecinos, con deformación de la cara. Se producen lesiones metastáticas, con probable diseminación linfática, y se han encontrado leishmanias en la sangre periférica. El diagnóstico y el tratamiento son los mismos que para las otras leishmaniasis, observando e identificando el parásito en frotis teñidos a partir de las lesiones. También tiene valor una prueba intradérmica, la reacción de Montenegro, que utiliza un antígeno extraído de cultivos de leishmanias. La enfermedad recibe muchos nombres según lugares en que se encuentra, incluyendo los de uta, espundia, úlcera de los chicleros y leishmaniasis mucocutánea, y tiene una distribución que va desde el norte de Argentina hasta la península de Yucatán, en México. En Centroamérica, la leishmaniasis cutánea es enfermedad selvática, que tiene reservorio de huéspedes como pequeños roedores y otros animales del campo. En Sudamérica la infección se ha descrito en el perro.[108]

ESPOROZOARIOS

Parásitos del paludismo. Con excepción de un parásito intestinal poco frecuente y toxoplasma, microorganismo relacionado que hasta hace poco no se había clasificado, los únicos esporozoarios que infectan al hombre son los parásitos del paludismo.

Se encontraron por primera vez por Laveran en 1880, y su ciclo vital en los eritrocitos humanos fue descrito por Golgi. Las sugerencias de Manson permitieron a Ross demostrar, en 1898, la transmisión del paludismo aviario por los mosquitos, y posteriormente, ese mismo año, Grassi, Bignami y Bastianelli demostraron el mecanismo de transmisión del paludismo humano. El hombre alberga cuatro especies de parásitos del paludismo, de los cuales puede servir como ejemplo *Plasmodium vivax*.[16]

Características y ciclo vital. En las preparaciones frescas de sangre infectada, los parásitos de *P. vivax* aparecen como espacios claros en los eritrocitos. Contienen gránulos amarillentos o pardos de pigmento, producto de digestión de la hemoglobina que, por métodos microquímicos, se ha identificado como hematina. En los frotis de sangre teñidos con colorantes como el Giemsa, los parásitos muestran el citoplasma azul y el núcleo rojo violáceo.[57] El período inicial en el eritrocito, la fase anular, tiene la forma de un delgado anillo de citoplasma, con el núcleo a un lado. El parásito crece y se transforma en un corpúsculo uninucleado, irregular, que contiene varios gránulos parduscos de pigmento. Esta fase se conoce con el nombre de trofozoíto amiboide. En este momento, la célula parasitada ha aumentado un poco de volumen y puede mostrar, diseminados en su citoplasma, minúsculos gránulos rojos, las "granulaciones de Schüffner", que parecen resultar de la lesión de la célula. El parásito sigue creciendo, fagocitando la hemoglobina del eritrocito, que digiere, y, así, acumulando más pigmento. Finalmente llena casi por completo el eritrocito, que en ese momento alcanza una vez y media su diámetro normal. El núcleo se divide repetidamente hasta formar 12 a 24 núcleos, generalmente alrededor de 16. Esta es la fase de esquizonte. Por último, en la fase de segmentado, el citoplasma se divide, y una parte rodea cada núcleo. El pigmento queda formando un grumo denso, y la célula se desintegra, liberando las células hijas o merozoítos en el plasma; estas invaden nuevos eritrocitos y repiten el ciclo. El proceso antes descrito de crecimiento y división múltiple recibe el nombre de esquizogonia. En *P. vivax* se realiza aproximadamente en 48 horas, y el crecimiento se regula por el ciclo de actividad cotidiana del huésped, de modo que la segmentación suele producirse aproximadamente a la misma hora, en días alternos.

Después de varios ciclos esquizogónicos puede notarse una diferencia en la infección. Algunas formas amiboides, en lugar de transformarse en esquizontes y realizar la reproducción asexual, origina grandes parásitos mononucleados, con gránulos dispersos de pigmento. Estos constituyen las fases sexuales. La hembra, o macrogametocito, tiene un núcleo de color rojo obscuro, compacto, y citoplasma intensamente azul. El macho, o microgametocito, tiene un núcleo más difuso, menos intensamente teñido, y el citoplasma es más pálido, a

menudo rosado más que azul. Los gametocitos no sufren ningún desarrollo ulterior en el hombre; finalmente degeneran o son destruidos, a menos que sean captados por un mosquito susceptible.

En el estómago del mosquito se producen los gametos. El macrogametocito sale del eritrocito y se convierte en un solo macrogameto, equivalente al óvulo de los metazoarios. El microgametocito produce en su superficie, por un proceso generalmente llamado "exflagelación", cuatro a ocho microgametos largos, de forma flagelar, que equivalen a los espermatozoides de los animales superiores. Uno de estos microgametos, que ondulan activamente, fecunda un macrogameto. El cigoto[88] esférico resultante, que se encuentra en la superficie de la sangre ingerida, queda atrapado entre las células epiteliales del estómago del mosquito cuando la comida se digiere. Su crecimiento produce un oocisto, que queda en la cara exterior del estómago. Otros autores creen que se forma un oocineto fusiforme que penetra activamente en las células epiteliales. Las transformaciones antes descritas tardan uno a dos días en realizarse en el mosquito. Se produce la multiplicación nuclear, y el oocisto crece hasta alcanzar diámetro de unas 50 μ. En ese momento contiene muchos cientos de núcleos, cada uno de los cuales se rodea de un fragmento de citoplasma y se transforma en un corpúsculo fusiforme, de unas 8 μ de largo, llamado esporozoíto. Al romperse el oocisto, estos esporozoítos se diseminan por todo el cuerpo del mosquito. Muchos se acumulan en las glándulas salivales, de donde son inyectados al hombre al picar. El desarrollo completo en el mosquito exige una a dos semanas; se dice que 25°C es la temperatura óptima, y que el desarrollo se detiene por debajo de 15°C y por encima de 30°C.

Durante muchos años se creyó que los esporozoítos penetraban en los eritrocitos para iniciar el ciclo esquizogónico antes descrito. Pruebas indirectas sugirieron que los parásitos sufrían otro tipo diferente de desarrollo antes de invadir la sangre. Este desarrollo se encontró primero en la infección palúdica de las aves.[91] Se descubrió que los esporozoítos penetran en células tisulares fijas donde, en forma de criptozoítos, realizan un tipo de esquizogonia fundamentalmente semejante a la eritrocítica, salvo que no se produce pigmento. La segmentación produce merozoítos que invaden nuevos macrófagos y repiten el ciclo. Algunos merozoítos de la segunda generación penetran en eritrocitos para establecer la esquizogonia sanguínea. Otros siguen reproduciéndose en las células de los tejidos como formas exoeritrocíticas, probablemente durante toda la evolución de la infección, y pueden dar lugar repetidamente a nuevos esquizontes en los eritrocitos. Los criptozoítos, y ulteriormente las fases exoeritrocíticas, son resistentes a los medicamentos eficaces contra los parásitos sanguíneos.[18]

Hasta 1948 no se habían observado en el paludismo de los mamíferos ni los criptozoítos ni las formas exoeritrocíticas ulteriores. Se observaron por primera vez en el paludismo de los monos, y posteriormente en un voluntario humano infectado con gran número de esporozoítos de *P. vivax*. Se encontraron en el hígado grandes esquizontes cinco a diez días después de inocular los esporozoítos. Contrariamente a los de los paludismos aviarios, que se presentan en los macrófagos, los criptozoítos de *P. vivax* se encontraron en las células hepáticas. Los parásitos observados parecían constituir una segunda generación de reproducción, pero no se han observado organismos antes del quinto día de la infección.

En infecciones experimentales con paludismo de simios se observaron esquizontes en el hígado tres meses y medio después de la infección, lo cual indica la persistencia de los parásitos tisulares durante la infección aguda de la sangre, y después. Los conocimientos sobre los diversos aspectos de los ciclos exoeritrocíticos de los plasmodios de todos los vertebrados se revisan íntegramente en una monografía de Bray; [18] la bibliografía más reciente ha sido revisada por Eyles y Garnham.[65]

Aunque todavía se necesitan muchos estudios de este aspecto tan importante del paludismo, ya es posible reconstruir lo esencial del desarrollo de la infección con *P. vivax*. Los esporozoítos inician un tipo de esquizogonia semejante al que se describió antes en los paludismos de las aves. Sin embargo, en *P. vivax,* por lo menos parte de este ciclo parece realizarse en otras células, que no son macrófagos. Después de unos nueve días algunos merozoítos inician la esquizogonia eritrocítica, mientras que otros parecen continuar la infección exoeritrocítica, que más tarde puede originar nuevas generaciones parasitarias eritrocíticas.

Se han obtenido éxitos parciales con el cultivo artificial de los parásitos palúdicos. Geiman observó varias generaciones de reproducción de *P. vivax* en eritrocitos in vitro.[67] Un plasmodio de ave ha sido conservado durante diez pasos por un periodo de más de 18 días. También se ha logrado cierto crecimiento en un medio sin células que contenía un lisado de eritrocitos.[190] Se han obtenido muchos datos fisiológicos con estos estudios, pero no se ha logrado encontrar un método práctico de cultivo para el trabajo sistemático. Las fases exoeritrocíticas de los paludismos aviarios se han desarrollado en cultivo de tejidos de macrófagos y en diversas células derivadas de corazón de embrión y meninges de pollo. La cinematografía de contraste de fases de estos cultivos ha mostrado características morfológicas hasta entonces insospechadas en los esquizontes y merozoítos exoeritrocíticos, y ha ampliado nuestros conocimientos sobre la movilidad y los mecanismos de invasión de las células.[92]

Los ciclos vitales y la morfología de los otros parásitos del paludismo humano en los eritrocitos son fundamentalmente semejantes a los de *P. vivax*. *P. malariae* necesita 72 horas para completar la esquizogonia. Los parásitos de los eritrocitos muestran varias diferencias que tienen valor diagnóstico. En las células infectadas no se observan granulaciones de Schüffner, y no aumentan de volumen al crecer los parásitos. El trofozoíto maduro no es amiboide como el de *P. vivax,* sino que frecuentemente forma una "banda" a través de la célula parasitada. La fase segmentada produce seis a 14 merozoítos, generalmente ocho, dispuestos en forma de roseta. Los gametocitos son pequeños, y el pigmento se presenta típicamente en forma de gránulos obscuros, grandes y abundantes.

Se considera que la temperatura es de unos 22°C; dicha esporogonia es lenta, necesita tres semanas o más para completarse.

P. falciparum, igual que *P. malariae,* no provoca aumento de volumen de la célula infectada, pero algunas muestran gránulos llamados de Maurer, que corresponden a las granulaciones de Schüffner de *P. vivax*. La esquizogonia produce de dos a 24 merozoítos. Los esquizontes y segmentantes suelen acumularse en los capilares de los órganos internos; solo aparecen en la sangre periférica en infecciones extremadamente intensas. En consecuencia, normalmente solo se ven en los frotis de sangre las formas anulares y los gametocitos. Es muy común la infección de los eritrocitos con dos o más formas anulares, y estas a menudo contienen dos núcleos. Los gametocitos son muy típicos, y tienen un aspecto característico de salchicha, que deforma y casi hace desaparecer la célula infectada. Debido a ello frecuentemente se les llama "células en media luna". El pigmento es de aspecto finamente granuloso o amorfo, y en los gametocitos se concentra alrededor del núcleo. Se dice que la temperatura óptima para la esporogonia es de 29°C.

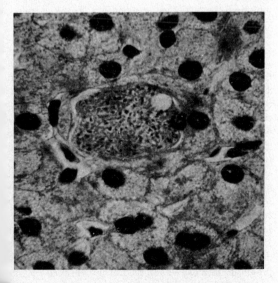

FIG. 33-8. Criptozoíto de *Plasmodium vivax* en un corte de hígado. (Cortesía del Col. H. E. Shortt.)

P. ovale es una especie rara que se parece tanto a *P. vivax* como a *P. malariae,* pero su característica más conspicua es que la célula infectada frecuentemente se deforma, haciéndose oval. No se sabe exactamente el significado de este plasmodio, aunque muchos investigadores piensan que constituye un tipo aberrante de *P. vivax.*

Paludismo. El paludismo por vivax o terciana benigna se caracteriza por escalofríos o fiebre típicos que se presentan en el momento de la segmentación de los parásitos en la sangre periférica. Estos paroxismos empiezan con un escalofrío solemne, agudo, cuando la temperatura empieza a subir. El "periodo de calor" se manifiesta cuando la fiebre alcanza su máximo, sintiéndose el enfermo insoportablemente caliente y la temperatura bucal suele llegar a 40°C. Sigue el "periodo de sudor", durante el cual la temperatura baja rápidamente a la normal o ligeramente por abajo de esta. Se supone que estos ataques se deben a los productos del parásito, o al contenido de los eritrocitos que se liberan en el momento de romperse las células infectadas, pues, como se dijo antes, los paroxismos coinciden con la segmentación del parásito de modo que se presentan cada 48 horas si todos los parásitos se reproducen el mismo día. Sin embargo, a menudo hay diferentes generaciones de parásitos que se reproducen en días alternos. El paludismo por vivax frecuentemente presenta accesos cotidianos durante varios días, seguidos por la supresión de una de las camadas de parásitos, y la producción subsecuente de terciana. Entre cada acceso, el enfermo se siente y se ve normal.

El paludismo por vivax suele producir anemia importante, pero rara vez es grave, a menos que intervengan otros factores. Una semana o más después de iniciado un ataque, especialmente en las niños, el bazo suele aumentar de volumen, y persiste grande dos a seis meses después del fin de una crisis. El ataque no tratado suele persistir tres a seis semanas, a menudo con intervalos durante los cuales cesa la actividad clínica. Le sigue un periodo de latencia, durante el cual no se encuentran parásitos por examen microscópico de la sangre periférica. Durante una parte de este tiempo, grandes transfusiones de sangre tomada de la personas infectada no provocan infección en el receptor. Esto sugiere que son las fases exoeritrocíticas las responsables de que persista la infección durante la latencia. En muchos casos, la reanudación de la actividad clínica, o recaída, se produce después de dos a diez meses de la latencia, y el cuadro clínico es semejante al del ataque primario. La infección generalmente se extingue en dos a tres años, y no se producen nuevas recaídas.

Al paludismo por *P. malariae* se le llama fiebre cuartana, debido a que su ciclo de reproducción dura 72 horas y, en consecuencia, el escalofrío se produce cada tres días. Básicamente es semejante al paludismo por vivax, aunque los ataques son a menudo más intensos. El periodo de incubación suele ser largo, de tres semanas o más, y el de actividad clínica suele durar varios meses. Las recaídas son poco frecuentes, pero las infecciones latentes pueden persistir muchos años, como lo demuestra el desarrollo ocasional de cuartanas en receptores de transfusiones hechas con sangre de personas que no habían dado señales de infección durante treinta años o más.

El paludismo por falciparum se conoce también como terciana maligna o paludismo estivotoñal. Como se indicó antes, *P. falciparum* se caracteriza por la acumulación de las formas esquizogónicas en los órganos internos. En consecuencia, además de los paroxismos característicos, que pueden ser cotidianos o tercianos, o en lugar de ellos, pueden predominar en el cuadro diversas manifestaciones locales. Esto resulta particularmente cierto en los trópicos, donde estos paludismos "perniciosos" pueden presentarse después de una serie de accesos típicos. Las formas más frecuentes son el paludismo álgido (frío), las manifestaciones gastrointestinales, y el paludismo cerebral con coma, frecuentemente mortal. Estas peculiaridades del paludismo por falciparum hacen que sea el que provoca la mayor parte de muertes atribuidas a la infección palúdica humana, y que intervenga en muchas defunciones que se atribuyen a otras enfermedades. La fiebre hemoglobinúrica se asocia al paludismo con falciparum, y se piensa que constituye un efecto tardío ocasional de la infección repetida. Las infecciones por *P. falciparum* rara vez tienen recaídas o persisten más de un año o dos. Se cree que las fases eritrocíticas no se conservan después que se ha iniciado el ciclo eritrocítico.

Inmunidad. El paludismo produce inmunidad adquirida parcial. Cuando un individuo se recupera de un ataque agudo, es muy resistente a la superinfección con una cepa semejante a la que ya tiene, y la resistencia dura por lo menos unos meses después de eliminados los parásitos de su organismo. Esta inmunidad se debe a la fagocitosis y digestión activa de los eritrocitos parasitados por los macrófagos de bazo, hígado, médula ósea, etc. El suero de animales convalecientes protege parcialmente contra la infección, lo cual sugiere que las células parasitadas son sensibilizadas por anticuerpos. La inmunidad a la superinfección es específica de especie y de cepa. Durante la latencia, los parásitos parecen seguir reproduciéndose por esquizogonia exoeritrocítica, produciendo esporádicamente parásitos sanguíneos, que se mantienen inhibidos por la inmunidad adquirida. Las recaídas se producen cuando este equilibrio se rompe y permite que los parásitos sanguíneos aumenten en gran número. Los factores involucrados no son bien conocidos, aunque ya se demostró que los procesos que aumentan la glucemia provocan recaídas en el paludismo de aves.

Las diferentes cepas del paludismo por vivax muestran tipos de actividad característicos. Así, una cepa americana provocaba recaídas diez meses después de la infección inicial, mientras que otra de Nueva Guinea las producía a los dos meses. Datos como este indican que la reactivación del paludismo latente depende, en parte por lo menos, por propiedades cíclicas inherentes a los parásitos. La menor susceptibilidad para *P. falciparum* y *P. vivax*, y la menor gravedad de la infección por estos parásitos en las razas negroides, se citan como ejemplo de inmunidad racial (capítulo 8). La posesión del carácter de hematíes falciformes también confiere cierto grado de inmunidad contra *P. falciparum*, pues los eritrocitos son deficientes para las necesidades del parásito. En las personas que tienen este carácter, el recuento máximo de parásitos es mucho menor que lo habitual, igual que la mortalidad por paludismo, lo cual da por resultado que sea muy frecuente la anemia de células falciformes en algunos lugares de endemia de *P. falciparum*.[130, 196]

Se ha logrado la inhibición parcial del paludismo de las aves y de los monos con vacunas muertas y vacunas de esporozoítos tratados con rayos X, se ha comprobado que en ocasiones confieren protección completa.[140] Probablemente este camino prometedor logre una vacuna eficaz contra el paludismo en el hombre. Tendrán que resolverse dificultades obvias en la aplicación práctica, antes de poderse emplear en gran escala. En infecciones experimentales se ha señalado la aglutinación por el suero de los hematíes parasitados, o de parásitos aislados, específica de especie y de cepa. También se producen en el suero anticuerpos fijadores del complemento, específico de grupo, que reaccionan tanto con extractos de parásitos de aves y monos como con los humanos.

Diagnóstico. El diagnóstico de laboratorio del paludismo agudo se basa en el hallazgo de los parásitos en frotis de sangre periférica. Se identifican más fácilmente en frotis delgados teñidos con Giemsa; pero como los parásitos a menudo son escasos en la sangre periférica, también se utilizan mucho las gotas gruesas deshemoglobinizadas, teñidas en forma similar. El método de coloración rápida de Field[57] es particularmente valioso para estas preparaciones. El hecho de que la morfología del parásito sea anormal en las gotas gruesas, queda compensado por el mucho mayor volumen de sangre que puede examinarse en el mismo tiempo. En las encuestas, la esplenomegalia característica constituye un índice no específico, pero muy sugestivo, de infección palúdica actual o reciente. Como suele persistir durante meses, es más estable que las encuestas clínicas o parasitológicas como índice del coeficiente de infección de una región. Durante la última década, la prueba de anticuerpo fluorescente para el paludismo ha pasado a ser un medio diagnóstico y epidemiológico de importancia. En Estados Unidos de Norteamérica, en los últimos años, ha permitido descubrir la fuente de paludismo provocado por transfusiones.[182]

Quimioterapia. Durante siglos, el tratamiento del paludismo se basó en la corteza o extractos de la corteza de los árboles de quina (cinchona). El principio activo más importante de la corteza de cinchona es el alcaloide quinina. La quinina no previene ni cura la infección natural, pero disminuye rápidamente el número de parásitos de la sangre por debajo de la densidad necesaria para producir síntomas. El medicamento sintético quinacrina (Atebrina) tiene una acción semejante; además, puede curar el paludismo por falciparum. La cloroquina y el camoquin, descubiertos gracias a la investigación en gran escala realizada durante la segunda guerra mundial, tienen propiedades semejantes a las de la quinacrina, pero no son eficaces.[34] La Paludrina, producto británico de tiempos de guerra, es un supresivo muy eficaz para el paludismo por vivax, y tiene acción tanto profiláctica como curativa en la infección por *P. falciparum*. El derivado ya muy poco relacionado Daraprim (pirimetamina) tiene acción semejante, pero más intensa. Estos dos medicamentos tienen la desventaja de que actúan lentamente, y los parásitos pueden hacerse resistentes a ellos.

Tomados continuamente, mientras se está expuesto al paludismo por vivax, los medicamentos anteriores actúan como supresivos, manteniendo la infección a un nivel subclínico, pero no previenen ni curan la infección. Sin embargo, la primaquina destruye las formas exoeritrocíticas y, cuando se da antes de que sean invadidos los eritrocitos, puede evitar que se presente el paludismo clínico. También se usa, junto con medicamentos eficaces contra las formas eritrocíticas, para curar una infección por vivax ya establecida, pues es obligatorio acabar con las fases exoeritrocíticas persistentes para prevenir las recaídas.[33, 147]

En un pequeño número de hombres en los que se produjo una infección por *P. vivax*, tanto provocada por esporozoítos como por inoculación de sangre, se ha ensayado un interesante quimioterápico de acción prolongada. Una sola inyección intramuscular de este metabolito dihidrotriacina de la cloroguanida (Cl-501), protege contra infecciones repetidas durante por lo menos siete meses.[35, 188]

Como ocurre con otros microorganismos, en los plasmodios puede producirse resistencia hereditaria a los medicamentos.[13, 74] El desarrollo de resistencia a la pirimetamina, tanto en *P. vivax* como en *P. falciparum*,[217] se ha observado en muchas ocasiones, y se han aislado en Colombia y en Tailandia cepas especialmente virulentas de *P. falciparum* resistentes a la cloroquina que parecen estar muy difundidas en todo el sureste asiático.[218] La cepa de Colombia conservaba la sensibilidad a la pirimetamina, y la de Tailandia era resistente a la pirimetamina, pero sensible a la Atebrina.

Dado el comienzo agudo y de las consecuencias mortales de la participación cerebral, son obligadas las pruebas de sensibilidad medicamentosa en el tratamiento de esta infección. Actualmente hay una técnica relativamente simple de cultivo para determinar la resistencia o la susceptibilidad para la cloroquina, que constituye un método práctico para diagnóstico de laboratorio.[157]

A consecuencia de la participación de Estados Unidos de Norteamérica en la guerra de Vietnam, ha aumentado mucho el paludismo en el personal militar. Soldados que han regresado asintomáticos, han presentado recaídas del paludismo después de abandonar el servicio, a veces causa de muerte si el origen era *Plasmodium falciparum* resistente a la cloroquina, y no se reconocía la índole de la infección. Otros individuos con infecciones latentes han contribuido a bancos de sangre; la consecuencia ha sido la aparición de paludismo agudo en receptores civiles no inmunes que recibieron transfusiones de sangre completa. También ha habido un aumento de paludismo provocado por agujas, en toxicómanos que comparten jeringas contaminadas.

Epidemiología y control. El paludismo es la enfermedad infecciosa más común en el hombre, produciéndose en todas las regiones cálidas del globo y prolongándose en las zonas templadas, hasta ocupar gran parte de las tierras situadas entre los 60° de latitud norte y los 40° de latitud sur. El principal factor en la distribución de la infección es el clima, que afecta tanto la distribución como la abundancia de los mosquitos huéspedes, y el desarrollo del parásito en el mosquito. Los parásitos del paludismo humano no se encuentran en los animales inferiores. En consecuencia, el hombre constituye el único reservorio de la infección. En el caso de *P. vivax,* se sabe que existe inmunidad racial, pues los negros se infectan menos fácilmente que los blancos con la mayor parte de las cepas, y rara vez presentan síntomas. También se ha señalado la existencia de ciertas poblaciones locales dotadas de gran inmunidad natural contra *P. falciparum.* No se sabe que exista resistencia producida por la edad, pero en las regiones de endemia el paludismo clínico puede ser raro en los adultos autóctonos, reinfectados constantemente con las cepas locales de parásitos.

Si se exceptúan algunos casos congénitos raros, los producidos por transfusiones sanguíneas[14] y la transmisión accidental por la sangre, como en los toxicómanos que utilizan jeringas contaminadas, el paludismo humano se transmite exclusivamente por la picadura de algunos mosquitos del género Anopheles. Este comprende unas 200 especies en todo el mundo y se diferencia fácilmente de los mosquitos caseros comunes de los géneros Culex y Aedes por varias características. Los adultos generalmente reposan formando ángulo con la superficie de sustentación, y probóscide, cabeza y cuerpo se encuentran formando línea recta, mientras que los otros reposan paralelamente a la superficie de sustentación, y su cabeza y la probóscide forman con el cuerpo un ángulo abierto hacia abajo. Las alas generalmente son manchadas, mientras que las de los demás mosquitos no tienen marcas. En la hembra, los palpos maxilares son tan largos como la probóscide, dando la impresión de que la cabeza, además de las antenas, tiene tres apéndices largos, mientras que en los demás géneros los palpos son cortos, apenas perceptibles. Los huevecillos poseen flotadores laterales inflados, y son puestos aisladamente sobre el agua, mientras que Culex los pone pegados uno con otro formando balsas, y Aedes los deposita aisladamente sobre las superficies húmedas. Las larvas de Anopheles reposan paralelamente a la superficie del agua y se alimentan de las partículas que flotan en ella, mientras que las de los otros géneros cuelgan dentro del agua, suspendidas de un tubo respiratorio alargado, y generalmente se alimentan en el fondo.

Solo los mosquitos hembras chupan sangre, y la mayor parte de los anofeles pican a la hora del crepúsculo o en la noche. Los criaderos son de muy diferentes tipos, y casi cualquier receptáculo de agua permite el desarrollo de las larvas de una o más especies de anofeles. Sin embargo, la mayor parte escoge en forma específica los depósitos de agua, donde pululan. El principal vector del paludismo en el sudoeste de Estados Unidos de Norteamérica, *Anopheles quadrimaculatus,* se reproduce principalmente en los bordes de pantanos, estanques o corrientes lentas, cubiertas de desechos o de vegetación; pero también se encuentran importantes vectores de paludismo en las corrientes de las colinas (*A. minimus,* en el sur de Asia), en las marismas (*A. atroparvus,* en Europa), en charcos pequeños

Programa de control de paludismo TVA
Programa de control de paludismo WPA
Programa de control en zonas de guerra
Recaídas –casos de ultramar
Programa de erradicación del paludismo
Recaídas de veteranos de Corea
Tratamiento del personal militar que regresó de áreas palúdicas empleando PRIMAQUINA
Veteranos que regresaron de Vietnam

NÚMERO DE CASOS

200 000
100 000
50 000
10 000
5 000
1 000
500
100
50

1935 1940 1945 1950 1955 1960 1965 1970

*El número señalado difiere del recuento más completo efectuado por el Case Surveillance System

FIG. 33-9. Frecuencia del paludismo en Estados Unidos de Norteamérica durante el período 1933-1970, según el número de casos declarados. Los efectos de los programas de control, la quimioterapia y la importación de casos, son manifiestos. (Morbidity and Mortality Weekly Report, Annual Supplement, Vol. 19, 1970. Center for Disease Control, U. S. Public Health Service.)

temporales *(A. gambiae,* en Africa), en el agua que se conserva entre las plantas que crecen en las copas de los árboles *(A. bellator,* en Trinidad), etcétera.

No todas las especies de anofeles son igualmente eficaces como vectores del paludismo. Hay unas 75 que se consideran vectores peligrosos en una o más regiones. Los principales factores determinantes son su abundancia, su contacto con el hombre, y la susceptibilidad. Esta última varía mucho de una especie a otra, y, entre la población dentro de una misma especie. Se sabe poco sobre estos factores en el paludismo humano, pero en el paludismo de las aves se ha demostrado que hay diferencias genéticas sencillas que rigen su susceptibilidad. En la mayor parte de casos en que esto se ha estudiado adecuadamente, el principal factor en la importancia de las especies de los anofeles es el contacto con el hombre. En el sudeste de Estados Unidos de Norteamérica abundan varias especies susceptibles, pero en la mayor parte de esta región solo hay una, *A. quadrimaculatus,* que muestra suficiente preferencia por la sangre humana para constituir un vector importante. En Europa hay especies (anteriormente agrupadas como *A. maculipennis),* diferenciables únicamente por la morfología del huevo, que difieren tanto en sus preferencias de sangre humana, o animal, que algunas constituyen peligrosos vectores, mientras que otras, igualmente susceptibles, no tienen importancia en la transmisión del paludismo.

La lucha contra el paludismo reposa, en gran medida, en la interrupción de la parte del ciclo vital que se efectúa en el mosquito. Esta puede lograrse disminuyendo el número de mosquitos, o impidiendo su contacto con el hombre. Para hacer lo primero, antes de tratar de lograr este control, se necesita determinar la importancia relativa de las diferentes especies, o incluso de la misma especie en diferentes regiones. Esta determinación es de gran interés para evitar desperdiciar los recursos en mosquitos sin importancia. Más aún, cuando la lucha no ha sido bien planeada, puede no afectar a los principales vectores, e incluso en algunos casos ha empeorado la situación, favoreciendo la pululación de las especies peligrosas. El "índice natural" de la infección se determina examinando los estómagos y las glándulas salivales de mosquitos hembras capturados en la naturaleza, para buscar oocistos y esporozoítos de parásitos palúdicos, y es el mejor índice de la importancia relativa de una especie. Por desgracia, la cifra a menudo es tan baja que hay que disecar gran número de mosquitos. En estos casos, por comodidad, pueden justificarse medidas indirectas. La susceptibilidad puede determinarse haciendo picar mosquitos criados en el laboratorio portadores de gametocitos, y disecando las hembras que hayan ingerido sangre, para buscar el parásito ("índice experimental"). El contacto con el hombre puede medirse localizando los mosquitos en reposo (por ejemplo, en casas y establos), o por pruebas de precipitina hechas en los mosquitos que se alimentaron, para determinar la clase de sangre que contienen.

Si las medidas de control se aplican a los criaderos de mosquitos, deben determinarse los hábitos de los vectores importantes en determinada región. En muchas partes, el método de elección es la eliminación de los criaderos. Las aguas estancadas deben eliminarse por avenamiento o rellenado. La salinidad puede controlarse por medio de compuertas. Los criaderos en las márgenes de los estanques pueden eliminarse por medio de fluctuaciones en el nivel del agua. La sombra puede aumentarse o disminuirse controlando la vegetación. Las corrientes pueden limpiarse o lavarse periódicamente. Claro está, los métodos específicos dependen de las condiciones locales y de los hábitos de los mosquitos correspondientes. Hay varios venenos eficaces para atacar las formas acuáticas (larvicidas). El rociado de aceites en la superficie del agua resulta tóxico para los huevos, larvas y pupas. El DDT en aceite es muy eficaz. Un método secundario, que puede tener valor local, es hacer pulular en los estanques pececillos de los géneros Gambusia o Lebistes, los cuales, por lo tanto, se alimentan con larvas de mosquitos.

El ataque a los mosquitos adultos, que antiguamente se consideraba medida secundaria, constituye en la actualidad la técnica más importante para control del paludismo. Los insecticidas DDT, lindano y Dieldrin han dado a los malariólogos un arma de enorme valor. Rociados sobre las paredes, telas protectoras, etc., matan los mosquitos adultos que reposan sobre estas superficies, incluso varios meses después de su aplicación. Cuando las especies de anofeles penetran en las casas para picar al hombre, estos insecticidas ya han demostrado su valor como arma barata y muy eficaz para dominar el paludismo. En Estados Unidos de Norteamérica el paludismo ya no es endémico; solo se encuentran en la actualidad casos esporádicos, de origen exótico. El éxito del control del paludismo, en esta y otras regiones, unido al desarrollo de quimioterápicos perfeccionados y de rociamientos de insecticidas de acción residual, económicamente factibles, ha despertado la esperanza de lograr la erradicación mundial del paludismo en plazo corto.[156] Se han preparado protocolos y planes detallados para ello.[142] Sin embargo, además de los factores ya conocidos, el problema se ha complicado por el desarrollo de plasmodios resistentes a los quimioterápicos. Esto ha resultado particularmente cierto en las cepas de *Plasmodium falciparum* de diversas zonas del sudeste asiático resistentes a la cloroquina y otros antipalúdicos sintéticos.[148] Otra complicación ha sido el desarrollo de resistencia a los insecticidas de los mosquitos anofeles. Al finalizar 1958, solo se conocían tres especies resistentes, y al año siguiente se identificaron 14 especies de anofeles resistentes al Dieldrin, al DDT, o ambos.[128] Más recientemente se ha encontrado otro factor que complica el problema: el paludismo de tipo vivax de los macacos, que puede transmitirse al hombre. Se ha observado la transmisión accidental por los mosquitos, y experimentos complementarios indican que es capaz de producir paludismo clínico en el hombre. Hay dos cepas de este parásito, *Plasmodium cynomolgi*, que se han transmitido de hombre a hombre por mosquitos.[12, 36, 171] El fracaso de los programas de control y erradicación, junto con la importancia constante del paludismo en operaciones militares, han sido motivo del resurgimiento de investigaciones básicas, después de una inactividad de casi 15 años.[165]

Parásitos palúdicos de animales inferiores. Parásitos palúdicos, en lo esencial semejantes a los del hombre, existen en antropoides, monos, murciélagos, roedores, aves y saurios. Como los animales inferiores no se infectan fácilmente con parásitos del paludismo humano, los plasmodios de los monos, aves, y más recientemente los de los roedores, han sido ampliamente utilizados para experimentación. Las especies más estudiadas son *P. brasilianum*, *P. knowlesi* y *P. cynomolgi* de los monos; *P. cathemerium*, *P. relictum*, *P. gallinaceum* y *P. lophurae* de las aves, y *P. berghei* de ratas y ratones.[65]

Esporozoarios intestinales

Hay dos especies de coccidios: *Isospora hominis* e *I. belli*, que infectan esporádicamente al hombre, aunque su distribución es cosmopolita. Las evacuaciones contienen un ooquiste, y los individuos infectados tienen diarrea ligera o intensa. No se conoce el ciclo vital, tratamiento o epidemiología; se supone que esta especie parasita las células epiteliales del intestino delgado, como sucede con una especie vecina que se encuentra en el perro y el gato. Estos microorganismos se han descrito con mayor frecuencia en países tropicales y subtropicales, y provocaron epidemias en las fuerzas militares norteamericanas en las islas del Pacífico sudoccidental durante la segunda guerra mundial.[53]

Toxoplasma gondii. Fue descubierto, en 1908, en roedores, por Nicolle y Manceaux en Africa, y por Splendore en Brasil. El primer caso humano auténtico fue denunciado por Wolf y Cowen en 1937.[163, 207]

El descubrimiento reciente del ciclo vital por diversos investigadores, identifica Toxoplasma como un coccidio, cuya reproducción sexual tiene lugar en el epitelio del intestino del gato doméstico. Las etapas asexuales de reproducción en los tejidos del hombre pueden causar patología grave.

Características y ciclo vital. El trofozoíto es un corpúsculo en forma de media luna u ovoide, de 5 a 7 μ por 2 a 4 μ, que, en las preparaciones teñidas con Giemsa, toma color azul con núcleo rojizo, según se muestra en la figura adjunta. Se reproduce por fisión binaria en las células vivas. Son susceptibles gran variedad de células, pero las que se encuentran infectadas principalmente son los macrófagos y otras del tejido conectivo, células de los músculos lisos y del miocardio, neuronas y microglia. Aunque los parásitos se reproducen únicamente en el interior de las células, a menudo se encuentran libres en los líquidos del organismo.

En infecciones crónicas, se presentan en forma seudoquística, consistente en un racimo de parásitos semejantes a los trofozoítos, rodeados por una pared irregular. No se conoce el origen de esta pared, pero puede representar un residuo de la célula huésped donde proliferaron los parásitos. Los seudoquistes son más abundantes en el cerebro y músculo estriado. Parecen ser formas en reposo, más resistentes que las formas que se reproducen.

No se han cultivado toxoplasmas en medios artificiales. Crecen fácilmente en cultivos de tejidos de diversos tipos, incluyendo células HeLa y de embrión de pollo.

En el gato, el ciclo es de un parásito coccidiotípico, con producción de ooquistes resistentes que contienen esporozoítos infecciosos. Esta etapa pasa al medio externo con las heces del gato, y sigue sin provocar infección durante semanas en el suelo húmedo. Si es ingerido por el hombre, o por muchos otros animales, se produce invasión de los tejidos y reproducción asexual del parásito.[61, 62, 96]

Toxoplasmosis. Aunque la toxoplasmosis es una de las infecciones más frecuentes en el hombre, raramente origina enfermedad aguda. Se descubren anticuerpos en 17 a 50 por 100 de las poblaciones estudiadas en Estados Unidos de Norteamérica.[15, 54, 55, 151] La mayor parte de los casos clínicos se presenta en niños recién nacidos que se infectaron congénitamente a fines del periodo fetal. Las lesiones activas predominan en sistema nervioso

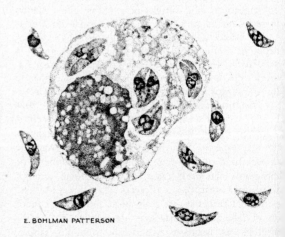

E. BOHLMAN PATTERSON

FIG. 33-10. *Toxoplasma gondii*, libre y en el interior de una célula de frotis de cerebro de ratón. Tinción de Giemsa. Cámara clara. Aprox. × 2 000.

central y ojos, provocando ceguera, alteraciones graves en el cerebro y, con cierta frecuencia, la muerte. La infección de los adultos suele ser subclínica, pero pueden presentar neumonía, aumento de volumen de ganglios linfáticos y bazo, fiebre y exantema maculopapuloso. La infección de los ojos puede provocar coriorretinitis grave.[143] Con el empleo cada vez mayor de agentes inmunosupresores, se han descubierto un número creciente de casos en adultos con toxoplasmosis aguda, y todos los tejidos infectados por el organismo oportunista.[62]

El restablecimiento parece acompañarse de *inmunidad* a la reinfección, aunque los seudoquistes, por lo menos en los animales inferiores, pueden persistir largo tiempo en los tejidos. La mayor parte de los animales de experimentación muestran una inmunidad sólida a la reinfección. Los monos y el hombre tienen un anticuerpo termolábil que protege al conejo contra las lesiones cutáneas características que provoca la inyección de toxoplasma.

El *diagnóstico de laboratorio* se basa en aislar el microorganismo y en pruebas inmunológicas. En casos neonatales, generalmente es posible demostrar el parásito por inoculación a los animales. Aunque todos los mamíferos y aves que se han sometido a prueba se han encontrado susceptibles, se prefieren los ratones para aislar los parásitos, porque no sufren infección natural. Puede utilizarse la prueba de fijación del complemento, pero la inmunológica más segura es la reacción de inhibición de la coloración de Sabin y Feldman; se basa en el hecho de que el toxoplasma del exudado peritoneal del ratón se tiñe bien con azul de metileno alcalino, si se pone en contacto con suero normal, pero no si el suero es inmune. Es esencial para la reacción un factor accesorio, que existe en el suero fresco normal, pero que se destruye por calentamiento o por conservación. La prueba se hace positiva dos semanas después de iniciado el proceso, alcanzando un título de 1 por 256 o mayor, y sigue positiva durante muchos años. Se ha demostrado que los métodos de anticuerpos fluorescentes también tienen valor diagnóstico. Estos son de índole menos compleja que la prueba del colorante de Sabin, y pueden efectuarse con relativa facilidad utilizando dispositivos que se obtienen del comercio.[204]

Tanto la toxoplasmosis aguda como la subaguda se han tratado con asociaciones de sulfadiacina y pirimetamina. El tratamiento destruye los parásitos en los animales de experimentación y, aunque benéfico en algunas infecciones humanas, puede producir efectos tóxicos colaterales, ocasionando, algunas veces, lesiones irreparables de cerebro y ojo.[60]

Epidemiología. Tal vez el más irritante de los problemas que se plantean a los investigadores de la toxoplasmosis es el de los medios de transmisión natural. Es evidente que ocurre una infección congénita del embrión humano, pero también lo es que hay otras vías de infección. El parásito es muy abundante en la naturaleza. Las encuestas realizadas con la prueba del colorante muestran que hasta 60 por 100 de la población humana ha sido infectada. Investigaciones realizadas en diversas partes de Estados Unidos de Norteamérica han revelado cifras de infección previa de 17 a 35 por 100, con coeficientes de más de 65 por 100 en los grupos de más de 40 años de edad. Hay gran número de aves y mamíferos silvestres y domésticos que muestran signos de infección, a veces con altos coeficientes. Las infecciones congénitas humanas se han asociado con ambientes domésticos en los cuales los ratones y otros vertebrados tienen una frecuencia de infección inusitadamente alta.[47] Los seudoquistes de los músculos son infecciosos por vía bucal, y los argumentos epidemiológicos que sugieren que la infección puede adquirirse al ingerir carne de cerdo poco cocida se han reforzado con la demostración de toxoplasmas viables en muestras de carne del 22 por 100 de los cerdos de un matadero. Sin embargo, los judíos ortodoxos a veces muestran un alto coeficiente de infección, y algunas especies herbívoras suelen encontrarse infectadas, de modo que es evidente que ni el cerdo ni otras carnes constituyen la única fuente importante de infección.

El descubrimiento del oocisto en heces de gato, y la determinación de que esta etapa no es infecciosa por ingestión, ha resuelto el enigma.[61, 62] Probablemente el quiste, relativamente resistente, es infeccioso por inhalación, y también puede transmitirse por moscas caseras y moscardones. Los ratones y otros pequeños mamíferos, son los huéspedes intermedios "normales", con etapas tisulares; al ser ingeridos por los gatos, se desarrollan siguiendo el ciclo sexual. La toxoplasmosis debe considerarse una de las zoonosis en la cual el hombre es solo una de las muchas especies en las cuales la etapa asexual puede invadir y reproducirse sin completar el ciclo vital parasitario.

PARASITOS DE AFINIDADES INCIERTAS

Sarcocystis. Se ha descrito un solo género, con gran número de especies, que con frecuencia se encuentran como parásitos de los músculos de mamíferos, aves y reptiles. Son extremadamente frecuentes en los rumiantes, produciendo trastornos patológicos graves en las ovejas. *Sarcocystis lindemanni*, especie que se ha encontrado en muchos casos infectando al hombre, no se sabe que produzca síntomas característicos. Este organismo está formado por tubos fusiformes, de sección redondeada, que pueden alcanzar varios centímetros de longitud y suelen encontrarse en el músculo estriado. Estos "tubos de Miescher" tienen pared hialina, y en su interior están divididos en compartimientos que contienen muchos miles de individuos falciformes, de 12 a 16 μ de longitud. La infección experimental puede realizarse por ingestión de carne infectada.

Pneumocystis carinii. La infección por *Pneumo-cystis* se asocia con una neumonía plasmocitaria intersticial infantil epidémica, muy contagiosa. El organismo tiene forma ovoide o de media luna, 1 a 3 μ de diámetro, y ordinariamente se observa en forma de rosetas de ocho individuos, incluidos dentro de una membrana, libres o en el interior de fagocitos. Se cree que es un protozoario, y causa de una enfermedad que frecuentemente ocasiona la muerte de niños pequeños. También se ha descrito en muchos animales domésticos y silvestres. Aunque ampliamente distribuida, la infección se diagnostica raras veces. La pentamidina y las medidas de sostén han logrado disminuir mucho la mortalidad.[97]

Tanto Sarcocystis como Pneumocystis se han considerado perteneciendo a los protozoarios, pero probablemente guarden relación más estrecha con los gérmenes que producen micosis generales.

Metazoarios

Todos los filos de animales que no son protozoarios se designan comúnmente con el término metazoarios; conviene mencionar algunas características generales de los parásitos humanos, principalmente de los llamados "gusanos", que pertenecen a este conglomerado. Generalmente son macroscópicos, y sus dimensiones varían de cerca de un milímetro a varios metros de longitud. Su estructura suele ser compleja, y sus ciclos vitales varían de la simple producción de huevos o larvas infecciosas, a la alternancia compleja de generaciones que comprenden hasta tres huéspedes diferentes. Una característica general importante es que no suelen multiplicarse en el interior del organismo humano, de modo que la infección no aumenta de intensidad si no se produce una reinfección. Hasta muy recientemente, no se había realizado un verdadero cultivo de los gusanos parásitos de vertebrados. La gran variedad de metazoarios parásitos del hombre hace imposible tratar extensamente de ellos en breve espacio.

En consecuencia, siempre que sea posible, se usarán ejemplos representativos. Para una exposición más amplia, se recomienda al lector consultar los textos generales antes mencionados.

PLATELMINTOS

El filo *Platyhelminthes* o "gusanos planos" se diferencia de otros filos animales por diversas características: tienen simetría bilateral, y las tres capas primitivas de tejidos del embrión —ectodermo, endodermo y mesodermo. La cavidad del cuerpo no está tapizada de mesodermo, como en las formas superiores, sino que se encuentra ocupada por una masa esponjosa de células, el *parénquima*. El tubo digestivo, o no existe, o carece de ano, y los residuos sólidos se regurgitan a través de la boca. Hay tres clases principales: los turbelarios, formas de vida libre o parásitos externos de los animales acuáticos, de los que son ejemplo las planarias; los trematodos o duelas, todos parásitos, y los cestodos o gusanos acintados, también todos parásitos.

Trematodos

Pueden servir como ejemplo de los trematodos la duela del pulmón humano, *Paragonimus westermani* y la duela de las venas, *Schistosoma mansoni*.

Paragonimus westermani. El gusano adulto, encontrado por Westerman en 1877 en los pulmones de un tigre, fue descrito por Kerbert en 1878. Nakagawa, Yokogawa y otros aclararon su ciclo vital. Se han descrito varias especies que tienen muy ligeras diferencias morfológicas, y algunos autores piensan que solo existe una especie que parasita al hombre: *P. westermani*.[216]

Características y ciclo biológico. El gusano adulto, que vive en el pulmón, es ovoide, rojizo, mide 7 a 12 mm de largo por 3 a 6 mm de diámetro y está recubierto por una cutícula transparente, tachonada de espinas. En la figura 33-11 se muestra la anatomía de un ejemplar aplanado. Tiene dos ventosas musculares: una en la superficie ventral, llamada acetábulo, la otra en la extremidad anterior, la ventosa anterior, en la cual se encuentra la boca, que se abre en una faringe musculosa, seguida por un esófago delgado. Este, a su vez, se divide en dos ciegos intestinales que se extienden a los lados del cuerpo. El sistema nervioso es simple, y no hay órganos sensoriales. El sistema excretor se compone de una vejiga que se abre en el extremo posterior y recibe los tubos colectores que se extienden por todo el cuerpo, terminando en "células en llama" características. El sistema circulatorio es rudimentario y se compone de conductos mal definidos que recorren el parénquima.

El gusano adulto es hermafrodita, y el mismo individuo posee los aparatos reproductores masculino y femenino. Estos aparatos son muy complicados y, como en la mayor parte de las duelas, constituyen las estructuras más sobresalientes de su cuerpo. El aparato genital femenino se compone de un solo ovario que, por medio de un oviducto, desemboca en el ootipo, donde se forman los huevos y se recubren de cáscara. En el oviducto desemboca el conducto vitelino, en el cual se vierte la substancia que forma la cáscara, producida

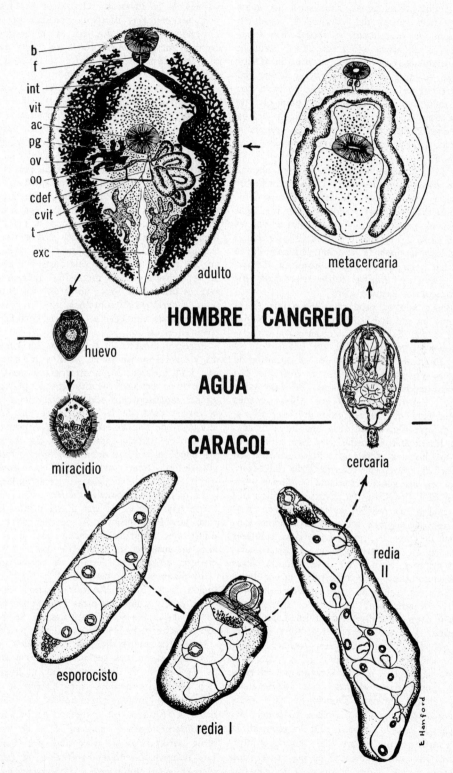

FIG. 33-11. Ciclo vital y morfología de Paragonimus: *b*, boca; *f*, faringe; *int*, ciego intestinal; *vit*, glándula vitelina; *ac*, acetábulo; *pg*, poro genital; *ov*, ovario; *oo*, ootipo; *cdef*, conducto deferente; *cvit*, conducto vitelino; *t*, testículo; *exc*, vejiga excretoria (etapas de larva copiadas de Ameel, 1934, × 120; gusano adulto × 7).

por las glándulas vitelógenas, situadas a los lados de la superficie dorsal del cuerpo. El oviducto también tiene un divertículo, el receptáculo seminal, donde se almacena el semen. Del oviducto parte un conducto poco visible, de función desconocida, que se abre en la superficie dorsal del cuerpo, el canal de Laurer. El ootipo, rodeado por células glandulares que forman la glándula de Mehlis, se abre en el útero, largo tubo en forma de ovillo que conduce los huevecillos ya completos hasta el poro genital común que está situado cerca del acetábulo.

El aparato reproductor masculino se compone de un par de testículos situados en la parte posterior del cuerpo, y que, a través de los conductos deferentes, comunican con el conducto eferente, que termina en el poro genital común, junto con el útero. Una parte del deferente se ensancha formando un receptáculo seminal, la vesícula seminal; en la parte distal se encuentra la región prostática, de tipo glandular. La parte terminal forma un órgano copulador musculoso, llamado cirro.

Los gusanos adultos producen huevecillos en el pulmón, que se expulsan con el esputo por medio de la tos, o son deglutidos y eliminados con las heces. Tienen forma ovoide y, en promedio, 60 por 90 μ. Están dotados en uno de sus extremos de una tapadera que puede levantarse, el opérculo. No están desarrollados en el momento en que salen del huésped; deben permanecer dos a seis semanas en el agua para que el embrión se desarrolle y, abriendo el opérculo, dé salida a una larva ciliada, que nada libremente, el miracidio. Esta larva solo vive algunas horas a menos que logre penetrar en los tejidos del huésped intermediario adecuado, un caracol de los géneros Melania y Pomatiopsis. En los espacios linfáticos del caracol, el miracidio se transforma en un saco irregular, de paredes delgadas, el esporocisto, que crece hasta alcanzar longitud final de unos 0.4 mm. Las masas celulares contenidas en el esporocisto crecen y, aproximadamente en un mes, forman 12 o más redias. Estas se liberan al romperse el esporocisto, y crecen hasta alcanzar una longitud de aproximadamente 0.3 mm. Se distinguen del esporocisto sobre todo porque tienen un tubo digestivo rudimentario y un poro genital. Por un proceso reproductor semejante al que tiene lugar en el esporocisto, la primera generación de redias produce 12 o más redias de segunda generación, que se escapan por el poro genital y crecen hasta alcanzar una longitud de 0.5 mm aproximadamente. Dentro de cada redia de la segunda generación se producen 20 o más larvas dotadas de cola o cercarias. En lo esencial, la cercaria constituye un esbozo del gusano adulto, del cual difiere principalmente porque tiene una pequeña cola y dos clases de órganos de penetración: un estilete en la región bucal, y varias células glandulares que se abren en la extremidad anterior y que secretan enzimas histolíticas. Unos tres meses

después de la invasión del caracol por los miracidios, las cercarias escapan y nadan en el agua, muriendo en uno o dos días si no encuentran un segundo huésped intermediario adecuado, un cangrejo o langostino de agua dulce de diversos géneros, especialmente Astacus y Potamon.

La cercaria penetra en las partes más blandas del tegumento del cangrejo, pierde su cola y crece en los tejidos, formando la metacercaria, corpúsculo casi esférico de 0.4 mm de diámetro, rodeado por una pared quística. El desarrollo completo tarda aproximadamente un mes, al cabo del cual la metacercaria es infectante si es ingerida por el hombre. En el intestino delgado, la pared quística se reblandece, liberando la metacercaria, que atraviesa la pared intestinal y en pocas horas llega a la cavidad abdominal, donde viaja un poco al azar, pero generalmente pasa a través del diafragma en unos cuantos días e invade el pulmón; allí es encapsulada por los tejidos y se desarrolla hasta la forma adulta. Si se considera esta migración aparentemente al azar, es interesante hacer notar que los quistes pleurales generalmente contienen dos o tres adultos. Seis semanas después, se pueden encontrar huevecillos en el esputo.

Paragonimiasis. En el pulmón, los gusanos adultos, y especialmente los huevecillos que estos forman, provocan inflamación, hemorragia y destrucción de tejido. Los procesos neumónicos locales con tos y esputo sanguinolento son característicos. Como en la mayor parte de las infecciones por vermes, las lesiones son aproximadamente proporcionales al número de parásitos que existen. En los casos graves puede producirse debilitamiento, incluso muerte, por lesión extensa del pulmón. Los gusanos aberrantes que se desarrollan en otros tejidos, como el cerebro, pueden producir lesiones locales.

No hay pruebas de que exista inmunidad adquirida para Paragonimus. Se ha demostrado que las infecciones humanas persisten por lo menos seis años en ausencia de reinfección pero se cree que a menudo desaparecen después de varios años.

El diagnóstico se basa en el hallazgo e identificación de los huevecillos característicos en el esputo o las heces. Como en otras infecciones por trematodos, el tamaño y la estructura de los huevecillos son característicos.[123] En las heces pueden encontrarse otros huevecillos de trematodos, pero solo dos de Paragonimus suelen encontrarse en el esputo. Es posible el diagnóstico inmunológico específico utilizando métodos micro-Ouchterlony o tipos de estudios inmunoelectroforéticos de sueros humanos reaccionando con antígenos de Paragonimus.[21?]

Epidemiología y control. Hay diversos mamíferos susceptibles de infección por Paragonimus. Los huéspedes naturales habituales son gatos, perros, visones, ratas almizcleras y el hombre. La infección es conocida en los animales inferiores en Asia, África y América del Norte y el Sur. La infección humana se encuentra limitada por los hábitos de al mentación, y es frecuente únicamente en el Lejano Oriente. Las metacercarias son destruidas en los crustáceos infectados únicamente por cocimiento prolongado o por un largo contacto con salsas ácidas y, en las regiones de endemia, los cangrejos de agua dulce frescos, crudos o ligeramente sazonados, son considerados como manjar delicado. Debe insistirse en que la reproducción asexuada en el caracol es obligatoria, y que únicamente la metacercaria, quizá la cercaria, son las formas infectantes para los mamíferos, de modo que no hay transmisión directa de mamífero a mamífero, y si no hay reinfección, no puede haber aumento numérico de una infección individual.

La cloroquina, además de su actividad antipalúdica, se ha utilizado con cierto éxito en muchas infecciones por helmintos, incluyendo la paragonimiasis. Es benéfica en la infección pulmonar incipiente, pero su valor es dudoso en las infecciones de larga duración o en el parasitismo cerebral ectópico. También se han señalado buenos resultados clínicos con Bitionol.[213]

La quimioterapia de las infecciones humanas no tiene utilidad para controlar la infección, tanto por su inseguridad como porque los animales inferiores constituyen un reservorio importante. La destrucción de los caracoles, en general, ha fracasado. La única medida eficaz de control que se conoce es la educación, enseñando los peligros de comer crustáceos de agua dulce insuficientemente cocidos. Debe hacerse notar que, aunque semejante modificación en los hábitos alimentarios, constituye el mejor método de control de todas las infecciones humanas por trematodos, exceptuando la esquistosomiasis, los hábitos y prejuicios establecidos frecuentemente hacen difícil su realización. Yokogawa y col.[216] han revisado recientemente el estado actual de conocimientos sobre la paragonimiasis.

Fasciolopsis buski. Los adultos de esta especie alcanzan longitud de 7 cm y se encuentran fijados a la mucosa del intestino delgado del hombre y el cerdo. La infección es más frecuente en China, pero existe también en otras partes de Asia. Los grandes huevecillos (en promedio 140 por 80 μ) son eliminados con las materias fecales y se desarrollan en el agua donde los miracidios invaden caracoles de los géneros Segmentina y Planorbis. El desarrollo en el caracol, al igual que el de Paragonimus, comprende una generación de esporocistos y dos generaciones de redias. Las cercarias, dotadas de cola larga, se enquistan en forma de metacercaria sobre plantas acuáticas, especialmente las castañas de agua, que constituyen la fuente de infección para el hombre y el cerdo cuando se comen crudas, o cuando se mondan con los dientes. Los síntomas suelen ser proporcionales a la intensidad de la infección; consisten en trastornos intestinales y edema generalizado, atribuido a toxemia, pero quizá simplemente nutritivo, provocado por la acción exfoliadora de los gusanos. Las infecciones intensas

pueden provocar la muerte. Como en muchas otras infecciones intestinales por helmintos, el hexilresorcinol es eficaz. La lucha contra la enfermedad se realiza tratando las infecciones humanas, con alcantarillado adecuado y educación sobre los peligros de consumir plantas crudas que hayan crecido en aguas contaminadas. El problema se complica por la costumbre, común en las regiones de endemia, de utilizar las deyecciones humanas como abono.

Fasciola hepatica, íntimamente relacionada con el trematodo anterior, infecta el hígado de ovinos y bovinos provocando la "fascioliasis hepática". Tiene gran importancia económica, y también el interés de haber sido el primer trematodo cuyo ciclo biológico se describió. Se conocen algunos casos humanos esporádicos, generalmente adquiridos consumiendo berros, en los cuales se han fijado metacercarias. Las infecciones humanas son relativamente frecuentes y clínicamente importantes en Cuba, Chile, sur de Francia y algunas otras regiones aisladas, donde la cría de ovejas o de ganado se asocia al cultivo de vegetales cuyas hojas se consumen crudas. *Fasciola gigantica* y *Fascioloides magna* de los herbívoros también infectan ocasionalmente al hombre. Otro parásito de importancia económica que se encuentra en el hígado de los herbívoros, *Dicrocoelium dendriticum,* también se ha encontrado en el hombre en raras ocasiones.

Heterophyes heterophyes. Es un pequeño trematodo, que mide aproximadamente 1.5 mm de longitud, y vive en el intestino del hombre y de gatos, perros y otros mamíferos que comen pescado en Egipto, Asia Menor y Asia. Sus huevecillos son pequeños, por término medio de 25 por 16 μ. Las metacercarias se ingieren por el hombre con el pescado salado o insuficientemente cocido, pero se ha señalado que los huevecillos suelen depositarse profundamente en la mucosa, desde donde pueden alcanzar la circulación general, y se localizan en tejidos distantes, especialmente miocardio y cerebro, cuya inflamación parece que ha llegado a provocar síntomas graves, incluso la muerte.[41] Algunas especies vecinas atacan al hombre; la más importante es *Metagonimus yokogawai,* del hombre y otros animales que comen pescado en los Balcanes, Palestina y Asia. También en Filipinas se han encontrado gran número de trematodos heterófidos cuyos huevecillos provocan extensas lesiones ectópicas.

Otros trematodos intestinales. Diversas especies de Echinostoma, Echinochasmus y Euparyphium parasitan ocasionalmente al hombre. Son trematodos alargados, con un anillo de grandes espinas en la región cefálica. El hombre adquiere infección ingiriendo caracoles o almejas crudas que contienen las metacercarias. Hay varios mamíferos y aves que constituyen los huéspedes normales de los gusanos adultos. También se han señalado infecciones humanas ocasionales con *Gastrodiscus hominis* y *Watsonius watsoni.* No se conocen sus ciclos biológicos, pero como parasitan principalmente herbívoros, se

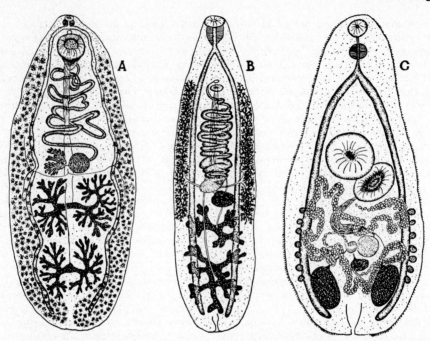

FIG. 33-12. Trematodos parásitos del hombre. Obsérvese la diferencia de amplificaciones. *A, Fasciolopsis buski;* × 3. *B, Clonorchis sinensis;* × 5. *C, Heterophyes heterophyes;* × 60.

cree que las metacercarias se encuentran sobre las plantas.

Clonorchis sinensis. La duela del hígado de China, *Clonorchis sinensis,* es un trematodo delgado, alargado, de 1 a 2 cm de longitud, que en forma adulta vive en los conductillos biliares del hombre, gato, perro y otros animales que comen pescado en China y Japón. Los huevecillos, que miden en promedio 29 por 17 μ, se eliminan con la bilis y salen al exterior en las materias fecales. Están completamente desarrollados, pero no se abren en el agua. Cuando son ingeridos por caracoles adecuados, generalmente de los géneros Parafossarulus y Bithynia, se abren y los miracidios se convierten en esporocistos en los espacios linfáticos; las redias formadas en el interior del esporocisto dan origen a cercarias de cola larga, que, a su vez, se enquistan en forma de metacercarias en los tejidos y sobre la piel y escamas de diversos peces de agua dulce. Cuando el hombre ingiere estas metacercarias, se abren en el intestino delgado y los gusanos emigran hasta los conductos biliares, donde se hacen adultos en tres o cuatro semanas. En conejos infectados experimentalmente los gusanos inmaduros completan la migración al hígado incluso en huéspedes cuyos conductos biliares han sido ligados; en consecuencia, debe producirse el paso a través del sistema circulatorio hasta el hígado, o la migración directa a través de la pared intestinal, cavidad peritoneal, y luego a la superficie del hígado.[184] Es necesario un conccimiento cuidadoso (100°C durante 15 minutos) para destruir las metacercarias. El hombre

se infecta ingiriendo las metacercarias, tal vez con el agua de bebida, o por contaminación de los dedos al manipular pescados infectados, pero sobre todo comiendo pescado insuficientemente cocido o macerado en jugos ácidos, que precisamente constituye uno de los platillos favoritos en las regiones de endemia. El peligro aumenta en estas regiones por la costumbre de criar peces para el mercado en estanques abonados con heces humanas.

La infección humana se caracteriza por la proliferación del epitelio de los conductos biliares y tejido conectivo vecino, que provoca cirrosis del hígado, destruyendo su parénquima y obstruyendo la circulación porta. Los síntomas más frecuentes son trastornos intestinales, hepatomegalia y ascitis; las infecciones graves pueden provocar la muerte.

Aunque se han utilizado diversos quimioterápicos para las infecciones de duelas hepáticas en el hombre, hasta hace poco no disponíamos de ningún agente seguro para tratar la clonorquiasis. Uno de los utilizados para tratamiento de las duelas del ganado y las ovejas (1,4-bis-triclorometilbenzol) ha resultado muy prometedor en sus primeros ensayos.[214] El diagnóstico depende de identificar los huevos obtenidos de las heces o del sondeo duodenal. Se han hecho esfuerzos para lograr métodos inmunodiagnósticos prácticos para la clonorquiasis. Sin embargo, la mayor parte de estos parásitos reaccionan en forma cruzada con otras infecciones de trematodos, como la paragonimiasis y la esquistosomiasis. Se ha comprobado que un antígeno purificado preparado de Clonorchis adultos, for mado básicamente de una poliglucosa, tiene mucha especificidad cuando se emplea en una prueba de fijación del complemento en esta infección.[169] El control, como las infecciones de trematodos antes estudiadas, depende principalmente del aprendizaje para evitar la ingestión de carne infectada poco cocida, en este caso pescado de agua dulce.

Una especie vecina, *Opisthorchis viverrini*, tiene gran importancia en el norte de Tailandia, donde infecta 25 por 100 de la población.[164] *Opisthorchis felineus* y *O. tenuicollis* infectan a mamíferos que comen pescado y, con menor frecuencia, al hombre en algunas partes de Asia y Europa Central.

Duelas de la sangre: los esquistosomas. La gran frecuencia de la infección humana con diversas especies de esquistosomas, y la enfermedad crónica y debilitante que producen, hace que estos organismos se encuentren entre los más importantes agentes productores de infecciones en el mundo.[154] Se calcula que la proporción mundial de infección es mayor de 4 por 100; en algunas regiones la endemia se está extendiendo.[126] Las medidas de control y el tratamiento individual todavía no son satisfactorios. Bilharz fue el primero que describió estos trematodos en las venas de un enfermo egipcio, en 1852, y más tarde la infección por esquistosomas se denominó "bilharziasis" en gran parte de la bibliografía médica. Los gusanos suelen vivir por parejas, en el sistema venoso porta, o en venas de los plexos vesicales; la hembra se encuentra en el canal ginecóforo excavado en la cara ventral del macho. El cuerpo hendido del macho fue el que sugirió el nombre genérico del grupo y, contrariamente a los otros trematodos antes mencionados, todos los esquistosomas son dioicos. Los adultos se fijan a las paredes de los vasos sanguíneos con sus ventosas y emigran a venas menores durante la cópula, para poner los huevos. Ocasionalmente, pueden desarrollarse en lugares ectópicos, hasta

donde probablemente son acarreados por la circulación, antes de alcanzar la madurez. Las duelas de la sangre consumen carbohidratos, y utilizan la glucosa de la sangre.[22, 202] Además, ingieren eritrocitos y tienen una enzima que desdobla la globina.[189] Tomaremos como ejemplo del grupo *Schistosoma mansoni*.

Morfología y ciclo biológico. Las parejas adultas de *S. mansoni* se encuentran normalmente en las venas mesentéricas menores. La hembra, cilíndrica, tiene 1 a 1.5 cm de longitud por 0.25 mm de diámetro. Posee una ventosa anterior que rodea la boca, y un poco atrás un acetábulo pediculado. Los ciegos intestinales se unen antes de la mitad del cuerpo para formar un tubo único que se prolonga hasta la extremidad posterior. El ovario, de forma oval, se encuentra inmediatamente por delante de la unión de los ciegos intestinales; el útero, lleno de huevecillos, se extiende hacia adelante y se abre atrás del acetábulo. La mitad posterior del cuerpo está ocupada por la glándula vitelina. El macho es más corto que la hembra, aproximadamente de 1 cm de longitud por 1 mm de diámetro, y su tegumento se encuentra recubierto de tubérculos rugosos. Las ventosas y el tubo digestivo son semejantes a los de la hembra. El sistema reproductor se compone de un racimo de ocho o nueve testículos redondos, situados en la parte anterior; desembocan en una vesícula seminal que se abre al exterior precisamente atrás de la ventosa ventral.

S. mansoni tiene grandes huevecillos, en promedio de 150 por 65 μ, sin opérculo, pero dotados de un espolón muy manifiesto en uno de los lados. Son depositados en las ventanillas más finas de los plexos mesentéricos, y al retirarse los gusanos que los pusieron, los vasos que habían estado distendidos por el cuerpo del parásito se colapsan y los huevos pasan a la pared intestinal. El espolón lateral ayuda a fijar el huevecillo en el vaso y, por una serie de

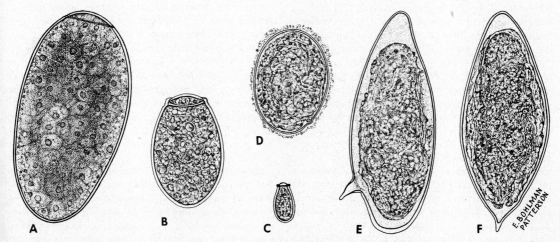

FIG. 33-13. Huevos de trematodos cortados. Cámara clara. Aprox. $\times$ 310. *A, Fasciolopsis buski. B, Paragonimus westermani. C, Clonorchis sinensis. D, Schistosoma japonicum* (obsérvese que la cubierta tiene el halo de restos que suele observarse en este huevo). *E, Schistosoma mansoni. F, Schistosoma haematobium.*

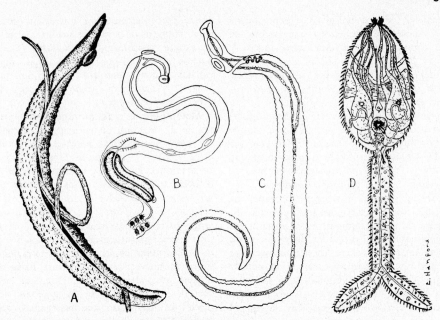

FIG. 33-14. *Schistosoma mansoni.* Obsérvese la diferencia de amplificación. *A,* Gusanos adultos; × 8. *B,* Extremo anterior de la hembra; × 20. Macho adulto; × 10. *D,* Cercaria; × 180. (*A* y *C,* Copiados de Manson-Bahr. *D,* Copiado de Cort.)

circunstancias, que probablemente incluyan la secreción de substancias líticas por el embrión que empieza a desarrollarse, el huevecillo pasa a través de la pared vascular, continúa su migración por los tejidos hasta la mucosa, y cae en la luz del intestino. En el momento en que sale del cuerpo con las heces, ya está maduro; cuando estas se diluyen en el agua, la cáscara se rompe y libera el miracidio. Cuando encuentra caracolillos adecuados, Biomphalaria en Africa y *Australorbis glabratus* en el hemisferio occidental, penetra en ellos y produce dos generaciones de esporocistos que, al cabo de dos semanas, dan cercarias dotadas de colas largas y bifurcadas. Después de escapar al agua, las cercarias nadan activamente o reposan en la superficie, y mueren en tres días si no alcanzan un huésped definitivo susceptible. Si entran en contacto con la piel humana, se fijan a ella y la traspasan activamente. Atraviesan rápidamente la epidermis, pierden su cola, y pueden alcanzar los vasos linfáticos de la dermis en 15 minutos o menos. Esta rápida invasión de la piel intacta del huésped se realiza por medio de enzimas de las cercarias, y también por su actividad muscular. Una de las principales características de la morfología de las cercarias es que tienen grandes "glándulas de penetración" unicelulares, que producen secreciones mucoides de proteasas de tipo colagenasa y mucopolisacaridasa; se supone todas tienen importancia para la capacidad invasora de los parásitos.[112, 179] Estos son acarreados por la linfa y la sangre hasta la vena porta, donde maduran; los adultos copulan y emigran distalmente hasta las venas mesentéricas. Cuatro a ocho semanas des-

pués de producida la infección, los gusanos sexualmente maduros empiezan a producir huevecillos. La infección puede persistir hasta 25 años en ausencia de reinfección.

Las otras especies de esquistosomas difieren de *S. mansoni* por su tamaño, detalles de su morfología, estructura del huevo, localización en el huésped definitivo, tipos de caracoles huéspedes y distribución geográfica. Los adultos de *S. haematobium* suelen encontrarse en las vénulas de la pared vesical, y sus huevecillos, que se eliminan con la orina, son grandes, de 150 por 60 μ, con un espolón terminal. El macho, que mide de 1 a 1.5 cm de largo, está cubierto de tubérculos finos y tiene cuatro grandes testículos. La hembra tiene unos 2 cm de largo. Los huéspedes intermediarios son caracoles de los géneros Physopsis y Bulinus.

S. japonicum se encuentra en las pequeñas venas del intestino. Sus huevecillos tienen en promedio 80 por 65 μ, con una protuberancia lateral, más que verdadero espolón. Se eliminan por las heces, y el miracidio invade caracoles del género Onocomelania. El macho tiene 1 a 2 cm de longitud, tegumento liso y siete a ocho testículos. La hembra mide 1 a 2.5 cm.

Esquistosomiasis. La enfermedad provocada por los esquistosomas es distinta según la especie infectante, el número de gusanos adultos presentes, y la duración de la infección. La patología puede dividirse en: periodo de incubación, desde que el esquistosoma penetra en la piel hasta que empieza a poner huevecillos; periodo agudo, y periodo crónico. Al iniciarse el periodo de incubación, la penetración de la piel puede provocar una dermatitis pasajera. Las formas que parasitan al hombre producen una dermatitis menos intensa que las cercarias que parasitan otros vertebrados (véase luego). Las larvas que pasan a través del pulmón pueden provocar una infiltración de eosinófilos; mientras que maduran en el sistema porta, productos del metabolismo de los parásitos producen una hepatitis tóxica que a menudo se acompaña de fiebre irregular y manifestaciones alérgicas, como urticaria. A este sigue el periodo agudo, en el cual los huevecillos son depositados activamente en los tejidos y salen a la luz del intestino y de la vejiga. Durante esta etapa, el traumatismo puede provocar hemorragia intestinal y seudodisentería en infecciones por S. mansoni y S. japonicum, y hematuria en S. haematobium.[68, 114] Incluso en estos periodos iniciales, gran número de huevecillos pueden pasar a la circulación en lugar de emigrar a través de los tejidos hasta la luz de los órganos. Estos huevecillos van a alojarse formando embolias en el hígado, donde se rodean de pequeños granulomas (seudotubérculos). En S. haematobium y S. japonicum muchos suelen pasar al pulmón; en el último, en muchos casos, cantidades relativamente grandes de huevecillos alcanzan el cerebro, produciendo los síntomas correspondientes. El periodo crónico se debe a la reacción del huésped a las continuas lesiones tisulares provocadas por huevecillos. En S. mansoni, la pared del intestino grueso aumenta de espesor, muestra tejido cicatrizal y proyecciones de tejido conectivo con huevecillos. También en S. japonicum se producen alteraciones y engrosamiento del intestino delgado; en ambos la cirrosis del hígado constituye secuela importante. Con S. haematobium, la pared de la vejiga urinaria engrosa considerablemente, con tejido conectivo fibroso, y el calibre de la uretra puede disminuir.[85] También los genitales externos suelen verse afectados. En algunas regiones se ha observado gran correlación entre carcinomas de recto, hígado y vejiga urinaria, y esquistosomiasis. Paralelamente a las lesiones hepáticas provocadas por S. mansoni y S. japonicum, el obstáculo a la circulación provoca hipertensión portal, esplenomegalia, varices esofágicas y ascitis.[6, 64]

En gran parte, la patología de la esquistosomiasis es de índole inmunológica. La respuesta granulomatosa del huésped a los huevos, en los tejidos, es una manifestación de hipersensibilidad tardía.[206] Datos epidemiológicos y experimentales demuestran que las poblaciones pueden desarrollar tolerancia para algunos de los antígenos correspondientes.[113, 114] También se han demostrado anticuerpos anti DNA en infecciones del hombre con S. mansoni o S. japonicum, y en la infección de laboratorio provocada en pequeños mamíferos.[81] La producción de tales anticuerpos es característica de diversas enfermedades, incluyendo lupus eritematoso generalizado, y muchas veces se acompaña de glomerulonefritis de origen complejo inmune. Informes recientes indi-

can que la enfermedad renal con glomerulonefritis se asocia con la esquistosomiasis hepatosplénica.[4, 19] Esto también es cierto para infecciones experimentales en los roedores. Se depositan inmunoglobulinas en los glomérulos, indicando la naturaleza inmunopatológica de este aspecto de la esquistosomiasis.[176] Como ya se resumió brevemente, las lesiones que se produzcan variarán según el tiempo, también según los diferentes sitios donde los huevecillos sean depositados por las diversas especies de gusanos adultos. Otra diferencia importante entre las especies es que la hembra de S. japonicum produce diariamente diez veces más huevecillos que la hembra de S. mansoni. La producción de la hembra de S. haematobium se cree que es intermedia.

Inmunidad. No hay pruebas directas de una inmunidad funcional contra los esquistosomas. Los niños y adultos jóvenes suelen sufrir infecciones graves, que pueden terminar en la muerte. Se encuentran algunos adultos sin síntomas de enfermedad progresiva, a pesar de estar expuestos a la infección con S. japonicum o S. mansoni. Los animales curados de una infección inicial muestran cierta resistencia a la reinfección, y en el mono algunos individuos que sobreviven a la infección inicial tienen fuerte inmunidad contra la reinfección en masa.[200] Estudios recientes parecen indicar que es posible la inmunización por vacunación, pues los monos rhesus inoculados con una cepa no humana (Formosa) de S. japonicum, demostraron considerable resistencia cuando se les inoculó la cepa humana (japonesa).[90] Además, los ratones inoculados con cercarias de S. mansoni expuestas a radiación de cobalto-73, desarrollaron una inmunidad relativa a la reinfección con cercarias no irradiadas.[198]

Hay muchas pruebas serológicas de la producción de anticuerpos en la infección por esquistosomas, pues se pueden demostrar en algunos sueros humanos precipitinas circunovales, aglutininas contra los miracidios y las cercarias, anticuerpos fijadores del complemento, y otros.[101] Además, también se producen proteínas séricas que inhiben las enzimas de penetración de las cercarias.[112] Hoy por hoy, estos fenómenos serológicos no pueden relacionarse con el grado de inmunidad funcional o protectora del individuo. Los aspectos inmunológicos de la esquistosomiasis, han sido revisados ampliamente.[114, 177]

Diagnóstico. El diagnóstico de laboratorio se basa en hallar los huevecillos característicos en heces, orina, tejidos de biopsia rectal y, rara vez, de biopsia de hígado. Muy al principio, o en las infecciones muy antiguas, los huevecillos pueden no encontrarse fácilmente, y son necesarios varios exámenes y técnicas de concentración, en forma sistemática, para diagnosticar las infecciones aisladas. Las técnicas inmunológicas también son valiosas, tanto para diagnóstico de casos aislados como para encuestas epidemiológicas. Estas técnicas comprenden la producción de precipitados alrededor de los huevecillos viables o liofilizados (reacción de precipitina perioval), la hemaglutinación a alto título de los eritrocitos sensibilizados con antígenos de adultos, la reacción intradérmica con antígenos de adultos, la fijación del anticuerpo fluorescente por las cercarias conservadas,[166] y muchos otros métodos, incluyendo la fijación del complemento y la precipitación en gel.[91] Algunas de estas reacciones tienen especificidad de grupo, persisten después de la curación, o son negativas en gran proporción en los grupos de menor edad. Las pruebas perioval, de anticuerpos fluorescentes e intradérmica, tienen valor práctico, si se comprenden sus limitaciones.

Tratamiento. El tratamiento más eficaz, para las tres especies, es la inyección intravenosa de tartrato de antimonio y potasio o sodio, que administrado en forma adecuada puede dar una alta proporción de curaciones (84 por 100 en *S. japonicum*).[21, 23] El tártaro emético debe administrarse lentamente, en días alternos, durante un mes. Es doloroso, y no es práctico para tratamientos en masa. Por esto el Estibofen (Fuadina), antimonial que puede administrarse por vía intramuscular, constituye una droga muy popular en muchos lugares endémicos. Tiene la característica de que esteriliza transitoriamente al esquistosoma hembra, deteniendo la producción de huevecillos y de síntomas que puedan referirse a este tipo de lesión. Convenientemente utilizado, puede curar, pero el coeficiente de curación es bajo, pues rara vez se hace el tratamiento completo, y se cree que las hembras se recuperan. Los antimoniales trivalentes actúan por interferencia con una de las enzimas del metabolismo de los carbohidratos en los helmintos (fosfofructocinasa).[22] El miracilo D, medicamento que se administra por vía bucal, tiene cierto valor para tratar las infecciones por *S. haematobium*, especialmente en niños pequeños. Más recientemente se han empleado mucho el niridazol (Ambilhar) e Hycanthone.[70, 89] Ambos plantean problemas de toxicidad, que a veces pueden causar reacciones de hipersensibilidad mortal; Hycanthone también se sabe que causa mutaciones.[6, 105, 159] Hoy por hoy, no disponemos de ningún medio curativo completamente satisfactorio para la esquistosomiasis.

Epidemiología y control. El principal mecanismo de infección es el contacto de la piel con agua que contenga cercarias, lo cual se produce especialmente durante el trabajo en los arrozales abonados con heces humanas, pero también durante el baño y por contacto causal. La infección puede adquirirse bebiendo agua, y rara vez por vía intrauterina. El hombre constituye el único reservorio importante de *S. mansoni* y *S. haematobium*, aunque ambos ocurren en la naturaleza en los monos, y se han descrito infecciones por *S. mansoni* en roedores. En estas dos especies, la infección se conserva porque la orina y las heces del hombre no se eliminan adecuadamente, o se usan deliberadamente

como fertilizantes para cultivar el arroz, la caña de azúcar y otras cosechas de este tipo. La infección de las corrientes y canales de irrigación que se utilizan para lavarse o lavar las ropas, también es importante para conservar la infección. Contrariamente a los anteriores, *S. japonicum* tiene gran número de reservorios en los mamíferos domésticos y silvestres, que eliminan huevecillos con las heces, y pueden conservar la infección en ausencia del hombre. *S. mansoni* está ampliamente distribuido en todo Africa, donde se encuentren caracoles adecuados para servir de huéspedes intermediarios. El delta del Nilo constituye una región endémica de primera importancia. Es común en Africa tropical, hasta Africa del Sur, y en gran parte de su área de distribución coexiste con *S. haematobium*. La importación de *S. mansoni* con los esclavos estableció la enfermedad en Brasil, Venezuela, Guayana holandesa y las Antillas, incluyendo Puerto Rico. En estas regiones sigue siendo de gran importancia, y la frecuencia en el mundo se acerca a los 40 millones. La distribución actual de *S. haematobium* incluye no solo todas las partes de Africa adecuadas para su desarrollo, sino también porciones de Arabia, Palestina, Líbano, Siria y algunas pequeñas áreas endémicas en Portugal y la India. *S. japonicum* se encuentra limitado al Lejano Oriente. Las Filipinas, China, las Islas Célebes y Japón constituyen importantes regiones endémicas. Hay algunos pequeños focos en Tailandia y Laos, y en Formosa se ha encontrado una cepa que parasita esencialmente perros y ratas.

El control de la esquistosomiasis se basa en destruir los caracolillos huéspedes intermediarios, impedir que los huevecillos lleguen al agua donde se encuentran los caracoles, y evitar el contacto con el agua que contenga cercarias. Se han obtenido éxitos limitados en el control de los caracoles utilizando sulfato de cobre o pentaclorofenato sódico como molusquicidas.[126] La desecación periódica de los canales de irrigación tiene cierto valor para combatir los caracoles que transmiten *S. mansoni* y *S. haematobium*, pero su utilidad es escasa contra *S. japonicum*, pues el caracol huésped es operculado y resiste a la desecación. Como no sobrevive bien en estanques o en áreas bien drenadas, esto se utiliza para su control. En superficies pequeñas y que tengan características especiales, la introducción de un competidor, el caracol Marisa, ha eliminado Australorbis, el huésped de *S. mansoni*.[149] El alcantarillado adecuado y un buen saneamiento no han tenido gran éxito como medidas de control, porque las costumbres del pueblo, como la economía de las áreas endémicas, los obstaculizan. Evitar el contacto con el agua infectada es difícil en algunas regiones, porque se asocia a la costumbre religiosa de la ablución, y en otras partes solo se cuenta con agua infectada para beber y el aseo en general, y no ha sido posible, por motivos económicos, lograr suministros de agua inofensivos.

Otras especies de esquistosomas. Se ha señalado la existencia en el hombre de muchas especies que suelen parasitar ungulados de Africa y la India, incluyendo *S. bovis* y *S. spindale*. En Africa tropical se han observado varios cientos de casos de parasitosis humana por *S. intercalatum*, que tiene un huevecillo con espolón terminal, ligeramente mayor que el de *S. haematobium*. Los huevos son eliminados con las heces más que por la orina.

Dermatitis por esquistosomas. Diversas especies de esquistosomas, especialmente del género Trichobilharzia, pueden invadir la piel humana, provocando una intensa dermatitis alérgica. Estos gusanos, que suelen parasitar aves o mamíferos inferiores, parecen incapaces de madurar en el hombre. Aunque se han registrado esquistosomas que producen dermatitis en áreas muy dispersas del mundo, excepto en Africa, solo son importantes en algunas partes de Europa y América del Norte. En Estados Unidos de Norteamérica, algunos lagos de los estados centrales del norte, especialmente Michigan y Wisconsin, antiguamente eran conocidos por la "sarna de los nadadores" que atacaba a los bañistas.[37] Aunque la destrucción de los caracoles con sales de cobre ha dominado bien la infección en algunas de estas zonas, este tipo de dermatitis por cercarias sigue siendo grave problema en gran parte de la región. La dermatitis puede tratarse con pomadas antialérgicas. Uno de los parásitos que producen la dermatitis esquistosomiásica, *Schistosomatium douthitti*, tiene interés especial porque se estudia fácilmente en los ratones de laboratorio. Recientemente se han descrito en las playas de Hawaii, California y el este de Estados Unidos de Norteamérica esquistosomas de aves que provocan una dermatitis por agua de mar.[32]

Cestodos

Los cestodos, o gusanos planos acintados, suelen estar formados por una cadena de segmentos aplanados, cada uno de los cuales constituye una unidad semiindependiente, con dotación completa de órganos reproductores, que en conjunto forman una especie de colonia. En la extremidad anterior, un escólex sirve para fijar el gusano, y los sistemas nervioso y excretor ocupan todo el organismo. No poseen tubo digestivo, pues las substancias alimenticias solubles se absorben por la superficie del cuerpo. Todos los cestodos son parásitos, los adultos viven ordinariamente en el tubo digestivo del huésped definitivo y las formas larvarias en los tejidos del huésped intermediario.[205] Los parásitos del hombre pertenecen a dos órdenes: Pseudophyllidea y Cyclophyllidea. Los seudofílidos serán estudiados después (véase *Diphyllobothrium latum*). La mayor parte de los cestodos humanos pertenecen a la familia de los ciclofílidos; *Taenia solium* servirá de ejemplo.

Taenia solium. La solitaria del cerdo, *Taenia solium*, se conoce desde la antigüedad. Küchenmeister, en 1855, fue el primero que sospechó su relación con los "gusanos vesiculados" del cerdo, y demostró su transformación en gusano adulto en el intestino de un criminal condenado a muerte.

Características y ciclo biológico. En el intestino del hombre, la forma adulta de *T. solium* alcanza una longitud de 2 a 3 metros. El escólex o "cabeza", órgano redondeado de aproximadamente 1 mm de diámetro, dotado de cuatro grandes ventosas en forma de copa y de un apéndice con 20 a 35 ganchos, el rostelo, se encuentra hundido en la mucosa intestinal del huésped. Al escólex sigue un cuello delgado que se continúa con la región donde proliferan los segmentos o proglótides. Cuando se produce un nuevo segmento, los anteriores se desalojan hacia atrás, mientras se desarrollan sexualmente, hasta alcanzar la mitad del gusano, donde ya se encuentran las proglótides maduras. En promedio miden 0.5 por 0.5 cm. El poro genital se encuentra en cualquiera de dos lados de la proglótide alternando irregularmente de un segmento a otro. El aparato reproductor masculino se compone de pequeños testículos foliculares diseminados en la parte dorsal del segmento, que se vacían a través de un vaso eferente en un deferente tortuoso que termina en un órgano copulador musculoso, o cirro, en el poro genital. En el sistema femenino, la vagina se extiende desde el poro genital hasta el ootipo, en la parte central posterior del segmento. A cada lado del ootipo se encuentran los ovarios, y atrás de ellos, la glándula vitelina. Un útero ciego se extiende hacia adelante desde el ootipo.

A medida que los segmentos se aproximan a la extremidad posterior del parásito, el útero se llena de huevecillos, se hace ramificado, y llena la mayor parte del segmento en las proglótides grávidas, que miden aproximadamente 0.5 por 1 cm. En *T. solium* hay unas diez ramas a cada lado del útero. Los segmentos grávidos se desprenden aisladamente o en pequeños grupos, y salen al exterior con las materias fecales. Antes o después de salir del organismo se rompen, liberando gran número de huevecillos, que miden en promedio 35 μ de diámetro, son casi esféricos y están provistos de una "cáscara" gruesa, de estructura porosa característica. Dentro de la cáscara puede observarse la oncosfera, embrión dotado de seis ganchitos.

Cuando es ingerido por un huésped intermediario adecuado, el huevecillo se abre en el intestino y los embriones atraviesan la pared intestinal para penetrar en la sangre o la linfa, que los acarrea a diversas partes del cuerpo y, unos dos meses después, desarrollan en los tejidos la fase infecciosa. La infección es mán intensa en los músculos pero también otros tejidos contienen parásitos. Esta forma, el cisticerco, se compone de un escólex semejante al del adulto, un cuello corto y una vejiga llena de líquido, aproximadamente de 1 cm de diámetro.

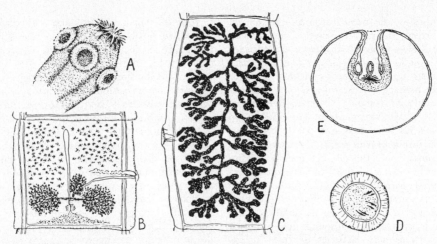

FIG. 33-15. *Taenia solium.* *A,* Escólex; × 20. *B,* Proglótides maduras; × 5. *C,* Proglótides grávidas; × 5. *D,* Huevo;
× 500. *E,* Cisticerco; × 5. (Adaptado de diversas fuentes.)

En los tejidos, el escólex se encuentra invaginado en el interior de la vesícula. Además del cerdo, otros animales pueden alojar los cisticercos, entre ellos el hombre, en el cual pueden desarrollarse en diversos tejidos, incluyendo el cerebro.

El hombre adquiere la solitaria adulta ingiriendo carne de cerdo mal cocida que contenga cisticercos. En el intestino, la vesícula es digerida, el escólex se fija a la pared intestinal, y el gusano adulto se desarrolla creciendo a partir de la región del cuello. Unos dos meses después de la infección, empiezan a eliminarse por las heces proglótides grávidas que contienen huevecillos. La infección puede persistir por muchos años.

La enfermedad humana. La solitaria adulta del cerdo generalmente se encuentra en el intestino del hombre, como parásito único. Frecuentemente no provoca síntomas, aunque puede causar malestar intestinal general, y en los niños a veces trastornos nerviosos. El apetito devorador que el vulgo asocia con las infecciones por solitaria, en realidad es poco frecuente, observándose más bien anorexia. Contrariamente a la infección con el gusano adulto, la infección de los tejidos por cisticercos es peligrosa; las larvas actúan como tumores benignos; su crecimiento es lento y, naturalmente, termina cuando completan su desarrollo. Las lesiones se producen por la presión que desarrollan; en consecuencia, su gravedad depende de la localización de las larvas. En la mayor parte de los músculos y del tejido conectivo no tienen importancia, pero en el ojo pueden afectar la visión, y en el cerebro provocar epilepsia u otras manifestaciones de compresión local.

No hay pruebas de inmunidad adquirida para *T. solium* en el hombre, aunque se ha sugerido que la rareza de las infecciones múltiples del intestino indicaría inmunidad a la superinfección. En las personas portadoras de cisticercos pueden demostrarse anticuerpos fijadores del complemento y precipitantes, que reaccionan tanto con extractos de *T. solium* como de otras tenias.

El diagnóstico de laboratorio de la infección intestinal con *T. solium* se basa en el descubrimiento de huevecillos o proglótides grávidas en las heces. Los huevecillos no pueden distinguirse de los de la solitaria de los bovinos (véase luego), pero los segmentos grávidos pueden identificarse por el menor número de ramas uterinas, aproximadamente diez de cada lado, en lugar de más de 15 en la solitaria de las reses. El diagnóstico de la cisticercosis rara vez se hace antes de la operación o la autopsia, pero se han utilizado las reacciones inmunológicas antes mencionadas. Para tratamiento se utiliza el clorhidrato de quinacrina (Atebrina), en comprimidos, a veces con sonda duodenal. El extracto de helecho macho (oleorresina de Aspidium), medicamento muy antiguo, todavía se usa en algunos casos. Para la cisticercosis no se conoce tratamiento, excepto la cirugía.

Epidemiología y control. Las larvas de *T. solium* se encuentran más frecuentemente en el cerdo, pero también en el hombre, mono, carnero, camello y perro. Antes de 1850, en Berlín, se encontraban cisticercos en 2 por 100 de las autopsias humanas, pero actualmente la frecuencia es mucho menor. Los cerdos adquieren la infección por contaminación de su alimento o agua con heces humanas. En algunas regiones tropicales y del Lejano Oriente se utilizan los cerdos para realizar la limpieza de las aldeas, debido a sus hábitos de coprofagia. La cisticercosis humana se contrae principalmente por contaminación de los alimentos, agua o dedos con huevecillos procedentes de heces humanas, pero también es posible que, en el intestino de un individuo que tenga el gusano adulto, los huevecillos se liberen sin alcanzar el exterior. Tengan o no que alcanzar el exterior estos huevos para hacerse infecciosos, la persona que alberga la solitaria adulta en su intestino constituye una amenaza constante, tanto para sí misma como para los demás. El hombre es el único huésped conocido de solitaria adulta, y adquiere la infección ingiriendo carne de cerdo insuficientemente cocida, que a menudo contiene gran número de larvas. La congelación y el cocinado minucioso matan las larvas, pero el salado y el ahumado suelen ser ineficaces. La medida de control más eficaz ha sido la inspección oficial de las carnes en canal. Otros métodos tratan de impedir el contacto de los cerdos con heces humanas.

Taenia saginata. La solitaria de las reses, *Taenia saginata*, se parece a *T. solium* por su morfología y ciclo biológico, pero hay entre ellas ciertas diferencias notables: el escólex es "inerme", es decir, que le falta el rostelo de ganchitos de *T. solium*. El gusano adulto generalmente mide unos 5 m de longitud, pero hay ocasiones en que llega a ser mucho mayor. Las proglótides grávidas se distinguen de las de *T. solium* por tener mayor número de ramas, generalmente 15 a 20 a cada lado. El hombre constituye el único huésped conocido del adulto. Los cisticercos se desarrollan en las reses y otros rumiantes, y la infección humana se produce esencialmente por consumo de carne de res insuficientemente tratada por calor. Se han descrito algunos casos raros de cisticercosis, pero es probable que se tratara de cisticercos anormales de *T. solium*.

Echinococcus granulosus. *Echinococcus granulosus* adulto vive en el intestino del perro y especies relacionadas. Es un cestodo diminuto, que tiene 0.25 a 0.5 cm de longitud, y se compone de un escólex "armado" y tres proglótides, una inmadura, una madura y una grávida. En el intestino de los perros infectados pueden encontrarse gran número de adultos.

Los huéspedes intermediarios naturales son el carnero, reses y otros rumiantes, pero hay gran variedad de animales susceptibles, incluyendo el hombre, en el cual la fase larvaria provoca una enfermedad grave. Esta larva es muy diferente a la de las tenias del buey y el cerdo, que fueron descritas antes. En las vísceras de los animales infectados, alcanza a los cinco o seis meses un diámetro aproximado de 1 cm. A los ocho meses o más ya es infecciosa, pero sigue creciendo, y después de varios años puede alcanzar diámetro de más de 20 centímetros. Esta larva, llamada "quiste hidatídico", es una bolsa esférica llena de líquido y compuesta de una gruesa pared cuticular con un delgado epitelio germinativo en su cara interna. A partir de este epitelio germinativo se forman dos tipos de estructuras. Pueden aparecer yemas, que se desarrollan formando vesículas pediculadas, las cápsulas o vesículas prolígeras, en la superficie interna de las cuales se producen escólices pediculados en forma de cisticercos. Estas cápsulas prolígeras pueden desprenderse formando vesículas hijas que crecen y producen vesículas prolígeras, con escólices

en su interior. En los quistes grandes se pueden producir así muchos miles de escólices infecciosos, cada uno de los cuales puede desarrollar un parásito adulto, si el quiste es ingerido por un perro que se alimente con las vísceras de un animal infectado. Así, pues, *E. granulosus* difiere de *T. solium* sobre todo porque la multiplicación se produce tanto en la fase adulta como en la larvaria. El sitio donde predomina la infección larvaria es el hígado, y le sigue el pulmón, pero los quistes pueden presentarse prácticamente en cualquier otro órgano.

La enfermedad hidatídica humana. La equinococosis, o enfermedad hidatídica, se caracteriza por dos tipos generales de manifestaciones: en primer lugar, se desarrolla hipersensibilidad hacia los constituyentes del líquido hidatídico, y la rotura accidental de un quiste puede provocar reacciones graves, incluso mortales. En segundo lugar, pero más importante que lo anterior, el desarrollo del quiste actúa como tumor, y los efectos de la compresión que produce dependen del sitio en que se encuentre. La rotura del quiste puede crear otros nuevos quistes, que se originan en los escólices, vesículas hijas o fragmentos del epitelio germinativo. Los que se desarrollan en los huesos pueden debilitar la estructura de estos por erosión.

No se sabe que exista en el hombre una inmunidad a la infección larvaria, aunque en el carnero inmunizado los quistes se desarrollan en forma un tanto anormal. Los perros inyectados con antígenos derivados de la larva se hacen inmunes a la infección con gusano adulto.

El diagnóstico de laboratorio se basa principalmente en las reacciones inmunológicas. Son útiles tanto la prueba de la precipitina como la reacción intradérmica de Casoni, pero siguen siendo positivas después que se han extirpado los quistes. La prueba más segura es la reacción de fijación del complemento, utilizando como antígeno líquido de quiste conservado con mertiolato.

Epidemiología y control. El ciclo biológico normal de *E. granulosus* incluye el perro y el carnero o el ganado; el hombre constituye un huésped de la fase larvaria. Por esto la infección es más común en las grandes regiones de pastoreo del mundo, especialmente Australia y Nueva Zelandia, Norte y Sudáfrica, Islandia y la porción austral de Sudamérica. La frecuencia en el ganado y los carneros a veces sobrepasan el 50 por 100. Hay varios mamíferos silvestres afectados, entre ellos el alce, el reno y los lobos en la parte septentrional de Norteamérica. Experimentalmente se ha demostrado que las moscas sarcófagas pueden transmitir huevecillos de equinococo a los alimentos, y cabe sospechar que esto ocurra en la naturaleza.

En Estados Unidos de Norteamérica la infección se ha descubierto en el hombre en un foco endémico voluminoso del valle central de California. También se han descrito zonas menores en Utah, con casos humanos. La infección se ha conservado por los pastores de ganado, de origen vasco, que frecuentemente permiten a los perros que lo cuidan que consuman los restos de ovejas muertas. En estas zonas también hay valores altos de infección en coyotes.[131, 170]

El control de la infección en los animales domésticos depende sobre todo de impedir que los perros coman los residuos de las reses. Las porciones que puedan estar infectadas deben enterrarse o quemarse. La profilaxia de la infección humana exige medidas para disminuir la probabilidad de contaminación de los alimentos y del agua humanos con deyecciones de perros.

Echinococcus multilocularis. *E. multilocularis* adulto difiere de *E. granulosus* únicamente en algunos detalles de morfología fina. Sin embargo, la fase larvaria se desarrolla en forma diferente del quiste esférico, benigno, producido por este último, y forma el quiste alveolar, que se desarrolla en forma maligna como una masa espumosa de pequeños glóbulos proliferantes, cada uno de los cuales contiene unos cuantos escólices en el huésped normal. Generalmente se infecta el hígado, y sufre vastas destrucciones por el exuberante desarrollo del tejido larvario.[199]

E. multilocularis se ha observado en Europa Central y en las Islas Aleutianas, pero probablemente también exista en el norte de Asia. El adulto parasita zorras y la larva normalmente es huésped de roedores silvestres. Esporádicamente se producen infecciones por la forma larvaria en el hombre, que provocan una destrucción mortal del tejido hepático.

El quiste hidatídico multilocular del hombre se conocía desde casi un siglo antes que Rausch y Schiller, en 1951, descubrieran que constituía una especie diferente. Anteriormente se consideraba como forma anormal de *E. granulosus*. También ha sido llamado *E. alveolaris*.

Hymenolepis nana. La tenia enana del hombre, *Hymenolepis nana*, es un pequeño gusano, de 1 a 4 cm de longitud, con proglótides maduras que miden 0.5 a 1 mm de ancho. El escólex es semejante al de *T. solium*, pero menor, de 0.25 mm de diámetro. Las proglótides maduras tienen aspecto notoriamente diferente de las de *T. solium*, pues son casi cuatro veces más anchas que largas. Cada segmento tiene tres grandes testículos. En los segmentos grávidos, el útero constituye un gran saco irregular. Estos segmentos generalmente se desintegran en el intestino, liberando los huevecillos, que se encuentran en las heces.

H. nana constituye un ejemplo único entre los cestodos humanos, porque no necesita un huésped intermediario. Los huevecillos ingeridos se abren en el intestino del hombre liberando un embrión que invade los tejidos de una vellosidad intestinal donde, en unos cuatro días, se desarrolla formando un cisticercoide, larva con una vesícula pequeña y un apéndice caudal sólido. Esta larva atraviesa la pa-

red intestinal, se fija a la mucosa y desarrolla el cestodo adulto. Unas dos semanas después de la infección pueden encontrarse los huevecillos en las heces. Se sabe que hay diversos tipos de insectos que pueden servir de huéspedes intermediarios, pero probablemente no tengan importancia en la diseminación del parásito en el hombre. En los individuos infectados suelen encontrarse gran número de cestodos, que pueden provocar trastornos intestinales y nerviosos en los niños, incluso convulsiones epileptiformes. El clorhidrato de quinacrina (Atebrina) y el extracto de helecho macho son útiles para eliminar estos parásitos.

H. nana infecta en la naturaleza al hombre, los monos y los roedores. Aunque la forma encontrada en estos se ha separado como una especie diferente, *H. fraterna*, se considera generalmente una variedad de *H. nana*. El parásito es cosmopolita, y, con mucho, el más frecuente de los cestodos del hombre en Estados Unidos de Norteamérica, especialmente en los niños, aunque puede encontrarse a cualquier edad. No se ha demostrado que el hombre adquiera resistencia con la edad, pero sí puede demostrarse experimentalmente en ratas y ratones.

La falta de huésped intermediario permite la diseminación directa de hombre a hombre. No se sabe si los huevecillos pueden abrirse sin haber alcanzando el exterior. Sin embargo, el individuo afectado está particularmente expuesto a la reinfección por contaminación de sus dedos con sus propias heces.

H. diminuta, íntimamente relacionada, que se encuentra en ratas y ratones, se transmite por diversos insectos que le sirven de huéspedes intermediarios. Se han observado infecciones humanas ocasionales, principalmente en niños.

Cestodos de animales inferiores. Las especies del género Multiceps tienen su forma adulta en el perro, y las fases larvarias en el carnero. Su larva, llamada cenuro, se parece al cisticerco, pero tiene gran número de escólex que se desarrollan en una sola vesícula. Produce una enfermedad mortal cuando se desarrolla en el cerebro del carnero, y se han encontrado casos ocasionales en el hombre.

Taenia pisiformis es un cestodo común de perros y gatos, cuya larva se desarrolla en la cavidad abdominal del conejo. *T. taeniaeformis* suele observarse en el intestino del gato. La larva, un estrobilocerco, suele parasitar el hígado de ratas y ratones. Hay muchos argumentos que demuestran que en la rata la larva provoca tumores malignos, que se han producido también por extractos de la larva, en ausencia del parásito viviente, y que una vez desarrollados pueden trasplantarse y provocar metástasis.[44] Esta especie tiene mucho interés por diversos fenómenos inmunológicos. Hay diferencia sexual neta en la resistencia a ella, que se demuestra por cuanto las ratas hembras desarrollan menos larvas que los machos.[29] La inmunidad adquirida depende en parte de anticuerpos que pueden transmitirse con el suero. Hay dos anticuerpos que pueden revelarse: uno actúa precozmente contra la infección, impide el desarrollo de las larvas, puede producirse tanto por infección como por vacunación, y se extrae del suero por absorción con substancias procedentes del parásito. El otro actúa tardíamente en la infección, deteniendo el desarrollo de la larva en el hígado; se desarrolla por infección, pero no por inmunización artificial, y no se absorbe en contacto con material de los parásitos.

Dipylidium caninum, parásito frecuente del intestino del perro y el gato, mide 10 a 50 cm de longitud. Cada proglótide madura, alargada y redondeada, encierra dos conjuntos de sistemas reproductores, cada uno abierto a cada lado del segmento. El útero se fragmenta en cápsulas, cada una de las cuales contiene varios huevecillos. Los huéspedes intermediarios son los piojos del perro y varias especies de pulgas; los cisticercoides de los insectos son infecciosos por ingestión. Los niños pequeños ocasionalmente albergan el gusano adulto.[132]

Diphyllobothrium latum. La solitaria del pescado, *Diphyllobothrium latum* (o *Dibothriocephalus latus*) es el parásito humano más importante del orden seudofílido; presenta notorias diferencias, tanto en su estructura como en su ciclo biológico, con las especies antes descritas. Es de un tipo más primitivo, que en muchos aspectos muestra netas semejanzas con los trematodos.

Morfología y ciclo biológico. El cestodo adulto del intestino del hombre es muy grande, midiendo a menudo más de 10 m de longitud. El escólex tiene forma alargada, ovoide, aproximadamente de 1 por 2.5 mm y, en lugar de las ventosas circulares de los ciclofílidos, lleva dos fisuras alargadas que le sirven de órganos de fijación. La proglótide madura es más ancha que larga, y mide aproximadamente 4 por 10 mm. Los pequeños testículos están diseminados en las regiones dorsales laterales y se vacían en el deferente por medio de finos conductillos. El deferente, en forma de tubo contorneado, se dirige desde la parte posterior del centro del segmento hacia adelante al cirro musculoso, que se abre en el poro genital ventral, en la parte media de la región anterior. La vagina se extiende desde el poro genital hasta un amplio ootipo en la parte central de la región posterior. Los ovarios se encuentran a cada lado del ootipo, y la glándula vitelina está formada por pequeños folículos dispersos en las partes laterales de la región ventral. Del ootipo sale un útero en ovillo, lleno de huevecillos, que se dirige hacia el centro de la proglótide y termina en el poro uterino, precisamente atrás del poro genital. Esto permite que los huevecillos escapen sin que la proglótide se rompa, de modo que, contrariamente a lo que suele verse en *T. solium,* los huevos se liberan hacia el contenido intestinal y escapan con las heces. Las proglótides vacías se desintegran en el extremo del parásito y se eliminan por las heces.

Cuando se elimina con los materiales fecales, el huevecillo no está maduro; para que se desarrolle el embrión, necesita permanecer una semana o más en el agua. Como los huevecillos de la mayor parte de los trematodos, es ovoide, con un opérculo, y mide en promedio 65 por 45 μ. El opérculo se abre para dar salida al embrión, y libera una oncosfera esférica, cubierta de largos cilios, que nada libremente. Esta forma embrionaria, el coracidio, muere en pocos días, a menos que sea ingerido por un pequeño crustáceo adecuado, de alguna de las varias especies de copépodos de los géneros Cyclops y Diaptomus. En este, el embrión pierde sus cilios, llega hasta la cavidad general del copépodo y, en dos o tres semanas, se transforma en un corpúsculo sólido, con una prolongación caudal redondeada, dotado de los seis ganchos que se observan en el embrión. Esta fase, la larva procercoide, mide 0.5 mm de longitud.

Si el copépodo infectado es ingerido por un pez, la larva procercoide atraviesa la pared del intestino de este, y alcanza sus vísceras o músculos, donde, en una semana o más, se transforma en espargano, fase vermiforme, de 0.5 a 2 cm de longitud, con un

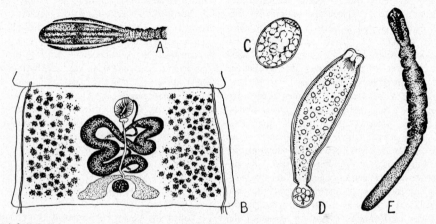

FIG. 33-16. *Diphyllobothrium latum. A,* Escólex; × 10. *B,* Proglótide madura; × 6. *C,* Huevo; × 250. *D,* Procercoide; × 100. *E,* Espargano; × 8.

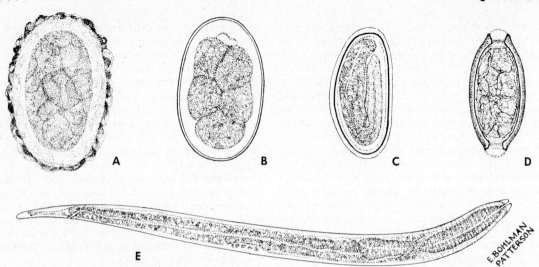

FIG. 33-17. Huevos y larvas de nematodos. *A, Ascaris lumbricoides. B, Necator americanus. C, Enterobius vermicularis. D, Trichuris trichiura. E, Strongyloides stercoralis* (larva rabditiforme). × 400.

escólex rudimentario en su extremo anterior. Cuando el hombre ingiere el parásito en esta fase, al comer pescado insuficientemente cocido, desarrolla el gusano adulto en el intestino, y pueden encontrarse huevecillos en las heces al cabo de tres semanas o más. Si el primer pez es devorado por otro, el espargano se establece en los tejidos de este, y sigue infectante para el hombre. Las infecciones humanas pueden durar años.

La enfermedad del hombre. D. latum suele producir infecciones múltiples, desarrollándose varios parásitos en el intestino de un mismo individuo. Los cestodos adultos no suelen provocar síntomas, aunque en las infecciones intensas pueden producirse trastornos intestinales, a veces con edema generalizado. Una pequeña proporción de individuos infectados tiene anemia grave, idéntica a la anemia perniciosa. Se ha demostrado que el cestodo concentra en sus tejidos la vitamina B_{12} y, en consecuencia, parece evidente que tal exfoliación, en un individuo susceptible, provoque la anemia.[201] No hay pruebas de inmunidad adquirida. El diagnóstico de laboratorio se basa en identificar los huevecillos en las materias fecales. Como en las demás infecciones por cestodos, el clorhidrato de quinacrina constituye el tratamiento de elección.

Epidemiología y control. El gusano adulto parasita al hombre, gatos, perros, osos y otros mamíferos que comen pescado, pero probablemente el hombre sea la principal fuente de infección en las regiones de endemia. Los copépodos susceptibles están muy diseminados, y hay gran variedad de peces que pueden servir como segundo huésped intermediario. Las regiones de endemia conocidas son Europa Meridional y Central, norte de Asia, Japón, y la región de los Grandes Lagos en América del Norte. La infección es particularmente frecuente

en Finlandia, donde se ha calculado que existe en el 20 a 25 por 100 de los habitantes, y donde se han registrado la mayor parte de los casos de anemia botriocefálica. La protección personal se basa en la cocción o congelación minuciosa de los pescados provenientes de las regiones de endemia, y la manipulación cuidadosa de los mismos. Otras medidas de control se dirigen a disminuir la contaminación de las aguas con heces humanas no tratadas y a la vigilancia del transporte del pescado posiblemente infectado.

Especies relacionadas. Hay varias especies de cestodos que suelen parasitar animales inferiores, y que ocasionalmente se encuentran en el hombre. Este también puede albergar esparganos de varias especies de Diphyllobothrium, parásitos del perro y otros carnívoros, de los cuales es ejemplo frecuente *D. mansoni*.[135] La infección por esta larva en el tejido subcutáneo, músculos u ojo, se conoce como esparganosis. Entre las larvas que infectan al hombre se encuentra el parásito, muy raro, *Sparganum proliferum,* que se multiplica enormemente en los tejidos subcutáneos, y puede provocar la muerte. No se conoce el adulto de esta especie. Las infecciones larvarias con Diphyllobothrium suelen resultar de ingestión de copépodos en el agua. En algunas partes de Oriente se utiliza como cataplasma el cuerpo abierto de la rana, y se han producido algunos casos de esparganosis por la migración de los esparganos de los tejidos de la rana a tejidos expuestos del hombre.

NEMATODOS

Todos los parásitos humanos importantes del filo Nemathelminthes (Aschelminthes de algunos autores) pertenecen a la clase Nematoda. Son gusanos cilíndricos, alargados, no segmentados, con una cavidad no tapizada de peritoneo de origen mesodérmico como en los animales superiores. La simetría es rudimentariamente bilateral. Generalmente los sexos están separados, y el macho y la hembra suelen tener morfología muy diferente.[31, 168] En algunas formas parásitas hay partenogénesis y protandria. Los nematodos de vida libre se encuentran entre los animales que más abundan, y en una inmensa variedad de hábitat. También son abundantes las especies parásitas de plantas y animales; los vertebrados silvestres se encuentran parasitados, como muchos invertebrados. Los nematodos son importantes como agentes patógenos en casi todos los animales domésticos, y gran parte de la especie humana está infectada por uno o más de ellos.

La estructura de los nematodos que parasitan al hombre varía grandemente y, solo por lo que respecta a su tamaño, existen especies demasiado pequeñas para percibirse a simple vista, y otras que tienen más de un metro de longitud. Sus ciclos biológicos también varían desde formas sencillas, de desarrollo directo, hasta aquellas que necesitan varios huéspedes. Entre las formas sencillas, el oxiuro humano, *Enterobius vermicularis,* puede servir como ejemplo de su morfología y ciclo biológico.

Es indispensable insistir en que el orden de presentación de las especies en esta sección, que se basará fundamentalmente en los ciclos biológicos, difiere totalmente de las líneas de clasificación zoológica, agrupa tipos de estructura muy diferente, y, por el contrario, separa tipos íntimamente relacionados.

Enterobius vermicularis. El oxiuro humano, *Enterobius vermicularis,* vive normalmente en la parte proximal del intestino grueso del hombre, y ocasionalmente invade el sistema genitourinario femenino. El gusano hembra, que mide aproximadamente 1 cm de longitud por 0.5 mm de diámetro, es un organismo fusiforme, dotado de una cola larga y puntiaguda (fig. 33-18). La cutícula es lisa, flexible, impermeable como, en general, en todos los nematodos. Esta, junto con el hecho de que la musculatura de su cuerpo es exclusivamente longitudinal, le da un tipo de movimiento característico,

flexuoso y serpenteante. La cutícula de los nematodos presenta gran variedad de formaciones externas: tubérculos, aletas, papilas, etc., que tienen valor para la identificación de la especie. El tubo digestivo se compone de una boca en la extremidad anterior, un esófago musculoso, con un ensanchamiento bulboso en la parte posterior, y un intestino de pared delgada, que se vacía a través del ano, cerca de la extremidad posterior. El aparato reproductor femenino desemboca en una vagina corta, cerca de la mitad del cuerpo. Extendiéndose hacia adelante y atrás a partir de la vagina, hay dos sistemas diferentes que producen huevecillos (solo uno en algunos nematodos, y varios en otros). Cada uno se compone de un útero amplio, lleno de huevecillos, seguido de un oviducto estrecho que termina en un ovario largo y delgado, en forma de ovillo en la cavidad del cuerpo.

El gusano macho es menor que la hembra, con longitud de 2 a 5 mm y 0.1 a 0.2 mm de diámetro; la extremidad posterior está enrollada formando una espiral estrecha, y carece de la extremidad caudal puntiaguda como alfiler que tiene la hembra. El sistema reproductor masculino se compone de un tubo único que forma el testículo, el deferente, la vesícula seminal, y un conducto eyaculador muscular provisto de glándulas, que se vacía junto con el intestino en la cloaca. Está dotado de una espícula copulatriz aguda, que puede salir por el ano. La extremidad posterior tiene minúsculas expansiones (más prominentes en muchos otros nematodos) que forman una bolsa utilizada para la cópula.

Algunos huevecillos salen al intestino, y pasan al exterior con las materias fecales, pero generalmente las hembras grávidas emigran fuera del ano para poner sus huevecillos en la piel vecina. Los huevos miden en promedio 55 por 25 μ; cuando se eliminan suelen contener embriones maduros y son infecciosos en pocas horas. Ingeridos por el hombre, se abren en el intestino delgado, donde los gusanos maduran y copulan antes de bajar al intestino grueso. Unas dos semanas después de la infección, aparecen los huevecillos en las heces. Los adultos viven poco en el intestino, pero la infección persiste o aumenta por autoinfección. En algunas especies emparenta-

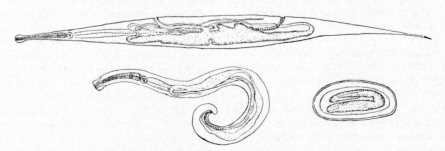

FIG. 33-18. *Enterobius vermicularis. Arriba,* Hembra; $\times$ 15. *Izquierda,* Macho adulto; $\times$ 15. *Derecha,* Huevo; $\times$ 300. (Copiado de Faust, según Leuckart.)

das, los huevecillos se abren en la superficie perianal y las larvas vuelven a introducirse a través del ano (mecanismo descrito como "retroinfección"), y se ha sugerido que esto también puede ocurrir en el hombre.

La enterobiasis humana. Los gusanos adultos del intestino tienen poca o ninguna acción sobre el huésped. Sin embargo, existen en el apéndice, y como parece que se encuentran más frecuentemente en apéndices enfermos que en los normales, se ha sospechado que tengan papel causal en la apendicitis. Durante la salida nocturna de la hembra y la postura de los huevecillos en la región perianal, se produce prurito que puede ser intenso y provocar rascado, excoriaciones, eccema húmedo e infección bacteriana. Los gusanos pueden introducirse en los genitales femeninos, provocando en ellos una irritación semejante, y, ocasionalmente, emigrar hasta la cavidad peritoneal a través de las trompas de Falopio. En los niños es frecuente el prurito anal, con insomnio e irritabilidad. La infección puede acompañarse de eosinofilia ligera, y no se sabe que produzca inmunidad.

El diagnóstico se basa en identificar los huevecillos en las heces o en la piel de las márgenes del ano. El método de elección utiliza una tira pequeña de celofán adhesivo, cuyo lado engomado se comprime contra la piel del ano y luego se pega en un portaobjetos para examinarlo. La piperacina y el cloruro de pirvinio tienen eficacia terapéutica, pero el tratamiento frecuentemente va seguido de reinfección del ambiente.

Epidemiología y control. El hombre es el único huésped de *E. vermicularis.* Los huevecillos son resistentes a la desecación y pueden contaminar vestidos, ropa de cama y polvo casero, conservando en esa forma una fuente constante de infección en los hogares e instituciones. El parásito es cosmopolita, y más frecuente en los niños, probablemente en gran parte por su falta de higiene, que multiplica las probabilidades de diseminación. Para control es útil el tratamiento de los casos, siempre y cuando se tomen medidas para reducir al mínimo la reinfección procedente del ambiente.

Especies relacionadas. Otros nematodos existen en muchos animales inferiores, y a veces tienen importancia económica como causa de enfermedad ligera. *Syphacia obvelata,* especie que se encuentra en ratas y ratones, puede parasitar ocasionalmente al hombre, y obtenerse fácilmente para estudio de los roedores. Sus huevos se parecen a los de *E. vermicularis,* pero son dos veces más grandes.

Trichuris trichiura. Se encuentra con frecuencia en ciego, apéndice y colon ascendente del hombre. Su morfología básica es semejante a la de *Trichinella spiralis,* que se ilustra profusamente en la figura 33-21. Los tres quintos anteriores del gusano adulto, que albergan el esófago, no musculoso, son delgados, y el aspecto general del cuerpo justifica el nombre que comúnmente se le da en inglés "whipworm" (gusano látigo). Los gusanos machos y hembras son de tamaño semejante, de 3 a 5 cm de longitud. Se encuentran como enhebrados en la mucosa intestinal, y se les ha acusado de cierto papel en la patogenia de la apendicitis, pero los argumentos que se han presentado no son concluyentes. Las infecciones ligeras son frecuentes en la población que vive en regiones tropicales y subtropicales en todo el mundo; casi no causan síntomas y, además, no tienen importancia para el individuo infectado. Sin embargo, las grandes infecciones, especialmente en los niños, provocan congestión de la mucosa de colon y recto, diarrea crónica, inflamación difusa y prolapso rectal.

Hasta hace todavía muy poco tiempo no se contaba con medicamentos de eficacia uniforme, pero se ha demostrado que el tiabendazol es muy eficaz para eliminar los parásitos del intestino. Los huevecillos que se eliminan con las heces tienen una pared gruesa y un tapón en cada extremidad y miden 53 por 22 μ. Son muy resistentes y sobreviven durante meses en suelos contaminados. Los embriones no están desarrollados en el momento en que el huevecillo se elimina; necesitan de dos semanas a varios meses, según la temperatura y la humedad, para alcanzar la fase infectante. Ingeridos con alimentos o agua contaminados, producen gusanos adultos en el intestino. La infección por *T. trichiura* es mundial, pero abunda más en las regiones tropicales y subtropicales, por la falta de saneamiento y por la acción del clima sobre el desarrollo de los huevos.

Capillaria philippinensis. En Filipinas, en el periodo de 1967-1969, se presentó una enfermedad aguda, generalmente mortal, causada al invadir la mucosa intestinal gran número de este pequeño nematodo (4 a 5 mm). La enfermedad se caracteriza por diarrea profusa y sostenida, causando desequilibrio de electrólitros e hipoproteinemia. El diagnóstico se efectuó fácilmente al descubrir huevos característicos y muchas veces larvas en las heces. Es eficaz el tratamiento prolongado con tiabendazol. No está completamente aclarado el ciclo vital, pero hay datos indicando que la infección se adquiere comiendo pescado crudo que contiene las larvas infecciosas. Una vez establecida la infección en el hombre, su carácter siderante, depende de autoinfección interna.[39]

Ascaris lumbricoides. Conocida en general simplemente como "lombriz intestinal" del hombre, *Ascaris lumbricoides* es uno de los parásitos grandes del intestino delgado. Las hembras, blancas o rosadas, miden 20 cm o más de longitud, por 5 mm de diámetro; los machos, 16 cm por 3 mm. Los huevecillos característicos, de 45 a 75 μ por 35 a 50 μ, tienen una cáscara interna lisa, y una externa con tubérculos irregulares. No están desarrollados cuando se eliminan en las materias fecales. En el suelo o el agua se hacen infecciosos en nueve días o más, según las condiciones ambientales. Pueden sobrevivir varios años, a pesar de la desecación, la contaminación bacteriana, o condiciones químicas adversas. Ingeridos con los alimentos o el agua, se abren en el intestino, pero los embriones no desarrollan directamente la fase adulta en este sitio, sino que penetran en la circulación, son arrastrados hacia los pulmones y pasan a las vías aéreas. Ascendiendo por la tráquea, llegan a la faringe, y son deglutidos. Durante esta migración se produce un desarrollo parcial, que se completa en el intestino delgado, donde se encuentran los adultos unos dos meses y medio después de la infección.

El paso de las larvas en migración por el pulmón puede provocar bronconeumonía intensa. Las larvas que abandonan la circulación en sitios anormales producen lesiones inflamatorias. Los gusanos adultos del intestino a menudo no provocan síntomas, pero especialmente en las grandes infecciones pueden producirse trastornos intestinales y nerviosos, y, ocasionalmente, obstrucción intestinal. En los trópicos, son frecuentes en los niños grandes infecciones, que producían bastantes defunciones antes de emplearse la piperacina. Este medicamento actúa como bloqueador neuromuscular en Ascaris, y las lombrices paralizadas son eliminadas por el peristaltismo normal, pues ya no son capaces de conservar su situación en el intestino. En consecuencia, los métodos quimioterápicos actuales son eficaces para infecciones que anteriormente necesitaban intervención quirúrgica para la obstrucción intestinal provocada por los gusanos. La migración de los gusanos adultos a otros varios órganos produce lesiones en el apéndice, vías biliares, vías digestivas o respiratorias superiores, sistema genitourinario o, a través de la pared intestinal, en la cavidad abdominal. En los individuos infectados y en los trabajadores de laboratorio que han manipulado los gusanos, se desarrolla hipersensibilidad, y pueden sufrir reacciones anafilácticas graves. Se ha sugerido que una proporción elevada de individuos con asma bronquial en el hemisferio norte, tienen nematodos parásitos que explican su estado alérgico.

La causa más frecuente es Ascaris; también se han culpado *Strongyloides stercoralis* y *Necator americanus*.[193]

No se ha observado inmunidad adquirida en el hombre, pero los animales de experimentación muestran resistencia parcial a la reinfección con parásitos semejantes. Después de la infección, o de vacunación con extractos de gusanos, se pueden demostrar anticuerpos con diversas pruebas, y se han hecho gran número de análisis antigénicos del parásito. Se ha utilizado para el diagnóstico una prueba de alergia cutánea, pero a menudo resulta positiva en individuos no infectados, que han adquirido su hipersensibilidad por contacto con el parásito. El diagnóstico de laboratorio se basa de preferencia en hallar los huevecillos en las heces. Sin embargo, en una pequeña proporción de casos

se han encontrado únicamente machos, y en ellos se pueden usar las pruebas inmunológicas.

La piperacina y el hexilresorcinol son eficaces para expulsar del intestino los gusanos adultos. Otros medicamentos, especialmente los que se usan para tratamiento de la uncinariasis, pueden hacer que los Ascaris adultos emigren a otras partes del abdomen.

El hombre es el único huésped conocido de *A. lumbricoides*. La infección es más frecuente en el niño; como en los animales inferiores hay una neta resistencia a medida que aumenta la edad, se supone que lo mismo sucede en el hombre. La infección existe en todo el mundo, pero es más frecuente en regiones tropicales y subtropicales, donde las condiciones sanitarias y climatológicas favorecen su diseminación. El control se basa en la disminución de la contaminación del suelo por un alcantarillado adecuado y tratamiento de los individuos infectados. Las legumbres crudas constituyen una fuente importante de infección; deben lavarse cuidadosamente antes de ser consumidas.

Especies relacionadas. Los gatos, perros, ganado, caballos y otros animales inferiores albergan gran número de especies emparentadas. Se han señalado algunas infecciones humanas raras, por lo menos con tres de ellos. Una raza diferente de *A. lumbricoides* provoca neumonía grave en los lechones. En el hombre, los huevos liberan las larvas, y estas llegan al pulmón, pero los adultos no se establecen en el intestino. Igualmente, *A. lumbricoides* humano solo llega hasta la fase pulmonar en los cerdos. En los mataderos pueden obtenerse ejemplares adultos de Ascaris del cerdo para estudio de laboratorio.

Larva migrans visceral. Solo recientemente se ha reconocido larva migrans visceral como una entidad clínica provocada por nematodos íntimamente relacionados con los Ascaris.[10] Las especies que la provocan más a menudo son *Toxocara canis* y *T. cati*, ascárides sumamente frecuentes en el perro y el gato. Las larvas no maduran en el hombre, pero emigran ampliamente en los tejidos, provocando lesiones y granulomas en cerebro, ojos, hígado, pulmón y otros sitios. Los síntomas provocados pueden ser ligeros, excepto la eosinofilia, o pueden comprender hepatomegalia, infiltración pulmonar, tos, hiperglobulinemia y manifestaciones alérgicas.[94] El diagnóstico es difícil, pero puede hacerse observando las larvas en cortes de fragmentos obtenidos por biopsia, como se muestra en la figura 33-19. Las reacciones serológicas tienen valor diagnóstico, pero pueden dar reacciones cruzadas con Ascaris.[104, 167] No hay tratamiento específico. Los niños con antecedentes de comer suciamente, y de mantener animales en la casa, tienen serio peligro de infección, que subraya la necesidad de que perros y gatos reciban tratamiento antihelmíntico.

Las grandes larvas de nematodos que causan granulomas eosinófilos y síndromes abdominales

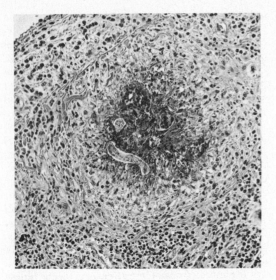

FIG. 33-19. Larva migrans visceral humana. Corte de hígado que muestra la zona granulomatosa donde se halla la larva de *Toxocara canis*. × 105. (Beaver.)

agudos en el hombre se han identificado como Anisakis. Este pariente de los ascárides suele considerarse parásito de mamíferos marinos, y en zonas de Europa y del Lejano Oriente, donde se consume carne cruda de pescado, se ha observado este tipo de larva visceral migratoria.[197, 215]

Las larvas de *Angiostrongylus cantonensis*, parásito pulmonar de la rata, provocan meningoence-

falitis eosinófila en el hombre. Se han descrito brotes epidémicos, así como casos aislados en las islas del Pacífico y en Asia sudoriental. La infección se adquiere consumiendo pescado crudo de agua dulce, o caracoles, babosas o quisquillas terrestres que contienen larvas infecciosas.[3, 160, 161]

Gusanos ganchudos. Los dos más importantes del hombre, *Ancylostoma duodenale* y *Necator americanus*, se estudiarán juntos. Conocidas desde la antigüedad, las uncinarias fueron descritas adecuadamente por primera vez por Dubini en 1843. Su relación con la enfermedad fue demostrada por primera vez por Perroncito en 1880, y el ciclo vital fue descubierto por Looss.

Caracteres y ciclo vital. Los adultos de *A. duodenale* del intestino delgado humano se muestran en la fig. 33-20. La hembra mide 1 a 1.5 cm de longitud por 0.5 mm de diámetro. El sistema reproductor, doble, forma un ovillo en la cavidad de su cuerpo. En la mitad anterior del cuerpo se ven dos pares de glándulas unicelulares prominentes, una de las cuales tiene función excretoria, la otra que secreta enzimas histolíticas. La boca, flexionada hacia la cara dorsal, tiene dos pares de dientecillos ventrales característicos (que en *N. americanus* están substituidos por placas cortantes curvas). El macho mide un poco menos de 1 cm de longitud por 0.4 mm de diámetro. El sistema reproductor se compone de un conducto eyaculador largo, musculoso, una vesícula seminal prominente y un testículo enrollado en espiral. El extremo posterior del macho tiene un aparato de fijación plano y ancho, la bolsa copulatriz, formada por una cutícula sostenida

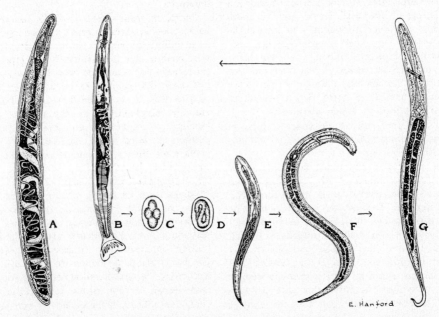

FIG. 33-20. Ciclo vital de un gusano ganchudo, *Ancylostoma duodenale*. Obsérvense las diferencias de amplificación. *A*, Gusano hembra. *B*, Gusano macho. *C* y *D*, Huevos. *E*, Larva de primera etapa. *F*, En segunda etapa. *G*, Larva infecciosa. *A* y *B*; × 10. *C-G*; × 250. (Adaptado de Looss.)

por rayos de tejido en forma de dedos. *A. duodenale* y *N. americanus* pueden identificarse por los detalles de estructura de esta bolsa, y por las diferencias anotadas de los dientecillos bucales. Los huevecillos, de pared delgada, miden unas 38 por 58 μ, y no pueden distinguirse microscópicamente los de una y otra especie. Generalmente se encuentran en los primeros periodos de desarrollo en el momento en que salen del organismo, y si las condiciones del suelo son favorables, maduran y se abren en 24 horas. La larva, que mide aproximadamente 0.25 mm de longitud, se alimenta de materiales fecales y crece hasta alcanzar en tres días unos 0.4 mm de longitud. Después de una muda, sigue creciendo hasta que, hacia el quinto día o después, mide unos 0.6 mm. Estas dos etapas, caracterizadas por un esófago bulboso, se conocen como larvas rabditoides. El tercer periodo, que resulta de una segunda muda, corresponde a una forma más delgada, con la boca cerrada y esófago menos prominente; generalmente se encuentra rodeada por una "vaina", constituida por la piel que mudó la fase precedente. Esta es la larva filariforme, que es la forma infectante para el hombre. No se alimenta, pero sobrevive largo tiempo en el suelo si las condiciones son favorables. Si la larva infecciosa se pone en contacto con la piel humana, penetra activamente a través de la epidermis, llega a la circulación, y es acarreada a los pulmones. Una vez aquí, igual que la larva migratoria de Ascaris, pasa a las vías aéreas y llega al intestino, siguiendo la tráquea y el esófago. Después de dos mudas más los gusanos se hacen adultos, y empiezan a producir huevecillos un mes después de la infección.

Uncinariasis. La penetración de la piel por las larvas de uncinaria produce una dermatitis conocida con el nombre de sarna de la tierra, o sarna de los mineros, que en algunas personas previamente expuestas puede llegar a ser suficientemente intensa para incapacitar. Los gusanos adultos viven fijos a la mucosa del intestino delgado, alimentándose de sangre y fragmentos de tejido. Frecuentemente cambian su sitio de fijación, dejando heridas sangrantes en la mucosa intestinal. La pérdida crónica de sangre produce anemia y edemas que, en los casos graves, retrasan el crecimiento y el desarrollo mental, y debilidad general.[58] En muchas zonas donde la uncinariasis tiene importancia, esta anemia se intensifica por el hecho de que la población suele consumir una dieta relativamente pobre en hierro. La pérdida adicional de grandes cantidades de sangre y de hierro, por la infección de los gusanos ganchudos, producen las graves anemias que se ven con tanta frecuencia.[158] En las infecciones intensas se observan trastornos intestinales. La uncinariasis rara vez provoca directamente la muerte, excepto en lactantes y niños pequeños, pero a menudo contribuye a la muerte provocada por otras causas. En personas blancas, los síntomas están directamente relacionados con la intensidad

de la infección, que por el desarrollo indispensable fuera del organismo, es estable, a menos que se produzcan reinfecciones. Los individuos que albergan menos de 25 *N. americanus,* prácticamente nunca tienen síntomas. Los que tienen entre 25 y 100 gusanos están en los límites de los efectos patológicos; cuando hay más de 100, casi siempre puede descubrirse algún trastorno clínico. *A. duodenale* es más patógeno: se necesitan aproximadamente la mitad de los gusanos para producir el mismo efecto. Normalmente, la infección se conserva por la reinfección continua. Sin embargo, en personas infectadas que viven en condiciones que hacen imposible la reinfección se ha demostrado que aproximadamente la mitad de los gusanos desaparecen a los seis meses y casi tres cuartas partes en dos años. Un número menor puede durar hasta 12 años.

Inmunidad. Los cachorros pueden protegerse contra la uncinaria del perro por las infecciones pequeñas repetidas. En un voluntario humano se ha señalado una protección parcial semejante. Se demuestra que esta protección implica la acción de anticuerpos, por el hecho de que el suero inmune protege parcialmente a los cachorros.

Diagnóstico. El diagnóstico de la uncinariasis se basa en hallar los huevecillos característicos en las heces. Anteriormente se utilizaban los exámenes directos de las materias fecales, pero cuando se usa este método, pasan inadvertidas muchas infecciones de menos de 25 uncinarias. Como es tan importante el número de gusanos que existe en el individuo infectado, se han ideado varios métodos de diagnóstico cuantitativo. En el método de Stoll se mezcla una cantidad conocida de heces (4 ml) con solución diluida de NaOH (56 ml), y se cuentan todos los huevecillos en una muestra de volumen conocido (0.075 ml). El método de Lane, o de centrifugación y rotación directa (DCF), puede usarse en las infecciones más ligeras; 1 ml de heces, lavadas por centrifugación, se mezcla con salmuera y se vuelve a centrifugar, con un cubreobjeto en la boca del tubo. Los huevecillos flotan, y pueden contarse en el cubreobjeto. También se ha ideado una técnica densitométrica relativamente sencilla y exacta.[9] Las cifras obtenidas por cualquiera de estos métodos se expresan en número de huevecillos por mililitro de heces. Una sola hembra produce aproximadamente 45 huevecillos por ml de heces (unos 6 000 diarios), de modo que 25 gusanos (machos y hembras) producen alrededor de 600 huevos por ml, y 100 gusanos producen unos 2 500 por ml. *A. duodenale* produce aproximadamente el doble de huevecillos por cada gusano, pero debido a la mayor patogenicidad de esta especie, la excreción de huevos da un índice aproximadamente equivalente de gravedad de la infección con ambas especies.

Hay muchos medicamentos que son eficaces para eliminar las uncinarias del intestino. En la actualidad, los mejores son el tetracloretileno para Necator y el hidroxinaftoato de befenio (Alcopar) para Ancylostoma.

Epidemiología y control. El cerdo alberga gusanos morfológicamente semejantes a _N. americanus,_ pero los experimentos de infección indican que son diferentes de los humanos. El reservorio de infección, tanto de _A. duodenale_ como con _N. americanus,_ lo constituye el hombre.

Se han estudiado mucho los hábitos y necesidades de las larvas de uncinarias en el suelo. La temperatura óptima es aproximadamente de 24°C para _A. duodenale_ y de 26.5°C para _N. americanus._ Una temperatura constante elevada, de unos 38°C es desfavorable. A 16°C el desarrollo se prolonga dos semanas o más, y por abajo de 10°C hay poco o ningún desarrollo. Una temperatura sostenida menor de 4.5°C mata la larva. La humedad es esencial para la supervivencia de las formas que viven en el suelo, pero si se encuentran cubiertas por el agua, mueren, y la lluvia intensa las disemina. La clase de suelo tiene importancia, probablemente en gran parte debido a su capacidad para retener el agua. La arena gruesa y la arcilla pesada son desfavorables; el desarrollo óptimo se produce en arena ligera y barro arenoso. Gran proporción de las larvas infectantes mueren en las primeras dos semanas, pero algunas sobreviven durante meses en condiciones favorables. Aunque la migración horizontal a partir del sitio donde se desarrollan es insignificante, las larvas filariformes pueden recorrer distancias considerables en sentido vertical. A menos que se produzca una desecación excesiva, permanecen en la superficie del suelo, donde hay más probabilidades de contacto con la piel humana.

Además de las necesidades ambientales de las larvas, varios factores humanos afectan la distribución de la uncinariasis. Los más importantes son las costumbres de defecación y el uso de zapatos. Todos estos factores se combinan para hacer de la uncinariasis un problema de las regiones rurales de países tropicales. Las operaciones de construcción de túneles o explotación de minas constituyen un excepción, pues las condiciones locales pueden ser favorables, a pesar de que el ambiente general sea inadecuado. _N. americanus_ es la uncinaria de Africa Central y meridional, el hemisferio occidental y el sur de la India. En todo el resto del sur de Asia se encuentra asociado con _A. duodenale,_ y se encuentran algunos focos de este en América del Sur. En la mayor parte de Asia, sur de Europa, las minas europeas y Africa del Norte solo se encuentra _A. duodenale._

En el sur de Estados Unidos de Norteamérica, la infección con uncinaria es más común en los niños, en gran parte porque los adultos están protegidos de la infección al usar zapatos. La poca importancia de la resistencia producida por la edad, si acaso existe, queda demostrada por el hecho de que en los países donde toda la población anda descalza, la infección puede predominar en el adulto.

Hay una inmunidad racial neta y, en condiciones comparables, las personas negras tienen menos infecciones, y son menos intensas, que los blancos. Además, los negros rara vez tienen síntomas clínicos, salvo cuando las infecciones son muy intensas.

El control se basa en la disminución de la contaminación del suelo por tratamiento de los enfermos, eliminación adecuada de las heces, y la prevención del contacto de la piel humana con el suelo. En algunos casos especiales, como en las minas, ha sido útil la destrucción química de las larvas en el suelo. La mejor arma para controlar la uncinariasis es la instrucción, porque los principales problemas son sociológicos, y el conocimiento de la biología del parásito para asegurar su erradicación, si pueden influirse lo bastante los hábitos de las poblaciones infectadas. El tratamiento de los infectados juega un papel importante en la campaña contra la uncinariasis. Antes era costumbre tratar todos los miembros infectados de una comunidad, o incluso la comunidad en su totalidad (tratamiento en masa), si el muestreo demostraba que las infecciones eran muchas e intensas. La opinión actual se inclina a tratar tan solo los casos clínicamente importantes. En la mayor parte de las regiones, el tratamiento de un pequeño sector de la población puede eliminar la mayor parte de la producción de huevecillos.

Nematodos relacionados de animales inferiores. Hay varios animales que tienen uncinarias. Dos especies del perro y el gato, _Ancylostoma braziliense_ y _A. caninum,_ invaden ocasionalmente la piel del hombre. Como son incapaces de continuar su desarrollo, su paso por los tejidos subcutáneos provoca una dermatitis serpiginosa, conocida con el nombre de dermatitis rampante o larva migrans cutánea. En el Lejano Oriente, se ha señalado la existencia de _A. braziliense_ adulto en el hombre, pero se ha dicho que se trata de una especie diferente, _A. ceylonicum._ Otros parásitos, más lejanamente emparentados, como muchas especies de Trichostrongylus, son agentes patógenos de los rumiantes, y parásitos accidentales del hombre. Una especie, _T. orientalis,_ es más común en el hombre que en otros animales. Las infecciones humanas masivas pueden producir diarrea y eosinofilia intensa. Los huevos se parecen a los de las uncinarias, pero pueden diferenciarse por su mayor tamaño y su forma ligeramente diferente.

Nippostrongylus brasiliensis (muris), de ratas y ratones, tiene interés por haber sido motivo de extensos estudios de laboratorio. Se ha demostrado que los anticuerpos séricos ejercen acción directa sobre los parásitos in vitro, y esos anticuerpos, junto con las células de los tejidos, inmovilizan y destruyen las larvas en piel y pulmones, y destruyen los adultos en el intestino.

El primer cultivo verdadero de un gusano parásito se ha realizado recientemente con _N. brasiliensis_ y *Nematospiroides dubius.*[208] Se ha logrado un desarrollo parcial de *Necator americanus.* En una mezcla compleja de extracto de embrión de pollo, vitaminas, aminoácidos, minerales, etc., se ha observado el desarrollo completo de *N. brasiliensis,* desde el huevecillo hasta el adulto. Aunque se produjeron hembras y machos normales, sus huevecillos resultaron estériles. Cabe esperar que la explotación de esta línea de investigación proporcione muchos de los conocimientos que se necesitan sobre los gusanos parásitos.

Se han estudiado los mecanismos que participan en la salida de la vaina, o la pérdida de la cutícula, necesarias para que se realicen las fases de desarrollo de los nematodos. Parece que los líquidos que las producen son importantes para estimular los anticuerpos que producen la inmunidad funcional contra varias de estas infecciones. Se están realizando ampios estudios para desarrollar vacunas de nematodos vivos, destinados a medicina veterinaria, puesto que en algunas formas se cree que únicamente el estímulo antigénico provocado por tales productos metabólicos puede producir una inmunidad importante.[48, 180]

Strongyloides stercoralis. *Strongyloides stercoralis* es un parásito intestinal del hombre, frecuente en los países cálidos. Tiene un ciclo biológico extremadamente complejo, que incluye la reproducción de las formas adultas tanto en el suelo como en el intestino humano. Los investigadores que trabajan con diferentes especies de Strongyloides no están de acuerdo sobre algunos puntos fundamentales, y no se ha aclarado si estas discrepancias resultan de diferencias específicas de los gusanos estudiados.

En el intestino del hombre solo se han encontrado hembras, que son gusanos delgados, transparentes, de 2 a 2.5 mm de largo por unos 0.05 mm de diámetro. Se encuentran incluidas en la mucosa del intestino delgado, y los huevecillos, de cáscara delgada, se depositan en los tejidos, donde se abren para liberar las larvas rabditoides, muy semejantes a las de las uncinarias. Al salir con las materias fecales, las larvas pueden seguir dos tipos disponibles de desarrollo: pueden mudar y transformarse en larvas filariformes que atraviesan la piel para establecer la infección, o pueden desarrollarse formando hembras y machos de vida libre. La hembra de vida libre es más corpulenta que la parásita, y mide aproximadamente 1 mm de largo. El macho es un poco menor, de unos 0.7 mm de longitud. Los huevecillos producidos por las hembras de vida libre, al abrirse, liberan larvas rabditoides que pueden continuar el ciclo de vida libre, o desarrollarse larvas infectantes. Las larvas infectantes, producidas por adultos de vida libre o desarrolladas directamente de las larvas rabditoides de las heces, atraviesan la piel del hombre y llegan al intestino pasando por la circulación y los pulmones, como las uncinarias. Los gusanos machos no han sido encontrados en el intestino, pero se han descrito machos "parásitos", semejantes a los del suelo, en el pulmón de huéspedes anormales. Como la investigación hecha de una especie semejante de la rata ha demostrado que una sola larva infecciosa puede dar origen a una hembra que produzca huevos fértiles en el intestino, está claro que los machos parásitos no son esenciales en todas las especies de Strongyloides. También se ha descrito la oviposición en el pulmón. Por último, para acabar de complicar el cuadro, se ha comunicado que la larva rabditoide puede transformarse en larva infecciosa durante su paso por el colon, y penetrar en la pared de este, o la piel perianal, y producir superinfección. Las diversas formas de desarrollo antes indicadas se muestran en el esquema adjunto, en el cual las líneas interrumpidas representan los fenómenos que aún no están perfectamente demostrados.

La penetración de las larvas a través de la piel provoca dermatitis, y su paso a través del pulmón puede producir bronconeumonía. Las hembras parásitas provocan trastornos intestinales caracterizados principalmente por diarrea. El diagnóstico de laboratorio se basa en la identificación de las larvas rabditoides en las heces, y estas pueden distinguirse de las de uncinarias, que pueden encontrarse ocasionalmente en las heces, por su cavidad bucal más corta. El tiabendazol constituye el medicamento más eficaz para el tratamiento de *S. stercoralis,* aunque no siempre elimina la infección.

La epidemiología de *S. stercoralis* es semejante a la de las uncinarias, y con él se aplican las mismas medidas sanitarias. Los perros se encuentran infectados con una cepa que no puede distinguirse de la del hombre, y que puede tener importancia para la perpetuación de esta. *S. ratti* de la rata es una forma semejante, que puede producir manifestaciones alérgicas locales en el hombre y erupciones cutáneas semejantes a las que producen las uncinarias.

Trichinella spiralis. La triquina, *Trichinella spiralis,* fue observada por primera vez en músculos humanos, en una autopsia, por Tiedemann en 1821. Leuckart y otros autores aclararon su ciclo biológico.[60] Las formas adultas son parásitos del intestino del hombre y otros mamíferos, pero su permanencia en el intestino es tan breve que se da mayor importancia a la infección de los músculos por las larvas, más persistente. La fase infectante para el hombre es la larva que se encuentra en los músculos del cerdo. Esta tiene la forma de un minúsculo gusanillo arrollado, aproximadamente de 1 mm de longitud, encerrado en un quiste fibroso en forma de limón que mide 0.25 por 0.5 mm. Cuando un huésped susceptible ingiere estos quistes, el músculo y la pared quística son digeridos en el estómago. En unos dos días, la larva madura en el intestino delgado y desarrolla machos y hembras adultos. El macho es un gusano delgado, transparente, de 1.5 por 0.04 mm (ver la figura

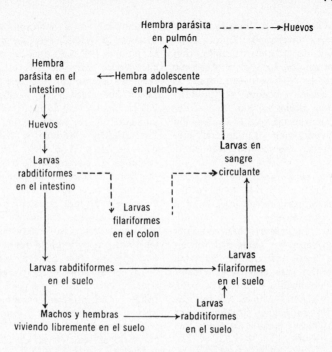

33-21). La mitad anterior del cuerpo está ocupada por un esófago no musculoso semejante al de *Trichuris trichiura,* con el que está íntimamente relacionado. La extremidad posterior presenta dos papilas piriformes para la fijación durante la cópula. La hembra mide aproximadamente 4 por 0.06 mm. Después de su fecundación, las hembras penetran en la mucosa, donde, después de una semana aproximadamente, empiezan a poner en los tejidos minúsculas larvas, aproximadamente de 0.1 mm de longitud. Estas larvas alcanzan la circulación general y pasan a los músculos estriados, el músculo cardiaco, el sistema nervioso central y otros sitios. En la mayor parte de tejidos mueren, pero en los músculos estriados desarrollan la forma infectante en unas dos semanas. Un mes después de la infección, las larvas están rodeadas por una pared quística completamente desarrollada, producida por los tejidos del huésped. Mucho tiempo después, probablemente cuando las larvas mueren, estos quistes se calcifican, pero se sabe que siguen infectantes cuando menos durante varios meses. Cualquier músculo estriado puede infectarse, pero las larvas son más abundantes en el diafragma, músculos intercostales, de la lengua y laringe, y del ojo.

Mientras tanto, los adultos han desaparecido del intestino. La mayor parte de los machos mueren y son eliminados antes de transcurrida una semana desde que se ha prodigado la infección. Las hembras desaparecen en su mayor parte durante el primer mes. Como se ve, todo el ciclo biológico se realiza en un solo individuo, pues las larvas infectantes se producen en los tejidos del mismo huésped que alberga el adulto en el intestino.

Triquinosis. Aunque la frecuencia de la infección en una población puede ser elevada, la infección con Trichinella no suele producir síntomas, y la lesión al huésped probablemente sea insignificante. Sin embargo, hay casos raros graves, que resultan de infecciones relativamente masivas, y que se caracterizan por dos fases: la infección intensa con los gusanos adultos provoca trastornos gastrointestinales, generalmente con diarrea. Por tal motivo, la lesión intestinal es tan grave que provoca la muerte pocos días después de la infección. La invasión de los músculos por las larvas provoca diversos signos de toxemia, hipersensibilidad y lesión muscular. Las grandes infecciones provocan la muerte o una enfermedad crónica. La gravedad de la enfermedad es proporcional al número de larvas que se hayan ingerido, e indudablemente hay muchos casos ligeros que pasan inadvertidos. En animales de experimentación puede demostrarse que hay inmunidad a la superinfección, y que puede transmitirse con el suero inmune. También puede obtenerse cierta protección en el laboratorio vacunando larvas muertas, pero insuficiente para que tenga valor práctico. Se ha descrito una acción directa del suero inmune sobre los gusanos, y se dispone de pruebas de precipitina e intradérmicas que utilizan extractos de larvas obtenidas dirigiendo músculo infectado. Estas reacciones pueden aparecer dos a tres semanas después de la infección, y seguir positivas durante varios años. Las pruebas de floculación en portaobjetos con antígeno revistiendo partículas de bentonita, o con colesterol, son las reacciones inmunológicas que se prefieren para el diagnóstico. Igual que las pruebas de fijación del complemento, se hacen negativas pocos meses después de la fijación; en consecuencia, indican que se trata de una triquinosis actual o reciente. Los aspectos inmunológicos y serológicos de la triquinosis han sido motivo de una revisión reciente en la que se resumen las muchas técnicas utilizadas en el diagnóstico.[83, 102] Es característica la eosinofilia, a menudo de más de 20 por 100; constituye un signo que debe hacer sospechar la triquinosis. Otros métodos de diagnóstico utilizan la investigación de las larvas en los líquidos o tejidos del cuerpo. Durante su migración pueden encontrarse ocasionalmente en la sangre o en el líquido cefalorraquídeo, pero es raro que puedan demostrarse en estos. En los casos graves pueden encontrarse en biopsias de músculo. No hay tratamiento específico para la triquinosis. Las medidas de sostén y el empleo de ACTH mejoran en gran parte la etapa febril tóxica de esta enfermedad. Además se ha utilizado algo el tiabendazol, lo cual sugiere que probablemente sea útil en el tratamiento de la enfermedad en fase aguda.[181]

T. spiralis existe sobre todo en el hombre, cerdo, ratas y osos, aunque la infección experimental se ha producido en muchas especies de mamíferos y aves. La infección humana se produce por ingestión de carne de cerdo poco cocida (en raras ocasiones, carne de otros animales, como osos). El cerdo adquiere el parásito cuando se alimenta con desperdicios que contienen carne de cerdo o, con menor frecuencia, ingiriendo ratas infectadas. También se ha demostrado que la infección puede producirse por ingestión de larvas que se eliminan con las heces, y esto puede tener cierta importancia en la infección de los cerdos coprófagos. En Estados Unidos de Norteamérica y en regiones árticas hay una infección selvática importante en los carnívoros. *T. spiralis* tiene distribución mundial, aunque la infección es rara en los trópicos. En Estados Unidos de Norteamérica el examen sistemático del diafragma durante las autopsias ha demostrado una disminución de frecuencia de 4.1 por 100 en 1970, después de las encuestas previas que indicaban proporciones de infección por lo menos tres veces mayores.[73, 219]

La enfermedad clínica es relativamente rara en Estados Unidos de Norteamérica; se denuncian anualmente 100 a 200 casos, y la infección produce pocas muertes.

Puede obtenerse protección personal cocinando cuidadosamente los productos del cerdo, incluso las carnes molidas cuya composición no se conoce. La inspección oficial de las carnes no trata de revelar Trichinella, porque se considera que no es práctico realizar un examen que garantice su inocuidad, pero la refrigeración por 24 horas a −18°C destruye la mayor parte de las larvas. Las leyes que prohiben alimentar cerdos con desperdicios crudos han tenido éxito para disminuir la frecuencia de la infección. Los nuevos métodos de conservación de alimentos con radiación gamma parecen prometedores para control de la triquinosis; el tratamiento de la carne con cobalto radiactivo esteriliza los gusanos, de modo que no pueden producir larvas, y esto impide no solo los efectos generales, sino también los trastornos intestinales que se producen al comienzo de la triquinosis.

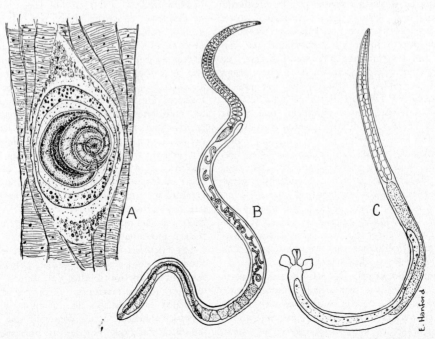

FIG. 33-21. *Trichinella spiralis. A,* Larva en músculo; × 100. *B,* Hembra adulta; × 50. *C,* Macho adulto; × 50.

NUMERO DE CASOS

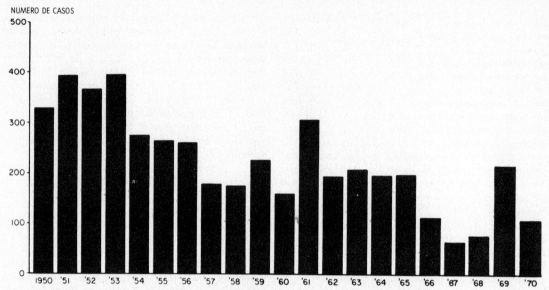

FIG. 33-22. Frecuencia de triquinosis humana en Estados Unidos de Norteamérica durante el periodo de 1950-1970, según los casos declarados. (Morbidity and Mortality Weekly Report, Annual, Supplement, Vol. 19, 1970. Center for Disease Control, U. S. Public Health Service.)

FILARIAS

Hay siete especies de nematodos que pertenecen a este grupo y son importantes parásitos del hombre. Todos producen embriones móviles llamados microfilarias, que se originan en gran número en la hembra, en los tejidos del huésped, y que al liberarse a veces tienen una vaina (que se cree está formada por la cáscara del huevecillo). Las microfilarias emigran o son acarreadas por la circulación hasta la piel o el lecho vascular periférico, donde pueden ser ingeridas por artrópodos picadores. Dentro del insecto huésped intermediario, las microfilarias se transforman, sin multiplicarse, en larvas infectantes que aparecen en las partes bucales del insecto, y pueden ser transmitidas por este al huésped definitivo. Después de un periodo de incubación y crecimiento, poco estudiado, que puede tardar hasta un año, las filarias pueden encontrarse en los lugares que parasitan definitivamente, y empiezan a producir larvas. Los adultos de *Wuchereria bancrofti* y *Brugia malayi* parasitan los vasos linfáticos; *Onchocerca volvulus* se encuentra generalmente en nódulos subcutáneos, o en el tejido conectivo profundo, igual que *Acanthocheilonema streptocerca*. *Mansonella ozzardi* y *Acanthocheilonema perstans* se encuentran en las cavidades pleural o peritoneal, mientras que los adultos de *Loa loa* se hallan en los tejidos conectivos.

Wuchereria bancrofti. De las diversas especies de filarias que se han mencionado anteriormente, *Wuchereria bancrofti* es, con mucho, la más importante. La enfermedad que produce, la elefantiasis, se conocía desde la antigüedad, pero las larvas fueron vistas por primera vez en 1863 por De-

marquay, y los parásitos adultos por Bancroft en 1876. Manson, en 1878, demostró que el desarrollo de las larvas se realiza en los mosquitos; fue trascendental este descubrimiento, porque constituyó el primer caso en que se atribuyó a un insecto la transmisión de una enfermedad.

Características y ciclo biológico. Los adultos viven apelotonados en los ganglios linfáticos del hombre. Son gusanos filiformes, translúcidos, y la hembra mide 7 a 10 cm de largo por 0.25 mm de diámetro; el macho, 4 cm por 0.1 mm. El huevecillo, cubierto por una delgada membrana, se abre en el útero o en los tejidos del huésped para liberar un embrión activo de unos 0.2 mm de largo. Este embrión, llamado *microfilaria,* sale a la linfa y penetra en el torrente circulatorio por el conducto torácico. En la mayor parte de regiones endémicas los embriones de *W. bancrofti* muestran notoria periodicidad nocturna, presentándose en la sangre periférica casi exclusivamente durante la noche. Sin embargo, en muchas de las islas del sur del Pacífico se encuentran siempre en la sangre. A pesar de los muchos estudios realizados, no tenemos explicación satisfactoria de esta periodicidad, aunque hay datos que sugieren que la actividad diurna hace que las microfilarias se acumulen en los capilares pulmonares.[77]

Las microfilarias no se desarrollan en la sangre circulante, pero si son ingeridas por un mosquito susceptible, en los tejidos del insecto sufren una serie de transformaciones: el primer día, la larva abandona el estómago del mosquito e invade los músculos torácicos, donde desarrolla una forma corta "en salchicha", que después de una segunda muda se alarga para crear la forma infectante, gusanillo delgado de 1.5 a 2 mm de longitud. Esta larva infectante abandona los músculos y emigra a la vaina de la probóscide del mosquito, donde llega unos seis o más días después de ingerir sangre infectada; aparentemente debido al estímulo del calor de la piel, cuando el mosquito hace una nueva comida de sangre, la larva infecciosa rompe la vaina de la probóscide y penetra en la piel, probablemente a través de la herida producida por la picadura del mosquito, para establecer así la infección en el hombre. El desarrollo inicial de los gusanos en el hombre no se conoce, pero las microfilarias aparecen en la sangre circulante unos meses después de la infección. En la especie relacionada *Brugia malayi* (véase luego), el desarrollo hasta la fase adulta necesita unos 80 días en los animales de experimentación. Aunque no se ha determinado la longevidad de los gusanos adultos en los linfáticos, probablemente sea de varios años.

Filariasis. Los gusanos adultos se encuentran con mayor frecuencia en los ganglios de la región inguinal, pero también en los de cualquier parte del cuerpo. Producen inflamación y fibrosis en los ganglios infectados, y la consiguiente obstrucción del flujo linfático, con edema, linfangitis, linfadenitis y elefantiasis. La infección secundaria de los linfáticos con estreptococos y estafilococos también suele tener importancia. Los casos de larga duración a veces muestran un aumento monstruoso del volumen del escroto, vulva, piernas, o mamas.

No hay pruebas de que exista una inmunidad adquirida, pero en el suero pueden revelarse anticuerpos fijadores del complemento, y en los individuos infectados son positivas las cutirreacciones. Estas reacciones tienen especificidad de grupo, se producen con extractos de filarias de animales inferiores; dan reacciones positivas falsas con otras infecciones por nematodos. El diagnóstico de laboratorio se basa de preferencia en identificar las microfilarias en preparaciones de sangre fresca o en gotas gruesas teñidas. A menudo no pueden encontrarse en las infecciones incipientes, o en los casos de larga duración, con grandes lesiones tisulares. Otras filarias que infectan al hombre (véase luego) también producen microfilarias en la sangre periférica, pero pueden diferenciarse microscópicamente de las larvas de *W. bancrofti.*

Algunos derivados de antimonio, especialmente Neostibosan y Antiomalina, eliminan las microfilarias de la sangre de los enfermos durante largos periodos. Hetrazán, medicamento que se administra por vía bucal, es más eficaz y menos tóxico; se ha utilizado ampliamente, sobre todo por la facilidad con que se administra y por su capacidad de reducir al mínimo la infección de los mosquitos, eliminando las microfilarias del reservorio humano. No se sabe si estas drogas matan los gusanos adultos del hombre, pero en los animales de experimentación destruyen los adultos de otras filarias.

Epidemiología y control. El hombre constituye el único huésped conocido del gusano adulto. Hay gran número de mosquitos de los géneros Aedes, Culex, Mansonia y Anopheles que permiten el desarrollo de las larvas; los más importantes son *Aedes polynesiensis* en las islas del sur del Pacífico, *Anopheles gambiae* en Africa Occidental, y *Culex quinquefasciatus (C. fatigans)* en otras partes. Hay una interesante correlación entre los hábitos de los mosquitos huéspedes y la periodicidad de las microfilarias, de que se habló antes. *Aedes polynesiensis* pica de día, y es en las regiones donde este mosquito transmite *W. bancrofti* que se encuentran las microfilarias en la sangre periférica a todas horas; en las otras regiones, donde los vectores principales atacan al hombre durante la noche, las microfilarias muestran una periodicidad nocturna neta.

W. bancrofti es un parásito de los países cálidos, ampliamente diseminado en las regiones tropicales y subtropicales. El clima favorece la producción de mosquitos y el desarrollo de las larvas de *W. bancrofti* en el insecto, y las malas condiciones de habitación en los trópicos favorecen el contacto de los mosquitos con el hombre. El lento desarrollo de las infecciones humanas, la falta de multiplicación de *W. bancrofti* en el mosquito, y otros peligros, se asocian para limitar la diseminación del parásito. En consecuencia, la infección parece extinguirse en una región, a menos que existan muchos casos humanos y abundantes mosquitos. El antiguo foco endémico de Estados Unidos de Norteamérica, alrededor de Charleston, Carolina del Sur, donde se encontraba una frecuencia de 20 a 30 por 100 antes de 1920, en la actualidad ya no existe. El control se basa en la disminución de los mosquitos y la protección contra sus picaduras, consagrando

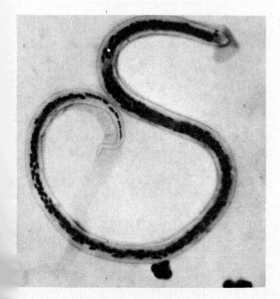

G. 33-23. Microfilaria de *Wuchereria bancrofti* en gota gruesa de sangre. ✕ 300.

atención a los hábitos de los vectores especiales de determinada región, y a la quimioterapia de los casos.

Otras filarias. _Brugia malayi_ es muy parecida a _W. bancrofti_ y se encuentra ampliamente distribuida en el sureste de Asia, región del mar de la China y la India Oriental, a menudo coexistiendo con _W. bancrofti._ En algunas regiones la transmiten mosquitos del género Mansonia, cuyas larvas obtienen el oxígeno de la vegetación subacuática, lo cual viene a plantear mayores problemas para su control.

Un parásito semejante, _B. pahangi,_ de Malasia, es frecuente en los mamíferos silvestres y domésticos; en el hombre puede producir los síntomas de la eosinofilia tropical.

Onchocerca volvulus está ampliamente distribuida en Africa Central, y en el hemisferio occidental ha sido introducida en Guatemala, México, Venezuela y Guayana holandesa.[152] Los adultos se encuentran, formando ovillos estrechos, en nódulos subcutáneos de tejido conectivo, que suelen poderse extraer por pequeñas operaciones. Otros pueden estar situados profundamente, y no ser palpables. Las microfilarias no se encuentran en la sangre circulante, sino que se concentran en la piel, donde pueden descubrirse muy fácilmente por biopsia superficial.

En el hemisferio occidental, los nódulos donde se encuentran los parásitos adultos están situados en la cabeza, y las microfilarias producen lesiones oculares que suelen causar la ceguera. Frecuentemente se encuentran en la oncocercosis reacciones de sensibilización, que pueden ser intensas después de quimioterapia con Hetrazán.

Los huéspedes intermediarios pertenecen al género Simulium, cuyas larvas tienen que desarrollarse en las corrientes de curso rápido de las montañas. Como el hombre constituye el único huésped definitivo conocido, se ha tratado de controlar la enfermedad extirpando los nódulos de oncocercosis y administrando quimioterapia adicional. La suramina (Nafurida sódica) es eficaz.

Loa loa se encuentra en los tejidos subcutáneos de gran variedad de primates, incluyendo el hombre, y está limitada a Africa Central y Occidental, donde se transmite por la picadura de moscas del género Chrysops. Se le ha llamado "gusano del ojo", por la frecuencia con que puede observarse pasar debajo de la conjuntiva bulbar; también se asocia con los edemas fugaces del "calabar" que se supone se deben a una reacción del huésped a los productos metabólicos del gusano adulto. Las microfilarias son diurnas, se encuentran en la circulación periférica y no tienen vaina.

Acanthocheilonema streptocerca se encuentra en el tejido conectivo de la piel y subcutáneo, y sus microfilarias, sin vaina, en las capas superficiales de la dermis. Su distribución se limita a ciertas partes de Africa Central. _A. perstans_ tiene amplia distribución en Africa tropical, y también en algunas regiones costeras de América del Sur y Antillas. Su microfilaria no es periódica, no tiene vaina, y se encuentra en la sangre periférica. Los adultos se encuentran juntos en la cavidad peritoneal, mesenterio, tejidos retroperitoneales, pericardio y, ocasionalmente, en quistes subcutáneos. Las infecciones suelen pasar inadvertidas, pero también pueden asociarse con fenómenos de sensibilización, y rara vez con complicaciones más graves y mortales. _Mansonella ozzardi_ también se encuentra en las regiones tropicales del hemisferio occidental, en las cavidades del cuerpo; tiene microfilarias circulantes, periódicas, desnudas. No se han observado síntomas asociados con la infección. Ambas especies, Acanthocheilonema y Mansonella, son transmitidas por Culicoides.

Hay muchas filarias de mamíferos y aves, ampliamente distribuidas en todo el mundo. Una de ellas, _Dirofilaria immitis,_ es patógeno importante del perro; sus formas adultas viven en los vasos del corazón y pueden obstruirlos. Antígenos preparados con Dirofilaria se han utilizado para diagnóstico de filariasis del hombre, en pruebas intradérmicas y serológicas. Estas reacciones tienen escasa especificidad.[1]

Litomosoides carinii, parásito de la rata algodonera, es una especie que se usa frecuentemente en investigaciones de laboratorio.

Dracunculus medinensis, el gusano de Guinea, es parásito frecuente del hombre en el Medio Oriente, Africa, India e Indonesia. También era endémico en regiones tropicales del hemisferio occidental, pero recientemente ha desaparecido. Aunque es parásito de los tejidos que se parece a las filarias, no tiene una fase de microfilaria verdadera. Los machos, pequeños, rara vez se ven. Las hembras, después de un desarrollo de varios meses en los tejidos conectivos internos, aparecen en los tejidos subcutáneos, generalmente de la pierna. Son grandes gusanos que miden en promedio un metro de largo, y a menudo se ven en los tejidos a través de la piel. La del huésped se ulcera en la extremidad anterior del gusano, y las larvas se liberan, generalmente, cuando se sumerge la pierna en el agua. Estas larvas se desarrollan en copépodos, por ejemplo cyclops; la infección humana se produce cuando se ingieren los copépodos parasitados con el agua de bebida. La infección humana, que tal vez sea la "fiera sierpe" de la Biblia, se acompaña de reacciones de sensibilización intensas, que preceden inmediatamente la formación inicial de la flictena y la liberación de las larvas por la hembra. En algunas regiones, la hembra se extirpa gradualmente de los tejidos, enrollándola en una varita. Parece que la inyección local de fenotiacina es eficaz para tratamiento, y pueden usarse los antihistamínicos para aliviar los fenómenos de sensibilización. El niridazol (Ambilhar) se ha empleado en el tratamiento de la dracunculiasis.

BIBLIOGRAFIA

1. Adolph, P. E., I. G. Kagan, and R. M. McQuay. 1962. Diagnosis and treatment of *Acanthocheilonema perstans* filariasis. Amer. J. Trop. Med. Hyg. **11**:76–88.

2. Africa, C. M., *et al.* 1940. Visceral Complications in Intestinal Heterophydiasis of Man. Acta Medica Philippina Monograph Series No. 1. Acta Medica Philippina, Manila.

3. Alicata, J. E. 1962. *Angiostrongylus cantonensis* (Nematoda: Metastrongylidae) as a causative agent of eosinophilic meningoencephalitis of man in Hawaii and Tahiti. Can. J. Zool. **40**:5–8.

4. Andrade, Z. A., S. G. Andrade, and M. Sadigursky. 1971. Renal changes in patients with hepatosplenic schistosomiasis. Amer. J. Trop. Med. Hyg. **20**:77–83.

5. Arean, V. M., and E. Koppisch. 1956. Balantidiasis: a review and report of cases. Amer. J. Pathol. **32**:1089–1115.

6. Aufses, A. H., *et al.* 1959. Portal venous pressure in "pipestem" fibrosis of the liver due to schistosomiasis. Amer. J. Med. **27**:807–810.

7. Baer, J. G. 1951. Ecology of Animal Parasites. University of Illinois Press, Urbana.

8. Barrett-Connor, E. 1971. Amebiasis, today, in the United States. Calif. Med. **114**:1–6.

9. Beaver, P. C. 1950. The standardization of fecal smears for estimating egg production and worm burden. J. Parasitol. **36**:451–456.

10. Beaver, P. C. 1959. Visceral and cutaneous larval migrans. Pub Hlth. Rep. **74**:328–332.

11. Beaver, P. C., *et. al.* 1956. Experimental *Entamoeba histolytica* infection in man. Amer. J. Trop. Med. Hyg. **5**:1000–1009.

12. Beye, H. K., *et al.* 1961. Simian malaria in man. Amer. J. Trop. Med. Hyg. **10**:311–316.

13. Bishop, A. 1959. Drug resistance in protozoa. Biol. Rev. **34**:445–500.

14. Black, R. H. 1960. Blood donors in accidental transfusion malaria. Med. J. Aust. **2**:446–449.

15. Boughton, C. R. 1970. Toxoplasmosis. Med. J. Aust. **2**(9):418–421.

16. Boyd, M. F. (Ed.). 1949. Malariology. W. B. Saunders Co., Philadelphia.

17. Brandborg, L. L., *et al.* 1967. Histological demonstration of mucosal invasion by *Giardia lamblia* in man. Gasteroenterology **52**:143–150.

18. Bray, R. S. 1957. Studies on the Exoerythrocytic Cycle in the Genus Plasmodium. London School of Hygiene and Tropical Medicine, Memoir 12, Lewis, London.

19. Brito, T. J., *et al.* 1970. Advanced kidney disease in patients with hepatosplenic Manson's schistosomiasis. Rev. Inst. Med. Trop. Sao Paulo **12**:225–235.

20. Brooke, M. M. 1958. Amebiasis, Methods in Laboratory Diagnosis. Public Health Service, U.S. Department of Health, Education and Welfare.

21. Brown, H. H. 1960. The actions and uses of anthelmintics. Clin. Pharmacol. Therap. **1**:87–103.

22. Bueding, E. 1959. Mechanisms of action of schistosomicidal agents. J. Pharm. Pharmacol. **11**:385–392.

23. Bueding, E., and C. Swartzwelder. 1957. Anthelmintics. Pharmacol. Rev. **9**:329–365.

24. Burch, T. A., C. W. Rees, and L. V. Reardon. 1959. Epidemiological studies on human trichomoniasis. Amer. J. Trop. Med. Hyg. **8**:312–318.

25. Burrows, R. B. 1959. Morphological differentiation of *Entamoeba hartmanni* and *E. polecki* from *E. histolytica*. Amer. J. Hyg. **8**:583–589.

26. Burrows, R. B. 1965. Microscopic Diagnosis of the Parasites of Man. Yale University Press, New Haven, Conn.

27. Burrows, R. B., and M. A. Swerdlow. 1956. *Enterobius vermicularis* as a probable vector of *Dientamoeba fragilis*. Amer. J. Trop. Med. Hyg. **5**:258–265.

28. Butt, C. G. 1966. Primary amebic meningoencephalitis. N. Eng. J. Med. **274**:1473–1476.

29. Campbell, D. H., and L. R. Melcher. 1940. Relationships of sex factors to resistance against *Cysticercus crassicollis* in rats. J. Infect. Dis. **66**:184–188.

30. Chandler, A. C., and C. P. Read. 1961. Introduction to Parasitology. John Wiley & Sons, New York.

31. Chitwood, B. G., and M. B. Chitwood. 1950. An Introduction to Nematology. Monumental Printing Co., Baltimore.

32. Chu, G. W. T. C. 1958. Pacific area distribution of freshwater and marine cercarial dermatitis. Pac. Sci. **12**:299–312.

33. Coatney, G. R., *et al.* 1953. Korean vivax malaria. Amer. J. Trop. Med. Hyg. **2**:958–988.

34. Coatney, G. R., *et al.* 1958. Chloroquin or pyrimethamine in salt as a supressive against sporozoite-induced vivax malaria (Chesson strain). Bull. Wld. Hlth. Org. **19**:53–67.

35. Coatney, G. R., *et al.* 1963. The effect of repository preparation of the dihydrotriazine metabolite of chlorquanide Cl-501 against the Chesson strain of *Plasmodium vivax* in man. Amer. J. Trop. Med. Hyg. **12**:504–508.

36. Contacos, P. G., *et al.* 1962. Man to man transfer of two strains of *Plasmodium cynomolgi* by mosquito bite. Amer. J. Trop. Med. Hyg. **11**:186–193.

37. Cort, W. W. 1950. Studies on schistosome dermatitis. Amer. J. Hyg. **52**:251–307.

38. Cortner, J. A. 1959. Amer. J. Dis. Child. **98**:311–316.

39. Cross, J. H., *et al.* 1970. A new epidemic diarrheal disease caused by the nematode *Capillaria philippinensis*. Industry and Tropical Health. Vol. 7. Industrial Council for Tropical Health. Harvard School of Public Health, Boston.

40. Davey, D. G. 1958. Human and animal trypanosomiasis in Africa. Amer. J. Trop. Med. Hyg. **7**:547–553.

41. Deschiens, R. 1958. Distomatose cérébrale à *Heterophyes heterophyes*. p. 265. Abstracts of 6th International Congress of Tropical Medicine and Malaria.

42. Diamond, L. S. 1961. Axenic cultivation of *Entamoeba histolytica*. Science **134**:336–337.

43. Duma, R. J., *et al.* 1969. Primary amebic meningoencephalitis. N. Eng. J. Med. **281**:1315–1323.

44. Dunning, W. F., and M. R. Curtis. 1953. Attempts to isolate the active agent in *Cysticercus fasciolaris*. Cancer Res. **13**:838–842.

45. Elsdon-Dew, R. 1956. Further aspects of amebiasis in Africans. African J. Med. **2**:291–294.

46. Eyles, D. E. 1960. The exoerythrocytic cycle of *Plasmodium cynomolgi* and *P. cynomolgi bastianelli* in the rhesus monkey. Amer. J. Trop. Med. Hyg. **9**:543–555.

47. Eyles, D. E., and C. L. Gibson. 1957. Toxoplasma infections in animals associated with a case of human congenital toxoplasmosis. Amer. J. Trop. Med. Hyg. **6**:990–1000.

48. Fairbairn, D. 1960. Physiologic aspects of egg hatching and larval exsheathment in nematodes. pp. 50–64. *In* L. E. Stauber (Ed.): Host Influence on Parasite Physiology. Rutgers University Press, New Brunswick, N.J.

49. Farrar, W. E., *et al.* 1963. Serologic evidence of human infections with *Trypanosoma cruzi* in Georgia. Amer. J. Hyg. **78**:166–172.

50. Faust, E. C. 1961. The multiple facets of *Entamoeba histolytica* infection. Int. Rev. Trop. Med. **1**:43–76.

51. Faust, E. C., P. C. Beaver, and R. C. Jung. 1968. Animal Agents and Vectors of Human Disease. Lea & Febiger, Philadelphia.

52. Faust, E. C., and P. F. Russell, 1964. Clinical Parasitology. 7th ed. Lea & Febiger, Philadelphia.

53. Faust, E. C., *et al.* 1961. Human isoporiasis in the Western Hemisphere. Amer. J. Trop. Med. Hyg. **10**:343–349.

54. Feldman, H. A. 1968. Toxoplasmosis. N. Eng. J. Med. **279**(25):1370–1375.

55. Feldman, H. A. 1968. Toxoplasmosis. N. Eng. J. Med. **279**(26):1431–1437.

56. Ferreria Santos, R. 1961. Megacolon and megarectum in Chagas' disease. Proc. Roy. Soc. Med. **54**:1047–1053.

57. Field, J. W., and H. Le Fleming. 1938, 1939, 1940. The morphology of malarial parasites in thick blood films. Trans. Roy. Soc. Trop. Hyg. **32**:467–480; **33**:507–520; **34**:297–304.

58. Foster, A. D., and J. W. Landsberg. 1934. The nature and cause of hookworm anemia. Amer. J. Hyg. **20**:259–290.

59. Freedman, L. 1958. The epidemiology of amebiasis in Durban. S. African Med. J. **32**:797–798.

60. Frenkel, J. K. 1961. The pathogenesis and management of toxoplasmosis. Wld. Neurol. **2**:1046–1068.

61. Frenkel, J. K., J. P. Dubey, and N. L. Miller. 1970. *Toxoplasma gondii* in cats: Fecal stages identified as coccidian oöcysts. Science **167**:893–896.

62. Frenkel, J. K. 1970. Pursuing Toxoplasma. J. Infect. Dis. **122**:553–557.

63. Fulton, J. D. 1960. Some aspects of research on trypanosomes. pp. 11–23. *In* L. E. Stauber (Ed.): Host Influence on Parasite Physiology. Rutgers University Press, New Brunswick, N.J.

64. García-Palmieri, M. R., and R. A. Marcial-Rojas. 1959. Portal hypertension due to schistosomiasis mansoni. Amer. J. Med. **27**:811–816.

65. Garnham, P. C. C. 1966. Malaria Parasites and Other Hemosporidia. Blackwell Scientific Publications, Oxford.

66. Garnham, P. C. C., and D. J. Lewis. 1959. Parasites of British Honduras with special reference to leishmaniasis. Trans. Roy. Soc. Trop. Med. Hyg. **53**:12–40.

67. Geiman, Q. M., *et al.* 1946. Studies on malarial parasites. VII. Methods and techniques for cultivation. J. Exp. Med. **84**:583–606.

68. Gelfand, M. 1950. Schistosomiasis in South Central Africa. Junta, Capetown.

69. Goble, F. C. 1958. A comparison of strains of *Trypanosoma cruzi* indigenous to the United States with certain strains from South America. Proc. 6th Int. Congr. Trop. Med. Mal. **3**:158–166.

70. Goble, F. C. (Ed.). 1969. The pharmacological and chemotherapeutic properties of Niridazole and other antischistosomal compounds. Ann. N.Y. Acad. Sci. **160**:423–946.

71. Goldman, M. 1954. Use of fluorescein-tagged antibody to identify cultures of *Endamoeba histolytica* and *Endamoeba coli*. Amer. J. Hyg. **59**:318–325.

72. Goldman, M., *et al.* 1960. Antigenic analysis of *Entamoeba histolytica* by means of fluorescent antibody. II. *E. histolytica* and *E. hartmanni*. Exp. Parasitol. **10**:366–388.

73. Gould, S. E. 1945. Trichinosis. Charles C Thomas, Springfield, Ill.

74. Greenberg, J. 1956. Mixed lethal strains of *Plasmodium gallinaceum:* drug-sensitive, transferable (SP) × drug-resistant, non-transferable (BI). Exp. Parasitol. **5**:359–370.

75. Hackett, L. W. 1937. Malaria in Europe. Oxford University Press, Oxford.

76. Hartman, P. E., *et al.* 1971. Hycanthone: A frameshift mutagen. Science **172**:1058–1060.

77. Hawking, F., and J. P. Thurston, 1951. The periodicity of microfilariae. I. The distribution of microfilariae in the body. II. The explanation of its production. Trans. Roy. Soc. Trop. Med. Hyg. **45**:307–340.

78. Healy, G. R., and N. N. Gleason. 1966. Studies on the pathogenicity of the various strains of *Entamoeba histolytica* after prolonged cultivation, with observations on strain differences in the rats employed. Amer. J. Trop. Med. Hyg. **15**:294–299.

79. Healey, G. R. 1968. Use of and limitations to the indirect hemagglutination test in the diagnosis of the intestinal amebiasis. Hlth. Lab. Sci. **5**:174–179.

80. Herms, W. B. 1961. Medical Entomology. The Macmillan Co., New York.

81. Hillyer, G. V. 1971. Deoxyribonucleic acid (DNA) and antibodies to DNA in the serum of hamsters and man infected with schistosomes. Proc. Soc. Exp. Biol. Med. **136**:880–883.

82. Hoare, C. A. 1958. The enigma of host-parasite relations in amebiasis. *In* Symposium: Resistance and immunity in parasitic infection. Rice Inst. Pam. **45**:23–35.

83. Hoare, C. A. 1959. Amoebic infections in animals. Vet. Rev. Annot. **5**:91–102.

84. Hoeppli, R. 1959. Parasites and Parasitic Infections in Early Medicine and Science. University of Malaya Press, Singapore.

85. Honey, R. M., and M. Gelfand. 1960. The Urological Aspects of Bilharziasis in Rhodesia. E. & S. Livingstone, Edinburgh.

86. Honigberg, B. M., and C. P. Read. 1960. Virulence transformation of a trichomonad protozoan. Science **131**:352–353.

87. Horsfall, W. R. 1962. Medical Entomology: Arthropods and Human Disease. Ronald Press, New York.

88. Howard, L. E. 1962. Studies on the mechanism of the infection of the mosquito midgut by *Plasmodium gallinaceum.* Amer. J. Trop. Hyg. **75**:287–300.

89. Howell, S. B., and J. A. Cook. 1971. Treatment of *Schistosomiasis mansoni* with Hycanthone in glucose-6-phosphate dehydrogenase deficiency in St. Lucia. Trans. Roy. Soc. Trop. Med. Hyg. **65**:331–333.

90. Hsü, H. F., and S. Y. Li Hsü. 1960. New approach to immunization against *Schistosoma japonicum*. Science **133**:766.

91. Huff, C. G., and W. Bloom. 1935. A malarial parasite infecting all blood and blood-forming cells of birds. J. Infect. Dis. **57**:315–336.

92. Huff, C. G., *et al.* 1960. The morphology and behavior of living exoerythrocytic stages of *Plasmodium gallinaceum* and *P. fallax* and their host cells. J. Biophys. Biochem. Cytol. **7**:93–102.

93. Hull, T. G. 1962. Charles C Thomas, Springfield, Ill.

94. Huntley, C. C., M. C. Costas, and A. Lyerly. 1965. Visceral larva migrans syndrome: clinical characteristics and immunologic studies in 51 patients. Pediatrics **36**:523–536.

95. Hutchison, W. M. 1967. The nematode transmission of *Toxoplasma gondii*. Trans. Roy. Soc. Trop. Med. Hyg. **61**:80–89.

96. Hutchison, W. M., and J. F. Dunachie. 1971. The life cycle of the coccidian parasite, *Toxoplasma gondii*, in the domestic cat. Trans. Roy. Soc. Trop. Med. Hyg. **65**:380–399.

97. Ivady, G., L. Paldy, and G. Unger. 1963. Weitere Erfahrungen bei der Behandlung der interstitieller plasmacellulären. Pneumonie mit Pentamidin. Monatschr. Kinderh. **111**:297–299.

98. Jackson, G. J., R. Herman, and I. Singer (Eds.). 1970. Immunity to Parasitic Animals. Vol. 2. Appleton-Century-Crofts, New York.

99. Jaramalinta, R., and B. G. Maegraith. 1960. Hyaluronidase activity in stock cultures of *Entamoeba histolytica*. Ann. Trop. Med. Parasitol. **54**:118–128.

100. Jung, R. C., and P. C. Beaver. 1952. Clinical observations on *Trichocephalus trichiurus* (whip-worm) in children. Pediatrics **8**:548–577.

101. Kagan, I. G. 1958. Contributions to the immunology and serology of schistosomiasis. *In* Symposium: Resistance and immunity in parasitic infections. Rice Inst. Pam. **45**:151–183.

102. Kagan, I. G. 1960. Trichinosis: a review of biologic, serologic and immunologic aspects. J. Infect. Dis. **107**:65–93.

103. Kagan, I. G., and L. Norman. 1961. Immunologic studies on *Trypanosoma cruzi*. III. Duration of acquired immunity in mice initially infected with a North American strain of *T. cruzi*. J. Infect. Dis. **108**:213–217.

104. Kagan, I. G., *et al.* 1959. Studies on the serology of visceral larval migrans. I. Hemagglutination and flocculation tests with purified Ascaris antigens. J. Immunol. **83**:297–301.

105. Katz, N., J. Pellegrino, and C. A. Oliveira. 1969. Further clinical trials with Hycanthone, a new antischistosomal agent. Amer. J. Trop. Med. Hyg. **18**:924–929.

106. Kessel, J. F., *et al.* 1961. Preliminary report on the hemagglutination test for Entamoeba. Proc. Soc. Exp. Biol. Med. **106**:409–413.

107. Kudo, R. R. 1954. Protozoology. Charles C Thomas, Springfield, Ill.

108. Lainson, R., and J. Strangways-Dixon. 1964. Reservoir hosts of *Leishmania mexicana*. Trans. Roy. Soc. Trop. Med. Hyg. **58**:136–153.

109. Lamont, N. McE., and N. R. Pooler. 1958. Hepatic amebiasis—a study of 250 cases. Quart. J. Med. (N.S.) **27**:389–412.

110. Levine, N. D. 1961. Protozoan Parasites of Domestic Animals and Man. Burgess, Minneapolis.

111. Levine, N. D. 1961. Problems in the systematics of the "sporozoa." J. Protozool. **8**:442–451.

112. Lewert, R. M. 1958. Invasiveness of helminth larvae. *In* Symposium: Resistance and immunity in parasitic infections. Rice Inst. Pam. **45**:97–133.

113. Lewert, R. M., and S. Mandlowitz. 1969. Schistosomiasis: Prenatal induction of tolerance to antigens. Nature **224**:1029–1030.

114. Lewert, R. M. 1970. Schistosomes. *In* G. J. Jackson, R. Herman, and I. Singer (Eds.): Immunity to Parasitic Animals. Vol. 2. Appleton-Century-Crofts, New York.

115. Loran, M. R., *et al.* 1956. Dependence of *Entamoeba histolytica* upon associated streptobacillus for metabolism of glucose. Exp. Cell Res. **10**:241–245.

116. Maddison, S. E., S. J. Powell, and R. Elsdon-Dew. 1959. Bacterial infection of amebic liver abscess. Med. Proc. Johannesburg **5**:514–515.

117. Maddison, S. E., I. G. Kagan, and R. Eldson-Dew. 1968. Comparison of intradermal and serologic tests for the diagnosis of amebiasis. Amer. J. Trop. Med. Hyg. **17**:540–547.

118. Maegraith, B. 1965. Exotic Diseases in Practice. American Elsevier Publishing Co., New York.

119. Manson-Bahr, P. E. C. 1954. Manson's Tropical Diseases. Williams & Wilkins, Baltimore.

120. Manson-Bahr, P. E. C. 1959. East African kala-azar, with special reference to the pathology, prophylaxis and treatment. Trans. Roy. Soc. Trop. Hyg. **53**:123–136.

121. Manwell, R. D. 1961. Introduction to Protozoology. St. Martin's Press, New York.

122. Marcial-Rojas, R. A. (Ed.). 1971. Pathology of Protozoal and Helminthive Diseases. Williams & Wilkins, Baltimore.

123. Markell, E. K., and M. Voge. 1971. Medical Parasitology. 3rd ed. W. B. Saunders Co., Philadelphia.

124. McConnachie, E. W. 1955. Studies on *Entamoeba invadens*, Rodhain 1934, in vitro and its relationship to some other species of amoeba. Parasitology **45**:452–481.

125. McCoy, O. R., *et al.* 1936. Epidemic Amebic Dysentery. National Institutes of Health Bulletin No. 116.

126. McMullen, D. B., and H. W. Harry. 1958. Comments on the epidemiology and control of bilharziasis. Bull. Wld. Hlth. Org. **18**:1037–1047.

127. Meleney, H. E. 1957. Some unsolved problems in amebiasis. Amer. J. Trop. Med. Hyg. **6**:487–498.

128. Micks, D. W. 1960. Insecticide resistance, a review of developments in 1958 and 1959. Bull. Wld. Hlth. Org. **22**:519–529.

129. Milgram, E. A., G. R. Healy, and I. G. Kagan. 1966. Studies on the use of the indirect hemagglutination test in diagnosis of amoebiasis. Gastroenterology **50**:645–649.

130. Miller, M. J., J. V. Neel, and F. B. Livingstone. 1956. Distribution of the parasites in the red cells of sickle-cell trait carriers infected with *Plasmodium falciparum*. Trans. Roy. Soc. Trop. Med. Hyg. **50**:294–296.

131. Miller, C. W., R. Ruppaner, and C. W. Schwabe. 1971. Hydatid disease in California: Study of hospital records, 1960 through 1969. Amer. J. Trop. Med. Hyg. **20**:904–913.

132. Moore, D. V., and F. H. Connell. 1960. Additional records of *Dipylidium canium* infections in children in the United States with observations on treatment. Amer. J. Trop. Med. Hyg. **9**:604–605.

133. Morecki, R., and J. G. Parker. 1967. Ultrastructural studies of the human *Giardia lamblia* and subjacent jejunal mucosa in a subject with steatorrhea. Gastroenterology. **52**:151–164.

134. Morris, M. N., S. J. Powell, and R. Eldson-Dew. 1971. Latex agglutination test for invasive amebiasis. Lancet **i**:1362–1363.

135. Mueller, J. F. 1938. Studies in *Sparganum mansonoides* and *Sparganum proliferum*. Amer. J. Trop. Med. **18**:303–328.

136. Neal, R. A. 1956. Strain variation in *Entamoeba histolytica*. Parasitology **46**:173–191.

137. Neal, R. A. 1960. Enzymic proteolysis by *Entamoeba histolytica*: biochemical characteristics and relationship with invasiveness. Parasitology **50**:531–550.

138. Nelson, E. C., and M. M. Jones. 1970. Culture isolation of agents of primary amebic meningoencephalitis. J. Parasitol. **56**(4) Sec. II:248.

139. Nichols, R. L. 1956. The etiology of visceral larval migrans. I. Diagnostic morphology of infective second stage Toxocara larvae. J. Parasitol. **42**:349–362.

140. Nussenzweig, R., J. Vanderberg, and H. Most. 1969. Protective immunity produced by the injections of x-irradiated sporozoites of *Plasmodium berghei*. Milit. Med. **134**:1176–1182.

141. Offutt, A. C., B. A. Poole, and G. G. Fassnocht. 1955. A water-borne outbreak of amebiasis. Amer. J. Pub. Hlth. **45**:486–491.

142. Pampana, E. 1963. A Textbook of Malaria Eradication. Oxford University Press, Oxford.

143. Perkins, E. S. 1961. Uveitis and Toxoplasmosis. J. & A. Churchill, London.

144. Pesigan, T. P., *et al.* 1958. Studies on *Schistosoma japonicum* infection in the Philippines. Bull. Wld. Hlth. Org. **18**:345–455, 481–578; **19**:223–261.

145. Phillips, B. P., *et al.* 1955, 1958. Studies on the ameba-bacteria relationship in amebiasis. I. Comparative results of the intracecal inoculation of germ-free, monocontaminated, and conventional guinea pigs with *Entamoeba histolytica*. II. Some concepts on the etiology of the disease. Amer. J. Trop. Med. Hyg. **4**:675–692; **7**:392–399.

146. Pizzi, T., and W. H. Taliaferro. 1960. A comparative study of protein and nucleic acid synthesis in different species of trypanosomes. J. Infect. Dis. **107**:100–107.

147. Powell, R. D. 1966. Pharmacol. Therap. **7**:48–76.

148. Powell, R. D., *et al.* 1964. Studies on a strain of chloroquin-resistant *Plasmodium falciparum* from Thailand. Bull. Wld. Hlth. Org. **30**:29–44.

149. Radke, M. G., *et al.* 1961. Demonstrated control of *Australorbis glabratus* by *Marisa cornuarietis* under field conditions in Puerto Rico. Amer. J. Trop. Med. Hyg. **10**:370–373.

150. Read, C. P. 1970. Parasitism and Symbiology. Ronald Press, New York.

151. Remington, J. S., and L. O. Gentry. 1970. Acquired Toxoplasmosis: Infection versus disease. Ann. N.Y. Acad. Sci. **174**:1006–1017.

152. Report. 1957. Onchocerciasis, epidemiology, pathogenesis, chemotherapy, vectors and control. Bull. Wld. Hlth. Org. **16**:481–552.

153. Report. 1957. Symposium on laboratory aspects of amebiasis. Trans. Roy. Soc. Trop. Med. Hyg. **51**:303–331.

154. Report. 1959. International work in bilharziasis, 1948–1958. Wld. Hlth. Org. Chron. **1**:1–56.

155. Report. 1960. Chagas' Disease. Technical Report Series No. 202. World Health Organization, Geneva.

156. Report. 1961. International Cooperation Administration Expert Panel on Malaria. Report and recommendations on malaria: a summary. Amer. J. Trop. Med. Hyg. **10**:451–502.

157. Rieckmann, K. H., *et al.* 1968. Effects of chloroquine, quinine, and cycloguanil upon the maturation of asexual erythrocytic forms of two strains of *Plasmodium falciparum* in vitro. Amer. J. Trop. Med. Hyg. **17**:661–671.

158. Roche, M. 1966. The nature and cause of "hookworm anemia." Amer. J. Trop. Med. Hyg. **15**:1031–1102.

159. Rogers, S. H., and E. Bueding. 1971. Hycanthone resistance: Development in *Schistosoma mansoni*. Science **172**:1057–1058.

160. Rosen, L., *et al.* 1962. Eosinophilic meningoencephalitis caused by a metastrongyloid lung worm of rats. J. Amer. Med. Assn. **179**:620–624.

161. Rosen, L., *et al.* 1967. Studies on eosinophilic meningitis. 3. Epidemiologic and clinical observations on Pacific islands and the possible role of *Angiostrongylus cantonensis*. Amer. J. Epidemiol. **85**:17–44.

162. Russell, P. F., *et al.* 1963. Practical Malariology. Oxford University Press, Oxford.

163. Sabin, A. H., *et al.* 1953. Toxoplasmosis: current status and unsolved problems. Amer. J. Trop. Med. Hyg. **2**:360–444.

164. Sadun, E. H. 1955. Studies on *Opisthorchis viverrini* in Thailand. Amer. J. Hyg. **62**:81–115.

165. Sadun, E. H. (Ed.). 1966. Research in Malaria. Milit. Med. **131**:847–1272.

166. Sadun, E. H., R. I. Anderson, and J. S. Williams. 1961. Fluorescent antibody test for the laboratory diagnosis of schistosomiasis in humans by using dried blood smears on filter paper. Exp. Parasitol. **11**:117–120.

167. Sadun, E. H., *et al.* 1957. The detection of antibodies to infection with the nematode *Toxocara canis*, a causative agent of visceral larval migrans. Amer. J. Trop. Med. Hyg. **6**:562–568.

168. Sasser, J. N., and W. R. Jenkins. 1960. Nematology. University of North Carolina Press, Chapel Hill.

169. Sawada, T., *et al.* 1965. The isolation and purification of antigen from adult *Clonorchis sinensis* for complement fixation and precipitant tests. Exp. Parasitol. **17**:340–349.

170. Schantz, P. M., *et al.* 1970. Hydatid disease in the central valley of California: Transmission of infection among dogs, sheep and man in Kern County. Amer. J. Trop. Med. Hyg. **19**:823–836.

171. Schmidt, L. H., *et al.* 1961. The transmission of *Plasmodium cynomolgi* to man. Amer. J. Trop. Med. Hyg. **10**:679–688.

172. Scherb, J., and I. A. Arias. 1962. Achalasia of the aesophagus and Chagas' disease. Gastroenterology **43**: 212–215.

173. Scott, H. H. 1959. A History of Tropical Medicine. Williams & Wilkins, Baltimore.

174. Shaffer, J. G., and J. Ansfield. 1956. The effect of rabbit antisera on the ability of *Entamoeba histolytica* to phagocytose red blood cells. Amer. J. Trop. Med. Hyg. **5**:53–61.

175. Shattuck, G. C. 1949. Diseases of the Tropics. Appleton-Century-Crofts, New York.

176. Silva, L. C., *et al.* 1970. Kidney biopsy in the hepatosplenic form of infection with *Schistosoma mansoni* in man. Bull. Wld. Hlth. Org. **42**:907–910.

177. Smithers, S. R., and R. J. Terry. 1969. The immunology of schistosomiasis. Vol. 7, pp. 41–93. *In* Dawes, B. (Ed.): Advances in Parasitology. Academic Press, New York.

178. Spencer, F. M., and L. S. Monroe. 1961. The Color Atlas of Intestinal Parasites. Charles C Thomas, Springfield, Ill.

179. Stirewalt, M. A., and F. J. Kruidenier. 1961. Activity of the acetabular secretory apparatus of cercariae of *Schistosoma mansoni* under experimental conditions. Exp. Parasitol. **11**:191–211.

180. Stoll, N. R. 1961. The worms: can we vaccinate against them? Amer. J. Trop. Med. Hyg. *10*:293–303.

181. Stone, O. J., *et al.* 1964. Thiabendazole—probable cure for trichinosis; report of first case. J. Amer. Med. Assn. **187**:536–537.

182. Sulzer, A. J., and M. Wilson. 1971. The fluorescent antibody test for malaria. CRC Crit. Rev. Clin. Lab. Sci. **2**:601–619.

183. Swerdlow, M. A., and R. B. Burrows. 1955. *Dientamoeba fragilis*, an intestinal pathogen. J. Amer. Med. Assn. **158**:176–178.

184. Sykoff, D. E., and T. J. Lepes. 1957. Studies on *Clonorchis sinensis*. I. Observations on the route of migration in the definitive host. Amer. J. Trop. Med. Hyg. **6**:1061–1065.

185. Taliaferro, W. H. 1948. The inhibition of reproduction of parasites by immune factors. Bacteriol. Rev. **12**:1–17.

186. Taliaferro, W. H., and T. Pizzi. 1960. The inhibition of nucleic acid and protein synthesis in *Trypanosoma lewisi* by the antibody ablastin. Proc. Nat. Acad. Sci. **46**:733–745.

187. Taylor, A. E. R., and J. R. Baker. 1968. The Cultivations of Parasites in Vitro. Blackwell Scientific Publications, Oxford.

188. Thompson, P. E., *et al.* 1963. Laboratory studies on 4,6 diamino-1-(*p*-chlorophenyl)-1,2 dithydro-a, a-dimethyl-*s*-triazine pamaoate (C-1-501) as a repository antimalarial drug. Amer. J. Trop. Med. Hyg. **12**:481–493.

189. Timms, A. R. 1960. Schistosome enzymes. pp. 41–49. *In* L. Stauber (Ed.): Host Influence on Parasite Physiology. Rutgers University Press, New Brunswick, N.J.

190. Trager, W. 1955. Studies on the cultivation of malaria parasites. pp. 2–14. *In* W. H. Cole (Ed.): Some Physiological Aspects and Consequences of Parasitism. Rutgers University Press, New Brunswick, N.J.

191. Trager, W. 1959. Tsetse-fly culture and the development of trypanosomes to the infective stage. Ann. Trop. Med. Parasitol. **53**:473–491.

192. Trussel, R. E. 1947. *Trichomonas vaginalis* and Trichomoniasis. Charles C Thomas, Springfield, Ill.

193. Tullis, D. C. 1970. N. Eng. J. Med. **282**(7):370–372.

194. Turner, J. A., I. Ziment, and L. B. Guze (Eds.). 1971. Amebiasis—A symposium. Calif. Med. **114**:44–55.

195. Van den Berghe, L., and F. L. Lambrecht. 1963. The epidemiology and control of human trypanosomiasis in *Glossina morsitans* fly-belts. Amer. J. Trop. Med. Hyg. **12**:129–164.

196. Vandepitte, J., and J. Delaisse. 1957. Sicklémie et paludisme: aperçu du problème et contribution personelle. Ann. Soc. Belg. Méd. Trop. **37**:703–735.

197. Van Thiel, P. H., F. C. Kuipers, and R. T. H. Roskam. A nematode parasitic to herring, causing acute abdominal syndromes in man. Trop. Geogr. Med. **2**:97–113.

198. Villella, J. B., H. J. Gomberg, and S. E. Gould. 1961. Immunization to *Schistosoma mansoni* in mice inoculated with radiated cercariae. Science **134**:1073–1075.

199. Vogel, H. 1957. Über den *Echinococcus multilocularis* Süddeutschlands. Z. tropenmed. Parasitol. **8**:404–456.

200. Vogel, H. 1958. Acquired immunity to Schistosoma infection in experimental animals. Bull. Wld. Hlth. Org. **18**:1097–1103.

201. Von Bonsdorff, B. 1956. *Diphyllobothrium latum* as a cause of pernicious anemia. Exp. Parasitol. **5**:207–230.

202. Von Brand, T. 1966. Biochemistry of Parasites. Academic Press, New York.

203. Walton, B. C., *et al.* 1958. The isolation and identification of *Trypanosoma cruzi* from raccoons in Maryland. Amer. J. Trop. Med. Hyg. **7**:603–610.

204. Walton, B. C., B. M. Benchoff, and W. H. Brooks. 1966. Comparison of the indirect fluorescent antibody test and the methylene blue dye test for detection of antibodies to *Toxoplasma gondii*. Amer. J. Trop. Med. Hyg. **15**:149–152.

205. Wardle, R. A., and J. A. McLeod. 1952. The Zoology of Tapeworms. University of Minnesota Press, Minneapolis.

206. Warren, K. S., E. O. Domingo, and B. T. Cowan. 1967. Granuloma formation around schistosome eggs as a manifestation of delayed hypersensitivity. Amer. J. Pathol. **51**:735–748.

207. Weinman, D. 1952. Ann. Rev. Microbiol. **6**:281–298.

208. Weinstein, P. P., and M. F. Jones. 1959. Development in vitro of some parasitic nematodes of vertebrates. Ann. N.Y. Acad. Sci. **77**:137–162.

209. Wood, S. F., and F. D. Wood. 1961. Observations on vectors of Chagas' disease in the United States. Amer. J. Trop. Med. Hyg. **10**:155–165.

210. Woody, N. C., and H. B. Woody. 1961. American trypanosomiasis. I. Clinical and epidemiologic background of Chagas' disease in the United States. J. Pediat. **58**:568–580.

211. Yardley, J. H., and T. M. Bayless. 1967. Comments: Giardiasis. Gastroenterology. **52**:301–304.

212. Yogore, M. G., R. M. Lewert, and E. D. Madraso. 1965. Immunodiffusion on paragonimiasis. Amer. J. Trop. Med. Hyg. **14**:586–591.

213. Yokogawa, M., *et al.* 1961. Chemotherapy of paragonimiasis with Bithionol. Japanese J. Parasitol. **10**:162–187.

214. Yokogawa, M., *et al.* 1965. Chemotherapy of *Clonorchis sinensis*. II. Clinical observations on the treatment of clonorchiasis patients with 1,4-bis-trichloromethylbenzo Japanese J. Parasitol. **14**:526–533.

215. Yokogawa, M., and H. Yoshimura. 1965. Anisakis-lik larvae causing eosinophilic granulomata in the stomach of man. Amer. J. Trop. Med. Hyg. **14**:770–773.

216. Yokogawa, S., W. W. Cort, and M. Yokogawa. 196 Paragonimus and paragonimiasis. Exp. Parasitol. **10**:81 205.

217. Young, M. D., and R. W. Burgess. 1959. Pyrimethamin resistance in *Plasmodium vivax* and *P. faciparum*. Bull. Wl Hlth. Org. **20**:27–46.

218. Young, M. D., and D. V. Moore. 1961. Chloroquin resistance in *Plasmodium falciparum*. Amer. J. Trop. Med. Hy **10**:317–320.

219. Zimmermann, W. J., J. H. Steele, and I. Kagan. 196 The changing status of trichinosis in the U.S. populatic Pub. Hlth. Rep. **83**:957–966.

CAPITULO 34

RICKETTSIAS

Se da el nombre de rickettsias a un grupo de microorganismos cocobacilares muy pequeños, gram-negativos, que incluyen los agentes causales del tifus, fiebre manchada y enfermedades relacionadas, y enfermedad tsutsugamushi del Lejano Oriente.[5, 54, 70] Ricketts los observó por primera vez, en 1909, relacionados con la fiebre manchada de las Montañas Rocosas. Rocha Lima, en 1916, llamó *Rickettsia prowazeki* a los que se encontraron en los cuerpos de piojos tomados de pacientes de tifus, en honor de Ricketts, quien murió en 1910 de tifus durante una investigación de esta enfermedad, y de von Prowazek, otro investigador inicial en este campo que también murió de tifus. Hay unos microorganismos muy semejantes que causan el hidropericardio en el ganado, y otras enfermedades de animales inferiores, incluyendo ovejas y perros, y también, como formas al parecer no patógenas, en la garrapata de la oveja, *Melophagus ovinus* y las garrapatas Haemaphysalis y Dermacentor.

Relación con bacterias y virus.[42] Las rickettsias tienen interés especial, no solo como agentes causales de enfermedades humanas, sino porque parecen representar formas de transición entre bacterias y virus. Como antes dijimos (capítulo 8), las bacterias pueden disponerse en una serie, desde las formas no patógenas puramente saprófitas, pasando por las que son saprófitas pero patógenas porque forman toxinas potentes, hasta los parásitos adaptados que incluyen la mayor parte de bacterias patógenas. Muchos de estos últimos son difíciles en sus necesidades nutritivas, lo que refleja limitaciones en su capacidad para sintetizar, y ciertas formas, en especial *Pasteurella tularensis* y Bartonella, crecen dentro de las células del huésped, pero todas ellas, con escepciones como el bacilo de la lepra y las spiroquetas de la sífilis y enfermedades similares, pueden llegar a cultivarse en medios inertes.

Las rickettsias, como los virus, se distinguen de las bacterias porque no son capaces de crecer en ausencia de célula huésped viva; necesitan cultivarse en el huevo embrionado o en alguna otra forma de cultivo de tejido. En tanto que es razonable suponer que dependen de la célula huésped para reacciones metabólicas esenciales, más que metabolitos físicos, las rickettsias muestran actividades metabó-licas limitadas y se parecen a las bacterias por su estructura, y por cuanto se multiplican por un proceso de fisión doble. Se relacionan con los virus a través del grupo de la psitacosis, para los cuales está comprobada la fisión durante la replicación, pero que solo contienen fragmentos de sistemas enzimáticos, a saber, citocromo C y ácido fólico. Tal vez sea importante que las infecciones con rickettsias y virus de la psitacosis son susceptibles a los fármacos quimioterápicos antimicrobianos, en tanto que las enfermedades de etiología viral no lo son.

Aunque algunos fragmentos de sistemas enzimáticos, como la flavina y la biotina, se relacionan con algunos virus de enfermedades eruptivas, y la actividad adenosintrifosfatasa al parecer es parte integral de los virus de la leucosis aviaria, la mayor parte de los demás virus muestran pocas señales, o ninguna, de actividad metabólica independiente.

Tampoco se tienen pruebas de que ninguno de estos se reproduzca por un proceso semejante a la fisión. Más bien, la partícula viral parece desarrollarse por diferenciación dentro de una porción morfológicamente discreta, o matriz, del protoplasma de la célula huésped, como en el caso de los virus de las enfermedades eruptivas y similares, o, al parecer, la reunión final ocurre justo antes que se expulse de la célula huésped la partícula de virus completa, como en la replicación del virus de la influenza (capítulo 3).

Por lo tanto, aunque las rickettsias ocupan una posición intermedia parecen más estrechamente relacionadas con las bacterias que con los virus, pero ya es otra cosa saber si tal disposición seriada de microorganismos tiene implicaciones filogénicas (capítulo 6).

Morfología.[22] Estos microorganismos pueden presentarse como cocos o pequeños bacilos, de 0.3 a 0.5 μ de largo y 0.3 μ de ancho, pero puede haber formas bacilares hasta de 2 μ, y se han descrito formas filamentosas. Las células se observan aisladas; los pares tal vez deben relacionarse con la fisión binaria, y a menudo hay masas compactas irregulares dentro de las células afectadas, en particular las de origen mesotelial que recubren las cavidades serosas. Algunas especies solo se encuen-

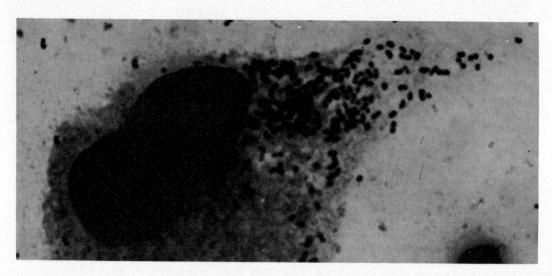

Fig. 34-1. Rickettsias de enfermedad tsutsugamushi en productos de raspado de una superficie mesotelial de cobayo infectado. Obsérvense las formas cocobacilares, a menudo en pares, y su localización intracelular. × 2 000.

tran en el citoplasma; otras, como las del grupo de la fiebre manchada, se observan también en el núcleo. No son móviles y no muestran cápsulas evidentes.

En micrografías electrónicas de rickettsias aisladas preparadas en la forma usual, parece que hay una porción central compacta rodeada de una zona periférica de substancias menos densa. Pero cuando la preparación se fija con ácido ósmico, o es un corte de tejido infectado, no se diferencia la porción central compacta. También puede demostrase en igual forma una pared celular bastante bien definida.

Tinción. Las rickettsias se colorean débilmente o nada con los colorantes usuales para bacterias, pero se tiñen con facilidad con Giemsa; se tiñen de rojo sobre fondo azul con el colorante de Macchiavello (fucsina básica, ácido cítrico y azul de metileno), y de azul claro sobre fondo rosa con colorante de Castaneda (azul de metileno amortiguado y contracoloración de safranina). También pueden teñirse con coloración de Wright en cortes de tejidos, que da entonces color azul al núcleo y rosado al citoplasma. Las formas en cocos y las colibacilares se tiñen de manera uniforme, pero no es raro que las bacilares se tiñan bipolarmente.

Composición química. La composición química de las rickettsias del tifus y de la fiebre Q es muy similar a la de la mayor parte de bacterias. Hay cierta inseguridad acerca de las cantidades exactas de los diversos componentes, porque es posible, incluso probable, que se pierdan durante los procedimientos de purificación como, por ejemplo, la extracción con éter y lavado. Las preparaciones que no han sido tratadas con éter han dado alrededor de un 30 por 100 de proteína, 47 por 100 de

lípidos (incluyendo el 30 por 100 de grasa neutra y el 17 por 100 de fosfolípidos) y 12 por 100 de ácido nucleico. La cifra de lípidos contrasta con el 12 a 13 por 100 que se encuentra en las preparaciones extraídas con éter y lavadas, pero no sabemos si la diferencia representa una contaminación o si la extracción ha eliminado el lípido de la rickettsia. La fracción de ácido nucleico contiene los tipos desoxipentosa y pentosa, en proporción aproximada de 2:1, con cantidades relativamente constantes de DNA, pero variables de RNA según las preparaciones. La composición de las preparaciones de pared celular de rickettsias lisadas con desoxicolato se parece a la de las paredes de las células bacterianas; su contenido se basa en aminoácidos y una mitad polisacárida que se hidroliza dando glucosa, galactosa, hexosamina y ácido glucurónico. La estrecha similitud con las paredes de la célula bacteriana también queda indicada por la demostración de la presencia de ácido murámico, probablemente acompañado de un mucopéptido, en las paredes de las células de rickettsias.[48]

Fisiología.[46, 60, 62] Antes hemos indicado que en las rickettsias suceden reacciones metabólicas independientes. Se ha aclarado en gran parte de los trabajos de Bovarnick, Wisseman y otros, que estos microorganismos llevan a cabo la transaminación del ácido glutámico a aspártico, y oxidan el ácido glutámico por la vía del ciclo del ácido cítrico. También se ha comprobado que la oxidación de glutamato puede llevar a la fosforilación de hexosa y la formación de adenosintrifosfato a partir de difosfato. La formación de 6-fosfato de glucosa e catalizada por una hexocinasa similar a la de otra fuentes La presencia de catalizadores flavina-hierro porfirina indica que hay un mecanismo de resp ración final. Los datos disponibles sugieren que puede intervenir el ciclo de Krebs, y que el piruvato sería la principal fuente de energía. Hay ácido fólico, y la síntesis de serina a partir de glucocola y aldehido fórmico, en presencia de ácido tetrahidrófólico, que realizan las rickettsias de la fiebre Q, sugiere una posible función. También hay datos indicando la posibilidad de una síntesis de pirimidina independiente del huéped.

Estas actividades no son estables, y las condiciones que logran su inactivación y reactivación suelen ser muy importantes. Las rickettsias pierden la facultad de realizar las reacciones antes mencionadas, y al mismo tiempo pierden su actividad tóxica y hemolítica (véase luego) y su infecciosidad, cuando se almacenan en solución salina isotónica en frío. También se sabe, desde los primeros trabajos de Parker y otros sobre la fiebre manchada, que las rickettsias son avirulentas en ácaros hambrientos, pero se hacen virulentas después de alimentar el ácaro o incubarlo a la temperatura del cuerpo. La pérdida de la actividad tóxica y hemolítica también sucede a 36°C, si no hay un substrato metabolizable.

En los dos primeros casos, la actividad fisiológica, la tóxica y hemolítica, y la infecciosidad, se recuperan incubando los microorganismos con NAD, coenzima A, o ambos. El ácido paraaminobenzoico tiene efecto rickettsiostático (véase luego), y este efecto inhibidor también se invierte mediante NAD. Parece que el efecto inhibidor del PABA depende de la formación de un complejo PABA-NAD que impide la actividad de deshidrogenasa; la reactivación ocurre cuando se añade al sistema NAD exógena.

La inactivación de las actividades tóxica y hemolítica a la temperatura del cuerpo, o cercana, posiblemente sea diferente. Se impide en presencia de glutamato, piruvato o ATP; la reactivación sucede al incubarse con glutamato y fosfato inorgánico, y el ATP la incrementa, relacionándose con este la pérdida o ganancia de actividad. Hechos como los anteriores proporcionan una base razonable para que la naturaleza del medio de suspensión que se usa para rickettsias sea una solución sacarosa-fosfato-glutamato.

Cultivo. Como ya dijimos, las rickettsias solo crecen en presencia de células huéspedes y tal vez invariablemente en su interior. Crecerán sobre la membrana corioalantoidea del huevo embrionario de gallina, pero por lo general solo en poca cantidad. Como demostró Cox por primera vez, crecen fácil y profusamente en el saco vitelino del huevo embrionado, y este método de cultivo es uno de los que se usan más.

También crecen en diversos tipos de cultivo de tejido. En el medio modificado de Maitland, la proliferación de las rickettsias no guarda relación con un metabolismo celular activo, como suele ocurrir con los virus; más bien con el índice metabólico del tejido huésped bajo, y la proliferación es más rápida a medida que las células huéspedes comienzan a morir. De hecho, se ha observado multiplicación activa en embriones de pollo muertos que contienen algunas células vivas.

Se han estudiado varias especies de rickettsias en cultivos de tejido fibroblástico de ratón, usando una línea celular (MBIII) que crece en tubos cilíndricos como una suspensión dispersa de células individuales.[7] La velocidad de crecimiento fue relativamente lenta, con tiempo de generación de cerca de 16 horas, que se compara con el breve tiempo de generación de 20 minutos o menos de las bacterias de multiplicación rápida, y el tiempo de generación largo, de 30 horas o más de las bacterias de crecimiento lento, como los bacilos de la tuberculosis. Los estudios de crecimiento en cultivo de fibroblasto de rata en estado vivo, mediante el microscopio de fase, han permitido observar directamente la fisión binaria. También se observó que, después de la multiplicación intracelular, los microorganismos son expulsados de las células huéspedes junto con un proceso de extensión y retracción de microfibrillas en la superficie de la célula. Sin embargo, es probable que las rickettsias se eliminen por degeneración y disolución de la célula huésped. También se han usado cultivos de explantes de células del endodermo del saco vitelino del pollo para cultivar rickettsias, y pueden usarse para titular la infección cuantitativamente, al menos con las rickettsias de la fiebre Q, porque se observan fácilmente los focos de células infectadas en preparaciones teñidas, y pueden contarse.

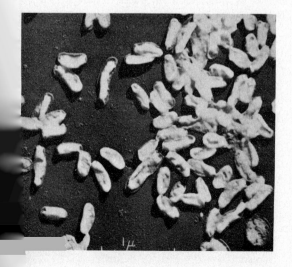

Fig. 34-2. Micrografía electrónica de rickettsias de la bre Q purificada por elución de celulosa de intercambio ico. (Hoyer y col.[23])

Resistencia. La resistencia de las rickettsias a influencias nocivas suele ser del mismo orden que la

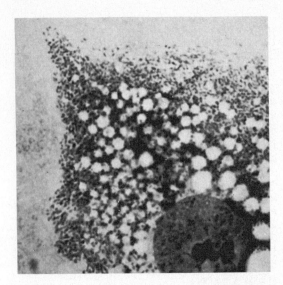

FIG. 34-3. *Rickettsia prowazeki* en una célula infectada de endodermo de pollo cultivada in vitro. La mayor parte del citoplasma de la célula está ocupado por rickettsias. $\times$ 1 500. (Weiss.)

de las células vegetativas bacterianas más delicadas. Mueren con los desinfectantes usuales, pero, como algunos virus, resisten a la glicerina y al calentamiento a 55 a 60°C por 30 a 60 minutos. Parece que las rickettsias de la fiebre Q resisten algo más el calentamiento; estas y las del tifus son relativamente más resistentes a la desecación, persistiendo en forma infecciosa viable en el aire en el primer caso, y en las heces infectadas de los piojos en el segundo, por largo tiempo.

Patogenicidad.[43] Las rickettsias parecen parásitos de los artrópodos, y hay pruebas de que las rickettsiasis pueden originarse por arácnidos. No son patógenas para los insectos vectores que las transmiten, excepto el piojo; de hecho, la infección es congénita en insectos que sufren una metamorfosis incompleta, o sea las garrapatas. También parecen estar bien adaptadas a algunos animales, en especial roedores, que en muchas ocasiones constituyen un depósito de infección en la naturaleza.

Las alteraciones anatomopatológicas características que se encuentran en las rickettsias dependen de multiplicación de los microorganismos dentro de las células endoteliales de los vasos sanguíneos pequeños en todo el cuerpo, y en especial en piel y cerebro en el tifus epidémico. Es común que las células afectadas proliferen y que ocurra trombosis después que se lesiona el endotelio de los pequeños vasos. Alrededor de los vasos se acumulan células inflamatorias, y en infecciones graves en el hombre y en el cobayo, como la fiebre manchada, pueden estar afectadas las células de los músculos lisos de los vasos medianos, y las trombosis extensas pueden causar gangrena.

Toxina. Pueden demostrarse dos tipos de toxicidad por rickettsias, una endotoxina relacionada con los microorganismos íntegros [4, 12] y una actividad hemolítica que lisa los hematíes de carnero y conejo pero no los de otras especies examinadas. La endotoxina es mortal para el ratón y se titula inoculando por vía venosa de material como el obtenido por cultivo en saco vitelino, atribuyéndose las muertes hasta en 18 horas a la toxicidad. El título de la toxina es directamente proporcional a la cantidad de rickettsias presentes, y guarda relación con su supervivencia. La mayor parte de substancias que destruyen la infecciosidad también inactivan la toxicidad, excepto la radiación ultravioleta que, en dosis apropiadas, reduce selectivamente la infecciosidad sin afectar las actividades tóxicas, hemolítica o respiratoria. La actividad de la toxina es similar a la de otras endotoxinas microbianas y aumenta la permeabilidad vascular, pero parece variar en otros aspectos.[63] El antisuero la neutraliza específicamente; hay reacciones cruzadas entre los miembros de los grupos principales de rickettsias, el tifus, fiebre manchada y grupos tsutsugamushi (véase luego), pero no entre los grupos. También hay una actividad exotóxica demostrable inoculando al conejo por vía intradérmica para provocar una reacción inflamatoria local, y por el crecimiento de hígado y bazo de ratas y ratones inoculados por vía peritoneal.

Como antes dijimos, la actividad hemolítica de suspensiones de rickettsias purificadas es específica de especie, y está íntimamente relacionada con la endotoxina y con la actividad enzimática, en particular la oxidación de glutamato, y los inhibidores metabólicos impiden su actividad. De ordinario, la actividad hemolítica de los microorganismos causales no desempeña papel apreciable en la patogenia de la enfermedad infecciosa. También está relacionada con la toxemia mortal por rickettsias en

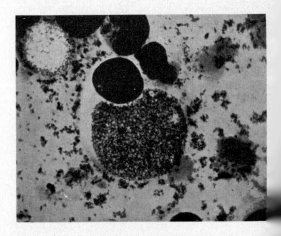

FIG. 34-4. Rickettsias de fiebre Q en un frotis exudado de la piel. Obsérvese el macrófago lleno de cantidades enormes de rickettsias. $\times$ 1 125.

el conejo, mostrando los animales hemólisis masiva intravascular, con hemoglobinemia, hiperpotasemia, lesión del miocardio e hipotensión. Sin embargo, no está claro que la toxicidad o la actividad hemolítica desempeñe papel importante en la patogenia de infecciones por rickettsias, pues al parecer se disocian de la virulencia.[49]

Infecciones experimentales. La infección por rickettsias puede producirse en el cobayo; el procedimiento usual para aislamiento consiste en inocular por vía intraperitoneal 5 ml de sangre a dos animales. Siete a 12 días después hay un ataque febril, y algunas variedades de rickettsias producen una orquitis característica o reacción escrotal, que tiene valor diferencial. Se forma exudado fibrinoso agudo en el saco escrotal, y pueden encontrarse muchas células llenas de rickettsias. La enfermedad en el cobayo no suele ser mortal; este animal es mucho más resistente que el hombre a la infección. Otros animales de laboratorio comunes son más resistentes, y las ratas, ratones, conejos, perros, gatos, etc., quizá no muestren reacción febril u otras manifestaciones visibles de enfermedad, aunque la infección se ha establecido y, en algunos casos cuando menos, puede persistir meses.

Quimioterapia. Las sulfamidas y la penicilina no son eficaces para quimioterapia de las enfermedades por rickettsias, aunque en años anteriores se han usado para tratar complicaciones como la bronconeumonía y otras infecciones bacterianas secundarias. Se ha comprobado que el ácido paraaminobenzoico es parcialmente eficaz en el tifus y las fiebres manchadas si se da tempranamente, pero no puede considerarse quimioterápico realmente eficaz. Con el desarrollo de los antibióticos de amplio espectro se han podido tratar con eficacia las infecciones por rickettsias; está comprobado que estas substancias son eficaces para este grupo de enfermedades. El cloramfenicol ha sido de particular interés para tratar la enfermedad tsutsugamushi (tifus de los matorrales), ya que todavía no es posible la inmunización profiláctica eficaz del hombre, y el depósito de infección de los ácaros no se controla adecuadamente. Se ha visto, que la enfermedad clínica puede suprimirse administrando esta substancia profiláctica o terapéuticamente, pero que, a menos que el tratamiento se continúe por cerca de cuatro semanas, hay recaídas; al parecer, no basta el antibiótico solo para eliminar de los tejidos las rickettsias, se necesita una respuesta inmunitaria. Las tetraciclinas han demostrado ser quimioterápicos más eficaces.

Tiene gran interés el hecho de que, si todavía no se han encontrado en la naturaleza cepas de rickettsias resistentes a los medicamentos, Weiss y colaboradores hayan podido obtenerlas en el laboratorio. Mediante pasos en serie de huevo en presencia de concentraciones crecientes del medicamento se han producido cepas de *R. prowazeki* resistentes a la acción rickettsiostática de PABA, quino-

xalina y eritromicina.[61] La mayor parte de las cepas resistentes, pero no todas, al parecer no alteran su virulencia y toxicidad.[59]

Inmunidad. Por lo general, la recuperación del ataque de una enfermedad ocasionada por rickettsias confiere inmunidad sólida y duradera. En algunos casos, cuando menos, guarda relación con la supervivencia prolongada de los microorganismos en el cuerpo, señalada por lo que ocurre con la enfermedad de Brill (véase luego) y porque en individuos clínicamente recuperados se demuestran rickettsias de tsutsugamushi.

Más adelante trataremos del desarrollo de técnicas de inmunización artificial; aquí podemos señalar que la respuesta inmunitaria se manifiesta por la aparición de anticuerpos protectores, opsoninas y aglutininas para las rickettsias, y de anticuerpo fijador del complemento. El último ha interesado bastante como método de diagnóstico diferencial, y distingue incluso entre variedades de rickettsias muy relacionadas. También hay un anticuerpo que neutraliza la toxicidad de las rickettsias del tifus; en Estados Unidos de Norteamérica se usa para valorar la potencia inmunógena de las vacunas. Las rickettsias contienen antígenos somático y capsular. En la purificación del cultivo en saco vitelino el material se extrae con éter para eliminar substancia lipoide, y, con excepción de *R. orientalis,* las rickettsias se encuentran en la fase acuosa. La extracción da por resultado que se libere un antígeno soluble, específico de grupo, en la fase acuosa, que carece de substancia capsular.

Reacción de Weil-Felix. En algunas enfermedades por rickettsias aparecen aglutininas contra diversas cepas de Proteus. Weil y Felix observaron en 1915 esta respuesta aparentemente anómala y de gran valor diagnóstico. Encontraron que los sueros de tifus aglutinaban una cepa de *Proteus vulgaris,* que llamaron X-2; y otra cepa, denominada X-19, se aglutinaban en forma semejante pero con título mucho más elevado. De hecho, en el tifus europeo se observan en ocasiones títulos tan altos como 1:50 000. También se demostró que el antígeno aglutinante era una parte del antígeno somático termostable O; por lo tanto, estas cepas se denominan comúnmente OX. Desde entonces se han aislado otras cepas que presentan esta característica inmunológica. Tiene cierta importancia al practicar la aglutinación usar un antígeno O, porque con cierta frecuencia en sueros normales hay anticuerpo contra el antígeno flagelar de Proteus. Una aplicación más general de esta prueba de aglutinación, conocida comúnmente como reacción de Weil-Felix, demostró que es específica para el tifus; los sueros de otras rickettsias solo aglutinan el título bajo o no lo hacen. El fenómeno es consecuencia de la presencia de un antígeno común en las rickettsias del tifus y en las cepas X de Proteus.

La aglutinina de Proteus solo es una parte de la respuesta de anticuerpo. No es idéntica a la agluti-

Agrupamiento inmunológico (Weil-Felix) de las rickettsiasis

Grupo inmunológico		
OX-19	OX-K	Indeterminado
OX-19 ++++ OX-2 + OX-K —	OX-19 — OX-2 — OX-K ++++	OX-19 + OX-2 + OX-K +
Tifus europeo, clásico Enfermedad de Brill Tifus murino, endémico de Estados Unidos de Norteamérica, Australia, Grecia, Siria, Manchuria, Malaya, India, Borneo, Filipinas, Hawai, Tolón (fiebre marina)	Tsutsugamushi en Japón, Formosa, Malaya, Indias Holandesas orientales "Tifus de los matorrales" o "tifus rural" de Malaya, Indias Holandesas orientales, Indochina francesa, India, Australia Fiebre de ácaros de Sumatra	Fiebre manchada Tifus de São Paulo Fiebre botonosa Fiebre exantemática Fiebre eruptiva Fiebre de garrapata de Sudáfrica Fiebre de Kenia Tifus de garrapata de la India

* Modificado de Felix.

nina de rickettsias, porque esta última aparece más tarde, persiste más tiempo, y parece relacionada con anticuerpo protector. Además, la opsonina persiste en el suero de tifus después que se ha absorbido con Proteus.

Otro tipo inmunológico de Proteus, las cepas OX-K, se aglutina con sueros tsutsugamushi, pero no con los de tifus. Esto, junto con el tipo OX-19, permite dividir las enfermedades por rickettsias en tres grupos; el grupo tifus, en el que se aglutina el OX-19, el tsutsugamushi, en que se aglutina el OX-K, y el de fiebre manchada, indeterminado porque ningún tipo de Proteus se aglutina con título elevado. En el cuadro adjunto se da una clasificación de las rickettsias basada en lo dicho.

Se desconoce por completo la significación de la reacción de Weil-Felix. Es posible que fuera casual la presencia de un antígeno común, o más específicamente un hapteno polisacárido, en dos de esos diferentes microorganismos. Es poco probable que solo por casualidad ocurriera un segundo antígeno común que compartiera otra variedad de Proteus y otro grupo de rickettsias. Sin embargo, no hay prueba de ninguna otra relación entre Proteus y rickettsias. Por ejemplo, no hay relación entre las cepas X y el tifus; estas se encuentran en otras enfermedades que no son tifus, y en esta enfermedad se encuentran otras cepas de Proteus que no son las X. Claro, es frecuente que en las infecciones por Proteus se formen aglutininas específicas. Por ejemplo, se ha encontrado que los sueros de personas infectadas con *Pr. vulgaris, Pr. mirabilis,* o *Pseudomonas aeruginosa* aglutinan cepas de Proteus OX-K con título elevado. Podría decirse que esas personas dan una reacción de Weil-Felix positiva.

Reacciones serológicas específicas. Un método preciso de diagnóstico e identificación serológica debería basarse en el uso de antígeno rickettsial y, por lo tanto, en una verdadera especificidad inmunológica. La reacción de Weil-Felix, aunque ha sido de extrema utilidad, no es específica y comple-

tamente segura. La prueba de protección en el cobayo es útil para demostrar los antígenos funcionales en la inmunidad específica, pero la resistencia natural relativamente grande de estos animales, en comparación con la del hombre, tiende a entorpecer la diferenciación en algunos casos. Por ejemplo, hay una protección cruzada importante y adecuada en el cobayo entre las variedades de rickettsias de tifus por piojo y murina, pero no en el hombre, que es mucho más susceptible. En forma similar, la prueba de protección no distingue entre las cepas de rickettsias de la fiebre Q.

Las reacciones serológicas in vitro, que pueden hacerse porque se dispone de cantidades relativamente grandes de antígeno de cultivo en saco vitelino de huevo, son de dos clases: una, la aglutinación directa de rickettsias en suspensión; la otra, de fijación del complemento. En los microorganismos se encuentran dos clases de antígeno, uno soluble específico de grupo, y otro específico de cepa.

Los cultivos en saco vitelino de huevo contienen grandes cantidades de material lipoide, que se elimina extrayéndolo con éter de una suspensión salina de la substancia del saco vitelino. Como antes dijimos, todas las rickettsias, excepto la tsutsugamushi que se encuentran en la interfase de la emulsión quedan en la fase acuosa, y el tratamiento libera antígeno soluble de todas ellas, menos de la rickettsias de la fiebre Q. El antígeno soluble se separa alejando las rickettsias en la centrífuga y usándolas en una prueba de precipitina, o pueden usarse, de otra forma, la mezcla de rickettsias y antígeno soluble como antígeno en la prueba de fijación del complemento.

Con algunas preparaciones de antígeno se ha tenido dificultad porque tienden a dar reacciones de fijación del complemento positivas falsas, en especial con sueros positivos para Wasserman. Esto no pasa con suspensiones de rickettsias lavadas, pero su preparación es difícil y laboriosa. Pueden prepararse buenos antígenos solubles

Enfermedades del hombre por rickettsias

	Nombre de la rickettsia	*Sinónimos*	*Enfermedad*	*Distribución geográfica*
Grupo tifus	*Rickettsia prowazeki*	——	Tifus epidémico (tifus clásico, europeo, por piojos)	Europa, Asia, Sudamérica
			Enfermedad de Brill	Norteamérica, Europa, etc.
	Rickettsia typhi	*Rickettsia mooseri* R. muricola	Tifus murino (tifus endémico, tifus por pulga)	En todas partes
Grupo fiebre manchada	*Rickettsia rickettsii*	*Dermacentroxenus rickettsi*	Fiebre manchada (fiebre manchada de las Montañas Rocosas)	Norteamérica
			Tifus de São Paulo	Brasil
			Fiebre de Tobia	Colombia
	Rickettsia conori	*Dermacentroxenus rickettsi*	Fiebre botonosa (fiebre marsellesa o mediterránea)	Litoral del Mediterráneo
		R. rickettsii var. conori	¿Tifus de la India por garrapata?	India
			¿Tifus de Kenia?	Africa oriental
		¿*Dermacentroxenus sibericus?*	¿Fiebre sudafricana por mordedura de garrapata?	Sudáfrica
			¿Tifus de Siberia por garrapata?	Asia central
	Rickettsia australis	——	Tifus de Queensland del norte, por garrapata	Australia
	Rickettsia akari	——	Rickettsiasis pustulosa	Lugares urbanos en el NE de Estados Unidos de Norteamérica y en Rusia
Grupo tsutsugamushi	*Rickettsia tsutsugamushi*	*Rickettsia orientalis* R. nipponica R. akamushi	Enfermedad de tsutsugamushi Fiebre de río japonés Fiebre Kedani Tifus de los matorrales Tifus rural	Japón, Corea, China, Filipinas, Asia SE. India, Indonesia, N. Australia
	Coxiella burnetii	*Rickettsia burnetii* R. diaporica	Fiebre Q	Mundial
	Rickettsia quintana	*Rickettsia pediculi* R. wolhynica	Fiebre de trinchera (fiebre de Wolhynias; fiebre de cinco días)	Identificadas solo durante las guerras mundiales I y II en frentes europeos

Enfermedades del hombre por Rickettsias *(continuación)*

Artrópodos vectores	Vertebrado reservorio	*Infecciones experimentales y observaciones*	Reacción de Weil-Felix		Fijación de complemento
Piojo humano, *Pediculus humanus*	Hombre	Cobayo; solo fiebre	OX-19: ++++ OX-2 : + OX-K : 0		
Pulgas *Xenopsylla cheopis* *X. astia* Piojo de la rata *Polyplax spinulosa*	Ratas salvajes Ratones campestres	Cobayo: fiebre e hinchazón del escroto	OX-19: ++++ OX-2 : + OX-K : 0		Específica de grupo o de especie
Garrapatas *Dermacentor ander-soni* *D. variabilis* *D. parumapertus* *Rhipicephalus sanguineus* *Haemaphysalis leporis-palustris* Varias especies de *Amblyomma* *Ixodes dentatus*	Pruebas incompletas señalan a: conejos, roedores pequeños, perro, zarigüeya (Sudamérica)	Cobayo: fiebre y reacción escrotal grave (necrosis)	OX-19: + OX-2 : + OX-K : 0		
Garrapatas *Rhipicephalus sangui-neus* *R. appendiculatus* *Haemaphysalis leachii* *Amblyomma hebraeum*	Perro ¿Roedores? (Sudáfrica)	Cobayo: fiebre e hinchazón del escroto	OX-19: + OX-2 : + OX-K : 0		Específica de grupo o de especie
¿Garrapata? ¿*Ixodes holocyclus?*	¿Rata? ¿Marsupiales?	Cobayo: fiebre e hinchazón del escroto	OX-19: + OX-2 : + OX-K : 0		
Acaro *Allodermanysus san-guineus*	Ratones de casa	Ratón; ascitis, esple-nomegalia, muerte	OX-19: 0 ó + OX-2 : 0 OX-K : 0		
Acaros *Trombicula akamushi* *T. deliensis* *T. pallida*	*Apodemus agrarius* y otros roedores sal-vajes ¿Pájaros?	Ratón; ascitis, esple-nomegalia, muerte	OX-19: 0 OX-2 : 0 OX-K : ++++		No se ha estudiado todavía en forma adecuada
Garrapatas *Haemaphysalis hume-rosa* *Ixodes holocyclus* *Dermacentor andersoni* *Amblyomma america-num* (y se han aislado de muchas otras)	Bandicot (Australia) ¿Pájaros? Las infecciones huma-nas ocurren por contacto directo o indirecto con bo-rregos, ganado, ca-bras, infectadas	Cobayo; solo fiebre	OX-19: 0 OX-2 : 0 OX-K : 0		Específica
Piojo humano *Pediculus humanus*	?	Ninguna	OX-19: 0 OX-2 : 0 OX-K : 0		No disponible

partir de sacos vitelinos infectados, purificados por extracción con éter, tratados en seguida con benceno y precipitados con sulfato de sodio. Con este antígeno la fijación del complemento no da positivas falsas con los sueros positivos para Wassermann, pero no siempre distingue entre tifus epidémico y murino.

La técnica de anticuerpo fluorescente se ha utilizado para demostrar rickettsias mediante el método directo,[10] y para la titulación de anticuerpo por el método indirecto. Las molestas reacciones cruzadas en el último, como entre tifus murino y epidémico, se eliminan en gran parte diluyendo simplemente el suero a probar en antígeno heterólogo soluble.[19]

Clasificación. Con anterioridad hemos descrito la posición intermedia de las rickettsias respecto a otros microorganismos, pero también es manifiesto que hay diferencias dentro del grupo. En general, las rickettsias patógenas para el hombre caen dentro de cuatro grupos. Tres de ellos están bien definidos con respecto al carácter inmunológico y a la patogenicidad, pero son heterógenos en lo que se refiere a insectos vectores. Estas son las rickettsias causa de las fiebres del grupo tifus, las del grupo de la fiebre manchada, y los agentes causales de la enfermedad tsutsugamushi. Hay cierta confusión en lo que respecta a nombres de las enfermedades causadas por estas formas, porque algunas del grupo de la fiebre manchada han recibido nombres como el de "tifus por garrapatas". Las rickettsias que causan la fiebre Q y la de las trincheras se colocan aparte de las otras, pero no están relacionadas entre sí, y caracterizan un grupo diverso.

Dentro del grupo tifus se distinguen dos especies, *R. prowazeki* y *R. typhi,* agentes del tifus epidémico por piojos o europeos, y del tifus murino, respectivamente. Dentro del grupo de fiebre manchada se distinguen cuatro especies: *R. rickettsii,* causante de la fiebre manchada, tifus de São Paulo y fiebre de Tobia; *R. conori,* agente causal de la fiebre botonosa y probablemente los de las enfermedades por garrapatas en Africa, India y Siberia que reciben el nombre general de tifus por garrapatas; *R. australis,* que causa el tifus australiano por garrapatas; y *R. akari,* causante de la rickettsiasis pustulosa. Las rickettsias de tsutsugamushi son inmunológicamente heterogéneas, pero no se han diferenciado subgrupos o especies, y reciben el nombre único de *R. tsutsugamushi.*

Se conoce poco el agente que al parecer causa la fiebre de trinchera; la denominación *R. quintana* no se basa en una caracterización diferencial detallada. Si embargo, el agente causal de la fiebre Q se ha caracterizado con cierta precisión y se coloca tan aparte de otras rickettsias que se le ha dado un nombre diferente, *Coxiella burnetii.* En el cuadro se resumen las características diferenciales y la localización de estas rickettsias.

También se cree que las rickettsiasis que se encuentran en los animales inferiores difieren de las patógenas humanas lo bastante para justificar nombres diferentes, *Cowdria ruminatum* para la que causa el hidropericardio, y otras que causan enfermedades de animales inferiores se designan Ehrlichia, incluyendo *Ehrlichia ovina* en carneros, *E. canis* en perros, y *E. bovis* en el ganado. El microorganismo no patógeno similar a una rickettsia, que se encuentra en la garrapata del carnero y, a diferencia de las rickettsias puede cultivarse sobre agar glucosado con sangre, es *Wolbachia melophagi.*

Fiebres del grupo tifus[30]

Las fiebres del grupo tifus son una serie de infecciones íntimamente relacionadas que ocurren en distintas partes del mundo. El periodo de incubación es de cinco a 18 días, y el cuadro clínico es prácticamente el mismo en todas las fiebres, aunque su gravedad varía mucho. Hay una cefalea inicial violenta que persiste al comenzar los escalofríos, y fiebre alta. Poco después del cuarto día aparece una erupción macular que persiste hasta que desaparece la fiebre. La crisis ocurre alrededor del duodécimo día y la recuperación puede ser más o menos completa al final de otras dos semanas, aunque la tos puede persistir, y el vigor mental quedar algo disminuido por un tiempo. Las complicaciones incluyen la gangrena del tifus, tal vez relacionada con las alteraciones circulatorias que se originan durante la enfermedad, una bronconeumonía, otitis media y encefalitis de gran mortalidad. La muerte rara vez ocurre antes del final de la primera semana.

La mortalidad es muy variable; en algunas epidemias ha sido tan alta como el 70 por 100, y no es raro un 20 a 30 por 100, en tanto que en el tifus endémico es mucho menor, tal vez del 5 por 100. El tifus casi siempre es enfermedad considerablemente menos grave en niños que en adultos.

Las responsables de estas enfermedades son dos especies de rickettsias, que en forma característica están en el citoplasma, pero no en el núcleo de las células invadidas. Guardan relación con dos tipos de fiebres del grupo tifus epidemiológicamente diferentes. Uno es el clásico tifus epidémico o europeo, causado por *R. prowazeki (R. prowazeki var. prowazeki).* El otro es el tifus murino, llamado algunas veces tifus endémico; la rickettsia causante es *R. typhi (R. prowazeki var. mooseri, R. muricola, R. mooseri).* Ambas son homogéneas inmunológicamente, y las cepas de todas partes del mundo parecen substancialmente idénticas Estas rickettsias pueden diferenciarse entre sí mediante la fijación del complemento, y contienen antígenos comunes e individuales.

Otro miembro del grupo del tifus, fue aislado de garrapatas en Canadá, y denominado *R. canada*.[38] Su crecimiento intranuclear es característico de las rickettsias del tifus y contiene antígenos de grupo, comunes con ellas. Existe la comprobación serológica de infección humana clínicamente similar a la fiebre moteada.[8] La presencia de *R. canada* en garrapatas es importante, por cuanto sugiere la existencia de una garrapata reservorio de infección, y puede explicar las reacciones positivas de sueros, empleando antígenos de grupo, en ausencia manifiesta de tifus.

TIFUS EPIDEMICO CAUSADO POR PIOJOS

La forma clásica de tifus, conocida durante muchos años, es el tifus por piojo de Europa Central, que persiste en forma endémica en Rusia y Polonia y que, en ocasiones, se ha manifestado en forma epidémica importante de cuando en cuando durante periodos de tensión. La enfermedad está relacionada con el hacinamiento y la suciedad, y se ha llamado "fiebre de campamento" y "fiebre de cárcel". En tiempos de guerra no son raras las epidemias en las poblaciones civil y militar, que pueden ser muy extensas; por ejemplo, se estima que en 1915 murieron en Servia 315 000 personas, y que en Rusia hubo 25 millones de casos de 1917 a 1921.

La enfermedad es transmitida por el piojo del cuerpo humano, *Pediculus vestimenti*. El de la cabeza también puede transmitir la infección, pero no se ha establecido su importancia en la diseminación de la enfermedad. Durante el estado febril de la misma las rickettsias se encuentran en la sangre, y el piojo se infecta por ingerirla. En él las rickettsias infectan las células que revisten el intestino, se multiplican, y se eliminan con las heces después de romperse las células infectadas; el piojo se hace infeccioso en seis a ocho días a 32°C. Las glándulas salivales no están infectadas, no hay transmisión congénita de la infección, y esta matará al piojo. La mayor parte de infecciones se adquieren probablemente por la contaminación de la picadura del piojo con heces infectadas, pero es posible a través de las mucosas. Las rickettsias persisten viables en substancia seca como las heces del piojo, y ha habido infecciones accidentales en el laboratorio después de inhalar materiales infecciosos.

Aunque experimentalmente se han infectado chinches y garrapatas, es probable que el único vector de esta enfermedad en condiciones naturales sea el piojo.

Enfermedad de Brill. El tifus europeo por piojo de tipo leve es endémico, aunque en los últimos años ha disminuido su frecuencia en ciudades a lo largo de la costa Atlántica en Estados Unidos de Norteamérica. La enfermedad de Brill, considerada por muchos durante largo tiempo como diferente del tifus europeo, ha demostrado ser originada por el piojo e idéntica a este. Se presume que en Estados Unidos de Norteamérica ha sido importada desde zonas endémicas de Europa. También se ha encontrado en Australia[56] en inmigrantes de Europa Central. La enfermedad de Brill, o tifus latente, se ha observado en Europa, tanto en Inglaterra[28] como en el continente. Este tifus latente, o estado de portador sano, capaz de infectar piojos que se alimentan de individuos infectados, puede ser el punto de inicio de epidemias. Los investigadores rusos tienden a no valorar tal fuente de infección, considerando que la aparente recurrencia es una consecuencia de reinfección más que de recaída.[47] Como la infección no se transmite congénitamente en el piojo, y el infectado suele morir en plazo de dos semanas, parece probable que el depósito de infección sea el hombre.[50] Por ejemplo, este receptáculo de infección subclínica en Egipto está indicado por estudios serológicos.[1] Sin embargo, tales observaciones pueden complicarse por la aparición de rickettsias inmunológicamente similares transmitidas por garrapatas, como *R. canada*. El depósito que se sabe que existe en Europa Central puede consistir en parte de infecciones latentes, pero la enfermedad permanece latente en forma endémica en un número relativamente grande de infecciones leves. Por ejemplo, se observó una frecuencia total de 24.5 por 100 de reacciones de Weil-Felix positivas en rusos sanos sin antecedentes de tifus, en la zona de ocupación alemana de Rusia en la segunda guerra mundial, que aumentó desde 11 por 100 en el grupo de menores de cinco años a 34.5 por 100 en el grupo de seis a diez años.

TIFUS MURINO

El tipo de tifus que prevalece en el sur de Estados Unidos de Norteamérica y en México, donde se conoce como *tabardillo,* durante mucho tiempo se supuso que era una forma leve del tifus europeo por piojo. La enfermedad está relacionada con las ratas, y desde entonces se ha visto por las investigaciones de algunos autores que este animal es un depósito de infección en Estados Unidos de Norteamérica y en México, que la enfermedad se transmite de rata a rata, y de esta al hombre por la pulga de la rata, *Xenopsylla cheopis,* y por el piojo de la rata, *Polyplax spinulosa.*

El piojo humano también puede transmitir la enfermedad; cuando ocurre un caso por transmisión de la rata en una comunidad donde abundan los piojos, se ha sugerido que el tifus murino puede convertirse en una infección epidémica por piojo. En México, de cuando en cuando suceden esas epi-

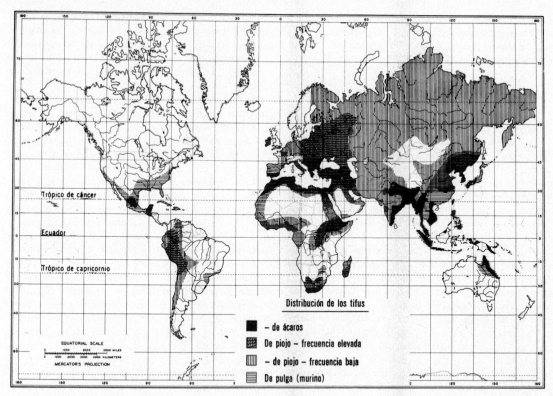

FIG. 34-5. Distribución mundial de las fiebres del grupo tifus, incluyendo tifus clásico o europeo, tifus murino, y tifus por ácaro del Lejano Oriente. Copia de los mapas preparados por el Servicio de Información Médica del Ejército. Basado en Goode *Base Map* núm. 201M. Con permiso de University Chicago Press.)

demias. El tifus murino ocurre en Estados Unidos de Norteamérica con gran frecuencia; de 1932 a 1941 se registraron oficialmente 20 000 casos aproximadamente, y se observaron 5 191 casos con 214 muertes en 1945 en 44 estados, sobre todo en los del sudeste. Antes de 1946 había la creencia general de que el tifus murino era una enfermedad más frecuente de lo declarado en Estados Unidos de Norteamérica. Desde ese año parece que ha ido disminuyendo con rapidez, observándose 685 casos en 1950, 46 en 1961, 28 en 1965, y 27 en 1970. Con la atención que se ha dirigido a esta enfermedad, el diagnóstico erróneo al parecer se ha hecho más común, en gran parte como resultado de la interpretación equivocada de reacciones de Weil-Felix de título bajo. Con el advenimiento de la fijación del complemento específica, muchos casos observados no se confirman con este método. Por ejemplo, en un estudio en los estados del sudeste se demostró que el 25 por 100 de los casos informados no correspondían definitivamente a tifus.[52] Es posible cierto control de la enfermedad disminuyendo la población de ratas y pulgas de estos animales, como ha demostrado un estudio hecho en Georgia, en el que se disminuyó en 80 a 90 por 100 la frecuencia de la enfermedad humana.[32]

El tifus murino también ocurre en otras partes del mundo y se conoce por diversos nombres. El tipo urbano que ocurre en Malaya o "tifus de las tiendas", la forma leve de esta enfermedad en la región del Mediterráneo conocida como tifus de Tolón, y otras infecciones como el tifus de Moscú, tifus de Manchuria, y la fiebre roja del Congo, son tifus murinos iguales, o casi iguales, al que se encuentra en Estados Unidos de Norteamérica y México.

Clínicamente, el tifus murino no difiere notablemente del tipo europeo clásico. A veces se dice que la enfermedad europea probablemente sea más a menudo mortal, pero al parecer esto no es cierto; ambos son igual de mortales en la forma epidémica, y relativamente leves en la endémica.

Las diferencias entre *R. prowazeki* y *R. typhi* pueden demostrarse pero no son notables. Las rickettsias murinas producen una reacción escrotal necrótica en el cobayo, y no en la variedad europea; la murina puede transportarse en ratones indefinidamente sin alterarse, pero la variedad europea tiende a degenerar; la variedad murina puede producir neumonía rickettsial y multiplicarse intraperitonealmente en ratas, dando cantidades enormes de rickettsias, pero no así el tipo europeo. También hay una ligera diferencia inmunológica; mientras la recuperación de cualquiera de las infecciones da por resultado una inmunidad sólida y duradera para ambas, las vacunas murinas protegen contra la infección murina, pero solo incompletamente contra la infección con rickettsias del tifus europeo. Ambas pueden diferenciarse por la prueba de fijación del complemento.

INMUNIZACION

La preparación de vacunas que produzcan inmunidad activa eficaz contra el tifus es de cierta importancia, porque en las circunstancias en que ocurre en forma epidémica a menudo no es posible controlar adecuadamente los vectores. En el hombre, la inmunidad producida mediante inmunización es específica, y la inmunidad cruzada entre tifus epidémico y murino no es bastante alta para que resulte práctica.

Vacuna inactivada.[17] Las rickettsias se han cultivado en muchas formas para preparar vacunas inactivadas. La vacuna de Weigl fue una de las primeras; se preparó con cuerpos de piojos infectados mediante inoculación por vía intrarrectal. También se ha usado una vacuna preparada con cerebro infectado de ratón. *R. typhi* produce neumonía en ratas inoculadas intratraquealmente, y las rickettsias pueden obtenerse en grandes cantidades del tejido pulmonar infectado mediante centrifugación diferencial. La rata no es susceptible para esta clase de infección con *R. prowazeki* a menos que se disminuya su resistencia tratándola previamente, por ejemplo con rayos X. Estos métodos fueron substituidos en gran parte al introducirse, en los primeros años de la década de 1940, el cultivo en el saco vitelino de huevo para preparar vacunas.

De estas, la de Weigl no es práctica para uso en ninguna escala. La vacuna preparada con cultivo de pulmón de rata se ha usado en grado considerable en México, y la usó el ejército alemán durante la segunda guerra mundial; el método de preparación de esa vacuna, que incluye inoculación por vía intratraqueal, es muy peligroso y relativamente caro.

La vacuna que se usa generalmente en Estados Unidos de Norteamérica es de saco vitelino, preparada mediante extracción con éter, como antes dijimos; el producto final es una suspensión de rickettsias de tifus epidémico muertas con formol, y de antígeno soluble. Hay motivos para creer que la liberación de antígeno soluble aumenta la potencia inmunógena de la substancia. Se estandariza basándose en la toxicidad, o sea, por prevención del efecto tóxico de rickettsias inoculadas. Se ha usado en el ejército de Estados Unidos de Norteamérica administrando tres dosis con intervalos de siete a diez días, seguida de una dosis única cada cuatro a seis meses. No se ha demostrado que la posibilidad de reacciones alérgicas, después de inocular el material de huevo, sea importante; aproximadamente seis a ocho millones de soldados recibieron la vacuna con solamente dos muertes atribuibles a la misma.

Datos experimentales sugieren firmemente que con esta vacuna inactivada se produce un grado notable de inmunidad. No hay una buena prueba de campo que demuestre su eficacia, aunque durante la segunda guerra mundial se registraron muy pocos casos de tifus leve, y ninguna muerte, en el ejército de Estados Unidos de Norteamérica, a pesar de que muchos militares se expusieron a la enfermedad. Ha habido algunos casos de infección en personal de laboratorio vacunado y no vacunado; es obvio que la inmunización modifica substancialmente una infección adquirida subsecuentemente, y la enfermedad resultante es leve.

Vacuna atenuada.[64] Las vacunas preparadas con microorganismos atenuados, de virulencia claramente reducida para el hombre, son necesarias cuando el antígeno inactivado no produciría una inmunidad eficaz, por ejemplo, la tuberculosis, fiebre amarilla, etc., o son deseables cuando la inmunidad inducida es baja, como en la peste. La multiplicación de los microorganismos atenuados proporciona gran cantidad de antígeno, no desnaturalizado por los procesos de inactivación, y posiblemente se formen substancias antigénicas adicionales durante el desarrollo (capítulo 14), pero al usar estas vacunas persiste la posibilidad de que se recupere la virulencia.

En el caso de *R. prowazeki,* ocurrió un cambio espontáneo hacia la avirulencia para cobayos y otros animales de laboratorio durante los pasos continuos en huevo de una cepa aislada en Madrid y que se designó cepa E. La posibilidad de que esta cepa atenuada dé una inmunidad de eficacia superior ha sido de gran interés; la han estudiado investigadores rusos,[51, 65] y en Estados Unidos de Norteamérica Fox y colaboradores.[14, 15] En el último estudio se usaron voluntarios humanos que se sometieron a una amplia prueba de campo en Perú, donde la enfermedad es endémica. En más del 90 por 100 de las personas inoculadas bajo condiciones de campo se producen anticuerpos fijadores de complemento y neutralizadores de toxina. Se ha demostrado que esta respuesta inmunitaria se acompaña de inmunidad eficaz, demostrable mediante una inoculación de prueba con *R. prowazeki* virulenta, y que persiste por más de seis años después de la inmunización. No se ha señalado que la cepa atenuada recupere la virulencia, ni que las personas inoculadas sirvan de foco de infección.

Fiebres exantemáticas o manchadas

Las rickettsiasis que caracterizan al grupo de la fiebre manchada son considerablemente más heterogéneas que las fiebres del grupo tifus. Varias de ellas todavía se conocen poco. Todas son transmitidas por garrapatas, aunque algunas difieren inmunológica y clínicamente de la fiebre manchada de las Montañas Rocosas.[11, 27]

Fiebre manchada de las Montañas Rocosas. Clínicamente se parece al tifus; la erupción suele ser más extensa y los síntomas nerviosos pueden ser más intensos, pero en zonas donde abundan ambas enfermedades es excesivamente difícil diferenciarlas por la clínica solamente.

La enfermedad ha sido conocida durante muchos años en la región de las Montañas Rocosas en estados como Idaho, Montana, Wyoming, Oregon y Washington. Pero en 1930 se encontró en la parte oriental de Estados Unidos de Norteamérica, en los estados del sur del Atlántico como Maryland, Virginia, oeste de Virginia y Carolina del Norte. Aunque la enfermedad no está limitada a dichas regiones, de los 2 190 casos informados de 1933 a 1937, el 65.5 por 100 eran de los estados del Pacífico y de las montañas, y 27.4 por 100 del grupo del sur del Atlántico; a las dos zonas combinadas les correspondía el 93 por 100 del total de casos observados en el país.

Cada año se observan aproximadamente 200 a 300 casos;[21] en 1961 se declararon 219, 281 en 1965, y 380 en 1970.

Se acostumbra hablar de dos tipos de esta enfermedad, un tipo oriental y uno occidental. Sin embargo, ambos son inmunológicamente idénticos y causados por la misma rickettsia, *R. rickettsii,* que, en contraste con las rickettsias del tifus, se encuentra dentro del núcleo de las células invadidas. Ambos son transmitidos por garrapatas pero por diferentes especies. La garrapata de la madera, *Dermacentor andersoni,* es el vector de la enfermedad en los estados del oeste, y la garrapata del perro, *Dermacentor variabilis,* transmite la enfermedad en la región del Atlántico. La garrapata del conejo, *Haemaphysalis leporis-palustris,* disemina la infección en los animales. *Amblyomma americanum, A. cajennense, D. occidentalis, Rhipicephalus sanguineus, D. parumapertus,* y *Ornithodorus parkeri* son capaces de transmitir la enfermedad experimentalmente y deben considerarse vectores potenciales. La infección es congénita, se transmite de una generación a la siguiente, en *D. andersoni,* pero no se ha aclarado si lo es en la garrapata del perro. En el primer caso, por lo tanto, no es necesario un depósito animal de infección, aunque es probable que ocurra. En el segundo, el perro servirá como depósito temporal de infección. El cuerpo del piojo puede infectarse experimentalmente con esta y otras rickettsias del grupo, pero no parece tomar parte, o muy poca, en la enfermedad humana.

La mortalidad en la fiebre manchada es muy variable. En Idaho ha sido como del 4 por 100, en Montana occidental alrededor del 20 por 100, y en ciertas regiones del valle Bitterroot es tan alta como del 90 por 100. Para el país en total el índice es de 18 a 19 por 100. Se dice generalmente que la enfermedad es más leve en la región del Atlántico que en los estados de la montaña, pero durante un periodo de varios años hay poca diferencia en la mortalidad; en el periodo de 1933 a 1937 en los estados de la montaña y del Pacífico fue de 19.4 por 100, y para los estados del sur del Atlántico de 18.1 por 100.

Ricketts transmitió en 1907 la fiebre manchada a cobayos y monos. Los primeros muestran una reacción febril, el bazo crece, y ocurre la reacción escrotal necrótica. *R. rickettsii* está relacionada inmunológicamente con la del tifus, pero el título de la reacción cruzada en la prueba de fijación del complemento no es bastante alto para causar confusión; también hay cierto grado de protección cruzada entre las dos.

Otras fiebres manchadas. En América del Sur y Central se ha observado una enfermedad muy similar causada por garrapata; en América Central y Brasil se conoce como tifus de São Paulo, y en Colombia como fiebre Tobia. Las rickettsias causales están muy relacionadas con *R. rickettsii* (quizá sean la misma). Al parecer no hay duda de que estas enfermedades son fiebre manchada, y hay cierta tendencia a referirse a ellas colectivamente como fiebre manchada norteamericana.

Inmunización. La recuperación de la fiebre manchada se acompaña de inmunidad sólida; inoculando con vacuna se puede lograr una inmunización profiláctica eficaz. La primera vacuna fue la que prepararon Parker y colaboradores en el laboratorio del Servicio de Salud Pública de Estados Unidos en Montana. Constaba de tejido de garrapata infectado inactivado con fenol, y se usó por más de 15 años. Subsecuentemente la desplazó la vacuna de rickettsias desarrolladas en cultivo de saco vitelino inactivado con formol. Estas vacunas producen una inmunidad eficaz en animales de experimentación como el cobayo.

Las vacunas se estandarizan en el cobayo para potencia inmunógena o sea para protección activa medida por el número medio de días de fiebre durante los 12 días que siguen al contagio, y mediante antitoxina sérica 10 días después de la vacunación para protección pasiva del ratón contra la acción de la toxina. La protección activa del

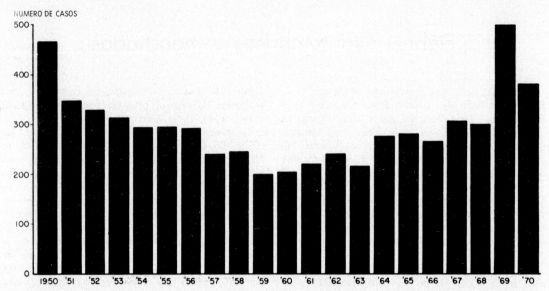

FIG. 34-6. Casos declarados de fiebre manchada de las Montañas Rocosas en Estados Unidos de Norteamérica de 1950 a 1970. (Morbidity and Mortality Weekly Report, Annual Supplement, Vol. 19, 1970. Center for Disease Control, U.S. Public Health Service.)

ratón contra la toxina guarda buena correlación con la prueba del cobayo.[5]

Aunque la frecuencia de la enfermedad es muy baja para permitir una prueba de campo adecuada, parece comprobado que la enfermedad en el hombre se previene o modifica mediante la inmunización profiláctica.

INFECCIONES POR RICKETTSIAS RELACIONADAS

Hay algunas enfermedades causadas por rickettsias íntimamente relacionadas con las fiebres manchadas norteamericanas, que se conocen como tifus de garrapata o fiebre de garrapata y que se identifican por la localidad donde se observan. En algunos casos se ha demostrado que las rickettsias causales están estrechamente relacionadas, pero no parecen ser idénticas, con *R. rickettsii*, en tanto que otras que no son tan bien conocidas muestran caracteres clínicos y epidemiológicos, los cuales sugieren una etiología muy similar.

Fiebre botonosa. Esta enfermedad, conocida también como fiebre boutonneuse y fiebre de Marsella, predomina en la zona mediterránea, y está causada por *R. conori*. Esta rickettsia inmunológicamente guarda relación con *R. rickettsii*, pero puede distinguirse por la neutralización de toxina y por otros métodos serológicos. En cobayos convalecientes la protección cruzada es prácticamente total, pero la inmunización con vacuna de *R. conori* no protegerá contra la infección por *R. rickettsii*, y las diferencias inmunológicas también se demuestran por la prueba de fijación del complemento.

El depósito animal de infección es el perro, y la enfermedad la transmite la garrapata *Rhipicephalus sanguineus*, en quien la infección es congénita. La enfermedad es más leve que la fiebre manchada norteaméricana, con mortalidad de 1 a 2 por 100. Se distingue clínicamente por la pequeña lesión local, indurada, con centro necrótico que se desarrolla en el sitio de la mordedura de la garrapata, y se conoce como la costra o mancha negra, y por la adenopatía regional.

Otras fiebres por garrapata. Las fiebres por picadura de garrapata de Africa, incluyendo la fiebre de Kenia o tifus de Kenia y la fiebre de Africa del sur, junto con el tifus de India por garrapata, parecen ser esencialmente la misma enfermedad que la fiebre botonosa, aunque en la de Kenia no hay costra. En Africa la infección se encuentra en varias garrapatas, incluyendo *Haemaphysalis leachii*, *Amblyomma hebraeum*, *Rhipicephalus appendiculatus*, y *R. sanguineus;* esta última también se encuentra infectada en la India. La fiebre de Kenia se transmite por *R. sanguineus*, pero más a menudo por la larva de *A. hebraeum*. Aun cuando estos vectores constituyen un depósito de infección, también puede haberlo en roedores salvajes.

Tifus por garrapata de Queensland del norte. Esta enfermedad, que ocurre en Australia, fue descrita por primera vez en 1946. La rickettsia causal está relacionada inmunológicamente con la de la fiebre manchada, pero es tan distinta que se ha denominado *R. australis*. La prueba de que la transmite la garrapata aún es circunstancial, pero sugiere que *Ixodes holocyclus* es vector de la enfermedad.

Tifus por garrapata de Siberia. Es una rickettsiasis relativamente leve, que ocurre en Asia Central y se extiende a la costa oriental de Siberia. La rickettsia causal está muy relacionada con *R. conori,* pero puede distinguirse de ella,[20] y se ha llamado *R. sibericus.* Se cree que la enfermedad es transmitida por diversas garrapatas, incluyendo *Haemaphysalis concinna, Dermacentor sylvarum,* y *D. nuttallii.*

RICKETTSIASIS PUSTULOSA

La rickettsiasis pustulosa se observó por primera vez en Nueva York en 1946, cuando se declararon 124 casos, y subsecuentemente se ha encontrado en zonas urbanas en el litoral oriental de Estados Unidos de Norteamérica. También se ha informado que ocurre en áreas urbanas de Rusia y se ha aislado de roedores salvajes en Corea.[24]

La enfermedad es un padecimiento febril leve, caracterizado por una lesión local en el sitio de la infección, y una erupción variceliforme. Rara vez o nunca es mortal.

El agente causal es una rickettsia del grupo de la fiebre manchada, relacionada inmunológicamente con *R. rickettsii,* pero puede distinguirse de ella; se ha denominado *R. akari.* El depósito animal de infección es el ratón salvaje, *Mus musculus,* y la enfermedad es transmitida por el ácaro *Allodermanyssus sanguineus.* El agente causal se ha aislado de ratones y ácaros, así como de la sangre de los pacientes, y la infección humana al parecer se adquiere por picadura de ácaros infectados. *R. akari* es patógena para los ratones salvajes y de laboratorio y para el cobayo. En el ratón se produce una enfermedad mortal después de inocularlo por vía intraperitoneal; la infección puede transmitirse por el bazo o cerebro, y las rickettsias demostrarse examinando al microscopio productos de raspado de la cavidad peritoneal, así como de la superficie del bazo. En el cobayo se produce reacción escrotal y enfermedad febril.

R. akari se cultiva fácilmente en el huevo embrionado de gallina, en la cavidad amniótica o en el saco vitelino. El antígeno de saco vitelino fija complemento en presencia de suero del paciente, pero también reacciona en forma cruzada con anticuerpo de fiebre manchada.

Enfermedad de tsutsugamushi (tifus de los matorrales, tifus por ácaro)[55]

Una enfermedad frecuente en el Lejano Oriente se conoce como enfermedad de tsutsugamushi (enfermedad por peligrosas sabandijas), fiebre fluvial japonesa, o fiebre Kedani en Japón, como tifus por ácaro en Sumatra, y tifus rural o tifus de los matorrales en Malaya. Los dos últimos no deben confundirse con el tifus de los almacenes o tiendas de Malaya, que es un tifus murino. La enfermedad es muy semejante a la fiebre manchada en su distribución y cuadro clínico, pero difiere en el último aspecto en que hay una úlcera primaria y adenitis como en la fiebre botonosa, y los síntomas incluyen cefalea, dolor orbitario, una erupción maculopapular, y fiebre. Como en la fiebre manchada, la mortalidad varía mucho, de 0.5 por 100 a tal vez tanto como 60 por 100 en algunas regiones (Corea). La enfermedad se caracteriza inmunológicamente por una reacción de Weil-Felix en la que el antígeno O de las cepas OX-K de Proteus se aglutina, pero no las cepas OX-19.

El microorganismo causante se ha llamado *R. tsutsugamushi, R. nipponica, R. orientalis,* y *R. akamushi;* el primer nombre es el que se usa comúnmente. Las cepas están muy relacionadas inmunológicamente, pero se diferencian con facilidad mediante la prueba de fijación de complemento. Sin embargo, no parece haber una diferenciación serológica clara en tipos, y las cepas también difieren en virulencia y grado de adaptación al cultivo en huevo. Estas rickettsias parecen ser muy diferentes de *R. sennetsui,*[3, 18] aislada en Japón de una enfermedad humana del tipo de la fiebre glandular.

Las cepas que se usan comúnmente como antígenos son la Gilliam y la Karp, a veces la cepa Seerengayee; los sueros de algunos casos son predominantemente de uno u otro tipo, en tanto que otros reaccionan casi con el mismo título con los tres. La cepa Gilliam es tóxica para el ratón, pero las otras no; la toxicidad no la neutralizan los antisueros para otras cepas de *R. tsutsugamushi,* o solo muy poco. *R. tsutsugamushi* puede cultivarse en el saco vitelino o el corioalantoides del huevo de gallina en desarrollo, en cultivo de tejido, y en pulmón de rata. Como estas rickettsias están en la fase de emulsión de la extracción con éter de un cultivo en saco vitelino, el material puede purificarse por extracción antes de la dilución salina o por centrifugación diferencial para preparar antígeno fijador del complemento.

Los animales de experimentación que se recuperan de una infección no mortal muestran inmunidad cruzada prácticamente total entre cepas de *R. tsutsugamushi.* Sin embargo, la inmunización con vacuna es difícil, pues al parecer la inoculación subcutánea no protege, pero la intraperitoneal sí protege contra la infección dentro del peritoneo. Se han utilizado vacunas de cultivo de tejido o de pulmón de ratas formoladas para inmunización de animales de experimentación, con buen resultado. Las vacunas muertas son ineficaces en el hombre, pero han producido una inmunidad eficaz con vacuna viva administrada junto con cloranfenicol para brindar protección contra la infección.[31]

Sin embargo, hoy por hoy la inmunización profiláctica activa del hombre no es práctica, por cuanto no brinda protección cruzada entre las diversas cepas de rickettsias.

La fiebre tsutsugamushi se observa en un área amplia de la región del Pacífico asiático, incluyendo Japón, Corea, Formosa, Indochina, Malaya, Birmania, Asam, Nueva Guinea e Islas Filipinas. Parece persistir como infección de roedores y ácaros y es transmitida al hombre por estos últimos. El huésped vertebrado, el huésped insecto y el huésped vector difieren algo según los lugares. En Japón, el huésped roedor es el ratón del campo, *Microtus montebelli*, y la enfermedad es transmitida por larvas de *Trombicula akamushi*. En Sumatra, los huéspedes vertebrados son la rata casera, *Mus concolor*, y la rata silvestre, *Mus diardii*; en Asam y Birmania, la rata silvestre, *Rattus flavipectus yunnanensis*, y la musaraña, *Tupaia belangeri versurae*. Excepto en Japón, los insectos vectores más importantes parecen ser *Trombicula deliensis*, un ácaro muy relacionado con *T. akamushi*, *Trombicula walchi*, que se considera por algunos autores como idéntico a *T. deliensis*, y *Trombicula fletcheri*. Los ácaros se encuentran en Japón en zonas húmedas, bajas, de pasto, maleza, a lo largo de los bordes no cultivados de los ríos, y la infección, por lo tanto, queda limitada a ciertas localidades. En el clima templado de Japón la enfermedad tiene una frecuencia estacional, pero en regiones tropicales no hay distribución estacional para el hombre.

Fiebre Q [34]

La fiebre Q * fue descrita en Australia en 1937 en los matarifes, y el agente causal se comprobó que era una rickettsia. Davis en Estados Unidos de Norteamérica aisló de las garrapatas lo que resultó ser una rickettsia muy parecida, quizá idéntica, y la enfermedad que producía en el cobayo se denominó fiebre de nueve millas. Cuando se comprobó que las cepas australiana y norteamericana eran prácticamente idénticas, se llamó fiebre Q norteamericana en Estados Unidos de Norteamérica; pero como el microorganismo se ha descubierto en el mundo entero, se han abandonado las denominaciones geográficas.

Este microorganismo se distingue de las demás rickettsias por diversas características. Las cepas norteamericanas se comprobó que atravesaban los filtros adecuados para bacterias, y la rickettsia recibió por este motivo el nombre de *R. diaporica*, pero el nombre *R. burnetii* dado para las cepas australianas tenía prioridad. No forma toxina, es más resistente al calor y a la desecación que las demás rickettsias, y es única dentro del grupo en el sentido de que la transmisión por artrópodos no es un eslabón esencial de su diseminación. Inmunológicamente es diferente de las demás rickettsias. En general, parece suficientemente diferente de las demás rickettsias productoras de enfermedad humana para justificar que se le dé categoría genérica independiente, y se conoce como *Coxiella burnetii*.

* La idea de que Q se refiere a "fiebre de Queensland" es errónea; en los informes originales se refiere a la "query fever" o fiebre dudosa.

Como las demás rickettsias, crece bien en saco vitelino de huevo de gallina embrionado y puede cultivarse en diversos tipos de tejidos. Los cobayos pueden infectarse y la infección no causar síntomas o acompañarse de reacción febril, pero hay una respuesta inmunológica específica. Hay dos tipos de antígenos en las cepas de *C. burnetii* que se distinguen por diferencias en el tiempo necesario para alcanzar el máximo del anticuerpo fijador del complemento en la persona infectada y se dice que la cepa está en fase I o en fase II; [25, 44] el antígeno de fase I tiene una potencia protectora mayor como vacuna.[45] El antígeno fijador del complemento crece en sacos vitelinos, y es importante para emplearlo como cepa que reacciona con ambos tipos de anticuerpo; se han usado ampliamente para este fin las cepas Henzerling y la de nueve millas.[36]

Enfermedad en el hombre. La enfermedad en el hombre es un trastorno respiratorio febril con periodo de incubación de 14 a 26 días; la infección suele adquirirse inhalando material infeccioso. Característicamente adopta la forma de neumonía atípica, y le corresponde una proporción apreciable de cuadros clínicamente diagnosticados como neumonía atípica primaria con participación neumónica demostrable por rayos X, incluso en casos leves. Frecuentemente hay signos de participación hepática; la cefalea es el síntoma predominante y no hay exantema, pero la convalecencia quizá sea prolongada. En el suero de los convalecientes hay anticuerpo fijador de complemento, y puede desarrollarse hipersensibilidad cutánea para la vacuna.[26]

La enfermedad humana está muy difundida, y se observa en todas las zonas geográficas principales,[6] como lo demuestra la enfermedad diagnósticada y la frecuencia de anticuerpo sérico, descubiertas en las encuestas. El número mayor de casos se ha observado en Estados Unidos de Norteamérica y en diversas partes de Europa, especialmente en la zona mediterránea, donde la enfermedad se conoce como bronconeumonía epidémica de invierno y verano o gripe de los Balcanes; ocurrió en las fuerzas militares de los aliados en esta zona durante la segunda guerra mundial.

Infección en animales inferiores. Los estudios efectuados en Australia demostraron la existencia de una relación de huésped-parásito bastante compleja. Allí *C. burnetii* se conserva en animales salvajes, especialmente el bandicot *(Isoodon macrourus)* y es transmitido por las garrapatas *Haemaphysalis humerosa* e *Ixodes holocyclus*. El ganado puede infectarse por estas garrapatas y, a su vez, pueden infectarse las garrapatas del ganado *Boophilus microplus* y *H. bispinosa*. Las rickettsias se encuentran en gran número en las heces de garrapatas infectadas y sobreviven largo tiempo en forma seca. La contaminación del ganado con tales heces infectadas, y la inhalación del polvo, se considera el mecanismo probable de infección de los matarifes y trabajadores de rastros en Australia. La enfermedad

también se observa en matarifes de Estados Unidos de Norteamérica, pero desconocemos la forma como se transmita la infección.

La infección en ganado vacuno está muy difundida en Estados Unidos de Norteamérica, con una proporción de vacadas afectadas entre 1 y 65 por 100.[33] *C. burnetti* se halla constantemente en la leche de tales rebaños y se extiende por el medio a base de placentas infectadas durante el parto. Es frecuente la infección asintomática en personas que manipulan leche, según se comprueba serológicamente; es parela a la frecuencia de infección en el ganado.[35] La pasterización de la leche basta para destruir las rickettsias, pero el margen de seguridad es muy estrecho, y el microorganismo se descubre a veces en la leche pasterizada.[13]

Las observaciones de Lennette y colaboradores han demostrado que en el norte de California la infección persiste en los rebaños de carneros por contaminación del medio a consecuencia de la leche y de las placentas infectadas, y se refleja en un aumento estacional de la enfermedad humana. Probablemente la infección se produzca por inhalación de polvo contaminado. Se han hecho en otros lugares observaciones similares.[37, 52] También hay la comprobación serológica [54] de la existencia de reservorios de infección en pájaros domésticos y salvajes, y en sus ectoparásitos.

Fiebre de trinchera

Durante la primera guerra mundial se conoció una infección específica con el nombre de fiebre de trinchera o fiebre de Wolhynia. Parece que causó más de la tercera parte de las enfermedades en algunos ejércitos del norte de Francia, y también ocurrió en Mesopotamia y en Salónica. Apareció nuevamente durante la segunda guerra mundial en el ejército alemán en Rusia. Tiene un periodo de incubación prolongado (seis a 22 días); el síntoma más constante es dolor en las piernas; la fiebre suele ser alta y de tipo remitente. Generalmente se logra la recuperación. La enfermedad puede transmitirse a las personas sanas por inyección intravenosa de sangre completa tomada de pacientes hasta el día quincuagésimo primero de la enfermedad.

La transmisión natural se efectúa por el piojo del cuerpo, en forma principal o quizá única. Las picaduras de piojos infectantes parecen ser el elemento más importante en la producción de fiebre de trinchera, pero el agente infeccioso también existe en las excreta y puede entrar por desgarros de la piel al rascarse. El agente infeccioso existe en la orina de los pacientes, y parece que conserva su actividad por largo tiempo en heces de piojos y orina secos.

La asociación de rickettsias con la enfermedad se comprobó en 1919 por Arkwright y colaboradores, basándose en la infecciosidad de los piojos, o de las excreta de los piojos, que contienen muchos microorganismos después de haber picado a personas infectadas. La rickettsia conocida como *R. quintana* o *R. pediculi,* se ha cultivado en agarsangre; tanto los eritrocitos como el suero son nutrientes esenciales contributivos.[41, 57, 58] La enfermedad se la ha reproducido en voluntarios humanos utilizando dichos cultivos, pero todavía no en animales de experimentación. Los sueros de los pacientes aglutinan las rickettsias del estómago del piojo, y el diagnóstico se basa en la prueba de alimentación de los piojos o xerodiagnóstico.[39]

En estudios originales se comprobó que la sangre sigue siendo infecciosa para los piojos, y que los piojos lo son para voluntarios humanos, durante varios meses después de desaparecer los síntomas. Más tarde se ha descubierto que la infección puede persistir años, con recaídas hasta 19 años después de la enfermedad inicial; [40] ello puede diagnosticarse fácilmente por la prueba de la alimentación del piojo.

Diagnóstico de laboratorio
de las rickettsiasis [2, 43]

El diagnóstico de laboratorio es un complemento indispensable para la identificación de enfermedades producidas por rickettsias, e incluye dos tipos generales de técnicas: el aislamiento e identificación del germen causal, y la identificación serológica del anticuerpo. Esta última también permite el diagnóstico restrospectivo, y valorar la frecuencia de infección en encuestas para descubrir anticuerpos.

El aislamiento de rickettsias tiene valor diagnóstico limitado a consecuencia de las complicaciones técnicas y los peligros consiguientes. Cobayos y ratones son los animales de elección; pueden inocularse por vía intraperitoneal con sangre tomada durante la etapa febril de la enfermedad. Como ya dijimos antes, pueden ser muy pocas las manifestaciones infecciosas en el cobayo causadas por diversos tipos de rickettsias, y quizá se necesite el paso ciego, utilizando emulsión de bazo como inóculo. Además, puede tomarse sangre y examinarse en busca de anticuerpo sérico, indicando la respuesta inmune en caso de infección asintomática.

La respuesta al anticuerpo puede estimarse en forma no específica por la reacción de Weil-Felix; específicamente, utilizando antígenos de rickettsias, por fijación de complemento, aglutinación de rickettsias, neutralización de toxina (excepto en el caso de *C. burnetii*) y protección de animales de experimentación contra inóculos conocidos. De estos métodos, los dos últimos no tienen valor práctico para aplicación sistemática; las más utilizadas, con mucho, de las reacciones serológicas son la de Weil-Felix, que puede llevar a cabo casi cualquier laboratorio, y la reacción de fijación del complemento, de aglutinación de rickettsia, o ambas. La primera sirve para identificar o excluir los amplios grupos de rickettsias, pero es diagnóstica para el grupo tsutsugamushi; la reacción de fijación del complemento es específica de grupo, pero puede hacerse específica, o los títulos según las especies pueden ser diagnósticos; la aglutinación de rickettsias es aplicable en estudios efectuados en el campo y se considera en algunos casos como más específica de especie para los cuadros febriles de tifus que la reacción no modificada de fijación del complemento.

Reacción de Weil-Felix. La aglutinación de cepas de Proteus OX-19, OX-2 y OX-K permite la identificación provisional de los grupos de rickettsiasis del tifus, pero no distingue netamente entre las demás rickettsiasis, y pueden obtenerse resultados irregulares dentro del grupo de infecciones denominadas indeterminadas, o Weil-Felix negativas.

El suero normal de personas que viven en zonas endémicas muchas veces presenta título de aglutininas de 1:50; títulos tan bajos como este se consideran negativos; 1:100 es sospechoso y 1:200 es diagnóstico. La reacción de Weil-Felix demuestra una respuesta anamnésica en cierto número de enfermedades febriles, especialmente la fiebre tifoidea. Sin embargo, en esta última el título de la reacción de Weil-Felix no continúa creciendo después de la primera semana, mientras que la aglutinina del bacilo de la tifoidea sigue aumentando en título. En las rickettsiasis el título de aglutinina aparece muy pronto y alcanza valores tan altos como 1:400 al término de la primera semana, elevándose hasta 1:1 600 o más al término de la segunda semana. Después disminuye y cae hasta 1:400 o menos a la octava o novena semana; carece de valor en los serodiagnósticos retrospectivos. Aunque clasificada como tipo indeterminado, la fiebre manchada muchas veces muestra un título considerable de aglutinina para Proteus, y la diferenciación del tifus murino puede ser difícil cuando las dos enfermedades coinciden en la misma zona.

Reacciones serológicas específicas. Aunque en algunos casos, en particular en la fiebre tsutsugamushi, basta la aglutinación de Proteus, en general la reacción de fijación del complemento llevada a cabo con antígenos de rickettsias purificadas constituye el método serológico de elección; la aglutinación de rickettsias es igualmente específica.

En el tifus epidémico el título de anticuerpos fijadores de complemento muestra un aumento hasta de ocho veces en el título contra el antígeno específico entre la primera y la tercera semanas y generalmente es cuádruple o mayor que el título observado para antígeno de *R. typhi* en personas no inmunizadas. Análogamente, en el tifus murino el título de anticuerpo fijador de complemento específico aumenta desde menos de 1:10 en la primera semana a 1:60 o más en la tercera semana, y es uniformemente mayor que los títulos para antígeno de *R. prowazeki* en individuos no inmunizados. Los títulos de aglutininas para rickettsias de 1:200 se consideran diagnósticos en ambas enfermedades. Puede ser extraordinariamente difícil distinguir entre las dos reacciones serológicas cuando la enfermedad se presenta en personas previamente inmunizadas.

El título de fijación del complemento se eleva unas ocho veces desde el valor que tenía en la primera semana hasta el de la tercera de enfermedad en las fiebres manchadas, alcanzando 1:80 o mayor. Se observa un aumento similar del título de anticuerpo fijador de complemento en la rickettsiasis pustulosa, pero se obtiene una reacción de Weil-Felix positiva con las cepas de Proteus OX-19 u OX-2 en la fiebre manchada y no en la rickettsiasis pustulosa. Un aumento aproximadamente igual de título de anticuerpo fijador del complemento para *C. burnetti* ocurre con la fiebre Q, generalmente sin reacciones cruzadas que causen confusión.

BIBLIOGRAFIA

1. Abd-el-Messih, G. 1960. Subclinical infections of epidemic typhus in Egypt. Their origin and magnitude. J. Egyptian Pub. Hlth. Assn. **35**:35–62.
2. American Public Health Association. 1964. Diagnostic Procedures for Virus and Rickettsial Disease. 3rd ed. American Public Health Association, New York.
3. Babudieri, B. 1959. Recherches expérimentales sur *Rickettsia sennetsui*, Misao et Kabayshi, 1956. Arch. Inst. Pasteur Tunis **36**:577–583.
4. Bell, E. J., and E. G. Pickens. 1953. A toxic substance associated with the rickettsias of the spotted fever group. J. Immunol. **70**:461–472.
5. Bell, E. J., and H. G. Stoenner. 1961. Spotted fever vaccine: Potency assay by direct challenge of vaccinated mice with toxin of *Rickettsia rickettsii*. J. Immunol. **87**:737–746.
6. Berge, T. O., and E. H. Lennette. 1953. World distribution of Q fever; human, animal and arthropod infection. Amer. J. Hyg. **57**:125–143.
7. Bozeman, F. M., *et al.* 1956. Study on the growth of rickettsiae. I. A tissue culture system for quantitative estimations of *Rickettsia tsutsugamushi*. J. Immunol. **76**:475–488.
8. Bozeman, F. M., *et al.* 1970. Serologic evidence of *Rickettsia canada* infection of man. J. Infect. Dis. *121*:367–371.
9. Burgdorfer, W., and L. P. Brinton. 1970. Intranuclear growth of *Rickettsia canada*, a member of the typhus group. Infect. Immun. **2**:112–114.
10. Burgdorfer, W., and D. Lackman. 1960. Identification of *Rickettsia rickettsii* in the wood tick, *Dermacentor andersoni*, by means of fluorescent antibody. J. Infect. Dis. **107**:241–244.
11. Burgdorfer, W., K. T. Friedhoff, and J. L. Lancaster, Jr. 1966. Natural history of tick-borne spotted fever in the USA. Susceptibility of small mammals to virulent *Rickettsia rickettsii*. Bull. Wld. Hlth. Org. **35**:149–153.
12. Cox, H. R. 1953. Viral and rickettsial toxins. Ann. Rev. Microbiol. **7**:197–218.
13. Enright, J. B., W. W. Sadler, and R. C. Thomas. 1957. Thermal Inactivation of *Coxiella burnetii* and Its Relation to Pasteurization of Milk. Public Health Service Publication No. 517. Public Health Monograph No. 47. U.S. Department of Health, Education and Welfare.
14. Fox, J. P. 1955. A review of experience with an avirulent strain of *R. prowazeki* (strain E) as a living agent for immunizing man against epidemic typhus. Amer. J. Pub. Hlth. **45**:1036–1048.
15. Fox, J. P., M. E. Jordan, and H. M. Gelfand. 1957. Immunization of man against epidemic typhus by infection with avirulent *Rickettsia prowazekii* strain E. IV. Persistence of immunity and a note as to differing complement-fixation antigen requirements in post-infection and post-vaccination sera. J. Immunol. **79**:348–354.
16. Gaon, J. A., and E. S. Murray. 1966. The natural history of recrudescent typhus (Brill-Zinsser disease) in Bosnia. Bull. Wld. Hlth. Org. **35**:133–141.
17. Gear, J. H. S. 1969. Rickettsial vaccines. British Med. Bull. **25**:171–176.
18. Giroud, P., M. Capponi, and N. Dumas. 1960. Comparaison entre *Rickettsia sennetsui* et *Rickettsia tsutsugamushi*: morphologie, pouvoir pathogène, pouvoir antigénique. Bull. Soc. Pathol. Exot. **53**:960–965.
19. Goldwasser, R. A., and C. C. Shepard. 1959. Flourescent antibody methods in the differentiation of murine and epidemic typhus sera; specificity changes resulting from previous immunization. J. Immunol. **82**:373–380.
20. Golinevitch, H. 1960. À propos de la différenciation de quelques rickettsies de groupe de la fièvre pourprée tiques. Arch. Inst. Pasteur Tunis **37**:13–22.
21. Hattwich, M. A. W. 1971. Rocky Mountain spotted fever in the United States, 1920–1970. J. Infect. Dis. **124**:112–114.
22. Higashi, N. 1968. Recent advances in electron microscope

studies on ultrastructure of rickettsiae. Zentralbl. Bakteriol. I Abt. Orig. **206**:277–283.
23. Hoyer, B. H., *et al.* 1958. Science **127**:859–862.
24. Jackson, E. B., *et al.* 1957. Recovery of *Rickettsia akari* from the Korean vole *Microtus fortis pelliceus*. Amer. J. Hyg. **66**:301–308.
25. Kordova, N., *et al.* 1970. The interaction of *Coxiella burnetii* phase I and phase II in Earle's cells. Can. J. Microbiol. **16**:125–133.
26. Lackman, D. B., *et al.* 1962. Intradermal sensitivity testing in man with a purified vaccine for Q fever. Amer. J. Pub. Hlth. **52**:87–93.
27. Lackman, D. B., *et al.* 1965. The rocky Mountain spotted fever group of rickettsias. Hlth. Lab. Sci. **2**:134–141.
28. Lawy, H. S., C. P. Beattie, and H. J. Bensted. 1958. Brill-Zinsser disease; the possibility of its occurrence in Britain. J. Hyg. **56**:355–363.
29. Le Gac, P., *et al.* 1959. L'escarre d'inoculation du typhus des broussailes indochinois. Bull. Soc. Pathol. Exot. **52**:263–264.
30. Lewthaite, R. 1952. The typhus group of fevers. Brit. Med. J. **ii**:826–828.
31. Ley, H. L., Jr., *et al.* 1952. Immunization against scrub typhus. IV. Living Karp vaccine and chemoprophylaxis in volunteers. Amer. J. Hyg. **56**:303–312.
32. Love, G. J., and W. W. Smith. 1960. Murine typhus investigations in southwestern Georgia. Pub. Hlth. Rep. **75**:429–440.
33. Luoto, L. 1960. Report on the nationwide occurrence of Q fever infections in cattle. Pub. Hlth. Rep. **75**:135–140.
34. Luoto, L., and E. G. Pickens. 1961. A resume of recent research studied to define the Q fever problem. Amer. J. Hyg. **74**:43–49.
35. Luoto, L., M. L. Casey, and E. G. Pickens. 1965. Q fever studies in Montana. Detection of asymptomatic infection among residents of infected dairy premises. Amer. J. Epidemiol. **81**:356–369.
36. Marmion, B. P. 1967. Development of Q-fever vaccines, 1937–1967. Med. J. Aust. **2**:1074–1078.
37. Marmion, B. P., and M. G. P. Stoker. 1958. The epidemiology of Q fever in Great Britain. An analysis of the findings and some conclusions. Brit. Med. J. **ii**:809–816.
38. McKiel, J A., E. J. Bell, and D. B. Lackman. 1967. *Rickettsia canada*: a new member of the typhus group of rickettsiae isolated from *Haemaphysalis leporispalustris* ticks in Canada. Can. J. Microbiol. **13**:503–510.
39. Mohr, W., and F. Weyer. 1964. Neuere Beobachtungen über Wolhynishches Fieber, insbesondere über das Auftreten von Spätrückfällen. Deut. Arch. Klin. Med. **209**:392–415.
40. Mohr, W., and F. Weyer. 1964. Spätrückfälle bei Wolhynischem Fieber. Deut. Med. Wochensch. **89**:244–238.
41. Myers, W. F., L. D. Cutler, and C. L. Wisseman, Jr. 1969. Role of erythrocytes and serum in the nutrition of Rickettsia quintana. J. Bacteriol. **97**:663–666.
42. Ormsbee, R. A. 1969. Rickettsiae (as organisms). Ann. Rev. Microbiol. **23**:275–292.
43. Ormsbee, R. A. 1970. Rickettsiae. pp. 603–611. *In* J. E. Blair, E. H. Lennette, and J. P. Truant (Eds.): Manual of Clinical Microbiology American Society for Microbiology, Bethesda.
44. Ormsbee, R. A., E. G. Pickens, and D. B. Lackman. 1964. An antigenic analysis of three strains of Coxiella burneti. Amer. J. Hyg. **79**:154–162.
45. Ormsbee, R. A., *et al.*, 1964. The influence of phase on the protective potency of Q fever vaccine. J. Immunol. **92**:404–412.
46. Paretsky, D. 1968. Biochemistry of rickettsiae and their infected hosts, with special reference to *Coxiella burnetii*. Zentralbl. Bakteriol. I Abt. Orig. **206**:283–291.
47. Pastukhova, G. M. 1957. The epidemiological characteristics of primary and recurrent typhus. (Translated from the Russian.) J. Microbiol. Epidemiol. Immunobiol. **28**:1307–1310.
48. Perkins, H. R., and A. C. Allison. 1963. Cell-wall constituents of rickettsiae and psittacosis-lymphogranuloma organisms. J. Gen. Microbiol. **30**:469–480.

49. Price, W. H. 1953. The epidemiology of Rocky Mountain spotted fever. I. The characterization of strain virulence of *Rickettsia rickettsii*. Amer. J. Hyg. **58**:248–268.

50. Price, W. H., *et al.* 1958. Ecologic studies on the interepidemic survival of louse-borne epidemic typhus fever. Amer. J. Hyg. **67**:154–178.

51. Pshenichnov, V. A., A. A. Levashov, and V. I. Nikolenko. 1959. Biological characteristics of the vaccine strain E of *Rickettsia prowazeki:* Observations on the immunization of human subjects with live typhus vaccine. (Translated from the Russian.) Problems Virol. **4**:64–70.

52. Quinly, G. E., and J. H. Schubert. 1953. Epidemiologic and serologic appraisal of murine typhus in the United States, 1948–1951. Amer. J. Pub. Hlth. **43**:160–164.

53. Stoker, M. G. P., and B. P. Marmion. 1955. The spread of Q fever from animals to man. Bull. Wld. Hlth. Org. **13**:781–806.

54. Syruovchek, L., and K. Raska. 1956. Q fever in domestic and wild birds. Bull. Wld. Hlth. Org. **15**:329–337.

55. Tarasevitch, I. V. 1960. Tsutsugamushi fever (a review). (Translated from the Russian.) J. Microbiol. Epidemiol. Immunobiol. **31**:1581–1590.

56. Tonge, J. I. 1959. Brill's disease (recrudescent epidemic typhus) in Australia. Med. J. Aust, **2**:919–921.

57. Varela, G., *et al.* 1969. Trench fever. II. Propagation of *Rickettsia quintana* on cell-free medium from the blood of two patients. III. Induction of clinical disease in volunteers inoculated with *Rickettsia quintana* propagated on blood agar. Amer. J. Trop. Med. Hyg. **18**:708–712, 713–722.

58. Vinson, J. W. 1966. *In vitro* cultivation of the rickettsial agent of trench fever. Bull. Wld. Hlth. Org. **35**:155–164.

59. Weiss, E. 1960. Some aspects of variation of rickettsial virulence. Ann. N.Y. Acad. Sci. **88**:1287–1297.

60. Weiss, E. 1968. Comparative metabolism of rickettsiae and other host dependent bacteria. Zentralbl. Bakterial. I. Abt. Orig. **206**:292–298.

61. Weiss, E., and H. R. Dressler. 1960. Selection of an erythromycin-resistant strain of *Rickettsia prowazekii*. Amer. J. Hyg. **71**:292–298.

62. Wisseman, C. L., Jr. 1968. Some biological properties of rickettsiae pathogenic for man. Zentralbl. Bakteriol. I. Abt. Orig. **206**:299–313.

63. Wisseman, C. L., Jr., *et al.* 1961. Studies on rickettsial toxins. V. Dissimilarity between the action of rickettsial mouse lethal toxin and bacterial endotoxin in mice. J. Immunol. **86**:613–617.

64. Zdrodowski, P., *et al.* 1966. Le problème d'immunoprophylaxie des rickettsioses au moyen des vaccins vivants atténués. Rev. d'Immunol. **30**:97–109.

65. Zdrokovskii, P. F. 1958. The problem of live typhus vaccine. (Translated from the Russian.) Problems Virol. **3**:141–145.

CAPÍTULO 35

GRUPO DE MICROORGANISMOS DE PSITACOSIS-LINFOGRANULOMA VENÉREO

Los microorganismos que constituyen el grupo de psitacosis-linfogranuloma venéreo [40, 59] se parecen mucho entre sí y se cree que pueden haberse diferenciado a partir de una forma ancestral común por asociación con diversas especies huéspedes. El grupo incluye los agentes causales de psitacosis y ornitosis, neumonitis del ratón, neumonitis de los felinos, neumonitis humana como las cepas de Louisiana y de San Francisco descubiertas en la neumonía atípica primaria, la meningoneumonitis de la zarigüeya y los que causan encefalitis de bovinos y aborto de la oveja. El virus del tracoma y el de la conjuntivitis de inclusión se separan algo del grupo, aunque guardan relación con el mismo y muchas veces se consideran juntos.

Los organismos de este grupo se parecen a las rickettsias en diversos aspectos, por ejemplo, se tiñen en forma similar y son suficientemente voluminosos para quedar en los límites de la resolución óptica; hay datos indicando que la multiplicación puede incluir un proceso parecido a la fisión binaria; las enfermedades que producen pueden tratarse eficazmente con algunos antibióticos, y algunas cepas son sensibles a la acción de las sulfamidas. Similitudes como estas han hecho que algunos investigadores agrupen estos microorganismos con las rickettsias, pero será más adecuado considerarlos como formas intermedias que constituyen un eslabón entre bacterias y microorganismos.[53] Se han propuesto varios nombres genéricos para estos microorganismos, incluyendo Chlamydia, Miyagawanella, Rakeia y Bedsonia; el último es bastante empleado en Inglaterra. Actualmente se clasifican con las bacterias como miembros del género Chlamydia [54] y se distinguen dos especies, *Chlamydia psittaci* y *Chlamydia trachomatis.*

Estos microorganismos se observan en diversos huéspedes vertebrados. Las infecciones que se producen naturalmente, causadas por agentes de linfogranuloma venéreo, tracoma y conjuntivitis de inclusión, parecen limitadas a la especie humana. La psitacosis que ocurre en los pájaros y las muy similares, quizá idénticas, se descubren en animales salvajes como los pichones y las gaviotas, y en pájaros domésticos, especialmente el pavo. La infección humana puede adquirirse por contacto con estos reservorios infecciosos. No sabemos si los agentes de la neumonitis de origen humano, que tienen un carácter inmunológico menor pero distintivo, ocurren primariamente en el hombre. Las neumonitis en animales inferiores son bastante frecuentes; las infecciones muchas veces son latentes y se ha sugerido que un estudio intenso de ratones, pájaros, etc., aparentemente normales, puede demostrar la frecuente presencia de microorganismos de este tipo.

Morfología y tinción. La partícula madura o cuerpo elemental, es de forma esférica o cocoide y relativamente grande, de 200 a 300 nm de diámetro. La partícula parece formada de una masa central de material electrónicamente denso, rodeada por material menos denso y encerrada dentro de una membrana limitante. La estructura no parece rígida; tiende a deformarse al secarse, adoptando el aspecto de una partícula hasta de 500 nm de diámetro. En preparados sombreados la masa central más rígida se observa manifiestamente dentro de la partícula aplanada. La membrana se ha aislado y purificado mediante lisis utilizando desoxicolato y digestión tríptica, y se ha comprobado que se parece mucho a las paredes celulares de las bacterias gramnegativas y de las rickettsias por su composición y por sus propiedades [41] (capítulo 2).

El análisis químico de cuerpos elementales purificados de algunos de estos microorganismos ha demostrado que, como algunos agentes voluminosos como los de las enfermedades pustulosas, contienen proteína, lípido, carbohidrato y ácidos nucleicos con pentosa y con desoxipentosa en proporciones similares a las que corresponden a bacterias y rickettsias.[52]

Ciclo de desarrollo. [2, 35, 43] El microorganismo se halla en los tejidos infectados en forma de cuerpos o vesículas de inclusión intracitoplásmica, y la morfología de estos y de los elementos corpusculares que las constituyen es variable a consecuencia de la aparición sucesiva de tipos morfológicos durante el ciclo de crecimiento, como se describió en

FIG. 35-1. Micrografía electrónica sombreada de agentes de neumonitis felina. Obsérvese el colapso de la partícula esférica en la preparación seca, con la masa central densa y la membrana limitante externa. × 30 000. (Moulder y Weiss.)

otro lugar (capítulo 6). En resumen, después de penetrar en la célula huésped, los cuerpos elementales aumentan de volumen hasta 800 nm de diámetro, para transformarse en cuerpos iniciales que aumentan en número para formar acúmulos o placas en una substancia fundamental o matriz. Los elementos corpusculares aumentan en número y disminuyen en volumen, originando una vesícula que contiene gran número de cuerpos elementales. En preparaciones vivas las partículas al principio son inmóviles; cuando la vesícula madura, la matriz parece desintegrarse y los cuerpos elementales presentan movimiento browniano. Más tarde la vesícula se desintegra y libera cuerpos elementales, que pueden iniciar una nueva infección. Este ciclo de crecimiento se completa en 24 a 48 horas; el tiempo varía según el microorganismo y el tejido huésped. Esencialmente este tipo de ciclo de crecimiento se ha observado que ocurre con los organismos productores de meningoneumonitis, psitacosis, y tracoma.

Tinción. Los cuerpos elementales parecen rickettsias por cuanto se tiñen más fácilmente con colorantes de anilina que los microorganismos; se tiñen en rojo con el colorante de Macchiavello, y de color púrpura intenso con el de Castaneda. El cuerpo de inclusión relativamente poco maduro, que contiene substancia fundamental densa, adopta color azul. Cuando madura, la matriz se hace menos densa, las partículas mayores se tiñen en azul, y los cuerpos elementales menores en rojo por el colorante de Macchiavello, destacando sobre el fondo azul pálido de la matriz.

Toxina.[18] Todas las cepas de linfogranuloma venéreo, psitacosis y ornitosis, y de neumonitis estudiadas se ha comprobado que eran tóxicas. Tal actividad es lábil y se destruye rápidamente a 37°C, o con pequeñas concentraciones de formaldehido. Se halla estrechamente asociada con el cuerpo elemental y parece tratarse de una endotoxina, más que de una exotoxina. La toxicidad puede demostrarse inoculando al ratón tejido fuertemente infectado, generalmente saco vitelino del huevo de gallina embrionado infectado, en dilución de 1:40 o menor. Después de la inyección intravenosa de volúmenes de 0.5 ml, la muerte suele producirse en 24 horas. Como la toxicidad no se ha podido separar del microorganismo infectante vivo, pueden observarse dos fases en la curva de mortalidad: muertes atribuibles a la toxicidad, que ocurren en plazo de 24 a 30 horas, y las causadas por la infección, que comienzan a las 48 horas. En la necropsia lo que se ve siempre es lesión hepática, muchas veces necrótica, pero también son posibles las lesiones de pulmones y riñones. La toxicidad se neutraliza específicamente por antisuero (ver luego), pero no con quimioterápicos.

Las diferentes cepas tienen toxicidad muy variable. En un grupo de 39 cepas, 22 procedentes de mamíferos y 17 de origen aviario, 17 de las primeras mataban en dilución al 1:10 o mayor, incluyendo dos cepas de neumonitis que mataban en dilución de 1:80, mientras que cinco de las cepas aviarias no mataban en 24 horas en diluciones al 1:10 o mayores.[44] Hay motivos para creer que tal toxicidad puede contribuir en alto grado, tanto en la producción de hemorragia y edema en los pul-

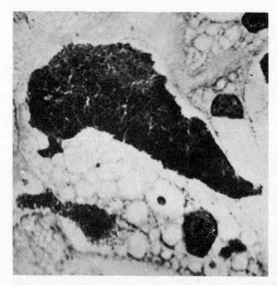

FIG. 35-2. Vesícula intracelular madura de microorganismos de psitacosis en cultivo de célula endodérmica de pollo. Coloración de May-Gruenwald-Giemsa; × 432. (Weiss.)

mones, como en la patogenia de enfermedades causadas por estos microorganismos.

Antigenicidad. Se han demostrado anticuerpos fijador de complemento, protector o neutralizante y antitóxico. Hay dos tipos de antígenos, uno termostable y otro termolábil, que intervienen en la fijación del complemento en presencia de suero de convaleciente o inmune, y esta reacción es muy útil para fines serodiagnósticos. Por desgracia, como suele llevarse a cabo, no es específica, no solo en relación con los microorganismos del grupo psitacosis-linfogranuloma venéreo, sino que también se observan reacciones cruzadas entre ellos y los sueros de personas infectadas de tracoma o de conjuntivitis de inclusión. Separando la pared celular se ha comprobado que los antígenos específicos de grupos fijadores de complemento son intracelulares, o sea que se hallan en el lisado, mientras que los de antigenicidad específica de tipo están en la pared celular.[42, 56]

La prueba de neutralización o protección,[17] llevada a cabo incubando los microorganismos con antisuero antes de inocularlos o con inmunización pasiva previa del ratón, respectivamente, fueron creadas por Hilleman y por St. John y Gordon y la prueba de neutralización de toxina por Manire y Meyer.[45] Se descubren cantidades pequeñas de anticuerpos protectores y neutralizantes en sueros de convalecientes, de manera que tales pruebas no tienen utilidad diagnóstica. Los sueros hiperinmunes de la mayor parte de animales de laboratorio son igualmente deficientes, pero tal anticuerpo puede prepararse con título elevado en el gallo y utilizarse para fines de diferenciación.[37]

Ambos tipos de pruebas muestran un grado considerable de especificidad de cepas. En general, las experiencias de infección han sugerido que las cepas de neumonía humana son relativamente específicas, las cepas de origen psitacósico lo son menos, y las cepas de meningoneumonitis (humana) y de pichón son las que poseen las estructuras antigénicas más amplias. Más específicamente, se ha comproba-

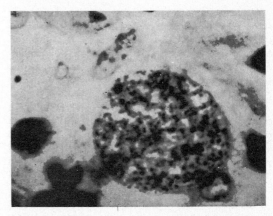

FIG. 35-3. Vesícula conteniendo cuerpos elementales en pulmón de ratón infectado de neumonitis de ratón. Tinción de Noble. × 2 100.

do que los gérmenes de linfogranuloma venéreo, neumonitis del ratón y neumonitis felina, son altamente específicos en la prueba de neutralización; fundándose en la especificidad antitóxica, Manire y Meyer han dividido 27 cepas en seis grupos: 1) microorganismos de la neumonitis de Luisiana (humana); 2) microorganismos de la neumonía de San Francisco (humana); 3) microorganismos de la neumonitis felina; 4) microorganismos de la meningoneumonitis (humana) y de algunas ornitosis; 5) cepas de microorganismos de ornitosis aisladas de pichones; 6) un grupo de cepas de microorganismos de origen humano y de pichones.

Se forma una hemaglutinina para glóbulos rojos de ratón por los microorganismos de este grupo, permitiendo la valoración de la actividad inhibidora de hemaglutinina.[22] No existe uniformemente en el líquido alantoideo infeccioso y suele tener título bajo, todo lo más de 1:32 cuando existe. No parece ser eluido de los glóbulos rojos del ratón, y el poder antigénico parece ser de naturaleza nucleoproteínica no específico de grupo.[23]

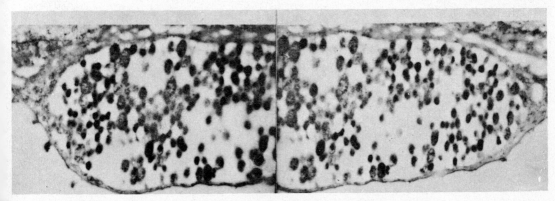

FIG. 35-4. Micrografía electrónica de cuerpos elementales maduros de neumonitis de felino mostrando los dos tipos de microorganismos, uno menor y denso, y otro mayor de estructura granulosa. × 15 000. (Litwin.)

Una prueba de hemaglutinación pasiva, utilizando antígeno soluble absorbido en glóbulos rojos de carnero tratados por ácido tánico,[7] no distingue entre los agentes de la ornitosis y los de la neumonitis, o sea que es específico de grupo, pero el antígeno sensibilizante es idéntico al antígeno fijador del complemento.

Es evidente que, tanto los antígenos comunes como los específicos, están distribuidos entre estos microorganismos y que en estas pruebas intervienen diferentes antígenos. No se han podido definir con precisión los detalles de la estructura antigénica, ni las consecuencias de la especie huésped para el carácter inmunológico de estos agentes.

Infecciones experimentales. Las diferencias en la intensidad patógena de estos microorganismos son manifiestas por la amplitud de las infecciones que ocurren naturalmente y por la relativa sensibilidad de diversos animales de experimentación a la infección. Con excepción de los microorganismos del tracoma y de la conjuntivitis de inclusión, el ratón puede estar infectado por todos los virus de este grupo, que pueden crecer en el huevo de gallina embrionado y en diversos tipos de tejido.

Los ratones pueden infectarse por vía intranasal, intraperitoneal e intracerebral, para producir infecciones mortales con la mayor parte de cepas de estos microorganismos. La inoculación intranasal produce un proceso neumónico caracterizado por consolidación, y se descubren cuerpos elementales en gran número en frotis de impresión empleando el tejido afectado. En la necropsia los animales infectados por vía intraperitoneal demuestran agrandamiento de hígado y bazo y presencia de exudado fibroso en la cavidad abdominal, que contiene gran número de cuerpos elementales. Se ha producido una meningoencefalitis por inoculación intracerebral con exudado que contiene células polimorfonucleares y mononucleares. Los ratones también pueden infectarse por inoculación subcutánea produciéndose una infección generalizada menos veces mortal, y casi siempre de curso prolongado.

Estos microorganismos pueden crecer en huevo embrionado de gallina, en el saco vitelino, donde se multiplican hasta alcanzar título elevado. Algunos crecen bien en la cavidad alantoidea o en la membrana corioalantoidea. La multiplicación de los microorganismos de la neumonitis felina en el saco vitelino se acompaña de metabolismo elevado y un aumento en la síntesis de ácido nucleico. Según Moulder y colaboradores,[51] la energía para la multiplicación de los virus viene proporcionada por los enlaces fosfáticos de alto valor energético producidos por la oxidación aerobia de substratos endógenos. Los estudios efectuados sobre el crecimiento del microorganismo de psitacosis en cultivo de tejido de embrión de pollo,[3, 38, 48, 49] han demostrado que la reproducción de microorganismos depende de la presencia de ácido fólico, de ácido folínico o de ambos, junto con algunas purinas y aminoácidos. Aunque se ha comprobado actividad de reductasa de citocromo C[1] y cantidades notables de ácido fólico[15] en preparados purificados de microorganismos de meningoneumonitis y de neumonitis de felinos, neumonitis de ratones y microorganismos de psitacosis, hoy por hoy no está demostrado en forma definitiva que estos microorganismos tengan capacidad ni para las reacciones metabólicas limitadas demostrables en las rickettsias.

Quimioterapia.[26] En general, las tetraciclinas suprimen eficazmente el crecimiento de estos microorganismos. La penicilina tiene efecto apreciable pero menos intenso, y el cloranfenicol y la estreptomicina son menos eficaces. Se observa cierta variación entre las cepas; los microorganismos de San Francisco y de Luisiana, y cepas aisladas de micro-

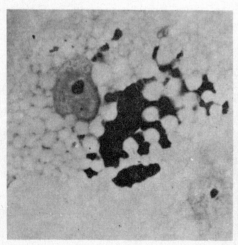
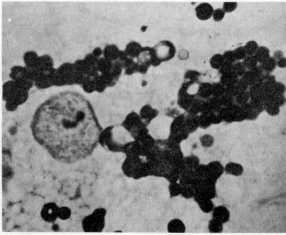

FIG. 35-5. Efecto de la penicilina sobre la morfología del organismo de neumonía felina. *Izquierda*, Cultivo no tratado. *Derecha*, Tratado con penicilina. Es manifiesta la morfología anormal en presencia del medicamento. $\times$ 600. (Weiss.)

organismos ornitosis de pichones y de meningoneumonitis y neumonitis de felinos se ha comprobado que no son afectados por la sulfadiacina.[8]

La actividad de estas substancias sobre estos agentes es similar a su acción sobre las bacterias sensibles, o sea que fundamentalmente son bacteriostáticas. En el caso de las sulfamidas, la actividad puede antagonizarse con ácido *p*-aminobenzoico. La inhibición con penicilina y tetraciclina se refleja morfológicamente por un crecimiento anormal; en el primer caso se forman placas irregulares vacuoladas dentro de la célula infectada; en el segundo, se inhibe la multiplicación de los cuerpos iniciales.[24]

El tratamiento de las infecciones con estos agentes muchas veces origina un estado de portador inmune. El individuo tratado sigue albergando o diseminando microorganismos, a veces por largo tiempo; por ejemplo, en un caso humano de psitacosis, hasta por ocho años.

El efecto inhibidor del crecimiento de las substancias quimioterápicas sobre los virus de este grupo se ha considerado por algunos autores que implicaba la existencia de una actividad metabólica independiente y todavía no descubierta. Aunque esta deducción quizá un día se confirme con demostración directa, y por lo tanto más convincente, también es posible que el efecto, en parte por lo menos, sea dependiente de mecanismos fisiológicos sobre la célula huésped relacionados con la multiplicación del microorganismo.

Resistencia medicamentosa. Tiene particular interés que alguno de estos virus puede hacerse resistente a los quimioterápicos pasando por el huevo embrionado o por el ratón en presencia de los mismos.[28] Tales cambios quizá sean de la misma naturaleza que los observados con otros microorganismos, y la resistencia a los medicamentos se ha empleado como una marca en estudios genéticos.[25]

Psitacosis y ornitosis
(Chlamydia psittaci)

La psitacosis o fiebre de los loros fue observada en Suiza en 1880. Durante años se consideró como enfermedad sin importancia, posiblemente causada por bacilo de Nocard, que actualmente se denomina *Salmonella typhimurium*. En 1929 y 1930 apareció en varias partes del mundo como enfermedad adquirida, sobre todo de loros provenientes de América del Sur. Los cuerpos elementales se describieron en 1930 independientemente por Levinthal en Alemania, Coles en Inglaterra, y Lillie en Estados Unidos de Norteamérica; por este motivo a veces se denominan cuerpos de LCL. Su naturaleza y su relación causal con la enfermedad se comprobó a principios de la década de 1930, sobre todo por los trabajos de Bedson y colaboradores.

Durante esta década también resultó manifiesto que los pájaros exóticos importados que sufrían psitacosis no constituían la única fuente de infección; de hecho, el reservorio doméstico de infección lo constituyeron gaviotas y otros pájaros marinos, pichones, patos, pollos, etc. La epidemia de 1938 de neumonitis en las Islas Faroe, por ejemplo, se relacionaba con la infección difusa de petreles. En la década de 1940 se aislaron diversos microorganismos similares de otros animales inferiores y de casos humanos de neumonitis. Estas se consideran ahora cepas de una sola especie, *Chlamydia psittaci*.

La enfermedad en el hombre se llamó inicialmente psitacosis porque parecía adquirida principalmente por pájaros psitácidos, y el término ornitosis se introdujo cuando resultó manifiesta la base más amplia del reservorio infeccioso. El término más inclusivo de ornitosis, aunque no es empleado universalmente, está ganando cada día aceptación, especialmente para la enfermedad en forma adquirida de pájaros que no son psitácidos.

Poder patógeno en el hombre. En el hombre, estos microorganismos producen esencialmente la misma enfermedad, sea cual sea la fuente de infección. El periodo de incubación es de una a dos semanas, y el comienzo puede ser brusco o insidioso. Los síntomas incluyen escalofríos y fiebre, fotofobia, cefalea, anorexia, irritación de garganta, náuseas y vómitos. Hay tos seca que persiste y puede aumentar en intensidad; son frecuentes la presión sanguínea baja y la cianosis, así como la desorientación, apatía, insomnio, y a veces el delirio, que indican participación del sistema nervioso central. No hay leucocitosis hasta etapa tardía de la enfermedad o a principios de la convalecencia, y la amplitud de la participación pulmonar generalmente no se advierte si no es con rayos X, que demuestran zonas aisladas de consolidación en uno o en ambos pulmones. El microorganismo puede descubrirse en la sangre durante la primera semana de enfermedad, y en el escaso esputo eliminado después que se han afectado los pulmones.

En la autopsia las zonas de consolidación están netamente separadas del tejido normal, y hay alveolos que contienen aire, suero o exudado serofibroso, en el cual la respuesta celular es predominantemente mononuclear, dispersos en las zonas de consolidación. Las células del exudado y las de los ganglios linfáticos hiliares contienen cuerpos elementales intracitoplásmicos. Otros datos de necropsia incluyen congestión y necrosis focal del hígado, posible agrandamiento del bazo, hinchazón turbia en el músculo cardiaco, cambios degenerativos en el parénquima renal y, muchas veces, congestión y edema de encéfalo y médula. Tales datos indican netamente la índole generalizada de la infección. La mortalidad en 1929 y 1930 era de aproximadamente el 20 por 100; disminuyó hasta alrededor del 10 por 100 al descubrirse casos leves con métodos serodiagnósticos, y puede reducirse más todavía con tratamiento de tetraciclinas.

Poder patógeno en animales inferiores. La infección adquirida naturalmente no es rara en algunos animales inferiores, y es posible como proceso latente incluso con mayor frecuencia de la supuesta.

Pájaros. Los huéspedes naturales de estos microorganismos entre los pájaros incluyen: loros, pericos, etc., con un total no menor de 31 especies de la familia de los loros. Otros pájaros como canarios, pinzones y gorriones contraen la enfermedad cuando se exponen a pájaros psitácidos infectados, y la infección que ocurre naturalmente de manera latente en los pichones parece ser relativamente frecuente; se descubren microorganismos del mismo grupo en palomas, petreles, gaviotas y garzas. El pollo doméstico está infectado naturalmente, aunque no con gran frecuencia, y la infección espontánea, posiblemente dependiente de pájaros silvestres como gaviotas, que a veces adquiere carácter epidémico, se observa en los pavos. Hay algunas diferencias de virulencia, de susceptibilidad, o de ambas, según el agente y según la especie huésped. Por ejemplo, los microorganismos de origen psitácido raramente producen meningoencefalitis mortal en el pichón, pero los del pichón y del pollo generalmente causan encefalitis mortal por inoculación intracerebral. En el loro, la enfermedad se caracteriza por escalofríos, debilidad, apatía, y diarrea, acompañados a veces de trastorno respiratorio. En estos pájaros la enfermedad es una infección de hígado y bazo, con participación ocasional de pulmones, y hay gérmenes en la sangre, tejidos afectados, secreciones nasales y heces. En la necropsia de los pájaros muertos en etapa aguda de la enfermedad el bazo está aumentado de volumen y puede mostrar zonas de necrosis focal; el hígado presenta cambios similares junto con hemorragia local e infartos; se descubre un exudado semipurulento en el saco pericárdico y en el saco aéreo, y revestimiento interno del esternón.

La infección que ocurre naturalmente en los pájaros muchas veces no mata al animal y hay motivos para creer que existe un reservorio de infección latente de grandes proporciones. Los pájaros infectados excretan el microorganismo con sus secreciones, y los materiales fecales desecados constituyen una fuente importante de infección aerógena.

Mamíferos. Cierto número de mamíferos están infectados con microorganismos muy parecidos en forma latente, y tales infecciones pueden activarse para originar enfermedad clínicamente manifiesta, quizá mortal. Esto es un punto de gran importancia práctica para aislamiento y estudio de los microorganismos de este grupo. El agente de la meningoneumonitis, por ejemplo, que se ha utilizado ampliamente con fines experimentales, se aisló inicialmente de hurones inoculados por vía intranasal con material procedente de neumonitis humana; no sabemos con seguridad si el microorganismo estaba presente en la enfermedad humana y así se aisló, o si representaba una infección latente del hurón activada para la inoculación. Análogamente, se ha descubierto cierto número de estos organismos como infecciones latentes en ratones.

Otros organismos más de este grupo se han aislado de enfermedades respiratorias en el hombre y han recibido los nombres de organismos de neumonía, neumonitis y neumonía atípica primaria. La mayor parte de infecciones de este tipo son causadas por Mycoplasma (cap. 26), y pueden distinguirse por la aparición de aglutininas de frío en el suero; algunas son causadas por *R. burnetii*, diversos microorganismos, y con otras etiologías.

Otros mamíferos están infectados naturalmente con microorganismos de este grupo, incluyendo el de la neumonía del cerdo, la meningoneumonitis de la zarigüeya, la encefalitis bovina, el aborto de los ovinos y el moquillo del gato. Este último, la neumonitis felina, ha sido utilizada ampliamente con fines experimentales. De los animales generalmente empleados, el ratón es sensible a la infección con los organismos de este grupo inoculados por diversas vías, el cobayo apenas presenta una reacción febril a los organismos de origen psitácido, pero algunas cepas humanas y una cepa de garza son extraordinariamente virulentas para este animal. Algunas cepas de origen psitácido producen meningoencefalitis mortal en el conejo por inoculación intracerebral; los monos rhesus pueden infectarse por vía intranasal o intracerebral, pero las ratas son relativamente resistentes a la inoculación intraperitoneal. En general, se obtienen resultados irregulares con los animales más resistentes.

Inmunidad. Como dijimos antes, la respuesta inmune resulta en la aparición de actividad de anticuerpo fijador y complemento, protector y antitóxico, según las especies huéspedes. El anticuerpo fijador de complemento aparece en 10 días a dos semanas y la hipersensibilidad una o dos semanas más tarde. La inmunidad eficaz parece ser, en parte, inmunidad infecciosa, y depender de la presencia continua del agente infeccioso. Se han efectuado algunos intentos para producir inmunidad profiláctica en el hombre empleando vacunas, pero hasta hoy con resultados equívocos. Pruebas de protección cruzada, empleando ratones inmunizados con vacunas de cultivo de tejido no viables han indicado que las cepas de *C. psittaci* se dividen en dos grupos antigénicos, sugiriendo que pueda necesitarse una vacuna bivalente.[47]

Serodiagnóstico. El serodiagnóstico en la práctica depende de la reacción de fijación de complemento, llevada a cabo con sueros pareados para demostrar un aumento de título. Dicho aumento se produce en 10 días a dos semanas, pero puede retrasarse hasta dos a cinco semanas con quimioterapia; un título de 1:16, acompañado de signos clínicos típicos, muchas veces se considera positivo.

La reacción de fijación de complemento dependerá de uno u otro de los antígenos fijadores de complemento antes señalados. El antígeno termolábil probablemente sea de tipo proteínico ya que es inactivado por digestión proteolítica y tiende a ser específico de cepa; el antígeno termostable, que es específico de grupo, se considera de naturaleza polisacárida porque es sensible al peryodato. La especificidad de esta prueba puede aumentarse cuando previamente se absorbe el suero con antígeno secado y se utilizan microorganismos vivos para la prueba de fijación del complemento, pero el uso de antígeno virulento vivo es poco práctico para trabajo sistemático. Otra diferenciación entre las dos puede lograrse basándose en la conducta del título de anticuerpo fijador de complemento; los sueros de personas infectadas con gérmenes de linfogranuloma venéreo reaccionan en título alto con antígeno y psitacosis, pero el título disminuye durante la convalecencia, mientras que en los enfermos de psitacosis persiste semanas o meses. Como dijimos antes, no suele haber aglutinina de frío, excepto en las infecciones por Mycoplasma.

La aplicación de la reacción de fijación de complemento al diagnóstico de la infección aviaria se complica en el caso de los pollos y los patos porque los sueros inmunes de estos pájaros no fijan el complemento en presencia de antígeno homólogo. Se ha creado una técnica de inhibición de la fijación de complemento, o fijación de complemento indirecta, utilizando antígeno calentado, para llevar a cabo con tales sueros. En esta reacción la fijación de complemento por el anticuerpo de pichón en presencia de antígeno homólogo es inhibida específicamente en presencia de sueros que contienen anticuerpos de pollos o patos infectados.

Hipersensibilidad. La hipersensibilidad desarrollada durante la infección ha sido útil con fines diagnósticos en estudios de encuesta de grandes grupos de pájaros domésticos, especialmente los pavos. El antígeno que interviene puede separarse del antígeno fijador de complemento mediante centrifugación de alta velocidad; persiste en el líquido que sobrenada. Puede extraerse del material de saco vitelino infectado con laurilsulfato sódico, se preci-

pita con ácido diluido, se purifica con fraccionamiento de butanol, difiere del antígeno fijador del complemento por cuanto es soluble en fenol al 5 por 100, y parece ser un lipocarbohidrato.[6] Su actividad se estandariza en el cobayo, e inoculado por vía intradérmica en las barbas de los pavos, origina el tipo corriente retrasado de reacción de hipersensibilidad, que corresponde bien a los resultados de la reacción de fijación de complemento.[5]

Diagnóstico de laboratorio. La infección con estos microorganismos, claro está, puede establecerse aislando el agente infeccioso de sangre, esputo, o tejido pulmonar obtenido durante la necropsia. La muestra se inocula por vía intranasal, intracerebral o intraperitoneal en ratones, y en saco vitelino de huevo embrionado. El microorganismo se descubre como cuerpo de inclusión basófilo y puede identificarse por métodos serológicos.

Epidemiología. En la enfermedad humana el agente infeccioso suele penetrar en el cuerpo por las vías respiratorias. Como ya dijimos antes, suele adquirirse de un animal reservorio de infección, generalmente en forma indirecta inhalando material infeccioso desecado como las heces, menos frecuentemente por contacto directo con animales infectados. Los pájaros psitácidos son los mejor conocidos de estos reservorios, y la infección parece común en loros y pericos salvajes, puede adoptar forma clínica en pájaros enjaulados, y generalmente es endémica en el medio aviario y en colonias donde se hacen crecer pichones y patos. Todavía no conocemos cuál sea la importancia relativa de los mamíferos, como los roedores, como reservorios de infección para la enfermedad humana. En determinadas circunstancias, el microorganismo puede transmitirse directamente de hombre a hombre, como lo demuestran cierto número de casos bien comprobados de infección de personal de hospital o enfermeras por los pacientes. La índole extraordinariamente contagiosa de esta enfermedad es evidente por el número de infecciones de laboratorio producidas.

La frecuencia de la enfermedad es principalmente indicio de peligro. Este factor explica su frecuencia en mujeres de edad avanzada, y su tendencia a presentarse como enfermedad profesional en personas que manipulan y cultivan pájaros. El control de la infección en pájaros psitácidos mediante cuarentena ha tenido cierto éxito, pero, en general, depende de evitar un contacto suficientemente íntimo con los reservorios animales de infección endémica.

Linfogranuloma venéreo
(Chlamydia psittaci)

El linfogranuloma venéreo es una enfermedad venérea causada por un microorganismo estrechamente relacionado con los del grupo psitacosis-

ornitosis-neumonitis antes descritos; también se conoce como bubón climático, bubón tropical, linfopatía venérea y linfogranuloma inguinal. Este último no debe confundirse con el granuloma inguinal causado por *Donovania granulomatis,* estudiada en otra parte (capítulo 26). Fue descrito como entidad clínica en 1913 por Durand, Nicolas y Favre, y a veces se conoce como maladie de Nicolas et Favre, pero solo en la década de 1930 se reconoció su etiología microbiana, y la aplicación de métodos inmunológicos permitió agrupar diversas enfermedades genitales, como la elefantiasis de los órganos femeninos y las estenosis rectales inflamatorias, integrándolas en una enfermedad de etiología común.

La enfermedad tiende a producirse en regiones tropicales, por condiciones más bien socioeconómicas que climáticas, pero su verdadera frecuencia es desconocida, porque en general no se denuncia o declara. En Estados Unidos de Norteamérica parece que existe un reservorio de infección muy importante en las personas de raza negra como lo indican las reacciones serológicas positivas en 25 a 40 por 100 de las examinadas en determinadas regiones.

El microorganismo no puede distinguirse morfológicamente de los demás del grupo y sufre un ciclo de crecimiento muy similar, quizá idéntico, en la célula huésped. Inmunológicamente guarda estrecha relación por antígenos de grupo, pero es distinto por su poder patógeno; al parecer, solo se observa en el hombre como huésped natural. Aunque ratones, monos y huevos embrionados pueden infectarse experimentalmente, este microorganismo no afecta a los pájaros.

Poder patógeno para el hombre.[58] Después de la amplia disminución inicial del microorganismo en sangre, líquido cefalorraquídeo y diversos tejidos, la lesión primaria aparece en pocos días. Adopta la forma de una lesión vesicular o herpetiforme, que ocurre en el glande o prepucio, o en partes posteriores de los labios, paredes vaginales o cuello; también puede descubrirse dentro de la uretra y en la región anal. La vesícula se rompe dejando una úlcera superficial que no es indurada, y que cura sin cicatriz; esta lesión es indolora y frecuentemente pasa inadvertida.

La segunda etapa de la enfermedad es la invasión de los linfáticos. Los ganglios regionales, generalmente inguinales y también pelvianos en la mujer, aumentan de volumen y se vuelven dolorosos para formar el bubón. En la mitad o más de los casos supuran, adoptando aspecto similar al de lesiones observadas en la tuberculosis y en la sífilis; pueden continuar exudando largo tiempo. En esta etapa aparecen signos tanto generales como locales, incluyendo fiebre y dolores generalizados; en algunos casos, síntomas artríticos y de conjuntiva, y de participación del sistema nervioso central.

La tercera parte es la del síndrome uretrogenitoperineal. Los cambios estructurales incluyen elefantiasis no destructora de los labios y clítoris en la mujer (estiómeno), y del pene y escroto en el varón; el recto y el ano se afectan con el desarrollo de estenosis rectales, etc. La enfermedad puede tratarse con éxito empleando sulfamidas y tetraciclinas.[32]

Poder patógeno para los animales. El microorganismo crece bien en saco vitelino de huevo de gallina embrionado. En ratones inoculados intracerebralmente se produce leptomeningitis; los animales muestran incoordinación, debilidad y ligeras parálisis, con mortalidad de quizá 30 por 100. Por inoculación intranasal el organismo produce neumonitis, muchas veces mortal en plazo de una semana, que adopta la forma de alveolitis descamativa con inflamación nodular alrededor de los capilares y linfáticos; el organismo puede demostrarse microscópicamente en los tejidos afectados.

La enfermedad humana se reproduce bastante bien en el mono cuando se inocula el organismo en prepucio, ganglios linfáticos o tejido rectal, desarrollándose reacciones inflamatorias típicas. El mono también puede infectarse por vías intraperitoneal, intraocular e intranasal, pero no sucede por inoculación intravenosa o intracerebral.

Inmunidad. La inmunidad eficaz para esta enfermedad parece ser una inmunidad de infección, relacionada con la presencia continua del agente infeccioso. La inoculación experimental de un individuo infectado origina una reacción similar a la de la prueba de Frei (ver luego), pero no causa la aparición de la lesión vesicular inicial ni respuesta inflamatoria de los linfáticos regionales.

La respuesta inmune se manifiesta por la aparición de anticuerpo fijador de complemento en plazo de dos a cuatro semanas, y el desarrollo de hipersensibilidad para la substancia microbiana. Ambos procesos son útiles con fines diagnósticos. La reacción fijadora de complemento es posible con sueros de individuos infectados con otros microorganismos del mismo grupo, o sea psitacosis, etc., pero puede hacerse más específica por absorción preliminar del suero de antígeno heterólogo; algunos sueros sifilíticos pueden ser positivos en forma no específica. Muchas veces no es posible obtener suero en etapa temprana de la enfermedad, pero un título de 1:32 junto con el cuadro clínico típico, se considera diagnóstico, y un título creciente tiene mayor valor todavía.

La hipersensibilidad fue observada por Frei en 1925; puede demostrarse como reacción típicamente retrasada después de la inoculación intradérmica del material infeccioso. De hecho, fue la aplicación de esta reacción, la denominada prueba de Frei, la que permitió identificar enfermedades genitales aparentemente diversas, que se conocían desde hacía muchos años como manifestaciones de infección por este microorganismo. La hipersensibilidad se desarrolla en plazo de una a seis semanas después de la infección y persiste positiva, al parecer, toda la vida del individuo, pero son posibles reacciones negativas pasajeras durante el tratamiento sulfamídico. El antígeno original de Frei era una dilución a

1:5 de pus de un bubón en solución salina esterilizada por calentamiento. Los antígenos de cerebro de ratón no han dado buen resultado, por originar reacciones no específicas; generalmente se utiliza un antígeno preparado de saco vitelino de huevo infectado.

El antígeno de la prueba cutánea se halla en el mercado bajo el nombre de Lygranum. Se observan reacciones cruzadas,[36] pero parece ser más específico un extracto ácido del microorganismo. La reacción cutánea se ha comprobado que es relativamente poco sensible en comparación con la prueba de fijación de complemento.[57]

Epidemiología. La enfermedad se observa en todo el mundo,[16] sobre todo en personas ignorantes de bajo nivel económico; generalmente —aunque no de manera obligada— se transmite por contacto sexual. La infección de ojo con un síndrome oculoglandular es bien conocida; la infección primaria puede aparecer en la boca, con lesiones vesiculares dolorosas e hinchazón de la lengua, seguida de infección de los ganglios cervicales. En ocasiones, se observan infecciones dentales accidentales, por ejemplo, en personal de hospital infectado mientras lim-

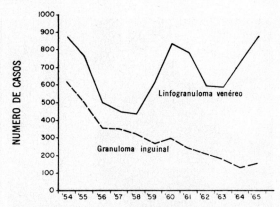

FIG. 35-6. Frecuencia de linfogranuloma venéreo en Estados Unidos de Norteamérica, según el número de casos declarados del personal civil. (Morbidity and Mortality Weekly Report, Annual Supplement, vol. 14, núm. 53, Communicable Disease Center, U. S. Public Health Service.)

piaban pacientes, y en cirujanos infectados al tiempo de extirpar ganglios linfáticos infectados. El control de la enfermedad resulta difícil porque de ordinario no se declara.

Tracoma y conjuntivitis de inclusión[10, 39] (Chlamydia trachomatis)

El tracoma y la conjuntivitis de inclusión son enfermedades similares de la parte externa del ojo causadas por microorganismos relacionados con los del grupo psitacosis-linfogranuloma venéreo. Este subgrupo a veces se llama grupo de agentes TRIC (tracoma-conjuntivitis de inclusión) y se ha clasificado formalmente como una sola especie, *Chlamydia trachomatis*. Las infecciones que ocurren espontáneamente solo se observan en el hombre y la especificidad de huésped es neta en infecciones experimentales, similares a las del hombre, pero generalmente más leves que en este, y que solo pueden producirse en algunos primates.

TRACOMA [60, 64]

El tracoma es una vieja enfermedad, de la cual ya se hablaba en los escritos más antiguos. Ocurre en la zona mediterránea, especialmente el Norte de Africa y Medio Oriente, Rusia y Oriente; en Estados Unidos de Norteamérica se ha descubierto en habitantes de las montañas en Tennessee, Kentucky y Virginia Occidental y en indios de las reservaciones. Su frecuencia es máxima, hasta de 90 por

100 en Egipto y Medio Oriente.[9] Es la causa principal de ceguera en el mundo.

Está comprobada la etiología microbiana del tracoma y de la blenorrea de inclusión desde los trabajos de la Comisión del Tracoma a principios de la década de 1930. El aislamiento del agente del tracoma en huevo embrionado, por Tang y colaboradores [61] en 1957, fue confirmado por aislamiento en Africa,[14, 62] Formosa y Estados Unidos de Norteamérica.[33] Puede crecer en cultivos de células amnióticas humanas, y en la línea celular McCoy derivada de tejido sinovial humano,[55] y algunas cepas pueden adaptarse a las células HeLa,[21] así como al saco vitelino de huevo embrionado. También produce una infección neumónica mortal en los ratones por inoculación intranasal.[30] En su morfología y otras características de crecimiento se parece mucho a los demás microorganismos de este grupo.[29] Se relaciona antigénicamente por antígeno de grupo, pero cuando se utilizan cuerpos elementales lavados como antígeno fijador del complemento, la reacción parece ser específica.[65] Los cuerpos elementales contienen una toxina, pero pueden no ser antigénicamente homogéneos.[4] El germen de cultivo es sensible a los antibióticos de amplio espectro [63]

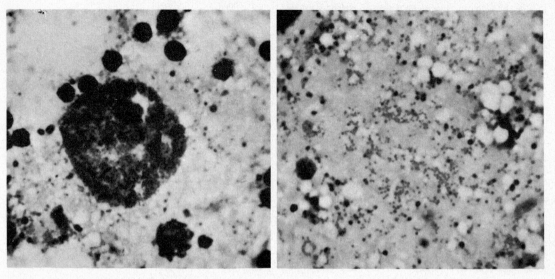

FIG. 35-7. Cuerpos elementales de virus de tracoma en cultivo de huevo. *Izquierda*, Agregado intracelular que representa una "colonia" del virus; *derecha*, partículas extracelulares. Tinción de Macchiavelo. × 1 330. (Tarizzo and Nabli: Bul. Wld. Hlth. Org., 27:741-744, 1962.)

y reproduce la enfermedad en diversos primates,[13, 19] con diferencias de virulencia según las cepas.

Poder patógeno en el hombre. Cuando la enfermedad se desarrolla lentamente, el primer signo de infección es una ligera ptosis de los párpados, con hipertrofia folicular de la conjuntiva tarsal superior. Cuando la enfermedad se desarrolla rápidamente, en forma fulminante, hay una reacción inflamatoria caracterizada por hipertrofia papilar o folicular de la conjuntiva y exudado mucopurulento; es frecuente la infección bacteriana secundaria, que ocurre en el 50 por 100, o más, de los casos. Los cuerpos de inclusión intracitoplásmica se descubren en las células conjuntivales y las epiteliales corneales, en el material obtenido por expresión de folículos, y son particularmente numerosos en las células de las capas superficiales del epitelio de las zonas tarsal y del limbo superiores.

La enfermedad evoluciona causando vascularización de la córnea y formación de pannus, seguido de cicatrización secundaria de la córnea; así puede producirse ceguera parcial o total.

Los microorganismos de este grupo también se han aislado de uretritis "no específicas", o sea no gonorreicas.[20] Pueden tratarse con éxito mediante sulfamidas o antibióticos de amplio espectro.

Parece que existe poca o ninguna inmunidad eficaz, ya sue no son raras las reinfecciones o las recaídas. Sin embargo, se ha comprobado que la inmunización con vacuna experimental modifica la infección experimental en voluntarios humanos.[31] Los individuos infectados dan negativa la prueba de Frei, pero desarrollan anticuerpo que fija el complemento en presencia de psitacosis y antígenos similares. La prueba de fijación de complemento no es bastante específica para diagnóstico; no distingue entre tracoma y conjuntivitis de inclusión.

CONJUNTIVITIS DE INCLUSION

La conjuntivitis de inclusión (blenorrea de inclusión, conjuntivitis de las albercas de natación) es una conjuntivitis benigna que se observa en el recién nacido y el adulto. Difiere del tracoma por cuanto no produce pannus ni cicatriz en la córnea; la enfermedad cura espontáneamente y no parecen producirse infecciones crónicas persistentes, aunque puede durar varios meses o incluso un año en el adulto.

Se ha aislado un microorganismo en el saco vitelino de huevos embrionados por pasos a ciegas y adaptación final (noveno paso) al huevo [34] y más tarde se descubrieron cuerpos elementales en el primero o segundo pasos, por aislamiento primario del cuello de madres infectadas y los ojos de lactantes.[50] El cultivo produce una conjuntivitis mucopurulenta en los monos y no afecta la córnea. Puede hacerse crecer en cultivos de tejidos [12] y parece estrechamente relacionado, en todos los aspectos, con los agentes del tracoma. Un estudio preliminar [11] ha sugerido que, en condiciones experimentales, podía producirse inmunidad eficaz mediante vacunas.

Enfermedad en el hombre. En el recién nacido el periodo de incubación es de cinco a 12 días. El comienzo de la enfermedad es brusco, caracterizado por infiltración aguda de la conjuntiva del párpado inferior y exudado purulento. La infiltración de células redondas origina engrosamiento de la conjuntiva; el epitelio queda infiltrado de células polimorfonucleares y contiene cuerpos de inclusión intracitoplásmica, basófilos que no pueden distinguirse de los que se observan en el tracoma. Tiene valor diagnóstico la demostración de estos cuerpos en productos de raspado epitelial, mejor que en preparaciones de exudados tomadas para estudiar bacterias. En ocasiones, la enfermedad es grave, formando seudomembranas temporales, pero de ordinario puede distinguirse de la oftalmía gonocócica por el simple aspecto clínico. La etapa aguda dura quizá dos semanas, luego cede gradualmente; pero la córnea no se normaliza durante meses, y puede presentar signos de infiltración hasta después de un año.

La enfermedad en el adulto difiere por ser una conjuntivitis folicular aguda con poca exudación y ligera adenopatía periauricular. Los folículos tienen el mismo aspecto que los observados en el tracoma, pero la hipertrofia es más intensa en el párpado inferior, hay ausencia de cambios corneales y, por examen microscópico, el material folicular no muestra cambios necróticos. Sin embargo puede ser difícil de distinguir clínicamente de otras formas de conjuntivitis folicular aguda, y el diagnóstico clínico debe confirmarse por la presencia de cuerpos de inclusión. La enfermedad del adulto cura espontáneamente, sin dejar cambios corneales ni conjuntivales residuales, pero tiende a persistir por mayor tiempo que en el lactante.

Aunque manifiestamente enfermedad ocular, de hecho la infección es de las vías genitourinarias y, como tal, se transmite por contacto venéreo. Se descubren cuerpos de inclusión en productos de raspado de las vías genitourinarias de madres de niños enfermos, y la infección parece limitarse a la abertura externa del cuello y al epitelio de transición, histológicamente muy similar al epitelio conjuntival. La infección es asintomática en la hembra, pero muchas veces produce uretritis no específica en el varón. Aunque clínicamente de poca significación, la infección genitourinaria puede presentar gran difusión.

El lactante adquiere la enfermedad al nacer de su madre infectada; en el adulto se adquiere casi siempre en piscinas de natación donde el agua no se ha sometido a cloración adecuada u otro tratamiento, y está contaminada por personas que sufren una infección genitourinaria. Correspondiendo a la naturaleza del reservorio de infección la conjuntivitis de inclusión es una enfermedad profesional de tocólogos y ginecólogos. El suero de las personas infectadas proporciona la reacción de fijación del complemento con los antígenos del grupo, que no es diagnóstica de esta enfermedad. En los lactantes la enfermedad no se evita administrando profilácticamente nitrato de plata, pero tanto la enfermedad del lactante como la del adulto pueden tratarse con éxito mediante sulfamidas o tetraciclinas, generalmente en aplicación tópica.

BIBLIOGRAFIA

1. Allen, E. G., and M. R. Bovarnick. 1957. Association of reduced diphosphopyridine nucleotide cytochrome C reductase activity with meningopneumonitis virus. J. Exp. Med. 105:539–547.
2. Armstrong, J. A., R. C. Valentine, and Fildes, C. 1963. Structure and replication of the trachoma agent in cell cultures, as shown by electron microscopy. J. Gen. Microbiol. 30:59–73.
3. Bader, J. P., and H. R. Morgan. 1958. Latent viral infection of cells in tissue culture. VI. Role of amino acids, glutamine, and glucose in psittacosis virus propagation in L cells. J. Exp. Med. 108:617–630.
4. Bell, S. D., Jr., J. C. Snyder, and E. S. Murray. 1959. Immunization of mice against toxic doses of homologous elementary bodies of trachoma. Science 130:626–627.
5. Benedict, A. A., and C. McFarland. 1958. Newer methods for detection of avian ornithosis. Ann. N.Y. Acad. Sci. 70:501–515.
6. Benedict, A. A., and E. O'Brien. 1956. Antigenic studies on the psittacosis lympho-granuloma venereum group of viruses. II. Characterization of complement-fixing antigens extracted with sodium lauryl sulfate. J. Immunol. 76:293–300.
7. Benedict, A. A., and E. O'Brien. 1958. A passive hemagglutination reaction for psittacosis. J. Immunol. 80:94–99.
8. Bernkoff, H., P. Mashiah, and Y. Becker. 1962. Susceptibility of a trachoma agent grown in FL cell cultures to antibiotics and a sulfa drug. Proc. Soc. Exp. Biol. Med. 111:61–67.
9. Bietti, G. B., M. J. Freyche, and R. Vozza. 1962. La diffusion actuelle du trachome dans le monde. Rev. Int. Trachome 39:113–310.
10. Collier, L. H. 1960. On the aetiology and relationship of trachoma and inclusion blennorrhoea. Rev. Int. Trachome 37:585–599.
11. Collier, L. H. 1961. Experiments with trachoma vaccines. Experimental system using inclusion blennorrhoea virus. Lancet i:795–800.
12. Collier, L. H. 1962. Growth characteristics of inclusion blennorrhea virus in cell structures. Ann. N.Y. Acad. Sci. 98:42–49.
13. Collier, L. H. 1962. Experimental infection of baboons with inclusion blennorrhea and trachoma. Ann. N.Y. Acad. Sci. 98:188–196.
14. Collier, L. H., and J. Sowa. 1958. Isolation of trachoma virus in embryonate eggs. Lancet i:993–996.
15. Colon, J. 1962. The role of folic acid in the metabolism of members of the psittacosis group of microorganisms. Ann. N.Y. Acad. Sci. 98:234–249.
16. Coutts, W. E. 1950. Lymphogranuloma venereum; general review. Bull. Wld. Hlth. Org. 2:545–562.
17. Cox, H. R. 1947. Psittacosis, ornithosis and related viruses. Ann. N.Y. Acad. Sci. 48:393–414.
18. Cox, H. R. 1953. Viral and rickettsial toxins. Ann. Rev. Microbiol. 7:197–218.
19. Dawson, C. R., C. H. Mordhorst, and P. Thygeson. 1962. Infection of rhesus and cynomolgus monkeys with egg-grown viruses of trachoma and inclusion conjunctivitis. Ann. N.Y. Acad. Sci. 98:167–176.
20. Dunlop, E. M. C., et al. 1965. Infection of urethra by TRIC agent in men presenting because of "non-specific" urethritis. Lancet i:1125–1128.
21. Furness, G., et al. 1960. The growth of trachoma and inclusion blennorrhoea viruses in cell culture. Rev. Int. Trachome 37:574–584.
22. Gogolak, F. M. 1954. The mouse erythrocyte hemagglutinin of feline pneumonitis virus. J. Infect. Dis. 95:220–225.
23. Gogolak, F. M., and M. S. Ross. 1955. The properties and chemical nature of the psittacosis virus hemagglutinin. Virology 1:474–496.
24. Gogolak, F. M., and E. Weiss. 1950. The effect of antibiotics on agents of the psittacosis-lymphogranuloma group. J. Infect. Dis. 87:264–274.

25. Gordon, F. B., and H. K. Mamay. 1957. Combination of characters (drug resistance) in a single strain of psittacosis virus. Science **126**:354–355.
26. Gordon, F. B., and A. L. Quan. 1962. Drug susceptibilities of the psittacosis and trachoma agents. Ann. N.Y. Acad. Sci. **98**:261–274.
27. Gordon, F. B., and A. L. Quan. 1965. Isolation of the trachoma agent in cell culture. Proc. Soc. Exp. Biol. Med. **118**:354–359.
28. Gordon, F. B., V. W. Andrew, and J. C. Wagner. 1957. Development of resistance to penicillin and to chlortetracycline in psittacosis virus. Virology **4**:156–171.
29. Gordon, F. B., A. L. Quan, and R. W. Trimmer. 1960. Morphologic observations on trachoma virus in cell cultures. Science **131**:733–734.
30. Graham, D. M. 1965. Growth and neutralization of the trachoma agent in mouse lungs. Nature **207**:1379–1380.
31. Grayston, J. T., *et al.* 1962. The effect of trachoma virus vaccine on the course of experimental trachoma infection in blind human volunteers. J. Exp. Med. **115**:1009–1022.
32. Greaves, A. B., *et al.* 1957. Chemotherapy in bubonic lymphogranuloma venereum. A clinical and serological evaluation. Bull. Wld. Hlth. Org. **16**:277–289.
33. Hanna, L. 1962. Isolation of trachoma and inclusion conjunctivitis viruses in the United States. Ann. N.Y. Acad. Sci. **98**:24–30.
34. Hanna, L., *et al.* 1960. Virus isolated from inclusion conjunctivitis of newborn (inclusion blennorrhea). Science **132**:1660–1661.
35. Higashi, N., A. Tamura, and M. Iwanaga. 1962. Developmental cycle and reproduction mechanism of the meningopneumonitis virus in strain L cells. Ann. N.Y. Acad.
36. Hilleman, M. R., A. B. Greaves, and J. H. Werner. 1958. Group-specificity of psittacosis-lymphogranuloma venereum group. Skin test antigens in lymphogranuloma patients. J. Lab. Clin. Med. **52**:53–57.
37. Hilleman, M. R., D. A. Haig, and R. J. Helmold. 1952. In vivo and in vitro studies of serological specificity among viruses of the psittacosis-lymphogranuloma venereum group. J. Immunol. **68**:121–129.
38. Holtermann, O. A., S. E. Mergenhagen, and H. R. Morgan. 1959. Factors related to psittacosis virus (strain 6BC) growth. V. Folic acid-like factors in infected cells. Proc. Soc. Exp. Biol. Med. **100**:370–372.
39. Jawets, E. 1964. Agents of trachoma and inclusion conjunctivitis. Ann. Rev. Microbiol. **18**:301–334.
40. Jawetz, R., J. Schachter, and L. Hanna. 1970. Psittacosis-lymphogranuloma venereum-trachoma group of agents. pp. 594–602. *In* J. E. Blair, E. H. Lennette, and J. P. Truant. (Eds.): Manual of Clinical Microbiology. American Society for Microbiology, Bethesda.
41. Jenkin, H. M. 1960. Preparation and properties of cell walls of the agent of meningopneumonitis. J. Bacteriol. **80**:639–647.
42. Jenkin, H. M., M. R. Ross, and J. W. Moulder. 1961. Species-specific antigens from the cell walls of the agents of meningopneumonitis and feline pneumonitis. J. Immunol. **86**:123–127.
43. Litwin, J. 1959. The growth cycle of the psittacosis group of microorganisms. J. Infect. Dis. **105**:129–160.
44. Manire, G. P., and K. F. Meyer. 1950. The toxins of the psittacosis-lymphogranuloma group of agents. I. The toxicity of various members of the psittacosis-lymphogranuloma venereum group. J. Infect. Dis. **86**:226–232.
45. Manire, G. P., and K. F. Meyer. 1950. The toxins of the psittacosis-lymphogranuloma group of agents. III. Differentiation of strains by the toxin neutralization test. J. Infect. Dis. **86**:241–250.
46. Meyer, K. F. 1957. The natural history of plague and psittacosis. Pub. Hlth. Rep. **72**:705–719.
47. Mitzel, J. R., G. G. Wright, and N. S. Swack. 1970. Cross immunity among strains of *Chlamydia psittaci.* Proc. Soc. Exp. Biol. Med. **135**:944–946.
48. Morgan, H. R. 1954. Factors related to the growth of psittacosis virus (strain 6BC). IV. Certain amino acids, vitamins and other substances. J. Exp. Med. **99**:451–460.
49. Morgan, H. R., and J. P. Bader. 1957. Latent viral infection of cells in tissue culture. IV. Latent infection of L cells with psittacosis virus. J. Exp. Med. **106**:39–44.
50. Morhhorst, C. H. 1965. TRIC agents isolated in Denmark. I. Isolation of the TRIC agent from inclusion blennorrhoea. Acta Pathol. Microbiol. Scand. **64**:277–285.
51. Moulder, J. W. 1954. Biochemical aspects of the growth of feline pneumonitis virus with chick embryo yolk sac. Bacteriol. Rev. **18**:170–176.
52. Moulder, J. W. 1962. Structure and chemical composition of isolated particles. Ann. N.Y. Acad. Sci. **98**:92–99.
53. Moulder, J. W. 1966. The relation of the psittacosis group (Chlamydiae) to bacteria and viruses. Ann. Rev. Microbiol. **20**:107–130.
54. Page, L. A. 1966. Revision of the family Chlamydiaceae Rakte (Rickettsiales): Unification of the psittacosis-lymphogranuloma venereum-trachoma group of organisms in the genus Chlamydia Jones. Rake and Sterns, 1945. Int. J. Syst. Bacteriol. **16**:223–252.
55. Pollard, M., *et al.* 1960. Propagation of trachoma virus in cultures of human tissues. Proc. Soc. Exp. Biol. Med. **104**:223–225.
56. Ross, M. R., and H. M. Jenkin. 1962. Cell wall antigens from members of the psittacosis group of organisms. Ann. N.Y. Acad. Sci. **98**:329–336.
57. Schachter, J., *et al.* 1969. Lymphogranuloma venereum. I. Comparison of the Frei test, complement fixation test, and isolation of the agent. J. Infect. Dis. **120**:372–375.
58. Sigel, M. M. 1962. Lymphogranuloma Venereum. Epidemiological, Clinical, Surgical and Therapeutic Aspects Based on Study in the Caribbean. University of Miami Press, Miami, Florida.
59. Storz, J. 1971. Chlamydia and Chlamydia-Induced Diseases. Charles C Thomas, Springfield, Ill.
60. Symposium. 1962. The biology of the trachoma agent. Ann. N.Y. Acad. Sci. **98**:1–382.
61. Tang, F.-F., *et al.* 1957. Isolation of trachoma virus in chick embryo. J. Hyg. Epidemiol. Microbiol. Immunol. **1**:109–120.
62. Tarizzo, M. L. 1961. Études sur le trachome. 1. Isolement et culture en série de 12 souches de virus sur oeuf embryonné Bull. Wld. Hlth. Org. **24**:103–105.
63. Tarizzo, M. L., R. Nataf, and T. Daghfous. 1961. Études sur le trachome. 2. Action des antibiotiques sur le virus du trachome cultivé dans les oeufs embryonnés. Bull. Wld. Hlth. Org. **24**:107–113.
64. Thygeson, P. 1962. Trachoma virus: Historical background and review of isolates. Ann. N.Y. Acad. Sci. **98**:6–13.
65. Woolridge, R. L., E. B. Jackson, and J. T. Grayston. 1960. Serological relationship of trachoma, psittacosis and lymphogranuloma venereum viruses. Proc. Soc. Exp. Biol. Med. **104**:298–301.

CAPITULO 36

VIRUS DE LAS ENFERMEDADES EXANTEMATICAS Y VIRUS TUMORALES

Cierto número de virus del hombre y animales inferiores son de índole exantemática; los virus que las producen se ha dicho que eran dermotrópicos, por cuanto las lesiones predominantes ocurrían en la piel.[136] Algunos constituyen el grupo más o menos homogéneo de virus de las viruelas o erupciones pustulosas, que tienen en común la propiedad de volumen relativamente grande, muchas veces casi en los límites de la resolución óptica, forma de ladrillo, y que se observan como cuerpos de inclusión intracitoplásmicos en las células infectadas. Otros son de tipo esferoide, de volumen inferior a los límites de la resolución óptica, hasta el de los virus menores conocidos, el de la glosopeda, y las células infectadas pueden contener cuerpos de inclusión intracitoplásmica o intranuclear. Son heterogéneos y, con excepciones, como las variedades del virus del herpes, no pueden agruparse netamente.

Aunque la infección de la célula huésped con virus suele causar una muerte relativamente rápida, cierto número de estos virus producen respuesta proliferativa que puede ser relativamente breve e ir seguida de cambios necróticos o suficientemente prolongados para que la hiperplasia sea un fenómeno muy notable de la enfermedad. La respuesta proliferativa es manifiesta, aunque transitoria, en la viruela, más neta en el molusco contagioso del hombre y el fibroma del conejo; en el papiloma y el mixoma del conejo el proceso es claramente tan manifiesto que el virus parece tener propiedades carcinógenas.

Los virus que provocan respuesta proliferativa intensa a veces se agrupan con el nombre de virus tumorales.

Tal grupo es heterogéneo; o sea que incluye los virus de las erupciones de tipo pustuloso y los virus esferoides menores.

El grupo de virus de las erupciones pustulosas[69, 139]

Los virus que constituyen este grupo se parecen entre sí morfológicamente y por la patogenia de las enfermedades que producen; inmunológicamente también guardan relación. Se distinguen por la especificidad del huésped y la patogenicidad relativa. El grupo incluye el virus de la viruela que se observa en el hombre y el de la vacuna, junto con los virus que causan una serie de enfermedades pustulosas de animales inferiores. El virus del molusco contagioso y del fibroma y el mixoma del conejo se parecen mucho morfológicamente, pero tienden a separarse del grupo eruptivo por las enfermedades que producen. Los estudiaremos junto con los virus tumorales.

Morfología. Los virus de este grupo se hallan entre los mayores conocidos; el cuerpo elemental se halla dentro de los límites de la resolución óptica. La máxima resolución posible con el microscopio electrónico ha demostrado que, por lo menos en muchas preparaciones adecuadas para examen con este método, la partícula del virus es una estructura regular de seis lados con esquinas redondeadas, muchas veces descrita como forma de ladrillo, y dimensiones de 200 a 250 por 250 a 350 nm. En algunas preparaciones los cuerpos parecen de forma ovoide y siempre contienen una masa central de material muy rico en electrones.

Estos virus ocurren en forma de cuerpos de inclusión intracitoplásmica denominados cuerpos de Guarnieri en el caso de la viruela y vacuna, y cuerpos de Bollinger en la viruela de las aves. Estos cuerpos se diferencian, y en forma madura son los cuerpos elementales denominados cuerpos de Paschen de la viruela y la vacuna, y cuerpos de Borrel de la vi-

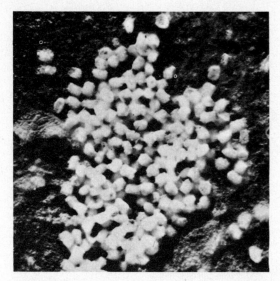

FIG. 36-1. Micrografía electrónica de un corte delgado de membrana corioalantoidea de embrión de pollo de diez días, 24 horas después de inoculada la vacuna. Pueden observarse gran número de cuerpos elementales de forma cuboide o cilíndrica. × 15 000. (Wyckoff: Zellforsch.)

ruela de las aves. Ambos, cuerpos de inclusión y cuerpos elementales, pueden teñirse con coloraciones policromas como las de Giemsa, con bicarbonato violeta-cristal hasta emitir vapores y otros métodos similares, pero no se tiñen bien con los colorantes bacterianos usuales.

Composición química. Como las rickettsias y los organismos del grupo de la psitacosis-linfogranuloma venéreo, la composición química de los virus eruptivos es similar a la de las bacterias, incluyendo ácido nucleico en proporciones de 6 a 7 por 100 en contraste con las grandes cantidades que se descubren en otros virus, junto con proteína, polisacárido y lípido. El ácido nucleico es DNA, predominantemente de tira doble, que constituye el núcleo central. Se ha comprobado que los preparados muy purificados contienen cobre y flavina junto con biotina. Si estos componentes deben considerarse parte integral del virus, pueden presentar fragmentos rudimentarios o vestigiales de un mecanismo respiratorio, pero también es posible que simplemente representen una contaminación originada en el tejido infectado. La resistencia al éter de los virus de las erupciones pustulosas, globalmente, es variable, pero los virus que aquí estudiaremos son resistentes al éter.

Crecimiento. La multiplicación de los virus parece ocurrir en el citoplasma de la célula infectada. Después que el virus ha penetrado en la célula huésped una parte del citoplasma que lo rodea se diferencia formando una matriz. Cuando esta matriz es densa, constituye el cuerpo de inclusión, pero puede producirse réplica viral en una matriz que no sea suficientemente densa para aparecer como un

cuerpo de inclusión. La matriz más tarde se desintegra en cuerpos elementales, que pueden hallarse en diversas etapas del desarrollo como se describió en otro lugar (capítulo 3); finalmente, la masa se desintegra por completo, el citoplasma de las células se llena de cuerpos elementales que pueden infectar a otras células.

Antigenicidad. Hay por lo menos cinco tipos de antígenos en los virus de este grupo, algunos de los cuales se conocen mejor que otros. El antígeno soluble LS de viruela y vacuna, que se encuentra libre en tejidos infectados, parece ser un complejo único, del cual el antígeno L es termolábil y el antígeno S es termostable. Estos antígenos pueden demostrarse por fijación de complemento. Hay también un antígeno nucleoproteínico (NP), y estos virus forman una hemaglutinina que aglomera los eritrocitos de las aves, y en el caso de la viruela del ratón los eritrocitos de ratón también, que puede separarse del cuerpo elemental y está asociado con partículas de 65 nm de diámetro. La actividad de hemaglutinina se inhibe específicamente en presencia de anticuerpo.

Durante el ciclo de reproducción de los virus en cultivo de célula HeLa estos antígenos aparecen sucesivamente. El antígeno LS puede descubrirse en unas cuatro horas, el antígeno NP en unas cinco a seis horas, ambos en el citoplasma de la célula infectada y precediendo a la aparición de la partícula infecciosa. El antígeno hemaglutinante parece ser un producto secundario de la interacción entre células y virus, y no se descubre hasta unas 10 horas después de iniciada la infección.[86]

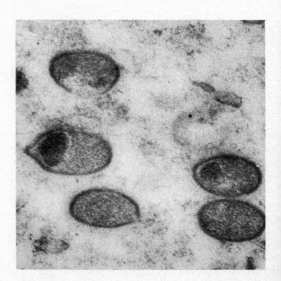

FIG. 36-2. Micrografía electrónica de virus de vacuna en corte de membrana corioalantoidea infectada, que muestra la forma oval observada en algunas preparaciones. Nótese la pequeña masa de material electrónicamente denso en dos de las partículas virales; × 53 000. (Morgan: J. Exp. Med.)

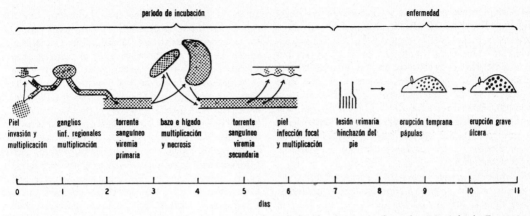

periodo de incubación — enfermedad

| Piel invasión y multiplicación | ganglios linf. regionales multiplicación | torrente sanguíneo viremia primaria | bazo e hígado multiplicación y necrosis | torrente sanguíneo viremia secundaria | piel infección focal y multiplicación | lesión primaria hinchazón del pie | erupción temprana pápulas | erupción grave úlcera |

días

FIG. 36-3. Representación esquemática de la patogenia de la infección de viruela de ratón. (Copiado de Fenner.)

Ninguno de los anticuerpos para estos antígenos va acompañado de neutralización o protección; la capacidad de estimular la formación de anticuerpo protector se asocia más bien con la infecciosidad de las cepas del virus, y parece que en ella intervienen otros antígenos que los que acabamos de describir.[6]

Patogenia de la enfermedad pustulosa. Aunque hay un grado notable de especificidad del huésped para estos virus, las diferencias en la patogenia de las enfermedades que producen pueden considerarse variaciones de un mismo tema. Por ejemplo, la respuesta proliferativa señalada antes es menor en la viruela y en la vacuna, pero en algunas formas de viruela aviaria es tan intensa que la enfermedad se ha conocido con el nombre de epitelioma contagioso.

Los virus pueden agruparse por sus tropismos tisulares: los virus de los exantemas son dermotrópicos, y tales tropismos se deducen de la localización de la lesión manifiesta predominante. Es muy significativo, sin embargo, que la reproducción del virus puede ocurrir sin lesión manifiesta en células y tejidos fuera de aquellos en los cuales ocurren las lesiones predominantes, y que tal réplica y diseminación puede ser parte integral de la patogenia de la enfermedad. La aparición de viremia, por ejemplo, expone el virus a la acción de anticuerpo humoral y es fundamental para la inmunidad eficaz a dicha enfermedad. En el caso de la viruela del ratón la asociación de acontecimientos ha sido estudiada en detalle por Fenner[38] (se han obtenido resultados similares con la viruela del conejo),[13] y hay muchos datos indicando que esta enfermedad puede tomarse como prototipo, actualmente por lo menos, de enfermedades eruptivas similares como la viruela y la vacuna.

El periodo de incubación de la viruela del ratón es de unos siete días, y a los 11 días, aproximadamente, después de la infección la enfermedad ha progresado hasta causar un exantema grave con úlcera. Después de la infección inicial, el virus se multiplica en la piel y se difunde a los linfáticos regionales; ahí se multiplica durante los dos primeros días del periodo de incubación, luego el virus penetra en el torrente vascular para originar la viremia primaria al segundo o tercer día, difundiendo la infección hasta el bazo e hígado, donde se multiplica más y produce necrosis. El virus se propaga nuevamente hacia el torrente vascular para producir viremia secundaria al cuarto y quinto días, difundiendo la infección hasta la piel para crear cuerpos infecciosos al sexto día. Al séptimo día, final del periodo de incubación, aparece la lesión primaria, una hinchazón de los extremos de las patas; aparece un exantema papuloso al noveno día, que evoluciona hasta ser un exantema grave con úlceras al undécimo día. Esta sucesión de acontecimientos se ilustra esquemáticamente en la figura 36-3. Claro está, durante el periodo de incubación el virus se halla muy diseminado en el cuerpo multiplicándose en células que no guardan relación con la lesión primaria de la enfermedad. Como veremos más tarde (capítulo 38), ocurren fenómenos análogos en infecciones con otros tipos de virus.

VIRUELA Y VACUNA

La viruela es una enfermedad muy antigua que se sabe ocurrió en forma epidémica en China 12 siglos a. C. y que actualmente sigue en forma endémica, de cuando en cuando epidémica, en Asia, Africa y Medio Oriente. Se difundió ampliamente por Europa durante las Cruzadas y parece que fue introducida en el hemisferio occidental a principios del siglo XVI, extendiéndose por Centro y Sudamérica; la nueva infección persistió introducida por el comercio de esclavos.

La enfermedad se presenta en dos formas, de gravedad muy diferente. Una, la viruela mayor (viruela negra, viruela maligna, etc.) se caracteriza por mortalidad de 25 hasta 40 por 100. La forma

más leve, viruela menor tiene mortalidad de quizá
1 por 100 y ha recibido diversos nombres, como
alastrim, viruela Faffir, picazón de Cuba, paravi-
ruela, etc. Los virus causantes de las dos formas
de la enfermedad prácticamente no pueden distinguirse, excepto por una virulencia ligeramente
acentuada de la viruela mayor para el embrión
de pollo. Esta diferencia de virulencia puede aumentarse modificando la temperatura de incubación
en una prueba de laboratorio.[32] Las enfermedades se distinguen por datos epidémicos, fundándose
en la mortalidad.

En muchas zonas, incluyendo Estados Unidos de
Norteamérica, la viruela menor ha tenido tendencia
a desplazar la forma maligna de la enfermedad. En
la actualidad Asia y Africa son los centros principales de infecciones por viruela mayor; India constituye la fuente más importante de casos, y este
tipo de enfermedad ha sido endémica en Portugal,
en Europa, en México, en Norteamérica, en Brasil
y América del Sur. (N. del T., en México desde
muchos años no se ha registrado ningún caso de
viruela.) La frecuencia mundial de la viruela ha
disminuido mucho a consecuencia de una intensa
campaña de inmunización por la Organización
Mundial de la Salud; [109] el número de casos en el
mundo denunciados a la organización disminuyó
desde 132 860 en 1963, a 31 318 en 1970; de los
diversos continentes, Asia contribuyó con 26 324
casos al total de 1970. La introducción de viruela
mayor desde los centros endémicos de infección
sigue siendo posible; por ejemplo, ocurrió en la
Ciudad de Nueva York en 1947. En Estados Unidos
de Norteamérica el número de casos de viruela
ha disminuido desde 30 000 a 50 000 por año en
la década de 1920 hasta ningún caso confirmado
desde 1954. Periódicamente se presentan pequeñas
epidemias en países de los cuales ha desaparecido
la viruela, provenientes de un caso importado; el
ejemplo más reciente y notable es la epidemia
que ocurrió en Meschede, Alemania Occidental
en 1970.[111]

La vacuna casi siempre es una infección adquirida
voluntariamente para producir inmunidad para la
viruela (ver luego) y su presencia en esta forma
data de las observaciones de Jenner a fines del siglo
XVIII. Sin embargo, de cuando en cuando puede presentarse en forma epidémica localizada, atribuible
muchas veces a infección de vacas lecheras por un
vaquero no recuperado de la vacunación; el ganado
y los otros vaqueros se infectan.[88] La vacuna casi
siempre es una enfermedad ligera, localizada en el
hombre; la vacuna generalizada se observa raramente en individuos normales, pero puede ocurrir en
un niño no inmune que previamente tenga lesiones
cutáneas, por ejemplo, eccema, y adquiera la vacuna
por contacto.

Viruela en el hombre.[26] El virus de la viruela
resiste la desecación, y las costras de las pústulas
son muy infecciosas. La infección humana se ad-

quiere por contacto, directo o indirecto, con tales
materiales infecciosos. Hay motivos para creer que
en la enfermedad típica la infección primaria ocurre en las vías respiratorias, multiplicándose el virus
en lesiones mínimas, muchas veces no infecciosas.[29]
El virus se difunde a los linfáticos regionales y
pasa al torrente sanguíneo y vísceras, donde se
multiplica durante la última parte del periodo de
incubación de unos 12 días. Cuando el virus es liberado de estas zonas para causar viremia secundaria,
aparecen síntomas como escalofríos, fiebre, postración, cefalea, dolor de espalda y vómitos, y el virus
puede descubrirse en la sangre. La viremia secundaria origina focos de infección en piel, mucosas
y vísceras, y entonces aparecen las lesiones cutáneas.
Estas se manifiestan en un solo brote, y al principio
son máculas, que luego pasan por las etapas de
pápula y vesícula, hasta pústula, en plazo de cinco
a 10 días.

Histológicamente, hay proliferación de la capa
de células espinosas de la piel y aparición de inclusiones citoplásmicas. Hay edema intracelular, manifiesto por la aparición de vacuolas, seguido de
edema intercelular. Las vacuolas aumentan de volumen, se hacen confluentes, la membrana celular
se distiende y desintegra, y se forman vesículas por
coalescencia de células afectadas vecinas. La reacción
epidérmica va seguida de dilatación de vasos linfáticos y sanguíneos, participación de la capa basilar, y
aparición de un exudado inflamatorio con necrosis
del corion que deja la cicatriz típica.

Quimioterapia. La complicación más frecuente
es la infección piógena; la terapéutica antibiótica es
eficaz para reducir al mínimo tal infección, con la
consiguiente disminución de cicatrices residuales,
aunque los quimioterápicos no son eficaces contra el
virus de la infección

La isatina β-tiosemicarbazona y algunos compuestos similares se ha comprobado que tienen actividad
antiviral en infecciones experimentales de virus
pustulosos. Este compuesto y su derivado metílico
son eficaces contra la viruela experimental, la vacuna y la viruela de la vaca como agente profiláctico, pero inactivos contra la viruela del ratón;
ocurre al revés con la isatina β-dialquiltiosemicarba-
zona.[10] La N-metilisatina β-tiosemicarbazona se ha
ensayado en el hombre y se ha comprobado que
tiene neto valor profiláctico en los contactos.[11] No
se conoce la índole de este efecto antiviral, pero
parece ser una interferencia con la maduración de
la partícula del virus. Se ha comprobado que el

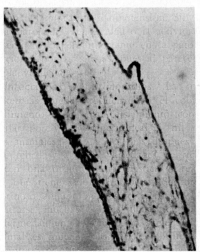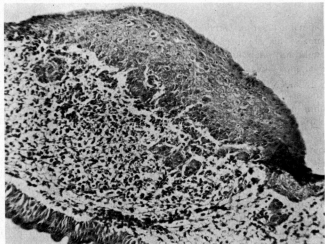

Fig. 36-4. Cortes de membranas corioalantoideas de huevos embrionados de 13 días. *Izquierda*, Sin inoculación; *derecha*, corte a través de una lesión variolosa. Obsérvese el engrosamiento de la membrana y la zona aislada de hiperplasia epitelial; × 100. (Fotografía del ejército de Estados Unidos de Norteamérica, cortesía del doctor N. Hahon.)

antibiótico rifampina posee dicha acción en condiciones experimentales.[52]

Inmunidad. La viruela ha sido el ejemplo clásico de enfermedad infecciosa en la cual la recuperación se acompaña de una inmunidad muy eficaz y duradera; es indudable que el individuo conserva la inmunidad por muchos años. La respuesta inmune se manifiesta por la aparición, durante el curso de la enfermedad, de actividad de anticuerpo fijadora de complemento e inhibidora de hemaglutininas; pero, como dijimos antes, estos anticuerpos no parecen asociarse con una inmunidad eficaz. Se forma anticuerpo protector que, a diferencia de los anticuerpos fijadores de complemento e inhibidor de hemaglutinina que disminuyen hasta valores insignificantes en plazo de unos 12 meses, se puede demostrar durante años con pruebas adecuadas como la valoración en cultivos de tejido.[23]

Hay un grado elevado de inmunidad cruzada entre los diversos tipos de virus de viruela, demostrable en animales de experimentación. La inmunidad cruzada entre viruela y vacuna es muy neta y permite el empleo de esta última infección ligera para lograr una inmunidad profiláctica eficaz contra la viruela en el hombre (ver luego).

Diagnóstico de laboratorio.[28, 31, 140] El diagnóstico de laboratorio de la viruela tiene importancia para identificar en forma rápida y segura los casos atípicos en los cuales la enfermedad está modificada por vacunación previa, y también para excluir la vacuna generalizada, la varicela (ver luego), etc.

Depende de demostrar la presencia del virus directamente o deduciéndola de la presencia de anticuerpo específico.

Se descubren anticuerpos de inclusión en frotis teñidos de lesiones en etapas papular y vesicular de la enfermedad; el virus puede aislarse de estas lesiones en membrana corioalantoidea de huevo de gallina embrionado de 12 a 14 días de edad. Puede demostrarse antígeno específico en las lesiones por fijación de complemento en presencia de antisuero conocido.

Las · pruebas diagnósticas más fáciles de aplicar son las de anticuerpo sérico, anticuerpo fijador de complemento y anticuerpo inhibidor de hemaglutinina. Este último puede no aparecer hasta la fase eruptiva tardía de la enfermedad. Se ha señalado que el anticuerpo inhibidor de hemaglutinina puede descubrirse incluso en etapa preeruptiva; alcanza títulos de 1:2 000 al término de la primera semana. El título de anticuerpo tiene significación diagnóstica dudosa en personas recién vacunadas, pero un título que va aumentando durante la evolución de la enfermedad puede considerarse diagnóstico.

Vacuna e inmunización.[14, 25] Se produce anticuerpo para los antígenos LS y NP inoculando con material no infeccioso, pero no se ha podido producir una inmunidad eficaz para la viruela utilizando virus inactivo. El desarrollo de tal inmunidad parece depender de infección con virus de viruela o similares, de los cuales la vacuna es el más importante.

La práctica de la vacunación, o sea la inoculación deliberada en el hombre aplicando costras secas de pústulas variolosas a la piel y mucosa nasal, o por ingestión, fue frecuente en Oriente durante la antigüedad. Se introdujo en Europa en 1718 por Lady Mary Wortley Montagu, esposa del embajador británico en Constantinopla. La infección así producida solía ser menos grave que la viruela adquirida naturalmente y la mortalidad netamente inferior que la de la enfermedad natural. Sigue empleándose esta práctica en algunas zonas remotas subdesarrolladas.

Mientras tanto, se había observado que los individuos que sufrían viruela de la vaca por ganado infectado no adquirían la viruela por exposición subsiguiente. La viruela de la vaca es una enfermedad extraordinariamente leve en el hombre, raramente o nunca mortal, en la cual la lesión casi siempre se limita al lugar de inoculación. Estas observaciones casuales fueron ampliadas por el inglés Jenner, quien publicó su clásico tratado sobre relación entre las dos enfermedades en 1796. La profilaxia de la viruela inoculando viruela de vaca, la denominada profilaxia jenneriana, fue recibida muy favorablemente y aplicada con gran amplitud.

Virus vacunal. Jenner consideró que el virus de la viruela de la vaca es virus de viruela adaptado al huésped bovino. La vaca puede infectarse con viruela, al principio con lesiones insignificantes después de inoculación intracutánea, pero al pasar de un animal a otro se produce una erupción vesicopustular muy similar (no idéntica) a la de la viruela natural de la vaca. Aunque la viruela, la vacuna, la viruela de la vaca y la viruela del ratón guardan estrecha relación inmunológica, pueden demostrarse diferencias antigénicas por pruebas de neutralización cruzada. Al respecto, se comprueba que la vacuna guarda relación más estrecha con la viruela que con la viruela de la vaca, y, a su vez, la viruela de la vaca guarda relación más estrecha con la viruela del ratón que con la viruela humana.[40] Esto sugiere que las cepas actuales de virus de vacuna provenían de virus de viruela más que de virus de viruela vacuna, pero no ha sido posible lograr la derivación experimental.[61] Al respecto, tiene interés recordar que la vacuna de la vaca adquirida espontáneamente, en el hombre es una enfermedad algo más grave que la vacuna; y que en experimentos de recombinación, con variantes de vacuna en infecciones mixtas de cultivo de células HeLa y membrana corioalantoidea, los productos de recombinación, aparentemente análogos a los productos de recombinación bacteriana, tenían tendencia a presentar viruela disminuida.[41]

Vacuna en el hombre. La inoculación humana con linfa vacunal (ver luego), suele ser intracutánea, por el método denominado de las presiones múltiples, en el cual se hacen de 30 a 40 punciones en piel con una aguja a través de un gota de preparado de virus vacunal que tenga aproximadamente 1 cm de diámetro. Al cabo de tres a cuatro días aparece una pápula que se vuelve vesícula, evoluciona a pústula al cabo de 10 a 12 días y luego involuciona. Puede haber fiebre del cuarto al octavo días, y cierta hipersensibilidad y aumento de volumen de ganglios linfáticos regionales. La costra que se forma sobre la pústula se desprende al cabo

de tres semanas aproximadamente, después de la inoculación, dejando una cicatriz hueca roja, que con el tiempo se vuelve blanca. Las complicaciones son muy graves. Puede producirse vacuna generalizada, con erupciones en otros lugares que no sean los de inoculación, y reacción general más intensa, cuando al tiempo de efectuar la inoculación el paciente tiene otras lesiones cutáneas, por ejemplo eccema. La encefalitis posvacunal, extraordinariamente rara, se parece a la observada después de inocular otros preparados inmunizantes.[83] Aunque las complicaciones son raras, al haber desaparecido la viruela de Estados Unidos de Norteamérica —y de otros países—, con la consiguiente ausencia de peligro de adquirir la enfermedad personas no inmunes, se ha puesto en duda la procedencia de la inmunización sistemática.[82]

La reacción precedente es la que proporciona el individuo plenamente susceptible y a veces recibe el nombre de reacción primaria. Se modifica en el individuo con inmunidad parcial o completa, proporcionando entonces una reacción vaccinoide en el primer caso y una reacción inmune en el segundo. La reacción vaccinoide es similar a la primaria, pero acelerada y menos intensa. Aunque hay gradientes en la respuesta, en general la pápula aparece a los dos días, y la reacción máxima se alcanza entre los tres y los siete días. La reacción inmune estriba en el desarrollo de una pápula o vesícula superficial, que alcanza volumen máximo en ocho a 72 horas, desaparece sin pasar por la etapa de pústula y no deja cicatriz.[22] La reacción inmune la proporciona tanto el virus inactivado como el activo; representa una respuesta alérgica al material vacunal. Tiene

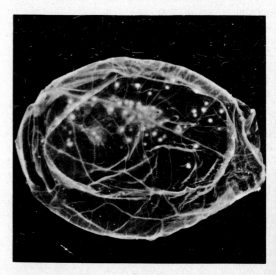

FIG. 36-5. Aspecto macroscópico de las lesiones de tipo pustuloso producidas por virus de viruela en la membrana corioalantoideo del huevo embrionado después de 72 horas de incubación, Hematoxilina y eosina; × 100. (Hahon y Ratner: J. Bac.)

importancia práctica poner de relieve que una vacuna que da la reacción inmune no es necesariamente activa y, por lo tanto, puede no ser un agente inmunizante eficaz para el no inmune.

La protección proporcionada es intensa, pero no persiste tanto como la correspondiente a la recuperación de la viruela. Los contactos susceptibles de enfermos pueden también protegerse, siempre que la vacuna se dé muy pronto, en plazo de 24 horas, durante el periodo de incubación.

Infecciones experimentales. El virus de la viruela solo infecta al hombre y al mono, pero es fácil de cultivar en membrana corioalantoidea de huevo embrionado de gallina, donde produce lesión a modo de pústula, y puede conservarse por pasos seriados en saco vitelino. En el mono [55] la enfermedad es similar a la del hombre. En el conejo y la ternera solo se logran lesiones mínimas. Resulta muy difícil pasar la infección en serie por el conejo, hecho característico que diferencia netamente la viruela de la vacuna; y en el paso seriado en terneras, el virus pierde su carácter original y se parece a la vacuna. El ratón adulto puede infectarse por inoculación intracerebral, pero se necesitan dosis masivas para obtener un cuadro uniformemente mortal.[17] El ratón lactante parece ser más susceptible y permite valorar la infecciosidad y el anticuerpo protector.[90]

En contraste, la mayor parte de animales de laboratorio pueden infectarse con virus vacunal, fácil de cultivar en membrana corioalantoidea de huevo embrionado, donde produce pústulas similares a las de la viruela. El conejo es el animal de experimentación más empleado y la infección se produce por todas las vías acostumbradas de inoculación. El virus se adapta relativamente pronto al crecimiento en diversos tipos de tejidos, y las alteraciones consiguientes de la virulencia han originado cepas que producen encefalitis, orquitis o neumonía, y cepas que difieren en otros aspectos, como morfología de las pústulas y resistencia al calor.

Vacuna. La vacuna para uso humano suele proceder de la ternera, aunque pueden usarse también otros animales, como la oveja. El inóculo o "virus semilla" conserva su actividad máxima por pasos repetidos en el conejo y se utiliza para inocular la pared abdominal rasurada de la ternera. Después que han aparecido vesículas confluentes a lo largo de las marcas de rasguño, el virus se recoge raspando las paredes de las vesículas y su contenido; este material, la linfa vacunal, se emulsiona en glicerina. La actividad persiste por largo tiempo cuando la linfa vacunal se conserva a —10°C, unos seis meses a 0°C, pero poco más de una semana a temperatura de la habitación.

Este virus también puede crecer, con fines de vacunación, en membrana corioalantoidea de embrión de pollo, o en cultivo de tejido de embrión de pollo.[72] Como el virus crece en condiciones estériles, no se plantean problemas de contaminación

bacteriana, como por ejemplo, bacilos tetánicos, etc., inherentes a la producción de vacunas con linfa de ternera. Estas vacunas de cultivo no parecen tan eficaces para inmunizar como la preparación de linfa de ternera, posiblemente por cambios de adaptación al tejido del pollo.

La actividad de las vacunas se valora por la prueba de escarificación del conejo,[80] o sea, la infección inicial, no el paso en serie, pero algunos autores han insistido en que la potencia también puede valorarse en forma igual, o quizá mejor, con métodos de cultivo de tejido,[9] o por recuento de pústulas en la membrana corioalantoidea del huevo embrionado.[45] La potencia de la vacuna se refiere a la de un estándar internacional.[81]

ENFERMEDADES PUSTULOSAS DE ANIMALES INFERIORES

Las enfermedades pustulosas ocurren en diversos animales inferiores incluyendo ganado, ratones y aves de corral, según señalamos antes, y también en ovejas, caballos, cerdos y cierto número de pájaros como pichones y canarios. En general, estas enfermedades se caracterizan en su forma aguda por una erupción vesicular, pero pueden ocurrir lesiones en la boca, como en la estomatitis del caballo, o puede predominar la respuesta proliferante a la infección, como en algunos de los tipos clínicos de viruela de las aves. En todas estas enfermedades se descubren cuerpos de inclusión de tipo Guarnieri, muchas veces en gran número, en las células epiteliales afectadas, y los virus causales morfológicamente son muy similares e inmunológicamente guardan relación mutua.

Viruela de la vaca. Se trata de una enfermedad leve que ocurre naturalmente en el ganado, caracterizada en forma aguda por una erupción vesicular en ubres y pezones. No es frecuente, por lo menos en forma aguda. Se transmite al hombre, como señalamos ya a propósito de los trabajos de Jenner, y la enfermedad humana a veces es más grave que la vacuna. El virus se distingue de la viruela y de la vacuna por sus propiedades hemorrágicas, manifiestas en pústulas formadas en membrana corioalantoidea de embrión de pollo, y el líquido de la vesícula en infecciones humanas de bovinos puede contener sangre. Hay inmunidad cruzada entre la viruela de la vaca, por una parte, y la vacuna, por otra, aunque pueden demostrarse diferencias antigénicas menores. Las vacas también pueden adquirir vacuna del hombre.

Viruela del ratón.[39] La pústula del ratón, o ectromelia, es una infección que ocurre naturalmente en ratones de laboratorio y se describió causada por virus en 1930; su relación con enfermedades pustulosas se demostró en 1945. Se observa en diversas partes del mundo, pero no parece hallarse en Estados Unidos de Norteamérica como infección de aparición natural, por lo menos en la forma aguda. Esta enfermedad ha sido particularmente útil como infección experimental modelo, para estudiar la patogenia de la enfermedad pustulosa, según describimos antes, y como infección inmunizante comparable a la viruela o la difteria en estudios epidemiológicos experimentales (cap. 9).

La lesión primaria se desarrolla en la puerta de entrada, pero va precedida. de amplia multiplicación del virus y necrosis en las vísceras, bazo e hígado en particular. En la forma aguda de la enfermedad la muerte ocurre en plazo de dos o tres días después de aparecer la lesión primaria, y la necropsia demuestra zonas de necrosis en hígado y bazo. Si el animal no muere, se desarrolla un exantema, al principio de pápulas, luego de vesículas con úlceras; cuando la lesión se halla en el cojinete del pie, como suele ocurrir, el tejido se pone edematoso, luego gangrenoso y se esfacela. La mortalidad puede ser elevada, pero las cepas de virus varían al respecto y la infección puede persistir en forma latente.

Voluminosos cuerpos citoplásmicos de inclusión se observan en gran número en las células epiteliales afectadas. El virus solo produce infección latente inadvertida en la rata, puede crecer en membrana coriolantoidea de huevo de gallina embrionado, y pueden infectarse cobayos y conejos con cepas pasadas repetidamente por huevo. Inmunológicamente guarda relación con la viruela y la vacuna, y con la viruela de la vaca.

Viruela aviaria. Se trata de una enfermedad de las aves domésticas que ocurre en tres formas clínicas, a saber: aquella en la cual la respuesta proliferativa origina el desarrollo de crecimiento de tipo epiteliomatoso en la cresta y la piel de la cabeza; la forma en la cual se descubren membranas amarillentas en la boca; y una forma caracterizada por la presencia de exudado acuoso o mucopurulento en nariz y ojos conocida con el nombre inglés de *roup,* o crup de las aves domésticas.

El virus morfológicamente es similar al de otras virosis pustulosas, pero más voluminoso que los virus de vacuna y de viruela. Las partículas del virus, o cuerpos elementales, reciben el nombre de cuerpos de Borrel en esta enfermedad; los grandes cuerpos de inclusión intracitoplásmica reciben el nombre de cuerpos de Bollinger. Guarda estrecha relación con los virus de la viruela del canario y del pichón, pero probablemente no sean idénticos. Diversos pájaros domésticos pueden infectarse experimentalmente incluyendo pavo, pichón, ganso, pato y gallina de Guinea, junto con cierto número de pájaros salvajes, como el faisán y la codorniz. Este virus, o un grupo de virus muy relacionados, se separan de los demás virus pustulosos en el sentido de que no es patógeno para los mamíferos como hombre, cabra, carnero, ratón, rata o cobayo, pero puede cultivarse en membrana corioalantoidea de huevo de gallina embrionado.

Viruela de simio.[50] La viruela de simio es una de las enfermedades más recientemente descubiertas causadas por virus varioloso en animales inferiores. La infección provoca enfermedad grave en el orangután y en otros primates no humanos. El virus se parece al de la viruela mayor, produciendo pústulas en la membrana corioalantoidea del embrión de pollo a 38.3°C, pero difiere de ella por provocar lesiones necróticas hemorrágicas en la piel del conejo, y por la transmisión seriada en conejos mediante inoculación intradérmica. Inmunológicamente guarda relación con los otros virus variolosos, y los macacos se protegen contra ella por inmunización con vacuna o con vacunas de viruela de vaca.

La susceptibilidad de los monos para la infección viral de viruela ha planteado la posibilidad de un reservorio, en los simios, de esta enfermedad,[7] pero hasta aquí no se ha podido demostrar que tenga valor dicha hipótesis.[101] Es posible que la aparición de la viruela de simio, entonces desconocida con su inmunidad cruzada para viruela y vacuna, haya creado cierta confusión en el pasado acerca de este punto; además, recientemente se ha descrito una nueva enfermedad pustulosa denominada tanapox[30] en animales inferiores y en el hombre en el valle del río Tana en Kenia. La infección humana probablemente se adquiera de primates infectados no humanos. Inmunológicamente no parece guardar relación con otros virus pustulosos.

Herpesvirus

El grupo de agentes considerados herpesvirus, en forma característica proliferan en los núcleos de células infectadas, con producción de cuerpos de inclusión intranucleares acidófilos. En un tiempo se sugirió para este grupo el nombre Nitavirus (*Nuclear Inclusion Type A*), pero ha sido abandonado. La partícula de virus tiene simetría cúbica icosaédrica; la nucleocápside tiene 95 a 105 nm de diámetro y la partícula es considerablemente mayor, de 180 a 250 nm incluida en su cubierta. Estos son virus de DNA sensibles al éter.

Se incluyen en dos subgrupos denominados A y B;[94] los del subgrupo A fácilmente se liberan de las células infectadas, mientras que los del subgrupo B están más estrechamente asociados a ellas. El subgrupo A incluye el virus del herpes simple (*Herpesvirus hominis*) que existe en el hombre; el que produce una enfermedad que ocurre espontáneamente en los cerdos, denominadas seudorrabia o "prurito loco"; un virus denominado virus B que se descubre en los monos, inmunológicamente similar a los del herpes y la seudorrabia; y el virus III, que existe en los conejos. El subgrupo B está formado por el virus de varicela-zoster en el hombre y los citomegalovirus (virus de la enfermedad de las glándulas salivales), que se observan en el hombre y en animales inferiores.

HERPES SIMPLE [120]

El herpes simple (herpes febril, herpes labial) es una enfermedad que ocurre naturalmente en el hombre, caracterizada por lesiones vesiculares en las capas epiteliales del tejido ectodérmico, y por la presencia de cuerpos de inclusión intranuclear en las células afectadas. En la membrana corioalantoidea infectada, el virus aparece primero como una partícula mucho menor, de 30 a 40 nm de diámetro, dentro del núcleo. Aumenta de volumen, al parecer, en parte por adquisición de una membrana, escapa al citoplasma y adquiere una segunda membrana; finalmente emerge en forma de partículas maduras.[137] La presencia del virus tanto en el núcleo como en el citoplasma de las células infectadas también se ha comprobado por la técnica de antígeno fluorescente.[84]

El virus se presenta en dos tipos denominados tipo 1 y tipo 2. La diferenciación entre ellos se basa en las siguientes características: [44, 56, 115] *a)* las cepas de tipo 1 se descubren primeramente en enfermedad no genital, por ejemplo, bucal, etc., mientras que las cepas de tipo 2 pueden ser de origen genital; *b)* en cultivo de tejido, el tipo 1 produce pequeñas placas y el efecto citopático es de células redondeadas adherentes, mientras que el tipo 2 produce placas voluminosas y un efecto citopático consistente en agregados laxos de células redondeadas, células redondeadas sincitiales, o ambas; *c)* en el embrión de pollo el tipo 1 produce primariamente proliferación ectodérmica, y el tipo 2 una afección más general de las capas membranosas, con formación de sincitios; *d)* en el ratón el tipo 2 es netamente más neurotrópico que el tipo 1; *e)* los tipos 1 y 2 son inmunológicamente diferentes, aunque se ha puesto en duda el estado de serotipo.[97, 105]

Enfermedad en el hombre. Las lesiones vesiculares del herpes empiezan con sensación de quemadura local, seguida de aparición de pápulas, que se vuelven vesículas y establecen coalescencia para formar grupos de vesículas de pared delgada. La capa de células espinosas está afectada, con edema intra e intercelular, y hay dilatación capilar e infiltración de células inflamatorias en el corion, pero sin cambios necróticos. El líquido vesicular contiene células epiteliales y células gigantes multinucleadas, con inclusiones en los núcleos, y el líquido es infeccioso. Las vesículas se rompen, se forman costras y la curación ocurre sin cicatriz.

La infección herpética en el hombre adopta dos formas, sea cual sea la localización de las lesiones vesiculares. Una es la infección primaria con fenómenos generales graves, a veces mortales, que ocurren en individuos en quienes no hay anticuerpo neutralizante sérico. La otra, que ocurre en personas que poseen anticuerpo neutralizante en suero, se caracteriza por la presencia de lesiones locales con efectos generales mínimos o nulos.

Herpes primario. Las infecciones primarias ocurren en etapa relativamente temprana de la vida. Los lactantes tienen inmunidad pasiva eficaz y la infección es muy rara antes de los seis meses de vida. A los seis años la proporción de individuos que presentan anticuerpo neutralizante aumenta rápidamente, y en el adulto la proporción de inmunes guarda relación con el estado económico: 35 a 50 por 100 en etapas socioeconómicas elevadas de la sociedad, 90 por 100 o más en grupos de ingreso menor. La frecuencia de un tipo primario de infección no basta para explicar la elevada frecuencia de anticuerpo neutralizante en los adultos. Es probable que la infección primaria frecuentemente sea subclínica. Scott ha estimado que hasta el 80 por 100 de las infecciones primarias son subclínicas.

En un individuo no inmune la erupción vesicular suele empezar en la boca, creando el aspecto de una gingivostomatitis herpética aguda (estomatitis aftosa, estomatitis ulcerosa) en la cual la erupción vesicular ocurre en placas y úlceras superficiales. La región amigdalar puede estar afectada, y muchas veces lo están las encías. Este proceso debe diferenciarse de la herpangina causada por el virus

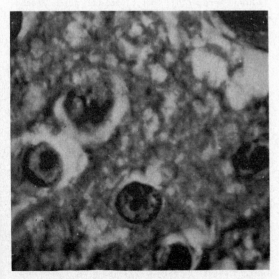

FIG. 36-6. Cuerpos de inclusión herpética intranuclear en cerebro humano. (Instituto de Patología de las Fuerzas Armadas, núm. 102644.)

Coxsackie (cap. 38). Los linfáticos submaxilares pueden aumentar de volumen y ponerse hipersensibles; hay reacción general de intensidad variable, incluyendo fiebre alta. En ocasiones, el virus invade el torrente vascular creando una infección vesicular generalizada conocida como eccema herpético o erupción variceliforme de Kaposi, que puede simular la viruela leve, la vacuna generalizada o la varicela grave. El ojo puede estar infectado, produciéndose queratoconjuntivitis herpética, o puede afectarse el sistema nervioso central originado una meningoencefalitis herpética. Hay motivos para creer que en este último caso la infección llega al sistema nervioso central por vía de los nervios periféricos más que hematógena. El herpes primario puede ser mortal, pero casi siempre es un proceso que cura espontáneamente y persiste unas dos semanas.

Herpes recurrente. Después de una infección primaria, el virus persiste en los tejidos a pesar de la presencia de anticuerpo circulante, y constituye una excepción a la regla general, según la cual las infecciones por virus dejan inmunidad sólida asociada con la presencia de anticuerpos circulantes. Por lo que se refiere al virus, se trata de un parásito que podría decirse tiene mucho éxito y persiste indefinidamente en los tejidos del huésped.[104] Esta persistencia en presencia de anticuerpo neutralizante parece poderse atribuir a la difusión de la infección de una célula a otra, por extrusión directa. Las membranas citoplásmicas de células infectadas se alteran, de manera que se unen a las células vecinas, con paso del virus a través de las membranas celulares; y en acúmulos de células infectadas las membranas se desintegran para originar células gigantes multinucleadas, que se descubren en las vesículas.[114]

La infección se activa de cuando en cuando en diversas formas no específicas, muchas veces como reacción febril, de manera que el herpes puede aparecer durante la convalecencia de otras enfermedades, cualquier choque físico como enfriamiento o trastornos hormonales o metabólicos, la menstruación, etc. En condiciones experimentales la infección puede activarse por reacciones de hipersensibilidad[4] o administrando adrenalina;[119] en muchos procesos humanos acompañados de activación de la infección herpética hay aumento de secreción de adrenalina. Los individuos varían ampliamente por su susceptibilidad a la infección recidivante, o sea por la gravedad del estímulo no específico necesario para desencadenar una crisis.

En el herpes recurrente la enfermedad se limita a una lesión vesicular local, probablemente por modificación del proceso patológico, gracias a la inmunidad preexistente. La erupción suele ocurrir en uniones mucocutáneas, como nivel de los bordes de los labios o las ventanas nasales (herpes de la fiebre, herpes por frío). También puede ocurrir en los genitales (herpes progenital) de ambos sexos, en la corona del pene en el varón, y en los labios y mucosa vaginal baja en la mujer.

Se ha atribuido particular interés a las infecciones genitales de tipo 2 en la mujer, en relación con el carcinoma cervical. Se ha observado una asociación importante de la infección herpética genital con el desarrollo de tales carcinomas[70, 77, 98] y se ha comprobado serológicamente la infección con virus de tipo 2, que confirma la asociación del virus con este tipo de malignidad.[108] Además se ha aislado herpesvirus de tipo 2 de células de carcinoma cervical en cultivo de tejido, después de 10 transferencias durante un plazo de seis meses.[8] A consecuencia de estas y otras observaciones, parece que hay muchas probabilidades que favorecen cierta relación entre el herpesvirus de tipo 2 y la neoplasia cervical preinvasora e invasora.

Quimioterapia. El herpes simple puede tratarse eficazmente con algunas uridinas substituidas por

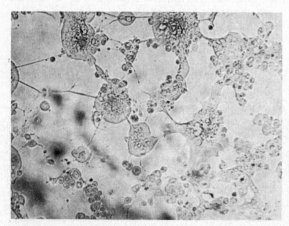
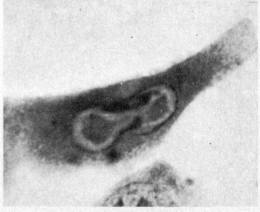

FIG. 36-7. Virus de herpes en cultivo de célula HeLa. *Izquierda.* Un tipo de citopatología producida por el virus, caracterizada por formación de células multinucleadas gigantes unidas por puentes citoplásmicos. × 100. *Derecha,* célula infectada que muestra división del núcleo y un cuerpo de inclusión en cada núcleo hijo. × 1 000. Gray: Arch. ges. Virusforsch.)

halógenos, especialmente 5-yodo-2'-desoxiuridina (IDU), que es eficaz, tanto en el hombre como en los animales de experimentación, por aplicación tópica.[66, 73] Se ha comprobado que los derivados bromados [122] y un derivado metilamínico [99] también eran eficaces en condiciones experimentales. Otro producto similar, 1-β-D-arabinofuranosilcitosina, es eficaz en el tratamiento de la queratoconjuntivitis herpética experimental.[130] El descubrimiento de tales quimioterápicos tiene particular importancia en el tratamiento de las infecciones herpéticas del ojo.

Inmunidad. Según dijimos, la recuperación de la infección herpética primaria se acompaña de aparición de anticuerpo neutralizante en el suero, que puede titularse en cultivos de tejidos. Modifica la enfermedad recurrente subsiguiente, pero no la evita. Al mismo tiempo aparece anticuerpo fijador del complemento, y ambos anticuerpos alcanzan título máximo en plazo de dos a tres semanas. El virus, por lo menos el desarrollado en membrana corioalantoidea, contiene dos, y quizá tres tipos de antígeno. Uno de ellos estimula la producción de anticuerpo neutralizante y puede separarse por centrifugación diferencial del antígeno soluble fijador del complemento, que también proporciona reacción cutánea por inoculación intradérmica a individuos inmunes. Se ha señalado que el antígeno soluble podía separarse en un componente termostable y uno termolábil; este último proporcionando la reacción cutánea, pero el hecho no está todavía plenamente demostrado. La utilidad de las reacciones cutáneas tampoco ha sido comprobada.

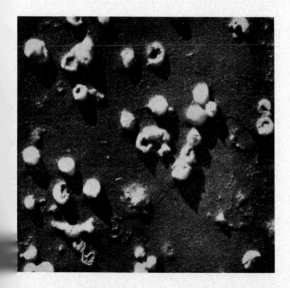

FIG. 36-8. Cuerpos elementales de virus de herpes en orte ultradelgado de membrana corioalantoidea infectada e huevo embrionado de gallina. Algunas partículas están ntactas, otras muestran deformación producida por supreión del agente de inclusión (metacrilato), y la estructura iscontinua de la partícula. × 25 000. (Morgan: J. Exp. íed.)

Infecciones experimentales. El virus puede crecer en diversos tipos de cultivo de tejido, incluyendo testículo de conejo o tejido renal, donde forma placas; la aparición de cepas caracterizadas por diferencias en el efecto citopático (ver antes) resulta en la placa macroscópica asociada con la formación de sincitio y la placa microscópica, en la cual las células huéspedes se observan redondeadas. Puede también crecer en membrana corioalantoidea de huevo de gallina embrionado, de 12 días de edad, formando placas a modo de pústulas en la membrana, que difieren de las pústulas más voluminosas, profundas y necróticas, causadas por los virus de la viruela y la vacuna; la lesión típica quizá no ocurra hasta que la cepa del virus se haya "adaptado al huevo" después de dos o tres pasos. Los animales corrientes de laboratorio, incluyendo conejo, ratón, criceto y rata, pueden infectarse por diversas vías de inoculación; los resultados dependerán bastante de las relativas tendencias dermotropa o neurotropa de la cepa. La inoculación de la córnea del conejo puede producir queratoconjuntivitis y opacidad de la córnea. Esta infección, junto con la de membrana corioalantoidea, suele utilizarse con fines diagnósticos. La inoculación intracerebral produce encefalitis, que también puede ocurrir en el conejo, después de inocular la córnea con una cepa neurotropa del virus.

ERUPCIONES HERPETICAS DE ANIMALES INFERIORES

Entre las diversas virosis de animales inferiores en las cuales se produce erupción vesicular, por lo menos las tres antes señaladas son causadas por virus que se parecen mucho al virus del herpes simple. Aunque solo uno de ellos, el virus B, infecta al hombre, merecen que los consideremos aquí brevemente.

Seudorrabia [46]

La seudorrabia (prurito loco, parálisis bulbar infecciosa) es una enfermedad que ocurre espontáneamente en los cerdos, relativamente leve pero muy contagiosa en esta especie animal. Ocurre en Europa y en todo el continente americano; en Estados Unidos de Norteamérica, según demuestran las encuestas de anticuerpo neutralizante, aparece sobre todo en cerdos en el medio oeste. En la forma aguda el comienzo es brusco, después de un breve periodo de incubación, y la enfermedad se caracteriza por prurito intenso, seguido de parálisis, con muerte súbita en uno a dos días. La enfermedad también afecta al ganado, caballos, cabras, ovejas, perros, gatos y otros animales domésticos, pero no al hombre. Los animales corrientes de experimentación, de los cuales el conejo es uno de los más susceptibles, se infectan fácilmente por cualquier vía.

El virus se halla ampliamente distribuido en el cuerpo, y existe en la saliva, pero la enfermedad es una infección aguda del sistema nervioso central. Progresa tan rápidamente que no hay signos macroscópicos intensos, fuera de la hiperemia de las meninges y señales de hemorragia a este nivel y en los pulmones; el virus parece alcanzar el sistema nervioso central siguiendo los nervios periféricos, y ocasionando en el conejo degeneración del nervio y de las células gliales en los ganglios raquídeos y en los correspondientes segmentos de la médula. En el ganado, la degeneración de nervios y células gliales ocurre en la corteza cerebral y es intensa a nivel del asta de Ammon. Aunque el virus antigénicamente no guarda relación con *Herpesvirus hominis* [67] se considera un herpesvirus y ha recibido el nombre de *Herpesvirus suis*.

Virus B [58]

Este virus fue aislado originalmente (1934) de un caso mortal de mielitis ascendente aguda en un trabajador de laboratorio que había sido mordido por un mono rhesus aparentemente normal. Más tarde se aisló directamente del mono, y hay motivos para creer que no es rara la infección benigna en los monos rhesus. La infección del hombre es muy poco frecuente, pero ocurre en trabajadores de laboratorio y otros que manipulan monos.[87] La enfermedad clínica tiene gran mortalidad; hubo trece muertos en 15 casos publicados en 1966.[103] Los conejos y cobayos pueden infectarse experimentalmente; el virus muestra tendencia neurotropa, y puede desarrollarse en membrana corioalantoidea de embrión de pollo. El virus puede crecer en diversos tipos de cultivos de tejido; se han descrito variantes caracterizadas por efectos citopáticos diversos.[37] El neurotropismo es menos intenso en el mono; la infección experimental produce una infección generalizada con exantema vesicular.

El virus es muy parecido al del herpes simple, aproximadamente del mismo volumen, y produce cuerpos de inclusión intranuclear en las células afectadas. Inmunológicamente guarda relación con el virus del herpes simple y con el virus de la seudorrabia. Melnick y Banker [92] descubrieron anticuerpo neutralizante en globulina gamma humana mezclada, y en el suero de 11 de 40 personas examinadas en Bombay, así como nueve de 44 monos aparentemente normales. Se supone que la infección es endémica en el mono, pero la interpretación de los datos serológicos, especialmente en el hombre, ha de tener presente las reacciones cruzadas con virus de herpes simple.

Virus III

El virus III se descubrió en conejos aparentemente normales por Rivers y Tillett en 1923, y después

nuevamente por Andrewes y colaboradores.[5] La infección que aparece espontáneamente es asintomática pero la presencia de virus en conejos infectados puede demostrarse por pasos ciegos seriados intratesticulares, que acaban produciendo lesiones en testículos, piel y córnea. Cuerpos de inclusión intracelular, muy similares a los del herpes simple, se descubren en las células afectadas, epiteliales y endoteliales. El virus puede crecer en cultivo de tejido de testículo de conejo, produciendo inclusiones intranucleares típicas. Hasta donde sepamos, no infecta al hombre ni otros animales.

VARICELA Y ZOSTER

La varicela (viruelas locas) y el zoster (herpes zoster) son enfermedades exantemáticas del hombre, caracterizadas por una erupción vesicular y la presencia de cuerpos de inclusión intranuclear acidófilos en las células afectadas. El zoster, frecuentemente denominado herpes zoster o zona, no guarda ninguna relación con el herpes simple; ambas enfermedades y la varicela están causadas por virus del grupo de herpes.

La morfología de la partícula del virus es muy similar a la del virus del herpes simple,[1, 3] como se observa en el líquido vesicular, y se producen inclusiones intranucleares en cultivos de células. Se desarrolla con cierta dificultad en cultivos de células humanas, amnios, fibroblastos pulmonares, con formación de placas,[107] y células tiroideas primarias.[19] El paso en serie suele necesitar la transferencia de células infectadas, pero se ha señalado que células tiroideas fuertemente infectadas liberan el virus infeccioso en el medio que las rodea. No se han podido infectar animales de experimentación, excepto, quizá, el mono.

Varicela. La viruela loca o varicela es una enfermedad exantematosa muy contagiosa y frecuente que se observa en la infancia en forma epidémica. Después de un periodo de incubación de dos a tres semanas hay reacción febril, y aparece una erupción macular que progresa hasta la etapa de vesículas y puede producir pústulas. Estas lesiones aparecen en brotes sucesivos, y pueden observarse en todas las fases del desarrollo. La capa de células espinosas es la afectada, pero sin la degeneración reticular que ocurre en la viruela. A medida que la lesión se desarrolla, el edema intercelular se hace mucho más intenso que en la vesícula variolosa, aparece exudado inflamatorio y se observan células gigantes multinucleadas. El corion puede formar la base de grandes lesiones, con la cicatrización consiguiente; pero, en general, no ocurren los cambios necróticos observados en lesiones de viruela. Las lesiones uniloculares, incluso en etapa temprana, pueden distinguirse de la vesícula multilocular temprana de las infecciones por viruela-vacuna. En el adulto hay cierta tendencia a la neumonía por varicela, que puede ser menos rara de lo que suele suponerse.

En esta enfermedad hay cierta tendencia neurotropa del virus, como demuestra la aparición ocasional de encefalitis como complicación, y puede haber neuritis de nervios craneales. La enfermedad no se modifica por quimioterápicos, pero la quimioterapia es útil para reducir al mínimo la infección secundaria de las lesiones. La inmunoglobulina es profiláctica.[71]

Zoster. La lesión vesicular del zoster o zona es prácticamente idéntica a la de la varicela, pero la enfermedad se distingue de ella por su aparición esporádica en adultos, con inflamación de ganglios raquídeos o extramedulares, acompañada de dolor intenso localizado en alguna parte del nervio afectado, y tendencia de la erupción vesicular a seguir la distribución de uno o más nervios sensitivos cutáneos, generalmente de la espalda.

La enfermedad se inicia por una reacción febril, malestar general, e hipersensibilidad intensa a lo largo de las vías nerviosas dorsales. Aparece una erupción de máculas en plazo de tres a cuatro días, que se hace vesicular y pustulosa cuando ocurre la infección bacteriana secundaria. Las raíces dorsales del tronco son las más frecuentemente afectadas, pero puede observarse participación de las ramas maxilar superior o inferior del trigémino, con lesiones vesiculares en zona amigdalar o mucosa bucal, puede estar afectada la rama oftálmica, con escleritis y lesiones de córnea y conjuntiva, o puede haber participación del ganglio geniculado, con las correspondientes lesiones vesiculares. La meningoencefalitis es complicación rara; en personas de mayor edad hay tendencia a la neuralgia persistente. La tendencia neurotropa del virus es mucho menos neta en el zoster que en la varicela.

Relación entre varicela y zoster. Desde hace tiempo se tenía la impresión de que estas enfermedades guardaban estrecha relación. Aunque la varicela ocurre sobre todo en niños y el zoster en adultos, el contacto con varicela parece que puede causar zoster en el adulto, aunque la cosa no es segura; inversamente, el zoster parece haber sido origen de varicela, a veces en forma epidémica, en niños. Las partículas de virus que se encuentran en el líquido vesicular en las dos enfermedades no pueden distinguirse morfológicamente entre sí, pero la demostración de la relación antigénica no es concluyente. El zoster puede ocurrir en niños o

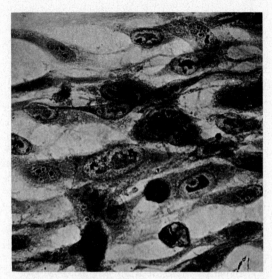

FIG. 36-9. Varicela. Quinto paso en cultivo de tejido prepucial; líquido de lesión de varicela. Foco de células con inclusiones intranucleares al sexto día después de la inoculación; × 550. (Weller: Proc. Soc. Exp. Biol. Med.)

adultos que se han recuperado de la varicela, y no sabemos si exista inmunidad cruzada entre las dos enfermedades. Algunos investigadores han señalado una identidad completa del antígeno fijador del complemento que existe en el líquido vesicular, pero no ha sido comprobada por otros. Sin embargo, hay relación inmunológica, indicada por la aglutinación de partículas de virus de varicela en el suero de convaleciente de zoster, aunque en título más bajo que en el suero de convaleciente homólogo, y la técnica del anticuerpo fluorescente también ha mostrado la presencia de antígenos comunes para los dos virus.

Puede llegarse a la conclusión, como hipótesis de trabajo, de que: *a)* las dos enfermedades están producidas por virus muy similares, uno de tendencia dermotropa y el otro neurotropa; o bien, *b)* son producidas por el mismo virus, algunas de cuyas cepas son suficientemente neurotropas para persistir en los ganglios raquídeos después de recuperación de la varicela; la inyección latente puede activarse con dosis masivas de virus de varicela u otro insulto no específico.[63] Se ha sugerido también que el zoster representa la infección de varicela modificada por una inmunidad parcial preexistente.

Fiebre por arañazo de gato[133]

La fiebre por arañazo de gato (linfadenitis regional no bacteriana, linforreticulosis de inoculación benigna, fiebre por mordedura de gato) es una enfermedad del hombre, al parecer adquirida de los gatos, en la cual hay una lesión papulosa a nivel del punto de inoculación que puede evolucionar hasta úlcera pequeña; en unos pocos casos ha causado una erupción localizada pasajera de tipo sarampionoso. Hay reacción febril general en las dos terceras partes de los casos, con anorexia, malestar, debilidad y dolores difusos; en ocasiones, participa el sistema nervioso central y hay linfadenopatía regional. Los ganglios regionales inmediatos son los primeros afectados; más tarde pueden afectarse ganglios secundarios. Hay hinchazón e hipersensibilidad, y los ganglios quedan indurados o supuran y pueden necesitar drenaje quirúrgico. Los ganglios afectados están encapsulados y se observan de tres tipos histológicos: el tipo caseoso agudo o granuloma tuberculoide blando; la lesión necrosante aguda que contiene un núcleo de leucocitos polimorfonucleares y ninguna limitación neta con el tejido vecino; y una lesión epitelioide formada por un grupo de granulomas de células epitelioides con hiperplasia en un centro germinativo y sin signos de degeneración celular.

El carácter epidemiológico de la enfermedad sugiere su etiología infecciosa. La mayor parte de casos tienen el antecedente de una lesión de la piel por arañazo o mordedura de gato pero no hay relación con enfermedad manifiesta del animal. El aparente origen felino del agente infeccioso, la índole de la enfermedad en el hombre, y el desarrollo

de anticuerpo fijador de complemento en presencia de antígenos del grupo de los microorganismos del grupo psitacosis-linfogranuloma, han sugerido que el agente causal puede ser un miembro de este grupo. Pero la aparición de dicho anticuerpo es irregular, probablemente en no más del 50 por 100 de los casos; ello, y la negativa reacción de Frei, hace que tal suposición sea muy poco segura.

Se ha comprobado que el pus obtenido de ganglios linfáticos infectados, preparado igual que el antígeno original de Frei, proporciona una cutirreacción al parecer específica en casos de la enfermedad.[68, 112] Este material aglutina los glóbulos rojos de conejo, y la hemaglutinación es inhibida por el suero del paciente y por antisuero de conejo para el pus. Se ha aislado un agente hemaglutinante que se ha sometido a pasos seriados en cavidad alantoidea de huevo de gallina embrionado. Este agente no tiene efecto citopático en cultivos celulares, ni produce signos de infección en la córnea del conejo, pero su actividad de hemaglutinación es inhibida por el antisuero para virus de herpes simple.

Mononucleosis infecciosa [18, 62]

La mononucleosis infecciosa, fiebre glandular, angina monocítica) es una enfermedad probablemente infecciosa aguda, que ocurre en niños y adultos jóvenes, caracterizada por aumento en el número de monocitos y grandes linfocitos en sangre, angina, linfadenitis y presencia de anticuerpo heterófilo en el suero. Se conoce en el Japón con nombres muy diversos, incluyendo fiebre de Tokushima y fiebre de Kagami. Una enfermedad similar de los animales inferiores, en la cual puede estar afectado el sistema nervioso central con cierta frecuencia, es causada por la bacteria *Listeria monocytogenes* (capítulo 26) que también ocurre como infección natural del hombre. Este microorganismo no se descubre en la mayor parte de casos de enfermedad humana que presentan el síndrome característico de la mononucleosis infecciosa.

Etiología. Investigadores japoneses han aislado una rickettsia, *R. sennetsu* de enfermedad diagnosticada como mononucleosis infecciosa, y han producido la enfermedad en monos,[121] pero este microorganismo no parece guardar relación con la inmensa mayoría de los casos de enfermedad humana de este tipo clínico. Se ha admitido en general, como hipótesis de trabajo, que la enfermedad es de etiología viral, aunque todavía no ha sido posible cultivar un virus procedente de casos de la enfermedad que pudiera guardar relación con ella.

Esta hipótesis ha recibido confirmación por los amplios estudios de Henle y colaboradores [59, 60]

acerca de asociación de mononucleosis infecciosa con títulos de anticuerpo para el virus Epstein-Barr (EB). Este es un virus de tipo herpético [126] que se considera la causa del tumor humano linfoma de Burkitt,[21] observado en algunas zonas de Africa. En otros casos la enfermedad se ha asociado con una respuesta de anticuerpo al citomegalovirus [78] (ver luego), pero tal enfermedad se considera que debe separarse de la que se asocia con una respuesta de anticuerpo al virus EB, pues no se puede demostrar la presencia de anticuerpo heterófilo (ver luego). El anticuerpo para estos dos virus está muy difundido en la población humana y se ha sugerido que el aumento observado de títulos de anticuerpo puede representar una respuesta inmune a una infección latente activada por un proceso patológico sin relación ninguna con él; [48] en tal caso, las respuestas de anticuerpo no serían indicadoras de etiología de mononucleosis infecciosa.

Quizá la mononucleosis infecciosa sea un proceso clínicamente manifiesto de etiología diversa, lo cual explicaría la aparición de la enfermedad en forma epidémica en ausencia de una respuesta de anticuerpo para cualquiera de estos virus.[16] A la inversa, las infecciones con virus EB pueden adoptar diversas formas clínicas, no solo como linfoma de Burkitt sino también como respuestas patológicas tan variables como sarcoidosis, enfermedad de Hodgkin y lupus eritematoso generalizado.[36] La enfermedad causada por citomegalovirus puede también presentar formas clínicas variadas (ver luego).

Por lo tanto, resulta difícil lograr demostrar el primer postulado de Koch. Por desgracia, todavía no se ha logrado reproducir la enfermedad ni en animales de experimentación [47] ni en voluntarios humanos.[100]

La enfermedad en el hombre. El comienzo de la enfermedad puede ser agudo o insidioso y se caracteriza por pérdida de apetito y fatiga. La participación general queda indicada por la reacción febril y los síntomas como epistaxis, náuseas y vómitos, y dolor de cabeza; los ganglios linfáticos cervicales se hinchan y resultan sensibles, y hay angina, cuya intensidad va desde una ligera hiperemia hasta una forma ulcerosa seudomembranosa. En algunos individuos se produce exantema cutáneo, y puede haber conjuntivitis, signos de lesión hepática o ambos; a veces está afectado el sistema nervioso central. El número de glóbulos blancos aumenta hasta llegar a veces a 80 000; el recuento diferencial muestra disminución de polimorfonucleares y gran aumento de monocitos, proporcionando una fórmula característica.

Se cree que la enfermedad se transmite por contactos íntimos, como besos; de hecho, ha sido llamada "la enfermedad del beso". Muchas veces no puede comprobarse contacto entre personas infectadas; algunos autores han considerado que esto indica poca contagiosidad; otros creen que la infección subclínica es muy frecuente.

Anticuerpo heterófilo. Los signos serológicos de infección incluyen un aumento del título de anticuerpo heterófilo demostrable por aglutinación de glóbulos rojos de carnero (prueba de Paul-Bunnell) por encima del título normal de 1:50 a 1:60; un título de 1:80 suele considerarse como el mínimo de valor diagnóstico. La prueba de hemaglutinación puede hacerse más específica por absorción preliminar del suero con tejido renal hervido de cobayo, que suprime el anticuerpo "no específico"; el anticuerpo relacionado con esta enfermedad es absorbido tratando el suero con eritrocitos hervidos de carnero.

Los sueros de los pacientes también aglutinan, muchas veces en dilución elevada, los glóbulos rojos de cabras y caballos. Aunque suelen utilizarse glóbulos de oveja para esta prueba, los glóbulos rojos de caballo se consideran mejores por algunos investigadores.[85]

Citomegalovirus[131]
(virus de enfermedades
de las glándulas salivales)

Un trastorno conocido como enfermedad de las glándulas salivales se observa ampliamente en el hombre [124] y en diversas especies de animales examinados incluyendo ratas, ratones, cobayos y cricetos, monos Cebus y chimpancés. Se caracteriza por gigantismo celular y cuerpos de inclusión intranuclear (a veces pequeños cuerpos de inclusión intracitoplásmicos compactos) que se hallan dentro de las células afectadas, y cuyas dimensiones y estructura tienden a separarlos de los cuerpos de inclusión observados en otras enfermedades por virus.[91] Esta enfermedad, conocida también como enfermedad de inclusión citomegálica, parece causada por un grupo de virus estrechamente relacionados entre sí, pero con gran especificidad de especie.

La infección, que ocurre espontáneamente en animales inferiores, parece casi invariablemente asintomática. Probablemente sea subclínica en el hombre, pero también se han señalado cuadros graves en lactantes, generalmente de menos de dos años de edad, y se han reunido unos 100 casos mortales en total; en niños mayores puede ser secundaria a alguna otra enfermedad. La infección es generalizada y se descubre la histopatología típica a nivel

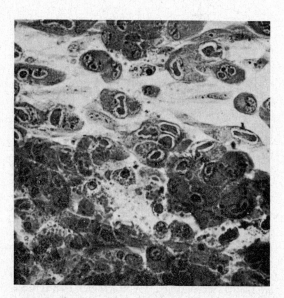

FIG. 36-10. Virus de la glándula salival en tejido de prepucio humano mostrando el borde de una lesión focal, con degeneración central y células infectadas en la periferia. Hematoxilina y eosina; × 360. (Weller: Proc. Soc. Exp. Biol. Med.)

de las glándulas salivales, casi siempre las submaxilares, riñones, hígado, pulmones, páncreas y, a veces, en el cerebro. El virus se descubre en la saliva y en la orina. La infección persiste largo tiempo, según lo demuestra el aislamiento del virus en la orina hasta por cuatro años.

Se cree por algunos autores que, a semejanza del virus del herpes simple, puede persistir indefinidamente.

Los virus causales se han aislado en la enfermedad de las glándulas salivales de ratón, cobayo y hombre; en este último, de glándulas salivales, riñones, adenoides, en cultivo de tejidos de fibroblastos homólogos obtenidos de diversos tejidos. Después de un mínimo de 30 días y un máximo de 70 de incubación, aparecen zonas focales de degeneración en la capa de fibroblastos, separadas por células normales, y que pueden volverse confluentes al continuar la incubación. Las células de la zonas afectadas contienen los típicos grandes cuerpos de inclusión intranuclear acidófilos. Aunque tales cultivos pueden observarse por trasplantes en series, el virus solo crece en fibroblastos homólogos, o sea que los virus de ratón no crecen en fibroblastos humanos ni los fibroblastos humanos en fibroblastos de ratón; no pueden hacerse crecer en la célula usual HeLa, en riñón de mono ni en cultivos de tejido de tráquea de conejo. El virus activo se halla en los cultivos de fibroblastos homólogos; la inoculación intraperitoneal de ratones jóvenes con virus de ratón cultivado produce una enfermedad mortal caracterizada por necrosis visceral; y se provoca una infección mortal por inoculación intracerebral de cobayos fetales o muy jóvenes con virus de cultivo homólogo, pero el virus humano no infecta estos animales.

El efecto citopatógeno en cultivo de fibroblastos queda inhibido en presencia de antisuero, y hay antígeno fijador de complemento en presencia de antisuero en los cultivos de tejido. Con tales pruebas se demuestra que las cepas humanas de este virus son inmunológicamente diferentes del virus del sarampión y de la varicela, y que hay heterogeneidad serológica entre ellas mismas.[135] Morfológicamente no pueden distinguirse de otros virus de herpes.[123, 141]

La aparición general de la enfermedad en el hombre queda indicada por la frecuencia de la histopatología típica en el 10 al 30 por 100 de los lactantes en la autopsia, sea cual sea la causa inmediata de muerte, el aislamiento del virus de tejido adenoideo aparentemente normal, y la distribución del anticuerpo fijador de complemento. La frecuencia observada de títulos importantes de este anticuerpo ha sido del 14 por 100 en el grupo de seis a 23 meses de edad, de 53 por 100 en el grupo de 18 a 25 años, y, por último, de 81 por 100 en personas mayores de 35 años.[138]

Virus tumorales [2, 51, 131]

La propiedad que tienen algunos virus de causar proliferación de las células afectadas ya ha sido considerada antes. En muchos casos la proliferación va seguida de necrosis, con relativa rapidez en una enfermedad como la viruela donde la etapa proliferativa es tan transitoria que resulta casi inadvertida, más lentamente en el tipo epiteliomatoso de la infección de la viruela de los pájaros. En infecciones causadas por otros virus morfológicamente muy similares a los virus variolosos, el molusco contagioso del hombre, y el mixoma y el fibroma del conejo, la respuesta proliferativa predomina, pero finalmente acaba produciéndose necrosis.

Otros virus, en particular el de la papilomatosis del conejo, establecen una relación benigna y continua con la célula huésped, y una proliferación ordenada puede continuar por largo tiempo, pero al final el crecimiento se vuelve desordenado, invade tejidos vecinos, produce metástasis, y las células en rápida proliferación se desarrollan como proceso maligno, o sea que el proceso proliferativo se ha vuelto canceroso. El carcinoma de la mama del ratón, asociado con el factor de la leche de tipo viral, es similar en cuanto la actividad presente en la leche no origina de inmediato un efecto manifiesto pero es esencial para el desarrollo ulterior de carcinoma. En otros casos, como el sarcoma aviario y la leucosis aviaria, la respuesta proliferativa es substancialmente maligna desde el principio de la infección viral. Así pues, cabe establecer una serie continua de tipos de respuestas celulares proliferativas a la infección viral.

La relación entre el virus y la proliferación anárquica no está bien establecida; los datos indicadores de su persistencia indefinida en los tejidos afectados pueden ser equívocos o nulos. En algunos casos, el virus puede no ser directamente separable de los tejidos afectados, pero su presencia continuada y su multiplicación se deducen del aumento creciente del título de anticuerpo en la sangre persistiendo la infección en forma enmascarada probablemente por la presencia simultánea de anticuerpo. En el caso de la leucosis aviaria, el virus ha sido preparado y estudiado en forma altamente purificada por Beard, Sharp y colaboradores; dicho agente viral, aunque no es extrínseco a la célula huésped, y no nace de novo en ella, contiene antígeno del tejido huésped como porción integral d la substancia viral, y la diferenciación entre virus y huésped resulta imprecisa. En fin, en otros casos el virus puede descubrirse solamente en las primeras etapas del proceso neoplásico y después no hay señal ninguna de su presencia; en tales circunstancias, el virus parece funcionar según la terminología corriente como carcinógeno (posiblemente por incorporación al genoma de la célula huésped).[79, 127]

Hasta aquí no ha sido posible asociar virus con las enfermedades cancerosas en el hombre,[2] pero cierto número de virus son oncógenos en animales de sangre caliente. Estos pueden considerarse en tres grupos descritos así:

1) Virus de las erupciones pustulosas (poxvirus) inc'uyendo molusco contagioso y virus de fibroma-mixoma.
2) Papovavirus (virus de *papiloma-polioma* vacuolantes) y algunos tipos (7, 12, 18 31) de adenovirus (capítulo 37).
3) Virus de la leucosis aviaria, la leucemia del ratón y el cáncer mamario del ratón.

De estos, los de los dos primeros grupos son virus DNA, y los del grupo 2 tienen 40 a 80 nm de diámetro, son sensibles al éter, tienen simetría cúbica y no están incluidos en una cubierta o membrana limitante. Los del tercer grupo son virus RNA de unos 100 nm de diámetro, de simetría incierta, posiblemente helicoidal, incluidos en una cubierta y resistentes al éter. Evidentemente, los oncógenos son heterogéneos según los criterios usuales.

MOLUSCO CONTAGIOSO

El molusco contagioso es una enfermedad contagiosa del hombre, distribuida en todo el mundo y que se observa tanto en forma esporádica como epidémica. La infección se difunde por contacto y la enfermedad se caracteriza por la presencia de nódulos múltiples en cara, brazos y espalda, y zonas glúteas, que al principio tienen color rojo, luego blanco perlino, y sufren necrosis expulsando material caseoso. La enfermedad es crónica y las lesiones persisten varios meses.

La lesión se desarrolla en la epidermis en forma de zonas engrosadas de hiperplasia e hipertrofia de las células afectadas. La reacción es mínima o nula en el corazón en ausencia de lesión bacteriana secundaria, y los cambios patológicos aumentan la intensidad procediendo de la capa germinativa a la superficie de la epidermis. Las células afectadas están aumentadas de volumen y prácticamente llenas de cuerpo de inclusión granuloso acidófilo, o cuerpo de molusco, similar al observado en las enfermedades pustulosas.[20] El cuerpo de inclusión contiene elementos ovales o en forma de ladrillo, de 230 por 330 nm. En cortes ultradelgados los cuerpos elementales son heterogéneos por lo que se refiere a la densidad del material electrónico contenido, y los diversos tipos morfológicos pueden interpretarse

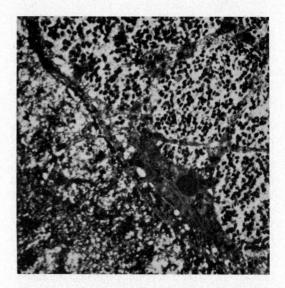

FIG. 36-11. Micrografía electrónica de una célula infectada con virus de molusco contagioso. Tiras de material citoplásmico separan las bolsas de virus maduros, y el núcleo es desplazado hacia el borde de la célula. × 8 500. (Gaylord y Melnick: J. Exp. Med.)

como representando una serie de etapas en desarrollo, según ya se describió (capítulo 3).

No ha sido posible infectar los animales de experimentación con este virus, ni tampoco lograr que creciera en membrana corioalantoidea de huevo embrionado. El antígeno soluble, termolábil, puede prepararse en forma de extractos de tejido infectado macerado que fijan el complemento en presencia de suero de algunos pacientes, y se ha visto que no guardaba relación con los antígenos de los virus pustulosos.

VIRUS DE MIXOMAS Y FIBROMAS

La mixomatosis infecciosa del conejo es una enfermedad leve que ocurre espontáneamente en el conejo de Sudamérica (*Sylvilagus braziliensis*), y una enfermedad rápidamente mortal del conejo silvestre europeo (*Oryctolagus cuniculus*) y los conejos de laboratorio provenientes del mismo. La enfermedad fue descrita por Sanarelli en 1898, observada en conejos de laboratorio en Montevideo. La fibromatosis infecciosa es una enfermedad benigna que ocurre en forma natural en conejos salvajes de cola de algodón (Sylvilagus), descrita por Shope en 1932 y caracterizada por fibromas que finalmente acaban desapareciendo. Los virus que producen estas enfermedades se parecen mucho entre sí inmunológicamente, no pueden distinguirse por su morfología y son transmitidos por artrópodos; el virus del fibroma puede transformarse en virus de mixoma.

Mixomatosis infecciosa. Al paso que el virus de mixoma solo produce pequeñas masas benignas de tipo tumoral en conejos Sylvilagus, la infección de conejos Oryctolagus produce una enfermedad generalizada que casi siempre mata al animal en una o dos semanas. La infección natural se transmite mecánicamente por picaduras de artrópodos, incluyendo mosquitos y pulgas de conejo, y puede producirse la infección artificial pinchando la piel con una aguja contaminada.

Después de multiplicación a nivel de la zona de inoculación, el virus se difunde por los linfáticos hacia el torrente vascular, y es distribuido a toda la economía. Se afectan ambos tejidos, epitelial y conectivo, con destrucción de células epiteliales y proliferación de tejido conectivo. Las lesiones de piel, tanto primarias a nivel de la inoculación como secundarias en la piel, especialmente alrededor de cara y región anogenital, en los ganglios linfáticos y en el bazo, son crecientes. Se caracterizan por grados diversos de inflamación, depósito de líquido viscoso mucinoso que en los cortes teñidos aparece como exudado fibrinoso, y presencia de células estrelladas características llamadas a veces células mixomatosas.

Las células del mixoma son células de tipo macrófago, aumentadas de volumen, con un núcleo que se tiñe intensamente; contienen el virus, a veces en forma de cuerpos elementales dispersos en el citoplasma, más frecuentemente como cuerpos de inclusión intracitoplásmica muy parecidos a los observados en las enfermedades pustulosas. Los cuerpos elementales son de forma oval o de ladrillo, del mismo orden de volumen que el de las viruelas y el molusco contagioso.

El virus puede hacerse crecer en membrana corioalantoidea de huevo de gallina embrionado, donde produce placas a modo de pústulas, y crece en cultivo de tejido renal de conejo, produciendo cuerpos de inclusión en las células estrelladas típicas. Se forma en el cultivo un antígeno soluble termolábil, fijador del complemento, y un antígeno precipitante; se halla presente en los tejidos infectados y también en el suero de animales infectados, pero el anticuerpo para este antígeno no es idéntico al anticuerpo protector. El virus guarda estrecha relación inmunológica con el de fibroma (ver luego).

La mixomatosis ha merecido gran interés epidemiológico después de su introducción deliberada en 1950 y 1951 en Australia para lograr el control biológico de la población natural de conejos. La única oportunidad para estudiar la historia natural de una enfermedad infecciosa ha sido explotada plenamente por los investigadores australianos.[42, 43] La enfermedad también se introdujo en Francia en 1952, y se difundió rápidamente por toda Europa.

Fibromatosis infecciosa. Esta enfermedad, que puede transmitirse a los conejos de laboratorio (Oryctolagus), es similar a la mixomatosis infecciosa, pero no causa la muerte. La lesión característica es un fibroma de células fusiformes subcutáneas benigno, en el cual hay infiltración de células inflamatorias y cambios hiperplásicos y degenerativos en la epidermis de revestimiento que recuerda las lesiones del molusco contagioso en el hombre. Se producen cuerpos de inclusión intracitoplásmicos muy similares en las células afectadas, y también en células infectadas de cultivo de tejido con testículo de conejo, pero el virus no crece en cultivo de piel de prepucio humano o de tejidos de riñón de mono.[75] Los cuerpos elementales contenidos son muy parecidos a los de los virus de mixoma y de viruelas.

El virus del fibroma inmunológicamente se parece mucho, pero no es idéntico, al virus del mixoma. Los animales recuperados de fibromatosis gozan de una inmunidad parcial contra el mixoma, en el sentido de que no contraen la enfermedad, pero pueden infectarse y transformarse en portadores sanos de virus de mixoma. Los pocos conejos que se recuperan de la mixomatosis parecen conservar una sólida inmunidad para la fibromatosis.

Transducción de fibroma a mixoma.[15, 76] La íntima relación entre los virus del fibroma y del mixoma queda indicada por la transformación de uno en otro por un proceso que parece análogo a la transducción in vivo de tipos de neumococos y similares (capítulo 6). Esto fue visto por vez primera en el conejo inoculándole simultáneamente virus de mixoma inactivado por el calor y virus de fibroma vivo, con objeto de causarle mixomatosis. Esta transducción también se ha llevado a cabo en cultivos de tejido de testículo de conejo. El agente transformador preparado con virus de mixoma puede sedimentarse centrifugado a gran velocidad, y se asocia con una partícula de dimensiones similares a las del virus del mixoma. Se ha supuesto que el principio transformador, que resiste al calor y al tratamiento con éter, consistiría en DNA intacto contenido dentro de una membrana de proteína desnaturalizada.

El resultado necesariamente será una alteración en la síntesis dirigida de substancia viral por la célula del huésped, iniciada por la presencia de virus inactivo; tiene gran interés en el sentido de que puede ocurrir en el sistema más complejo que incluye la relación huésped-parásito, como dentro de los mecanismos sintéticos contenidos en la bacteria.

VIRUS DE LAS VERRUGAS INFECCIOSAS [116]

El virus de las verrugas humanas es un papovavirus estrechamente relacionado con los virus de papiloma más que con los poxvirus del molusco contagioso. Se observan en los núcleos de células infectadas, como masas cristalinas. Las partícula de virus tienen simetría icosaédrica cúbica y 45 nm de diámetro. El virus se ha podido hacer crecer en cultivos de células,[95, 102] y se ha comprobado que es infeccioso para el hombre. Antes la enfermedad había sido transmitida de hombre a hombre con producción de verrugas, después de un periodo de incubación de varios meses. La lesión, esencialmente una proliferación de la capa de Malphighi de la piel, suele ser benigna y tiende a desaparecer con el tiempo, pero las verrugas genitales pueden transformarse en malignas.

VIRUS DEL PAPILOMA DEL CONEJO

La papilomatosis infecciosa del conejo, descrita por Shope y Hurst en 1933, puede transmitirse por filtrados sin células y es causada por un virus. Este virus se ha preparado y estudiado en forma muy purificada; se trata de partículas esféricas de 40 a 50 nm de diámetro, que morfológicamente no pueden distinguirse de los virus que se descubren en las verrugas humanas.[93] Se parece a otros virus por su composición química; contiene 8.7 por 100 de ácido nucleico de tipo de desoxipentosa, pero menos lípido, 1.5 por 100, que muchos otros virus.

Papilomatosis infecciosa. La enfermedad en los conejos con cola de algodón se caracteriza por crecimientos verrugosos en diversas partes del cuerpo. Puede transmitirse en serie en estos animales, pero no todos son susceptibles; en la mitad o más de los infectados hay una regresión final de los papilomas; el cambio maligno es muy raro. El conejo doméstico es mucho más susceptible, pues la enfermedad papilomatosa se desarrolla rápidamente, los tumores crecen en forma benigna por unos meses, y luego se vuelven malignos y matan a los animales. La enfermedad en el conejo doméstico no suele poderse transmitir por filtrados sin células empleando pasos seriados; la presencia del virus en el tejido afectado queda demostrada por la respuesta de anticuerpo.

Patogenia de la papilomatosis. La patogenia de esta enfermedad ha sido una de las más intensamente estudiadas de todas las enfermedades de la piel, y, en algunos aspectos por lo menos, puede considerarse como un prototipo. La histopatología ha sido resumida por Kidd.[74] Al inocular la piel escarificada con virus se produce una rápida e intensa proliferación de células epidérmicas, las de la capa espinosa que presentan vacuolas perinucleares y disqueratosis, pero las células maduran completamente. No forman la capa córnea característica; más bien se produce una cornificación atípica en la cual cada célula está rodeada por una capa de queratina, se funde con las células vecinas para formar una estructura a modo de panal, y el contenido celular desaparece. Al extenderse a nivel de la base, las células en desarrollo forman pliegues

y papilas, y la queratinización sin descamación tiene por consecuencia la producción de una masa córnea que crece por encima del nivel de la piel y constituye el papiloma benigno. Puede demostrarse antígeno viral en los núcleos de las células epiteliales queratinizadas utilizando la técnica del anticuerpo fluorescente, según se indica en la figura 33-12.

Los papilomas benignos se desarrollan y persisten en esta forma durante meses, pero finalmente se produce un cambio brusco en el crecimiento, que ocurre en plazo relativamente breve, en todas las lesiones de un mismo animal.[129] Histológicamente las células germinativas, que hasta entonces están dispuestas en forma de sincitio ordenado, adoptan disposición desordenada, desaparecen las vacuolas perinucleares y los gránulos de queratchialina, y no sufren la cornificación anormal antes descrita. Desplazan las células de las capas basal y espinosa, y se introducen por debajo de la masa de queratina, que se esfacela y se cae. Este nuevo tipo de célula luego se rompe a través de la membrana basal, invadiendo tejidos continuos, produciendo metástasis y adoptando el carácter de carcinoma de célula plana. Hasta esta última etapa los datos serológicos indican que el virus persiste en el tejido afectado, tanto en el animal original como en receptores de trasplantes de tejido, pero finalmente el virus parece desaparecer por completo.

Factores que afectan la transformación maligna. Aunque parece comprobado que por lo menos la respuesta inicial proliferativa que origina tumor benigno es provocada por el virus, no está demostrado que el virus desempeñe papel importante en el cambio maligno subsiguiente, y hay motivos para creer que puedan intervenir otros factores. Por ejemplo, el papiloma benigno puede hacerse rápidamente canceroso aplicando carcinógenos como metilcolantreno y alquitrán, originando un cambio brusco hacia la malignidad; en este último caso el virus parecería conducirse como carcinógeno.

VIRUS VACUOLANTE [64, 128]

Este papovavirus, conocido también como SV40 (simian virus 40), suele descubrirse en los monos rhesus y cinomolgus en el tejido renal, y fue descubierto inicialmente como contaminante de los cultivos de células renales, y de vacunas de virus vivos, en particular vacunas atenuadas de poliovirus preparadas con tales medios de cultivo. Es fácil de cultivar en células de riñón de monos grivet, vervet y patas, y en cultivos de testículos de rhesus, para proporcionar un efecto citopático único, caracterizado por transformación esférica y vacuolación de las células infectadas. En el cultivo de tejidos de riñón de criceto recién nacido provoca trastorno maligno, que se demuestra por la intensa estimulación del crecimiento.[106] También produce tumores inoculando a cricetos recién nacidos.[34, 49]

Inmunológicamente no guarda relación con los virus polioma.

AGENTES VIRALES DE LA ENFERMEDAD NEOPLASICA DEL RATON

El ratón sufre diversas enfermedades neoplásicas, para las cuales la susceptibilidad frecuentemente tiene fondo genético, y ha sido un animal de experimentación extraordinariamente útil.

Polioma.[33, 54, 125] Pueden producirse en este animal diversos tipos de tumores por inoculación de extracto sin células o filtrados de tumores de ratón, incluyendo tejido leucémico, poco después del nacimiento. En la mayor parte casi siempre se producen efectos múltiples, o sea que de ordinario no es posible prever la localización ni el carácter del tejido neoplásico así producido.

La posible naturaleza viral de la actividad presente en tales preparaciones sin células parece sugerida por sus pequeñas dimensiones y la separación de las células tumorales intactas. La actividad demostrable en preparados acelulares de diversos tumores del ratón ha sido comprobado que puede cultivarse en embriones de ratón, produciendo una citopatología caracterizada por aparición de pequeñas placas de células picnóticas que progresan hasta que la mayor parte están afectadas en plazo de dos semanas. La actividad aumenta desde 10^3 TID$_{50}$ a las dos semanas, hasta cifras tan altas como 10^6 TID$_{50}$ a las tres semanas, y la infecciosidad para los animales de experimentación intactos guarda relación con los efectos citopáticos y es neutralizada por antisuero. Los virus así cultivados no son específicos por lo que se refiere al tipo de crecimiento neoplásico producido en el animal intacto, y han recibido el nombre de virus de polioma. El virus es esférico, de 30 a 40 nm de diámetro, y se parece a otros papovavirus por sus propiedades.

Se han separado un total de 23 tipos de diferentes lesiones neoplásicas primarias, incluyendo tumores pleomórficos de glándulas mucosas, adenosarcomas, sarcomas de células renales y óseas, y carcinomas epidermoides. También tiene interés el hecho de que, en contraste con el elemento genético para la producción de adenosarcoma mamario en el ratón, tales crecimientos son producidos sea cual sea la cepa de ratón, y pueden producirse también en cricetos.

Los animales pueden inmunizarse pasivamente para el virus siempre que se les dé previamente antisuero, o se mezcle con el inóculo, pero no si el suero se administra tan temprano como es una hora después de la inoculación. La infección parece ser frecuente en los ratones en forma latente, quizá por inmunidad, inicialmente de origen materno. Hay actividad de virus en la neoplasia, pero cuando el tumor se pasa repetidamente por trasplantes, la actividad viral puede desaparecer con el tiempo, quizá a los 10 pasos, a pesar de que el tumor sigue siendo trasplantable. El fenómeno de ser refractario al tumor trasplantable no depende de anticuerpo, y merece interés particular.

Leucemia.[27, 53, 113] Aunque hace ya años Rous describió la transmisión del sarcoma del pollo con productos acelulares, el interés por este aspecto del crecimiento neoplásico fue poco hasta que Gross de-

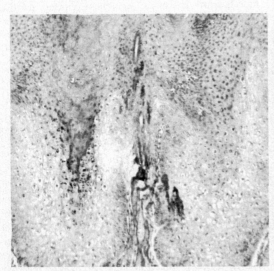 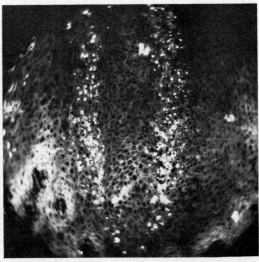

FIG. 36-12. Papiloma de conejo. *Izquierda,* Corte de parafina teñido con hematoxilina y eosina que muestra las capas basales, granulosa intermedia y queratinizada superficial del papiloma. *Derecha,* Corte por congelación tratado con anticuerpo fluorescente en busca de antígenos virales Shope; se demuestra la localización del anticuerpo en los núcleos de las células epiteliales queratinizadas del papiloma en las zonas claras. × 100. (Mellors.)

Virus de leucemias murinas *

Cepa (investigador)	Origen	Susceptibilidad		Cepa	Volumen de la partícula (nm)	Tipo de célula neoplásica
		Edad				
		Lactantes (porcentaje)	Adultos (porcentaje)			
Gross						
Paso A	AK, C₅8 (leucemia espontánea)	62-100	44-60	C₃H, C₃Hf (Bittner) (ratón)	89	Linfoide
Paso X	C₃H/Gs (irradiación X)	65		C₃H		Linfoide
Schoolman y Schwartz	Suizo, C₃HeB (irradiación X)		15-100	Suizo, C₃H	102	Sarcoma linfoide
Kaplan	C₅7BL/Ka (irradiación X)	69		C₅7BL/Ka, F₁ híbrido		Linfoide
Breyere y Moloney	Neoplasia de células plasmáticas (70429)	100	100	BALB/c, C₃H (ratón)	100	Linfoide
Moloney	Sarcoma 37	100	100	BALB/c, C₃H, C₃Hf, I, C₅7BL, DBA/2, RIII suizo	98	Linfoide
Friend	Sarcoma de Ehrlich		85-100	Suizo, DBA/2	90	Eritroblastosis del retículo
Stansly	Sarcoma de Ehrlich	92-100		BALB/c		Sarcoma B de célula del retículo
Graffi	Sarcoma I, sarcoma II, SOV 16, carcinoma de Ehrlich, sarcoma 37	70	70	Agnes Bluhm, sg, db (ratas)	70	Mieloide

* Modificado por Moloney

mostró el origen viral de una leucemia del ratón en 1951, iniciando un periodo de gran interés y actividad en este campo. Desde entonces se han descrito varios virus leucemógenos, activos en cepas muy endogámicas de ratones. La mayor parte producen neoplasia linfocítica, pero algunos ocasionan neoplasias de células reticular y neoplasias mieloides. Estas cepas se han obtenido de leucemias y otras enfermedades neoplásicas espontáneas, y de la misma enfermedad que ocurre en animales irradiados. Difieren algo en volumen, variando entre 70 y 100 nm, e inmunológicamente son diferentes, pero muestran relaciones mutuas. Suelen identificarse con el nombre de los investigadores que primero los estudiaron; el primero es la cepa Gross, otros reciben los nombres de cepa Kaplan, Schoolman y Schwartz, Moloney, Friend, etc. Los orígenes y las propiedades de estas cepas se resumen en el cuadro adjunto.

Carcinoma mamario.[24, 96] Tres factores intervienen en el desarrollo de adenocarcinoma del ratón, a saber: la constitución genética del animal, el estímulo estrógeno, y una actividad filtrable presente en preparaciones acelulares o factor lácteo.

Aunque el factor lácteo persiste y aumenta en cantidad en los tejidos del huésped, la hiperplasia de los acini mamarios solo se producen junto con la estimulación estrógena. Algunos de estos se vuelven adenocarcinomas malignos, pero no está clara la relación entre el factor lácteo y la malignidad.

Los intentos para caracterizar la actividad solo han tenido éxito parcial. Se halla ampliamente distribuida en los tejidos del ratón que la alberga y diversos extractos tisulares son tan eficaces como la leche. Evidentemente, aumenta en cantidad, por cuanto puede transmitirse seriadamente en los ratones en condiciones naturales. Atraviesan los filtros usuales para las bacterias, como los de Seitz y Berkefeld. Es muy activo en diluciones hasta de 10^{-6} en extractos de tejidos mamarios. La actividad resiste a la digestión tríptica y es destruida por calentamiento de los extractos de tejido a 60°C durante una hora. Se sedimentan a $23\,000 \times G$ en 90 minutos, y algunos investigadores señalan que la actividad va asociada con partículas esféricas de unos 30 nm de diámetro pero no está demostrado en forma inequívoca que representen partículas de virus. La actividad acelular no se multiplica en el huevo embrionado, pero puede recuperarse del tejido tumoral trasplantado hasta por 11 pasos en embrión de pollo. Los intentos para caracterizar la actividad química e inmunológicamente han dado resultados prácticamente negativos.

VIRUS DE LA ENFERMEDAD NEOPLASICA DE LAS AVES [118, 132]

La etiología viral de lo que ahora conocemos como complejo de leucosis aviaria fue descrita por Ellermann y Bang en 1908, y los sarcomas de las aves transmisibles por filtrados acelulares fueron descritos por Rous en 1911. La primera es una enfermedad infecciosa caracterizada por proliferación autónoma de células de tejidos hematopoyéticos. Los sarcomas de Rous se han considerado originados de monocitos o histiocitos, pero está demostrado que la célula huésped del virus causal es el fibroblasto. En contraste con la papilomatosis del conejo, es manifiesta la malignidad desde la iniciación de estas enfermedades.

Leucosis aviaria.[12] La leucosis aviaria no es una enfermedad única, sino un complejo de diversas formas patológicas. Beard, Sharp y Eckert [33] dividen este complejo en dos categorías, uno de linfomatosis, otro de leucosis eritromieloblástica. En el primer caso, las células de origen linfoide intervienen; las afectadas se observan en los tejidos fijos mejor que en la circulación, y el proceso patológico varía por lo que se refiere a localización de las células primitivas afectadas: neurolinfomatosis, linfomatosis visceral, tumores linfosarcomatosos aislados, etc. El segundo grupo está constituido por eritroblastosis y mieloblastosis, o una combinación de ambas, como eritromieloblastosis; se caracteriza por la presencia de números muy elevados de células primitivas en la sangre circulante.

Aunque estas enfermedades "se reproducen fielmente" en sentido de que los filtrados acelulares de linfomatosis producen linfomatosis, y la eritromieloblastosis se reproduce de manera similar, la transferencia celular del primer proceso ha originado la segunda enfermedad. Es muy poco probable que diversos trastornos patológicos diferentes sean producidos por un mismo virus, por variantes de un solo virus, o por un grupo de virus estrechamente relacionados entre sí.

Eritromieloblastosis. Aunque se ha aislado un componente particulado en estudios de linfomatosis, los estudios más detallados han sido llevados a cabo con el virus de la eritromieloblastosis, que puede considerarse representativo.

Tiene grandes ventajas técnicas el estudio de este virus, pues se halla en el plasma de los pollos infectados en cantidades tan grandes que literalmente el plasma se ve turbio, y puede sedimentarse con centrifugación de alta velocidad. La partícula de virus tiene forma esferoide, con diámetro medio de aproximadamente 120 nm y parece ser una estructura relativamente frágil, pues es pleomórfica en preparaciones secas, igual que el virus de la enfermedad Newcastle. Su constitución química se desconoce, aparte de su contenido relativamente alto de lípido, hasta el 30 por 100, en contraste con el virus del papiloma de conejo. Tiene particular interés el hecho de que contiene actividad de adenosintrifosfato, que parece ser parte integral de la partícula del virus.

El suero de los pollos infectados no suele contener anticuerpos para el virus en cantidades regularmente demostrables, pero funciona como antígeno en preparaciones concentradas. Se descubren tres tipos de antígenos, uno presente también en tejidos normales de pollo, antígeno heterófilo o de Forssman, y antígeno específico de virus. Suele admitirse la presencia de antígeno específico de huésped en preparados purificados de virus; probablemente representa una contaminación. Tal antígeno, presente en el virus de la influenza, se sospecha que es parte integral de la partícula viral, pero en el caso de estas leucosis el anticuerpo vírico para el antígeno del tejido de pollo y el antígeno de Forssman, así como el anticuerpo para el antígeno específico de virus, neutralizan la actividad viral que parece que establece los tres tipos de antígenos como componentes estructurales del virus.

Sarcoma de las aves.[57, 117] Rous y colaboradores pudieron transmitir diversos tipos de sarcomas de pollo mediante filtrados acelulares produciendo en los receptores en condiciones experimentales adecuadas el mismo tipo de tumor. Este, llamado tumor 1, utilizado ampliamente con fines experimentales, era un sarcoma de células fusiformes caracterizado por producir metástasis libres y enfermedad mortal en plazo de un mes aproximadamente. El tumor 7 era un osteocondroma, y el tumor 18 un sarcoma de células fusiformes caracterizado por la presencia de senos hemáticos donde tenía lugar el crecimiento.

Se observó muy pronto que después de varios trasplantes empezaban a producirse variaciones en el tumor 1, como lo indicaban la aparición de células esféricas más bien que ahusadas, y crecimientos hemorrágicos, cambios posiblemente atribuibles a variaciones de resistencia del huésped y también del tumor. Otras variaciones pueden producirse experimentalmente. Cuando se inoculan grandes cantidades al pato, este virus produce dos tipos de tumores. Uno, que solo aparece después de varios meses, ya no es eficaz para pollos adultos, y produce una enfermedad generalizada caracterizada por sarcomas perósticos en el pato; el otro, que aparece mucho más temprano, no se comprueba que se modifique por infección subsecuente del pollo. La variación manifiesta en el primer caso puede invertirse por inoculación de la variante a pollos jóvenes, de manera que se producen de nuevo los dos tipos de lesiones descubiertas en el pato, una de las cuales representa la reversión. Otras variantes producidas en patos se ha comprobado que tienen especificidades alteradas de tejido en los pollos; otras variantes se han producido en pavos y en gallinas de Guinea.

El virus del tumor 1 se ha preparado en forma purificada por métodos químicos y físicos, empezando con la precipitación salina mediante sulfato amónico a media saturación, acompañada de una fracción de nucleoproteína. Parece observarse cierta variación en las dimensiones de la partícula infecciosa, que suele hallarse entre los límites de 70 a 100 nm. Se ha señalado la presencia de partículas de estas dimensiones en el tejido afectado, por ejemplo en forma de cuerpos redondos u ovales dentro de las paredes de vacuolas de las células, mostrando una doble membrana limitante que rodea un cuerpo central de gran densidad electrónica,[35] pero en general no se ha establecido que tales cuerpos sean partículas virales. Los preparados purificados de virus proporcionan aproximadamente 8 por 100 de nitrógeno total, 35 por 100 de lípido y 1 a 2 por 100 de ácido nucleico de pentosa. El virus se ha hecho crecer en cultivos de tejido;[89] las grandes diluciones del inóculo producen en cultivos de tejido de embrión de pollo focos separados de citopatología en la disposición de capa única, caracterizados por hinchazón y granulosidad de las células y, finalmente, desplazamiento de los núcleos, proporcional a la infecciosidad del inóculo.

El poder antigénico del virus purificado puede separarse en dos componentes: uno, que tiene especificidad del virus; el otro, correspondiente al tejido normal del pollo; no sabemos si este último representa parte integral del virus o es una contaminación. Tiene particular interés que algunos de los tumores provocados con alquitrán guardan relación inmunológica con el virus del sarcoma de Rous 1; por ejemplo, faisanes inoculados con un sarcoma no filtrable provocado por alquitrán han producido anticuerpo para el virus de Rous. Se ha señalado también que algunos tumores provocados por carcinógenos más tarde resultan transmisibles mediante preparaciones acelulares.

BIBLIOGRAFIA

1. Achong, B. G., and E. V. Meurisse. 1968. Observations on the fine structure and replication of varicella virus in cultivated human amnion cells. J. Gen. Virol. 3 (Pt. 2):305–308.
2. Allen, D. W., and P. Cole. 1972. Viruses and human cancer. New Eng. J. Med. 286:70–82.
3. Almeida, J. D., A. F. Howatson, and M. G. Williams. 1962. Morphology of varicella (chicken pox) virus. Virology 16:353–355.
4. Anderson, W. A., B. Macgruder, and E. D. Kilbourne. 1961. Induced reactivation of herpes simplex virus in healed rabbit corneal lesions. Proc. Soc. Exp. Biol. Med. 107:628–632.
5. Andrewes, C. H. 1929. Virus III in tissue cultures; appearance of intranuclear inclusions in vitro. Brit. J. Exp. Pathol. 10:188–190.
6. Appleyard, G. 1961. An immunizing antigen from rabbitpox and vaccinia viruses. Nature 190:465–466.
7. Arita, I., and D. A. Henderson. 1968. Smallpox and monkeypox in non-human primates. Bull. Wld. Hlth. Org. 39:277–283.
8. Aurelian, L., et al. 1971. Herpesvirus type 2 isolated from cervical tumor cells grown in tissue culture. Science 174:704–707.
9. Bartell, P., and H. Tint. 1962. Correlation of three potency assay methods for smallpox vaccines. J. Immunol. 88:348–353.
10. Bauer, D. J. 1963. The chemotherapy of ectromelia infection with isatin β-dialkylthiosemicarbazones. Brit. J. Exp. Pathol. 44:233–242.
11. Bauer, D. J., et al. 1963. Prophylactic treatment of smallpox contacts with N-methylisatin β-thiosemicarbazone (Compound 33T57, Marboran). Lancet ii:494–496.
12. Beard, J. W. 1957. Etiology of avian leukosis. Ann. N.Y. Acad. Sci. 68:473–485.
13. Bedson, H. S., and M. J. Duckworth. 1963. Rabbit pox: An experimental study of the pathways of infection in rabbits. J. Pathol. Bacteriol. 85:1–20.
14. Bedson, H. S., and R. K. Dumbell. 1967. Smallpox and vaccination. Brit. Med. Bull. 23:119–123.
15. Black, P. H. 1968. The oncogenic DNA viruses: a review of in vitro transformation studies. Ann. Rev. Microbiol. 22:391–426.
16. Blacklow, N. R., and A. Z. Kapikian. 1970. Serological studies with EB virus in infectious lymphocytosis. Nature 226:647.
17. Brown, A., V. Elsner, and J. E. Officer. 1960. Growth and passage of variola virus in mouse brain. Proc. Soc. Exp. Biol. Med. 104:605–608.
18. Carter, R. L., and H. G. Penman (Eds.). 1969. Infectious Mononucleosis. Blackwell Scientific Publications, Oxford.
19. Caunt, A. E., and D. Taylor-Robinson. 1964. Cell-free varicella-zoster virus in tissue culture. J. Hyg. 62:413–424.
20. Charles, A. 1960. An electron microscope study of molluscum contagiosum. J. Hyg. 58:45–56.
21. Conference. 1969. Burkitt's tumor. NIH Clinical Staff Conference. Ann. Intern. Med. 70:817–832.
22. Cross, R. M. 1961. Observations on the classification and interpretation of reactions to smallpox vaccination. Bull. Wld. Hlth. Org. 25:7–17.
23. Cutchins, E., J. Warren, and W. P. Jones. 1960. The antibody response to smallpox vaccination as measured by a tissue culture plaque method. J. Immunol. 85:275–283.
24. DeOme, K. B. 1962. The mouse mammary tumor virus. Fed. Proc. 21:15–18.
25. Dick, G. 1966. Smallpox: a reconsideration of public health policies. Prog. Med. Virol. 8:1–29.
26. Dixon, C. W. 1962. Smallpox. J. & A. Churchill, London.
27. Dougherty, R. M., and H. S. Di Stefano. 1969. Cytotropism of leukemia viruses. Prog. Med. Virol. 11:154–184.
28. Downie, A. W. 1970. Smallpox, vaccinia, and cowpox viruses. pp. 583–593. In J. E. Blair, E. H. Lennette, and J. P. Truant (Eds.): Manual of Clinical Microbiology. American Society for Microbiology, Bethesda.
29. Downie, A. W., et al. 1961. Studies on the virus content of mouth washings in the acute phase of smallpox. Bull. Wld. Hlth. Org. 25:49–53.
30. Downie, A. W., et al. 1971. Tanapox: a new disease caused by a poxvirus. Brit. Med. J. i:363–368.
31. Dumbell, K. R. 1968. Laboratory aids to the control of smallpox in countries where the disease is not endemic. Prog. Med. Virol. 10:388–397.
32. Dumbell, K. R., H. S. Bedson, and E. Rossier. 1961. The laboratory differentiation between variola major and variola minor. Bull. Wld. Hlth. Org. 25:73–78.
33. Eddy, B. E. 1960. Polyoma virus, Section B. Adv. Virus Res. 7:91–102.
34. Eddy, B. E. 1962. Tumors produced in hamsters by SV40. Fed. Proc. 21:930–935.
35. Epstein, M. A. 1957. Observations on the Rous virus, fine structure and relation to cytoplasmic vacuoles. Brit. J. Cancer 11:268–273.

36. Evans, A. S. 1971. The spectrum of infections with Epstein-Barr virus: a hypothesis. J. Infect. Dis. **124**:330–337.
37. Falke, D. 1961. Isolation of two variants with different cytopathic properties from a single strain of herpes B virus. Virology **14**:492–495.
38. Fenner, F. 1948. The clinical features and pathogenesis of mousepox (infectious ectromelia of mice). J. Pathol. Bacteriol. **60**:529–552.
39. Fenner, F. 1949. Mouse pox (infectious ectromelia of mice). A review. J. Immunol. **63**:341–373.
40. Fenner, F. 1958. The biological characters of several strains of vaccinia, cowpox and rabbitpox viruses. Virology **5**:502–529.
41. Fenner, F., and B. M. Comben. 1958. Genetic studies with mammalian pox-viruses. I. Demonstration of recombination between two strains of vaccinia virus. Virology **5**:530–548.
42. Fenner, F., and I. D. Marshall. 1957. A comparison of the virulence for European rabbits (Oryctolagus cuniculus) of strains of myxoma virus recovered in Australia, Europe and America. J. Hyg. **55**:149–191.
43. Fenner, F., and G. M. Woodroofe. 1953. The pathogenesis of infectious myxomatosis: the mechanism of infection and the immunological response in the European rabbit (Oryctolagus cuniculus). Brit. J. Exp. Pathol. **34**:400.
44. Fugueroa, M. E., and W. E. Rawls. 1969. Biological markers for differentiation of herpes-virus strains of oral and genital origin. J. Gen. Virol. **4**:259–267.
45. Fuller, V. J., and R. W. Kolb. 1968. Comparison of titrations on the chorioallantoic membrane of chick embryos with the rabbit scarification technique for the potency assay of smallpox vaccine. Appl. Microbiol. **16**:458–462.
46. Gard, S., C. Hallauer, and K. F. Meyer (Eds.). 1969. Herpes Simplex and Pseudorabies Viruses. Virology Monograph 5. Springer-Verlag, Vienna.
47. Gerber, P., J. W. Branch, and E. N. Rosenblum. 1969. Attempts to transmit infectious mononucleosis to rhesus monkeys and marmosets and to isolate herpes-like virus. Proc. Soc. Exp. Biol. Med. **130**:14–19.
48. Gerber, P., et al. 1968. Infectious mononucleosis: complement-fixing antibody to herpes-like virus associated with Burkitt's lymphoma. Science **161**:173–175.
49. Girardi, A. J., et al. 1962. Development of tumors in hamsters inoculated in the neonatal period with vacuolating virus SV₄₀. Proc. Soc. Exp. Biol. Med. **109**:649–660.
50. Gispen, R., J. D. Verlinde, and P. Zwart. 1967. Histopathological and virological studies on monkeypox. Arch. Ges. Virusforsch. **21**:205–216.
51. Green, M. 1970. Oncogenic viruses. Ann. Rev. Biochem. **39**:701–756.
52. Grimley, P. M., et al. 1970. Interruption by rifampin of an early state in vaccinia virus morphogenesis: accumulation of membranes which are precursors of virus envelopes. J. Virol. **6**:519–533.
53. Gross, L. 1965. Recent studies on the mouse leukemia virus. Prespect. Virol **4**:226–256.
54. Habel, K. 1963. Malignant transformation by polyoma virus. Ann. Rev. Microbiol. **17**:167–178.
55. Hahon, N. 1961. Smallpox and related poxvirus infections in the simian host. Bacteriol. Rev. **25**:459–476.
56. Hampar, B., K. Miyamoto, and L. M. Martos. 1971. Serologic classification of herpes simplex viruses. J. Immunol. **106**:580–582.
57. Harris, R. J. C. 1953. Properties of the agent of Rous No. 1 sarcoma. Adv. Cancer Res. **1**:233–271.
58. Hartley, E. G. 1966. "B" virus: Herpes virus simiae. Lancet **i**:87.
59. Henle, G., W. Henle, and V. Diehl. 1968. Relation of Burkitt's tumor-associated Herpes-type virus to infectious mononucleosis. Proc. Nat. Acad. Sci. **59**:94–101.
60. Henle, W., and G. Henle. 1969. The relation between the Epstein-Barr virus and infectious mononucleosis, Burkitt's lymphoma and cancer of the postnasal space. E. African Med. J. **46**:402–406.
61. Herrlich, A., et al. 1963. Experimental studies on transformation of the variola virus into the vaccinia virus. Arch. Ges. Virusforsch. **12**:579–599.

62. Hoagland, R. J. 1967. Infectious Mononucleosis. Grune & Stratton, New York.
63. Hope-Simpson, R. E. 1965. The nature of herpes zoster: A long-term study and a new hypothesis. Proc. Roy. Soc. Med. **58**:9–20.
64. Hsiung, G. D., and W. H. Gaylord, Jr. 1961. The vacuolating virus of monkeys. I. Isolation, growth characteristics and inclusion body formation. II. Virus morphology and intranuclear distribution with some histochemical observations. J. Exp. Med. **114**:975–986, 987–996.
65. Imperato, P. J. 1968. The practice of variolation among the Songhai of Mali. Trans. Roy. Soc. Trop. Med. Hyg. **62**:868–873.
66. Jawetz, E., et al. 1965. Studies on herpes simplex. XI. The antiviral dynamics of 5-iodo-2-deoxyuridine in vivo. J. Immunol. **95**:635–642.
67. Jentzsch, K. D., and R. Wigand. 1969. Zur Frage der Empfänglichkeit des Menschen für das Herpesvirus suis (Aujeszky-Virus). 2. Mitteilung: antigenetische Bezeihungen zwischen Herpesvirus suis und Herpesvirus simplex. Z. Ges. Hyg. **15**:184–187.
68. Johnson, W. T., and E. B. Helwig. 1969. Cat-scratch disease. Histopathologic changes in the skin. Arch. Derm. **100**:148–154.
69. Joklik, W. K. 1968. The poxvirus. Ann. Rev. Microbiol. **22**:359–390.
70. Josey, W. E., et al. 1966. Genital herpes simplex infection in the female. Amer. J. Obstet. Gynecol. **96**:493–501.
71. Judelsohn, R. G. 1972. Prevention and control of varicella-zoster infections. J. Infect. Dis. **125**:82–84.
72. Kaplan, C., and L. R. Micklem. 1961. A method for preparing smallpox vaccine on a large scale in cultured cells. J. Hyg. **59**:171–180.
73. Kaufman, H. E. 1963. Treatment of herpes simplex and vaccinia keratitis with 5-iodo- and 5-bromo-2'-deoxyuridine. Perspect. Virol. **3**:90–107.
74. Kidd, J. G. 1950. Proliferative lesions caused by viruses and virus-like agents. pp. 161–180. In J. G. Kidd (Ed.): The Pathogenesis and Pathology of Virus Diseases. Columbia University Press, New York.
75. Kilham, L. 1956. Propagation of fibroma virus in tissue cultures of cottontail testes. Proc. Soc. Exp. Biol. Med. **92**:739–742.
76. Kilham, L. 1960. Adv. Virus Res. **7**:103–129.
77. Kleger, B., et al. 1968. Herpes simplex infection of the female genital tract. I. Incidence of infection. Amer. J. Obstet. Gynecol. **102**:745–748.
78. Klemola, E., et al. 1970. Infectious-mononucleosis-like disease with negative heterophil agglutination test. Clinical features in relation to Epstein-Barr virus and cytomegalovirus antibodies. J. Infect. Dis. **121**:608–614.
79. Kohn, A. 1963. Possible integration of viral nucleic acid into the genome of animal cells. Prog. Med. Virol. **5**:169–218.
80. Kolb, R. W., C. B. Cox, and H. T. Aylor. 1961. Improvements in the rabbit scarification method for the assay of smallpox vaccine. Bull. Wld. Hlth. Org. **25**:19–24.
81. Krag, P., and M. W. Bentzon. 1963. The international reference preparation of smallpox vaccine. An international collaborative assay. Bull. Wld. Hlth. Org. **29**:299–309.
82. Lane, J. M., and J. D. Millar. 1969. Routine childhood vaccination against smallpox reconsidered. New Eng. J. Med. **281**:1220–1224.
83. Lane, J. M., et al. 1970. Deaths attributable to smallpox vaccination, 1959 to 1966, and 1968. J. Amer. Med. Assn. **212**:441–444.
84. Lebrun, J. 1956. Cellular localization of herpes simplex virus by means of fluorescent antibody. Virology **2**:496–510.
85. Lee, C. L., I. Davidsohn, and R. Slaby. 1968. Horse agglutinins in infectious mononucleosis. Amer. J. Clin. Pathol. **49**:3–11.
86. Loh, P. H., and J. L. Riggs. 1961. Demonstration of the sequential development of vaccinial antigens and virus in infected cells: Observations with cytochemical and differential fluorescent procedures. J. Exp. Med. **114**:149–160.

87. Love, F. M., and E. Jungherr. 1962. Occupational infection with virus B of monkeys. J. Amer. Med. Assn. **179**:804–806.

88. Lum, G. S., *et al.* 1967. Vaccinia epidemic and epizootic in El Salvador. Amer. J. Trop. Med. Hyg. **16**:332–338.

89. Manaker, R. A., and V. Groupe. 1956. Discrete foci of altered chicken embryo cells associated with Rous sarcoma virus in tissue culture. Virology **2**:838–840.

90. Marshall, R. G., and P. J. Gerone. 1961. Susceptibility of suckling mice to variola virus. J. Bacteriol. **82**:15–19.

91. Martin, A. M., Jr., and S. M. Kurtz. 1966. Cytomegalic inclusion disease. An electron microscopic histochemical study of the virus at necropsy. Arch. Pathol. **82**:27–34.

92. Melnick, J. L., and D. D. Banker. 1954. Isolation of B virus (herpes group) from the central nervous system of a rhesus monkey. J. Exp. Med. **100**:181–194.

93. Melnick, J. L., *et al.* 1950. "Crystalline" virus-like bodies from human skin papillomas. J. Appl. Physics **21**:70.

94. Melnick, J. L., *et al.* 1964. A new member of the herpesvirus group isolated from South American marmosets. J. Immunol. **92**:595–601.

95. Mendelson, C. G., and A. M. Kligman. 1961. Isolation of wart virus in tissue culture. Successful reinoculation into humans. Arch. Dermatol. **83**:559–562.

96. Moore, D. H., E. C. Pollard, and C. D. Haagensen. 1962. Further correlations of physical and biological properties of mouse mammary tumor agent. Fed. Proc. **21**:942–946.

97. Nahmias, A. J., and W. R. Dowdle. 1968. Antigenic and biologic differences in Herpesvirus hominis. Prog. Med. Virol. **10**:110–159.

98. Naib, Z. M. 1966. Exfoliative cytology of viral cervicovaginitis. Acta Cytol. **10**:126–129.

99. Nemes, M. M., and M. R. Hilleman. 1965. Effective treatment of experimental herpes simplex keratitis with new derivative, 5-methylamino-2'-deoxyuridine (MADU). Proc. Soc. Exp. Biol. Med. **119**:515–520.

100. Niederman, J. C., and R. B. Scott. 1965. Studies on infectious mononucleosis: Attempts to transmit the disease to human volunteers. Yale J. Biol. Med. **38**:1–10.

101. Noble, J., Jr. 1970. A study of New and Old World monkeys to determine the likelihood of a simian reservoir of smallpox. Bull. Wld. Hlth. Org. **42**:509–514.

102. Oroszlan, S., and M. A. Rich. 1964. Human wart virus: In vitro cultivation. Science **146**:531–533.

103. Perkins, F. T., and E. G. Hartley. 1966. Precautions against B virus infection. Brit. Med. J. **i**:899–901.

104. Paine, T. F., Jr. 1964. Latent herpes simplex infection in man. Bacteriol. Rev. **28**:472–479.

105. Plummer, G., J. L. Waner, and C. P. Bowling. 1968. Comparative studies of type 1 and type 2 "herpes simplex" viruses. Brit. J. Exp. Pathol. **49**:202–208.

106. Rabson, A. S., and R. L. Korchstein. 1962. Induction of malignancy *in vitro* in newborn hamster kidney tissue infected with simian vacuolating virus (SV40). Proc. Soc. Exp. Biol. Med. **111**:323–328.

107. Rapp, F., and M. Benyesh-Melnick. 1963. Plaque assay for measurement of cells infected with zoster virus. Science **141**:433–434.

108. Rawls, W. E., *et al.* 1968. Herpes virus type 2: association with carcinoma of the cervix. Science **162**:1255–1256.

109. Report. 1968. The smallpox eradication programme. Wld. Hlth. Org. Chron. **22**:354–362.

110. Report. 1970. Variolation. Wkly. Epidemiol. Rec. **45**:68–71.

111. Report. 1970. Smallpox outbreak – Meschede, Federal Republic of Germany, 1970. Wkly. Epidemiol. Rec. **45**:249–256.

112. Rice, J. E., and R. M. Hyde. 1968. Rapid diagnostic method for cat scratch disease. J. Lab. Clin. Med. **71**:166–170.

113. Rich, M. A. 1967. Murine virus leukemias. Ann. Rev. Microbiol. **21**:529–571.

114. Roizman, B. 1965. An inquiry into the mechanisms of recurrent herpes infections of man. Perspect. Virol. **4**:283–301.

115. Roizman, B., *et al.* 1970. Variability, structural glycoproteins, and classification of herpes simplex viruses. Nature **227**:1253–1254.

116. Rowson, K. E. K., and B. W. Mahy. 1967. Human papova (wart) virus. Bacteriol. Rev. **31**:110–131.

117. Rubin, H. 1959. Special interactions between virus and cell in the Rous sarcoma. Soc. Gen. Microbiol. **9**:171–194.

118. Rubin, H. 1962. Response of cell and organism to infection with avian tumor viruses. Bacteriol. Rev. **26**:1–13.

119. Schmidt, J. R., and A. F. Rasmussen, Jr. 1960. Activation of latent herpes simplex encephalitis by chemical means. J. Infect. Dis. **106**:154–158.

120. Scott, T. F. McN., and T. Tokumaru. 1964. *Herpesvirus hominis* (virus of herpes simplex). Bacteriol. Rev. **28**:458–471.

121. Shishido, A., *et al.* 1965. Studies on infectious mononucleosis induced in the monkey by experimental infection with *Rickettsia sennetsu*. Japan. J. Med. Sci. Biol. **18**:73–83, 85–100.

122. Siminoff, P. 1964. The effect of 5-bromodeoxyuridine on herpes simplex infection of HeLa cells. Virology **24**:1–12.

123. Smith, K. O., and L. Rasmussen. 1963. Morphology of cytomegalo-virus (salivary gland virus). J. Bacteriol. **85**:1319–1325.

124. Stern, H. 1965. Human cytomegalovirus infection. Proc. Roy. Soc. Med. **58**:346–349.

125. Stewart, S. E. 1960. Polyoma virus. Section A. Adv. Virus Res. **7**:61–90.

126. Stewart, S. E. 1969. Studies on the herpes-type virus recovered from the Burkitt's tumor and other human lymphomas. Adv. Virus Res. **15**:291–305.

127. Stich, H. F. 1970. Viruses and chromosomes. Prog. Med. Virol. **12**:78–127.

128. Sweet, B. H., and M. Hilleman. 1960. The vacuolating virus SV40. Proc. Soc. Exp. Biol. Med. **105**:420–427.

129. Syverton, J. T. 1952. The pathogenesis of the rabbit papilloma-to-carcinoma sequence. Ann. N.Y. Acad. Sci. **54**:1126–1141.

130. Underwood, G. E., and S. D. Week. 1962. Activity of 1-β-D-arabinofuranosylcytosine hydrochloride against herpes simplex keratitis. Proc. Soc. Exp. Biol. Med. **111**:660–664.

131. Vigier, P. 1970. RNA oncogenic viruses: structure, replication, and oncogenicity. Prog. Med. Virol. **12**:240–283.

132. Vogt, P. K. 1965. Avian tumor viruses. Adv. Virus Res. **11**:293–385.

133. Warwick, W. J. 1967. The cat-scratch syndrome, many diseases or one disease? Prog. Med. Virol. **9**:256–301.

134. Weller, T. H. 1971. The cytomegaloviruses: ubiquitous agents with protean clinical manifestations. Parts I and II. New Eng. J. Med. **285**:203–214, 267–274.

135. Weller, T. H., J. B. Hanshaw, and D. E. Scott. 1960. Serologic differentiation of viruses responsible for cytomegalic inclusion disease. Virology **12**:130–132.

136. Wenner, H. A., and T. Y. Lou. 1963. Virus diseases associated with cutaneous eruptions. Prog. Med. Virol. **5**:219–294.

137. Wildy, P., W. C. Russell, and R. W. Horne. 1960. The morphology of herpes virus. Virology **12**:204–222.

138. Wong, T. W., and N. E. Warner. 1962. Cytomegalic inclusion disease in adults. Report of 14 cases with review of literature. Arch. Pathol. **74**:403–422.

139. Woodson, B. 1968. Recent progess in poxvirus research. Bacteriol. Rev. **32**:127–138.

140. World Health Organization. 1969. Guide to the laboratory diagnosis of smallpox for smallpox eradication programmes. World Health Organization, Geneva.

141. Wright, T. H., Jr., C. R. Goodheart, and A. Lielausis. 1964. Human cytomegalovirus. Morphology by negative staining. Virology **23**:419–424.

CAPITULO 37

GRUPO DE LOS MIXOVIRUS (INFLUENZA, PAROTIDITIS, SARAMPION, RUBEOLA, RABIA) Y VIRUS SIMILARES

En el hombre las enfermedades del aparato respiratorio tienen etiología diversa; los agentes causales van desde bacterias y Mycoplasma, pasando por hongos, rickettsias y gérmenes de tipo psitacosis-ornitosis, hasta diversos tipos de virus. Por lo tanto, la enfermedad respiratoria aguda, muchas veces denominada ARD (acute respiratory disease) es etiológicamente compleja, aunque quizá lo sea menos clínicamente.

El aclaramiento de la etiología viral de muchas enfermedades de este tipo fue iniciado al aislarse y caracterizarse el virus de influenza en 1933, y producirse experimentalmente la enfermedad en el hurón. Más tarde, el logro de técnicas complicadas de cultivo de tejidos, junto con la disponibilidad de antibióticos para reducir al mínimo los efectos de la contaminación bacteriana de las muestras, como líquidos de lavado nasofaríngeo, sin afectar la proliferación del virus, permitió aplicar ampliamente este método y aislar una serie de virus hasta entonces desconocidos. La extensión de los métodos serológicos fáciles de aplicar para caracterizar e identificar como corolario de los métodos de cultivo de tejido, y la aplicación de tales métodos serológicos al diagnóstico retrospectivo de infecciones de este tipo, permitió estimar la frecuencia relativa de tales virus en la población. En consecuencia, está empezando a conocerse un modelo general de infecciones virales de este tipo,[23] aunque quedan muchos puntos por resolver y gran parte de las infecciones respiratorias agudas no diferenciadas, o ARD, siguen siendo ·de etiología desconocida.

Los agentes virales de la enfermedad ARD, incluyendo no solo la influenza y virus relacionados del grupo mixovirus, sino también adenovirus y algunos de los virus entéricos (picornavirus) se encuentran asociados con el síndrome del resfriado común.[62]

Estudiaremos aquí los mixovirus y los adenovirus; los picornavirus, incluyendo los que producen enfermedad respiratoria, en otra parte de la obra (capítulo 38).

Mixovirus

Los virus del grupo mixovirus, llamados así por la afinidad por substancias mucinosas (ver luego) son virus DNA sensibles al éter, en los cuales el ácido nucleico se considera que tiene una sola tira;[16] la cápside tiene simetría helicoidal, con hélice de 9 a 17 nm de diámetro; la partícula de virus madura, unida a la superficie de la célula huésped, pero completada fuera de la célula, está incluida en una cubierta.

Este grupo de virus tiende a separarse en dos subgrupos, denominados subgrupo I y subgrupo II, o mixovirus y paramixovirus, según las dimensiones y el efecto citopático (CPE) producidos en cultivos de célula. El primer grupo es algo más uniforme y de dimensiones menores, 80 a 120 nm contra 150 a 250 nm. El efecto citopático del mixovirus en cultivos de tejidos tiende a ser degenerativo, pero el producido por los paramixovirus es de tipo sincitial, y se descubren inclusiones eosinófilas en el citoplasma de las células afectadas. El grupo de mixovirus incluye los virus de la influenza y probablemente el de la rabia; el subgrupo de paramixovirus incluye: parainfluenza, parotiditis, sarampión y virus de la enfermedad Newcastle.

Hemaglutinación. Estos virus actúan como hemaglutininas, igual que los arbovirus (capítulo 39), pero se distinguen de ellos por su contenido en neuraminidasa, que desintegra la substancia receptora en los glóbulos rojos, para permitir la dilución espontánea. Algunos otros virus, como algunos virus de exantemas pustulosos producen una hemaglutinina soluble, pero la partícula del virus no actúa como agente aglutinante.

La hemaglutinación por mixovirus brinda un método adecuado para su titulación in vitro; diluciones seriadas del material, como líquido alantoideo, que contiene virus, en suspensiones de glóbulos rojos muestran un punto final que es la medida de la concentración viral; ha sido particularmente útil con los virus de influenza (ver luego). La aglutinación de los glóbulos rojos también se produce alrededor de centros de proliferación viral en cultivos de tejidos en placas, y ocurre antes que el efecto citopático, o en ausencia de él. El fenómeno se llama hemadsorción. La hemaglutinación viral es inhibida específicamente por el suero antiviral, y la prueba de hemaglutinación-inhibición (HI) puede utilizarse para titular el anticuerpo antiviral (ver luego).

Cuando los glóbulos rojos aglutinados por el virus se dejan en reposo durante unas horas, las partículas de virus se separan espontáneamente por desintegración de la substancia receptora de los glóbulos rojos, que ya no son aglutinables por adición de virus fresco. La neuraminidasa también es producida por diversas bacterias, en particular *Vibrio cholerae* y *Cl. perfringens;* el tratamiento de glóbulos rojos con líquido sobrenadante de cultivos líquidos de tales bacterias sin hematíes, los hace inaglutinables por mixovirus; la neuraminidasa de origen bacteriano suele llamarse enzima destructora del receptor o RDE.

La substancia receptora celular es una mucoproteína, o sea una proteína conjugada con oligosácaridos. El volumen de los grupos oligosácaridos, y el número de ellos unidos a la proteína, varían. Las unidades terminales de oligosácaridos son residuos de ácido neuramínico acetilados, reunidos con el ácido glucosídico al azúcar vecino. Es esta unión la que destruye la neuraminidasa, o RDE, con la consiguiente desintegración de los grupos dispuestos ordenadamente, que parecen ser necesarios para la adsorción del virus.

Los mixovirus no son idénticos, por cuanto los glóbulos rojos tratados con un virus ya no son aglutinados o adsorbidos por dicho virus, pueden adsorber o no otros virus del grupo y ser aglutinados por ellos. Esto ha hecho que se formulara una serie gradiente de receptores: parotiditis → NDV (Newcastle) → influenza A → influenza del cerdo → influenza B. Los glóbulos rojos tratados con virus de parotiditis, todavía aglutinarán en presencia de NDV y de virus de influenza; los tratados con NDV no serán aglutinados por virus de parotiditis o NDV, pero serán aglutinados por virus influenza, y así sucesivamente. Esta relación no es absoluta, pero depende de la cantidad de virus utilizados y del tiempo transcurrido para actuar sobre el glóbulo rojo.

Aparte de su utilidad práctica, la reacción de hemaglutinación mixoviral y sus mecanismos probablemente guarden relación con la etapa inicial de la proliferación de estos virus, o sea la adsorción a la superficie de la célula huésped.

Virus de influenza[50]

La influenza es una enfermedad muy extendida en el hombre, que ocurre en forma interepidémica esporádica, en epidemias periódicas y en forma de pandemia. Se produjeron pandemias en 1890 y en 1918-1919; en este último caso la enfermedad afectó a todo el mundo, y el número de muertos calculado fue mayor de 21 millones. La periodicidad epidémica difiere algo entre los dos tipos principales de virus de la influenza (ver luego); se observan epidemias de mayor o menor amplitud con intervalos de dos a tres años en el caso de la influenza A, y de cuatro a cinco años para la influenza B. La periodicidad epidémica parece depender de la acumulación en la población de individuos susceptibles, y la desaparición de los inmunes por la muerte; pero la influenza pandémica parece resultar de cambios antigénicos en los virus, de magnitud suficiente para que exista muy poca inmunidad cruzada eficaz entre los tipos antigénicos viejos y los nuevos.

La frecuencia de la infección queda demostrada por la aparición de anticuerpo sérico demostrable prácticamente en todos los adultos y en la mayor parte de niños de más de cinco años de edad. Probablemente muchas infecciones son subclínicas o leves y se consideran resfriados comunes; los virus persistirían en periodos interepidémicos en forma de tales infecciones, y en casos esporádicos. Parecen bastante demostradas la existencia de un estado crónico de portador. Tal persistencia de estos virus quizá contribuya a la conservación de los títulos de anticuerpo observados en la población general.

Morfología.[6] Los virus de la influenza son morfológicamente imposibles de distinguir entre sí; pero hay señales de que algunas cepas de influenza B son algo mayores que las de influenza A. Como se ha descrito en otro lugar (capítulo 2), al lograrse el aislamiento primario de huevo embrionado, y muchas veces durante los primeros pasos, el virus se observa en forma de esferas y de filamentos; ambos tienen actividad viral, y hay motivos para creer que las partículas esféricas pueden diferenciarse de las formas filamentosas. Las partículas esféricas, cortadas en su centro por secciones ultradelgadas, se comprueba que contienen un cuerpo central de 20 a 22 nm de diámetro, rodeado por material menos denso y por una membrana limitante de unos 3 nm de espesor. El análisis de preparados purificados ha señalado una composición química de 60 a 75 por 100 de proteína, 5 por 100 de carbohidrato, 20 a 30 por 100 de lípido, y aproximadamente 1 por 100 de ácido nucleico de tipo de pentosa.

Toxina.[78, 79, 99] Como otros virus, los de la influenza son tóxicos en concentración elevada; la toxicidad persiste después de inactivación adecuada como, por ejemplo, empleando radiación ultravioleta, pero se destruye antes que la hemaglutinina y la actividad antigénica. La toxicidad puede demostrarse por inoculación intracerebral en el ratón, que presenta síntomas atribuibles a cambios de meningoencefalitis observados en la necropsia. Por inoculación intravenosa o intraperitoneal la toxicidad resulta pirógena en el conejo; en el ratón, la toxemia mortal se acompaña de lesión hepática y esplénica, con hiperemia y necrosis focal en el primer caso, destrucción de los cuerpos de Malpighi en el último. La toxicidad puede neutralizarse con antisuero y es específica de grupo entre influenzas A y B, con algunas diferencias de cepas. Tiene interés también que los animales pueden protegerse contra la toxicidad mediante tratamiento previo con enzima destructora de receptor (ver luego), lo cual sugiere que la toxicidad guarda relación con la fijación de la partícula de virus a la célula huésped.

Hemaglutinina. Así, los glóbulos rojos de diversas especies animales son aglutinados; suelen emplearse los de pollo, hombre y cobayo. La actividad de hemaglutinina guarda estrecha relación con la partícula del virus, pero puede separarse de él por extracción. En preparados frescos la actividad de hemaglutinina es estrechamente paralela a la infecciosidad, y se utiliza como medida de la concentración de virus. Sin embargo, no es idéntica a la infecciosidad; esta última es destruida a 42"C, dejando intacta la actividad de hemaglutinina; después de tratamiento a 56"C la hemaglutinina es absorbida sobre los glóbulos rojos, pero no sufrirá elución; después de tratamiento a 65"C no es adsorbida. La hemaglutinina de cepas humanas es inactivada por tripsina, cosa que no ocurre con la influenza del cerdo. La sensibilidad relativa de las cepas humanas parece guardar relación con el tipo antigénico [141] (ver más adelante).

Estructura antigénica. En estos virus hay dos tipos de antígeno. Uno es el antígeno soluble que se descubre libre en el tejido infectado; se halla también en la partícula del virus, de la cual puede extraerse, junto con la hemaglutinina, empleando éter, y es irregularmente separable de la partícula por lisis sónica. Se asocia con una pequeña partícula, de aproximadamente 10 nm de diámetro, y de naturaleza nucleoproteínica. Es específica de grupo y puede demostrarse por fijación de complemento en presencia de anticuerpo; se produce anticuerpo contra ella en respuesta a la infección, pero generalmente no en personas inmunizadas con virus inactivados parcialmente purificados.

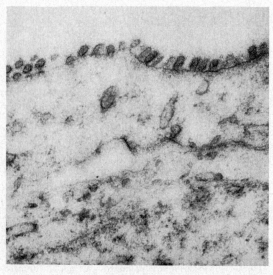 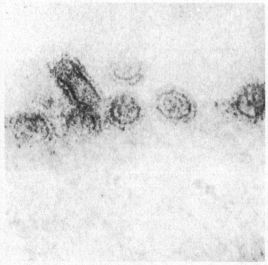

FIG. 37-1. Cortes ultradelgados de células endodérmicas de membrana corioalantoidea infectada con virus de influenza. *Izquierda*. Las partículas de virus en forma de esfera y bacilos cortos se hallan en la superficie de la célula y el núcleo celular está debajo. × 45 000. *Derecha*, Preparación similar con mayor amplificación, que muestra cuerpos esféricos consistentes en un cuerpo interno, una membrana densa netamente definida y una cubierta menos densa. La partícula alargada seccionada oblicuamente parece tener un interior amorfo. × 152 000. (Morgan, Rose y Moore: J. Exp. Med.)

El segudo tipo de antígeno, o antígeno V, es de naturaleza proteínica y guarda estrecha relación con la partícula de virus. Contiene diversas capacidades antigénicas y no es específica de cepa; los diversos componentes antigénicos del complejo pueden demostrarse en proporciones variables. El anticuerpo de este tipo de antígeno es demostrable como anticuerpo neutralizante o protector por fijación de complemento y por inhibición de hemaglutinina, o reacción de HI. La última reacción serológica es simple de llevar a cabo; la unidad de hemaglutinina (HU) de virus se determina por dilución seriada, y se representa por dilución máxima que produce hemaglutinación en una suspensión de glóbulos rojos al 0.5 por 100. Se titulan diluciones seriadas de suero contra cuatro HU; el punto final es la mayor dilución de suero que evita o impide la hemaglutinación viral. El punto final de la hemaglutinación, o de hemaglutinación-inhibición, puede medirse con mayor precisión basándose en la densidad óptica de la suspensión de glóbulos rojos.[97]

Frecuentemente hay inhibidores no específicos, que no son anticuerpos, inhibidores de naturaleza mucinosa en el suero o en extractos de tejidos, pero solo en título bajo, y pueden suprimirse tratando previamente el suero con RDE. Como el anticuerpo HI es específico de cepa y de valor paralelo al del anticuerpo protector (aunque no idéntico a él), ello constituye una reacción extraordinariamente útil para estudios de anticuerpos, aplicable al análisis antigénico de cepas de virus y estudios similares. Desde hace tiempo se sabe que existe en el virus un antígeno específico de huésped derivado de la célula huésped. Está comprobado que este tipo de antígeno se halla en la cubierta en íntima asociación con la hemaglutinina, pero es diferente de ella.[67]

Variedades antigénicas.[107] Los virus de la influenza pueden separarse por lo menos en tres tipos principales, inmunológicamente diferentes entre sí; a saber, el tipo A aislado en 1933, el tipo B aislado en 1940, y el tipo C aislado en 1949. Cada uno de estos tipos incluye cepas relacionadas entre sí por la especificidad de tipo del antígeno S, pero que difieren en mayor o menor grado por las especificaciones antigénicas contenidas en el complejo antigénico V; ha llegado a ser casi axioma que una cepa nuevamente aislada no será inmunológicamente idéntica a cepas aisladas en otros tiempos. Tales diferencias entre las cepas pueden demostrarse por pruebas de neutralización o protección y por la reacción HI.

El virus de influenza de tipo A es la causa más frecuente de influenza en el hombre y muestra la mayor variabilidad de cepas. Fundándose sobre todo en la eficacia de la inmunidad profiláctica, se ha podido separar la multiplicidad de cepas de tipo A en cuatro subgrupos principales. El primero es el subgrupo de la influenza del cerdo, algunas de cuyas cepas fueron causa de la pandemia de 1918-1919 que persistió quizá diez años como causa de influenza humana indicada por demostraciones serológicas (ver luego). La primera cepa humana que se aisló en 1933, la cepa WS, no es idéntica a la de influenza del cerdo, pero guarda más estrecha relación con ella que con los subgrupos descubiertos posteriormente. El segundo subgrupo tiene como tipo la cepa de virus PR8. Las cepas humanas aisladas de 1933 a 1935 eran de este subgrupo, y causaron la influenza de tipo A durante otros diez años. El tercer subgrupo es el grupo A-prima (A') del cual suele tomarse como prototipo la cepa FM1. Apareció en 1946; cepas de este subgrupo fueron causa de la influenza de tipo A hasta por lo menos 1956. El cuarto subgrupo es el de las cepas asiáticas, que aparecieron primero en 1957. Este subgrupo ha sufrido variación antigénica.[108] Esta sucesión cronológica en la aparición de subgrupos antigénicos tiene particular significación en relación con la variación antigénica que ocurre espontáneamente (ver luego) y tiene consecuencias prácticas para la inmunización profiláctica. A su vez, la residencia de una cepa de virus en una población humana constituida principalmente por individuos inmunes, puede estimular cambios antigénicos periódicos.[128] Estos cambios pueden atribuirse a una infinita capacidad de mutación, o sea que se añaden antígenos nuevos salvajes mientras los viejos desaparecen, o tipos antigénicos nuevos pueden provenir de un reajuste de antígenos de superficie, probablemente en número finito.

Los virus de influenza del tipo B también son variables, pero solo se han distinguido dos subgrupos principales fundándose en el efecto protector de la inmunización. La cepa Lee es un prototipo del primero; la vacuna Lee continuó proporcionando inmunidad profiláctica eficaz hasta 1954, aunque cepas aisladas poco antes, ya se comprobó que guardaban relación más lejana con ella. El segundo subgrupo, que representa sucesores del subgrupo Lee, tiene como prototipo las cepas GL y ha presentado variación antigénica adicional.[124] Los virus de influenza de tipo C son menos frecuentes que los tipos A y B, y parecen ser más estables; mientras las diferencias de las cepas son manifiestas, no bastan para separarlas en subgrupos; en general, los virus de tipo C son relativamente homogéneos. Los virus de tipo C no se han relacionado con enfermedades epidémicas en el hombre; de hecho, su relación con trastornos clínicos es algo obscura.

Variación.[81] Hay tres tipos generales de variación en los grupos de influenza, o sea variación en la especificidad de hemaglutinina de especie, variación de poder patógeno, que quizá incluya hemaglutinina, y variación antigénica. También hay variaciones de las cepas por su sensibilidad al inhibidor no específico de la hemaglutinina, que persiste en los sueros humanos y de animales, y que parece conservarse incluso después de pasos repetidos. Obtenido por aislamiento primario, el virus crece más fácilmente en la cavidad amniótica que en la alantoidea del huevo embrionado de gallina; generalmente aglutina los hematíes aviarios en título mucho menor que los de cobayo o humanos O; esto último se expresa como la proporción F:G de hemaglutininas. El aislamiento primario parece que tiene lugar en el estado original u O. Después de pasos en huevo, el virus crecerá en la cavidad alantoidea, es patógeno para el ratón, y la proporción F:G se acerca a la unidad. Los pasos continuados en el huevo embrionario muchas veces también originan una rápida pérdida de virulencia para el hombre. Cuando el virus presenta estas características, se dice que se halla en estado derivado o D, y este cambio es la variación O-D, que tiene analogías con otros microorganismos.

Otros cambios pueden ser provocados por pasos continuos, por ejemplo la variante endoteliotrópica producida por paso en la membrana corioalantoidea, y la variante neurotrópica resultante de pasos en cerebro de ratón. Como se ha descrito en otro lugar (capítulo 3), la inoculación de una cepa no adaptada al cerebro del ratón origina un ciclo de crecimiento incompleto, con aparición de virus no infecciosos o incompletos. También hay otro tipo de variación en la actividad de hemaglutinina, caracterizado por reacciones cruzadas parciales o completas HI, en las cuales pueden distinguirse tres fases, denominadas P, Q y R, que parecen ser consecuencia de diferencias en avidez de la hemaglutinina por el anticuerpo

Variación antigénica. La variación en los antígenos constituyentes del complejo V ocurre con cierta facilidad en condiciones naturales; cambios similares pueden provocarse en el laboratorio. Cuando se separan los subgrupos, en la forma antes señalada, el fenómeno que ocurre naturalmente parece

ser una variación continua del carácter antigénico del virus de tipo A, con cambios mayores ocasionales de magnitud suficiente para que no exista una inmunidad cruzada por lo que al hombre se refiere. Las reacciones cruzadas entre las principales cepas representativas en las reacciones HI se ilustran en el cuadro adjunto. En el caso de los virus de influenza B, el segundo subgrupo parece haberse diferenciado como resultado de cambios acumulativos más que por un cambio único mayor. Esto parece comprobado por dos hechos. Uno es la demostración directa de diferencias antigénicas en cepas aisladas; el otro, el diagnóstico serológico retrospectivo en relación con los grupos de edades.

Las encuestas para determinar el anticuerpo sérico presente en personas de todas las edades y distribuidas con respecto a la especificidad y al grupo de edad, refleja la frecuencia en el tiempo de los subgrupos de virus de influenza A. En uno de tales estudios, completado en 1953, y más tarde confirmado plenamente, tanto en Estados Unidos de Norteamérica como en Inglaterra, resultó evidente que el suero de niños solo contenía anticuerpo para las cepas entonces recientemente predominantes A-prima; el de individuos de 15 a 28 años contenía también anticuerpo del subgrupo PR8; y el anticuerpo para el grupo del cerdo, como para variedades antigénicas de aparición subsiguiente, solo se descubrió en personas de 30 años de edad como mínimo. Tiene interés especial el hecho de que, al aparecer las cepas asiáticas, se descubrió anticuerpo para este subgrupo en personas de 70 a 90 años de edad, sugiriendo que esta variedad antigénica aparentemente nueva quizá ya había estado presente en 1890.[33, 122] La distribución de anticuerpos según edades, para el virus de la influenza del caballo (ver luego), sugiere que un virus similar era el que provocaba las infecciones humanas entre

Variación antigénica que se produce naturalmente manifiesta
por inhibición de hemaglutinación *

			Valor recíproco de títulos †						
			Tipo A					Tipo B	
	Antisueros (hurón)		*Cerdo* 1930	*WS* 1933	*PR8* 1934	*FM1* (*A'*) 1947	*Asiático* 1957	*Lee* 1940	*Todd* 1950
Tipo A	Cerdo	1930	**4 096**	48	<16	<16	<16	<16	<16
	WS	1933	32	**2 048**	24	16	<16	<16	<16
	PR8	1934	<16	32	**4 096**	24	<16	<16	<16
	FM1	1947	<16	<16	<16	**512**	<16	<16	<16
	Asiático	1957	<16	<16	<16	<16	**256**	<16	<16
Tipo B	Lee	1940	<16	<16	<16	<16	<16	**4 096**	<16
	Todd	1950	<16	<16	<16	<16	<16	64	**4 096**

* Reunido por la doctora Doroty Hamre.
† Los títulos homólogos se indican con caracteres **negros**.

1874 y 1890.[32] La deducción, claro está, es la posibilidad de cambios cíclicos, quizá afectados por la duración de la vida humana, más que la aparición de nuevas variedades antigénicas en proporciones no definidas.

La validez de las deducciones, en cuanto a sucesión de variedades antigénicas según la distribución por edades de especificidad de anticuerpo sérico, depende de la naturaleza de la respuesta inmune en el hombre.[64] Por datos como los anteriores parece deducirse (y experimentalmente se ha confirmado por inmunizaciones por vacunas monovalentes de variedades antigénicas representativas) lo siguiente: *1)* la experiencia inicial o infantil refleja los antígenos dominantes de las cepas más frecuentes y tiene eficacia limitada, ya que la enfermedad es sobre todo frecuente en este grupo de edad; *2)* inyecciones sucesivas, con variedades antigénicas diferentes de los virus, refuerzan la respuesta inicial y la amplían, con adquisición de anticuerpos nuevos; *3)* la gran amplitud de actividad de anticuerpo en el suero de personas de edad es consecuencia de contacto con muchos antígenos de influenza, con refuerzos continuos de respuestas ya anteriores de anticuerpo, y del desarrollo de una inmunidad progresivamente más eficaz.

Pueden producirse variaciones antigénicas en condiciones experimentales de diversas maneras. Las infecciones dobles con diferentes cepas de virus originan una recombinación, y la aparición de híbridos, como de tipos parenterales, de la misma manera que se producen híbridos de virus bacterianos; cambios similares se han producido en mezclas de virus activos e inactivos, análogos a las transducciones de virus bacterianos y de fibromamixoma.

De la misma manera que la estructura antigénica de las bacterias puede alterarse por crecimiento en presencia de anticuerpo homólogo, el virus de la influenza es alterado en presencia de anticuerpo, tanto en cultivo de huevo como en animales infectados parcialmente inmunes; los cambios de estructura antigénica persisten en ausencia de anticuerpo. En el cuadro adjunto se indican cuadros representativos producidos por este último método y demostrables por la reacción HI. La interpretación corriente es que tales variantes antigénicas nacen de mutantes y son seleccionadas por el anticuerpo presente.

Infección en animales inferiores. Es bien conocida la infección natural en diversos animales domésticos con virus de influenza de tipo A. Además del virus de la peste aviaria, algunos virus de influenza aviaria se descubren en pollos y pavos.[109] En animales domésticos la influenza del cerdo se conoce desde 1918, y la del caballo fue descrita en 1963. Se cree que tales infecciones animales no constituyen un reservorio de infección para el hombre; por el contrario, la influenza de animales domésticos es de origen humano, con adaptación y modificación asociada, a nuevas especies huéspedes. Las cepas humanas y las cepas de animales inferiores guardan relación antigénica;[146, 151] las cepas humanas y las aviarias, por ejemplo, comparten antígenos V y se produce recombinación entre diversas cepas.[82, 152] Se ha producido experimentalmente infección cruzada causando influenza en voluntarios humanos que han recibido virus de influenza de caballo,[30] y se han infectado caballos con un virus A2/Hong Kong/68 de origen humano.[148] Aunque los virus de influenza de origen en animales inferiores no parece producirse en el hombre, pueden representar cepas sobrevivientes de origen humano original, según sugiere la distribución de anticuerpos en grupos humanos según las edades, antes señaladas.

Influenza porcina. De tales cepas de virus de influenza, el de la porcina merece particular interés por su ciclo complejo de transmisión. Esta enfermedad respiratoria, que aparece espontáneamente, fue observada en el cerdo en Estados Unidos de Norteamérica en ocasión de la pandemia de influenza en 1918. La etiología de la enfermedad fue descrita por Shope en 1930; este autor aisló el virus de la influenza porcina y una variedad porcina de *Hemophilus influenzae,* y demostró que ambos tipos de microorganismos eran necesarios para producir el cuadro clínico. Más tarde descubrió un ciclo complejo de transmisión, que incluye dos huéspedes reservorios. El virus se observa en gusanos pulmonares de cerdos infectados; los huevos de los gusanos del pulmón infectados son eliminados por las heces, ingeridos por lombrices y las larvas se desarrollan dentro de ellas. El ciclo infeccioso se completa cuando las lombrices infectadas son ingeridas por cerdos, pero la enfermedad no ocurre en ausencia de alguna causa desencadenante, como la infección por *H. influenzae* var. *suis;* las condiciones climáticas parece que también pueden ser eficaces.

Infecciones experimentales. El hurón es muy sensible a la inoculación intranasal con virus de

Variación antigénica provocada experimentalmente y demostrada por inhibición de hemaglutinación *

Antisueros (hurón)	Valores recíprocos de títulos †		
	Cepa primaria (PR8)	Segunda variante Ba	Quinta variante Fd
Cepa original (PR8)	1 536	48	8
Segunda variante (Ba)	768	1 024	128
Quinta variante (Fd)	96	96	768

* Preparada por la doctora Dorothy Hamre.
† Los títulos homólogos se indican con tipo negro.

influenza y, de hecho, puede infectarse por contacto. Por aislamiento primario del virus en el hombre puede haber pocos síntomas de enfermedad en el hurón, pero la infección puede demostrarse por aumento del título de anticuerpo. Empleando pasos seriados, la virulencia aumenta y hay signos manifiestos de enfermedad y consolidación pulmonar. Análogamente, el ratón ligeramente anestesiado con éter puede infectarse, con aislamiento primario de las cepas del viejo tipo A por inoculación intranasal; los aislados recientes no suelen producir lesiones pulmonares, pero causan consolidación de pulmón después de varios pasos de estas cepas de virus. Las cepas A-prima y asiática son mucho menos virulentas para el ratón; este animal no es útil para aislamiento primario de las mismas. El virus de influenza de tipo B generalmente crece mal en el ratón, incluso después de pasos prolongados. El huevo embrionado de gallina puede infectarse por varias vías, pero el aislamiento tiene éxito sobre todo inoculando la cavidad amniótica de huevos de 12 a 14 días de edad. Por pasos sucesivos el virus crecerá en la cavidad alantoidea, en el saco vitelino y en la membrana corioalantoidea. De estos métodos de aislamiento, la inoculación de la cavidad amniótica del huevo embrionario se considera como uno de los más sensibles.

La enfermedad en el hombre.[31] El virus penetra en el cuerpo por el aparato respiratorio, y el periodo de incubación de la influenza es breve, de uno o dos días, proporcionando a la enfermedad epidémica y pandémica su carácter explosivo. Aparecen síntomas de vías respiratorias, incluyendo irritación nasal, faríngea y laríngea y las molestias correspondientes, pero muchas veces subordinadas a la reacción general, con fiebre y postración. El síndrome es variable y no característico; la influenza tampoco puede diagnosticarse por el cuadro clínico.

La complicación más frecuente, y generalmente causa inmediata de muerte en los procesos graves, es la neumonía resultante de infección bacteriana secundaria, sobre todo estafilocócica, pero también estreptocócica o neumocócica. El virus de influenza, solo, puede producir neumonía mortal; esto se observó en la epidemia de 1957-1958 y nuevamente en la epidemia de 1968-1969, esta última atribuible a la variante A (A2/Hong Kong/68) que apareció en 1968. En tales casos hay congestión intensa de la tráquea, con consolidación y hemorragia en los pulmones, pero muy pocos signos de reacción celular.

Después de una epidemia la enfermedad parece más rara, pero es consecuencia de la aparición de un número creciente de infecciones clínicamente ligeras. Los estudios serológicos han demostrado que la frecuencia de las infecciones continúa, persistiendo en periodos interepidémicos en forma endémica inadvertida.[61] Las epidemias de influenza A aparecen en forma característica con intervalos de dos a tres años; las de tipo B, con intervalos de tres a seis años. La influenza pandémica tiene lugar al aparecer nuevos tipos antigénicos del virus para los cuales la inmunidad preexistente brinda poca o ninguna protección, y el control de tal influenza pandémica plantea un problema que todavía no se ha podido resolver.[140] Epidemias y pandemias se caracterizan por un exceso de muertes por influenza de neumonía,[131] fenómeno ilustrado en la figura 37-2.

Quimioprofilaxia. El clorhidrato de la amantadina (1-adamántanamina, 1-aminotriciclo-decano) se ha comprobado que tiene actividad antiviral para virus de influenza en cultivos de tejido, y para evitar la infección en el ratón. Más tarde se comprobó que es profiláctico para la influenza natural del hombre [49, 104, 138] y contra la enfermedad producida en voluntarios humanos.[83] En un estudio de profilaxia de ambos virus de influenza A2 y de enfermedad respiratoria aguda no diferenciada, la protección contra esta última también se comprobó, sugiriendo que el espectro de actividad de la droga puede ser más amplio de lo que se pensó antes.[45] Sin embargo, en dosis toleradas no se ha comprobado que sea profiláctico contra virus I de parainfluenza de voluntarios humanos.[135] Las isoquinolinas también se ha observado que tienen acción profiláctica, en voluntarios humanos y en un estudio de campo.[94]

Inmunidad. La recuperación de la enfermedad origina la aparición de anticuerpo para ambos antígenos, S y V, que originan reacciones de fijación de complemento, neutralización y HI. La inmunidad eficaz se asocia con anticuerpo para el antígeno V específico de cepa, y para la neuraminidasa viral; [129] esta última probablemente interfiere con la fase inicial de adsorción de la partícula de virus por la célula susceptible. La inmunidad no dura mucho, quizás unos pocos meses, y puede asociarse con la presencia de IgA secretorio (IIS IgA) en las secreciones nasales.[77, 149]

La inmunidad resultante de la exposición inicial de los dos antígenos virales parece poco intensa, pero, como ya dijimos, aumenta en eficacia con exposición repetida al virus, de manera que la experiencia total de quizá tres décadas brinda bastante inmunidad efectiva. Esto muchas veces (pero no invariablemente) modifica infecciones subsiguientes, de manera que la enfermedad es subclínica o apenas pasa de un resfriado ligero. Tal inmunidad no es eficaz contra cepas de virus en las cuales se han producido cambios antigénicos mayores.

Diagnóstico de laboratorio.[22, 123, 134] Distinguir la influenza de diversos procesos clínicamente similares solo puede hacerse por la etiología, y requiere la identificación directa o indirecta del virus en el laboratorio. La identificación directa se logra más fácilmente inoculando líquidos de lavado nasal, que contienen cantidades adecuadas de substancias antibacterianas, como una mezcla de penicilina y estreptomicina, en la cavidad amniótica del huevo

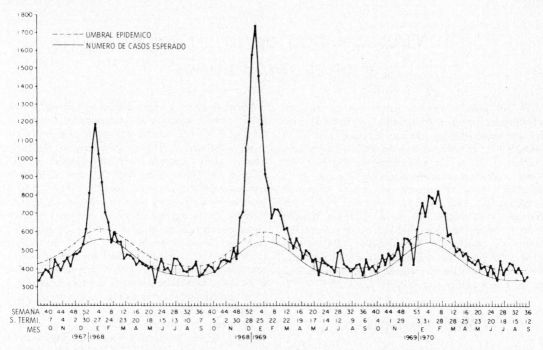

embrionado de 12 a 14 días. Hay virus en el líquido amniótico en plazo de dos a cuatro días; puede descubrirse por aglutinación de glóbulos rojos humanos de tipo O, e identificarse con reacción HI con antisuero conocido. El virus también puede (aunque con menor seguridad) aislarse por inoculación intranasal del hurón y demostrando luego un título de aticuerpo creciente, o la presencia del virus en el tejido pulmonar.

La presencia del virus se demuestra indirectamente por un aumento del título de anticuerpo en muestras pareadas de suero: una tomada lo antes posible en etapa aguda de la enfermedad, la otra 10 días a tres semanas más tarde. Pueden utilizarse las reacciones HI y de fijación de complemento; la primera tiene menos probabilidades de estar afectada por diferencias antigénicas menores entre el antígeno de prueba y el virus infectante.

Se considera diagnóstico un aumento cuádruple o mayor.

Inmunización profiláctica.[38] La inmunización profiláctica contra las enfermedades se lleva a cabo con virus inactivado desarrollado en cavidad alantoidea de huevo embrionado y parcialmente purificado, generalmente por absorción y elución de glóbulos rojos de pollo. Al cabo de una semana, y persistiendo por varios meses, resulta evidente un grado apreciable de inmunidad eficaz contra cepas homólogas o estrechamente relacionadas de virus. El grado de protección brindado depende del tiempo transcurrido entre la inmunización y la exposición; parece que del 40 al 70 por 100 de las personas quedan protegidas.

A consecuencia del carácter antigénico cambiante de las cepas de virus, las cepas para vacuna se van modificando. La vacuna suele ser multivalente; contiene ambas cepas de virus, de tipo A y de tipo B, pero el tipo A ha sido cambiante desde la cepa PR8 a cepas A-prima como la FM1, y más tarde incluyeron cepas asiáticas; mientras que las cepas de tipo B se han desviado del grupo que tenía la cepa de Lee como prototipo, hacia tipos que aparecieron más tarde, como el GL o la cepa de Tood. Tal como están ya preparadas en el comercio, las vacunas se conservan en forma monovalente y se mezclan para proporcionar vacuna polivalente de una composición determinada según la índole de las cepas aisladas en el momento.

El empleo de vacunas vivas, consistentes en virus adaptado a las células de mamíferos en cultivos de tejidos y administrado por vía nasal, ha tenido interés en Rusia; también ha sido ensayado en Inglaterra, pero hasta ahora no ha demostrado ser netamente superior al virus inactivado.

Virus del tipo de la influenza
y otros respiratorios

Se han aislado diversos virus que no son de influenza en varias enfermedades respiratorias agudas sin características clínicas precisas, y que se consideran resfriados, neumonitis, etc.; en ocasiones, también de individuos aparentemente normales. Algunos parecen guardar relación con el grupo de la influenza, otros constituyen el grupo distintivo de adenovirus (ver luego); otros, finalmente, son diversos en el sentido de que no guardan relación entre sí ni con grupos establecidos de virus. Encuestas de anticuerpos han indicado que pueden ser más frecuentes de lo que sugeriría el aislamiento, y su existencia pone de relieve la etiología diversa de las enfermedades respiratorias agudas.[139]

VIRUS DE PARAINFLUENZA

Los virus que vamos a considerar ahora constituyendo el grupo parainfluenza explican una parte considerable de enfermedades respiratorias agudas (ARD). Aislados de pacientes con enfermedades agudas de vías respiratorias altas de gravedad variable, explican gran parte de tales enfermedades en los niños, pero no son desconocidos en los adultos. Se ha descubierto en Estados Unidos de Norteamérica, Europa y Australia, e indudablemente se hallan difundidos por el mundo entero. Aunque de etiología variable, la enfermedad substancialmente es la misma, parecida a un resfriado común con faringitis, rinitis, bronquitis y fiebre que duran de tres a cuatro días, y que tienden a ser más graves en los niños. La relación etiológica de estos virus con las enfermedades respiratorias altas queda indicada no solo por la respuesta específica de anticuerpo, sino también por la reproducción experimental de la enfermedad en voluntarios humanos.

Se ha observado que si se añaden eritrocitos de cobayo a cultivos de células renales de mono sembradas con virus de influenza, los glóbulos rojos se reúnen alrededor de las células donde se está produciendo la proliferación del virus, y son absorbidos por ellas, según vimos antes. Esta no es una propiedad única de los mixovirus; se produce también con algunos virus de simios y con PPLO en cultivos de tejidos.[13] Algunos de los virus de parainfluenza aislados aplicando esta técnica, han recibido el nombre de virus de hemadsorción o HA. Estos, y otros virus similares, descritos con varios nombres y serológicamente distintos, o incluso sin relación ninguna entre sí ni con los virus de la influenza, se han reunido como tipos de virus de parainfluenza.

Parainfluenza 1. Esta denominación incluye dos tipos inmunológicamente relacionados, pero no idénticos: el virus Sendai y el virus HA 2.

Virus Sendai. (Virus de la neumonitis del recién nacido, virus hemaglutinante del Japón o HVJ, virus de la influenza de tipo D.) Este virus se ha aislado repetidamente de fuentes tanto humanas como animales (cerdo, ratón) en Japón desde 1952. Resultó ser el agente causal de neumonitis epidémicas que producen gran mortalidad en recién nacidos de Japón, y se ha comprobado en lactantes en Moscú y en Alemania. También estuvo asociado con una epidemia habida en Vladivostok en 1956; se aisló de individuos afectados durante la epidemia, y su anticuerpo sérico persistió varios meses en la población local.

El virus fue aislado originalmente en pulmón de ratón, donde producía lesiones parecidas a las de la influenza, como consolidación, y puede cultivarse en huevo embrionado. Crece bien en la cavidad alantoidea y también en la membrana corioalantoidea, donde produce pequeñas lesiones a modo de pústulas o placas similares a las producidas por el virus del herpes simple. Origina una hemaglutinina que aglomera los hematíes humanos de pollo, cobayo, mono y ratón; serológicamente guarda relación con los virus de la influenza, más estrechamente con el tipo B que con los demás, y ha recibido el nombre de virus de influenza de tipo D.

Se han observado en Estados Unidos de Norteamérica títulos importantes de anticuerpo para el virus Sendai. En convalecientes de diversos lugares los títulos de HI alcanzaban valores de 1:32 a 1:64, los títulos de anticuerpo fijador del complemento de 1:32, y los títulos neutralizantes de anticuerpo de 1:128 a 1:512. En comparación, se descubrieron títulos HI de 1:32 o mayores en el 52 por 100 de 118 individuos de menos de 18 años de edad, y en el 37 por 100 de 248 individuos de más de 18 años en Estados Unidos de Norteamérica, sugiriendo una frecuencia relativamente elevada de infección inmunizante. Pero el virus guarda relación con el virus de las paperas, y algunos de los títulos observados de anticuerpo pueden resultar de una infección anterior con paperas. Se ha observado también en Estados Unidos de Norteamérica aumentos al cuádruplo o mayores de título de anticuerpo HI, asociados con enfermedad parecida a la influenza, y con unos pocos casos de mononucleosis infecciosa.

Virus HA 2. El virus de hemadsorción de tipo 2, junto con el HA 1, fue aislado con las técnicas antes descritas de niños con enfermedad respiratoria febril. Esencialmente no se observó efecto citopático en células cultivadas de riñón de mono; sin embargo, hubo hemadsorción, pero en pasos ulteriores se observó un efecto citopático parcial, con aparición de células redondas dispersas y, finalmente, degeneración focal en la lámina. El líquido de cultivo contiene hemaglutinina, y puede prepararse antígeno fijador del complemento empleando lisado sónico del cultivo. Algunas de las cepas crecerán en la cavidad amniótica del huevo de gallina embrionado de siete días. Este virus también se ha aislado de adultos, y repetidamente de niños en Estados Unidos de Norteamérica y en Japón. Substancialmente se ha aislado el mismo virus en Dinamarca, donde se llamó Copenhague 222. Las infecciones con este virus explican una pequeña proporción de afecciones respiratorias agudas del adulto, y en un estudio la cifra proporcionada fue de 2.6 por 100, pero se ha señalado que el 84 por 100 de los norteamericanos adultos tienen dicho anticuerpo. Esto último parece indicar que el virus se halla muy diseminado. La independencia de las cepas Sendai y HA 2 queda indicada por la ausencia de correlación de anticuerpo descubierto en las encuestas. El virus no guarda relación antigénica con virus de influenza, paperas, RS o ECHO 28 (cap. 38). El poder patógeno del virus cultivado ha sido demostrado por inoculación a voluntarios humanos, produciéndoles enfermedad respiratoria.

Parainfluenza 2. (Crup asociado o virus CA, laringotraqueobronquitis aguda o virus ALTB.) Este virus fue aislado de dos entre 12 niños que sufrían laringotraqueobronquitis aguda o crup, por cultivo en tejido de riñón de mono. Apareció un efecto citopatógeno en plazo de tres a cinco días, consistente en la formación de una masa sincitial perdiéndose los límites celulares y apareciendo vacuolas y gránulos en el citoplasma. Más tarde ha sido aislado tanto en Estados Unidos de Norteamérica como en Inglaterra.

El virus forma una hemaglutinina para eritrocitos de pollo y humanos con la característica extraordinaria de producir aglutinación a 4ºC, pero no a 37ºC; de hecho, el proceso era repetidamente reversible alternando el calentamiento y enfriamiento. Los glóbulos rojos tratados con RDE eran inaglutinables, pero después de tratamiento con virus CA todavía eran aglutinados por virus de influenza de tipos A y B y Newcastle. Se comprobó que la partícula de virus tenía de 90 a 135 nm de diámetro.

En cinco de 11 niños con la enfermedad se comprobó un aumento del título de anticuerpo para este virus. Se examinaron un pequeño número de personas normales y se descubrieron títulos importantes de anticuerpo neutralizante en cuatro de 16 individuos de 34 meses más o menos de edad, y en 9 de 20 individuos de 21 a 30 años de edad. En contraste con la frecuencia más o menos constante de los demás virus de parainfluenza, el tipo parece ser de aparición variable; se ha señalado

que el 22 por 100 de adultos norteamericanos tienen anticuerpo para él.

Parainfluenza 3. Este virus fue descrito originalmente como virus de hemadsorción de tipo 1 y fue aislado junto con HA 2 de niños que sufrían enfermedad respiratoria febril aguda. Más tarde se ha obtenido tanto de niños como de adultos y parece estar ampliamente distribuido, ya que se ha descubierto anticuerpo en el 100 por 100 de los norteamericanos adultos examinados.

Se ha aislado un virus de hemadsorción de ganado que sufría fiebre marina (posiblemente también causado por Pasteurella [ver capítulo 24]), denominado SF-4 y serológicamente se ha demostrado la frecuencia de infección en las ovejas.[46] Este virus serológicamente se parece mucho al virus de parainfluenza 3 de origen humano. La relación es tan cercana que los dos parecen idénticos según los métodos serológicos corrientes, pero aparecen pequeñas diferencias de respuesta inmune en el cobayo por inoculación intranasal.[1] Al parecer, el mismo virus bovino se ha descubierto en Suecia, y estudios serológicos han indicado que la infección bovina está muy dispersa, con 70 por 100 o más del ganado proporcionando reacciones positivas.[2] No sabemos cuál sea la relación que puede existir entre las enfermedades bovina y humana.

Se ha aislado un tipo adicional, denominado tipo 4; parece que se presenta por lo menos en dos subtipos.[21]

Otros mixovirus. Se han descrito otros virus manifiestamente similares, pero hasta ahora de categoría incierta. Se ha señalado [112] que un agente relacionado con el crup humano, denominado virus U, se parece al virus de la parainfluenza 2 por cuanto se produce hemaglutinación más rápidamente en frío que a temperatura de la incubadora. Otro virus, el virus SA, se ha aislado del cerebro del criceto (hamster) después de inocular cultivo alantoideo de embrión de pollo con líquido de lavado nasal de un individuo que sufría infección respiratoria alta aguda.[130] La actividad hemaglutinante para hematíes de cobayo es similar a la de los mixovirus; el efecto citopático en cultivos de riñón de mono es la formación sincitial. No parece guardar relación antigénica con otros virus conocidos. Se ha aislado otro virus, antigénicamente sin relación ninguna con las propiedades de un mixovirus,[74] de cierto número de personas con enfermedad respiratoria alta utilizando cultivos de células renales de mono. El efecto citopático estriba en la formación de células redondas, y el virus denominado M-25 antigénicamente no tiene relación con los demás mixovirus. El virus descrito por los investigadores franceses como EA 102, aislado de enfermedades respiratorias febriles agudas de los niños,[24] se caracteriza por efecto citopatógeno sincitial en cultivos de células KB, y serológicamente guarda relación con el virus HA, pero no forma hemaglutinina. Todavía no sabemos cuál sea exactamente su categoría, y la significación de los virus aislados como los que acabamos de señalar.

VIRUS RESPIRATORIO SINCITIAL [143]
(Agente RS)

Este virus, llamado también agente de la coriza del chimpancé, o CCA, fue aislado primeramente de chimpancés con síntomas de enfermedad respiratoria, y se produjo la infección espontánea en un trabajador de laboratorio. El virus inicialmente se hizo crecer desde frotis de garganta sobre cultivo de tejido de hígado humano, con citopatología manifiesta en plazo de aproximadamente una semana. Este virus no infectó a los animales comunes de laboratorio.

Más tarde se ha aislado de niños con bronconeumonía, y bronquitis (más que crup)[5, 14] y en adultos, como infección natural asociada con enfermedad respiratoria alta ligera.[75] Encuestas de anticuerpos han indicado que la infección humana

se adquiere en etapa temprana de la vida; en una de ellas se comprobó que la proporción de individuos con anticuerpos era de 8 por 100 en niños de seis a 12 meses de edad, se elevaba a 84 por 100 en el grupo de 15 a 29 años, para disminuir a 68 por 100 en los de 50 o más años de edad.[58]

El virus RS es un virus RNA sensible al éter, de 90 a 120 nm de diámetro, pero difiere de los mixovirus por cuanto no es cultivable en huevos embrionados de gallina y no es hemaglutinante. Antigénicamente no guarda relación con los mixovirus, y se han distinguido varios subtipos antigénicos.[26] Sin embargo, morfológicamente es muy similar a los mixovirus,[7, 17] y como los del subgrupo paramixovirus, tiene efecto citopático en cultivos de células. Por lo tanto, se considera que queda dentro del grupo de los paramixovirus, con los virus de la parainfluenza.[150] Un virus muy similar, que produce acción citopática diferente y poco usual, se ha aislado de adultos jóvenes que sufrían enfermedades respiratorias altas ligeras.[59]

Virus de paperas y similares

El virus de las paperas, el virus de la enfermedad Newcastle (NDV) y el virus de la peste aviaria guardan relación con el virus de la influenza en cuanto se refiere a actividad de hemaglutinina y afinidad por la substancia receptora de glóbulos rojos; se consideran miembros del grupo de paramixovirus. En el gradiente de inactivación de zonas receptoras en el glóbulo rojo el virus de las paperas y NDV se observan en un extremo de la serie; glóbulos rojos tratados con virus de paperas todavía aglutinan con virus NDV y virus de influenza A; los tratados con NDV aglutinan con virus de influenza A, pero no con virus de paperas; los tratados con virus de influenza A ya no aglutinan ni con virus de paperas ni con NDV.

PAPERAS

Las paperas, o parotiditis epidémica, son una enfermedad muy contagiosa, muy difusa, raramente mortal en el hombre, que se conoce desde hace tiempo por su carácter clínico distintivo, o sea la hinchazón e hipersensibilidad de las glándulas parótidas y la orquitis en una proporción variable, pero neta, de casos. El 60 por 100, aproximadamente, de los adultos son inmunes, en comparación con el 90 por 100 inmunes para virus de sarampión. La enfermedad tiende a producirse en invierno y comienzos de primavera, con periodicidad de siete a ocho años.

El virus de las paperas se halla en la saliva, y puede aislarse, en los primeros días de la enferme-

dad, de la orina. Crece en diversos tipos de cultivos de células, el efecto citopático difiere según la cepa y el tipo de cultivo celular: en virus aislado cultivado en células HeLa o de riñón de mono se producen focos de degeneración granulosa, pero las cepas adaptadas causan otros efectos, que varían según el tipo de cultivo celular.[56] Las estimaciones del volumen de las partículas han dado resultados muy variables; se han registrado dimensiones generalmente del orden 90 a 135 nm pero se han indicado valores tan altos como 340 nm. En el microscopio electrónico las dimensiones observadas de las partículas esferoides son variables; probablemente la infecciosidad pueda relacionarse con partículas de volumen diferente. Se parece a los virus de la influenza no solo por la actividad hemaglutinante antes señalada, sino también por su actividad hemolítica en concentración elevada de virus, y por la aparición de dos tipos de antígeno. El antígeno S, o soluble, puede separarse de la infecciosidad por centrifugación diferencial, y fija el complemento en presencia de anticuerpo; el antígeno V, o viral, se descubre en la partícula infectiva. La infecciosidad desaparece dejando el virus a temperatura de la habitación durante varios días, o con formol al 0.1 por 100 o irradiación ultravioleta, con persistencia de actividad de hemaglutinina antigénica S y V; el antígeno S es relativamente termostable. El antígeno V guarda relación con los del virus Sendai (parainfluenza 1).[51]

Enfermedad en el hombre. Esta enfermedad solo se observa en el hombre; no hay reservorio animal de infección, aunque diversas especies d monos pueden infectarse experimentalmente. El periodo de incubación es de unas tres semanas. Es posible una reacción febril, seguida en plazo de 24 horas de aumento de volumen de las glándulas salivales, generalmente las parótidas, pero también pueden estar afectadas las sublinguales y submaxilares; hay infiltración adenomatosa de los tejidos vecinos. La hinchazón puede ser bilateral, unilateral, o unilateral seguida de participación del otro lado a los pocos días. Alcanza un máximo en 48 horas, y persiste una a dos semanas, aunque pueden quedar algunos signos de hinchazón durante mayor tiempo. Se produce orquitis en quizá el 20 por 100 de los casos, pero la proporción puede variar considerablemente de una epidemia a otra, y la participación solo es bilateral en 15 a 20 por 100 de los casos.

Los síntomas atribuibles al sistema nervioso central, indicando meningoencefalitis, se observan desde menos del 1 por 100 hasta el 10 por 100 de los casos; tales casos, cuando ocurren en ausencia de parotiditis, se clasifican muchas veces como meningitis aséptica. Páncreas, epidídimo, próstata y ovarios se afectan con bastante rareza, aunque cierto grado de pancreatitis puede ser más frecuente de lo que suele admitirse. Es posible la participación de tejidos que no son las glándulas salivales antes de la parotiditis, o después de la misma, incluso en ausencia de tal parotiditis. Los datos epidemiológicos, confirmados por algunos datos experimentales, indican que una porción considerable de infecciones pueden ser asintomáticas, pero, como se dijo, la infección es menos frecuente que el sarampión.[96, 156]

Inmunidad. Las cepas de virus de parotiditis parecen tener el mismo tipo antigénico, y el restablecimiento de la enfermedad tiene por consecuencia una inmunidad sólida y duradera, posiblemente reforzada de cuando en cuando por reinfección; las infecciones segundas indudables son muy raras; la inmunidad puede demostrarse por anticuerpo fijador de complemento, HI y anticuerpo sérico protector, como por hipersensibilidad de reacción de tipo tardío a la inoculación intradérmica de virus inactivado.

La fijación del complemento se ha perfeccionado, y se dispone de ambos antígenos, S y V, porque el anticuerpo para el antígeno S aparece antes, a los pocos días de iniciado el proceso, y puede alcanzar un título elevado antes de descubrirse anticuerpo para el antígeno V. El anticuerpo para el antígeno S desaparece más rápidamente, dejando anticuerpo persistente para el antígeno V, como demostración de la infección pasada.

Un aumento del anticuerpo fijador de complemento, al cuádruplo o mayor, entre el valor de dos sueros seriados, tomados lo antes posible en el curso de la enfermedad y dos o tres semanas más tarde, se considera diagnóstico. El diagnóstico serológico no tiene importancia cuando el síndrome es típico, pero resulta útil en la meningoencefalitis sin participación de glándulas salivales. La hipersensibilidad aparece demasiado tarde en la enfermedad para que tenga valor diagnóstico; de hecho, debe evitarse, porque la inoculación intradérmica de virus inactivado muchas veces aumenta los títulos de anticuerpo para el antígeno V. Algunos sueros de convaleciente proporcionan reacciones cruzadas con NDV y con virus Sendai. Parece valiosa una prueba cutánea de hipersensibilidad para el virus, pero todavía no sabemos con seguridad cuál sea su correlación con una inmunidad efectiva.[48]

Inmunización.[36, 86, 119] Se emplean dos tipos de vacuna para inmunización activa para las paperas, una de virus virulento inactivado con formol y la otra de vacuna viva atenuada preparada de la cepa Jeryl-Lynn modificada por cultivo en huevo embrionado y en cultivo de tejido de embrión de pollo.[63] La inmunidad producida por la primera, a juzgar por el anticuerpo neutralizante sérico, es de duración limitada; seis meses después de la inmunización no puede descubrirse anticuerpo. La vacuna de virus vivo atenuado, en cambio, produce seroconversión en más del 90 por 100 de las personas inoculadas; es duradera, por cuanto el anticuerpo neutralizante, así como la inmunidad efectiva para la enfermedad, persisten por lo menos cuatro años después de la inmunización.[153]

La inmunización pasiva con globulina inmune, preparada empleando sueros de personas hiperinmunizadas con vacuna inactivada, ha dado resultados discordantes y no ha sido bien valorada. Parece que no impide la enfermedad, pero se cree por algunos autores que evita la orquitis.

Infecciones experimentales. Las paperas pueden reproducirse en diversas especies de monos por inoculación directa de la glándula a nivel del conducto de Stensen, y la infección puede pasarse a estos animales por inoculación con suspensiones de tejido de glándula parótida. La enfermedad experimental es similar a la del hombre, apareciendo parotiditis, edema facial, y la anatomía patológica correspondiente. Los ratones y cricetos lactantes también pueden infectarse; se produce infección suficiente en los pulmones de los cricetos adultos para provocar la formación de anticuerpo.

VIRUS DE LA ENFERMEDAD NEWCASTLE [60]

La enfermedad Newcastle (seudopeste de las aves, seudopeste de los gallineros, moquillo aviario, neumoencefalitis aviaria) es una enfermedad de los pájaros adquirida a veces por el hombre a consecuencia de contacto con pájaros infectados. Los huéspedes naturales incluyen aves domésticas como pollos, pavos, gallinas de Guinea y loros, y animales salvajes como gorriones y palomas. Hay motivos para creer que puede haberse originado en Indonesia, donde fue descrita por primera vez en 1926.

Apareció en Inglaterra el mismo año y fue erradicada matando todos los animales, y luego desinfección terminal. Después se ha señalado en todas partes del mundo. Se identificó por primera vez en Estados Unidos de Norteamérica en 1944, pero quizá ya existía en fase tan temprana como en 1935. El virus tiende a ser pleomórfico y tiene patogenicidad y tropismo tisular variables, dando la impresión de que puede estar evolucionando rápidamente. Ha merecido interés particular como virus que puede adaptarse más estrechamente al hombre.

Morfología y cultivo celular. La partícula de virus tiene 80 a 120 nm de diámetro pero no es necesariamente esférica; puede ser de forma filamentosa o como espermatozoo. Esta última forma se ha señalado que tenía una cabeza de 70 por 180 nm y una cola larga hasta de 550 nm. Es extraordinariamente resistente en condiciones naturales y en el laboratorio. En el primer caso los gallineros pueden seguir siendo infecciosos durante semanas, y producen la enfermedad en pollos recién introducidos en ellos. En condiciones controladas se ha comprobado que algunas cepas del virus siguen infecciosas después de exposición a 56°C hasta por 180 minutos. En secreciones secas y en los tejidos la actividad viral persiste meses; el virus presenta resistencia neta a los desinfectantes como el formol y los fenoles; los aerosoles de glicol no han impedido la transmisión de la infección aerógena.

El virus es fácilmente cultivable en huevo embrionario y en diversos tipos de cultivo de tejido. Cuando crece en la cavidad alantoidea, hay hemaglutinina en el líquido alantoideo, de intensidad intermedia entre la de los virus de las paperas y la del virus de influenza A en la serie de gradiente de receptor antes señalada; según esta base, NDV se considera miembro del grupo de mixovirus. El líquido alantoideo intensamente infectado también es tóxico; mata al ratón en uno a tres días después de inoculación intravenosa. La inoculación intranasal de este animal produce neumonía intersticial, que es manifestación de toxicidad, pues el virus no se multiplica en el pulmón del ratón.

Enfermedades en los pollos. Después de un periodo de incubación de cuatro a 12 días el comienzo de la enfermedad en los pollos es brusco, caracterizado por somnolencia, respiración rápida y fiebre. Incluso antes de aparecer la sintomatología, el virus se halla ampliamente distribuido por el cuerpo, en concentración máxima en pulmones y bazo. Hay exudación mucosa por el pico y la nariz, diarrea, cianosis y molestias respiratorias, seguidas de convulsiones y parálisis, con muerte en una semana aproximadamente. La necropsia demuestra focos múltiples de necrosis en las vísceras con neumonía intersticial, placas hemorrágicas en el tubo digestivo, y meningoencefalitis localizada, con degeneración, necrosis y hemorragia. Este síndrome presenta variaciones; los síntomas respiratorios y gastrointestinales se asocian hasta cierto punto con

las cepas de virus del viejo mundo, mientras que las manifestaciones neumónicas y encefalíticas predominan ante todo en la infección con cepas americanas.

La enfermedad no es obligadamente mortal; de hecho, la virulencia varía ampliamente según las cepas de virus. De las dos cepas aisladas en Estados Unidos de Norteamérica, por ejemplo, una mataba el 90 por 100 o más de los pollos infectados naturalmente, mientras que la otra solo mataba el 1 por 100. En condiciones experimentales se ha comprobado que la dosis DL_{50} de virus cultivado varía según las cepas, de 0 a 10^8 por 0.5 ml de líquido alantoideo.

Los pájaros enfermos son muy contagiosos, sembrando grandes cantidades de virus con sus secreciones y excreciones. Esto, acompañado de la resistencia del virus a la desecación, tiende a favorecer la transmisión de variantes de dicho virus. La infección parece transmitirse principalmente por aerosoles de material infeccioso seco, pero también puede ser fuente de infección al contacto directo con pájaros enfermos o restos de animales infectados y muertos. Aunque hay virus en la sangre, no está comprobado que artrópodos picadores puedan transmitir la infección.

Inmunidad. Aunque parece haber pequeñas diferencias antigénicas entre las cepas de los virus, los pollos que se han recuperado de la enfermedad conservan sólida inmunidad para la reinfección. Las cepas de virus de baja virulencia se utilizan como agentes inmunizantes, y muchas veces se administran en aerosoles. La inmunidad se acompaña de presencia de anticuerpo sérico. Es titulable como anticuerpo fijador de complemento, anticuerpo antitóxico, anticuerpo neutralizante y anticuerpo HI. Se observan títulos muy elevados dos a tres semanas después de iniciarse la infección y no son raros los títulos HI de 1:1 280 y los títulos de anticuerpo neutralizante de 1:1 millón.

Infecciones experimentales. Los cobayos, conejos y cerdos resisten a la infección; la neumonía producida en el ratón no es transmisible en serie, pero el hurón responde a la inoculación intranasal produciendo anticuerpo. Ratones, cricetos, ratas algodoneras y monos rhesus pueden infectarse por inoculación intracerebral, produciéndose meningoencefalitis de gravedad creciente a medida que aumentan los pasos.

Enfermedad en el hombre. La infección humana no es frecuente; parece limitada casi exclusivamente a personas estrechamente asociadas con las aves de corral, y se han observado infecciones de laboratorio. El periodo de incubación es muy corto de dos días o menos; la enfermedad es una conjuntivitis unilateral sin participación corneal; puede haber adenitis preauricular, malestar y escalofríos pero sin fiebre. No se han señalado casos mortales y la recuperación es completa en plazo de dos semanas.

El anticuerpo sérico puede descubrirse a veces después de la recuperación; el serodiagnóstico se complica por la presencia de actividad neutralizante no específica en el suero. Uno de estos elementos es termolábil y se destruye a 56°C en 30 minutos; el otro es estable para esta temperatura y se asocia con la presencia de anticuerpo neutralizante para el virus de las paperas, como antes señalamos. Se supone que algunas cepas de virus de paperas tienen antígenos en común con NDV. En general, el serodiagnóstico de la infección humana no es seguro.

El número de personas expuestas a la infección es muy elevado. Se calcula que hay de siete a ocho millones de personas que se encuentran en estrecha relación con la cría y el cuidado de pollos en Estados Unidos de Norteamérica, y otros varios centenares de miles guardan relación con la elaboración de productos de las aves de corral. Todos los casos humanos observados hasta aquí han sido infecciones iniciales adquiridas de pájaros infectados; no se ha observado la transmisión de hombre a hombre. Tampoco se ha observado ningún caso de infección humana adquirida de aves de corral ya cocidas.

Es muy problemático que puedan aparecer cepas del virus más virulentas para el hombre.

Virus del sarampión

El sarampión es una de las enfermedades más frecuentes de la infancia; el número medio de casos señalado por año en Estados Unidos de Norteamérica es mayor de medio millón, aunque muchos otros probablemente no se declaren. El hombre parece ser en todo el planeta muy sensible a esta infección, y la enfermedad proporciona inmunidad sólida. Estos dos factores se combinan para hacer del sarampión el ejemplo clásico de periodicidad en la frecuencia de enfermedades infecciosas (capítulo 9); tiende a recidivar en forma epidémica con intervalos de dos a tres años. La probabilidad de adquirir la infección es suficientemente grande para que esta ocurra en fase temprana de la vida en la mayor parte de individuos. En Estados Unidos de Norteamérica el 90 por 100 de los niños han adquirido inmunidad a la edad de siete años, pero algunos escapan a ella durante la infancia y en zonas rurales y otras donde los contactos son menos numerosos; la enfermedad puede aparecer en adultos jóvenes reunidos en grupos numerosos, por ejemplo, en campos militares.

Morfología y cultivo de células.[8] La etiología viral del sarampión se conoce desde 1911, cuando se comprobó la índole filtrable del agente infeccioso, y estudios mediante membranas de gradacol indicaron que el diámetro de las partículas era de aproximadamente 140 nm. Se hizo crecer en embriones de pollo, y en cultivos de célula de embrión de pollo, pero sin efecto citopático. Siguió siendo poco conocido por la necesidad de valorar la capacidad infecciosa en monos, que actualmente se sabe muchas veces son inmunes, hasta que lo volvieron a aislar Enders y colaboradores en 1954 en cultivos de célula renal de monos y de hombre, donde produce una citopatología característica. El virus crece en células de amnios humano por aislamiento primario, y se ha adaptado a diversas líneas celulares.[92]

El virus, como los demás mixovirus, es un virus RNA sensible al éter; el tipo de ácido nucleico se deduce del fracaso de las desoxiuridinas halogenadas para inhibir su crecimiento en cultivo de tejidos, pues se admite que los compuestos de uridina son inhibidores específicos de la síntesis de DNA. La partícula de virus tiene simetría helicoidal; las hélices del núcleo central tienen diámetro de 16 nm y periodicidad de subunidades de 4.5 nm con proyecciones radiales en la cubierta externa de la partícula madura. Por lo tanto, el virus del sarampión se parece mucho al de la parainfluenza y otros paramixovirus por su morfología.

En cultivos de tejidos, la acción citopática es de carácter sincitial, desarrollándose cuerpos eosinófilos de inclusión citoplásmica; esto último constituye la base de la tentativa inicial de agrupar este virus con los herpesvirus. En líquidos de cultivo se descu-

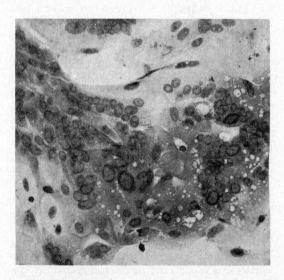

FIG. 37-3. Virus de sarampión en cultivos de tejido de célula renal humana después de 20 días de incubación; obsérvese la formación de células gigantes multinucleadas y las masas acidófilas nucleares. (Enders y Peebles: Proc. Scc. Exp. Biol. Med.)

bre antígeno fijador del complemento. El virus es hemaglutinante para células de mono, y ocurre el fenómeno de hemadsorción en láminas de cultivos de tejido. El anticuerpo inhibidor de la hemaglutinina ocurre en antisueros, y el sistema de cultivo celular se utiliza para titular el anticuerpo neutralizante. El virus resulta ser antigénicamente homogéneo y su gran estabilidad al respecto queda indicada por la inmunidad eficaz y persistente, así como por no haberse descubierto variantes antigénicas.

El virus del sarampión guarda antigénicamente estrecha relación con los virus del moquillo canino y de la peste bovina y no puede distinguirse de ellos por su morfología y su acción citopática, pero los dos últimos virus se separan del virus sarampionoso por no producir hemaglutinación. Se considera que constituyen un subgrupo, denominado de virus medipest, del grupo paramixovirus.[71] El moquillo es una enfermedad de carnívoros, incluyendo raposas y hurones, así como el perro, mientras que la peste bovina, enfermedad del ganado y el cerdo. Las interrelaciones antigénicas son tales, que el hombre infectado con virus del sarampión produce anticuerpo neutralizante de ambos, moquillo y peste bovina; el ganado infectado con peste produce anticuerpo neutralizante de sarampión, pero la inmunización del ganado con virus sarampionoso no protege contra el ataque de peste bovina. Los animales infectados con virus de moquillo, producen poco o ningún anticuerpo neutralizante de sarampión, pero los perros hiperinmunizados con virus de sarampión producen anticuerpo para virus de moquillo.

Enfermedad en el hombre.[144] La infección probablemente se adquiera por vía bucofaríngea y ocular.[11] La reproducción se produce en zonas localizadas del sistema linfático, seguida de viremia pasajera, durante la cual el virus puede aislarse de la sangre y aparecen los síntomas.

La enfermedad se inicia por síntomas prodrómicos de unos días de duración, esencialmente de índole catarral, incluyendo tos y fiebre. Durante este periodo aparecen en la mucosa bucal lesiones características, las manchas de Koplik. Hay exudaciones focales de suero y células epiteliales formando vesículas que se vuelven necróticas; su aspecto macroscópico es el de un centro blanco o blanco azulado en una zona eritematosa. Las manchas de Koplik son diagnósticas de sarampión, y se observan en el 95 por 100 o más de los casos. Hay virus en las secreciones nasofaríngeas y traqueobronquiales durante este periodo, y por uno o dos días después de aparecido el exantema.

El exantema característico macular o maculopapuloso, que tiende a ser confluente, aparece al cabo de uno o varios días, y se difunde por todo el cuerpo. Los primeros afectados son los capilares del corion; hay proliferación de células epiteliales, se dispersa un exudado seroso en la epidermis con necrosis de células epiteliales y el exantema se vuelve vesicular. En una semana a 10 días se vuelve pardusco, y todo ello va seguido de descamación.

Durante el curso de la enfermedad hay hiperplasia linfoide general, y se descubren células gigantes multinucleadas en amígdalas, adenoides, ganglios linfáticos, bazo y apéndice, y en el epitelio alveolar y bronquial en la neumonitis intersticial y lo que se ha denominado neumonitis de células gigantes.[72] Se descubren dos tipos de células gigantes, el tipo Warthin-Finkleday, en el tejido linfático, que tienen núcleos parecidos a los de los linfocitos, y no contienen cuerpos de inclusión, y el tipo sincitial-epitelial, que puede contener hasta 40 núcleos con cuerpos de inclusión citoplásticos y nucleares. Hay una resistencia disminuida a la infección bacteriana secundaria, especialmente con estreptococos hemolíticos. La encefalomielitis, con desmielinización en cerebro y médula, es complicación frecuente, con mortalidad de quizá 10 por 100, pero más de la mitad de los supervivientes quedan con algún trastorno. Durante los últimos años ha aumentado el número de datos indicadores de que la infección con virus de sarampión, o similar, se asocia con la panencefalitis esclerosante subaguda, y se ha aislado virus de piezas de biopsia de cerebro.[80, 103] La quimioterapia solo sirve para reducir lo más posible la infección bacteriana secundaria.

Inmunidad. No puede descubrirse anticuerpo antes de aparecer el exantema, pero más tarde la respuesta inmune es muy rápida, apareciendo anticuerpo en plazo de 48 horas. La recuperación de la enfermedad deja una inmunidad sólida, que indudablemente se refuerza con cierta periodicidad por contactos subsiguientes con el virus, y persiste

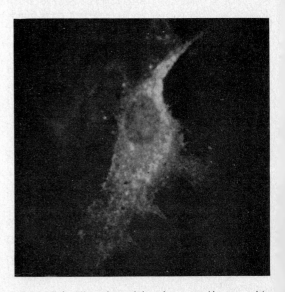

FIG. 37-4. Virus intracelular de sarampión en cultivo de tejido de célula epitelial humana, tratado con suero de convaleciente y con suero antiglobulina marcada con fluoresceína. × 480. (Rapp y Gordon.)

prácticamente toda la vida. El virus sarampionoso es antigénicamente homogéneo, y la inmunización por infección se produce en etapa temprana de la vida, quizá con 20 por 100 de inmunes en los niños preescolares, y la proporción aumenta rápidamente hasta el 95 por 100 a la edad de ocho a nueve años. El anticuerpo fijador de complemento, HI y neutralizante, aunque máximo en los sueros de convaleciente, existe en prácticamente todos los sueros de adultos.

Inmunización. La inmunización pasiva con globulina gamma mezclada, después de exposición a la infección puede abortar o modificar la enfermedad, según el momento en que se administre; si se administra pronto, la enfermedad aborta y no hay respuesta inmune activa. La globulina γ mezclada, o sea la del suero de adultos, contiene anticuerpo neutralizante hasta títulos de 1:1 000 a 1:2 000 y anticuerpo HI en títulos de 1:128 a 1:512 [98] que puede persistir hasta por siete años después de la fecha de expiración de los preparados.

Inmunización activa.[41] Intentos para inmunizar contra el sarampión se iniciaron ya en 1758,[39] pero fue solamente al desarrollarse los métodos de cultivo de virus, antes señalados, que resultó práctica la preparación de vacunas.

Se han obtenido dos tipos de vacuna, una de virus inactivado sin modificar, y la otra de virus vivo atenuado.

Las vacunas de virus vivo atenuado incluyen la cepa Edmondston aislada por Enders y colaboradores como cepas A y B. Esta última es la más atenuada y ha sido ampliamente utilizada en Estados Unidos de Norteamérica desde que se autorizó en 1963. La vacuna Schwarz es la cepa Edmondston A más atenuada, por 77 pasos adicionales en tejido de embrión de pollo; fue autorizado su empleo en Estados Unidos de Norteamérica en 1965. La vacuna Smorodincev, proveniente de la cepa Leningrado-4 adaptada al embrión de pollo y pasada más tarde en cultivo de riñón de cobayo diploide, ha sido utilizado en Rusia. Otra vacuna rusa, la vacuna Fadeeva, producida con la cepa U.S.S.R. 58, se ha comprobado por estudios rusos que carece de poder inmunógeno. La vacuna Milovanovic, preparada y ensayada en Yugoslavia, se obtiene de la cepa Edmondston B. Las vacunas Denken y Biken se han preparado y utilizado en el Japón. Diversas vacunas, Beckenham se han preparado y ensayado en Inglaterra; de ellas, la vacuna Beckenham 20 parece ser la más prometedora.

Las vacunas inactivadas dan poca reacción, pero se ha comprobado que son antígenos relativamente pobres, que requieren tres dosis de antígeno precipitado por alumbre, y no protegen contra la enfermedad clínica, aunque pueden modificarla. Las vacunas vivas atenuadas causan una reacción febril, a veces cierto exantema, pero estas reacciones pue-

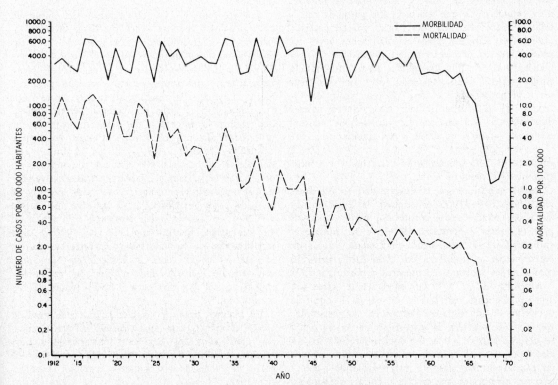

FIG. 37-5. Frecuencia de sarampión en Estados Unidos de Norteamérica durante el período 1912-1970 según indican las cifras de morbilidad y mortalidad por 100 000 habitantes. (Morbidity and Mortality Weekly Report, Annual Supplement, Vol. 19, 1970. Center for Disease Control, U. S. Public Health Service.)

den reducirse mucho por la inoculación simultánea de globulina inmune. La modificación de la reacción de la vacuna viva también puede producirse inoculando previamente vacuna inactivada, pero son posibles las reacciones locales de tipo Arthus cuando se efectúa la segunda inoculación.

La inmunidad producida por la vacuna viva parece ser intensa, con el 95 por 100 de seroconversión que persiste dos años o más. Su eficacia se ha manifestado en diversos ensayos en varios países, por empleo en Estados Unidos de Norteamérica. Desde que se introdujo la vacuna, el número de casos de sarampión ha disminuido de 458 083 en 1964 a 22 231 en 1968, sugiriendo la posibilidad de erradicar la enfermedad.[37] Sin

embargo, más tarde el número de casos denunciados se elevó a 47 351 en 1970, y quizá a 75 007 en 1971. Este aumento se ha acompañado de un empleo disminuido de vacuna,[84] y persiste la idea de una posible erradicación de la enfermedad.

Infecciones experimentales. La enfermedad puede transmitirse a los monos, tanto de la India *(Macacus rhesus)* como de Sudamérica *(M. cynomolgus)* por inoculación siguiendo diversas vías, empleando sangre o líquidos de lavado faríngeo tomados en fase temprana de la enfermedad, pero la susceptibilidad de tales animales es irregular. Hoy sabemos que esta variabilidad depende de la existencia de enfermedad inmunizante en estos animales, muchos de los cuales se comprueba que son inmunes.

Virus de la rubéola [65, 145]

El sarampión alemán o rubéola es una enfermedad exantematosa de la infancia que se parece al sarampión en varios aspectos, pero resulta más leve: los síntomas catarrales de la etapa prodrómica son menos intensos, la reacción febril subsiguiente es ligera y el exantema es de máculas separadas o confluentes, y se parece al del sarampión inicial. No hay manchas de Koplik, y se observa linfadenitis característica que afecta a los ganglios cervicales y occipitales; la hinchazón puede persistir dos o tres semanas. Dada la naturaleza leve del proceso, no es una enfermedad importante en pediatría, pero ha adquirido mucha mayor importancia en las mujeres adultas en edad fértil, por sus efectos teratógenos sobre el feto. La asociación de infección de la madre durante los primeros meses del embarazo con una amplia variedad de malformaciones, abortos y nacimientos prematuros, fue observada por Gregg en Australia en 1941 y desde entonces ha sido ampliamente confirmada por muchos observadores.

Se ha admitido que la enfermedad es de causa viral, pero hasta 1962 no se tuvo la demostración de ello, cuando se desarrollaron varios métodos para descubrir y demostrar el virus. La frecuencia epidémica de la enfermedad en Estados Unidos de Norteamérica e Inglaterra en 1964-1965, permitió considerables adelantos en nuestros conocimientos.[110]

Morfología.[15, 101, 136] Las partículas de virus son aproximadamente esféricas y de 70 a 75 nm de diámetro. En micrografías electrónicas de preparados con tinción negativa la superficie de la partícula se observa rugosa, y hay un núcleo interno rico en electrones, de 30 nm de diámetro. En cultivos en células se han descrito virus haciendo protrusión en membranas marginales e intracitoplásmicas. El ácido nucleico contenido es RNA, y el virus se presenta como un solo tipo serológico. Basándose

en los datos actualmente disponibles, no parece que sea un miembro del grupo mixovirus-paramixovirus; también es diferente del virus del sarampión con el cual se compara frecuentemente. Se ha sugerido [64] que sea un miembro del grupo arbovirus, pero parece más similar a los virus del grupo de las leucosis aviarias; su posición taxonómica todavía no está decidida.

Cultivo celular. La propagación del virus en cultivo celular muchas veces no tiene efecto citopático. La demostración de la presencia de virus en tales cultivos depende de su interferencia con la enfermedad secundaria y de otros diversos virus, generalmente del grupo enterovirus, que producen efecto citopático; la posibilidad de infectar el cultivo celular con el virus productor de efecto citopático indica la presencia de virus de rubéola. Se utilizó inicialmente ECHO-11. Muchas veces se ha empleado Coxsackie A-9 y pueden utilizarse también otros diversos virus.[106] Este método indirecto, o de interferencia, puede establecerse cuantitativamente para permitir la titulación de virus de rubéola en dosis de interferencia de cultivo de tejido (TCID); el sistema puede adaptarse a la titulación de anticuerpo neutralizante. Se ha descrito una modificación de la valoración de interferencia, en la cual se utiliza virus de enfermedad Newcastle, un virus de hemadsorción, seguido de tratamiento con eritrocitos bovinos para originar placas de hemadsorción.[90]

En algunos tipos de cultivos celulares se produce efecto citopático, con aparición de células amiboides y esfacelo. Los cultivos primarios de amnios humano fueron utilizados por Weller y Neva; en plazo de cinco a seis semanas apareció el efecto citopático. El virus de rubéola crece hasta títulos altos en cultivos primarios de células de embrión de conejo, con la aparición de efecto citopático al cabo de seis a ocho días.[116] Otros investigadores han utilizado una línea continua de cultivos de células de riñón de conejo (RK-13) que, con adaptación del virus, muestra efecto citopático en plazo de unos cuatro días; otros autores han utilizado una línea continua de células de riñón de mono. Cuando el efecto citopático se produce en tiempo razonable, brinda un método directo práctico de titular el anticuerpo neutralizante. Gran parte de los datos actualmente disponibles sobre anticuerpos neutralizantes se han obtenido con la prueba de tipo de interferencia, o directamente en cultivos de células RK-13; estos últimos proporcionan a veces títulos menores que la primera. Se produce rápidamente efecto citopatógeno después de varios pasos en cultivos en una línea celular continua de células de córnea de conejo (SIRC),[111] pero estas células no se han utilizado mucho. Se ha comprobado también que el virus crece fácilmente en cultivos de células Vero, una línea continua de células renales de mono verde africano.[88, 121]

Poder patógeno para el hombre. Según dijimos antes, la rubéola es una enfermedad de la infancia, relativamente frecuente. Al disponer de métodos para descubrir el virus y titular el anticuerpo neutralizante, los estudios sobre voluntarios humanos infectados por vía intranasal con 100 TCID$_{50}$ de virus han demostrado: *a)* que la presencia de anticuerpo neutralizante impide la enfermedad clínica; *b)* que el virus se descubre en el suero y en la orina, casi una semana antes de iniciarse los síntomas, y desaparece poco después de brotar el exantema, coincidiendo con el aumento del título de anticuerpo; *c)* que el virus puede recuperarse de la nasofaringe en máximas cantidades coincidiendo con el exantema, y sigue siendo eliminado por estos tejidos durante 10 días a dos semanas después de aparecido el exantema, y *d)* que el título de anticuerpos sigue aumentando hasta por cuatro semanas después de iniciados los síntomas.

El virus de rubéola tiene mucha tendencia a producir infección persistente, por cuanto puede estar presente largo tiempo. Una de las complicaciones que puede ocurrir en la enfermedad aguda, y más frecuentemente en adultos que en niños, es una poliartritis, producida también por vacunas vivas (ver luego). Se ha comprobado que el virus —tanto el virus salvaje como las cepas vacunales atenuadas— puede crecer en cultivos de células sinoviales humanas,[54] y en un caso se han recuperado del líquido sinovial de un paciente. La observación de que las células sinoviales provenientes de personas con artritis reumatoide son resistentes a la infección con virus de rubéola tiene interés en relación con la etiología de dicha artritis.[55]

Infección fetal.[100, 114] La infección intrauterina del feto parece producirse fácilmente a consecuencia de infección clínica o inadvertida, según lo demuestra la presencia de virus en fetos abortados, nacidos muertos, y lactantes con anomalías o sin ellas. De hecho, hasta el 75 por 100 de los lactantes infectados habían nacido de madres sin antecedentes clínicos de rubéola. Los lactantes infectados sirven para diseminar la infección, muchas veces durante meses, a pesar de la presencia de anticuerpo neutralizante.[114]

No conocemos exactamente el mecanismo teratógeno que origine los defectos asociados. El virus puede estar ampliamente diseminado en el feto; de hecho, se han obtenido cultivos de células portadoras de virus de lactantes infectados congénitamente,[115] y se ha sugerido [102] que la proliferación viral interfiere con el crecimiento de células normales in utero, y posiblemente también más tarde. El examen de fetos de conejos infectados experimentalmente, empleando la técnica de anticuerpo fluorescente, ha demostrado tendencias del virus a concentrarse en el cartílago del feto,[89] lo cual nos sugiere un posible mecanismo de interferencia con la formación de hueso. La presencia concurrente de anticuerpo y virus sugiere que la existencia de reacciones tipo antígeno-anticuerpo, así como efectos directos del virus, pueden contribuir a las consecuencias observadas de la infección fetal.[12]

Inmunidad. La respuesta inmune adquirida, por infección clínica o inadvertida, se caracteriza por la aparición de anticuerpo sérico, generalmente valorado como anticuerpo neutralizante, anticuerpo fijador de complemento, y anticuerpo inhibidor de hemaglutinina. El anticuerpo aparece después de terminar la viremia y la diseminación de virus durante el periodo de incubación de dos o tres semanas, y es evidente cuando aparece el exantema. El anticuerpo inhibidor de hemaglutinina [85, 87] aparece primero, y alcanza un título alto en una a tres semanas. La aparición de anticuerpo neutralizante y el demostrable con técnicas de anticuerpo fluorescente, es algo tardía; el anticuerpo fijador de anticuerpo no aparece hasta 10 días a dos semanas después que se iniciaron los síntomas.

La infección inmunizante parece producirse en etapa de escuela elemental y secundaria; el 20 por 100, aproximadamente, de los niños preescolares presentan anticuerpos neutralizantes, y esta proporción aumenta hasta el 80 por 100 en el grupo de 17 a 20 años de edad. Una encuesta efectuada antes de la epidemia de 1964-1965 demostró que la proporción de individuos inmunes aumentaba desde aproximadamente 75 por 100 en el grupo de 14 a 19 años de edad, hasta el 89 por 100 en los 31 a 44 años. La frecuencia de ataques según la edad, observada durante el periodo de 1964-1965, correspondió a la idea de que el anticuerpo neutralizante brinda inmunidad eficaz para la enfermedad.

El estado inmune de la mujer en el grupo de edad fértil, de 14 a 44 años, tiene particular significación, por los efectos teratógenos antes señalados de la infección sobre el feto. Diversas encuestas serológicas han indicado que la proporción global de individuos susceptibles en este grupo en las ciudades de Estados Unidos de Norteamérica es de aproximadamente 17 a 18 por 100, y que en Hawaii la proporción de sensibilidad era de 48 por 100. Estudios efectuados en Canadá [52] han demostrado también que los títulos de anticuerpo tienden a disminuir entre los 25 y los 40 años de edad. En un estudio de un grupo de 65 estudiantes de enfermería, de 18 a 23 años, expuestos a la infección, observados durante un periodo de 12 semanas, demostró que inicialmente el 17 por 100 carecían de anticuerpo neutralizante, y de esta proporción el 55 por 100 desarrollaron rubéola, la mitad aproximadamente en forma clínica, la otra mitad como infección inadvertida, demostrada solamente por aislamiento del virus y aparición de anticuerpo neutralizante.[126]

Se han observado proporciones de ataque mucho más elevadas en individuos no inmunes, casi del 100 por 100, en reclutas militares.

Vacunas.[105, 117] Se han creado diversas cepas de virus atenuado de rubéola por paso prolongado en cultivos de células. El primero de estos fue un paso de 77 veces en células de riñón de mono verde africano.[95] Tres de dichas cepas atenuadas se utilizan para inmunización en Estados Unidos de Norteamérica, la cepa HPV$_{77}$D$_5$ preparada en cultivos de células de embrión de pato,[19] la cepa HPV$_{77}$DK$_{12}$ desarrollada en cultivo de célula de riñón de perro, y la cepa Cendehill que se aisló de células de riñón de mono verde y se pasó 51 veces en células

de riñón de conejo.[70] La vacuna de rubéola se autorizó en Estados Unidos de Norteamérica en 1969. Se han producido desarrollos paralelos en Rusia, empleando la cepa Leningrado-8 de virus de rubéola aislado y pasado 23 veces en cultivo de células de riñón de conejo.[137]

De los pocos datos todavía disponibles parece deducirse que tales vacunas son eficaces para evitar la enfermedad, pero mucho menos eficaces, según un factor de 15 a 25, que la inmunidad adquirida naturalmente, para evitar la reinfección. La inmunización contra rubéola presenta un problema especial, por cuanto la enfermedad no es grave más que por su efecto teratógeno en mujeres embarazadas. Todavía no se han resuelto los problemas de la eficacia de la inmunización en masa para disminuir la frecuencia de la infección, el grupo de edad que deba inmunizarse, el efecto de la reinfección de los inmunizados en cuanto a infección fetal, etcétera.[18, 25]

Infecciones experimentales. Se ha intentado muy seguido repetir la enfermedad en animales de experimentación, sin resultado. Al disponer de cultivos de virus se ha comprobado que los primates subhumanos y los animales corrientes no primates respondían inmunológicamente muchas veces, produciendo anticuerpo neutralizante de título elevado, en ausencia de signos clínicos en general. De estos animales, el hurón parece ser uno de los más sensibles.

Virus de la rabia [20, 91]

El virus de la rabia, junto con el de la poliomielitis, es el más neurotropo de los virus. Todos los mamíferos, y algunos pájaros son susceptibles de infección, y en la mayor parte de especies (pero con excepciones importantes) suele ser mortal. La enfermedad, llamada también hidrofobia, se conoce desde tiempos antiguos en el viejo mundo: Egipto, Grecia, Italia y otras partes de Europa; parece que fue importada en el hemisferio occidental desde Europa. Antes del siglo XVIII era una enfermedad de los animales salvajes principalmente, pero en tiempos modernos el perro ha asumido una importancia cada vez mayor; es el responsable de la mayor parte de los casos de infección humana con virus de la rabia. La infecciosidad de la saliva se demostró tempranamente en el siglo XIX; Pasteur estudió el virus en la década de 1880, desarrollando el tratamiento profiláctico; en 1903, Remlinger demostró que pasaba los filtros a prueba de bacterias.

Morfología y cultivos celulares.[68, 147] Hasta hace poco relativamente la relación entre el virus de la rabia y otros virus había sido obscura. Es un miembro del grupo rabdovirus, que incluye el virus

de la estomatitis vesicular bovina[66] junto con el virus que provoca septicemia hemorrágica de la trucha y de algunos virus de insectos y plantas. Se ha considerado antigénicamente único, pero la aparición de virus relacionados[132] ha sugerido que este quizá no sea cierto. Tiene forma bacilar, de 60 por 225 nm, con un extremo de la partícula plano y el otro redondeado, dando la forma de proyectil característica de los rabdovirus; posee simetría helicoidal,[69] la hélice interna parecida a la de los paramixovirus, con los cuales se agrupó temporalmente; es sensible al éter y tiene una cubierta proteínica. Se han descrito proyecciones similares a las observadas en otros mixovirus. También se han observado partículas filamentosas que se consideran hélices dobles desenrolladas.

Aunque el virus de la rabia parece ser antigénicamente homogéneo, se han demostrado diversos componentes antigénicos;[93] pueden demostrarse pequeñas diferencias inmunológicas entre las cepas caninas usuales y el virus que causa la enfermedad paralítica en el ganado, transmitido por murciélagos, por la prueba de neutralización. Hay también diferencias de cepas en cuanto a su capacidad de invadir las glándulas salivales.

El virus puede hacerse crecer en huevos embrionados. Sin adaptación, el crecimiento en el embrión de pollo es suficientemente lento para que quede aventajado por el crecimiento del embrión, y la cantidad de virus producida sea baja. Puede hacerse crecer en mayor cantidad en el huevo de pato que se desarrolla más lentamente, y el virus de huevo de pato (DEV) se utiliza como agente inmunizante (ver luego). El virus puede también crecer en cultivo de cerebro de ratón, y en cultivos de algunos tejidos no nerviosos, por ejemplo, fibroblastos de riñón de criceto recién nacido, endotelio de conejo, y la cepa WI-38 de células humanas diploides, pero sin efecto citopático. En tales cultivos celulares el virus puede demostrarse por la técnica de anticuerpo fluorescente.[76] Conservado continuamente en fibroblastos de criceto o células diploides humanas, el virus se acumula en los descendientes de células infectadas en masas suficientemente voluminosas para que la mitosis quede inhibida y acabe produciéndose lisis celular.[44]

Patogenicidad.[35] El neurotropismo del virus de la rabia es evidente en la patogenia de la enfermedad. Desde la lesión local por donde se introduce en los tejidos pasa a lo largo de los nervios hasta el sistema nervioso central; la viremia es rara, pero la diseminación hematógena puede ocurrir en condiciones experimentales como al infectar perros por vía intravenosa. La importancia de la vía neural está indicada por la infección experimental de nervios, para producir infección primero en la parte correspondiente de la médula espinal, y por la prevención de la diseminación resecando el nervio; la porción resecada sigue siendo infecciosa. También hay pruebas de que, después de introducido directamente en el cerebro, el virus puede diseminarse centrífugamente, apareciendo en nervios como el ciático, produciendo neuritis intersticial. Se ha sugerido que el virus alcanza las glándulas salivales en forma similar.

La infección da por resultado destrucción extensa en la corteza cerebral y cerebelosa, cerebro medio, ganglios basales, protuberancia y bulbo, con degeneración y desmielinización neuronales. En la médula espinal se observan alteraciones semejantes, más intensas en las astas posteriores. Hay hiperemia general, infiltración mononuclear, a veces pequeñas hemorragias perivasculares. La extensión de estas alteraciones depende de la duración de la enfermedad; cuando la muerte ocurre pronto, pueden ser mínimas.

Cuerpos de Negri. El cuerpo de Negri, cuerpo acidófilo de inclusión, es patognomónico de la rabia. Se encuentra dentro del citoplasma de las grandes células ganglionares, más abundantemente en el asta de Ammon, en la capa de células piramidales de la corteza cerebral y la capa de células de Purkinje del cerebelo, en los núcleos de los nervios craneales y en los ganglios basales. Son de forma redonda cuando están libres en el citoplasma; el núcleo puede comprimirlos hasta tomar forma oval, y son alargados cuando se presentan en las dendritas. Los cuerpos de Negri varían notablemente de tamaño, por lo común son de 2 a 10 μ, pero pueden encontrarse mayores y menores.

Cuando se tiñen con Giemsa, los cuerpos de Negri constan de una substancia fundamental azul claro que contiene gránulos basófilos de color rojo a rojo violeta. Algunos investigadores consideran que el colorante de Sellers, fucsina básica y azul de metileno en metanol, es superior y tiñe el cuerpo de Negri de rojo brillante y los gránulos internos son azules. El cuerpo de Negri se tiñe específicamente por la técnica del anticuerpo fluorescente, que también colorea los pequeños cuerpos de inclusión eosinófilos que de ordinario no se consideran específicos.[53]

Los cuerpos de Negri no se presentan invariablemente en infecciones con virus canino, o de la calle, y no pueden demostrarse en un 10 por 100 aproximadamente, y a veces en tanto como en el 25 por 100, de infecciones en que puede aislarse el virus. No se producen, cuando menos no en el tamaño que se considera característico, en infecciones con el virus adaptado al conejo, o fijo.

Infección en animales inferiores. Como dijimos, el virus de la rabia ocurre en depósitos de infección en animales inferiores, más a menudo mamíferos carnívoros. En tanto que prácticamente cualquier mamífero, incluyendo animales herbívoros, puede infectarse en una u otra época, los animales que proveen el depósito de infección difieren según las partes del mundo. La infección es endémica en la zorra en Europa Occidental, y en el lobo en

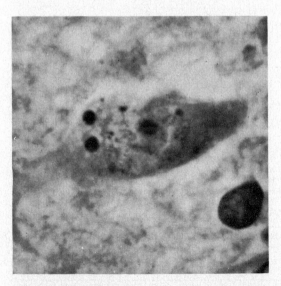

FIG. 37-6. Corpúsculos de Negri en una neurona; corte de cerebro de gato rabioso. Los tres cuerpos esféricos obscuros dentro del citoplasma de la célula son corpúsculos de Negri. (Schleifstein.)

E. opa Oriental; en estos animales de cuando
e. cuando puede asumir una forma epizoótica. En
At ca Occidental los perros, salvajes y domésticos,
se fectan comúnmente; la enfermedad canina se
!! na localmente oulou fato, pero la conducta epidemiológica de la enfermedad sugiere que la infección canina es secundaria a un depósito de infección
en algún pequeño roedor. En Sudáfrica la infección es endémica en pequeños carnívoros, el llamado *meerkat,* y animales relacionados, y la mangosta,
pueden contribuir mucho a que persista la infección.
En la India, los chacales y perros salvajes, y
probablemente en menor grado la mangosta, son
huéspedes mamíferos importantes del virus.

En el hemisferio occidental, Canadá está relati-
v mente libre de rabia,[42] pero en la parte sur del
continente la enfermedad es endémica, y en ocasiones da lugar a epizootias, en zorras en el oriente
y sudeste de Estados Unidos de Norteamérica, en
zorrillos y otros pequeños roedores como ardillas,
mapaches, zarigüeyas, y ratas almizcleras en el medio
oeste y oeste, y coyotes en el oeste; los animales
mayores, como venados, también pueden infectarse.
Además de estos depósitos de infección, la rabia
también se encuentra en murciélagos (véase luego).
La rabia existe en América del Sur, donde la infección ocurre en animales domésticos, así como
en animales salvajes y en el hombre.[3]

La infección en animales salvajes puede considerarse como la forma natural de la enfermedad.
Sirve como fuente de infección para que el perro
doméstico cause el tipo urbano de la enfermedad,
la forma de mayor importancia para el hombre.

Rabia en el perro. La infección en perros es
muy similar a la de animales salvajes y también
a la enfermedad humana, y se considera representativa. Los perros son infectados por animales salvajes, o por otros perros, al morder el animal enfermo. La enfermedad no es inevitable; una parte
apreciable de perros mordidos por un animal rabioso, más de la mitad, no la desarrollan. El periodo
usual de incubación es de tres a 10 semanas, pero
puede ser tan corto como 10 días; en condiciones
experimentales depende de la cantidad de virus
inoculado. El virus se encuentra en la saliva antes
de aparecer los signos clínicos característicos de la
enfermedad, y el animal es infeccioso durante los
últimos tres a cinco días del periodo de incubación.

La enfermedad adopta dos formas: una, la rabia
furiosa o hidrofobia, otra la rabia muda, según lo
prolongado del periodo de excitación. Al principio,
el animal se vuelve inquieto y aprensivo y puede
hacerse apático o rehuir la compañía. Luego se
vuelve hiperexcitable, respondiendo a estímulos mínimos, y corre por todos lados brincando y mordien-
do sin discriminación, al parecer abstraído de lo que
le rodea. Comenzando la parálisis se inicia el babeo
de saliva debido a la incapacidad para tragar, la
marcha puede hacerse anormal, y las cuerdas vocales
se afectan, dando una calidad penosa al aullido o
ladrido. En la rabia muda la fase de excitación es
relativamente corta, el animal parece estar profundamente deprimido e ignorante de lo que le rodea,
la parálisis se hace cada vez más evidente, y, en
general, cuanto más se prolongue el padecimiento
la parálisis será mayor. En cualquiera de los casos, la enfermedad es mortal de manera invariable
en unos 10 días después del comienzo de los síntomas, aunque se han descrito raros casos de recuperación de la enfermedad paralítica. En ocasiones,
la muerte por rabia puede ocurrir repentinamente,
sin síntomas manifiestos de enfermedad.

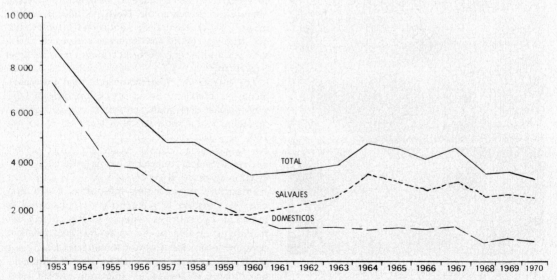

FIG. 37-7. Casos denunciados de rabia en animales salvajes y domésticos en Estados Unidos de Norteamérica durante el periodo 1953-1970. (Morbidity and Mortality Weekly Report, Annual Supplement, Vol. 19, 1970. Center
for Disease Control, U. S. Public Health Service.)

En la necropsia el virus se encuentra en cerebro y médula espinal, glándulas lagrimales y salivales, y en riñón y páncreas, pero rara vez en la sangre; en general, no se encuentra en tejidos de origen mesodérmico. Como antes dijimos, las cepas de virus difieren algo en sus afinidades tisulares, algunas infectan y se multiplican en las glándulas salivales en mayor grado que otras.

Los caracteres clínicos de la enfermedad son típicos, y la canina se diagnostica por la presencia de cuerpos de Negri (pero no se descarta si faltan), por lo general en frotis de impresión de tejido del asta de Ammon, aislando el virus, por lo común inoculando intracerebralmente ratones, o con ambos métodos. El diagnóstico de rabia canina tiene importacia práctica para instituir la inoculación profiláctica en el hombre expuesto por mordedura de un perro.

Rabia en murciélagos.[10] La presencia de rabia en murciélagos, o rabia quiróptera, se reconoció en Brasil en 1908. Desde entonces se ha visto que la infección está muy difundida en murciélagos vampiros, de los que la especie más importante en este aspecto es *Desmodus rotundus murinus,* no solo en Sudamérica, sino también en Centroamérica y México. Desde 1953 se ha encontrado la infección en varias especies de murciélagos no hemófagos en diversas partes de Estados Unidos de Norteamérica.

El virus que se encuentra en murciélagos, y en animales infectados por ellos, difiere de las cepas caninas en que produce una mielitis ascendente que causa un tipo extenso de parálisis, casi siempre mortal en otros animales que no son los murciélagos. En reses, primero se paralizan los miembros traseros, y en el hombre a veces se ha pensado que la enfermedad era una infección con un tipo aberrante de virus de poliomielitis.

Aun cuando el tipo de rabia furiosa se ve en murciélagos infectados natural y experimentalmente, y con frecuencia es mortal, los murciélagos infecciosos pueden sobrevivir mucho, hasta tres meses, y en gran número pueden sobrevivir para transformarse en portadores sanos del virus. Por lo tanto, los murciélagos son una excepción a la regla general de que la infección es casi invariablemente mortal. Sulkin ha señalado el papel de la grasa parda en la infección del murciélago. El virus se ha aislado de este tejido tomado de murciélagos infectados naturalmente, y Sulkin y colaboradores han demostrado que el virus persiste en este tejido, al que algunas veces se denomina la glándula de hibernación, que funciona como un "mecanismo de depósito" donde ocurre poca o ninguna multiplicación durante este estado, pero al calentarse el virus se multiplica hasta alcanzar niveles que se descubren en otros tejidos,[4] y existe en la mucosa nasal.[29]

El murciélago vampiro muerde por la noche y transmite la infección al ganado y otros animales domésticos, y al hombre. La enfermedad paralítica mortal en reses con frecuencia asume proporciones de epizootia y se conoce localmente como mal de caderas en Brasil, rabia parisiante en Argentina, y renguera, tronchado o derriengue en Centroamérica y México. Dentro de las zonas afectadas la enfermedad ha ocurrido del 20 hasta el 50 por 100 de las reses y otros animales domésticos. Durante 1929 a 1931 en Trinidad hubo más de 1 000 casos cada año, y hubo 30 casos mortales en el hombre en 1929 y cuatro el siguiente año.

En Estados Unidos de Norteamérica, en 15 estados he han encontrado infectados insectívoros no hemófagos y murciélagos comedores de fruta, variando desde diversos estados del sur a zonas tan distantes como Montana, Minnesota, Ohio, Nueva York, Delaware y Nueva Inglaterra. El virus de la rabia se ha aislado de especies de *Dasypterus, Lasiurus, Myotis, Tadarida, Pipistrellus, Eptesicus* y *Chilonycteris*. De estas, el murciélago mexicano sin cola, *Tadarida mexicana,* parece estar relativamente muy infectado en Texas, según indica la frecuencia de anticuerpo neutralizante, en el 16 a 70 por 100, variando con la localización de las especies examinadas. En un estudio detallado hecho en Florida,[40] se examinaron un total de 5 503 murciélagos de colonias y libres, y se encontró que la frecuencia de infección era del 0.2 por 100 en los primeros y 1.5 por 100 en los segundos.

Parece seguro que los murciélagos constituyen un depósito importante de rabia en el hemisferio oeste.

Atenuación. La alteración de la virulencia del virus de la rabia por paso seriado en animales es el ejemplo clásico de atenuación de virulencia de microorganismos por este método; Pasteur lo aplicó para desarrollar virus atenuados destinados a inmunización profiláctica. El virus canino, como se encuentra en la naturaleza, lo llamó "virus de la calle". Por inoculación intracerebral en el conejo, la enfermedad se produce después de un periodo de incubación de casi dos semanas, pero a medida que la infección se pasa en serie en este animal, el periodo de incubación se reduce progresivamente, llegando a ocho días después de 20 a 25 pasos, y a un límite de siete días después de otros 20 a 25 pasos. Pasteur llamó "virus fijo" a este virus modificado.

El virus fijo se caracteriza por un neurotropismo aumentado, incapacidad para producir cuerpos de Negri en el animal infectado, y una capacidad disminuida para invadir las glándulas salivales. La cepa original de virus fijos de Pasteur, junto con muchas de sus subcepas, se conserva todavía y ha pasado por 2 000 pasos o más en el conejo. Estas cepas varían en su virulencia, como lo indican las diferencias en el periodo de incubación y la facultad de producir infección por vías periféricas de inoculación en diversos animales experimentales, pero en general el neurotropismo está suficientemente aumentado para que sean avirulentas para el conejo, el perro y el hombre por vía subcutánea. Los virus fijos también pueden prepararse en otros animales como ratón, cobayo, o mono por pasos intracerebrales en serie; por ejemplo, el virus de la calle, por paso intracerebral en el ratón, pierde su capacidad para producir cuerpos de Negri después de unos 25 pasos.

El virus también puede adaptarse al pollo y al embrión de pollo por pasos continuos. La cepa que mejor se conoce es la que aisló Johnson en 1939 de un caso humano, en pollos de un día de edad, conocida como cepa Flury (nombre del paciente). Se pasó 136 veces en pollos sin observarse alteraciones, excepto una disminución en el periodo de incubación, de 30 a seis días; posteriormente se pasó a embriones de pollo. Después de pasos repetidos en el embrión, su patogenicidad para conejos y perros por vías extraneurales de inoculación había desaparecido, y en el paso 174 en el embrión perdió su patogenicidad intracerebral para el ratón adulto; tanto los perros como los conejos son resistentes a la inoculación intracerebral con esta cepa pasada en huevo, o APH. Esas cepas atenuadas tienen particular interés como agentes inmunizantes.

Enfermedad en el hombre. La infección humana con virus de la rabia se adquiere por mordedura de un animal infectado. La infecciosidad del animal proviene de la presencia del virus en la saliva; puede comprobarse algunos días, probablemente no más de cinco, antes de comenzar los síntomas. Este factor tiempo es importante, porque si el animal no desarrolla rabia en el curso de 10 días, es probable que la saliva no fuera infecciosa en el momento de la mordedura. El periodo de incubación de la enfermedad humana varía desde un mí-nimo de dos semanas, quizá poco menos, hasta cinco a siete meses y está relacionado con la gravedad de la mordedura y la localización e inervación del tejido muscular afectado. No todas las personas mordidas por un animal que se sabe está rabioso desarrollan la enfermedad. El que la infección ocurra o no, depende de factores como gravedad de la herida, eliminación de la saliva cuando la mordedura es a través de ropas gruesas, etc., pero entre personas con mordeduras de igual gravedad, menos de la mitad pueden desarrollar la enfermedad. Está comprobado que la infección puede adquirirse por otras vías, posiblemente por inhalación, en grutas frecuentadas por murciélagos,[28] y se ha observado una asociación entre tales grutas y la aparición de rabia en las raposas.[47]

La enfermedad clínica en el hombre es similar a la del perro. Los síntomas prodrómicos incluyen fiebre, cefalea, malestar, náuseas y anorexia; hay ansiedad o depresión, y a menudo sensación de comezón, quemadura u hormigeo a nivel de la herida. El comienzo de la fase de excitación es gradual y está indicado por nerviosismo y aprensión cada vez mayores. El síntoma característico es la contracción espasmódica dolorosa de los músculos de la deglución y los accesorios de la respiración cuando el líquido entra en contacto con las fauces; subsecuentemente la sugestión del acto de deglutir puede desencadenar el espasmo muscular; por esta característica se le da el nombre de hidrofobia. A medida que la enfermedad evoluciona puede haber contracciones musculares y temblor, ahogo, y la cianosis resultante; hay convulsiones, a menudo conducta maniaca. Esos periodos de excitación pueden entremezclarse con intervalos lúcidos. La muerte suele ocurrir durante las convulsiones. En algunos

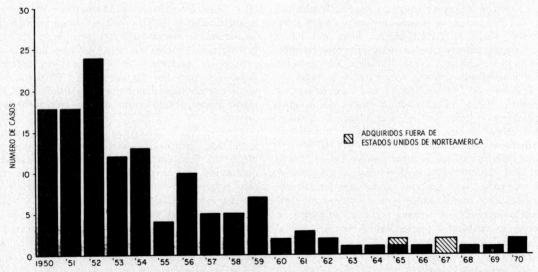

FIG. 37-8. Casos denunciados de rabia humana en Estados Unidos de Norteamérica durante el periodo 1950-1970. (Morbidity and Mortality Weekly Report, Annual Supplement, Vol, 19, 1970. Center for Disease Control, U. S. Public Health Service.)

casos el paciente sobrevive al periodo de excitación y se hace apático; siguen estupor y coma, y se desarrolla una parálisis de tipo ascendente.

La enfermedad en el hombre se ha considerado invariablemente mortal, pero se ha descrito un caso de recuperación.[120]

Las alteraciones anatomopatológicas en la rabia humana son similares a las que se ven en el perro. Incluyendo cierto grado de hiperemia y degeneración neuronal grave en cerebro medio, ganglios basales y protuberancia. Las alteraciones degenerativas son notables en los núcleos de los nervios craneales y en tálamo e hipotálamo, y hay cuerpos de Negri. La degeneración neuronal en la médula es más neta en las astas posteriores, y cuando la mordedura es en una extremidad de cuerno posterior correspondiente muestra destrucción extensa, con neuronofagia, que puede extenderse al ganglio de la raíz dorsal.

Diagnóstico de laboratorio.[73, 118] El diagnóstico de laboratorio de la rabia suele ser de importancia primordial en el animal que ha mordido o en el hombre expuesto en otra forma. Como antes dijimos, la saliva es infecciosa antes que la sintomatología se desarrolle. No es aconsejable la destrucción prematura del animal; si es posible, debe permitirse el desarrollo de la enfermedad para facilitar el diagnóstico. Este, en animales inferiores o en el hombre, se basa en demostrar los cuerpos de Negri, por lo general en frotis de impresión del asta de Ammon. Puede usarse colorante de Giemsa o de Seller, y la técnica de anticuerpo fluorescente permite identificar cuerpos menores, que de ordinario no son identificables como cuerpos de Negri. De hecho, la técnica puede usarse para identificar el virus en las glándulas salivales de animales infectados. El virus también puede aislarse por inoculación intracerebral de ratones y por la demostración de cuerpos de Negri en el cerebro de ratón.

Inmunidad. En respuesta a la inmunización con vacuna, se forman anticuerpos fijador de complemento y neutralizante, como en individuos inmunizados durante la enfermedad. La respuesta inmunitaria contra la infección no es eficaz en el hombre; tampoco tiene valor diagnóstico la actividad de anticuerpo, excepto en animales como los murciélagos que se recuperan de la enfermedad. Sin embargo, las titulaciones de anticuerpo son útiles para valorar la respuesta a las preparaciones inmunizantes, identificar el virus por pruebas de neutralización, y otros propósitos experimentales.

Profilaxia.[113, 133] No parece haber alteración importante en la antigenicidad de virus de la rabia adaptados para dar virus fijos; la inmunización eficaz contra la rabia en el hombre y en el perro es posible por el largo periodo de incubación en el primer caso, que permite tiempo bastante para provocar respuesta inmunitaria eficaz. La inmunización de todos los perros permite controlar la enfermedad de tipo urbano. La respuesta inmunitaria a las vacunas no es duradera; en el caso de los perros debe repetirse cada año.

El extenso periodo de incubación de la rabia permite que se desarrolle una inmunidad activa eficaz aunque la inmunización se inicie después de la exposición. El método original de Pasteur era inocular diariamente a la persona expuesta emulsiones de virus fijos en médula espinal de conejos, comenzando con médula que se había secado 14 días, y aumentando gradualmente la cantidad de virus usando médula secada durante periodos cada vez más breves. Posteriormente se han usado otros métodos, empleando dosis gradualmente crecientes de virus activo o inactivado por diversos métodos químicos y físicos. En Estados Unidos de Norteamérica se dan virus fijos en tejido de cerebro de conejo, inactivados con fenol (vacuna de Semple), formol, etc., en inoculaciones diarias por vía subcutánea durante 14 a 21 días, y para la inmunización de perros se han usado preparados similares.

Las vacunas fenoladas pueden estabilizarse mediante liofilización y conservan todavía potencia inmunogénica. Todas esas vacunas contienen cantidades relativamente grandes de tejido nervioso, y hay motivos para creer que las complicaciones, por lo general neuritis o mielitis ocasionalmente con daño permanente, son consecuencia en gran parte de una respuesta de isoinmunización contra antígeno específico de órgano.

Han merecido mucho interés vacunas preparadas de virus cultivado en huevo o en células, y, en consecuencia, libres de antígeno contaminante de tejido nervioso. La cepa HEP Flury, adaptada a embrión de pollo, antes señalada,[125] es eficaz para la inmunización primaria de animales domésticos, pero no para el hombre o primates subhumanos, aunque puede utilizarse como inoculación estimulante para conservar la inmunidad antes de la exposición en personal en gran peligro.[43] La vacuna preparada de la cepa HEP Flury desarrollada en cultivo de célula diploide humana (WI-38) se ha comprobado que tiene mayor riqueza antigénica en monos,[154] pero no se ha ensayado en el hombre. La vacuna preparada con virus cultivado en huevos de pato, e inactivada con β-propriolactona, es un agente inmunizante más eficaz;[34] se utiliza para inmunizaciones humanas, pero ninguna de estas vacunas equivale a las vacunas de tipo Semple en cuanto a potencia inmunógena. La valoración de la potencia se efectúa en Estados Unidos de Norteamérica por el método de Habel, de protección del ratón inmunizado activamente contra 1 000 LD_{50} de virus, por vía intracerebral.[9]

El antisuero contiene anticuerpo neutralizante, demostrable experimentalmente, y ha merecido interés como profiláctico, o profiláctico complementario para la enfermedad humana. Es evidente que si el antisuero que contiene anticuerpo neutralizante se da muy temprano pocos días después de la exposición, tiene efecto protector apreciable; y se

ha comprobado que una combinación de antisuero
y vacuna protege mejor que cualquiera de los dos
aisladamente.[57, 155]

BIBLIOGRAFIA

1. Abinanti, F. R., et al. 1961. Relationship of human and bovine strains of Myxovirus para-influenza 3. Proc. Soc. Exp. Biol. Med. 106:466–469.

2. Abinanti, F. R., et al. 1961. Serologic studies of myxovirus para-influenza 3 in cattle and the prevalence of antibodies in bovines. J. Immunol. 86:505–511.

3. Acha, P. N. 1969. Algunas consideraciones sobre las condiciones actuales de la rabia en las Américas. Bol. Of. Sanit. Pan-am. 66:211–218.

4. Allen, R., R. A. Sims, and S. E. Sulkin. 1964. Studies with cultured brown adipose tissue. I. Persistence of rabies virus in bat brown fat. II. Influence of low temperature on rabies virus infection in bat brown fat. Amer. J. Hyg. 80:11–24, 25–32.

5. Andrew, J. D., and P. S. Gardner. 1963. Occurrence of respiratory syncytial virus in acute respiratory diseases in infancy. Brit. Med. J. ii:1447–1448.

6. Apostolov, K., and T. H. Flewett. 1969. Further observations on the structure of influenza viruses A and C. J. Gen. Virol. 4:365–370.

7. Armstrong, J. A., H. G. Pereira, and R. C. Valentine. 1962. Morphology and development of respiratory syncytial virus in cell cultures. Nature 196:1179–1181.

8. Atherton, J. G., and K. S. K. Lam. 1965. The nature of measles virus. Arch. Ges. Virusforsch. 15:413–421.

9. Atanasiu, P., et al. 1961. Rabies neutralizing antibody response to different schedules of serum and vaccine inoculations in nonexposed persons: Part 3. Bull. Wld. Hlth. Org. 25:103–114.

10. Baer, G. M., and D. B. Adams. 1970. Rabies in insectivorous bats in the United States. Pub. Hlth. Rep. 85:637–645.

11. Banks, H. S. 1958. Infection across the intact conjunctiva. Lancet ii:518–519.

12. Bayer, W. L., et al. 1965. Purpura in congenital and acquired rubella. New Eng. J. Med. 273:1362–1366.

13. Berg, R. B., and T. E. Frothingham. 1961. Hemadsorption in monkey kidney cell cultures of Mycoplasma (PPLO) recovered from rats. Proc. Soc. Exp. Biol. Med. 108:616–618.

14. Berglund, B., L. Vihma, and J. Wickström. 1965. Respiratory syncytial virus studies on children hospitalized during an outbreak of respiratory illness in Finland. Amer. J. Epidemiol. 81:271–282.

15. Best, J. M., et al. 1967. Morphological characteristics of rubella virus. Lancet ii:237–239.

16. Blair, C. D., and P. H. Duesberg. 1970. Myxovirus ribonucleic acids. Ann. Rev. Microbiol. 24:539–574.

17. Bloth, R., et al. 1963. The ultrastructure of respiratory syncytial (RS) virus. Arch. Ges. Virusforsch. 13:582–586.

18. Brandling-Bennett, A. D., S. A. Wyll, and M. G. Grand. 1972. Current status of rubella in the United States. J. Infect. Dis. 125:327–329.

19. Buynak, E. B., et al. 1968. Live attenuated rubella virus vaccines prepared in duck embryo cell culture. I. Development and clinical testing. J. Amer. Med. Assn. 204:195–200.

20. Campbell, J. B., et al. 1968. Present trends and the future in rabies research. Bull. Wld. Hlth. Org. 38:373–381.

21. Canchola, J., et al. 1964. Antigenic variation among newly isolated strains of parainfluenza type 4 virus. Amer. J. Hgy. 79:357–364.

22. Chanock, R. M. 1970. Parinfluenza and respiratory syncytial viruses. pp. 504–509. In J. E. Blair, E. H. Lennette, and J. P. Truant (Eds.): Manual of Clinical Microbiology. American Society for Microbiology, Bethesda.

23. Chanock, R. M., M. A. Mufson, and K. M. Johnson. 1965. Comparative biology and ecology of human virus and Mycoplasma respiratory pathogens. Prog. Med. Virol. 7:208–252.

24. Chany, C., et al. 1958. Isolement et étude d'un virus syncytial non identifié associé à des affections respiratoires aiges du nourrisson. Ann. Inst. Pasteur 95:721–731.

25. Chang, Te-Wen. 1971. Strategy of rubella vaccination. J. Infect. Dis. 123:224–225.

26. Coates, H. V., L. Kendrich, and R. M. Chanock. 1963. Antigenic differences between two strains of respiratory syncytial virus. Proc. Soc. Exp. Biol. Med. 112:958–964.

27. Connolly, J. H., M. Haire, and D. S. M. Hadden. 1971. Measles immunoglobulins in subacute sclerosing panencephalitis. Brit. Med. J. i:23–25.

28. Constantine, D. G. 1962. Rabies transmission by nonbite route. Pub. Hlth. Rep. 77:287–289.

29. Constantine, D. G., R. W. Emmons, and J. D. Woodie. 1972. Rabies virus in nasal mucosa of naturally infected bats. Science 175:1255–1256.

30. Couch, R. B., et al. Production of the influenza syndrome in man with equine influenza virus. Nature 224:512–514.

31. Davenport, F. M. 1961. Pathogenesis of influenza. Bacteriol. Rev. 25:294–300.

32. Davenport, F. M., A. V. Hennessey, and E. Minuse. 1967. Further observations on the significance of A/equine-2/63 antibodies in man. J. Exp. Med. 126:1049–1061.

33. Davenport, F. M., et al. 1964. Further observations on the relevance of serologic recapitulations of human infection with influenza viruses. J. Exp. Med. 120:1087–1097.

34. Dean, D. J., and I. Sherman. 1962. Potency of commercial rabies vaccine used in man. Pub. Hlth. Rep. 77:705–710.

35. Dean, D. J., W. M. Evans, and R. C. McClure. 1963. Pathogenesis of rabies. Bull. Wld. Hlth. Org. 29:803–811.

36. Deinhardt, F., and C. J. Shramek. 1969. Immunization against mumps. Prog. Med. Virol. 11:126–153.

37. Dull, H. B., and J. J. Witte. 1968. Progress of measles eradication in the United States. Pub. Hlth. Rep. 83:245–248.

38. Eickhoff, T. C. 1971. Immunization against influenza: rationale and recommendations. J. Infect. Dis. 123:446–454.

39. Enders, J. F. 1961/62. Vaccination against measles: Francis Home redivivus. Yale J. Biol. Med. 34:239–260.

40. Enright, J. B. 1962. Geographical distribution of bat rabies in the United States, 1953–1960. Amer. J. Pub. Hlth. 52:484–488.

41. Feldman, H. A. 1964. Measles immunization. Bacteriol. Rev. 28:440–443.

42. Fenje, P., and C. R. Amies. 1960. The problem of rabies in Canada. Can. Med. Assn. J. 82:243–245.

43. Fenje, P., I. M. Cass, and R. J. Wilson. 1965. Pre-exposure immunization against rabies in high risk personnel. Can. J. Pub. Hlth. 56:325–328.

44. Fernandes, M. V., T. J. Wiktor, and H. Koprowski. 1963. Mechanism of the cytopathic effect of rabies virus in tissue culture. Virology 21:128–131.

45. Finlea, J. F., A. V. Hennessy, and F. M. Davenport. 1967. A field trial of amantadine prophylaxis in naturally-occurring acute respiratory illness. Amer. J. Epidemiol. 85:403–412.

46. Fischman, H. R. 1965. Presence of neutralizing antibody for Myxovirus parainfluenza 3 in sheep sera. Proc. Soc. Exp. Biol. Med. 118:725–727.

47. Fredrickson, L. E., and L. Thomas. 1965. Relationship of fox rabies to caves. Pub. Hlth. Rep. 80:495–500.

48. Friedman, R. M., et al. 1963. Amer. J. Hyg. 78:269–274.

49. Galbraith, A. W., et al. 1969. Protective effect of 1-adamantanamine hydrochloride on influenza A2 infections in the family environment. A controlled double-blind study. Lancet ii:1026–1028.

50. Gard, S., C. Hallauer, and K. F. Meyer. (Eds.) 1968. The Influenza Viruses. Virology Monograph 4. Springer-Verlag, Vienna.

51. Gardner, P. S. 1960. A serological relationship between mumps and Sendai viruses. J. Hyg. 58:283–289.

52. Givan, K. R., K. R. Rozee, and A. J. Rhodes. 1965. Incidence of rubella antibodies in female subjects. Can. Med. Assn. J. 92:126–128.

53. Goldwasser, R. A., and R. E. Kissling. 1958. Fluorescent antibody staining of street and fixed rabies virus antigen. Proc. Soc. Exp. Biol. Med. **98**:219–223.

54. Grayzel, A. I., and C. Beck. 1970. Rubella infection of synovial cells and the resistance of cells derived from patients with rheumatoid arthritis. J. Exp. Med. **131**:367–373.

55. Grayzel, A. I., and C. Beck. 1971. The growth of vaccine strains of rubella virus in cultured human synovial cells. Proc. Soc. Exp. Biol. Med. **136**:496–498.

56. Gresser, I., and J. F. Enders. 1961. Cytopathogenicity of mumps virus in cultures of chick embryo and human amnion cells. Proc. Soc. Exp. Biol. Med. **107**:804–807.

57. Habel, K. 1968. Isogeneic *versus* allogeneic antiserum in the prophylaxis of experimental rabies. Bull. Wld. Hlth. Org. **38**:383–387.

58. Hambling, M. H. 1964. A survey of antibodies to respiratory syncytial virus in the population. Brit. Med. J. **i**:1223–1225.

59. Hamre, D., and J. J. Procknow. 1966. A new virus isolated from the human respiratory tract. Proc. Soc. Exp. Biol. Med. **121**:190–193.

60. Hanson, R. P. (Ed.). 1964. Newcastle Disease Virus: An Evolving Pathogen. University of Wisconsin Press, Madison.

61. Hayslett, J., *et al.* 1962. Endemic influenza. I. Serologic evidence of continuing and subclinical infection in disparate populations in the post-pandemic period. II. The nature of the disease in the post-pandemic period. Amer. Rev. Resp. Dis. **85**:1–8, 8–21.

62. Hilleman, M. R. 1963. Respiratory viruses and respiratory virus vaccines. Amer. Rev. Resp. Dis. **87**:165–180.

63. Hilleman, M. R., *et al.* 1968. Live, attenuated mumps-virus vaccine. New Engl. J. Med. **278**:227–232.

64. Holmes, I. H., M. C. Wark, and M. F. Warburton. 1969. Is rubella an arbovirus? II. Ultrastructural morphology and development. Virology **37**:15–25.

65. Horstmann, D. M. 1971. Rubella: the challenge of its control. J. Infect. Dis. **123**:640–654.

66. Howatson, A. F. 1970. Veisicular stomatitis and related viruses. Adv. Virus Res. **16**:196–256.

67. Howe, C., *et al.* 1967. Immunochemical study of influenza virus and associated host tissue components. J. Immunol. **98**:543–557.

68. Hummeler, K., H. Koprowski, and T. J. Wiktor. 1967. Structure and development of rabies virus in tissue culture. J. Virol. **1**:152–170.

69. Hummeler, K., *et al.* 1968. Morphology of the nucleoprotein component of rabies virus. J. Virol. **2**:1191–1199.

70. Huygelen, C., J. Peetermans, and A. Prinzie. 1969. An attentuated rubella virus vaccine (Cendenhill 51 strain) growth in primary rabbit kidney cells. Prog. Med. Virol. **11**:107–125.

71. Imagawa, D. T. 1968. Relationships among measles, canine distemper and rinderpest viruses. Prog. Med. Virol. **10**:160–193.

72. Janigan, D. T. 1961. Giant cell pneumonia and measles: An analytical review. Can. Med. Assn. J. **85**:741–749.

73. Johnson, H. N. 1970. Rabiesvirus. pp. 553–561. *In* J. E. Blair, E. H. Lennette, and J. P. Truant, (Eds.): Manual of Clinical Microbiology. American Society for Microbiology, Bethesda.

74. Johnson, K. M., *et al.* 1960. Studies of a new human hemadsorption virus. I. Isolation, properties and characterization. Amer. J. Hyg. **71**:81–92.

75. Johnson, K. M., *et al.* 1962. Natural reinfection of adults by respiratory syncytial virus. Possible relation to mild upper respiratory disease. New Eng. J. Med. **267**:68–72.

76. Kaplan, M. M., Z. Forsek, and H. Koprowski. 1960. Demonstration of rabies virus in tissue culture with fluorescent antibody technique. Bull. Wld. Hlth. Org. **22**:434–435.

77. Kasel, J. A., *et al.* 1969. Human influenza: aspects of the immune response to vaccination. Ann. Intern. Med. **71**:369–398.

78. Kato, N., and H. Hara. 1961. The toxic effect on rabbits of influenza virus given intravenously. Brit. J. Exp. Pathol. **42**:145–152.

79. Kato, N., and A. Okada. 1961. The relation of the toxic agent to the subunits of influenza virus particles. Brit. J. Exp. Pathol. **42**:253–265.

80. Kettyls, G. D., *et al.* 1970. Subacute sclerosing panencephalitis: isolation of a measles-like virus in tissue culture of brain biopsy. Can. Med. Assn. J. **103**:1183–1184.

81. Kilbourne, E. D. 1963. Influenza virus genetics. Prog. Med. Virol. **5**:79–126.

82. Kilbourne, E. D. 1968. Recombination of influenza A viruses of human and animal origin. Science **160**:74–76.

83. Knight, V., *et al.* 1970. Amantadine therapy of epidemic influenza (Hong Kong). Infect. Immun. **1**:200–204.

84. Landrigan, P. J., and J. L. Conrad. 1971. Current status of measles in the United States. J. Infect. Dis. **124**:620–622.

85. Lennette, E. H., N. J. Schmidt, and R. L. Magoffin. 1967. The hemagglutinin inhibition test for rubella: a comparison of its sensitivity to that of neutralization, complement fixation and fluorescent antibody tests for diagnosis of infection and determination of immunity status. J. Immunol. **99**:785–793.

86. Lerner, A. M. 1970. Guide to immunization against mumps. J. Infect. Dis. **122**:116–121.

87. Liebhaber, H. 1970. Measurement of rubella antibody by hemagglutinin inhibition. I. Variables affecting rubella hemagglutination. II. Characteristics of an improved HAI test employing a new method for the removal of non-immunoglobulin HA inhibitors from serum. J. Immunol. **140**:818–825, 826–834.

88. Liebhaber, H., J. T. Riordan, and D. M. Horstmann. 1967. Replication of rubella virus in a continuous line of African green monkey kidney cells (Vero). Proc. Soc. Exp. Biol. Med. **125**:636–643.

89. London, W. T., *et al.* Concentration of rubella virus antigen in chondrocytes of congenitally infected rabbits. Nature **226**:172–173.

90. Marcus, P. I., and D. H. Carver. 1965. Hemadsorption-negative plaque test: New assay for rubella virus revealing a unique interference. Science **149**:983–986.

91. Matsumoto, S. 1970. Rabies virus. Adv. Virus Res. **16**:257–302.

92. Matumoto, M. 1966. Multiplication of measles virus in cell cultures. Bacteriol. Rev. **30**:152–176.

93. Mead, T. H. 1962. The characterization of rabies soluble antigens. J. Gen. Microbiol. **27**:415–426.

94. Meenan, P. N., and I. B. Hillary. 1969. Prophylaxis of influenza B with UK 2054. Field study of UK 2054 against natural infection with A2/Hong Kong/69 influenza virus. Lancet **ii**:614–615, 641–642.

95. Meyer, H. M., Jr., P. D. Parkman, and T. C. Panos. 1966. Attenuated rubella virus: II. Production of an experimental live-virus vaccine and clinical trial. New Eng. J. Med. **275**:575–580.

96. Meyer, M. B. 1962. An epidemiologic study of mumps; its spread in schools and families. Amer. J. Hyg. **75**:259–281.

97. Miller, G. L. 1965. Improved measurement of influenza virus hemagglutination titer. J. Immunol. **95**:336–344.

98. Millian, S. J., and M. Schaeffer. 1965. Measles-neutralizing and HI antibody titers of human gamma globulin preparations. Pub. Hlth. Rep. **80**:65–67.

99. Mims, C. A. 1960. An analysis of the toxicity for mice of influenza virus. Brit. J. Exp. Pathol. **41**:586–592, 593–598.

100. Mims, C. A. 1968. Pathogenesis of viral infections of the fetus. Prog. Med. Virol. **10**:194–237.

101. Murphy, F. A., P. E. Halonen, and A. K. Harrison. 1968. Electron microscopy of the development of rubella virus in BHK-21 cells. J. Virol. **2**:1223–1227.

102. Naeye, R. L., and W. Blanc. 1965. Pathogenesis of congenital rubella. J. Amer. Med. Assn. **194**:1277–1283.

103. Norta-Barbosa, L., D. A. Fuccillo, and J. L. Sever. 1969. Subacute sclerosing panencephalitis: isolation of measles virus from a brain biopsy. Nature **221**:974.

104. Oker-Blom, N., *et al.* 1970. Protection of man from natural infection with influenza A2 Hong Kong virus by

amantadine: a controlled field trial. Brit. Med. J. ii:676–678.

105. Parkman, P. D., and H. M. Meyer, Jr. 1969. Prospects for a rubella virus vaccine. Prog. Med. Virol. 11:80–106.

106. Parkman, P. D., et al. 1964. Studies of rubella. I. Properties of the virus. J. Immunol. 93:595–607.

107. Pereira, H. G. 1969. Influenza: antigenic spectrum. Prog. Med. Virol. 11:46–79.

108. Pereira, H. G., M. S. Pereira, and V. G. Law. 1964. Antigenic variants of influenza A2 virus. Bull. Wld. Hlth. Org. 31:129–132.

109. Pereira, H. G., B. Tůmová, and V. G. Law. 1965. Avian influenza A viruses. Bull. Wld. Hlth. Org. 32:855–860.

110. Philips, C. A., et al. 1966. Viral studies of a congenital rubella epidemic. Hlth. Lab. Sci. 3:118–123.

111. Philips, C. A., J. L. Melnick, and M. Burkhardt. 1966. Isolation, propagation and neutralization of rubella virus in cultures of rabbit cornea (SIRC) cells. Proc. Soc. Exp. Biol. Med. 122:783–786.

112. Philipson, L., and T. Wesslen. 1958. Recovery of a cytopathogenic agent from patients with nondiphtheritic croup and from day nursery children. Arch. Ges. Virusforsch. 8:77–94, 192–203, 204–215, 332–350.

113. Plotkin, S. A., and H. F. Clark. 1971. Prevention of rabies in man. J. Infect. Dis. 123:227–240.

114. Rawls, W. E. 1968. Congenital rubella: the significance of virus persistence. Prog. Med. Virol. 10:238–285.

115. Rawls, W. E., and J. L. Melnick. 1966. Rubella virus carrier cultures derived from congenitally infected infants. J. Exp. Med. 123:795–816.

116. Reddick, A., and C. E. Rowsel. 1966. Rubella virus: Growth and cytopathic effect in primary cultures of cells of rabbit embryos. Science 151:1405–1406.

117. Regamy, R. H., et al. (Eds.) 1969. International Symposium on Rubella Vaccines. S. Karger AG, Basel.

118. Report. 1966. Laboratory techniques in rabies: Monograph Series No. 23. World Health Organization, Geneva.

119. Report. 1968. Mumps vaccine. Ann. Intern. Med. 68:632–633.

120. Report. 1971. Follow-up on probable human rabies — Lima, Ohio. Morbid. Mortal. 20:54–55.

121. Rhim, J. S., and K. Schell. 1967. Cytopathic and plaque assay of rubella virus in a line of African green monkey kidney cells (Vero). Proc. Soc. Exp. Biol. Med. 125:602–606.

122. Robinson, R. Q. 1964. Natural history of influenza since the introduction of the A2 strain. Prog. Med. Virol. 6:82–110.

123. Robinson, R. Q., and W. R. Dowdle. 1970. Influenza virus. pp. 498–503. In J. E. Blair, E. H. Lennette, and J. P. Truant (Eds.): Manual of Clinical Microbiology. American Society for Microbiology, Bethesda.

124. Robinson, R. Q., et al. 1963. Antigenic relationship of 1961–1962 type B influenza viruses to earlier type B strains. Proc. Soc. Exp. Biol. Med. 112:658–661.

125. Ruesegger, J. M., J. Black, and G. R. Sharpless. 1961. Primary antirabies immunization of man with HEP Flury virus vaccine. Amer. J. Pub. Hlth. 51:706–716.

126. Schiff, G. M., et al. 1965. Rubella: Studies in the natural disease. The significance of antibody status and communicability among young women. Amer. J. Dis. Child. 110:366–369.

127. Schindler, R. 1961. Protective effect of antirabies serum after intracerebral or intramuscular administration. Bull. Wld. Hlth. Org. 25:127–128.

128. Schulman, J. L. 1970. Effects of immunity on transmission of influenza: experimental studies. Prog. Med. Virol. 12:128–160.

129. Schulman, J. L., M. Khakpour, and E. D. Kilbourne. 1968. Protective effects of specific immunity to viral neuraminidase on influenza virus infection of mice. J. Virol. 2:778–786.

130. Schultz, E. W., and K. Habel. 1959. SA virus — a new member of the myxovirus group. J. Immunol. 82:274–278.

131. Serfling, R. E., I. L. Sherman, and W. J. Houseworth. 1967. Excess pneumonia-influenza mortality by age and sex and three major influenza A2 epidemics, United States, 1957–58, 1960 and 1963. Amer. J. Epidemiol. 86:433–441.

132. Shope, R. E., et al. 1970. J. Virol. 6:690–692.

133. Sikes, R. K. 1969. Rabies vaccines. Arch. Envir. Hlth. 19:862–867.

134. Smith, C. B., J. A. Bellanti, and R. M. Chanock. 1967. Immunoglobulins in serum and nasal secretions following infection with type 1 parainfluenza virus and injection of inactivated vaccines. J. Immunol. 99:133–141.

135. Smith, C. B., R. H. Purcell, and R. M. Chanock. 1967. Effect of amantadine hydrochloride on parainfluenza type 1 virus infections in adult volunteers. Amer. Rev. Resp. Dis. 95:689–690.

136. Smith, K. O., and T. E. Hobbins. 1969. Physical characteristics of rubella virus. J. Immunol. 102:1016–1023.

137. Smorodintsev, A. A., M. N. Nasibov, and N. V. Jakovleva. 1970. Bull. Wld. Hlth. Org. 42:283–289.

138. Smorodintsev, A. A., et al. 1970. The prophylactic effectiveness of amantadine hydrochloride in an epidemic of Hong Kong influenza in Leningrad in 1969. Bull Wld. Hlth. Org. 42:865–872.

139. Stuart-Harris, C. H. 1965. Influenza and Other Virus Infections of the Respiratory Tract. Edward Arnold, London.

140. Stuart-Harris, C. H. 1970. Pandemic influenza: an unresolved problem in prevention. J. Infect. Dis. 122:108–115.

141. Sugg, J. Y., and R. Cleeland. 1962. Differences in trypsin susceptibility among influenza viruses and relationship of the susceptibility to the antigenic type or subtype of the virus. J. Immunol. 88:369–376.

142. Suringa, D. W. R., L. J. Bank, and A. B. Ackerman. 1970. Role of measles virus in skin lesions and Koplik's spots. New Eng. J. Med. 283:1139–1142.

143. Symposium. 1961. J. Amer. Med. Assn. 176:647–667.

144. Symposium. 1965. Seminar on the epidemiology and prevention of measles and rubella. Arch. Ges. Virusforsch. 16:1–555.

145. Symposium. 1969. Proceedings of the International Conference on Rubella Immunization. National Institutes of Health, Bethesda, Maryland, February 1969. Amer. J. Dis. Child. 118:1–410.

146. Tůmová, B., and H. B. Pereira. 1968. Antigenic relationship between influenza A viruses of human and animal origin. Bull. Wld. Hlth. Org. 38:415–420.

147. Turner, G. S., and C. Kaplan. 1967. Some properties of fixed rabies virus. J. Gen. Virol. 1(Pt. 4):537–551.

148. Todd, J. D., F. S. Lief, and D. Cohen. 1970. Experimental infection of ponies with the Hong Kong variant of human influenza virus. Amer. J. Epidemiol. 92:330–336.

149. Waldman, R. H., et al. 1968. Influenza antibody in human respiratory secretions after subcutaneous or respiratory immunization with inactivated virus. Nature 218:594–595.

150. Waterson, A. P., and D. Hobson. 1962. Relationship between respiratory syncytial virus and Newcastle disease-parainfluenza group. Brit. Med. J. ii:1166–1167.

151. Webster, R. G., and H. G. Pereira. 1968. A common surface antigen in influenza viruses from human and avian sources. J. Gen. Virol. 3:201–208.

152. Webster, R. G., C. H. Campbell, and A. Granoff. 1971. The "in vivo" production of "new" influenza A viruses. I. Genetic recombination between avian and mammalian influenza viruses. Virology 44:317–328.

153. Weibel, R. E., et al. 1970. Persistence of immunity four years following Jeryl Lynn strain live mumps virus vaccine. Pediatrics 45:821–826.

154. Wiktor, T. J., and H. Koprowski. 1965. Successful immunization of primates with rabies vaccine prepared in human diploid cell strain WI-38. Proc. Soc. Exp. Biol. Med. 118:1069–1073.

155. Winkler, W. G., R. Schmidt, and R. K. Sikes. 1969. Evaluation of human rabies immune globulin and homologous and heterologous antibody. J. Immunol. 102:1314–1321.

156. Witte, J. J., and A. W. Karchmer. 1968. Surveillance of mumps in the United States as background for the use of vaccine. Pub. Hlth. Rep. 83:95–100.

CAPITULO 38

PICORNAVIRUS; VIRUS DE HEPATITIS; ADENOVIRUS

El término descriptivo picornavirus se refiere a un grupo de virus RNA pequeños (pico) que se parecen mucho entre sí por morfología y efecto citopático (CPE) producido en cultivos celulares. Se ha propuesto el término nanivirus (*nanus,* enano) para este grupo, pero no mereció gran aceptación y ha sido abandonado. Los virus de este grupo se dividen en dos subgrupos principales, según la patogenia de las enfermedades que producen.[117] Uno es el grupo enterovirus,[6] que incluye poliovirus, virus Coxsackie y virus ECHO,[95] junto con enterovirus que se encuentran en animales inferiores. El otro es un grupo muy amplio de virus antigénicamente diversos, que etiológicamente se relacionan con el resfriado común y se han denominado rinovirus, corizavirus, virus "respiratorio", etc. Las líneas generales de esta clasificación, y de su subdivisión ulterior, son manifiestas, pero los detalles y la nomenclatura siguen siendo algo fluidos.[127] La aparición de tipos intermedios ha tendido a eliminar distinciones, pero la proposición de que los virus que constituyen el subgrupo enterovirus se denominen arbitrariamente con un número,[101] no ha sido adoptada.

Estos virus tienen 20 a 30 nm de diámetro, y son resistentes al éter; su RNA parece primariamente de una sola tira. Los que han sido estudiados adecuadamente tienen simetría icosaédrica cúbica, y 32 capsómeras; la partícula probablemente tenga forma rómbica triacontaédrica, y carece de membrana. Crece en diversos cultivos celulares con algunas diferencias de cepas o de tipos, y se encuentran en el citoplasma como masas de partículas virales dispuestas ordenadamente para crear cuerpos de inclusión de aspecto cristalino.[79]

Los virus de hepatitis se conoce mal y no sabemos si guardan relación, y en qué forma puedan guardarla, con los picornavirus. El virus de la hepatitis infecciosa existe en las heces; la infección se contrae por la ingestión de agua contaminada, de manera que en tal sentido parece ser un virus entérico, aunque no es un enterovirus, según suele utilizarse esta palabra. El virus de la hepatitis sérica al parecer solo se encuentra en la sangre, y su relación, si la hay, con la hepatitis infecciosa o de cualquiera de estos con los virus de la hepatitis de los animales inferiores, es totalmente desconocida.

Los adenovirus se colocan aparte de los picornavirus, por cuanto son virus DNA, generalmente de volumen algo mayor, pero se consideran aquí por la asociación de muchos de ellos con la enfermedad respiratoria alta.

Poliovirus [111]

La poliomielitis (parálisis infantil, poliomielitis anterior aguda, enfermedad de Heine-Medin) se diferenció como entidad clínica por Heine en 1840, y se describió en forma epidémica por Medin en 1891. La naturaleza viral del agente causal se demostró en 1908, cuando Landsteiner y Popper transmitieron la enfermedad al mono.

La infección está ampliamente distribuida en casi todo el mundo, y la enfermedad, sobre todo en la primera infancia, es, como en muchas otras infantiles, expresión de las muchas probabilidades de contacto con los poliovirus. Se estima que en Chica-go la mayor parte de niños han sido infectados una vez por lo menos en los primeros cuatro años de vida, y que para el sexto año el 75 por 100 de los niños ha sido infectado dos veces. La edad en la cual la infección primaria se presenta fluctúa, modificada por factores económicos y sociales (véase luego).

La gran mayoría de las infecciones son asintomáticas, y la enfermedad, paralítica o no paralítica, parece ser la excepción. Al disminuir la inmunidad pasiva de origen materno, la infección repetida, con enfermedad o sin ella, produce inmunidad, y la mayor parte de sueros de adultos contienen anticuerpo neutralizante, el cual está siempre en materiales como los concentrados de globulina gamma. La frecuencia de la enfermedad es similar a la de otras infecciones como la meningocócica, en la cual el agente etiológico está distribuido ampliamente en la población humana, pero la infección normalmente es asintomática y la enfermedad tiende a aparecer en forma esporádica, solo ocasionalmente en epidemias.

Poliovirus. Estos virus son de los menores, y la estimación del tamaño de la partícula esférica, basada en filtración diferencial, sedimentación y observación directa en micrografías electrónicas, varía entre 22 y 32 nm de diámetro. El ácido ribonucleico es de doble tira.[9] Las partículas de los virus se pueden presentar en formaciones ordenadas y han sido preparadas en forma de cristales bipiramidales (capítulo 2).

La actividad del virus es estable dentro de un margen acidobásico relativamente amplio, de pH 4 a pH 10, durante periodos de varios días a temperatura del refrigerador; resiste al tratamiento con glicerina, éter y fenol al 1 por 100, pero no a los agentes oxidantes y las radiaciones ultravioleta. Se inactiva en 30 minutos por temperaturas entre 50° y 55°C. Se destruye en la leche por pasterización. Persiste en las heces y en las aguas negras a temperaturas de refrigerador hasta tres meses; en el agua se ha señalado que es algo más resistente a la cloración que las células vegetativas de muchas bacterias. Su inactivación por el formol ha sido de interés, ya que esta substancia se usa en la preparación de las vacunas inactivadas, y los tratamientos prolongados con formol suprimen la antigenicidad. La porción de inactivación es exponencial dentro

de límites considerables (capítulo 5), pero el tratamiento basado en la extrapolación de esta proporción ha producido inactivación incompleta.[139]

Tipos antigénicos. Las cepas de los poliovirus no son necesariamente idénticas inmunológicamente; estos virus se han separado en tres tipos por la especificidad de anticuerpos neutralizantes. Estos tipos están numerados, y también se designan por el nombre de la cepa prototipo; por ejemplo, tipo 1 o Brunhilde, tipo 2 o Lansing, y tipo 3 o Leon. Hay diferencias antigénicas menores entre las cepas de los tres tipos.[41] De estas cepas, el tipo 1 se encuentra más frecuentemente, pero en una epidemia se pueden presentar varios tipos juntos. La tipificación se efectúa por pruebas de neutralización cruzadas; primero fue con monos, ahora principalmente con cultivos de tejidos. De un grupo de 100 cepas de origen común tipificadas en monos, 85 fueron del tipo 1, 12 del tipo 2, y tres del tipo 3; de un grupo de 274 cepas aisladas en Estados Unidos de Norteamérica y tipificadas en cultivos de tejidos, 204 fueron de tipo 1, 22 de tipo 2, y 48 de tipo 3. La distribución de los tipos parece ser mundial, pero no sabemos si estas cifras revelan la frecuencia relativa de los tres tipos en la población humana. Estos tipos difieren algo en otros aspectos. Por ejemplo, la cepa Lansing es una de las más fácilmente adaptables a los roedores, y el tipo Leon tiene virulencia relativamente baja para el mono. Hay también diferencias en la virulencia de estas cepas; la Brunhilde es una de las más virulentas del tipo 1.

En los virus hay dos clases de antígenos fijadores del complemento que se pueden separar según gradiente de densidad por centrifugación, la fracción C y la fracción D, con infección asociada principalmente con la fracción D, la más pesada. Estos

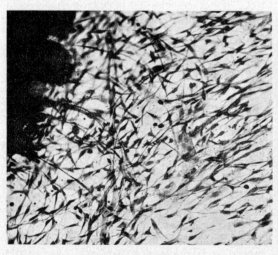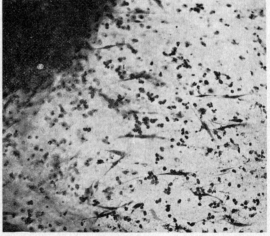

FIG. 38-1. Preparaciones en tubo enrollado de piel y músculo de embrión humano, siete días después de iniciado el cultivo. *Izquierda,* Cultivo no inoculado; *derecha,* inoculado tres días antes con cepa Brunhilde de virus de poliomielitis. Quedan pocas células en el cultivo infectado; la mayor parte han sido destruidas por acción citopatógena del virus. Hematoxilina y eosina. (Weller: New England J. Med.)

antígenos se pueden separar por difusión en gel, y porque la fracción D es termolábil, al paso que la fracción C aumenta en cantidad durante el calentamiento, probablemente como resultado de la conversión de la fracción D en C, más que por liberación de la fracción C.[83] La presencia de estas dos clases de antígenos explica en gran parte los resultados anómalos que se habían obtenido previamente con la reacción de fijación del complemento. Algunos investigadores han introducido la designación N para el antígeno infeccioso y H para el antígeno termostable, es decir, $C = H$ y $D = N$, ya que no está comprobado que todas las partículas antigénicamente C invariablemente sedimenten en la zona C, característica de cubiertas vacías.

Cultivos de tejidos. Comenzando en 1949, los poliovirus se han cultivado en diversos tejidos, incluyendo tejidos embrionarios, piel de prepucio y testículos humanos, testículos y riñones de mono, y en cultivos de células HeLa, en matraz para cultivos de tipo Maitland, y en tubo para cultivos estático y de movimiento. La interferencia entre los tres tipos inmunológicos se puede demostrar por ajuste apropiado e inoculando en momentos adecuados.

Se produce un tipo degenerativo de citopatología, netamente manifiesta por el crecimiento fibroblástico, así como una granulación progresiva y la destrucción final.[66] El efecto citopatogénico es más neto con algunas cepas de virus que con otras; por ejemplo, la cepa Lansing es débilmente citopatógena, en comparación con la cepa Y-SK, también de tipo 2, que produce degeneración extensa. Además, la patogenicidad en cultivo de tejidos y la patogenicidad para los animales de experimentación no son necesariamente paralelas.

El efecto citopatógeno se neutraliza específicamente por el antisuero; así proporciona las bases para tipificar las cepas de virus en cultivos de tejido, y puede medirse cuantitativamente valorando los virus por el método de la placa.[32] Está comprobado que la citopatología observada es, en parte, efecto tóxico de algunas cepas de poliovirus en las cuales la toxicidad y la infecciosidad son inmunológicamente independientes.[1]

Los poliovirus también pueden crecer en cultivo de tejidos con la técnica de cepa única, en la cual se inocula la cepa de células y se incuba 45 minutos, luego se elimina el exceso de inóculo, y se recubre con agar. Cuando el inóculo está suficientemente diluido aparecen focos aislados de degeneración o placas, y puede proporcionar cepas separadas de virus en los subcultivos.

Variación. El paso en serie de los virus en cultivos de tejidos puede provocar un cambio de virulencia para los animales de experimentación. La cepa Lansing, cultivada en tejido embrionario humano, por ejemplo, mostró una disminución en la virulencia para el ratón, sin correspondiente disminución en la virulencia para mono o alteración en la infección del cultivo de tejidos. Y la cepa Brunhil-

de, cultivada de modo similar, demostró una neta disminución de virulencia para el mono. Del mismo modo, después de pasos en cultivos de testículo de mono, la cepa Lansing perdió su patogenicidad para el ratón pero retuvo su virulencia para el mono. Pero la adaptación a roedores causa pérdida de virulencia para el mono.

La variación de virulencia para el huésped mamífero puede ir acompañada de cambios en la morfología de la placa, como en el caso de la variante d.[157] Sabin y colaboradores [136] han logrado variantes de virulencia reducida, acompañada, o tal vez causada, por capacidad anormal de crecer en cultivo de tejido, con paso rápido en tejidos con grandes inóculos; tales variantes han sido de especial interés como agentes inmunizantes (véase luego).

Enfermedad en el hombre. Hasta donde sepamos, la infección natural con el poliovirus se presenta solamente en el hombre. El virus puede demostrarse en las secreciones faríngeas y en las heces fecales de individuos infectados, incluyendo portadores, quienes no desarrollan la enfermedad; parece existir un importante reservorio de infección en la población humana. La infección se disemina por contacto directo, aunque no se sabe precisamente de qué modo, y los casos de enfermedad se distribuyen radialmente a partir de un foco original de infección. El periodo de incubación es variable, generalmente de una a dos semanas, aunque puede ser tan largo como cuatro o cinco semanas. La enfermedad clínica puede separarse en tres tipos, el abortivo, el no paralítico y el paralítico.

Los síntomas iniciales son de una infección respiratoria alta leve, con faringitis no exudativa y dolor de cabeza, o una gastroenteritis con náuseas y vómitos, pero con estreñimiento más que diarrea; en ambos casos hay reacción febril. Cuando la enfermedad no se desarrolla más allá de esta etapa, se conoce como poliomielitis abortiva, pero no puede diagnosticarse sin aislar el virus o demostrar un aumento en el título de anticuerpos entre sueros valorados seriadamente.

La enfermedad puede progresar con el desarrollo de síntomas que involucran el sistema nervioso central, incluyendo dolor y rigidez de músculos del cuello y espalda, y signo de Kernig. Esta es la poliomielitis no paralítica. En la poliomielitis paralítica se presenta parálisis flácida y espasmo de los músculos no paralizados, o paralizados parcialmente, en fase terminal del periodo febril, progresando solo breve tiempo, normalmente no más de 24 horas. Los virus desaparecen rápidamente de la médula espinal, pero pueden continuar siendo eliminados con las heces durante un tiempo.

Las lesiones en la poliomielitis paralítica consisten en cambios patológicos en las neuronas, variando de una cromatólisis moderada a una destrucción completa; se caracteriza por infiltración perivascular con linfocitos y macrófagos, y fagocitosis de las células motoras necróticas. Las astas anteriores de la médula espinal se afectan y la destrucción de las células nerviosas grandes, que dan origen a las fibras motoras de los nervios periféricos, produce una parálisis fláccida. La distribución selectiva de las lesiones en el cerebro es distintiva, lo que diferencia la poliomielitis de la encefalitis viral, en la cual hay más o menos una difusión general de los virus en el cerebro. En la poliomielitis las lesiones en la corteza cerebral están limitadas a las áreas motoras y premotoras, extendiéndose muy rara vez a la corteza poscentral, en tanto que las áreas visual, auditiva y de asociación no están afectadas. No hay mengua de las facultades mentales, y los síntomas de la encefalitis desaparecen cuando la etapa aguda de la enfermedad disminuye. En el cerebro posterior, las células motoras de la médula y la protuberancia, el núcleo vestibular y los centros relacionados en el cerebelo pueden afectarse, pero el complejo neocerebeloso no se afecta. La poliomielitis bulbar es consecuencia de una concentración de la destrucción de neuronas de las partes del bulbo conteniendo los núcleos motores de los nervios craneales, con efectos que oscilan desde la debilidad de los músculos faciales hasta la afección de los centros respiratorios y vasomotores.

Patogenia. La patogenia de la poliomielitis ha sido investigada en detalle en el chimpancé, y en vista de que esta infección experimental parece ser la contrapartida de la infección humana puede asumirse que representa, cuando menos de modo general, la patogenia de la enfermedad humana. Días después de la ingestión de una dosis infectante, se demuestran grandes concentraciones de virus en los tejidos linfoides de la amígdala y placas de Peyer del intestino. La multiplicación del virus y su excreción desde estas áreas

cuenta para su aparición en los lavados y raspados de garganta y en las heces. Los ganglios linfáticos más profundos, cervicales y mesentéricos, son infectados desde estos sitios primarios, y el virus invade el sistema circulatorio por medio de los vasos linfáticos y el conducto torácico produciéndose una viremia. La viremia muy rara vez es demostrable en el hombre, quizá porque ocurre en etapas iniciales de la infección. Esta se disemina por vía sanguínea a diferentes tejidos susceptibles, incluyendo otros tejidos linfáticos, grasa parda y sistema nervioso central.

El camino de la invasión hacia el sistema nervioso central es algo incierto. Puede ser por la sangre, pero también hay pruebas de diseminación centrípeta del virus a lo largo de los axones de los nervios periféricos; Sabin[134] considera que los ganglios nerviosos regionales y sus conexiones con el sistema nervioso central desempeñan importante papel en la patogenia de la enfermedad. No hay virus ni lesiones en los bulbos olfatorios; en los ganglios celiacos humanos los virus se encuentran muy rara vez, pero las fibras aferentes viscerales y del vago representan un posible camino desde el tubo gastrointestinal al sistema nervioso central. También es posible que el tejido linfático no sea el único lugar donde se multiplica el virus, sino que otros tejidos, además del nervioso, sean focos de infección

Los virus están en las heces, y el diagnóstico de laboratorio depende de su aislamiento e identificación serológica. Riñones de mono, células HeLa, KB y amnióticas humanas parecen ser igualmente sensibles para el aislamiento. La identificación serológica consiste en la neutralización en cultivo de tejidos con antisuero conocido y también se ha empleado la técnica del anticuerpo fluorescente.[59]

Patogenia de la poliomielitis
(según Sabin)

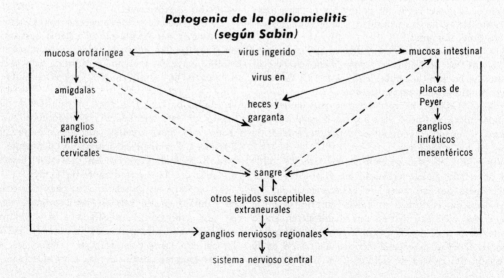

Factores predisponentes. En el tipo abortivo de la enfermedad, la infección no progresa más allá de las fases alimenticia o virémica; en la poliomielitis no paralítica hay una invasión limitada del sistema nervioso central con daños reparables, y en la forma paralítica ocurre una invasión extensa con destrucción del sistema nervioso central, que puede ser principalmente espinal, bulbar, o bulbospinal. Los factores determinantes para que el virus invada y se multiplique en el sistema nervioso central son poco conocidos.

No hay duda que la inmunidad específica desempeña importante papel para limitar la diseminación de la enfermedad, pero también son significantes ciertos factores no específicos. Pruebas de diferentes orígenes indican que la vacunación de niños contra difteria, tos ferina y tétanos puede influir hasta cierto punto en la localización de la parálisis cuando se presenta hasta unas tres semanas después de la inoculación, pero no está claro si modifica la frecuencia de la parálisis. También se ha establecido que el ejercicio físico intenso durante la fase prodrómica de la enfermedad produce parálisis más intensa, y que la parálisis se presenta más comúnmente durante el embarazo. La frecuencia de la enfermedad de forma bulbar aumenta después de extirpar las amígdalas o adenoides. El trauma quirúrgico puede abrir la puerta a los virus presentes en la faringe, para que lleguen hasta los nervios craneales, por medio de los cuales alcanzarían directamente el bulbo, pero parece más probable que la supresión de tejido linfoide, y de sus células formadoras de anticuerpo disminuya la respuesta inmune, manifiesta por IgA activa [106] (ver luego). En cualquier caso, las operaciones quirúrgicas de elección en el área bucofaríngea, incluyendo extracciones dentales, no deberán efectuarse durante epidemias de poliomielitis, y de preferencia tampoco al final del verano ni principio del otoño, cuando la frecuencia de la enfermedad es alta.

Tampoco hay duda que la edad también influye mucho en la gravedad de la infección. Esta es menos grave en la primera infancia que en el adulto, según demuestra el número creciente de invalideces y muertes a medida que aumenta la edad. La frecuencia de la infección más grave de tipo bulbar es notablemente superior en los grupos de mayor edad, y la mortalidad es doble a quíntuple en el adulto que en los niños menores de cinco a siete años.

Epidemiología. La influencia de las condiciones económicas y sociales en el carácter epidemiológico de las enfermedades infecciosas se ha tratado en otro lugar (capítulo 9), pero nunca se ilustra mejor que en el carácter epidemiológico cambiante de la poliomielitis. Como se indicó antes el virus de la poliomielitis está ampliamente diseminado en la población humana, la gran mayoría de las enfermedades son asintomáticas o abortivas, y la enfermedad paralítica es relativamente rara.

La epidemia descrita en 1891 por Medin, en Suecia, se considera como una de las primeras ocurridas; la primera importante en Estados Unidos de Norteamérica fue en 1916. Aproximadamente a principios de siglo la enfermedad comenzó a modificarse, de su forma endémica, caracterizada por casos esporádicos, a la forma epidémica. La forma endémica persiste en poblaciones primitivas, particularmente en áreas tropicales; [31, 125] las epidemias han comenzado a presentarse en algunas partes de Africa e India, y Japón parece estar en transición de la forma endémica a la epidémica. Coincidiendo con esta modificación del carácter de la enfermedad el máximo de frecuencia según la edad ha cambiado del grupo de los cero a cuatro años, al grupo de los cinco a nueve años, y aumenta el número de casos que se presenta en grupos de mayor edad y en adultos.

Este cambio en el carácter epidemiológico parece ser consecuencia de factores sociales y económicos que posponen la exposición primaria al virus. En condiciones relativamente primitivas la transmisión de la infección es más fácil que en un ambiente higiénico civilizado. La infección primaria puede presentarse en edad tan temprana que la inmunidad pasiva de origen materno modifica el proceso inmunológico temprano; así se desarrolla una inmunidad seudorracial, y la población se vuelve inmune a las enfermedades epidémicas sin sufrir enfermedades clínicas en forma epidémica. Si se pospone la primera infección, el número de individuos susceptibles se eleva hasta un punto en el cual la población se vuelve susceptible a la forma epidémica de la enfermedad.

A veces es posible interferir con éxito el desarrollo de la susceptibilidad de la población a las epidemias por inmunización profiláctica. Por ejemplo, en la difteria, aunque el número de individuos susceptibles no se conoce con precisión la inmunización profiláctica del 70 por 100 de niños en edad escolar basta para evitar las epidemias de esta enfermedad. Similarmente, en la poliomielitis, la obtención de agentes inmunizantes eficaces, y su aplicación en escala suficientemente amplia, puede provocar la reversión de esta enfermedad a la forma endémica, en casos esporádicos. Después de introducirse la inmunización masiva en 1954, se manifestó una tendencia a la reversión de la enfermedad a la forma endémica, con elevación en 1956 de la frecuencia relativa en el grupo de los cero a los cuatro años de edad. Otros factores también influyen; por ejemplo, hay pruebas de una tendencia similar en algunas áreas en 1948, antes de la inmunización, lo cual puede deberse a factores como el cambio en el índice de natalidad y la frecuencia de la enfermedad en años anteriores. La enfermedad se considera ya bajo control en América del Norte, Europa (incluyendo la U.R.S.S.) y Australia y Nueva Zelandia, pero persiste en otros lugares, en forma endémica o epidémica.[126]

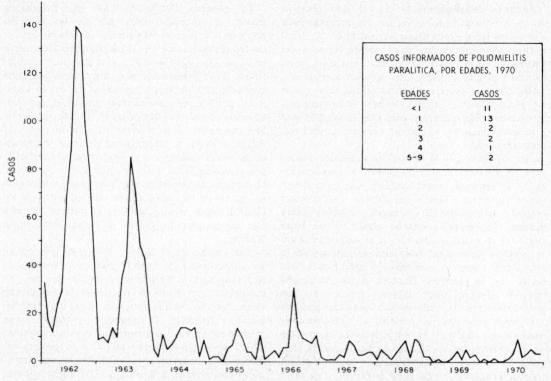

CASOS INFORMADOS DE POLIOMIELITIS
PARALITICA, POR EDADES, 1970

EDADES	CASOS
< 1	11
1	13
2	2
3	2
4	1
5 – 9	2

FIG. 38-2. Disminución de la frecuencia de poliomielitis en Estados Unidos de Norteamérica, 1962-1970, relacionada con la introducción de la inmunización, según indican los casos denunciados. (Morbidity and Mortality Weekly Report, Annual Supplement, Vol. 19, 1970. Center for Disease Control, U. S. Public Health Service.)

La frecuencia estacional de la enfermedad, caracterizada por alcanzarse un máximo al final del verano y principios del otoño hizo creer durante algún tiempo que el vector era un insecto. Aunque en condiciones experimentales, los virus pueden persistir en las moscas, y se han aislado de moscas con acceso a heces humanas durante epidemias, los programas de control de las moscas no han cambiado la frecuencia de la enfermedad, y otras pruebas epidemiológicas no indican que la infección sea transmitida por un insecto vector.

Infecciones experimentales. Por muchos años se creyó que solamente los primates podían infectarse experimentalmente con poliovirus. De tales animales disponibles para fines experimentales, el chimpancé es el más susceptible, y de hecho, ha sido infectado en el laboratorio; la enfermedad de este animal se parece mucho a la humana. De los monos, el cynomolgus puede infectarse por vía gastrointestinal, y el rhesus es más resistente pero se puede infectar por inoculación intracerebral. Las observaciones en la autopsia son similares a las halladas en el hombre, con cambios patológicos que incluyen destrucción de neuronas e infiltración perivascular en la substancia gris de la médula.

En 1939, la cepa Lansing se adaptó del mono a la rata algodonera y después al ratón, y cepas posteriores de los otros dos tipos inmunológicos se han adaptado a ratón por inoculación directa del virus en la médula espinal. En tales roedores el periodo de incubación es de dos a 10 días, hay parálisis de una o más patas, poca recuperación, y la muerte se produce por parálisis respiratoria. Las cepas tipo 2 también pueden infectar al criceto y una de estas cepas, después de muchos pasos en criceto lactante, se adaptó al embrión de pollo.

Inmunidad. La respuesta inmune a los poliovirus se demuestra por la presencia de anticuerpos fijadores de complemento y neutralizantes en el suero, así como por la resistencia a la segunda inoculación. Anticuerpos del suero fijan el complemento en presencia de antígeno de cultivo de tejido, pero su especificidad puede superponer los serotipos del virus, debido en parte posiblemente a una respuesta de anticuerpo heterotípico anamnéstico. El anticuerpo fijador del complemento disminuye con bastante rapidez, desapareciendo en unos meses a dos años. El anticuerpo neutralizante puede valorarse en el mono, pero más fácilmente en cultivos de tejidos. La neutralización de los virus se manifiesta por ausencia de desarrollo citopatológico en los cultivos de tejidos, o por cambios de pH que señala el rojo de fenol incluido en el líquido del cultivo de tejidos. En contraste, el anticuerpo fijador de complemento perdura en cantidades demostrables durante años. Ambas clases de anticuerpos aparecen muy pronto en la enfermedad, pero si se toma a tiempo suero en fase aguda se puede demostrar un aumento en la concentración de anticuerpos en comparación con el suero de convaleciente tomado después de tres a cuatro semanas de enfermedad.

La presencia de anticuerpo sérico neutralizante significa buena inmunidad para la enfermedad. Como antes se indicó, la proporción de inviduos que muestran anticuerpo neutralizante aumenta notablemente con la edad, y la gran mayoría de los sueros en adultos contienen anticuerpos. En una época se pensó que esto representaba una inmunidad de "madurez"; pero en muchas otras enfermedades infecciosas de la niñez ahora está claro que la inmunidad es una respuesta específica a infecciones asintomáticas o abortivas repetidas, que no necesitan pasar de la etapa en tubo digestivo, o posiblemente la virémica, para inducir respuesta inmune. Como la infección con poliovirus es inicialmente de la mucosa del intestino y orofaríngea, el anticuerpo formado localmente, IgA secretor, se considera por muchos autores que desempeña un papel importante en la inmunidad de la enfermedad,[78, 107] pues evita la primera etapa de la infección. Esta respuesta de anticuerpo tiene duración limitada, pero una rápida respuesta inmune secundaria, la presencia de anticuerpo neutralizante en el suero, o ambos fenómenos juntos, impiden la infección inicial o su desarrollo a la etapa virémica respectivamente.

Aunque se han observado dos, o incluso tres crisis de poliomielitis en un mismo individuo, es probable, aunque difícil de demostrar en el hombre, que el segundo ataque esté causado por un virus diferente del de la infección anterior. Los monos recuperados de la enfermedad poseen sólida inmunidad contra la inoculación del mismo tipo de virus, pero no de tipos heterólogos, y es posible que esto también sea cierto en el hombre. La inmunidad activa adquirida naturalmente en el hombre probablemente sea una inmunidad para los tres tipos de poliovirus, continuamente reforzada por exposiciones repetidas y quizá con infección asintomática.

Profilaxia. La inmunidad profiláctica adquirida artificialmente puede ser de naturaleza pasiva o activa. En el primer caso los anticuerpos son los concentrados en la globulina gamma. Se ha demostrado que la inmunización pasiva es eficaz en los animales de experimentación, y en el hombre reduce el número de casos paralíticos a menos de la mitad, siempre y cuando la globulina se administre durante los primeros días del periodo de incubación,[53] pero la seroterapia es ineficaz para la enfermedad establecida. La inmunidad pasiva desaparece rápidamente y no es eficaz después de unas tres semanas.

Inmunización activa. Puede producirse por inoculación parenteral de vacuna inactivada, preparada de cultivos de tejido renal de mono, o por infección de cepas atenuadas de virus por vía bucal. Ambas clases de vacunas deben incluir los tres tipos inmunológicos del virus para proporcionar protección eficaz.

Vacunas inactivadas. Estas vacunas inactivadas con formol fueron preparadas por Salk [137] y se conocen como vacuna Salk. Esta clase de vacuna se sometió a pruebas extensas que comenzaron en 1954 y demostraron proporcionar inmunidad eficaz, señalada por una reducción de 70 a 80 por 100 en la frecuencia de la enfermedad paralítica cuando se empleó una serie de tres inoculaciones, y hay pruebas de que la enfermedad es menos grave en personas inoculadas, pero la inmunidad no es completamente eficaz. La preparación de una vacuna inactiva, pero inmunológicamente potente, es técnicamente compleja,[98] debido al efecto del formol sobre la antigenicidad. La inmunidad así producida se valora como anticuerpo protector sérico y probablemente dependa de la presencia de tal anticuerpo; es decir, tal inmunización no evita la infección alimentaria,[87] pero es eficaz para el estado de viremia y la diseminación hematógena de la infección.

Vacuna atenuada viva. Diversos investigadores han preparado cepas de virus atenuadas en su neurovirulencia, principalmente Sabin, Koprowski, y el grupo de Cox-Lederle, para uso como agentes inmunizantes. La estabilidad de tales cepas atenuadas, con respecto a su virulencia y características ha sido sometida a un estudio intenso,[149] y la probabilidad de que recuperen su neurovirulencia parece ser muy pequeña. Las vacunas preparadas de tales cepas pueden ser mono o bivalentes; se administran separadamente para evitar efectos de sobrecrecimiento, interferencia, o ambos; o pueden ser trivalentes, en cuyo caso basta con una sola dosis del preparado.

Estas vacunas se han probado en algunas localidades de Estados Unidos de Norteamérica donde la valoración de la prueba en gran escala se complicó por la inmunización anterior con la vacuna Salk, y en Inglaterra; otras pruebas en gran escala se han efectuado en otros lugares, especialmente en la Unión Soviética. Los resultados de tales pruebas han sido excelentes.[33, 112] Se ha comprobado que los anticuerpos neutralizantes persisten en el suero por lo menos durante cuatro años.[26]

Además del estímulo antigénico intenso que proporciona la proliferación de las cepas in vivo para dar una infección alimentaria y la consecuente necesidad de una sola inoculación bucal, en lugar de varias parenterales, tal inmunización difiere de la producida por el virus inactivado en dos aspectos significativos. Primero, la inmunización es contra la infección alimentaria y la inmunidad puede probarse inoculando virus atenuado. Esta clase de inmunidad tiende a disminuir, o prevenir eficazmente la diseminación del virus virulento. Segundo, la infección con virus atenuado tiende a diseminarse en la comunidad para inmunizar o reforzar la inmunidad de otros, y hay pruebas indicadoras de que los virus atenuados pueden desplazar a los virus virulentos en el tubo digestivo. Tal combinación de efectos tal vez explique la eficacia de la vacuna bucal atenuada, que detuvo en su iniciación una epidemia de poliomielitis en Berlín Occidental. La vacuna también produce inmunidad eficaz en el lactante; se ha señalado en el 75 por 100 en los recién nacidos, y el 95 por 100 en lactantes de tres a seis meses de edad. Consideraciones como estas han permitido a Sabin [135] sugerir que la poliomielitis puede hacerse desaparecer en áreas inmunizadas eficazmente.

ENCEFALOMIELITIS DEL RATON

En la década de 1930, una encefalomielitis del ratón, espontánea, causada por virus, se describió en Estados Unidos de Norteamérica por Theiler, en Alemania por Gildemeister y Ahlfeld, y en Japón por Iguchi; se caracteriza por una parálisis fláccida, semejante a la poliomielitis. La infección está muy diseminada en ratones de laboratorio. El virus se halla en el tubo digestivo y los ganglios linfáticos mesentéricos en la mayor parte de ratones de cuatro a seis semanas de edad, y es eliminado con las heces, pero no puede encontrarse a los seis meses, y los ratones quedan inmunes. La enfermedad puede transmitirse a ratones no infectados por inoculación intracerebral, intranasal o intraperitoneal. Después de la inoculación intracerebral se desarrolla una parálisis fláccida tras un periodo de incubación de cinco a 30 días, y la histopatología comprende infiltración perivascular en el sistema nervioso central y necrosis de las células ganglionares de las astas anteriores, seguida de neuronofagia.[90] Conejo y mono no son susceptibles, y en el criceto lactante, después de inoculación intracerebral ocurre infección asintomática.

El virus causal es inmunológicamente diferente de los poliovirus humanos, pero se parece a ellos, no solamente en la enfermedad producida, sino también por su pequeño tamaño, de 25 a 30 nm y en su resistencia al éter y la glicerina.[99] El virus original encontrado por Theiler se denomina virus de Theiler o virus TO. Otras dos cepas halladas posteriormente, las cepas FA y GD7, parecen menos difundidas. Hasta donde se sabe, estos virus no son patógenos para el hombre. Constituyen un artefacto para el estudio de virus en ratón; por ejemplo, las cepas de los poliovirus Lansing adaptadas a roedores se contaminaron con virus FA en ratón y se purificaron pasándolas por mono, que no es susceptible a dicho virus FA.

VIRUS TESCHEN
(Encefalomielitis porcina) [28]

Es una enfermedad de mortalidad elevada para el cerdo, caracterizada por parálisis fláccida ascendente, descrita en el distrito Teschen, de Checoslovaquia, como enfermedad Teschen; se difundió por Europa con diferentes nombres como enfermedad Talfan en Inglaterra, y poliomielitis suum en Dinamarca. No se sabe si existe en Estados Unidos de Norteamérica. El virus causante es menor que los poliovirus, de 10 a 15 nm de diámetro, e inmunológicamente no está relacionado con estos ni con muchos otros neurotropos que afectan al hombre. Solo el cerdo parece susceptible a la infección. La enfermedad es una encefalomielitis difusa que afecta corteza cerebral, cerebelo, tálamo, ganglios basales y células de las astas anteriores de la médula espinal, en notable contraste con la localización selectiva de las lesiones producidas por los poliovirus.

Virus Coxsackie[80, 100]

En 1948, Dalldorf y Sickles aislaron el primero de los virus que probó ser parte de un nuevo grupo. Los aislaron de un niño diagnosticado de poliomielitis, inoculando ratones recién nacidos. Al siguiente año Dalldorf aisló 10 cepas adicionales, y era palpable que unas cepas diferían de las otras. Virus similares fueron aislados posteriormente por muchos investigadores en diversas partes del mundo. Estos virus forman el grupo bastante heterogéneo conocido como virus Coxsackie,* o virus C.

Estos virus se han encontrado con mayor frecuencia en las heces y aguas negras, y también se han aislado de cuando en cuando de gargantas.[48] Se

han encontrado junto con poliovirus, y durante las epidemias de poliomielitis en personas no infectadas con estos. Aparecen más frecuentemente al final del verano y a principio del otoño; las infecciones parecen ser muy comunes, como lo demuestra la presencia de anticuerpos de todos los tipos inmunológicos de virus en conjuntos anticuerpos, como por ejemplo, la globulina gamma; se encuentra en el hombre tanto en personas sanas como enfermas.

Aunque de tamaño similar, de 15 a 35 nm, los virus Coxsackie son diferentes de los poliovirus en patogenicidad y carácter inmunológico. Son estables relativamente en un amplio margen de temperatura y de pH; en preparaciones conservadas cerca de la neutralidad son activos después de periodos prolongados a temperatura ambiente, y por lo menos 2

---

* Las primeras cepas fueron halladas en Coxsackie, Nueva York.

horas a pH extremos de 2.3 y 9.4. Son relativamente resistentes a substancias como alcohol, éter, glicerina y compuestos fenólicos, pero el formol al 0.3 por 100 es desinfectante eficaz.

La infección de monos y chimpancés por vía bucal les causa una fiebre pasajera; el virus se encuentra en las secreciones faríngeas y las heces; hay respuesta inmunológica específica, y algunas cepas pueden causar daño a las neuronas por inoculación intracerebral. De los animales experimentales más comunes, solo el ratón recién nacido y el criceto son susceptibles a la infección, aunque algunas cepas a veces infectan al ratón adulto y causan pancreatitis. El limitado número de huéspedes es característico de los virus Coxsackie, pero no se distinguen de ciertos virus como los Sinbis y los del dengue (capítulo 39), así como de ciertas cepas de virus ECHO conservadas con pasos en cultivo de tejidos (véase luego).

Tipos de virus. Estos virus se separan en dos grupos, designados A y B, según su patogenicidad para los ratones recién nacidos, su capacidad para crecer en cultivo de tejidos, y los tipos inmunológicos dentro de estos grupos. El efecto característico de los virus del grupo A en los ratones recién nacidos es una lesión degenerativa de músculo estriado sin causar daño a otros tejidos. Ratones infectados muestran una debilidad generalizada, se desarrolla parálisis fláccida y mueren tres o cuatro días después de la inoculación. En la autopsia los músculos esqueléticos se muestran firmes y blancos, y al microscopio se observa degeneración hialina.

En contraste, la infección con virus del grupo B provoca, característicamente, lesiones del sistema

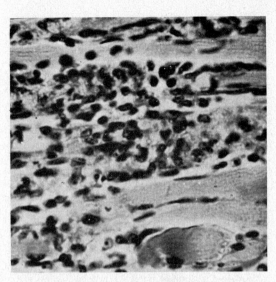

FIG. 38-4. Lesión en músculo estriado de un ratón infectado con virus Coxsackie. Se observan dos tubos sarcolémicos con gran número de fagocitos mononucleares y restos de material hialino dentro de las vainas de sarcolema. Es manifiesta la participación segmentaria bien delimitada. × 500. (Godman, Bunting y Melnick, Amer. J. Pathol.)

nervioso central con leptomeningitis focal e infiltración linfocítica perivascular, necrosis del tejido acinoso del páncreas, hepatitis, y esteatitis necrosante de los acúmulos grasos cefálico, cervical e interescapular, y algunas cepas producen lesiones focales en los músculos, especialmente después de inoculación intraperitoneal. La presencia y número de estas lesiones varían de una cepa a otra de virus, y también según la edad del ratón. Contracciones tónicas irregulares de los músculos antes de la muerte pueden causar síntomas de lo que en el idioma inglés se denomina "rolling disease" parecida a la que causan algunos de los organismos de tipo de la pleuroneumonía (capítulo 26). Puede requerirse el paso en ratones lactantes antes que el cuadro patológico sea característico, y la distinción entre los grupos A y B no es necesariamente clara, por las variaciones en la patogenicidad de las cepas virales.

Hay también diferencia entre los dos grupos de virus Coxsackie con respecto a su crecimiento en cultivo de tejidos. Los del grupo A, por lo general no son cultivables en tejidos, pero el tipo A9 es una excepción; crece en cultivo de tejido renal de mono, y también en otros cultivos de tejido. Frecuentemente se ha aislado por estos métodos. Algunas cepas de tipo A9 aisladas en cultivo de tejidos han resultado no patógenas para el ratón muy joven, pareciéndose en esto a los virus ECHO. Algunos grupos de virus B se cultivan en diversas clases de cultivos de tejido, pero hay irregularidad en el grado de susceptibilidad. El cultivo de tejido renal de mono, preparado por capa única, es de los más satisfactorios para los virus B, pues produce efectos citopatógenos.

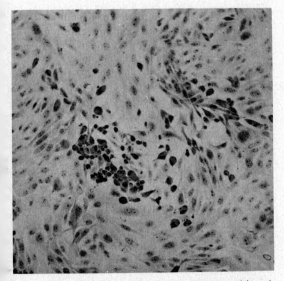

FIG. 38-3. Virus Coxsackie de tipo B2 en cultivo de células epiteliales de riñón de mono. Hay zonas focales de citopatología producida 24 horas después de inocular el virus; las células afectadas son redondeadas, contienen medias lunas, núcleos picnóticos y el citoplasma muestra intensa coloración eosinófila. (Enders: Ann. Intern. Med.)

Estos virus también son inmunológicamente heterogéneos, y aunque puede haber cierta superposición, no parece haber antigenicidad común para unir estos virus en un grupo. Son inmunológicamente bastante distintos. Del grupo A se han definido un total de 23 serotipos específicos y seis serotipos del grupo B; no hay duda que continuarán describiéndose otros serotipos. A estos serotipos se les han asignado arbitrariamente números como A1, A2, etc., y B1, B2, etcétera.

Los tipos se separan por pruebas de fijación de complemento y por neutralización y protección, básicamente con los mismos resultados. El tejido muscular infectado se usa para preparar antígenos inmunizantes y fijadores de complemento, y la purificación parcial de tejidos desechos puede efectuarse por centrifugación. El anticuerpo protector se demuestra por la técnica de neutralización, pero el ratón recién nacido no puede ser inmunizado activamente y después puesto a prueba debido a que aparece muy pronto resistencia natural a la infección. En el ratón lactante nacido y amamantado de madres con inmunización activa, se presenta una inmunidad pasiva eficaz.

La protección conferida por la inmunidad activa se demuestra en el chimpancé como inmunidad a la inoculación.

La enfermedad en el hombre. Como se indicó anteriormente, la serología demuestra gran frecuencia de infección humana con virus Coxsackie, que se han asociado con enfermedades humanas, y se han encontrado en personas sanas. Su asociación con poliomielitis parece ser meramente fortuita, y los intentos por demostrar el efecto potenciador de la poliomielitis por virus Coxsackie han sido negativos. De hecho, hay interferencia entre algunas cepas de grupo B y poliovirus en los cultivos de tejido, por lo que se ha sugerido que la infección con virus Coxsackie puede, ocasionalmente, tener tendencia a eliminar la infección de poliovirus.

Hay algunas entidades clínicas, con las cuales los virus Coxsackie se han hallado en relación estrecha, quizá etiológica. Estas son: faringitis febril, herpangina, pleurodinia epidémica, algunos casos de meningitis aséptica, y, posiblemente, miocarditis. Los virus Coe, aislados originalmente de enfermedades leves de vías respiratorias altas se ha encontrado que corresponden a Coxsackie A21.[141]

Herpangina. Es una enfermedad febril, observada comúnmente en niños, que se presenta en forma epidémica o esporádica en muchas partes del mundo. Son frecuentes los vómitos y el dolor abdominal; la lesión característica es una vesícula pequeña, semejante a la del herpes que se abre para dejar una úlcera superficial. Estas lesiones se presentan en el borde del paladar blando, amígdala, faringe y pilares anteriores. La recuperación normalmente es rápida y completa, en dos a tres días. Se han aislado virus Coxsackie del 84 por 100 de casos examinados de herpangina, y han demostrado ser los más

frecuentes, aunque no exclusivos, seis serotipos: A2, A4, A5, A6, A8, y A10.

Hay pruebas circunstanciales y otras, como la infección experimental, que indican que los virus del grupo A pueden producir faringitis febril, especialmente en verano, sin la lesión típica de herpangina, causando la enfermedad llamada a veces fiebre de tres días o gripe de verano. Cuando la infección toma esta forma y se presenta durante epidemia de poliomielitis, puede ser diagnosticada de poliomielitis abortiva. Investigadores rusos, por ejemplo, han señalado un nuevo tipo de poliovirus, tipo 4, que posteriormente se demostró correspondía al virus Coxsackie de tipo A7.[64, 158] Se han observado casos más graves de la enfermedad en los cuales la herpangina estaba acompañada de parotiditis.[65]

Pleurodinia epidémica.[8] Esta enfermedad se observó por primera vez en Bornholm, Dinamarca, en 1930; se conoce como enfermedad de Bornholm, mialgia epidémica y "gripe del diablo". Tiende a presentarse en forma epidémica, con mayor frecuencia al final del verano. El periodo de incubación es de dos a cuatro días, el comienzo es repentino; la enfermedad se caracteriza por dolor agudo en pared torácica, abdomen y región inferior de la espalda, acompañado comúnmente de dolor de cabeza, pero no hay síntomas respiratorios ni generales. El dolor es paroxístico, durante un día o más, y los músculos son sensibles a la presión. Hay tendencia a recaer a los pocos días, o más, y pueden presentarse afecciones meníngeas y orquitis. En muchas epidemias estudiadas se han aislado, de la garganta y de las heces, cepas de virus Coxsackie grupo B; se observa aumento del título de anticuerpos contra los virus aislados, por lo que parece probable que estos virus sean las causa de la enfermedad.

Meningitis aséptica. Es un síndrome clínico, más que etiológico, que puede presentarse en forma epidémica.[132, 150] Normalmente es moderada, con signos y síntomas que indican afección de meninges; de ordinario, fiebre, dolor de cabeza, náuseas, dolor en el abdomen y rigidez de cuello o espalda. Puede presentarse pleocitosis en líquido cefalorraquídeo, hasta de 100 células por mm^3. La enfermedad puede ser causada por diversos agentes no bacterianos, entre los que se pueden incluir virus Coxsackie. Algunos virus del grupo B, incluyendo los serotipos B1, B2, B3 y B4, y uno del grupo A, el A9, que se separa de los otros virus del grupo A, porque, como se mencionó antes, se puede cultivar en tejido renal de mono, se han aislado de las heces y del líquido cefalorraquídeo. En el suero hay anticuerpo neutralizante para el virus aislado, y, asimismo, es bastante probable que una parte de los casos de meningitis aséptica sean infecciones por virus Coxsackie.

Miocarditis.[88] En los años últimos se han descrito casos de miocarditis en niños recién nacidos, de diversas partes del mundo. En unos cuantos se ha informado el aislamiento de virus Coxsackie del grupo B, incluso del miocardio y la médula espinal enfermos. En este caso, un recién nacido enfermo al tercer día, después de cesárea, y muerto al séptimo día, presentaba virus de serotipo B3, y las circunstancias sugerían que la infección había sido intrauterina.

Virus huérfanos entéricos[68]

Con el desarrollo de métodos generalmente aplicables y prácticos para aislar poliovirus del tubo digestivo en cultivo de tejido, se han hecho muchos aislamientos de otros agentes citopatógenos, además de los poliovirus. Estos virus no se habían descrito antes; mientras algunos se han hallado en casos de poliomielitis, frecuentemente diagnosticada como no paralítica, en otros casos no hay asociación específica con ninguna enfermedad, y se llaman virus huérfanos. Los aislados del hombre se denominan ECHO, o virus huérfanos humanos entéricos citopatógenos (en inglés, *enteric cytopathogenic human orphan, viruses);* los aislados de mono, virus ECMO; los de ganado bovino, virus ECBO; los de cerdo, virus ECSO. De perro se han aislado virus similares, que pueden constituir otro grupo, los virus ECDO. De todos ellos los virus ECHO han sido los de mayor interés, y, una vez caracterizados, algunos al menos han sido encontrados acompañando, y posiblemente causando, la enfermedad humana.

VIRUS ECHO [47]

Estos virus son similares a los poliovirus y virus Coxsackie en tamaño, aproximadamente de 30 nm de diámetro, con excepción del ECHO de tipo 10, que se ha señalado es de 60 a 90 nm de diámetro. Se distinguen por el número de huéspedes y por la patogenicidad manifestada en el cultivo de tejidos; también por la morfología de placas en cultivos de capa única, y por la separación en tipos antigénicos. Algunos, aunque no todos, forman hemaglutininas[24] y así están relacionados con los otros, pero no parecen estarlo con los virus de la influenza y otros mixovirus.

Cultivo. En general, los virus ECHO crecen más fácilmente al primer aislamiento en cultivo de tejido renal de mono que en cultivo de células HeLa. Esto contrasta con los adenovirus, generalmente más fáciles de aislar en cultivo de células HeLa. Muchas cepas de virus ECHO han crecido en células HeLa, apareciendo efectos citopatógenos y antígeno fijador del complemento en el líquido de cultivo, pero la concentración de virus no es tan grande como la que se logra en cultivo de tejido renal de mono.[5]

Morfología de las placas. Se ha estudiado en detalle el crecimiento en tejido renal de diversas especies de monos,[66, 67] así como la susceptibilidad comparativa de las células a los virus ECHO, Coxsackie y poliovirus, valorados según la velocidad de desarrollo y la morfología de las placas producidas en los cultivos de capa única. Se recordará que la susceptibilidad de la célula huésped y la morfología de las placas se han establecido como características diferenciales válidas, regidas hereditaria y genéticamente, en el caso de los virus bacterianos (capítulos 2 y 7), y pueden ser consideradas análogas a la morfología de las pústulas producidas en la membrana corioalantoidea por virus de viruela, y a la morfología de colonias bacterianas en medios diferenciales. De las diferentes especies de monos estudiadas, el tejido renal de dos, rhesus y patas (*Erythocebus patus,* el mono del pasto rojo africano), ha sido de gran valor diferencial.

En capa única de células de rhesus, los poliovirus producen placas circulares con centros claros y bordes finos, como ilustra la figura 38-5. Las placas formadas por virus Coxsackie de grupos B y A9, cultivados en tejidos, se desarrollan más lentamente y los bordes no son tan finos debido a la persisten-

Diferenciación de virus entéricos en cultivo de tejido

Virus		Serotipo	Morfología de las placas	Formación de placas	
				Células de rhesus	*Células de E. patus*
Poliomielitis		1, 2, 3	Grandes, circulares, de límites netos	+	+
Coxsackie	B	1, 2, 3, 4, 5	Grandes, circulares, de bordes difusos;		
	A	9	desarrollo lento	+	−
ECHO	A	1, 3, 4, 6′, 9, 11, 13, 14	Dimensiones medias o pequeñas, irregulares, desarrollo lento	+	−
	B	7, 8, 12	Grandes, circulares	+	+

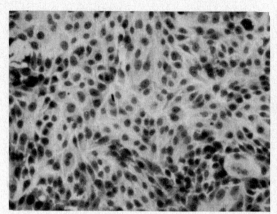
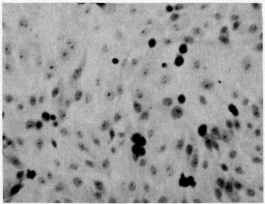

FIG. 38-5. Efecto citopatógeno de virus ECHO de tipo 1 en cultivo de células epiteliales de riñón de mono. *Izquierda,* Cultivo de células de seis días, sin inocular; *derecha,* 24 horas después de inocular el virus se observan unas cuantas células redondeadas, dispersas por todo el campo. Fijación Carnoy, hematoxilina y eosina. (Melnick: Adv. Virol.)

cia de células vivas en la periferia. Los virus ECHO, productores de placa, se separan en dos grupos. Uno, designado grupo A, contiene los serotipos 1, 3, 4, 6', 9, 11, 13 y 14, desarrolla lentamente placas irregulares de tamaño pequeño o mediano; el grupo B, que incluye los serotipos 7, 8 y 12, produce placas circulares grandes. La susceptibilidad de las dos clases de cultivo de capa única en tejido renal también es diferencial. Los poliovirus, y el grupo B de virus ECHO, forman placas en ambas clases de células, pero los virus Coxsackie, y el grupo A de virus ECHO forman placas en cultivo de células de rhesus, pero no de células de patas. Hay otra susceptibilidad diferencial dentro de los virus ECHO; los serotipos 2, 5 y 6 no producen placas en ningún tipo de células, y son citopatógenos para las células de rhesus, pero no para las células de patas, en tubos de cultivo con líquido sobrenadante.

Tipos antigénicos. Los virus ECHO se separan en serotipos por pruebas cruzadas de neutralización en cultivo de tejidos, usando antisueros estándar para su identificación.[76] La prueba se hace estrictamente específica valorando la dosis 50 por 100 de cultivo de tejido, la TCD_{50}, y las cepas prototipos se han numerado arbitrariamente.

Siguen describiéndose nuevos serotipos, para dar un total de 33 en 1965. Estos pueden describirse con otros nombres, y más tarde atribuirse al grupo ECHO. Por ejemplo, los virus JV [129] se consideran virus ECHO, y la cepa JV-4 se considera ECHO-25; la cepa de Puerto Rico PR-10 es ECHO 32; [21] y la descrita originalmente como Toluca-3 es ECHO 33.[128] Análogamente, los virus respiratorios JH y 2060 más tarde se denominaron ECHO 28, y posteriormente se atribuyeron al grupo nuevamente descrito de rinovirus (ver luego) y se consideró que representaban el tipo 1 de este grupo.

Las cepas comprendidas dentro de un serotipo no son necesariamente idénticas desde el punto de vista antigénico; las que poseen mayor antigenicidad que la cepa prototipo han sido llamadas cepas primas. En este aspecto se han estudiado las cepas comprendidas en el tipo 6; las designadas 6' y 6'' se han encontrado con mayor antigenicidad específica que la cepa 6. Hay reacciones cruzadas entre los tipos 1, 8 y 12; el antisuero ECHO 4 neutraliza el adenovirus 8, y los Coxsackie B4 se neutralizan por antisueros de diferentes tipos ECHO.

Patogenicidad.[138] En general, los virus ECHO se separan de los Coxsackie por no ser patógenos para el ratón lactante, aunque, como se mencionó antes, las cepas Coxsackie a veces no son patógenas para el ratón recién nacido, al primer aislamiento. Aunque originalmente se aislaron en ausencia, real o aparente, de enfermedad específica, ciertos virus ECHO se han hallado asociados con enfermedades humanas, especialmente meningitis aséptica.

Los tipos 4, 5, 6, 9 y 16 se han hallado repetidamente en casos de meningitis aséptica en ausencia de otros agentes causales, y los tipos 5, 6 y 9 se han aislado del líquido cefalorraquídeo.[96, 121] Una epidemia de meningitis aséptica se presentó en Europa en 1955 y 1956, y se extendió a Estados Unidos de Norteamérica al año siguiente; el tipo 9 parecía ser el agente etiológico. Las cepas de virus halladas parecían ser variantes de la cepa prototipo. Las infecciones asociadas con el tipo 9, y también los tipos 4 y 16, se han caracterizado frecuentemente por la aparición de un exantema. El síndrome de pleurodinia epidémica, asociado generalmente con infección por virus Coxsackie, también se ha comprobado que depende de infección con virus ECHO de tipo 1.[93] En vista de esta asociación con la meningitis aséptica, la posición del tipo 9 tiene interés; ciertas cepas aparentemente más virulentas, por ejemplo las aisladas de líquido cefalorraquídeo se ha comprobado que se vuelven patógenas para el ratón recién nacido después de su paso por cultivo de tejidos, produciendo miositis y parálisis, y cabe considerarlas como un virus Coxsackie de tipo

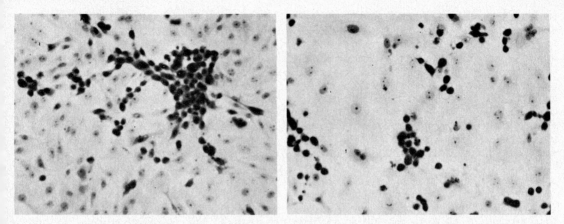

FIG. 38.6. Efecto citopatógeno de virus ECHO de tipo 1 en cultivo de células epiteliales de riñón de mono. *Izquierda,* 66 horas después de inocular el virus; *derecha,* 90 horas después de inocular el virus. A las 66 horas hay focos de células redondeadas teñidas intensamente e infectadas, dispuestas sobre la capa de células. A las 90 horas muchas células infectadas se han desprendido del vidrio; casi todas las que quedan son redondeadas por la infección de virus, pero todavía se observan algunas de aspecto normal. Fijación Carnoy, hematoxilina y eosina. (Melnick: Adv. Virol.)

REOVIRUS [47, 146]

Como hemos dicho antes, los virus de tipo ECHO se separan de otros virus del mismo grupo por cuanto son considerablemente mayores, y las cepas de este virus se han denominado como grupo separado, los reovirus; el nombre se refiere al origen respiratorio y entérico. Forma hemaglutininas para los hematíes O humanos pero no para los de pollo, cobayo, bovinos u ovinos; los eritrocitos receptores no se afectan por la RDE (enzima destructora del receptor), pero se destruyen por tratamiento con peryodato. Hay un efecto citopático distintivo en cultivo de tejido renal de mono, con degeneración granulosa de las células dejando intacto el núcleo, y existen cuerpos de inclusión citoplásmica. Otras características, al parecer únicas, del grupo reovirus incluyen su contenido de RNA doble tira que se fragmenta fácilmente en uniones débiles, una afi-nidad estrecha por el aparato mitótico de aquellas células, y un aumento de infecciosidad cuando se suprime in vitro la capa externa o cápside.[145] Otros virus de RNA de doble tira se han descrito, incluyendo los de huéspedes tan diversos como el virus del tumor de las heridas de las plantas, el virus del arroz enano, los virus de la enfermedad del caballo africano, y la lengua negra de la oveja, y el virus de la fiebre de garrapatas del Colorado, considerado hasta aquí como un arbovirus. Este grupo merece particular interés por los problemas que se plantean de duplicación del RNA de la doble tira.[142] Se considera por algunos investigadores que difieren suficientemente de otros virus para estar justificada su inclusión en un nuevo grupo de virus, los diplornavirus.[156]

Las cepas de este grupo contienen un antígeno fijador de complemento común, o específico de grupo, y se separan en serotipos por las pruebas de

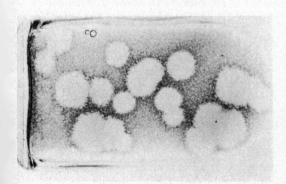
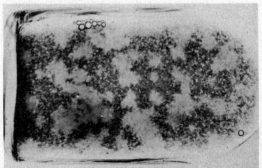

FIG. 38-7. Los tipos de placas producidas por poliovirus de tipo 3 *(izquierda)* y de virus ECHO de tipo 6 *(derecha)* en cultivos de capa única de tejido de riñón de mono. (Hsuing y Melnick, Virology.)

neutralización y de hemaglutinación-inhibición. Se distinguen tres serotipos. El tipo 1 consta de la cepa Lang, como prototipo, hallada en niños sanos, e incluye el virus de simio SV-12, y otras cepas aisladas de niños con enfermedades de vías respiratorias superiores. El tipo 2 incluye la cepa D5, como prototipo, hallada en un niño con diarrea, junto con cepas de simio y otras de origen humano. Se han señalado dos cepas como prototipo del tipo 3; una, la cepa Dearing, proveniente de un niño con diarrea; la otra, cepa Abney, aislada de un niño con enfermedad respiratoria alta febril y, posteriormente, de niños en guarderías. Estudios serológicos han demostrado que la infección humana, subclínica o asociada con síntomas respiratorios, puede ser bastante frecuente; el 60 al 70 por 100 de los niños presentan anticuerpo (inhibición de hemaglutinación) a la edad de 10 años, y el 70 a 80 por 100 de las personas presentan anticuerpo en todos los grupos de edades.[86, 151]

Las cepas de tipo 3 también se han aislado de ganado.

Los tipos 2 y 3 se han hallado en los ratones de laboratorio y los silvestres, respectivamente. Experimentalmente pueden infectarse ratones recién nacidos, produciendo algunas cepas la enfermedad clínica.

VIRUS HUERFANOS ENTERICOS DE ANIMALES INFERIORES [75]

Antes se mencionó que se han encontrado en animales inferiores, inclusive monos, ganado bovino y cerdos, virus análogos a los ECHO. Los virus de simio han merecido máximo interés ya que se encontraron en el intestino [29] y en tejido renal de mono aparentemente sano,[69] usado para cultivo de virus de poliomielitis y otros. Se ha examinado un número considerable de cepas de simio según morfología de sus placas, en cultivo de tejido renal de monos rhesus y patas, así como para especificidad antigénica. En relación con lo primero, se separan en tres grupos: grupo A, caracterizado por el desarrollo lento de placas pequeñas en cultivos de rhesus y patas; el grupo B consta de cepas formadoras de placas circulares grandes en ambos cultivos, de rhesus y patas, en los cuales se hallan islotes de células no afectadas; las cepas del grupo C producen placas en los cultivos de rhesus similares a las del grupo B, pero no en cultivos de patas. La diferenciación según la morfología de las placas no corresponde necesariamente a diferencias antigénicas, y se observa neutralización cruzada entre tipos de placas. Hasta donde sepamos, estos virus, del grupo ECMO, no son patógenos para el mono.

Virus de la encefalomiocarditis

Los virus de la encefalomiocarditis, o EMC, están representados por diversas cepas que parecen substancialmente iguales. El primero que se aisló, el virus Columbia SK, se encontró en 1940 en un mono que se había inoculado con la cepa Yale SK de virus de poliomielitis, pero es claramente diferente, tanto en antigenicidad como en patogenicidad, de estos virus. El virus MM se aisló en 1943 del cerebro de un criceto que se había inoculado con material de un caso humano de enfermedad paralítica. Estas dos cepas se consideraron al mismo tiempo como "virus de poliomielitis de ratón" o variedades murinas de virus de polio, pero ahora está claro que no es así. La cepa llamada virus EMC se aisló en 1945 de un chimpancé cautivo en Florida que había muerto de endocarditis aguda complicada con mielitis. El virus Mengo se aisló en 1948 de un mono cautivo en Uganda, más tarde de mosquitos (*Taeniorrhynchus fuscopennatus*) y una mangosta en la misma región. También se ha encontrado como agente causal de una epizootia de los puercos en Panamá.[105]

Estos virus son virus RNA resistentes al éter, de unas 25 nm de diámetro, y quedan incluidos en el subgrupo enterovirus de los picornavirus. Forman hemaglutinina,[35] y, si bien antigénicamente guardan relación estrecha, pueden demostrarse diferencias de cepa por la reacción de HI. También hay diferencias entre las cepas por la morfología de las placas.[42]

Se pueden infectar diversos animales de experimentación para producir una enfermedad que varía desde un cuadro grave mortal hasta una infección inadvertida, según la especie y la edad del animal.[2, 81] En el ratón, criceto y rata algodonera se produce una enfermedad rápidamente mortal, variando la gravedad en el cobayo y mono rhesus; en el conejo y la rata blanca solo una infección inaparente con reacción febril pasajera. En animales de experimentación el virus es pantrópico; está en la sangre y ampliamente diseminado en los tejidos, incluso el sistema nervioso central. En el músculo esquelético y cardiaco se producen alteraciones degenerativas e inflamatorias; las lesiones en el sistema nervioso central son de polioencefalitis, con congestión, infiltración linfocítica, y áreas focales de necrosis en las capas de células de Purkinje y granulosa. Se han descrito variantes que difieren por sus propiedades miocardiotropas y neurotropas.[34]

El virus es cultivable en embrión de pollo, matándolo en tres o cuatro días. En cultivo de tejido muscular de ratón produce un efecto citopático característico, con destrucción esencialmente completa en 72 horas.[27] Puede cultivarse también en HeLa y en otras líneas celulares.

Enfermedad en el hombre. La infección humana con virus EMC se ha observado en varias ocasiones; también hay la demostración serológica de infección en el hombre y animales inferiores. Poco después de aislarlo, una persona del laboratorio se infectó con virus Mengo, presentando una meningoencefalitis de corta duración, seguida de recuperación rápida. El virus también se aisló en Alemania de cuatro niños que presentaron una afección indefinida, con signos de invasión meníngea. En 1945 y 1946 ocurrió en Manila entre el personal militar norteamericano una enfermedad febril leve, llamada fiebre de tres días, en la cual la serología demostró que era una infección con este virus. En estos casos el periodo febril duró solo dos a tres días; en algunos hubo síntomas encefalíticos leves, la recuperación fue rápida y sin secuelas, y no hubo señal de afección cardiaca.

En el hombre y en monos se ha observado la presencia de anticuerpo neutralizante en estudios serológicos en Uganda y Tangañica, tal vez con 3 a 4 por 100 de sueros humanos positivos.[10] En Estados Unidos de Norteamérica se ha encontrado con cierta frecuencia el anticuerpo en sueros humanos. De una serie de 300 sueros examinados, se encontraron nueve con anticuerpo; de estos nueve positivos, tres eran de convalecientes de una enfermedad diagnosticada como meningitis aséptica leve, y cinco de pacientes diagnosticados como poliomielitis no paralítica.[159] En otro grupo de sueros se observó una frecuencia mayor aún; se encontró que el 21 por 100 de los sueros de convalecientes de poliomielitis y 16 por 100 de los sueros "normales" contenían anticuerpo para virus EMC.[73] También se ha encontrado que el 18 por 100 de los sueros de rata examinados contenían anticuerpo. La presencia del virus en Sudamérica se ha demostrado porque se ha aislado de un mono, *Aotus trivirgatus,* en Colombia, y por la presencia de anticuerpo en el hombre en Perú,[72] y en Panamá.[36] Los monos pueden infectarse alimentándolos con virus de cerebro de ratón, pero en general se acepta que el virus EMC infecta roedores y es transmisible al hombre y monos por mosquitos, posiblemente también en otras formas.

Virus del resfriado común [4, 63, 152]

El síndrome clínico que caracteriza la enfermedad respiratoria de vías altas denominada resfriado común se funde imperceptiblemente con el de la enfermedad respiratoria aguda que, como se señala en otro lugar (cap. 37), tiene etiología diversa. Una enfermedad ligera resultante de infección con virus de parainfluenza, virus sinciciales respiratorios, y adenovirus (ver luego) quizá no pueda distinguirse del resfriado común. De todas maneras, el resfriado común parece estar causado más frecuentemente por virus del grupo picornavirus, que forman un subgrupo separable de los enterovirus.

Rinovirus.[55] Los primeros de estos virus en ser descritos fueron los de tipo JH y 2060 que, como señalamos antes, más tarde se incluyeron en el grupo ECHO como serotipo ECHO 28. Muy similares, pero antigénicamente distintos, se aislaron virus en Inglaterra, en la Unidad de Investigaciones del Resfriado Común, Salisbury, y se catalogaron como agentes Salisbury en Estados Unidos de Norteamérica, por Hilleman y col., de Pensilvania, quienes los llamaron corizavirus en los Institutos Nacionales de Sanidad, y en la Universidad de Chicago.

Durante un tiempo estos virus se conocieron como ERC (ECHO-*r*hino-*c*oryza) y como murivirus (*m*ild *u*pper *r*espiratory *i*llness) (enfermedad respiratoria alta ligera). El término rinovirus fue propuesto internacionalmente y en la actualidad se acepta en general para este grupo. Hay también acuerdo general en cuanto a la identificación de los serotipos que constituyen el grupo por números basados en la cronología de la descripción.[124] Hasta 1970 se habían establecido 90 serotipos que tenían números atribuidos; de ellos, el virus JH-2060-ECHO-28 es el rinovirus 1.

Estos virus son virus RNA estables al éter, con partículas de 15 a 30 nm, características del grupo picornavirus. Como subgrupo son separables de los virus del subgrupo enterovirus por su labilidad ante los ácidos (pH de 3 a 5 durante una a tres horas) y su relativa termoestabilidad a 50°C, que aumenta con M $MgCl_2$.[39] Algunos solo pueden cultivarse en células humanas (células diploides o riñón de embrión), otros también en riñón de mono y otros tipos de cultivos celulares, con efecto citopatógeno manifiesto en forma de aparición de células refringentes ovoides. Se separan en dos tipos por este motivo: el tipo H, cultivable solamente en cultivos de tejidos humanos, y el tipo M que crece en cultivos de células de monos y otras. En general el crecimiento es mejor en tubo de ensayo rotatorio que en cultivos inmóviles, y ocurre a 33°C. El crecimiento de estos virus en tejido de tráquea de embrión humano, u órgano de embrión humano, crece más rápidamente que en otros tipos de cultivo de tejidos. El anticuerpo neutralizante se titula en el cultivo celular.

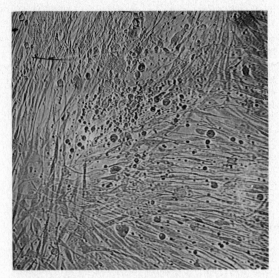

FIG. 38-8. Efecto citopático producido por rinovirus de tipo 2 en un cultivo de la cepa W38 de células humanas diploides. Sin teñir. (Hamre.)

Poder patógeno. Las encuestas serológicas han demostrado que hay anticuerpo neutralizante en sueros humanos en todo el mundo, pero no se encuentra anticuerpo neutralizante en sueros de animales inferiores. Probablemente el reservorio de infección con las cepas que se descubren en el hombre solo exista precisamente en el hombre, pero se han descrito rinovirus bovinos y equinos.[40] Estos últimos ocurren por lo menos en dos serotipos e infectan al hombre en poblaciones en peligro, como por ejemplo en personal de establos.[118]

La significación de los rinovirus humanos en la etiología del resfriado común ha sido demostrada por diversos estudios basados en identificación y aislamiento del virus asociado. El espectro de virus difiere entre lactantes y niños muy pequeños, de una parte, y adultos de otra; los virus de parainfluenza, los virus sincitiales respiratorios y otros mixovirus alcanzan mayor importancia en los primeros.[30, 37] En un estudio,[60] se descubrieron rinovirus en 4.8 por 100 de los niños y 14.2 por 100 de los adultos; en otro,[54] en 5 por 100 y 10 por 100 respectivamente. Se han obtenido resultados similares, de 17 por 100 de aislamientos positivos, con estudiantes de secundaria,[116] para un buen acuerdo con la cifra media de 15 por 100 en los adultos. La predominancia de los rinovirus también se comprobó en otro estudio de estudiantes de secundaria durante un periodo de cuatro años, en el cual el 80 por 100 de los aislamientos totales eran de rinovirus de 50 tipos serológicos, y muchos (15 por 100) eran mixovirus.[56]

El no lograr una proporción mayor de aislamientos positivos en casos de enfermedad clínicamente manifiesta se ha atribuido a la relativa insensibilidad de los métodos de cultivo, o a la aparición de otros virus hasta aquí desconocidos, que no pueden obtenerse con los métodos utilizados. En apoyo de la primera idea están las proporciones elevadas, casi el doble, de aislamientos positivos cuando se utiliza como tejido de cultivo la tráquea humana.[153]

Es probable que la virulencia de los rinovirus no sea grande, y que la mayor parte de adultos tengan cierto grado de inmunidad parcial, según indican las encuestas serológicas. Los estudios sobre aparición y respuesta inmune a los rinovirus 1 y 2 en una población militar durante un periodo de 24 semanas (enero a junio)[71] ha demostrado que ambos virus estaban presentes durante cinco de las semanas, y uno u otro durante 16 semanas, con proporciones de aislamiento de 12 por 100. La frecuencia de aislamientos positivos en individuos con título elevado de anticuerpo solo fue el 20 por 100 de la que se observó en las personas que no tenían anticuerpo. Probablemente los virus respiratorios, incluyendo los rinovirus, persistan con bajo nivel de infección, y se desarrolle la enfermedad clínica en gran parte por situaciones de alarma e insultos no específicos.[3]

Coronavirus. Hamre y Procknow han descrito un nuevo grupo de virus respiratorios humanos cuya presentación estacional difería de la que corresponde a los rinovirus. Las partículas de virus se caracterizan morfológicamente por su forma, proyecciones a modo de pétalos en la superficie, y se han denominado coronavirus. La cepa prototipo se ha denominado Hamre 229E. Este grupo de virus incluye también el virus de la bronquitis infecciosa aviaria (IBV) y el virus de la hepatitis del ratón; en un tiempo se denominó virus de tipo IBV. Son virus RNA sensibles al éter, con un diámetro de partícula de 80 a 120 nm. Se aíslan fácilmente en cultivos de órgano traqueal,[94] pero también pueden crecer en otros tipos de cultivos de tejido de órganos.[19, 77] Su capacidad para producir el resfriado común se ha comprobado en voluntarios humanos.[20]

Inmunidad. Según dijimos, hay relación entre los anticuerpos preexistentes y la resistencia al desarrollo de enfermedad. La inmunización con virus vacunal, por vía intramuscular, seguida de siembra intranasal, de un pequeño número de personas, ha demostrado una disminución aproximadamente a la décima parte de los resfriados en el grupo vacunado, comparado con el número de resfriados del grupo control.[123] Otros estudios sobre el efecto de la respuesta de anticuerpo natural, provocado por vacuna o por la infección, ha demostrado una correlación bastante aproximada entre los valores de anticuerpo sérico, la aparición de enfermedad, y su gravedad después de inoculación,[25] aunque se observaron ciertas irregularidades. También se ha observado, en general, que el virus se aísla menos frecuentemente de personas que tienen anticuerpos séricos, y tales personas tienden a llevar y diseminar menos frecuentemente el virus. Está comprobado casi seguramente que la inmunidad es función de la presencia de un anticuerpo activo IgA en las secreciones nasales,[115] de las cuales el anticuerpo sérico puede ser un reflejo. Aunque parece claro que se produce un grado apreciable de inmunidad para un virus de serotipo determinado, y que puede producirse por inmunización, dada la multiplicidad de serotipo de rinovirus —más de 40 descubiertos en un estudio y 50 en otro— la eficacia práctica de la inmunización profiláctica para el resfriado común, como enfermedad, sigue siendo hasta la fecha algo incierta.

Glosopeda[7]

La glosopeda es una enfermedad espontánea, muy contagiosa, de los animales de pezuña hendida, fundamentalmente reses, cerdo, carnero y cabra, y que ocasionalmente infecta al hombre. Se caracteriza por erupción vesicular de labios, cavidad bucal, faringe y extremidades, pero el virus causal no parece guardar ninguna relación con los virus del herpes.

El virus se halla en el líquido vesicular en fase temprana de la enfermedad; también puede encontrarse en sangre, saliva, orina y leche, pero desaparece en plazo de tres a cinco días de las lesiones locales y la sangre. Esta fue la primera enfermedad animal que se demostró causada por un virus, por Löffler y Frosch en 1897. El virus es RNA, resistente al éter, de 22 a 23 nm de diámetro, y se considera un miembro del grupo picornavirus. Como los rinovirus, difiere del subgrupo de los enterovirus por su relativa inestabilidad en medios ácidos y algunos autores lo consideran un rinovirus bovino.

Se ha logrado hacerlo crecer en riñón de cerdo y de cordero, en riñón de bovino y en otros cultivos de tejido; puede valorarse con el método de la placa. Forma anticuerpo neutralizante y fijador del complemento en el animal infectado; el primero se valora por inoculación en la lengua de bovinos; en el último, el antígeno es el epitelio infectado de la lengua. El virus se observa en tres principales tipos serológicos, cada uno de los cuales tiene varios subtipos.

La enfermedad puede reproducirse en el cobayo, generalmente por inoculación intradérmica de la pata. Se produce una erupción vesicular a nivel de la inoculación, aparecen síntomas generales y una erupción secundaria en lengua, encías y labios. La erupción empieza a ceder a los dos días de aparecida y las lesiones han curado aproximadamente a las dos semanas. Los animales infectados se ven debilitados, pero la enfermedad es relativamente leve, con mortalidad del 5 por 100 ó menor.

La enfermedad del ganado y otros animales domésticos tiene gran importancia económica, no por su mortalidad del 2 al 3 por 100, sino el efecto debilitante, con la consiguiente reducción en la producción de leche, y carne. La inmunización no ha constituido medida práctica ni satisfactoria de control; la enfermedad se domina sacrificando los animales infectados y sometiendo a los demás a rigurosa cuarentena; esto último incluye los productos cárneos, como la carne congelada, donde el virus conserva su carácter infeccioso. El virus persiste en forma seca y puede transportarse mecánicamente con los vestidos, por pájaros silvestres, etcétera.

La infección humana parece ser muy rara, y la enfermedad es relativamente leve y de poca importancia en el hombre, excepto por lo que se refiere a su difusión entre los animales domésticos.

Diarreas virales

Se presentan diarreas de etiología viral tanto en el hombre como en animales inferiores. El tipo 18 de virus ECHO se ha encontrado asociado con diarrea de verano en lactantes.[43] Otras diarreas epidémicas del recién nacido también pueden ser de etiología viral, y hay pruebas de que la enfermedad puede ser transmitida a los becerros, pero el agente causal se conoce muy poco.

La diarrea viral o gastroenteritis no bacteriana epidémica, se presenta en los adultos y se ha estudiado ampliamente por Gordon y colaboradores.[51] Se ha encontrado que hay cuando menos dos clases de enfermedad, una febril, otra sin fiebre. El tipo afebril tiene un periodo de incubación de dos a tres días y se caracteriza por náuseas, vómitos, espasmos abdominales, heces acuosas; la crisis produce inmunidad que persiste un año o más. Se asocia con un agente filtrable, Marcy, el cual se ha transferido con ocho pasos seriados en voluntarios humanos, pero no ha producido enfermedad en animales de experimentación. El agente asociado con la enfermedad febril, que tiene un periodo de incubación más breve y un curso menos prolongado, se ha designado FS, y hay pruebas de que este virus y el Marcy son inmunológicamente distintos. El agente Marcy parece estar más relacionado, o ser idéntico, al agente responsable de la diarrea infecciosa no bacteriana del Japón.[45]

Las diarreas de etiología viral no son raras en animales inferiores. Una de las más familiares para el investigador de laboratorio es la diarrea epidémica de ratones lactantes, que se presenta en forma explosiva, más comúnmente en meses de invierno. En las células epiteliales de las vellosidades se encuentran cuerpos de inclusión intranuclear, pero no

está bien aclarada la naturaleza del agente etiológico. La neumoenteritis de los becerros es de etiología viral establecida; el virus se ha aislado y la enfermedad se ha transmitido a animales recién nacidos susceptibles.[22] El agente de la psitacosis puede causar diarreas en animales de mayor edad, y otros tres agentes inmunológicamente distintos, probablemente de naturaleza viral, pueden causar también la enfermedad. La gastroenteritis transmisible del cerdo también es de origen viral; el virus se ha aislado y caracterizado inmunológicamente.[52]

Hepatitis viral[82, 122, 160]

En enfermedades infecciosas como leptospirosis y fiebre amarilla se puede presentar daño del hígado con ictericia, pero, además, son posibles las hepatitis de etiología viral específica. Hay dos clases de esta enfermedad: hepatitis infecciosa y serohepatitis, causadas por virus diferentes y de carácter epidemiológico distinto.

HEPATITIS INFECCIOSA

La hepatitis infecciosa (ictericia epidémica) es una enfermedad subaguda, distribuida por todo el mundo, que tiende a presentarse en niños y adultos jóvenes. Puede aparecer en forma epidémica dentro de hogares, instituciones, y en el personal militar, como ocurrió en las dos últimas guerras mundiales y la de Corea. La frecuencia de la enfermedad no

se conoce con precisión, pues muchos casos probablemente sean subclínicos.

El periodo de incubación varía de una a seis semanas, con promedio de tal vez tres a cuatro. La enfermedad es una afección difusa del hígado, y se divide en dos etapas, la preictérica y la ictérica. El comienzo puede ser brusco o insidioso; los síntomas incluyen fiebre, trastornos gastrointestinales, dolor de cabeza, anorexia y lasitud; los ganglios linfáticos retrocervicales con frecuencia se afectan, y hay leucopenia con linfocitosis relativa. Esta fase preictérica puede durar hasta tres semanas, normalmente solo unos días. Los síntomas tienden a disminuir, pero hay exacerbación de algunos, especialmente las molestias abdominales, al aparecer la ictericia, e hígado y bazo son palpables e hipersensibles. Las biopsias indican daño hepático progresivo durante el curso de la enfermedad, con des-

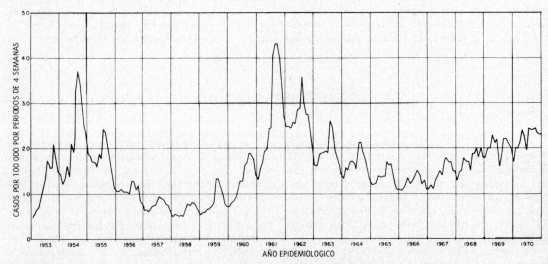

FIG. 38-9. Frecuencia de hepatitis viral en Estados Unidos de Norteamérica durante el periodo de 1953-1970, según indica el número de casos para periodos de cuatro semanas (Morbidity and Mortality Weekly Report, Annual Supplement, Vol. 19, 1970. Center for Disease Control, U. S. Public Health Service.)

trucción parenquimatosa relativamente extensa cuando la icteria es manifiesta, pero hay regeneración subsecuente, completa a los tres meses en la mayor parte de casos. En consecuencia, hay signos tempranos de disfunción hepática y se encuentra bilirrubinuria hacia el final de la fase preictérica.

La fase ictérica puede durar algunas semanas y normalmente va seguida de convalecencia sin incidentes. La mortalidad es menor en niños que en adultos y se ha señalado como menor del 2 por 1 000 en personal militar. Las recaídas se presentan con frecuencia variable, en menos del 1 por 100 hasta el 18 por 100 de los casos. En muchas ocasiones solo hay cierto grado de disfunción hepática; en otras reaparece la icteria, aunque en general con menor intensidad. En algunos casos en daño a la función hepática puede persistir largo tiempo y ocasionalmente también los síntomas. Entre las complicaciones raras de la enfermedad se incluyen neumonía, meningitis y mielitis. En Australia se ha descrito una interesante relación entre la frecuencia de hepatitis y la de mongolismo nueve meses más tarde, con periodicidad de cinco a siete años; se ha sugerido que la infección subclínica de la madre de cierta edad al tiempo de la concepción, o poco antes o después, pudiera afectar los cromosomas del huevo.[147]

Virus A de la hepatitis. Es costumbre llamar al virus de la hepatitis infecciosa virus A de la hepatitis, para distinguirlo del virus de la serohepatitis. Todavía no ha sido posible infectar animales de experimentación, aunque hay pruebas indicando que el chimpancé puede ser un foco de infección humana.[133] Hay muchos informes de aislamiento de de virus en los embriones de pollo o en alguna clase de cultivo de tejidos, ninguno de ellos se ha aceptado todavía como agente etiológico de la enfermedad.[97] La información se limita a la obtenida por inoculación de voluntarios humanos.

El virus atraviesa filtros bacteriológicos como el Seitz EK, y es relativamente resistente, pues no es inactivado a 56°C en 30 minutos, ni por concentraciones de cloro residual tan alto como 1 ppm en el mismo tiempo. Está en la sangre y heces en las etapas preictérica o temprana, y se ha encontrado en las heces durante el periodo de incubación hasta dos o tres semanas antes de comenzar la icteria, pero los intentos para demostrar el virus en la orina y en las secreciones nasofaríngeas han dado resultados negativos o equívocos. El hombre puede infectarse por inoculación parenteral y por ingestión del virus; es probable que esta vía intervenga en la mayor parte de las infecciones naturales.[103] Se han descrito epidemias originadas por agua, leche y alimentos; pruebas epidemiológicas indican otras formas más directas de contacto. La presencia de la enfermedad en invierno indica diseminación respiratoria de la infección, pero no corresponde bien a la transmisión por picadura de insectos aunque la sangre sea muy infecciosa.

La frecuencia y la gravedad relativamente mayores de la enfermedad en los grupos de menor edad, inclusive adultos jóvenes, indican cierta frecuencia de la infección, que produce una inmunidad eficaz. La globulina gamma tiene efecto protector definitivo cuando se administra durante el periodo de incubación. También se ha demostrado en voluntarios humanos inmunidad eficaz, pero hay razones para creer que no todas las cepas son inmunológicamente idénticas, aunque hay protección cruzada entre ellas. El virus A de la hepatitis antigénicamente es distinto del virus de la serohepatitis. Puede haber ataques repetidos de hepatitis, pero la falta de una prueba diagnóstica específica, hace difícil valorar su significado.

HEPATITIS POR SUERO

La enfermedad probablemente haya sido frecuente por muchos años, y tal vez las epidemias de icteria relacionadas con las vacunaciones y la quimioterapia de la sífilis, fueron de esta naturaleza. En los primeros años de la década de 1940 se volvió importante por la inmunización de personal militar, contra la fiebre amarilla, con un agente inmunizante que incluía suero humano. La icteria causada parecía estar relacionada con algunos, no todos, los lotes de suero; al eliminar el suero de la vacuna, la llamada icteria posvacunal, desapareció. Posteriormente ha habido muchos casos de icteria después de inyectar sueros o plasmas, o de transfusiones sanguíneas, todo lo cual indica la presencia de un agente infeccioso en la sangre humana.

El periodo de incubación de la hepatitis por suero es relativamente largo, de ocho a 22 semanas, y la enfemedad clínicamente no se distingue de la hepatitis infecciosa después que se iniciaron los síntomas. No ha sido posible transmitir esta enfermedad a los animales de experimentación; la información sobre el virus se ha obtenido por inoculación experimental a varios voluntarios humanos.

Virus B de la hepatitis. El virus causal se llama virus B de la hepatitis para distinguirlo del virus A de la hepatitis infecciosa. Los dos virus tienen propiedades similares; ambos muestran prácticamente la misma resistencia al calentamiento, y su actividad persiste mucho tiempo en sangre, suero y plasma. Sin embargo, son inmunológicamente distintos;[120] parece que no hay inmunidad cruzada entre ellos, y pueden encontrarse juntos tanto en lugar como en tiempo. El virus B está en la sangre, no solo durante la enfermedad sino también en el periodo de incubación, y se ha observado un estado de portador crónico en el cual la sangre puede ser infecciosa por muchos meses.

No sabemos cómo persiste la infección en condiciones naturales, pero se transmite fácilmente al hombre por jeringas y agujas insuficientemente esterilizadas usadas para administrar quimioterápicos, sueros de convaleciente, insulina, o por tomas de sangre, tatuajes y administración de sangre, plasma o productos sanguíneos como la espuma de fibrina y trombina infecciosos. Hay motivos para creer que puede transmitirse ocasionalmente por vía gastrointestinal.

Al igual que en la hepatitis infecciosa, concentrados de anticuerpo como la globulina gamma son profilácticos, y en un ataque de la enfermedad parecen conferir un grado apreciable de inmunidad. El virus rara vez se encuentra en la globulina gamma; tales preparados posiblemente se contaminen, pero el virus puede neutralizarse por la concentración relativamente alta de anticuerpos.

La persistencia del virus en sangre, plasma y suero plantea un problema práctico considerable en virtud de la falta de un método, aparte de la inoculación humana, para demostrar su presencia. Se destruye por radiación ultravioleta en condiciones experimentales, pero esto no es práctico para tratar sangre o plasma, y la esterilización química, como la obtenida con mostazas nitrogenadas, no ha tenido éxito.

Antígeno Australia.[17] Blumberg, en 1965, describió una substancia que denominó antígeno Australia (Au), antígeno de hepatitis sérica (SH) o antígeno asociado a la hepatitis (HA) (HAA), existente en el suero de un aborigen australiano, y lo demostró con microprecipitación de gel, empleando el suero de hemofílicos que habían recibido transfusiones múltiples. Aunque se han señalado varias observaciones, el antígeno parece asociado más bien con la hepatitis sérica que con la hepatitis infecciosa, y es demostrable en la fase aguda de la enfermedad y también en portadores sanos de la infección.

Se presenta en partículas de formas esféricas de 20 a 25 nm de diámetro, observado en micrografías electrónicas. Consiste en proteína y lípido, pero sin ácido nucleico ni carbohidrato, inmunológicamente es diferente de las lipoproteínas de baja densidad del suero normal.[49, 85] Se ha sospechado que puede ser un virus lento, y el agente causal de la hepatitis sérica, pero no contiene ácido nucleico, y no está plenamente demostrado; o sea que el crecimiento en cultivo de tejidos, etc., no demuestra su naturaleza viral. Se ha pensado por algunos investigadores que representa las cápsides vacías de un virus de este tipo.[16]

Su posible relación con la etiología de la enfermedad le ha brindado significación diagnóstica primaria. Los métodos utilizados para demostrarlo son serológicos,[102] utilizando como antisuero los sueros de personas que recibieron transfusiones múltiples de sangre durante largo tiempo; tales personas se consideran que han recibido dosis repetidas del antígeno, existente como contaminación en la sangre transfundida. Se ha creado una prueba de fijación de complemento que parece ser mucho más sensible que las reacciones de precipitación de gel. No parece ser antigénicamente homogéneo, sino que contiene más de un determinante antigénico.[38, 84, 89]

HEPATITIS DE ANIMALES INFERIORES

Se presentan hepatitis de etiología viral en animales inferiores, inclusive perro y ratón y se ha descrito una enfermedad similar en cobayos y patos.[74] La hepatitis murina ha despertado interés como enfermedad análoga a la hepatitis viral del hombre.

Hepatitis canina. Rubarth, en Suecia, en 1947 describió una hepatitis infecciosa del perro causada por un virus relacionado con el de la encefalitis del zorro; a veces se llama enfermedad de Rubarth. La gravedad de la enfermedad va desde infecciones asintomáticas hasta un cuadro fulminante, mortal dentro de las 24 horas. La enfermedad puede reproducirse en cachorros susceptibles, pero no en los animales de experimentación usuales. Se descubren cuerpos de inclusión intranuclear en células hepáticas y endotelio vascular, y el virus atraviesa los filtros bacteriológicos. El virus se ha cultivado en saco vitelino de embrión de pollo, y en tejido renal de mapache, reproduciendo la enfermedad en cachorros susceptibles después de 12 pasos en embrión de pollo y después de 39 pasos en tejido renal de mapache. Un antígeno liofilizado preparado de tejido hepático infeccioso fija el complemento en presencia de suero y de perros convalecientes,[92] y Rubarth encontró que la mayor parte de los sueros de perros adultos contienen anticuerpo fijador del complemento indicando que la infección está muy diseminada y suele ser asintomática. Esta conderación está justificada por el aislamiento del virus de cultivo de tejido renal canino obtenido de dos perros aparentemente sanos.[18]

Se ha señalado la infección humana con virus canino,[140] pero parece que no hay relación entre los virus humano y canino.[11] Hay una relación antigénica unilateral entre ciertos adenovirus y el de la hepatitis canina; este virus fija el complemento en presencia de anticuerpos del primero, relación verificada por técnicas de hemaglutinación pasiva y difusión en gel.[46] El virus canino se parece a los adenovirus por ser éter-resistente, producir efectos citopáticos similares, y ser del mismo orden en tamaño.

Hepatitis murina.[119] En 1951, Gledhill y Andrewes describieron una hepatitis murina natural en Inglaterra. La enfermedad originalmente estaba complicada por la presencia de *Eperythrozoon coccoides;* pero puede producirse en el ratón recién nacido una infección fulminante, mortal en una semana, que se caracteriza por lesiones hepáticas degenerativas extensas. La infección que ocurre espontáneamente parece estar difundida entre ratones lactantes.[131] El ratón adulto no es susceptible para la enfermedad.

El virus está presente en sangre, orina y heces, e infecta por las vías de inoculación gastrointestinal y parenteral. No ha sido posible obtener una prueba clara de crecimiento del virus en embrión de pollo. La inoculación con dosis relativamente grandes de virus produce aumento de monocitos en el líquido corioalantoideo, efecto similar al que se observa con virus de hepatitis humana, pero la infección puede transmitirse en huevos. El virus se multiplica en cultivos de macrófagos de ratón, pero no se presenta efecto citopático; la presencia del virus solo se indica por recuentos celulares comparativos. Más recientemente se ha propagado la cepa MHV3 de virus en serie en explantes hepáticos de feto de ratón, sobre colágena de cola de rata para producir cambios citopáticos, principalmente en el crecimiento epitelial.[154] Se ha encontrado también que la cepa MHV-(Babl D) se multiplica en cultivos de células de embrión de ratón y, después de pasos en epitelio renal de ratón y en cultivo de células L, produce efecto citopático en los tres sistemas.[104] El clono NCTC 1469 de hígado de ratón C3H, conservado en medio que contiene suero de pollo, se ha comprobado que constituye un sistema sensible de valoración, por acción citopática y de placas, para cepas de virus tanto adaptadas como recién aisladas.[57]

Se han descubierto anticuerpos fijadores del complemento y neutralizantes en una proporción considerable de los sueros humanos, 3.5 por 100 en niños menores de nueve años, y 21.8 por 100 en adultos.[58] Parece poco probable que tales observaciones tengan importancia en relación con la hepatitis humana, pues el virus de hepatitis del ratón se ha comprobado que es un coronavirus (ver antes), un grupo que contiene virus causa de enfermedad respiratoria aparentemente común.

Hepatitis de tití. La hepatitis también se presenta en los titís.[110] Esto ha tenido interés en relación con la producción señalada de hepatitis en estos animales después de inocularles plasmas de enfermos de hepatitis humana.[61, 91] Otras observaciones, sin embargo, han sugerido que tal vinculación puede activar una infección latente de hepatitis en el tití;[109] queda por resolver el problema del significado de tales resultados.

Adenovirus[23, 50, 143]

Los virus reunidos con el nombre de adenovirus se descubrieron en 1953, independiente y casi simultáneamente por dos grupos de investigadores. Rowe y colaboradores empleaban fragmentos de tejidos amigdalares y adenoideos extraídos al operar, y los cultivaban en coágulos de plasma empleando tubos. Por incubación continuada se produjo citopatología degenerativa, transmisible en serie, en diversos tipos de cultivos de tejidos, incluyendo células HeLa, fibroblastos y tejido epitelial. Los cambios citopatógenos incluyen el desarrollo de núcleos hinchados acidófilos que parecían contener cuerpos de inclusión. Los virus descubiertos parecen existir en forma de infecciones latentes en el tejido amigdalar o adenoideo del hombre.

Intentando aislar virus asociados con enfermedades respiratorias agudas, diagnósticadas en parte como neumonía atípica primaria, Hilleman y Werner emplearon líquidos de lavado faríngeo de individuos afectados en cultivos de células HeLa. Aislaron agentes similares produciendo una citopatología degenerativa en cultivos de tejidos, y demostraron que el suero de convaleciente presentaba títulos importantes de anticuerpo fijador del complemento para los virus aislados.

Más tarde se han aislado virus similares en todo el mundo. Constituyen un grupo que contiene un antígeno soluble común fijador del complemento, pero que se divide en diversos serotipos por pruebas de neutralización cruzada en cultivos de tejidos o por fijación de complemento con antisueros preparados en conejo[113] (ver luego). Este grupo de virus fue conocido primero como virus de adenoides degenerativos o AD. Cuando se aclaró su relación con algunos tipos de faringitis y conjuntivitis, recibieron el nombre de virus adenofaríngeo-conjuntivales o APC. Más tarde se admitió, en general, que estos nombres debieran suprimirse y en la actualidad estos virus se denominan adenovirus.

Morfología y crecimiento. Los adenovirus son virus DNA en los cuales el ácido nucleico se halla en doble tira. Las partículas de virus tienen de 70 a 80 nm de diámetro, y la cápside tiene simetría cúbica de icosaedro, y forma de icosaedro. Hay 252 capsómeras, sin membrana de protección. Estos virus son resistentes al éter y la acidez, y sensibles al calor.

Pueden hacerse crecer en diversos cultivos de tejido, de los cuales la línea HeLa es una de las más susceptibles y utilizadas. Crecen dentro del núcleo de la célula huésped, y las partículas de virus pueden observarse en disposición ordenada dando aspecto cristalino a los cuerpos de inclusión. El efecto citopático se caracteriza porque las células adoptan forma redonda, y, además, se aglutinan.

Los adenovirus humanos no muestran hemadsorción, pero algunas cepas producen hemaglutinación y algo de RDE. Resulta cómodo dividirlos en cuatro grupos de hemaglutinina (HA), basándose en la aglutinación de glóbulos rojos de rata y de rhesus

FIG. 38-10. Micrografía electrónica de una preparación sombreada de adenovirus purificado. Obsérvese el centro denso de las partículas de virus. $\times$ 17 000. (Touismis y Hilleman.)

que resultan paralelas para los agrupamientos inmunológicos. El grupo HA 1 aglutina los glóbulos rojos de rhesus, pero no los de rata, y no produce RDE; el grupo HA 2 aglutina los glóbulos de rata, algunos serotipos aglutinan glóbulos de rhesus en títulos bajos, y producen RDE; el grupo HA 3 causa una aglutinación incompleta de hematíes de rata y produce RDE; y el grupo HA

4 no aglutina glóbulos ni de rata ni de rhesus, y no produce RDE.

Además de los adenovirus de tipo humanos, hay también adenovirus en animales inferiores, y se han descubierto en simios, bovinos, caninos, murinos y aves. No parecen ser patógenos para el hombre ni tampoco los tipos humanos son patógenos para los animales inferiores. De ellos, uno de los tipos aviarios, GAL (*Gallus-adeno-like*) (de tipo adeno-gallo), se ha utilizado frecuentemente para trabajos experimentales. Los tipos que se descubren en animales inferiores, con excepció de GAL, muchas veces muestran reacciones cruzadas serológicas unilaterales con uno u otro de los tipos humanos.

Estructura antigénica.[155] Hay por lo menos dos tipos de antígenos en estos virus, que pueden ser análogos a los descubiertos en la influenza y virus similares. Uno es el antígeno soluble, fijador del complemento, asociado con una partícula de dimensiones menores, de 25 a 40 nm, menor que la del virus, y separable de la infecciosidad. Este antígeno es específico de grupo y proporciona reacciones cruzadas entre los serotipos.

Dentro del grupo se distinguen serotipos por pruebas de neutralización llevadas a cabo en cultivos de tejidos; por lo menos algunos también pueden separarse por fijación de complemento, utilizando antisueros preparados en el conejo inmunizado por virus crecidos en cultivos de tejido inmunológicamente heterólogos de los utilizados para preparar antígenos fijadores del complemento.[14] Se han descrito un total de 28 serotipos diferentes.[114] Estos tipos se han señalado con números arábigos y algunos de ellos, como los tipos 3, 4 y 7 que

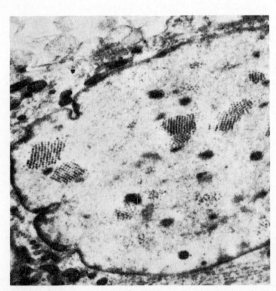 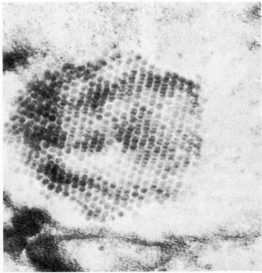

FIG. 38-11. Micrografías electrónicas de cortes ultradelgados de células HeLa 48 horas después de la infección con adenovirus de tipo 4. *Izquierda,* Partículas aisladas y grupos de partículas reunidas distribuidas en todo el núcleo. *Derecha,* A mayor aumento, una célula similar que muestra partículas aisladas de forma esférica, elipsoide o poligonal. (Touismis y Hilleman: Virology.)

han sido examinados en detalle, se ha comprobado que eran homogéneos, aunque las cepas eran ampliamente diferentes en sus orígenes temporales y geográficos.

Patogenicidad.[108, 148] Como se idicó antes, los adenovirus fueron descubiertos en infecciones latentes [44] en personas normales y asociados con enfermedades respiratorias. La enfermedad producida por estos virus es una infección aguda de las mucosas respiratorias y del ojo, con participación de los tejidos linfadenoides submucosos de estas zonas, incluyendo los ganglios regionales. Aunque es probable que muchos tengan la capacidad de producir enfermedades similares, hay asociación neta de algunos serotipos con síndromes clínicos, y en ciertos casos la demostración de que la asociación es causal resulta prácticamente completa.[15] Otros serotipos, aunque descubiertos acompañando a enfermedades, no se ha comprobado que sean agentes etiológicos específicos. Ha merecido considerable interés, especialmente teniendo en cuenta su ubicuidad, que algunos adenovirus humanos de tipos 7, 12, 18 y 31 han resultado productores de tumores en cricetos recién nacidos.[130]

Enfermedad respiratoria aguda. Las cepas de adenovirus aisladas primeramente de reclutas militares con enfermedad respiratoria aguda eran de tipo 4; y este serotipo, junto con los 3 y 7 se ha comprobado que están estrechamente asociados con la enfermedad. La relación etiológica de estos serotipos con enfermedad respiratoria aguda queda indicada por diversos hechos. Además del aislamiento respectivo, de enfermos con la infección, el aumento de anticuerpo específico ocurre en los sueros pareados de personas afectadas, y la inmunización activa con vacuna polivalente se ha comprobado que protege 50 a 70 por 100 ó más de personas expuestas no inmunes. Tales vacunas se han preparado con virus crecidos en cultivo de tejido de riñón de mono, inactivado con formol. Además, se ha comprobado que sueros de pacientes con enfermedad respiratoria aguda obtenidos durante la segunda guerra mundial, y almacenados desde entoces, contienen anticuerpo para estos serotipos, sugiriendo que la infección también predominaba en aquellos tiempos. Se ha comprobado que el tipo 14 también estaba asociado con enfermedades respiratorias agudas en los Países Bajos.

Los tipos 1, 2 y 5, como otros ,se han recuperado repetidamente de amígdalas y adenoides extirpadas quirúrgicamente de personas que no sufrían enfermedad respiratoria, pero estos tipos se han descubierto acompañando a infecciones respiratorias febriles, sobre todo en lactantes.

Fiebre faringoconjuntival.[12] Se trata de una enfermedad febril caracterizada por faringitis y conjuntivitis, definida como entidad clínica en relación con estudios de adenovirus. Ocurre en forma epidémica principalmente en escolares, y se calcula que el 50 por 100 de las personas no inmunes expuestas desarrollan la enfermedad. La conjuntivitis suele ser unilateral, no supurada, y no produce lesión de la córnea.

Parece comprobado que el adenovirus del tipo 3 es el agente causal específico de esta enfermedad. El virus se ha aislado repetidamente de pacientes con este trastorno, tanto en la garganta como en la conjuntiva afectada, pero no se ha obtenido de personas sanas. Se produce aumento del título de anticuerpo específico durante la enfermedad, y el proceso conjuntival se ha reproducido en voluntarios humanos instilando virus en el ojo.

Queratoconjuntivitis epidémica.[144] Se trata de una enfermedad altamente infecciosa, caracterizada por exudado ocular relativamente escaso, desarrollo de opacidades subepiteliales redondeadas asociadas con la queratitis, y muchas veces hinchazón de los ganglios linfáticos regionales. Puede haber, asimismo, síntomas generales, especialmente cefalea. La frecuencia de complicaciones que originan trastornos de la visión ha sido diversa. La enfermedad apareció en Estados Unidos de Norteamérica en 1941 y 1942, en forma epidémica en trabajadores de astilleros de la costa occidental, al parecer importada de Hawaii.

Se han aislado repetidamente adenovirus de tipo 8 en pacientes con este cuadro en Japón, Italia, y Suiza, así como en Estados Unidos de Norteamérica. En una serie de 60 casos estudiados,[70] el 62 por 100 tenía títulos de anticuerpo sérico neutralizante del orden de 1:40 o mayor, y el 87 por 100, 1:20 o mayor, con títulos máximos hasta de 1:160. Se comprobó un aumento del título de anticuerpo, hasta el cuádruplo o más, en sueros pareados en 16 a 18 casos de la enfermedad. Todos estos datos sugieren con mucha posibilidad que este serotipo de adenovirus es la causa de la enfermedad.

BIBLIOGRAFIA

1. Ackermann, W. W., F. E. Payne, and H. Kurtz. 1958. Concerning the cytopathogenic effect of poliovirus; evidence for an extraviral toxin. J. Immunol. **81**:1–6.
2. Akers, T. G., *et al.* 1966. Virulence and immunogenicity in mice of air-borne encephalomyocarditis viruses and their infectious nucleic acids. J. Immunol. **97**:379–385.
3. Andrewes, C. H. 1964. The complex epidemiology of respiratory virus infections. Science **146**:1274–1277.
4. Andrewes, C. H. 1965. The Common Cold. Weidenfeld and Nicolson, London.
5. Archetti, I., J. Weston, and H. A. Wenner. 1957. Adaptation of echo viruses in HeLa cells, their use in complement fixation. Proc. Soc. Exp. Biol. Med. **95**:265–270.
6. Ashkenazi, A., and J. L. Melnick. 1962. Topics in microbiology: Enteroviruses—a review of their properties and associated diseases. Amer. J. Clin. Pathol. **38**:209-229.
7. Bachrach, H. L. 1968. Foot-and-mouth disease. Ann. Rev. Microbiol. **22**:201–244.
8. Bain, H. W., D. M. McLean, and S. J. Walker. 1961. Epidemic pleurodynia (Bornholm disease) due to Coxsackie B-5 virus. The interrelationship of pleurodynia, benign pericarditis and aseptic meningitis. Pediatrics **27**:889-903.
9. Baltimore, D. 1966. Purification and properties of poliovirus double-stranded ribonucleic acid. J. Mol. Biol. **18**:421-428.

10. Barski, G., and F. Cornefert. 1957. Position particulière des encéphalomyélites de type Mengo par rapport aux poliomyélites. Répartition d'anticorps spécifiques chez certaines populations d'Afrique centrale et d'autres zones géographiques. Bull Wld. Hlth. Org. 17:991-999.

11. Bech, V. 1959. Canine hepatitis virus: Attempts to find relationship with human hepatitis. Proc. Soc. Exp. Biol. Med. 100:135-137.

12. Bell, J. A., et al. 1955. Pharyngoconjunctival fever — epidemiological studies of a recently recognized disease entity. J. Amer. Med. Assn. 157:1083-1092.

13. Berkovich, S., J. E. Pickering, and S. Kibrick. 1961. Paralytic poliomyelitis in Massachusetts, 1959. A study of the disease in a well vaccinated population. New Eng. J. Med. 264:1323-1329.

14. Binn, L. N., et al. 1958. Antigenic relationships among adenovirus with appraisal of reliability of complement-fixation tests for typing isolates. J. Immunol. 80:501-508.

15. Bloom, H. H., et al. 1964. Patterns of adenovirus infections in Marine Corps personnel. Amer. J. Hyg. 80:328-342, 343-355.

16. Blumberg, B. S., A. I. Sutnick, and W. T. London. 1970. Australia antigen as a hepatitis virus. Amer. J. Med. 48:1-8.

17. Blumberg, B. S., et al. 1970. Australia antigen and hepatitis. New Eng. J. Med. 283:349-354.

18. Bolin, V. S., N. Jarnevic, and J. A. Austin. 1958. Infectious canine hepatitis virus studies with special reference to passage in raccoon tissue cultures. Proc. Soc. Exp. Biol. Med. 98:414-418.

19. Bradburne, A. F., and D. A. J. Tyrrell. 1969. The propagation of "coronaviruses" in tissue culture. Arch. Ges. Virusforsch. 28:133-150.

20. Bradburne, A. F., M. L. Bynoe, and D. A. J. Tyrrell. 1967. Effects of a "new" human respiratory virus in volunteers. Brit. Med. J. ii:767-769.

21. Branche, W. C., Jr., et al. 1965. Characterization of prototype virus ECHO-32. Proc. Soc. Exp. Biol. Med. 118:186-190.

22. Brandly, C. A., and A. W. McClurkin. 1956. Epidemic diarrheal disease of viral origin of newborn calves. Ann. N.Y. Acad. Sci. 66:181-185.

23. Brandon, J. B., and I. W. McLean, Jr. 1962. Adenovirus. Adv. Virus Res. 9:157-194.

24. Bussell, R. H., D. T. Karzon, and F. T. Hall. 1962. Hemagglutination and hemagglutination-inhibition studies with ECHO viruses. J. Immunol. 88:38-46.

25. Cate, T. R., R. B. Couch, and K. M. Johnson. 1964. Studies with rhinoviruses in volunteers: Production of illness, effect of naturally acquired antibody, and demonstration of a protective effect not associated with serum antibody. J. Clin. Invest. 43:56-67.

26. Cesario, T. C., et al. 1969. Persistence of poliovirus neutralizing antibodies four years after immunization with live attenuated vaccine. Amer. J. Epidemiol. 90:157-161.

27. Chang, T. W., and L. Weinstein. 1959. Characteristics of growth of encephalomyocarditis virus in cultures of mouse muscle. Proc. Soc. Exp. Biol. Med. 102:181-183.

28. Chaproniere, D. M., J. T. Done, and C. H. Andrewes. 1958. Comparative serological studies on Talfan and Teschen diseases and similar conditions. Brit. J. Exp. Pathol. 39:74-77.

29. Cheever, F. S. 1957. Discussion of viral agents of the gastrointestinal tracts of monkeys. Ann. N.Y. Acad. Sci. 67:427-429.

30. Clarke, S. K. R., et al. 1964. Viruses associated with acute respiratory infections. Brit. Med. J. i:1536-1539.

31. Cockburn, W. C., and S. G. Drozdov. 1970. Poliomyelitis in the world. Bull. Wld. Hlth. Org. 42:405-417.

32. Cooper, P. D. 1961. An improved agar cell-suspension plaque assay for poliovirus: Some factors affecting efficiency of plating. Virology 13:153-157.

33. Cox, H. R. 1961. Bacteriol. Rev. 25:383-388.

34. Craighead, J. E. 1966. Pathogenicity of the M and E variants of the encephalomyocarditis (EMC) virus. I. Myocardiotropic and neurotropic properties. Amer. J. Pathol. 48:333-345.

35. Craighead, J. E., and A. Shelokov. 1961. Encephalomyocarditis virus hemagglutination-inhibition test using antigens prepared in HeLa cell cultures. Proc. Soc. Exp. Biol. Med. 108:823-826.

36. Craighead, J. E., P. H. Peralta, and A. Shelokov. 1963. Demonstration of encephalomyocarditis virus antibody in human serums from Panama. Proc. Soc. Exp. Biol. Med. 114:500-503.

37. Cramblett, H. G. 1964. Viral respiratory illnesses of infants and children. Bacteriol. Rev. 28:431-438.

38. Del Prete, S., D. Constantino, and M. Doglia. 1970. Different Australia-antigen determinants in acute viral hepatitis. Lancet ii:292-294.

39. Dimmock, N. J., and D. A. J. Tyrrell. 1964. Some physicochemical properties of rhinoviruses. Brit. J. Exp. Pathol. 45:271-280.

40. Ditchfield, J., and L. W. Macpherson. 1965. The properties and classification of two new rhinoviruses recovered from horses in Toronto, Canada. Cornell Vet. 55:181-189.

41. Dubes, G. R., I. Archetti, and H. A. Wenner. 1959. Antigenic variants among type 3 polioviruses. Amer. J. Hyg. 70:91-105.

42. Ellem, K. A. O., and J. S. Colter. 1961. Isolation of three variants of Mengo virus differing in plaque morphology and hemagglutinating characteristics. Virology 15:340-347.

43. Eichenwald, H. F., et al. 1958. Epidemic diarrhea in premature and older infants caused by ECHO virus type 18. J. Amer. Med. Assn. 166:1563-1566.

44. Evans, A. S. 1958. Latent adenovirus infections of the human respiratory tract. Amer. J. Hyg. 67:256-266.

45. Fukumi, H., et al. 1957. An indication as to identity between the infectious diarrhea in Japan and the afebrile infectious nonbacterial gastroenteritis by human volunteer experiments. Japan. J. Med. Sci. Biol. 10:1-17.

46. Furminger, I. G. S. 1964. Relationship between adenoviruses and canine hepatitis virus. Nature 202:728-729.

47. Gard, S., C. Hallauer, and K. F. Meyer. (Eds.). 1968. Virology Monographs. 1. Echoviruses. Wenner, H. A. and A. M. Behbehani. Reoviruses. Rosen, L. Springer-Verlag, Vienna.

48. Gelfand, H. M. 1961. The occurrence in nature of the Coxsackie and ECHO viruses. Prog. Med. Virol. 3:193-244.

49. Gerin, J. L., et al. 1969. Biophysical properties of Australia antigen. J. Virol. 4:763-768.

50. Ginsberg, H. S. 1962. Identification and classification of adenoviruses. Virology 18:312-319.

51. Gordan, I., and E. Whitney. 1956. Virus diarrheas of adults and their possible relationship to infantile diarrhea. Ann. N.Y. Acad. Sci. 66:220-225.

52. Haeltermann, E. O., and L. M. Hutchings. 1956. Epidemic diarrheal disease of viral origin in newborn swine. Ann. N.Y. Acad. Sci. 66:186-190.

53. Hammon, W. McD., L. L. Coriell, and J. Stokes, Jr. 1952. Evaluation of Red Cross gamma globulin as a prophylactic agent for poliomyelitis. I. Plan of controlled field tests and results of 1951 pilot study in Utah. J. Amer. Med. Assn. 150:739-749.

54. Hamparian, V. V., et al. 1964. Epidemiologic investigations of rhinovirus infections. Proc. Soc. Exp. Biol. Med. 117:469-476.

55. Hamre, D. 1968. Monographs in Virology. Vol. 1. Rhinoviruses. S. Karger AG, Basel.

56. Hamre, D., A. P. Connelly, Jr., and J. J. Procknow. 1966. Virologic studies of acute respiratory disease in young adults. IV. Virus isolations during four years of surveillance. Amer. J. Epidemiol. 83:238-249.

57. Hartley, J. W., and W. P. Rowe. 1963. Tissue culture cytopathic and plaque assays for mouse hepatitis viruses. Proc. Soc. Exp. Biol. Med. 113:403-406.

58. Hartley, J. W., et al. 1964. Antibodies to mouse hepatitis viruses in human sera. Proc. Soc. Exp. Biol. Med. 115:414-418.

59. Hatch, M. H., S. S. Kalter, and G. W. Ajello. 1961. Identification of poliovirus isolates with fluorescent antibody. Proc. Soc. Exp. Biol. Med. 107:1-4.

60. Hilleman, M. R., *et al.* 1962. Acute respiratory illnesses among children and adults. Field study of contemporary importance of several viruses and appraisal of the literature. J. Amer. Med. Assn. **180**:445–453.

61. Holmes, A. W., *et al.* 1969. Hepatitis in marmosets: induction of disease with coded specimens from a human volunteer study. Science **165**:816–817.

62. Hoorn, B., and D. A. J. Tyrrell. 1965. On the growth of certain "newer" respiratory viruses in organ cultures. Brit. J. Exp. Pathol. **46**:1467–1470.

63. Hope-Simpson, R. E., and P. G. Higgins. 1969. A respiratory virus study in Great Britain: review and evaluation. Prog. Med. Virol. **11**:354–407.

64. Horstmann, D. M., and E. E. Manuelidis. 1958. Russian Coxsackie A-7 virus ("AB IV" strain) — neuropathogenicity and comparison with poliovirus. J. Immunol. **81**: 32–42.

65. Howlett, J. G., F. Somlo, and F. Kale. 1957. A new syndrome of parotitis with herpangina caused by the Coxsackie virus. Can. Med. Assn. J. **77**:5–7.

66. Hsuing, G. D., and J. L. Melnick. 1957. Morphologic characteristics of plaques produced on monkey kidney monolayer cultures by enteric viruses (poliomyelitis, Coxsackie and ECHO groups). J. Immunol. **78**:128–136.

67. Hsuing, G. D., and J. L. Melnick. 1957. Comparative susceptibility of kidney cells from different monkey species to enteric viruses (poliomyelitis, Coxsackie, and ECHO groups). J. Immunol. **78**:137–146.

68. Hsuing, G. D., and J. L. Melnick. 1958. Orphan viruses of man and animals. Ann. N.Y. Acad. Sci. **70**:342–361.

69. Hull, R. N., and J. R. Minner. 1957. New viral agents recovered from tissue cultures of monkey kidney cells. II. Problems of isolation and identification. Ann. H.Y. Acad. Sci. **67**:413–423.

70. Jawetz, E., *et al.* 1956. Clinical diseases of adults associated with sporadic infections by APC viruses. Arch. Intern. Med. **98**:71–79.

71. Johnson, K. M., *et al.* 1965. Relationship of rhinovirus infection to mild upper respiratory disease. II. Epidemiologic observations in male military trainees. Amer. J. Epidemiol. **81**:131–139.

72. Jonkers, A. H. 1961. Serosurvey of encephalomyocarditis virus neutralizing antibodies in southern Louisiana and Peruvian Indian populations. Amer. J. Trop. Med. Hyg. **10**:593–598.

73. Jungeblut, C. W. 1950. Neutralization of Columbia-SK and Yale SK virus by polio-convalescent and normal human sera. Arch. Pediat. **67**:519–530.

74. Kaeberle, M. L., J. W. Drake, and L. E. Hanson. 1961. Cultivation of duck hepatitis virus in tissue culture. Proc. Soc. Exp. Biol. Med. **106**:755–757.

75. Kalter, S. S. 1960. Animal "orphan" enteroviruses. Bull. Wld. Hlth. Org. **22**:319–337.

76. Kamitsuka, P. S., M. E. Soergel, and H. A. Wenner. 1961. Production and standardization of ECHO reference antisera. I. For 25 prototypic ECHO viruses. Amer. J. Hyg. **74**:7–25.

77. Kapikian, A. Z., *et al.* 1969. Isolation from man of "avian infectious bronchitis virus-like" viruses (coronaviruses) similar to 229E virus, with some epidemiological observations. J. Infect. Dis. **119**:282–290.

78. Keller, R., and J. E. Dwyer. 1968. Neutralization of poliovirus by IgA coproantibodies. J. Immunol. **101**:192–202.

79. Kelly, S., and W. S. Sanderson. 1962. Comparison of various tissue cultures for the isolation of enteroviruses. Amer. J. Pub. Hlth. **52**:455–459.

80. Kibrick, S. 1964. Current status of Coxsackie and ECHO viruses in human disease. Prog. Med. Virol. **6**:27–70.

81. Kilham, L., P. Mason, and J. N. P. Davies. 1955. Pathogenesis of fatal encephalomyocarditis (EMC) virus infections in albino rats. Proc. Soc. Exp. Biol. Med. **90**:383–387.

82. Krugman, S., R. W. Ward, and J. P. Giles. 1963. Studies on the natural history of infectious hepatitis. Perspect. Virol. **3**:159–183.

83. Le Bouvier, G. L., 1959. The D→C change in poliovirus particles. Brit. J. Exp. Pathol. **40**:605–620.

84. Le Bouvier, G. L. 1971. The heterogeneity of Australia antigen. J. Infect. Dis. **123**:671–675.

85. Le Bouvier, G. L., and R. W. McCollum. 1970. Australia (hepatitis-associated) antigen: physicochemical and immunological characteristics. Adv. Virus Rev. **16**:357–396.

86. Leers, W. D., and K. R. Rozee. 1966. A survey of reovirus antibodies in sera of urban children. Can. Med. Assn. J. **94**:1040–1042.

87. Lepow, M. L., F. C. Robbins, and W. A. Woods. 1960. Influence of vaccination with formalin inactivated vaccine upon gastrointestinal infection with polioviruses. Amer. J. Pub. Hlth. **50**:531–542.

88. Lerner, A. M. 1965. An experimental approach to virus myocarditis. Prog. Med. Virol. **7**:97–115.

89. Levene, C., and B. S. Blumberg. 1969. Additional specificities of Australia antigen and the possible identification of hepatitis carriers. Nature **221**:195–196.

90. Liu, C., J. Collins, and E. Sharp. 1967. The pathogenesis of Theiler's GD VII encephalomyelitis virus infection in mice as studied by immunofluorescent technique and infectivity titrations. J. Immunol. **98**:46–55.

91. Lorenz, D., *et al.* 1970. Hepatitis in the marmoset, *Saguinus mystax*. Proc. Soc. Exp. Biol. Med. **135**:348–354.

92. Mansi, W. 1955. The value of the complement fixation test in the study of canine distemper complex and Rubarth's disease. J. Comp. Pathol. Therap. **65**:291–308.

93. McCracken, A. W., and K. McD. Wilkie. 1969. Epidemic pleurodynia in Aden associated with infection by echovirus type 1. Trans. Roy. Soc. Trop. Med. Hyg. **63**:85–88.

94. McIntosh, K., *et al.* 1967. Recovery in tracheal organ cultures of novel viruses from patients with respiratory disease. Proc. Nat. Acad. Sci. **57**:933–940.

95. McLean, D. M. 1966. Coxsackieviruses and ECHO-viruses. Amer. J. Med. Sci. **251**:351–368.

96. McLean, D. M., and J. L. Melnick. 1957. Association of mouse pathogenic strain of echo virus type 9 with aseptic meningitis. Proc. Soc. Exp. Biol. Med. **94**:656–660.

97. McLean, I. W. 1963. Etiologic studies of infectious and serum hepatitis. Perspect. Virol. **3**:184–212.

98. McLean, I. W., and A. R. Taylor. 1958. Experience in the production of poliovirus vaccines. Prog. Med. Virol. **1**:122–164.

99. Melnick, J. L. 1951. Poliomyelitis and poliomyelitis-like viruses of man and animals. Ann. Rev. Microbiol. **5**:309–332.

100. Melnick, J. L. 1953. The Coxsackie group of viruses. Ann. N.Y. Acad. Sci. **56**:587–595.

101. Melnick, J. L., *et al.* 1962. Classification of human enteroviruses. Virology **16**:501–504.

102. Memoranda. 1970. Viral hepatitis and tests for the Australia (hepatitis-associated) antigen and antibody. Bull. Wld. Hlth. Org. **42**:957–992.

103. Mosley, J. W. 1959. Water-borne infectious hepatitis. New Eng. J. Med. **261**:703–708, 748–753.

104. Mosley, J. W. 1961. Multiplication and cytopathogenicity of mouse hepatitis virus in mouse cell cultures. Proc. Soc. Exp. Biol. Med. **108**:524–529.

105. Murnane, T. G., *et al.* 1961. Fatal disease of swine due to encephalomyocarditis virus. Science **131**:498–499.

106. Ogra, P. L. 1971. Effect of tonsillectomy and adenoidectomy on nasopharyngeal antibody response to poliovirus. New Eng. J. Med. **284**:59–64.

107. Ogra, P. L., and D. T. Karzon. 1969. Distribution of poliovirus antibody in serum, nasopharynx and alimentary tract following segmental immunization of lower alimentary tract with poliovaccine. J. Immunol. **102**:1423–1430.

108. Parker, W. L., J. C. Wilt, and W. Stackiw. 1961. Adenovirus infections. Can. J. Pub. Hlth. **52**:246–251.

109. Parks, W. P., and J. L. Melnick. 1969. Attempted isolation of hepatitis viruses in marmosets. J. Infect. Dis. **120**:539–547.

110. Parks, W. P., *et al.* 1969. Characterization of marmoset hepatitis virus. J. Infect. Dis. **120**:548–559.

111. Paul, J. R. 1971. A History of Poliomyelitis. Yale University Press, New Haven, Conn.

112. Payne, A. M. M. 1960. Oral immunization against poliomyelitis. Bull Wld. Hlth. Org. **23**:695–703.

113. Pereira, H. G. 1956. Typing of adenoidal-pharyngeal-conjunctival (APC) viruses by complement fixation. J. Pathol. Bacteriol **72**:105–109.

114. Pereira, M. S., H. G. Pereira, and S. K. R. Clarke. 1965. Human adenovirus type 31. A new serotype with oncogenic properties. Lancet **i**:21–23.

115. Perkins, J. C., *et al.* 1969. Comparison of protective effect of neutralizing antibody in serum and nasal secretions in experimental rhinovirus type 13 illness. Amer. J. Epidemiol. **90**:519–526.

116. Phillips, C. A., *et al.* 1965. Rhinoviruses associated with common colds in a student population. J. Amer. Med. Assn. **192**:277–280.

117. Plummer, G. 1965. The picornaviruses of man and animals: A comparative review. Prog. Med. Virol. **7**:326–361.

118. Plummer, G., and J. B. Kerry. 1962. Studies on an equine respiratory virus. Vet. Rec. **74**:967–970.

119. Pollard, M. 1958. Comparative studies on viral hepatitis in animals and in man. Ann. N.Y. Acad. Sci. **70**:383–390.

120. Prince, A. M., *et al.* 1970. Immunologic distinction between infectious and serum hepatitis. New Eng. J. Med. **282**:987–991.

121. Quersin-Thiry, L., E. Nihaul, and F. Dekking. 1957. Echo virus type 9 as a cause of epidemic meningitis. Science **125**:744–745.

122. Report. 1965. Viral Hepatitis. Report on a European Symposium. World Health Organization, Regional Office for Europe, Copenhagen.

123. Report. 1965. Prevention of colds by vaccination against a rhinovirus. Brit. Med. J. **i**:1344–1349.

124. Report. 1967. Rhinoviruses: A numbering system. Nature **213**:761–762.

125. Report. 1970. Poliomyelitis surveillance. Wkly. Epidemiol. Rec. **45**:189–194.

126. Report. 1971. Poliomyelitis in 1970. Wkly. Epidemiol. Rec. **46**:337–342.

127. Rosen, L. 1965. Subclassification of picornaviruses. Bacteriol. Rev. **29**:173–184.

128. Rosen, L., and J. Kern. 1965. Toluca-3, a newly recognized enterovirus. Proc. Soc. Exp. Biol. Med. **118**:389–391.

129. Rosen, L., J. Kern, and J. A. Bell. 1964. Observations on an outbreak of infection with a newly recognized enterovirus (JV-4). Observations on a group of viruses (JV-5, JV-6 and JV-10) comprising a newly recognized enterovirus serotype. Amer. J. Hyg. **79**:1–6, 7–15.

130. Rosenbaum, M. J., *et al.* 1965. Epidemiology and prevention of acute respiratory disease in naval recruits. Amer. J. Pub. Hlth. **55**:38–46, 47–59, 60–67, 67–80.

131. Rowe, W. P., J. W. Hartley, and W. I. Capps. 1963. Mouse hepatitis virus infection as a highly contagious, prevalent, enteric infection of mice. Proc. Soc. Exp. Biol. Med. **112**:161–165.

132. Rubin, H., *et al.* 1958. Epidemic infection with Coxsackie virus group B type 5. I. Clinical and epidemiologic aspects. New Eng. J. Med. **258**:255–263.

133. Ruddy, S. J., J. W. Mosley, and J. R. Held. 1967. Chimpanzee-associated viral hepatitis in 1963. Amer. J. Epidemiol. **86**:634–640.

134. Sabin, A. B. 1956. Pathogenesis of poliomyelitis. Science **123**:1151–1157.

135. Sabin, A. B. 1961. Eradication of poliomyelitis. Ann. Intern. Med. **55**:353–357.

136. Sabin, A. B., W. A. Hennessen, and J. Winsser. 1954. Studies on variants of poliomyelitis virus. I. Experimental segregation and properties of avirulent variants of three immunologic types. J. Exp. Med. **99**:551–576.

137. Salk, J. E. 1955. Considerations in the preparation and use of poliomyelitis virus vaccine. J. Amer. Med. Assn. **158**:1239–1248.

138. Sanford, J. P., and S. E. Sulkin. 1959. The clinical spectrum of ECHO-virus infection. New Eng. J. Med. **261**:1113–1122.

139. Schaffer, F. L. 1960. Interaction of highly purified poliovirus with formaldehyde. Ann. N.Y. Acad. Sci. **83** 564–577.

140. Schindler, R., and W. Mohr. 1959. Über eine Infektion mit dem Virus der Hepatitis contagiosa canis beim Menschen. Deut. Med. Wochensch. **84**:2080–2084, 2104.

141. Schmidt, N. J., V. L. Fox, and E. H. Lennette. 1961. Immunologic identification of Coxsackie A21 virus with Coe virus. Proc. Soc. Exp. Biol. Med. **107**:63–65.

142. Shatkin, A. J. 1969. Replication of reovirus. Adv. Virus Res. **14**:63–88.

143. Sohier, R., Y. Chardonnet, and M. Prunieras. 1965. Adenoviruses. Status of current knowledge. Prog. Med. Virol. **7**:253–325.

144. Sommerville, R. G. 1958. Epidemic kerato-conjunctivitis — an adenovirus infection. J. Hyg. **56**:101–107.

145. Spendlove, R. S. 1970. Unique reovirus characteristics. Prog. Med. Virol. **12**:161–191.

146. Stanley, N. F. 1967. Reoviruses. Brit. Med. Bull. **23**:150–154.

147. Stoller, A., and R. C. Collmann. 1965. Incidence of infective hepatitis followed by Down's syndrome nine months later. Lancet **ii**:1221–1223.

148. Symposium. 1957. Discussion on adenovirus infections. Proc. Roy. Soc. Med. **50**:753–760.

149. Symposium. 1960. Second international conference on live poliovirus vaccines (Washington, 6–10 June 1960), Science Publication No. 50. Pan American Sanitary Bureau, Regional Office, World Health Organization, Washington, D.C.

150. Syverton, J. T., *et al.* 1957. Outbreak of aseptic meningitis caused by Coxsackie B5 virus. Laboratory, clinical and epidemiologic study. J. Amer. Med. Assn. **164**:2015–2019.

151. Tóth, M., and A. Honty. 1966. Age-incidence of haemagglutination-inhibiting antibodies to reovirus types 1, 2, and 3. Acta Microbiol. Hung. **13**:119–125.

152. Tyrrell, D. A. J. 1967. Brit. Med. Bull **23**:124–128.

153. Tyrrell, D. A. J., and M. L. Bynoe. 1966. Cultivation of viruses from a high proportion of patients with colds. Lancet **i**:76–77.

154. Vainio, T. 1961. Studies on murine hepatitis virus (MVH3) in vitro. Proc. Soc. Exp. Biol. Med. **107**:326–331.

155. Vargosko, A. J., *et al.* 1965. Recovery and identification of adenovirus in infections of infants and children. Bacteriol. Rev. **29**:487–495.

156. Verwoerd, D. W. 1970. Diplornaviruses: a newly recognized group of double-strained RNA viruses. Prog. Med. Virol. **12**:192–210.

157. Vogt, M., R. Dulbecco, and H. A. Wenner. 1957. Mutants of poliomyelitis viruses with reduced efficiency of plating in acid medium and reduced neuropathogenicity. Virology **4**:141–155.

158. Voroshilova, M. K., and M. P. Chumakov. 1959. Poliomyelitis-like properties of AB-IV-Coxsackie A7 group of viruses. Prog. Med. Virol. **2**:106–170.

159. Warren, J., J. E. Smadel, and S. B. Russ. 1949. The family relationship of encephalomyocarditis, Columbia, SK, MM, and Mengo encephalomyelitis viruses. J. Immunol. **62**:387–398.

160. Zuckerman, A. J. 1970. Recent advances in viral hepatitis. Abstr. Hyg. **45**:857–862.

CAPITULO 39

ARBOVIRUS; VIRUS DE LA CORIOMENINGITIS LINFOCITARIA

Los arbovirus, o virus transmitidos por artrópodos, se observan básicamente en reservorios de infección de animales inferiores, incluyendo mamíferos y pájaros, y en artrópodos. Estos últimos sirven de vectores,[69] para conservar los reservorios de infección en los vertebrados y transmitir la infección al hombre, pero la infección humana muchas veces resulta periférica en el ciclo vital del virus.[134] Estos virus se multiplican en los huéspedes artrópodos, para producir infecciones asintomáticas no mortales; y en el caso de las garrapatas (pero probablemente no en los mosquitos), hay transmisión transovárica de la infección. Aunque la transmisión a huéspedes vertebrados, incluyendo el hombre, se produce por el mosquito o la garrapata infectados, el mismo virus no es transmitido por ambos tipos de artrópodos. La gran mayoría de estos virus son transmitidos por mosquitos, y una proporción relativamente menor y más homogénea es transmitida por garrapatas.[158]

Estos virus se parecen, pues, a ciertas rickettsias, como las de las fiebres manchadas, por tener un ciclo biológico de vertebrado-invertebrado,[97] pero difieren de los microorganismos como los bacilos de la peste que producen una infección mortal en el vector insecto, y de los agentes de infecciones bacterianas o virales, como la disentería bacilar y la mixomatosis del conejo, por cuanto la infección se transmite mecánicamente por el vector. La agrupación de estos virus como arbovirus depende de su base epidemiológica, y quizá el grupo incluya virus que sean muy diferentes en otros aspectos.

Se han descrito muchos virus transmitidos por artrópodos; algunos se han comprobado asociados con enfermedades, otros en artrópodos, con signos serológicos de infección del huésped vertebrado o sin ellos, y de poder patógeno desconocido. Hasta enero de 1969 se han descrito un total de 228 arbovirus; siguen apareciendo informes de virus no observados de este grupo. Estos virus se encuentran en varias partes del mundo y pueden haber dado lugar a nombres de carácter más o menos exótico.[2] En conjunto no son bien conocidos —la información actual acerca de ellos la ha resumido Muss-

gay[97]— y las generalizaciones acerca de su naturaleza se basan en datos incompletos.

Resultan sensibles al éter, termolábiles (56ºC), virus de RNA sensibles al ácido; por lo menos algunos de ellos tienen simetría cúbica, y probablemente sean de ácido nucleico de una sola tira. La cápside está rodeada por una cubierta, y casi todos tienen diámetro de 30 a 50 nm, pero algunos parece que son mayores, de 70 a 130 nm. Varios pueden ser cultivables en el embrión de pollo, donde producen infección mortal, y en varios tipos de cultivos celulares.[8] Estos virus son patógenos para los ratones recién nacidos, y algunos para los ratones adultos, y producen encefalitis por inoculación intracerebral. En huéspedes vertebrados las consecuencias de la infección van desde enfermedad inadvertida a una infección general como fiebre hemorrágica con complicaciones renales, fiebre amarilla y encefalitis, de gran mortalidad.

Muchos de estos virus, aunque no todos, son hemaglutinantes para hematíes de ganso y pollos recién nacidos. La especificidad del anticuerpo hemaglutinina-inhibidor (HI) ha resultado particularmente útil para caracterización inmunológica de estos virus, permitiendo su separación en cuatro grupos, denominados A, B, C y Bunyamwera, pero dejando un residuo de virus que, o no forman hemaglutinina o cuya hemaglutinina guarda antigénicamente relación con pocos o ninguno de los otros virus conocidos. De los grupos establecidos, el A incluye las encefalitis equinas, y el grupo B incluye fiebre amarilla, encefalitis B japonesa y de San Luis, y encefalitis transmitidas por garrapatas. Pueden establecerse más subdivisiones basándose en la especificidad de los anticuerpos fijadores de complemento y neutralizantes, pero puede haber reacciones cruzadas entre miembros de diferentes grupos HI. Sin embargo, la caracterización inmunológica ha servido para demostrar estrecha relación, incluso una identidad substancial, de arbovirus descubiertos en zonas geográficas muy alejadas entre sí. Aquí consideraremos por separado los virus más importantes y representativos; después haremos un resumen de sus relaciones conocidas.

Virus de encefalitis y relacionados del grupo A

Los mejor conocidos de los virus de este grupo son los de la encefalitis equina y algunos virus descubiertos sobre todo en Africa, que producen una enfermedad parecida al dengue. Hay cierto número de otros virus de este grupo serológico que no vamos a describir aquí, incluyendo Aura, Bebaru, Getah, Highlands I, Middleburg, Ndumu, Pixuna, Una y virus Uruma.

Si bien desde hace tiempo se conoce la "enfermedad del sueño", que puede ser producida por bacterias o protozoos en casos esporádicos y en forma epidémica, a veces asociada con otra enfermedad, la primera encefalitis de causa probablemente viral que fue descrita con suficiente precisión para una buena identificación, fue la encefalitis letárgica o enfermedad de von Economo. Esta enfermedad se produjo en Rumania en 1915, en Francia en 1916, fue descrita por von Economo en Viena en 1917, y, al parecer difundió a Estados Unidos de Norteamérica en 1918. Hubo epidemias en diversas partes del mundo hasta 1926, después ya no. La enfermedad no tenía causa bacteriana, pero no se aisló el virus causal; solo sigue teniendo una identidad clínica incierta.

Si se trataba de una entidad nosológica definida, no sabemos por qué motivo ha dejado de aparecer después de 1926.

El estudio de las encefalitis por virus empezó a comienzos de la década de 1930, al aislarse una variedad de virus que causan o pueden causar encefalitis. El carácter neurotropo de algunos de estos virus es intenso, pero en otros está latente, de manera que la participación del sistema nervioso central es relativamente rara en la enfermedad espontánea, y solo puede demostrarse en condiciones experimentales, como en el caso del virus de la fiebre amarilla antes descrito. Algunos de estos virus tienden a formar un grupo, relacionado en cierto grado por su carácter antigénico, así como por la difusión llevada a cabo por vectores artrópodos y su presencia como infecciones naturales de animales inferiores; se separan de otros virus como los del herpes simple, el grupo de organismos de la psitacosis, las paperas y el sarampión, que a veces pueden infectar el sistema nervioso central.

VIRUS DE ENCEFALITIS EQUINA

La encefalitis de caballos y mulas, que ocurre en epizootias de verano en Norteamérica, se conoce desde hace años. Meyer y colaboradores obtuvieron el virus de cerebros de caballos durante una epidemia de la enfermedad en California en 1930, y comprobaron su presencia en la sangre y el siste-

ma nervioso central de casos humanos de la enfermedad por los trabajos de Howitt en 1938. Se produce una enfermedad equina similar en la parte oriental de Estados Unidos de Norteamérica y Canadá, se aisló un virus en animales infectados en 1933 por TenBroeck y Merrill en una epizootia que ocurrió en los estados de la costa atlántica central, y del sistema nervioso central de casos humanos de la enfermedad en 1938 por Fothergill y colaboradores. Se ha observado un tercer tipo de encefalitis de caballos y mulas en la parte norte de Sudamérica, que recibe el nombre de encefalitis equina venezolana. El virus causal se obtuvo de animales infectados en 1938; se señalaron infecciones de laboratorio en el hombre en 1943, y al año siguiente se observó la enfermedad espontánea en el hombre. Los tres virus son similares en varios aspectos, pero se distinguen antigénicamente y difieren en otras formas. Los virus norteamericanos han sido intensamente estudiados y se conocen mejor que el virus venezolano.

Encefalitis equina occidental

Esta encefalitis o WEE (Western Equine Encephalitis) tiene como virus productor uno de 50 nm de diámetro a juzgar por la velocidad de sedimentación, aunque las experiencias de filtración proporcionan un valor menor, de 20 a 30 nm. El análisis químico de preparados purificados ha demostrado aproximadamente 50 por 100 de lípido, 4 por 100 de carbohidrato y el resto de nucleoproteína de tipo ribosa; el virus parece ser un complejo líquido-nucleoproteínico. Es relativamente estable para el calor, durante 10 minutos a 60°C, y resiste desinfectantes como éter, fenol, cloruro mercúrico y borato de fenilmercurio; es inactivado por formol al 0.4 por 100 en dos a cuatro días. Esto último explica las infecciones accidentales que han ocurrido en el curso de inoculaciones de vacunas experimentales inactivadas por formol. Es fácil de cultivar en medio embrionado y embrión de pollo, por todas las vías de inoculación, para producir una infección característica rápidamente mortal del embrión, con hemorragia generalizada, trombosis y necrosis, y muerte en 24 horas. Crece asimismo en diversos cultivos de tejidos, y tanto en estos como en cultivos de huevo se producen grandes cantidades de virus.

Enfermedad en el hombre. El periodo de incubación es de menos de una hasta tres semanas; la enfermedad varía desde un cuadro casi asintomático o abortivo hasta el cuadro agudo, en el cual el paciente entra en coma en plazo de 24 horas.

Se trata esencialmente de una meningoencefalitis que raramente afecta a bulbo o médula espinal. En los casos típicos los signos prodrómicos pueden incluir cefalea, somnolencia y fiebre. Los síntomas de participación del sistema nervioso central también pueden incluir temblor, convulsiones, confusión mental y amnesia, pero no es frecuente la parálisis, que quizá ocurra en el 15 por 100 de los casos. La fase aguda de la enfermedad dura siete a 10 días; la recuperación suele lograrse sin incidentes y es completa. En California, en 1952, año máximo de la enfermedad, hubo 729 casos de encefalitis, de los cuales casi la mitad eran infecciones WEE; la mortalidad en este brote fue de 7 por 100. Sin embargo, los estudios serológicos indican que muchas infecciones provocadas por este virus nunca son causan encefalitis clínica, y muchas otras son de tipo subclínico.

Infecciones experimentales. El animal de experimentación de elección es el ratón, que puede infectarse por vía intranasal, intraperitoneal o intracerebral. Después de inoculación intraperitoneal el virus aparece en la sangre, infecta la mucosa nasal y llega al sistema nervioso central siguiendo los nervios olfatorios. A los pocos días los animales muestran signos de meningoencefalitis, como contracciones musculares espásticas y parálisis, seguidas de postracción y muerte; la enfermedad es similar a la que se observa en el hombre. La infección de otros animales, incluyendo conejos, cobayos y cierto número de pájaros, por vía intracutánea origina una infección asintomática con viremia, igual que la que probablemente se produzca en reservorios animales del virus.

Inmunidad. A consecuencia de la infección se producen anticuerpos fijadores de complemento y anticuerpos neutralizantes; proporcionan una inmunidad sólida. El anticuerpo aparece muy pronto durante la infección, generalmente en plazo de una semana después de iniciada, y un aumento en el título de sueros pareados resulta diagnóstico. El anticuerpo fijador de complemento suele desaparecer en plazo de un año, pero el anticuerpo neutralizante persiste mayor tiempo y es titulado en encuestas serológicas. Animales de experimentación pueden inmunizarse inoculándoles antígeno de cerebro de ratón, inactivado con formol; en tales animales la inmunidad para inoculaciones ulteriores es proporcional al título de anticuerpo neutralizante presente en el suero. Los ratones pueden protegerse eficazmente, tanto contra la inoculación intraperitoneal como contra la intracerebral, pero se produce una infección abortiva en el cobayo inmunizado por inyección intracerebral. Las vacunas obtenidas de cerebro de ratón y de embrión de pollo no han tenido gran éxito.

La infección natural ocurre en animales salvajes y es transmitida por mosquitos; en la evolución natural del virus la infección del hombre y del caballo es incidental. La infección ocurre al oeste del río Misisipí, pero tanto los datos serológicos como el aislamiento de virus ha demostrado que también existe en algunas zonas de la costa atlántica, Nueva Inglaterra [60] y costa del Golfo.

Huéspedes. El virus se ha obtenido de unas 20 especies de pájaros salvajes y de seis especies de mamíferos; disponemos de la demostración serológica de infección en más de 73 especies de pájaros selváticos y la mayor parte de pájaros y mamíferos domésticos comunes. Se ha comprobado experimentalmente que el nivel de la viremia es considerablemente mayor en pájaros selváticos infectados que en animales o mamíferos domésticos; cabe deducir que los mosquitos pueden infectarse más fácilmente picando a los primeros. Aunque estos y otros datos dejan poca duda acerca de que los pájaros selváticos sean el reservorio natural más importante de la infección, y que las infecciones en mamíferos y pájaros domésticos no desempeñan papel importante en el ciclo de transmisión, no sabemos con seguridad cuáles especies de pájaros selváticos son las más importantes, y en cuáles el proceso es únicamente secundario. Se ha comprobado también que algunas serpientes (var. de Thamnophis) pueden ser infectadas, por inoculación o por *C. tarsalis* infectados; la infección se conserva latente durante el invierno en hibernación y luego se activa durante la primavera hasta valores de viremia suficientes para infectar mosquitos.[105]

Vectores. El virus de la WEE se ha aislado de 12 o más especies de mosquitos, de diversas especies de ácaros, de pájaros y de la chinche asesina, Triatoma. De todos ellos, parece que *Culex tarsalis* es el vector primario de la infección, tanto en su ciclo de transmisión natural como en las endemias en el hombre y en los caballos en la parte occidental de Estados Unidos de Norteamérica. La conclusión se funda en la consideración detallada de factores como densidad de población y hábitos hematófagos, así como la asociación uniforme de este mosquito con epidemias de la enfermedad en los mamíferos. Sin embargo, hay WEE en ausencia de *C. tarsalis,* como en zonas endémicas en las costas de Atlántico y del Golfo, y se ha aislado en esas regiones de especies de Culex, Aedes y Culiseta. Estos u otros factores bastan para conservar la infección en valor endémico relativamente bajo, con transmisión a pájaros y mamíferos, pero la importancia relativa de WEE en estas zonas parece depender de la ausencia de un vector eficiente como *C. tarsalis,* y posiblemente también de cierto grado de inmunidad cruzada con el virus oriental, que tiene por consecuencia un nivel menor de viremia cuando hay infección de WEE en pájaros o mamíferos inmunes al virus oriental.

Encefalitis equina oriental

La encefalitis equina oriental o EEE (Eastern Equine Encephalitis) es una enfermedad similar a

WEE, pero difiere en su distribución geográfica, vectores atrópodos y variedades huéspedes. Ocurre en los estados de la costa atlántica y del Golfo de Estados Unidos de Norteamérica, desde Nueva Hampshire hasta Texas y se ha comprobado en dirección occidental hasta Wisconsin en Estados Unidos de Norteamérica, en Canadá, México y zona del Caribe incluyendo partes de Centro y Sudamérica, así como en las Islas Filipinas.

El virus de EEE es muy similar en dimensiones y composición química al virus WEE y también produce rápidamente infecciones mortales en embrión de pollo, y cambios citopatológicos en diversos tipos de cultivo de tejido. Su poder patógeno para animales de experimentación es paralelo al de los virus WEE, pero tiene mayor amplitud de huéspedes y pueden también infectar ovejas, gatos y erizos. Una comparación de cultivo de tejidos y animales de experimentación ha demostrado que las células de embrión de pollo en cultivos de tejido constituyen el medio más sensible, y que el ratón lactante es el animal de experimentación más susceptible. El cultivo de tejidos con embrión de pollo ha sido utilizado para el virus con el fin de preparar vacuna inactivada por formol.[82]

La infección natural ocurre tanto en caballos como en el hombre. En los primeros, la enfermedad es casi idéntica a la producida por virus WEE, pero las infecciones en el hombre son relativamente más graves y se caracterizan por mayor mortalidad y tendencia a producirse en los niños. Se observó un total de 50 casos humanos de la enfermedad en Massachusetts en pequeños brotes en 1938, 1955 y 1956. El análisis de estos casos[40] demostró que el 46 por 100 de los individuos afectados tenían menos de tres años de edad, y el 68 por 100 menos de 10 años. Treinta y cuatro de los 50 casos acabaron en la muerte; las recuperaciones fueron menos satisfactorias en supervivientes más jóvenes, quedando como secuelas retraso mental, epilepsia, y parálisis de grados variables. Análogamente, de 13 casos de enfermedad humana ocurridos en la República Dominicana en 1948 y en 1949, solo una persona tenía más de ocho años de edad; nueve de los pacientes murieron.

Epidemiología.[26, 63, 73] Como ocurre con la WEE, el reservorio natural de la infección EEE se halla en los pájaros silvestres; la infección de mamíferos y pájaros domésticos desempeña un papel muy reducido en la transmisión natural de la enfermedad. La infección del hombre y el caballo es incidental, y ocurre durante periodos de gran frecuencia de infección.

Huéspedes. Se ha comprobado que una amplia variedad de pájaros silvestres, más de 40 especies, muestran signos serológicos de infección con virus de EEE. En general, cuanto menores los pájaros, incluyendo grajos, cardenales y gorriones, mayor el nivel de viremia por infección experimental que en pájaros voluminosos como los faisanes y las gar-

zas, que también tienden a ser más frecuentes. Además, la proporción de pájaros que muestran anticuerpo sérico es mayor en los migratorios que pasan el invierno en el sur de Estados Unidos de Norteamérica que en los pájaros que quedan en el norte, sugiriendo un ciclo de transmisión en América Central o del Sur en pájaros descubiertos en Estados Unidos de Norteamérica en verano.[74]

Parece comprobada la fluctuación de la presencia de la infección, según indica la proporción de aislamiento de virus y de pájaros que tienen anticuerpo. Durante los periodos de baja frecuencia del virus se aíslan en menos del 1 por 100, y la frecuencia de anticuerpo es de 15 a 20 por 100 en pájaros silvestres; los pájaros incluidos son cardenales, tordos y garzas. Durante periodos de frecuencia elevada de infección se han aislado virus hasta del 10 por 100 de los pájaros examinados, y la mitad o más presentan anticuerpo en el suero. Al mismo tiempo se descubren virus en especies adicionales, como en el gorrión inglés y el pichón; la infección del caballo y del hombre puede representar una difusión similar de la infección durante periodos de gran frecuencia de casos.

Tiene cierto interés considerar que se han producido brotes de EEE en ranchos de faisanes en Connecticut y Nueva Jersey. Probablemente la infección se adquiría inicialmente de un vector artrópodo, pero se produce luego transmisión de pájaro a pájaro para dar origen a epidemias de esta enfermedad. Es muy poco probable que los faisanes enjaulados desempeñen algún papel importante en la persistencia de la infección, pero pueden considerarse como indicadores sensibles en la presencia de virus en la vecindad.[116]

Vectores. Se ha aislado virus de EEE de diversas especies de mosquitos, incluyendo *Culiseta melanura, Mansonia perturbans, Anopheles crucians, Culex salinarius, Aedes mitchellae* y diversos culicoides mezclados. *C. melanura*, donde la proporción de aislamientos ha sido relativamente alta, es un mosquito de pantanos de agua dulce que pica libremente a los pájaros.

Por lo tanto, la distribución de este mosquito y de *A. mitchellae* y las especies de culicoides de pantanos de agua salada coincide con las zonas endémicas de infección por virus EEE. Se cree que *C. melanura* es uno de los vectores más importantes para la persistencia del ciclo de transmisión natural, pero raramente pica al hombre y al caballo; es probable que intervengan otros factores. *A. sollicitans*, por ejemplo, se ha comprobado que es un excelente vector experimental, pero *C. pipiens* no lo es. También es posible que con una elevada proporción de infecciones en el caballo sea probable la transmisión mecánica de caballo a caballo por ingestión interrumpida de diversos insectos picadores, como moscas de los establos, tábanos y mosquitos, ya que dicha transmisión mecánica resulta experimentalmente demostrable.

Encefalitis equina venezolana [121]

La encefalitis equina venezolana, o VEE (Venezuelan Equine Encephalitis), ocurrió como epizootia en caballos y mulas en Colombia en 1935; el virus causal se aisló durante una epizootia similar en Venezuela en 1938. La enfermedad también se ha observado en otras partes de Sudamérica como Argentina, Ecuador y Trinidad, así como en México [117] y Florida.[39]

La infección en el hombre suele causar una enfermedad relativamente leve, parecida a la influenza, con cefalea y fiebre, trastornos gastrointestinales y mialgia, letargia, con poca a ninguna señal de participación del sistema nervioso central. Tales casos ocurren a consecuencia de una infección adquirida en forma natural, como sucedió en Colombia en 1952,[114] y se ha visto repetidamente como resultado de infección de laboratorio. La enfermedad dura de tres a cinco días, a veces más en casos graves. Los casos mortales son pocos; en dos observados en Trinidad el comienzo fue brusco, con encefalitis seguida de coma y muerte. Por otra parte, los datos serológicos indican que las infecciones asintomáticas o subclínicas en el hombre pueden ser relativamente frecuentes en zonas endémicas. En el hombre hay virus en la sangre y también en la nasofaringe, pero no se han observado señales de transmisión de hombre a hombre de la infección respiratoria.

El virus VEE infecta caballos y mulas, pero no al ganado. Es menos patógeno para los pájaros, y algunos de estos, especialmente pichones y palomas, parecen refractarios a la infección experimental. En contraste con los virus WEE y EEE, hay una viremia intensa en los caballos infectados, pero solo una viremia baja en los pájaros enfermos. Probablemente el reservorio de infección sean mamíferos más bien que aves, y la enfermedad se transmita por un insecto vector; *Mansonia titillans* transmite la infección en condiciones experimetales, pero no sabemos cuál sea el vector de la enfermedad espontánea.

Es poco lo que se conoce del carácter físico o químico del virus VEE, pero inmunológicamente es diferente de los virus WEE y EEE. Los animales usuales de laboratorio se infectan fácilmente por inoculación periférica, produciéndose un grado elevado de viremia y encefalitis; los animales de experimentación más útiles han sido el ratón y el cobayo. El virus crece profusamente en el embrión de pollo y en el huevo embrionado, y se cultiva en tejidos de cultivo de útero humano, células HeLa y células de riñón de cobayo y de cricetos.[72] Los animales de experimentación pueden inmunizarse con virus de embrión de pollo inactivado por formol. La vacuna VEE se ha combinado con vacunas WEE y EEE para inmunizar personal de laboratorio. Se ha obtenido una variante, avirulenta por todas las vías que no sea la intracerebral, que constituye un agente de inmunización eficaz en condiciones experimentales.[61]

VIRUS SINDBIS

Este virus se aisló en 1955 de *C. univittatus*, y una vez de un cuervo en el distrito Sindbis, en el norte de Egipto, inoculando intracerebralmente ratones lactantes. También se ha encontrado en India.[120] Experimentalmente pueden infectarse algunos animales, incluyendo pollos, caballos, palomas y cuervos, para producir una viremia sin síntomas, pero el ratón lactante sufre parálisis y muere en dos o tres días. El virus puede desarrollarse en el huevo embrionado por inoculación del saco vitelino, y los embriones mueren en uno a tres días. También puede prosperar en cultivo de tejido embrionario de pollo, con efectos citopatógenos notables aparentes en el crecimiento fibroblástico, pero no en cultivo de células HeLa o tejido humano musculocutáneo embrionario.[42] El virus tiene 40 a 48 nm de diámetro; por lo tanto, es de tamaño intermedio en relación con los virus descritos anteriormente. Es antigénicamente distinto.

VIRUS DE CHIKUNGUNYA

El proceso llamado Chikungunya es una enfermedad similar al dengue, que ocurrió como brote de infección en el distrito de Newala, Tangánica, en 1953. En el hombre, la enfermedad parece ser una variante clínica del dengue sin cefalea, pero los globos oculares están hipersensibles y hay dolores articulares intensos. De hecho, este virus se ha descubierto junto con virus de dengue en epidemias de este último. Ross,[110] en un estudio sobre etiología de la enfermedad, aisló dos virus, uno, el de Chikungunya, que es el agente causal de la misma, otro, el Makonde, llamado según la región donde se encontró (meseta Makonde), y cuya presencia era casual. Los dos virus no están relacionados inmunológicamente. También difieren en su patogenicidad para el ratón; el periodo medio de incubación de la infección intracerebral era de cuatro días, y de nueve en el caso del Makonde; el primero causa la muerte en cuatro a siete días; el último necesita 14 días o más.

El virus de Chikungunya se aisló de la sangre de pacientes con enfermedad febril y también de *A. aegypti;* en el suero de convalecientes se encontró anticuerpo neutralizador. Los conejos y cobayos aparentemente no eran susceptibles a la infección. Aunque es un miembro del grupo A, en la prueba de neutralización este virus da una ligera reacción cruzada con dengue de tipo 1, pero no con dengue de tipo 2.

VIRUS SEMLIKI-MAYARO

Virus del bosque Semliki

Este virus fue aislado en 1942 de *A. abnormalis* en el bosque Semliki, al oeste de Uganda, por Smithburn y Haddow. Es patógeno para el ratón cuando se inocula por las vías periférica e intracerebral, y produce infecciones mortales en cobayos, conejos, y monos rhesus por inoculación intracerebral. Las lesiones cerebrales en animales infectados son similares a las que producen los virus de la encefalomielitis equina. El huevo embrionado puede infectarse por varias vías, incluyendo la membrana corioalantoidea, y la infección es uniformemente mortal para el embrión. La concentración de virus en el cuerpo del embrión es tan alta o más que la del cerebro; en ambos hay congestión generalizada y hemorragias localizadas, y el virus es más pantrópico que neurotrópico en el embrión.

El virus tiene 30 a 40 nm de diámetro.[27, 28] Es antigénicamente distinto y, el virus Mayaro que se encuentra en Trinidad está muy relacionado con él. Se ha encontrado que el virus Kumba, aislado de mosquitos Eratmapodites en la región de Kumba del Camerúm británico en Africa occidental, es antigénicamente igual que él. Aun cuando los virus Semliki y Kumba solo se han encontrado en mosquitos, la patogenicidad del virus para el hombre está demostrada porque en Trinidad, y posiblemente en otras partes de Sudamérica, ocurre la enfermedad en humanos, y la infección está diseminada en las regiones tropicales de ambos continentes.

VIRUS MAYARO

En el condado de Mayaro, Trinidad, ocurrió un brote de una enfermedad febril de etiología viral, y Casals y Whitman[22] informaron en 1957 haber aislado el virus causante por inoculación intracerebral de ratones lactantes. El virus Mayaro está íntimamente relacionado con el del bosque Semliki (véase luego) que se encontró antes en Africa; si no es idéntico a él, es una variante muy relacionada. En la región del río Guama, en Brasil, hubo un brote de enfermedad febril al parecer de la misma etiología, y se ha demostrado que el anticuerpo contra este virus, y el Semliki, está ampliamente distribuido en la región del Amazonas.

VIRUS O'NYONG-NYONG

Este virus (ONN) fue aislado de la sangre de pacientes durante una epidemia importante de enfermedad febril parecida al dengue en Uganda y Kenia, y también se descubrió en mosquitos anofelinos. Parece ser endémico en Africa Oriental; de cuando en cuando aparecen epidemias de la enfermedad.[154] Los ratones lactantes infectados muestran una alopecia en placas y retraso del crecimiento; el virus puede propagarse en cultivos de fibroblasto de embrión de pollo, formando placas en capas únicas.

En la prueba de inhibición de placa el virus muestra relación con los virus Chikungunya y del bosque Semliki.

Virus transmitidos por mosquitos del grupo B

De los virus transmitidos por mosquitos del grupo B, el más conocido y clásico es el de la fiebre amarilla. Los virus de la encefalitis B japonesa, fiebre dengue, y encefalitis de San Luis, son bien conocidos y han sido estudiados ampliamente; otros o son menos conocidos o han sido descritos hace relativamente poco. Algunos de los últimos, como el virus del Nilo Occidental, producen enfermedad ligera o infección inadvertida, según lo indican las encuestas serológicas, y están ampliamente distribuidos en algunas áreas. Además de los virus que describimos aquí, este subgrupo incluye los virus Río Bravo, Bussuquara, Modoc, Spondweni, Tembusu y Usutu, y el virus transmitido por mosquitos Wesselsbron.

ENCEFALITIS DE SAN LUIS

La enfermedad conocida como encefalitis de San Luis o SLE fue observada primeramente en la parte oriental de Illinois en 1932, donde se diagnosticó enfermedad de von Economo; al año siguiente apareció en forma epidémica en San Luis y alrededores, con una proporción de atacados de 1 por 1 000 y una mortalidad de aproximadamente 20 por 100. La infección ocurre en los estados centrales del medio oeste de Estados Unidos de Norteamérica y en la mitad occidental del país, coincidiendo en este último aspecto con WEE; se ha descubierto en pájaros y en mosquitos en Trinidad. SLE, WEE y EEE juntos constituyen las encefalitis por virus transmitidas por artrópodos más importantes de Estados Unidos de Norteamérica.

El virus SLE fue aislado en 1933 por inoculación intracerebral del mono. En diversos aspectos, incluyendo las dimensiones, de 20 a 30 nm, es muy parecido a los virus de WEE y EEE antes descritos, y también a otros virus de encefalitis, como el de encefalitis B japonesa, pero inmunológicamente son diferentes y difieren por su patogenicidad para diversos animales de experimentación. El virus puede cultivarse en embrión de pollo y tejido de embrión de ratón, así como en el saco vitelino o en la membrana corioalantoidea del huevo embrionado. No produce pústulas en la membrana corioalantoidea, pero la membrana infectada está edematosa, con signos de proliferación celular y necrosis focal. En contraste con los virus WEE y EEE, la infección de huevo embrionado por virus SLE no causa la rápida muerte del embrión.

La susceptibilidad de los monos rhesus para la inoculación intracerebral es algo irregular; solo algunas cepas producen la infección y el virus tiende a perderse con los pasos; el mono Cebus parece ser refractario a la infección. Los ratones lactantes son los animales más sensibles para experimentación usual, y pueden infectarse por todas las vías; el ratón adulto puede infectarse por vía intracerebral o intranasal. Solo se produce infección asintomática en conejos, cobayos y diversos pájaros; las ratas adultas, las ovejas y los hurones son refractarios a la infección.

Enfermedad en el hombre. La enfermedad en el hombre es muy parecida a WEE, causando cuadros de gravedad diversa, desde el tipo abortivo de infección con cefalea y fiebre hasta la enfermedad grave de comienzo brusco y síntomas que incluyen dolor abdominal y muscular, faringitis, conjuntivitis, y señales de trastornos nerviosos, como ataxia, confusión mental y, a veces, tipos espásticos de parálisis. La frecuencia de enfermedad es relativamente alta en lactantes, y menor en niños mayores; aumenta de nuevo en los grupos de edades más elevadas. Tiende a observarse el tipo fulminante de enfermedad en los lactantes que en proporción considerable, del 10 al 40 por 100, cuando curan conservan secuelas del sistema nervioso, como retraso mental e hidroencefalia. La recuperación en individuos mayores suele ser completa, con secuelas solamente en el 5 por 100 o menos de los supervivientes, pero la mortalidad aumenta con la edad y la recuperación muchas veces es tardía, incluso de varios meses. Hay datos que sugieren que puede ser frecuente la infección asintomática.[13]

En el suero aparecen anticuerpos fijadores de complemento y neutralizantes al final de la primera semana de enfermedad; un aumento del título entre sueros pareados tiene valor diagnóstico. El anticuerpo neutralizante, titulado en el ratón, persiste largo tiempo, quizá por toda la vida, pero el anticuerpo fijador del complemento disminuye hasta valores insignificantes en plazo de dos a tres años.

Epidemiología.[83] A diferencia de WEE, que ocurre en verano, SLE tiende a ocurrir al final del verano y principios de otoño. Después de un brote ocurrido en San Luis en 1937, la enfermedad volvió a aparecer en forma esporádica durante varios años; se han observado pequeños brotes urbanos y suburbanos desde 1954, y una epidemia de más de 100 casos en Louisville, Kentucky, en 1956, así como otra de magnitud similar en San Petersburgo, Florida, en 1962.[12]

Huéspedes. El reservorio de virus SLE, como el de WEE y el de EEE, son los pájaros; la enfermedad es transmitida por mosquitos. El virus se ha obtenido de diversas especies de pájaros, y los datos serológicos de infección se han descubierto en 55 especies de pájaros salvajes, diversos mamíferos, así como en la mayor parte de pájaros y mamíferos domésticos examinados. El nivel de epidemias es relativamente bajo, pero los mosquitos parecen infectarse más fácilmente con estos virus que con otros en los cuales se necesita un valor alto de viremia para infectar al vector. Los huéspedes vertebrados más importantes parecen ser los pajaritos como pinzones y gorriones, y hay suficientes motivos para creer que los pollitos también son huéspedes epidémicos muy importantes del virus.

Vectores. La SLE difiere de WEE en cuanto a los vectores artrópodos, pues la susceptibilidad del mosquito tiende a invertirse. WEE y EEE infectan fácilmente especies de Aedes y Psorophora, pero no Culex, excepto *C. tarsalis,* mientras que SLE es muy infeccioso para especies de Culex, pero se desarrolla mal en Aedes y Psorophora. Estas diferencias se reflejan en el tipo epidemiológico de la enfermedad, y SLE se observa en dos formas, la urbana y la rural. La primera, en la cual la enfermedad se descubre en zonas populosas del medio oeste, donde *C. tarsalis* no existe o lo hay muy poco, se transmite al hombre por mosquitos del complejo *C. pipiens,* incluyendo *C. pipiens, C. quinquefasciatus, C. molestus* y posiblemente otros. En zonas occidentales y rurales el vector primario parece ser *C. tarsalis.*

En el tipo rural de la enfermedad del oeste el ciclo de transmisión incluye pájaros silvestres, y posiblemente también domésticos, como reservorio de infección, mantenidos por transmisión del virus por *C. tarsalis,* con infecciones ocasionales que ocurren en el hombre. En zonas más densamente pobladas, donde raramente hay *C. tarsalis,* la infección probablemente sea introducida por pájaros silvestres y transmitida a los pájaros locales, silvestres y domésticos, así como al hombre primariamente por *C. pipiens* y *C. quinquefasciatus;* los brotes de enfermedad en el hombre se asocian con poblaciones relativamente densas de estos mosquitos.

ENCEFALITIS B JAPONESA [150]

La encefalitis de origen viral se observa con cierta frecuencia en diversas partes del Lejano Oriente, y una forma parecida de encefalitis por virus fue descubierta en Australia. Un virus muy similar parece estar ampliamente diseminado en Africa, asociado con una enfermedad febril, pero

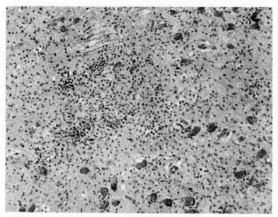
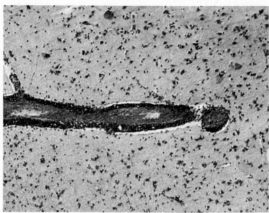

FIG. 39-1. Cambios patológicos resultantes de infección encefálica japonesa. *Izquierda,* Substancia negra de un paciente humano; hay focos de infiltración de células mononucleares y gran número de células ganglionares desintegradas o desaparecidas. Hematoxilina y eosina; × 90. *Derecha,* Región de la circunvolución temporal superior de un caso humano; una vena en la unión corticomedular está rodeada de un "manguito" de linfocitos. (Haymaker y Sabin: Arch. Neurol. Psychiat.)

generalmente no son síntomas de encefalitis. Estos virus guardan relación con los virus de SLE y de la fiebre amarilla, por una parte, y con los virus de la encefalitis rusa estivoprimaveral y similares, por otra.

La encefalitis ha ocurrido en Japón a fines de verano durante años y ha presentado forma epidémica de cuando en cuando. La enfermedad se ha llamado encefalitis B japonesa o JBE, para distinguirla de la enfermedad de von Economo que fue llamada encefalitis R japonesa en Japón. Una epidemia de más de 6 000 casos, con mortalidad de 60 por 100, ocurrió en 1924, y se han producido brotes cada verano, para alcanzar en el periodo de 1924 a 1940 un total de aproximadamente 27 000 casos de encefalitis aguda. La infección se ha descubierto en varias partes del Lejano Oriente, incluyendo China, Rusia, Formosa, Tailandia, Birmania, Malaya, India, Filipinas y parte de Indonesia; una epidemia de más de 5 500 casos, con mortalidad de 50 por 100, ocurrió en Corea en 1949. En 1936, investigadores japoneses señalaron haber aislado el virus: Kasahara y colaboradores, y Taniguchi y colaboradores.

El virus es similar al de las encefalitis equinas y al SLE en dimensiones y propiedades, pero tiene una amplitud de poder patógeno relativamente mayor para animales de experimentación. Son sensibles el ratón y el mono, el criceto y la rata joven, en este orden; el cobayo es relativamente resistente, y el conejo y el pollo responden con viremia. Los animales domésticos, como caballo, vaca, oveja y cabra pueden infectarse experimentalmente, y muestran serológicamente señales de infecciones espontáneas en zonas endémicas; las epidemias de enfermedad encefalítica en los caballos muchas veces se asocian con epidemias similares en el hombre. En el mono rhesus se observa una encefalomielitis aguda

con síntomas muy notables, que simulan la enfermedad humana, después de inoculación intracerebral o intranasal; en contraste con el virus SLE, puede transmitirse por pasos en los monos. El virus es cultivable en embrión de pollo y en membrana corioalantoidea de huevo embrionado, muriendo el embrión en plazo de 72 horas. También crece en diversos cultivos de tejidos.[9, 107]

Enfermedad en el hombre. La enfermedad ocurre en el hombre en forma de infección asintomática o subclínica[68] (un tipo abortivo en el cual hay fiebre y signos poco precisos del sistema nervioso central) y como meningoencefalomielitis aguda. En este último caso hay amplia lesión cortical, con infiltración perivascular focal, degeneración de células ganglionares y destrucción de las células de Purkinje en el cerebelo; hay asimismo lesiones de la médula que simulan las de la poliomielitis. El comienzo puede ser brusco o insidioso, caracterizado por fiebre, náuseas y desorientación. En la forma grave de la enfermedad, los síntomas neurológicos son intensos, incluyendo rigidez raquídea, temblores, convulsiones y espasticidad. La fase aguda de la enfermedad puede durar hasta dos semanas, pero la recuperación suele ser completa; quedan secuelas, como trastornos neurológicos y cambios psicóticos, en menos del 10 por 100 de los supervivientes.

La respuesta inmune es evidente, apareciendo anticuerpos fijadores de complemento y neutralizantes en el suero en plazo de una a dos semanas después de iniciada la enfermedad. El anticuerpo neutralizante dura largo tiempo, y la inmunidad asociada se cree que es relativamente permanente. El anticuerpo fijador del complemento puede aparecer en inmunes después de inocular vacuna que no provoca la formación de este anticuerpo en título importante en el individuo normal. Se ha utilizado una vacuna de embrión de pollo, inactivada con formol, para inmunizar al hombre, con resultados interesantes. Otro enfoque es la inoculación primaria con virus vivo heterólogo pero relacionado, el virus del Nilo Occidental (ver luego) seguido de inoculación con vacuna inactivada de otros virus, como el JBE.[55]

Epidemiología. Se produce infección natural de los huéspedes mamíferos, aparte del hombre, con este virus, según lo indican los amplios brotes en los caballos y la infección de cerdos, que originan abortos, fetos muertos o animales jóvenes enfermos; otros animales domésticos muestran signos serológicos de infección. Los murciélagos pueden infectarse experimentalmente, originando un ciclo de mosquito-murciélago-mosquito, y está comprobada serológicamente la existencia de la infección natural.[94] Se ha descubierto también anticuerpo sérico en cierto número de pájaros del Japón, sugiriendo que puede haber reservorios tanto aviarios como de mamíferos para esta infección.[57]

Cierto número de especies de mosquitos culicíneos, incluyendo *C. tritaeniorhynchus* y *C. pipiens* var. *pallens,* pueden infectarse con el virus y transmitir la infección en condiciones experimentales. Se ha comprobado que *C. tritaeniorhynchus* estaba infectado espontáneamente en Japón, y estos otros datos sugieren que el mosquito puede ser uno de los principales vectores de la enfermedad en ese país.

ENCEFALITIS DEL VALLE MURRAY

Se ha observado una encefalitis por virus en Australia de cuando en cuando; el virus parece ser una variante del virus JBE. Hubo epidemias de encefalitis aguda durante los meses de verano entre 1917 y 1926, en la primera de las cuales la enfermedad se observó principalmente en niños pequeños, con mortalidad de 70 por 100, pero las epidemias subsiguientes no fueron tan graves. En la forma más grave, la enfermedad era fulminante y se parecía a JBE, tanto en síntomas como en anatomía patológica. Se aisló un virus del sistema nervioso central inoculando monos, pero por desgracia se perdió antes de poder determinar sus características y la enfermedad recibió el nombre de enfermedad X australiana. No se ha vuelto a producir desde 1926.

En el verano de 1950-1951 hubo una epidemia de encefalitis en el Valle Murray, en Victoria, Australia, en la cual se reconocieron 40 casos y de ellos 17 fueron mortales. Hubo unos pocos casos en 1956[3] y la enfermedad quizá aparezca solo esporádicamente. Se ha observado asimismo en Nueva Guinea, donde las encuestas serológicas han sugerido una distribución dispersa de la infección.[4] La enfermedad ha recibido el nombre del Valle Murray, pero hay motivos para creer que representa una recrudescencia de la enfermedad X australiana.

Se aisló un virus, en membrana corioalantoidea de huevo embrionado, que mataba al embrión en dos o tres días, y se adaptó al ratón lactante, en el cual produjo encefalitis mortal en una semana, aproximadamente, por inoculación intracerebral. El virus se comprobó que era muy similar a JBE, pero inmunológicamente no eran idénticos.[1, 123]

Se producen en respuesta a la infección anticuerpos fijadores de complemento y neutralizantes; estos últimos son demostrables en el ratón; las encuestas en la zona epidémica demostraron que el 5 por 100, aproximadamente, de las personas sin antecedentes de la enfermedad tenían títulos importantes de anticuerpo fijador del complemento. En estudios ulteriores se comprobó que el anticuerpo se halla bastante distribuido en toda la porción oriental de Australia, no solo en el hombre sino también en caballos, y en cierto número de especies de pájaros silvestres.[90] Hay datos indicando que *C. annulirostris* transmite la enfermedad.[85] Esta, como la SLE y la encefalitis equina, existe en un reservorio de infección en los pájaros silvestres, conservada por transmisión de mosquitos y quizá de ácaros de pájaros; se transmite al hombre y otros mamíferos por mosquitos.

VIRUS DEL NILO OCCIDENTAL

El aislamiento de este virus de un nativo, de Uganda con enfermedad febril ligera, fue señalado por Smithburn en 1940; más tarde se aisló en Egipto en 1951;[88] se han observado brotes de la enfermedad en Israel.[47, 84] En contraste con JBE, la enfermedad raramente es mortal y no suele adoptar la forma de encefalitis. El periodo de incubación en Israel fue de dos a seis días, caracterizado por comienzo brusco, fiebre, somnolencia y cefalea frontal intensa. Puede desarrollarse un exantema maculopapuloso (más frecuentemente en niños); puede haber dolor abdominal, con anorexia y náuseas, y hay agrandamiento general de los ganglios linfáticos. La fase aguda de la enfermedad dura menos de una semana, pero la convalecencia puede ser prolongada.

El virus se parece mucho al virus JBE, y es del mismo orden de dimensiones; inmunológicamente los dos se parecen, y también el virus SLE. Tiene particular interés en relación con la inmunización activa empleando virus estrechamente relacionados, como el JBE y otros. Los ratones pueden infectarse por vía intracerebral; la infección se caracteriza en estos animales y en monos por cambios degenerativos en las células de Purkinje del cerebelo. El virus crece en la membrana corioalantoidea del huevo embrionado y en diversos tipos de cultivos de tejidos.

Los datos serológicos indican que la infección está dispersa en Africa, probablemente en forma

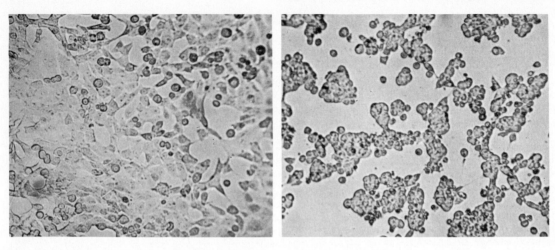

FIG. 39-2. Citopatogenia del virus del Nilo Occidental en cultivo de células HeLa. *Izquierda,* Cultivo de células sin inocular; *derecha,* cuatro días después de la inoculación de virus.

asintomática, no solo en Uganda y Egipto, sino también en Africa del Sur, República del Congo y Sudán. Hasta el 70 por 100 de las personas examinadas en Egipto muestran un título importante de anticuerpo, y la enfermedad se ha estudiado ahí ampliamente.[137] Ocurre sobre todo durante el verano, y es esporádica más que epidémica. La aparición de brotes de la enfermedad en Israel en 1951 y 1954 puede haber dependido, en parte, de la introducción relativamente reciente del virus.

El virus ha sido aislado de pájaros, pichones y cuervos en Egipto; puede haber ahí un reservorio aviario de infección. También se ha descubierto el virus en *C. univittatus* y *C. antennatus; C. pipiens* y *A. aegypti* transmiten experimentalmente la enfermedad.

C. univittatus se considera el vector probablemente más importante de la infección.

DENGUE

El dengue, fiebre de huesos rotos o trancazo, es una enfermedad infecciosa transmitida por mosquitos, endémica y a veces epidémica, de climas tropicales y subtropicales; puede observarse a veces en zonas templadas. Las epidemias pueden ser muy amplias; se calcula que hubo de uno a dos millones de casos en la parte sur de Estados Unidos de Norteamérica en la epidemia de 1922; más de un millón de casos ocurrieron en Grecia en 1927-1928, y un número mayor de ciudades portuarias japonesas en 1942 a 1945, con la tercera parte a la mitad de la población de Osaka afectada en 1944. Se estudió primeramente en las Filipinas por personal del Cuerpo Médico del Ejército de Estados Unidos de Norteamérica, que estableció la índole viral del proceso y la transmisión del virus por *A. aegypti.*

El dengue también se presenta en forma más grave como un tipo de fiebre hemorrágica observado en forma epidémica en las Filipinas y en diversas partes de Asia sudoriental, como Singapur, Tailandia y Vietnam.

Virus del dengue. El virus es similar por sus dimensiones a los de la fiebre amarilla y de la encefalitis antes descritos, quizá ligeramente menor; su volumen suele ser de 12 a 25 nm. En micrografías electrónicas se observan partículas en forma de pesas de gimnasia, pero no sabemos si realmente representan partículas de virus. En la década de 1950 se diferenciaron serotipos, primero los tipos 1 y 2, que hora son los mejor conocidos, más tarde los tipos 3 y 4, que se descubrieron en estudios de fiebre hemorrágica; puede haber dos serotipos adicionales, los tipos 5 y 6. Datos epidemiológicos sugieren la existencia de una protección cruzada entre el dengue y la encefalitis de San Luis; la proporción de infecciones de este último tipo es mucho menor en personas que poseen anticuerpo antidengue,[10, 11] y estudios experimentales parecen confirmar esta suposición.[115]

Por aislamiento primario el virus del dengue no produce efecto citopático en cultivo de células de riñón de mono, pero el crecimiento se deduce de la resistencia, que aumenta con cada paso, a la superinfección con poliovirus, o sea por interferencia.[99] Después de la adaptación, generalmente por paso intracerebral en el ratón, el virus crece con efecto citopático y formación de placas en cultivos de tejido renal de mono,[46] y el virus adaptado al ratón puede propagarse en serie en células HeLa, con acción citopática [14] y produciendo hemaglutinina.[15] Los serotipos se diferencian por anticuerpos neutralizantes o fijadores del complemento y por HI, y parecen guardar relación más estrecha entre sí que con otros miembros del grupo B, según la última condición.

Acción patógena en animales inferiores. Diversos monos, incluyendo especies de Cynomolgus, Ceropithecus y Macacus, y chimpancés, pueden infectarse, con producción de anticuerpo, pero las infecciones son asintomáticas, no se producen infecciones inaparentes en los animales de experimentación usuales. Sin embargo, el ratón recién nacido puede infectarse por inoculación intracerebral, desarrollando inmunidad pero sin sintomatología, o muy poca, de enfermedad, del aislamiento primario.

Por pasos sucesivos el virus puede adaptarse al ratón, proporcionando títulos altos de virus en el cerebro, y produciendo trastornos motores y parálisis fláccida parcial, eventualmente con signos de encefalitis. El ratón adulto puede infectarse por inoculación intracerebral de cepas bien adaptadas, pero es refractario por otras vías de inoculación. Cierto número de cepas de ambos tipos de virus se han adaptado así al ratón. Los virus adaptados pueden producir enfermedad paralítica mortal en monos rhesus, simulando la poliomielitis experimental, después de inoculación intracerebral. En general no hay un buen animal huésped experimental para virus sin modificar; los experimentos de infección se han efectuado con voluntarios humanos.

Fiebre dengue. Los estudios experimentales han demostrado que, después de inoculación intracutánea de una cantidad tan pequeña como 10 dosis infectantes mínimas (MID) para el hombre, aparecen eritema local y edema en plazo de tres a cinco días, que se acompaña de multiplicación local del virus. Sabin ha utilizado esta reacción para estudios inmunológicos, pues antes de inocularlo el virus se mezcla con cantidades adecuadas de antisuero, la reacción no ocurre. Al comenzar la fiebre, la sangre puede contener hasta un millón de MID por ml.

El periodo de incubación suele ser de cinco a ocho días. Los síntomas prodrómicos incluyen cefalea, dolor de espalda y malestar, seguidos en plazo de seis a 12 horas por un brusco aumento de temperatura. La fase aguda de la enfermedad se caracteriza por cefalea, dolores intensos de músculos y articulaciones (que han dado el nombre de "trancazo"), dolor abdominal, estreñimiento y anorexia. Aparece una erupción maculopapular, con frecuencia variable, alrededor del tercer día de enfermedad; se difunde desde el tronco a las extremidades y a la cara, y persiste tres a cuatro días. El periodo febril dura cinco o seis días y suele terminar por crisis. La enfermedad raramente o nunca es mortal.

Fiebre hemorrágica.[51] La aparición de una enfermedad caracterizada por hemorragias graves o por choque, con mortalidad del 10 al 15 por 100, se sabe desde comienzos de siglo que guarda relación con epidemias de fiebre dengue. La etiología viral del dengue para esta forma de enfermedad fue reconocida primero en Filipinas en 1956.[53]

Más tarde se ha presentado en forma epidémica en Tailandia,[56] Malasia,[81] y Vietnam.[52] De 1961 a 1965 ha habido más de 16 000 casos en niños de Tailandia, con una cifra aproximada de 1 000 muertes; por su presencia allí, se denomina también fiebre hemorrágica de Thai. Este tipo de enfermedad ocurre sobre todo en niños de menos de 12 años, y se caracteriza por lesión capilar, lesiones viscerales, especialmente en hígado, petequias, en sangre, en vómitos y heces, y choque. Puede asociarse con cualquiera de los serotipos de virus, y hay datos epidémicos que sugieren que algunas cepas pueden ser más virulentas que otras.

Inmunidad. La recuperación de la infección, en el hombre o en los animales de experimentación que pueden infectarse con el virus, deja una inmunidad sólida, y aparecen en el suero anticuerpos fijadores de complemento y neutralizantes. El antígeno fijador de complemento puede prepararse de encéfalo de ratón, y se demuestra la existencia de anticuerpos protectores y neutralizantes inyectando inmunes en el primer caso, y con la prueba de neutralización utilizando la cutirreacción antes señalada en el hombre, o en el ratón, en el segundo.

La inmunidad sólida es para el serotipo homólogo, y se ha comprobado experimentalmente que persiste por lo menos 18 meses. Los convalecientes tienen un grado considerable de inmunidad inicial para el virus de serotipo heterólogo, pero desaparece con bastante rapidez. Así, a los dos meses después de la recuperación, la inmunidad heteróloga probablemente suele bastar para evitar la infección adquirida naturalmente. Después disminuye, de manera que la infección provocada entre el segundo y el noveno meses después de la recuperación empleando serotipo heterólogo origina una forma modificada de enfermedad, de menor duración, sin exantema y generalmente menos grave. La inmunización activa con cepas del virus adaptadas al ratón ha dado resultados alentadores.[118]

Epidemiología. El reservorio animal del virus del dengue parece ser el hombre, y diversas especies de monos en los cuales hay viremia a pesar de que la infección sea asintomática; los pájaros no parecen infectarse. El virus se transmite por el mosquito doméstico, *A. aegypti,* según dijimos antes, y también por *A. albopictus,* que puede existir en la maleza o en los bosques, y transmitir la infección a primates huéspedes que no son el hombre. Las observaciones epidemiológicas sugieren que *A. scutellaris* y *A. polynesiensis* también pueden ser vectores en condiciones naturales. Obsérvese que *A. vexans, A. taeniorhynchus, C. pipiens,* y los mosquitos anofelinos como *Anoph. quadrimaculatus* y *Anoph. punctipennis* no parece que puedan transmitir la infección.

El hombre es infeccioso para el mosquito, o sea que sufre viremia, por un tiempo que incluye el último día del periodo de incubación y tres días o más después de iniciada la enfermedad; probablemente los monos sean infecciosos en forma similar, ya que puede demostrarse experimentalmente la viremia durante cinco a ocho días después de la infección. El periodo de incubación extrínseco es de 10 días a dos semanas; el mosquito sigue siendo infeccioso toda la vida, pero no hay transmisión congénita del virus. La persistencia endémica de la infección depende de condiciones climáticas; por ejemplo, los mosquitos que sobreviven todo el año, junto con número suficiente de huéspedes mamíferos recién nacidos susceptibles de conservar el ciclo de transmisión.

FIEBRES HEMORRAGICAS [25]

Algunas enfermedades que no son causadas por el virus del dengue de la fiebre hemorrágica (antes descrito) se consideran fiebres hemorrágicas. Algunas son transmitidas por mosquitos e incluyen infecciones por virus Chikungunya (ver antes) y fiebre amarilla (ver luego). Otras son transmitidas por garrapatas y debieran considerarse más adecuadamente en la sección siguiente. Otras, finalmente, aparecen en pequeños roedores, que probablemente constituyan el reservorio del cual provienen las infecciones humanas, pero hasta aquí no se ha logrado la demostración de la transmisión por artrópodos.

Fiebres hemorrágicas transmitidas por garrapatas. Se han descrito tres procesos patológicos como fiebres hemorrágicas transmitidas por garrapatas, o probablemente de origen en la garrapata. Son la enfermedad del Bosque Kyanasur (ver luego) de la India Meridional, y dos fiebres hemorrágicas que han ocurrido en la U.R.S.S., la fiebre hemorrágica de Crimea, y la fiebre hemorrágica de Omsk.

Fiebre hemorrágica de Crimea. Esta enfermedad fue descrita poco después de la segunda guerra mundial en Crimea, durante los meses de junio y julio, en personas que guardaban relación estrecha con ganado y otros animales domésticos. El virus causal fue aislado por investigadores rusos y los estudios serológicos demostraron que era una infección bastante difundida en el ganado y en los caballos. La infección parece transmitida por garrapatas Hyalomma, de las cuales se ha aislado; también se ha descubierto en garrapatas Rhipicephalus. En Astracán se ha descubierto el anticuerpo en caballos, pero todavía no está comprobado un reservorio animal de infección. El virus se ha comprobado que guarda estrecha relación (o quizá sea idéntico) con el virus del Congo descubierto en 1956 en Africa Central, de Nigeria a Kenia, donde provoca enfermedad febril en el hombre; sin embargo, no se ha señalado que las manifestaciones hemorrágicas sean generales. En Africa, el virus se ha descubierto en Amblyomma y Boophilus, así como en garrapatas Hyalomma. Se sospecha que este tipo de infección febril hemorrágica puede diseminarse geográficamente por pájaros migratorios que transportan ninfas de garrapatas infectadas.

Fiebre hemorrágica de Omsk. Esta enfermedad también fue descubierta poco después de la segunda guerra mundial en el oeste de Siberia, en regiones lacustres. Se presenta en cazadores y en personas con trabajo relacionado; resulta ser una enfermedad de la rata almizclera, que se transmite al hombre por contacto directo con animales infectados. Otros roedores muestran señal serológica de infección, y a veces puede descubrirse anticuerpo en animales domésticos. No se ha demostrado netamente la transmisión por artrópodos, pero se sospecha de las garrapatas Ixodides como vector. El virus causal parece guardar estrecha relación con el productor de la fiebre hemorrágica del centro de Asia.

Fiebres hemorrágicas zoonóticas. Se trata de fiebres hemorrágicas que ocurre en pequeños roedores, pero no se ha podido demostrar la transmisión por artrópodos. El grupo incluye la fiebre hemorrágica Argentina y la fiebre hemorrágica boliviana en América del Sur, la fiebre Lassa en Africa, y fiebres hemorrágicas en las cuales predomina un síndrome renal; entre estas últimas se incluye la fiebre hemorrágica coreana.

Fiebre hemorrágica de América del Sur.[89, 136] La fiebre hemorrágica que se observa en el hemisferio Occidental en Centro y Sudamérica es de etiología viral diferente. Un virus denominado virus Junin se aisló en Argentina durante una epidemia en 1958. Se presentó fiebre hemorrágica en Bolivia, primero en 1959; los virus aislados se comprobó que no podían distinguirse del virus Junin por fijación de complemento, pero sí por prueba de neutralización. La cepa prototipo de este grupo es la cepa Carvallo, y los virus en conjunto se denominan virus Machupo.[71] Ambos se han descubierto en pequeños roedores y, en el caso de virus Junin, en ácaros, pero no parece demostrada la transmisión por artrópodos de los virus bolivianos. De todas maneras, estos se consideran arbovirus, pero no se han agrupado ya que serológicamente no guardan relación con los grupos HI. Otro virus inmunológicamente relacionado, el virus Tacaribe, ha sido aislado de murciélagos en Trinidad, pero no sabemos que guarde relación con enfermedad en otras formas.[37] El virus de la coriomeningitis linfocítica (ver luego) se ha comprobado que inmunológicamente guarda relación con los virus del grupo Machupo-Tacaribe, y se ha propuesto que todos estos virus constituyan un nuevo grupo, denominado de arenovirus.[111]

Fiebre hemorrágica de Manchuria y Corea. Se ha reconocido en Manchuria otro tipo de fiebre hemorrágica en 1939 por investigadores japoneses; apareció en personal militar de las Naciones Unidas en 1951 en Corea, donde se observaron unos 1 000 casos de la enfermedad. Se comprobó, tanto por investigadores japoneses como rusos, que la enfermedad podía transmitirse a voluntarios humanos por inoculación parenteral de sangre y orina obtenidas en fase temprana del periodo febril, que el agente causal atravesaba filtros para bacterias, y que el suero del convaleciente era protector. Aunque estos datos indican que la enfermedad es de etiología viral, no se han podido producir infecciones en animales de experimentación ni cultivar el virus con los métodos usuales; la etiología sigue siendo algo obscura. El carácter epidemiológico de la enfermedad corresponde al de una infección transmitida por artrópodos que existe en un animal, posiblemente roedor, reservorio de infección, conclusión alcanzada por investigadores japoneses, rusos y Norteamericanos. Este tipo de fiebre hemorrágica está más disperso de lo que se había supuesto inicialmente, y se observa en todo el norte de Asia y Europa desde Corea a Escandinavia.[29]

VIRUS NTAYA

Este virus fue aislado [124] en 1943 de mosquitos de diversos géneros y especies, incluyendo Culex y Aedes, recolectados en el pantano Ntaya en Uganda occidental. La enfermedad era uniformemente mortal para ratones por inoculación intracerebral después del decimoprimer paso, pero las vías intranasal e intraperitoneal de inoculación no fueron eficaces. Mediante inoculación de los sacos vitelino o amniótico se producen infecciones uniformemente mortales para los embriones, pero estos solo mueren irregularmente después de inocular la membrana corioalantoidea o la cavidad alantoidea. En el embrión el virus es neurotrópico, concentrándose más en el cerebro que en otras partes del cuerpo, y las lesiones hemorrágicas macroscópicas están limitadas al cerebro. El virus tiene 70 a 120 nm de diámetro y es antigénicamente distinto, pero se ha comprobado que da cierta reacción cruzada con el virus Ilheus en la reacción de fijación del complemento. No hay prueba de infección natural en mamíferos, y las personas que viven en las cercanías del pantano no presentan anticuerpo sérico.

VIRUS S DE UGANDA

El virus S de Uganda se aisló en 1947, en el condado Bwamba, Uganda, de una mezcla de mosquitos que contenía *A. longipalis, A. ingrami* y *A. natronius,* por inoculación intracerebral en el ratón.[34] Los cricetos pueden infectarse por vía intracerebral, pero la infección no es uniformemente mortal. El virus puede desarrollarse en el huevo embrionado inoculando los sacos vitelino y amniótico, alcanzándose concentraciones más elevadas en el cerebro que en el cuerpo del embrión. Los embriones no suelen morir, y las lesiones macroscópicas son ligeras, en forma de congestión y algunas

pequeñas hemorragias en el cerebro. El virus tiene 15 a 30´ nm de diámetro, y es antigénicamente distinto, pero da reacciones cruzadas irregulares en la prueba de fijación del complemento con algunos antígenos del virus de la fiebre amarilla. En sueros humanos se ha encontrado anticuerpo neutralizante, con 7.7 por 100 de positivas en Uganda y Tangañica, y 35 a 50 por 100 en Nigeria. Según esto, el virus parece ser uno de los más comunes en Nigeria.

VIRUS ZIKA

Se aisló en 1947 y 1948, primero de la sangre de un momo cautivo (centinela de la fiebre amarilla) en la parte más alta del bosque cerca de Zika, Entebbe, Uganda, y nuevamente del mosquito *A. africanus* en la misma región.[35] Se aisló en ratones por inoculación intracerebral, pero no es patógeno para este animal ni para los cricetos por la vía intraperitoneal. Es cultivable en huevo embrionado por inoculación en los sacos vitelino, amniótico y alantoideo, pero por lo general el embrión no muere; las lesiones macroscópicas son raras, y es pantrópico más que neurotrópico en el embrión. El virus tiene 15 a 30 nm de diámetro y es antigénicamente distinto.

VIRUS ILHEUS

Este virus fue aislado en 1947 en Brasil por Laemmert y Hughes [76] de Aedes y mosquitos Psorophora. También se encuentra en Panamá, donde los huéspedes pueden ser pájaros.[43] También se ha aislado del hombre.[104] Es cultivable sobre membrana corioalantoidea de huevo embrionado, pero desaparece de este lugar relativamente rápido. El embrión se infecta después de inocular el saco vitelino, y el virus se encuentra en mayor concentración en el cerebro. Es muy patógeno para ratones, incluso inoculado por otras vías que no son la intracerebral. Tiene de 15 a 30 nm de diámetro.

FIEBRE AMARILLA

La fiebre amarilla es una enfermedad aguda que aparece en forma epidémica y endémica, observada primeramente en América Central a mediados del siglo XVII. No sabemos si el foco original de infección se hallaba en Africa o en el hemisferio occidental, pero durante los siglos XVIII y XIX estaba ampliamente distribuido por la zona del Caribe, incluyendo las costas vecinas de Norte, Centro y Sudamérica. Apareció en forma epidémica en ciudades del norte de Estados Unidos de Norteamérica incluyendo Filadelfia, Nueva York y Baltimore; se calcula que hubo por lo menos medio millón de casos de esta enfermedad en Estados Unidos de Norteamérica durante el siglo XIX. Apareció en forma epidémica en España en 1800, con 60 000 muertes, y en Río de Janeiro con más de 20 000 muertes entre 1851-1883; hubo casi 36 000 muertes por esta enfermedad en La Habana durante el mismo periodo.

La aparición de la enfermedad en el personal militar norteamericano durante la guerra hispanoamericana fue origen de los clásicos estudios de la Comisión de la Fiebre Amarilla del Ejército de Estados Unidos de Norteamérica dirigida por el doctor Walter Reed a comienzos del siglo XX, que demostró la transmisión por el mosquito y la índole viral del agente infeccioso. Trabajos ulteriores sugirieron que la enfermedad era una leptospirosis, pero a fines de la década de 1920 su etiología por virus fue plenamente comprobada.

El virus, que se comprobó era filtrable según los trabajos de la Comisión, es uno de los menores conocidos, con diámetro de 30 nm, que atraviesa fácilmente los filtros corrientes bloqueadores de las bacterias.

Es relativamente lábil, se inactiva fácilmente por el calor y los desinfectantes usuales, pero se conserva en forma liofilizada y en glicerina al 50 por 100.

Enfermedad en el hombre. La enfermedad se transmite al hombre por la picadura de mosquitos infectados, y el periodo de incubación se comprobó que era de uno a tres días en las primeras infecciones experimentales. El comienzo es brusco, con cefalea, dolor de espalda y rigidez; la temperatura se eleva rápidamente hasta alcanzar un máximo en plazo de 48 horas. En la primera etapa, o congestiva, de la enfermedad, hay náuseas y vómitos; la cara está congestionada y es manifiesta la tendencia a las hemorragias. Después de tres a cuatro días la temperatura cae, y luego vuelve a elevarse; la segunda etapa de la enfermedad se caracteriza por estasis venosa y tendencia neta a la hemorragia; hay postración, aparece icteria que no es intensa, y están afectados los riñones, con albuminuria. La muerte ocurre del sexto al séptimo día, raramente después del décimo; en otros casos, la recuperación es rápida y sin incidentes. Muchas infecciones son ligeras o casi asintomáticas; no conocemos con seguridad la mortalidad; se calcula alrededor de 5 por 100.

La enfermedad es del sistema hematopoyético; hay poca reacción inflamatoria y los cambios tisulares son de índole degenerativa en hígado, riñón y corazón, con signos de hemorragia. La lesión característica y patognomónica es una necrosis de tipo hialino de la zona media del hígado; las células afectadas se denominan cuerpos de Councilman. Hay degeneración grasosa en los túbulos renales, pero no es distintiva; el bazo está hiperémico y muestra cambios degenerativos, que también se observan en el corazón.

Infecciones experimentales. La enfermedad humana se reproduce en forma muy similar en el mono rhesus,[6] y diversas especies de monos son susceptibles de infección con fiebre amarilla; de hecho, la infección natural parece muy difusa entre los primates en diversas zonas del mundo (ver luego). Las tendencias neurotropas del virus pueden demostrarse en el mono por inoculación intracerebral, y la protección simultánea de las vísceras con antisuero, para producir una encefalitis. Rata y conejo son resistentes a la infección experimental, pero se produce encefalitis en el cobayo por inoculación intracerebral. El ratón lactante puede infectarse por vía parenteral de cualquier tipo; el ratón adulto se infecta por inoculación intracerebral, pero raramente por inyección intraperitoneal. Algunas cepas de ratones son mucho más sensibles que otras. El paso por inoculación intracerebral en el ratón logra la adaptación al tejido encefálico del mismo; tales cepas pierden sus tendencias viscerotropas y se hacen menos virulentas para el mono.

Cultivo de tejido. El virus neurotropo puede cultivarse sin dificultad en el cultivo de tejido de tipo Maitland a base de embrión de pollo, que incluye tejido nervioso, pero las cepas pantropas no adaptadas quizá tengan dificultad para vivir. La cepa Asibi de virus de la fiebre amarilla puede crecer primero en cultivo de tejido de embrión de ratón, luego de embrión de pollo, y después de pasos prolongados aparece una variante que ha perdido ambas tendencias, la viscerotropa y la neurotropa. Esta variante es la cepa 17D, actual y ampliamente utilizada para inmunización.

Esta cepa forma placas en cultivo de una sola capa de células de embrión de pollo; puede utilizarse para titular el anticuerpo.[102] Este sistema, y los cultivos en células de riñón de mono [128] pueden utilizarse para valoración.

Crece en cultivos de células HeLa y KB, con efecto citopático caracterizado por cuanto las células adoptan forma circular y se despegan del vidrio. Puede hacerse crecer también en diversos tipos de cultivos primarios de células.[67] En intestino de embrión humano, amnios humano o cultivo de células hepáticas de Chang, el virus puede demostrarse por la técnica del anticuerpo fluorescente, como una fluorescencia perinuclear.[33]

Epidemiología. La fiebre amarilla persiste en reservorios de animales de infección y mosquitos infectados; es transmitida al huésped vertebrado por el insecto vector. El carácter epidemiológico de la enfermedad depende de las heces y del hábitat, tanto de los huéspedes vertebrados como de los invertebrados; y se presenta en dos tipos epidemiológicos, la fiebre amarilla urbana y la fiebre amarilla selvática.

Fiebre amarilla urbana. Se comprobó a principios de siglo que la enfermedad es transmitida al hombre por *Aedes aegypti,* y en el tipo urbano de la enfermedad la evolución del virus incluye el ciclo de hombre-mosquito-hombre, en el cual el mosquito es infectado por el hombre, necesita 10 a 15 días con temperaturas tropicales para volverse infeccioso, y conserva este carácter infeccioso durante toda su vida. Este mosquito es doméstico; vive principalmente en las habitaciones humanas y alrededor de las mismas; los focos de infección se hallan en las zonas urbanas y la enfermedad es de comunidades. Como en condiciones naturales no se producen infecciones de hombre a hombre, el control del vector en las zonas humanas permite dominar la enfermedad humana. Los programas de control destinados a este fin han tenido gran éxito, y la enfermedad pareció estar prácticamente erradicada en el hemisferio occidental a mediados de la década de 1920.

A fines de la década de 1920 apareció fiebre amarilla en pequeñas comunidades y en zonas rurales de Sudamérica, y resultó evidente que el ciclo hombre-mosquito-hombre puede persistir en áreas donde hay pequeños grupos de personas en comunicación frecuente entre sí. La lucha estriba en prolongar las medidas de control contra los mosquitos hasta tales pequeñas comunidades e incluso hasta zonas rurales.

Fiebre amarilla selvática. A principios de la década de 1930 apareció fiebre amarilla en Brasil en ausencia de *A. aegypti;* se ha comprobado que la infección persiste en reservorios infecciosos de animales inferiores para ser transmitida por mosquitos que no son *A. aegypti.* Esta es la fiebre selvática o fiebre amarilla de la jungla, en la cual la infección humana es periférica para la historia natural del virus. La enfermedad humana se descubre proveniente de contacto con los bosques o los linderos de los mismos, y tiende a ocurrir en varones adultos cuyo trabajo les obliga a concurrir a dichos lugares. Esto contrasta con la fiebre amarilla urbana, en la cual están expuestos por igual

todos los individuos de todas las edades y ambos sexos. La infección del hombre, seguida de infección de *A. aegypti,* puede, claro está, iniciar el ciclo de transmisión hombre-mosquito-hombre característico de la fiebre amarilla urbana.

Los focos endémicos de la fiebre amarilla selvática se hallan en Sudamérica, Africa, y Centroamérica y difieren algo entre sí en dichas áreas.

América del Sur. La zona de infección endémica en Sudamérica, como lo demuestra la presencia de anticuerpos en niños pequeños y en adultos, demostrando la existencia reciente o actual de la enfermedad, cubre gran parte de la zona tropical, incluyendo las regiones del Amazonas y el Orinoco, Colombia, las Guayanas y Panamá. Dentro de esta zona los monos parecen ser el huésped vertebrado más importante, aunque en algunas zonas donde hay pocos monos muestran signos serológicos de infección marsupiales como el opossum. Algunas especies de monos, especialmente el mono chillón, Alouatta, sufren brotes epizoóticos de la enfermedad que matan gran número de animales. Dada la presencia de anticuerpo en el suero de animales salvajes capturados, los principales géneros que sirven de huéspedes vertebrados parecen ser Alouatta Cebus y Ateles; también pueden estar afectados otros.

El virus de la fiebre amarilla ha sido aislado de mosquitos selváticos, *Haemagogus capricornii, H. spegazzini* y la subespecie *H. spegazzini falco.* Otras especies del mismo género, y una de género Trichoprosopon transmiten la enfermedad experimentalmente, y pueden considerarse vectores posibles. Se descubren especies de Haemagogus en toda la zona de Sudamérica donde la infección es endémica, e indudablemente constituye un elemento importante en el ciclo de transmisión. Son el "cielo raso de la selva", mosquitos que viven en agujeros de los árboles y se descubren en las partes altas de los mis-

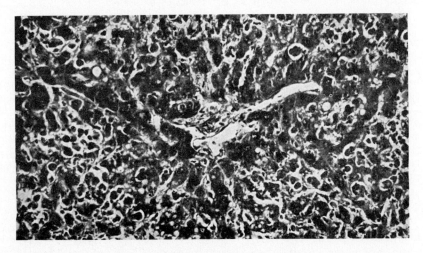

Fig. 39-3. Corte de hígado humano en un caso de fiebre amarilla. Es manifiesta la necrosis de la zona media. Hematoxilina y eosina; reducido de $\times$ 235. (Theiler.)

mos; raramente llegan al suelo, excepto en los linderos de los bosques.

Africa.[133] En Africa, *A. aegypti* está ampliamente distribuido y se observan ambos tipos de fiebre amarilla, la urbana y la selvática. Como en Sudamérica, la serología demuestra que el huésped vertebrado en la última forma de la enfermedad son los primates selváticos de diversas especies, incluyendo los lemúridos. *A. africanus* se encuentra en muchas partes del centro de Africa, y se sabe que es factor importante para la persistencia del virus de la fiebre amarilla en los bosques de Uganda. Como Haemagogus en Sudamérica, es un mosquito arbóreo, que fácilmente pica a los monos pero no ataca al hombre. *A. simpsoni* que pica ambos, monos y hombres, también se halla presente; se cree que le corresponde la infección de los monos al hombre en los linderos de los bosques.

Centroamérica.[19, 144] Los datos disponibles demuestran que el tipo selvático de fiebre amarilla se ha ido desplazando hacia el norte. En 1954, después de 25 años en que no se registraron casos de fiebre amarilla, aparecieron algunos en el hombre en Fuerte España, Trinidad. La mortalidad en los monos fue alta durante ese año, y se aisló virus de la fiebre amarilla de monos enfermos. El virus también se obtuvo de mosquitos Haemagogus, y algunos de los casos de la enfermedad del hombre probablemente procedían de *A. aegypti* que no habían sido sometidos a control, o sea del tipo urbano de la enfermedad. Análogamente, en 1948 se señalaron casos de fiebre amarilla en el este de Panamá, por primera vez desde 1905. Después se fue desplazando como una onda de dirección general hacia el noroeste, en dirección del centro y el oeste de Panamá, Costa Rica y Nicaragua, y alcanzó Honduras en 1954. A comienzos de 1956 apareció la fiebre amarilla en los monos de Guatemala y el virus se aisló de dos especies de mosquitos, *H. equinis* y *Sabethes chloropterus*. El virus también se ha obtenido de otros mosquitos centroamericanos, incluyendo *H. spegazzini falco, H. lucifer,* y un anofelino, pero todavía no conocemos con seguridad su importancia como vectores.

En contraste con la situación en Sudamérica, donde la mayor parte de monos son Cebus y sufren poca mortalidad por fiebre amarilla adquirida naturalmente, los monos chillones (Alouatta) y el mono araña (Ateles) predominan en Centroamérica y sufren gran mortalidad por la fiebre amarilla.

Inmunidad. La recuperación después de sufrir la fiebre amarilla deja inmunidad sólida, que muchas veces persiste toda la vida; las cepas del virus, incluso en zonas muy distantes entre sí, parecen ser de un mismo y único tipo antigénico. La respuesta de anticuerpo puede demostrarse como anticuerpos HI, fijador del complemento y neutralizante; los tres no son idénticos. El anticuerpo fijador del complemento aparece más tarde que el anticuerpo neutralizante o HI durante la infección, y puede no presentarse en título importante en infecciones ligeras, desaparece en unos pocos meses, y no suele formarse en respuesta a la inoculación profiláctica con la cepa 17D del virus; por lo tanto, tiene cierto valor para descubrir infecciones recientes.[139]

El anticuerpo neutralizante aparece en etapa muy temprana de la enfermedad, frecuentemente al quinto día, y persiste en forma prácticamente indefinida. La titulación del anticuerpo neutralizante se utiliza en encuestas serológicas para saber la frecuencia de la infección. Se ha llevado a cabo de diversas maneras; en la actualidad, el método más utilizado estriba en mezclar diluciones variables del suero con una cantidad estándar de virus, y probar la actividad residual por inoculación intracerebral de ratones adultos o, en otra forma, intraperitoneal de ratones lactantes.

Profilaxia. Aunque el control del vector basta para dominar la fiebre amarilla urbana, es ineficaz para controlar el tipo selvático de la enfermedad, y en esta y algunas otras circunstancias es necesaria la inmunización profiláctica activa. Muy pronto pudo comprobarse que el virus inactivado no brinda inmunidad eficaz[31] si se usa virus atenuado vivo. Se emplean dos tipos de virus para este fin, una cepa neurotropa adaptada al ratón, empleada sobre todo por los franceses en Africa,[5] y la otra la cepa 17D antes descrita.

La primera se utiliza en preparación liofilizada, que se suspende en una solución de goma arábiga inmediatamente antes del uso y que se aplica por escarificación. Tal como la emplean los médicos franceses en Africa, muchas veces se combina con virus vacunal. La vacuna se prepara de la cepa 17D procedente de tejido liofilizado de embrión de pollo, se regenera con solución salina y se inocula por vía subcutánea en dosis que contengan 500 MLD de ratón. La frecuencia de reacciones desagradables es baja, quizá de 5 por 100, y tales reacciones suelen ser ligeras. La cepa neurotropa parece proporcionar una respuesta inmune mejor que la cepa 17D, a juzgar por el título de anticuerpo neutralizante; en ambos casos la inmunidad producida es eficaz por largo tiempo. Se han demostrado títulos persistentes de anticuerpo hasta 17 a 19 años después de la inoculación primaria.[50, 109]

Virus del grupo B transmitidos por garrapatas

Los arbovirus transmitidos por diversas especies de garrapatas se separan epidemiológicamente de los virus transmitidos por mosquitos. Algunos se incluyen en el grupo B, como un grupo relativamente homogéneo, el complejo de encefalitis rusa de primavera-verano, dentro del cual los virus componentes se hallan más estrechamente relacionados entre sí que con los demás miembros del grupo B. Además de los virus aquí considerados, los transmitidos por garrapatas de este subgrupo incluyen los virus Entebbe, Langat y Negishi. Otros virus transmitidos por garrapatas no guardan relación con el grupo B. De ellos, algunos quedan en dos pequeños grupos de virus relacionados antigénicamente, los constituidos por los virus Chenunda, Nyamanini y Quaranfil, y el que incluye los virus Kemerovo, Koliba, Lipovnik y Tribec. La diversidad de virus serológicamente no relacionados incluye los virus de fiebre hemorrágica de Crimea, Kaisodi, enfermedad de las ovejas de Nairobi, Silverwater, Thogoto, Wad Medani y virus Witwatersrand, transmitidos por garrapatas.

ENCEFALITIS RUSA DE PRIMAVERA Y VERANO [127, 135]

La encefalitis rusa de primavera-verano, o RSSE (encefalitis rusa del Lejano Oriente, encefalitis rusa de los bosques en primavera, encefalitis rusa causada por garrapatas, encefalitis vernal rusa, encefalitis rusa endémica) no debe confundirse con la encefalitis rusa otoñal, que se ha comprobado era una encefalitis B japonesa. Fue observada en 1937 en las provincias más orientales de la Unión Soviética, y más tarde se ha descubierto en otras partes de Rusia, y en Europa Central, incluyendo Checoslovaquia, Bulgaria, Polonia, Yugoslavia, Austria y Alemania.

El virus tiene 15 a 25 nm de diámetro y puede crecer en membrana alantoidea de huevo embrionado y en cultivo de tejido muscular de embrión humano, produciendo citopatología. El ratón puede infectarse por vía subcutánea, así como intracerebral, y es muy sensible al virus adaptado al ratón. El virus es patógeno para ovejas y monos rhesus, pero no para cobayos o conejos. Cierto número de pájaros y roedores salvajes pueden infectarse experimentalmente, produciéndose una viremia asintomática; se ha comprobado que roedores salvajes estaban infectados naturalmente.

Enfermedades en el hombre. El periodo de incubación es de 10 a 14 días, y la enfermedad febril en el hombre se caracteriza por signos y síntomas de meningoencefalitis y polioencefalitis. Varía en gravedad, desde un tipo abortivo de duración quizá de una semana, que acaba en recuperación completa, pasando por uno moderadamente grave y más prolongado, tipo de encefalitis con mortalidad de 20 por 100, y muchas veces secuelas neurológicas en los supervivientes, hasta alcanzar un tipo grave fulminante de meningoencefalitis con muerte antes de una semana. La mortalidad global para todos los casos es de aproximadamente 30 por 100, pero hay una frecuencia elevada de anticuerpos en poblaciones humanas de zonas endémicas, y es probable que muchas infecciones en estos pacientes sean asintomáticas o subclínicas.

Está afectada la materia gris de ambos, cerebro y médula, con necrosis neuronal y neuronofagia; puede haber reacciones mesodérmicas gliales más importantes que las que ocurren en otras encefalitis por virus. La enfermedad se caracteriza por síntomas de participación bulbar y un tipo de parálisis fláccida, casi siempre de los músculos braquiales y cervicales, que puede ser residual. En casos mortales pueden descubrirse cambios parenquimatosos degenerativos en corazón, riñón e hígado. El virus se halla en sangre y líquido cefalorraquídeo durante el curso de la enfermedad, y puede aislarse del cerebro en la necropsia.

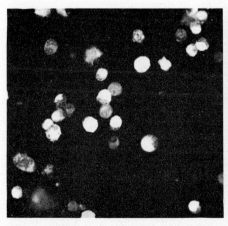
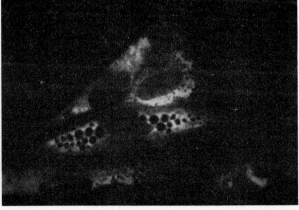

Fig. 39-4. Virus de encefalitis por garrapatas en cultivo de células de embrión de pollo, teñido según la técnica de anticuerpo fluorescente. *Izquierda,* Frotis del cultivo que muestra inmunofluorescencia en algunas células. × 800. *Derecha,* Virus fluorescente en el citoplasma de células infectadas. × 200. (Albrecht y Kozuch: Bull. Wld. Hlth. Org.)

Inmunidad. Es evidente una respuesta inmune dos a tres semanas después de iniciada la enfermedad en forma de anticuerpos fijadores de complemento y neutralizantes en el suero. La inmunidad sólida a la reinfección es de larga duración, y se acompaña de presencia de anticuerpo sérico neutralizante, que alcanza el máximo en plazo de dos a tres meses. Los investigadores rusos han utilizado vacuna de embrión de pollo y de cerebro inactivado con formol para inmunización activa, y recomiendan administrar suero hiperinmune de cabra en caso de exposición de personas susceptibles.

Epidemiología. Los primeros casos señalados de esta enfermedad se observaron en personas cuyo trabajo las ponía en contacto con regiones forestales, pero hoy sabemos que su distribución es menos limitada y ha ocurrido a veces con frecuencia en zonas populosas, con gran número de infecciones en los niños. Según antes vimos, la frecuencia de anticuerpo sérico puede ser relativamente alta en zonas endémicas, y la infección humana indudablemente es más común de lo que el número de casos clínicos de la enfermedad parecería indicar. No sabemos si la infección humana puede en determinadas circunstancias constituir un reservorio significativo de infección. Esta ocurre en cabras, las cuales, quizá, con otros animales domésticos, puedan ser fuente de infección humana. La infección en el hombre puede ocurrir por vía digestiva,[78] especialmente zonas urbanas, por la leche de cabras infectadas que indudablemente contribuyan a la enfermedad tanto humana como a provocar infección inadvertida, pero inmunizante.[101] Se admite, en general, que el reservorio importante de infección se halla en pájaros y mamíferos silvestres [59] en quienes hay viremia, pero la infección por lo demás es asintomática.

La infección es transmitida por garrapatas, de las que se considera que *Ixodes persulcatus* es el vector principal. La infección es congénita en estas garrapatas; en ciertas pequeñas zonas se han encontrado índices de infección hasta del 40 por 100, y hay poca duda de que exista un depósito de infección en artrópodos. También se ha observado la infección natural de otras garrapatas, *Haemaphysalis concinna, Dermacentor sylvarum,* y los llamados gamásidos o ácaros que se encuentran en los nidos de pájaros y roedores.

La infección humana se contrae en bosques por garrapatas infectadas, que actúan como depósitos de infección y también de vectores para conservar los receptáculos animales de los virus. La infección que ocurre en regiones pobladas puede transmitirse en otras formas.

Como ya dijimos, hay infección por ingerir leche de cabra, y se han descrito brotes familiares de la enfermedad.

También se ha encontrado que hay transmisión bucal dentro de bandadas de faisanes, y este virus aparentemente tiene capacidad apreciable de infectar por ingestión.

ENCEFALOMIELITIS DE LA OVEJA
(Louping ILL)

La encefalomielitis de la oveja es una enfermedad que se caracteriza por ataxia cerebelar y necrosis de las células de Purkinje del cerebelo, similar a la que se observa en la encefalitis B japonesa. El término "louping" (cabriola) se refiere a la marcha peculiar de los animales afectados. La enfermedad ocurre en la primavera en Escocia y los condados de la frontera norte de Inglaterra. Se ha observado infección humana en Irlanda del Norte,[80] donde se ha confundido con poliomielitis, y en Suecia.[160]

El virus mide 15 a 22 nm de diámetro y puede crecer en cultivo de tejido de embrión de pollo y sobre la membrana corioalantoidea de huevo embrionado, provocando la muerte del embrión. Produce encefalitis mortal cuando se inocula intracerebralmente a ratones, y los de laboratorio y de campo (ratones silvestres) pueden infectarse por inoculación periférica. Pueden infectarse los monos rhesus, cricetos y ratas, dando las últimas una infección asintomática con viremia. Los conejos y cobayos son resistentes a la infección.

Ha habido infecciones humanas en personal de laboratorio, y tanto en el hombre como en la oveja la enfermedad es difásica. En la primera fase hay viremia, que en el hombre se acompaña de fiebre, cefalea, malestar, alteraciones gastrointestinales y postración. Después de una mejoría clínica hay recidiva, con fiebre, y signos y síntomas de encefalitis. En los casos humanos que se han observado la recuperación ha sido total.

El virus es transmitido por la garrapata *Ixodes ricinus.* Las garrapatas pueden infectarse en la oveja durante el estado de viremia de la enfermedad, y en ellas la infección es congénita. No se ha aclarado si hay depósitos de infección en mamíferos, como Microtus.

En respuesta a la infección y a la inmunización con vacuna, se producen anticuerpos neutralizantes y fijadores de complemento. Hay protección cruzada casi total entre este virus y el de RSSE (encefalitis rusa). Los dos virus no son iguales inmunológicamente; según Casals, las diferencias son evidentes en forma de títulos de anticuerpo homólogo algo más altos, y una diferencia importante en la protección cuando la inoculación de prueba se da por vía periférica en lugar de hacerlo intracerebralmente en el ratón. También parecería haber diferencias en la patogenicidad de los dos virus para el hombre.

ENFERMEDAD DEL BOSQUE KYASANUR [98, 157]

Esta enfermedad apareció en el bosque Kyasanur en el distrito Shimoga, de Mysore, India, en 1956, y se estudió por primera vez en 1957. Hubo muchas muertes en monos salvajes, el mono langur (*Pres-*

bytis entellus), y el macaco de gorro (*Macaca radiata),* y también hubo enfermedad asociada en el hombre. Durante el verano (febrero-abril) de 1957 el padecimiento se extendió en un área de cerca de 500 millas cuadradas, y hubo 500 casos humanos de esta enfermedad, con 70 muertes.

En el hombre, la enfermedad no semeja la encefalitis; más bien afecta el sistema hematopoyético. El síntoma clínico principal, obviamente, es la hemorragia, con signos de derrame masivo en la cavidad torácica en los casos mortales. Al parecer, la fuente de infección son los monos;[70] posiblemente también se infecten los roedores. La infección no se transmite por mosquitos, pero hay razón para creer que las garrapatas Haemaphysalis pueden ser vectores.[148] En el laboratorio hubo una infección accidental sin insecto vector.

Work, Trapido y sus colaboradores,[156, 159] aislaron un virus de los monos y también de la sangre en casos de enfermedad humana. El periodo de viremia en el hombre es relativamente prolongado, y se ha encontrado que la sangre es infecciosa desde dos días antes hasta 10 días después de iniciada la enfermedad. El virus puede crecer en cultivo de tejido de embrión de pollo y produce efectos citopatógenos; el ratón puede infectarse por inoculación intracerebral, produciéndose en tres o cuatro días una enfermedad que se caracteriza por postración, parálisis de patas posteriores y temblores. En convalecientes se encuentran complemento fijador del anticuerpo en presencia de antígeno de cerebro de ratón, y anticuerpo neutralizador demostrable en el ratón.

El virus parece estar muy relacionado antigénicamente con el virus RSSE, pero no es idéntico.

Observaciones como estas sugieren que el virus de RSSE es miembro de un grupo o complejo de virus estrechamente relacionados, algunos de los cuales producen encefalitis en el hombre, con la parálisis característica antes descrita, pero las infecciones por virus de "louping ill" en el hombre no son predominantemente encefalíticas, y las infecciones con otros de estos virus se caracterizan por síntomas hemorrágicos.

VIRUS DE POWASSAN

Este virus se aisló en Ontario en 1958 de un caso mortal de encefalitis por inoculación intracerebral de ratones lactantes.[86] Demostró pertenecer al grupo B de hemaglutinina (véase adelante) y estar muy relacionado con RSSE,[20] el primer miembro del grupo aislado en América. Se ha descubierto en diversos mamíferos selváticos y sus garrapatas en Canadá;[87] también en el estado de Nueva York.[153] Aparentemente se aisló el mismo virus de colecciones de *Dermacentor andersoni* reunidas en Colorado unos años antes, pero no se identificó hasta que se describió el de Powassan.[141]

FIEBRE POR GARRAPATA DE COLORADO

La fiebre por garrapata de Colorado (fiebre de la montaña norteamericana, fiebre de la montaña, fiebre de la montaña por garrapata, fiebre de garrapata, fiebre no exantemática por garrapata) ocurre en las regiones de las Montañas Rocosas de Estados Unidos de Norteamérica, donde hay muchas garrapatas vectoras.[18] La enfermedad en el hombre se describió en 1930 como entidad clínica, pero probablemente le corresponde parte de la enfermedad febril observada por personal militar en esa vasta zona durante años anteriores.

La naturaleza viral del agente etiológico se estableció en 1944 transmitiendo en serie la enfermedad en el hombre y en cricetos por inoculación parenteral de sangre, suero y preparados filtrados. En 1947 se adaptó al ratón por medio de pasos intracerebrales en el animal lactante; el virus adaptado del ratón se desarrolla en el saco vitelino del huevo embrionado, encontrándose en gran parte en el sistema nervioso central del embrión. Tales cepas adaptadas a los embriones tienen poca virulencia para el hombre. Se ha observado también, creciendo con efecto citopático en cultivo de células carcinomatosas epiteliales KB,[100] y en células L y FL, después de adaptación al cerebro de ratón.[146] El virus ha sido aislado directamente de sangre infectada de hombre o de mono, o de garrapatas, por este método de cultivo de tejidos. Hay cierta discrepancia en las dimensiones señaladas para el virus; según un informe, es muy pequeño de 10 nm; según otro, es de 35 a 50 nm. Las propiedades físicas y químicas han sido descritas por Trent y Scott.[147]

Se distingue serológicamente de los demás virus de encefalitis transmitidos por garrapatas por cuanto no es miembro del grupo B ni guarda relación con los otros grupos HI definidos. Se ha comprobado que es un coronavirus, grupo que incluye patógenos de vías respiratorias altas del hombre, considerado entre los agentes causales del resfriado común.

Cuando se inocula intracerebralmente a ratones y cricetos, el virus produce lesiones similares a las del virus de la encefalitis de la oveja, o sea, ingurgitación vascular subcortical, hemorragias petequiales en el cerebro, y destrucción de las células de Purkinje.[91] En estas células y en las neuronas de hipocampo y protuberancia se encuentran cuerpos de inclusión citoplásmica. La infección experimental en el mono rhesus, por vía intravenosa o subcutánea, es esencialmente asintomáticas, pero hay viremia que persiste cuatro a cinco semanas.[45]

Enfermedad en el hombre. La enfermedad en el hombre es difásica y se caracteriza por un comienzo brusco con escalofríos y dolores; los síntomas incluyen cefalea, dolor de espalda, anorexia, náuseas y dolores musculares. Con la aparición de los síntomas hay una reacción febril que persiste unos dos días, viene luego un periodo de remisión, con recaída en dos o tres días. La convalecencia puede ser relativamente prolongada, pero sin complicaciones, y la recuperación es total; no se ha informado que la enfermedad cause la muerte.

Inmunidad. En respuesta a la infección se producen anticuerpos fijadores del complemento [140] y neutralizantes,[44] que aparecen en dos semanas después de iniciada la enfermedad y persisten cuando menos tres años. La inoculación experimental de voluntarios humanos ha demostrado que hay inmunidad sólida contra la reinfección. Los virus activos adaptados al embrión de pollo usados como agentes inmunizantes producen inmunidad sólida; también se ha preparado virus purificado de cerebro de ratón inactivado con formol.[142] La inmunidad así lograda es de larga duración; el anticuerpo neutralizante persiste por lo menos cinco años.[143]

Epidemiología. El parásito de la madera, *Dermacentor andersoni,* se infecta naturalmente con el virus, la infección es congénita, y la garrapata es un depósito de infección.[112] El virus se ha aislado de la garrapata del perro, *D. variabilis,* en Long Island, pero ahí no se han visto casos de enfermedad humana, y se considera que el vector primario, y posiblemente único, de la infección es *D. andersoni.* El virus también se halla en un depósito de infección en vertebrados, en la ardilla terrestre colombiana, *Citellus columbianus,* según pruebas serológicas y se ha aislado directamente de la ardilla terrestre de manto dorado, *Citellus lateralis lateralis,* y del puerco espín, *Erethizon dorsatum epixanthum.*[17] La infección humana se adquiere de garrapatas infectadas, y tiende a ocurrir en personas expuestas a la mordedura en sus labores, como en varones adultos.

Grupo Bunyamwera de virus

El virus Bunyamwera ha proporcionado un núcleo para el agrupamiento serológico de diversos virus descubiertos subsiguientemente, originando un grupo informal, conocido como grupo Bunyamwera, que contiene unos pocos virus más que los diversos llamados pequeños grupos de arbovirus. Vamos a estudiar aquí virus del Valle Cache y Wyeomya, pero el grupo incluye también virus Chittoor, Germistan, Guaroa, Ilesha, Kairi y Sororoca.

VIRUS BUNYAMWERA

Se aisló en 1943 de mosquitos Aedes, cogidos en una parte no habitada del bosque Semliki, mediante inoculación intracerebral de ratones.[125] Produce una infección mortal en cricetos inoculados por las vías intracerebral o subcutánea, pero no en cobayos que se inoculan por vía intraperitoneal. Los huevos embrionados pueden infectarse inoculando el saco vitelino o la cavidad amniótica, y el embrión muere. Las lesiones macroscópicas se limitan a hemorragia ocasional en el cerebro, donde el virus se encuentra en concentraciones más elevadas que en el cuerpo; en el embrión el virus es neurotropo. Tiene 70 a 120 nm. El virus es patógeno para el hombre, como lo demuestra la aparición de enfermedad, una vez como encefalitis, en dos de cuatro voluntarios inoculados;[128] se ha observado también la enfermedad espontánea.[75]

VIRUS DEL VALLE CACHE

Este virus se aisló de *Culiseta inornanta* recogido en el valle Cache del norte de Utah inoculado en el cerebro de ratones recién destetados,[64] y puede desarrollarse en cultivo celular de riñón de criceto para producir efectos citopáticos. Hay pruebas serológicas de la infección de caballos en la zona, pero no en el hombre. También se ha descubierto en Virginia.[16] El virus se ha encontrado en Brasil, y se aisló de *Aedes scapularis* Trinidad.[36] En esta parte había datos serológicos de infección en caballos y monos (Alouatta), y en un tercio, o más, de los sueros humanos examinados.

VIRUS WYEOMYIA

Este virus fue aislado por Roca-Garcia [108] en Colombia en 1940, de *Wyeomyia melanocephala,* y ha sido aislado del hombre en un caso humano de enfermedad febril ligera en Panamá.[130] Tiene de 70 a 120 nm de diámetro y produce encefalitis en el ratón lactante después de inoculación intracerebral.

Es muy poco patógeno para el embrión de pollo y solamente crece cuando se inocula intracerebralmente; no crece en otras partes del huevo embrionado.

Otros virus transmitidos por mosquitos

Se conoce un número considerable de arbovirus transmitidos por mosquitos, que serológicamente son independientes o inmunológicamente solo tienen relación con uno o dos de los demás virus. Se separan los virus de la fiebre pappataci, de la fiebre del Valle Rift, y el virus Turlock, mientras que el virus California es el núcleo de un pequeño grupo que contiene los virus Lumbo, Melao, Tahyna y Trivittatus. Otros son los virus Simbu y relacionados, los virus Bakau y similares, y los virus Koongal, Mossuril, Nyando y Witwatersrand transmitidos por mosquitos.

FIEBRE PAPPATACI [113]

La fiebre de la mosca de los arenales (fiebre pappataci, fiebre por flebotomos, fiebre de tres días) es una enfermedad aguda, no mortal, del hombre, producida por un virus y transmitida por una especie de mosca de los arenales, *Phlebotomus papatasii*.[119] Su distribución geográfica se limita a la presencia del vector y se descubre en regiones tropicales y subtropicales durante la estación seca y caliente. Estas zonas incluyen diversas partes del litoral mediterráneo, y el Medio y Lejano Oriente. La aparición de la enfermedad en personal militar austriaco en la región del Adriático originó los estudios básicos de la Comisión Militar Austriaca en 1909, que confirmaron el papel de *P. papatasii* como vector, ya indicado por estudios epidemiológicos anteriores, y comprobaron la índole viral del agente causal.

Se ha comprobado que el virus tiene diámetro de 40 a 60 nm y se presenta en dos serotipos, el siciliano y el napolitano. No infecta a los animales corrientes de laboratorio, incluyendo primates, y no puede cultivarse en embrión de pollo ni en cultivo de tejidos. Se ha establecido por inoculación intracerebral del ratón recién nacido, produciendo encefalitis con lesiones que ocurren predominantemente en hipotálamo y cerebro medio, después de tres pasos ciegos en el caso del tipo siciliano y un paso ciego en el tipo napolitano. Al décimo paso en ratones lactantes, el virus siciliano producía una infección mortal en el ratón adulto, y estaba plenamente adaptado al alcanzar el paso vigésimo quinto. El virus adaptado no producía enfermedad en monos rhesus, conejos, cobayos, o cricetos, pero provocaba una respuesta inmune. También había perdido poder patógeno para el hombre, pero producía inmunidad para el virus no adaptado.

La cepa napolitana no era patógena regularmente para ratones destetados hasta el paso trigésimo quinto; al alcanzar el paso quincuagésimo quinto

estaba perfectamente adaptado, o sea que el virus se encontraba en igual título en el recién nacido y en el ratón destetado. En contraste con el tipo siciliano, el tipo napolitano adaptado al ratón producía una enfermedad leve en el mono rhesus por inoculación intracerebral, pero no infectaba otros animales de experimentación. Ambos tipos serológicos pueden cultivarse en células de riñón humano o de ratón después de paso por ratones. Se produce un efecto citopático y formación de placas en cultivo de células humanas después de tres o cuatro pasos en cultivo de tejidos, pero al primer paso en las células de ratón.[62]

Enfermedad en el hombre. El periodo de incubación de esta fiebre suele ser de tres o cuatro días. Puede haber malestar prodrómico y molestia abdominal. En el periodo febril la viremia es menos intensa que en el dengue, quizá con 1 000 MID de virus por ml de sangre. Los síntomas, en combinaciones diversas, incluyen náuseas, cefalea, dolor de espalda, rigidez de nuca y cuello, dolores en las articulaciones, faringitis y anorexia, pero no hay exantema como en el dengue. El periodo febril dura de dos a cuatro días, y durante la convalecencia puede haber diarrea y debilidad. Las recaídas ocurren durante la convalecencia en un pequeño número de casos. La enfermedad raramente o nunca ha producido la muerte.

Inmunidad. Pueden producirse dos o más crisis de la enfermedad durante una misma estación, lo cual ha hecho pensar que la infección no produce inmunidad eficaz. Sin embargo, experiencias controladas en voluntarios humanos han demostrado que hay una inmunidad sólida para el virus de serotipo homólogo, que persiste largo tiempo, pero no hay inmunidad cruzada entre los dos serotipos. El desarrollo de cepas de ambos serotipos adaptadas al ratón, ha permitido pruebas de fijación del complemento utilizando antígeno de cerebro de ratón y pruebas de protección de ratón, y la aplicación de ambas ha comprobado plenamente la independencia antigénica de los serotipos. La inmunización activa del hombre con serotipos adaptados al ratón se ha demostrado experimentalmente, y la inmunización contra esta enfermedad, y también contra el dengue, puede adquirir importancia práctica en determinadas circunstancias, por ejemplo, en ocasión de operaciones militares.

Epidemiología. Parece que no hay ningún otro vertebrado, aparte del hombre, que sea huésped, y *P. papatasii* es el único vector conocido de la infección. Hay datos indicando que es posible la transmisión congénita de la infección en el vector, pero esto no ha sido plenamente establecido. La aparición estacional y la breve vida del vector, junto con curación espontánea de la infección en el hombre, han hecho pensar que quizá exista algún otro reservorio de infección, que hoy por hoy sigue siendo hipotético.

FIEBRE DEL VALLE RIFT [95]

La fiebre del Valle Rift (hepatitis enzoótica) es una enfermedad de origen viral observada por primera vez en 1930 en animales domésticos y en el hombre en el Valle Rift, de Kenia, Africa del Sur. Los datos serológicos, o sea el anticuerpo protector del ratón, indican que la infección está muy difundida en Africa, observándose en Uganda, Sudán, Africa Ecuatorial Francesa y Unión Sudafricana, así como en Kenia.

El virus tiene 23 a 35 nm de dimensión y es estable casi de manera única; el suero sigue siendo infeccioso hasta dos años después de conservarlo a temperatura de refrigerador. Puede cultivarse en tejido de embrión de pollo y en embrión de pollo, y es patógeno para la mayor parte de animales, excepto el cobayo, pero no infecta pollos, canarios ni pichones. Los ratones son especialmente susceptibles; y la infección experimental los mata en cuatro días. Los monos sudamericanos son algo más sensibles que los africanos, y responden con una reacción febril, mientras que la infección en los monos africanos no produce síntomas aunque haya viremia. Se han producido cepas neurotrópicas del virus por paso intracerebral en el ratón. Una variante, descrita como virus Lunyo, se ha aislado de mosquitos y un mono en Uganda; a diferencia del virus RVF, produce encefalitis en el ratón asociada con cuerpos de inclusión intranuclear eosinofilos.[151] Esta cepa neurotrópica natural pudo hacerse viscerotrópica por paso intraperitoneal en el ratón.

La infección natural se observa en el ganado y en las ovejas, pero no en los caballos, con mortalidad de 10 a 20 por 100 en los adultos y aborto en las yeguas preñadas. Las ovejas jóvenes son muy sensibles a la infección; la mortalidad puede ser hasta del 90 por 100. La lesión característica observada en la necropsia es una necrosis focal de hígado que empieza, como la de la fiebre amarilla, en la zona media de un lobulillo. La degeneración es de tipo hialino y se observan células aisladas similares a los cuerpos de Councilman que se ven en la fiebre amarilla; en la forma fulminante de la enfermedad en los corderos la destrucción es muy amplia y puede afectar prácticamente todas las células parenquimatosas.

La enfermedad de aparición espontánea en el hombre se descubre en personas relacionadas con animales infectados, como pastores y veterinarios. La enfermedad parece ser particularmente infecciosa para trabajadores de laboratorio, y ha habido un número considerable de tales infecciones. El perio-

do de incubación es de cinco a seis días, y el comienzo de la enfermedad es brusco. Se parece al dengue, con dolor en las extremidades y articulaciones, a veces muy intenso. La fase febril solo dura unos días, la convalecencia es rápida, la recuperación completa, y la enfermedad raramente mortal. Tanto en el hombre como en animales inferiores, queda una inmunidad sólida por infección, y en el suero generalmente se descubren anticuerpos fijadores de complemento y también neutralizantes.

La enfermedad se transmite a los animales por artrópodos hematófagos que pican durante la noche. Se ha comprobado que el mosquito *Eretmapodites chrysogaster* estaba infectado naturalmente en el bosque Semliki de Uganda, y transmitía la enfermedad en condiciones experimentales. *A. caballus* y *C. theileri* parecen ser los vectores naturales de la infección en Africa del Sur.[131] Observaciones epidemiológicas sugieren un animal silvestre reservorio de infección, pero no se ha descubierto y no sabemos cómo la infección se conserve en periodos interepidémicos. La enfermedad no parece transmitirse a los animales susceptibles por contacto; no sabemos la forma como se habrán producido las infecciones accidentales de laboratorio.

VIRUS TURLOCK [77, 152]

Este virus se aisló de *C. tarsalis* en California mediante inoculación intracerebral de ratones pequeños. Crece en el huevo embrionado matando al embrión en dos a seis días, y puede cultivarse en cultivo de células de embrión de pollo. Se encontró que era relativamente grande, 120 a 180 nm de diámetro, y, por la reacción de fijación del complemento, que no estaba relacionado con otros virus que se originan en artrópodos. No se sabe que cause enfermedad en el hombre.

VIRUS CALIFORNIA [54]

En 1943 se aislaron tres cepas de este virus de *A. dorsalis* y *C. tarsalis* mediante inoculación intracerebral de ratones pequeños; produjeron encefalitis en estos animales, en las ratas algodoneras y en cricetos. Se produjo una infección asintomática con viremia en ardillas terrestres, pero los becerros y las gallinas no fueron susceptibles. El virus se desarrolló bien en embrión de pollo y en otras partes del huevo embrionado, pero por lo general sin morir el embrión. Se encontró que era de 60 a 125 nm de diámetro e inmunológicamente diferente de los demás virus originados en artrópodos. No guarda relación con los principales grupos HI de arbovirus; forma parte de un pequeño grupo serológicamente distinto que también contiene los virus Lumbo, Melao, Tahyna y Trivittatus.

Este virus solo se descubrió en el Valle de San Joaquín, en California, y en el condado Kern, donde sigue persistiendo en forma endémica.[49] Hubo signos serológicos de infección en el hombre, caballos, ganado, conejos y ardillas. Este virus probablemente fue la causa de la encefalitis mortal de un lactante, y quizá de la enfermedad de otras dos personas, pero no ha podido aislarse del hombre ni de otros mamíferos. Se cree que existe un reservorio de infección en animales inferiores, y dicha infección se conserva y transmite al hombre por mosquitos, causando una infección subclínica o asintomática.

Otro arbovirus aislado en la misma zona, y denominado virus Buttonwillow, es el primer miembro del grupo Simba de virus descubiertos en Norteamérica.[58, 106]

VIRUS DE LA FIEBRE BWAMBA

La fiebre Bwamba es una enfermedad febril leve del hombre que ocurre en los nativos de Africa en Uganda. El padecimiento se caracteriza por comienzo brusco con fiebre, cefalea, dolor de espalda, inyección conjuntival leve y erupción. La enfermedad parsiste algunos días, y la convalecencia es rápida. Se aislaron de la sangre nueve cepas del virus causante [126] por inoculación intracerebral de ratones, produciendo hiperemia y edema cerebral con alteraciones degenerativas en las células piramidales de la corteza. El virus es casi avirulento para el ratón por inoculación periférica. En monos rhesus se produce una infección apirética, y los cobayos y conejos no son susceptibles. El virus es cultivable en huevo embrionado por inoculación del saco vitelino y se encuentra en mayor concentración en el cerebro y cuerpo del embrión. Este no muere, pero se observa hemorragia macroscópica en el cerebro. El virus tiene 70 a 120 nm de diámetro y es antigénicamente distinto. Está relacionado antigénicamente con el virus Pongola, pero no con los demás arbovirus. En la población nativa hay anticuerpo neutralizante en proporciones que varían del 13 al 81 por 100 de los sueros examinados, lo cual sugiere que la infección está muy difundida.

Relaciones entre arbovirus

Los virus que se originan en artrópodos tienen en común un depósito de infección en animales inferiores, un ciclo de transmisión en que la infección es llevada por artrópodos que pican, mosquitos o garrapatas, y un tipo general de patogenicidad con viremia en los huéspedes mamíferos o pájaros, e infección de las vísceras o del sistema nervioso central, según el neurotropismo relativo del virus. Como dijimos antes, la infección humana suele ser incidental en la historia natural del virus, aunque en ciertas circunstancias, como en la fiebre amarilla transmitida por Aedes, el hombre puede actuar como huésped importante, o incluso como depósito de infección. También hay otras indicaciones de que estos virus guardan mayor relación entre sí que con otros virus; por ejemplo, todos los transmitidos por artrópodos que se han probado son inactivados por desoxicolato en dilución al 1:1 000, en tanto que otros virus neurotropos, incluyendo los de la poliomielitis, encefalitis del ratón y los virus Coxsackie y de la encefalomiocarditis (véase luego) no lo son.[138]

Entre estos virus hay grupos y subgrupos que se parecen entre sí. Como ya indicamos, quedan dentro de dos grupos tamaño, los de 15 a 30 nm de diámetro, y los mayores, de 70 a 120 nm, aunque hay excepciones, como el virus Sindbis, que es de tamaño intermedio. No tiene gran importancia el agruparlos por tamaño, porque, por ejemplo, puede haber relaciones antigénicas entre los virus mayores y los pequeños.

Las relaciones inmunológicas a menudo son de importancia básica, y también práctica, en relación con la inmunidad cruzada para la infección y el serodiagnóstico de la enfermedad, o la identificación serológica de los virus. Estos virus, como muchos otros microorganismos, provocan la formación de anticuerpos fijadores del complemento y neutralizantes, o protectores, que pueden ser idénticos, pero a menudo no lo son. Además, muchos de los virus transmitidos por artrópodos, pero no todos, aglutinan hematíes de ganso, y, como en el caso de la influenza y de los virus relacionados, la hemaglutinina es antigénica y estimula la formación de anticuerpo inhibidor de hemaglutinina. Las hemaglutininas y los antígenos fijadores del complemento son separables cromatográficamente; los estudios preliminares han indicado que las cepas de virus de los grupos A y B tienen dos hemaglutininas antigénicamente semejantes, y en las cepas del grupo B hay dos antígenos fijadores del complemento, pero en el grupo A solo hay uno, la partícula de virus.[48]

De las tres clases generales de reacciones serológicas disponibles para caracterizar estos virus, la menos específica es la del anticuerpo inhibidor de la hemaglutinina, porque da muchas reacciones cruzadas; el anticuerpo neutralizante es altamente específico,[103] y el fijador del complemento es de especificidad intermedia.

La reacción de inhibición de hemaglutinina permite separar los virus transmitidos por artrópodos

Grupos de hemaglutinina de los virus transmitidos por artrópodos

Grupo A	*Grupo B*		*Grupo Bunyamwera*
Virus EE	San Luis E	Nilo Occidental	Bunyamwera
Mayaro	Fiebre amarilla	Uganda S	Valle Cache
Semliki	"Louping ill"	Ilheus	Germiston
Uruma	SSE ruso	Powassan	Guaroa
Chikungunya	Bosque Kyasanur	Bussuquara	Ilesha
Sindbis	Zika	Virus del dengue	Kairi
O'nyong-nyong	B japonesa	Wesselsbron	Wyeomyia
Middelburg	Valle Murray	Ntaya	Chittoor

en grandes grupos.[30] Los que se distinguieron primero fueron los grupos A y B, este último considerablemente mayor. Con el aislamiento de cepas relacionadas, el virus Bunyamwera, que no se había agrupado, proporcionó la base para un grupo Bunyamwera.[23] Estos agrupamientos se indican en el cuadro adjunto, ilustrándose con cepas de virus las separaciones observadas. Se describió un grupo C,[24] que incluye cepas de virus aisladas en Belém (Brasil). De las restantes, algunas caen en grupos menores formados de dos o tres cepas relacionadas, mientras que otros todavía no están agrupados. Casals describe estos grupos detalladamente.[21] Es probable que este agrupamiento pueda simplificarse agregando virus estrechamente relacionados como variantes de una cepa considerada prototipo.

Los subgrupos dentro de los grupos de hemaglutinina pueden distinguirse por reacciones cruzadas en la prueba de fijación del complemento, en la que el título de las reacciones heterólogas suele ser menor que el de la homóloga. Por ejemplo, los virus del Nilo Occidental, encefalitis de San Luis, encefalitis B japonesa y encefalitis del Valle Murray están relacionados en cuanto a antígenos fijadores del complemento, y el virus de la fiebre amarilla lo está con este grupo y también con los virus del dengue y Uganda S. Un antisuero para la encefalitis B japonesa, que tiene un título homólogo de 1:128, puede mostrar una concentración prácticamente tan alta contra el antígeno del Nilo Occidental y una de 1:32 contra el de la fiebre amarilla. El antisuero de la fiebre amarilla, con título homólogo de 1:28, puede fijar complemento en títulos tan elevados como 1:32 en presencia de antígeno del Nilo Occidental o de encefalitis

B japonesa. En forma similar, un antisuero contra el dengue que tiene un título homólogo de 1:128 puede fijar complemento con antígeno de fiebre amarilla en diluciones de 1:8 a 1:32, en presencia de antígeno de Nilo Occidental en diluciones de 1:16 a 1:64. Hay reacciones cruzadas similares entre las variedades oriental y occidental del virus de la encefalomielitis equina.

Cuando los anticuerpos neutralizantes más altamente específicos dan reacciones heterólogas, se considera generalmente que indican relación muy íntima entre los virus. Por ejemplo, hay una neutralización cruzada parcial entre los virus oriental y occidental de la encefalitis equina, y una relación similar entre los virus del Nilo Occidental, encefalitis B japonesa, encefalitis de San Luis y encefalitis del Valle Murray. En el caso de los virus de la encefalitis rusa de primavera y verano, "louping ill" y del bosque Kyasanur, la relación es muy estrecha y las diferencias entre estos virus se consideran poco menos que variantes. Los virus del bosque Semliki, Kumba y Mayaro dan reacciones de neutralización cruzada esencialmente completas, y por lo tanto se consideran prácticamente idénticos, y el virus de Chikungunya es idéntico o está muy relacionado con ellos. Estas relaciones, junto con las evidentes en la reacción de fijación de complemento, se indican como subgrupos dentro de los grupos de hemaglutinina en el cuadro adjunto. Sin embargo, esos subgrupos quizá no entren completamente dentro de los grupos de hemaglutinina; el virus de Chikungunya, por ejemplo, aunque está muy relacionado con el del bosque Semliki, también reacciona en forma cruzada en menor grado con el virus de tipo 1 del dengue.

Coriomeningitis linfocítica

Armstrong y Lillie observaron la enfermedad por primera vez en 1934, aislando el virus en un mono que estaba usándose para estudiar la encefalitis de San Luis. Estaban afectados los plexos coroideos y

las meninges, y había infiltración linfocítica; estas características dan el nombre a la enfermedad. Traub[145] encontró al año siguiente que estaba difundida como infección endémica en ratones, a menudo asintomática, y en 1936 se aisló el virus en Estados Unidos de Norteamérica y en Inglaterra de casos humanos de la enfermedad diagnosticados como meningitis aséptica.

Este virus no es un arbovirus, por cuanto, hasta donde sepamos, en condiciones naturales no es transmitido por artrópodos, aunque mosquitos Aedes y Cimex pueden comunicar la enfermedad en condiciones experimentales, y se ha descubierto en garrapatas y en la descendencia de garrapatas infectadas. Se parece a los arbovirus por cuanto tiene aproximadamente las mismas dimensiones, 40 a 60 nm, es sensible al éter y a las modificaciones de pH.[32] Se presenta como un solo tipo antigénico, pero guarda relación con los virus Machupo y Tacaribe,[96] y se incluye con ellos en un grupo llamado de arenovirus. Se ha sugerido que puede ser un arbovirus modificado, de manera que de ordinario no es transmitido por artrópodos. Puede hacerse crecer en tejido embrionario de ratón o de pollo [7] y en el huevo embrionado en la membrana corioalantoidea o en el saco vitelino. En el huevo no mata al embrión; el pollito sobrevive. Las cepas muy virulentas pueden crecer en capas monocelulares de embrión de pollo, proporcionando placas por incubación prolongada de 12 días.

Capacidad patógena.[122] La enfermedad humana ocurre durante los meses fríos del año, principalmente en adultos de 20 a 40 años. Su gravedad varía desde un padecimiento similar a la influenza, leve, pasando por meningitis aséptica o meningoencefalitis, hasta una forma de enfermedad general mortal. El tipo respiratorio de la afección quizá no progrese más; de esos casos, pocos se reconocen como infecciones por este virus. O los síntomas respiratorios pueden ser prodrómicos, y la enfermedad progresa apareciendo invasión del sistema nervioso central en unos días, incluyendo cefalea grave repentina, fiebre, náuseas y somnolencia; o la meningitis puede ocurrir sin pródromos. En la forma grave, relativamente rara, los síntomas son referibles a las porciones afectadas del sistema nervioso central. Durante la etapa febril el virus se encuentra en la sangre, secreciones nasofaríngeas, y orina; en la enfermedad de tipo meníngeo, en el líquido cefalorraquídeo. Las complicaciones son raras y la recuperación suele ser total.

En la infección natural del ratón se observan dos tipos de enfermedad.[65] Uno sigue el curso usual, con producción de anticuerpo fijador del complemento y hay persistencia de pequeñas cantidades de virus en diversos órganos. Cuando la infección ocurre in utero o poco después del nacimiento, la resistencia de los animales es mucha y la infección resulta asintomática.[92] Al parecer, no existe respuesta inmune que pueda descubrirse, pero los animales son muy resistentes a la infección repetida,[93] y hay virus en grandes cantidades en la sangre y los tejidos. Este último tipo de infección se considera por algunos autores que representa una tolerancia inmune adquirida para el agente (ver luego). En todo caso, la infección persiste en forma endémica y el ratón portador representa un reservorio del virus.

Inmunidad. En respuesta a la infección se forman anticuerpos neutralizante y fijador del complemento. Ambos aparecen relativamente tarde, alcanzando el anticuerpo fijador del complemento niveles diagnósticos en tres a cuatro semanas, y desapareciendo en unos meses; y el anticuerpo neutralizante los alcanza siete a ocho semanas después de la enfermedad y persiste años. La aparición de tolerancia inmunológica parece ser factor importante, y ha sido ampliamente estudiada.[149]

Infecciones experimentales. Varios animales de experimentación son susceptibles de infección, incluyendo ratones, cobayos, perros, monos y chimpancés; pero los conejos y pájaros son resistentes. Los animales experimentales de elección son el ratón y el cobayo. El ratón puede infectarse por inoculación intranasal o intracerebral [79] provocándole una infección mortal; aparecen temblores y convulsiones en una a dos semanas y mueren dos o tres días después. La inoculación periférica, por ejemplo, en el extremo de la pata,[66] causa una infección no mortal, a menos que se den dosis muy grandes de virus por vía intraperitoneal. La presencia de virus en los riñones [155] corresponde bien a la eliminación de virus con la orina. En el cobayo se produce una enfermedad mortal inoculándolo intracerebralmente; también puede ocurrir después de inoculación periférica. En ambos animales el virus se encuentra en las secreciones nasales, orina y heces; los hallazgos de autopsia incluyen zonas de infiltración linfocítica en el sistema nervioso central y en diversos órganos; puede haber hepatitis.

Epidemiología. Se ha comprobado que ratones, perros y monos se infectan naturalmente con el virus; es probable que el ratón sea el que transmita la infección humana con mayor frecuencia. La infección del ratón es endémica, se transmite in utero o poco después del nacimiento, conservándose, frecuentemente, en portadores sanos.

No se ha establecido claramente cómo se contrae la infección del ratón u otro animal. Se cree generalmente que la puerta de entrada suele ser el aparato respiratorio, y que la infección se adquiere por inhalación; ha habido infecciones de laboratorio adquiridas probablemente en esta forma.

La infección en el hombre es sin duda mucho más común que lo que sugiere el número de casos clínicos. Armstrong comprobó que el 11 por 100 de 2 000 personas examinadas al azar tenían anticuerpo neutralizante en el suero, y es probable que muchas infecciones inmunizadoras sean asintomáticas o se tomen por influenza o trastorno respiratorio similar.

ENFERMEDAD DE DURAND

Es una enfermedad febril caracterizada por cefalea y síntomas de vías respiratorias superiores, meníngeos y gastrointestinales, que Durand [38] describió en sí mismo y en dos pacientes que se inocularon con fines piroterápicos. Posteriormente, Findlay [41] adquirió la enfermedad como consecuencia de infección en el laboratorio.

Durante la etapa febril, que dura menos de una semana, la sangre es infecciosa para el cobayo, por inoculación intracerebral o por otras vías. La enfermedad experimental se caracteriza por adenopatía, neumonitis y crecimiento del bazo; la mortalidad sería del 10 por 100. Los ratones, cricetos, perros, gatos y monos también son susceptibles de infección experimental. Tanto en el hombre como en animales de experimentación aparecen en el suero anticuerpo fijador del complemento y neutralizante después de una semana. El virus tiene 40 a 60 nm de diámetro, crece en cultivo de tejido de embrión de pollo, y sobre membrana corioalantoidea del huevo embrionado, produciendo una enfermedad mortal para el embrión. No está relacionado inmunológicamente con los virus de la coriomeningitis linfocítica.

BIBLIOGRAFIA

1. Ada, G. L., *et al.* 1962. Particle counts and some chemical properties of Murray Valley encephalitis virus. J. Gen. Microbiol. **29**:165–170.
2. American Committee on Arthropod-Borne Viruses. 1969. Arbovirus names. Amer. J. Trop. Med. Hyg. **18**:731–734.
3. Anderson, S. G., N. V. Dobrotworsky, and W. J. Stevenson. 1958. Murray Valley encephalitis in the Murray Valley, 1956 and 1957. Med. J. Aust. **2**:15–17.
4. Anderson, S. G., *et al.* 1960. Murray Valley encephalitis in Papua and New Guinea. II. Serological survey. Med. J. Aust. **2**:410–413.
5. Baylet, R. 1968. Le vaccin antimaril français. Sa place actuelle dans les programmes d'immunisation. Rev. Hyg. Med. Soc. **16**:153–174.
6. Bearcroft, W. G. C. 1960. Electron-microscope studies on the liver cells of yellow-fever-infected rhesus monkeys. J. Pathol. Bacteriol. **80**:421–426.
7. Benson, L. M., and J. E. Hotchin. 1960. Cytopathogenicity and plaque formation with lymphocytic choriomeningitis virus. Proc. Soc. Exp. Biol. Med. **103**:623–625.
8. Bergold, G. H., and R. Mazali. 1968. Plaque formation by arboviruses. J. Gen. Virol. **2**:273–284.
9. Bhatt, P. N., and T. H. Work. 1957. Tissue culture studies on arbor viruses of the Japanese B West Nile complex. Proc. Soc. Exp. Biol. Med. **96**:213–218.
10. Bond, J. O. 1969. St. Louis encephalitis and dengue fever in the Caribbean area: evidence of possible cross-protection. Bull. Wld. Hlth. Org. **40**:160–163.
11. Bond, J. O., and W. McD. Hammon. 1970. Epidemiological studies of possible cross protection between dengue and St. Louis encephalitis arboviruses in Florida. Amer. J. Epidemiol. **92**:321–329.
12. Bond, J. O., *et al.* 1965. The 1962 epidemic of St. Louis encephalitis in Florida. Amer. J. Epidemiol. **81**:392–404, 405–414, 415–427.
13. Brody, J. A., *et al.* 1959. Apparent and inapparent attack rates for St. Louis encephalitis in a selected population. New Eng. J. Med. **261**:644–646.
14. Buckley, S. M. 1961. Series propagation of types 1, 2, 3 and 4 dengue virus in HeLa cells with concomitant cytopathic effect. Nature **192**:778–779.
15. Buckley, S. M., and S. Srihongse. 1963. Production of hemagglutinin by dengue virus in HeLa cells. Proc. Soc. Exp. Biol. Med. **113**:284–288.
16. Buescher, E. L., *et al.* 1970. Cache Valley virus in the Del Mar Va. peninsula. I. Virologic and serologic evidence of infection. Amer. J. Trop. Med. Hyg. **19**:493–502.
17. Burgdorfer, W. 1960. Colorado tick fever. II. The behavior of Colorado tick fever virus in rodents. J. Infect. Dis. **107**:384–388.
18. Burgdorfer, W., and C. M. Eklund. 1960. Colorado tick fever. I. Further ecological studies in western Montana. J. Infect. Dis. **107**:379–383.
19. Bustamante, M. E. 1958. La fiebre amarilla en México y su origen en América. Instituto de Salubridad y Enfermedades Tropicales, Mexico.
20. Casals, J. 1960. Antigenic relationship between Powassan and Russian spring-summer encephalitis viruses. Can. Med. Assn. J. **82**:355–358.
21. Casals, J. 1961. Procedures for identification of arthropod-borne viruses. Bull. Wld. Hlth. Org. **24**:723–734.
22. Casals, J., and L. Whitman. 1957. Mayaro virus: a new human disease agent. I. Relationship to other arbor viruses. Amer. J. Trop. Med. Hyg. **6**:1004–1011.
23. Casals, J., and L. Whitman. 1960. A new antigenic group of arthropod-borne viruses. The Bunyamwera group. Amer. J. Trop. Med. Hyg. **9**:73–77.
24. Casals, J., and L. Whitman. 1961. Group C, a new serological group of hitherto undescribed arthropod-borne viruses. Immunological studies. Amer. J. Trop. Med. Hyg. **10**:250–258.
25. Casals, J., *et al.* 1970. A review of Soviet hemorrhagic fevers, 1969. J. Infect. Dis. **122**:437–453.
26. Chamberlain, R. W. 1958. Vector relationships of the arthropod-borne encephalitides in North America. Ann. N.Y. Acad. Sci. **70**:312–319.
27. Cheng, P.-Y. 1961. Purification, size and morphology of a mosquito-borne animal virus. Semliki forest virus. Virology **14**:124–131.
28. Cheng, P.-Y. 1961. Some physical properties of hemagglutinating and complement-fixing particles of Semliki forest virus. Virology **14**:132–140.
29. Chumakov, M.P. 1963. Studies of virus hemorrhagic fevers. J. Hyg. Epidemiol. Immunol. **7**:125–135.
30. Clarke, D. H., and J. Casals. 1958. Techniques for hemagglutination and hemagglutination-inhibition with arthopod-borne viruses. Amer. J. Trop. Med. Hyg. **7**:561 573.
31. Collier, W. A., and M. De Wit. 1960. Immunization experiments in mice with dead or neutralized yellow fever virus. Trop. Georg. Med. **12**:258–262.
32. Dalton, A. J., *et al.* Morphological and cytochemical studies on lymphocytic choriomeningitis virus. J. Virol. **2**:1465–1478.
33. De Groot, C. J., *et al.* 1960. Demonstration of yellow fever virus in human cell culture by immunofluorescence. Virology **12**:317–320.
34. Dick, G. W. A., and A. J. Haddow. 1952. Uganda S virus: hitherto unrecorded virus isolated from mosquitoes in Uganda; isolation and pathogenicity. Trans. Roy. Soc. Trop. Med. Hyg. **46**:600–618.
35. Dick, G. W. A., S. F. Kitchen, and A. J. Haddow. 1952. Zika virus: isolations and serological specificity. Trans. Roy. Soc. Trop. Med. Hyg. **46**:509–520.
36. Downs, W. G., *et al.* 1961. Cache Valley virus, isolated from a Trinidadian mosquito, *Aedes scapularis*. West Ind. Med. J. **10**:13–15.
37. Downs, W. G., *et al.* 1963. Tacaribe virus, a new agent isolated from *Artibeus* bats and mosquitoes in Trinidad, West Indies. Amer. J. Trop. Med. Hyg. **12**:640–646.
38. Durand, P. 1940. Virus filtrant pathogène pour l'homme et les animaux de laboratoire et à affinités méningée et pulmonaire. Arch. Inst. Pasteur Tunis **29**:179–227.
39. Ehrenkranz, N. J., *et al.* 1970. The natural occurrence of Venezuelan equine encephalitis in the United States. First case and epidemiological investigations. New Eng. J. Med. **282**:298–302.

40. Feemster, R. F. 1957. Equine encephalitis in Massachusetts. New Eng. J. Med. **257**:701–704.
41. Findlay, G. M. 1942. Durand's disease; virus infection transmissible to animals and man. Trans. Roy. Soc. Trop. Med. Hyg. **35**:303–318.
42. Frothingham, T. E. 1955. Tissue culture applied to the study of Sindbis virus. Amer. J. Trop. Med. Hyg. **4**:863–871.
43. Galindo, P., and E. De Rodaniche. 1961. Birds as hosts of Ilhéus encephalitis virus in Panama. Amer. J. Trop. Med. Hyg. **10**:395–396.
44. Gerloff, R. K., and C. M. Eklund. 1959. A tissue culture neutralization test for Colorado tick fever antibody and use of the test for serologic surveys. J. Infect. Dis. **104**:174–183.
45. Gerloff, R. K., and C. L. Larson. 1959. Experimental infection of rhesus monkeys with Colorado tick fever virus. Amer. J. Pathol. **35**:1043–1054.
46. Gerogiades, J., *et al.* 1965. Dengue virus plaque formation in rhesus monkey kidney cultures. Proc. Soc. Exp. Biol. Med. **118**:385–388.
47. Goldblum, N., V. V. Sterk, and W. Jasinska-Klingberg. 1957. The natural history of West Nile fever. II. Virological findings and the development of homologous and heterologous antibodies. Amer. J. Hyg. **66**:363–380.
48. Gordon Smith, C. E., and D. Holt. 1961. Chromatography of arthropod-borne viruses on calcium phosphate columns. Bull. Wld. Hlth. Org. **24**:749–759.
49. Gresikova, M., W. C. Reeves, and R. P. Scrivani. 1964. California encephalitis virus: An evaluation of its continued endemic status in Kern County, California. Amer. J. Hyg. **80**:229–234.
50. Groot, H., and R. B. Ribeiro. 1962. Neutralizing and hemagglutination-inhibiting antibodies to yellow fever 17 years after vaccination with 17D vaccine. Bull. Wld. Hlth. Org. **27**:699–707.
51. Halstead, S. B. 1965. Dengue and hemorrhagic fevers of southeast Asia. Yale J. Biol. Med. **37**:434–451.
52. Halstead, S. B., *et al.* 1965. Dengue hemorrhagic fever in South Vietnam: Report of the 1963 outbreak. Amer. J. Trop. Med. Hyg. **14**:819–830.
53. Hammon, W. McD., and G. E. Sather. 1964. Virological findings in the 1960 hemorrhagic fever epidemic (dengue) in Thailand. Amer. J. Trop. Med. Hyg. **13**:629–641.
54. Hammon, W. McD., and G. Sather. 1966. History and recent reappearance of viruses of the California encephalitis group. Amer. J. Trop. Med. Hyg. **15**:199–204.
55. Hammon, W. McD., M. Kitaoka, and W. G. Downs (Eds.). 1971. Immunization for Japanese Encephalitis. Williams & Wilkins, Baltimore.
56. Hammon, W. McD., A. Rudnick, and G. E. Sather. 1960. Viruses associated with epidemic hemorrhagic fevers of the Philippines and Thailand. Science **131**:1102–1103.
57. Hammon, W. McD., G. E. Sather, and H. E. McClure. 1958. Serologic survey of Japanese B encephalitis virus infection in birds in Japan. Amer. J. Hyg. **67**:118–133.
58. Hardy, J. L., *et al.* 1970. Ecological studies on Buttonwillow virus in Kern County, California, 1961–1968. Amer. J. Trop. Med. Hyg. **19**:552–563.
59. Havlik, O., J. M. Kolman, and D. Lim. 1957. The incidence of tick-borne encephalitis in wild birds. J. Hyg. Epidemiol. Immunol. **1**:367–376.
60. Hayes, R. O., J. B. Daniels, and R. A. MacCready. 1961. Western encephalitis virus in Massachusetts. Proc. Soc. Exp. Biol. Med. **108**:805–808.
61. Hearn, H. J., Jr. 1960. A variant of Venezuelan equine encephalomyelitis virus attentuated for mice and monkeys. J. Immunol. **84**:626–629.
62. Henderson, J. R., and R. M. Taylor. 1960. Phlebotomus (sandfly) fever viruses in tissue culture. Amer. J. Trop. Med. Hyg. **9**:32–36.
63. Hess, A. D., and P. Holden. 1958. The natural history of the arthropod-borne encephalitides in the United States. Ann. N.Y. Acad. Sci. **70**:294–311.
64. Holden, P., and A. D. Hess. 1959. Cache Valley virus, a previously undescribed mosquito-borne agent. Science **130**:1187.

65. Hotchin, J. 1962. The biology of lymphocytic choriomeningitis infection: Virus-induced immune disease. Cold Spring Harbor Symp. Quant. Biol. **27**:479–499.
66. Hotchin, J. 1962. The foot pad reaction of mice to lymphocytic choriomeningitis virus. Virology **17**:214–216.
67. Hotta, S., *et al.* 1962. Propagation of yellow fever virus (17D strain) in primary trypsinized cell cultures. Amer. J. Trop. Med. Hyg. **11**:811–816.
68. Hsieh, W. C., *et al.* 1963. Inapparent infection with Japanese encephalitis of American servicemen in Okinawa in 1960. Amer. J. Trop. Med. Hyg. **12**:413–416.
69. Hurlbut, H. S. 1965. Arthropod transmission of animal viruses. Adv. Virus Res. **11**:277–292.
70. Iyer, C. G. S., *et al.* 1960. Kyasanur Forest disease. Part VII. Pathological findings in monkeys, *Presbytis entellus* and *Macaca radiata*, found dead in the forest. Ind. J. Med. Res. **48**:276–286.
71. Johnson, K. M., *et al.* 1965. Virus isolations from human cases of hemorrhagic fever in Bolivia. Proc. Soc. Exp. Biol. Med. **118**:113–118.
72. Kissling, R. E. 1957. Growth of several arthropod-borne viruses in tissue culture. Proc. Soc. Exp. Biol. Med. **96**:290–294.
73. Kissling, R. E. 1958. Host relationship of some encephalitides. Ann. N.Y. Acad. Sci. **70**:320–327.
74. Kissling, R. E., *et al.* 1957. Birds as winter hosts for eastern and western equine encephalomyelitis viruses. Amer. J. Hyg. **66**:42–47.
75. Kokernot, R. H., *et al.* 1958. Isolation of Bunyamwera virus from a naturally infected human being and further isolations from *Aedes (Bansinella) circumluteolus* Theo. Amer. J. Trop. Med. Hyg. **7**:579–584.
76. Laemmert, H. W., Jr., and T. P. Hughes. 1957. The virus of Ilhéus encephalitis; isolation, serological specificity and transmission. J. Immunol. **55**:61–67.
77. Lennette, E. H., *et al.* 1957. Turlock virus. Amer. J. Trop. Med. Hyg. **6**:1024–1035, 1036–1046.
78. Levkovich, E. N., and V. V. Pogodina. 1958. The alimentary route of infection in tick-borne encephalitis. (Translated from the Russian). Problems Virol. **3**:154–160.
79. Lhemann-Grube, L. 1964. Lymphocytic choriomeningitis in the mouse. I. Growth in the brain. Arch. Ges. Virusforsch. **14**:344–350.
80. Likar, M., and D. S. Dane. 1958. An illness resembling acute poliomyelitis caused by a virus of the Russian spring-summer encephalitis/louping ill group in Northern Ireland. Lancet **i**:456–458.
81. Lim, K. A., *et al.* 1964. Dengue-type viruses isolated in Singapore. Bull. Wld. Hlth. Org. **30**:227–240.
82. Lowenthal, J. P., S. Berman, and E. W. Grogan. 1961. Eastern equine encephalomyelitis vaccine prepared in cell culture. Science **134**:565–566.
83. Luby, J. P., E. S. Sulkin, and J. P. Sanford. 1969. The epidemiology of St. Louis encephalitis: a review. Ann. Rev. Med. **20**:329–350.
84. Marberg, K., *et al.* 1956. The natural history of West Nile fever. I. Clinical observations during an epidemic in Israel. Amer. J. Hyg. **64**:259–269.
85. McLean, D. M. 1957. Vectors of Murray Valley encephalitis. J. Infect. Dis. **100**:223–227.
86. McLean, D. M., and W. L. Donohue. 1959. Powassan virus: Isolation of virus from a fatal case of encephalitis. Can. Med. Assn. J. **80**:708–711.
87. McLean, D. M., *et al.* 1964. Powassan virus: summer infection cycle, 1964. Can. Med. Assn. J. **91**:1360–1362.
88. Melnick, J. L., *et al.* 1951. Isolation from human sera in Egypt of virus apparently identical to West Nile virus. Proc. Soc. Exp. Biol. Med. **77**:661–665.
89. Mettler, N. E. 1969. Argentine hemorrhagic fever: current knowledge. Scientific Publication No. 183. Pan American Health Organization, Washington, D.C.
90. Miles, J. A. R., and D. W. Howes. 1952. Encephalitis virus isolated in South Australia; serological observation on virus and its relation to other arthropod-borne encephalitides. Aust. J. Exp. Biol. Med. Sci. **30**:353–362.
91. Miller, J. K., V. N. Tompkins, and J. C. Sieracki. 1961. Pathology of Colorado tick fever in experimental animals. Arch. Pathol. **72**:149–157.

92. Mims, C. A. 1966. Immunofluorescence study of the carrier state and mechanism of vertical transmission in lymphocytic choriomeningitis infection in mice. J. Pathol. Bacteriol. **91**:395–402.

93. Mims, C. A., and T. P. Subrahmanyan. 1966. Immunofluorescence study of the mechanism of resistance to superinfection in mice carrying the lymphocytic choriomeningitis virus. J. Pathol. Bacteriol. **91**:403–415.

94. Miura, T., *et al.* 1970. Studies of arthropod-borne virus infections in Chiroptera. VII. Serologic evidence of natural Japanese B encephalitis virus infection in bats. Amer. J. Trop. Med. Hyg. **19**:88–93.

95. Mundel, B., and J. Gear. 1951. Rift Valley Fever. I. The occurrence of human cases in Johannesburg. S. African Med. J. **25**:797–800.

96. Murphy, F. A., *et al.* 1969. Morphological comparison of Machupo with lymphocytic choriomeningitis virus: basis for a new taxonomic group. J. Virol. **4**:535–541.

97. Mussgay, M. 1964. Growth cycle of arboviruses in vertebrate and arthropod cells. Prog. Med. Virol. **6**:193–267.

98. Narashimha Murthy, D. P. 1958. New virus disease – Kyasanur Forest disease. J. Ind. Med. Assn. **31**:125–127.

99. Paul, S. D., and K. Banerjee. 1965. Adaptation of freshly isolated strains of dengue viruses to tissue culture. Ind. J. Med. Res. **53**:405–409.

100. Pickens, E. G., and L. Luoto. 1958. Tissue culture studies with Colorado tick fever virus. I. Isolation and propagation in KB cultures. J. Infect. Dis. **103**:102–107.

101. Pogodina, V. V. 1959. Latent immunization of the population in foci of tick-borne encephalitis by means of fresh goat's milk. (Translated from the Russian). Problems Virol. **4**:43–48.

102. Porterfield, J. S. 1959. A plaque technique for the titration of yellow fever virus and antisera. Trans. Roy. Soc. Trop. Med. Hyg. **53**:458–466.

103. Porterfield, J. S. 1962. The nature of serological relationships among arthropod-borne viruses. Adv. Virus Res. **9**:127–156.

104. Prías-Landínez, E., C. Bernal-Cubides, and A. Morales-Alarcon. 1968. Isolation of Ilhéus virus from man in Colombia. Amer. J. Trop. Med. Hyg. **17**:112–114.

105. Reeves, W. C., *et al.* 1958. Chronic latent infections of birds with western equine encephalomyelitis virus. Proc. Soc. Exp. Biol. Med. **97**:733–736.

106. Reeves, W. C., *et al.* 1970. Buttonwillow virus, a new arbovirus isolated from mammals and *Culicoides* midges in Kern County, California. Amer. J. Trop. Med. Hyg. **19**:544–551.

107. Rhim, J. S. 1962. Plaque assay of Japanese B encephalitis virus on hamster kidney monolayers. Proc. Soc. Exp. Biol. Med. **109**:887–889.

108. Roca-Garcia, M. 1944. The isolation of three neurotropic viruses from forest mosquitoes in eastern Colombia. J. Infect. Dis. **75**:160–169.

109. Rosenzweig, E. C., R. W. Babione, and C. L. Wisseman, Jr. 1963. Immunological studies with group B arthropod-borne viruses. IV. Persistence of yellow fever antibodies following vaccination with 17D strain yellow fever vaccine. Amer. J. Trop. Med. Hyg. **12**:230–235.

110. Ross, R. W. 1956. The Newala epidemic. III. The virus isolation, pathogenic properties and relation to the epidemic. J. Hyg. **54**:177–191.

111. Rowe, W. P., *et al.* 1970. Adenoviruses: proposed name for newly defined virus group. J. Virol. **5**:651–652.

112. Rozeboom, L. E., and W. Burgdorfer. 1959. Development of Colorado tick fever virus in the Rocky Mountain wood tick, *Dermacentor andersoni*. Amer. J. Hyg. **69**:138–145.

113. Sabin, A. B. 1951. Experimental studies on phlebotomus (Pappataci, sandfly) fever during World War II. Arch. Ges. Virusforsch. **4**:367–410.

114. Sanmartin-Barbery, C., H. Groot, and E. Osorno-Mesa. 1954. Human epidemic in Colombia caused by Venezuelan equine encephalomyelitis virus. Amer. J. Trop. Med. Hyg. **3**:283–293.

115. Sather, G. E., and W. McD. Hammon. 1970. Protection against St. Louis encephalitis and West Nile arboviruses by previous dengue virus (types 1–4) infection. Proc. Soc. Exp. Biol. Med. **135**:573–578.

116. Satriano, S. F., *et al.* 1958. Investigations of eastern equine encephalomyelitis. IV. Susceptibility and transmission studies with virus of pheasant origin. Amer. J. Hyg. **67**:21–34.

117. Scherer, W. F., *et al.* 1964. Venezuelan equine encephalitis in Veracruz, Mexico, and the use of hamsters as sentinels. Science **145**:274–275.

118. Schlesinger, R. W., *et al.* 1956. Clinical and serologic response of man to immunization with attentuated dengue and yellow fever viruses. J. Immunol. **77**:352–364.

119. Schmidt, J. R., M. L. Schmidt, and J. G. McWilliams. 1960. Isolation of phlebotomus fever virus from *Phlebotomus papatasi*. Amer. J. Trop. Med. Hyg. **9**:450–454.

120. Shah, K. V., *et al.* 1960. Isolation of five strains of Sindbis virus in India. Ind. J. Med. Res. **48**:300–308.

121. Sidwell, R. W., L. P. Gebhardt, and B. D. Thorpe. 1967. Epidemiological aspects of Venezuelan equine encephalitis virus infections. Bacteriol. Rev. **31**:65–81.

122. Smadel, J. E., *et al.* 1942. Lymphocytic choriomeningitis: Two human fatalities following an unusual febrile illness. Proc. Soc. Exp. Biol. Med. **49**:683–686.

123. Smithburn, K. C. 1954. Antigenic relationships among certain arthropod-borne viruses as revealed by neutralization tests. J. Immunol. **72**:376–388.

124. Smithburn, K. C., and A. J. Haddow. 1951. Ntaya virus. A hitherto unknown agent isolated from mosquitoes collected in Uganda. Proc. Soc. Exp. Biol. Med. **77**:130–133.

125. Smithburn, K. C., A. J. Haddow, and A. F. Mahaffy. 1946. A neurotropic virus isolated from Aedes mosquitoes caught in the Simliki forest. Amer. J. Trop. Med. **26**:189–208.

126. Smithburn, K. C., A. F. Mahaffy, and J. H. Paul. 1941. Bwanba fever and its causative virus. Amer. J. Trop. Med. **21**:75–90.

127. Smorodintsev, A. A. 1958. Tick-borne spring-summer encephalitis. Prog. Med. Virol. **1**:210–248.

128. Southham, C. M., and A. E. Moore. 1951. West Nile, Ilheus, and Bunyamwera virus infections in man. Amer. J. Trop. Med. **31**:724–741.

129. Spector, S., and N. M. Tauraso. 1968. Yellow fever virus. I. Development and evaluation of a plaque neutralization test. Appl. Microbiol. **16**:1170–1175.

130. Srihongse, S., and C. M. Johnson. 1965. Wyeomyia subgroup of arbovirus: Isolation from man. Science **149**:863–864.

131. Steyn, J. J., and K. H. Schulz. 1955. *Aëdes (Ochlerotatus) caballus* Theobard, South African vector of Rift Valley fever. S. African Med. J. **29**:114–1120.

132. Strode, G. K. (Ed.). 1951. Yellow Fever. McGraw-Hill, New York.

133. Symposium. 1954. Yellow fever in Africa. Bull. Wld. Hlth. Org. **11**:315–507.

134. Symposium. 1960. Symposium on the evolution of arbovirus diseases. Trans. Roy. Soc. Trop. Med. Hyg. **54**:89–134.

135. Symposium. 1962. Biology of Viruses of the Tick-borne Encephalitis Complex. Academic Press, New York.

136. Symposium. 1965. Symposium on some aspects of hemorrhagic fevers in the Americas. Amer. J. Trop. Med. Hyg. **14**:789–818.

137. Taylor, R. M., *et al.* 1956. A study of the ecology of West Nile virus in Egypt. Amer. J. Trop. Med. Hyg. **5**:579–620.

138. Theiler, M. 1957. Action of sodium desoxycholate on arthropod-borne viruses. Proc. Soc. Exp. Biol. Med. **96**:380–382.

139. Theiler, M., and J. Casals. 1958. The serological reactions in yellow fever. Amer. J. Trop. Med. Hyg. **7**:585–594.

140. Thomas, L. A., and C. M. Eklund. 1960. Use of the complement fixation test as a diagnostic aid in Colorado tick fever. J. Infect. Dis. **107**:235–240.

141. Thomas, L. A., R. C. Kennedy, and C. M. Eklund. 1960. Isolation of a virus closely related to Powassan virus from *Dermacentor andersoni* collected along North Cache La Poudre River, Colorado. Proc. Soc. Exp. Biol. Med. **104**:355–359.

142. Thomas, L. A., *et al.* 1963. Development of vaccine against Colorado tick fever for use in man. Amer. J. Trop. Med. Hyg. **12**:678–685.

143. Thomas, L. A., *et al.* 1967. Long duration of neutralizing-antibody response after immunization of man from a formalinized Colorado tick fever vaccine. Amer. J. Trop. Med. Hyg. **16**:60–62.

144. Trapido, H., and P. Galindo. 1956. Epidemiology of yellow fever in middle America. Exp. Parasitol. **5**:285–323.

145. Traub, E. 1935. Science **81**:298–299.

146. Trent, D. W., and L. V. Scott. 1964. Colorado tick fever virus in cell culture. I. Cell-type susceptibility and interaction with L cells. J. Bacteriol. **88**:702–708.

147. Trent, D. W., and L. V. Scott. 1966. Colorado tick fever virus in cell culture. II. Physical and chemical properties. J. Bacteriol. **91**:1282–1288.

148. Varma, M. G. R., H. E. Webb, and K. M. Pavri. 1960. Studies on the transmission of Kyasanur Forest disease virus by *Haemaphysalis spinigera* Newman. Trans. Roy. Soc Trop. Med. Hyg. **54**:509–516.

149. Volkert, M. 1965. Studies on immunologic tolerance to LCM virus. Perspect. Virol. **4**:269–279.

150. Warren, J. 1946. Epidemic encephalitis in the Far East; review. Amer. J. Trop. Med. **26**:417–436.

151. Weinbren, M. P., M. C. Williams, and A. J. Haddow. 1957. A variant of Rift Valley fever virus. S. African Med. J. **31**:951–957.

152. Welsh, H. H., B. J. Neff, and E. H. Lennette. 1958. The isolation and identification of Turlock virus in tissue culture. Amer. J. Trop. Med. Hyg. **7**:536–542.

153. Whitney, E., and H. Jamnback. 1965. The first isolations of Powassan virus in New York State. Proc. Soc. Exp. Biol. Med. **119**:432–435.

154. Williams, M. C., J. P. Woodall, and J. S. Porterfield. 1962. O'Nyong-Nyong fever: An epidemic virus disease in East Africa. V. Human antibody studies by plaque inhibition and other serological tests. Trans. Roy. Soc. Trop. Med. Hyg. **56**:166–172.

155. Wilsnack, R. E., and W. P. Rowe. 1964. Immunofluorescent studies of the histopathogenesis of lymphocytic choriomeningitis virus infection. J. Exp. Med. **120**:829–840.

156. Work, T. H. 1958. Virological aspects of Kyasanur Forest disease. J. Ind. Med. Assn. **31**:111–113.

157. Work, T. H. 1958. Russian spring-summer virus in India. Kyasanur Forest disease. Prog. Med. Virol. **1**:248–277.

158. Work, T. H. 1963. Tick-borne viruses. A review of an arthropod-borne virus problem of growing importance in the tropics. Bull. Wld. Hlth. Org. **29**:59–74.

159. Work, T. H., F. R. Roderiguez, and P. N. Bhatt. 1959. Virological epidemiology of the 1958 epidemic of Kyasanur Forest disease. Amer. J. Pub. Hlth. **49**:869–874.

160. Zeipel, G. von, *et al.* 1958. Tick-borne meningoencephalo-myelitis in Sweden. Lancet **i**:104.

INDICE ALFABETICO